生活衛生関係
営業法令通知集

六訂

生活衛生関係営業研究会 ● 編集

中央法規

凡　例

〈**内容現在**〉
　本書の法令については、令和6年2月10日までの官報により内容を更新した。
〈**委任・参照条文**〉
　法令には、委任、参照条文を各条文のあとに〔**委任**〕、〔**参照条文**〕と見出しを付して収録し、原条文の解釈や運用の便をはかった。この場合に次の約束をする。
(1)　「　」を付した語句はその条文中から引用したものである。
(2)　「法」、「令」、「規則」とあるのは、説明しているところ自体の法律、施行令および施行規則を示す。
(3)　条、項、号の区分は次による。
　　条＝アラビア数字（5）
　　項＝ローマ数字（Ⅴ）
　　号＝和数字（五）
(4)　使用した法令名の略語は、次の通りとした。

法令名略語 (50音順)

「ク」業＝クリーニング業法
興行＝興行場法
公浴＝公衆浴場法
美容＝美容師法
物統令＝物価統制令
理容＝理容師法
旅館＝旅館業法

目次

第1編　総則

I　法令編

●生活衛生関係営業の運営の適正化及び振興に関する法律
　　　　　　　　　　　　　　（昭和32年6月3日法律第164号）………… 3

●生活衛生関係営業の運営の適正化及び振興に関する法律施行令
　　　　　　　　　　　　　　（昭和32年8月31日政令第279号）………… 50

●生活衛生関係営業の運営の適正化及び振興に関する法律施行規則
　　　　　　　　　　　　　　（昭和32年9月2日厚生省令第37号）………… 55

●環境衛生監視員証を定める省令　　（昭和52年1月18日厚生省令第1号）………… 79

●厚生労働省の所管する法律又は政令の規定に基づく立入検査等の際に携帯する職員の身分を示す証明書の様式の特例に関する省令（抄）
　　　　　　　　　　　　　　（令和3年10月22日厚生労働省令第175号）………… 85

II　通知編

○環境衛生関係営業の運営の適正化に関する法律の一部を改正する法律等の施行について　　　　　　　（平成12年4月7日生衛発第699号）………… 87

○環境衛生関係営業の運営の適正化に関する法律の一部を改正する法律等の施行に伴う通知等の取扱いについて
　　　　　　　　　　　　　　（平成13年1月16日健衛発第3号）………… 90

○生活衛生関係営業の振興計画の認定等の取扱いについて
　　　　　　　　　　　　　　（平成27年3月31日健衛発0331第12号）………… 91

○環境衛生監視員証を定める省令の施行について
　　　　　　　　　　　　　　（昭和52年1月18日環企第3号）………… 101

○元号の表記の整理のための厚生労働省関係省令の一部を改正する省令の施行等について　　　　　（令和元年5月7日薬生衛発0507第1号）………… 102

○不正競争防止法等の一部を改正する法律の施行に伴う厚生労働省関係省令の整備に関する省令の公布について
　　　　　　　　　　　　　　（令和元年6月28日薬生衛発0628第1号）………… 103

目次

○押印を求める手続の見直し等のための厚生労働省関係省令の一部を改正する省令の施行等について（生活衛生・食品安全関係）
　　　　　　　　　　　　　　（令和2年12月25日生食発1225第8号）………… 104

○会社法の一部を改正する法律の施行に伴う関係法律の整備等に関する法律の施行等について（生活衛生関係営業の運営の適正化及び振興に関する法律関係）　　　　　（令和3年2月3日生食発0203第7号）………… 106

第2編　理容師・美容師

Ⅰ　法令編

第1章　理容師法関係

◉理容師法　　　　　　　　　　　（昭和22年12月24日法律第234号）………… 133

◉理容師法及び美容師法の特例に関する法律
　　　　　　　　　　　　　　　　（昭和23年6月30日法律第67号）………… 152

◉理容師法施行令　　　　　　　　（昭和28年8月31日政令第232号）………… 153

◉理容師法施行規則　　　　　　（平成10年1月27日厚生省令第4号）………… 155

◉理容師養成施設指定規則　　　（平成10年1月27日厚生省令第5号）………… 173

◉理容師法第4条の2第1項及び美容師法第4条の2第1項に規定する指定試験機関を指定する省令　　　（平成12年4月11日厚生省令第91号）………… 188

◉理容師法に基づく指定試験機関及び指定登録機関に関する省令
　　　　　　　　　　　　　　　（平成10年1月27日厚生省令第6号）………… 189

◉厚生労働省の所管する法律又は政令の規定に基づく立入検査等の際に携帯する職員の身分を示す証明書の様式の特例に関する省令（抄）
　　　　　　　　　　　　　（令和3年10月22日厚生労働省令第175号）85頁参照

◉理容師法第5条の3第1項及び美容師法第5条の3第1項の規定に基づく指定登録機関の指定　　　（平成10年4月16日厚生省告示第140号）………… 197

◉理容師養成施設における中学校卒業者等に対する講習の基準等
　　　　　　　　　　　　　（平成20年2月29日厚生労働省告示第41号）………… 198

◉理容師養成施設の通信課程における授業方法等の基準
　　　　　　　　　　　　（平成20年2月29日厚生労働省告示第42号）………… 200

◉聴覚障害者である生徒に対する教育を主として行う特別支援学校における理容師養成施設の指定の基準
　　　　　　　　　　　　（平成20年2月29日厚生労働省告示第43号）………… 204

◉矯正施設における理容師養成施設の指定の基準
　　　　　　　　　　　　（平成20年2月29日厚生労働省告示第44号）………… 205

◉理容師養成施設の教科課程の基準
　　　　　　　　　　　　（平成20年2月29日厚生労働省告示第45号）………… 206

◉理容業の振興指針　　　　（平成31年3月7日厚生労働省告示第57号）………… 209

◉理容業に関する標準営業約款　（昭和59年10月18日厚生省告示第179号）………… 229

◉理容業、美容業、クリーニング業、めん類飲食店営業及び一般飲食店営業に関する標準営業約款に係る標識
　　　（平成30年7月20日公益財団法人全国生活衛生営業指導センター公告）………… 232

第2章　美容師法関係

◉美容師法　　　　　　　　　（昭和32年6月3日法律第163号）………… 233

◉理容師法及び美容師法の特例に関する法律
　　　　　　　　　　　　（昭和23年6月30日法律第67号）152頁参照

◉美容師法施行令　　　　　　（昭和32年8月31日政令第277号）………… 252

◉美容師法施行規則　　　　　（平成10年1月27日厚生省令第7号）………… 254

◉美容師養成施設指定規則　　（平成10年1月27日厚生省令第8号）………… 272

◉理容師法第4条の2第1項及び美容師法第4条の2第1項に規定する指定試験機関を指定する省令　　（平成12年4月11日厚生省令第91号）188頁参照

◉美容師法に基づく指定試験機関及び指定登録機関に関する省令
　　　　　　　　　　　　（平成10年1月27日厚生省令第9号）………… 287

◉厚生労働省の所管する法律又は政令の規定に基づく立入検査等の際に携帯する職員の身分を示す証明書の様式の特例に関する省令（抄）
　　　　　　　　　　　　（令和3年10月22日厚生労働省令第175号）85頁参照

◉理容師法第5条の3第1項及び美容師法第5条の3第1項の規定に基づく指定登録機関の指定　　（平成10年4月16日厚生省告示第140号）197頁参照

目次

- ◉美容師養成施設における中学校卒業者等に対する講習の基準等
  （平成20年2月29日厚生労働省告示第46号）………… 295
- ◉美容師養成施設の通信課程における授業方法等の基準
  （平成20年2月29日厚生労働省告示第47号）………… 297
- ◉聴覚障害者である生徒に対する教育を主として行う特別支援学校における美容師養成施設の指定の基準
  （平成20年2月29日厚生労働省告示第48号）………… 301
- ◉矯正施設における美容師養成施設の指定の基準
  （平成20年2月29日厚生労働省告示第49号）………… 302
- ◉美容師養成施設の教科課程の基準
  （平成20年2月29日厚生労働省告示第50号）………… 303
- ◉美容業の振興指針　　（平成31年3月7日厚生労働省告示第58号）………… 306
- ◉美容業に関する標準営業約款　（昭和59年10月18日厚生省告示第180号）………… 327
- ◉理容業、美容業、クリーニング業、めん類飲食店営業及び一般飲食店営業に関する標準営業約款に係る標識
  （平成30年7月20日公益財団法人全国生活衛生営業指導センター公告）232頁参照

Ⅱ　基本通知編

第1章　共通事項

- ○理容師法施行に関する件　　（昭和23年3月9日厚生省発健第16号）………… 330
- ○理容師美容師法施行に関する件　（昭和26年8月15日厚生省発衛第121号）………… 331
- ○理容師美容師法の一部を改正する法律等の施行について
  （昭和28年12月10日厚生省発衛第320号）………… 332
- ○理容師美容師法の一部を改正する法律の施行に関する件
  （昭和30年10月3日厚生省発衛第324号）………… 333
- ○理容師美容師法の一部を改正する法律等の施行について
  （昭和30年10月3日厚生省発衛第324号）………… 335
- ○理容師美容師法施行規則の一部を改正する省令の施行に関する件
  （昭和31年10月5日発衛第360号）………… 338

目次

○理容師美容師法施行規則の一部を改正する省令の施行について
　　　　　　　　　　　　　　　　（昭和31年10月8日衛発第675号）………… 339
○美容師法等の施行について（依命通達）
　　　　　　　　　　　　　　　　（昭和32年2月13日厚生省発衛第29号）………… 341
○美容師法等の施行について　　　（昭和33年2月13日厚生省発衛第29号）………… 342
○理容師法施行規則等の一部を改正する省令の施行について
　　　　　　　　　　　　　　　　（昭和33年12月15日衛発第1,147号）………… 344
○理容師法施行規則の一部を改正する省令及び美容師法施行規則の一部を
　改正する省令の施行について　　（昭和36年10月23日環発第201号）………… 345
○理容師法施行令の一部を改正する政令等の施行について
　　　　　　　　　　　　　　　　（昭和38年8月9日環発第330号）………… 347
○理容師法施行規則及び美容師法施行規則の一部を改正する省令の施行に
　ついて　　　　　　　　　　　　（昭和42年8月24日環衛第7,090号）………… 354
○理容師法及び美容師法の一部を改正する法律等の施行について
　　　　　　　　　　　　　　　　（昭和43年9月18日環衛第8,140号）………… 354
○理容師法施行規則及び美容師法施行規則の一部改正について
　　　　　　　　　　　　　　　　（昭和44年8月20日環衛第9,119号）………… 357
○理容師法及び美容師法の一部を改正する法律の一部を改正する法律等の
　施行について　　　　　　　　　（昭和46年12月27日環衛第218号）………… 357
○地方自治法の一部を改正する法律等の施行に伴う環境衛生関係事務の一
　部の特別区への移行について　　（昭和49年11月14日環企第121号）………… 358
○許可、認可等の整理に関する法律等の施行について
　　　　　　　　　　　　　　　　（昭和53年5月23日環指第61号）………… 361
○行政事務の簡素合理化及び整理に関する法律等の施行について（抄）
　　　　　　　　　　　　　　　　（昭和58年12月23日環企第128号）………… 362
○理容師法施行令等の一部を改正する政令等の施行について
　　　　　　　　　　　　　　　　（昭和59年3月31日環指第26号）………… 365
○地方公共団体の事務に係る国の関与等の整理、合理化等に関する法律等
　の施行について（抄）　　　　　（昭和60年7月12日衛企第72号）………… 369
○理容師法施行令等の一部を改正する政令等の施行について
　　　　　　　　　　　　　　　　（昭和60年11月19日衛指第243号）………… 371
○理容師法施行規則等の一部を改正する省令の施行について
　　　　　　　　　　　　　　　　（昭和61年9月8日衛指第153号）………… 373
○理容師法施行規則の一部を改正する省令及び美容師法施行規則の一部を
　改正する省令の施行等について　（昭和63年10月4日衛指第209号）………… 375

(5)

目次

- ○理容師法施行令及び美容師法施行令の一部を改正する政令の施行について　　　　　　（平成4年12月28日衛指第244号） ………… 376
- ○健康保険法施行令等の一部を改正する政令及び厚生大臣の所管に属する公益法人の設立及び監督に関する規則等の一部を改正する省令の施行について　　　　　　（平成6年12月14日衛企第139号） ………… 376
- ○理容師法施行規則及び美容師法施行規則の一部を改正する省令の施行について　　　　　　（平成7年4月14日衛指第122号） ………… 380
- ○理容師法及び美容師法の一部を改正する法律の公布について　　　　　　（平成7年6月16日衛指第152号） ………… 380
- ○民間活動に係る規制の改善及び行政事務の合理化のための厚生省関係法律の一部を改正する法律等による理容師法等の一部改正の施行について　　　　　　（平成8年6月26日衛指第103号） ………… 382
- ○理容師法及び美容師法の一部を改正する法律等の施行について　　　　　　（平成10年2月3日生衛発第121号） ………… 383
- ○理容師法施行令及び美容師法施行令の一部を改正する政令の施行について　　　　　　（平成12年3月17日生衛発第420号） ………… 388
- ○地方分権の推進を図るための関係法律の整備等に関する法律等の施行について（抄）　　　　　　（平成12年3月30日生衛発第569号） ………… 389
- ○理容師法施行規則等の一部を改正する省令の施行について　　　　　　（平成12年3月31日生衛発第631号） ………… 392
- ○理容師法施行規則の一部を改正する省令及び美容師法施行規則の一部を改正する省令の施行等について　　（平成12年8月15日生衛発第1,279号） ………… 393
- ○理容師法及び美容師法の一部を改正する法律（平成7年法律第109号）附則第4条第1項に規定する厚生大臣の告示について　　　　　　（平成12年11月20日衛指第122号） ………… 394
- ○「公衆浴場法施行規則等の一部を改正する省令」の施行について（抄）　　　　　　（平成13年3月27日健発第336号） ………… 394
- ○「障害者等に係る欠格事由の適正化等を図るための医師法等の一部を改正する法律」等の施行について　　（平成13年7月13日健衛発第82号） ………… 396
- ○理容師養成施設指定規則及び美容師養成施設指定規則の一部を改正する省令の施行について　　（平成17年9月30日健発第0930001号） ………… 398
- ○理容師養成施設指定規則及び美容師養成施設指定規則の一部を改正する省令等の施行について　　（平成20年2月29日健発第0229004号） ………… 399
- ○理容師養成施設指定規則及び美容師養成施設指定規則の一部を改正する省令等の施行に伴う関係通知の廃止について　　　　　　（平成20年3月25日健発第0325012号） ………… 408

目次

○理容師法施行規則及び美容師法施行規則の一部を改正する省令の施行について　　　　　　　　　　（平成21年1月28日健発第0128007号）………… 409

○理容師法施行令及び美容師法施行令の一部を改正する政令の施行について　　　　　　　　　　（平成21年3月25日健発第0325008号）………… 410

○理容師養成施設の教科課程の基準及び美容師養成施設の教科課程の基準の一部を改正する告示の施行について　　　　　　　　　　（平成21年3月26日健発第0326002号）………… 410

○理容師養成施設指定規則及び美容師養成施設指定規則の一部を改正する省令等の施行について　　　　　　　　　　（平成22年1月4日健発0104第2号）………… 411

○地域の自主性及び自立性を高めるための改革の推進を図るための関係法律の整備に関する法律の施行等について　　　　　　　　　　（平成23年8月30日健発0830第10号）………… 413

○理容師法施行令及び美容師法施行令の一部を改正する政令の施行について　　　　　　　　　　（平成24年10月12日健発1012第20号）………… 417

○理容師法施行令の一部を改正する政令及び美容師法施行令の一部を改正する政令の施行について　　　　　　　　　　（平成26年10月29日健発1029第6号）………… 417

○理容師法施行令及び美容師法施行令の一部を改正する政令の施行について　　　　　　　　　　（平成27年9月30日健発0930第10号）………… 418

○理容師法施行規則及び美容師法施行規則の一部を改正する省令の施行等について　　　　　　　　　　（平成27年12月9日生食発1209第2号）………… 419

○理容師養成施設指定規則及び美容師養成施設指定規則の一部を改正する省令について　　　　　　　　　　（平成28年5月31日生食発0531第1号）………… 420

○理容師法施行規則等の一部を改正する省令等の施行について　　　　　　　　　　（平成29年3月31日生食発0331第8号）………… 422

○理容師法施行規則等の一部を改正する省令の一部を改正する省令の施行について　　　　　　　　　　（令和元年9月13日生食発0913第1号）………… 429

○元号の表記の整理のための厚生労働省関係省令の一部を改正する省令の施行等について　　　　　　　　　　（令和元年5月7日薬生衛発0507第1号）102頁参照

○不正競争防止法等の一部を改正する法律の施行に伴う厚生労働省関係省令の整備に関する省令の公布について　　　　　　　　　　（令和元年6月28日薬生衛発0628第1号）103頁参照

○食品衛生法施行規則等の一部を改正する省令の公布について　　　　　　　　　　（令和2年7月14日生食発0714第4号）………… 430

○クリーニング業法施行規則等の一部を改正する省令の施行等について　　　　　　　　　　（令和2年12月8日生食発1208第1号）………… 434

目次

○理容師養成施設指定規則及び美容師養成施設指定規則の一部を改正する
　省令の公布について　　　　　　　（令和4年2月16日生食発0209第1号）………… 436

○生活衛生関係営業等の事業活動の継続に資する環境の整備を図るための
　旅館業法等の一部を改正する法律の公布について
　　　　　　　　　　　　　　　　　（令和5年6月14日生食発0614第2号）1326頁参照

○旅館業法施行規則等の一部を改正する省令の公布等について
　　　　　　　　　　　　　　　　　（令和5年8月3日生食発0803第1号）………… 437

第2章　業務範囲等

○理容師法の運用に関する件　　　　（昭和23年12月8日衛発第382号）………… 449
○理容師法の運用に関する件　　　　（昭和24年5月31日衛発第590号）………… 449
○美容師の業務範囲について　　　　　　　　（昭和52年12月3日）………… 450
○パーマネント・ウエーブ用剤の目的外使用について
　　　　　　　　　　　　　　　　　（昭和60年7月1日衛指第117号）………… 451
○パーマネント・ウエーブ用剤の目的外使用について
　　　　　　　　　　　　　　　　　（平成16年9月8日健衛発第0908001号）………… 452
○まつ毛エクステンションによる危害防止の徹底について
　　　　　　　　　　　　　　　　　（平成20年3月7日健衛発第0307001号）………… 453
○まつ毛エクステンションによる危害防止の周知及び指導・監督の徹底に
　ついて　　　　　　　　　　　　　（平成22年2月18日健衛発0218第1号）………… 453
○まつ毛エクステンションによる安全性の確保について
　　　　　　　　　　　　　　　　　（平成24年11月28日健衛発1128第1号）………… 455
○まつ毛エクステンションに係る教育プログラムと情報提供等について
　　　　　　　　　　　　　　　　　（平成25年6月28日健衛発0628第5号）………… 459
○まつ毛エクステンションに係る消費者事故等について（依頼）
　　　　　　　　　　　　　　　　　（平成27年6月4日事務連絡）………… 463
○理容師法及び美容師法の運用について
　　　　　　　　　　　　　　　　　（平成27年7月17日健発0717第2号）………… 465

第3章　免許・登録

○理容師法の運用に関する件　　　　（昭和23年12月8日衛発第382号）449頁参照
○美容所等における無免許者の業務に関する指導の徹底について
　　　　　　　　　　　　　　　　　（平成11年9月28日生衛発第1,391号）………… 466

第4章　理容師・美容師養成施設

○理容師美容師法に規定する学校教育法第47条の解釈について
　　　　　　　　　　　　　　　（昭和27年3月12日衛環第18号）………… 468
○理容師養成施設及び美容師養成施設の入学資格並びにクリーニング師試験の受験資格の認定について　　（昭和43年2月8日環衛第8,023号）………… 468
○理容師養成施設及び美容師養成施設の指定等に係る申請書等の取扱いについて　　　　　　　　　　　　（平成6年6月23日衛指第117号）………… 470
○理容師・美容師養成施設における入学料等について
　　　　　　　　　　　　　　　（平成10年3月17日衛指第21号）………… 471
○理容師及び美容師養成施設の通信課程における面接授業の取扱いについて　　　　　　　　　　　　　　（平成10年4月9日事務連絡）………… 471
○理容師及び美容師養成施設の指導等について
　　　　　　　　　　　　　　　（平成10年7月17日事務連絡）………… 473
○理容師・美容師養成施設の新設等について（回答）
　　　　　　　　　　　　　　　（平成11年6月17日衛指第60号）………… 475
○保健医療分野及び福祉分野における各資格の養成所の入所資格等の見直しについて(抄)
　　（平成15年10月7日医政発第1007001号・健発第1007001号・社援発第1007003号）……………………………………………………………………… 476
○理容師養成施設及び美容師養成施設における入所資格等の取扱いについて　　　　　　　　　　　　　（平成15年10月7日健衛発第1007002号）………… 478
○理容師養成施設指定規則及び美容師養成施設指定規則の一部を改正する省令の施行について　　　　（平成17年9月30日健発第0930001号）398頁参照
○理容師養成施設指定規則及び美容師養成施設指定規則の一部を改正する省令の施行に関する留意事項について
　　　　　　　　　　　　　　（平成17年9月30日健衛発第0930001号）………… 479
○養成施設の教員資格に係る免許証等の原本確認について
　　　　（平成20年6月16日健習発第0616001号・健発第0616001号）………… 480
○理容師養成施設及び美容師養成施設の教科課目の内容の見直しについて
　　　　　　　　　　　　　　　（平成22年11月9日健衛発1109第1号）………… 481
○理容師養成施設における中学校卒業者等に対する講習の基準等の運用について　　　　　　　　　　　　（平成27年3月31日健発0331第13号）………… 483
○美容師養成施設における中学校卒業者等に対する講習の基準等の運用について　　　　　　　　　　　　（平成27年3月31日健発0331第14号）………… 490
○理容師養成施設の通信課程における授業方法等の基準の運用について
　　　　　　　　　　　　　　　（平成27年3月31日健発0331第15号）………… 496

目次

○美容師養成施設の通信課程における授業方法等の基準の運用について
　　　　　　　　　　　　　　　　（平成27年3月31日健発0331第16号）………… 500

○理容師養成施設の教科課程の基準の運用について
　　　　　　　　　　　　　　　　（平成27年3月31日健発0331第17号）………… 504

○美容師養成施設の教科課程の基準の運用について
　　　　　　　　　　　　　　　　（平成27年3月31日健発0331第18号）………… 519

○理容師養成施設の指導要領について（平成27年3月31日健発0331第19号）………… 535

○美容師養成施設の指導要領について（平成27年3月31日健発0331第20号）………… 570

○「地域の自主性及び自立性を高めるための改革の推進を図るための関係
　法律の整備に関する法律」の施行に当たっての留意事項について
　　　　　　　　　　　　　　　　（平成27年3月31日健衛発0331第1号）………… 605

○理容師法施行規則等の一部を改正する省令等の施行について
　　　　　　　　　　　　　　　　（平成29年3月31日生食発0331第8号）422頁参照

○理容師養成施設及び美容師養成施設における養成課程の標準的なカリキ
　ュラムについて　　　　　　　　（平成29年7月10日生食発0710第13号）………… 609

○理容師養成施設及び美容師養成施設における修得者課程の設置に関する
　留意事項について　　　　　　　（平成30年3月19日生食発0319第4号）………… 614

○理容師養成施設及び美容師養成施設における養成課程の定員管理につい
　て　　　　　　　　　　　　　　（平成30年4月27日薬生衛発0427第1号）………… 615

○美容師養成の改善について　　　（令和4年8月29日生食発0829第1号）………… 616

第5章　理容師試験・美容師試験

○理容師法の運用に関する件　　　（昭和23年12月8日衛発第382号）449頁参照

○理容師美容師試験について　　　（昭和32年1月7日衛環発第1号）………… 618

○ろう学校における理容師、美容師養成施設での学科修了者の理容師、美
　容師学科試験受験資格について　（平成3年9月5日衛指180号）………… 618

○理容師試験及び美容師試験の合格者名簿等の引継ぎについて
　　　　　　　　　　　　　　　　（平成12年3月27日衛指第27号）………… 619

○高等学校卒業程度認定試験の創設と理容師試験、美容師試験の受験資格
　等の取扱いについて　　　　　　（平成17年4月20日健発第0420001号）………… 626

第6章　理容所・美容所

○理容師法の運用に関する件　　　　（昭和23年12月8日衛発第382号）449頁参照
○理容師法の運用に関する件　　　　（昭和24年5月31日衛発第590号）449頁参照
○理容所及び美容所における衛生管理要領について
　　　　　　　　　　　　　　　　　（昭和56年6月1日環指第95号）………… 627
○エイズ問題総合対策大綱の実施について（昭和62年3月31日衛指第78号）… 634
○環境衛生関係営業施設における自主管理点検表の制定について（抄）
　　　　　　　　　　　　　　　　　（昭和63年10月18日衛指第215号）……… 637
○管理理容師資格認定講習会及び管理美容師資格認定講習会の指定について
　　　　　　　　　　　　　　　　　（平成元年5月16日衛指第89号）………… 639
○理容所・美容所における衛生管理の徹底について
　　　　　　　　　　　　　　　（平成18年8月31日健衛発第0831002号）…… 639
○出張理容・出張美容に関する衛生管理要領について
　　　　　　　　　　　　　　　（平成19年10月4日健発第1004002号）……… 640
○出張理容・出張美容に関する衛生管理要領について
　　　　　　　　　　　　　　　（平成19年10月4日健衛発第1004001号）…… 643
○興行場等における衛生環境の維持管理について
　　　　　　　　　　　　　　　（平成20年3月25日健衛発第0325004号）…… 643
○管理理容師資格認定講習会及び管理美容師資格認定講習会の指定基準の
　運用について　　　　　　　　（平成21年1月28日健発第0128008号）…… 644
○理容所及び美容所において使用する器具類の衛生管理の徹底について
　　　　　　　　　　　　　　　（平成21年6月18日健衛発第0618001号）…… 648
○出張理容・出張美容に関する衛生管理の徹底について
　　　　　　　　　　　　　　　（平成25年12月25日健衛発1225第2号）…… 649
○平成23年（2011年）東日本大震災の発生により被災した理容師及び美容
　師による仮設住宅における訪問理容・訪問美容について
　　　　　　　　　　　　　　　（平成27年4月20日健衛発0420第1号）…… 650
○規制改革実施計画への対応について　　（平成27年7月1日事務連絡）…… 652
○毛染めによる皮膚障害の周知等について
　　　　　　　　　　　　　　　（平成27年10月23日生食発1023第1号）…… 652
○理容師法施行令第4条第1号及び美容師法施行令第4条第1号に基づく
　出張理容・出張美容の対象について
　　　　　　　　　　　　　　　（平成28年3月24日生食衛発0324第1号）…… 654

○理容師法施行令第4条第1号及び美容師法施行令第4条第1号に基づく
　出張理容・出張美容の対象について　　　　（平成28年3月24日事務連絡）………… 655
○自動車を使用した理容所・美容所の取扱いについて
　　　　　　　　　　　　　　　（平成28年12月26日生食衛発1226第1号）………… 659
○在宅の高齢者に対する理容・美容サービスの積極的な活用について
　　　　　　　　　　　　　　　（平成29年3月13日生食衛発0313第1号）………… 661
○理容所等の許可申請等に関する手続きについて
　　　　　　　　　　　　　　　　　　　　（平成31年2月12日事務連絡）………… 663
○出張理容・出張美容に関する衛生管理要領について（再周知）
　　　　　　　　　　　　　　　（令和元年10月16日薬生衛発1016第1号）………… 671

第7章　振興

○特定地域中小企業対策臨時措置法における環境衛生関係営業の取扱いに
　ついて　　　　　　　　　　　　　　（昭和62年2月12日衛指第25号）………… 672

Ⅲ　解釈通知編

第1章　理容業・美容業の定義

○理容師、美容師の出張業務について　　（昭和26年10月1日衛環第113号）………… 674
○理容師美容師法施行に伴う疑義について
　　　　　　　　　　　　　　（昭和26年12月19日法務府法意1発第116号）………… 674
○美容業務の疑義について　　　　　　（昭和28年12月14日衛環第74号）………… 676
○理容師美容師法に伴う疑義について　　（昭和31年8月13日衛環第68号）………… 677
○美容業務の疑義について　　　　　　（昭和32年8月29日環衛発第38号）………… 677
○美容師法上の業について　　　　　（昭和41年9月29日環衛第5,110号）………… 678
○美容師法の疑義について　　　　　（昭和42年2月16日環衛第7,030号）………… 679
○トルコ・サウナぶろ施設内で理容行為等を行なうことについて
　　　　　　　　　　　　　　　　　（昭和43年5月6日環衛第8,074号）………… 680

○美容師法の運用について　　　　　　　（昭和49年6月12日環指第18号）………… 680
○理容師法及び美容師法の運用について　（昭和56年4月25日環指第77号）………… 681
○美容所における医薬部外品の目的外使用による事故発生事例について
　　　　　　　　　　　　　　　　　　（昭和57年5月25日環指第68号）………… 682
○美容師法運用上の疑義について　　　　（平成2年4月23日衛指第70号）………… 683
○美容師法の疑義について　　　　　　　（平成8年2月2日衛指第8号）………… 684
○美容師法の疑義について　　　　（平成15年10月2日健衛発第1002001号）………… 685
○理容師法及び美容師法の解釈について
　　　　　　　　　　　　　　　　（平成19年10月2日健衛発第1002001号）………… 686
○理容師法及び美容師法の疑義について
　　　　　　　　　　　　　　　　　（令和元年9月6日薬生衛発0906第1号）………… 687

第2章　免許・登録

○理容師、美容師の免許取消処分の取扱について
　　　　　　　　　　　　　　　　　　（昭和26年9月13日衛発第707号）………… 689
○理容師美容師法施行に伴う疑義について
　　　　　　　　　　　　　　　（昭和26年12月19日法務府法意1発第116号）　674頁参照
○理容師、美容師法施行規則第4条の運用について
　　　　　　　　　　　　　　　　　（昭和26年12月19日衛環第142号）………… 689
○理容師又は美容師の免許について　　　（昭和27年4月26日衛発第396号）………… 690
○理容師、美容師の免許資格について　　（昭和27年10月30日衛環第93号）………… 690
○外国における美容師免許資格取得者の取扱について
　　　　　　　　　　　　　　　　　　（昭和30年4月26日衛発第265号）………… 691
○琉球政府施行の理容師美容師試験と行政処分の効力について
　　　　　　　　　　　　　　　　　　（昭和30年11月24日衛環第88号）………… 691
○理容師美容師法の疑義について　　　　（昭和31年9月21日衛環第95号）………… 692
○免許申請手続の簡素化について　　　　（昭和31年12月20日衛環第126号）………… 694
○美容師法の疑義について　　　　　　　（昭和33年2月15日衛環発第14号）………… 694
○理容師美容師名簿訂正・免許証書換え交付申請書等の取り扱いについて
　　　　　　　　　　　　　　　　　（令和3年3月26日薬生衛発0326第2号）………… 696

第3章　理容師養成施設・美容師養成施設

○理容師法に規定する学校教育法第47条の規定の解釈に関する件
　　　　　　　　　　　　　　　（昭和26年5月21日衛発第377号）………… 697
○理容所又は美容所の開設及び実地習練等の取扱について
　　　　　　　　　　　　　　　（昭和30年12月26日衛環発第49号）………… 698
○理容師美容師法の疑義について　　　（昭和31年9月21日衛環第95号）692頁参照
○理容師美容師法施行規則第11条第1号のニの取扱について
　　　　　　　　　　　　　　　（昭和32年5月13日衛環第33号）………… 700
○美容師養成施設の生徒の転入学について
　　　　　　　　　　　　　　　（昭和33年9月5日衛環発第68号）………… 701
○通信課程入所生の転換措置について　（昭和33年9月5日衛環発第73号）………… 701
○美容師養成施設における夜間課程の授業時間帯について
　　　　　　　　　　　　　　　（令和2年12月1日薬生衛発1201第1号）………… 702

第4章　理容師試験・美容師試験

○外国人の美容師試験の受験について　（昭和27年3月5日衛環第15号）………… 703

第5章　理容所・美容所

○理容所、美容所の採光について　　　（昭和26年12月17日衛環第141号）………… 704
○理容器具の紫外線殺菌消毒について　（昭和27年12月20日衛環第113号）………… 704
○理容所又は美容所の開設及び実地習練等の取扱について
　　　　　　　　　　　　　　　（昭和30年12月26日衛環発第49号）698頁参照
○理容師美容師法の疑義について　　　（昭和31年9月21日衛環第95号）692頁参照
○理容所開設届の疑義について　　　　（昭和32年5月13日衛環第32号）………… 705
○移動理容所について　　　　　　　　（昭和39年12月3日環衛第35号）………… 706

○理容師法及び美容師法の運用について　（昭和54年8月14日環指第109号）………… 706

○美容所における医薬部外品の目的外使用による事故発生事例について
　　　　　　　　　　　　　　（昭和57年5月25日環指第68号）682頁参照

○洗場に係る疑義について　　（平成16年12月7日健衛発第1207001号）………… 707

○理容師養成施設及び美容師養成施設の通信課程における授業方法等の基
　準についての疑義の照会　　（令和2年12月22日薬生衛発1222第1号）………… 707

○理容師養成施設及び美容師養成施設との通信業務委託契約についての疑
　義の照会　　　　　　　　　（令和4年7月13日薬生衛発0713第1号）………… 708

○管理理容師・管理美容師資格認定講習会における受講資格の認定につい
　て　　　　　　　　　　　　（令和4年8月16日薬生衛発0816第1号）………… 710

第3編　クリーニング業

Ⅰ　法令編

●クリーニング業法　　　　　　　　（昭和25年5月27日法律第207号）………… 803

●クリーニング業法施行令　　　　　（昭和28年8月31日政令第233号）………… 819

●クリーニング業法施行規則　　　　（昭和25年7月1日厚生省令第35号）………… 821

●厚生労働省の所管する法律又は政令の規定に基づく立入検査等の際に携
　帯する職員の身分を示す証明書の様式の特例に関する省令（抄）
　　　　　　　　　　　　　　（令和3年10月22日厚生労働省令第175号）85頁参照

●クリーニング業の振興指針　（平成31年3月7日厚生労働省告示第59号）………… 835

●クリーニング業に関する標準営業約款
　　　　　　　　　　　　　　　　（昭和58年3月26日厚生省告示第68号）………… 855

●クリーニング営業者に係るテトラクロロエチレン又は化学物質の審査及
　び製造等の規制に関する法律施行令第9条に定める洗浄剤でテトラクロ
　ロエチレンが使用されているものの環境汚染防止措置に関し公表する技
　術上の指針（平成22年7月15日厚生労働・経済産業・環境省告示第15号）………… 858

〔参考〕
●化学物質の審査及び製造等の規制に関する法律（抄）
　　　　　　　　　　　　　　　　（昭和48年10月16日法律第117号）………… 865

●理容業、美容業、クリーニング業、めん類飲食店営業及び一般飲食店営
　業に関する標準営業約款に係る標識
　　（平成30年7月20日公益財団法人全国生活衛生営業指導センター公告）232頁参照

Ⅱ 基本通知編

第1章 共通事項

○クリーニング業法施行に関する件　　　　（昭和25年6月29日衛発第515号）………… 866

○クリーニング業法の一部を改正する法律の施行に関する件
　　　　　　　　　　　　　　（昭和30年10月3日厚生省発衛第325号）………… 867

○クリーニング業法の一部を改正する法律等の施行について
　　　　　　　　　　　　　　（昭和30年10月3日厚生省発衛第325号）………… 868

○クリーニング業法の一部を改正する法律の施行について
　　　　　　　　　　　　　　（昭和35年2月22日厚生省発衛第30号）………… 870

○クリーニング業法の一部を改正する法律の施行について
　　　　　　　　　　　　　　（昭和35年2月22日衛発第154号）………… 871

○クリーニング業法の施行について　　　（昭和36年12月7日環発第249号）………… 873

○クリーニング業法の一部を改正する法律の施行について
　　　　　　　　　　　　　　（昭和39年8月12日環発第306号）………… 874

○クリーニング業法の一部を改正する法律の施行について
　　　　　　　　　　　　　　（昭和51年6月30日環指第63号）………… 877

○許可、認可等の整理に関する法律等の施行について
　　　　　　　　　　　　　　（昭和53年5月23日環指第61号）361頁参照

○行政事務の簡素合理化及び整理に関する法律等の施行について（抄）
　　　　　　　　　　　　　　（昭和58年12月23日環企第128号）362頁参照

○理容師法施行令等の一部を改正する政令等の施行について
　　　　　　　　　　　　　　（昭和59年3月31日環指第26号）365頁参照

○地方公共団体の事務に係る国の関与等の整理、合理化等に関する法律等
　の施行について（抄）　　　　（昭和60年7月12日衛企第72号）369頁参照

○理容師法施行令等の一部を改正する政令等の施行について
　　　　　　　　　　　　　　（昭和60年11月19日衛指第243号）371頁参照

○理容師法施行規則等の一部を改正する省令の施行について
　　　　　　　　　　　　　　（昭和61年9月8日衛指第153号）373頁参照

○クリーニング業法の一部を改正する法律等の施行について
　　　　　　　　　　　　　　（平成元年3月27日衛指第45号）………… 878

目次

○民間活動に係る規制の改善及び行政事務の合理化のための厚生省関係法律の一部を改正する法律等による理容師法等の一部改正の施行について
　　　　　　　　　　　　　　（平成8年6月26日衛指第103号）382頁参照

○成年後見制度の創設に伴う厚生省関係法令の改正等について（抄）
　　（平成12年3月27日障第193号・健政発第321号・健医発第520号・生衛発第463号・医薬発第307号・社援発第688号・老発第255号・児発第194号・保発第44号・年発第207号・庁保発第9号）……………………… 882

○地方分権の推進を図るための関係法律の整備等に関する法律等の施行について（抄）　　　　　　　（平成12年3月30日生衛発第569号）389頁参照

○「公衆浴場法施行規則等の一部を改正する省令」の施行について（抄）
　　　　　　　　　　　　　　（平成13年3月27日健発第336号）1696頁参照

○クリーニング業法の一部を改正する法律の施行について（施行通知）
　　　　　　　　　　　　（平成16年4月16日健発第0416001号）………… 884

○クリーニング業法の一部を改正する法律の施行期日を定める政令及びクリーニング業法施行規則の一部を改正する省令について
　　　　　　　　　　　　（平成16年8月24日健発第0824002号）………… 886

○地域の自主性及び自立性を高めるための改革の推進を図るための関係法律の整備に関する法律の施行等について
　　　　　　　　　　　　　（平成23年8月30日健発0830第10号）413頁参照

○クリーニング業法施行規則の一部を改正する省令の施行について
　　　　　　　　　　　　　（平成30年3月30日生食発0330第14号）………… 888

○元号の表記の整理のための厚生労働省関係省令の一部を改正する省令の施行等について　　　　（令和元年5月7日薬生衛発0507第1号）102頁参照

○不正競争防止法等の一部を改正する法律の施行に伴う厚生労働省関係省令の整備に関する省令の公布について
　　　　　　　　　　　　（令和元年6月28日薬生衛発0628第1号）103頁参照

○クリーニング業法施行規則の一部を改正する省令の施行について
　　　　　　　　　　　　（令和元年11月27日生食発1127第1号）………… 889

○食品衛生法施行規則等の一部を改正する省令の公布について
　　　　　　　　　　　　（令和2年7月14日生食発0714第4号）430頁参照

○クリーニング業法施行規則等の一部を改正する省令の施行等について
　　　　　　　　　　　　（令和2年12月8日生食発1208第1号）434頁参照

○生活衛生関係営業等の事業活動の継続に資する環境の整備を図るための旅館業法等の一部を改正する法律の公布について
　　　　　　　　　　　　（令和5年6月14日生食発0614第2号）1326頁参照

○旅館業法施行規則等の一部を改正する省令の公布等について
　　　　　　　　　　　　（令和5年8月3日生食発0803第1号）437頁参照

第2章　適用範囲

○医療機関における消毒・滅菌業務の委託に係るクリーニング業法の適用について　　　　　（平成2年8月30日衛指第146号）………… 890

○ボランティアが行う有償洗濯事業についてのクリーニング業法上の取扱いについて　　　　　（平成17年2月9日健衛発第0209002号）………… 891

○工場等における油のふき取り作業に使用された布の洗浄等を行う事業についてのクリーニング業法の適用について
　　　　　（平成18年3月1日健衛発第0301001号）………… 892

第3章　クリーニング所

○クリーニング所における消毒方法等について
　　　　　（昭和39年9月12日環発第349号）………… 893

○クリーニング取次所の衛生措置について
　　　　　（昭和41年12月27日環衛第5,153号・環食第5,367号）………… 895

○四塩化エチレン中毒の防止について　（昭和43年4月30日環衛第8,071号）………… 895

○四塩化（パークロル）エチレン中毒の防止について
　　　　　（昭和53年9月27日環指第127号）………… 897

○クリーニング所における衛生管理要領について
　　　　　（昭和57年3月31日環指第48号）………… 906

○クリーニング所における衛生管理要領について
　　　　　（昭和57年3月31日環指第48号）………… 915

○貸おしぼりの衛生確保について　（昭和57年11月16日環指第157号）………… 916

○貸おしぼりの衛生確保について　（昭和57年11月16日環指第157号）………… 919

○コインオペレーションクリーニング営業施設の衛生措置等指導要綱について
　　　　　（昭和58年3月29日環指第39号）………… 920

○コインオペレーションクリーニング営業施設の衛生措置等指導要綱について
　　　　　（昭和58年3月29日環指第39号）………… 924

○ドライクリーニングにおけるテトラクロロエチレン等の適正な使用管理及び処理の徹底について
　　　　　（昭和62年6月16日衛指第127号）………… 925

目次

○環境衛生関係営業施設における自主管理点検表の制定について（抄）
　　　　　　　　　　　　　　　（昭和63年10月18日衛指第215号）………… 926

○ドライクリーニングにおけるテトラクロロエチレン等の使用管理について
　　　　　　　　　　　　　　　（平成元年7月10日衛指第114号）………… 928

○テトラクロロエチレン等の取扱いに係る点検管理要領等の作成について
　　　　　　　　　　　　　　　（平成元年9月14日衛指第153号）………… 934

○石油系溶剤を用いたドライクリーニングにおける衣類への溶剤残留防止
　について　　　　　　　　　　（平成3年7月1日衛指第110号）………… 942

○テトラクロロエチレンを使用するコインオペレーションクリーニング営
　業施設に対する指導について　（平成3年9月9日衛指第181号）………… 942

○病院等からの寝具類の洗濯業務のクリーニング所に対する委託について
　　　　　　　　　　　　　　　（平成5年2月15日衛指第24号）………… 943

○ドライクリーニングにおけるテトラクロロエチレンの使用管理の徹底に
　ついて　　　　　　　　　　　（平成5年4月9日衛指第74号）………… 944

○ドライクリーニングにおけるテトラクロロエチレンの使用管理の徹底に
　ついて　　　　　　　　　　　（平成5年4月9日衛指第77号）………… 949

○貸おむつの衛生確保について　（平成5年11月25日衛指第224号）………… 950

○テトラクロロエチレン等を使用するコインオペレーションクリーニング
　営業施設に対する指導の徹底について　（平成7年2月24日衛指第41号）………… 955

○テトラクロロエチレン等を含む廃油等を生ずるコインオペレーションク
　リーニング営業施設に対する指導の徹底について
　　　　　　　　　　　　　　　（平成7年12月27日衛指第281号）………… 956

○コインオペレーションクリーニング営業施設の衛生実態に関する調査
　（平成8年度）の結果及び営業施設に対する衛生措置等の指導の徹底に
　ついて　　　　　　　　　　　（平成9年9月29日衛指第179号）………… 957

○石油系溶剤を用いたドライクリーニングにおける衣類への溶剤残留防止
　について　　　　　　　　　　（平成10年11月4日衛指第119号）………… 960

○石油系溶剤を用いたドライクリーニングにおける衣類への溶剤残留防止
　の徹底について　　　　　　　（平成11年5月11日衛指第47号）………… 964

○豪雨災害等により滅失・毀損したクリーニングの預かり品の損害賠償等
　に関する法的取扱いについて　（平成12年9月13日衛指第99号）………… 965

(19)

○アルキルフェノール類による環境汚染防止について
　　　　　　　　　　　　（平成13年9月18日健衛発第99号）············ 966

○クリーニング所等における苦情の申出先の明示に関する取扱いについて
　　　　　　　　　　　　（平成16年8月24日健衛発第0824002号）············ 967

○クリーニング業法第3条の2に規定する利用者に対する説明義務等の徹
　底について　　　　　　（平成18年8月4日健衛発第0804001号）············ 968

○興行場等における衛生環境の維持管理について
　　　　　　　　　　　　（平成20年3月25日健衛発第0325004号）643頁参照

○クリーニングにおける消費者保護の徹底について
　　　　　　　　　　　　（平成26年7月24日健衛発0724第1号）············ 969

○理容所等の許可申請等に関する手続きについて
　　　　　　　　　　　　（平成31年2月12日事務連絡）663頁参照

第4章　免許・試験

○クリーニング業法に基くクリーニング師試験の受験資格について
　　　　　　　　　　　　（昭和31年10月5日衛発第672号）············ 971

○クリーニング業法に基づくクリーニング師試験の受験資格について
　　　　　　　　　　　　（昭和35年8月1日衛発第698号）············ 973

○理容師養成施設及び美容師養成施設の入学資格並びにクリーニング師試
　験の受験資格の認定について　　（昭和43年2月8日環衛第8,023号）468頁参照

○クリーニング業法に基づくクリーニング師試験の実績等について
　　　　　　　　　　　　（平成11年8月12日事務連絡）············ 976

第5章　研修・講習

○クリーニング師の研修及び業務従事者に対する講習の指定について
　　　　　　　　　　　　（平成元年3月27日衛指第46号）············ 978

○クリーニング師の研修及び業務従事者に対する講習の指定基準の改正に
　ついて　　　　　　　　（平成4年3月19日衛指第43号）············ 982

○クリーニング師の研修及び業務従事者に対する講習の実施について
　　　　　　　　　　　　（平成4年3月19日衛指第45号）············ 983

○クリーニング師の研修及び業務従事者に対する講習について
　　　　　　　　　　　　（平成9年12月24日衛指第217号）············ 983

○クリーニング師の研修及び業務従事者に対する講習の実施について
　　　　　　　　　　　　　　（平成13年3月30日健衛発第33号）………… 984
○クリーニング師の研修及び業務従事者に対する講習の受講促進について
　　　　　　　　　　　　　（平成31年2月28日薬生衛0228第1号）………… 987
○クリーニング師の研修及び業務従事者に対する講習の受講促進について
　　　　　　　　　　　　　（令和5年5月31日薬生衛発0531第1号）………… 988

第6章　振興

○特定中小企業者事業転換対策等臨時措置法における環境衛生関係営業の
　取扱いについて　　　　　　　　　（昭和61年3月20日衛指第36号）………… 989
○特定地域中小企業対策臨時措置法における環境衛生関係営業の取扱いに
　ついて　　　　　　　　　　　　（昭和62年2月12日衛指第25号）672頁参照

第7章　その他

○環境衛生関係営業における座席ベルトの装着義務の免除について
　　　　　　　　　　　　　　　　（昭和62年5月13日衛指第98号）………… 993

Ⅲ　解釈通知編

第1章　クリーニング業の定義

○クリーニング業法の疑義に関する件(抄)（昭和26年4月13日衛発第264号）………… 995
○クリーニング業法の疑義について　　　　（昭和29年5月7日衛環第35号）………… 995
○クリーニング業法の疑義について　　　　（昭和29年9月25日衛環第91号）………… 996
○児童福祉施設のクリーニング所開設疑義について
　　　　　　　　　　　　　　　　（昭和31年11月27日衛環第116号）………… 996
○クリーニング業法の疑義について　　　（昭和32年11月6日衛環発第63号）………… 997
○クリーニング業法の疑義について（コイン・オペレーション・クリーニ
　ング機）　　　　　　　　　　　（昭和40年6月18日環衛第5,069号）………… 998
○クリーニング業法の疑義について　　　（昭和41年12月26日環衛第5,152号）………… 999

目次

○「出張クリーニング業」のクリーニング業法等の適用の可否について
　　　　　　　　　　　　　　　（昭和43年4月30日環衛第8,070号）…………1001

○ロッカー等による洗濯物の受取りの取扱いについて
　　　　　　　　　　　　　　　（昭和61年12月5日衛指第227号）…………1002

○クリーニング業法の疑義について　　（昭和62年1月6日衛指第1号）…………1004

○クリーニング業法の疑義について　　（平成4年8月10日衛指第156号）…………1007

○自動車によるカーテンの出張クリーニングに関する疑義について
　　　　　　　　　　　　　　　（平成19年10月4日健衛発第1004002号）…………1008

○クリーニング業法の運用について
　　　　　　　　　　　　　　　（平成20年2月14日健衛発第0214001号）…………1010

○着物展示販売会における洗たく物の受取行為について
　　　　　　　　　　　　　　　（平成20年7月24日健衛発第0724001号）…………1010

○ロッカー等による洗濯物の受取りの取扱いに関する通知について
　　　　　　　　　　　　　　　（令和3年3月26日薬生衛発0326第1号）…………1012

第2章　クリーニング所

○クリーニング業法（第5条の2）に関する疑義について
　　　　　　　　　　　　　　　（昭和39年10月28日環衛第28号）…………1013

○クリーニング業法の疑義について　　（昭和41年12月26日環衛第5,152号）　999頁参照

○ロッカー等による洗濯物の受取りの取扱いについて
　　　　　　　　　　　　　　　（昭和61年12月5日衛指第227号）　1002頁参照

○クリーニング業法の疑義について　　（昭和62年1月6日衛指第1号）　1004頁参照

○吸収合併に伴うクリーニング業法の届出の取扱いについて
　　　　　　　　　　　　　　　（平成4年7月20日衛指第139号）…………1014

第3章　免許・試験

○クリーニング業法に基くクリーニング師試験の受験資格について
　　　　　　　　　　　　　　　（昭和31年11月30日衛環第122号）…………1015

○クリーニング師免許証訂正について　　（昭和33年2月26日衛環発第20号）…………1016

○クリーニング師免許証の交付について　　（昭和45年2月16日環衛第21号）…………1017

第4編　興行場

I　法令編

●興行場法　　　　　　　　　　　　（昭和23年7月12日法律第137号）…………1053
●興行場法施行規則　　　　　　　（昭和23年7月24日厚生省令第29号）…………1059
●厚生労働省の所管する法律又は政令の規定に基づく立入検査等の際に携帯する職員の身分を示す証明書の様式の特例に関する省令（抄）
　　　　　　　　　　　　　　　（令和3年10月22日厚生労働省令第175号）85頁参照
●興行場営業の振興指針　　　（令和2年3月5日厚生労働省告示第51号）…………1060

II　基本通知編

第1章　共通事項

○旅館業法等施行に関する件　　　（昭和23年8月18日厚生省発衛第10号）1298頁参照
○許可、認可等の整理に関する法律の公布について（抄）
　　　　　　　　　　　　　　　　　（昭和54年12月28日環企第183号）…………1079
○許可、認可等の整理に関する法律の一部の施行期日を定める政令等の公布について（抄）　　　　　　　　　（昭和55年5月9日環指第82号）…………1080
○行政事務の簡素合理化及び整理に関する法律等の施行について（抄）
　　　　　　　　　　　　　　　　　（昭和58年12月23日環企第128号）362頁参照
○興行場法施行規則等の一部を改正する省令の施行について（抄）
　　　　　　　　　　　（昭和59年9月20日衛企第104号・衛指第40号・衛乳第9号）…………1081
○許可、認可等民間活動に係る規制の整理及び合理化に関する法律等による興行場法等の一部改正の施行について
　　　　　　　　　　　　　　　　　（昭和60年12月24日衛指第270号）…………1082
○地方分権の推進を図るための関係法律の整備等に関する法律等の施行について（抄）　　　　　　　　　（平成12年3月30日生衛発第569号）389頁参照
○地域の自主性及び自立性を高めるための改革の推進を図るための関係法律の整備に関する法律の施行等について
　　　　　　　　　　　　　　　　　（平成23年8月30日健発0830第10号）413頁参照
○生活衛生関係営業等の事業活動の継続に資する環境の整備を図るための旅館業法等の一部を改正する法律の公布について
　　　　　　　　　　　　　　　　　（令和5年6月14日生食発0614第2号）1326頁参照
○旅館業法施行規則等の一部を改正する省令の公布等について
　　　　　　　　　　　　　　　　　（令和5年8月3日生食発0803第1号）437頁参照

第2章　適用範囲

○公衆浴場法等の営業関係法律中の「業として」の解釈について
　　　　　　　　　　　　　　　　（昭和24年10月17日衛発第1,048号）1699頁参照
○集会場及び各種会館その他の施設を興行場として使用する場合の法の運
　用について　　　　　　　　　　　（昭和25年5月8日衛発第29号）……………1087
○いわゆる「ヌードスタジオ」に対する興行場法の適用について
　　　　　　　　　　　　　　　　　（昭和38年5月24日環発第211号）……………1087

第3章　営業の許可等

○旅館業、興行場営業及び浴場業に対する防火安全対策の強化について
　　　　　　　　　　　　　　　　（昭和44年5月21日環衛第9,072号）1352頁参照
○興行場法第2条、第3条に係る構造設備等の準則について
　　　　　　　　　　　　　　　　　（昭和59年4月24日環指第42号）……………1091
○興行場法第2条、第3条関係基準条例準則の改正について
　　　　　　　　　　　　　　　　（平成2年10月22日衛指第177号）……………1099
○興行場法第2条、第3条関係基準条例準則の改正について
　　　　　　　　　　　　　　　（平成27年7月31日健発0731第4号）……………1100

第4章　衛生措置等

○映画興行の健全化について（依命通達）
　　　　　　　　　　　　　　　　　（昭和30年1月20日厚生省発衛第5号）……………1101
○映画興行の健全化について　　　　（昭和30年1月24日衛発第34号）……………1102
○映画興行の健全化について　　　　（昭和30年1月29日衛環第5号）……………1104
○興行場法第2条、第3条に係る構造設備等の準則について
　　　　　　　　　　　　　　　　　（昭和59年4月24日環指第42号）1091頁参照
○環境衛生関係営業施設における自主管理点検表の制定について（抄）
　　　　　　　　　　　　　　　　（昭和63年10月18日衛指第215号）……………1105
○興行場の興行時間、閉場時刻等に関する規制について
　　　　　　　　　　　　　　　　　（平成9年3月31日衛指第56号）……………1106
○興行場等における衛生環境の維持管理について
　　　　　　　　　　　　　　（平成20年3月25日健衛発第0325004号）643頁参照

目次

Ⅲ　解釈通知編

第1章　興行場の定義

（「業として」の解釈）

○営業三法の取扱に関する件　　　　　　　　（昭和23年11月2日衛発第278号）…………1107
○公衆浴場法等の営業関係法律中の「業として」の解釈について
　　　　　　　　　　　　　　　　　（昭和24年7月28日法務府法意1発第44号）　1827頁参照
○興行場法の疑義について　　　　　　　　　（昭和33年9月5日衛環発第74号）…………1108
○興行場法の運用について　　　　　　　　　（昭和34年5月8日衛環発第29号）…………1110
○興行場法の疑義について　　　　　　　　　（昭和34年8月31日衛環発第35号）…………1111

（展覧会・博覧会）

○興行場法に関する疑義について　　　　　　（昭和25年4月22日衛発第336号）…………1113

（斗鶏場）

○常設興行場に対する疑義について　　　　　（昭和27年3月18日衛環第20号）…………1113

（鯛網興行）

○鯛網営業が興行場法による興行であるか否かについて
　　　　　　　　　　　　　　　　　　　　　（昭和28年8月19日衛環発第25号）…………1114

（キャバレー）

○興行場に対する疑義について　　　　　　　（昭和28年10月5日衛環第55号）…………1116

（自動車による映画の上映等）

○環境衛生関係法規の運用及び疑義について
　　　　　　　　　　　　　　　　　　　　　（昭和29年6月14日衛環第52号）…………1116
○興行場法の適用について　　　　　　　　　（昭和30年8月19日衛環発第29号）…………1117
○興行場法適用の疑義について　　　　　　　（昭和32年4月26日衛環第31号）…………1118
○興行場法運営上の疑義について　　　　　　（昭和32年10月21日衛環発第55号）…………1118

目次

　　　　　（競輪場・競馬場）

○興行場法の適用について　　　　　　　（昭和30年8月19日衛環発第29号）1117頁参照

○競輪場及び競馬場に対する興行場法の適用について
　　　　　　　　　　　　　　　　　（昭和32年3月6日衛環第18号）…………1119

　　　　　（飲食店等のテレビ）

○興行場法の適用について　　　　　　　（昭和30年8月19日衛環発第29号）1117頁参照

○テレビジョンによる興行の疑義について（昭和30年12月9日衛環第91号）…………1120

○興行場法の適用について　　　　　　（昭和31年5月29日衛環第49号）…………1121

○興行場法の運営上の疑義について　　（昭和31年12月21日衛環第128号）…………1121

○興行場法の疑義について　　　　（平成31年3月27日薬生衛発0327第1号）…………1123

　　　　　（写真透視器）

○回転立体写真透視器（ミュート・スコープ）利用の営業状況について
　　　　　　　　　　　　　　　　　（昭和30年8月19日衛環第58号）…………1124

　　　　　（市営プール・公民館）

○興行場法の疑義について　　　　　　（昭和30年12月26日衛環第97号）…………1126

○興行場法の疑義について　　　　　　（昭和34年8月31日衛環発第35号）1111頁参照

　　　　　（公設グランド）

○興行場法の適用について　　　　　　（昭和31年5月29日衛環第49号）1121頁参照

○公設グランド等の興行場の許可手続きの疑義について
　　　　　　　　　　　　　　　　　（昭和31年7月18日衛環第62号）…………1127

　　　　　（水族館）

○水族館に対する興行場法の適用について
　　　　　　　　　　　　　　　　　（昭和32年6月21日衛環発第23号）…………1128

　　　　　（ヌード喫茶等）

○興行場法に関する疑義について　　　（昭和33年6月11日衛環発第51号）…………1128

○環境衛生関係営業法令に関する疑義応答について
　　　　　　　　　　　　　　　　　（昭和36年6月20日厚生省環衛第1号）…………1130

○興行場法に関する疑義について　　　（昭和57年1月14日環指第3号）…………1135

　　　　　（ヘルスセンター・総合娯楽施設）
○興行場法適用の疑義について　　　　　（昭和34年9月11日衛環発第40号）…………1136
　　　　　（映画喫茶）
○興行場法の疑義について　　　　　　　（昭和38年12月25日環衛第25号）…………1137
　　　　　（ボーリング場・スケート場・水泳場）
○興行場法適用上の疑義について　　　　（昭和41年6月15日環衛第5,063号）…………1138
　　　　　（レストランシアター）
○旅館内において催し物が行なわれる施設に対する興行場法の適用について
　　　　　　　　　　　　　　　　　　　（昭和46年9月8日環衛第162号）…………1138
　　　　　（シネマキャビン）
○興行場法上に関する疑義について　　　（平成3年2月20日衛指第24号）…………1140
　　　　　（臨時興行場・仮設興行場）
○臨時興行場の疑義について　　　　　　（昭和27年11月29日衛環第104号）…………1141
○営業三法に関する疑義について　　　　（昭和30年2月25日衛環発第4号）…………1141

第2章　営業の許可等

　　　　　（興行経営者・興行場経営者）
○興行場法の疑義について　　　　　　　（昭和30年12月26日衛環第97号）　1126頁参照
○興行場経営者について　　　　　　　　（昭和29年9月29日衛環第94号）…………1143
○営業三法に関する疑義について　　　　（昭和30年2月25日衛環発第4号）　1141頁参照
○興行場法運用上の疑義について　　　　（昭和31年1月17日衛環第2号）…………1143
○仮設興行場の営業許可について　　　　（昭和31年11月13日衛環発第55号）…………1145
○興行場営業許可申請等の取扱いについて
　　　　　　　　　　　　　　　　　　　（昭和42年5月12日環衛第7,057号）…………1146
○旅館内において催し物が行なわれる施設に対する興行場法の適用について
　　　　　　　　　　　　　　　　　　　（昭和46年9月8日環衛第162号）　1138頁参照
○臨時興行場等の営業許可の取扱について
　　　　　　　　　　　　　　　　　　　（昭和48年8月10日環衛第152号）…………1147

目次

○理容所等の許可申請等に関する手続きについて
　　　　　　　　　　　　　　　　（平成31年2月12日事務連絡）663頁参照

　　　　（営業許可の同一性）

○営業三法施行規則（省令）第1条の記載事項の変更について
　　　　　　　　　　　　　　　（昭和26年11月30日衛環第135号）…………1148

○営業三法施行規則（省令）第1条記載事項の変更について
　　　　　　　　　　　　　　　（昭和27年12月22日衛環第114号）…………1149

○公衆浴場法および興行場法に係る疑義について
　　　　　　　　　　　　　　　（昭和44年4月14日環衛第9,063号）1909頁参照

　　　　（名義変更）

○営業三法の取扱に関する件　　　（昭和23年11月2日衛発第278号）1107頁参照

○法人の合併に伴う許可の取扱いについて
　　　　　　　　　　　　　　　（昭和40年3月11日環衛第5,032号）…………1150

○興行場法、旅館業法及び公衆浴場法の一部改正に関する質疑応答について
　　　　　　　　　　　　　　　（昭和61年1月30日事務連絡）…………1151

　　　　（場所変更）

○営業三法の取扱に関する件　　　（昭和23年11月2日衛発第278号）1107頁参照

　　　　（条件）

○興行場法質疑事項に関する件　　（昭和26年4月17日衛環第38号）…………1154

○営業三法に関する疑義について　（昭和30年2月25日衛環発第4号）1141頁参照

○興行場法第2条及び第3条の解釈について
　　　　　　　　　　　　　　　（昭和33年8月20日衛環発第60号）…………1155

　　　　（許可手数料）

○営業三法の疑義について　　　　（昭和26年1月9日衛環第1号）…………1156

○興行場、旅館業、公衆浴場等営業許可事務取扱の疑義について
　　　　　　　　　　　　　　　（昭和30年3月22日衛環第18号）…………1156

　　　　（期間）

○営業三法に関する疑義について　（昭和30年2月25日衛環発第4号）1141頁参照

○興行場法による興行場営業許可について
　　　　　　　　　　　　　　　（昭和31年12月19日衛環第125号）…………1157

　　　　（営業許可と私法関係）
○興行場営業許可に関する疑義について　　　（昭和33年4月28日衛環第43号）…………1159
○興行場法の疑義について　　　　　　　　　（昭和34年3月4日衛環発第21号）…………1159
○興行場営業許可の疑義について　　　　　　（昭和41年10月13日環衛第5,114号）…………1160
　　　　（行政処分）
○興行場営業許可申請等の取扱いについて
　　　　　　　　　　　　　　　　　　　　　（昭和42年5月12日環衛第7,057号）1146頁参照
　　　　（効力）
○興行場営業許可に関する疑義について
　　　　　　　　　　　　　　　　　　　　　（昭和42年6月28日環衛第7,073号）…………1163
　　　　（公開による聴聞）
○公開による聴聞について　　　　　　　　　（昭和23年11月24日衛発第336号）…………1164
　　　　（許可事項の変更届）
○許可事項変更の無届者の処置に関する件
　　　　　　　　　　　　　　　　　　　　　（昭和26年4月13日衛発第263号）…………1166
　　　　（他法との関係）
○旅館業におけるサービスの範囲並びに興行場法の適用について
　　　　　　　　　　　　　　　　　　　　　（昭和46年9月4日環衛第158号）…………1166
○旅館内において催し物が行なわれる施設に対する興行場法の適用につい
　て　　　　　　　　　　　　　　　　　　　（昭和46年9月8日環衛第162号）1138頁参照

第3章　立地制限

　　　　（周辺環境と営業許可）
○興行場法運用上の疑義について　　　　　　（昭和28年8月31日衛発第689号）…………1169
○興行場法運営上の疑義について　　　　　　（昭和33年9月5日衛環発第69号）…………1169
○興行場の営業許可に関する疑義について
　　　　　　　　　　　　　　　　　　　　　（昭和40年9月6日環衛第5,100号）…………1170
　　　　（距離制限）
○県条例による公衆浴場、興行場の新設制限について
　　　　　　　　　　　　　　　　　　　　　（昭和30年6月17日衛発第374号）1887頁参照
○興行場法運営上の疑義について　　　　　　（昭和30年12月9日衛発第92号）…………1171

第4章　衛生に関する構造基準

　　　（営業許可の同一性）
○営業三法施行規則（省令）第1条の記載事項の変更について
　　　　　　　　　　　　　　（昭和26年11月30日衛環第135号）1148頁参照
○営業三法施行規則（省令）第1条記載事項の変更について
　　　　　　　　　　　　　　（昭和27年12月22日衛環第114号）1149頁参照

　　　（無窓映画館）
○興行場（無窓映画館）経営許可申請の取扱について
　　　　　　　　　　　　　　（昭和29年1月22日衛発第38号）…………1173

　　　（定員規制）
○興行場法第3条の規定による入場者の衛生に必要な措置基準について
　　　　　　　　　　　　　　（昭和31年2月20日衛環発第8号）…………1173

　　　（観覧席での飲食物販売）
○興行場法施行条例について　　（昭和31年12月13日衛環第123号）…………1174

　　　（構造設備についての規制）
○興行場法第2条及び第3条の解釈について
　　　　　　　　　　　　　　（昭和33年8月20日衛環発第60号）1155頁参照

第5編　旅館業

I　法令編

●旅館業法　　　　　　　　　　（昭和23年7月12日法律第138号）…………1203

●旅館業法施行令　　　　　　　（昭和32年6月21日政令第152号）…………1218

●生活衛生関係営業等の事業活動の継続に資する環境の整備を図るための
　旅館業法等の一部を改正する法律の施行に伴う経過措置に関する政令
　　　　　　　　　　　　　　（令和5年7月21日政令第247号）…………1222

●旅館業法施行規則　　　　　　（昭和23年7月24日厚生省令第28号）…………1224

●厚生労働省の所管する法律又は政令の規定に基づく立入検査等の際に携
　帯する職員の身分を示す証明書の様式の特例に関する省令（抄）
　　　　　　　　　　　　　　（令和3年10月22日厚生労働省令第175号）85頁参照

●旅館業の振興指針　　　　　　（令和2年3月5日厚生労働省告示第52号）…………1230

○旅館業の施設において特定感染症の感染防止に必要な協力の求めを行う
　場合の留意事項並びに宿泊拒否制限及び差別防止に関する指針
　　　　　　　　　　　　　　（令和5年11月15日厚生労働大臣決定）…………1253

Ⅱ 基本通知編

第1章 共通事項

○旅館業法等施行に関する件　　　（昭和23年8月18日厚生省発衛第10号）…………1298
○旅館業法の一部を改正する法律等の施行について（依命通達）
　　　　　　　　　　　　　（昭和32年8月7日厚生省発衛第371号）…………1300
○旅館業法の一部を改正する法律等の施行について
　　　　　　　　　　　　　　　　（昭和32年8月3日衛発第649号）…………1303
○旅館業法の一部を改正する法律の施行について
　　　　　　　　　　　　　　　　（昭和33年4月1日衛発第276号）…………1306
○旅館業法の一部を改正する法律の施行について
　　　　　　　　　　　　　　　（昭和33年4月19日衛環発第41号）…………1306
○旅館業法の一部を改正する法律の施行について
　　　　　　　　　　　　　　　　（昭和45年6月11日環衛第83号）…………1307
○旅館業法施行令の一部を改正する政令等の施行について
　　　　　　　　　　　　　　　（昭和45年7月16日環衛第101号）…………1309
○ホテル営業及び旅館営業に係る玄関帳場等の設置について
　　　　　　　　　　　　　　　（昭和46年6月22日環衛第111号）…………1311
○許可、認可等の整理に関する法律の公布について（抄）
　　　　　　　　　　　　　（昭和54年12月28日環企第183号）　1079頁参照
○許可、認可等の整理に関する法律の一部の施行期日を定める政令等の公
　布について（抄）　　　　　　　（昭和55年5月9日環指第82号）　1080頁参照
○旅館業法施行規則の一部を改正する省令の施行について
　　　　　　　　　　　　　　　（昭和58年5月27日環指第69号）…………1312
○許可、認可等民間活動に係る規制の整理及び合理化に関する法律等によ
　る興行場法等の一部改正の施行について
　　　　　　　　　　　　　　（昭和60年12月24日衛指第270号）　1082頁参照
○旅館業法の一部を改正する法律の施行について
　　　　　　　　　　　　　　　（平成8年6月21日衛指第101号）…………1312
○地方分権の推進を図るための関係法律の整備等に関する法律等の施行に
　ついて（抄）　　　　　　　（平成12年3月30日生衛発第569号）　389頁参照
○「公衆浴場法施行規則等の一部を改正する省令」の施行について（抄）
　　　　　　　　　　　　　　　（平成13年3月27日健発第336号）　1696頁参照
○「旅館業法施行規則の一部を改正する省令」の施行について
　　　　　　　　　　　　　（平成15年3月25日健発第0325005号）…………1313

○旅館業法施行規則の一部を改正する省令の施行について
　　　　　　　　　　　　　（平成17年2月9日健発第0209001号）・・・・・・・・・・1314

○風俗営業等の規制及び業務の適正化等に関する法律施行令の一部を改正
　する政令の施行について　　　（平成27年6月24日健発0624第3号）・・・・・・・・・・1315

○風俗営業等の規制及び業務の適正化等に関する法律の一部を改正する法
　律及び風俗営業等の規制及び業務の適正化等に関する法律の一部を改正
　する法律の施行に伴う関係政令の整備に関する政令の施行に伴う旅館業
　法等の改正について　　　　（平成27年11月13日生食発1113第2号）・・・・・・・・・・1316

○旅館業法施行令の一部を改正する政令の施行等について
　　　　　　　　　　　　　（平成28年3月30日生食発0330第5号）・・・・・・・・・・1317

○旅館業法施行規則の一部を改正する省令の施行について
　　　　　　　　　　　　　（平成28年3月31日生食発0331第5号）・・・・・・・・・・1321

○「旅館業法の一部を改正する法律」の公布について
　　　　　　　　　　　　　（平成29年12月15日生食発1215第1号）・・・・・・・・・・1322

○旅館業法の一部を改正する法律の施行に伴う関係政令の整備に関する政
　令等の公布について　　　　（平成30年1月31日生食発0131第3号）・・・・・・・・・・1323

○食品衛生法施行規則等の一部を改正する省令の公布について
　　　　　　　　　　　　　（令和2年7月14日生食発0714第4号）430頁参照

○生活衛生関係営業等の事業活動の継続に資する環境の整備を図るための
　旅館業法等の一部を改正する法律の公布について
　　　　　　　　　　　　　（令和5年6月14日生食発0614第2号）・・・・・・・・・・1326

○刑法及び刑事訴訟法の一部を改正する法律及び性的な姿態を撮影する行
　為等の処罰及び押収物に記録された性的な姿態の影像に係る電磁的記録
　の消去等に関する法律の施行に伴う旅館業法の改正について
　　　　　　　　　　　　　（令和5年7月3日生食発0703第2号）・・・・・・・・・・1330

○旅館業法施行規則等の一部を改正する省令の公布等について
　　　　　　　　　　　　　（令和5年8月3日生食発0803第1号）437頁参照

○旅館業法施行令等の一部を改正する政令等の公布等について
　（令和5年11月15日健生発1115第4号・医政発1115第19号・感発1115
　第3号）・・・1331

第2章　適用範囲

○公衆浴場法等の営業関係法律中の「業として」の解釈について
　　　　　　　　　　　　　（昭和24年10月17日衛発第1,048号）1699頁参照

○営業三法の運用について　　　　　　（昭和25年4月26日衛発第358号）　1701頁参照

○下宿営業の範囲について　　　　　　（昭和61年3月31日衛指第44号）…………1340

○マンション等の施設を使用する形態の旅館業について
　　　　　　　　　　　　　　　　　　（平成12年12月13日衛指第128号）…………1341

○マンション等の施設を使用する形態の旅館業について
　　　　　　　　　　　　　　　　（平成17年2月9日健衛発第0209006号）…………1341

○無償で宿泊させる場合の旅館業法の適用について
　　　　　　　　　　　　　　　　　（平成23年2月24日健衛発0224第1号）…………1342

○農林漁業者が農林漁業体験民宿業を営む施設について
　　　　　　　　　　　　　　　　　（平成26年3月31日健衛発0331第3号）…………1342

○国立青少年教育施設に関する取扱いについて
　　　　　　　　　　　　　　　　　（平成27年4月7日健衛発0407第1号）…………1343

○移住希望者の空き家物件への短期居住等に係る旅館業法の運用について
　　　　　　　　　　　　　　　　（平成28年3月31日生食衛発0331第2号）…………1343

○旅館業法の一部を改正する法律の施行に伴う関係政令の整備に関する政
　令等に係る疑義について　　　　　　（平成30年1月31日事務連絡）…………1344

○「地方公共団体向け二地域居住等施策推進ガイドライン」（国土交通省）
　の改訂について（周知）　　　　　　（令和4年7月15日事務連絡）…………1346

第3章　営業の許可等

○旅館営業に対する指導監督の強化について
　　　　　　　　　　　　　　　　　　（昭和32年3月8日衛発第78号）…………1347

○学校周辺の旅館業について
　　　　　　　　（昭和32年8月5日厚生省衛発第650号・文部省国施第45号）…………1348

○旅館業の構造設備基準に未適合の施設に対する取扱いについて
　　　　　　　　　　　　　　　　　　（昭和35年6月23日衛発第566号）…………1349

○旅館業法における人的資格要件の調査について
　　　　　　　　　　　　　　　　　　（昭和40年7月2日環衛第5,073号）…………1350

○風俗営業等取締法の一部を改正する法律の施行に伴なう公衆浴場法等の
　取扱いについて　　　　　　　　　　（昭和41年8月5日環衛第5,091号）　1702頁参照

○学校周辺の旅館業の営業の許可に係る都道府県知事の意見聴取等につい
　て　　　　　　　（昭和43年6月24日環衛第8,095号・文施指第100号）…………1350

目次

○旅館営業に対する防火安全対策の強化について
　　　　　　　　　　　　　　（昭和44年1月23日環衛第9,011の2号）…………1351

○旅館業、興行場営業及び浴場業に対する防火安全対策の強化について
　　　　　　　　　　　　　　（昭和44年5月21日環衛第9,072号）…………1352

○いわゆる「モーテル」の取扱いについて
　　　　　　　　　　　　　　（昭和44年10月30日環衛第9,151号）…………1353

○風俗営業等取締法の一部を改正する法律の施行に伴う旅館業法の取扱い
　について　　　　　　　　　（昭和47年8月8日環衛第154号）…………1354

○水質汚濁防止法施行令等の改正に関する件について
　　　　　　　　　　　　　　（昭和50年2月6日環指第6号）…………1355

○旅館業に対する防火安全対策の徹底について
　　　　　　　　　　　　　　（昭和55年11月22日環指第208号）…………1358

○旅館業に対する防火安全対策の徹底について
　　　　　　　　　　　　　　（昭和56年1月30日環指第14号）…………1359

○旅館業に対する防火安全対策の徹底について
　　　　　　　　　　　　　　（昭和57年2月13日環指第21号）…………1362

○旅館業における善良風俗の保持について　（昭和59年8月27日衛指第23号）…………1362

○旅館業法における善良風俗の保持について
　　　　　　　　　　　　　　（昭和59年11月19日衛指第75号）…………1365

○旅館業法上の善良風俗の保持のための構造設備規制地域等と風俗営業等
　の規制及び業務の適正化等に関する法律による風俗関連営業の規制地域
　との関係等について　　　　（昭和59年11月19日事務連絡）…………1365

○旅館業における防火安全対策について　（昭和61年2月17日衛指第21号）…………1366

○旅館業に対する防火安全対策の徹底について
　　　　　　　　　　　　　　（平成15年10月2日健衛発第1002003号）…………1367

○旅館業における関係法令の遵守について
　　　　　　　　　　　　　　（平成18年2月23日健衛発第0223001号）…………1372

○いわゆる個室ビデオ店等に対する旅館業法の適用に関する指導の徹底等
　について　　　　　　　　　（平成20年12月22日健衛発第1222001号）…………1373

○「産業活力の再生及び産業活動の革新に関する特別措置法」第39条の4
　第1項の特定許認可等に基づく地位の承継に対する旅館業許可に関する
　事務取扱について　　　　　（平成21年6月12日健衛発第0612004号）…………1374

○旅館業に対する防火安全対策の徹底について
　　　　　　　　　　　　　　（平成24年10月9日健衛発1009第1号）…………1382

○国家戦略特別区域法における旅館業法の特例の施行について
　　　　　　　　　　　　　　（平成26年5月1日健発0501第3号）…………1382
○旅館業法の遵守の徹底について　（平成26年7月10日健衛発0710第2号）…………1386
○簡易宿所に係る防火対策の更なる徹底について
　　　　　　　　　　　　　　（平成27年5月19日健衛発0519第1号）…………1386
○旅館業法の遵守の徹底について（平成27年11月27日生食衛発1127第1号）…………1387
○旅館業に対する防火安全対策の徹底について
　　　　　　　　　　　　　　（平成28年2月10日生食衛発0210第3号）…………1389
○遊休期間の別荘の貸出しに係る建築基準法の用途規制について
　　　　　　　　　　　　　　（平成28年2月17日生食衛発0217第1号）1483頁参照
○簡易宿所営業の許可取得促進について
　　　　　　　　　　　　　　（平成28年7月26日生食衛発0726第1号）…………1395
○住宅を使用して宿泊サービスを提供する施設に係る関係法令の遵守の徹底に向けた連携体制の構築について
　　　　　　　　　　　　　　（平成29年3月17日生食衛発0317第1号）…………1396
○簡易宿所営業における玄関帳場等の設置について
　　　　　　　　　　　　　　（平成29年12月15日生食発1215第3号）…………1399
○旅館業法の一部を改正する法律の施行に伴う関係政令の整備に関する政令等に係る疑義について　　　　　（平成30年1月31日事務連絡）1344頁参照
○旅館業からの暴力団排除の推進について
　　　　　　　　　　　　　　（平成30年5月11日薬生衛発0511第2号）…………1401
○旅客室を有する船舶を活用した宿泊施設における無窓の客室の取扱いについて　　　　　　　　　　　（平成30年5月16日薬生衛発0516第4号）…………1407
○旅館業法の許可を得ないで旅館業を行っている者に対する取締りについて　　　　　　　　　　　　　（平成30年5月21日薬生衛発0521第1号）…………1408
○旅館業の許可手続における構造設備の基準への適合確認及び消防法令への適合確認を同時に行うことについて
　　　　　　　　　　　　　　（平成30年7月20日薬生衛発0720第1号）…………1409
○旅館業法ＦＡＱの発出について　　　　（平成30年10月15日事務連絡）…………1409
○旅館業法に関するＦＡＱの改定について　（平成31年4月17日事務連絡）…………1422
○旅館業法に関するＦＡＱの改定について　（令和元年7月26日事務連絡）…………1422
○旅館業法に関するＦＡＱの改定について　（令和2年10月12日事務連絡）…………1423

目次

第4章　衛生措置等

○いわゆる「モーテル」の取扱いについて
　　　　　　　　　　　　　（昭和44年10月30日環衛第9,151号）　1353頁参照
○旅館業における善良風俗の保持について　（昭和59年8月27日衛指第23号）　1362頁参照
○旅館業法における善良風俗の保持について
　　　　　　　　　　　　　（昭和59年11月19日衛指第75号）　1365頁参照
○ペンション営業及び自動車旅行ホテル営業における衛生等自主管理マニュアルについて　　　　　　　（昭和60年3月29日衛指第55号）…………1424
○環境衛生関係営業施設における自主管理点検表の制定について（抄）
　　　　　　　　　　　　　（昭和63年10月18日衛指第215号）…………1431
○公衆浴場及び旅館における浴室の衛生管理の徹底について
　　　　　　　　　　　　　（平成8年7月26日衛指第122号）　1712頁参照
○温泉を利用した公衆浴場業及び旅館業の入浴施設の衛生管理の徹底について　　　　　　　　　　　（平成11年3月29日衛指第28号）　1712頁参照
○温泉利用入浴施設の衛生管理の徹底について
　　　　　　　　　　　　　（平成12年5月17日衛指第56号）　1713頁参照
○公衆浴場業及び旅館業における入浴施設の衛生管理の徹底について
　　　　　　　　　　　　　（平成12年7月18日衛指第84号）　1713頁参照
○公衆浴場における衛生等管理要領等について
　　　　　　　　　　　　　（平成12年12月15日生衛発第1,811号）　1714頁参照
○レジオネラ症患者の発生時等の対応について
　　　　　　　　　（平成14年9月3日健感発第0903001号・健衛発第0903001号）　1776頁参照
○入浴施設におけるレジオネラ症防止対策の実施状況の緊急一斉点検について　　　　　　　　　　　（平成14年9月20日健衛発第0920001号）　1777頁参照
○旅館業における重症急性呼吸器症候群（SARS）への対応について
　　　　　　　　（平成15年5月19日健衛発第0519001号・健感発第0519002号）…………1433
○宿泊者名簿の必要事項の記載の徹底について
　　　　　　　　　　　　　（平成16年1月13日健発第0113004号）…………1437
○ノロウイルスによる感染性胃腸炎及び食中毒の発生防止対策の徹底について
　　（平成18年12月19日健感発第1219001号・健衛発第1219001号・食安監発第1219001号）……………………………………………………………1438
○ノロウイルスによる感染性胃腸炎の集団発生に係る指導等の実施困難事例における対応について
　　（平成18年12月27日健感発第1227001号・健衛発第1227001号・食安監発第1227001号）……………………………………………………………1438

○興行場等における衛生環境の維持管理について
　　　　　　　　　　　　（平成20年3月25日健衛発第0325004号）643頁参照
○新型インフルエンザ（豚インフルエンザ）発生に関する旅館業者への周
　知について（依頼）　　　　　　　（平成21年4月28日事務連絡）…………1442
○旅館業の宿泊施設におけるエボラ出血熱への対応について
　　　　　　　　　（平成26年12月15日健感発1215第1号・健衛発1215第3号）…………1443
○循環式浴槽におけるレジオネラ症防止対策マニュアルについて
　　　　　　　　　　　　　　　（平成13年9月11日健衛発第95号）1754頁参照
○エボラ出血熱の国内発生を想定した行政機関における基本的な対応につ
　いて（依頼）　　　　　　　　（平成27年5月11日健感発0511第2号）…………1445
○旅館業における衛生等管理要領の改正について
　　　　　　　　　　　　（平成29年12月15日生食発1215第2号）…………1447
○旅館業における衛生等管理要領の改正について
　　　　　　　　　　　　（平成30年1月31日生食発0131第2号）…………1449
○旅館業における入浴施設のレジオネラの防止対策及びコンプライアンス
　の遵守の周知徹底について　　　　　（令和5年2月27日事務連絡）…………1450
○公衆浴場や旅館業の施設の共同浴室における男女の取扱いについて
　　　　　　　　　　　　（令和5年6月23日薬生衛発0623第1号）1800頁参照

第5章　営業許可の取消等

○旅館業の許可取消等に関する取扱について
　　　　　　　　　　　　　（昭和32年11月11日衛発第978号）…………1451
○いわゆる「モーテル」の取扱いについて
　　　　　　　　　　　　　（昭和44年10月30日環衛第9,151号）1353頁参照

第6章　その他

　　　（補助犬を伴う障害者等への配慮）

○身体障害者補助犬を伴う障害者等の旅館、飲食店等の利用について
　　　　　　　　　　　　（平成14年8月7日健衛発第0807003号）…………1453

目次

　　　　　　（事業活動の調整）
○旅館業における事業活動の調整の円滑化について
　　　　　　　　（昭和59年5月1日環指第45号・59企庁第670号）……………1454

　　　　　　（エイズ患者の宿泊）
○エイズ患者の宿泊に係る旅館業法第5条の取扱いについて
　　　　　　　　　　　　　　　　（平成4年9月29日衛指第197号）……………1455

　　　　　　（生きがい活動支援通所事業）
○旅館・ホテルにおける生きがい活動支援通所事業の実施について
　　　　　　　　　　　　　　　　（平成13年9月10日健衛発第94号）……………1456

　　　　　　（同時多発テロ事件等への捜査協力）
○米国で引き起こされた同時多発テロ事件等への捜査協力について
　　　　　　　　　　　　　　　　（平成13年10月19日健衛発第108号）……………1459

○旅館業法施行規則の一部を改正する省令の施行に関する留意事項について
　　　　　　　　　　　　　　　　（平成17年2月9日健衛発第0209004号）……………1460

○旅館業法施行規則の一部を改正する省令の施行に伴う措置の再周知等について
　　　　　　　　　　　　　　　　（平成17年7月5日健衛発第0705001号）……………1461

○旅館業法施行規則の一部を改正する省令の取扱について
　　　　　　　　　　　　　　　　（平成17年9月5日事務連絡）……………1464

○旅館業法施行規則の一部を改正する省令の施行に伴う措置の周知徹底等について
　　　　　　　　　　　　　　　　（平成17年11月1日健衛発第1101001号）……………1465

○旅館業法施行規則の一部を改正する省令の施行に伴う措置の周知徹底等について
　　　　　　　　　　　　　　　　（平成19年10月18日健衛発第1018001号）……………1465

○日本国内に住所を有しない外国人宿泊者に係る旅券の写しに関する取扱いの周知について
　　　　　　　　　　　　　　　　（平成20年1月23日健衛発第0123001号）……………1466

○北海道洞爺湖サミット等に伴う旅館等における宿泊者名簿への記載等の徹底等について
　　　　　　　　　　　　　　　　（平成20年6月4日健衛発第0604001号）……………1467

○日本APEC開催に伴う旅館等における宿泊者名簿への記載等の周知徹底について
　　　　　　　　　　　　　　　　（平成22年5月28日健衛発0528第2号）……………1468

○ラブホテル対策に関する関係機関との連携強化等について
　　　　　　　　　　　　　　　　（平成22年6月30日健衛発0630第3号）……………1468

○旅館等における宿泊者名簿への記載等の徹底について
　　　　　　　　　　　　　　　　（平成26年12月19日健衛発1219第2号）……………1471

○外国人滞在施設経営事業の円滑な実施を図るための留意事項について
　　　　　　　　　　　　　　　　（平成27年7月31日府地創第270号・健発0731第6号）……………1472

目次

○厚生労働省関係国家戦略特別区域法施行規則の一部を改正する省令の施行について　　　　　　　　　　　　　　（平成27年9月15日健発0915第6号）…………1475

○伊勢志摩サミット等に伴う旅館等における宿泊者名簿への記載等の徹底について　　　　　　　　　　　　　（平成28年4月4日生食衛発0404第1号）…………1476

○日露首脳会談等に伴う旅館等における宿泊者名簿への記載等の徹底について　　　　　　　　　　　　　　　（平成28年12月7日生食衛発1207第1号）…………1477

○日米首脳会談等に伴う旅館等における宿泊者名簿への記載等の徹底について　　　　　　　　　　　　　（平成29年10月26日薬食衛発1026第1号）…………1477

○日中韓サミット等に伴う旅館等における宿泊者名簿への記載等の徹底について　　　　　　　　　　　　　（平成30年5月7日薬生衛発0507第1号）…………1478

　　　　（ハンセン病に関する正しい知識の普及）

○ハンセン病に関する正しい知識の普及について
　　　　　（平成15年11月19日健疾発第1119001号・健衛発第1119001号）…………1479

　　　　（歴史的な町並みの保全等）

○厚生労働省関係構造改革特別区域法第2条第3項に規定する省令の特例に関する措置及びその適用を受ける特定事業を定める省令の一部を改正する省令の施行について　　　　　　　　（平成22年1月6日健発0106第4号）…………1480

　　　　（東日本大震災）

○「平成23年（2011年）東北地方太平洋沖地震」の発生に伴う高齢者、障害者等の要援護者への緊急対応について（依頼）
　　　　　　　　　　　　　　　　（平成23年3月11日健衛発0311第1号）…………1481

○福島原子力発電所の事故による避難者に関する旅館業者への周知について　　　　　　　　　　　　　　　　（平成23年3月19日健衛発0319第1号）…………1482

　　　　（建築基準法の用途規制）

○遊休期間の別荘の貸出しに係る建築基準法の用途規制について
　　　　　　　　　　　　　　　　（平成28年2月17日生食衛発0217第1号）…………1483

　　　　（相談窓口）

○改正旅館業法の施行に伴う障害者差別解消法に関する相談対応について（依頼）　　　　　　　　　　　　　　　　（令和5年11月15日事務連絡）…………1485

○生活衛生関係営業等の事業活動の継続に資する環境の整備を図るための旅館業法等の一部を改正する法律による改正後の旅館業法等に係る運用上の疑義について　　　　　（令和5年12月1日健生衛発1201第1号）…………1486

(39)

(他法との関係)

○小規模建築物を対象とした医療・福祉施設、宿泊施設、集客施設等の許認可等に係る建築部局及び消防部局との情報共有について
　　　（令和元年7月19日医政総発0719第1号・薬生食監発0719第1号・薬生衛発0719第1号・子保発0719第1号・子家発0719第1号・子子発0719第1号・子母発0719第1号・社援保発0719第1号・障企自初0719第1号・障障発0719第3号・老推発0719第1号・老高発0719第1号・老振発0719第1号・老老発0719第1号）……………………………………1500

Ⅲ　解釈通知編

第1章　旅館業の定義

(「業として」の解釈)

○旅館業法関係における「業として」の解釈について
　　　　　　　　　　　　　　　（昭和33年3月10日衛環発第29号）…………1506

(「主として」の解釈)

○旅館業法第2条における「主として」の解釈等について
　　　　　　　　　　　　　　　（昭和46年6月28日環衛第117号）…………1508

(ホテル)

○旅館営業者が「ホテル」の名称を使用することに関する件
　　　　　　　　　　　　　　　（昭和26年4月13日衛発第262号）…………1510

○旅館業法の疑義について　　　（昭和26年7月7日衛発第521号）…………1511

(旅館)

○旅館業法の疑義について　　　（昭和27年11月4日衛環第96号）…………1512

○環境衛生主管課長会議における質疑応答集の送付について（旅館業法関係）　　　　　　　　　　　　　（昭和32年8月29日衛環第56号）…………1513

○旅館業法の一部を改正する法律の施行に伴う関係政令の整備に関する政令等に係る疑義について　　　（平成30年1月31日事務連絡）1344頁参照

(40)

　　　　　（船舶）
○船舶内の旅館業経営許可について　　　　　（昭和25年3月28日衛発第249号）…………1515
○旅館業法適用に関する件　　　　　　　　　（昭和26年5月22日衛発第375号）…………1516
○旅館業法の疑義について　　　　　　　　　（昭和50年7月12日環指第61号）…………1517
　　　　　（寮・保健所）
○営業三法の運用について　　　　　　　　　（昭和27年10月9日衛環第89号）…………1518
○旅館業法に関する疑義について　　　　　　（昭和27年10月29日衛環第92号）…………1519
○会社工場等の寮、会員制度等の宿泊施設の取扱いについて
　　　　　　　　　　　　　　　　　　　　　（昭和27年12月8日衛環第109号）…………1520
○旅館業法の疑義について　　　　　　　　　（昭和31年11月30日衛環第121号）…………1521
○旅館業法の許可対象について　　　　　　　（昭和38年10月26日環衛第19号）…………1522
　　　　　（オリンピック選手村）
○旅館業法の適用について　　　　　　　　　（昭和39年6月4日環衛第15号）…………1522
　　　　　（駅の待合室）
○旅館業法の疑義について　　　　　　　　　（昭和27年11月4日衛環第96号）　1512頁参照
○旅館業法の疑義について　　　　　　　　　（昭和31年11月29日衛環第118号）…………1524
　　　　　（キャンプバンガロー）
○バンガローの指導取締について　　　　　　（昭和27年8月14日衛環第77号）…………1526
○旅館業法施行の疑義について　　　　　　　（昭和33年8月20日衛環発第62号）…………1526
○環境衛生関係営業法令に関する疑義応答について
　　　　　　　　　　　　　　　　　（昭和36年6月20日厚生省環衛第1号）　1130頁参照
　　　　　（断食道場）
○旅館業法の運用について　　　　　　　　　（昭和43年11月20日環衛第8,175号）…………1527
　　　　　（芸者置屋）
○旅館業法の適用について　　　　　　　　　（昭和48年7月6日環衛第126号）…………1528

　　　　　（旅館内の個室付特殊浴場）
○旅館内にトルコ風呂を設ける場合の取扱について
　　　　　　　　　　　　　（昭和32年8月8日衛環発第34号）…………1529

　　　　　（マンションホテル）
○マンションホテルについて　　　（昭和49年5月11日環指第8号）…………1530
○旅館業法上の疑義について　　　（昭和56年7月31日環指第124号）…………1531

　　　　　（ウィークリーマンション）
○旅館業法運用上の疑義について　　（昭和63年1月29日衛指第23号）…………1533

　　　　　（町屋・町屋長屋）
○旅館業法の適用について　　（平成19年12月21日健衛発第1221001号）…………1535

　　　　　（ボランティア民泊）
○旅館業法適用の疑義について　　（平成30年4月6日薬生衛発0406第1号）…………1538

　　　　　（宿泊）
○旅館業法による宿泊の疑義について　　（昭和33年5月15日衛環発第48号）…………1540
○旅館業法の疑義について　　　（昭和39年11月19日環衛第32号）…………1540
○サウナ風呂における宿泊行為の取扱いについて
　　　　　　　　　　　　　（昭和50年3月3日環指第15号）…………1541

　　　　　（宿泊する場所）
○旅館業法の適用について　　　（昭和39年6月4日環衛第15号）1522頁参照
○簡易宿所営業の許可に関する疑義について
　　　　　　　　　　　　　（昭和42年11月29日環衛第7,155号）…………1542
○旅館業法運用上の疑義について　　（昭和50年3月3日環指第14号）…………1543

　　　　　（寝具）
○旅館業法の疑義について　　　（昭和44年7月7日環衛第9,096号）…………1545
○サウナ風呂における宿泊行為の取扱いについて
　　　　　　　　　　　　　（昭和50年3月3日環指第15号）1541頁参照

（宿泊料）

○旅館業法に関する疑義について　　　　　（昭和27年10月29日衛環第92号）　1519頁参照

○旅館業法の疑義について　　　　　　　　（昭和27年11月4日衛環第96号）　1512頁参照

○営業三法取扱の疑義について　　　　　　（昭和28年3月6日衛環第20号）　…………1546

○旅館業法関係における「業として」の解釈について
　　　　　　　　　　　　　　　　　　　　（昭和33年3月10日衛環発第29号）　1506頁参照

○旅館業法施行の疑義について　　　　　　（昭和33年8月20日衛環発第62号）　1526頁参照

○旅館業法の許可対象について　　　　　　（昭和38年10月26日環衛第19号）　1522頁参照

○旅館業法の運用について　　　　　　　　（昭和43年11月20日環衛第8,175号）　1527頁参照

○旅館業法の疑義について　　　　（平成22年4月7日健衛発0407第1号）　…………1547

第2章　営業の許可

　　　（営業許可の同一性）

○営業三法施行規則（省令）第1条の記載事項の変更について
　　　　　　　　　　　　　　　　　　　　（昭和26年11月30日衛環第135号）　1148頁参照

○営業三法施行規則（省令）第1条記載事項の変更について
　　　　　　　　　　　　　　　　　　　　（昭和27年12月22日衛環第114号）　1149頁参照

　　　（名義変更）

○営業三法の取扱に関する件　　　　　　　（昭和23年11月2日衛発第278号）　1107頁参照

○公衆浴場法、旅館業法等の疑義について　（昭和28年2月9日衛環第12号）　1876頁参照

○旅館業法の疑義について　　　　　　　　（昭和33年8月20日衛環発第61号）　…………1548

○法人の合併に伴う許可の取扱いについて
　　　　　　　　　　　　　　　　　　　　（昭和40年3月11日環衛第5,032号）　1150頁参照

○興行場法、旅館業法及び公衆浴場法の一部改正に関する質疑応答について
　　　　　　　　　　　　　　　　　　　　（昭和61年1月30日事務連絡）　1151頁参照

目次

○旅館業法の一部を改正する法律の施行に伴う関係政令の整備に関する政
　令等に係る疑義について　　　　　　（平成30年1月31日事務連絡）1344頁参照

　　　（場所変更）

○営業三法の取扱に関する件　　　　　（昭和23年11月2日衛発第278号）1107頁参照

　　　（条件）

○営業三法に関する疑義について　　　（昭和30年2月25日衛環発第4号）1141頁参照

○旅館業の条件付き許可について　　　（昭和31年10月29日衛環発第53号）…………1549

○旅館業経営許可について　　　　　　（昭和36年11月24日環発第235号）…………1549

　　　（許可手数料）

○営業三法の疑義について　　　　　　（昭和26年1月9日衛環第1号）1156頁参照

○興行場、旅館業、公衆浴場等営業許可事務取扱の疑義について
　　　　　　　　　　　　　　　　　（昭和30年3月22日衛環発第18号）1156頁参照

　　　（営業許可と私法関係）

○賃貸借権係争中の施設についての営業許可の可否について
　　　　　　　　　　　　　（昭和26年7月31日法務府法意1発第46号）…………1551

○旅館営業許可に関する他の法令との関係疑義について
　　　　　　　　　　　　　　　　　（昭和26年8月23日衛発第658号）…………1553

○旅館営業許可の行政処分に関する疑義照会について
　　　　　　　　　　　　　　　　　（昭和29年9月2日衛環第82号）…………1554

○旅館営業許可に関する疑義について　（昭和30年5月19日衛環発第16号）…………1555

○旅館業経営許可について　　　　　　（昭和36年11月24日環発第235号）1549頁参照

○旅館業の許可について　　　　　　　（平成21年7月16日事務連絡）…………1556

　　　（他法との関係）

○旅館営業許可に関する他の法令との関係疑義について
　　　　　　　　　　　　　　　　　（昭和26年8月23日衛発第658号）1553頁参照

○建築基準法による違反建築物の旅館営業許可に関する疑義について
　　　　　　　　　　　　　　　　　（昭和28年9月8日衛発第706号）…………1558

　　　（事業譲渡）

○旅館業法等における事業譲渡に係る規定の運用上の疑義について
　　　（令和5年11月29日健生衛発1129第3号・健生食監発1129第1号）…………1559

第3章　学校等の周辺の旅館業の許可

　　　（不許可とできない場合）

○旅館業法の施行上の疑義について　　　（昭和32年7月30日衛環発第31号）…………1564

○旅館業法施行上の疑義について　　　（昭和32年10月1日衛環発第49号）…………1565

○学校周辺の旅館業について　　　（昭和32年11月1日衛環発第58号）…………1566

○旅館業法第3条第2項本文後段の解釈について
　　　　　　　　　　　　　　　　（昭和33年6月23日衛環発第53号）…………1567

○学校周辺の旅館業について　　　（昭和33年10月25日衛環発第89号）…………1569

　　　（不許可とする場合）

○学校周辺の旅館業の許可の取扱いについて
　　　　　　　　　　　　　　　　（昭和41年2月24日環衛第5,021号）…………1570

○旅館業法第3条第2項本文後段の取扱いについて
　　　　　　　　　　　　　　　　（昭和45年11月18日環衛第179号）…………1572

　　　（歌舞音曲と教育環境）

○旅館業法の施行上の疑義について　　　（昭和32年7月30日衛環発第31号）1564頁参照

○旅館業法施行上の疑義について　　　（昭和32年10月1日衛環発第49号）1565頁参照

○旅館業法第3条第2項本文後段の解釈について
　　　　　　　　　　　　　　　　（昭和33年6月23日衛環発第53号）1567頁参照

　　　（周辺100mの区域内）

○学校周辺の旅館業について　　　（昭和32年11月1日衛環発第58号）1566頁参照

○旅館業法第3条に関する疑義について　（昭和33年1月8日衛環発第3号）…………1573

○旅館業法による営業許可の取扱上の疑義について
　　　　　　　　　　　　　　　　（昭和33年2月10日衛環発第10号）…………1574

○学校周辺の旅館業について　　　（昭和33年10月25日衛環発第89号）1569頁参照

○青少年の健全な育成を図るための施設として告示されている都市公園か
　ら、おおむね100メートル以内の旅館業の許可の取扱いについて
　　　　　　　　　　　　　　　　（昭和60年11月22日衛指第251号）…………1575

　　　　（教育委員会等の意見の取扱い）
○旅館業法の運用について　　　　　（昭和33年3月10日衛環発第28号）…………1578
○学校周辺の旅館業の許可の取扱いについて
　　　　　　　　　　　　　　　　（昭和41年2月24日環衛第5,021号）1570頁参照

　　　　（無認可保育所との関係）
○旅館業法上の疑義について　　　　　（昭和51年1月8日環指第1号）…………1579

第4章　営業許可事務の取扱い

　　　　（許可事項の変更届）
○許可事項変更の無届者の処置に関する件
　　　　　　　　　　　　　　　　（昭和26年4月13日衛発第263号）1166頁参照
○旅館営業に関する疑義について　　　（昭和32年10月9日衛環発第52号）…………1580

　　　　（許可証の再交付、訂正交付）
○興行場、旅館業、公衆浴場等営業許可事務取扱の疑義について
　　　　　　　　　　　　　　　　（昭和30年3月22日衛環第18号）1156頁参照

　　　　（営業廃止届）
○旅館業法施行規則第2条の廃業届の疑義について
　　　　　　　　　　　　　　　　（昭和31年12月13日衛環第124号）…………1580

　　　　（許可申請の添付書類）
○旅館業法等環境衛生営業施設に対する許可手続の疑義について
　　　　　　　　　　　　　　　　（昭和39年5月8日環衛第10号）…………1581

○外国人滞在施設経営事業に係る国家戦略特別区域法及び厚生労働省関係
　国家戦略特別区域法施行規則の解釈について
　　　　　　　　　　　　　　　　（平成31年1月25日薬生衛発0125第2号）…………1583

○理容所等の許可申請等に関する手続きについて
　　　　　　　　　　　　　　　　（平成31年2月12日事務連絡）663頁参照

第5章　衛生風紀に関する構造基準

　　　　（構造設備と善良な風俗）
○旅館営業の許可事務取扱に対する疑義について
　　　　　　　　　　　　　　　　　（昭和32年7月29日衛環発第30号）…………1584
○旅館業法施行令第3条第1号及び第1条の解釈について
　　　　　　　　　　　　　　　　　（昭和46年7月6日環衛第122号）…………1585
○旅館業法施行令第1条第1項第4号および同条第2項第4号に規定する
　玄関帳場について　　　　　　　　（昭和48年8月27日環衛第16号）…………1586

　　　　（洋式構造と旅館業）
○旅館業法に関する疑義について　　（昭和40年4月2日環衛第5,039号）…………1587

　　　　（床面積の算定）
○旅館業法施行上の疑義について　　（昭和44年3月17日環衛第9,044号）…………1588
○旅館の床面積の算定について　　　（昭和46年6月24日環衛第114号）…………1589

　　　　（部屋数の不足）
○旅館業法に関する疑義について　　（昭和40年4月2日環衛第5,039号）1587頁参照
○旅館営業の許可について　　　　　（昭和46年6月28日環衛第118号）…………1591

　　　　（玄関帳場）
○旅館業法施行令第1条第1項第4号および同条第2項第4号に規定する
　玄関帳場について　　　　　　　　（昭和48年8月27日環衛第16号）1586頁参照
○簡易宿所営業における玄関帳場等の設置について
　　　　　　　　　　　　　　　　　（平成29年12月15日事務連絡）…………1592
○旅館業法の一部を改正する法律の施行に伴う関係政令の整備に関する政
　令等に係る疑義について　　　　　（平成30年1月31日事務連絡）1344頁参照

　　　　（多人数の共用）
○旅館営業の許可について　　　　　（昭和46年6月28日環衛第118号）1591頁参照
○ＩＣＴの活用による玄関帳場の代替、宿泊者名簿の電子化について
　　　　　　　　　　　　　　　　　（令和2年10月12日事務連絡）…………1593

　　　　（無窓客室）
○無窓客室に対する旅館業法の取扱いについて
　　　　　　　　　　　　　　　　　（平成元年9月20日衛指第160号）…………1594

第6章　行政処分（許可取消、営業停止等）

（行政処分の実施の可否）

○旅館業における行政処分の実施の可否について
　　　　　　　　　　　　　（平成20年7月10日健衛発第0710001号）…………1596

（公開の聴聞）

○公開による聴聞について　　　　　　（昭和23年11月24日衛発第336号）1164頁参照
○旅館業法第9条第1項の聴聞について（昭和33年8月21日衛環発第64号）…………1597

（法第8条の「罪を犯したとき」の解釈）

○旅館業の許可取消等に関する取扱について
　　　　　　　　　　　　　　　（昭和33年1月14日衛環発第4号）…………1597
○旅館業法第8条の取扱の疑義について（昭和33年2月11日衛環発第12号）…………1598
○旅館業法第9条第1項の聴聞について（昭和33年8月21日衛環発第64号）1597頁参照
○県公安委員会がモーテル営業の廃止を命じたときの旅館業法上の許可処
　分の取扱いについて　　　　　　　（昭和48年10月9日環衛第204号）…………1599
○旅館業法に関する疑義について　　　（昭和50年3月7日環指第17号）…………1600

（行政処分の対象となる施設の範囲）

○公衆浴場、旅館、飲食店と風紀びん乱について
　　　　　　　　　　　　　　　（昭和27年2月22日衛環第39号）1920頁参照
○旅館営業許可の行政処分に関する疑義照会について
　　　　　　　　　　　　　　　（昭和29年9月2日衛環第82号）1554頁参照
○旅館業法に関する疑義について　　　（昭和33年9月5日衛環発第70号）…………1601
○旅館業法第8条の規定による処分に関する疑義について
　　　　　　　　　　　　　　　（昭和34年1月14日衛環発第4号）…………1602

（犯罪についての判断資料）

○旅館業の許可取消等に関する取扱について
　　　　　　　　　　　　　　　（昭和33年1月14日衛環発第4号）1597頁参照
○旅館の行政処分に関する取扱について
　　　　　　　　　　　　　　　（昭和33年10月22日衛環発第86号）…………1603

　　　　　（公訴の提起と行政処分）

○旅館業の許可取消等に関する取扱について
　　　　　　　　　　　　　（昭和33年1月14日衛環発第4号）　1597頁参照

○旅館業法第8条の取扱の疑義について　（昭和33年2月11日衛環発第12号）　1598頁参照

　　　　　（訴願と行政処分）

○旅館業の行政処分に関する取扱について
　　　　　　　　　　　　　（昭和33年10月22日衛環発第86号）　1603頁参照

　　　　　（行政処分と長期宿泊者）

○旅館業法第8条の規定による処分に関する疑義について
　　　　　　　　　　　　　（昭和34年1月14日衛環発第4号）　1602頁参照

　　　　　（許可条件違反と行政処分）

○旅館業法第3条に関する疑義について　（昭和34年2月10日衛環発第13号）…………1604

　　　　　（罪を犯した者への新たな許可）

○旅館業法に関する疑義について　　　（昭和34年4月4日衛環発第23号）…………1605

　　　　　（風俗営業取締法による行政処分との関係）

○旅館業法第8条の取扱の疑義について　（昭和33年2月11日衛環発第12号）　1598頁参照

○県公安委員会がモーテル営業の廃止を命じたときの旅館業法上の許可処
　分の取扱いについて　　　　　　　（昭和48年10月9日環衛第204号）　1599頁参照

第7章　その他

　　　　　（宿泊拒否）

○旅館業法第5条第2号の解釈等について
　　　　　　　　　　　　　（平成18年6月22日健衛発第0622001号）…………1607

　　　　　（宿泊者名簿）

○旅館業法第6条の解釈について　　　（昭和27年10月24日衛発第1,018号）…………1608

○旅館業法第6条の当該官吏又は吏員について
　　　　　　　　　　　　　（昭和32年10月8日衛環発第51号）…………1609

○旅館業における宿泊者名簿の取扱いについて
　　　　　　　　　　　　　　　　（昭和45年3月11日環衛第36号）…………1610

　　　（旅館内の興行場）

○旅館業におけるサービスの範囲並びに興行場法の適用について
　　　　　　　　　　　　　　　　（昭和46年9月4日環衛第158号）　1166頁参照

○旅館内において催し物が行なわれる施設に対する興行場法の適用について
　　　　　　　　　　　　　　　　（昭和46年9月8日環衛第162号）　1138頁参照

　　　（旅館業の防火安全対策）

○「旅館営業に対する防火安全対策の強化通知」に対する疑義について
　　　　　　　　　　　　　　　　（昭和44年7月7日環衛第9,094号）…………1611

　　　（法第12条の解釈について）

○捜査関係事項の照会について　　（平成元年8月2日衛指第127号）…………1612

第6編　公衆浴場

I　法令編

●公衆浴場法　　　　　　　　　（昭和23年7月12日法律第139号）…………1653
●公衆浴場法施行規則　　　　　（昭和23年7月24日厚生省令第27号）…………1660
●公衆浴場の確保のための特別措置に関する法律
　　　　　　　　　　　　　　　　（昭和56年6月9日法律第68号）…………1663
●公衆浴場入浴料金の統制額の指定等に関する省令
　　　　　　　　　　　　　　　　（昭和32年9月12日厚生省令第38号）…………1665
●浴場業の振興指針　　　　　（令和2年3月5日厚生労働省告示第53号）…………1666
●物価統制令（抄）　　　　　　　（昭和21年3月3日勅令第118号）…………1686
●物価統制令施行令（抄）　　　　（昭和27年7月31日政令第319号）…………1689
●物価統制令の規定に基づく臨検検査をする職員の携帯する身分を示す証票の様式を定める命令
　　　（令和3年10月22日内閣府・財務・厚生労働・農林水産・経済産業・
　　　国土交通省令第1号）……………………………………………………1689
●物価統制令の規定に基づく臨検検査をする職員の携帯する身分を示す証票の様式の特例に関する命令
　　　（令和3年10月22日内閣府・財務・厚生労働・農林水産・経済産業・
　　　国土交通省令第2号）……………………………………………………1690

Ⅱ 基本通知編

第1章 共通事項

○旅館業法等施行に関する件　　　　（昭和23年8月18日厚生省発衛第10号）1298頁参照

○公衆浴場法の一部改正について　　（昭和25年5月26日発衛第1,089号）…………1692

○公衆浴場法の一部を改正する法律の施行について（施行通知）
　　　　　　　　　　　　　　　　　（昭和39年7月31日環発第286号）…………1693

○許可、認可等の整理に関する法律の公布について（抄）
　　　　　　　　　　　　　　　　　（昭和54年12月28日環企第183号）1079頁参照

○許可、認可等の整理に関する法律の一部の施行期日を定める政令等の公
　布について（抄）　　　　　　　　（昭和55年5月9日環指第82号）1080頁参照

○公衆浴場の確保のための特別措置に関する法律の公布について
　　　　　　　　　　　　　　　　　（昭和56年6月13日環指第101号）…………1694

○許可、認可等民間活動に係る規制の整理及び合理化に関する法律等によ
　る興行場法等の一部改正の施行について
　　　　　　　　　　　　　　　　　（昭和60年12月24日衛指第270号）1082頁参照

○公衆浴場法の一部を改正する法律の施行期日を定める政令及び公衆浴場
　法施行規則の一部を改正する省令について
　　　　　　　　　　　　　　　　　（昭和63年4月27日衛指第103号）…………1695

○地方分権の推進を図るための関係法律の整備等に関する法律等の施行に
　ついて（抄）　　　　　　　　　　（平成12年3月30日生衛発第569号）389頁参照

○「公衆浴場法施行規則等の一部を改正する省令」の施行について（抄）
　　　　　　　　　　　　　　　　　（平成13年3月27日健発第336号）…………1696

○公衆浴場の確保のための特別措置に関する法律の一部を改正する法律の
　施行について（施行通知）　　　　（平成16年4月16日健発第0416002号）…………1698

○地域の自主性及び自立性を高めるための改革の推進を図るための関係法
　律の整備に関する法律の施行等について
　　　　　　　　　　　　　　　　　（平成23年8月30日健発0830第10号）413頁参照

○食品衛生法施行規則等の一部を改正する省令の公布について
　　　　　　　　　　　　　　　　　（令和2年7月14日生食発0714第4号）430頁参照

○生活衛生関係営業等の事業活動の継続に資する環境の整備を図るための
　旅館業法等の一部を改正する法律の公布について
　　　　　　　　　　　　　　　　　（令和5年6月14日生食発0614第2号）1326頁参照

(51)

第2章　適用範囲

○公衆浴場法等の営業関係法律中の「業として」の解釈について
　　　　　　　　　　　　　　（昭和24年10月17日衛発第1,048号）…………1699
○営業三法の運用について　　　　（昭和25年4月26日衛発第358号）…………1701

第3章　営業の許可等

○風俗営業等取締法の一部を改正する法律の施行に伴なう公衆浴場法等の
　取扱いについて　　　　　　　（昭和41年8月5日環衛第5,091号）…………1702
○風俗営業等取締法の一部を改正する法律の施行に伴なう公衆浴場法等の
　取扱いについて　　　　　　　（昭和41年10月6日環衛第5,111号）…………1703
○旅館業、興行場営業及び浴場業に対する防火安全対策の強化について
　　　　　　　　　　　　　　　（昭和44年5月21日環衛第9,072号）1352頁参照
○特殊な浴場業の店舗名の健全化について（昭和59年10月23日衛指第64号）…………1704

第4章　衛生措置等

○公衆浴場における電気浴器の取扱について
　　　　　　　　　　　　　　　　（昭和27年7月30日衛発第693号）…………1705
○公衆浴場における風紀の問題について（昭和39年5月12日環発第183号）…………1706
○環境衛生関係営業施設における自主管理点検表の制定について（抄）
　　　　　　　　　　　　　　　（昭和63年10月18日衛指第215号）…………1707
○公衆浴場における衛生等管理要領等の改定について
　　　　　　　　　　　　　　　　　　（平成3年9月19日事務連絡）…………1709
○公衆浴場及び旅館における浴室の衛生管理の徹底について
　　　　　　　　　　　　　　　　（平成8年7月26日衛指第122号）…………1712
○温泉を利用した公衆浴場業及び旅館業の入浴施設の衛生管理の徹底につ
　いて　　　　　　　　　　　　（平成11年3月29日衛指第28号）…………1712
○温泉利用入浴施設の衛生管理の徹底について
　　　　　　　　　　　　　　　　（平成12年5月17日衛指第56号）…………1713

○公衆浴場業及び旅館業における入浴施設の衛生管理の徹底について
　　　　　　　　　　　　　（平成12年7月18日衛指第84号）…………1713

○公衆浴場における衛生等管理要領等について
　　　　　　　　　　　　（平成12年12月15日生衛発第1,811号）…………1714

○循環式浴槽におけるレジオネラ症防止対策マニュアルについて
　　　　　　　　　　　　　（平成13年9月11日健衛発第95号）…………1754

○レジオネラ症患者の発生時等の対応について
　　　　　（平成14年9月3日健感発第0903001号・健衛発第0903001号）…………1776

○入浴施設におけるレジオネラ症防止対策の実施状況の緊急一斉点検について
　　　　　　　　　　　　（平成14年9月20日健衛発第0920001号）…………1777

○公衆浴場における衛生等管理要領等の改正について
　　　　　　　　　　　　（平成15年2月14日健発第0214004号）…………1783

○公衆浴場における衛生等管理要領について
　　　　　　　　　　　　（平成18年8月24日健衛発第0824001号）…………1783

○興行場等における衛生環境の維持管理について
　　　　　　　　　　　　（平成20年3月25日健衛発第0325004号）643頁参照

○公衆浴場における浴槽水等のレジオネラ属菌検査方法について
　　　　　　　　　　　　（令和元年9月19日薬生衛発0919第1号）…………1784

○公衆浴場における衛生等管理要領等の遵守について
　　　　　　　　　　　　　　　（令和4年4月15日事務連絡）…………1798

○公衆浴場における衛生等管理要領等の遵守について（その2）
　　　　　　　　　　　　　　　（令和4年5月13日事務連絡）…………1798

○入浴施設の衛生管理の手引きの周知について
　　　　　　　　　　　　　　　（令和4年5月13日事務連絡）…………1799

○公衆浴場や旅館業の施設の共同浴室における男女の取扱いについて
　　　　　　　　　　　　（令和5年6月23日薬生衛発0623第1号）…………1800

第5章　入浴料金

○公衆浴場入浴料金の統制額の指定等に関する省令の施行について（依命通達）
　　　　　　　　　　　　（昭和32年9月13日厚生省発衛第411号）…………1802

○公衆浴場入浴料金の統制額の指定について
　　　　　　　　　　　　　（昭和34年1月7日発衛第6号）…………1803

目次

○公衆浴場入浴料金の統制額の指定等について
　　　　　　　　　　　　　（昭和35年7月5日厚生省発衛第295号）…………1804

○公衆浴場入浴料金の統制額の指定について
　　　　　　　　　　　　　（昭和36年12月20日厚生省発環第137号）…………1805

○公衆浴場入浴料金の統制額の指定について（依命通知）
　　　　　　　　　　　　　（昭和38年8月9日厚生省発環第113号）…………1805

○公衆浴場入浴料金の統制額の指定について
　　　　　　　　　　　　　（昭和38年8月12日環発第335号）…………1806

○公衆浴場入浴料金の統制額の指定について
　　　　　　　　　　　　　（昭和48年11月14日環衛第232号）…………1808

○公衆浴場の入浴料金の統制額の指定について
　　　　　　　　　　　　　（昭和48年11月14日環衛第233号）…………1808

○公衆浴場入浴料金の統制額の指定等に関する省令の一部を改正する省令
　の施行について　　　　　（昭和50年5月9日環指第38号）…………1811

○消費税導入に伴う公衆浴場入浴料金の統制額の指定について
　　　　　　　　　　　　　（平成元年2月28日衛指第24号）…………1812

○消費税率の改正及び地方消費税の創設に伴う公衆浴場入浴料金の統制額
　の指定について　　　　　（平成9年1月31日衛指第22号）…………1813

第6章　その他

（振興）

○中小企業の事業活動の機会の確保のための大企業者の事業活動の調整に
　関する法律の一部を改正する法律等の施行について
　　　　　　　　　　　　　（昭和56年9月30日環指第161号）…………1814

○中小企業の事業活動の機会の確保のための大企業者の事業活動の調整に
　関する法律施行規則の一部を改正する命令の施行について
　　　　　　　　　　　　　（昭和57年2月9日環指第17号）…………1817

○特定中小企業者事業転換対策等臨時措置法における環境衛生関係営業の
　取扱いについて　　　　　（昭和61年3月20日衛指第36号）989頁参照

○特定地域中小企業対策臨時措置法における環境衛生関係営業の取扱いに
　ついて　　　　　　　　　（昭和62年2月12日衛指第25号）672頁参照

　　　　　（あん摩師）

○無免許あん摩師の取り締り等について　（昭和32年11月20日発医第166号）…………1817

○免許を受けないであん摩、マッサージ又は指圧を業とする者の取締りについて　　　　　　　　　　　　（昭和39年11月18日医発第1,379号）………1819

　　　（競合問題）

○老人福祉センター等の入浴施設と公衆浴場との競合問題の調整について
　　　　　　　　　　　　　（昭和59年11月21日衛指第78号）………1820

　　　（福祉入浴援助事業）

○福祉入浴援助事業を行う公衆浴場の設備に関する基準について
　　　　　　　　　　　　　（平成6年3月2日衛指第33号）………1821

○福祉入浴援助事業（デイセントー事業）を行う公衆浴場の施設・設備及び運営基準について　　　　（平成9年7月22日衛指第139号）………1823

○入れ墨（タトゥー）がある外国人旅行者の入浴に関する対応について
　　　　　　　　　　　　　（平成28年3月18日事務連絡）………1826

Ⅲ　解釈通知編

第1章　公衆浴場業の定義

　　　（「業として」の解釈）

○公衆浴場法等の営業関係法律中の「業として」の解釈について
　　　　　　　　　　　　（昭和24年7月28日法務府法意1発第44号）………1827

　　　（家族風呂）

○特殊浴場に対する公衆浴場法適用の疑義について
　　　　　　　　　　　　　（昭和26年3月12日衛環第24号）………1834

　　　（牛乳風呂）

○公衆浴場としての牛乳風呂の取扱に関する件
　　　　　　　　　　　　　（昭和26年3月20日衛発第265号）………1835

　　　（個室付特殊浴場）

○トルコ風呂の取扱について　　　（昭和27年11月11日衛環第98号）………1835

　　　（協同組合の厚生施設）

○公衆浴場法の適用について　　　（昭和28年2月23日衛環第16号）………1836

○公衆浴場法の運営疑義について　（昭和30年7月30日衛環第47号）………1838

目次

　　　　（普通浴場と特殊浴場）
○公衆浴場の疑義について　　　　　　　（昭和31年3月3日衛環発第9号）…………1839
　　　　（旅館内の入浴施設）
○公衆浴場法の疑義について　　　　　　（昭和29年1月5日衛発第1号）…………1840
○旅館内にトルコ風呂を設ける場合の取扱について
　　　　　　　　　　　　　　　　　　　（昭和32年8月8日衛環発第34号）1529頁参照
○公衆浴場法の適用範囲について　　　　（昭和40年10月5日環衛第5,115号）…………1841
　　　　（山村共同浴場）
○「新農山漁村建設総合対策要綱」に基く共同浴場施設について
　　　　　　　　　　　　　　　　　　　（昭和32年3月13日衛環第19号）…………1842
　　　　（会員制療養施設）
○環境衛生関係営業法令に関する疑義応答について
　　　　　　　　　　　　　　　　　　　（昭和36年6月20日厚生省環衛第1号）1130頁参照
　　　　（無料の浴場）
○公衆浴場法の適用について　　　　　　（昭和31年11月22日衛環第115号）…………1843
○環境衛生関係営業法令に関する疑義応答について
　　　　　　　　　　　　　　　　　　　（昭和36年6月20日厚生省環衛第1号）1130頁参照
　　　　（アパートの附設浴場）
○公衆浴場法の適用について　　　　　　（昭和31年11月22日衛環第115号）1843頁参照
○公衆浴場法適用上の疑義について　　　（昭和39年11月26日環衛第33号）…………1844
　　　　（マッサージ施術所の浴場）
○あん摩、マッサージ施術所の浴場に対する公衆浴場法適用の疑義について
　　　　　　　　　　　　　　　　　　　（昭和40年4月1日環衛第5,037号）…………1846
　　　　（サウナ風呂、カマ風呂）
○公衆浴場法の疑義について　　　　　　（昭和41年12月21日環衛第5,150号）…………1846
○公衆浴場法の疑義について　　　　　　（昭和42年1月20日環衛第7,014号）…………1847
　　　　（ゴルフ場の浴場）
○ゴルフ場における浴場の取り扱いについて
　　　　　　　　　　　　　　　　　　　（昭和41年3月23日環衛第5,031号）…………1847

○クリーニング業法及び公衆浴場の疑義について
　　　　　　　　　　　（昭和42年2月9日環衛第7,025号）…………1848

　　　（酵素風呂）

○特殊公衆浴場に対する公衆浴場法適用の疑義について
　　　　　　　　　　　（昭和43年4月25日環衛第8,066号）…………1849

　　　（シャワー浴場）

○公衆浴場法の疑義について　　（昭和43年7月25日環衛第8,113号）…………1850

　　　（新生児の沐浴施設）

○公衆浴場法に基づく営業許可に関する疑義について
　　　　　　　　　　　（昭和44年3月17日環衛第9,045号）…………1850

　　　（自治会立共同風呂）

○公衆浴場法の運用について　　（昭和44年7月7日環衛第9,095号）…………1851

　　　（工場の福利厚生施設）

○公衆浴場法の運用について　　（昭和44年7月7日環衛第9,095号）1851頁参照

　　　（トレーニング場の浴場）

○トレーニング場に対する公衆浴場法適用の疑義について
　　　　　　　　　　　（昭和48年11月19日環衛第237号）…………1853

　　　（医療施設等の浴場）

○公衆浴場法の解釈について　　　　（平成30年7月13日事務連絡）…………1854

第2章　営業の許可

第1節　営業許可と私法関係

○公衆浴場法による営業許可について
　　　　　　　　　　　（昭和26年1月31日法務府法意1発第2号）…………1855

○公衆浴場法による営業許可についての意見書写送付の件
　　　　　　　　　　　（昭和26年4月12日衛発第266号）…………1857

目次

○公衆浴場営業許可について　　　　　　　（昭和31年11月29日衛環第119号）…………1860

○公衆浴場法の疑義について　　　　　　　（昭和32年5月27日衛環第36号）…………1861

　　　（条件）

○営業三法に関する疑義について　　　　　（昭和30年2月25日衛環発第4号）　1141頁参照

○公衆浴場法施行上の疑義について　　　　（昭和42年2月9日環衛第7,026号）…………1862

第2節　競願

　　　（審査の順序）

○公衆浴場競願の取扱について　　　　　　（昭和27年12月10日衛環第111号）…………1865

○公衆浴場設置許可申請の競願事件について
　　　　　　　　　　　　　　　　　　　　（昭和29年12月2日衛環発第32号）…………1866

○公衆浴場法に基く営業許可に関する疑義について
　　　　　　　　　　　　　　　　　　　　（昭和32年7月3日衛環発第24号）…………1867

○公衆浴場競願の取扱について　　　　　　（昭和33年10月7日衛環発第82号）…………1868

○公衆浴場競願の取扱いについて　　　　　（昭和39年10月16日環衛第24号）…………1869

　　　（建築確認の時期）

○公衆浴場許可の取扱について　　　　　　（昭和29年1月5日衛発第3号）…………1870

　　　（口頭の申請）

○公衆浴場競願事件の取扱について　　　　（昭和32年9月19日衛環発第45号）…………1871

○公衆浴場の営業許可に関する疑義について
　　　　　　　　　　　　　　　　　　　　（昭和32年9月24日衛環発第46号）…………1872

　　　（既得権の保護）

○公衆浴場許可事務取扱上の疑義について　（昭和32年1月18日衛環第2号）…………1873

○公衆浴場法に基く営業許可に関する疑義について
　　　　　　　　　　　　　　　　　　　　（昭和32年7月3日衛環発第24号）　1867頁参照

○公衆浴場競願事件の取扱について　　　（昭和32年9月19日衛環発第45号）1871頁参照

○公衆浴場の営業許可に関する疑義について
　　　　　　　　　　　　　　　　　　（昭和32年9月24日衛環発第46号）1872頁参照

○公衆浴場法による営業許可について　（昭和33年6月5日衛環発第63号）…………1874

○公衆浴場営業許可事務取扱い上の疑義について
　　　　　　　　　　　　　　　　　（昭和40年6月7日環衛第5,061号）…………1875

第3節　許可の同一性

（名義変更）

○公衆浴場法、旅館業法等の疑義について　（昭和28年2月9日衛環第12号）…………1876

○公衆浴場許可事務取扱上の疑義について　（昭和32年1月18日衛環第2号）1873頁参照

○風俗営業等取締法の一部を改正する法律の施行に伴う公衆浴場法等の取
　扱いについて　　　　　　　　　　（昭和41年11月8日環衛第5,129号）…………1877

○公衆浴場営業許可の疑義について　　　　（昭和56年5月16日環指第85号）…………1878

○興行場法、旅館業法及び公衆浴場法の一部改正に関する質疑応答につい
　て　　　　　　　　　　　　　　　　　（昭和61年1月30日事務連絡）1151頁参照

（所在地の変更）

○公衆浴場法、旅館業法等の疑義について　（昭和28年2月9日衛環第12号）1876頁参照

○公衆浴場法施行規則第2条の適用範囲について
　　　　　　　　　　　　　　　　　　　（昭和29年9月25日衛環第92号）…………1879

（構造設備の変更）

○営業三法施行規則（省令）第1条の記載事項の変更について
　　　　　　　　　　　　　　　　　（昭和26年11月30日衛環第135号）1148頁参照

○営業三法施行規則（省令）第1条記載事項の変更について
　　　　　　　　　　　　　　　　　（昭和27年12月22日衛環第114号）1149頁参照

○公衆浴場法の疑義について　　　　　　　（昭和32年5月27日衛環第36号）1861頁参照

○公衆浴場（特殊浴場）営業の許可取消（撤回）処分並びに附加基準の制
　定について　　　　　　　　　　　　（昭和33年9月11日衛環発第77号）…………1880

○公衆浴場法の疑義について　　　　　（昭和40年11月17日環衛第5,129号）…………1882

目次

　　　　　（個室付浴場の場合）

○風俗営業等取締法の一部改正にともなう公衆浴場の取扱いについて
　　　　　　　　　　　　　　　（昭和43年7月25日環衛第8,114号）…………1883

　　第4節　他法との関係

○旅館業及び公衆浴場業の許可の疑義について
　　　　　　　　　　　　　　　（昭和32年10月21日衛環発第54号）…………1884

　　第5節　事前許可と事後許可

○公衆浴場営業許可方式の改正について（昭和33年3月1日衛環発第22号）…………1885

　　第6節　許可手数料

○営業三法の疑義について　　　　（昭和26年1月9日衛環第1号）1156頁参照
○興行場、旅館業、公衆浴場等営業許可事務取扱の疑義について
　　　　　　　　　　　　　　　（昭和30年3月22日衛環第18号）1156頁参照

第3章　営業許可事務の取扱い

　　　　　（許可事項の変更届）

○許可事項変更の無届者の処置に関する件
　　　　　　　　　　　　　　　（昭和26年4月13日衛発第263号）1166頁参照

　　　　　（許可証の再交付、訂正交付）

○興行場、旅館業、公衆浴場等営業許可事務取扱の疑義について
　　　　　　　　　　　　　　　（昭和30年3月22日衛環第18号）1156頁参照
○理容所等の許可申請等に関する手続きについて
　　　　　　　　　　　　　　　（平成31年2月12日事務連絡）663頁参照

第4章　配置規制

　　第1節　距離制限

○営業三法の取扱に関する件　　　（昭和23年11月2日衛発第278号）1107頁参照
○公衆浴場法の一部改正について　（昭和25年7月21日衛発第564号）…………1886

(60)

第2節　適正配置の判断

（許可の裁量）

○公衆浴場法の一部改正について　　　　　（昭和25年7月21日衛発第564号）1886頁参照

○県条例による公衆浴場、興行場の新設制限について
　　　　　　　　　　　　　　　　　　　　（昭和30年6月17日衛発第374号）…………1887

（隣接町村の距離制限）

○市町村の区域を異にする場合の既設公衆浴場と新設公衆浴場との距離の
　問題について　　　　　　　　　　　　　（昭和28年3月28日衛環第24号）…………1888

（施設の増築）

○公衆浴場営業許可について　　　　　　　（昭和32年9月5日衛環発第41号）…………1889

（移転改築）

○公衆浴場に関する疑義について　　　　　（昭和32年11月2日衛環発第59号）…………1890

○公衆浴場法に基く営業許可に関する疑義について
　　　　　　　　　　　　　　　　　　　　（昭和33年2月24日衛環発第18号）…………1891

（条例制定前の許可施設）

○公衆浴場法による営業許可について　　　（昭和28年7月14日衛環第43号）…………1892

第3節　都市計画法による移転

○公衆浴場法、旅館業法等の疑義について　（昭和28年2月9日衛環第12号）1876頁参照

○公衆浴場法と都市計画法との関係について
　　　　　　　　　　　　　　　　　　　　（昭和28年2月16日衛環発第4号）…………1894

○公衆浴場法に基く営業許可に関する疑義について
　　　　　　　　　　　　　　　　　　　　（昭和33年7月10日衛環発第58号）…………1895

第4節　特殊浴場と配置規制

（生活協同組合の浴場）

○共同浴場に対し公衆浴場法第2条第2項による適正配置の基準適用の疑
　義について　　　　　　　　　　　　　　（昭和30年12月26日衛環発第48号）…………1896

目次

　　　　　(個室付特殊浴場)

○公衆浴場法に基く営業許可に関する疑義について
　　　　　　　　　　　　　　(昭和33年7月10日衛環発第58号)　1895頁参照

○トルコ風呂等特殊浴場の適正配置の基準の適用について
　　　　　　　　　　　　　　(昭和41年8月29日環衛第5,100号)　…………1897

第5章　衛生風紀に関する措置基準、構造基準

　　　　　(法第2条及び第3条の解釈)

○公衆浴場法第2条及び第3条の解釈について
　　　　　　　　　　　　　　(平成7年1月11日衛指第2号)　…………1899

　　　　　(薬湯)

○公衆浴場に薬湯を併設することについて　(昭和27年1月28日環衛第4号)　…………1900

○薬湯の併置営業について　　　　(昭和27年2月11日衛環第6号)　…………1901

○公衆浴場法第3条の規定による入浴者の衛生に必要な措置基準について
　　　　　　　　　　　　　　(昭和28年3月6日衛環発第8号)　…………1902

○公衆浴場法に関する疑義について　(昭和32年2月25日衛環発第11号)　…………1902

○公衆浴場法施行規則第1条の規定について
　　　　　　　　　　　　　　(昭和38年10月29日環衛第21号)　…………1903

　　　　　(電気浴施設)

○公衆浴場における電気浴施設の設置について
　　　　　　　　　　　　　　(昭和27年2月25日衛発第149号)　…………1904

　　　　　(酵素風呂)

○特殊公衆浴場に対する公衆浴場法適用の疑義について
　　　　　　　　　　　　　　(昭和43年4月25日環衛第8,066号)　1849頁参照

　　　　　(温泉と温度規制)

○公衆浴場及び旅館業浴場に利用する温泉の取扱について
　　　　　　　　　　　　　　(昭和31年3月6日衛環第20号)　…………1906

　　　　　（患者専用浴場）

○公衆浴場法第4条に関する疑義について（昭和32年2月25日衛環第15号）…………1906

　　　　　（採光照明）

○地階に設けられる公衆浴場の採光について
　　　　　　　　　　　　　　　　　　（昭和33年11月24日発衛第95号）…………1907

　　　　　（施設の範囲）

○公衆浴場法第1条中の施設の解釈について
　　　　　　　　　　　　　　　　　　（昭和38年12月25日環衛第26号）…………1908

　　　　　（公衆浴場内での販売行為、飲食行為）

○公衆浴場法および興行場法に係る疑義について
　　　　　　　　　　　　　　　　　　（昭和44年4月14日環衛第9,063号）…………1909

○公衆浴場内における乳類販売の許可の取扱いについて
　　　　　　　　　（昭和40年8月11日環衛第5,091号・環乳第5,048号）…………1910

○公衆浴場内における飲食について　　（昭和41年3月2日環衛第5,025号）…………1910

　　　　　（蒸気室の併設）

○公衆浴場法の疑義について　　　　　（昭和41年1月7日環衛第5,001号）…………1911

　　　　　（熱気風呂（サウナバス）の併設）

○公衆浴場における熱気風呂の取扱い上の疑義について
　　　　　　　　　　　　　　　　　　（昭和43年9月3日環衛第8,134号）…………1912

○一般公衆浴場に併設するサウナ室の取扱いについて
　　　　　　　　　　　　　　　　　　（昭和47年3月16日環衛第45号）…………1914

○公衆浴場法施行上の疑義について　　（昭和42年2月9日環衛第7,026号）1862頁参照

　　　　　（男女時間割使用）

○公衆浴場法施行上の疑義について　　（昭和42年2月9日環衛第7,026号）1862頁参照

　　　　　（風紀条項と公衆浴場内でのマージャン）

○公衆浴場法の疑義について　　　　　（昭和50年10月23日環指第93号）…………1915

目次

第6章 行政処分

(公開の聴聞)

○公開による聴聞について　　　　　　　　（昭和23年11月24日衛発第336号）1164頁参照

(長期休業と許可の取消)

○公衆浴場営業許可の行政処分手続について
　　　　　　　　　　　　　　　　　　　（昭和26年12月25日衛環第149号）…………1917

○公衆浴場新設許可事務について　　　　　（昭和28年2月23日衛環発第6号）…………1918

○公衆浴場法の営業許可について　　　　　（昭和28年12月9日法制局1発第112号）……1919

(風紀びん乱と許可の取消)

○公衆浴場、旅館、飲食店と風紀びん乱について
　　　　　　　　　　　　　　　　　　　（昭和27年2月22日衛環第39号）…………1920

○公衆浴場法の疑義について　　　　　　　（昭和44年7月7日環衛第9,097号）…………1921

(許可条件違反と許可の取消)

○公衆浴場新設許可事務について　　　　　（昭和28年2月23日衛環発第6号）1918頁参照

○公衆浴場（特殊浴場）営業の許可取消（撤回）処分並びに附加基準の制
　定について　　　　　　　　　　　　　（昭和33年9月11日衛環発第77号）1880頁参照

○公衆浴場法の疑義について　　　　　　　（昭和44年7月7日環衛第9,097号）1921頁参照

(行政上の瑕疵に基づく許可の取消)

○公衆浴場許可取消について
　　　　　　　　　　　　　（昭和29年10月14日厚生省公衆衛生局第729号）…………1922

第7章 入浴料金

(入浴料金と休憩時間)

○公衆浴場の入浴料金について　　　　　　（昭和30年8月11日衛環発第27号）…………1924

(64)

　　　　（入浴料金と時間超過料金）

○入浴料金統制額に係る物価統制令第15条の解釈について
　　　　　　　　　　　　　　　（昭和33年4月9日衛環発第37号）…………1925

　　　　（温泉ヘルスセンター）

○公衆浴場の入浴料金について　　　（昭和30年8月11日衛環発第27号）1924頁参照

○公営企業法による公衆浴場（温泉ヘルスセンター）入浴料金の取扱について
　　　　　　　　　　　　　　　（昭和34年1月20日衛環発第5号）…………1927

　　　　（個室付特殊浴場）

○公衆浴場法の疑義について　　　　（昭和40年11月17日環衛第5,129号）1882頁参照

○特殊浴場（トルコ風呂）に係る入浴料金の統制額の指定について
　　　　　　　　　　　　　　　（昭和40年6月7日環衛第5,063号）…………1928

　　　　（サウナ風呂）

○公衆浴場法施行上の疑義について　（昭和42年2月9日環衛第7,026号）1862頁参照

　　　　（統制額以下の入浴料金の規制）

○公衆浴場入浴料金について　　　　（昭和41年4月18日環衛第5,044号）…………1929

○公衆浴場法施行上の疑義について　（昭和42年2月9日環衛第7,026号）1862頁参照

　　　　（男子洗髪料）

○公衆浴場の入浴料金について　　　（昭和47年12月27日環衛第227号）…………1930

　　　　（物統令第15条関係）

○入浴料金統制額に係る物価統制令第15条の解釈について
　　　　　　　　　　　　　　　（昭和33年4月9日衛環発第37号）1925頁参照

第8章　その他

　　　　（浴場内のあん摩類似行為）

○浴場内のあん摩類似行為について　（昭和27年1月11日医第8号）…………1932

○あん摩師、はり師、きゅう師又は柔道整復師の学校又は養成所等に在学している者の実習等の取り扱いについて
　　　　　　　　　　　　　　　（昭和38年1月9日医発第8号の2）…………1933

○トルコ・サウナ風呂施設内で行なわれるマッサージ行為について
　　　　　　　　　　　　　　（昭和43年5月9日医事第60号の2）…………1935

○サウナ風呂施設内で行なわれている美容マッサージ行為について
　　　　　　　　　　　　　　（昭和47年9月5日医事第108号）…………1937

第7編　住宅宿泊事業

I　法令編

●住宅宿泊事業法　　　　　　　　　（平成29年6月16日法律第65号）…………2003

●住宅宿泊事業法施行令　　　　　（平成29年10月27日政令第273号）…………2028

●住宅宿泊事業法施行規則
　　　　　　　　　（平成29年10月27日厚生労働・国土交通省令第2号）…………2030

●厚生労働省関係住宅宿泊事業法施行規則
　　　　　　　　　　　　（平成29年10月27日厚生労働省令第117号）…………2057

●住宅宿泊事業法の規定に基づく立入検査の際に携帯する職員の身分を示す証明書の様式の特例に関する省令
　　　　　　　　　（令和3年10月22日厚生労働・国土交通省令第3号）…………2057

●国土交通省の所管する法律の規定に基づく立入検査等の際に携帯する職員の身分を示す証明書の様式の特例に関する省令（抄）
　　　　　　　　　　　　　（令和3年10月22日国土交通省令第68号）…………2059

II　通知編

○規制改革実施計画への対応について　　　（平成27年7月1日事務連絡）652頁参照

○「規制改革実施計画（平成27年6月30日閣議決定）」に基づくイベント開催時の旅館業法上の取扱いについて　　（平成27年9月1日事務連絡）…………2061

○住宅を使用して宿泊サービスを提供する施設に係る関係法令の遵守の徹底に向けた連携体制の構築について
　　　　　　　　　　　（平成29年3月17日生食衛発0317第1号）1396頁参照

○イベント民泊ガイドラインの改訂について（平成29年7月10日事務連絡）…………2070
○住宅宿泊事業法施行要領（ガイドライン）について
　　（平成29年12月26日生食発1226第2号・国土動第113号・国住指第
　　3,351号・国住街第166号・観観産第603号）　……………………………2084
○住宅宿泊事業の届出に係る受付事務の迅速な処理等について
　　（平成30年7月13日消防予第463号・生食発0713第1号・国住指第
　　1,356号・国住街第118号・観観産第323号）　……………………………2084
○住宅宿泊事業の届出に係る手続の適正な運用について
　　（平成30年11月22日生食発1122第1号・国住指第2,802号・観観産第
　　561号）　……………………………………………………………………………2086
○住宅宿泊仲介業者等における短期賃貸借物件等の取扱いについて
　　　　　　（平成30年11月22日観観産第565号・薬生衛発1122第1号）…………2088
○住宅宿泊事業法に基づく行政処分を行う際の留意点について
　　　　　　（平成31年1月16日薬生衛発0116第1号・観観産第611号）…………2090
○イベント開催時の旅館業法上の取扱いについて
　　　　　　　　　　　　　　　　　　（令和元年12月25日事務連絡）…………2092
○イベント民泊ガイドラインの改訂について
　　　　　　　　　　　　　　　　　　（令和元年12月25日事務連絡）…………2092
○国家戦略特別区域外国人滞在施設経営事業からの暴力団排除の推進につ
　いて　　　　（令和2年8月20日府地事第572号・薬生衛発0820第2号）…………2094
○住宅宿泊事業法における宿泊者名簿への記載等の徹底について
　　　　　　　　　　　　　　　　　　（令和2年10月2日事務連絡）…………2102
○家主居住型民泊施設における飲食店営業の許可に係る施設基準の取扱い
　について（周知）　　　　　（令和3年9月6日薬生衛発0906第1号）…………2103

年別索引……………………………………………………………………………2105

第1編

総　則

第1篇

总 论

Ⅰ 法令編

◉生活衛生関係営業の運営の適正化及び振興に関する法律

〔昭和32年6月3日〕
〔法律第164号〕

〔一部改正経過〕

第1次	〔昭和36年11月16日法律第230号「環境衛生関係営業の運営の適正化に関する法律の一部を改正する法律」による改正
第2次	〔昭和37年9月29日法律第162号「環境衛生関係営業の運営の適正化に関する法律の一部を改正する法律」による改正
第3次	〔昭和39年6月30日法律第122号「環境衛生関係営業の運営の適正化に関する法律の一部を改正する法律」による改正
第4次	〔昭和40年3月31日法律第36号「所得税法及び法人税法の施行に伴う関係法令の整備等に関する法律」第53条による改正
第5次	〔昭和45年6月1日法律第111号「許可、認可等の整理に関する法律」第14条による改正
第6次	〔昭和48年10月15日法律第115号「中小企業者の範囲の改定等のための中小企業基本法等の一部を改正する法律」第10条による改正
第7次	〔昭和49年4月2日法律第23号「商法の一部を改正する法律等の施行に伴う関係法律の整理等に関する法律」第29条による改正
第8次	〔昭和54年4月11日法律第19号「環境衛生関係営業の運営の適正化に関する法律の一部を改正する法律」による改正
第9次	〔昭和56年6月9日法律第75号「商法等の一部を改正する法律の施行に伴う関係法律の整理等に関する法律」第33条による改正
第10次	〔平成5年11月12日法律第89号「行政手続法の施行に伴う関係法律の整備に関する法律」第119条による改正
第11次	〔平成6年11月11日法律第97号「許可、認可等の整理及び合理化に関する法律」第6条による改正
第12次	〔平成9年6月20日法律第96号「私的独占の禁止及び公正取引の確保に関する法律の適用除外制度の整理等に関する法律」第4条による改正
第13次	〔平成9年6月6日法律第72号「商法等の一部を改正する法律の施行に伴う関係法律の整備に関する法律」第25条による改正
第14次	〔平成11年6月23日法律第80号「私的独占の禁止及び公正取引の確保に関する法律の適用除外制度の整理等に関する法律」第5条による改正
第15次	〔平成11年7月16日法律第87号「地方分権の推進を図るための関係法律の整備等に関する法律」第193条による改正
第16次	〔平成12年4月7日法律第39号「環境衛生関係営業の運営の適正化に関する法律の一部を改正する法律」による改正
第17次	〔平成11年7月16日法律第102号「中央省庁等改革のための国の行政組織関係法律の整備等に関する法律」第95条（平成12年4月法律第39号により一部改正）による改正
第18次	〔平成11年12月22日法律第160号「中央省庁等改革関係法施行法」第652条（平成12年4月法律第39号により一部改正）による改正
第19次	〔平成12年11月27日法律第126号「書面の交付等に関する情報通信の技術の利用のための関係法律の整備に関する法律」第19条による改正
第20次	〔平成13年6月29日法律第80号「商法等の一部を改正する等の法律の施行に伴う関係法律の整備に関する法律」第36条による改正
第21次	〔平成13年11月28日法律第129号「商法等の一部を改正する法律の施行に伴う関係法律の整備に関する法律」第57条による改正
第22次	〔平成14年5月29日法律第45号「商法等の一部を改正する法律の施行に伴う関係法律の整備に関する法律」第13条による改正
第23次	〔平成15年5月30日法律第55号「食品衛生法等の一部を改正する法律」附則第22条による改正
第24次	〔平成16年4月16日法律第33号「クリーニング業法の一部を改正する法律」附則第3条による改正
第25次	〔平成16年12月3日法律第154号「信託業法」附則第48条による改正
第26次	〔平成16年6月2日法律第76号「破産法の施行に伴う関係法律の整備等に関する法律」第66条による改正
第27次	〔平成16年12月1日法律第147号「民法の一部を改正する法律」附則第62条による改正
第28次	〔平成16年12月1日法律第150号「民間事業者等が行う書面の保存等における情報通信の技術の利用に関する法律の施行に伴う関係法律の整備等に関する法律」第16条による改正
第29次	〔平成17年7月26日法律第87号「会社法の施行に伴う関係法律の整備に関する法律」第319条（平成17年11月法律第106号・平成23年6月法律第74号により一部改正）による改正

第1編　総則

第30次　〔平成20年4月30日法律第21号「地方税法等の一部を改正する法律」附則第25条（平成21年3月法律第9号により一部改正）による改正
第31次　〔平成20年4月30日法律第23号「所得税法等の一部を改正する法律」附則第100条（平成21年3月法律第13号により一部改正）による改正
第32次　〔平成18年6月2日法律第50号「一般社団法人及び一般財団法人に関する法律及び公益社団法人及び公益財団法人の認定等に関する法律の施行に伴う関係法律の整備等に関する法律」第292条（平成18年12月法律第114号により一部改正）による改正
第33次　〔平成23年6月24日法律第74号「情報処理の高度化等に対処するための刑法等の一部を改正する法律」附則第35条（平成29年6月法律第67号により一部改正）による改正
第34次　〔平成23年5月25日法律第53号「非訟事件手続法及び家事事件手続法の施行に伴う関係法律の整備等に関する法律」第76条による改正
第35次　〔平成26年6月27日法律第91号「会社法の一部を改正する法律の施行に伴う関係法律の整備に関する法律」第74条による改正
第36次　〔平成31年3月29日法律第6号「所得税法等の一部を改正する法律」附則第108条（令和2年3月法律第8号により一部改正）による改正
第37次　〔平成29年6月2日法律第45号「民法の一部を改正する法律の施行に伴う関係法律の整備等に関する法律」第177条による改正
第38次　〔令和元年12月11日法律第71号「会社法の一部を改正する法律の施行に伴う関係法律の整備等に関する法律」第75条による改正
第39次　〔平成30年6月13日法律第46号「食品衛生法等の一部を改正する法律」附則第18条による改正

生活衛生関係営業の運営の適正化及び振興に関する法律

題名＝改正（第16次改正）

目次　　　　　　　　　　　　　　　　　　　　　　　　　　　　　　頁
第1章　総則（第1条・第2条）………………………………………5
第2章　生活衛生同業組合
　第1節　通則（第3条—第7条）……………………………………5
　第2節　事業（第8条—第14条の12）………………………………6
　第3節　組合員（第15条—第21条の5）……………………………13
　第4節　設立（第22条—第27条）……………………………………16
　第5節　管理（第28条—第49条の7）………………………………19
　第5節の2　移行（第49条の8・第49条の9）……………………29
　第6節　解散及び清算（第50条—第52条）…………………………30
　第7節　監督（第52条の2・第52条の3）…………………………31
第2章の2　生活衛生同業小組合（第52条の4—第52条の11）……32
第3章　生活衛生同業組合連合会（第53条—第56条）………………34
第3章の2　振興指針及び振興計画（第56条の2—第56条の5）…35
第4章　料金等の規制措置（第56条の6—第57条の2）……………37
第4章の2　都道府県生活衛生営業指導センター（第57条の3—第57条の8）………………………………………………………………38
第4章の3　全国生活衛生営業指導センター（第57条の9—第57条の11）…40
第4章の4　標準営業約款（第57条の12—第57条の15）……………41
第5章　審議会等（第58条・第59条）…………………………………43
第6章　雑則（第60条—第65条）………………………………………44

第7章　罰則（第65条の2—第71条）……………………………………………47
附則

第1章　総則
（目的）
第1条　この法律は、公衆衛生の見地から国民の日常生活に極めて深い関係のある生活衛生関係の営業について、衛生施設の改善向上、経営の健全化、振興等を通じてその衛生水準の維持向上を図り、あわせて利用者又は消費者の利益の擁護に資するため、営業者の組織の自主的活動を促進するとともに、当該営業における過度の競争がある等の場合における料金等の規制、当該営業の振興の計画的推進、当該営業に関する経営の健全化の指導、苦情処理等の業務を適正に処理する体制の整備、営業方法又は取引条件に係る表示の適正化等に関する制度の整備等の方策を講じ、もつて公衆衛生の向上及び増進に資し、並びに国民生活の安定に寄与することを目的とする。
〔改正〕
　　　全部改正（第8次改正）、一部改正（第16次改正）
（適用営業及び営業者の定義）
第2条　この法律は、次に掲げる営業につき適用する。
一　飲食店、喫茶店、食肉の販売又は氷雪の販売に係る営業で食品衛生法（昭和22年法律第233号）第55条第1項の許可を受けて営むもの又は同法第57条第1項の規定による届出をして営むもの
二　理容業（理容師法（昭和22年法律第234号）の規定により届出をして理容所を開設することをいう。）
三　美容業（美容師法（昭和32年法律第163号）の規定により届出をして美容所を開設することをいう。）
四　興行場法（昭和23年法律第137号）に規定する興行場営業のうち映画、演劇又は演芸に係るもの
五　旅館業法（昭和23年法律第138号）に規定する旅館業
六　公衆浴場法（昭和23年法律第139号）に規定する浴場業
七　クリーニング業法（昭和25年法律第207号）に規定するクリーニング業
2　この法律で「営業者」とは、前項各号に掲げる営業を営む者をいう。
〔改正〕
　　　一部改正（第23・39次改正）

第2章　生活衛生同業組合
　　　章名＝改正（第16次改正）
第1節　通則
（生活衛生同業組合）
第3条　営業者は、自主的に、衛生措置の基準を遵守し、及び衛生施設の改善向上を図るため、政令で定める業種ごとに、生活衛生同業組合（以下「組合」という。）を組織す

ることができる。
　　〔改正〕
　　　　一部改正（第16次改正）
　　〔委任〕
　　　　「政令」＝令1（別表）
　（法人格及び住所）
第4条　組合は、法人とする。
2　組合の住所は、その主たる事務所の所在地にあるものとする。
　（原則）
第5条　組合は、次の要件を備えなければならない。
一　営利を目的としないこと。
二　組合員が任意に加入し、又は脱退することができること。
三　組合員の議決権及び選挙権が平等であること。
　（地区）
第6条　組合は、都道府県ごとに1箇とし、その地区は、都道府県の区域による。
　（登記）
第7条　組合は、政令の定めるところにより、その設立、従たる事務所の新設、事務所の移転、解散、清算人の就任、清算の結了等の各場合に、登記をしなければならない。
2　前項の規定により登記をしなければならない事項は、登記の後でなければ、これをもつて第三者に対抗することができない。
　　〔委任〕
　　　　第1項　「政令」＝昭和39年3月政令第29号「組合等登記令」
　　〔参照条文〕
　　　　第1項　罰則＝法70二

第2節　事業

　　　　節名＝改正（第3次改正）

　（事業）
第8条　組合は、第1条の目的を達成するため、次に掲げる事業を行うものとする。
一　当該業種における過度の競争により、組合員が適正な衛生措置を講ずることが阻害され若しくは阻害されるおそれがあり、又は組合員の営業の健全な経営が阻害され若しくは阻害されるおそれがある場合における料金又は販売価格の制限
二　政令で定める業種につき、前号に規定する事態が存する場合における営業方法の制限
三　政令で定める業種につき、第1号に規定する事態が存する場合における営業施設の配置の基準の設定
四　組合員に対する衛生施設の維持及び改善向上並びに経営の健全化に関する指導
五　組合員の営業に関する食品等の規格又は基準に関する検査
六　組合員の営業に関する共同施設

七　組合員に対する構造設備又は営業施設の整備改善及び経営の健全化のための資金のあつせん（あつせんに代えてする資金の借入れ及びその借り入れた資金の組合員に対する貸付けを含む。）
八　組合員の営業に関する技能の改善向上若しくは審査又は技能者の養成に関する施設
九　組合員の福利厚生に関する事業
十　組合員の共済に関する事業
十一　第1号又は第2号に掲げる事業に関する組合協約及び組合員の経済的地位の改善のためにする組合協約の締結
十二　組合員の営業に係る老人の福祉その他の地域社会の福祉の増進に関する事業についての組合員に対する指導その他当該事業の実施に資する事業
十三　前各号の事業に附帯する事業

2　組合員に出資をさせない組合（以下「非出資組合」という。）は、前項の規定にかかわらず、同項第6号、第7号又は第10号に掲げる事業を行うことができない。

3　組合は、組合員の利用に支障がない限り、組合員以外の者に第1項第4号から第6号まで、第8号から第10号まで、第12号及び第13号に掲げる事業を利用させることができる。ただし、一事業年度における組合員以外の者の事業の利用分量の総額は、その事業年度における組合員の利用分量の総額の100分の20を超えてはならない。

4　第1項第9号又は第10号に掲げる事業の利用に関する前項ただし書の規定の適用については、組合員の親族又は使用人は、これを組合員とみなす。

〔改正〕
　　一部改正（第1～3・8・12・16次改正）

〔委任〕
　　第1項　第2・3号の「政令」＝令1（別表）

〔参照条文〕
　　第1項　決定事業以外の事業の罰則＝法70一
　　第2～4項　連合会への準用＝法56

（行政庁への協力）
第8条の2　行政庁は、この法律及び第2条第1項各号に掲げる法律の円滑な実施を図るため、届出又は申請に関する指導、健康診断の実施、広報活動その他これらの法律の施行に関し必要な事項について、組合をして協力させることができる。

〔改正〕
　　追加（第3次改正）

〔参照条文〕
　　本条の連合会への準用＝法56

（事業者台帳の作成）
第8条の3　組合は、その組合の組合員たる資格を有する者について、厚生労働省令で定める事項を記載した事業者台帳の作成に努めなければならない。

第1編　総則

2　組合の組合員たる資格を有する者は、前項の事業者台帳の作成に協力しなければならない。
　〔改正〕
　　　追加（第3次改正）、一部改正（第18次改正）
　〔委任〕
　　　第1項　「厚生労働省令」＝規則2の3
（適正化規程の設定及び認可）
第9条　組合は、第8条第1項第1号又は第2号に掲げる事業を行おうとするときは、適正化規程（制限の内容及び実施期間その他その制限の実施に関する定めをいう。以下同じ。）を定めて厚生労働大臣の認可を受けなければならない。これを変更しようとするときも同様である。
2　適正化規程は、第54条第1号に規定する適正化基準に準拠し、当該地区における賃金その他の経費の水準等を勘案して定めるものとする。
3　厚生労働大臣は、第1項の認可の申請があつた場合において、当該適正化規程の内容が次の各号の一に該当すると認めるときは、認可をしてはならない。
　一　第8条第1項第1号に規定する事態を克服するための必要かつ最少限度の範囲を超えているものであること。
　二　不当に特定の組合員を差別的に取り扱うものであること。
　三　利用者又は消費者の利益を不当に害するものであること。
4　厚生労働大臣は、第8条第1項第1号に規定する事態が生じているかどうかについて、第1項の認可に関する処分をする場合における判断の基準を定め、これを告示するものとする。
5　厚生労働大臣は、第1項の認可の申請があつたときは、2箇月以内に同項の認可に関する処分をするように努めなければならない。
　〔改正〕
　　　一部改正（第2・3・8・18次改正）
　〔委任〕
　　　第4項　「判断の基準」＝昭和55年3月厚告第29号（生活衛生関係営業の運営の適正化に関する法律第9条第4項に規定する判断基準）
　〔参照条文〕
　　　第1項　「適正化規程」の設定及び変更の認可の申請手続＝規則3・4　罰則＝法67
　　　第3項　連合会への準用＝法56
　　　第5項　組合協約の認可への準用＝法14の10Ⅲ　連合会への準用＝法56
（私的独占の禁止及び公正取引の確保に関する法律の適用除外）
第10条　私的独占の禁止及び公正取引の確保に関する法律（昭和22年法律第54号）の規定は、適正化規程及び適正化規程に基づいてする行為には、適用しない。ただし、次の各号のいずれかに該当するときは、この限りでない。
　一　不公正な取引方法を用いるとき、又は組合員に不公正な取引方法に該当する行為をさせるようにするとき。

二　第13条第4項の規定による公示があつた後1箇月を経過したとき（同条第3項の規定による請求に応じ、次条第1項の規定による処分があつた場合を除く。）。
2　第13条第3項の規定による請求が適正化規程の定めの一部について行われたときは、その適正化規程の定めのうちその請求に係る部分以外の部分に関しては、前項ただし書（第2号に係る部分に限る。）の規定にかかわらず、同項本文の規定の適用があるものとする。
〔改正〕
　　　一部改正（第14次改正）
〔参照条文〕
　　　本条の組合協約への準用＝法14の10Ⅲ　連合会への準用＝法56

（適正化規程の変更命令及び認可の取消し）
第11条　厚生労働大臣は、適正化規程の内容が第9条第3項各号の一に該当するに至つたと認めるときは、当該組合に対し、これを変更すべきことを命じ、又は同条第1項の認可を取り消さなければならない。
2　厚生労働大臣は、組合が前項の規定による命令に従わないときは、第9条第1項の認可を取り消さなければならない。
〔改正〕
　　　一部改正（第8・18次改正）
〔参照条文〕
　　　本条の組合協約への準用＝法14の10Ⅲ　連合会への準用＝法56　標準営業約款への準用＝法57の15

（適正化規程の廃止）
第12条　組合は、適正化規程を廃止したときは、遅滞なく、その旨を厚生労働大臣に届け出なければならない。
〔改正〕
　　　一部改正（第18次改正）
〔参照条文〕
　　　「届け出」の手続＝規則5　本条の組合協約への準用＝法14の10Ⅲ　連合会への準用＝法56　標準営業約款への準用＝法57の15

（公正取引委員会との関係）
第13条　厚生労働大臣は、第9条第1項の認可又は第11条第1項の規定による命令をしようとするときは、公正取引委員会に協議しなければならない。
2　厚生労働大臣は、第11条第1項若しくは第2項の規定による認可の取消をしたとき、又は前条の規定による届出があつたときは、遅滞なく、その旨を公正取引委員会に通知しなければならない。
3　公正取引委員会は、適正化規程の内容が第9条第3項各号の一に該当するに至つたと認めるときは、厚生労働大臣に対し、第11条第1項の規定による処分をすべき旨を請求することができる。
4　公正取引委員会は、前項の規定による請求をしたときは、遅滞なく、その旨を官報で

第1編　総則

公示しなければならない。
　〔改正〕
　　　一部改正（第8・18次改正）
　〔参照条文〕
　　　第1項　本項の料金等の制限に関する命令についての準用＝法57Ⅱ
　　　本条の組合協約への準用＝法14の10Ⅲ　連合会への準用＝法56

（適正化規程の設定等に関する決議）
第14条　適正化規程の設定は、総会又は創立総会の、適正化規程の変更又は廃止は、総会の決議によらなければならない。
　〔参照条文〕
　　　本条の連合会への準用＝法56

（共済規程の設定、認可等）
第14条の2　組合は、第8条第1項第10号に掲げる事業（以下「共済事業」という。）を行なおうとするときは、共済規程を定めて、厚生労働大臣の認可を受けなければならない。ただし、厚生労働省令で定める場合は、この限りでない。
2　前項の共済規程には、共済事業の種類ごとに、その実施の方法、共済契約並びに共済掛金及び責任準備金の額の算出方法に関する事項を記載しなければならない。
3　共済規程の変更又は廃止は、第1項ただし書に規定する場合を除き、厚生労働大臣の認可を受けなければ、その効力を生じない。
　〔改正〕
　　　追加（第1次改正）、一部改正（第18次改正）
　〔委任〕
　　　第1項　「厚生労働省令」＝規則5の3
　〔参照条文〕
　　　第1項　共済規程の認可の手続＝規則5の2Ⅰ　罰則＝法70二の二
　　　第3項　共済規程の変更又は廃止の手続＝規則5の2ⅡⅢ
　　　本条の連合会への準用＝法56

（火災共済金額の制限）
第14条の3　火災により生ずる財産上の損害をうめるための共済事業を行なう組合は、厚生労働省令で定める共済金額をこえる共済契約を締結してはならない。
　〔改正〕
　　　追加（第1次改正）、一部改正（第18次改正）
　〔委任〕
　　　「厚生労働省令」＝規則5の4
　〔参照条文〕
　　　本条の連合会への準用＝法56

（共済事業の支払備金及び責任準備金）
第14条の4　共済事業を行なう組合は、毎事業年度末において、その事業の種類ごとに、厚生労働省令の定めるところにより、支払備金及び責任準備金を積み立てなければなら

ない。
　〔**改正**〕
　　　追加（第1次改正）、一部改正（第18次改正）
　〔**委任**〕
　　　「厚生労働省令」＝規則5の5・の6
　〔**参照条文**〕
　　　本条の連合会への準用＝法56　罰則＝法70二の二
　（区分経理）
第14条の5　共済事業を行なう組合は、共済事業に係る会計を他の事業に係る会計と区分し、かつ、共済事業の種類ごとに経理しなければならない。
　〔**改正**〕
　　　追加（第1次改正）
　〔**参照条文**〕
　　　本条の連合会への準用＝法56　罰則＝法70二の二
　（共済事業の財産運用の制限）
第14条の6　共済事業を行なう組合の財産で前条の規定により共済事業に係るものとして区分された会計に属するものは、厚生労働省令で定める方法によるほか、これを運用してはならない。
　〔**改正**〕
　　　追加（第1次改正）、一部改正（第18次改正）
　〔**委任**〕
　　　「厚生労働省令」＝規則5の7
　〔**参照条文**〕
　　　本条の連合会への準用＝法56　罰則＝法70二の二
　（共済規程の設定等に関する決議）
第14条の7　共済規程の設定は、総会又は創立総会の、共済規程の変更又は廃止は、総会の決議によらなければならない。
　〔**改正**〕
　　　追加（第1次改正）
　〔**参照条文**〕
　　　本条の連合会への準用＝法56
　（省令への委任）
第14条の8　前6条に定めるもののほか、共済事業に係る財務その他共済事業に関し必要な事項は、厚生労働省令で定める。
　〔**改正**〕
　　　追加（第1次改正）、一部改正（第18次改正）
　〔**委任**〕
　　　「厚生労働省令」＝規則5の2～の8

第1編　総則

〔参照条文〕
　本条の連合会への準用＝法56

（組合協約の効力）
第14条の９　第８条第１項第11号の組合協約（以下「組合協約」という。）は、あらかじめ総会の承認を得て、書面をもつてすることにより、その効力を生ずる。
２　組合協約は、直接に組合員に対してその効力を生ずる。
３　組合員が組合協約の相手方と締結した契約でその内容が組合協約に定める基準に違反するものについては、その基準に違反する契約の部分は、その基準によつて契約したものとみなす。

〔改正〕
　追加（第３次改正）

〔参照条文〕
　本条の小組合への準用＝法52の10 Ⅰ　連合会への準用＝法56

（組合協約の認可等）
第14条の10　組合が第８条第１項第１号又は第２号に掲げる事業に関しその組合の組合員たる資格を有する者で組合員でないものと締結する組合協約は、厚生労働大臣の認可を受けなければ、その効力を生じない。これを変更しようとするときも同様である。
２　厚生労働大臣は、前項の認可の申請があつた場合において、当該組合協約の内容が次の各号の一に該当すると認めるときは、認可をしてはならない。
　一　第８条第１項第１号に規定する事態を克服するための必要かつ最少限度の範囲をこえているものであること。
　二　利用者又は消費者の利益を不当に害するものであること。
　三　その組合協約によりその相手方が遵守すべきこととなる事項が組合員が適正化規程により遵守すべき事項と同一でないこと。
３　第９条第５項の規定は第１項の認可の申請があつた場合について、第10条の規定は同項の認可があつた組合協約及びこれに基づいて行う行為について、第11条及び第12条の規定は同項の認可があつた組合協約について、第13条の規定は同項の認可又はこの項において準用する第11条の規定による命令若しくは認可の取消しについて準用する。この場合において、第11条第１項及び第13条第３項中「第９条第３項各号」とあるのは、「第14条の10第２項各号」と読み替えるものとする。

〔改正〕
　追加（第３次改正）、一部改正（第８・18次改正）

〔参照条文〕
　第１項　「認可」の申請手続＝規則５の９　「変更」の申請手続＝規則５の10
　本条の連合会への準用＝法56

（組合協約に関する交渉の応諾）
第14条の11　組合の組合員たる資格を有する者で組合員でないもののうち、当該業種に属する営業について常時使用する従業員（政令で定める業種にあつては、当該業種に属する営業を営む者の当該営業に係る業務を取次店その他の名称で取り扱う者又はその者が

12

常時使用する従業員で、当該業務に従事するものを含む。）の数が30人（政令で定める業種にあつては、業種ごとに政令で定める員数）をこえるものは、組合の代表者（その組合が会員となつている生活衛生同業組合連合会の代表者でその組合から委任を受けたものを含む。以下同じ。）が、政令の定めるところにより、適正化規程又はその案を示してその適正化規程による第8条第1項第1号又は第2号に掲げる事業に関し組合協約を締結するため交渉をしたい旨を申し出たときは、正当な理由がない限り、その交渉に応じなければならない。
2 　前項の従業員の員数を定める政令においては、地域における当該業種の営業の実態を勘案して、人口密度による地域の態様に応じて、その員数を定めることができる。
3 　組合の組合員と取引関係がある事業者のうち大企業者等である者は、政令の定めるところにより、その取引条件について、組合の代表者が組合協約を締結するため交渉をしたい旨を申し出たときは、正当な理由がない限り、その交渉に応ずるものとする。
4 　前項の規定は、同項に規定する事業者の事業活動を不当に拘束するような申出を認める趣旨のものと解釈してはならない。

〔改正〕
　　　　追加（第3次改正）、一部改正（第8・16次改正）
〔委任〕
　　　　第1項　「政令」＝令2～4
　　　　第3項　「政令」＝令4
〔参照条文〕
　　　　第3項　「取引条件」の特例＝規則5の12　小組合への準用＝法52の10 Ⅰ　連合会への準用＝法56
　　　　第4項　小組合への準用＝法52の10 Ⅰ　連合会への準用＝法56

（組合協約に関するあつせん及び調停）
第14条の12　組合の代表者が前条第1項又は第3項の申出をした場合において、その交渉の当事者の双方又は一方から申出があつたときは、厚生労働大臣は、第8条第1項第1号に規定する事態を克服するため、又は経済取引の公正を確保するため特に必要があると認めるときは、速やかに、当該組合協約の締結に関しあつせん又は調停を行うものとする。
2 　厚生労働大臣は、前項の規定により調停を行う場合においては、調停案を作成してこれを関係当事者に示し、その受諾を勧告するとともに、当該調停案を理由を付して公表することができる。

〔改正〕
　　　　追加（第3次改正）、一部改正（第3・8・18次改正）
〔参照条文〕
　　　　第1項　「あつせん又は調停」の申出手続＝規則5の13
　　　　本条の小組合への準用＝法52の10 Ⅰ　連合会への準用＝法56

第3節　組合員

（資格）
第15条　組合の組合員たる資格を有する者は、その地区内において当該業種に属する営業

第1編　総則

を営む者で定款で定めるものとする。
　〔参照条文〕
　　　本条の小組合への準用＝法52の10Ⅰ

（加入の自由）
第16条　組合員たる資格を有する者が組合に加入しようとするときは、組合は、正当な理由がないのに、その加入を拒み、又はその加入につき現在の組合員が加入の際につけられたよりも困難な条件をつけてはならない。
　〔参照条文〕
　　　本条の小組合への準用＝法52の10Ⅰ　　罰則＝法70三

（出資）
第16条の2　組合は、定款の定めるところにより、組合員に出資をさせることができる。
2　前項の規定により出資をさせる組合（以下「出資組合」という。）の組合員は、出資1口以上を有しなければならない。
3　出資1口の金額は、均一でなければならない。
4　1組合員の有することのできる出資口数の最高限度は、組合員の総出資口数の4分の1をこえない範囲内において、定款で定めなければならない。
5　出資組合の組合員の責任は、第18条の規定による経費の負担のほか、その出資額を限度とする。
6　組合員は、出資の払込みについて、相殺をもつて出資組合に対抗することができない。
　〔改正〕
　　　追加（第1次改正）
　〔参照条文〕
　　　本条の小組合への準用（第1項を除く）＝法52の10Ⅰ　　連合会への準用＝法56

（持分の譲渡）
第16条の3　出資組合の組合員は、出資組合の承認を受けなければ、その持分を譲り渡すことができない。
2　組合員でない者が持分を譲り受けようとするときは、加入の例によらなければならない。
3　持分の譲受人は、その持分について、譲渡人の権利義務を承継する。
4　組合員は、持分を共有することができない。
　〔改正〕
　　　追加（第1次改正）
　〔参照条文〕
　　　本条の小組合への準用＝法52の10Ⅰ　　連合会への準用＝法56

（非出資組合の組合員の責任）
第16条の4　非出資組合の組合員の責任は、第18条の規定による経費の負担に限る。
　〔改正〕

追加（第1次改正）

〔**参照条文**〕
本条の連合会への準用＝法56

（議決権及び選挙権）
第17条 組合員は、各々1箇の議決権及び選挙権を有する。
2　組合員は、定款の定めるところにより、第43条の規定によりあらかじめ通知のあつた事項につき、書面又は代理人をもつて、議決権又は選挙権を行うことができる。ただし、その組合員の親族若しくは使用人又は他の組合員でなければ、代理人となることができない。
3　組合員は、定款の定めるところにより、前項の規定による書面をもつてする議決権の行使に代えて、議決権を電磁的方法（電子情報処理組織を使用する方法その他の情報通信の技術を利用する方法であつて厚生労働省令で定めるものをいう。以下同じ。）により行うことができる。
4　前2項の規定により議決権又は選挙権を行う者は、出席者とみなす。
5　代理人は、10人以上の組合員を代理することができない。
6　代理人は、代理権を証する書面を組合に提出しなければならない。この場合において、電磁的方法により議決権を行うことが定款で定められているときは、当該書面の提出に代えて、代理権を当該電磁的方法により証明することができる。

〔改正〕
一部改正（第19次改正）

〔委任〕
第3項　「厚生労働省令」＝規則5の14

（経費の賦課）
第18条 組合は、定款の定めるところにより、組合員に経費を賦課することができる。
2　組合員は、前項の経費の支払について、相殺をもつて組合に対抗することができない。

（使用料及び手数料）
第19条 組合は、定款の定めるところにより、使用料及び手数料を徴収することができる。

（過怠金）
第20条 組合は、定款の定めるところにより、当該適正化規程に違反した組合員に対し、過怠金を課することができる。

（法定脱退）
第21条 組合員は、次の事由によつて脱退する。
一　組合員たる資格の喪失
二　死亡又は解散
三　除名
2　除名は、次の各号の一に該当する組合員につき、総会の議決によつてすることができ

第1編　総則

る。この場合において、組合は、その総会の会日の1週間前までに、当該組合員に対してその旨を通知し、かつ、総会において弁明する機会を与えなければならない。
一　適正化規程に違反し、その他組合の目的遂行に反する行為をした組合員
二　出資の払込み、経費の支払その他組合に対する義務を怠つた組合員
三　その他定款で定める事由に該当する組合員
3　除名は、除名した組合員にその旨を通知しなければ、これをもつてその組合員に対抗することができない。
〔改正〕
　　一部改正（第1次改正）
〔参照条文〕
　　第2項　罰則＝法70四

（脱退者の持分の払いもどし）
第21条の2　出資組合の組合員は、脱退したときは、定款の定めるところにより、その持分の全部又は一部の払いもどしを請求することができる。
2　前項の持分は、脱退した事業年度の終りにおける当該出資組合の財産によつて定める。
3　前項の持分を計算するにあたり、組合の財産をもつてその債務を完済するに足りないときは、組合は、定款の定めるところにより、脱退した組合員に対し、その負担に帰すべき損失額の払込みを請求することができる。
〔改正〕
　　追加（第1次改正）

（時効）
第21条の3　前条第1項又は第3項の規定による請求権は、脱退の時から2年間行なわないときは、時効によつて消滅する。
〔改正〕
　　追加（第1次改正）

（払いもどしの停止）
第21条の4　脱退した組合員が出資組合に対する債務を完済するまでは、出資組合は、その持分の払いもどしを停止することができる。
〔改正〕
　　追加（第1次改正）

（出資口数の減少）
第21条の5　出資組合の組合員は、定款の定めるところにより、その出資口数を減少することができる。
2　前項の場合には、第21条の2及び第21条の3の規定を準用する。
〔改正〕
　　追加（第1次改正）

　　　　第4節　設立

(発起人)
第22条 組合を設立するには、その組合員になろうとする20人以上の者が、発起人になることを要する。
2 組合は、その組合員の総数がその地区内において当該業種に属する営業を営む者の総数の3分の2以上でなければ設立することができない。
　〔参照条文〕
　　　本条の小組合への準用＝法52の10Ⅰ　連合会への準用＝法56

(創立総会)
第23条 発起人は、定款を作成し、創立総会の日時及び場所とともに公告して、創立総会を開かなければならない。
2 前項の公告は、会日の2週間前までにしなければならない。
3 発起人が作成した定款の承認その他設立に必要な事項の決定は、創立総会の議決によらなければならない。
4 創立総会においては、前項の定款を修正することができる。ただし、組合員たる資格に関する規定については、この限りでない。
5 創立総会の議事は、組合員たる資格を有する者でその会日までに発起人に対し設立の同意を申し出た者の半数以上が出席して、その議決権の3分の2以上で決する。
6 創立総会においてその延期又は続行について決議があつた場合には、第1項の規定による公告をすることを要しない。
7 創立総会の議事については、厚生労働省令で定めるところにより、議事録を作成しなければならない。
8 創立総会については第17条の規定を、創立総会の決議の不存在若しくは無効の確認又は取消しの訴えについては会社法（平成17年法律第86号）第830条、第831条、第834条（第16号及び第17号に係る部分に限る。）、第835条第1項、第836条第1項及び第3項、第837条、第838条並びに第846条の規定（これらの規定中監査役に係る部分を除く。）を準用する。
　〔改正〕
　　　一部改正（第7・9・16・21・29次改正）
　〔委任〕
　　　第7項　「厚生労働省令」＝規則5の16
　〔参照条文〕
　　　第7項　罰則＝法70五
　　　本条の小組合への準用＝法52の10Ⅰ　連合会への準用＝法56

(設立の認可)
第24条 発起人は、創立総会の終了後遅滞なく、定款その他必要な事項を記載した書類を厚生労働大臣に提出して、設立の認可を受けなければならない。
2 厚生労働大臣は、前項の認可の申請があつた場合において、設立しようとする組合が次の各号に適合していると認めるときは、設立の認可をしなければならない。

第1編　総則

　　一　第5条各号の要件を備えていること。
　　二　第22条第2項に規定する設立要件を備えていること。
　　三　設立の手続及び定款の内容が法令に違反していないこと。
　　四　出資組合にあつては、事業を行うために必要な経営的基礎を有すること。
　　〔改正〕
　　　　一部改正（第8・18次改正）
　　〔参照条文〕
　　　　第1項　「認可」の申請＝規則1
　　　　第2項　本項の定款の変更の認可についての準用＝法28Ⅳ　小組合の合併の認可への準用（第2号を除く）＝法52の7Ⅳ
　　　　本条の小組合への準用＝法52の10Ⅰ　連合会への準用＝法56

　（理事への事務引継）
第25条　設立の認可があつたときは、発起人は、遅滞なく、その事務を理事に引き継がなければならない。
　　〔参照条文〕
　　　　本条の小組合への準用＝法52の10Ⅰ　連合会への準用＝法56

　（出資の第1回の払込み）
第25条の2　理事は、前条の規定により引継ぎを受けたときは、遅滞なく、出資の第1回の払込みをさせなければならない。
2　前項の第1回の払込みの金額は、出資1口につき、その金額の4分の1を下つてはならない。
3　現物出資者は、第1回の払込みの期日に、出資の目的たる財産の全部を給付しなければならない。ただし、登記、登録その他権利の設定又は移転をもつて第三者に対抗するため必要な行為は、組合の成立の後にすることを妨げない。
　　〔改正〕
　　　　追加（第1次改正）
　　〔参照条文〕
　　　　本条の小組合への準用＝法52の10Ⅰ　連合会への準用＝法56

　（成立の時期）
第26条　組合は、主たる事務所の所在地において設立の登記をすることによつて成立する。
　　〔参照条文〕
　　　　本条の小組合への準用＝法52の10Ⅰ　連合会への準用＝法56

　（会社法の準用）
第27条　組合の設立の無効の訴えについては、会社法第828条第1項（第1号に係る部分に限る。）及び第2項（第1号に係る部分に限る。）、第834条（第1号に係る部分に限る。）、第835条第1項、第836条第1項及び第3項、第837条から第839条まで並びに第846条の規定（これらの規定中監査役に係る部分を除く。）を準用する。
　　〔改正〕

全部改正（第29次改正）

〔参照条文〕

　　本条の小組合への準用＝法52の10 I　　連合会への準用＝法56

第5節　管理

（定款）

第28条　組合の定款には、少くとも次に掲げる事項（非出資組合にあつては、第7号、第9号及び第10号の事項を除く。）を記載しなければならない。

一　事業
二　名称
三　地区
四　事務所の所在地
五　組合員たる資格に関する規定
六　組合員の加入及び脱退に関する規定
七　出資1口の金額及びその払込みの方法並びに1組合員の有することのできる出資口数の最高限度
八　経費の分担に関する規定
九　剰余金の処分及び損失の処理に関する規定
十　準備金の額及びその積立ての方法
十一　総会又は総代会に関する規定
十二　役員の定数及び選挙又は選任に関する規定
十三　業務の執行及び会計に関する規定
十四　事業年度
十五　公告の方法

2　組合の定款には、前項の事項のほか、組合の存立時期又は解散の事由を定めたときはその時期又は事由を、現物出資をする者を定めたときはその者の氏名、出資の目的たる財産及びその価格並びにこれに対して与えられる出資口数を、組合の成立後に譲り受けることを約した財産がある場合にはその財産、その価格及び譲渡人の氏名を記載しなければならない。

3　定款の変更（厚生労働省令で定める事項に係るものを除く。）は、厚生労働大臣の認可を受けなければ、その効力を生じない。

4　前項の認可については、第24条第2項の規定を準用する。

5　組合は、第3項の厚生労働省令で定める事項に係る定款の変更をしたときは、遅滞なく、その旨を厚生労働大臣に届け出なければならない。

〔改正〕

　　一部改正（第1・5・18次改正）

〔委任〕

　　第3項　「厚生労働省令」＝規則2の2 I

〔参照条文〕

第1編　総則

>　第3項　「定款の変更」の申請＝規則2
>　第5項　「定款の変更」の届出＝規則2の2Ⅱ　罰則＝法70五の二
>　本条の小組合への準用＝法52の10Ⅰ　連合会への準用（第1項第3・6号を除く。）＝法56

（役員）

第29条　組合に、役員として理事及び監事を置く。

2　理事の定数は、3人以上とし、監事の定数は、1人以上とする。

3　役員は、定款の定めるところにより、総会において選挙する。ただし、設立当時の役員は、創立総会において選挙する。

4　理事の定数の少くとも3分の2は、組合員又は組合員たる法人の役員でなければならない。ただし、設立当時の理事の定数の少くとも3分の2は、組合員になろうとする者又は組合員になろうとする法人の役員でなければならない。

5　理事又は監事のうち、その定数の3分の1をこえるものが欠けたときは、3箇月以内に補充しなければならない。

6　役員の選挙は、無記名投票によつて行う。

7　投票は、1人につき1票とする。

8　役員は、第3項の規定にかかわらず、定款の定めるところにより、組合員が総会において選任することができる。ただし、設立当時の役員は、創立総会において選任することができる。

〔参照条文〕

>　第1項　「役員」の変更届出＝規則6
>　第5項　罰則＝法70六
>　本条の小組合への準用＝法52の10Ⅰ　連合会への準用＝法56

（組合と役員との関係）

第29条の2　組合と役員との関係は、委任に関する規定に従う。

〔改正〕

>　追加（第29次改正）

（役員の任期）

第30条　役員の任期は、3年以内において定款で定める期間とする。

2　補欠役員の任期は、前項の規定にかかわらず、前任者の残任期間とする。

3　設立当時の役員の任期は、第1項の規定にかかわらず、創立総会において定める期間とする。ただし、その期間は、1年をこえてはならない。

〔参照条文〕

>　本条の小組合への準用＝法52の10Ⅰ　連合会への準用＝法56

（役員に欠員を生じた場合の措置）

第30条の2　役員が欠けた場合又はこの法律若しくは定款で定めた役員の員数が欠けた場合には、任期の満了又は辞任により退任した役員は、新たに選任された役員が就任するまで、なお役員としての権利義務を有する。

〔改正〕

>　追加（第29次改正）

（忠実義務）

第30条の3　理事は、法令及び定款並びに総会の決議を遵守し、組合のため忠実にその職務を行わなければならない。
　〔改正〕
　　　　追加（第29次改正）
　（理事会）
第31条　組合の業務の執行は、理事会が決する。
2　理事会の議事は、理事の過半数が出席し、その過半数で決する。
3　組合は、定款の定めるところにより、理事が書面又は電磁的方法により理事会の議決に加わることができるものとすることができる。
4　理事会の決議について特別の利害関係を有する理事は、議決に加わることができない。
5　前項の規定により議決に加わることができない理事の数は、第2項の理事の数に算入しない。
6　理事会の議事については、厚生労働省令で定めるところにより、議事録を作成し、出席した理事は、これに署名し、又は記名押印しなければならない。
7　理事会の招集については、会社法第366条及び第368条（監査役に係る部分を除く。）の規定を準用する。
　〔改正〕
　　　　一部改正（第19・29次改正）
　〔委任〕
　　　　第6項　「厚生労働省令」＝規則5の17
　〔参照条文〕
　　　　第6項　罰則＝法70五
　（監事の兼職の禁止）
第32条　監事は、当該組合の理事又は職員と兼ねてはならない。
　〔参照条文〕
　　　　罰則＝法70七
　（理事の自己契約等）
第33条　理事は、理事会の承認を受けた場合に限り、組合と契約をし、又は当該理事と組合との利益が相反する行為をすることができる。この場合には、民法（明治29年法律第89号）第108条（自己契約及び双方代理等）の規定を適用しない。
　〔改正〕
　　　　一部改正（第27・37次改正）
　（理事の責任）
第34条　理事がその任務を怠つたときは、その理事は、組合に対し連帯して損害賠償の責に任ずる。
2　理事がその職務を行うにつき悪意又は重大な過失があつたときは、その理事は、第三者に対し連帯して損害賠償の責に任ずる。重要な事項につき第36条第1項に掲げる書類

第1編　総則

に虚偽の記載をし、又は虚偽の登記若しくは公告をしたときも同様である。
3　第1項の行為が理事会の決議に基づき行われたときは、その決議に賛成した理事は、その行為をしたものとみなす。
4　前項の決議に参加した理事であつて第31条第6項の議事録に異議をとどめないものは、その決議に賛成したものと推定する。
5　第1項の理事の責任は、総組合員の同意がなければ免除することができない。
　　〔改正〕
　　　　一部改正（第9・29次改正）

（補償契約）
第34条の2　組合が、役員に対して次に掲げる費用等の全部又は一部を当該組合が補償することを約する契約（以下この条において「補償契約」という。）の内容の決定をするには、理事会の決議によらなければならない。
　一　当該役員が、その職務の執行に関し、法令の規定に違反したことが疑われ、又は責任の追及に係る請求を受けたことに対処するために支出する費用
　二　当該役員が、その職務の執行に関し、第三者に生じた損害を賠償する責任を負う場合における次に掲げる損失
　　イ　当該損害を当該役員が賠償することにより生ずる損失
　　ロ　当該損害の賠償に関する紛争について当事者間に和解が成立したときは、当該役員が当該和解に基づく金銭を支払うことにより生ずる損失
2　組合は、補償契約を締結している場合であつても、当該補償契約に基づき、次に掲げる費用等を補償することができない。
　一　前項第1号に掲げる費用のうち通常要する費用の額を超える部分
　二　当該組合が前項第2号の損害を賠償するとすれば当該役員が当該組合に対して前条第1項（第39条において準用する場合を含む。）の責任を負う場合には、同号に掲げる損失のうち当該責任に係る部分
　三　役員がその職務を行うにつき悪意又は重大な過失があつたことにより前項第2号の責任を負う場合には、同号に掲げる損失の全部
3　補償契約に基づき第1項第1号に掲げる費用を補償した組合が、当該役員が自己若しくは第三者の不正な利益を図り、又は当該組合に損害を加える目的で同号の職務を執行したことを知つたときは、当該役員に対し、補償した金額に相当する金銭を返還することを請求することができる。
4　補償契約に基づく補償をした理事及び当該補償を受けた理事は、遅滞なく、当該補償についての重要な事実を理事会に報告しなければならない。
5　第33条の規定は、組合と理事との間の補償契約については、適用しない。
6　民法第108条の規定は、第1項の決議によつてその内容が定められた前項の補償契約の締結については、適用しない。
　　〔改正〕
　　　　追加（第38次改正）

（役員のために締結される保険契約）

第34条の3　組合が、保険者との間で締結する保険契約のうち役員がその職務の執行に関し責任を負うこと又は当該責任の追及に係る請求を受けることによつて生ずることのある損害を保険者が塡補することを約するものであつて、役員を被保険者とするもの（当該保険契約を締結することにより被保険者である役員の職務の執行の適正性が著しく損なわれるおそれがないものとして厚生労働省令で定めるものを除く。第3項ただし書において「役員賠償責任保険契約」という。）の内容の決定をするには、理事会の決議によらなければならない。

2　第33条の規定は、組合が保険者との間で締結する保険契約のうち役員がその職務の執行に関し責任を負うこと又は当該責任の追及に係る請求を受けることによつて生ずることのある損害を保険者が塡補することを約するものであつて、理事を被保険者とするものの締結については、適用しない。

3　民法第108条の規定は、前項の保険契約の締結については、適用しない。ただし、当該保険契約が役員賠償責任保険契約である場合には、第1項の決議によつてその内容が定められたときに限る。

〔改正〕
　　追加（第38次改正）

〔委任〕
　　第1項　「厚生労働省令」＝規則5の18

（組合を代表する理事）

第34条の4　理事会は、理事の中から組合を代表する理事を選定しなければならない。

2　組合を代表する理事は、組合の業務に関する一切の裁判上又は裁判外の行為をする権限を有する。

3　前項の権限に加えた制限は、善意の第三者に対抗することができない。

4　組合を代表する理事は、定款又は総会の決議によつて禁止されていないときに限り、特定の行為の代理を他人に委任することができる。

5　組合を代表する理事については、第30条の2、一般社団法人及び一般財団法人に関する法律（平成18年法律第48号）第78条並びに会社法第353条、第354条及び第364条の規定を準用する。この場合において、同法第353条中「第349条第4項」とあるのは、「生活衛生関係営業の運営の適正化及び振興に関する法律（昭和32年法律第164号）第34条の4第2項」と読み替えるものとする。

〔改正〕
　　旧第34条の2として追加（第29次改正）、一部改正（第32・38次改正）、本条に繰下（第38次改正）

（定款その他の書類の備付け及び閲覧）

第35条　理事は、定款及び適正化規程を各事務所に、組合員名簿を主たる事務所に備えて置かなければならない。

2　理事は、総会及び理事会の議事録を10年間主たる事務所に、その謄本を5年間従たる事務所に備えて置かなければならない。

第1編　総則

3　組合員名簿には、各組合員について次の事項を記載しなければならない。
　一　氏名又は名称及び住所
　二　加入の年月日
4　組合員及び組合の債権者は、何時でも、理事に対し第1項及び第2項の書類の閲覧を求めることができる。この場合には、理事は、正当な理由がないのに拒んではならない。
　〔改正〕
　　　一部改正（第9次改正）
　〔参照条文〕
　　　罰則＝法70八

（決算関係書類の提出、備付け及び閲覧）
第36条　理事は、通常総会の会日の1週間前までに、事業報告書、財産目録、貸借対照表及び収支決算書を監事に提出し、かつ、これらの書類を主たる事務所に備えて置かなければならない。
2　理事は、監事の意見書を添えて前項の書類を通常総会に提出し、その承認を求めなければならない。
3　組合員及び組合の債権者は、何時でも、理事に対し第1項の書類の閲覧を求めることができる。この場合には、理事は、正当な理由がないのに拒んではならない。
4　第2項の監事の意見書については、これに記載すべき事項を記録した電磁的記録（電子的方式、磁気的方式その他人の知覚によつては認識することができない方式で作られる記録であつて、電子計算機による情報処理の用に供されるものとして厚生労働省令で定めるものをいう。）の添付をもつて、当該監事の意見書の添付に代えることができる。この場合において、理事は、当該監事の意見書を添付したものとみなす。
　〔改正〕
　　　一部改正（第28次改正）
　〔参照条文〕
　　　罰則＝法70八

（会計帳簿等の閲覧）
第37条　組合員は、総組合員の10分の1以上の同意を得て、何時でも、理事に対し会計に関する帳簿及び書類の閲覧を求めることができる。この場合には、理事は、正当な理由がないのに拒んではならない。
　〔参照条文〕
　　　罰則＝法70九

（役員の解任）
第38条　組合員は、総組合員の5分の1以上の連署をもつて、役員の解任を請求することができるものとし、その請求につき総会において出席者の過半数の同意があつたときは、その請求に係る役員は、その職を失う。
2　前項の規定による解任の請求は、理事の全員又は監事の全員について、同時にしなけ

ればならない。ただし、法令又は定款に違反したことを理由として解任を請求するときは、この限りでない。
3 　第1項の規定による解任の請求は、解任の理由を記載した書面を理事に提出してしなければならない。
4 　第1項の規定による解任の請求があつたときは、理事は、その請求を総会の議に付し、かつ、総会の会日から1週間前までに、その請求に係る役員に前項の書面を送付し、かつ、総会において弁明する機会を与えなければならない。
5 　第41条第2項及び第42条の規定は、前項の場合に準用する。

〔参照条文〕
　　　第4項　罰則＝法70四

（会社法等の準用）
第39条　理事及び監事については会社法第430条及び第7編第2章第2節（第847条第2項、第847条の2、第847条の3、第849条第2項、第3項第2号及び第3号並びに第6項から第11項まで、第849条の2第2号及び第3号、第851条並びに第853条第1項第2号及び第3号を除く。）の規定を、理事については同法第360条第1項の規定を、監事については第34条並びに同法第389条第4項（第2号を除く。）及び第5項（子会社に係る部分を除く。）の規定を、それぞれ準用する。この場合において、同法第430条中「役員等が」とあるのは「理事が」と、「他の役員等も」とあるのは「監事も」と、同法第847条第1項及び第4項中「法務省令」とあるのは「厚生労働省令」と、同法第850条第4項中「第55条、第102条の2第2項、第103条第3項、第120条第5項、第213条の2第2項、第286条の2第2項、第424条（第486条第4項において準用する場合を含む。）、第462条第3項（同項ただし書に規定する分配可能額を超えない部分について負う義務に係る部分に限る。）、第464条第2項及び第465条第2項」とあるのは「生活衛生関係営業の運営の適正化及び振興に関する法律第34条第5項」と読み替えるものとする。

〔改正〕
　　　全部改正（第29次改正）、一部改正（第35・38次改正）

〔参照条文〕
　　　準用後の「厚生労働省令」＝規則5の19・の20

（通常総会の招集）
第40条　通常総会は、定款の定めるところにより、毎事業年度1回招集しなければならない。

〔参照条文〕
　　　罰則＝法70一一

（臨時総会の招集）
第41条　臨時総会は、必要があるときは、定款の定めるところにより、何時でも招集することができる。
2 　組合員が総組合員の5分の1以上の同意を得て、会議の目的たる事項及び招集の理由を記載した書面を理事に提出して総会の招集を請求したときは、理事会は、その請求の

第1編　総則

あつた日から20日以内に臨時総会を招集すべきことを決しなければならない。
3　前項の場合において、電磁的方法により議決権を行うことが定款で定められているときは、当該書面の提出に代えて、当該書面に記載すべき事項及び理由を当該電磁的方法により提供することができる。この場合において、当該組合員は、当該書面を提出したものとみなす。
4　前項前段の電磁的方法（厚生労働省令で定める方法を除く。）により行われた当該書面に記載すべき事項及び理由の提供は、理事の使用に係る電子計算機に備えられたファイルへの記録がされた時に当該理事に到達したものとみなす。

〔改正〕
　　一部改正（第19次改正）

〔委任〕
　　第4項　「厚生労働省令」＝規則5の15

（組合員による総会招集）
第42条　前条第2項の規定による請求をした組合員は、同項の請求をした日から10日以内に理事が総会招集の手続をしないときは、厚生労働大臣の承認を得て総会を招集することができる。理事の職務を行う者がない場合において、組合員が総組合員の5分の1以上の同意を得たときも同様である。

〔改正〕
　　一部改正（第18次改正）

〔参照条文〕
　　「承認」の申請手続＝規則7 1

（総会招集の決定）
第42条の2　総会の招集は、この法律に別段の定めがある場合を除き、理事会が決定する。

〔改正〕
　　追加（第29次改正）

（総会招集の手続）
第43条　総会の招集は、会日の1週間前までに、会議の目的たる事項を示し、定款で定める方法に従つてしなければならない。

（通知又は催告）
第44条　組合が組合員に対してする通知又は催告は、組合員名簿に記載したその者の住所（その者が別に通知又は催告を受ける場所を組合に通知したときは、その場所）にあてればよい。
2　前項の通知又は催告は、通常到達すべきであつた時に到達したものとみなす。

（総会の議決事項）
第45条　次の事項は、総会の議決を経なければならない。
一　定款の変更
二　毎事業年度の収支予算及び事業計画の設定又は変更

三　経費の賦課及び徴収の方法
四　その他定款で定める事項
（総会の議事）
第46条　総会の議事は、この法律又は定款に特別の定のある場合を除いて、出席者の議決権の過半数で決する。
2　総会においては、第43条の規定によりあらかじめ通知した事項についてのみ議決することができる。ただし、定款で別段の定をしたときは、この限りでない。
（特別の議決）
第47条　次の事項は、総組合員の半数以上が出席し、その議決権の3分の2以上の多数による議決を必要とする。
一　定款の変更
二　適正化規程の設定、変更又は廃止
三　解散
四　組合員の除名
（延期又は続行の決議）
第47条の2　総会においてその延期又は続行について決議があつた場合には、第43条の規定は、適用しない。
〔改正〕
　　追加（第29次改正）
（議事録）
第47条の3　総会の議事については、厚生労働省令で定めるところにより、議事録を作成しなければならない。
〔改正〕
　　追加（第29次改正）
〔委任〕
　　「厚生労働省令」＝規則7の2
〔参照条文〕
　　罰則＝法70五
（会社法の準用）
第48条　総会の決議の不存在若しくは無効の確認又は取消しの訴えについては、会社法第830条、第831条、第834条（第16号及び第17号に係る部分に限る。）、第835条第1項、第836条第1項及び第3項、第837条、第838条並びに第846条の規定（これらの規定中監査役に係る部分を除く。）を準用する。
〔改正〕
　　全部改正（第29次改正）
（総代会）
第49条　組合員の総数が500人を超える組合は、定款の定めるところにより、総会に代わるべき総代会を設けることができる。

第1編　総則

2　総代は、組合員でなければならない。
3　総代の定数は、その選挙又は選任の時における組合員の総数の10分の1（組合員の総数が1000人を超える組合にあつては100人）を下つてはならない。
4　総代の任期は、3年以内において定款で定める期間とする。
5　総代には、第29条第3項本文、第6項、第7項及び第8項本文の規定を準用する。
6　総代会については、総会に関する規定を準用する。この場合において、第17条第2項ただし書中「その組合員の親族若しくは使用人又は他の組合員」とあるのは「他の組合員」と、同条第5項中「10人」とあるのは「2人」と読み替えるものとする。
7　総代会においては、前項の規定にかかわらず、総代の選挙若しくは選任（補欠の総代の選挙及び選任を除く。）をし、又は解散について議決することができない。
　〔改正〕
　　　一部改正（第19次改正）
　〔参照条文〕
　　　第1項　「総代会」の招集の承認の申請＝規則7

（出資1口の金額の減少）
第49条の2　出資組合は、出資1口の金額の減少を議決したときは、その議決の日から2週間以内に財産目録及び貸借対照表を作らなければならない。
2　出資組合は、前項の期間内に、債権者に対して、異議があれば一定の期間内にこれを述べるべき旨を公告し、かつ、知れている債権者には、各別にこれを催告しなければならない。
3　前項の一定の期間は、30日を下つてはならない。
　〔改正〕
　　　追加（第1次改正）
　〔参照条文〕
　　　罰則＝法70一一の二

第49条の3　債権者が前条第2項の一定の期間内に異議を述べなかつたときは、出資1口の金額の減少を承認したものとみなす。
2　債権者が異議を述べたときは、出資組合は、弁済し、若しくは相当の担保を供し、又はその債権者に弁済を受けさせることを目的として信託会社若しくは信託業務を営む金融機関に相当の財産を信託しなければならない。ただし、出資1口の金額の減少をしてもその債権者を害するおそれがないときは、この限りでない。
3　組合の出資1口の金額の減少の無効の訴えについては、会社法第828条第1項（第5号に係る部分に限る。）及び第2項（第5号に係る部分に限る。）、第834条（第5号に係る部分に限る。）、第835条第1項、第836条から第839条まで並びに第846条（これらの規定中監査役に係る部分を除く。）の規定を準用する。
　〔改正〕
　　　追加（第1次改正）、一部改正（第7・13・25・29次改正）
　〔参照条文〕

第2項　罰則＝法70一一の二
(準備金)
第49条の4　出資組合は、定款で定める額に達するまでは、毎事業年度の剰余金の10分の1以上を準備金として積み立てなければならない。
2　前項の定款で定める準備金の額は、出資総額の2分の1を下つてはならない。
3　第1項の準備金は、損失のてん補に充てる場合を除いては、取りくずしてはならない。

〔改正〕
追加（第1次改正）

〔参照条文〕
罰則＝法70一一の三

(剰余金の配当)
第49条の5　出資組合は、損失をてん補し、前条第1項の準備金を控除した後でなければ、剰余金の配当をしてはならない。
2　剰余金の配当は、定款の定めるところにより、組合の事業を利用した分量に応じ、又は年1割をこえない範囲内において払込済出資額に応じてしなければならない。

〔改正〕
追加（第1次改正）

〔参照条文〕
罰則＝法70一一の三

第49条の6　出資組合は、定款の定めるところにより、組合員が払込みを終わるまでは、その組合員に配当する剰余金をその払込みに充てることができる。

〔改正〕
追加（第1次改正）

(出資組合の持分取得の禁止)
第49条の7　出資組合は、組合員の持分を取得し、又は質権の目的としてこれを受けることができない。

〔改正〕
追加（第1次改正）

〔参照条文〕
罰則＝法70一一の四

第5節の2　移行
本節＝追加（第1次改正）

(出資組合への移行)
第49条の8　非出資組合であつて、第8条第1項第6号、第7号又は第10号の事業を行なおうとするものは、定款を変更して、出資組合に移行することができる。
2　理事は、前項の規定による出資組合への移行に関する定款の変更につき第28条第3項の認可があつたときは、遅滞なく、出資の第1回の払込みをさせなければならない。

第1編　総則

3　総代会においては、第49条第6項の規定にかかわらず、第1項の規定による出資組合への移行に関する定款の変更について議決することができない。
4　第1項の規定による出資組合への移行は、主たる事務所の所在地において、登記をすることによつてその効力を生ずる。
5　第1項の規定による出資組合への移行については、第25条の2第2項及び第3項の規定を準用する。
　〔改正〕
　　　　一部改正（第4・30・31次改正）
　（非出資組合への移行）
第49条の9　出資組合は、定款を変更して、非出資組合に移行することができる。
2　前項の規定による非出資組合への移行については、第21条の2から第21条の4まで、第49条の2、第49条の3並びに前条第3項及び第4項の規定を準用する。
3　第1項の規定により出資組合が非出資組合に移行する場合における所得税法（昭和40年法律第33号）及び地方税法（昭和25年法律第226号）の規定の適用については、当該出資組合は、当該非出資組合に移行した時において解散したものとみなす。
　〔改正〕
　　　　一部改正（第4・30・31・36次改正）
　　　　第6節　解散及び清算
　（解散の事由）
第50条　組合は、次の事由によつて解散する。
　一　総会の決議
　二　破産手続開始の決定
　三　定款で定める存立時期の満了又は解散の事由の発生
　四　第52条の3の規定による解散の命令
2　共済事業を行う組合における前項第1号の総会の決議は、厚生労働大臣の認可を受けなければ、その効力を生じない。
　〔改正〕
　　　　一部改正（第8・18・26次改正）
　〔参照条文〕
　　　第1項　「解散」の届出＝規則9
　　　第2項　「認可」の申請＝規則8
　（清算人）
第51条　組合が解散したときは、破産手続開始の決定による解散の場合を除いては、理事が、その清算人となる。ただし、総会において他人を選任したときは、この限りでない。
　〔改正〕
　　　　一部改正（第26次改正）
　（会社法等の準用）

第52条 組合の解散及び清算については会社法第475条（第3号を除く。）、第476条、第478条第2項及び第4項、第479条第1項及び第2項（各号列記以外の部分に限る。）、第481条、第483条第4項及び第5項、第484条、第485条、第492条第1項から第3項まで、第499条から第503条まで、第507条、第868条第1項、第869条、第870条第1項（第1号及び第2号に係る部分に限る。）、第871条、第872条（第4号に係る部分に限る。）、第874条（第1号及び第4号に係る部分に限る。）、第875条並びに第876条の規定を、組合の清算人については第29条の2、第30条の2から第37条まで、第41条第2項、第42条及び第42条の2並びに同法第360条第1項及び第7編第2章第2節（第847条第2項、第847条の2、第847条の3、第849条第2項、第3項第2号及び第3号並びに第6項から第11項まで、第849条の2第2号及び第3号、第851条並びに第853条第1項第2号及び第3号を除く。）の規定を、それぞれ準用する。この場合において、第36条第1項中「事業報告書、財産目録、貸借対照表及び収支決算書」とあるのは「事務報告書、財産目録及び貸借対照表」と、同法第478条第2項中「前項」とあるのは「生活衛生関係営業の運営の適正化及び振興に関する法律第51条」と、同法第479条第2項各号列記以外の部分中「次に掲げる株主」とあるのは「総組合員の5分の1以上の同意を得た組合員」と、同法第492条第1項、第507条第1項並びに第847条第1項及び第4項中「法務省令」とあるのは「厚生労働省令」と、同法第499条第1項中「官報に公告し」とあるのは「公告し」と、同法第850条第4項中「第55条、第102条の2第2項、第103条第3項、第120条第5項、第213条の2第2項、第286条の2第2項、第424条（第486条第4項において準用する場合を含む。）、第462条第3項（同項ただし書に規定する分配可能額を超えない部分について負う義務に係る部分に限る。）、第464条第2項及び第465条第2項」とあるのは「生活衛生関係営業の運営の適正化及び振興に関する法律第52条において準用する同法第34条第5項」と読み替えるものとする。

〔改正〕
全部改正（第29次改正）、一部改正（第32～35・38次改正）

〔参照条文〕
準用後の「厚生労働省令」＝規則9の2～の6

第7節　監督
本節＝追加（第8次改正）

（役員の解任の勧告）

第52条の2　組合の役員が、法令の規定、法令の規定に基づく処分又は定款に違反したときは、厚生労働大臣は、組合に対し、その役員の解任を勧告することができる。

〔改正〕
一部改正（第18次改正）

（解散命令）

第52条の3　組合が次の各号の一に該当するときは、厚生労働大臣は、組合の解散を命ずることができる。

一　第5条各号に適合するものでなくなつたこと。

第1編　総則

二　第22条第2項に規定する設立要件を欠くに至つたこと。
三　その業務が法令の規定、法令の規定に基づく処分若しくは定款に違反し、又はその運営が著しく不当であると認められること。

第2章の2　生活衛生同業小組合

章名＝改正（第16次改正）
本章＝追加（第8次改正）

（生活衛生同業小組合）

第52条の4　政令で定める業種に係る組合の組合員は、その営業に関する共同施設を行うため、厚生労働大臣の認可を受けて、組合の地区内の一部の区域を地区とする生活衛生同業小組合（以下「小組合」という。）を組織することができる。

2　小組合を設立しようとする発起人は、前項の認可を受けようとするときは、当該小組合の設立について、あらかじめ、その属する組合の同意を得なければならない。この場合において、組合は、正当な理由がないのに同意を拒んではならない。

〔改正〕

一部改正（第16・18次改正）

〔委任〕

第1項　「政令」＝令1（別表）

（事業）

第52条の5　小組合は、次に掲げる事業を行うものとする。
一　第8条第1項第6号に掲げる事業
二　組合員の経済的地位の改善のためにする組合協約の締結
三　前2号の事業に附帯する事業

〔参照条文〕

決定事業以外の事業の罰則＝法70一

（出資）

第52条の6　小組合は、定款の定めるところにより、その組合員に出資をさせなければならない。

（合併）

第52条の7　小組合が合併するには、総会の議決を経なければならない。
2　小組合の合併については、第49条の2及び第49条の3の規定を準用する。
3　合併は、厚生労働大臣の認可を受けなければ、その効力を生じない。
4　前項の認可については、第24条第2項（第2号を除く。）の規定を準用する。

〔改正〕

一部改正（第18次改正）

〔参照条文〕

第3項　合併の認可の申請＝規則13の3

第52条の8　合併によつて小組合を設立するには、各小組合がそれぞれ総会において組合員のうちから選任した設立委員が共同して定款を作成し、役員を選任し、その他設立に

必要な行為をしなければならない。
2 前項の規定による役員の任期は、最初の通常総会の日までとする。
3 第1項の規定による設立委員の選任については、第47条の規定を準用する。
4 第1項の規定による役員の選任については、第29条第4項本文の規定を準用する。

第52条の9 小組合の合併は、合併後存続する小組合又は合併によつて成立する小組合が、その主たる事務所の所在地において、次条第1項において準用する第7条に規定する登記をすることによつてその効力を生ずる。
2 合併後存続する小組合又は合併によつて成立した小組合は、合併によつて消滅した小組合の権利義務を承継する。
（準用）

第52条の10 第4条、第5条、第7条、第8条第3項、第14条の9、第14条の11第3項及び第4項、第14条の12、第15条、第16条、第16条の2（第1項を除く。）、第16条の3、第17条から19条まで、第21条から第49条の7まで、第50条第1項、第51条から第52条の2まで並びに第52条の3（第2号を除く。）の規定は、小組合に準用する。この場合において、第7条第1項中「解散」とあるのは「解散、合併」と、第8条第3項中「第1項第4号から第6号まで、第8号から第10号まで、第12号及び第13号」とあるのは「第52条の5第1号及び第3号」と、第14条の9第1項中「第8条第1項第11号」とあるのは「第52条の5第2号」と、第17条第5項中「10人」とあるのは「5人」と、第21条第2項第1号中「適正化規定に違反し、その他組合」とあるのは「小組合」と、第22条第1項中「その組合員になろうとする20人」とあるのは「組合の組合員であつて、当該小組合の組合員になろうとする5人」と、同条第2項中「総数がその地区内において当該業種に属する営業を営む者の総数の3分の2以上」とあるのは「すべてが組合の組合員」と、第28条第4項中「第24条第2項」とあるのは「第24条第2項（第2号を除く。）」と、第47条第3号中「解散」とあるのは「解散又は合併」と、第49条第7項中「解散」とあるのは「解散若しくは合併」と、第50条第1項中「一　総会の決議」とあるのは「一　総会の決議／一の二　合併」と、第51条中「破産手続開始の決定」とあるのは「合併及び破産手続開始の決定」と読み替えるものとする。
2 小組合の合併の無効の訴えについては会社法第828条第1項（第7号及び第8号に係る部分に限る。）及び第2項（第7号及び第8号に係る部分に限る。）、第834条（第7号及び第8号に係る部分に限る。）、第835条第1項、第836条から第839条まで、第843条（第1項第3号及び第4号並びに第2項ただし書を除く。）並びに第846条の規定を、この項において準用する同法第843条第4項の申立てについては同法第868条第6項、第870条第2項（第6号に係る部分に限る。）、第870条の2、第871条本文、第872条（第5号に係る部分に限る。）、第872条の2、第873条本文、第875条及び第876条の規定を準用する。

〔改正〕
　　一部改正（第16・19・26・29～35次改正）

第1編　総則

（援助及び助言）
第52条の11　組合は、当該業種に係るその地区内の小組合の事業の運営について、その健全な発達を図るため、情報の提供その他の援助又は助言をすることができる。

第3章　生活衛生同業組合連合会
章名＝改正（第16次改正）

（生活衛生同業組合連合会）
第53条　同一の業種に係る組合は、生活衛生同業組合連合会（以下「連合会」という。）を組織することができる。
2　連合会は、同一の業種については、全国を通じて1箇とする。
3　連合会が成立したときは、当該業種に係る組合は、すべてその会員となる。連合会が成立した後において成立した当該業種に係る組合についても同様である。
4　連合会の会員たる組合は、当該組合の解散によつて連合会から脱退する。
〔**改正**〕
一部改正（第16次改正）

（事業）
第54条　連合会は、第1条の目的を達成するため、次に掲げる事業を行うものとする。
一　適正化基準（適正化規程の基本となるものをいう。以下同じ。）の設定
二　会員に対する適正化規程若しくは第8条第1項第3号に規定する基準の設定又は第56条の3に規定する振興計画の作成に関する指導
三　会員に対する衛生施設の維持及び改善向上並びに経営の健全化に関する指導
三の二　会員に対する第52条の11の援助又は助言に関する指導
四　会員たる組合の組合員の営業に関する共同施設
五　会員に対する第8条第1項第7号に掲げる資金のあつせん（あつせんに代えてする資金の借入れ及びその借り入れた資金の会員に対する貸付けを含む。）
六　会員たる組合の組合員の営業に関する技能の改善向上若しくは審査又は技能者の養成に関する施設
七　会員たる組合の組合員の福利厚生に関する事業
八　会員たる組合の組合員の共済に関する事業
九　会員たる組合が共済事業を行うことによつて負う共済責任の再共済に関する事業
十　会員たる組合の行う第8条第1項第1号又は第2号に掲げる事業に関する組合協約及び会員たる組合の組合員の経済的地位の改善のためにする組合協約の締結
十一　会員たる組合の組合員の営業に係る老人の福祉その他の地域社会の福祉の増進に関する事業についての会員に対する指導その他当該事業の実施に資する事業
十二　前各号の事業に附帯する事業
〔**改正**〕
一部改正（第1・3・8・16次改正）
〔**参照条文**〕
決定事業以外の事業の罰則＝法70一

(適正化基準の認可)

第55条 連合会は、適正化基準の設定について、厚生労働大臣の認可を受けなければならない。その変更についても同様である。

〔改正〕
　一部改正（第18次改正）

〔参照条文〕
　罰則＝法67

(準用)

第56条 第4条、第5条（第2号を除く。）、第7条、第8条第2項から第4項まで、第8条の2、第9条第3項及び第5項、第10条から第14条の12まで、第16条の2から第19条まで、第21条の5第1項、第22条から第27条まで、第28条（第1項第3号及び第6号を除く。）、第29条から第46条まで、第47条（第4号を除く。）、第47条の2から第48条まで並びに第49条の2から第52条の3までの規定は、連合会に準用する。この場合において、第8条第2項中「前項」とあるのは「第54条」と、「同項第6号、第7号又は第10号」とあるのは「同条第4号、第5号、第8号又は第9号」と、同条第3項中「第1項第4号から第6号まで、第8号から第10号まで、第12号及び第13号」とあるのは「第54条第3号、第4号、第6号から第9号まで、第11号及び第12号」と、同条第4項中「第1項第9号又は第10号」とあるのは「第54条第7号又は第8号」と、第9条第3項及び第5項中「第1項」とあり、第11条第1項中「同条第1項」とあり、第11条第2項及び第13条第1項中「第9条第1項」とあるのは「第55条」と、第9条第5項中「同項」とあるのは「同条」と、第14条の2第1項中「第8条第1項第10号に掲げる事業」とあるのは「第54条第8号又は第9号に掲げる事業」と、第14条の9第1項中「第8条第1項第11号」とあるのは「第54条第10号」と、同条第2項及び第3項中「組合員」とあるのは「会員たる組合及びその組合員」と、第14条の10第1項中「その組合の組合員」とあり、同条同項及び同条第2項第3号中「組合員」とあるのは「会員たる組合の組合員」と、第14条の11第1項中「組合の組合員」とあり、又は「組合員」とあるのは「会員たる組合の組合員」と、同条第3項中「組合の組合員」とあるのは「会員たる組合又はその組合員」と、第17条第5項中「10人」とあるのは「2」と、第22条第1項中「20人」とあるのは「5」と、同条第2項中「その地区内において当該業種に属する営業を営む者」とあるのは「会員たる資格を有する組合」と、第50条第2項中「共済事業を行う組合」とあるのは「第54条第8号又は第9号の事業を行う連合会」と読み替えるものとする。

〔改正〕
　一部改正（第1～3・8・12・16・19・29次改正）

第3章の2　振興指針及び振興計画

　本章＝追加（第8次改正）

(振興指針)

第56条の2 厚生労働大臣は、業種を指定して、当該業種に係る営業の振興に必要な事項

第1編　総則

に関する指針（以下「振興指針」という。）を定めることができる。
2　振興指針には、次に掲げる事項について定めるものとする。
　一　目標年度における衛生施設の水準、役務の内容又は商品の品質、経営内容その他の振興の目標及び役務又は商品の供給の見通しに関する事項
　二　施設の整備、技術の開発、経営管理の近代化、事業の共同化、役務又は商品の提供方法の改善、従事者の技能の改善向上、取引関係の改善その他の振興の目標の達成に必要な事項
　三　従業員の福祉の向上、環境の保全その他の振興に際し配慮すべき事項
3　振興指針は、公衆衛生の向上及び増進を図り、あわせて利用者又は消費者の利益に資するものでなければならない。

〔改正〕
　　一部改正（第18次改正）

〔委任〕
　　第1項　「振興指針」＝令和5年3月厚労告第90号「飲食店営業（一般飲食業、中華料理業、料理業及び社交業）及び喫茶店営業の振興指針」等

（振興計画の認定）
第56条の3　組合又は小組合は、組合員たる営業者の営業の振興を図るために必要な事業（以下「振興事業」という。）に関する計画（以下「振興計画」という。）（小組合にあつては、当該小組合の行う共同施設に係るものに限る。）を作成し、当該振興計画が振興指針に適合し、かつ、政令で定める基準に該当するものとして適当である旨の厚生労働大臣の認定を受けることができる。
2　振興計画には、次に掲げる事項を記載しなければならない。
　一　振興事業の目標
　二　振興事業の内容及び実施時期
　三　振興事業を実施するのに必要な資金の額及びその調達方法
3　前2項に規定するもののほか、振興計画の認定及びその取消しに関し必要な事項は、政令で定める。
4　第1項の認定を受けた組合又は小組合は、毎事業年度経過後3箇月以内に、当該計画の実施状況について厚生労働大臣に報告しなければならない。
5　第1項の規定による認定の申請及び前項の規定による報告は、都道府県知事を経由してするものとする。

〔改正〕
　　一部改正（第18次改正）

〔委任〕
　　第1項　「政令」＝令5
　　第3項　「政令」＝令6

〔参照条文〕
　　第1項　「振興計画」に係る認定の申請＝規則15　　「振興計画」の変更に係る認定の申請＝規則16
　　第4項　罰則＝法70一六

（資金の確保）

第56条の4 政府は、前条第１項の規定による認定を受けた振興計画（以下「認定計画」という。）に基づく振興事業の実施に必要な資金の確保又はその融通のあつせんに努めるものとする。
　（減価償却の特例）
第56条の5 第56条の３第１項の規定による認定を受けた組合又は小組合は、租税特別措置法（昭和32年法律第26号）で定めるところにより、当該認定計画に係る共同施設について特別償却をすることができる。

　　　第４章　料金等の規制措置
　（組合員以外の者に対する事業活動の改善の勧告）
第56条の6 第９条の規定による適正化規程が実施された場合において、当該組合の申出があつたときは、厚生労働大臣は、当該組合の地区内において、当該営業者で当該適正化規程の適用を受けないもの（以下「組合員以外の者」という。）の事業活動により、当該営業の健全な経営が阻害されている事態が存し、かつ、このような事態を放置しては適正な衛生措置の確保又は当該営業の経営の維持に支障を生ずると認めるときは、厚生労働省令の定めるところにより、当該組合員以外の者に対し、当該適正化規程の内容を参酌して、当該営業について、料金若しくは販売価格又は営業方法を改めるよう勧告することができる。この場合において、当該組合員以外の者がもつぱら特定の事業所又は事務所の従業員の福利厚生を図るための施設であつて現に当該従業員以外の者の利用に供していないものに係る営業を営む者であり、かつ、当該施設に係る当該組合員以外の者の事業活動がこの条に定める事態の生じたことについて関係がないものであるときは、それらの者に限り、料金若しくは販売価格又は営業方法に関する勧告の全部又は一部を受けないものとすることができる。
２　厚生労働大臣は、前項の申出があつたときは、遅滞なく、同項の勧告をするかどうかを決定し、その申出をした組合にその結果を通知しなければならない。
　〔改正〕
　　　旧第56条の２として追加（第１次改正）、一部改正（第２・３・18次改正）、本条に繰下（第８次改正）
　〔委任〕
　　　第１項　「厚生労働省令」＝規則９の７
　（料金等の制限に関する命令）
第57条　第９条の規定による適正化規程が実施された場合において、当該組合の申出があつたときは、厚生労働大臣は、当該組合の地区内において、次の各号の一に該当する事態が存し、かつ、このような事態を放置しては適正な衛生措置の確保又は当該営業の経営の維持にはなはだしい支障を生ずると認めるときに限り、当該適正化規程の内容を参酌して、厚生労働省令をもつて、当該営業について、料金若しくは販売価格又は営業方法の制限を定め、当該営業者のすべてに対し、これに従うべきことを命ずることができる。この場合において、厚生労働大臣は、当該営業者がもつぱら特定の事業所又は事務所の従業員の福利厚生を図るための施設であつて現に当該従業員以外の者の利用に供していないものに係る営業を営む者であり、かつ、当該施設に係る当該営業者の事業活動

第1編　総則

がこの条に定める事態の生じたことについて関係がないと認めるときは、それらの者に限り、料金若しくは販売価格又は営業方法の制限に関する命令の全部又は一部の適用を受けないものとすることができる。
一　組合員以外の者の事業活動により、当該営業の健全な経営を阻害していること。
二　当該組合の自主的活動をもつてしては、組合員の営業の健全な経営を確保することができないこと。
2　第13条第1項の規定は、前項の場合に準用する。
3　第1項の申出は、都道府県知事を経由してするものとする。この場合において、都道府県知事は、意見を附して厚生労働大臣に送付しなければならない。
4　前条第2項の規定は、第1項の申出があつた場合に準用する。
　〔改正〕
　　　一部改正（第1～3・18次改正）
　〔委任〕
　　　第1項　本文の「厚生労働省令」＝規則10
　〔参照条文〕
　　　第1項　罰則＝法66・69
（営業停止命令）
第57条の2　厚生労働大臣は、営業者が前条第1項の規定による命令に違反したときは、2箇月以内の期間を定めて、その営業の全部又は一部の停止を命ずることができる。
　〔改正〕
　　　追加（第8次改正）、一部改正（第18次改正）
　〔参照条文〕
　　　罰則＝法65の2・69

第4章の2　都道府県生活衛生営業指導センター
　　　章名＝改正（第16次改正）
　　　本章＝追加（第8次改正）

（指定等）
第57条の3　都道府県知事は、当該都道府県の区域内の生活衛生関係営業（第2条第1項各号に掲げる営業をいう。以下同じ。）の経営の健全化を通じてその衛生水準の維持向上を図り、あわせて利用者又は消費者の利益の擁護を図ることを目的とする一般財団法人であつて、次条第1項に規定する事業を適正かつ確実に行うことができると認められるものを、その申出により、当該都道府県に一を限つて、都道府県生活衛生営業指導センター（以下「都道府県指導センター」という。）として指定することができる。
2　都道府県指導センターは、その名称中に生活衛生営業指導センターという文字を用いなければならない。
3　都道府県知事は、第1項の指定をしたときは、当該都道府県指導センターの名称及び事務所の所在地を公示しなければならない。
4　都道府県指導センターは、事務所の所在地を変更しようとするときは、あらかじめそ

の旨を都道府県知事に届け出なければならない。
5 都道府県知事は、前項の届出があつたときは、その旨を公示しなければならない。
　〔改正〕
　　　一部改正（第16・32次改正）
　〔参照条文〕
　　　第4項　罰則＝法71一

（事業）
第57条の4 都道府県指導センターは、当該都道府県の区域内における生活衛生関係営業について、次の各号に掲げる事業を行うものとする。
　一　生活衛生関係営業に関する衛生施設の維持及び改善向上並びに経営の健全化について相談に応じ、又は指導を行うこと。
　二　生活衛生関係営業に関する利用者若しくは消費者の苦情を処理し、又は当該苦情に関し営業者及び組合を指導すること。
　三　第57条の12に規定する標準営業約款に関し営業者の登録を行うこと。
　四　生活衛生関係営業に関する講習会、講演会若しくは展示会を開催し、又はこれらの開催のあつせんを行うこと。
　五　生活衛生関係営業に関する情報又は資料を収集し、及び提供すること。
　六　前各号の事業に附帯する事業
2　都道府県指導センターは、厚生労働省令で定めるところにより、都道府県知事の承認を受けて、その事業の一部を他の者に委託することができる。
3　都道府県指導センターは、都道府県知事の承認を受けて、手数料を徴収することができる。
　〔改正〕
　　　一部改正（第16・18次改正）
　〔委任〕
　　　第2項　「厚生労働省令」＝規則18
　〔参照条文〕
　　　第1項　国の補助＝令8Ⅰ
　　　第2項　罰則＝法71二
　　　第3項　罰則＝法71三

（事業計画の届出等）
第57条の5 都道府県指導センターは、毎事業年度、厚生労働省令で定めるところにより、事業計画及び収支予算を都道府県知事に届け出なければならない。
2　都道府県指導センターは、厚生労働省令で定めるところにより、毎事業年度終了後、都道府県知事に対し事業状況等を報告しなければならない。
　〔改正〕
　　　一部改正（第18次改正）
　〔委任〕
　　　第1項　「厚生労働省令」＝規則19Ⅰ
　　　第2項　「厚生労働省令」＝規則19Ⅱ

第1編　総則

〔参照条文〕
第1項　罰則＝法71一
第2項　罰則＝法71四

(役員の解任の勧告)

第57条の6　都道府県指導センターの役員が、法令の規定、法令の規定に基づく処分又は定款に違反したときは、都道府県知事は、都道府県指導センターに対し、その役員の解任を勧告することができる。

〔改正〕
一部改正（第32次改正）

(改善命令)

第57条の7　都道府県知事は、都道府県指導センターの財産の状況又はその事業の運営に関し改善が必要であると認めるときは、都道府県指導センターに対し、その改善に必要な措置を採るべきことを命ずることができる。

〔参照条文〕
罰則＝法67の3・69

(指定の取消し)

第57条の8　都道府県知事は、都道府県指導センターが前条の命令に違反したときは、第57条の3第1項の規定による指定を取り消すことができる。

　　第4章の3　全国生活衛生営業指導センター
章名＝改正（第16次改正）
本章＝追加（第8次改正）

(指定等)

第57条の9　厚生労働大臣は、都道府県指導センター及び連合会の健全な発達を図るとともに、衛生水準の維持向上及び利用者又は消費者の利益の擁護の見地から生活衛生関係営業全般の健全な発達を図ることを目的とする一般財団法人であつて、次条に規定する事業を適正かつ確実に行うことができると認められるものを、その申出により、全国に一を限つて、全国生活衛生営業指導センター（以下「全国指導センター」という。）として指定することができる。

2　全国指導センターは、その名称中に全国生活衛生営業指導センターという文字を用いなければならない。

〔改正〕
一部改正（第16・18・32次改正）

〔委任〕
第1項　「指定」＝昭和55年4月厚告第66号（生活衛生関係営業の運営の適正化に関する法律第57条の9第1項の規定に基づく全国生活衛生営業指導センターの指定）

〔参照条文〕
「指定」の基準＝規則20の2

(事業)

第57条の10　全国指導センターは、生活衛生関係営業について、次の各号に掲げる事業を行うものとする。

一　生活衛生関係営業全般に関する情報又は資料を収集し、及び提供すること。
二　生活衛生関係営業全般に関する調査研究を行うこと。
三　都道府県指導センターの事業について、連絡調整を図り、及び指導すること。
四　連合会相互の連絡調整を図り、及びその事業について指導すること。
五　第57条の12第1項に規定する標準営業約款を作成すること。
六　都道府県指導センターの行う生活衛生関係営業に関する衛生施設の維持及び改善向上並びに経営の健全化についての相談若しくは指導又は苦情処理に係る業務を担当する者を養成すること。
七　連合会の行う生活衛生関係営業に関する技能の改善向上若しくは審査又は技能者の養成の事業に関し技術的指導を行うこと。
八　前各号の事業に附帯する事業

〔改正〕
　　　一部改正（第16次改正）
〔参照条文〕
　　　国の補助＝令8Ⅱ

（準用）

第57条の11　第57条の3第3項から第5項まで、第57条の4第2項及び第57条の5から第57条の8までの規定は、全国指導センターに準用する。この場合において、これらの規定中「都道府県知事」とあるのは「厚生労働大臣」と、第57条の3第3項中「第1項」とあり、第57条の8中「第57条の3第1項」とあるのは「第57条の9第1項」と読み替えるものとする。

〔改正〕
　　　一部改正（第18次改正）

第4章の4　標準営業約款
　　　本章＝追加（第8次改正）

（標準営業約款の認可）

第57条の12　全国指導センターは、厚生労働大臣が指定する業種について、当該業種ごとに、利用者又は消費者の選択の利便を図るため、厚生労働大臣の認可を受けて、当該業種に係る営業方法又は取引条件に関しおおむね次の各号に掲げる事項を内容とする約款（以下「標準営業約款」という。）を定めることができる。これを変更しようとするときも、厚生労働大臣の認可を受けなければならない。
一　役務の内容又は商品の品質の表示の適正化に関する事項
二　施設又は設備の表示の適正化に関する事項
三　損害賠償の実施の確保に関する事項
2　厚生労働大臣は、前項の標準営業約款が次の各号に適合すると認めるときでなければ、これを認可してはならない。
一　利用者又は消費者の選択を容易にするものであること。
二　利用者又は消費者の需要の動向に反せず、その他これらの者の利益を不当に害する

第1編　総則

　　おそれがないこと。
　三　不当に差別的でないこと。
　四　当該業種において適正な衛生措置を講ずることが阻害されるおそれがないこと。
　五　当該業種の営業の健全な経営が阻害されるおそれがないこと。
3　厚生労働大臣は、第1項の認可又はその取消しの処分を行つたときは、厚生労働省令で定めるところにより、告示しなければならない。

〔改正〕
　　一部改正（第18次改正）

〔委任〕
　　第3項　「厚生労働省令」＝規則21　「告示」＝昭和58年3月厚告第68号「クリーニング業に関する標準営業約款」等

〔参照条文〕
　　第1項　罰則＝法67の2

（標準営業約款に係る営業者の登録）

第57条の13　都道府県指導センターは、当該都道府県の区域内において前条第1項の認可を受けた標準営業約款に係る業種に属する営業を営む者から当該標準営業約款に従つて営業を行おうとする旨の申出があつたときは、厚生労働省令で定めるところにより、その者について登録を行うことができる。
2　前項の登録を受けた者は、その営業を行う施設において、全国指導センターが定める様式の標識及び当該登録に係る標準営業約款の要旨を掲示するものとする。
3　全国指導センターは、前項の標識の様式を定め、又は変更したときは、厚生労働省令で定めるところにより、これを公告するとともに、厚生労働大臣に届け出なければならない。
4　第1項の登録を受けていない者は、第2項の標識又はこれに類似する標識を掲げてはならない。
5　都道府県指導センターは、第1項の登録に係る業務を行うに当たつては、全国指導センターが厚生労働大臣の承認を得て定める基準に従わなければならない。
6　都道府県指導センターは、毎事業年度経過後3箇月以内に、第1項の登録に係る事業の実施の状況について全国指導センターに報告しなければならない。
7　第1項の登録の取消しその他登録に関し必要な事項及び第2項の標識に関し必要な事項は、厚生労働省令で定める。

〔改正〕
　　一部改正（第11・18次改正）

〔委任〕
　　第1項　「厚生労働省令」＝規則23
　　第3項　「厚生労働省令」＝規則27
　　第7項　「厚生労働省令」＝規則24〜26・28

〔参照条文〕
　　第3項　罰則＝法71五
　　第5項　罰則＝法71六

（情報の提供）
第57条の14 厚生労働大臣は、利用者又は消費者の選択の利便の増進に資するため、標準営業約款に関する情報を提供するよう努めるものとする。
　〔改正〕
　　　追加（第16次改正）、一部改正（第18次改正）
　（準用）
第57条の15 第11条及び第12条の規定は、標準営業約款について準用する。この場合において、第11条第1項中「第9条第3項各号の一に該当するに至つた」とあるのは「第57条の12第2項各号に適合するものでなくなつた」と、第11条第1項中「当該組合」とあり、同条第2項及び第12条中「組合」とあるのは「全国生活衛生営業指導センター」と、第11条第1項中「同条第1項」とあり、同条第2項中「第9条第1項」とあるのは「第57条の12第1項」と読み替えるものとする。
　〔改正〕
　　　旧第57条の14を一部改正し、本条に繰下（第16次改正）
　〔参照条文〕
　　　「標準営業約款」の廃止の届出＝規則22

第5章　審議会等
　　　章名＝改正（第18次改正）

（審議会等）
第58条 都道府県は、第64条第1項の規定により厚生労働大臣の権限に属する事務の一部を都道府県知事が行うこととされたときは、当該事務に係るこの法律の施行に関する重要事項を調査審議させるため、生活衛生関係営業の運営の適正化に関する審議会その他の合議制の機関（以下「都道府県生活衛生適正化審議会」という。）を置くものとする。
2　厚生労働大臣は、第9条第1項、第55条若しくは第57条の12第1項の認可に関する処分、第9条第4項の基準の設定、第11条第1項（第56条及び前条において準用する場合を含む。）若しくは第57条第1項の規定による命令、第11条第1項若しくは第2項（これらを第56条及び前条において準用する場合を含む。）の規定による認可の取消し、第56条の2第1項の規定による振興指針の設定又は第56条の6第1項の規定による料金若しくは販売価格に係る勧告をしようとするときは、厚生科学審議会に諮問しなければならない。
3　前項の規定は、都道府県知事が第64条第1項の規定により行うこととされた前項に規定する処分をしようとする場合に準用する。この場合において、同項中「厚生科学審議会」とあるのは、「都道府県生活衛生適正化審議会」と読み替えるものとする。
4　都道府県生活衛生適正化審議会は、関係各行政機関及び厚生科学審議会に、この法律の施行に関する事項について建議することができる。
　〔改正〕
　　　一部改正（第1～3・8・15～18次改正）

第1編　総則

第59条　前条に定めるもののほか、都道府県生活衛生適正化審議会の組織及び運営に関し必要な事項は、政令で定める基準に従い、条例で定める。
〔改正〕
　　　一部改正（第15～17次改正）
〔委任〕
　　　「政令」＝令7

第6章　雑則

（報告、検査等）
第60条　厚生労働大臣（都道府県指導センターに係るものにあつては、都道府県知事）は、この法律（第5項を除く。）に規定する権限を実施するため必要な限度において、営業者、組合、小組合、連合会、都道府県指導センター若しくは全国指導センターから必要な報告を徴し、又はその職員をしてその事業所若しくは事務所に立ち入り、業務の状況若しくは帳簿書類その他の物件を検査させることができる。
2　前項の規定により立入検査をする職員は、その身分を示す証票を携帯し、関係人にこれを提示しなければならない。
3　第1項の規定による立入検査の権限は、犯罪捜査のために認められたものと解してはならない。
4　組合は、次の各号のいずれかの場合において、必要があると認めるときは、厚生労働省令で定めるところにより、厚生労働大臣に対し、厚生労働省令で定める事項について調査するよう申し出ることができる。
　一　組合協約の締結に関し第14条の11第1項又は第3項の規定により交渉しようとする場合
　二　第56条の6第1項に規定する勧告又は第57条の命令について申出をしようとする場合
5　厚生労働大臣は、前項の規定による申出があつた場合において、当該申出に相当の理由があると認めるときは、当該申出に係る事項について必要な調査を行い、その結果を当該組合に通知するものとする。
〔改正〕
　　　一部改正（第8・12・18次改正）
〔委任〕
　　　第4項　本文の「厚生労働省令で定めるところ」＝規則10の2　「厚生労働省令で定める事項」＝規則10の3
〔参照条文〕
　　　第1項　罰則＝法68・69
　　　第2項　「証票」の様式＝規則29（様式2）

（利用者又は消費者の意見の具申）
第61条　利用者又は消費者は、何時でも、適正化規程、適正化基準、第56条の6第1項の規定による勧告、第57条第1項の規定による命令、標準営業約款その他この法律の施行に関する事項に関して、厚生労働大臣、都道府県知事、厚生科学審議会又は都道府県生

活衛生適正化審議会に対し、意見を述べることができる。
〔改正〕
　　　一部改正（第1・3・8・16・17次改正）、旧第61～62条の2を削り、旧第63条を本条に繰上（第8次改正）
（意見の聴取）
第62条　厚生労働大臣又は都道府県知事は、第52条の2（第52条の10第1項及び第56条において準用する場合を含む。）又は第57条の6（第57条の11において準用する場合を含む。）の規定による役員の解任の勧告を行おうとするときは、当事者（当該解任に係る役員を含む。次項及び第3項において同じ。）又はその代理人の出頭を求めて、公開による意見の聴取を行わなければならない。
2　厚生労働大臣又は都道府県知事は、前項の意見の聴取を行う場合には、同項に規定する勧告の原因と認められる事実又は違反行為並びに意見の聴取の期日及び場所を、その期日の1週間前までに当事者に通知しなければならない。
3　厚生労働大臣又は都道府県知事は、当事者又はその代理人が、正当な理由がなく意見の聴取の期日に出頭しないときは、意見の聴取を行わないで第1項に規定する勧告をすることができる。
〔改正〕
　　　追加（第8次改正）、一部改正（第10・18次改正）
（聴聞等の方法の特例）
第62条の2　第52条の3（第52条の10第1項及び第56条において準用する場合を含む。次項において同じ。）、第57条の2又は第57条の8（第57条の11において準用する場合を含む。次項において同じ。）の規定による処分に係る行政手続法（平成5年法律第88号）第15条第1項又は第30条の通知は、聴聞の期日又は弁明を記載した書面の提出期限（口頭による弁明の機会の付与を行う場合には、その日時）の1週間前までにしなければならない。
2　第52条の3又は第57条の8の規定による処分に係る聴聞の期日における審理は、公開により行わなければならない。
〔改正〕
　　　追加（第10次改正）
（助成等）
第63条　国は、都道府県が、都道府県指導センターの行う事業に要する経費について補助する場合には、当該都道府県に対し、政令で定めるところにより、予算の範囲内において、当該補助に要する経費の一部を補助することができる。
2　国は、全国指導センターに対し、政令で定めるところにより、予算の範囲内において、その行う事業に要する経費の一部を補助することができる。
〔改正〕
　　　追加（第8次改正）、一部改正（第16次改正）
（委任）

第1編　総則

　　　第1項　「政令」＝令8 Ⅰ
　　　第2項　「政令」＝令8 Ⅱ

第63条の2　国及び地方公共団体は、営業者の組織の自主的活動の促進を通じて生活衛生関係営業の衛生水準の維持向上を図り、あわせて利用者又は消費者の利益の擁護に資するため、組合、小組合及び連合会に対して必要な助成その他の援助を行うよう努めなければならない。
　〔改正〕
　　　追加（第16次改正）、一部改正（第16次改正）
（都道府県が処理する事務）

第64条　この法律に規定する厚生労働大臣の権限に属する事務の一部は、政令で定めるところにより、都道府県知事が行うこととすることができる。
2　前項の規定により都道府県知事が第56条の6第1項の規定による勧告をする場合においては、同項中「厚生労働省令」とあるのは、「規則」と読み替えるものとする。
　〔改正〕
　　　一部改正（第1～3・8・15・18次改正）
　〔委任〕
　　　第1項　「政令」＝令9
（事務の区分）

第64条の2　第56条の3第5項及び第57条第3項前段の規定により都道府県が処理することとされている事務は、地方自治法（昭和22年法律第67号）第2条第9項第1号に規定する第1号法定受託事務とする。
　〔改正〕
　　　追加（第15次改正）
（権限の委任）

第64条の3　この法律に規定する厚生労働大臣の権限は、厚生労働省令で定めるところにより、地方厚生局長に委任することができる。
2　前項の規定により地方厚生局長に委任された権限は、厚生労働省令で定めるところにより、地方厚生支局長に委任することができる。
　〔改正〕
　　　追加（第18次改正）
（実施規定）

第65条　この法律に規定するもののほか、この法律の施行に関し必要な事項は、厚生労働省令で定める。
　〔改正〕
　　　一部改正（第18次改正）
　〔委任〕
　　　「厚生労働省令」＝昭和32年9月厚令第37号「生活衛生関係営業の運営の適正化及び振興に関する法律施行規則」

第7章　罰則

第65条の2　第57条の2の規定による命令に違反した者は、50万円以下の罰金に処する。

〔改正〕

　　　追加（第2次改正）、一部改正（第8次改正）

第66条　第57条第1項の規定による命令に違反した者は、20万円以下の罰金に処する。

〔改正〕

　　　一部改正（第8次改正）

第67条　第9条第1項又は第55条の認可を受けないで適正化規程又は適正化基準を実施した組合又は連合会の理事は、15万円以下の罰金に処する。

〔改正〕

　　　一部改正（第8次改正）

第67条の2　第57条の12第1項の認可を受けないで標準営業約款を実施した全国指導センターの理事は、15万円以下の罰金に処する。

〔改正〕

　　　追加（第8次改正）

第67条の3　第57条の7（第57条の11において準用する場合を含む。）の規定による命令に違反した者は、10万円以下の罰金に処する。

〔改正〕

　　　追加（第8次改正）

第68条　第60条第1項の規定による報告をせず、若しくは虚偽の報告をし、又は検査を拒み、妨げ、若しくは忌避した者は、10万円以下の罰金に処する。

〔改正〕

　　　一部改正（第8次改正）

第69条　法人の代表者又は法人若しくは人の代理人、使用人その他の従業者が、その法人又は人の業務に関し、第65条の2、第66条、第67条の3又は前条の違反行為をしたときは、その行為者を罰するほか、その法人又は人に対して、各本条の刑を科する。

〔改正〕

　　　一部改正（第2・8次改正）

第70条　次の場合には、組合、小組合又は連合会の発起人、理事若しくは監事又は清算人は、10万円以下の過料に処する。

　一　この法律の規定に基づいて組合、小組合又は連合会が行うことができる事業以外の事業を行つたとき。

　二　第7条第1項（第52条の10第1項及び第56条において準用する場合を含む。）の規定に基づく政令で定める登記を怠つたとき。

　二の二　第14条の2第1項又は第14条の4から第14条の6まで（これらを第56条において準用する場合を含む。）の規定に違反したとき。

　三　第16条（第52条の10第1項において準用する場合を含む。）の規定に違反したとき。

第1編　総則

四　第21条第2項後段（第52条の10第1項において準用する場合を含む。）の規定又は第38条第4項（第52条の10第1項及び第56条において準用する場合を含む。）の規定に違反したとき。

五　第23条第7項（第52条の10第1項及び第56条において準用する場合を含む。）、第31条第6項（第52条（第52条の10第1項及び第56条において準用する場合を含む。以下同じ。）、第52条の10第1項及び第56条において準用する場合を含む。）若しくは第47条の3（第52条の10第1項及び第56条において準用する場合を含む。）の規定又は第52条において準用する会社法第492条第1項の規定に違反して議事録若しくは財産目録若しくは貸借対照表を作成せず、又はこれらの書類に記載すべき事項を記載せず、若しくは虚偽の記載をしたとき。

五の二　第28条第5項（第52条の10第1項及び第56条において準用する場合を含む。）の規定に違反して届出をせず、又は虚偽の届出をしたとき。

六　第29条第5項（第52条の10第1項及び第56条において準用する場合を含む。）の規定に違反したとき。

七　第32条（第52条、第52条の10第1項及び第56条において準用する場合を含む。）の規定に違反したとき。

八　第35条又は第36条（これらを第52条、第52条の10第1項及び第56条において準用する場合を含む。）の規定に違反して書類を備えて置かず、その書類に記載すべき事項を記載せず、若しくは虚偽の記載をし、又は正当な理由がないのにその書類の閲覧を拒んだとき。

九　第37条（第52条、第52条の10第1項及び第56条において準用する場合を含む。）又は第39条（第52条の10第1項及び第56条において準用する場合を含む。）において準用する会社法第389条第4項（第2号を除く。）の規定に違反して正当な理由がないのに帳簿及び書類の閲覧を拒んだとき。

十　第39条（第52条の10第1項及び第56条において準用する場合を含む。）において準用する会社法第389条第5項又は第52条において準用する同法第492条第1項の規定による調査を妨げたとき。

十一　第40条（第52条の10第1項及び第56条において準用する場合を含む。）の規定に違反したとき。

十一の二　第49条の2又は第49条の3第2項（これらを第52条の7第2項、第52条の10第1項及び第56条において準用する場合を含む。）の規定に違反して出資1口の金額を減少したとき。

十一の三　第49条の4又は第49条の5（これらを第52条の10第1項及び第56条において準用する場合を含む。）の規定に違反したとき。

十一の四　第49条の7（第52条の10第1項及び第56条において準用する場合を含む。）の規定に違反して組合員又は会員の持分を取得し、又は質権の目的としてこれを受けたとき。

十二　第52条において準用する会社法第499条第1項の規定による公告をすることを怠

つたとき、又は不正の公告をしたとき。
十三　第52条において準用する会社法第499条第１項の期間を不当に定めたとき。
十四　第52条において準用する会社法第500条第１項の規定に違反して債務の弁済をしたとき。
十五　第52条において準用する会社法第502条の規定に違反して組合、小組合又は連合会の財産を処分したとき。
十六　第56条の３第４項の規定に違反して報告をせず、又は虚偽の報告をしたとき。
〔改正〕
　　　一部改正（第１・５・７〜９・21・29次改正）

第71条　次の場合には、都道府県指導センター又は全国指導センターの理事は、10万円以下の過料に処する。
一　第57条の３第４項又は第57条の５第１項（これらを第57条の11において準用する場合を含む。）の規定に違反して届出をせず、又は虚偽の届出をしたとき。
二　第57条の４第２項（第57条の11において準用する場合を含む。）の規定に違反して事業の委託をしたとき。
三　第57条の４第３項の規定に違反して手数料を徴収したとき。
四　第57条の５第２項（第57条の11において準用する場合を含む。）の規定に違反して報告をせず、又は虚偽の報告をしたとき。
五　第57条の13第３項の規定に違反して届出をせず、又は虚偽の届出をしたとき。
六　第57条の13第５項の業務の基準を厚生労働大臣の承認を得ないで定めたとき。
〔改正〕
　　　追加（第８次改正）、一部改正（第11・18次改正）

　　附　則
（施行期日）
1　この法律は、公布の日から起算して３箇月をこえない範囲内で政令で定める日〔昭和32年９月２日〕から施行する。
〔委任〕
　　　「政令」＝昭和32年８月政令第278号「環境衛生関係営業の運営の適正化に関する法律の施行期日を定める政令」

（営業を営む者の特例）
2　クリーニング業法の一部を改正する法律（平成16年法律第33号）附則第３条の規定の施行の際現にクリーニング業法に規定するクリーニング業を営む者が同条の規定の施行の日以後において同法第２条第２項に規定する洗たくをしないで洗たく物の受取及び引渡しをすることを営業とする者となつた場合における当該営業とする者（同法第５条の３第１項の規定によりその地位を承継した者を含む。）は、当分の間、第２条第１項第７号に掲げる営業を営む者とする。
〔改正〕
　　　全部改正（第24次改正）

第1編　総則

●生活衛生関係営業の運営の適正化及び振興に関する法律施行令

〔昭和32年8月31日〕
〔政　令　第　2 7 9 号〕

〔一部改正経過〕

第1次	〔昭和32年9月5日政令第281号「環境衛生関係営業の運営の適正化に関する法律施行令の一部を改正する政令」による改正
第2次	〔昭和36年6月1日政令第157号「厚生省組織令の一部を改正する政令」附則第2項による改正
第3次	〔昭和36年12月28日政令第431号「環境衛生関係営業の運営の適正化に関する法律施行令等の一部を改正する政令」第1条による改正
第4次	〔昭和37年1月26日政令第14号「環境衛生関係営業の運営の適正化に関する法律施行令等の一部を改正する等の政令」第1条による改正
第5次	〔昭和37年9月29日政令第386号「環境衛生関係営業の運営の適正化に関する法律施行令の一部を改正する政令」による改正
第6次	〔昭和39年12月28日政令第382号「環境衛生関係営業の運営の適正化に関する法律施行令の一部を改正する政令」による改正
第7次	〔昭和40年11月11日政令第352号「環境衛生関係営業の運営の適正化に関する法律施行令の一部を改正する政令」による改正
第8次	〔昭和47年7月1日政令第263号「許可、認可等の整理に関する政令」第6条による改正
第9次	〔昭和49年4月15日政令第126号「厚生省組織令の一部を改正する政令」附則第3項による改正
第10次	〔昭和53年5月23日政令第186号「審議会等の整理等のための厚生省関係政令の整備に関する政令」第9条による改正
第11次	〔昭和54年9月10日政令第245号「環境衛生関係営業の運営の適正化に関する法律施行令の一部を改正する政令」による改正
第12次	〔昭和59年6月21日政令第206号「厚生省組織令等の一部を改正する政令」第12条による改正
第13次	〔平成9年7月4日政令第235号「環境衛生関係営業の運営の適正化に関する法律施行令の一部を改正する政令」による改正
第14次	〔平成11年12月8日政令第393号「地方分権の推進を図るための関係法律の整備等に関する法律の施行に伴う厚生省関係政令の整備等に関する政令」第35条による改正
第15次	〔平成12年4月7日政令第199号「環境衛生関係営業の運営の適正化に関する法律施行令等の一部を改正する政令」第1条による改正
第16次	〔平成12年6月7日政令第309号「中央省庁等改革のための厚生労働省関係政令等の整備に関する政令」第49条による改正
第17次	〔平成12年9月13日政令第423号「環境衛生関係営業の運営の適正化及び振興に関する法律施行令等の一部を改正する政令」第1条による改正
第18次	〔平成27年3月31日政令第128号「地域の自主性及び自立性を高めるための改革の推進を図るための関係法律の整備に関する法律の施行に伴う厚生労働省関係政令等の整備等に関する政令」第10条による改正
第19次	〔平成30年1月31日政令第21号「旅館業法の一部を改正する法律の施行に伴う関係政令の整備に関する政令」第3条による改正

生活衛生関係営業の運営の適正化及び振興に関する法律施行令

題名＝改正（第15・17次改正）

　内閣は、環境衛生関係営業の運営の適正化に関する法律（昭和32年法律第164号）第3条、第8条第1項第2号及び第3号、第59条並びに第64条第1項の規定に基き、この政令を制定する。

　（業種）
第1条　生活衛生関係営業の運営の適正化及び振興に関する法律（以下「法」という。）第3条、第8条第1項第2号及び第3号並びに第52条の4第1項に規定する政令で定める業種は、別表のとおりとする。
　〔改正〕
　　　一部改正（第11・15・17次改正）

第2条　法第14条の11第1項（法第56条において準用する場合を含む。）に規定する常時使用する従業員の範囲に係る政令で定める業種は、クリーニング業とする。
　〔改正〕
　　　　　旧第1条の2として追加（第6次改正）、本条に繰下（第16次改正）
第3条　法第14条の11第1項（法第56条において準用する場合を含む。）に規定する常時使用する従業員の数に係る政令で定める業種及びその業種ごとの従業員の員数は、次のとおりとする。
　一　理容業　10人（最近の国勢調査の結果による人口集中地区人口（以下単に「人口集中地区人口」という。）が1万以上の市町村以外の市町村の区域内においては、7人）
　二　美容業　10人（人口集中地区人口が1万以上の市町村以外の市町村の区域内においては、7人）
　三　浴場業　15人
　四　クリーニング業　25人（人口集中地区人口が1万以上の市町村以外の市町村の区域内においては、20人）
　〔改正〕
　　　　　旧第1条の3として追加（第6次改正）、一部改正（第11次改正）、本条に繰下（第16次改正）
　（交渉の申出）
第4条　生活衛生同業組合（以下「組合」という。）の代表者（その組合が会員となつている生活衛生同業組合連合会の代表者でその組合から委任を受けたものを含む。）又は生活衛生同業組合連合会の代表者が法第14条の11第1項又は第3項（これらを法第56条において準用する場合を含む。）に規定する交渉をしようとするときは、その交渉をしようとする日の3日前までに、その交渉をしようとする事項を記載した書面を送付して申し出なければならない。生活衛生同業小組合（以下「小組合」という。）の代表者が法第52条の10第1項において準用する法第14条の11第3項に規定する交渉をしようとするときも、同様とする。
2　前項の規定による申出をする者の数は、5人をこえてはならない。
　〔改正〕
　　　　　旧第1条の4として追加（第6次改正）、一部改正（第11・13・17次改正）、本条に繰下（第16次改正）
　（振興計画の認定の基準）
第5条　法第56条の3第1項に規定する政令で定める基準は、次のとおりとする。
　一　当該組合又は小組合の組合員の相当部分が当該振興事業に参加するものであること。
　二　当該振興計画に記載された振興事業の実施時期並びに資金の額及び調達方法が当該振興事業を確実に遂行するため適切なものであること。
　三　当該振興事業が実施されることにより当該振興事業に係る営業の衛生水準の向上が図られ、かつ、利用者又は消費者の利益に資することとなると認められるものであること。

第1編　総則

〔改正〕
旧第1条の5として追加（第11次改正）、本条に繰下（第16次改正）

（振興計画の変更等）
第6条　組合又は小組合は、法第56条の3第1項に規定する認定を受けた振興計画の変更をしようとするときは、変更後の当該振興計画が振興指針に適合し、かつ、前条に規定する基準に該当するものとして適当である旨の厚生労働大臣の認定を受けなければならない。
2　厚生労働大臣は、法第56条の3第1項に規定する認定を受けた組合又は小組合が当該認定を受けた振興計画（前項に規定する変更の認定があつたときは、その変更後のもの）に従つて振興事業を実施していないと認めるときは、その認定を取り消すことができる。

〔改正〕
旧第1条の6として追加（第11次改正）、一部改正し、本条に繰下（第16次改正）

（都道府県生活衛生適正化審議会）
第7条　法第59条の政令で定める基準は、次のとおりとする。
一　法第58条第2項に規定する都道府県生活衛生適正化審議会（次号において「都道府県生活衛生適正化審議会」という。）の構成員は、都道府県知事が次のイからハまでに掲げる者のうちから任命するものとする。
　　イ　学識経験のある者
　　ロ　生活衛生関係営業者の意見を代表する者
　　ハ　利用者又は消費者の意見を代表する者
二　都道府県生活衛生適正化審議会の構成員のうち、前号ロ及びハに掲げる者のうちから任命される構成員の数は、同数でなければならないものとする。

〔改正〕
旧第11条の2として追加（第14次改正）、一部改正（第16・17次改正）、旧第2～11条を削り、本条に繰上（第16次改正）

（国の補助）
第8条　法第63条第1項の規定による国の補助は、各年度において都道府県が都道府県生活衛生営業指導センターの行う法第57条の4第1項各号に掲げる事業に要する費用に対して補助した費用について、厚生労働大臣が定める基準に従つて行うものとする。
2　法第63条第2項の規定による国の補助は、各年度において全国生活衛生営業指導センターが行つた法第57条の10各号に掲げる事業に要した費用について、厚生労働大臣が定める基準に従つて行うものとする。

〔改正〕
旧第12条として追加（第11次改正）、一部改正（第16・17次改正）、本条に繰上（第16次改正）

（都道府県が処理する事務）
第9条　法第9条第1項、第11条及び第12条（これらを法第14条の10第3項において準用する場合を含む。）、第14条の2第1項及び第3項、第14条の10第1項、第14条の12（法第52条の10第1項において準用する場合を含む。）、第24条第1項並びに第28条第3項及び第5項（これらを法第52条の10第1項において準用する場合を含む。）、第42条（法第

38条第5項、第49条第6項、第52条及び第52条の10第1項において準用する場合を含む。)、第50条第2項、第52条の2及び第52条の3（これらを法第52条の10第1項において準用する場合を含む。)、第52条の4第1項、第52条の7第3項、第56条の3第1項及び第4項、第56条の6第1項並びに第60条第1項、第4項及び第5項並びに第6条に規定する厚生労働大臣の権限に属する事務は、都道府県知事が行うこととする。ただし、法第9条第1項、第11条及び第12条（これらを法第14条の10第3項において準用する場合を含む。)、第14条の10第1項、第14条の12並びに第56条の6第1項に規定する厚生労働大臣の権限で別表第7号及び第8号に掲げる業種に係るもの、法第52条の2及び第52条の3に規定する厚生労働大臣の権限で生活衛生同業組合連合会に係るもの並びに法第60条第1項に規定する厚生労働大臣の権限で生活衛生同業組合連合会及び全国生活衛生営業指導センターに係るものを除く。
2 　前項の場合においては、法第9条第3項及び第5項（法第14条の10第3項において準用する場合を含む。)、第13条第1項から第3項まで（これらを法第14条の10第3項において準用する場合を含む。)、第14条の10第2項、第24条第2項（法第52条の10第1項において準用する場合を含む。）並びに第56条の6第2項中「厚生労働大臣」とあるのは「都道府県知事」と読み替えるものとし、法第56条の3第5項の規定は、適用しない。
3 　第1項本文の場合においては、法の規定中同項本文に規定する事務に係る厚生労働大臣に関する規定は、都道府県知事に関する規定として都道府県知事に適用があるものとする。
4 　都道府県知事は、第1項本文の規定に基づき、法第56条の3第1項の規定により振興計画の認定をしたとき、第6条第1項の規定により振興計画の変更の認定をしたとき、又は同条第2項の規定により振興計画の認定を取り消したときは、厚生労働省令で定めるところにより、遅滞なく、厚生労働大臣に報告するものとする。

〔改正〕
　　一部改正（第3～6・8・11・13・14・16～18次改正）、旧第13条を削り、旧第12条を旧第13条に繰下（第11次改正）、本条に繰上（第16次改正）

〔委任〕
　　第4項　「厚生労働省令」＝規則16の2

（権限の委任）
第10条　この政令に規定する厚生労働大臣の権限は、厚生労働省令で定めるところにより、地方厚生局長に委任することができる。
2 　前項の規定により地方厚生局長に委任された権限は、厚生労働省令で定めるところにより、地方厚生支局長に委任することができる。

〔改正〕
　　追加（第16次改正）

附　則　抄
（施行期日）
1 　この政令は、法施行の日（昭和32年9月2日）から施行する。

第1編　総則

別表（第1条関係）
一　主としてすしを扱う飲食店営業
二　主として麺類（中華そばを除く。）を扱う飲食店営業
二の二　主として中華料理（中華そばを含む。）を扱う飲食店営業
三　風俗営業たる飲食店営業であつて、カフエー、バー、キヤバレーその他これらに類するもの。ただし、旅館業を営む者が当該施設において併せ営む場合の飲食店営業を除く。
四　風俗営業たる飲食店営業であつて、料理店、待合その他これらに類するもの。ただし、旅館業を営む者が当該施設において併せ営む場合の飲食店営業を除く。
五　前各号以外の飲食店営業。ただし、旅館業を営む者が当該施設において併せ営む場合の飲食店営業を除く。
六　喫茶店営業
七　主として食鳥肉を扱う食肉販売業
八　前号以外の食肉販売業
九　氷雪販売業
十　理容業
十一　美容業
十二　興行場営業
十三　旅館・ホテル営業（旅館・ホテル営業の施設において併せ営まれる飲食店営業を含む。）
十四　簡易宿所営業（簡易宿所営業の施設において併せ営まれる飲食店営業を含む。）
十五　下宿営業
十六　浴場業
十七　クリーニング業
〔改正〕
　　一部改正（第1・7・11・19次改正）

◉生活衛生関係営業の運営の適正化及び振興に関する法律施行規則

〔昭和32年9月2日〕
〔厚生省令第37号〕

〔一部改正経過〕

第1次	「昭和36年12月28日厚生省令第57号「環境衛生関係営業の運営の適正化に関する法律施行規則等の一部を改正する省令」第1条による改正
第2次	「昭和37年1月26日厚生省令第2号「環境衛生関係営業の運営の適正化に関する法律施行規則の一部を改正する等の省令」第1条による改正
第3次	「昭和37年10月1日厚生省令第44号「環境衛生関係営業の運営の適正化に関する法律施行規則の一部を改正する省令」による改正
第4次	「昭和39年12月28日厚生省令第48号「環境衛生関係営業の運営の適正化に関する法律施行規則の一部を改正する省令」による改正
第5次	「昭和47年7月1日厚生省令第36号「環境衛生関係営業の運営の適正化に関する法律施行規則の一部を改正する省令」による改正
第6次	「昭和54年9月10日厚生省令第36号「環境衛生関係営業の運営の適正化に関する法律施行規則の一部を改正する省令」による改正
第7次	「昭和58年3月26日厚生省令第10号「環境衛生関係営業の運営の適正化に関する法律施行規則の一部を改正する省令」による改正
第8次	「平成元年3月24日厚生省令第10号「人口動態調査令施行細則等の一部を改正する省令」第35条による改正
第9次	「平成6年2月28日厚生省令第6号「厚生省関係研究交流促進法施行規則等の一部を改正する省令」第23条による改正
第10次	「平成6年11月11日厚生省令第75号「環境衛生関係営業の運営の適正化に関する法律施行規則の一部を改正する省令」による改正
第11次	「平成6年12月14日厚生省令第77号「厚生大臣の所管に属する公益法人の設立及び監督に関する規則等の一部を改正する省令」第9条による改正
第12次	「平成9年3月27日厚生省令第27号「環境衛生関係営業の運営の適正化に関する法律施行規則の一部を改正する省令」による改正
第13次	「平成9年7月18日厚生省令第57号「環境衛生関係営業の運営の適正化に関する法律施行規則の一部を改正する省令」による改正
第14次	「平成9年9月30日厚生省令第76号「消費生活協同組合法施行規則及び環境衛生関係営業の運営の適正化に関する法律施行規則の一部を改正する省令」第2条による改正
第15次	「平成12年3月30日厚生省令第56号「クリーニング業法施行規則等の一部を改正する省令」第2条による改正
第16次	「平成12年3月30日厚生省令第57号「食品衛生法施行規則等の一部を改正する省令」第5条による改正
第17次	「平成12年4月7日厚生省令第89号「環境衛生関係営業の運営の適正化に関する法律施行規則の一部を改正する省令」による改正
第18次	「平成12年10月20日厚生省令第127号「中央省庁等改革のための健康保険法施行規則等の一部を改正する等の省令」第56条による改正
第19次	「平成12年12月25日厚生省令第146号「環境衛生関係営業の運営の適正化及び振興に関する法律施行規則及び食品衛生法施行規則の一部を改正する省令の一部を改正する省令」による改正
第20次	「平成13年3月26日厚生労働省令第36号「書面の交付等に関する情報通信の技術の利用のための関係法律の整備に関する法律の施行に伴う厚生労働省関係省令の整備に関する省令」第8条による改正
第21次	「平成16年12月28日厚生労働省令第183号「消費生活協同組合財務処理規則等の一部を改正する省令」第2条による改正
第22次	「平成17年3月7日厚生労働省令第25号「健康保険法施行規則等の一部を改正する省令」第2条による改正
第23次	「平成18年4月28日厚生労働省令第116号「会社法及び会社法の施行に伴う関係法律の整備等に関する法律の施行に伴う厚生労働省関係省令の整備等に関する省令」第4条による改正
第24次	「平成19年5月9日厚生労働省令第83号「生活衛生関係営業の運営の適正化及び振興に関する法律施行規則の一部を改正する省令」による改正
第25次	「平成19年9月25日厚生労働省令第112号「郵政民営化法等の施行に伴う厚生労働省関係省令の整理に関する省令」第9条による改正
第26次	「平成20年6月30日厚生労働省令第124号「株式会社商工組合中央金庫法の施行に伴う厚生労働省関係省令の整理に関する省令」第2条による改正
第27次	「平成20年11月28日厚生労働省令第163号「一般社団法人及び一般財団法人に関する法律等の施行に伴う厚生労働省関係省令の整備に関する省令」第7条による改正
第28次	「平成21年3月30日厚生労働省令第60号「生活衛生関係営業の運営の適正化及び振興に関する法律施行規則の一部を改正する省令」による改正
第29次	「平成21年6月29日厚生労働省令第122号「障害者自立支援法施行規則及び児童福祉法施行規則の一部を改正する省令」附則第2条による改正
第30次	「平成27年3月31日厚生労働省令第55号「地域の自主性及び自立性を高めるための改革の推進を図るための関係法律の整備に関する法律の施行に伴う厚生労働省関係省令の整備に関する省令」第9条による改正

第1編　総則

第31次	令和元年5月7日厚生労働省令第1号「元号の表記の整理のための厚生労働省関係省令の一部を改正する省令」第7条による改正
第32次	令和元年6月28日厚生労働省令第20号「不正競争防止法等の一部を改正する法律の施行に伴う厚生労働省関係省令の整備に関する省令」第20条による改正
第33次	令和2年12月25日厚生労働省令第208号「押印を求める手続の見直し等のための厚生労働省関係省令の一部を改正する省令」第14条による改正
第34次	令和3年2月3日厚生労働省令第23号「会社法の一部を改正する法律及び会社法の一部を改正する法律の施行に伴う関係法律の整備等に関する法律の施行に伴う厚生労働省関係省令の整備等に関する省令」第4条による改正
第35次	令和3年10月22日厚生労働省令第175号「厚生労働省の所管する法律又は政令の規定に基づく立入検査等の際に携帯する職員の身分を示す証明書の様式の特例に関する省令」附則第6条による改正
第36次	令和5年12月26日厚生労働省令第161号「デジタル社会の形成を図るための規制改革を推進するための厚生労働省関係省令の一部を改正する省令」第12条による改正
第37次	令和5年12月27日厚生労働省令第165号「デジタル社会の形成を図るための規制改革を推進するための厚生労働省関係省令の一部を改正する省令」第6条による改正

<u>環境衛生関係営業の運営の適正化に関する法律</u>（昭和32年法律第164号）第65条の規定に基き、<u>環境衛生関係営業の運営の適正化に関する法律施行規則</u>を次のように定める。

生活衛生関係営業の運営の適正化及び振興に関する法律施行規則

<small>題名＝改正（第17・19次改正）</small>

目次　　　　　　　　　　　　　　　　　　　　　　　　　　　　　　　頁
第1章　生活衛生同業組合（第1条—第13条）……………………………56
第2章　生活衛生同業小組合（第13条の2—第13条の4）………………69
第3章　生活衛生同業組合連合会（第13条の5・第14条）………………70
第4章　振興計画（第15条—第16条の2）…………………………………70
第5章　都道府県生活衛生営業指導センター及び全国生活衛生営業指導
　　　　センター（第17条—第20条の2）…………………………………72
第6章　標準営業約款（第21条—第28条）…………………………………73
第7章　雑則（第29条・第30条）……………………………………………75
附則

第1章　生活衛生同業組合
<small>章名＝追加（第6次改正）、改正（第19次改正）</small>

（設立の認可の申請）
第1条　生活衛生関係営業の運営の適正化及び振興に関する法律（昭和32年法律第164号。以下「法」という。）第24条第1項の規定により生活衛生同業組合（以下「組合」という。）の設立の認可を受けようとする者は、申請書に、次の書類を添え、都道府県知事に提出しなければならない。
一　定款
二　事業計画書
三　役員となるべき者の氏名、住所及び略歴を記載した書面並びにその就任承諾書
四　加入申込書
五　創立総会の議事録の謄本
六　地区内において当該業種に属する営業を含む者の総数及び組合員となるべき者の数を記載した書面

七 組合員に出資をさせる組合(以下「出資組合」という。)に係る申請にあつては、収支予算書及び組合員たるべき者がそれぞれ引き受けようとする出資口数を記載した書面
〔改正〕
　　　一部改正(第1・2・4・5・17・19次改正)
(定款の変更の認可の申請)
第2条　組合は、法第28条第3項の規定により定款の変更の認可を受けようとするときは、申請書に、次の書類を添え、都道府県知事に提出しなければならない。
一　変更しようとする箇所を記載した書面
二　変更の理由を記載した書面
三　変更の議決をした総会又は総代会の議事録の謄本
2　定款の変更が法第8条第1項第6号又は第7号の事業に関するものであるときは、前項の書類のほか、変更後の当該事業に係る事業計画書及び収支予算書を提出しなければならない。
3　定款の変更が組合員に出資をさせない組合(以下「非出資組合」という。)の出資組合への移行に係るものであるときは、第1項の書類のほか、組合員がそれぞれ引き受けようとする出資口数を記載した書面を提出しなければならない。
4　定款の変更が出資組合の非出資組合への移行又は出資1口の金額の減少に係るものであるときは、第1項の書類のほか、次の書類を提出しなければならない。
一　法第49条の2第1項(法第49条の9第2項において準用する場合を含む。)の規定により作成した財産目録及び貸借対照表
二　法第49条の2第2項(法第49条の9第2項において準用する場合を含む。)の規定による公告又は催告をしたことを証する書面
三　異議を述べた債権者があつたときは、法第49条の3第2項(法第49条の9第2項において準用する場合を含む。)の規定による弁済若しくは担保の提供若しくは財産の信託をしたこと又は出資1口の金額の減少若しくは非出資組合への移行をしてもその債権者を害するおそれがないことを証する書面
〔改正〕
　　　一部改正(第2・14次改正)
(定款の変更の届出)
第2条の2　法第28条第3項に規定する厚生労働省令で定める事項は、同条第1項第4号に掲げる事項の変更とする。
2　法第28条第5項の規定による定款の変更の届出は、届書に、変更の議決をした総会又は総代会の議事録の謄本を添え、都道府県知事に提出して行なうものとする。
〔改正〕
　　　追加(第5次改正)、一部改正(第18次改正)
(事業者台帳の記載事項)
第2条の3　法第8条の3第1項に規定する厚生労働省令で定める事項は、次のとおりと

第1編　総則

する。
　一　氏名又は名称及び住所並びに法人にあつては代表者の氏名
　二　その組合の地区内の営業所の名称、所在地及び営業の開始の年月日
　三　その業種に属する営業について常時使用する従業員の数
　四　その組合の地区内の営業施設の構造設備の概要
2　理容業又は美容業に係る法第8条の3第1項に規定する厚生労働省令で定める事項は、前項の規定にかかわらず、同項に掲げる事項及びその組合の地区内の営業所ごとの次に掲げる事項とする。
　一　常時業務に従事する理容師又は美容師の氏名、性別、生年月日及び給与の概況
　二　営業料金
　三　前事業年度における客数
3　クリーニング業に係る法第8条の3第1項に規定する厚生労働省令で定める事項は、第1項の規定にかかわらず、同項に掲げる事項及びその組合の地区内の営業所ごとの次に掲げる事項とする。
　一　業務の一部を委託している場合は、委託業務の内容、委託品の種類、委託者の氏名又は名称及び住所並びに洗たく物の受取及び引渡しのみを行なう受託者にあつては、その業務に従事する者の数
　二　主たる洗たく物の洗たく料金
　三　前事業年度に処理した主たる洗たく物の数
　〔改正〕
　　　旧第2条の2として追加（第4次改正）、一部改正（第18次改正）、本条に繰下（第5次改正）

（適正化規程の認可の申請）
第3条　組合は、法第9条第1項の規定により適正化規程の認可を受けようとするときは、申請書に、次の書類を添え、都道府県知事（生活衛生関係営業の運営の適正化及び振興に関する法律施行令（昭和32年政令第279号。以下「令」という。）別表第7号及び第8号に掲げる業種に係る組合に関しては、厚生労働大臣。次条、第5条、第5条の9から第5条の11まで、第5条の13及び第9条の7において同じ。）に提出しなければならない。
　一　適正化規程
　二　適正化規程の設定の理由を記載した書面
　三　適正化規程の内容が法第9条第3項各号に該当しないことを明らかにする書類
　四　適正化規程の設定の議決をした総会若しくは総代会又は創立総会の議事録の謄本
　〔改正〕
　　　一部改正（第3・5・13・17～19・23次改正）

（適正化規程の変更の認可の申請）
第4条　組合は、法第9条第1項の規定により適正化規程の変更の認可を受けようとするときは、申請書に、次の書類を添え、都道府県知事に提出しなければならない。
　一　変更しようとする箇所を記載した書面

二　変更の理由を記載した書面
三　変更後の適正化規程の内容が法第9条第3項に該当しないことを明らかにする書類
四　変更の議決をした総会又は総代会の議事録の謄本
〔改正〕
一部改正（第3・6次改正）

（適正化規程の廃止の届出）
第5条　法第12条の規定による適正化規程の廃止の届出は、届書に、廃止の議決をした総会又は総代会の議事録の謄本を添え、都道府県知事に提出して行うものとする。

（共済規程の認可の申請）
第5条の2　組合は、法第14条の2第1項の規定により共済規程の設定の認可を受けようとするときは、申請書に、次の書類を添え、都道府県知事に提出しなければならない。
一　共済規程
二　事業開始後3事業年度の収支予算書及び事業計画書
三　設定の議決をした総会若しくは総代会又は創立総会の議事録の謄本
2　組合は、法第14条の2第3項の規定により共済規程の変更の認可を受けようとするときは、申請書に、次の書類を添え、都道府県知事に提出しなければならない。
一　変更しようとする箇所を記載した書面
二　変更の理由を記載した書面
三　変更後3事業年度の収支予算書及び事業計画書
四　変更の議決をした総会又は総代会の議事録の謄本
3　組合は、法第14条の2第3項の規定により共済規程の廃止の認可を受けようとするときは、申請書に、次の書類を添え、都道府県知事に提出しなければならない。
一　廃止の理由を記載した書面
二　廃止しようとする事業に係る財産の処分方法
三　廃止の議決をした総会又は総代会の議事録の謄本
〔改正〕
追加（第2次改正）、一部改正（第4次改正）

（認可を受けることを要しない共済事業）
第5条の3　法第14条の2第1項ただし書の厚生労働省令で定める場合は、組合が、火災により生ずる財産上の損害をうめるための共済事業でその共済金額が共済契約者1人につき30万円をこえないものを行なう場合とする。
〔改正〕
追加（第2次改正）、一部改正（第18次改正）

（火災共済金額の制限）
第5条の4　法第14条の3の厚生労働省令で定める共済金額は、共済契約者1人につき、150万円又は共済契約を締結する事業年度の直前の事業年度終了の日における次の各号に掲げる額の合計額（当該事業年度終了の日において決算上の損失の金額があるときは、その金額を控除した額）の100分の15に相当する金額に30万円を加えた額のうちい

第1編　総則

ずれか少ない額とする。
一　法第49条の4第1項の規定により積み立てた準備金の額
二　第5条の6第2項又は第3項の規定により積み立てた異常危険準備金の額
三　任意積立金の額

〔改正〕
　　追加（第2次改正）、一部改正（第16・18次改正）

〔参照条文〕
　　「火災共済金額」の特例＝第16次改正規則附則4

（支払備金）
第5条の5　法第14条の4の規定により積み立てるべき支払備金の額は、次の各号に掲げる額の合計額を下らないものとする。
一　共済金又は返れい金を支払うべき場合において未だ支払わないものがあるときは、その金額
二　既に生じた理由によつて共済金又は返れい金の支払の義務があると認めるときは、その支払をするに足りる金額
三　共済金又は返れい金の支払に関して訴訟係属中のものがあるときは、その金額
2　組合は、共済契約を再共済に付した場合においては、その再共済に付した部分について支払備金を積み立てないことができる。

〔改正〕
　　追加（第2次改正）

（責任準備金）
第5条の6　生死を共済事故とする共済事業にあつては、法第14条の4の規定により積み立てるべき責任準備金の種類は、共済掛金積立金及び未経過共済掛金とし、共済掛金積立金の額は第1号に掲げる額を下らない額、未経過共済掛金の額は第2号に掲げる額とする。
一　当該事業年度末において継続する共済契約について純共済掛金式によつて計算した額の合計
二　当該事業年度において収入し、又は収入すべきことの確定した共済掛金から当該事業年度末において継続する共済契約につき純共済掛金式によつて計算した額を控除した額のうち当該事業年度末において未だ経過しない期間に対する部分の額の合計額
2　生死を共済事故とする共済事業以外の共済事業で契約期間が終了した場合に共済掛金の全部又は一部を払いもどすものにあつては、法第14条の4の規定により積み立てるべき責任準備金の種類は、払いもどし積立金、未経過共済掛金及び異常危険準備金とし、払いもどし積立金の額は第1号に掲げる額を下らない額、未経過共済掛金の額は第2号又は第3号に掲げる額のうちいずれか多い額、異常危険準備金の額は第4号に掲げる額とする。
一　当該事業年度において収入し、又は収入すべきことの確定した共済掛金のうち払いもどし掛金部分に相当する額の合計額

二　当該事業年度において収入し、又は収入すべきことの確定した共済掛金のうち払いもどし掛金部分以外の部分に相当する額（当該共済掛金に係る共済契約を再共済に付している場合は、当該再共済契約に基づいて当該事業年度において支払い、又は支払うべきことの確定した共済掛金に相当する額を控除した額）のうち当該事業年度末において未だ経過しない期間に対する部分の額の合計額

三　当該事業年度において収入し、又は収入すべきことの確定した共済掛金の払いもどし掛金部分以外の部分に相当する額（当該共済掛金に係る共済契約を再共済に付している場合は、当該再共済契約に基づいて当該事業年度において支払い、又は支払うべきことの確定した共済掛金に相当する額を控除した額）の合計額から当該共済掛金に係る共済契約に基づき当該事業年度において支払つた共済金その他の額（当該共済金その他に係る共済契約を再共済に付していた場合は、当該再共済契約に基づいて当該事業年度において支払いを受け、又は支払いを受けるべきことの確定した共済金その他の額を控除した額）、当該共済契約のために積み立てるべき支払備金の額及び当該事業年度の事務費の合計額を控除した額

四　当該事業年度において収入し、又は収入すべきことの確定した共済掛金の合計額の100分の3以上に相当する額（当該額と既に積み立てられた異常危険準備金の額との合計額が当該事業年度において収入し、又は収入すべきことの確定した共済掛金の合計額をこえる場合には、当該額からそのこえる額を控除した額）。ただし、共済事故の発生が予定事故率をこえた事業年度については、この限りでない。

3　生死を共済事故とする共済事業以外の共済事業で前項以外のものにあつては、法第14条の4の規定により積み立てるべき責任準備金の種類は、未経過共済掛金及び異常危険準備金とし、未経過共済掛金の額は第1号又は第2号に掲げる額のうちいずれか多い額、異常危険準備金の額は前項第4号に掲げる額とする。

一　当該事業年度において収入し、又は収入すべきことの確定した共済掛金（当該共済掛金に係る共済契約を再共済に付している場合は、当該再共済契約に基づいて当該事業年度において支払い、又は支払うべきことの確定した共済掛金に相当する額を控除した額）のうち当該事業年度末において未だ経過しない期間に対する部分の額の合計額

二　当該事業年度において収入し、又は収入すべきことの確定した共済掛金（当該共済掛金に係る共済契約を再共済に付している場合は、当該再共済契約に基づいて当該事業年度において支払い、又は支払うべきことの確定した共済掛金に相当する額を控除した額）の合計額から当該共済掛金に係る共済契約に基づき当該事業年度において支払つた共済金その他の額（当該共済金その他の額に係る共済契約を再共済に付していた場合は、当該再共済契約に基づいて当該事業年度において支払いを受け、又は支払いを受けるべきことの確定した共済金その他の額を控除した額）、当該共済契約のために積み立てるべき支払備金の額及び当該事業年度の事務費の合計額を控除した額

〔改正〕

　　　追加（第2次改正）、一部改正（第3次改正）

第1編　総則

（財産運用の方法）
第5条の7　法第14条の6の厚生労働省令で定める方法は、次のとおりとする。
一　銀行、信託会社（信託業法（平成16年法律第154号）第3条又は第53条第1項の免許を受けたものに限る。）、株式会社商工組合中央金庫、農林中央金庫、信用金庫、信用金庫連合会又は中小企業等協同組合で業として預金若しくは貯金の受入れをすることができるものへの預金、貯金又は金銭信託
二　国債、地方債、特別の法律により法人の発行する債券（政府保証のあるものに限る。）若しくは金融債、償還及び利払いの遅延のない物上担保付き若しくは一般担保付きの社債又は日本銀行出資証券の取得
〔改正〕
　　　追加（第2次改正）、一部改正（第18・19・21・25・26次改正）

（決算関係書類の提出）
第5条の8　共済事業を行なう組合は、毎事業年度の終了後、遅滞なく、次の書類を都道府県知事に提出しなければならない。
一　共済事業に関する事業報告書
二　共済事業に関する財産目録
三　共済事業に関する貸借対照表
四　共済事業に関する損益計算書
五　剰余金の処分又は損失の処理の方法を記載した書類
〔改正〕
　　　追加（第2次改正）

（組合協約の認可の申請）
第5条の9　組合は、法第14条の10第1項の規定により組合協約の認可を受けようとするときは、申請書に、次の書類を添え、都道府県知事に提出しなければならない。
一　組合協約書
二　組合協約の締結の理由を記載した書面
三　組合協約の内容が法第14条の10第2項各号に該当しないことを明らかにする書類
四　組合協約を承認した総会又は総代会の議事録の謄本
〔改正〕
　　　追加（第4次改正）

（組合協約の変更の認可の申請）
第5条の10　組合は、法第14条の10第1項の規定により組合協約の変更の認可を受けようとするときは、申請書に、次の書類を添え、都道府県知事に提出しなければならない。
一　変更しようとする箇所を記載した書面
二　変更の理由を記載した書面
三　変更後の組合協約の内容が法第14条の10第2項各号に該当しないことを明らかにする書類
四　変更の承認をした総会又は総代会の議事録の謄本

〔改正〕
　　　追加（第4次改正）

（組合協約の廃止の届出）

第5条の11　法第14条の10第3項において準用する法第12条の規定による組合協約の廃止の届出は、届書を都道府県知事に提出して行なうものとする。

〔改正〕
　　　追加（第4次改正）

（取引条件）

第5条の12　法第14条の11第3項に規定する取引条件には、映画フィルムの賃借料に関する事項で1の組合員のみに関するものを含まないものとする。

〔改正〕
　　　追加（第4次改正）、一部改正（第6次改正）

（組合協約に関するあつせん又は調停の申出）

第5条の13　法第14条の12第1項の規定により組合協約の締結に関しあつせん又は調停の申出をしようとする者は、申出書に、次の書類を添え、都道府県知事に提出しなければならない。

　一　交渉の相手方の氏名又は名称及び住所を記載した書面
　二　交渉をしようとする事項の内容を記載した書面
　三　あつせん又は調停を受けようとする理由を記載した書面

〔改正〕
　　　追加（第4次改正）、一部改正（第6次改正）

（情報通信の技術を利用する方法）

第5条の14　法第17条第3項に規定する厚生労働省令で定める方法は、次に掲げる方法とする。

　一　電子情報処理組織を使用する方法のうち、送信者の使用に係る電子計算機と受信者の使用に係る電子計算機とを接続する電気通信回線を通じて送信し、受信者の使用に係る電子計算機に備えられたファイルに記録するもの
　二　電磁的記録媒体（電磁的記録（電子的方式、磁気的方式その他人の知覚によつては認識することができない方式で作られる記録であつて、電子計算機による情報処理の用に供されるものをいう。以下同じ。）に係る記録媒体をいう。第30条において同じ。）をもつて調製するファイルに書面に記載すべき事項を記録したものを交付する方法

〔改正〕
　　　追加（第20次改正）、一部改正（第36次改正）

第5条の15　法第41条第4項に規定する厚生労働省令で定める方法は、前条第2号に掲げる方法とする。

〔改正〕
　　　追加（第20次改正）

第1編　総則

（創立総会の議事録）
第5条の16　法第23条第7項の規定による創立総会の議事録の作成については、この条の定めるところによる。
2　創立総会の議事録は、書面又は電磁的記録をもつて作成しなければならない。
3　創立総会の議事録は、次に掲げる事項を内容とするものでなければならない。
　一　創立総会が開催された日時及び場所
　二　創立総会の議事の経過の要領及びその結果
　三　創立総会に出席した発起人及び設立当時の役員の氏名又は名称
　四　創立総会の議長が存するときは、議長の氏名
　五　議事録の作成に係る職務を行つた発起人の氏名又は名称
　〔**改正**〕
　　　　追加（第23次改正）、一部改正（第36次改正）

（理事会の議事録）
第5条の17　法第31条第6項（法第52条において準用する場合を含む。）の規定による理事会の議事録の作成については、この条の定めるところによる。
2　理事会の議事録は、書面又は電磁的記録をもつて作成しなければならない。
3　理事会の議事録は、次に掲げる事項を内容とするものでなければならない。
　一　理事会が開催された日時及び場所（当該場所に存しない理事が理事会に出席をした場合における当該出席の方法を含む。）
　二　理事会が次に掲げるいずれかのものに該当するときは、その旨
　　イ　法第31条第7項（法第52条において準用する場合を含む。）において準用する会社法（平成17年法律第86号）第366条第2項の規定による理事の請求を受けて招集されたもの
　　ロ　法第31条第7項（法第52条において準用する場合を含む。）において準用する会社法第366条第3項の規定により理事が招集したもの
　三　理事会の議事の経過の要領及びその結果
　四　決議を要する事項について特別の利害関係を有する理事があるときは、当該理事の氏名
　五　法第34条の2第4項の規定により理事会において述べられた発言があるときは、その発言の内容の概要
　六　理事会の議長が存するときは、議長の氏名
　〔**改正**〕
　　　　追加（第23次改正）、一部改正（第34次改正）

（役員のために締結される保険契約）
第5条の18　法第34条の3第1項に規定する厚生労働省令で定めるものは、次に掲げるものとする。
　一　被保険者に保険者との間で保険契約を締結する組合を含む保険契約であつて、当該組合がその業務に関連し第三者に生じた損害を賠償する責任を負うこと又は当該責任

の追及に係る請求を受けることによつて当該組合に生ずることのある損害を保険者が填補することを主たる目的として締結されるもの
二　役員が第三者に生じた損害を賠償する責任を負うこと又は当該責任の追及に係る請求を受けることによつて当該役員に生ずることのある損害（役員がその職務上の義務に違反し若しくは職務を怠つたことによつて第三者に生じた損害を賠償する責任を負うこと又は当該責任の追及に係る請求を受けることによつて当該役員に生ずることのある損害を除く。）を保険者が填補することを目的として締結されるもの
〔改正〕
　　　　追加（第34次改正）

（役員の責任追及等の訴えの提起の請求方法）

第５条の19　法第39条において読み替えて準用する会社法第847条第１項の厚生労働省令で定める方法は、次に掲げる事項を記載した書面の提出又は当該事項の電磁的方法（法第17条第３項に規定する電磁的方法をいう。以下同じ。）による提供とする。
一　被告となるべき者
二　請求の趣旨及び請求を特定するのに必要な事実
〔改正〕
　　　　旧第５条の18として追加（第23次改正）、本条に繰下（第34次改正）

（役員の責任追及等の訴えを提起しない理由の通知方法）

第５条の20　法第39条において読み替えて準用する会社法第847条第４項の厚生労働省令で定める方法は、次に掲げる事項を記載した書面の提出又は当該事項の電磁的方法による提供とする。
一　組合が行つた調査の内容（次号の判断の基礎とした資料を含む。）
二　請求対象者の責任又は義務の有無についての判断
三　請求対象者に責任又は義務があると判断した場合において、責任追及等の訴え（法第39条において読み替えて準用する会社法第847条第１項に規定する責任追及等の訴えをいう。）を提起しないときは、その理由
〔改正〕
　　　　旧第５条の19として追加（第23次改正）、本条に繰下（第34次改正）

（役員の変更の届出）

第６条　組合は、役員に変更があつたときは、すみやかに、その旨、その年月日及びその事由を都道府県知事に届け出なければならない。

（総会及び総代会の招集の承認の申請）

第７条　法第42条（法第38条第５項及び第52条において準用する場合を含む。）の規定により総会の招集の承認を受けようとする者は、会議の目的たる事項、招集の理由及び承認申請の理由を記載した申請書に、総組合員の５分の１以上の同意を得たことを証する書面を添え、都道府県知事に提出しなければならない。
２　前項の規定は、総代会について準用する。

（議事録）

第1編　総則

第7条の2　法第47条の3の規定による総会の議事録の作成については、この条の定めるところによる。
2　総会の議事録は、書面又は電磁的記録をもつて作成しなければならない。
3　総会の議事録は、次に掲げる事項を内容とするものでなければならない。
　一　総会が開催された日時及び場所（当該場所に存しない役員又は組合員が総会に出席をした場合における当該出席の方法を含む。）
　二　総会の議事の経過の要領及びその結果
　三　総会に出席した役員の氏名
　四　総会の議長が存するときは、議長の氏名
　五　議事録の作成に係る職務を行つた理事の氏名
　〔改正〕
　　　追加（第23次改正）

（組合の解散決議の認可の申請）
第8条　組合は、法第50条第2項の規定により解散の決議の認可を受けようとするときは、申請書に、解散の議決をした総会の議事録の謄本を添え、都道府県知事に提出しなければならない。

（組合の解散の届出）
第9条　組合は、法第50条第1項第2号又は第3号の規定により解散したときは、すみやかに、その旨、その年月日及びその事由を都道府県知事に届け出なければならない。

（財産目録）
第9条の2　法第52条において読み替えて準用する会社法第492条第1項の規定により作成すべき財産目録については、この条の定めるところによる。
2　前項の財産目録に計上すべき財産については、その処分価格を付すことが困難な場合を除き、法第52条において準用する会社法第475条第1号又は第2号に掲げる場合に該当することとなつた日における処分価格を付さなければならない。この場合において、清算をする組合の会計帳簿については、財産目録に付された価格を取得価額とみなす。
3　第1項の財産目録は、次に掲げる部に区分して表示しなければならない。この場合において、第1号及び第2号に掲げる部は、その内容を示す適当な名称を付した項目に細分することができる。
　一　資産
　二　負債
　三　正味資産
　〔改正〕
　　　追加（第23次改正）

（清算開始時の貸借対照表）
第9条の3　法第52条において読み替えて準用する会社法第492条第1項の規定により作成すべき貸借対照表については、この条の定めるところによる。
2　前項の貸借対照表は、財産目録に基づき作成しなければならない。

3　第1項の貸借対照表は、次に掲げる部に区分して表示しなければならない。この場合において、第1号及び第2号に掲げる部は、その内容を示す適当な名称を付した項目に細分することができる。
　一　資産
　二　負債
　三　純資産
4　処分価格を付すことが困難な資産がある場合には、第1項の貸借対照表には、当該資産に係る財産評価の方針を注記しなければならない。
〔改正〕
　　　追加（第23次改正）
（決算報告）
第9条の4　法第52条において読み替えて準用する会社法第507条第1項の規定により作成すべき決算報告は、次に掲げる事項を内容とするものでなければならない。この場合において、第1号及び第2号に掲げる事項については、適切な項目に細分することができる。
　一　債権の取立て、資産の処分その他の行為によつて得た収入の額
　二　債務の弁済、清算に係る費用の支払その他の行為による費用の額
　三　残余財産の額（支払税額がある場合には、その税額及び当該税額を控除した後の財産の額）
〔改正〕
　　　追加（第23次改正）
（清算人の責任追及等の訴えの提起の請求方法）
第9条の5　法第52条において読み替えて準用する会社法第847条第1項の厚生労働省令で定める方法は、次に掲げる事項を記載した書面の提出又は当該事項の電磁的方法による提供とする。
　一　被告となるべき者
　二　請求の趣旨及び請求を特定するのに必要な事実
〔改正〕
　　　追加（第23次改正）
（清算人の責任追及等の訴えを提起しない理由の通知方法）
第9条の6　法第52条において読み替えて準用する会社法第847条第4項の厚生労働省令で定める方法は、次に掲げる事項を記載した書面の提出又は当該事項の電磁的方法による提供とする。
　一　組合が行つた調査の内容（次号の判断の基礎とした資料を含む。）
　二　請求対象者の責任又は義務の有無についての判断
　三　請求対象者に責任又は義務があると判断した場合において、責任追及等の訴え（法第52条において読み替えて準用する会社法第847条第1項に規定する責任追及等の訴えをいう。）を提起しないときは、その理由

第1編　総則

　　〔改正〕
　　　　追加（第23次改正）
（組合員以外の者に対する事業活動の改善の勧告に関する申出）
第9条の7　組合は、法第56条の6第1項の規定により申出をしようとするときは、申出書に、申出の理由を記載した書面を添え、都道府県知事に提出しなければならない。
　　〔改正〕
　　　　旧第9条の2として追加（第2次改正）、一部改正（第3・4・6次改正）、本条に繰下（第23次改正）
（料金等の制限に関する申出）
第10条　組合は、法第57条第1項の規定により申出をしようとするときは、申出書に、申出の理由を記載した書面を添え、厚生労働大臣に提出しなければならない。
　　〔改正〕
　　　　一部改正（第3・18次改正）
（調査の申出）
第10条の2　組合は、法第60条第4項の調査の申出をしようとするときは、次に掲げる事項を記載した申出書を都道府県知事に提出しなければならない。
　一　調査を申し出ようとする理由
　二　調査事項
2　前項の申出書には、当該申出が組合の正式決定を経て行われたものであることを証する書類を添付しなければならない。
　　〔改正〕
　　　　追加（第6次改正）
（調査事項）
第10条の3　法第60条第4項の厚生労働省令で定める事項は、次のとおりとする。
　一　組合協約の締結に関し法第14条の11第1項の規定により交渉しようとする場合
　　イ　交渉しようとする相手方が当該業種に属する営業に関して常時使用する従業員の員数
　　ロ　交渉しようとする相手方の当該業種に属する営業の目的たる役務若しくは商品の料金若しくは販売価格又は営業方法
　二　組合協約の締結に関し法第14条の11第3項の規定により交渉しようとする場合　交渉しようとする相手方の営業の目的たる役務又は商品の料金又は販売価格その他の取引条件
　　〔改正〕
　　　　追加（第6次改正）、一部改正（第13・18次改正）
（組合員の異動の報告）
第11条　組合は、毎年1月31日までに、前年における組合員の異動に関し、様式第1による報告書を作成し、都道府県知事に提出しなければならない。
　　〔改正〕
　　　　一部改正（第11次改正）

（部会）

第12条 組合は、定款の定めるところにより、部会を置くことができる。

第13条 削除（第16次改正）

第2章　生活衛生同業小組合

章名＝改正（第19次改正）
本章＝追加（第6次改正）

（設立の認可の申請）

第13条の2 法第52条の4第1項の規定により生活衛生同業小組合（以下「小組合」という。）の設立の認可を受けようとする者は、申請書に、次の書類を添え、都道府県知事に提出しなければならない。

一　定款
二　事業計画書及び収支予算書
三　役員となるべき者の氏名、住所及び略歴を記載した書面並びにその就任承諾書
四　加入申込書
五　創立総会の議事録の謄本
六　組合員となるべき者の数及びそれらの者がそれぞれ引き受けようとする出資口数を記載した書面
七　当該小組合の設立についての組合の総会又は総代会の議決による同意書

〔改正〕

一部改正（第19次改正）

（合併の認可の申請）

第13条の3　法第52条の7第3項の規定により小組合の合併の認可を申請しようとする者は、申請書に、次の書類を添え、都道府県知事に提出しなければならない。

一　合併理由書
二　合併後存続する小組合又は合併によつて設立する小組合の定款
三　合併契約書又はその謄本
四　合併後存続する小組合又は合併によつて設立する小組合の事業計画書及び収支予算書
五　合併の当事者たる小組合が合併に関する事項につき議決した総会の議事録の謄本
六　合併が出資価額の総額の減少を伴うときは次に掲げる書類
　イ　法第52条の7第2項において準用する法第49条の2第1項の規定により作成した財産目録及び貸借対照表
　ロ　法第52条の7第2項において準用する法第49条の2第2項の規定による公告又は催告をしたことを証する書面
　ハ　異議を述べた債権者があつたときは、法第52条の7第2項において準用する法第49条の3第2項の規定による弁済若しくは担保の提供若しくは財産の信託をしたこと又は合併をしてもその債権者を害するおそれがないことを証する書面

2　合併により小組合を設立しようとする場合にあつては、前項の書類のほか、合併によ

第1編　総則

つて設立する小組合の役員の氏名及び住所を記載した書面並びにこれらの役員の選任及び前項第2号から第5号までの書類が法第52条の8第1項の規定による設立委員によつてなされたものであることを証する書面を提出しなければならない。
　〔改正〕
　　　一部改正（第14次改正）
　（準用規定）
第13条の4　第2条第1項及び第2項、第2条の2、第5条の13から第7条の2まで、第9条から第9条の6まで、第11条並びに第12条の規定は、小組合について準用する。
　〔改正〕
　　　一部改正（第23次改正）

第3章　生活衛生同業組合連合会
　　　　章名＝追加（第6次改正）、改正（第19次改正）
　（組合の同意の基準）
第13条の5　生活衛生同業組合連合会は、定款の定めるところにより、当該業種に係る小組合の設立に関する組合の同意の基準を設けることができる。
　〔改正〕
　　　追加（第6次改正）、一部改正（第19次改正）
　（準用規定）
第14条　第1条から第2条の2まで、第3条から第9条の6まで、第11条及び第12条の規定は、生活衛生同業組合連合会について準用する。この場合において、第1条中「都道府県知事」とあるのは「厚生労働大臣」と、「地区内において当該業種に属する営業を営む者」とあるのは「会員たる資格を有する組合」と、第2条及び第2条の2中「都道府県知事」とあるのは「厚生労働大臣」と、第3条中「都道府県知事（生活衛生関係営業の運営の適正化及び振興に関する法律施行令（昭和32年政令第279号。以下「令」という。）別表第7号及び第8号に掲げる業種に係る組合に関しては、厚生労働大臣。次条、第5条、第5条の9から第5条の11まで、第5条の13及び第9条の7において同じ。）」とあるのは「厚生労働大臣」と、第4条から第5条の2まで、第5条の8から第5条の11まで、第5条の13、第6条、第7条、第8条、第9条及び第11条中「都道府県知事」とあるのは「厚生労働大臣」と読み替えるものとする。
　〔改正〕
　　　一部改正（第1・2・4・5・13・16～19・23次改正）

第4章　振興計画
　　　　本章＝追加（第6次改正）
　（振興計画に係る認定の申請）
第15条　組合又は小組合は、法第56条の3第1項の規定により振興計画の認定を受けようとするときは、振興計画及び次に掲げる事項を記載した申請書を、都道府県知事に提出しなければならない。
一　振興計画の概要

二　当該地区における当該業種の営業の概況
　　三　振興事業に参加する者及び当該組合又は小組合の組合員数
　　四　振興事業の効果
2　前項の申請書には、次の書類を添付しなければならない。
　　一　振興計画についての議決をした総会又は総代会の議事録の謄本
　　二　定款及び規約（規約については、振興計画に関する事項を定めているものに限る。）
　　三　前事業年度の事業概要報告書及び収支決算書
　　四　前事業年度末の貸借対照表
　　五　当該振興事業に係る各事業年度の事業計画書及び収支予算書
3　第1項の認定申請書類には、副本2通を添付するものとする。
　　〔改正〕
　　　　一部改正（第18・30次改正）
　（振興計画の変更に係る認定の申請）
第16条　組合又は小組合は、令第6条第1項の規定により振興計画の変更に係る認定を受けようとするときは、次に掲げる事項を記載した申請書を、都道府県知事に提出しなければならない。
　　一　変更の理由
　　二　変更事項の内容
2　前項の申請書には、次の書類を添付しなければならない。
　　一　当該変更についての議決をした総会又は総代会の議事録の謄本
　　二　当該振興事業の実施状況を記載した書面
　　三　当該変更に伴い前条第2項第2号又は第5号に掲げる書類の内容に変更があつたときは、その変更に係る書類
3　前条第3項の規定は、第1項の申請書について準用する。
　　〔改正〕
　　　　一部改正（第18・30次改正）
　（振興計画の認定等の報告）
第16条の2　令第9条第4項の規定による報告は、遅滞なく、次に掲げる事項を記載した書面を厚生労働大臣に提出して行うものとする。
　　一　振興計画の認定をし、振興計画の変更の認定をし、又は振興計画の認定を取り消した組合又は小組合の名称
　　二　振興計画の認定をし、振興計画の変更の認定をし、又は振興計画の認定を取り消した年月日
　　三　振興計画の変更の認定をしたときは、変更事項の内容
　　四　振興計画の認定を取り消したときは、その理由
　　〔改正〕
　　　　追加（第30次改正）

第1編　総則

第5章　都道府県生活衛生営業指導センター及び全国生活衛生営業指導センター

<small>章名＝改正（第19次改正）
本章＝追加（第6次改正）</small>

（都道府県生活衛生営業指導センターの指定の申請）

第17条　法第57条の3第1項の規定により指定を受けようとする一般財団法人は、次に掲げる事項を記載した申請書を都道府県知事に提出しなければならない。
　一　名称及び住所並びに代表者の氏名
　二　事務所の所在地
　三　資産の総額
2　前項の指定申請書には、次の書類を添付しなければならない。
　一　定款
　二　登記事項証明書
　三　役員の氏名、住所及び略歴を記載した書面
　四　法第57条の4第1項に掲げる事業の実施に関する基本的な計画
　五　資産の種類及びこれを証する書類
　〔改正〕
<small>　　一部改正（第19・22・27次改正）</small>

（都道府県生活衛生営業指導センターの業務の一部委任の承認の申請）

第18条　都道府県生活衛生営業指導センター（以下「都道府県指導センター」という。）は、法第57条の4第2項の規定によりその事業の一部を他の者に委託しようとするときは、次に掲げる事項を記載した委託承認申請書を都道府県知事に提出しなければならない。
　一　委託を必要とする理由
　二　受託者の氏名又は名称及び住所並びに法人にあつてはその代表者の氏名及び住所
　三　委託しようとする事業内容及び範囲
　四　委託の期間
　〔改正〕
<small>　　一部改正（第19次改正）</small>

（都道府県指導センターの事業計画の届出等）

第19条　法第57条の5第1項に規定する届出は、毎事業年度開始前に、事業計画書及び収支予算書を都道府県知事に提出して行うものとする。
2　法第57条の5第2項に規定する事業状況等の報告は、毎事業年度終了後3月以内に、事業報告書及び収支決算書を都道府県知事に提出して行うものとする。

（全国生活衛生営業指導センターへの準用）

第20条　前3条の規定は、全国生活衛生営業指導センター（以下「全国指導センター」という。）に準用する。この場合において、これらの規定中「都道府県知事」とあるのは「厚生労働大臣」と、第17条中「第57条の3第1項」とあるのは「第57条の9第1項」と、「第57条の4第1項」とあるのは「第57条の10」と読み替えるものとする。

〔改正〕
　　　一部改正（第7・18・19次改正）
（全国指導センターの指定の基準）
第20条の2　厚生労働大臣は、法第57条の9の規定により指定の申出をした一般財団法人が次の各号のいずれにも適合していると認めるときでなければ、その指定をしてはならない。
　一　前条において読み替えて準用する第17条第2項第4号に掲げる計画について、法第57条の10各号に掲げる事業（以下「全国指導センターの事業」という。）の適確な実施のために適切なものを作成していること。
　二　全国指導センターの事業を適確かつ円滑に行うのに必要な経理的基礎及び技術的能力を有するものであること。
　三　全国指導センターの事業以外の事業を行っている場合は、その事業を行うことによって全国指導センターの事業の公正な実施に支障を及ぼすおそれがないものであること。
〔改正〕
　　　追加（第28次改正）

第6章　標準営業約款
　　　本章＝追加（第6次改正）

（標準営業約款に関する処分の告示）
第21条　法第57条の12第3項の規定による標準営業約款の認可又は取消しの告示事項は、次に掲げる事項とする。
　一　認可又は取消しがあつた旨
　二　認可又は取消しの年月日
　三　当該標準営業約款に係る業種の種類
　四　認可の告示の場合にあつては当該標準営業約款の内容

（標準営業約款の廃止の届出）
第22条　法第57条の15において準用する法第12条の規定による標準営業約款の廃止の届出は、届書に、廃止の議決をした理事会の議事録の謄本を添え、厚生労働大臣に提出して行うものとする。
2　厚生労働大臣は、前項の届出があつたときは、その旨を告示しなければならない。
〔改正〕
　　　一部改正（第17・18次改正）

（標準営業約款に係る登録）
第23条　都道府県指導センターは、法第57条の13第1項の申出があつたときは、次項の規定により登録を拒否する場合を除くほか、営業所ごとに、登録すべき営業者に係る次に掲げる事項を、業種ごとに作成する登録簿に登録するものとする。
　一　登録の年月日及び登録番号
　二　氏名又は名称及び住所

第1編　総則

　　三　営業所の名称及び所在地
　　四　当該標準営業約款に従つた営業の開始予定日
2　都道府県指導センターは、登録の申出者が次の各号の一に該当する場合には、その登録を拒否することができる。
　　一　第25条の規定による登録の取消しを受け、その取消しの日から1年を経過していない者
　　二　最近1年間に営業に関し不正な行為をした者
　〔改正〕
　　　　一部改正（第7次改正）
　（変更の届出等）
第24条　法第57条の13第1項の登録を受けた者（以下「登録営業者」という。）は、前条第1項第2号から第4号までに掲げる事項に変更があつたとき又は当該登録に係る営業を廃止したときは、その日から10日以内に、その旨を都道府県指導センターに届け出なければならない。
　〔改正〕
　　　　追加（第7次改正）
　（登録の取消し）
第25条　都道府県指導センターは、登録営業者が法第57条の13第2項の掲示をせず若しくは虚偽の掲示をしたとき、当該標準営業約款に従つて営業を行つていないとき又は当該営業に関して不正な行為をしたときは、その登録を取り消すことができる。
　〔改正〕
　　　　旧第24条を一部改正し、本条に繰下（第7次改正）
　（登録の有効期間）
第26条　法第57条の13第1項の登録の有効期間は、3年を下らない範囲において、業種ごとに、全国指導センターが定める期間とする。
2　全国指導センターは、前項の期間を定めたときは、遅滞なく、これを厚生労働大臣に届け出なければならない。
　〔改正〕
　　　　追加（第7次改正）、一部改正（第12・18次改正）
　（標識の様式に関する公告）
第27条　法第57条の13第3項の規定による公告は、次に掲げる事項を官報に掲載して行うものとする。
　　一　業種の種類
　　二　様式
　　三　実施時期
　〔改正〕
　　　　一部改正（第10次改正）、旧第25条を本条に繰下（第7次改正）
　（標識の様式に関する届出）

第28条 法第57条の13第3項の規定による届出は、法第57条の13第2項の標識の様式を定め、又は変更した日から30日以内に、前条第1号から第3号までに掲げる事項を記載した届書を厚生労働大臣に提出して行うものとする。
〔改正〕
　　　全部改正（第10次改正）、一部改正（第18次改正）

第7章　雑則
　　　　章名＝追加（第6次改正）

（身分を示す証票）
第29条 法第60条第2項の規定により職員が携帯すべき証票は、様式第2による。
〔改正〕
　　　旧第15条を旧第27条に繰下（第6次改正）、本条に繰下（第7次改正）

（電磁的記録媒体による手続）
第30条 次の各号に掲げる書類の提出については、これらの書類に記載すべき事項を記録した電磁的記録媒体並びに申請者、届出者又は申出者の名称及び住所並びに申請、届出又は申出の趣旨及びその年月日を記載した書類を提出することによつて行うことができる。
　一　第5条の9に規定する申請書
　二　第5条の10に規定する申請書
　三　第5条の11に規定する届書
　四　第5条の13（第13条の4及び第14条において準用する場合を含む。）に規定する申出書
　五　第20条において準用する第17条第1項に規定する申請書
　六　第22条第1項に規定する届書
　七　第28条に規定する届書
〔改正〕
　　　旧第30条として追加（第15次改正）、一部改正（第36次改正）、旧第31条に繰下（第18次改正）、旧第30条を削り、本条に繰上（第30次改正）

　　　附　則
この省令は、法施行の日（昭和32年9月2日）から施行する。

　　　附　則（第16次改正）抄
（施行期日）
第1条 この省令は、平成12年4月1日から施行する。
（環境衛生関係営業の運営の適正化に関する法律施行規則の一部改正に伴う経過措置）
第4条 この省令の施行の際現に第5条の規定による改正前の環境衛生関係営業の運営の適正化に関する法律施行規則第5条の4第1項及び第14条の規定により火災共済金額の許可を受けている生活衛生同業組合及び生活衛生同業組合連合会については、第5条の規定による改正後の環境衛生関係営業の運営の適正化に関する法律施行規則第5条の4及び第14条の規定にかかわらず、当該生活衛生同業組合及び生活衛生同業組合連合会の

第1編　総則

火災共済金額は、当分の間、当該許可を受けた金額とすることができる。
〔**改正**〕
　　一部改正（第19次改正）

様式第1

生活衛生同業組合組合員異動報告書（　　年分）

前 年 末 組 合 員 数	名	新 加 入 組 合 員 数	名
本 年 末 組 合 員 数	名	脱 退 組 合 員 数	名

上記のとおり、報告します。

　　令和　　年　　月　　日

生活衛生同業組合の名称
生活衛生同業組合を代表
する理事の氏名及び住所

都道府県知事　　　殿

備考　この用紙は、Ａ列４番とすること。
〔改正〕
　　一部改正(第8・9・11・19・31～33次改正)

第1編　総則

様式第2

（表　面）

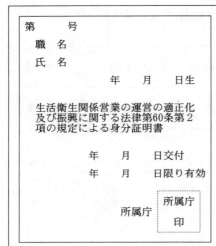

（裏　面）

　この証票を携帯する者は、生活衛生関係営業の運営の適正化及び振興に関する法律により立入検査をする職権を行うもので、その関係条文は次のとおりであります。
　　生活衛生関係営業の運営の適正化及び振興に関する法律抜すい
　　　（報告、検査等）
第六十条　厚生労働大臣（都道府県指導センターに係るものにあつては、都道府県知事）は、この法律（第五項を除く。）に規定する権限を実施するため必要な限度において、営業者、組合、小組合、連合会、都道府県指導センター若しくは全国指導センターから必要な報告を徴し、又はその職員をしてその事業所若しくは事務所に立ち入り、業務の状況若しくは帳簿書類その他の物件を検査させることができる。
2　前項の規定により立入検査をする職員は、その身分を示す証票を携帯し、関係人にこれを提示しなければならない。
3　第一項の規定による立入検査の権限は、犯罪捜査のために認められたものと解してはならない。
第六十八条　第六十条第一項の規定による報告をせず、若しくは虚偽の報告をし、又は検査を拒み、妨げ、若しくは忌避した者は、十万円以下の罰金に処する。
第六十九条　法人の代表者又は法人若しくは人の代理人、使用人その他の従業者が、その法人又は人の業務に関し、第六十五条の二、第六十六条、第六十七条の三又は前条の違反行為をしたときは、その行為者を罰するほか、その法人又は人に対して、各本条の刑を科する。

備考　この用紙の大きさは、B列7番とし、厚紙を用い、中央の点線の所で二つ折りとする。

〔改正〕
　　全部改正（第6次改正）、一部改正（第8・9・17～19・24・31・32・35次改正）

●環境衛生監視員証を定める省令

〔昭和52年1月18日〕
〔厚生省令第1号〕

〔一部改正経過〕

第1次	〔昭和55年5月1日厚生省令第16号「興行場法施行規則等の一部を改正する省令」第5条による改正〕
第2次	〔昭和56年3月3日厚生省令第11号「建築物における衛生的環境の確保に関する法律施行規則の一部を改正する省令」附則第2項による改正〕
第3次	〔昭和58年12月23日厚生省令第45号「墓地、埋葬等に関する法律施行規則等の一部を改正する省令」附則第2項による改正〕
第4次	〔昭和59年9月5日厚生省令第42号「興行場法施行規則等の一部を改正する省令」第4条による改正〕
第5次	〔昭和60年12月24日厚生省令第47号「公衆浴場法施行規則の一部を改正する省令」第3条による改正〕
第6次	〔昭和60年11月19日厚生省令第42号「理容師法施行規則等の一部を改正する省令」第4条による改正〕
第7次	〔平成元年3月24日厚生省令第10号「人口動態調査令施行細則等の一部を改正する省令」第32条による改正〕
第8次	〔平成2年2月17日厚生省令第2号「へい獣処理場等に関する法律施行規則及び環境衛生監視員証を定める省令の一部を改正する省令」第2条による改正〕
第9次	〔平成10年3月30日厚生省令第44号「環境衛生監視員証を定める省令の一部を改正する省令」による改正〕
第10次	〔平成12年10月20日厚生省令第127号「中央省庁等改革のための健康保険法施行規則等の一部を改正する等の省令」第102条による改正〕
第11次	〔平成19年3月30日厚生労働省令第49号「環境衛生監視員証を定める省令の一部を改正する省令」による改正〕
第12次	〔平成30年1月31日厚生労働省令第9号「旅館業法施行規則及び環境衛生監視員証を定める省令の一部を改正する省令」第2条による改正〕
第13次	〔令和元年5月7日厚生労働省令第1号「元号の表記の整理のための厚生労働省関係省令の一部を改正する省令」第7条による改正〕
第14次	〔令和元年6月28日厚生労働省令第20号「不正競争防止法等の一部を改正する法律の施行に伴う厚生労働省関係省令の整備に関する省令」第1条による改正〕
第15次	〔令和3年10月22日厚生労働省令第175号「厚生労働省の所管する法律又は政令の規定に基づく立入検査等の際に携帯する職員の身分を示す証明書の様式の特例に関する省令」附則第8条による改正〕

　理容師法（昭和22年法律第234号）第13条、墓地、埋葬等に関する法律（昭和23年法律第48号）第18条、興行場法（昭和23年法律第137号）第5条、旅館業法（昭和23年法律第138号）第7条、公衆浴場法（昭和23年法律第139号）第6条、へい獣処理場等に関する法律（昭和23年法律第140号）第6条、クリーニング業法（昭和25年法律第207号）第10条、美容師法（昭和32年法律第163号）第14条及び建築物における衛生的環境の確保に関する法律（昭和45年法律第20号）第11条の規定を実施するため、環境衛生監視員証を定める省令を次のように定める。

環境衛生監視員証を定める省令

　墓地、埋葬等に関する法律施行規則（昭和23年厚生省令第24号）第10条、公衆浴場法施行規則（昭和23年厚生省令第27号）第6条、旅館業法施行規則（昭和23年厚生省令第28号）第6条、興行場法施行規則（昭和23年厚生省令第29号）及び化製場等に関する法律施行規則（昭和23年厚生省令第30号）に規定する環境衛生監視員の身分を示す証票並びに理容師法施行規則（平成10年厚生省令第4号）第28条、クリーニング業法施行規則（昭和25年厚生省令第35号）第11条、美容師法施行規則（平成10年厚生省令第7号）第28条及び建築物における衛生的環境の確保に関する法律施行規則（昭和46年厚生省令第2号）第21条第2項に規定する環境衛生監視員の身分を示す証明書は、別記様式によるものとする。

第1編　総則

　　附　則　抄
（施行期日）
1　この省令は、昭和52年4月1日から施行する。
（旅館業法施行規則等の規定に基く環境衛生監視員の身分を示す証票等を定める省令の廃止）
2　旅館業法施行規則等の規定に基く環境衛生監視員の身分を示す証票等を定める省令（昭和25年厚生省令第44号）は、廃止する。

環境衛生監視員証を定める省令

別記様式

(表面)

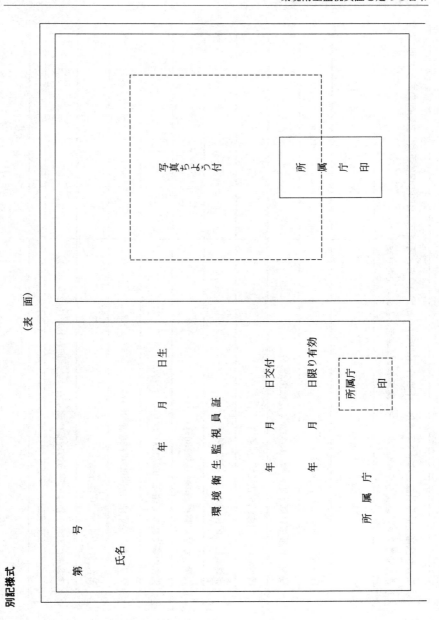

この環境衛生監視員証を携帯する者は、下表各項に掲げる法律のうち、所属庁証明印の欄に所属庁証明印のある法律により立入検査をする職権を行うもので、その関係条文は裏面のとおりであります。

法　律　の　名　称	所　属　庁　証　明　印
理容師法（昭和22年法律第234号）	
墓地、埋葬等に関する法律（昭和23年法律第48号）	
興行場法（昭和23年法律第137号）	
旅館業法（昭和23年法律第138号）	
公衆浴場法（昭和23年法律第139号）	
化製場等に関する法律（昭和23年法律第140号）	
クリーニング業法（昭和25年法律第207号）	
美容師法（昭和32年法律第163号）	
建築物における衛生的環境の確保に関する法律（昭和45年法律第20号）	

環境衛生監視員証を定める省令

（裏　面）

理容師法抜すい

第13条　都道府県知事は、必要があると認めるときは、当該職員に、理容所に立ち入り、第9条又は前条の規定による措置の実施の状況を検査させることができる。

2　第4条の13第2項及び第3項の規定は、前項の規定による立入検査について準用する。

第4条の13　（第1項略）

2　前項の規定により立入検査を行う職員は、その身分を示す証明書を携帯し、関係者の請求があつたときは、これを提示しなければならない。

3　第1項の規定による立入検査の権限は、犯罪捜査のために認められたものと解してはならない。

第18条　都道府県知事は、その施設、帳簿、書類その他の物件を検査させ、又は墓地、納骨堂若しくは火葬場の管理者から必要な報告を求めることができる。

2　当該職員が前項の規定により立入検査し、且つ関係人の請求があるときは、これを呈示しなければならない。

墓地、埋葬等に関する法律抜すい

火葬場に立ち入り、その施設、帳簿、書類その他の物件を検査させ、又は墓地、納骨堂若しくは火葬場の管理者から必要な報告を求めることができる。

2　当該職員が前項の規定により立入検査をする場合においては、その身分を示す証票を携帯し、且つ関係人の請求があるときは、これを呈示しなければならない。

興行場法抜すい

第5条　都道府県知事は、必要があると認めるときは、当該職員に、興行場に立ち入り、第3条第1項の規定による措置の状況を検査させることができる。

2　当該職員が、前項の規定により立入検査をする場合においては、その身分を示す証票を携帯し、且つ、関係人の請求があつたときは、これを呈示しなければならない。

旅館業法抜すい

第7条　都道府県その他の関係者から必要な報告を求め、又は当該職員に、旅館

業の施設に立ち入り、その構造設備若しくはこれに関する書類を検査させ、若しくは関係者に質問させることができる。

2　都道府県知事は、旅館業が営まれている施設において次条第3項の規定による命令をすべきか否かを調査する必要があると認めるときは、当該旅館業を営む者（営業者を除く。）その他の関係者から必要な報告を求め、又は当該職員に、旅館業の施設に立ち入り、その構造設備若しくはこれに関する書類を検査させ、若しくは関係者に質問させることができる。

3　当該職員が、前2項の規定により立入検査をする場合においては、その身分を示す証票を携帯し、かつ、関係者の請求があるときは、これを提示しなければならない。

4　第1項及び第2項の規定による立入検査の権限は、犯罪捜査のために認められたものと解してはならない。

公衆浴場法抜すい

第6条　都道府県知事は、必要があると認めるときは、営業者その他の関係者から必要な報告を求め、又は当該職員に、公衆浴場に立ち入り、その設備に付した条件の遵守若しくは第3条第1項若しくは第4項の規定による措置の実施の状況を検査させることができる。

2　当該職員が前項の規定により立入検査をする場合においては、その身分を示す証票を携帯し、且つ、関係人の請求があるときは、これを提示しなければならない。

化製場等に関する法律抜すい

第6条　都道府県知事は、公衆衛生上の見地から必要があると認めるときは、化製場若しくは死亡獣畜取扱場の設置者若しくは管理者から必要な報告を求め、又は当該職員に、化製場、死亡獣畜取扱場に立ち入り、その構造設備及び前条の規定による措置の実施の状況を検査させることができる。

2　前項の規定により当該職員が立入検査をする場合においては、その身分を示す証票を携帯し、且つ、関係人の請求があるときは、これを提示しなければならない。

83

第1編　総則

建築物における衛生的環境の確保に関する法律抜すい

（報告、検査等）
第11条　都道府県知事は、厚生労働省令で定める場合において、この法律の施行に関し必要があると認めるときは、特定建築物所有者等に対し、必要な報告をさせ、又はその職員に、特定建築物に立ち入り、その設備、帳簿書類その他の物件を検査させ、若しくは関係者に質問させることができる。ただし、住居に立ち入る場合においては、その居住者の承諾を得なければならない。

2　第7条の15第2項及び第3項の規定は、前項の規定による立入検査について準用する。

（報告、検査等）
第12条の5　都道府県知事は、登録業者に対し、この法律の施行に関し必要があると認めるときは、必要な報告をさせ、又はその職員に、登録営業所に立ち入り、その設備、帳簿書類その他の物件を検査させ、又は関係者に質問させることができる。

2　第7条の15第2項及び第3項の規定は、前項の規定による立入検査について準用する。

第7条の15　（第1項略）

2　前項の規定により立入検査を行う職員は、その身分を示す証明書を携帯し、関係者の請求があったときは、これを提示しなければならない。

3　第1項の規定による権限は、犯罪捜査のために認められたものと解してはならない。

クリーニング業法抜すい

（立入検査）
第10条　都道府県知事は、必要があると認めるときは、当該職員に、クリーニング所又は業務用の車両に立ち入り、第3条、第3条の2第2項及び第4条に規定する措置の実施状況を検査させることができる。

2　第7条の13第3項及び第4項の規定は、前項の規定による立入検査について準用する。

第7条の13　（第1項及び第2項略）

3　前2項の規定により立入検査を行う職員は、その身分を示す証明書を携帯し、関係者の請求があったときは、これを提示しなければならない。

4　第1項又は第2項の規定は、犯罪捜査のために認められたものと解してはならない。

美容師法抜すい

（立入検査）
第14条　都道府県知事は、必要があると認めるときは、当該職員に、美容所に立ち入り、第8条又は前条の規定による措置の実施の状況を検査させることができる。

2　第4条の13第3項及び第3項の規定は、前項の規定による立入検査について準用する。

第4条の13　（第1項略）

2　前項の規定により立入検査を行う職員は、その身分を示す証明書を携帯し、関係者の請求があったときは、これを提示しなければならない。

3　第1項の規定による権限は、犯罪捜査のために認められたものと解してはならない。

備考　この用紙の大きさは、A5とし、厚紙を用い、中央の点線の所で二つ折りとする。

[改正]
一部改正（第9～15次改正）

●厚生労働省の所管する法律又は政令の規定に基づく立入検査等の際に携帯する職員の身分を示す証明書の様式の特例に関する省令（抄）

〔令和 3 年10月22日〕
〔厚生労働省令第175号〕

注　令和 6 年 1 月厚生労働省令第 4 号「全世代対応型の持続可能な社会保障制度を構築するための健康保険法等の一部を改正する法律の施行に伴う厚生労働省関係省令の整備等に関する省令」第24条による改正現在

　児童福祉法（昭和22年法律第164号）及び関係法令の規定を実施するため、厚生労働省の所管する法律又は政令の規定に基づく立入検査等の際に携帯する職員の身分を示す証明書の様式の特例に関する省令を次のように定める。
　次の各号に掲げる法律又は政令の規定に基づく立入検査等（都道府県知事又は市町村長（特別区の区長を含む。）が行うことができることとされているものに限る。）の際に職員が携帯するその身分を示す証明書及び狂犬病予防法（昭和25年法律第247号）第 3 条第 2 項（同法第 6 条第 6 項において準用する場合を含む。）に基づき同法第 3 条第 1 項の狂犬病予防員（同法第 6 条第 6 項において準用する場合にあっては、同条第 2 項の捕獲人）が携帯する証票は、他の法令の規定にかかわらず、別記様式によることができる。
　　三　理容師法（昭和22年法律第234号）第13条第 1 項
　　六　興行場法（昭和23年法律第137号）第 5 条第 1 項
　　七　旅館業法（昭和23年法律第138号）第 7 条第 1 項及び第 2 項
　　八　公衆浴場法（昭和23年法律第139号）第 6 条第 1 項
　　十五　クリーニング業法（昭和25年法律第207号）第 7 条の13第 2 項及び第10条第 1 項
　　二十五　美容師法（昭和32年法律第163号）第14条第 1 項
　　二十六　生活衛生関係営業の運営の適正化及び振興に関する法律（昭和32年法律第164号）第60条第 1 項
　　　附　則　抄
　（施行期日）
第 1 条　この省令は、公布の日〔令和 3 年10月22日〕から施行する。

第1編　総則

別記様式（本則関係）

(第1面)

```
第　　　号
　　　　　　　立入検査等をする職員の携帯する身分を示す証明書

職　名
氏　名　　　　　　　　　　　　　　　　　　　　┌──┐
　　　　　　　　　　　　　　　　　　　　　　　│写真│
生年月日　　　年　　月　　日生　　　　　　　　└──┘

　　　　年　　月　　日交付
　　　　年　　月　　日限り有効

都道府県知事（市町村長・区長）　　　㊞
```

(第2面)

　この証明書を携帯する者は、下表に掲げる法令の条項のうち、該当の有無の欄に丸印のある法令の条項により立入検査等をする職権を有するものです。

法　令　の　条　項	該当の有無

（備考）　1　この証明書は、用紙1枚で作成することとする。
　　　　　2　法令の条項の欄に、この証明書を使用して行う立入検査等に係る法令の条項を記載すること。
　　　　　3　該当の有無の欄に、立入検査等をする職権を有する場合は「○」を、有しない場合は「－」を記載すること。
　　　　　4　記載する法令の条項の数に応じて、行を適宜追加すること。第2面については、その全部又は一部を裏面に記載することができる。
　　　　　5　裏面には、参照条文を記載することができる。

Ⅱ 通知編

○環境衛生関係営業の運営の適正化に関する法律の一部を改正する法律等の施行について

［平成12年4月7日　生衛発第699号
各都道府県知事宛　厚生省生活衛生局長通知］

　環境衛生関係営業の運営の適正化に関する法律の一部を改正する法律（以下「改正法」という。）が、平成12年4月7日に法律第39号として公布され、環境衛生関係営業の運営の適正化に関する法律の一部を改正する法律の施行期日を定める政令（平成12年政令第198号。以下「施行期日政令」という。）により、一部を除いて平成12年4月10日から施行されることとなった。

　また、これに伴い、環境衛生関係営業の運営の適正化に関する法律施行令等の一部を改正する政令（平成12年政令第199号。以下「改正政令」という。）及び環境衛生関係営業の運営の適正化に関する法律施行規則の一部を改正する省令（平成12年厚生省令第89号。以下「改正省令」という。）についても平成12年4月7日に公布され、平成12年4月10日から施行されることとなった。

　これらの趣旨、内容等は次のとおりであるので、御了知願いたい。

記

第1　改正法について
　1　改正の趣旨
　　今回の改正は、環境衛生関係営業を取り巻く状況にかんがみ、環境衛生関係営業の運営の適正化に関する法律（昭和32年法律第164号。以下「法」という。）の題名及び目的規定に環境衛生関係営業の「振興」を加え、環境衛生同業組合等の事業に「組合員の営業に係る地域社会の福祉の増進に関する事業の実施に資する事業」を加え、国及び地方公共団体の環境衛生同業組合等に対する助成に関して規定するとともに、「環境衛生」の用語を「生活衛生」に改める等の措置を講ずる必要があるために行われたものであること。
　2　改正の内容
　　(1)　題名及び目的規定（法第1条関係）
　　　　法の題名を「環境衛生関係営業の運営の適正化及び振興に関する法律」に改めるとともに、同法の目的規定に環境衛生関係営業の振興を加えることとされたこと。
　　　　なお、「環境衛生」の用語の「生活衛生」への改正に伴い、平成13年1月6日以降の同法の題名は、「生活衛生関係営業の運営の適正化及び振興に関する法律」とすることとされたこと。
　　(2)　環境衛生同業組合及び環境衛生同業組合連合会の事業（法第8条第1項及び第54条関係）

第1編　総則

　　　環境衛生同業組合及び環境衛生同業組合連合会の事業にそれぞれ「組合員の営業に係る老人の福祉その他の地域社会の福祉の増進に関する事業についての組合員に対する指導その他当該事業の実施に資する事業」及び「会員たる組合の組合員の営業に係る老人の福祉その他の地域社会の福祉の増進に関する事業についての会員に対する指導その他当該事業の実施に資する事業」が追加されたこと。
　(3)　標準営業約款に関する情報提供（法第57条の14関係）
　　　厚生大臣は、利用者又は消費者の選択の利便の推進に資するため、標準営業約款に関する情報を提供するよう努めることとされたこと。
　(4)　助成その他の援助（法第63条の2関係）
　　　国及び地方公共団体は、営業者の組織の自主的活動の促進を通じて環境衛生関係営業の衛生水準の維持向上を図り、あわせて利用者又は消費者の利益の擁護に資するため、環境衛生同業組合、環境衛生同業小組合及び環境衛生同業組合連合会に対して必要な助成その他の援助を行うよう努めなければならないこととされたこと。
　(5)　「環境衛生」の用語の改正
　　　「環境衛生」の用語を「生活衛生」に改め、「環境衛生同業組合」の名称を「生活衛生同業組合」に、「環境衛生同業小組合」を「生活衛生同業小組合」に、「都道府県環境衛生営業指導センター」の名称を「都道府県生活衛生営業指導センター」に変更する等とされたこと。
　(6)　関係法律の一部改正
　　　関係法律（商工組合中央金庫法（昭和11年法律第14号）、地方自治法（昭和22年法律第67号）、国民生活金融公庫法（昭和24年法律第49号）、厚生省設置法（昭和24年法律第151号）、中小企業信用保険法（昭和25年法律第264号）、地方税法（昭和25年法律第226号）、中小企業金融公庫法（昭和28年法律第138号）、租税特別措置法（昭和32年法律第26号）、所得税法（昭和40年法律第33号）、法人税法（昭和40年法律第34号）、沖縄振興開発金融公庫法（昭和47年法律第31号）、消費税法（昭和63年法律第108号）、厚生労働省設置法（平成11年法律第97号）、中央省庁等改革のための国の行政組織関係法律の整備等に関する法律（平成11年法律第102号）及び中央省庁等改革関係法施行法（平成11年法律第160号））について、引用する法の題名を「環境衛生関係営業の運営の適正化及び振興に関する法律」と改正するとともに、「環境衛生」の用語を「生活衛生」に改めることとされたこと。
　3　施行期日
　　　施行期日については、施行期日政令により、平成12年4月10日と定められたこと。ただし、「環境衛生」の用語の「生活衛生」への改正については、改正法附則第1条ただし書きにより、平成13年1月6日から施行することとされたこと。
第2　改正政令及び改正省令について
　1　改正の内容
　　　法の題名が改正されたことに伴い、環境衛生関係営業の運営の適正化に関する法律施行令（昭和32年政令第279号）の題名を「環境衛生関係営業の運営の適正化及び振

興に関する法律施行令」と改め、法を引用している政令（国民生活金融公庫法施行令（昭和24年政令第121号）等）について、法の題名を改正することとされたこと。

また、環境衛生関係営業の運営の適正化に関する法律施行規則（昭和32年厚生省令第37号）の題名を「環境衛生関係営業の運営の適正化及び振興に関する法律施行規則」に改正し、あわせて所要の改正を行うこととされたこと。

2　施行期日

改正法の施行期日と同日（平成12年4月10日）から施行することとされたこと。

3　その他

「環境衛生」の用語を「生活衛生」に改めるための政令及び省令については、後日予定していること。

第3　運用上の留意事項

法改正に伴い環境衛生同業組合等の定款及び都道府県環境衛生営業指導センターの寄付行為について、次の改正が必要となるので、貴管下関係団体の指導等につき、よろしく取り計らわれたいこと。

なお、環境衛生同業組合等が福祉に関する事業を行うにあたっては、関係行政機関や福祉団体等と適切な連絡が図られるよう、その指導に配意されたいこと。

(1)　環境衛生同業組合の定款変更

環境衛生同業組合等の名称については、平成13年1月6日までに「生活衛生同業組合」等に改正する定款の変更が必要となること。

あわせて、目的規定に「生活衛生関係営業の振興を図ること」を加えること。

また、必要に応じて環境衛生同業組合等の定款に定める事業に「組合員の営業に係る老人の福祉その他の地域社会の福祉の増進に関する事業についての組合員に対する指導その他当該事業の実施に資する事業」を加える変更をあわせて行うこと。

(2)　都道府県環境衛生営業指導センターの寄付行為変更

財団法人都道府県環境衛生営業指導センターの名称については、平成13年1月6日までに「財団法人都道府県生活衛生営業指導センター」に改正する寄付行為の変更が必要となること。

(3)　都道府県環境衛生適正化審議会の名称変更

都道府県環境衛生適正化審議会の名称については、平成13年1月6日までに「都道府県生活衛生適正化審議会」に改正する条例等の変更が必要となること。

第1編　総則

○環境衛生関係営業の運営の適正化に関する法律の一部を改正する法律等の施行に伴う通知等の取扱いについて

　　　　　　　　　　　　　　　　　　　　　　　　　　　平成13年1月16日　健衛発第3号
　　　　　　　　　　　　　　　　　　　　　　　　　各都道府県衛生主管部(局)長宛　厚生労働省健康局生
　　　　　　　　　　　　　　　　　　　　　　　　　活衛生課長通知

　環境衛生関係営業の運営の適正化に関する法律の一部を改正する法律（平成12年法律第39号）中「環境衛生」の用語を「生活衛生」に改める改正規定については、平成13年1月6日から施行されたところです。

　また、厚生労働省設置法（平成11年法律第97号）の制定に伴い、厚生労働省が平成13年1月6日から設置されたところです。

　これらに伴い、生活衛生関係営業の運営の適正化及び振興に関する法律（昭和32年法律第164号）に関する通知その他の文書（以下「通知等」という。）については、別途の通知等が発出されない限り、それらの通知等中「環境衛生同業組合」とあるのは「生活衛生同業組合」と、「環境衛生営業指導センター」とあるのは「生活衛生営業指導センター」と、「環境衛生関係営業」とあるのは「生活衛生関係営業」と、「厚生省」とあるのは「厚生労働省」と読み替える等、必要な読替えを行った上で、引き続き適用されますので、御了知願います。

○生活衛生関係営業の振興計画の認定等の取扱いについて

〔平成27年3月31日　健衛発0331第12号
各都道府県衛生主管部(局)長宛　厚生労働省健康局生
活衛生課長通知〕

　地域の自主性及び自立性を高めるための改革の推進を図るための関係法律の整備に関する法律の施行に伴う厚生労働省関係政令等の整備等に関する政令（平成27年政令第128号）及び地域の自主性及び自立性を高めるための改革の推進を図るための関係法律の整備に関する法律の施行に伴う厚生労働省関係省令の整備に関する省令（平成27年厚生労働省令第55号）は、平成27年3月31日に公布され、一部を除いて平成27年4月1日から施行されることとなった。

　これに伴い、生活衛生関係営業の運営の適正化及び振興に関する法律施行令（昭和32年政令第279号）及び生活衛生関係営業の運営の適正化及び振興に関する法律施行規則（昭和32年厚生省令第37号）の一部が改正され、生活衛生関係営業の運営の適正化及び振興に関する法律（昭和32年法律第164号）に基づく生活衛生同業組合（以下「組合」という。）又は生活衛生同業小組合（以下「小組合」という。）が作成する振興計画の認定等に係る事務については、都道府県知事が行うこととなったが、その取扱いは下記のとおりであるので、御了知の上、貴管下の組合及び公益財団法人都道府県生活衛生営業指導センターに対し、周知を図るとともに、その実施に遺漏なきを期されたい。

　なお、「生活衛生関係営業の振興計画の認定等の取扱いについて」（平成15年2月14日健衛発第0214002号厚生労働省健康局生活衛生課長通知）、「生活衛生関係営業の振興計画の認定等の取扱いの一部改正について」（平成22年3月31日健衛発0331第1号厚生労働省健康局生活衛生課長通知）「生活衛生関係営業の振興計画の認定等の取扱いの一部改正について」（平成23年2月23日健衛発0223第2号厚生労働省健康局生活衛生課長通知は、平成27年4月1日をもって廃止する。

記

1　振興計画の作成について
　(1)　振興計画は、地域における営業の実態及びその将来ビジョンに立脚したものであること。
　(2)　振興計画は、振興指針に準拠した総合的な計画であること。
　(3)　資金計画については、資金の額及び調達方法に無理のないよう十分配慮するものであること。
　(4)　振興計画に定める振興事業は、組合員が公平に、かつ、その相当部分が参加できるものであること。

第1編　総則

(5) 振興計画の期間は、原則として、事業の内容が振興指針の目標年度の期間中に終了する計画となっていること。
　　ただし、事業の内容、地域の実状等からこれにより難い場合は、振興指針の目標年度を超えて計画期間を設定しても差し支えないこと。
(6) 振興計画の事業の実施に当たっては、利用者又は消費者の利益に資するものであること。
　　なお、小組合の事業については、共同施設に係るものに限るものであること。

2　振興計画の認定の申請手続
　認定の申請書（添付書類を含む。以下同じ。）は、様式第1により、都道府県衛生主管部局に提出するものであること。

3　振興計画の認定における留意点
　都道府県衛生主管部局は、振興計画の認定に当たって、次の点に留意すること。
(1) 振興事業の目標及び内容が振興指針に照らして適切なものであること。
(2) 当該組合又は小組合の組合員の相当部分が当該振興事業に参加するものであること。
(3) 振興事業の実施時期並びに実施に必要な資金の額及びその調達方法が当該振興事業を確実に遂行するため適切なものであること。
(4) 振興事業の実施により、当該営業の衛生水準の向上が図られ、かつ利用者又は消費者の利益に資すると認められるものであること。

4　振興計画の変更
　組合又は小組合は、認定を受けた振興計画を変更しようとする時は、変更認定の申請書を、様式第2により、都道府県衛生主管部局に提出するものであること。

5　振興計画の実施状況等の報告
　振興計画についての認定を受けた組合等は、毎事業年度経過後3か月以内に、様式第3により、振興計画の実施状況についての報告書を都道府県衛生主管部局に提出すること。
　ただし、5年計画の4年目終了時及び5年目終了時の実施状況報告の提出の際には、様式第3に加え様式第4を作成し、併せて提出すること。
　なお、提出のあった様式第4について、その写しを厚生労働省健康局生活衛生課組合振興係まで送付すること。
　　※中間評価（5年計画の4年終了時）：次期振興計画改正の参考とするため
　　　事後評価（5年計画の5年終了時）：制度全体の改善につなげるとともに、各業種の新たな5か年の振興計画推進の参考とするため

6　厚生労働大臣に対する振興計画の認定等の報告
　都道府県知事は、振興計画の認定をしたとき、振興計画の変更認定をしたとき又は振

興計画の認定を取り消したときは、遅滞なく、厚生労働大臣に対して書面による報告をすること。
7　振興計画の実施に係る助成措置
　認定を受けた振興計画に従って振興事業を実施する組合若しくは小組合、又は当該組合員に対する助成措置は、次のとおりであること。
(1)　当該計画に基づいて行う施設又は設備の整備に必要な設備資金について、株式会社日本政策金融公庫から有利な条件で融資が受けられるほか、振興事業を実施するのに必要な運転資金の融資も受けられるものであること。
(2)　当該計画に基づいて行う共同施設について、初年度100分の6の特別償却が認められていること。
8　振興計画の認定等に関する業務マニュアル
　組合又は小組合の認定事務等については、別添「生活衛生同業組合等の振興計画の認定等に関する業務マニュアル」により適正に実施すること。
9　その他
　沖縄県にあっては、この通知中「株式会社日本政策金融公庫」とあるのは、「沖縄振興開発金融公庫」と読み替えるものとすること。
別添　略

第1編　総則

様式第1

振興計画認定申請書

平成　年　月　日

都道府県知事　殿

住　所
名称及び代表者氏名　　　印

　生活衛生関係営業の運営の適正化及び振興に関する法律第56条の3第1項の規定に基づき、下記の振興計画について認定を受けたく申請します。

記

1　振興計画の概要

　（例文）
　　本計画は、○○○○○○○○○○○に関する事業等を計画的に推進することにより、○○業における衛生水準の向上及び利用者又は消費者の利益に資することを目的とするものである。

　　　実施時期　平成　年　月　～　平成　年　月

2　地区における営業の概況

　(1)　施設数の状況
　(2)　現状及び課題
　(3)　その他の状況

3　組合員数の年次推移及び振興事業に参加する者

（単位：人）

区　　　　分	平成　年	平成　年	平成　年	現　　在
組　合　員　数				
参　加　者　数				

（注）直近4か年の数字を記載する。

4　振興事業の目標

（注）目標年度における営業の振興の目標を記載すること。

5　振興事業の効果

（注）振興事業の目的が達せられたときの営業者、当該業種及び利用者又は消費者に与える効果並びに影響等について記載すること。

6　振興事業の内容及び実施時期

事　業　名	事　業　の　概　要	事業の実施時期

（注）　ア　事業名は、振興事業の目標に応じて記載すること。
　　　　イ　事業の概要は、事業の具体的内容、実施方法等について記載すること。
　　　　　　また、共同事業に係るものは、当該事業に参加する組合員数についても記載すること。

7　振興事業を実施するのに必要な借入資金の額及び調達方法

（単位：万円）

事　業　名	施設、設備等の種類	資　金　額	調　達　方　法	
			日本政策金融公庫	その他

（注）　ア　事業名は、前記6の事業別に記載すること。
　　　　イ　施設、設備等の種類は、店舗（新築、増築及び改築）、衛生設備、近代化設備、省エネ設備、事業資金（運転資金）とすること。

第1編　総則

8　添付書類
　施行規則第15条第2項各号に掲げる以下の書類を添付する。なお、添付する事業計画書の内容等については、本申請書と整合させること。
ア　振興計画についての議決をした総会又は総代会の議事録の謄本
イ　定款及び規約（規約については、振興計画に関する事項を定めているものに限る。）
ウ　前事業年度の事業概要報告書及び収支決算書
エ　前事業年度末の貸借対照表
オ　当該振興事業に係る各事業年度の事業計画書及び収支予算書

様式第2

振興計画の変更認定申請書

平成　年　月　日

都道府県知事　殿

住所
名称及び代表者氏名　　　印

　平成　年　月　日付けで認定を受けた振興計画について、下記のとおり変更したいので、生活衛生関係営業の運営の適正化及び振興に関する法律施行令第6条第1項の規定に基づき、認定を受けたく申請します。

記

1　変更事項の内容及び変更の理由

事業名	現行計画	変更計画	事業の達成目標	変更理由

（注）ア　事業名は、変更のあった事業について、振興事業の目標に応じて記載すること。
　　　イ　事業の達成目標は、年度毎の目標を記載すること。
　　　ウ　中止する事業についても、その理由を具体的に記載すること。

2　振興事業の内容及び実施時期

事業名	事業の概要	事業の実施時期

（注）ア　事業名は、振興事業の目標に応じて記載すること。
　　　イ　事業の概要は、事業の具体的内容、実施方法等について記載すること。
　　　　　また、共同事業に係るものは、当該事業に参加する組合員数についても記載すること。

第1編　総則

3　振興計画を実施するのに必要な借入資金の額及び調達方法

(単位：万円)

事業名	施設、設備等の種類	資金額	調達方法	
			日本政策金融公庫	その他

(注)ア　事業名は、前記2の事業別に記載すること。
　　イ　施設、設備等の種類は、店舗（新築、増築及び改築）、衛生設備、近代化設備、省エネ設備、事業資金（運転資金）とすること。

4　添付書類
(注)施行規則第16条第2項各号に掲げる以下の書類を添付すること。
　　ア　当該変更についての議決をした総会又は総代会の議事録の謄本
　　イ　当該振興事業の実施状況を記載した書面
　　ウ　当該変更に伴い様式第1の8イ又は同オの内容に変更があった場合には、その変更に係る書類

様式第3

平成　　年度における振興事業の実施状況報告

平成　　年　　月　　日

都道府県知事　　殿

住　　所
名称及び代表者氏名　　　　印

　平成　　年　　月　　日付けで認定を受けた振興計画の平成　　年度の実施状況について、生活衛生関係営業の運営の適正化及び振興に関する法律第56条の3第4項の規定に基づき、下記のとおり報告します。

記

1　振興計画に基づく振興事業実施状況

事　業　名	計　　画	実　　績

（注）ア　計画及び実績は、事業の内容、設備等の設置等について簡潔に記載すること。
　　　イ　当該報告年度分のみ作成すること。

2　振興事業を実施した借入資金の額及び調達方法の状況

（単位：万円）

事　業　名	施設、設備等の種類	資　金　額	調　達　方　法	
			日本政策金融公庫	その他

（注）ア　施設、設備等の種類は店舗（新築、増築及び改築）、衛生設備、近代化設備、省エネ設備、事業資金（運転資金）とすること。
　　　イ　当該報告年度分のみ作成すること。

第1編　総則

様式第4

○ 振興計画に基づく振興事業の_____年間の実施状況まとめについて

組合名：_____

全体についての自己評価		
		自己評価

事業名	平成 年度～ 年度の振興計画	年度の振興計画	振興計画の実施状況	振興計画に対する実施状況の自己評価	自己評価

【　　／　　】

(注)
1　「事業名」欄は、認定を受けた事業名を記載すること。
2　「平成 年度～ 年度の振興計画」欄は、認定を受けた際の「概要（計画）」欄に記載した概要を記載すること。
3　「振興計画の実施状況」欄は、5年計画の場合は、4年計画の4年目の場合は、5年計画の5年目の実施状況を記載し、5年計画の5年目の場合は、5年間の実施状況を記載すること。
4　「振興計画に対する実施状況の自己評価」欄には、実施状況を踏まえ、自己評価を記載すること。
5　「自己評価」欄には、左欄に記載した自己評価について、次の区分に従ってその記号（A～E）を記載すること。
　A　達成　　B　概ね達成　　C　半分程度達成　　D　一部の事業のみ達成　　E　未実施（未計画）

○環境衛生監視員証を定める省令の施行について

[昭和52年1月18日　環企第3号
各都道府県知事・各政令市市長・各特別区区長宛　厚
生省環境衛生局長通知]

　環境衛生監視員証を定める省令(以下「新省令」という。)が別添のとおり、昭和52年1月18日厚生省令第1号をもって公布され、昭和52年4月1日から施行されることになったが、その内容は、下記のとおりであるので、御留意の上、新省令の施行に遺憾なきを期されたく通知する。

記

第1　制定の趣旨及び内容
　1　理容師法(昭和22年法律第234号)、墓地、埋葬等に関する法律(昭和23年法律第137号)、旅館業法(昭和23年法律第138号)、公衆浴場法(昭和23年法律第139号)、へい獣処理場等に関する法律(昭和23年法律第140号)、クリーニング業法(昭和25年法律第207号)及び美容師法(昭和32年法律第163号)の施行事務に携わる各都道府県、政令市及び特別区の職員のうち各法に基づき環境衛生監視員として職務を行う者についての身分を示す証票は、旅館業法施行規則等の規定に基づく環境衛生監視員の身分を示す証票等を定める省令(昭和25年厚生省令第44号。以下「旧省令」という。)により、各法の環境衛生監視員ごとにその身分を示す証票が定められていたところであるが、これらの者が2以上の法に基づく環境衛生監視を兼務する場合が多い実情等にかんがみ、各法の環境衛生監視員の身分を示す証票及び未制定であった建築物における衛生的環境の確保に関する法律(昭和45年法律第20号)の環境衛生監視員の身分を示す証明書を統一し、新たな環境衛生監視員証を定めたこと。
　2　旧省令において定められていた環境衛生監視員き章及び環境衛生監視員手帳並びに興行場立入証の様式は新省令においては定めないものとし、これに伴い、各法の施行規則の該当規定を整備したこと。
第2　運用上の留意事項
　1　環境衛生監視員証の表面下段の表は、環境衛生監視員証を所持する者が各法のいずれに基づき環境衛生監視員としての職務を行う者であるかを明確にするために設けられたものであり、環境衛生監視員証の交付に当たっては同表の法律の名称の項のうち所属庁証明印の欄に捺印のない法律の名称の項は斜線等で抹消するものとすること。
　2　環境衛生監視員証の有効期間は1年間であるので、有効期間が経過した場合は、当該環境衛生監視員証を所持する者にその返還を求め、不祥事の発生することのなきを期すること。
　　なお、旧省令による環境衛生監視員証であって、昭和51年4月2日以降に交付したものは、新省令の施行の際においては有効期間を経過していないが、これらについてもその返還を求め、新省令施行後は、旧省令による環境衛生監視員証が使用されることのなきを期すること。

別添　略

第1編　総則

○元号の表記の整理のための厚生労働省関係省令の一部を改正する省令の施行等について

［令和元年5月7日　薬生衛発0507第1号
各都道府県衛生主管部（局）長宛　厚生労働省医薬・生活衛生局生活衛生課長通知］

　元号を改める政令（平成31年政令第143号）が平成31年4月1日に公布され、令和元年5月1日から施行されたことに伴い、元号の表記の整理のための厚生労働省関係省令の一部を改正する省令（令和元年厚生労働省令第1号。以下「改正省令」という。）が同年5月7日に公布され、同日施行されました。

　このうち、当課所管の省令の改正の概要等は下記の通りですので、当該事項について御了知いただくとともに、それぞれの事項について、適切に対応方御配慮いただきますようお願いいたします。

記

第1　当局関連の省令の改正の概要
　　改元に伴い、次に掲げる厚生労働省令により定められた様式中の「平成」の語句を「令和」に改める等必要な改正を行ったものであること。
　(1)　生活衛生関係営業の運営の適正化及び振興に関する法律施行規則（昭和32年厚生省令第37号）　改正省令第7条第9号関係
　(2)　環境衛生監視員証を定める省令（昭和52年厚生省令第1号）　改正省令第7条第23号関係
　(3)　墓地、埋葬等に関する法律施行規則（昭和23年厚生省令第24号）　改正省令第8条第1号関係
　(4)　クリーニング業法施行規則（昭和25年厚生省令第35号）　改正省令第8条第2号関係
　(5)　理容師法施行規則（平成10年厚生省令第4号）　改正省令第70条関係
　(6)　美容師法施行規則（平成10年厚生省令第7号）　改正省令第71条関係

第2　改正省令の附則の概要
　1　改正省令の施行の際、改正前の様式により使用されている書類は、改正後の様式によるものとみなすこととしたこと（附則第2条第1項関係）
　2　改正省令の施行の際、現にある旧様式による用紙については、合理的に必要と認められる範囲内で、当分の間、これを取り繕って使用することができることとしたこと（附則第2条第2項関係）

第3　当局関連通知等により定められた様式の取扱い
　　今回の省令改正にあわせ、これまで当課からお示しした通知等により定められた様式については、改正省令による様式の改正等に準じて様式の変更等が行われたものとみなして取扱うものとすること。

(参考1) 改元に伴う元号による年表示の取扱いについて（平成31年4月1日新元号への円滑な移行に向けた関係省庁連絡会議申合せ）
(参考2) 改元に伴う元号による年表示の取扱いについて（平成31年4月2日閣議内閣官房長官発言要旨）

○不正競争防止法等の一部を改正する法律の施行に伴う厚生労働省関係省令の整備に関する省令の公布について

令和元年6月28日　薬生衛発0628第1号
各都道府県衛生主管部(局)長宛　厚生労働省医薬・生活衛生局生活衛生課長通知

　不正競争防止法等の一部を改正する法律（平成30年法律第33号）が平成30年5月30日に公布され、令和元年7月1日から施行されることに伴い、不正競争防止法等の一部を改正する法律の施行に伴う厚生労働省関係省令の整備に関する省令（令和元年厚生労働省令第20号。以下「改正省令」という。）が本日公布され、本年7月1日より施行されることとなりました。
　このうち、当課所管の省令の改正の概要等は下記の通りですので、当該事項について御了知いただくとともに、それぞれの事項について、適切に対応方御配慮いただきますようお願いいたします。

記

第1　当課関連の省令の改正の概要
　改正省令の施行に伴い、以下の省令の様式中の「日本工業規格」を削る等必要な改正を行ったものであること。
　(1)　環境衛生監視員証を定める省令（昭和52年厚生省令第1号）　改正省令第1条第17号関係
　(2)　クリーニング業法施行規則（昭和25年厚生省令第35号）　改正省令第10条関係
　(3)　生活衛生関係営業の運営の適正化及び振興に関する法律施行規則（昭和32年厚生省令第37号）　改正省令第20条関係
　(4)　建築物における衛生的環境の確保に関する法律施行規則（昭和46年厚生省令第2号）　改正省令第40条関係
　(5)　理容師法に基づく指定試験機関及び指定登録機関に関する省令（平成10年厚生省令第6号）　改正省令第49条関係
　(6)　美容師法に基づく指定試験機関及び指定登録機関に関する省令（平成10年厚生省令第9号）　改正省令第50条関係
第2　改正省令の附則の概要
　1　改正省令は令和元年7月1日から施行すること（附則第1条関係）

第1編　総則

2　改正省令の施行の際、改正前の様式により使用されている書類は、改正後の様式によるものとみなすこととしたこと（附則第2条第1項関係）
3　改正省令の施行の際、現にある旧様式による用紙については、当分の間、これを取り繕って使用することができることとしたこと（附則第2条第2項関係）

○押印を求める手続の見直し等のための厚生労働省関係省令の一部を改正する省令の施行等について（生活衛生・食品安全関係）

〔令和2年12月25日　生食発1225第8号
各都道府県知事・各市市長・各特別区区長宛　厚生労働省大臣官房生活衛生・食品安全審議官通知〕

　押印を求める手続の見直し等のための厚生労働省関係省令の一部を改正する省令（令和2年厚生労働省令第208号。以下「改正省令」という。）が本日別添のとおり、公布・施行されることとなりました。
　改正省令の内容等は下記のとおりですので、その内容につき十分御了知の上、適切な対応をお願いいたします。
　なお、本通知は、地方自治法（昭和22年法律第67号）第245条の4第1項に基づく技術的な助言であることを申し添えます。

記

第1　改正省令の趣旨
　「行政手続における書面主義、押印原則、対面主義の見直しについて（再検討依頼）」（令和2年5月22日規制改革推進会議長依頼）において、真に必要な場合を除き、押印を廃止することが求められている。
　また、令和2年7月に閣議決定された「規制改革実施計画」（令和2年7月17日閣議決定）において、原則として全ての見直し対象手続（法令等又は慣行により、国民や事業者等に対して紙の書面の作成・提出等を求めているもの、押印を求めているもの、又は対面での手続を求めているものをいう。）について、「恒久的な制度的対応として、年内に、規制改革推進会議が提示する基準に照らして順次、必要な検討を行い、法令、告示、通達等の改正やオンライン化を行う」こととされている。
　これを踏まえ、厚生労働省が所管する省令において、国民や事業者等に対して押印等を求めている手続について、当該押印等を不要とする改正を行うもの。
第2　改正省令の概要
　次に掲げる省令等において、国民や事業者等に対して、押印等を求めている手続について、様式中の押印欄を削除する等、押印等を不要とするための規定の見直しを行うもの。
　⑴　食品衛生法施行規則（昭和23年厚生省令第23号）（改正省令第6条関係）

(2) 墓地、埋葬等に関する法律施行規則（昭和23年厚生省令第24号）（改正省令第7条関係）
(3) 生活衛生関係営業の運営の適正化及び振興に関する法律施行規則（昭和32年厚生省令第37号）（改正省令第14条の4関係）
(4) 水道法施行規則（昭和32年厚生省令第45号）（改正省令第27条関係）
(5) 食鳥処理の事業の規制及び食鳥検査に関する法律施行規則（平成2年厚生省令第40号）（改正省令第14条の7関係）
(6) 水道法施行規則の一部を改正する省令（平成8年厚生省令第69号）（改正省令第90条関係）

第3 施行期日等
 1 施行期日
   改正省令は、令和2年12月25日から施行すること。
 2 経過措置
  (1) 改正省令の施行の際現にある改正省令による改正前の様式（以下「旧様式」という。）により使用されている書類は、改正省令による改正後の様式によるものとみなすこととすること。（改正省令附則第2条第1項関係）
  (2) 改正省令の施行の際現にある旧様式による用紙については、当分の間、これを取り繕って使用することができることとすること。（改正省令附則第2条第2項関係）

第4 関連通知等により定められた様式等について
   今回の省令改正にあわせ、これまで医薬・生活衛生局からお示しした通知等により定められた申請書等の様式については、今回の省令改正の趣旨等に準じて様式の変更等が行われたものとみなして取扱うものとすること。
   また、当局が所管する法令に基づく申請書等であって、通知等で様式が定められていないものの慣習的に押印等がなされていたものについても、同様の趣旨等に鑑み押印等を不要とすること。

別添　略

○会社法の一部を改正する法律の施行に伴う関係法律の整備等に関する法律の施行等について（生活衛生関係営業の運営の適正化及び振興に関する法律関係）

〔令和3年2月3日　生食発0203第7号
各都道府県知事宛　厚生労働省大臣官房生活衛生・食品安全審議官通知〕

　令和元年12月11日に公布された会社法の一部を改正する法律の施行に伴う関係法律の整備等に関する法律（令和元年法律第71号。以下「会社法整備法」という。）により、生活衛生関係営業の運営の適正化及び振興に関する法律（昭和32年法律第164号。以下「法」という。）の一部が改正され、会社法の一部を改正する法律（令和元年法律第70号。以下「会社法改正法」という。）と併せて、令和3年3月1日から施行されることとなった。

　また、これに伴い、本日公布された会社法の一部を改正する法律及び会社法の一部を改正する法律の施行に伴う関係法律の整備等に関する法律の施行に伴う厚生労働省関係省令の整備等に関する省令（令和3年厚生労働省令第23号）により、生活衛生関係営業の運営の適正化及び振興に関する法律施行規則（昭和32年厚生省令第37号。以下「規則」という。）の一部が改正され、令和3年3月1日から施行されることとなったところである。

　改正の内容等は下記のとおりであるので、御了知の上、貴管下の生活衛生同業組合（法に基づく生活衛生同業組合。以下「組合」という。）及び都道府県生活衛生営業指導センター（法に基づく都道府県生活衛生営業指導センターをいう。）に対し、周知を図るとともに、その実施に遺漏なきを期されたい。

　なお、本通知は、地方自治法（昭和22年法律第67号）第245条の4第1項に基づく技術的な助言である。

記

第1　改正の趣旨

　　組合について、会社法改正法による改正後の会社法（平成17年法律第87号）と同様に、役員がその職務の執行に関して生じた第三者への損害賠償等に関する費用等を組合が補償する契約及び役員のために締結される保険契約について必要な規定を設けるものであること。

第2　法改正の内容

　1　補償契約（法第34条の2関係）

　(1)　組合が、役員に対して次に掲げる費用等の全部又は一部を当該組合が補償することを約する契約（以下「補償契約」という。）の内容の決定をするには、理事会の決議によらなければならないこと。

　　①　当該役員が、その職務の執行に関し、法令の規定に違反したことが疑われ、又

は責任の追及に係る請求を受けたことに対処するために支出する費用
　　② 当該役員が、その職務の執行に関し、第三者に生じた損害を賠償する責任を負う場合における次に掲げる損失
　　　ア 当該損害を当該役員が賠償することにより生ずる損失
　　　イ 当該損害の賠償に関する紛争について当事者間に和解が成立したときは、当該役員が当該和解に基づく金銭を支払うことにより生ずる損失
　(2) 組合は、補償契約を締結している場合であっても、当該補償契約に基づき、次に掲げる費用等を補償することができないものとすること。
　　① (1)①に掲げる費用のうち通常要する費用の額を超える部分
　　② 組合が(1)②の損害を賠償するとすれば、当該役員が組合に対して法第34条第１項（第39条において準用する場合を含む。）の責任を負う場合には、(1)②に掲げる損失のうち当該責任に係る部分
　　③ 役員がその職務を行うにつき悪意又は重大な過失があったことにより(1)②の責任を負う場合には、(1)②に掲げる損失の全部
　(3) 補償契約に基づき(1)①に掲げる費用を補償した組合が、当該役員が自己若しくは第三者の不正な利益を図り、又は組合に損害を加える目的で(1)①の職務を執行したことを知ったときは、当該役員に対し、補償した金額に相当する金銭を返還することを請求することができるものとすること。
　(4) 補償契約に基づく補償をした理事及び当該補償を受けた理事は、遅滞なく、当該補償についての重要な事実を理事会に報告しなければならないものとすること。
　(5) 組合と理事の契約一般について定めた法第33条の規定は、補償契約については、法第34条の２で新たに規定することから、適用しないこととすること。
　(6) 民法（明治29年法律第89号）第108条の規定（同一の法律行為については、相手方の代理人となり、又は当事者双方の代理人となることはできないとする規定）は、(1)の決議によってその内容が定められた(5)の組合と理事との間の補償契約の締結については、適用しないものとすること。
２　役員のために締結される保険契約（法第34条の３関係）
　(1) 組合が、役員がその職務の執行に関し責任を負うこと又は当該責任の追及に係る請求を受けることによって生ずることのある損害を塡補することを約する保険契約であって、役員を被保険者とするもの（第３の２に掲げるものを除く。以下「役員賠償責任保険契約」という。）の内容の決定をするには、理事会の決議によらなければならないものとすること。
　(2) 法第33条の規定は、組合が保険者との間で締結する保険契約のうち役員がその職務の執行に関し責任を負うこと又は当該責任の追及に係る請求を受けることによって生ずることのある損害を塡補することを約するものであって、理事を被保険者とするものの締結については、適用しないこと。
　(3) 民法第108条の規定は、(2)の保険契約の締結については、適用しないこと。ただし、当該契約が役員賠償責任保険契約である場合には、(1)の決議によってその内容

第1編　総則

　　　が定められたときに限ること。
　3　その他、1及び2の規定については、会社法整備法の施行日（令和3年3月1日）以降に締結された契約に適用する旨の経過措置を設けるほか（会社法整備法第76条）、所要の改正を行うこと。
第3　規則改正の内容
　1　理事会の議事録（規則第5条の17関係）
　　　補償契約に基づく補償をした理事及び当該補償を受けた理事は、遅滞なく、当該補償についての重要な事実を理事会に報告しなければならないとしているところ（法第34条の2第4項）、理事会において当該補償について述べられた発言があるときは、その発言の概要を理事会の議事録の内容に含めること。
　2　役員賠償責任保険契約（規則第5条の18関係）
　　　「当該保険契約を締結することにより被保険者である役員の職務の執行の適正性が著しく損なわれるおそれがないものとして厚生労働省令で定めるもの」（法第34条の3第1項）として役員賠償責任保険契約から除くこととされている契約については、次に掲げるものとすること。
　　⑴　被保険者に保険者との間で保険契約を締結する組合を含む保険契約であって、当該組合がその業務に関連し第三者に生じた損害を賠償する責任を負うこと又は当該責任の追及に係る請求を受けることによって当該組合に生ずることのある損害を保険者が填補することを主たる目的として締結されるもの（例：いわゆる生産物賠償責任保険（ＰＬ保険）、企業総合賠償責任保険（ＣＧＬ保険））
　　⑵　役員が第三者に生じた損害を賠償する責任を負うこと又は当該責任の追及に係る請求を受けることによって当該役員に生ずることのある損害（役員がその職務上の義務に違反し若しくは職務を怠ったことによって第三者に生じた損害を賠償する責任を負うこと又は当該責任の追及に係る請求を受けることによって当該役員に生ずることのある損害を除く。）を保険者が填補することを目的として締結されるもの（例：いわゆる自動車賠償責任保険、海外旅行保険）
　3　その他所要の改正を行うこと。
第4　施行期日について
　　　令和3年3月1日から施行すること。

第2編

理容師・美容師

第二部

戦争期の美容師

I 法令編

第1章 理容師法関係

●理 容 師 法

〔昭和22年12月24日〕
〔法 律 第 234号〕

〔一部改正経過〕

第1次	〔昭和23年7月20日法律第181号「理容師法の一部を改正する法律」による改正
第2次	〔昭和25年3月28日法律第26号「性病予防法等の一部を改正する法律」第9条による改正
第3次	〔昭和25年3月31日法律第34号「審議会等の整理に伴う厚生省設置法等の一部を改正する法律」第4条による改正
第4次	〔昭和26年6月30日法律第251号「理容師法の一部を改正する法律」による改正
第5次	〔昭和28年6月30日法律第49号「理容師美容師法の一部を改正する法律」による改正
第6次	〔昭和28年8月15日法律第213号「地方自治法の一部を改正する法律の施行に伴う関係法令の整理に関する法律」第21条による改正
第7次	〔昭和29年6月1日法律第136号「厚生省関係法令の整理に関する法律」第7条による改正
第8次	〔昭和30年8月5日法律第126号「理容師美容師法の一部を改正する法律」による改正
第9次	〔昭和32年6月3日法律第163号「美容師法」附則第12項による改正
第10次	〔昭和37年9月15日法律第161号「行政不服審査法の施行に伴う関係法律の整理等に関する法律」第82条による改正
第11次	〔昭和43年6月10日法律第96号「理容師法及び美容師法の一部を改正する法律」第1条による改正
第12次	〔昭和46年12月27日法律第128号「理容師法及び美容師法の一部を改正する法律の一部を改正する法律」による改正
第13次	〔昭和53年5月23日法律第54号「許可、認可等の整理に関する法律」第18条による改正
第14次	〔昭和58年12月10日法律第83号「行政事務の簡素合理化及び整理に関する法律」第15条による改正
第15次	〔昭和60年7月12日法律第90号「地方公共団体の事務に係る国の関与等の整理、合理化等に関する法律」第17条による改正
第16次	〔平成6年7月1日法律第84号「地域保健対策強化のための関係法律の整備に関する法律」第23条・附則第24条による改正
第17次	〔平成5年11月12日法律第89号「行政手続法の施行に伴う関係法律の整備に関する法律」第89条による改正
第18次	〔平成8年6月26日法律第107号「民間活動に係る規制の改善及び行政事務の合理化のための厚生省関係法律の一部を改正する法律」第3条による改正
第19次	〔平成7年6月16日法律第109号「理容師法及び美容師法の一部を改正する法律」第1条による改正
第20次	〔平成11年7月16日法律第87号「地方分権の推進を図るための関係法律の整備等に関する法律」第152条による改正
第21次	〔平成11年12月22日法律第160号「中央省庁等改革関係法施行法」第598・757号による改正
第22次	〔平成12年5月31日法律第91号「商法等の一部を改正する法律の施行に伴う関係法律の整備に関する法律」第12条による改正
第23次	〔平成13年6月29日法律第87号「障害者等に係る欠格事由の適正化等を図るための医師法等の一部を改正する法律」第3条による改正
第24次	〔平成19年6月27日法律第96号「学校教育法等の一部を改正する法律」附則第2・6条による改正
第25次	〔平成18年6月2日法律第50号「一般社団法人及び一般財団法人に関する法律及び公益社団法人及び公益財団法人の認定等に関する法律の施行に伴う関係法律の整備等に関する法律」第280条による改正
第26次	〔平成23年6月24日法律第74号「情報処理の高度化等に対処するための刑法等の一部を改正する法律」附則第35条(平成29年6月法律第67号により一部改正)による改正
第27次	〔平成23年8月30日法律第105号「地域の自主性及び自立性を高めるための改革の推進を図るための関係法律の整備に関する法律」第23条(平成23年6月法律第70号・同年12月法律第122号により一部改正)による改正
第28次	〔平成26年6月4日法律第51号「地域の自主性及び自立性を高めるための改革の推進を図るための関係法律の整備に関する法律」第13条(平成27年7月法律第56号により一部改正)による改正

第29次　平成26年6月13日法律第69号「行政不服審査法の施行に伴う関係法律の整備等に関する法律」第124条による改正
第30次　令和5年6月14日法律第52号「生活衛生関係営業等の事業活動の継続に資する環境の整備を図るための旅館業法等の一部を改正する法律」第3条による改正
注　令和4年6月17日法律第68号「刑法等の一部を改正する法律の施行に伴う関係法律の整理等に関する法律」第221条（令和5年5月法律第28号により一部改正）による改正は未施行につき〔参考〕として150頁以降に収載（令和7年6月1日施行）

理容師法

題名＝改正（第4・9次改正）

〔目的〕

第1条　この法律は、理容師の資格を定めるとともに、理容の業務が適正に行われるように規律し、もつて公衆衛生の向上に資することを目的とする。

〔改正〕

追加（第19次改正）

〔定義〕

第1条の2　この法律で理容とは、頭髪の刈込、顔そり等の方法により、容姿を整えることをいう。
② この法律で理容師とは、理容を業とする者をいう。
③ この法律で、理容所とは、理容の業を行うために設けられた施設をいう。

〔改正〕

一部改正（第4・9次改正）、旧第1条を本条に繰下（第19次改正）

〔免許〕

第2条　理容師試験に合格した者は、厚生労働大臣の免許を受けて理容師になることができる。

〔改正〕

全部改正（第15次改正）、一部改正（第19・21次改正）

〔参照条文〕

「免許」の特例＝第19次改正附則6　「免許」の申請手続＝規則1　「免許」申請の際の登録免許税の納付＝規則8 I

〔理容師試験〕

第3条　理容師試験は、理容師として必要な知識及び技能について行う。
② 理容師試験は、厚生労働大臣が行う。
③ 理容師試験は、学校教育法（昭和22年法律第26号）第90条に規定する者であつて、都道府県知事の指定した理容師養成施設において厚生労働省令で定める期間以上理容師になるのに必要な知識及び技能を修得したものでなければ受けることができない。
④ 前3項に定めるもののほか、理容師試験及び理容師養成施設に関して必要な事項は、厚生労働省令で定める。

〔改正〕

全部改正（第15次改正）、一部改正（第19・21・24・28次改正）

〔委任〕

　　　　第3項　「厚生労働省令」＝規則11
　　　　第4項　「厚生労働省令」＝規則12～17の2、平成10年1月厚令第5号「理容師養成施設指定規則」
　〔参照条文〕
　　　　第2項　「試験」事務の委任＝法4の2
　　　　第3項　「理容師試験」の受験資格の特例＝第19次改正附則3・5
第4条　削除（第28次改正）
　〔指定試験機関の指定〕
第4条の2　厚生労働大臣は、その指定する者（以下「指定試験機関」という。）に、理容師試験の実施に関する事務（以下「試験事務」という。）を行わせることができる。
② 　指定試験機関の指定は、試験事務を行おうとする者の申請により行う。
　〔改正〕
　　　　追加（第15次改正）、一部改正（第19・21次改正）
　〔委任〕
　　　　第1項　「厚生労働大臣」の「指定」＝平成12年4月厚令第91号「理容師法第4条の2第1項及び美容師法第4条の2第1項に規定する指定試験機関を指定する省令」
　〔参照条文〕
　　　　第1項　「試験事務」に関する指定試験機関についての適用＝規則18
　　　　第2項　「指定」の申請＝平成10年1月厚令第6号「理容師法に基づく指定試験機関及び指定登録機関に関する省令」1
　〔指定の基準〕
第4条の3　厚生労働大臣は、前条第2項の規定による申請が次の要件を満たしていると認めるときでなければ、同条第1項の規定による指定をしてはならない。
　一　職員、設備、試験事務の実施の方法その他の事項についての試験事務の実施に関する計画が試験事務の適正かつ確実な実施のために適切なものであること。
　二　前号の試験事務の実施に関する計画の適正かつ確実な実施に必要な経理的及び技術的な基礎を有するものであること。
　三　申請者が、試験事務以外の業務を行つている場合には、その業務を行うことによつて試験事務が不公正になるおそれがないこと。
② 　厚生労働大臣は、前条第2項の規定による申請をした者が、次のいずれかに該当するときは、同条第1項の規定による指定をしてはならない。
　一　一般社団法人又は一般財団法人以外の者であること。
　二　第4条の15第1項又は第2項の規定により指定を取り消され、その取消しの日から起算して2年を経過しない者であること。
　三　その役員のうちに、次のいずれかに該当する者があること。
　　イ　この法律に違反して、刑に処せられ、その執行を終わり、又は執行を受けることがなくなつた日から起算して2年を経過しない者
　　ロ　第4条の6第2項の規定による命令により解任され、その解任の日から起算して2年を経過しない者
　〔改正〕
　　　　追加（第15次改正）、一部改正（第21・25次改正）

第2編　理容師・美容師

〔指定の公示等〕
第4条の4　厚生労働大臣は、第4条の2第1項の規定による指定をしたときは、指定試験機関の名称及び主たる事務所の所在地並びに当該指定をした日を公示しなければならない。
②　指定試験機関は、その名称又は主たる事務所の所在地を変更しようとするときは、変更しようとする日の2週間前までに、その旨を厚生労働大臣に届け出なければならない。
③　厚生労働大臣は、前項の規定による届出があつたときは、その旨を公示しなければならない。
〔改正〕
　　　　追加（第15次改正）、一部改正（第21次改正）
〔参照条文〕
　　　　第2項　「名称」等の変更の届出＝平成10年1月厚令第6号「理容師法に基づく指定試験機関及び指定登録機関に関する省令」2
第4条の5　削除（第19次改正）
〔役員の選任及び解任〕
第4条の6　指定試験機関の役員の選任及び解任は、厚生労働大臣の認可を受けなければ、その効力を生じない。
②　厚生労働大臣は、指定試験機関の役員が、この法律（これに基づく命令又は処分を含む。）若しくは第4条の9第1項に規定する試験事務規程に違反する行為をしたとき、又は試験事務に関し著しく不適当な行為をしたときは、指定試験機関に対し、当該役員を解任すべきことを命ずることができる。
〔改正〕
　　　　追加（第15次改正）、一部改正（第21次改正）
〔参照条文〕
　　　　第1項　役員の選任又は解任の認可の申請＝平成10年1月厚令第6号「理容師法に基づく指定試験機関及び指定登録機関に関する省令」3
　　　　第2項　本項の試験委員の解任への準用＝法4の7Ⅳ
〔試験委員〕
第4条の7　指定試験機関は、試験事務のうち、理容師として必要な知識及び技能を有するかどうかの判定に関する事務を行う場合には、試験委員にその事務を行わせなければならない。
②　指定試験機関は、試験委員を選任しようとするときは、厚生労働省令で定める要件を備える者のうちから選任しなければならない。
③　指定試験機関は、試験委員を選任したときは、厚生労働省令で定めるところにより、遅滞なく、その旨を厚生労働大臣に届け出なければならない。試験委員に変更があつたときも、同様とする。
④　前条第2項の規定は、試験委員の解任について準用する。
〔改正〕

追加（第15次改正）、一部改正（第21次改正）

〔委任〕
　第2項　「厚生労働省令」＝平成10年1月厚令第6号「理容師法に基づく指定試験機関及び指定登録機関に関する省令」4
　第3項　「厚生労働省令」＝平成10年1月厚令第6号「理容師法に基づく指定試験機関及び指定登録機関に関する省令」5

〔秘密保持義務等〕
第4条の8　指定試験機関の役員若しくは職員（試験委員を含む。次項において同じ。）又はこれらの職にあつた者は、試験事務に関して知り得た秘密を漏らしてはならない。
② 　試験事務に従事する指定試験機関の役員又は職員は、刑法（明治40年法律第45号）その他の罰則の適用については、法令により公務に従事する職員とみなす。

〔改正〕
　追加（第15次改正）

〔参照条文〕
　第1項　罰則＝法14の4

〔試験事務規程〕
第4条の9　指定試験機関は、試験事務の開始前に、試験事務の実施に関する規程（以下「試験事務規程」という。）を定め、厚生労働大臣の認可を受けなければならない。これを変更しようとするときも、同様とする。
② 　試験事務規程で定めるべき事項は、厚生労働省令で定める。
③ 　厚生労働大臣は、第1項の規定により認可をした試験事務規程が試験事務の適正かつ確実な実施上不適当となつたと認めるときは、指定試験機関に対し、これを変更すべきことを命ずることができる。

〔改正〕
　追加（第15次改正）、一部改正（第19・21次改正）

〔委任〕
　第2項　「厚生労働省令」＝平成10年1月厚令第6号「理容師法に基づく指定試験機関及び指定登録機関に関する省令」7

〔参照条文〕
　第1項　「認可」の申請＝平成10年1月厚令第6号「理容師法に基づく指定試験機関及び指定登録機関に関する省令」6

〔事業計画の認可等〕
第4条の10　指定試験機関は、毎事業年度、事業計画及び収支予算を作成し、当該事業年度の開始前に（第4条の2第1項の規定による指定を受けた日の属する事業年度にあつては、その指定を受けた後遅滞なく）、厚生労働大臣の認可を受けなければならない。これを変更しようとするときも、同様とする。
② 　指定試験機関は、毎事業年度、事業報告書及び収支決算書を作成し、当該事業年度の終了後3月以内に、厚生労働大臣に提出しなければならない。

〔改正〕
　追加（第15次改正）、一部改正（第19・21次改正）

〔参照条文〕
　　　第1項　「認可」の申請＝平成10年1月厚令第6号「理容師法に基づく指定試験機関及び指定登録機関に関する省令」8

〔帳簿の備付け〕

第4条の11　指定試験機関は、厚生労働省令で定めるところにより、試験事務に関する事項で厚生労働省令で定めるものを記載した帳簿を備え、これを保存しなければならない。

〔改正〕
　　　追加（第15次改正）、一部改正（第21次改正）

〔委任〕
　　　「厚生労働省令」＝平成10年1月厚令第6号「理容師法に基づく指定試験機関及び指定登録機関に関する省令」9

〔参照条文〕
　　　罰則＝法14の6一

〔監督命令〕

第4条の12　厚生労働大臣は、試験事務の適正な実施を確保するため必要があると認めるときは、指定試験機関に対し、試験事務に関し監督上必要な命令をすることができる。

〔改正〕
　　　追加（第15次改正）、一部改正（第19・21次改正）

〔報告、検査等〕

第4条の13　厚生労働大臣は、試験事務の適正な実施を確保するため必要があると認めるときは、指定試験機関に対し、試験事務の状況に関し必要な報告を求め、又はその職員に、指定試験機関の事務所に立ち入り、試験事務の状況若しくは設備、帳簿、書類その他の物件を検査させることができる。

②　前項の規定により立入検査を行う職員は、その身分を示す証明書を携帯し、関係者の請求があつたときは、これを提示しなければならない。

③　第1項の規定による権限は、犯罪捜査のために認められたものと解してはならない。

〔改正〕
　　　追加（第15次改正）、一部改正（第19・21次改正）

〔参照条文〕
　　　第1項　罰則＝法14の6二
　　　第2・3項　本項の理容所への立入検査への準用＝法13

〔試験事務の休廃止〕

第4条の14　指定試験機関は、厚生労働大臣の許可を受けなければ、試験事務の全部又は一部を休止し、又は廃止してはならない。

②　厚生労働大臣は、指定試験機関の試験事務の全部又は一部の休止又は廃止により試験事務の適正かつ確実な実施が損なわれるおそれがないと認めるときでなければ、前項の規定による許可をしてはならない。

③　厚生労働大臣は、第1項の規定による許可をしたときは、その旨を公示しなければならない。

〔改正〕
　　　追加（第15次改正）、一部改正（第19・21次改正）
〔参照条文〕
　　　第1項　「試験事務」の休廃止の許可の申請＝平成10年1月厚令第6号「理容師法に基づく指定試験機関及び指定登録機関に関する省令」11　罰則＝法14の6 三

〔指定の取消し等〕
第4条の15　厚生労働大臣は、指定試験機関が第4条の3第2項第1号又は第3号に該当するに至つたときは、その指定を取り消さなければならない。
②　厚生労働大臣は、指定試験機関が次のいずれかに該当するときは、その指定を取り消し、又は期間を定めて試験事務の全部若しくは一部の停止を命ずることができる。
　一　第4条の3第1項各号の要件を満たさなくなつたと認められるとき。
　二　第4条の6第2項（第4条の7第4項において準用する場合を含む。）、第4条の9第3項又は第4条の12の規定による命令に違反したとき。
　三　第4条の7第1項、第4条の10、第4条の11又は前条第1項の規定に違反したとき。
　四　第4条の9第1項の規定により認可を受けた試験事務規程によらないで試験事務を行つたとき。
　五　不正な手段により第4条の2第1項の規定による指定を受けたとき。
③　厚生労働大臣は、前2項の規定により指定を取り消し、又は前項の規定により試験事務の全部若しくは一部の停止を命じたときは、その旨を公示しなければならない。
〔改正〕
　　　追加（第15次改正）、一部改正（第17・19・21次改正）
〔参照条文〕
　　　第2項　罰則＝法14の5

〔指定等の条件〕
第4条の16　第4条の2第1項、第4条の6第1項、第4条の9第1項、第4条の10第1項又は第4条の14第1項の規定による指定、認可又は許可には、条件を付し、及びこれを変更することができる。
②　前項の条件は、当該指定、認可又は許可に係る事項の確実な実施を図るため必要な最小限度のものに限り、かつ、当該指定、認可又は許可を受ける者に不当な義務を課することとなるものであつてはならない。
〔改正〕
　　　全部改正（第19次改正）

〔厚生労働大臣による試験事務の実施〕
第4条の17　厚生労働大臣は、指定試験機関の指定をしたときは、試験事務を行わないものとする。
②　厚生労働大臣は、指定試験機関が第4条の14第1項の規定による許可を受けて試験事務の全部若しくは一部を休止したとき、第4条の15第2項の規定により指定試験機関に

対し試験事務の全部若しくは一部の停止を命じたとき、又は指定試験機関が天災その他の事由により試験事務の全部若しくは一部を実施することが困難となつた場合において必要があると認めるときは、当該試験事務の全部又は一部を自ら行うものとする。
③　厚生労働大臣は、前項の規定により試験事務の全部若しくは一部を自ら行うこととするとき、又は自ら行つていた試験事務の全部若しくは一部を行わないこととするときは、その旨を公示しなければならない。
〔改正〕
　　　追加（第15次改正）、一部改正（第19・21次改正）
〔参照条文〕
　　　第2項　「試験事務」の引継ぎ等＝平成10年1月厚令第6号「理容師法に基づく指定試験機関及び指定登録機関に関する省令」12
〔受験手数料〕
第4条の18　理容師試験を受けようとする者は、国（指定試験機関が当該試験に係る試験事務を行う場合にあつては、指定試験機関）に、実費を勘案して政令で定める額の受験手数料を納付しなければならない。
②　前項の規定により指定試験機関に納められた受験手数料は、指定試験機関の収入とする。
〔改正〕
　　　追加（第15次改正）、一部改正（第19次改正）
〔委任〕
　　　第1項　「政令」＝令2
〔厚生労働省令への委任〕
第4条の19　第4条の2から前条までに規定するもののほか、指定試験機関及びその行う試験事務並びに試験事務の引継ぎに関し必要な事項は、厚生労働省令で定める。
〔改正〕
　　　追加（第15次改正）、一部改正（第19・21次改正）
〔委任〕
　　　「厚生労働省令」＝平成10年1月厚令第6号「理容師法に基づく指定試験機関及び指定登録機関に関する省令」
〔理容師名簿〕
第5条　厚生労働省に理容師名簿を備え、理容師の免許に関する事項を登録する。
〔改正〕
　　　一部改正（第4・6・9・19・21次改正）
〔登録及び免許証の交付〕
第5条の2　理容師の免許は、理容師試験に合格した者の申請により、理容師名簿に登録することによつて行う。
②　厚生労働大臣は、理容師の免許を与えたときは、理容師免許証を交付する。
〔改正〕
　　　追加（第19次改正）、一部改正（第21・23次改正）

〔指定登録機関の指定〕
第5条の3　厚生労働大臣は、その指定する者（以下「指定登録機関」という。）に、理容師の登録の実施等に関する事務（以下「登録事務」という。）を行わせることができる。
②　指定登録機関の指定は、登録事務を行おうとする者の申請により行う。
〔**改正**〕
　　　　追加（第19次改正）、一部改正（第21次改正）
〔**委任**〕
　　　第1項　「厚生労働大臣」の「指定」＝平成10年4月厚告第140号（理容師法第5条の3第1項及び美容師法第5条の3第1項の規定に基づく指定登録機関の指定）
〔**参照条文**〕
　　　「登録事務」に関する指定登録機関についての適用＝規則9　　「指定登録機関」の「登録事務」に対する不服申立て＝法17の2

〔指定登録機関が登録事務を行う場合の規定の適用等〕
第5条の4　指定登録機関が登録事務を行う場合における第5条及び第5条の2第2項の規定の適用については、第5条中「厚生労働省」とあるのは「指定登録機関」と、第5条の2第2項中「厚生労働大臣」とあるのは「指定登録機関」と、「理容師の免許を与えたときは、理容師免許証」とあるのは「前項の規定による登録をしたときは、当該登録に係る者に理容師免許証明書」とする。
②　指定登録機関が登録事務を行う場合において、理容師の登録又は理容師免許証若しくは理容師免許証明書の記載事項の変更若しくは再交付を受けようとする者は、実費を勘案して政令で定める額の手数料を指定登録機関に納付しなければならない。
③　前項の規定により指定登録機関に納められた手数料は、指定登録機関の収入とする。
〔**改正**〕
　　　　追加（第19次改正）、一部改正（第21次改正）
〔**委任**〕
　　　第2項　「政令」＝令3

〔準用〕
第5条の5　第4条の3、第4条の4、第4条の6及び第4条の8から第4条の17までの規定は、指定登録機関について準用する。この場合において、これらの規定中「試験事務」とあるのは「登録事務」と、「試験事務規程」とあるのは「登録事務規程」と、第4条の3中「前条第2項」とあるのは「第5条の3第2項」と、第4条の4第1項、第4条の10第1項、第4条の15第2項第5号及び第4条の16第1項中「第4条の2第1項」とあるのは「第5条の3第1項」と、第4条の8第1項中「職員（試験委員を含む。次項において同じ。）」とあるのは「職員」と、第4条の15第2項第2号中「第4条の6第2項（第4条の7第4項において準用する場合を含む。）」とあるのは「第4条の6第2項」と、同項第3号中「第4条の7第1項、第4条の10」とあるのは「第4条の10」と読み替えるものとする。
〔**改正**〕

追加(第19次改正)

〔参照条文〕

登録事務規程の記載事項＝平成10年1月厚令第6号「理容師法に基づく指定試験機関及び指定登録機関に関する省令」13　指定登録機関における帳簿の備え付け＝平成10年1月厚令第6号「理容師法に基づく指定試験機関及び指定登録機関に関する省令」14

〔厚生労働省令への委任〕

第5条の6　第2条及び第5条から前条までに規定するもののほか、理容師の免許、理容師名簿の登録、理容師免許証、理容師免許証明書並びに指定登録機関及びその行う登録事務並びに登録事務の引継ぎに関し必要な事項は、厚生労働省令で定める。

〔改正〕

追加(第19次改正)、一部改正(第21次改正)

〔委任〕

「厚生労働省令」＝平成10年1月厚令第4号「理容師法施行規則」、平成10年1月厚令第6号「理容師法に基づく指定試験機関及び指定登録機関に関する省令」

〔無免許営業の禁止〕

第6条　理容師の免許を受けた者でなければ、理容を業としてはならない。

〔改正〕

一部改正(第4・9次改正)

〔参照条文〕

罰則＝法15一

〔営業の場所の制限〕

第6条の2　理容師は、理容所以外において、その業をしてはならない。但し、政令で定めるところにより、特別の事情がある場合には、理容所以外の場所においてその業を行うことができる。

〔改正〕

追加(第4次改正)、一部改正(第6・9次改正)

〔委任〕

「政令」＝令4

〔欠格事由〕

第7条　理容師の免許は、次のいずれかに該当する者には、与えないことがある。

一　心身の障害により理容師の業務を適正に行うことができない者として厚生労働省令で定めるもの

二　第6条の規定に違反した者

三　第10条第3項の規定による免許の取消処分を受けた者

〔改正〕

全部改正(第19次改正)、一部改正(第23次改正)

〔委任〕

第1号の「厚生労働省令」＝規則1の2

〔意見の聴取〕

第8条 厚生労働大臣は、理容師の免許を申請した者について、前条第1号に掲げる者に該当すると認め、同条の規定により理容師の免許を与えないこととするときは、あらかじめ、当該申請者にその旨を通知し、その求めがあつたときは、厚生労働大臣の指定する職員にその意見を聴取させなければならない。

〔改正〕
　　　追加（第23次改正）

〔理容の業を行う場合に講ずべき措置〕

第9条 理容師は、理容の業を行うときは、次に掲げる措置を講じなければならない。
一　皮ふに接する布片及び器具は、これを清潔に保つこと。
二　皮ふに接する布片は、客1人ごとにこれを取りかえ、皮ふに接する器具は、客1人ごとにこれを消毒すること。
三　その他都道府県が条例で定める衛生上必要な措置

〔改正〕
　　　一部改正（第4・9・20・23次改正）、旧第9条を削り、旧第8条を本条に繰下（第23次改正）

〔参照条文〕
　　　第1・2号の「器具」＝規則24　第2号の「消毒」の方法＝規則25
　　　立入検査＝法13

〔免許の取消し及び業務の停止〕

第10条 厚生労働大臣は、理容師が第7条第1号に掲げる者に該当するときは、その免許を取り消すことができる。

② 都道府県知事は、理容師が第6条の2若しくは前条の規定に違反したとき、又は理容師が伝染性の疾病にかかり、その就業が公衆衛生上不適当と認めるときは、期間を定めてその業務を停止することができる。

③ 厚生労働大臣は、理容師が前項の規定による業務の停止処分に違反したときは、その免許を取り消すことができる。

④ 第1項又は前項の規定による取消処分を受けた者であつても、その者がその取消しの理由となつた事項に該当しなくなつたとき、その他その後の事情により再び免許を与えるのが適当であると認められるに至つたときは、再免許を与えることができる。

〔改正〕
　　　全部改正（第9次改正）、一部改正（第14・19～21・23次改正）

〔参照条文〕
　　　「免許」取消による「免許」証等の返納＝規則7Ⅱ　業務停止による「免許」証等の提出＝規則7Ⅲ　「免許」の取消し等の処分の通知＝平成10年1月厚令第6号「理容師法に基づく指定試験機関及び指定登録機関に関する省令」18

〔理容所の開設、変更の届出〕

第11条 理容所を開設しようとする者は、厚生労働省令の定めるところにより、理容所の位置、構造設備、第11条の4第1項に規定する管理理容師その他の従業者の氏名その他必要な事項をあらかじめ都道府県知事に届け出なければならない。

② 理容所の開設者は、前項の規定による届出事項に変更を生じたとき、又はその理容所

を廃止したときは、すみやかに都道府県知事に届け出なければならない。
　〔改正〕
　　　全部改正（第4次改正）、一部改正（第8・9・11・18・21次改正）
　〔委任〕
　　　第1項　「厚生労働省令」＝規則19
　〔参照条文〕
　　　第2項　「変更」の届出＝規則20
　　　罰則＝法15二・16
　〔理容所の使用〕
第11条の2　前条第1項の届出をした理容所の開設者は、その構造設備について都道府県知事の検査を受け、その構造設備が第12条の措置を講ずるに適する旨の確認を受けた後でなければ、これを使用してはならない。
　〔改正〕
　　　追加（第8次改正）、一部改正（第9・11次改正）
　〔参照条文〕
　　　罰則＝法15三・16
　〔地位の承継〕
第11条の3　第11条第1項の届出をした理容所の開設者が当該営業を譲渡し、又は当該届出をした理容所の開設者について相続、合併若しくは分割（当該営業を承継させるものに限る。）があつたときは、当該営業を譲り受けた者又は相続人（相続人が2人以上ある場合において、その全員の同意により当該営業を承継すべき相続人を選定したときは、その者）、合併後存続する法人若しくは合併により設立された法人若しくは分割により当該営業を承継した法人は、当該届出をした理容所の開設者の地位を承継する。
② 　前項の規定により理容所の開設者の地位を承継した者は、遅滞なく、その事実を証する書面を添えて、その旨を都道府県知事に届け出なければならない。
　〔改正〕
　　　追加（第18次改正）、一部改正（第22・30次改正）
　〔参照条文〕
　　　第2項　地位の承継の届出＝規則20の2～22の2
　〔管理理容師〕
第11条の4　理容師である従業者の数が常時2人以上である理容所の開設者は、当該理容所（当該理容所における理容の業務を含む。）を衛生的に管理させるため、理容所ごとに、管理者（以下「管理理容師」という。）を置かなければならない。ただし、理容所の開設者が第2項の規定により管理理容師となることができる者であるときは、その者が自ら主として管理する一の理容所について管理理容師となることを妨げない。
② 　管理理容師は、理容師の免許を受けた後3年以上理容の業務に従事し、かつ、厚生労働大臣の定める基準に従い都道府県知事が指定した講習会の課程を修了した者でなければならない。

〔改正〕
　　　旧第11条の3として追加（第11次改正）、一部改正（第21次改正）、本条に繰下（第18次改正）
〔委任〕
　　　第2項　「厚生労働大臣の定める」＝規則23
〔参照条文〕
　　　「管理理容師」の届出事項＝規則19・20
〔理容所に必要な措置〕
第12条　理容所の開設者は、理容所につき左に掲げる措置を講じなければならない。
　一　常に清潔を保つこと。
　二　消毒設備を設けること。
　三　採光、照明及び換気を充分にすること。
　四　その他都道府県が条例で定める衛生上必要な措置
〔改正〕
　　　一部改正（第4・9・20次改正）
〔参照条文〕
　　　第1号の「清潔」の保持＝規則26　第3号の「採光、照明及び換気」の実施基準＝規則27
〔立入検査〕
第13条　都道府県知事は、必要があると認めるときは、当該職員に、理容所に立ち入り、第9条又は前条の規定による措置の実施の状況を検査させることができる。
②　第4条の13第2項及び第3項の規定は、前項の規定による立入検査について準用する。
〔改正〕
　　　一部改正（第4・9・15・19・23次改正）
〔参照条文〕
　　　第1項　「職員」＝規則28　罰則＝法15四・16
〔閉鎖命令〕
第14条　都道府県知事は、理容所の開設者が、第11条の4若しくは第12条の規定に違反したとき、又は理容師以外の者若しくは第10条第2項の規定による業務の停止処分を受けている者にその理容所において理容の業を行わせたときは、期間を定めて理容所の閉鎖を命ずることができる。
②　当該理容所において業を行う理容師が第9条の規定に違反したときも、前項と同様とする。ただし、当該理容所の開設者が、理容師の当該違反行為を防止するために相当の注意及び監督を尽くしたときは、この限りでない。
〔改正〕
　　　一部改正（第4・8・9・11・14・18・23次改正）
〔参照条文〕
　　　罰則＝法15五・16
〔理容師の会〕

第2編　理容師・美容師

第14条の2　理容師は、理容の業務に係る技術の向上を図るため、理容師会を組織して、理容師の養成並びに会員の指導及び連絡に資することができる。
②　2以上の理容師会は、理容の業務に係る技術の向上を図るため、連合会を組織して、理容師の養成並びに会員及びその構成員の指導及び連絡に資することができる。
〔改正〕
　　　全部改正（第9次改正）、旧第14条の2を削り、旧第14条の3を本条に繰上（第21次改正）
〔権限の委任〕
第14条の3　この法律に規定する厚生労働大臣の権限は、厚生労働省令で定めるところにより、地方厚生局長に委任することができる。
②　前項の規定により地方厚生局長に委任された権限は、厚生労働省令で定めるところにより、地方厚生支局長に委任することができる。
〔改正〕
　　　追加（第21次改正）
〔経過措置〕
第14条の3の2　この法律の規定に基づき命令を制定し、又は改廃する場合においては、その命令で、その制定又は改廃に伴い合理的に必要と判断される範囲内において、所要の経過措置（罰則に関する経過措置を含む。）を定めることができる。
〔改正〕
　　　追加（第19次改正）
〔罰則〕
第14条の4　第4条の8第1項（第5条の5において準用する場合を含む。）の規定に違反した者は、1年以下の懲役又は100万円以下の罰金に処する。
〔改正〕
　　　追加（第15次改正）、一部改正（第19・23次改正）
第14条の5　第4条の15第2項（第5条の5において準用する場合を含む。）の規定による試験事務又は登録事務の停止の命令に違反したときは、その違反行為をした指定試験機関又は指定登録機関の役員又は職員は、1年以下の懲役又は100万円以下の罰金に処する。
〔改正〕
　　　追加（第15次改正）、一部改正（第19・23次改正）
第14条の6　次の各号のいずれかに該当するときは、その違反行為をした指定試験機関又は指定登録機関の役員又は職員は、30万円以下の罰金に処する。
　一　第4条の11（第5条の5において準用する場合を含む。）の規定に違反して帳簿を備えず、帳簿に記載せず、若しくは帳簿に虚偽の記載をし、又は帳簿を保存しなかつたとき。
　二　第4条の13第1項（第5条の5において準用する場合を含む。）の規定による報告を求められて、報告をせず、若しくは虚偽の報告をし、又はこれらの規定による立入り若しくは検査を拒み、妨げ、若しくは忌避したとき。

三　第４条の14第１項（第５条の５において準用する場合を含む。）の規定による許可を受けないで、試験事務又は登録事務の全部を廃止したとき。
〔改正〕
　　　追加（第15次改正）、一部改正（第19・23次改正）

第15条　次の各号のいずれかに該当する者は、30万円以下の罰金に処する。
一　第６条の規定に違反した者
二　第11条の規定による届出をせず、又は虚偽の届出をした者
三　第11条の２の規定に違反して理容所を使用した者
四　第13条第１項の規定による当該職員の検査を拒み、妨げ、又は忌避した者
五　第14条の規定による理容所の閉鎖処分に違反した者
〔改正〕
　　　全部改正（第23次改正）

第16条　法人の代表者又は法人若しくは人の代理人、使用人その他の従業者が、その法人又は人の業務に関して前条第２号から第５号までの違反行為をしたときは、行為者を罰するほか、その法人又は人に対しても、各本条の刑を科する。
〔改正〕
　　　一部改正（第８・９・23次改正）、旧第16条を削り、旧第17条を本条に繰上（第23次改正）
〔読替規定〕

第17条　地域保健法（昭和22年法律第101号）第５条第１項の規定に基づく政令で定める市又は特別区にあつては、前各条の規定（第３条第３項及び第11条の４第２項を除く。）中「都道府県知事」とあるのは「市長」又は「区長」と、「都道府県」とあるのは「市」又は「特別区」とする。
〔改正〕
　　　全部改正（第27次改正）、一部改正（第28次改正）
〔不服申立て〕

第17条の２　指定試験機関が行う試験事務に係る処分若しくはその不作為又は指定登録機関が行う登録事務に係る処分若しくはその不作為については、厚生労働大臣に対し、審査請求をすることができる。この場合において、厚生労働大臣は、行政不服審査法（平成26年法律第68号）第25条第２項及び第３項、第46条第１項及び第２項、第47条並びに第49条第３項の規定の適用については、指定試験機関又は指定登録機関の上級行政庁とみなす。
〔改正〕
　　　旧第17条の３として追加（第10次改正）、一部改正（第15・16・19～21・29次改正）、本条に繰上（第23次改正）

　　　附　則
〔施行期日〕
第18条　この法律は、昭和23年１月１日から、これを施行する。

〔経過規定〕

第19条 この法律施行の際現に都道府県知事の免許、許可その他の処分を受けて理髪又は美容を業としている者は、これを第2条又は第3条の規定による理髪師又は理容師の免許を受けた者とみなす。

② この法律施行の際現に都道府県知事の免許、許可その他の処分を受けないで美容を業としている者は、第6条第2項の規定にかかわらず、この法律施行の日から3年間を限り、その業務を継続することができる。

第20条 旧中等学校令(昭和18年勅令第36号)による中等学校を卒業した者又は厚生労働省令で定めるところによりこれと同等以上の学力があると認められる者は、当分の間、第3条第3項の規定の適用については、学校教育法第90条に規定する者とみなす。

〔改正〕
　　追加(第19次改正)、一部改正(第21・24次改正)

〔委任〕
　　「厚生労働省令」=規則附則7

　　　附　　則(第19次改正)抄

(施行期日)

第1条 この法律は、平成10年4月1日から施行する。

(理容師試験又は美容師試験の受験資格の特例)

第3条 この法律の施行の日(以下「施行日」という。)前に第1条の規定による改正前の理容師法(以下「旧理容師法」という。)第3条第4項の規定により理容師になるのに必要な学科を修めた者であって旧理容師法第3条第5項に規定する1年以上の実地習練を経たもの又は施行日前に第2条の規定による改正前の美容師法(以下「旧美容師法」という。)第4条第4項の規定により美容師になるのに必要な学科を修めた者であって旧美容師法第4条第5項に規定する1年以上の実地習練を経たものは、第1条の規定による改正後の理容師法(以下「新理容師法」という。)第3条第3項又は第2条の規定による改正後の美容師法(以下「新美容師法」という。)第4条第3項の規定にかかわらず、新理容師法又は新美容師法の規定による理容師試験又は美容師試験を受けることができる。

第5条 当分の間、学校教育法(昭和22年法律第26号)第57条に規定する者であって、厚生労働省令で定める要件に該当し、かつ、新理容師法第3条第3項又は新美容師法第4条第3項の規定により理容師又は美容師になるのに必要な知識及び技能を修得したものは、新理容師法第3条第3項又は新美容師法第4条第3項の規定にかかわらず、新理容師法又は新美容師法の規定による理容師試験又は美容師試験を受けることができる。

2 旧国民学校令(昭和16年勅令第148号)による国民学校の高等科を終了した者、旧中等学校令(昭和18年勅令第36号)による中等学校の2年の課程を終わった者又は厚生労働省令で定めるところによりこれらの者と同等以上の学力があると認められる者は、当分の間、前項の規定の適用については、学校教育法第57条に規定する者とみなす。

3　厚生労働大臣は、第１項の厚生労働省令を定めようとするときは、あらかじめ、文部科学大臣と協議しなければならない。
　〔改正〕
　　　一部改正（第21・24次改正）
　〔委任〕
　　　第１項　「厚生労働省令」＝規則附則６
　　　第２項　「厚生労働省令」＝規則附則８
（理容師又は美容師の免許の特例）
第６条　旧理容師法又は旧美容師法の規定による理容師試験又は美容師試験（附則第２条の規定によりなお従前の例により行われる理容師試験又は美容師試験を含む。）に合格した者は、新理容師法第２条又は新美容師法第３条第１項の規定にかかわらず、厚生労働大臣の免許を受けて理容師又は美容師になることができる。
　〔改正〕
　　　一部改正（第21次改正）
　〔参照条文〕
　　　特例の「免許」申請手続の際の添付書類＝規則附則２

　　　附　　則（第30次改正）抄
（施行期日）
第１条　この法律は、公布の日から起算して６月を超えない範囲内において政令で定める日〔令和５年12月13日〕から施行する。ただし、附則第12条の規定は、公布の日〔令和５年６月14日〕から施行する。
　〔委任〕
　　　「政令」＝令和５年11月政令第329号「生活衛生関係営業等の事業活動の継続に資する環境の整備を図るための旅館業法等の一部を改正する法律の施行期日を定める政令」
（検討）
第２条　政府は、第１条の規定による改正後の旅館業法（以下この条及び次条において「新旅館業法」という。）第４条の２第１項の規定による協力の求め（同項第３号に掲げる者にあっては、当該者の体温その他の健康状態その他同号の厚生労働省令で定める事項の確認に係るものに限る。）を受けた者が正当な理由なくこれに応じないときの対応の在り方について、旅館業（旅館業法第２条第１項に規定する旅館業をいう。次項及び次条第３項において同じ。）の施設における特定感染症（新旅館業法第２条第６項に規定する特定感染症をいう。）のまん延防止を図る観点から検討を加え、必要があると認めるときは、その結果に基づいて所要の措置を講ずるものとする。
２　政府は、過去に旅館業の施設において第１条の規定による改正前の旅館業法第５条の規定の運用に関しハンセン病の患者であった者等に対して不当な差別的取扱いがされたことを踏まえつつ、新旅館業法第５条第１項の規定の施行の状況について検討を加え、必要があると認めるときは、その結果に基づいて所要の措置を講ずるものとする。
３　前２項に定めるもののほか、政府は、この法律の施行後３年を経過した場合において、この法律による改正後のそれぞれの法律の規定の施行の状況を勘案し、必要がある

と認めるときは、当該規定について検討を加え、その結果に基づいて所要の措置を講ずるものとする。
　（理容師法の一部改正に伴う経過措置）
第5条　第3条の規定による改正後の理容師法（次項において「新理容師法」という。）第11条の3の規定は、施行日前に営業の譲渡があった場合における当該営業を譲り受けた者については、適用しない。
2　都道府県知事は、当分の間、新理容師法第11条の3第1項の規定により理容所の開設者の地位を承継した者（営業の譲渡により当該地位を承継した者に限る。）の業務の状況について、当該地位が承継された日から起算して6月を経過するまでの間において、少なくとも1回調査しなければならない。
　（政令への委任）
第12条　附則第3条から前条までに定めるもののほか、この法律の施行に関し必要な経過措置（罰則に関する経過措置を含む。）は、政令で定める。

〔参　考〕
　　　●刑法等の一部を改正する法律の施行に伴う関係法律の整理等に関する法律（抄）

〔令和4年6月17日〕
〔法　律　第　68　号〕

　　注　令和5年5月17日法律第28号「刑事訴訟法等の一部を改正する法律」附則第36条により一部改正
　第1編　関係法律の一部改正
　　第11章　厚生労働省関係
　（船員保険法等の一部改正）
第221条　次に掲げる法律の規定中「懲役」を「拘禁刑」に改める。
　五　理容師法（昭和22年法律第234号）第14条の4及び第14条の5
　第2編　経過措置
　　第1章　通則
　（罰則の適用等に関する経過措置）
第441条　刑法等の一部を改正する法律（令和4年法律第67号。以下「刑法等一部改正法」という。）及びこの法律（以下「刑法等一部改正法等」という。）の施行前にした行為の処罰については、次章に別段の定めがあるもののほか、なお従前の例による。
2　刑法等一部改正法等の施行後にした行為に対して、他の法律の規定によりなお従前の例によることとされ、なお効力を有することとされ又は改正前若しくは廃止前の法律の規定の例によることとされる罰則を適用する場合において、当該罰則に定める刑（刑法施行法第19条第1項の規定又は第82条の規定による改正後の沖縄の復帰に伴う特別措置に関する法律第25条第4項の規定の適用後のものを含む。）に刑法等一部改正法第2条の規定による改正前の刑法（明治40年法律第45号。以下この項において「旧刑法」という。）第12条に規定する懲役（以下「懲役」という。）、旧刑法第13条に規定する禁錮

（以下「禁錮」という。）又は旧刑法第16条に規定する拘留（以下「旧拘留」という。）が含まれるときは、当該刑のうち無期の懲役又は禁錮はそれぞれ無期拘禁刑と、有期の懲役又は禁錮はそれぞれその刑と長期及び短期（刑法施行法第20条の規定の適用後のものを含む。）を同じくする有期拘禁刑と、旧拘留は長期及び短期（刑法施行法第20条の規定の適用後のものを含む。）を同じくする拘留とする。
（裁判の効力とその執行に関する経過措置）
第442条　懲役、禁錮及び旧拘留の確定裁判の効力並びにその執行については、次章に別段の定めがあるもののほか、なお従前の例による。
　　　第4章　その他
（経過措置の政令への委任）
第509条　この編に定めるもののほか、刑法等一部改正法等の施行に伴い必要な経過措置は、政令で定める。
　　　附　則　抄
（施行期日）
1　この法律は、刑法等一部改正法施行日〔令和7年6月1日〕から施行する。ただし、次の各号に掲げる規定は、当該各号に定める日から施行する。
　一　第509条の規定　公布の日

第2編 理容師・美容師

●理容師法及び美容師法の特例に関する法律

〔昭和23年6月30日〕
〔法 律 第 6 7 号〕

〔一部改正経過〕
　第1次　〔昭和26年6月30日法律第251号「理容師法の一部を改正する法律」附則第4項による改正
　第2次　〔昭和32年6月3日法律第163号「美容師法」附則第15項による改正

理容師法及び美容師法の特例に関する法律
　　　　　　　　題名＝改正（第2次改正）

〔既存の養成施設の卒業者〕

第1条　昭和23年1月1日において現に、都道府県知事が従前の命令の規定により認可し、又は指定した理容師の養成施設であつて、その卒業により理容師の免許資格を与えられているものにおいて修業中であつた者は、理容師法（昭和22年法律第234号）第2条又は美容師法（昭和32年法律第163号）第3条の規定にかかわらず、その養成施設の定める教育課程を修了したときは、都道府県知事の免許を受けて理容師又は美容師になることができる。

〔改正〕
　　一部改正（第1・2次改正）

〔補助的業務従事者及び既存養成施設の在学者〕

第2条　昭和23年1月1日において現に、理容師になる目的で、理容所において理髪業又は美容業の補助的業務に従事していた者又は理容師の養成施設において修業中であつた者は、理容師法第2条又は美容師法第3条の規定にかかわらず、昭和25年6月30日までに理髪師試験又は美容師試験に合格したときは、都道府県知事の免許を受けて理容師又は美容師になることができる。

〔改正〕
　　一部改正（第1次改正）

　　附　則

この法律は、昭和23年7月1日から、これを施行する。

●理容師法施行令

〔昭和28年8月31日〕
〔政 令 第 2 3 2 号〕

〔一部改正経過〕
第1次	〔昭和32年8月31日政令第277号「美容師法施行令」附則第2項による改正
第2次	〔昭和38年7月16日政令第260号「理容師法施行令の一部を改正する政令」による改正
第3次	〔昭和44年6月21日政令第171号「沖縄における免許試験及び免許資格の特例に関する暫定措置法施行令」附則第3項による改正
第4次	〔昭和47年4月28日政令第109号「沖縄の復帰に伴う厚生省関係政令の改廃に関する政令」第2条による改正
第5次	〔昭和58年12月10日政令第255号「理容師法施行令等の一部を改正する政令」第1条による改正
第6次	〔昭和59年3月16日政令第31号「理容師法施行令等の一部を改正する政令」第1条による改正
第7次	〔昭和60年11月12日政令第296号「理容師法施行令の一部を改正する政令」第1条による改正
第8次	〔平成2年8月1日政令第228号「理容師法施行令及び美容師法施行令の一部を改正する政令」第1条による改正
第9次	〔平成4年12月28日政令第394号「理容師法施行令及び美容師法施行令の一部を改正する政令」第1条による改正
第10次	〔平成6年7月1日政令第223号「地域保健対策強化のための関係法律の整備に関する法律の施行に伴う関係政令の整備に関する政令」第7条による改正
第11次	〔平成6年12月14日政令第389号「健康保険法施行令等の一部を改正する政令」第4条による改正
第12次	〔平成9年10月31日政令第321号「理容師法及び美容師法の一部を改正する法律の施行に伴う関係政令の整備に関する政令」第1・3条による改正
第13次	〔平成11年12月8日政令第393号「地方分権の推進を図るための関係法律の整備等に関する法律の施行に伴う厚生省関係政令の整備等に関する政令」第19条による改正
第14次	〔平成12年3月17日政令第66号「理容師法施行令及び美容師法施行令の一部を改正する政令」第1条による改正
第15次	〔平成12年6月7日政令第309号「中央省庁等改革のための厚生労働省関係政令等の整備に関する政令」第26・146条による改正
第16次	〔平成14年11月7日政令第329号「地方分権の推進のための条例に委任する事項の整理に関する政令」第4条による改正
第17次	〔平成16年3月19日政令第46号「検疫法施行令等の一部を改正する政令」第3条による改正
第18次	〔平成21年3月25日政令第55号「理容師法施行令及び美容師法施行令の一部を改正する政令」第1条による改正
第19次	〔平成23年12月21日政令第407号「地域の自主性及び自立性を高めるための改革の推進を図るための関係法律の整備に関する法律の一部の施行に伴う厚生労働省関係政令等の整備等に関する政令」第5条による改正
第20次	〔平成24年10月12日政令第256号「理容師法施行令及び美容師法施行令の一部を改正する政令」による改正
第21次	〔平成26年10月29日政令第348号「理容師法施行令の一部を改正する政令」による改正
第22次	〔平成27年3月31日政令第128号「地域の自主性及び自立性を高めるための改革の推進を図るための関係法律の整備に関する法律の施行に伴う厚生労働省関係政令等の整備等に関する政令」第4条による改正
第23次	〔平成27年9月30日政令第353号「理容師法施行令及び美容師法施行令の一部を改正する政令」第1号による改正

理容師法施行令

題名=改正（第1次改正）

　内閣は、理容師美容師法（昭和22年法律第234号）第2条第2項、第3条第2項、第4条、第5条第2項及び第6条の2の規定に基き、この政令を制定する。

第1条　削除（第22次改正）

（受験手数料）

第2条　理容師法（以下「法」という。）第4条の18第1項の政令で定める受験手数料の額は、筆記試験については1万2500円とし、実技試験については1万2500円とする。

第2編 理容師・美容師

〔改正〕
　　追加（第14次改正）、一部改正（第17・18・20〜22次改正）

（登録等の手数料）
第3条　法第5条の4第2項の政令で定める手数料の額は、次の各号に掲げる者の区分に応じ、それぞれ当該各号に定める額とする。
　一　理容師の登録を受けようとする者　　　　　　　　　　　　　　　　　　5200円
　二　理容師免許証又は理容師免許証明書の記載事項の変更を受けようとする者　3750円
　三　理容師免許証又は理容師免許証明書の再交付を受けようとする者　　　　　4150円

〔改正〕
　　旧第2条として追加（第12次改正）、一部改正（第17・23次改正）、本条に繰下（第14次改正）

（理容所以外の場所で業務を行うことができる場合）
第4条　理容師が法第6条の2ただし書の規定により理容所以外の場所において業を行うことができる場合は、次のとおりとする。
　一　疾病その他の理由により、理容所に来ることができない者に対して理容を行う場合
　二　婚礼その他の儀式に参列する者に対してその儀式の直前に理容を行う場合
　三　前2号のほか、都道府県（地域保健法（昭和22年法律第101号）第5条第1項の規定に基づく政令で定める市（以下「保健所を設置する市」という。）又は特別区にあつては、市又は特別区）が条例で定める場合

〔改正〕
　　一部改正（第1・12・16・19次改正）、旧第6〜8条を削り、旧第9条を旧第3条に繰上（第12次改正）、本条に繰下（第14次改正）

（業務停止に関する通知）
第5条　都道府県知事、保健所を設置する市の市長又は特別区の区長は、法第10条第2項の規定により業務停止の処分を行つたときは、厚生労働大臣に厚生労働省令で定める事項を通知しなければならない。

〔改正〕
　　旧第4条として追加（第12次改正）、一部改正（第15次改正）、本条に繰下（第14次改正）

〔委任〕
　　「厚生労働省令」＝規則10

　　附　則
この政令は、昭和28年9月1日から施行する。

〔改正〕
　　旧附則を旧附則第1項に変更（第12次改正）、旧附則第2項を削り、旧附則第1項を本附則に変更（第14次改正）

●理容師法施行規則

〔平成10年1月27日　厚生省令第4号〕

〔一部改正経過〕

第1次	〔平成12年3月30日厚生省令第57号「食品衛生法施行規則等の一部を改正する省令」第10条による改正
第2次	〔平成12年3月31日厚生省令第75号「理容師法施行規則の一部を改正する省令」第1条による改正
第3次	〔平成12年8月15日厚生省令第113号「理容師法施行規則の一部を改正する省令」による改正
第4次	〔平成12年10月20日厚生省令第127号「中央省庁等改革のための健康保険法施行規則等の一部を改正する等の省令」第165条による改正
第5次	〔平成13年3月27日厚生労働省令第40号「公衆浴場法施行規則等の一部を改正する省令」第4条による改正
第6次	〔平成13年7月13日厚生労働省令第145号「理容師法施行規則の一部を改正する省令」による改正
第7次	〔平成16年3月26日厚生労働省令第47号「栄養士法施行規則等の一部を改正する省令」第15条による改正
第8次	〔平成17年3月7日厚生労働省令第25号「健康保険法施行規則等の一部を改正する省令」第2条による改正
第9次	〔平成17年4月1日厚生労働省令第75号「厚生労働省組織規則の一部を改正する省令」附則第13条による改正
第10次	〔平成21年1月28日厚生労働省令第6号「理容師法施行規則及び美容師法施行規則の一部を改正する省令」第1条による改正
第11次	〔平成24年6月29日厚生労働省令第97号「出入国管理及び難民認定法及び日本国との平和条約に基づき日本の国籍を離脱した者等の出入国管理に関する特例法の一部を改正する等の法律の施行に伴う厚生労働省関係省令の整備に関する省令」第24条による改正
第12次	〔平成27年3月31日厚生労働省令第55号「地域の自主性及び自立性を高めるための改革の推進を図るための関係法律の整備に関する法律の施行に伴う厚生労働省関係省令の整備に関する省令」第21条による改正
第13次	〔平成27年12月9日厚生労働省令第166号「理容師法施行規則及び美容師法施行規則の一部を改正する省令」第1条による改正
第14次	〔平成29年3月31日厚生労働省令第39号「理容師法施行規則等の一部を改正する省令」第1・2条による改正
第15次	〔令和元年5月7日厚生労働省令第1号「元号の表記の整理のための厚生労働省関係省令の一部を改正する省令」第70条による改正
第16次	〔令和元年9月13日厚生労働省令第43号「理容師法施行規則等の一部を改正する省令の一部を改正する省令」による改正
第17次	〔令和2年7月14日厚生労働省令第140号「食品衛生法施行規則等の一部を改正する省令」第5条による改正
第18次	〔令和2年12月8日厚生労働省令第196号「クリーニング業法施行規則等の一部を改正する省令」第3条による改正
第19次	〔令和5年8月3日厚生労働省令第101号「旅館業法施行規則等の一部を改正する省令」第5条による改正

　理容師法（昭和22年法律第234号）第3条第3項及び第4項、第5条の6、第11条第1項並びに第20条、理容師法及び美容師法の一部を改正する法律（平成7年法律第109号）附則第5条第1項及び第2項並びに理容師法施行令（昭和28年政令第232号）第4条の規定に基づき、並びに理容師法を実施するため、理容師法施行規則（昭和23年厚生省令第41号）の全部を改正するこの省令を次のように定める。

　　理容師法施行規則

目次　　　　　　　　　　　　　　　　　　　　　　　　　　　　　　　　　頁
　第1章　免許及び登録（第1条―第10条）……………………………… 156
　第2章　理容師試験（第11条―第18条）………………………………… 159
　第3章　理容所等（第19条―第28条）…………………………………… 160
　附則

第2編 理容師・美容師

第1章 免許及び登録

（免許の申請手続）
第1条 理容師法（昭和22年法律第234号。以下「法」という。）第2条の規定により理容師の免許を受けようとする者は、様式第1による申請書に次に掲げる書類を添えて、厚生労働大臣に提出しなければならない。
一　戸籍の謄本若しくは抄本又は住民票の写し（住民基本台帳法（昭和42年法律第81号）第7条第5号に掲げる事項（出入国管理及び難民認定法（昭和26年政令第319号）第19条の3に規定する中長期在留者及び日本国との平和条約に基づき日本の国籍を離脱した者等の出入国管理に関する特例法（平成3年法律第71号）に定める特別永住者にあっては、住民基本台帳法第30条の45に規定する国籍等）を記載したものに限る。第3条第2項において同じ。）（出入国管理及び難民認定法第19条の3各号に掲げる者にあっては、旅券その他の身分を証する書類の写し。第3条第2項において同じ。）
二　精神の機能の障害に関する医師の診断書
〔改正〕
　　　一部改正（第4・6・11次改正）

（法第7条第1号の厚生労働省令で定める者）
第1条の2　法第7条第1号の厚生労働省令で定める者は、精神の機能の障害により理容師の業務を適正に行うに当たって必要な認知、判断及び意思疎通を適切に行うことができない者とする。
〔改正〕
　　　追加（第6次改正）

（治療等の考慮）
第1条の3　厚生労働大臣は、理容師の免許の申請を行った者が前条に規定する者に該当すると認める場合において、当該者に免許を与えるかどうかを決定するときは、当該者が現に受けている治療等により障害の程度が軽減している状況を考慮しなければならない。
〔改正〕
　　　追加（第6次改正）

（理容師名簿の登録事項）
第2条　理容師名簿（以下「名簿」という。）には、次に掲げる事項を登録する。
一　登録番号及び登録年月日
二　本籍地都道府県名（日本の国籍を有しない者については、その国籍）
三　氏名、生年月日及び性別
四　理容師試験合格の年月
五　業務停止の処分年月日、期間及び理由並びに処分をした者
六　免許取消しの処分年月日及び理由
七　再免許のときは、その旨

八　理容師免許証（以下「免許証」という。）若しくは理容師免許証明書（以下「免許証明書」という。）を書換え交付し、又は再交付した場合には、その旨並びにその理由及び年月日
九　登録の消除をした場合には、その旨並びにその理由及び年月日
（名簿の訂正）
第3条　理容師は、前条第2号又は第3号の登録事項に変更を生じたときは、30日以内に、名簿の訂正を申請しなければならない。
2　前項の申請をするには、様式第2による申請書に戸籍の謄本若しくは抄本又は住民票の写しを添え、これを厚生労働大臣に提出しなければならない。
〔改正〕
　　　一部改正（第4・6・11次改正）
（登録の消除）
第4条　名簿の登録の消除を申請するには、様式第3による申請書を厚生労働大臣に提出しなければならない。
2　理容師が死亡し、又は失そうの宣告を受けたときは、戸籍法（昭和22年法律第224号）による死亡又は失そうの届出義務者は、30日以内に、名簿の登録の消除を申請しなければならない。
〔改正〕
　　　一部改正（第4次改正）
（免許証の書換え交付）
第5条　理容師は、免許証又は免許証明書の記載事項に変更を生じたときは、免許証の書換え交付を申請することができる。
2　前項の申請をするには、様式第2による申請書に免許証又は免許証明書を添え、これを厚生労働大臣に提出しなければならない。
〔改正〕
　　　一部改正（第4次改正）
（免許証の再交付）
第6条　理容師は、免許証又は免許証明書を破り、汚し、又は失ったときは、免許証の再交付を申請することができる。
2　前項の申請をするには、様式第4による申請書を厚生労働大臣に提出しなければならない。
3　第1項の申請をする場合には、手数料として4150円を国に納めなければならない。
4　免許証又は免許証明書を破り、又は汚した理容師が第1項の申請をする場合には、申請書にその免許証又は免許証明書を添付しなければならない。
5　理容師は、免許証の再交付を受けた後、失った免許証又は免許証明書を発見したときは、5日以内に、これを厚生労働大臣に返納しなければならない。
〔改正〕
　　　一部改正（第4次改正）

第2編　理容師・美容師

（免許証又は免許証明書の返納等）
第7条　理容師は名簿の登録の消除を申請するときは、免許証又は免許証明書を厚生労働大臣に返納しなければならない。第4条第2項の規定により名簿の登録の消除を申請する者についても、同様とする。
2　法第10条第1項又は第3項の規定により免許の取消処分を受けた者は、速やかに、厚生労働大臣に免許証又は免許証明書を返納しなければならない。
3　法第10条第2項の規定により業務の停止処分を受けた者は、速やかに、処分を行った都道府県知事、地域保健法（昭和22年法律第101号）第5条第1項の規定に基づく政令で定める市（以下「保健所を設置する市」という。）の市長又は特別区の区長に免許証又は免許証明書を提出するものとする。
〔改正〕
　　　一部改正（第1・4次改正）

（登録免許税及び手数料の納付）
第8条　第1条又は第3条第2項の申請書には、登録免許税の領収証書又は登録免許税の額に相当する収入印紙をはらなければならない。
2　第6条第2項の申請書には、手数料の額に相当する収入印紙をはらなければならない。

（規定の適用等）
第9条　法第5条の3第1項に規定する指定を受けた者（以下「指定登録機関」という。）が理容師の登録の実施等に関する事務を行う場合における第1条、第3条第2項、第4条第1項、第5条（見出しを含む。）、第6条の見出し、同条第1項、第2項及び第5項並びに第7条第1項及び第2項の規定の適用については、これらの規定（第5条の見出し、同条第1項、第6条の見出し及び同条第1項を除く。）中「厚生労働大臣」とあるのは「指定登録機関」と、第5条の見出し及び同条第1項中「免許証の書換え交付」とあるのは「免許証明書の書換え交付」と、第6条の見出し並びに同条第1項及び第5項中「免許証の再交付」とあるのは「免許証明書の再交付」とする。
2　前項に規定する場合においては、第6条第3項及び第8条第2項の規定は適用しない。
〔改正〕
　　　一部改正（第1・2・4次改正）

（業務停止に関する通知）
第10条　理容師法施行令（昭和28年政令第232号）第5条の厚生労働省令で定める事項は、次のとおりとする。
　一　処分を受けた者の登録番号及び登録年月日
　二　処分を受けた者の氏名、生年月日及び住所
　三　処分の内容及び処分を行った年月日
〔改正〕
　　　一部改正（第2・4次改正）

第2章　理容師試験

（法第3条第3項の厚生労働省令で定める期間）

第11条　法第3条第3項の厚生労働省令で定める期間は、理容師養成施設指定規則（平成10年厚生省令第5号）第2条第1項に規定する昼間課程又は夜間課程において知識及び技能を修得する者にあっては2年、同項に規定する通信課程において知識及び技能を修得する者にあっては3年とする。ただし、美容師法（昭和32年法律第163号）第4条第3項に規定する指定を受けた美容師養成施設において美容師法施行規則（平成10年厚生省令第7号）第11条前段に規定する期間以上美容師になるのに必要な知識及び技能を修得している者については、昼間課程又は夜間課程において知識及び技能を修得するものにあっては1年、通信課程において知識及び技能を修得するものにあっては1年6月とする。

〔改正〕
　　　　一部改正（第4・14次改正）

（試験の課目）

第12条　理容師試験を分けて筆記試験及び実技試験とし、その課目は、それぞれ次のとおりとする。
　筆記試験
　　関係法規・制度
　　衛生管理
　　保健
　　香粧品化学
　　文化論
　　理容技術理論
　　運営管理
　実技試験
　　理容実技

〔改正〕
　　　　一部改正（第14次改正）

（試験の免除）

第13条　筆記試験又は実技試験に合格した者については、その申請により、筆記試験又は実技試験に合格した理容師試験に引き続いて行われる次回の理容師試験に限り、その合格した試験を免除する。

2　美容師法第3条の規定により美容師の免許を受けた者については、その申請により、理容技術理論を除く筆記試験を免除する。

〔改正〕
　　　　一部改正（第14次改正）

（試験施行期日等の公告）

第14条　試験を施行する期日及び場所並びに受験願書の提出期限は、あらかじめ、官報で

公告する。
（受験の手続）
第15条 試験を受けようとする者は、様式第5による受験願書を厚生労働大臣に提出しなければならない。
2　前項の受験願書には、次に掲げる書類を添付しなければならない。
　一　法第3条第3項に規定する指定を受けた理容師養成施設の卒業証明書
　二　写真（出願前6月以内に脱帽して正面から撮影した縦4.5センチメートル横3.5センチメートルのもので、その裏面には撮影年月日及び氏名を記載すること。）
　〔改正〕
　　　一部改正（第4・10・14次改正）
（合格証書の交付）
第16条 厚生労働大臣は、理容師試験に合格した者に合格証書を交付するものとする。
　〔改正〕
　　　一部改正（第4次改正）
（合格証明書の交付及び手数料）
第17条 理容師試験に合格した者は、厚生労働大臣に合格証明書の交付を申請することができる。
2　前項の申請をする場合には、手数料として1150円を国に納めなければならない。
　〔改正〕
　　　一部改正（第2・4・7次改正）
（手数料の納入方法）
第17条の2 第15条第1項の出願又は前条第1項の申請をする場合には、手数料の額に相当する収入印紙を受験願書又は申請書にはらなければならない。
　〔改正〕
　　　追加（第2次改正）
（規定の適用等）
第18条 法第4条の2第1項に規定する指定を受けた者（以下「指定試験機関」という。）が試験の実施に関する事務を行う場合における第15条第1項、第16条及び第17条の規定の適用については、これらの規定中「厚生労働大臣」とあり、及び「国」とあるのは、「指定試験機関」とする。
2　前項の規定により読み替えて適用する第17条第2項の規定により指定試験機関に納められた手数料は、指定試験機関の収入とする。
3　第1項に規定する場合においては、前条の規定は適用しない。
　〔改正〕
　　　一部改正（第2・4次改正）
　　　第3章　理容所等
（開設の届出）
第19条 法第11条第1項の規定による理容所の開設の届出は、次に掲げる事項を記載した

届出書を当該理容所所在地の都道府県知事、保健所を設置する市の市長又は特別区の区長に提出することによって行うものとする。
一　理容所の名称及び所在地
二　開設者の氏名及び住所（法人にあっては、その名称、所在地及び代表者の氏名）
三　法第11条の4第1項に規定する理容所にあっては、管理理容師の氏名及び住所
四　理容所の構造及び設備の概要
五　理容師の氏名及び登録番号並びにその他の従業者の氏名
六　理容師につき、結核、皮膚疾患その他厚生労働大臣の指定する伝染性疾病がある場合は、その旨
七　開設予定年月日
八　開設しようとする理容所と同一の場所で現に美容所（美容師法第2条第3項に規定する美容所をいう。次号において同じ。）が開設されている場合は、当該美容所の名称
九　開設しようとする理容所と同一の場所で美容師法第11条第1項の届出がされている場合（前号の場合を除き、当該届出を当該理容所の開設の届出と同時に行う場合を含む。）は、当該美容所の開設予定年月日
2　前項の届出書には、理容師につき、同項第6号に規定する疾病の有無に関する医師の診断書を添付しなければならない。
3　法第11条の4第1項に規定する理容所を開設しようとする者が第1項の届出をするに当たっては、前項の書類のほか、当該理容所の管理理容師が同条第2項の規定に該当することを証する書類を添付しなければならない。
4　外国人が第1項の届出をするに当たっては、第2項の書類のほか、住民票の写し（住民基本台帳法第30条の45に規定する国籍等を記載したものに限る。）を添えるものとする。
〔改正〕
　　一部改正（第1・4・11・13・14・17・19次改正）
（変更の届出）
第20条　法第11条第2項に規定する変更の届出は、その旨を記載した届出書を当該理容所所在地の都道府県知事、保健所を設置する市の市長又は特別区の区長に提出することによって行うものとする。この場合において、その届出が前条第1項第6号に規定する事項の変更又は理容師の新たな使用に係るものであるときは、その者につき、同号に規定する疾病の有無に関する医師の診断書を、その届出が管理理容師の設置又は変更に係るものであるときは、新たに管理理容師となる者が法第11条の4第2項の規定に該当することを証する書類を添付しなければならない。
〔改正〕
　　一部改正（第1次改正）
（地位の承継の届出）
第20条の2　法第11条の3第2項の規定により譲渡による理容所の開設者の地位の承継の

届出をしようとする者は、次に掲げる事項を記載した届出書を当該理容所所在地の都道府県知事、保健所を設置する市の市長又は特別区の区長に提出しなければならない。
　一　届出者の住所、氏名及び生年月日（法人にあっては、その名称、主たる事務所の所在地及び代表者の氏名）
　二　営業を譲渡した者の住所及び氏名（法人にあっては、その名称、主たる事務所の所在地及び代表者の氏名）
　三　譲渡の年月日
　四　理容所の名称及び所在地
２　前項の届出書には、営業の譲渡が行われたことを証する書類を添付しなければならない。
３　第19条第４項の規定は、第１項の規定による届出について準用する。
〔改正〕
　　　追加（第19次改正）

第21条　法第11条の３第２項の規定により相続による理容所の開設者の地位の承継の届出をしようとする者は、次に掲げる事項を記載した届出書を当該理容所所在地の都道府県知事、保健所を設置する市の市長又は特別区の区長に提出しなければならない。
　一　届出者の住所、氏名及び生年月日並びに被相続人との続柄
　二　被相続人の氏名及び住所
　三　相続開始の年月日
　四　理容所の名称及び所在地
２　前項の届出書には、次に掲げる書類を添付しなければならない。
　一　戸籍謄本又は不動産登記規則（平成17年法務省令第18号）第247条第５項の規定により交付を受けた同条第１項に規定する法定相続情報一覧図の写し
　二　相続人が２人以上ある場合において、その全員の同意により理容所の開設者の地位を承継すべき相続人として選定された者にあっては、その全員の同意書
〔改正〕
　　　一部改正（第１・17・19次改正）

第22条　法第11条の３第２項の規定により合併による理容所の開設者の地位の承継の届出をしようとする者は、次に掲げる事項を記載した届出書を当該理容所所在地の都道府県知事、保健所を設置する市の市長又は特別区の区長に提出しなければならない。
　一　届出者の名称、主たる事務所の所在地及び代表者の氏名
　二　合併により消滅した法人の名称、主たる事務所の所在地及び代表者の氏名
　三　合併の年月日
　四　理容所の名称及び所在地
２　前項の届出書には、合併後存続する法人又は合併により設立された法人の登記事項証明書を添付しなければならない。
〔改正〕
　　　一部改正（第１・８次改正）

第22条の2 法第11条の3第2項の規定により分割による理容所の開設者の地位の承継の届出をしようとする者は、次に掲げる事項を記載した届出書を当該理容所所在地の都道府県知事、保健所を設置する市の市長又は特別区の区長に提出しなければならない。
一　届出者の名称、主たる事務所の所在地及び代表者の氏名
二　分割前の法人の名称、主たる事務所の所在地及び代表者の氏名
三　分割の年月日
四　理容所の名称及び所在地
2　前項の届出書には、分割により営業を承継した法人の登記事項証明書を添付しなければならない。
〔改正〕
　　追加（第5次改正）、一部改正（第8次改正）

（講習会の指定基準）
第23条　理容師法第11条の4第2項の厚生労働大臣の定める基準は、次のとおりとする。
一　次の表の上欄に掲げる科目を教授し、その時間数が同表の下欄に掲げる時間数以上であること。

科　　　　目	時　　　間
公衆衛生	4時間
理容所の衛生管理	14時間

二　次に掲げるいずれかの条件に適合する知識及び経験を有する者が前号の科目を教授するものであること。
　イ　医師
　ロ　歯科医師
　ハ　薬剤師
　ニ　獣医師
　ホ　イからニまでに掲げる者と同等の知識及び経験を有すると認められる者
三　受講者に対し、講習会の終了に当たり試験その他の方法により講習修了の認定を適切に行うものであること。
四　前号の認定を受けた者に対し、講習会修了証書を交付すること。
〔改正〕
　　追加（第10次改正）

（皮膚に接する器具）
第24条　法第9条第1号及び第2号に規定する器具とは、クリッパー、はさみ、くし、刷毛、ふけ取り、かみそりその他の皮膚に直接接触して用いられる器具とする。
〔改正〕
　　一部改正（第7次改正）、旧第23条を本条に繰下（第10次改正）

（消毒の方法）
第25条　法第9条第2号に規定する消毒は、器具を十分に洗浄した後、次の各号に掲げる区分に応じ、当該各号に定めるいずれかの方法により行わなければならない。

一 かみそり（専ら頭髪を切断する用途に使用されるものを除く。以下この号において同じ。）及びかみそり以外の器具で血液が付着しているもの又はその疑いのあるものに係る消毒
　　イ　沸騰後2分間以上煮沸する方法
　　ロ　エタノール水溶液（エタノールが76.9パーセント以上81.4パーセント以下である水溶液をいう。次号ニにおいて同じ。）中に10分間以上浸す方法
　　ハ　次亜塩素酸ナトリウムが0.1パーセント以上である水溶液中に10分間以上浸す方法
二　前号に規定する器具以外の器具に係る消毒
　　イ　20分間以上1平方センチメートル当たり85マイクロワット以上の紫外線を照射する方法
　　ロ　沸騰後2分間以上煮沸する方法
　　ハ　10分間以上摂氏80度を超える湿熱に触れさせる方法
　　ニ　エタノール水溶液中に10分間以上浸し、又はエタノール水溶液を含ませた綿若しくはガーゼで器具の表面をふく方法
　　ホ　次亜塩素酸ナトリウムが0.01パーセント以上である水溶液中に10分間以上浸す方法
　　ヘ　逆性石ケンが0.1パーセント以上である水溶液中に10分間以上浸す方法
　　ト　グルコン酸クロルヘキシジンが0.05パーセント以上である水溶液中に10分間以上浸す方法
　　チ　両性界面活性剤が0.1パーセント以上である水溶液中に10分間以上浸す方法
〔改正〕
　　旧第24条の全部改正（第3次改正）、一部改正（第7次改正）、本条に繰下（第10次改正）

（清潔保持の措置）
第26条　法第12条第1号に規定する清潔の保持のための措置は、次のとおりとする。
一　床及び腰板にはコンクリート、タイル、リノリューム又は板等不浸透性材料を使用すること。
二　洗場は、流水装置とすること。
三　ふた付きの汚物箱及び毛髪箱を備えること。
〔改正〕
　　旧第25条を本条に繰下（第10次改正）

（採光、照明及び換気の実施基準）
第27条　法第12条第3号に規定する採光、照明及び換気の実施の基準は、次のとおりとする。
一　採光及び照明　理容師が理容のための直接の作業を行う場合の作業面の照度を100ルクス以上とすること。
二　換気　理容所内の空気1リットル中の炭酸ガスの量を5立方センチメートル以下に保つこと。

〔改正〕
　　　旧第26条を本条に繰下（第10次改正）
（環境衛生監視員）
第28条　法第13条第１項の職権を行う者を環境衛生監視員と称し、同条第２項において準用する法第４条の13第２項の規定によりその携帯する証明書は、別に定める。
〔改正〕
　　　旧第27条を本条に繰下（第10次改正）
〔委任〕
　　　「別に定める」＝昭和52年１月厚令第１号「環境衛生監視員証を定める省令」

　　　附　則　抄
（施行期日）
第１条　この省令は、平成10年４月１日から施行する。
（経過規定）
第２条　理容師法及び美容師法の一部を改正する法律（平成７年法律第109号。以下「改正法」という。）附則第６条の規定により理容師の免許を受けようとする者が第１条の申請をするに当たっては、同条各号に掲げる書類のほか、改正法第１条の規定による改正前の理容師法の規定による理容師試験（改正法附則第２条の規定により、なお従前の例により行われる理容師試験を含む。）の実地試験に合格したことを証する証書の写し又は当該証書に代わる合格証明書を添付しなければならない。
第４条　地方公共団体の事務に係る国の関与等の整理、合理化等に関する法律（昭和60年法律第90号）第17条の規定による改正前の理容師法の規定による理容師試験又は改正法第１条の規定による改正前の理容師法の規定による理容師試験（改正法附則第２条の規定によりなお従前の例により行われる理容師試験を含む。）の学科試験若しくは実地試験に合格した者は、厚生労働大臣に当該試験の合格証明書の交付を申請することができる。
２　第17条第２項、第17条の２及び第18条の規定は、前項の合格証明書の交付の申請について準用する。この場合において、第17条第２項中「前項」とあり、及び第17条の２中「第15条第１項の出願又は前条第１項」とあるのは「附則第４条第１項」と、「受験願書又は申請書」とあるのは「申請書」と、第18条第１項中「第15条第１項、第16条及び第17条」とあるのは「第17条第２項及び附則第４条第１項」と読み替えるものとする。
〔改正〕
　　　一部改正（第２・４次改正）
第６条　改正法附則第５条第１項に規定する厚生労働省令で定める要件は、次のいずれかに該当することとする。
一　厚生労働大臣が別に定める講習の課程を修了した者
二　理容師養成施設指定規則（平成10年厚生省令第５号）第４条第２項の規定により厚生労働大臣が入所資格について特別の基準を設定した場合において、当該特別の基準が適用される理容師養成施設の全教科課程を修了した者

〔改正〕
　　一部改正（第4次改正）

〔委任〕
　　第1号の「厚生労働大臣が別に定める」＝平成20年2月厚労告第41号「理容師養成施設における中学校卒業者等に対する講習の基準等」

第7条　法第20条の規定により旧中等学校令（昭和18年勅令第36号）による中等学校を卒業した者と同等以上の学力があると認められる者は、次のとおりとする。
一　旧国民学校令（昭和16年勅令第148号）による国民学校（この条及び次条において「国民学校」という。）初等科修了を入学資格とする修業年限4年の旧中等学校令による高等女学校卒業を入学資格とする同令による高等女学校の高等科又は専攻科の第1学年を修了した者
二　国民学校初等科修了を入学資格とする修業年限4年の旧中等学校令による実業学校卒業を入学資格とする同令による実業学校専攻科の第1学年を修了した者
三　旧師範教育令（昭和18年勅令第109号）による師範学校予科の第3学年を修了した者
四　旧師範教育令による附属中学校又は附属高等女学校を卒業した者
五　旧師範教育令（明治20年勅令第346号）による師範学校本科第1部の第3学年を修了した者
六　内地以外の地域における学校の生徒、児童、卒業者等の他の学校へ入学及び転学に関する規程（昭和18年文部省令第63号）第2条若しくは第5条の規定により中等学校を卒業した者又は前各号に掲げる者と同一の取扱いを受ける者
七　旧青年学校令（昭和14年勅令第254号）による青年学校本科（修業年限2年のものを除く。）を卒業した者
八　旧専門学校令（明治36年勅令第61号）に基づく旧専門学校入学者検定規程（大正13年文部省令第22号）による試験検定に合格した者又は同規程により文部大臣において専門学校入学に関し中学校若しくは高等女学校卒業者と同等以上の学力を有するものと指定した者
九　旧実業学校卒業程度検定規程（大正14年文部省令第30号）による検定に合格した者
十　旧高等試験令（昭和4年勅令第15号）第7条の規定により文部大臣が中学校卒業程度において行う試験に合格した者
十一　教育職員免許法施行法（昭和24年法律第148号）第1条第1項の表の第2号、第3号、第6号若しくは第9号の上欄に掲げる教員免許状を有する者又は同法第2条第1項の表の第9号、第18号から第20号の4まで、第21号若しくは第23号の上欄に掲げる資格を有する者
十二　前各号に掲げる者のほか、都道府県知事において、理容師養成施設の入学に関し中等学校の卒業者と同等以上の学力を有するものと認定した者

〔改正〕
　　一部改正（第4・9・12次改正）

第8条　改正法附則第5条第2項の規定により国民学校の高等科を修了した者又は旧中等学校令による中等学校の2年の課程を終わった者と同等以上の学力があると認められる者は、次のとおりとする。
　一　旧師範教育令（昭和18年勅令第109号）による附属中学校又は附属高等女学校の第2学年を修了した者
　二　旧盲学校及聾唖学校令（大正12年勅令第375号）によるろうあ学校の中等部第2学年を修了した者
　三　旧高等学校令（大正7年勅令第389号）による高等学校尋常科の第2学年を修了した者
　四　旧青年学校令（昭和14年勅令第254号）による青年学校の普通科の課程を修了した者
　五　昭和18年文部省令第63号（内地以外の地域に於ける学校の生徒、児童、卒業者等の他の学校へ入学及転学に関する規程）第1条から第3条まで及び第7条の規定により国民学校の高等科を修了した者、中等学校の2年の課程を終わった者又は第3号に掲げる者と同一の取扱いを受ける者
　六　前各号に掲げる者のほか、都道府県知事において、理容師養成施設の入学に関し国民学校の高等科を修了した者又は中等学校の2年の課程を終わった者とおおむね同等の学力を有すると認定した者
〔改正〕
　　一部改正（第4・9・12次改正）

第2編　理容師・美容師

様式第1

登録年月日	登録番号	収入印紙貼付欄
※		(消印しないこと)

理容師免許申請書

| 理容師試験合格の年月 | 年　月 | 合格番号 | |

質問事項	理容師免許を受けないで理容の業務を行ったことは 　1 ない　2 ある　・行った内容と期間　内容： 　　　　　　　　　　　　　　　　　　期間：　年　月　日～　年　月　日 　　　　　　　　　　　・このことによって、罰金刑を受けたことは 　　　　　　　　　　　　1 ない　2 ある（　年　月　日に処分を受けた） 理容師免許の取消処分を受けたことは 　1 ない　2 ある　・処分された理由： 　　　　　　　　　　　・処分された年月日：　　年　月　日

本籍 (国籍)	都道府県				
	(氏)	(名)	(合格通知後氏名に変更がある場合は、現在の氏名) (氏)　　　　　　(名)		
ふりがな					
氏　名					
旧姓・通称名 (併記を希望する場合)					
生年月日	1 昭和 2 平成 3 令和	年　月　日	性別	1 男 2 女	

連絡先 電話番号	（　　）		
住　所	郵便番号		
	都道府県		
	※		

厚生労働大臣
指定登録機関代表者　殿

上記により、理容師免許を申請します。
　申請日　　年　　月　　日

備考1　※印欄には、記入しないこと。
　　2　該当する数字を○で囲むこと。
　　3　この申請書には、所定の登録免許税に相当する収入印紙又は領収証書を貼ること。
　　　　（領収証書は、裏面に貼ること。）
　　4　指定登録機関に申請する場合には、所定の手続により手数料を納付すること。
　　5　免許証（免許証明書）に旧姓の併記を希望する場合は、「旧姓・通称名」欄に旧姓を記入すること。
　　6　外国籍の方で、免許証（免許証明書）に通称名の併記を希望する場合は、「旧姓・通称名」欄に通称名を記入すること。
　　7　用紙の大きさは、A4とすること。

〔改正〕

　　全部改正（第18次改正）

理容師法施行規則

様式第2

名簿訂正・書換え交付年月日 ※	登録番号	収入印紙貼付欄 (消印しないこと)

理容師名簿訂正・免許証（免許証明書）書換え交付申請書

免許証（免許証明書）を交付した者	1 大臣（指定登録機関代表者） 2 都道府県知事	登録番号第　　　号	登録年月日	1 昭和 2 平成 3 令和　　年　月　日

変更が生じた事項

	変更前		変更後	
本籍（国籍）	都道府県		都道府県	
ふりがな	（氏）	（名）	（氏）	（名）
氏　名				
旧姓・通称名（併記を希望する場合）				
生年月日	1 昭和　2 平成　3 令和　年　月　日			
性　別	1 男　　2 女		1 男　　2 女	
変更の理由	1 氏の変更　2 名の変更　3 本籍の変更　4 性別の変更 5 その他（　　　　　　　　　　　　　　　　　）			

連絡先電話番号	（　　）
住　所	郵便番号 □□□-□□□□ 都道府県
※	

厚生労働大臣
指定登録機関代表者　殿

上記により、理容師名簿訂正・免許証（免許証明書）書換え交付を申請します。
申請日　　年　月　日

備考 1　※印欄には、記入しないこと。
2　該当する数字を○で囲むこと。
3　この申請書には、所定の登録免許税に相当する収入印紙又は領収証書を貼ること。（領収証書は、裏面に貼ること。）
4　指定登録機関に申請する場合には、所定の手続により手数料を納付すること。
5　免許証（免許証明書）に旧姓の併記を希望する場合は、「旧姓・通称名」欄に旧姓を記入すること。
6　外国籍の方で、免許証（免許証明書）に通称名の併記を希望する場合は、「旧姓・通称名」欄に通称名を記入すること。
7　用紙の大きさは、A4とすること。

〔改正〕

　　全部改正（第18次改正）

第2編　理容師・美容師

様式第3

消除年月日	※						
	理容師名簿登録消除申請書						
免許証（免許証明書）を交付した者	1　大臣（指定登録機関代表者） 2　都道府県知事		登録番号第　　号	登録年月日	1　昭和 2　平成 3　令和	年　月　日	

理容師名簿に登録されている者		
本　籍 （国　籍）		都道府県
ふりがな	（氏）	（名）
氏　名		
生年月日	1　昭和 2　平成 3　令和	年　月　日
消除理由	1　死亡　2　失踪　3　その他（　　　　　　）	
消除理由の生じた年月日	年　月　日	

申　請　者		
氏　名		登録されている者との関係
連絡先電話番号	（　　）	
住　所	郵便番号 □□□-□□□□ 都道府県	
※		

厚生労働大臣
指定登録機関代表者　殿

　上記により、理容師名簿の登録を消除されたく免許証（免許証明書）及び関係書類を添えて申請します。
　申請日　　年　月　日

備考1　※印欄には、記入しないこと。
　　2　該当する数字を○で囲むこと。
　　3　用紙の大きさはA4とすること。

〔改正〕

　　全部改正（第15次改正）

理容師法施行規則

様式第4

再交付年月日　登録番号 ※		収入印紙貼付欄 （消印しないこと）	

理容師免許証（免許証明書）再交付申請書

免許証（免許証明書）を交付した者	1　大臣（指定登録機関代表者） 2　都道府県知事	登録番号	第　号	登録年月日	1 昭和 2 平成 3 令和	年　月　日

本　籍 （国　籍）		都道府県
ふりがな	(氏)　　　　　　　　　(名)	
氏　　名		
旧姓・通称名 （併記を希望する場合）		
生年月日	1 昭和　2 平成　3 令和　年　月　日	
性　　別	1 男　　2 女	
再交付の理由	1 紛失　2 破損　3 汚損　4 焼失　5 その他（　　　）	
連絡先 電話番号	（　　）	
住　　所	郵便番号 □□□-□□□□ 都道府県	
※		

厚生労働大臣 指定登録機関代表者　殿

上記により、関係書類を添えて免許証（免許証明書）の再交付を申請します。

申請日　　年　　月　　日

備考1　※印欄には、記入しないこと。
　　2　該当する数字を○で囲むこと。
　　3　指定登録機関に申請する場合には、所定の手続により、手数料を納付し、収入印紙は貼らないこと。
　　4　免許証（免許証明書）に旧姓の併記を希望する場合は、「旧姓・通称名」欄に旧姓を記入すること。
　　5　外国籍の方で、免許証（免許証明書）に通称名の併記を希望する場合は、「旧姓・通称名」欄に通称名を記入すること。
　　6　用紙の大きさは、A4とすること。

〔改正〕
　　全部改正（第18次改正）

第2編　理容師・美容師

様式第5

理容師国家試験受験願書

収入印紙欄
（消印しないこと）

申込日　令和　年　月　日

厚 生 労 働 大 臣
指定試験機関代表者　殿

下記により、国家試験を受験したいので、付属書類を添えて申し込みます。

1	フリガナ			
2	氏　名	姓	名	(4.5cm×3.5cm)
3	性　別	1 男 ・ 2 女		
4	生年月日	1 昭和　2 平成　3 令和　　年　月　日生		
				（令和　年　月　日撮影）
5	受験票等送付先	郵便番号　　　－　　　　　 住　所　　都道府県　市区郡		
6	連絡先電話番号	携　帯　　　－　　　－　　 自　宅　　　－　　　－　　 勤務先　　　－　　　－		
7	筆記試験受験地（都道府県名）	01北海道　02青森県　………47沖縄県 （※　受験会場が設置される都道府県名が記載されている。）		
8	実技試験受験地（都道府県名）	01北海道　02青森県　………47沖縄県 （※　受験会場が設置される都道府県名が記載されている。）		
9	卒業又は在学中の理容師養成施設	養成施設名 課　程　　1 昼間 ・ 2 夜間 ・ 3 通信 卒業（見込）年月　1 昭和 2 平成 3 令和　　年　月　　1 卒業 2 卒業見込		
10	手話又は介助	1 手話通訳　2 車椅子使用　3 歩行困難		
11	前回試験結果による一部免除申請	1 筆記試験免除　2 実技試験免除　　合格番号　第　　号		
12	美容師免許所持者の免除申請	免許登録者　1 知事　2 厚生（労働）大臣　　免許登録番号　第　　号		

備考 1．指定試験機関に申請する場合には、所定の手続により、受験手数料を納付し、収入印紙を貼らないこと。
　　 2．該当する数字を○で囲むこと。
　　 3．用紙の大きさは、A4とすること。

〔改正〕
　　全部改正（第15次改正）

●理容師養成施設指定規則

[平成10年1月27日]
[厚生省令第5号]

〔一部改正経過〕
- 第1次　平成12年10月20日厚生省令第127号「中央省庁等改革のための健康保険法施行規則等の一部を改正する等の省令」第166条による改正
- 第2次　平成17年9月30日厚生労働省令第156号「理容師養成施設指定規則及び美容師養成施設指定規則の一部を改正する省令」第1条による改正
- 第3次　平成19年12月25日厚生労働省令第152号「学校教育法等の一部を改正する法律の施行に伴う厚生労働省関係省令の整理に関する省令」第17条による改正
- 第4次　平成20年2月29日厚生労働省令第21号「理容師養成施設指定規則及び美容師養成施設指定規則の一部を改正する省令」第1条による改正
- 第5次　平成21年12月28日厚生労働省令第159号「理容師養成施設指定規則及び美容師養成施設指定規則の一部を改正する省令」第1条による改正
- 第6次　平成27年3月31日厚生労働省令第55号「地域の自主性及び自立性を高めるための改革の推進を図るための関係法律の整備に関する法律の施行に伴う厚生労働省関係省令の整備に関する省令」第22条による改正
- 第7次　平成28年5月31日厚生労働省令第104号「理容師養成施設指定規則及び美容師養成施設指定規則の一部を改正する省令」第1条による改正
- 第8次　平成29年3月31日厚生労働省令第39号「理容師法施行規則等の一部を改正する省令」第3条による改正
- 第9次　平成30年2月16日厚生労働省令第15号「学校教育法の一部を改正する法律の施行に伴う厚生労働省関係省令の整理等に関する省令」第20条による改正
- 第10次　令和4年2月9日厚生労働省令第21号「理容師養成施設指定規則及び美容師養成施設指定規則の一部を改正する省令」第1条による改正

　理容師法（昭和22年法律第234号）第3条第4項の規定に基づき、理容師養成施設指定規則を次のように定める。
　　理容師養成施設指定規則
　　（この省令の趣旨）
第1条　理容師法（昭和22年法律第234号。以下「法」という。）第3条第3項に規定する理容師養成施設の指定に関しては、この省令の定めるところによる。
　　（養成課程）
第2条　法第3条第3項に規定する理容師養成施設における養成課程は、昼間課程、夜間課程及び通信課程とする。
2　昼間課程と夜間課程とは、併せて設けることができる。
3　通信課程は、昼間課程若しくは夜間課程を設ける理容師養成施設又はこれらを併せて設ける理容師養成施設に限って、これを設けることができる。
4　昼間課程、夜間課程又は通信課程には、昼間課程又は夜間課程に美容師法（昭和32年法律第163号）第4条第3項に規定する指定を受けた美容師養成施設において美容師になるのに必要な知識及び技能を修得していない者を対象とする教科課程を設けている場合に限って、当該美容師養成施設において美容師法施行規則（平成10年厚生省令第7号）第11条前段に規定する期間以上美容師になるのに必要な知識及び技能を修得している者を対象とする教科課程（以下「美容修得者課程」という。）を設けることができる。
　〔改正〕
　　　一部改正（第8次改正）
　（指定の申請手続）

第3条 法第3条第3項に規定する指定を受けようとする理容師養成施設の設立者は、次の各号に掲げる事項を記載した申請書に、理容師養成施設の長及び教員の履歴書を添えて理容師養成施設を設立しようとする日の4月前までに、当該指定に係る理容師養成施設所在地の都道府県知事に提出しなければならない。
一　理容師養成施設の名称、所在地及び設立予定年月日
二　設立者の住所及び氏名（法人又は団体にあっては、その名称、主たる事務所の所在地並びに代表者の住所及び氏名）
三　理容師養成施設の長の氏名
四　養成課程の別
五　教員の氏名及び担当課目並びに専任又は兼任の別
六　生徒の定員及び学級数
七　入所資格
八　入所の時期
九　修業期間、教科課程及び教科課目ごとの実習を含む総単位数（通信課程にあっては、各教科課目ごとの添削指導の回数及び面接授業の単位数）
九の二　卒業認定の基準
十　入学料、授業料及び実習費の額
十一　理容実習のモデルとなる者の選定その他理容実習の実施の方法
十二　校舎の各室の用途及び面積並びに建物の配置図及び平面図
十二の二　設備の状況
十三　設立者の資産状況及び理容師養成施設の経営方法
十四　指定後2年間の財政計画及びこれに伴う収支予算
2　2以上の養成課程又は同一の養成課程に教科課程が異なる2以上の教科課程を設ける理容師養成施設にあっては、前項第5号から第10号までに掲げる事項（同一の養成課程に教科課程が異なる2以上の教科課程を設ける場合は当該教科課程ごとに異なる事項に限る。）は、それぞれの養成課程又は教科課程ごとに記載しなければならない。
3　通信課程を併せて設ける理容師養成施設にあっては、第1項に規定するもののほか、次に掲げる事項を申請書に記載し、かつ、これに通信養成に使用する教材を添付しなければならない。
一　通信養成を行う地域
二　授業の方法
三　課程修了の認定方法
〔改正〕
　　　一部改正（第1・4・6・8次改正）
（養成施設指定の基準）
第4条 法第3条第3項に規定する理容師養成施設の指定の基準は、次のとおりとする。
一　昼間課程に係る基準
　イ　学校教育法（昭和22年法律第26号）第90条に規定する者であることを入所資格と

するものであること。
ロ　修業期間は、2年以上であること。ただし、美容修得者課程の修業期間は、1年以上であること。
ハ　教科課目及び単位数は、別表第1（美容修得者課程については別表第1の2）に定めるとおりであること。
ニ　理容実習のモデルとなる者の選定等について適当と認められるものであること。
ホ　理容師養成施設の長は、専ら理容師養成施設の管理の任に当たることのできる者であって、かつ、理容師の養成に適当であると認められるものであること。
ヘ　教員の数は、別表第2に掲げる算式によって算出された人数（その数が5人未満であるときは、5人。ただし、昼間課程に美容修得者課程のみを設ける場合においてその数が2人未満であるときは、2人）以上であり、かつ、これらによって算出された人数の2分の1以上が専任であること。
ト　教員は、別表第3の上欄に掲げる課目についてそれぞれ同表の下欄に該当する者であって、かつ、理容師の養成に適当であると認められるものであること。
チ　同時に授業を行う1学級の生徒数は、40人以下とすること。
リ　卒業の認定の基準が適当であると認められること。
ヌ　校舎は、教員室、事務室、図書室、同時に授業を行う学級の数を下らない数の専用の普通教室及び適当な数の専用の実習室を備えているものであること。
ル　普通教室の面積は、生徒1人当たり1.65平方メートル以上であること。
ヲ　実習室の面積は、生徒1人当たり1.65平方メートル以上であること。
ワ　建物の配置及び構造設備は、ヌからヲまでに定めるもののほか、学習上、保健衛生上及び管理上適切なものであること。
カ　学習上必要な機械器具、標本及び模型、図書並びにその他の備品を有するものであること。
ヨ　入学料、授業料及び実習費は、それぞれ当該養成施設の運営上適当と認められる額であること。
タ　経営方法は、適切かつ確実なものであること。
二　夜間課程に係る基準
イ　前号（ヘを除く。）に該当するものであること。
ロ　教員の数は、別表第2に掲げる算式によって算出された人数（その数が4人未満であるときは、4人。ただし、夜間課程に美容修得者課程のみを設ける場合においてその数が2人未満であるときは、2人）以上であり、かつ、これらによって算出された人数の2分の1以上が専任であること。
三　通信課程に係る基準
イ　第1号のイ、ハ（単位数に係る基準を除く。）、ニ、ト、リ、ヨ及びタに該当するものであること。
ロ　修業期間は、3年以上であること。ただし、美容修得者課程の修業期間は、1年6月以上であること。

ハ 教員は、相当数の者を置くものとし、そのうち、専任の者の数は、生徒200人以下の場合は3人、200人又はその端数を超えるごとに1人を加えた数であること。ただし、通信課程に美容修得者課程のみを設ける場合の専任の者の数は、生徒200人以下の場合は1人、200人又はその端数を超えるごとに1人を加えた数であること。

ニ 定員は、当該養成施設における昼間課程又は夜間課程の定員(昼間課程と夜間課程とを併せて設ける理容師養成施設にあっては、そのいずれか多数の定員)のおおむね1.5倍以内であること。

ホ 通信課程における授業は、通信授業及び面接授業とし、その方法等は、厚生労働大臣が別に定める基準によること。

2 理容師養成施設のうち、特殊の地域的事情にあること、特定の者を生徒とすることその他特別の事情により、入所資格、修業期間、教員の数、同時に授業を受ける1学級の生徒数、普通教室の面積又は実習室の面積が前項各号に掲げる当該基準によることができないか、又はこれらの基準によることを適当としないものについては、厚生労働大臣は、当該養成施設の特別の事情に基づいて、それぞれ特別の基準を設定することがある。

〔改正〕
　　一部改正(第1・3・4・8次改正)

〔委任〕
　　第1項　第3号ホの「厚生労働大臣が別に定める基準」＝平成20年2月厚労告第42号「理容師養成施設の通信課程における授業方法等の基準」
　　第2項　「特別の基準」＝平成20年2月厚労告第41号「理容師養成施設における中学校卒業者等に対する講習の基準等」、平成20年2月厚労告第43号「聴覚障害者である生徒に対する教育を主として行う特別支援学校における理容師養成施設の指定の基準」、平成20年2月厚労告第44号「矯正施設における理容師養成施設の指定の基準」

(同時授業に関する特例)

第4条の2 理容師養成施設は、入所者の数(第3条第1項第8号に規定する入所の時期における入所者の数をいう。)が前年又は前々年のいずれか一方の年において15人未満であり、かつ、他方の年において20人未満である養成課程において、次の各号に掲げる教科課目については、当該各号に掲げる美容師養成施設の教科課目と同時授業(設立者を同じくする理容師養成施設及び美容師養成施設において、養成課程の別を同じくする当該理容師養成施設の生徒及び当該美容師養成施設の生徒が、いずれの施設にも勤務する教員から、同時に授業を受けることをいう。以下同じ。)を行うことができる。

一　理容師養成施設の関係法規・制度　美容師養成施設の関係法規・制度
二　理容師養成施設の衛生管理　美容師養成施設の衛生管理
三　理容師養成施設の保健　美容師養成施設の保健
四　理容師養成施設の香粧品化学　美容師養成施設の香粧品化学
五　理容師養成施設の文化論　美容師養成施設の文化論
六　理容師養成施設の運営管理　美容師養成施設の運営管理

理容師養成施設指定規則

　七　理容師養成施設の選択課目　美容師養成施設の選択課目（同時授業を行うことが可能な課目に限る。）

2　前項の規定により理容師養成施設が同時授業を行う場合には、次の表の上欄に掲げる規定中同表の中欄に掲げる字句は、それぞれ同表の下欄に掲げる字句とする。

第4条第1項第1号ヘ	別表第2に掲げる算式によって算出された人数（その数が5人未満であるときは、5人。ただし、昼間課程に美容修得者課程のみを設ける場合においてその数が2人未満であるときは、2人）以上であり、かつ、これらによって算出された人数の2分の1以上が専任であること	同時授業を行う美容師養成施設の教員数と合算して、別表第2に掲げる算式によって算出された人数（その数が5人未満であるときは、5人。ただし、美容修得者課程の教科課目と美容師養成施設指定規則（平成10年厚生省令第8号）第1条の2に規定する理容修得者課程の教科課目のみで同時授業を行う場合においてその数が2人未満であるときは、2人）以上であり、かつ、これらによって算出された人数の2分の1以上が専任であること。ただし、専任教員のうち1人以上は、理容師養成施設の教員であること
第4条第1項第1号チ	こと	こと。ただし、同時授業を行う場合において、教育上支障のないときは、この限りでない
第4条第1項第2号ロ	別表第2に掲げる算式によって算出された人数（その数が4人未満であるときは、4人。ただし、夜間課程に美容修得者課程のみを設ける場合においてその数が2人未満であるときは、2人）以上であり、かつ、これらによって算出された人数の2分の1以上が専任であること	同時授業を行う美容師養成施設の教員数と合算して、別表第2に掲げる算式によって算出された人数（その数が4人未満であるときは、4人。ただし、美容修得者課程の教科課目と美容師養成施設指定規則第1条の2に規定する理容修得者課程の教科課目のみで同時授業を行う場合においてその数が2人未満であるときは、2人）以上であり、かつ、これらによって算出された人数の2分の1以上が専任であること。ただし、専任教員のうち1人以上は、理容師養成施設の教員であること
別表第2	定員	（定員＋同時授業を行う美容師養成施設の定員）
別表第3衛生管理保健の項	理容師	理容師又は美容師（同時授業を行う場合に限る。）

〔改正〕

　　　　追加（第5次改正）、一部改正（第7・8次改正）

（教科課程の基準）

第5条　法第3条第3項に規定する指定を受けた理容師養成施設（以下「指定養成施設」という。）の教科課程は、教科課程の基準として厚生労働大臣が別に定めるところによらなければならない。

〔改正〕

第2編　理容師・美容師

　　　一部改正（第1次改正）
〔委任〕
　　　「教科課程の基準として厚生労働大臣が別に定める」＝平成20年2月厚労告第45号「理容師養成施設の教科課程の基準」
（変更等の承認）
第6条　指定養成施設の設立者は、当該養成施設における生徒の定員を増加しようとするとき、又は第3条第1項第12号に掲げる事項を変更しようとするときは、2月前までに、その旨を記載した申請書を当該指定養成施設所在地の都道府県知事に提出し、その承認を得なければならない。
2　指定養成施設において新たに養成課程を設けようとするとき（新たに美容修得者課程を設けようとするときを含む。）及び新たに同時授業を行おうとするときも、前項と同様とする。
3　指定養成施設の設立者は、当該養成施設における養成課程の一部を廃止（美容修得者課程の一部又は全部を廃止する場合を含む。）し、又は当該養成施設を廃止しようとするときは、2月前までに、次の各号に掲げる事項を記載した申請書を当該指定養成施設所在地の都道府県知事に提出し、その承認を得なければならない。
一　廃止の理由
二　廃止の予定年月日
三　入所中の生徒があるときは、その処置
四　指定養成施設を廃止しようとする場合にあっては、当該養成施設に在学し、又はこれを卒業した者の学習の状況を記録した書類を保存する者の住所及び氏名（法人又は団体にあっては、その名称、主たる事務所の所在地並びに代表者の住所及び氏名）並びに当該書類の承継の予定年月日
〔改正〕
　　　一部改正（第1・4～6・8次改正）
（指定養成施設廃止後の書類の保存）
第7条　指定養成施設が廃止される場合において、当該養成施設に在学し、又はこれを卒業した者の学習の状況を記録した書類を適切に保存することができる者がいないときは、当該指定養成施設所在地の都道府県知事が、当該書類を保存しなければならない。
〔改正〕
　　　追加（第4次改正）、一部改正（第6次改正）
（変更の届出）
第8条　指定養成施設の設立者は、第3条第1項第1号、第2号、第3号、第5号、第6号（学級数に関する部分に限る。）、第7号、第8号、第9号（教科課程に関する部分に限る。）、第9号の2、第10号若しくは第11号若しくは同条第3項に掲げる事項又は通信課程における通信教材の内容に変更を生じたときは、その旨を記載した届出書を当該指定養成施設所在地の都道府県知事に提出しなければならない。
2　指定養成施設の設立者は、第3条第1項第6号に掲げる事項について変更（生徒の定

理容師養成施設指定規則

員を減ずる場合に限る。）しようとするとき又は同時授業を終了しようとするときは、あらかじめ、その旨を記載した届出書を当該指定養成施設所在地の都道府県知事に提出しなければならない。

〔改正〕

一部改正（第1・4～6次改正）、旧第7条を本条に繰下（第4次改正）

（収支決算等の届出）

第9条　指定養成施設の設立者は、毎年7月31日までに、次の事項を当該指定養成施設所在地の都道府県知事に届け出なければならない。
一　前年の4月1日からその年の3月31日までの収支決算の細目
二　その年の4月1日から翌年の3月31日までの収支予算の細目

〔改正〕

一部改正（第4・6次改正）、旧第8条を本条に繰下（第4次改正）

（入所及び卒業の届出）

第10条　指定養成施設の設立者は、毎年4月30日までに、前年の4月1日からその年の3月31日までの入所者の数及び卒業者の数を当該指定養成施設所在地の都道府県知事に届け出なければならない。

〔改正〕

一部改正（第4・6次改正）、旧第9条を本条に繰下（第4次改正）

（卒業証書）

第11条　指定養成施設の長は、その施設の全教科課程を修了したと認めた者には、次の事項を記載した卒業証書を授与しなければならない。
一　卒業者の本籍、氏名及び生年月日
二　卒業の年月日
三　指定養成施設の名称、所在地及び長の氏名

〔改正〕

旧第10条を本条に繰下（第4次改正）

（報告の徴収及び指示）

第12条　指定養成施設所在地の都道府県知事は、指定養成施設につき必要があると認めるときは、その設立者又は長に対して報告を求めることができる。

2　指定養成施設所在地の都道府県知事は、指定養成施設の教育の内容、教育の方法、施設、設備その他が適当でないと認めるときは、その設立者又は長に対して必要な指示をすることができる。

〔改正〕

旧第11条として追加（第2次改正）、一部改正（第6次改正）、本条に繰下（第4次改正）

（指定の取消し）

第13条　指定養成施設所在地の都道府県知事は、指定養成施設が第4条の規定による基準に適合しなくなったと認めるとき、その設立者が第6条の規定に違反したとき、又はその設立者若しくは長が前条第2項の規定による指示に従わないとき若しくは定員を超え

て生徒を入所させているときは、その指定を取り消すことができる。
2　第7条の規定は、前項の規定による取消しについて準用する。
　　〔改正〕
　　　　一部改正（第1・2・4・6次改正）、旧第11条を旧第12条に繰下（第2次改正）、本条に繰下（第4次改正）

　　　附　則　抄
　　（施行期日）
第1条　この省令は、平成10年4月1日から施行する。
　　（経過規定）
第2条　この省令の施行の際現に理容師法施行規則（平成10年厚生省令第4号）による改正前の理容師法施行規則（昭和23年厚生省令第41号。以下「旧規則」という。）第10条第1項の規定により提出されている申請書は、第3条第1項の規定により提出されているものとみなす。
第3条　指定養成施設（第4条第2項の規定により、入所資格について設定された特別の基準が適用されるものを除く。）は、第4条第1項第1号イの規定にかかわらず、当分の間、学校教育法第57条に規定する者（理容師法及び美容師法の一部を改正する法律（平成7年法律第109号。以下「改正法」という。）附則第5条第2項に規定する者を含む。）を入所させることができる。この場合において、指定養成施設の長は、理容師法施行規則附則第6条第1号に規定する講習を実施しなければならない。
　　〔改正〕
　　　　一部改正（第3次改正）
第5条　この省令の施行の日の前日において1年以上継続して旧指定養成施設において旧規則別表第2に掲げる消毒法（実習）又は理容理論（実習を含む。）の教員として勤務していた者であって、厚生労働大臣が認定した研修の課程を修了したものは、第4条第1項第1号トの規定にかかわらず、当分の間、消毒法（実習）の教員にあっては別表第3に掲げる衛生管理又は理容保健の教員と、理容理論（実習を含む。）の教員にあっては同表に掲げる理容技術理論又は理容実習の教員となることができる。
　　〔改正〕
　　　　一部改正（第1次改正）
第6条　この省令の施行の日の前日において6年以上旧指定養成施設において旧規則別表第2に掲げる理容理論（実習を含む。）の教員として勤務していた者は、第4条第1項第1号トの規定にかかわらず、当分の間、別表第3に掲げる理容技術理論又は理容実習の教員となることができる。

　　　附　則（第4次改正）抄
　　（施行期日）
第1条　この省令は、平成20年4月1日から施行する。
　　（理容師養成施設に係る経過措置）
第2条　この省令の施行の日前になされたこの省令による改正前の理容師養成施設指定規則（以下「旧理容規則」という。）第3条第1項の規定に基づく申請又は第6条第2項

の規定に基づく申請（新たに養成課程を設ける場合に限る。）については、この省令による改正後の理容師養成施設指定規則（以下「新理容規則」という。）第3条第1項第9号の2及び第4条第1項第1号リの規定は適用しない。

第3条　この省令の施行の際現に旧理容規則第4条第1項第1号ト及び別表第3の規定に基づき関係法規・制度、理容の物理・化学、理容文化論又は理容運営管理の教員として勤務していた者は、新理容規則第4条第1項第1号ト及び別表第3の規定にかかわらず、当分の間、当該課目の教員となることができる。

第7条　この省令の施行の際現に旧理容規則第6条第1項の規定に基づく申請（生徒の定員を減ずる場合に限る。）を行っている者は、新理容規則第8条第2項の規定による届出を行った者とみなす。

第8条　この省令の施行の日前になされた旧理容規則第6条第2項の規定に基づく申請（養成施設を廃止する場合に限る。）については、なお従前の例による。

　　　附　則（第7次改正）抄
（施行期日）
第1条　この省令は、公布の日〔平成28年5月31日〕から施行する。
（理容師養成施設に係る経過措置）
第2条　この省令の施行の際現に第1条の規定による改正前の理容師養成施設指定規則第4条第1項第1号ト及び別表第3の規定に基づき理容技術理論及び理容実習の課目の教員として勤務していた者は、第1条の規定による改正後の理容師養成施設指定規則（以下「新理容規則」という。）別表第3の規定にかかわらず、当分の間、当該課目の教員となることができる。

2　この省令の施行の際現に理容師の免許を受けた後3年以上実務に従事した経験のある者であって、平成29年3月31日までの間において新理容規則別表第3理容技術理論理容実習の項の規定に基づき厚生労働大臣が認定した研修の課程を修了したものは、新理容規則別表第3の規定にかかわらず、当分の間、理容技術理論及び理容実習の課目の教員となることができる。

　　　附　則（第8次改正）抄
（施行期日）
第1条　この省令の規定は、次の各号に掲げる区分に応じ、それぞれ当該各号に定める日から施行する。
　一　〔前略〕附則第4条、第5条〔中略〕の規定　この省令の公布の日〔平成29年3月31日〕
　二　第3条〔中略〕の規定並びに附則第6条から第10条まで〔中略〕の規定　平成30年4月1日
（理容師養成施設に係る準備行為）
第4条　理容師法第3条第3項の指定を受けて第3条の規定による改正後の理容師養成施設指定規則（以下「新理容師養成施設指定規則」という。）第4条の基準に係る理容師養成施設を設けようとする者、新理容師養成施設指定規則第6条第2項の変更の承認を

受けて新理容師養成施設指定規則第2条第4項に規定する美容修得者課程を設けようとする者又は新理容師養成施設指定規則第6条第2項の変更の承認を受けて新理容師養成施設指定規則第4条の2第1項に規定する同時授業を行おうとする者は、第2号施行日前においても、新理容師養成施設指定規則第2条第4項、第3条第2項、第4条の2第1項又は第6条第2項の規定の例により、その指定又は変更の承認の申請をすることができる。

2 　都道府県知事は、前項の規定による指定又は変更の承認の申請があった場合には、第2号施行日前においても、新理容師養成施設指定規則第4条第1項、第4条の2第2項、別表第1、別表第1の2又は別表第3の規定の例により、その指定又は変更の承認をすることができる。この場合において、その指定又は変更の承認を受けた者は、第2号施行日において理容師法第3条第3項の指定又は新理容師養成施設指定規則第6条第2項の変更の承認を受けたものとみなす。

第5条　厚生労働大臣は、第2号施行日前においても、新理容師養成施設指定規則別表第3の規定の例により、同表衛生管理保健、香粧品化学、文化論又は運営管理の各項の規定による研修の認定をすることができる。

（理容師養成施設指定規則に係る経過措置）

第6条　理容師法及び美容師法の一部を改正する法律附則第3条の規定により同法第2条の規定による改正後の美容師法の規定による美容師試験を受けることができるものとされている者については、新理容師養成施設指定規則第2条第4項の規定の適用に当たっては、美容師法第4条第3項に規定する指定を受けた美容師養成施設において美容師法施行規則第11条前段に規定する期間以上美容師になるのに必要な知識及び技能を修得している者とみなす。

第7条　第3条の規定の施行の際現に理容師法第3条第3項に規定する指定を受けた理容師養成施設に入所中の生徒に係る修業期間、教科課目、単位数、教科課目の教員及び通信課程における授業方法並びに当該生徒に係る教科課程については、なお従前の例による。

第8条　次の各号に掲げる者は、新理容師養成施設指定規則別表第3の規定にかかわらず、当分の間、それぞれ当該各号に掲げる理容師養成施設の課目の教員となることができる。

一　第3条の規定の施行の際現に同条の規定による改正前の理容師養成施設指定規則（以下「旧理容師養成施設指定規則」という。）第4条第1項第1号ト及び別表第3の規定に基づき衛生管理の課目の教員として勤務していた者　衛生管理

二　第2号施行日の前日において現に旧理容師養成施設指定規則第4条第1項第1号ト及び別表第3の規定に基づき理容保健、理容の物理・化学、理容文化論又は理容運営管理の課目の教員として勤務していた者　それぞれ保健、香粧品化学、文化論又は運営管理

三　第2号施行日の前日において現に理容師養成施設指定規則附則第5条の規定に基づき旧理容師養成施設指定規則別表第3に掲げる衛生管理又は理容保健の課目の教員と

して勤務していた者　それぞれ衛生管理又は保健
　四　第２号施行日の前日において現に理容師養成施設指定規則及び美容師養成施設指定規則の一部を改正する省令（平成20年厚生労働省令第21号）附則第３条の規定に基づき旧理容師養成施設指定規則別表第３に掲げる理容の物理・化学、理容文化論又は理容運営管理の課目の教員として勤務していた者　それぞれ香粧品化学、文化論又は運営管理
　五　平成29年４月１日から第２号施行日の前日までの間に旧理容師養成施設指定規則別表第３の衛生管理理容保健、理容文化論又は理容運営管理の各項の規定に基づき厚生労働大臣の認定した研修の課程を修了した者　それぞれ衛生管理、保健、文化論又は運営管理

第９条　理容師の免許を受けた後、第２号施行日前に旧理容師養成施設指定規則別表第３に掲げる理容保健、理容の物理・化学、理容文化論又は理容運営管理の課目の教育に関する業務に従事した期間がある者の当該期間及び附則第７条の規定によりなお従前の例によることとされる教科課目のうち理容保健、理容の物理・化学、理容文化論又は理容運営管理の課目の教育に関する業務に従事した期間がある者の当該期間については、それぞれ新理容師養成施設指定規則別表第３の衛生管理保健の項の下欄第８号、香粧品化学の項の下欄第６号、文化論の項の下欄第４号㊁又は運営管理の項の下欄第４号㊁に規定する期間に含めて計算するものとする。

第2編　理容師・美容師

別表第1

課　　目		単 位 数
必　修　課　目	関 係 法 規 ・ 制 度	1 単位以上
	衛 　生 　管 　理	3 単位以上
	保　　　　　　　健	3 単位以上
	香 粧 品 化 学	2 単位以上
	文 　　化 　　論	2 単位以上
	理 容 技 術 理 論	5 単位以上
	運 　営 　管 　理	1 単位以上
	理 　容 　実 　習	30単位以上
小　　　　　　計		47単位以上
選 　択 　課 　目		20単位以上
合　　　　　　計		67単位以上

　備考　単位の計算方法は、授業の方法に応じ、当該授業による教育効果等を考慮して、30時間から45時間までの範囲で理容師養成施設が定める授業時間をもって1単位とする。

〔改正〕

　　全部改正（第4次改正）、一部改正（第8次改正）

別表第1の2

課　　目		単 位 数
必　修　課　目	理 容 技 術 理 論	4 単位以上
	理 　容 　実 　習	23単位以上
小　　　　　　計		27単位以上
選 　択 　課 　目		7 単位以上
合　　　　　　計		34単位以上

　備考　単位の計算方法は、授業の方法に応じ、当該授業による教育効果等を考慮して、30時間から45時間までの範囲で理容師養成施設が定める授業時間をもって1単位とする。

〔改正〕

　　追加（第8次改正）

別表第2

$$\frac{定員 \times 一学級の週当たり平均授業時間数}{40 \times 15}$$

別表第3

関係法規・制度	一 旧教員免許令（明治33年勅令第134号）に基づく旧中学校高等女学校教員検定規程（明治41年文部省令第32号）第7条第1号又は第2号の規定により指定又は許可を受けた学校の卒業者であって、当該学校において法律学を修めた者 二 学校教育法（昭和22年法律第26号）に基づく大学の卒業者（同法に基づく専門職大学の前期課程（以下「専門職大学前期課程」という。）の修了者を含む。）であって、法律学に係る短期大学士、学士、修士又は博士の学位（同法第104条第2項に規定する文部科学大臣の定める学位又は同条第6項に規定する文部科学大臣の定める学位を含む。）を有する者 三 教育職員免許法（昭和24年法律第147号）第5条又は教育職員免許法施行法（昭和24年法律第148号）第1条若しくは第2条の規定により高等学校の公民若しくは中学校の社会の教諭の免許状の授与を受けた者又はその免許状を有するものとみなされる者 四 衛生行政に3年以上の経験を有する者 五 旧高等試験令（昭和4年勅令第15号）による高等試験に合格した者又は裁判所法（昭和22年法律第59号）による司法修習生となる資格を得た者
衛生管理保健	一 医師 二 歯科医師 三 薬剤師 四 獣医師 五 保健師 六 助産師 七 看護師 八 理容師の免許を受けた後、実務又は理容師養成施設において上欄の課目の教育に関する業務に従事した期間が通算して4年以上になる者であって、厚生労働大臣の認定した研修の課程を修了したもの
	一 薬剤師 二 旧教員免許令に基づく旧中学校高等女学校教員検定規程第7条第1号又は第2号の規定により指定又は許可を受けた学校の卒業者であって、当該学校において化学を修めた者 三 旧教員免許令に基づく旧実業学校教員検定ニ関スル規程（大正

香粧品化学	11年文部省令第4号）第6条第5号の規定により許可を受けた学校又は同条第7号の規定に基づく昭和15年10月文部省告示第569号（実業学校教員検定ニ関スル規程第6条第7号により無試験検定を受けることができる者の指定の件）に掲げる学校若しくは養成所の卒業者であって、当該学校又は養成所において化学を修めた者 四　学校教育法に基づく大学の卒業者（専門職大学前期課程の修了者を含む。）であって、化学に係る短期大学士、学士、修士又は博士の学位（同法第104条第2項に規定する文部科学大臣の定める学位又は同条第6項に規定する文部科学大臣の定める学位を含む。）を有する者 五　教育職員免許法第5条又は教育職員免許法施行法第1条若しくは第2条の規定により高等学校若しくは中学校の理科の教諭の免許状の授与を受けた者又はその免許状を有するものとみなされる者 六　理容師の免許を受けた後、実務又は理容師養成施設において上欄の課目の教育に関する業務に従事した期間が通算して4年以上になる者であって、厚生労働大臣の認定した研修の課程を修了したもの
文化論	一　旧教員免許令に基づく旧中学校高等女学校教員検定規程第7条第1号又は第2号の規定により、指定又は許可を受けた学校の卒業者であって当該学校において美術を修めた者 二　学校教育法に基づく大学の卒業者（専門職大学前期課程の修了者を含む。）であって、美術に係る短期大学士、学士、修士又は博士の学位（同法第104条第2項に規定する文部科学大臣の定める学位又は同条第6項に規定する文部科学大臣の定める学位を含む。）を有する者 三　教育職員免許法第5条又は教育職員免許法施行法第1条若しくは第2条の規定により高等学校若しくは中学校の美術の教諭の免許状の授与を受けた者又はその免許状を有するものとみなされる者 四　次の各号のいずれかに該当する者であって、厚生労働大臣が認定した研修の課程を修了したもの 　㈠　一から三までに定める者に準ずると認められる者 　㈡　理容師の免許を受けた後、実務又は理容師養成施設において上欄の課目の教育に関する業務に従事した期間が通算して4年以上になる者
	一　旧教員免許令に基づく旧中学校高等女学校教員検定規程第7条第1号又は第2号の規定により指定又は許可を受けた学校の卒業者であって、当該学校において経済学、経営学又は会計学を修め

運営管理	た者 二　学校教育法に基づく大学の卒業者（専門職大学前期課程の修了者を含む。）であって、経済学、経営学又は会計学に係る短期大学士、学士、修士又は博士の学位（同法第104条第2項に規定する文部科学大臣の定める学位又は同条第6項に規定する文部科学大臣の定める学位を含む。）を有する者 三　教育職員免許法第5条又は教育職員免許法施行法第1条若しくは第2条の規定により、高等学校の公民若しくは中学校の社会の教諭の免許状の授与を受けた者又はその免許状を有するものとみなされる者 四　次の各号のいずれかに該当する者であって、厚生労働大臣が認定した研修の課程を修了したもの 　㈠　一から三までに定める者に準ずると認められる者 　㈡　理容師の免許を受けた後、実務又は理容師養成施設において上欄の課目の教育に関する業務に従事した期間が通算して4年以上になる者
理容技術理論 理　容　実　習	理容師の免許を受けた後、実務又は理容師養成施設において上欄の課目の教育に関する業務に従事した期間が通算して4年以上になる者であって、厚生労働大臣の認定した研修の課程を修了したもの
選　択　課　目	それぞれの課目を教授するのに適当と認められる者

〔改正〕

　一部改正（第1・2・4・7～10次改正）

●理容師法第4条の2第1項及び美容師法第4条の2第1項に規定する指定試験機関を指定する省令

〔平成12年4月11日〕
〔厚生省令第91号〕

〔一部改正経過〕

第1次	平成12年5月29日厚生省令第97号「理容師法第4条の2第1項及び美容師法第4条の2第1項に規定する指定試験機関を指定する省令の一部を改正する省令」による改正
第2次	平成20年5月22日厚生労働省令第110号「理容師法第4条の2第1項及び美容師法第4条の2第1項に規定する指定試験機関を指定する省令の一部を改正する省令」による改正
第3次	平成20年11月28日厚生労働省令第163号「一般社団法人及び一般財団法人に関する法律等の施行に伴う厚生労働省関係省令の整備に関する省令」第29条による改正
第4次	令和5年6月30日厚生労働省令第92号「理容師法第4条の2第1項及び美容師法第4条の2第1項に規定する指定試験機関を指定する省令の一部を改正する省令」による改正

　理容師法（昭和22年法律第234号）第4条の2第1項及び第4条の4第1項並びに美容師法（昭和32年法律第163号）第4条の2第1項及び第4条の4第1項の規定に基づき、理容師法第4条の2第1項及び美容師法第4条の2第1項に規定する指定試験機関を指定する省令を次のように定める。

**　　理容師法第4条の2第1項及び美容師法第4条の2第1項に規定する指定試験機関を指定する省令**

　理容師法（昭和22年法律第234号）第4条の2第1項及び美容師法（昭和32年法律第163号）第4条の2第1項に規定する指定試験機関として次の者を指定する。

名　　　　称	主たる事務所の所在地	指定の日
財団法人理容師美容師試験研修センター（平成2年4月2日に財団法人理容師美容師試験研修センターという名称で設立された法人をいう。）	東京都渋谷区笹塚2丁目1番6号	平成12年4月3日

　　附　則
　この省令は、公布の日〔平成12年4月11日〕から施行し、平成12年4月3日から適用する。

●理容師法に基づく指定試験機関及び指定登録機関に関する省令

〔平成10年1月27日〕
〔厚生省令第6号〕

〔一部改正経過〕
第1次	平成12年3月30日厚生省令第56号「クリーニング業法施行規則等の一部を改正する省令」第4条による改正
第2次	平成12年3月30日厚生省令第57号「食品衛生法施行規則等の一部を改正する省令」第11条による改正
第3次	平成12年3月31日厚生省令第75号「理容師法施行規則等の一部を改正する省令」第2条による改正
第4次	平成12年10月20日厚生省令第127号「中央省庁等改革のための健康保険法施行規則等の一部を改正する等の省令」第167条による改正
第5次	平成17年3月7日厚生労働省令第25号「健康保険法施行規則等の一部を改正する省令」第2条による改正
第6次	平成17年3月31日厚生労働省令第56号「理容師法に基づく指定試験機関及び指定登録機関に関する省令及び美容師法に基づく指定試験機関及び指定登録機関に関する省令の一部を改正する省令」第1条による改正
第7次	平成19年3月30日厚生労働省令第43号「学校教育法の一部を改正する法律等の施行に伴う厚生労働省関係省令の整備等に関する省令」第3条による改正
第8次	平成20年11月28日厚生労働省令第163号「一般社団法人及び一般財団法人に関する法律等の施行に伴う厚生労働省関係省令の整備等に関する省令」第23条による改正
第9次	平成29年3月31日厚生労働省令第39号「理容師法施行規則等の一部を改正する省令」第4条による改正
第10次	令和元年6月28日厚生労働省令第20号「不正競争防止法等の一部を改正する法律の施行に伴う厚生労働省関係省令の整備に関する省令」第49条による改正
第11次	令和5年12月26日厚生労働省令第161号「デジタル社会の形成を図るための規制改革を推進するための厚生労働省関係省令の一部を改正する省令」第20条による改正
第12次	令和5年12月27日厚生労働省令第165号「デジタル社会の形成を図るための規制改革を推進するための厚生労働省関係省令の一部を改正する省令」第16条による改正

　理容師法(昭和22年法律第234号)の規定に基づき、理容師法に基づく指定試験機関及び指定登録機関に関する省令を次のように定める。

理容師法に基づく指定試験機関及び指定登録機関に関する省令

目次　　　　　　　　　　　　　　　　　　　　　　　　　　　　　　　　　　　頁
　第1章　指定試験機関(第1条—第12条) ………………………………………… 189
　第2章　指定登録機関(第13条—第20条) ………………………………………… 193
　附則

第1章　指定試験機関

(指定試験機関の指定の申請)

第1条　理容師法(昭和22年法律第234号。以下「法」という。)第4条の2第2項の規定による申請は、次に掲げる事項を記載した申請書によって行わなければならない。
　一　名称及び主たる事務所の所在地
　二　理容師試験の実施に関する事務(以下「試験事務」という。)を行おうとする事務所の名称及び所在地
　三　試験事務を開始しようとする年月日
2　前項の申請書には、次に掲げる書類を添付しなければならない。
　一　定款及び登記事項証明書
　二　申請の日を含む事業年度の直前の事業年度における財産目録及び貸借対照表(申請

の日を含む事業年度に設立された法人にあっては、その設立時における財産目録）
三 申請の日を含む事業年度の事業計画書及び収支予算書
四 申請に係る意思の決定を証する書類
五 役員の氏名及び略歴を記載した書類
六 現に行っている業務の概略を記載した書類
七 試験事務の実施に関する計画を記載した書類
八 その他参考となる事項を記載した書類
〔改正〕
　　　一部改正（第5・8次改正）

（指定試験機関の名称の変更等の届出）

第2条 法第4条の2第1項に規定する指定を受けた者（以下「指定試験機関」という。）は、法第4条の4第2項の規定によりその名称又は主たる事務所の所在地の変更の届出をするときは、次に掲げる事項を記載した届出書によって行わなければならない。
一 変更後の指定試験機関の名称又は主たる事務所の所在地
二 変更しようとする年月日
三 変更の理由

2 指定試験機関は、試験事務を行う事務所を新設し、又は廃止しようとするときは、次に掲げる事項を記載した届出書を厚生労働大臣に提出しなければならない。
一 新設し、又は廃止しようとする事務所の名称及び所在地
二 新設し、又は廃止しようとする事務所において試験事務を開始し、又は廃止しようとする年月日
三 新設又は廃止の理由
〔改正〕
　　　一部改正（第4次改正）

（役員の選任又は解任の認可の申請）

第3条 指定試験機関は、法第4条の6第1項の規定により役員の選任又は解任の認可を受けようとするときは、次に掲げる事項を記載した申請書を厚生労働大臣に提出しなければならない。
一 役員として選任しようとする者の氏名、住所及び略歴又は解任しようとする役員の氏名
二 選任し、又は解任しようとする年月日
三 選任又は解任の理由
〔改正〕
　　　一部改正（第4次改正）

（試験委員の要件）

第4条 法第4条の7第2項の厚生労働省令で定める要件は、次の各号のいずれかに該当する者であることとする。

一　学校教育法（昭和22年法律第26号）に基づく大学において法学、医学、薬学、物理学、化学、経済学、経営学若しくは会計学に関する科目を担当する教授若しくは准教授の職にあり、又はあった者
二　学校教育法に基づく大学において理科系統の正規の課程を修めて卒業した者であって、その後10年以上国、地方公共団体、一般社団法人又は一般財団法人その他これらに準ずるものの研究機関において伝染病学（細菌学を含む。）、公衆衛生学又は皮膚科学に関する研究の業務に従事した経験を有するもの
三　国又は地方公共団体の職員又は職員であった者で、衛生法規、伝染病学（細菌学を含む。）、公衆衛生学又は皮膚科学について専門的な知識を有するもの
四　法第3条第3項の規定により指定を受けた理容師養成施設において理容師養成施設指定規則（平成10年厚生省令第5号）別表第1又は別表第1の2に掲げる必修課目を5年以上講義した経験を有する者
五　理容師の免許を受けた後、15年以上実務に従事した経験を有する者
〔改正〕
　　　　一部改正（第4・7～9次改正）
（試験委員の選任又は変更の届出）
第5条　法第4条の7第3項の規定による試験委員の選任又は変更の届出は、次に掲げる事項を記載した届出書によって行わなければならない。
一　選任した試験委員の氏名及び略歴又は変更した試験委員の氏名
二　選任し、又は変更した年月日
三　選任又は変更の理由
（試験事務規程の認可の申請）
第6条　指定試験機関は、法第4条の9第1項前段の規定により試験事務規程の認可を受けようとするときは、その旨を記載した申請書に当該試験事務規程を添えて、これを厚生労働大臣に提出しなければならない。
2　指定試験機関は、法第4条の9第1項後段の規定により試験事務規程の変更の認可を受けようとするときは、次に掲げる事項を記載した申請書を厚生労働大臣に提出しなければならない。
一　変更の内容
二　変更しようとする年月日
三　変更の理由
〔改正〕
　　　　一部改正（第4次改正）
（試験事務規程の記載事項）
第7条　法第4条の9第2項の試験事務規程で定めるべき事項は、次のとおりとする。
一　試験事務の実施の方法に関する事項
二　受験手数料の収納の方法に関する事項
三　試験事務に関して知り得た秘密の保持に関する事項

四　試験事務に関する帳簿及び書類の保存に関する事項
五　その他試験事務の実施に関し必要な事項
（事業計画及び収支予算の認可の申請）
第8条　指定試験機関は、法第4条の10第1項前段の規定により事業計画及び収支予算の認可を受けようとするときは、その旨を記載した申請書に事業計画書及び収支予算書を添えて、これを厚生労働大臣に提出しなければならない。
2　指定試験機関は、法第4条の10第1項後段の規定により事業計画又は収支予算の変更の認可を受けようとするときは、次に掲げる事項を記載した申請書を厚生労働大臣に提出しなければならない。
一　変更の内容
二　変更しようとする年月日
三　変更の理由
〔改正〕
　　　　一部改正（第4次改正）
（帳簿）
第9条　法第4条の11の厚生労働省令で定める事項は、次のとおりとする。
一　試験を施行した日
二　試験地
三　受験者の受験番号、氏名、住所、生年月日及び合否の別
2　指定試験機関は、法第4条の11に規定する帳簿を、試験事務を廃止するまで保存しなければならない。
〔改正〕
　　　　一部改正（第4次改正）
（試験結果の報告）
第10条　指定試験機関は、理容師試験を実施したときは、遅滞なく、次に掲げる事項を記載した報告書を厚生労働大臣に提出しなければならない。
一　試験を施行した日
二　試験地
三　受験申込者数
四　受験者数
五　合格者数
2　前項の報告書には、合格した者の受験番号、氏名、生年月日、住所及び合格証書の番号を記載した合格者一覧表を添付しなければならない。
〔改正〕
　　　　一部改正（第4次改正）
（試験事務の休止又は廃止の許可の申請）
第11条　指定試験機関は、法第4条の14第1項の規定により試験事務の休止又は廃止の許可を受けようとするときは、次に掲げる事項を記載した申請書を厚生労働大臣に提出し

なければならない。
一　休止し、又は廃止しようとする試験事務の範囲
二　休止しようとする年月日及びその期間又は廃止しようとする年月日
三　休止又は廃止の理由
〔改正〕
　　　一部改正（第4次改正）
（試験事務の引継ぎ等）
第12条　指定試験機関は、法第4条の14第1項の許可を受けて試験事務の全部若しくは一部を廃止する場合、法第4条の15第1項の規定により指定を取り消された場合又は法第4条の17第2項の規定により厚生労働大臣が試験事務の全部若しくは一部を自ら行うこととなった場合には、次に掲げる事項を行わなければならない。
一　試験事務を厚生労働大臣に引き継ぐこと。
二　試験事務に関する帳簿及び書類を厚生労働大臣に引き継ぐこと。
三　その他厚生労働大臣が必要と認める事項
〔改正〕
　　　一部改正（第4次改正）

第2章　指定登録機関

（登録事務規程の記載事項）
第13条　法第5条の5において準用する法第4条の9第2項の厚生労働省令で定める事項は、次のとおりとする。
一　理容師の登録の実施等に関する事務（以下「登録事務」という。）を行う時間及び休日に関する事項
二　登録事務を行う場所に関する事項
三　登録事務の実施の方法に関する事項
四　手数料の収納の方法に関する事項
五　登録事務に関して知り得た秘密の保持に関する事項
六　登録事務に関する帳簿及び書類並びに理容師名簿の管理に関する事項
七　その他登録事務の実施に関し必要な事項
〔改正〕
　　　一部改正（第4次改正）
（帳簿）
第14条　法第5条の5において準用する法第4条の11の厚生労働省令で定める事項は、次のとおりとする。
一　各月における登録、理容師名簿の訂正及び登録の消除の件数
二　各月における理容師免許証明書の書換え交付及び再交付の件数
三　各月の末日において登録を受けている者の人数
2　法第5条の3第1項に規定する指定を受けた者（以下「指定登録機関」という。）は、法第5条の5において準用する法第4条の11に規定する帳簿を、登録事務を廃止す

るまで保存しなければならない。
〔改正〕
　　　一部改正（第4次改正）
（登録状況の報告）
第15条　指定登録機関は、毎事業年度の経過後遅滞なく、次に掲げる事項を記載した報告書を厚生労働大臣に提出しなければならない。
　一　当該事業年度における登録、理容師名簿の訂正及び登録の消除の件数
　二　当該事業年度における理容師免許証明書の書換え交付及び再交付の件数
　三　当該事業年度の末日において登録を受けている者の人数
〔改正〕
　　　一部改正（第4・6次改正）
（虚偽登録者等の報告）
第16条　指定登録機関は、理容師が虚偽又は不正の事実に基づいて登録を受けたと考えるときは、直ちに、次に掲げる事項を記載した報告書を厚生労働大臣に提出しなければならない。
　一　当該理容師に係る名簿の登録事項
　二　虚偽又は不正の事実
〔改正〕
　　　一部改正（第4次改正）
（試験に合格した者の氏名等の通知）
第17条　厚生労働大臣は、指定登録機関に対し、理容師試験に合格した者の受験番号、氏名、生年月日、住所、試験に合格した年月及び合格証書の番号を記載した書類を交付するものとする。
〔改正〕
　　　一部改正（第4次改正）
（免許の取消し等の処分の通知）
第18条　厚生労働大臣は、法第10条の規定により理容師の免許を取り消し、又は再免許を与えたときは、次に掲げる事項を指定登録機関に通知するものとする。
　一　処分を受けた者の登録番号及び登録年月日
　二　処分を受けた者の氏名、生年月日及び住所
　三　処分の内容及び処分を行った年月日
2　厚生労働大臣は、理容師法施行令（昭和28年政令第232号）第5条の規定により都道府県知事、保健所を設置する市の市長又は特別区の区長から通知を受けたときは、当該通知を受けた事項を指定登録機関に通知するものとする。
〔改正〕
　　　一部改正（第2～4次改正）
（準用）
第19条　第1条から第3条まで、第6条、第8条、第11条及び第12条の規定は、指定登録

機関について準用する。この場合において、これらの規定（第１条第１項第２号及び第２条第１項各号列記以外の部分を除く。）中「指定試験機関」とあるのは「指定登録機関」と、「試験事務」とあるのは「登録事務」と、第１条第１項中「第４条の２第２項」とあるのは「第５条の３第２項」と、同項第２号中「理容師試験の実施に関する事務（以下「試験事務」という。）」とあるのは「登録事務」と、第２条第１項各号列記以外の部分中「法第４条の２第１項に規定する指定を受けた者（以下「指定試験機関」という。）」とあるのは「指定登録機関」と、「法第４条の４第２項」とあるのは「法第５条の５において準用する法第４条の４第２項」と、第３条中「法第４条の６第１項」とあるのは「法第５条の５において準用する法第４条の６第１項」と、第６条第１項中「法第４条の９第１項前段」とあるのは「法第５条の５において準用する法第４条の９第１項前段」と、同条第２項中「法第４条の９第１項後段」とあるのは「法第５条の５において準用する法第４条の９第１項後段」と、第８条第１項中「法第４条の10第１項前段」とあるのは「法第５条の５において準用する法第４条の10第１項前段」と、同条第２項中「法第４条の10第１項後段」とあるのは「法第５条の５において準用する法第４条の10第１項後段」と、第11条中「法第４条の14第１項」とあるのは「法第５条の５において準用する法第４条の14第１項」と、第12条中「法第４条の14第１項」とあるのは「法第５条の５において準用する法第４条の14第１項」と、「法第４条の15第１項」とあるのは「法第５条の５において準用する法第４条の15第１項」と、「法第４条の17第２項」とあるのは「法第５条の５において準用する法第４条の17第２項」と、同条第２号中「書類」とあるのは「書類並びに理容師名簿」と読み替えるものとする。

（電磁的記録媒体による手続）

第20条 次の各号に掲げる書類の提出については、これらの書類に記載すべき事項を記録した電磁的記録媒体（電磁的記録（電子的方式、磁気的方式その他人の知覚によっては認識することができない方式で作られる記録であって、電子計算機による情報処理の用に供されるものをいう。）に係る記録媒体をいう。）並びに申請者、届出者又は報告者の名称及び主たる事務所の所在地並びに申請、届出又は報告の趣旨及びその年月日を記載した書類を提出することによって行うことができる。

一　第１条第１項に規定する申請書
二　第２条第１項に規定する届出書
三　第２条第２項に規定する届出書
四　第３条に規定する申請書
五　第５条に規定する届出書
六　第６条第１項に規定する申請書
七　第６条第２項に規定する申請書
八　第８条第１項に規定する申請書
九　第８条第２項に規定する申請書
十　第10条第１項に規定する報告書
十一　第11条に規定する申請書

十二　第15条に規定する報告書
十三　第16条に規定する報告書
〔改正〕
　　追加（第1次改正）、一部改正（第11次改正）

　　附　則　抄
1　この省令は、平成10年4月1日から施行する。
　　附　則（第9次改正）抄
（施行期日）
第1条　この省令の規定は、次の各号に掲げる区分に応じ、それぞれ当該各号に定める日から施行する。
一　〔前略〕第4条の規定〔中略〕　この省令の公布の日〔平成29年3月31日〕
二　〔前略〕附則第6条から第10条まで〔中略〕の規定　平成30年4月1日
（理容師法に基づく指定試験機関及び指定登録機関に関する省令に係る経過措置）
第10条　第2号施行日前に旧理容師養成施設指定規則別表第1に掲げる必修課目を講義した経験を有する者の当該経験及び附則第7条の規定によりなお従前の例によることとされる教科課目のうち必修課目を講義した経験を有する者の当該経験については、第4条の規定による改正後の理容師法に基づく指定試験機関及び指定登録機関に関する省令第4条第4号に規定する講義の経験に含めて計算するものとする。

◉理容師法第5条の3第1項及び美容師法第5条の3第1項の規定に基づく指定登録機関の指定

〔平成10年4月16日〕
〔厚生省告示第140号〕

〔一部改正経過〕
第1次 〔平成12年5月29日厚告第240号〕
第2次 〔平成20年5月22日厚労告第314号〕
第3次 〔令和5年6月30日厚労告第224号〕

理容師法（昭和22年法律第234号）第5条の3第1項及び美容師法（昭和32年法律第163号）第5条の3第1項の規定に基づき、次のように指定登録機関を指定したので、理容師法第5条の5において準用する同法第4条の4第1項及び美容師法第5条の5において準用する同法第4条の4第1項の規定に基づき告示する。

一 指定登録機関の名称及び主たる事務所の所在地
　財団法人理容師美容師試験研修センター
　東京都渋谷区笹塚2丁目1番6号
二 指定をした年月日
　平成10年4月1日

●理容師養成施設における中学校卒業者等に対する講習の基準等

〔平成20年 2 月29日 厚生労働省告示第41号〕

　理容師法施行規則（平成10年厚生省令第 4 号）附則第 6 条第 1 号及び理容師養成施設指定規則（平成10年厚生省令第 5 号）第 4 条第 2 項の規定に基づき、理容師養成施設における中学校卒業者等に対する講習の基準等を次のように定め、平成20年 4 月 1 日から適用する。

理容師養成施設における中学校卒業者等に対する講習の基準等

第 1　総則

一　理容師養成施設においては、理容師養成施設指定規則（平成10年厚生省令第 5 号）第 4 条第 1 項第 1 号イの規定にかかわらず、学校教育法（昭和22年法律第26号）第57条に規定する者（理容師法及び美容師法の一部を改正する法律（平成 7 年法律第109号）附則第 5 条第 2 項に規定する者を含む。以下「中学校卒業者等」という。）であって、当該養成施設が実施する入所試験に合格した者を入所させることができる。

二　中学校卒業者等に入所を認める理容師養成施設においては、学校教育法第90条に規定する者に該当しない生徒（以下「講習対象生徒」という。）に対して、当該養成施設における教科課目の学習を補助するための講習を実施しなければならない。

第 2　講習の内容

一　講習課目は、現代社会、化学及び保健とし、その単位数は、それぞれ 1 単位以上を定めるものとする。

二　単位の計算方法は、授業の方法に応じ、当該授業による教育効果等を考慮して、35時間から45時間までの範囲で理容師養成施設が定める授業時間をもって 1 単位とする。

三　単位により行うことが困難な理容師養成施設にあっては、それぞれの講習課目の区分ごとの授業時間数は35時間以上とし、単位数に代えて適切な時間数を定めるものとする。

第 3　課程修了の認定

　理容師養成施設においては、講習対象生徒が当該養成施設が定める所定の講習課目及び所定の単位数（単位で行うことが困難な理容師養成施設にあっては、授業時間数）を履修し、その成果が講習課目の指導目標からみて満足できると認められる場合には、課程の修了を認定しなければならない。

第 4　講習の免除

一　美容師養成施設に入所し、美容師養成施設における中学校卒業者等に対する講習の基準等（平成20年厚生労働省告示第46号）に基づき当該養成施設が講習課程の修了を認定した者については、講習を免除することができる。

二　理容師養成施設は、個別の入所資格審査を行い、高等学校を卒業した者と同等以上の学力があると認められた者については、**講習課目**の区分ごとに、その課目の履修を免除し、又は時間を減ずることができる。

●理容師養成施設の通信課程における授業方法等の基準

〔平成20年2月29日〕
〔厚生労働省告示第42号〕

〔一部改正経過〕
第1次 〔平成21年12月28日厚労告第510号〕
第2次 〔平成29年3月31日厚労告第139号〕

　理容師養成施設指定規則（平成10年厚生省令第5号）第4条第1項第3号ホの規定に基づき、理容師養成施設の通信課程における授業方法等の基準を次のように定め、平成20年4月1日から適用する。
　　理容師養成施設の通信課程における授業方法等の基準
第1　総則
　一　理容師養成施設の通信課程における授業は、教材を送付又は指定し、主としてこれにより学習させる授業（以下「通信授業」という。）及び理容師養成施設の校舎における講義、演習、実験又は実技による授業（以下「面接授業」という。）の併用により行うものとする。
　二　通信授業の実施に当たっては、添削等による指導（以下「添削指導」という。）を併せ行うものとする。
　三　理容師養成施設においては、通信授業及び添削指導並びに面接授業について相互の連携を図り、全体として調和がとれ、発展的、系統的に指導できるよう、通信課程に係る具体的な教育計画を策定し、これに基づき、定期試験等を含め、年間を通じて適切に授業を行うものとする。
第2　通信授業
　一　通信授業における添削指導の回数は、第1表（理容師養成施設指定規則（平成10年厚生省令第5号）第2条第4項に規定する美容修得者課程（以下「美容修得者課程」という。）については第2表）の上欄に掲げる必修課目の区分ごとにそれぞれこれらの表の下欄に掲げる添削指導の回数を満たすよう定めるものとする。なお、選択課目については、進度に応じて適当な回数を定めるものとする。
　　第1表

必　修　課　目	添削指導の回数
関　係　法　規　・　制　度	3回以上
衛　生　管　理	4回以上
保　　　　　　健	3回以上
香　粧　品　化　学	2回以上

文　　　化　　　論	2回以上
理　容　技　術　理　論	8回以上
運　営　　　管　理	3回以上
理　容　　　実　習	6回以上

第2表

必　修　課　目	添削指導の回数
理　容　技　術　理　論	8回以上
理　容　　　実　習	6回以上

二　理容師養成施設においては、添削指導及び教育相談を円滑に処理するため、適当な組織等を設けるものとする。

第3　面接授業

一　面接授業は、通信授業及び添削指導との関連を考慮して行うものとする。

二　単位数

1　面接授業の単位数は、第1表（美容修得者課程については第2表）の上欄に掲げる教科課目の区分ごとにそれぞれ第1表の中欄又は第2表の下欄に掲げる単位数を満たすよう定めるものとする。ただし、理容所に常勤で従事している者である生徒に対する美容修得者課程以外の教科課程における面接授業の単位数については、第1表の上欄に掲げる教科課目の区分ごとにそれぞれ同表の下欄に掲げる単位数を満たせば足りるものとする。

第1表

必　修　課　目		
	118単位以上	59単位以上
関　係　法　規　・　制　度	2単位以上	2単位以上
衛　生　　　管　理	6単位以上	6単位以上
保　　　健	5単位以上	5単位以上
香　粧　品　化　学	6単位以上	6単位以上
文　　　化　　　論	2単位以上	2単位以上
理　容　技　術　理　論	5単位以上	2単位以上
運　営　　　管　理	2単位以上	1単位以上
理　容　　　実　習	90単位以上	35単位以上
選択課目（実習を伴う各課目）	2単位以上	1単位以上
計	120単位以上	60単位以上

第2表

必 修 課 目	47単位以上
理 容 技 術 理 論	2単位以上
理 容 実 習	45単位以上
選 択 課 目（実 習 を 伴 う 各 課 目）	1単位以上
計	48単位以上

2　単位数の計算方法は、授業の方法に応じ、当該授業による教育効果等を考慮して、5時間以上を基準として理容師養成施設が定める授業時間をもって1単位とする。

3　単位により行うことが困難な理容師養成施設にあっては、第1表（美容修得者課程については第2表）の上欄に掲げる教科課目の区分ごとにそれぞれ第1表の中欄又は第2表の下欄に掲げる時間数を満たすよう適切な時間数を定めるものとする。ただし、理容所に常勤で従事している者である生徒に対する美容修得者課程以外の教科課程における面接授業の時間数については、第1表の上欄に掲げる教科課目の区分ごとにそれぞれ同表の下欄に掲げる時間数を満たせば足りるものとする。

第1表

必 修 課 目	590時間以上	295時間以上
関 係 法 規・制 度	10時間以上	10時間以上
衛 生 管 理	30時間以上	30時間以上
保 健	25時間以上	25時間以上
香 粧 品 化 学	30時間以上	30時間以上
文 化 論	10時間以上	10時間以上
理 容 技 術 理 論	25時間以上	10時間以上
運 営 管 理	10時間以上	5時間以上
理 容 実 習	450時間以上	175時間以上
選択課目（実習を伴う各課目）	10時間以上	5時間以上
計	600時間以上	300時間以上

第2表

必 修 課 目	235時間以上
理 容 技 術 理 論	10時間以上

理　容　実　習	225時間以上
選択課目（実習を伴う各課目）	5時間以上
計	240時間以上

三　面接授業の1日の授業時間数は、7時間以内とする。

四　同時に授業を行う1学級の生徒数は、40人以下とする。ただし、理容師養成施設指定規則第4条の2第1項に規定する同時授業を行う場合において、教育上支障のないときは、この限りでない。

◉聴覚障害者である生徒に対する教育を主として行う特別支援学校における理容師養成施設の指定の基準

〔平成20年2月29日　厚生労働省告示第43号〕

　理容師養成施設指定規則（平成10年厚生省令第5号）第4条第2項の規定に基づき、聴覚障害者である生徒に対する教育を主として行う特別支援学校における理容師養成施設の指定の基準を次のように定め、平成20年4月1日から適用する。

聴覚障害者である生徒に対する教育を主として行う特別支援学校における理容師養成施設の指定の基準

　聴覚障害者である生徒に対する教育を主として行う特別支援学校における理容師養成施設の指定については、理容師養成施設指定規則（平成10年厚生省令第5号）第4条第1項第1号に規定する基準を適用する。ただし、同号イ、ヘ、チ、ル及びヲの規定の適用については、同号イ、ヘ、チ、ル及びヲの規定にかかわらず、次に掲げる基準によることができる。

　一　学校教育法（昭和22年法律第26号）第57条に規定する者であることを入所資格とするものであること。
　二　教員の数は、5人以上であり、かつ、教員数の5分の2以上が専任であること。
　三　同時に授業を行う1学級の生徒数は、15人以下とすること。
　四　普通教室の面積は、24.75平方メートル以上であること。
　五　実習室の面積は、24.75平方メートル以上であること。

●矯正施設における理容師養成施設の指定の基準

〔平成20年2月29日〕
〔厚生労働省告示第44号〕

〔一部改正経過〕
　　第1次　〔令和5年4月7日厚労告第171号〕

　理容師養成施設指定規則（平成10年厚生省令第5号）第4条第2項の規定に基づき、矯正施設における理容師養成施設の指定の基準を次のように定め、平成20年4月1日から適用する。

矯正施設における理容師養成施設の指定の基準

　法務省の所管に係る矯正施設（刑務所、少年刑務所、拘置所、少年院及び少年鑑別所をいう。）における理容師養成施設の指定については、理容師養成施設指定規則（平成10年厚生省令第5号）第4条第1項第1号に規定する基準を適用する。

　ただし、同号ヲの規定の適用については、同号ヲの規定にかかわらず、同時に授業を行う1学級の生徒数が20人以上40人未満のものについては、実習室の面積は、49.5平方メートル以上とすることができる。

●理容師養成施設の教科課程の基準

〔平成 20 年 2 月 29 日〕
〔厚生労働省告示第45号〕

〔一部改正経過〕
第1次　〔平成21年3月26日厚労告第107号〕
第2次　〔平成29年3月31日厚労告第139号〕

　理容師養成施設指定規則（平成10年厚生省令第5号）第5条の規定に基づき、理容師養成施設の教科課程の基準を次のように定め、平成20年4月1日から適用する。
　　　理容師養成施設の教科課程の基準
第1　教科課程の編成
　一　理容師養成施設における教科課程は、消費者の理容業に対する需要、科学技術の進歩、生徒の生活環境、地域の実態等を勘案しつつ、理容技術の専門家であるとともに、地域の保健衛生の担い手でもある理容師の養成にふさわしい内容にしなければならない。
　二　必修課目
　　1　単位数
　　(1)　理容師養成施設においては、必修課目について、それぞれの教科課目ごとに、理容師養成施設指定規則（平成10年厚生省令第5号）別表第1又は別表第1の2に定められている単位数に則り、当該養成施設が設定する教育計画及び教育目標に基づき、適切な単位数を定めるものとする。
　　(2)　単位により行うことが困難な理容師養成施設にあっては、それぞれの教科課目ごとに第1表（理容師養成施設指定規則第2条第4項に規定する美容修得者課程（以下「美容修得者課程」という。）については第2表）のとおり定められている授業時間数に則り、単位に代えて適切な時間数を定めるものとする。
　　　第1表

関　係　法　規　・　制　度	30時間以上
衛　　　生　　　管　　　理	90時間以上
保　　　　　　　　　　　健	90時間以上
香　　粧　　品　　化　　学	60時間以上
文　　　　　化　　　　　論	60時間以上
理　容　技　術　理　論	150時間以上

理容師養成施設の教科課程の基準

運 営 管 理	30時間以上
理 容 実 習	900時間以上
計	1410時間以上

第2表

理 容 技 術 理 論	120時間以上
理 容 実 習	690時間以上
計	810時間以上

(3) 通信課程については、理容師養成施設の通信課程における授業方法等の基準（平成20年厚生労働省告示第42号。以下「通信課程の授業方法等の基準」という。）に定めるところによるものとする。

2 美容師養成施設の美容師養成施設指定規則（平成10年厚生省令第8号）第1条の2に規定する理容修得者課程（以下「理容修得者課程」という。）以外の教科課程において履修している者が理容師養成施設の美容修得者課程以外の教科課程において履修しようとする場合であって、本人から必修課目の履修の免除の申出があったときは、当該美容師養成施設において履修すべき美容師養成施設指定規則別表第1に掲げる全ての必修課目及び全ての選択課目の修了（美容師養成施設の教科課程の基準（平成20年厚生労働省告示第50号）第1の三4(2)の規定の適用による履修を含む。）を条件として理容技術理論及び理容実習を除く必修課目の履修を免除するものとする。この場合においては、理容技術理論及び理容実習の各教科課目を美容修得者課程の教科課目とみなして、1(1)及び(2)の規定を適用する。

三 選択課目

1 選択課目については、日本語又は芸術などの一般教養課目及びエステティック技術又は理容カウンセリングなどの専門教育課目を一般教養と専門教育のバランスに配意しつつ、各理容師養成施設が設定するものとする。

2 選択課目の内容は、理容師に必要な幅広い教養を身につけることによって、人間性豊かな人格の形成を目指すとともに、保健衛生に携わる専門的技術者としての自覚をかん養するものでなければならない。

3 単位数

(1) 理容師養成施設においては、選択課目の各教科課目について、その内容等に応じて適切な単位数を定めるものとする。この場合、一般教養に係る教科課目の単位数は、1課目につき1単位以上、専門教育に係る教科課目の単位数は、1課目につき2単位以上とし、選択課目の総単位数は、20単位以上とする（美容修得者課程の選択課目の総単位数は、7単位以上とする。）。

(2) 単位により行うことが困難な理容師養成施設にあっては、一般教養に係る教科課目の授業時間数は、1課目につき30時間以上、専門教育に係る教科課目の授業

時間数は、1課目につき60時間以上とし、選択課目の総授業時間数は、600時間以上とする（美容修得者課程の選択課目の総授業時間数は、210時間以上とする。）。
   (3) 通信課程については、通信課程の授業方法等の基準の定めるところによるものとする。
 4 免除等
   (1) 理容師養成施設においては、美容師養成施設の理容修得者課程以外の教科課程において履修している者が当該理容師養成施設の美容修得者課程以外の教科課程において履修しようとする場合であって、本人から選択課目の履修の免除の申出があったときは、当該美容師養成施設において履修すべき美容師養成施設指定規則別表第1に掲げる全ての必修課目及び全ての選択課目の修了（美容師養成施設の教科課程の基準第1の三4(2)の規定の適用による履修を含む。）を条件として、選択課目の総単位数を7単位（単位により行うことが困難な理容師養成施設にあっては、総授業時間数を210時間）以上とする。
   (2) 理容師養成施設においては、生徒が当該理容師養成施設に入所する前に行った理容師養成施設又は美容師養成施設の選択課目若しくは専修学校における授業課目の履修（美容修得者課程において履修している生徒及び(1)の規定が適用される生徒が美容師養成施設において行った選択課目の履修を除く。）、大学、短期大学若しくは高等専門学校の課程における学修又は大学、短期大学若しくは高等専門学校の専攻科における学修のうち、理容師養成施設が適当と認めるものについて、当該養成施設の卒業に必要な選択課目の総単位数（単位により行うことが困難な理容師養成施設にあっては、総授業時間数）の2分の1を超えない範囲で、当該養成施設における選択課目の履修とみなすことができる。
第2 卒業の認定
　理容師養成施設においては、生徒が当該養成施設の定める教育計画に従って所定の教科課目及び所定の単位数（単位により行うことが困難な理容師養成施設にあっては、授業時間数）を履修し、その成果が教科課目の教育目標からみて満足できると認められる場合には、卒業を認定しなければならない。

●理容業の振興指針

〔平成31年3月7日〕
〔厚生労働省告示第57号〕

〔一部改正経過〕
　　第1次　〔令和3年3月18日厚労告第79号〕

　生活衛生関係営業の運営の適正化及び振興に関する法律（昭和32年法律第164号）第56条の2第1項の規定に基づき、理容業の振興指針（平成26年厚生労働省告示第73号）の全部を次のように改正し、平成31年4月1日から適用する。

理容業の振興指針

　理容業の営業者が、理容師法（昭和22年法律第234号）等の衛生規制に的確に対応しつつ、現下の諸課題にも適切に対応し、経営の安定及び改善を図ることは、国民生活の向上に資するものである。

　このため、生活衛生関係営業の運営の適正化及び振興に関する法律（昭和32年法律第164号。以下「生衛法」という。）第56条の2第1項に基づき、理容業の振興指針を定めてきたところであるが、今般、営業者、生活衛生同業組合（生活衛生同業小組合を含む。以下「組合」という。）等の事業の実施状況等を踏まえ、営業者、組合等の具体的活用に資するよう、実践的かつ戦略的な指針として改正を行った。

　今後、営業者、組合等において本指針が十分に活用されることを期待するとともに、新たな衛生上の課題や経済社会情勢の変化、営業者及び消費者等のニーズを反映して、適時かつ適切に本指針を改定するものとする。

第一　理容業を取り巻く状況
　一　理容業の事業者の動向
　　　理容業は、頭髪の刈り込み、顔そり等により容姿を整えることから、国民の衛生的で快適な生活を確保するサービスとして国民生活の充実に大いに寄与してきたところである。

　　　理容所の施設数は122,539施設（平成28年度末）であり、10年前と比較して14,753施設の減となっている。従業理容師数は223,606人であり、10年前と比較して24,888人の減となっている（厚生労働省『衛生行政報告例』による）。

　　　平成27年度調査において、従業者数5人未満の事業者は87.0％で（平成22年度は77.6％）、経営者の年齢については、60歳から69歳の者の割合が31.1％（平成22年度は39.1％）、70歳以上の者の割合が32.2％（平成22年度は20.8％）となっており、経営者の高齢化が進んでいる（厚生労働省『平成27年度生活衛生関係営業経営実態調査』による）。

　　　経営上の課題としては（複数回答）、「客数の減少」を最も多くあげており、次に多い問題点としては、「店舗・設備の老朽化」、「水道・光熱費の上昇」、「客単価の減少」、「原材料費の上昇」等となっている（厚生労働省『平成27年度生活衛生関係営業

経営実態調査』による)。

　また、日本政策金融公庫(以下「日本公庫」という。)が行った『生活衛生関係営業の景気動向等調査(平成30年7〜9月期)』において、理容業の経営上の問題点は、多い順に「顧客数の減少」(60.4%)、「客単価の低下」(25.2%)、「従業員の確保難」(14.4%)となっている。

　従業員の過不足感としては、「適正」が61.9%となっている一方で、「不足」が34.2%となっている(日本公庫『生活衛生関係営業の景気動向等調査特別調査(平成29年10〜12月期)』による)。

　また、令和元年12月に確認された新型コロナウイルス感染症(COVID—19)(以下「新型コロナウイルス感染症」という。)の感染拡大は社会経済に大きな影響を与え、我が国の理容業も多大な影響を受けたところである。

　新型コロナウイルス感染症の感染拡大に伴う事業への影響について、理容業の営業者で、売上が減少したと回答した者は88.4%で、その売上の減少幅(令和2年2〜5月の対前年比)は、「20%未満」が40.3%、「20%以上50%未満」が46.0%、「50%以上80%未満」が12.4%、「80%以上」が1.3%となっている(日本公庫『生活衛生関係営業の景気動向等調査(令和2年4〜6月期)特別調査』による)。

二　消費動向

　平成27年の1世帯当たりの理髪料の平均支出額は4,846円で前年比64円の増で、平成17年の支出額を100とした場合、平成27年の支出額は79.5となっている(総務省『家計調査報告』による)。

　また、理容店1回当たりの費用(商品の購入費用は除く)は、「3,000〜3,999円」が53.7%と最も多く、「4,000〜4,999円」が17.3%、「2,000〜2,999円」が14.6%となっている(厚生労働省『平成27年度生活衛生関係営業経営実態調査』による)。

三　営業者の考える今後の経営方針

　営業者の考える今後の経営方針としては(複数回答)、「接客サービスの充実」43.1%、「価格の見直し」22.6%、「特になし」22.6%、「廃業」18.4%、「店舗・設備の改装」17.3%となっている(厚生労働省『平成27年度生活衛生関係営業経営実態調査』による)。

　また、理容業を営む者が、新型コロナウイルス感染症収束後に予定している取組としては、「広報活動の強化」が30.9%、次いで「新商品、新メニューの開発」が24.9%、「新たな販売方法の開拓」が13.1%となっている一方、「特にない」が47.0%となっている(日本公庫『生活衛生関係営業の景気動向等調査(令和2年4〜6月期)特別調査』による)。

第二　前期の振興計画の実施状況

　都道府県別に設立された理容業の組合(平成30年12月末現在で47都道府県で設立)においては、前期の理容業の振興指針(平成26年厚生労働省告示第73号)を踏まえ、振興計画を策定、実施しているところであるが、当該振興計画について、全5ヵ年のうち4ヵ年終了時である平成29年度末に実施した自己評価は次表のとおりである。

表　振興計画の実施状況についての各組合による自己評価

	事業名	達成	概ね達成	主な事業
1	衛生に関する知識及び意識の向上に関する事業	66%	32%	・衛生消毒等に関する講習会の開催 ・自主点検の実施 ・自主点検表、ポスター、ステッカーの配布
2	施設及び設備の改善に関する事業	28%	37%	・店舗特性を踏まえた改装や省エネ、福祉理容対応の設備の導入投資
3	消費者利益の増進に関する事業	54%	41%	・賠償責任保険への加入促進 ・講習会の開催 ・標準営業約款制度への登録促進 ・クレジットカードの導入促進
4	経営マネジメントの合理化及び効率化に関する事業	62%	34%	・経営講習会、各種研修会の開催 ・経営相談室の開催
5	営業者及び従業員の技能の向上に関する事業	72%	23%	・技術講習会の開催 ・競技大会の開催
6	事業の共同化及び協業化に関する事業	54%	39%	・共同購入の実施
7	取引関係の改善に関する事業	59%	24%	・関連業界等との情報交換会の開催
8	従業員の福祉の充実に関する事業	64%	36%	・共済制度の加入促進 ・定期健康診断実施の促進
9	事業の承継及び後継者支援に関する事業	65%	33%	・後継者育成支援のための研修会等の開催 ・青年部、女性部の育成
10	少子・高齢化社会等への対応に関する事業	38%	44%	・訪問福祉理容の推進 ・ケア理容師養成研修会の開催
11	環境の保全及び省エネルギーの強化に関する事業	47%	32%	・クールビズヘアの推進 ・節電に関する啓発
12	地域との共生に関する事業	70%	26%	・地域イベントへの参加 ・ボランティア活動の推進

| 13 | 東日本大震災への対応に関する事業 | 55% | 33% | ・被災事業者への支援
・防災講習会の実施 |

(注)組合からの実施状況報告を基に作成。

なお、国庫補助金としての予算措置（以下「予算措置」という。）については、平成23年度より、外部評価の導入を通じた効果測定の検証やＰＤＣＡサイクル（事業を継続的に改善するため、Plan（計画）―Do（実施）―Check（評価）―Act（改善）の段階を繰り返すことをいう。）の確立を目的として、「生活衛生関係営業の振興に関する検討会」の下に設けられた「生活衛生関係営業対策事業費補助金審査・評価会」において、補助対象となる事業の審査から評価までを一貫して行う等、必要な見直し措置を講じている。

このため、組合及び生活衛生同業組合連合会（以下「連合会」という。）等においても、振興計画に基づき事業を実施する際は、事業目標及び成果目標を可能な限り明確化した上で、達成状況についても評価を行う必要がある。

当該振興計画等の実施に向けて、組合、連合会等においては、本指針及び振興計画の内容について広報を行い、組合未加入の営業者への加入勧誘を図ることが期待されている。

組合への加入、非加入は営業者の任意であるが、生衛法の趣旨、組合の活動内容等を詳しく知らない新規開設者等の営業者がいることも考えられるため、都道府県、保健所設置市又は特別区（以下「都道府県等」という。）は、営業者による営業の許可申請又は届出等の際に、営業者に対して、生衛法の趣旨並びに関係する組合の活動内容、所在地、連絡先等について情報提供を行う等の取組の実施が求められる。

第三　理容業の振興の目標に関する事項
一　営業者の直面する課題と地域社会から期待される役割

理容業は、国民の衛生的で快適な生活を確保するサービスとして、国民生活の充実に大いに寄与してきた。こうした重要な役割を理容業が引き続き担い、国民生活の向上に貢献できるよう、経営環境や国民のニーズ、衛生課題に適切に対応しつつ、各々の営業者の経営戦略に基づき、その特性を活かし、事業の安定と活力ある発展を図ることが求められる。

また、新たな髪形の提案や、女性や子ども等の潜在的な需要の拡大のためのキャンペーンを行うなど、21世紀の理容業の姿を展望し、業界をあげて若者に対する理容業のイメージ刷新に取り組んでいくことが事業の活性化の観点からも重要となっている。

さらに、高齢者や障害者等のニーズに的確に即応することで、理容業の営業者の地域住民が日常生活を送るために必要なセーフティーネットとしての役割や地域における重要な構成員としての位置づけが強化され、生活者の安心を支える役割を担うことが期待される。

一方で、染毛剤、育毛・スキャルプトリートメント等の安全性やアレルギー等への

影響に対する消費者の関心も高くなっていることから、利用者に対し施術等の説明を十分に行い納得と安心感を提供していくことが求められる。また、公衆衛生の見地から感染症の発生状況も踏まえた対策を行い、衛生管理の徹底を図ることが求められる。

　また、社会全体の少子高齢化の中で、営業者自身の高齢化による後継者問題に加え、従業員等への育児支援等も課題となっている。併せて、障害を理由とする差別の解消の推進に関する法律（平成25年法律第65号。以下「障害者差別解消法」という。）の施行を踏まえ、全ての消費者が店舗を円滑に利用できるよう、ソフト、ハード両面におけるバリアフリー化及びユニバーサルデザイン化の取組が求められる。

　各営業者は、これらを十分に認識し、利用者の安全衛生の確保、技術及びサービスの向上、消費者に対する情報提供等に積極的に取り組むことにより、理容業に対する消費者の理解と信頼の向上を図ることを目標とすべきである。

　また、新型コロナウイルス感染症の感染拡大に伴う売上減や経営維持、雇用確保等に対応するため、日本公庫の融資や国・自治体の補助金・助成制度を積極的に活用して早期に業績回復を図る必要がある。

二　今後5年間における営業の振興の目標
　1　衛生問題への対応
　　理容業は、頭髪の刈り込み、顔そり等利用者の皮ふに直接触れる営業であり、衛生上の問題に対して、特に注意を払わなければならない業種である。使用する器具の消毒をはじめ、衛生上の危害を防止し、利用者に対して安全で良質なサービスを提供することは営業者の責務である。

　　また、新型コロナウイルス感染症の感染拡大に伴い、我が国でも3つの「密」（密閉・密集・密接）の回避、人と人との距離を空ける、消毒や換気の徹底、業種別の感染拡大予防ガイドラインの遵守・徹底など、感染症対策に関する「新しい生活様式」に向けて徹底した衛生対策が求められている。

　　衛生課題は、営業者の地道な取組が中心となる課題と、新型インフルエンザへの対応のように、営業者にとどまらず、保健所等衛生関係機関や都道府県生活衛生営業指導センター（以下「都道府県指導センター」という。）等との連携を密にして対応すべき課題とに大別される。衛生問題は、営業者が一定水準の衛生管理を行っている場合、通常、発生するものではないため、発生防止に必要な費用及び手間について判断しにくい特質がある。しかし、一旦、衛生上の問題が発生した場合には、多くの消費者に被害が及ぶことはもとより、営業自体の存続が困難になる可能性があることから、日頃からの地道な衛生管理の取組が重要である。

　　また、こうした衛生問題は、個々の営業者の問題にとどまらず、業界全体に対する信頼を損ねることにもつながることから、組合及び連合会には、組合員、非組合員双方の営業者が自覚と責任感を持ち、衛生水準の向上が図られるよう、継続的に知識及び意識向上に資する普及啓発や適切な指導及び支援に努めることが求められる。

とりわけ、零細な営業者は重要な公衆衛生情報の把握が困難となる場合が考えられるため、これら営業者に対する組合加入の促進や公衆衛生情報の提供が円滑に行われることが期待される。

さらに、管理理容師資格認定講習会については、店舗の管理者にふさわしい衛生管理に係る知識や意識を点検し、その徹底を図るための重要な制度であり、新規受講対象者を中心に管理理容師の資格取得を促していく必要がある。

2　経営方針の決定と消費者及び地域社会への貢献

近年の個人所得の伸び悩みの中での低価格を売りものにするチェーン店の出現、理容サービスの利用頻度の低下、若い男性の一部の美容所志向、髪型に対する需要の多様化による競争の激化等により経営環境は厳しいものとなっている。

こうした中で、営業者は、消費者のニーズや世帯動向等を的確に把握し、専門性や技術力、地域密着、対面接客等の特性を活かし、競争軸となる強みを見出し、独自性を十分に発揮し、経営展開を行っていくことが求められる。

(1)　消費者ニーズの把握と創意工夫による経営展開

生活水準の向上に伴い、国民が生活の質的充実を志向する中で、理容業に対する要望も多様化・高度化し、いわゆる癒し系（リラクゼーション）及び健康が重視される中で、消費者は、技術の質、料金、施設及び設備、接客態度等を合理的に選好することにより、理容所の選択を行っている。このため、一般の整髪、顔そり、洗髪等のサービスメニューを主体としつつ、さらに、全身エステティック、育毛・スキャルプトリートメントなど、消費者の多様なニーズを踏まえた新たなサービスを積極的に採り入れ、サービスの多様化を図り、付加価値を高めていくとともに、「満足度」を高め、「快適」に過ごし「優美」な気持ちで帰られるような個性のある店づくりを行うことが求められる。

特に、女性客へのサービスとして、顔そり、フェイシャルマッサージなどの女性向けメニューに加え、カットやパーマ、カラーなどのニーズの高まりに対し、技術だけでなく、女性の嗜好を捉えた店づくりやきめ細かい接客が女性客の集客に必要となる。

(2)　高齢者、障害者及び子育て世帯等への配慮

人口減少、少子高齢化及び過疎化の進展は、営業者の経営環境を厳しくする一方、買い物の場所や移動手段など日常生活に不可欠な生活インフラそのものを弱体化させる側面があることから、高齢者や障害者、子育て・共働き世帯等が身近な買い物に不便・不安を感じる、いわゆる「買い物弱者」の問題を顕在化させる。地域に身近な営業者の存在は、買い物弱者になりがちな高齢者等から頼られる位置づけを確立し、中長期的な経営基盤の強化につながることが期待される。

特に、高齢化が進展する中で、在宅や老人福祉施設等で理容所に来店することが困難な高齢者等が増加していくことが予想されることから、これらの者に対して訪問福祉理容サービスや送迎を実施している営業者もある。理容サービスによって身だしなみを整えることは高齢者の気持ちを若返らせ、心身をリフレッシュ

させる上での方策である。

こうしたシニア層向けのサービスの提供は、単に売上げを伸ばすだけでなく、地域社会が抱える問題の課題解決や地域経済の活性化にも貢献するものであり、これら取組を通じた経営基盤の強化により、大手資本によるチェーン店との差別化にもつながるものと期待できる。

また、障害者差別解消法において、民間事業者は、障害者に対し合理的な配慮を行うよう努めなければならないとされていることから、ソフト、ハード両面におけるバリアフリー化及びユニバーサルデザイン化の取組を進める必要がある。

(3) 省エネルギーへの対応

節電などの省エネルギーによる経営の合理化、コスト削減、環境保全に資するため、不要時の消灯や照明ランプの間引き、LED照明装置やエネルギー効率の高い空調設備等の導入等を推進することが期待される。併せて、省エネの夏ヘアや冬ヘアといった体感温度を考慮した工夫の取組も望まれる。

(4) 訪日・在留外国人への配慮

政府においては、東京オリンピック・パラリンピックが開催される2020年度までに訪日外国人旅行者4,000万人、2030年度までに6,000万人を目標に掲げ、「観光先進国」への新たな国づくりに向けて取組を進めている。また、訪日外国人旅行者の急増に加え、外国人労働者や在留外国人も増加していることから、営業者においても、外国語表記の充実や外国人とのコミュニケーション能力の向上、キャッシュレス決済等の導入を図るなど、外国人が入りやすい店づくりが求められる。また、外国人客の選択の利便に資する外国人対応理容店検索サイトの構築や、インターネット経由での観光情報の入手を容易にし、外国人客の利便性を向上させるため、公衆無線LANの環境整備が期待される。

(5) 受動喫煙防止対策への対応

受動喫煙（他人のたばこの煙にさらされること）については、健康に悪影響を与えることが科学的に明らかにされており、受動喫煙による健康への悪影響をなくし、国民・労働者の健康の増進を図る観点から、健康増進法（平成14年法律第103号）及び労働安全衛生法（昭和47年法律第57号）により、多数の者が利用する施設の管理者や事業者は受動喫煙を防止するための措置を講ずることとされている。国際的に見ても、「たばこの規制に関する世界保健機関枠組条約」の締結国として、国民の健康を保護するために受動喫煙防止対策を推進することが求められている。これらのことから、理容業においても、受動喫煙防止対策の強化を図り、その実効性を高めることが求められる。

3 税制及び融資の支援措置

理容業の組合又は組合員には、生活衛生関係営業の一つとして、税制優遇措置及び日本公庫を通した低利融資を受ける仕組みがある。

税制優遇措置については、組合が共同利用施設を取得した場合の特別償却制度が設けられており、組合において共同研修施設の建設、共同蓄電設備の購入時や組合

の会館を建て替える際などに活用することができる。

融資については、対象設備及び運転資金について、振興計画を策定している組合の組合員である営業者が借りた場合は、組合員でない営業者が借りる場合よりも低利の融資を受けることができる。また、各都道府県の組合が作成した振興計画に基づき、一定の会計書類を備えている営業者が所定の事業計画を作成して設備資金及び運転資金を借りた場合には、さらに低利の融資を受けることができる振興事業促進支援融資制度が設けられており、特に設備投資を検討する営業者には、積極的な活用が期待される。

加えて、組合の経営指導を受けている小規模事業者においては、低利かつ無担保・無保証で融資を受けることができる生活衛生関係営業経営改善資金特別貸付が設けられており、積極的な活用が期待される。

三 関係機関に期待される役割
 1 組合及び連合会に期待される役割

組合は、公衆衛生の向上及び消費者の利益の増進に資する目的で、組合員たる営業者の営業の振興を図るための振興計画を策定することができる。組合には、地域の実情に応じ、適切な振興計画を策定することが求められる。

組合及び連合会には、予算措置や独自の財源を活用して、営業者の直面する衛生問題及び経営課題に対する適切な支援事業を実施することが期待される。

事業の実施に際しては、有効性及び効率性（費用対効果）の観点から、計画期間に得られる成果目標を明確にしながら事業の企画立案及び実施を行い、得られた成果については適切に効果測定する等、事業の適切かつ効果的な実施に努めることが求められる。

また、事業効果を最大限発揮し事業成果を広く国民や社会に還元できるよう、都道府県指導センター、保健所等衛生関係行政機関、日本公庫支店等との連携及び調整を行うことが期待される。

 2 都道府県等、都道府県指導センター及び日本公庫に期待される役割

営業許可申請等各種申請や届出、研修会、融資相談などの様々な機会を捉え、新規営業者をはじめとする組合未加入の事業者に対し、組合に関する情報提供や組合活動の活性化のための取組等を積極的に行うことが期待される。

また、多くの営業者が経営基盤が脆弱な中小零細事業者であることに鑑み、都道府県指導センター及び日本公庫において、組合と連携しつつ、営業者へのきめ細かな相談、指導その他必要な支援等を行い、予算措置、融資による金融措置（以下「金融措置」という。）、税制優遇措置等の有効的な活用を図ることが期待される。

とりわけ、金融措置については、審査及び決定を行う日本公庫において営業者が利用しやすい融資の実施、生活衛生関係営業に係る経済金融事情等の把握及び分析に努め、関係団体に情報提供するとともに、日本公庫と都道府県指導センターが協力して、融資手続や事業計画の作成に不慣れな営業者への支援の観点から、融資に係るきめ細かな相談及び融資手続の簡素化を行うことが期待される。低利融資制度

については、各々の営業者の事業計画作成が前提とされることから、本指針の内容を踏まえ、営業者の戦略性を引き出す形での指導を行うことが求められる。

加えて、都道府県指導センターにおいて、組合が行う生活衛生関係営業経営改善資金特別貸付に係る審査を代行するなど、金融措置の利用の促進を図ることが期待される。

3 国及び公益財団法人全国生活衛生営業指導センターに期待される役割

国及び公益財団法人全国生活衛生営業指導センター（以下「全国指導センター」という。）は、公衆衛生の向上及び営業の健全な振興を図る観点から、都道府県等及び連合会と適切に連携を図り、信頼性の高い情報の発信、的確な政策ニーズの把握等を行う必要がある。また、予算措置、金融措置、税制優遇措置を中心とする政策支援措置については、営業者の衛生水準の確保及び経営の安定に最大限の効果が発揮できるよう、安定的に所要の措置を講ずるとともに、制度の活性化に向けた不断の改革の取組が必要である。

国は都道府県等に対し、営業許可申請等各種申請や届出等の機会に組合未加入の営業者への組合に関する情報提供や組合活動の活性化のための取組等を求めるものとする。また、全国指導センターにおいては、地域で孤立する中小規模の営業者のほか、大規模チェーン店に対しても、組合加入の働きかけや公衆衛生情報の提供機能の強化を行うため、関係の組合及び連合会との連携を促すための取組が求められる。

第四 理容業の振興の目標を達成するために必要な事項

理容業の目標を達成するために必要な事項としては、次に掲げるように多岐にわたるが、営業者においては、衛生水準の向上等のために必須で取り組むべき事項と、戦略的経営を推進するために選択的に取り組むべき事項の区別を行うことで、課題解決と継続的な成長を可能にし、国民生活の向上に貢献することが期待される。

また、組合及び連合会においては、組合員である営業者等に対する指導及び支援並びに消費者の理容業への信頼向上に資する事業の計画的な推進が求められる。

このために必要となる具体的取組としては、次に掲げるとおりである。

一 営業者の取組
1 衛生水準の向上に関する事項
(1) 日常の衛生管理に関する事項

理容業は、人の身体の一部である毛髪及び皮ふに鋭利な刃物を当て、又は化学薬品等を使用して容姿を整える営業であり、人の身体の安全及び衛生に直接関わる営業である。このため、営業者及び従業員は、理容師法等の関係法令を遵守することは当然のことであり、衛生上の問題発生の防止及び衛生水準の一層の向上を図るため、衛生に関する専門的な知識を深め、常時、施設及び設備、器具等の衛生管理に努めるとともに、各種器具、化学薬品、整髪剤等の適正な取扱い、毛髪など廃棄物の適切な処理にも十分留意し、衛生管理の改善に取り組み、感染症、皮膚障害等の発生を防止するものとする。

また、新型コロナウイルス感染症の感染拡大に伴い、我が国でも3つの「密」（密閉・密集・密接）の回避、人と人との距離を空ける、消毒や換気の徹底、業種別の感染拡大予防ガイドラインの遵守・徹底など、感染症対策に関する「新しい生活様式」に向けて徹底した衛生対策を行う必要がある。

消費者の関心は、特に、肝炎、エイズ、新型インフルエンザ等の感染症の発生状況や発生の可能性を踏まえた感染症対策の充実にある。また、小学生以下の児童にはアタマジラミの発生がしばしば見られることから留意が必要である。したがって、営業者は、皮ふに接するタオル及び布片並びにかみそり等刃物の消毒の徹底に努めるとともに、作業中は汚れの目立ちやすい清潔な外衣の着用、顧客一人ごとの作業前後のうがい、手指の洗浄や消毒、つめの手入れ、顔そり等の場合のマスクの着用等の衛生管理を徹底し、さらに、従業員の健康管理に十分留意し、従業員に対する衛生教育及び指導監督に当たることが必要である。

特に、新しい施術の実施に際しては、従業員に、その施術のやり方及びリスクを認識させ、利用者に対してもより詳細な説明を行い、健康被害等の発生防止及び発生した場合の対応に配慮しなければならない。そして、これらの取組を利用者に分かりやすく伝えることが、利用者に納得と安心感を提供するために最も重要である。

(2) 衛生面における施設及び設備の改善に関する事項

営業者は、日常の衛生的管理の取組に加えて、店舗を衛生的に保つとともに、設備及び消毒器材について定期的かつ積極的にその改善に取り組むことが重要である。

また、消費者にとって安全及び衛生は最大の関心事項であるため、衛生管理を徹底した店舗であるとの印象を利用者に与えることが重要である。したがって、消毒器材等を利用者に見えやすい場所に設置するなどの改善に取り組むことも必要である。

2　経営課題への対処に関する事項

個別の経営課題への対処については、営業者の自立的な取組が前提であるが、多様な消費者の要望に対応する良質なサービスを提供し、国民生活の向上に貢献する観点から、営業者においては、次に掲げる事項を念頭に置き、経営改革に積極的に取り組むことが期待される。特に、家族経営等の小規模店は、営業者や従業員が変わることはほとんどないため、経営手法が固定的になりやすい面があるが、経営意識の改革を図り、以下の事項に選択的に取り組んでいくことが期待される。

(1) 経営方針の明確化及び独自性の発揮に関する事項

現在置かれている経営環境や市場を十分に把握、分析し、専門性や技術力、立地条件等の特性を踏まえ、強みを見出し、経営方針を明確化し、自店の付加価値や独自性を高めていくとともに、経営管理の合理化及び効率化を図ることが必要である。

ア　自店の立地条件、顧客層、サービスメニュー、資本力、経営能力、技術力等

の経営上の特質の把握
　イ　周辺競合店に関する情報収集と比較
　ウ　ターゲットとする顧客層の特定
　エ　重点サービスの明確化
　オ　店舗のコンセプト及び経営戦略の明確化
　カ　経営手法、熟練技能、専門的知識の習得・伝承や後継者の育成
　キ　若手人材の活用による経営手法の開拓
　ク　地区、グループ単位の個性あるサービスの共同実施などの共同事業の推進
　ケ　都道府県指導センター等の経営指導機関による経営診断の積極的活用
(2)　サービスの見直し及び向上に関する事項
　　消費者のニーズやライフスタイル、世帯構造の変化等に的確に対応し、消費者が安心して利用できるよう、サービス及び店づくりの充実や情報提供の推進に努め、利用者の満足度を向上させることが重要であることから、以下の事項を選択的に取り組むことが期待される。
　ア　サービスの充実
　　①　主として若者を対象とした新しいヘアスタイルの提供
　　②　クールビズヘア、冷シャンプー等の社会性を配慮したメニュー
　　③　毛染め（カラーリング）、ネイルケア等のファッション性を重視するメニュー
　　④　女性向けサービスの提供
　　⑤　美顔を含めた身体全体のエステティック等の肌の管理を重視するメニューの提供
　　⑥　シャンプーと頭皮ケア等の育毛・スキャルプトリートメントの提供
　　⑦　アロマセラピー等のリラクゼーションメニュー
　　⑧　中高年齢者を対象としたヘアカウンセリング
　　⑨　毛髪や顔そり後の肌の手入れ等の知識の提供
　　⑩　子どもに配慮したサービスの提供
　　⑪　在宅や施設の高齢者等への訪問理容及び来店が困難な顧客の送迎
　　⑫　ツーペ（かつら）の創作及び販売、特に病気や治療に伴う外見の変化のために使用するツーペへの対応
　　⑬　マニュアルを超えた「おもてなしの心（気配り・目配り・心配り）」による温もりのあるサービスの提供
　　⑭　外国人に配慮したサービスの提供
　イ　消費者のニーズやライフスタイルの変化等に対応した店づくり
　　①　地域に根ざした中高年齢者や家族客等を顧客とする家族的な店、若者等を対象に多様なメニューを提供する店などの店のコンセプトを踏まえた店づくり
　　②　リラクゼーションを重視した店の雰囲気づくり

③ 高齢者や障害者にやさしい店づくり
④ 地域住民が集えるサロンの提供
⑤ 立地条件及び経営方針に照らした営業日及び営業時間の見直し
(3) 店舗及び設備の改善並びに業務改善等に関する事項
　営業者は、店舗及び設備の改善並びに業務の効率化等のため、以下の事項に取り組むことが期待される。
　ア　安全で衛生的な店舗とするための定期的な内外装の改装
　イ　各店舗の特性を踏まえた清潔な雰囲気の醸成
　ウ　サービスの内容やメニューに合った快適な椅子、洗髪設備、毛髪診断設備、エステティックをはじめとするリラクゼーションメニューのための設備
　エ　訪問理容のための車両、携帯器具
　オ　高齢者、障害者等に配慮したバリアフリー対策の実施
　カ　節電・省エネルギーの推進
　キ　経営の合理化・効率化のための改善
　ク　作業手順の標準化・見える化やコンピュータ・情報システムの導入等による業務の合理化及び効率化
　ケ　都道府県指導センターなどが開催する生産性向上等を図るためのセミナー等への参加及び業務改善助成金等各種制度の活用
　コ　賠償責任保険への加入
(4) 情報通信技術を利用した新規顧客の獲得及び顧客の確保に関する事項
　営業者は、情報セキュリティの管理に留意しつつ、インターネット等の情報通信技術を効果的に活用する等、以下の事項に選択的に取り組むことが期待される。
　ア　インターネット等の活用による予約の受付、割引サービスの実施、異業種との提携
　イ　ホームページの開設等、積極的な情報発信によるプロモーションの促進
　ウ　顧客情報のデータベース化等による適切な管理
　エ　ダイレクトメールの郵送や広報チラシの配布
　オ　クレジットカード決済、電子決済の導入・普及
　カ　スマートフォンアプリ等を介したサービスの実施
　キ　外国人客に対応するための多言語音声アプリ等の活用
(5) 表示の適正化と苦情の適切な処理に関する事項
　営業者は、店外など消費者の見やすい場所にメニューとサービスごとの料金を明示すべきであり、利用者にとって初めてとなるメニューの施術に際しては、十分な事前の説明を行うべきである。
　このため、営業者は、全国指導センターが定めるサービスの内容並びに施設及び設備の表示の適正化に関する事項等を内容とする理容業の標準営業約款に従って営業を行う旨の登録をし、標識及び当該登録に係る約款の要旨を掲示するよう

努めるものとする。

さらに、営業者は、事故が生じた場合には、適切かつ誠実な苦情処理と賠償責任保険等を活用した損害の補填を行い、顧客との信頼関係の維持向上に努めるものとする。

(6) 人材育成及び自己啓発の推進に関する事項

理容業は、対人サービスであり、従業員の資質がサービスの質を左右することから、優秀な人材の獲得及び育成を図ることが極めて重要な課題である。特に、若手従業員の育成及び指導を図るとともに、若者に魅力ある職場作りに努めることが必要である。

したがって、営業者は、従業員が新しいヘアスタイルやネイルケア、エステティック等の新しいメニューやサービス内容の拡充に対応できるよう、技術面を向上させるとともに、接客技術、顧客への知識提供等の面での技能向上にも努める必要がある。また、安全衛生履行の観点も含め、従業員に対する適正な労働条件の確保に努めるものとする。

また、理容業の職業としての可能性や魅力を若者に伝える啓発活動も行っていくことが求められる。

さらに、営業者は、後継者及び独立を希望する従業員が、経営、顧客管理、従業員管理等の技能を取得できるよう、自己啓発を促すとともに、後継者及び従業員の人材育成に努めるものとする。

二 営業者に対する支援に関する事項

1 組合及び連合会による営業者の支援

組合及び連合会においては、営業者の自立的な経営改革を支援する都道府県指導センター等の関係機関との連携を密にし、次に掲げる事項を中心に積極的な支援に努めることが期待される。また、支援に当たっては、関係機関等が作成する、営業者の経営改善に役立つ手引や好事例集等を効果的に活用すること、及び関係機関が開催する生産性向上等を推進するためのセミナー等に関して組合員に対する参加の促進等必要な協力を行うことが期待される。

(1) 衛生に関する知識及び意識の向上に関する事項

営業者に対して衛生管理を徹底するための研修会及び講習会の開催、衛生管理の手引の作成等による普及啓発、毛髪及び肌の健康管理等に関する新技術の開発、衛生管理体制の整備充実、化粧品の組合せによる事故防止並びに各種感染症対策等の情報提供に努めることが期待される。

(2) サービス、店舗及び設備の改善並びに業務の効率化に関する事項

衛生水準の向上、経営マネジメントの合理化及び効率化、消費者の利益の増進等のため、サービス、店舗及び設備の改善並びに業務の効率化に関する指導、助言、情報提供、ＩＣＴの活用に係るサポート等、必要な支援に努めることが期待される。

また、高齢者等の利便性を考慮したバリアフリーの店舗構造や高齢者向けサロ

ン経営のあり方等の研究を行うことにより、営業者の取組を支援することに努めることが期待される。
(3) 消費者利益の増進に関する事項
　サービスの適正表示、営業者が自店の特質に応じ作成する接客手引の基本となるマニュアルの作成、利用者意識調査、利用者を対象とした理容啓発講座の実施及び利用者の理容施術に対する正しい知識の啓発のためのパンフレットの作成に努めることが期待される。
(4) 経営マネジメントの合理化及び効率化に関する事項
　先駆的な経営事例等経営管理の合理化及び効率化に必要な情報、地域的な経営環境条件に関する情報並びに理容業の将来の展望に関する情報の収集及び整理並びに営業者に対するこれらの情報提供に努めるものとする。さらに、関係機関との連携の下で、創業や事業承継における助言・相談の取組の推進が期待される。
(5) 経営課題に即した相談支援に関する事項
　営業者が直面する様々な経営課題に対して、経営特別相談員による経営指導事業の周知に努めるとともに、これを金融面から補完する生活衛生関係営業経営改善資金特別貸付制度の趣旨や活用方法の周知が期待される。
(6) 営業者及び従業員の技能の向上に関する事項
　新しいヘアスタイル、福祉理容、ヘアカウンセラー、美顔・全身エステティック等新しいサービスに関する講習会や技能コンテストの開催、ケア理容師等の連合会独自の技能資格制度の推進等による、新しい顧客需要に対応した理容技術の向上及び普及啓発に努めることが期待される。
(7) 事業の共同化及び協業化に関する事項
　事業の共同化及び協業化の企画立案並びに実施に係る指導に努めることが期待される。
(8) 取引関係の改善に関する事項
　共同購入等取引面の共同化の推進、理容用品業界の協力を得ながらの取引条件の合理的改善及び組合員等の経済的地位の向上に努めることが期待される。
　また、関連業界と連携を深め、情報の収集及び交換会の機会の確保に努めることが期待される。
(9) 従業員の福利の充実に関する事項
　従業員の労働条件整備及び労働関係法令の遵守に関する助言、作業環境の改善及び健康管理充実（定期健康診断の実施等を含む。）のための支援、医療保険、年金保険及び労働保険の加入等に係る啓発、組合員等の大多数の利用に資する福利厚生の充実並びに共済等制度（退職金、生命保険等をいう。）の整備及び強化に努めるものとする。
　また、男女共同参画社会の推進及び少子高齢化社会の進展を踏まえ、従業員の福利の充実に努めることが期待される。
(10) 事業の承継及び後継者育成支援に関する事項

営業者の高齢化が急激に進んでいることから、事業の円滑な承継に関するケーススタディ及び成功事例等の経営知識や各地域にある事業承継に関する相談機関及び最新の関連税制についての情報提供並びに後継者育成支援の促進を図るために必要な支援体制の整備に努めることが期待される。
　　　また、次代を担う子どもや職業選択の時期にある若者に対して理容業の魅力を伝える広報や啓発活動に努めることで、後継者の創出の基礎をつくっていくことが期待される。
　2　行政施策及び政策金融による営業者の支援及び消費者の信頼の向上
　(1)　都道府県指導センター
　　　組合との連携を密にして、以下に掲げる事項を中心に積極的な取組に努めることが期待される。
　　　ア　関係機関等が作成する手引や好事例集等を効果的に活用した、営業者に対する経営改善の具体的指導、助言等の支援
　　　イ　消費者からの苦情及び要望の営業者への伝達
　　　ウ　消費者の信頼の向上に向けた積極的な取組
　　　エ　都道府県等（保健所）と連携した組合加入促進に向けた取組
　　　オ　生産性向上や業務改善を推進するためのセミナー等の開催
　(2)　全国指導センター
　　　都道府県指導センターの取組を推進するため、以下に掲げる事項を中心に積極的な取組に努めることが期待される。
　　　ア　関係機関等が作成する手引や好事例集等、営業者の経営改革の取組に役立つ情報の収集、整理及び情報提供
　　　イ　危機管理マニュアルの作成
　　　ウ　苦情処理マニュアルの作成
　　　エ　標準営業約款の登録の促進
　　　オ　効果測定の支援及び政策提言機能の強化
　　　カ　公衆衛生情報の提供機能の強化
　(3)　国及び都道府県等
　　　理容業に対する消費者の信頼の向上及び営業の健全な振興を図る観点から、以下に掲げる事項を中心に積極的な取組に努める。
　　　ア　理容師法等関係法令の施行業務等を通じた指導監督
　　　イ　安全衛生、苦情対応に関する情報提供その他必要な支援
　　　ウ　災害又は事故等における適時、適切な風評被害防止策の実施
　　　エ　営業者の経営改善に役立つ手引や好事例集等の作成・更新及び周知
　(4)　日本公庫
　　　営業者の円滑な事業実施に資するため、以下に掲げる事項を中心に積極的な取組に努めることが期待される。
　　　ア　営業者が利用しやすい融資の実施

第2編　理容師・美容師

　　　イ　生活衛生関係営業に係る経済金融事情等の把握、分析及び情報提供
　　　ウ　組合等と連携した経営課題の解決に資するセミナーの開催及び各種印刷物の発行による情報提供
　　　エ　災害時等における速やかな相談窓口の設置
　　　オ　事業承継の相談窓口に関する情報提供
第五　営業の振興に際し配慮すべき事項
　　理容業においては、他の生活衛生関係営業と同様に、衛生水準の確保と経営の安定のみならず、時代の要請である少子高齢化社会等への対応、営業者の社会的責任としての環境の保全及び省エネルギーの強化、地域との共生、禁煙等に関する対策、災害への対応及び従業員の賃金引上げに向けた対応、働き方・休み方改革への対応といった課題に応えていくことが要請される。こうした課題への対応は、個々の営業者が中心となって関係者の支援の下で行われることが必要である。こうした課題に適切に対応することを通じて、地域社会に確固たる位置づけを確保することが期待される。
一　少子高齢化社会等への対応
　1　営業者に期待される役割
　　　営業者は、高齢者、障害者及び一人暮らしの者並びに子育て世帯、共働き世帯等が住み慣れた地域社会で安心かつ充実した日常生活を営むことができるよう、以下に掲げる事項を中心に積極的な取組に努めることが期待される。
　　(1)　高齢者、障害者、妊産婦の顧客等に配慮した店舗のバリアフリー対策
　　(2)　子ども連れの顧客に対応した店内設備等の改善
　　(3)　寝たきりの方や高齢者、障害者に配慮した理容施術の開発
　　(4)　障害者差別解消法の規定に基づく障害者への合理的配慮
　　(5)　従業員に対する教育及び研修の充実・強化
　　(6)　子育て世帯、共働き世帯等が働きやすい職場環境の整備
　　(7)　地域社会とのつながりを強化する観点も含めた地域の高齢者、障害者等の交流の場としての務め
　2　組合及び連合会に期待される役割
　　　高齢者、障害者、妊産婦及び子ども連れの顧客等の利便性を考慮した店舗設計やサービス提供に係る研究を実施する。
　3　日本公庫に期待される役割
　　　高齢者、障害者、妊産婦及び子ども連れの顧客等の利用の円滑化を図るために必要な設備（バリアフリー化等）導入時に、振興事業貸付等が積極的に活用されるよう、引き続き制度の周知等を図る。
二　環境の保全及び省エネルギーの強化
　1　営業者に期待される役割
　　(1)　省エネルギー対応の空調設備、太陽光発電設備等の導入
　　(2)　節電に資する人感センサー、ＬＥＤ照明、蓄電設備等の導入
　　(3)　廃棄物の最小化、分別回収の実施

(4)　薬品、化粧品等の各種容器や廃液、毛髪等の廃棄物の適切な処置
　(5)　温室効果ガス排出の抑制につながる施術及び省エネへの啓発
 2　組合及び連合会に期待される役割
　(1)　廃棄物の最小化、分別回収の普及啓発
　(2)　業種を超えた組合間の相互協力
 3　日本公庫に期待される役割
　　省エネルギー設備導入時に、振興事業貸付等が積極的に活用されるよう、引き続き制度の周知を図る。
三　地域との共生（地域コミュニティの再生及び強化（商店街の活性化））
 1　営業者に期待される役割
　　営業者は、地域住民に対して理容業の店舗の存在、提供するサービスの内容並びに営業の社会的役割及び意義をアピールするとともに、地域で増加する「買い物弱者」の新たなニーズに対応し、地域のセーフティーネットとしての役割や地域コミュニティの基盤である商店街における重要な構成員としての位置付けが強化されるよう、以下に掲げる事項を中心に積極的に取り組むことで、地域コミュニティの再生及び強化や商店街の活性化につなげることが期待される。
　(1)　地域の街づくりへの積極的な参加
　　ア　祭りや商店街による手作りイベント等共同事業の立案及び参加
　　イ　地域・商店街の活性化を通じた地域生活者の「ふれあい」、「憩い」、「賑わい」の創出
　(2)　「賑わい」や「つながり」を通じた豊かな人間関係（ソーシャル・キャピタル）の形成
　(3)　福祉施設における訪問福祉理容の実施
　(4)　共同ポイントサービス事業及びスタンプ事業への参加
　(5)　地域の防犯（「理容こども110番の店」など）、消防、防災、自殺防止、交通安全及び環境保護活動の推進に対する協力
　(6)　暴力団排除等への対応
 2　組合及び連合会に期待される役割
　(1)　地域の自治体等と連携し、社会活動の企画、指導及び援助ができる指導者を育成
　(2)　業種を超えた相互協力の推進
　(3)　地域における特色ある取組の支援
　(4)　講習会の開催
　(5)　自治会、町内会、地区協議会、ＮＰＯ、大学等との連携活動の推進
　(6)　地域・商店街役員への理容業の若手経営者の登用
　(7)　地域における事業承継の推進（承継マッチング支援）
　(8)　地域、商店街活性化に資する組合活動事例の周知
 3　日本公庫に期待される役割

きめ細かな相談、指導、融資の実施等により営業者及び新規開業希望者を支援する。
四　禁煙等に関する対策
　1　営業者に求められる役割
　　店舗内の禁煙の徹底及び喫煙専用室等の設置により受動喫煙を防止する。
　2　組合及び連合会に期待される役割
　　効果的な受動喫煙防止対策に関する情報提供を行い、併せて制度周知を図る。
　3　国及び都道府県等の役割
　　受動喫煙防止に関する制度周知や受動喫煙防止対策に有効な予算措置、金融措置等に関する情報提供を行う。
　4　日本公庫に期待される役割
　　受動喫煙防止設備の導入時に、振興事業貸付等が積極的に活用されるよう、引き続き制度の周知等を図る。
五　災害への対応と節電行動の徹底
　我が国は、その位置、地形、地質、気象等の自然的条件から、台風、豪雨、豪雪、洪水、土砂災害、地震、津波、火山噴火等による災害が発生しやすい国土となっており、継続的な防災対策及び災害時の地域支援を含めた対応並びに節電行動への取組が期待される。
　1　営業者に期待される役割（災害時は営業者自身の安全を確保した上で対応する）
　　⑴　災害発生前段階における防災対策の実施及び災害対応能力の維持向上
　　⑵　地域における防災訓練への参加及び自店舗等での防災訓練の実施
　　⑶　近隣住民等の安否確認や被災状況の把握及び自治体等への情報提供
　　⑷　地震等の大規模災害が発生した場合における、地域住民への支援
　　⑸　災害発生時における、被災営業者のみならず営業者全体による相互扶助と連携の下での理容師ボランティア等の役割発揮
　　⑹　災害発生時における、被災営業者の営業再開を通じた被災者への支援及び地域コミュニティの復元
　　⑺　従業員及び顧客に対する節電啓発
　　⑻　中長期の節電に資する省エネルギー対応の設備の導入
　　⑼　節電を通じた経営の合理化
　　⑽　電力制約下における新たな需要（ビジネス機会）の取り込み
　2　組合及び連合会に期待される役割
　　⑴　営業者及び地域並びに災害種別を想定した防災対策への支援
　　⑵　同業者による義援金及び業務器材の支援をはじめ営業再開に向けての呼びかけ
　　⑶　災害発生時の被災者の避難誘導などを通じた帰宅困難者防止等への取組
　　⑷　被災した地域住民への理容ボランティアに関する呼びかけ
　　⑸　節電啓発や節電行動に対する支援
　　⑹　節電に資する共同利用施設（共同蓄電設備等）の設置

3 国及び都道府県等の役割

過去の災害を教訓とした防災対策や情報収集、広報の実施等、以下に掲げる事項を中心に積極的な取組に努める。
(1) 過去の災害を教訓とした緊急に実施する必要性が高く、即効性の高い防災、減災等の施策
(2) 節電啓発や節電行動の取組に対する支援

4 日本公庫に期待される役割

災害発生時には、被災した営業者に対し低利融資を実施し、きめ細やかな相談及び支援を行う。

六 最低賃金の引上げを踏まえた対応(生産性向上を除く)

最低賃金については、政府の目標として「年率3%程度を目途として、名目GDP成長率にも配慮しつつ引き上げ、全国加重平均が1000円となることを目指す」ことが示されていることから、以下に掲げる事項を中心に積極的な取組に努めることが必要である。

1 営業者に求められる役割
(1) 最低賃金の遵守
(2) 業務改善助成金及びキャリアアップ助成金等各種制度の必要に応じた活用
(3) 関係機関が開催する最低賃金に関するセミナー等への参加を通じた最低賃金制度の理解

2 組合及び連合会に期待される役割
(1) 最低賃金の制度周知
(2) 助成金の利用促進

助成金等各種制度や関係機関が開催する最低賃金に関するセミナー等の周知を図る。

3 都道府県指導センターに期待される役割
(1) 最低賃金の周知

従業員等の最低賃金違反に関する相談窓口(労働基準監督署等)の周知を図る。
(2) 助成金の利用促進に向けた体制の整備

助成金等の申請に係る支援の周知や相談体制の整備を図る。
(3) 関係機関との連携によるセミナー等の開催

労働局等との連携により経営相談事業等を実施するほか、関係機関との連携により最低賃金に関するセミナー等を開催する。

4 国及び都道府県等の役割
(1) 営業許可等を行っている自治体における事業者向け講習会等の機会を利用した周知
(2) 営業許可等の際における窓口での個別周知
(3) 研修会等を通じた助成金制度の周知

5 日本公庫に期待される役割
　　従業員の賃金引上げや人材確保に必要な融資に、振興事業貸付等が積極的に活用されるよう、引き続き制度の周知等を図る。
七 働き方・休み方改革に向けた対応
　　従業員がそれぞれの事情に応じた多様な働き方を選択できる職場環境をつくることで人材の確保に繋がり、ひいては生産性の向上が図られるよう、営業者には長時間労働の是正や、公正な待遇の確保等のための措置が求められる。
 1 営業者に求められる役割
　(1) 時間外労働の上限規制及び月60時間超の時間外割増賃金率の引き上げへの対応による長時間労働の是正
　(2) 年5日の年次有給休暇の確実な取得
　(3) 雇用形態又は就業形態に関わらない公正な待遇の確保
　(4) 従業員に対する待遇に関する説明
 2 組合及び連合会に期待される役割
　　相談窓口及び関係機関が開催するセミナー等の周知を図る。
 3 都道府県指導センターに期待される役割
　　相談窓口及び関係機関が開催するセミナー等の周知を図る。
 4 国及び都道府県等の役割
　(1) 営業許可等を行っている自治体における事業者向け講習会等の機会を利用した制度周知
　(2) 営業許可等の際における窓口での制度周知
　(3) 研修会等を通じた制度周知
 5 日本公庫に期待される役割
　　従業員の長時間労働の是正や非正規雇用の処遇改善に取り組むために必要な融資に、振興事業貸付等が積極的に活用されるよう、引き続き制度の周知等を図る。

●理容業に関する標準営業約款

〔昭和59年10月18日〕
〔厚生省告示第179号〕

〔一部改正経過〕
第1次 〔平成13年3月30日厚労告第148号〕
第2次 〔平成28年3月7日厚労告第65号〕

環境衛生関係営業の運営の適正化に関する法律（昭和32年法律第164号）第57条の12第1項の規定に基づき理容業に関する標準営業約款を認可したので、同条第3項の規定に基づき告示する。

理容業に関する標準営業約款

（目的）
第1条 理容業に関する標準営業約款（以下「約款」という。）は、生活衛生関係営業の運営の適正化及び振興に関する法律（昭和32年法律第164号。以下「法」という。）第57条の12第1項の規定に基づき、理容業について役務の内容の表示の適正化及び損害賠償の実施の確保等に関する事項を定めることにより、利用者の選択の利便を図り、併せて公衆衛生の向上に資することを目的とする。

〔改正〕
　　一部改正（第1次改正）

（定義）
第2条 この約款で「営業者」とは、理容師法（昭和22年法律第234号）第1条の2第1項に規定する理容の業を営む者で、この約款に従い営業を行う者として都道府県生活衛生営業指導センターの登録を受けたものをいう。
2　この約款で「理容所」とは、理容の業を行うために設けられた施設をいう。
3　この約款で「営業施設」とは、営業者の登録に係る理容所をいう。
4　この約款で「表示」とは、提供する役務の内容等を利用者に周知させることを目的として営業施設の店頭又は店内に掲げる掲示板、ポスター等による広告及びビラ、パンフレット、看板等による広告をいう。

〔改正〕
　　一部改正（第1・2次改正）

（役務の内容の表示の適正化に関する事項）
第3条 営業者は、提供する役務の内容について、次の各号に定めるところに従い表示するものとする。
(1)　提供する役務の種別
　　提供する役務の種別を、次の区分により表示するものとする。ただし、これらの役務の種別を組み合わせて表示しても差し支えないものとする。
　　ア　総合調髪
　　イ　カット（刈込み）

ウ　シャンプー（洗髪）
エ　シェービング（顔そり）
オ　セット（仕上げ）
カ　子供調髪
キ　パーマネントウェーブ
ク　アイパー
ケ　アイロン
コ　毛髪・頭皮保護コース（ヘッドスパ・トリートメント）
サ　染毛（ヘア・カラーリング）
シ　ＢＢエステティック
ス　レディス・エステ・シェービング（ブライダル・シェービング）
セ　ネイルケア
ソ　訪問福祉理容
タ　かつら（ツーペ、ウィッグ）

(2)　従事者の氏名

次に掲げる従事者の氏名を必ず表示するものとする。ただし、アについては該当する者がある場合に限る。

ア　管理理容師
イ　理容師

2　営業者は、前項第１号に掲げる役務を提供するに当たつては、全国生活衛生営業指導センター（以下「全国指導センター」という。）が別途定める理容施術処理基準に従うものとする。

3　営業者は、その他役務の内容の表示を行うに当たつては、「最高」、「完ぺき」その他最高級の又は絶対的な意味を表す用語を用いてはならない。

〔改正〕

　　一部改正（第１・２次改正）

（損害賠償の実施の確保に関する事項）

第４条　営業者は、利用者に対する役務の提供又は営業施設若しくは設備の管理に起因して事故が発生した場合は、全国指導センターが別途定める理容所事故賠償基準に基づき、利用者等に対してその損害賠償を速やかに行うものとする。

2　営業者は、前項の損害賠償の確実な実施を図るため、全国指導センターが別途定める損害賠償保険等に加入しなければならない。

3　営業者は、事故に関し迅速かつ円滑な解決を図るため、利用者等の利便に配慮してその苦情処理に努めるものとする。

（標識等の掲示）

第５条　営業者は、全国指導センターが法第57条の13第２項の規定に基づき定める様式の標識を、営業施設ごとに、店頭又は店内の利用者の見やすい場所に掲示するものとする。

2 前項の標識の有効期間は、登録の有効期間と同一とする。
3 営業者は、この約款に従つて営業を行う旨、第3条第1項に規定する事項、前条の損害賠償の実施の確保に関する事項その他の提供する役務に関する事項の要旨（以下「役務の要旨」という。）を、営業施設ごとに、店頭又は店内の利用者の見やすい場所に掲示するものとする。
4 営業者が営業を廃止する旨の届出を行つたとき若しくは登録を取り消されたとき又は登録の有効期間が経過したときは、営業者は、当該営業施設について、速やかに、第1項の標識及び前項の役務の要旨の掲示を取り外さなければならない。

〔改正〕
　　一部改正（第1次改正）

第2編　理容師・美容師

●理容業、美容業、クリーニング業、めん類飲食店営業及び一般飲食店営業に関する標準営業約款に係る標識

[平成30年7月20日　公益財団法人全国生活衛生営業指導センター公告]

　生活衛生関係営業の運営の適正化及び振興に関する法律（昭和32年法律第164号）第57条の13第3項及び同法施行規則（昭和32年厚生省令第37号）第27条の規程に基づき、理容業、美容業、クリーニング業、めん類飲食店営業及び一般飲食店営業に関する標準営業約款に係る標識を次のように変更し、平成30年8月1日から適用することとしたので公告する。

備考　1.　標識の中央部のマークの色彩は紫色とする。
　　　2.　数字はマーク一辺の幅Aを基準とし、その比率を表す。
　　　3.　Rは半径とする。

第2章　美容師法関係

●美容師法

〔昭和32年6月3日〕
〔法　律　第　1 6 3 号〕

〔一部改正経過〕

第1次	〔昭和37年9月15日法律第161号「行政不服審査法の施行に伴う関係法律の整理等に関する法律」第91条による改正
第2次	〔昭和43年6月10日法律第96号「理容師法及び美容師法の一部を改正する法律」第2条による改正
第3次	〔昭和46年12月27日法律第128号「理容師法及び美容師法の一部を改正する法律の一部を改正する法律」による改正
第4次	〔昭和53年5月23日法律第54号「許可、認可等の整理に関する法律」第20条による改正
第5次	〔昭和58年12月10日法律第83号「行政事務の簡素合理化及び整理に関する法律」第18条による改正
第6次	〔昭和60年7月12日法律第90号「地方公共団体の事務に係る国の関与等の整理、合理化等に関する法律」第19条による改正
第7次	〔平成6年7月1日法律第84号「地域保健対策強化のための関係法律の整備に関する法律」第35条・附則第31条による改正
第8次	〔平成5年11月12日法律第89号「行政手続法の施行に伴う関係法律の整備に関する法律」第118条による改正
第9次	〔平成8年6月26日法律第107号「民間活動に係る規制の改善及び行政事務の合理化のための厚生省関係法律の一部を改正する法律」第5条による改正
第10次	〔平成7年6月16日法律第109号「理容師法及び美容師法の一部を改正する法律」第2条による改正
第11次	〔平成11年7月16日法律第87号「地方分権の推進を図るための関係法律の整備等に関する法律」第192条による改正
第12次	〔平成11年12月22日法律第160号「中央省庁等改革関係法施行法」第651・757条による改正
第13次	〔平成12年5月31日法律第91号「商法等の一部を改正する法律の施行に伴う関係法律の整備に関する法律」第64条による改正
第14次	〔平成13年6月29日法律第87号「障害者等に係る欠格事由の適正化等を図るための医師法等の一部を改正する法律」第13条による改正
第15次	〔平成19年6月27日法律第96号「学校教育法等の一部を改正する法律」附則第2・6条による改正
第16次	〔平成18年6月2日法律第50号「一般社団法人及び一般財団法人に関する法律及び公益社団法人及び公益財団法人の認定等に関する法律の施行に伴う関係法律の整備等に関する法律」第280条による改正
第17次	〔平成23年6月24日法律第74号「情報処理の高度化等に対応するための刑法等の一部を改正する法律」附則第35条（平成29年6月法律第67号により一部改正）による改正
第18次	〔平成23年8月30日法律第105号「地域の自主性及び自立性を高めるための改革の推進を図るための関係法律の整備に関する法律」第37条（平成23年6月法律第70号・同年12月法律第122号により一部改正）による改正
第19次	〔平成26年6月4日法律第51号「地域の自主性及び自立性を高めるための改革の推進を図るための関係法律の整備に関する法律」第21条（平成27年7月法律第56号により一部改正）による改正
第20次	〔平成26年6月13日法律第69号「行政不服審査法の施行に伴う関係法律の整備等に関する法律」第141条による改正
第21次	〔令和5年6月14日法律第52号「生活衛生関係営業等の事業活動の継続に資する環境の整備を図るための旅館業法の一部を改正する法律」第7条による改正

注　令和4年6月17日法律第68号「刑法等の一部を改正する法律の施行に伴う関係法律の整理等に関する法律」第221条（令和5年5月法律第28号により一部改正）による改正は未施行につき〔参考〕として250頁以降に収載（令和7年6月1日施行）

美容師法

（目的）

第1条　この法律は、美容師の資格を定めるとともに、美容の業務が適正に行われるように規律し、もつて公衆衛生の向上に資することを目的とする。

（定義）

第2条　この法律で「美容」とは、パーマネントウエーブ、結髪、化粧等の方法により、容姿を美しくすることをいう。

2　この法律で「美容師」とは、厚生労働大臣の免許を受けて美容を業とする者をいう。
3　この法律で「美容所」とは、美容の業を行うために設けられた施設をいう。
　〔改正〕
　　　一部改正（第10・12次改正）
　（免許）
第3条　美容師試験に合格した者は、厚生労働大臣の免許を受けて美容師になることができる。
2　美容師の免許は、次のいずれかに該当する者には、与えないことがある。
　一　心身の障害により美容師の業務を適正に行うことができない者として厚生労働省令で定めるもの
　二　第6条の規定に違反した者
　三　第10条第3項の規定による免許の取消処分を受けた者
　〔改正〕
　　　一部改正（第6・10・12・14次改正）
　〔委任〕
　　　第2項　第1号の「厚生労働省令」＝規則1の2
　〔参照条文〕
　　　第1項　「免許」申請の手続＝規則1　「免許」申請の際の登録免許税の納付＝規則8 I
　（美容師試験）
第4条　美容師試験は、美容師として必要な知識及び技能について行う。
2　美容師試験は、厚生労働大臣が行う。
3　美容師試験は、学校教育法（昭和22年法律第26号）第90条に規定する者であつて、都道府県知事の指定した美容師養成施設において厚生労働省令で定める期間以上美容師になるのに必要な知識及び技能を修得したものでなければ受けることができない。
4　美容師養成施設は、次の各号に掲げる養成課程の全部又は一部を設けるものとする。ただし、通信課程は、昼間課程又は夜間課程を設ける美容師養成施設に限つて、設けることができる。
　一　昼間課程
　二　夜間課程
　三　通信課程
5　前各項に定めるもののほか、美容師試験、美容師養成施設その他前各項の規定の施行に関して必要な事項は、厚生労働省令で定める。
　〔改正〕
　　　一部改正（第6・10～12・15・19次改正）
　〔委任〕
　　　第3項　「厚生労働省令」＝規則11
　　　第5項　「厚生労働省令」＝規則12～17の2、平成10年1月厚令第8号「美容師養成施設指定規則」
　〔参照条文〕

第3項　「美容師試験」の受験資格の特例＝第10次改正附則3・5

（指定試験機関の指定）
第4条の2　厚生労働大臣は、その指定する者（以下「指定試験機関」という。）に、美容師試験の実施に関する事務（以下「試験事務」という。）を行わせることができる。
2　指定試験機関の指定は、試験事務を行おうとする者の申請により行う。

〔改正〕
　　追加（第6次改正）、一部改正（第10・12次改正）

〔委任〕
　　第1項　「厚生労働大臣」の「指定」＝平成12年4月厚令第91号「理容師法第4条の2第1項及び美容師法第4条の2第1項に規定する指定試験機関を指定する省令」

〔参照条文〕
　　第1項　「試験事務」に関する「指定試験機関」についての適用＝規則18
　　第2項　「指定」の申請＝平成10年1月厚令第9号「美容師法に基づく指定試験機関及び指定登録機関に関する省令」1

（指定の基準）
第4条の3　厚生労働大臣は、前条第2項の規定による申請が次の要件を満たしていると認めるときでなければ、同条第1項の規定による指定をしてはならない。
一　職員、設備、試験事務の実施の方法その他の事項についての試験事務の実施に関する計画が試験事務の適正かつ確実な実施のために適切なものであること。
二　前号の試験事務の実施に関する計画の適正かつ確実な実施に必要な経理的及び技術的な基礎を有するものであること。
三　申請者が、試験事務以外の業務を行つている場合には、その業務を行うことによつて試験事務が不公正になるおそれがないこと。
2　厚生労働大臣は、前条第2項の規定による申請をした者が、次のいずれかに該当するときは、同条第1項の規定による指定をしてはならない。
一　一般社団法人又は一般財団法人以外の者であること。
二　第4条の15第1項又は第2項の規定により指定を取り消され、その取消しの日から起算して2年を経過しない者であること。
三　その役員のうちに、次のいずれかに該当する者があること。
　イ　この法律に違反して、刑に処せられ、その執行を終わり、又は執行を受けることがなくなつた日から起算して2年を経過しない者
　ロ　第4条の6第2項の規定による命令により解任され、その解任の日から起算して2年を経過しない者

〔改正〕
　　追加（第6次改正）、一部改正（第12・16次改正）

（指定の公示等）
第4条の4　厚生労働大臣は、第4条の2第1項の規定による指定をしたときは、指定試験機関の名称及び主たる事務所の所在地並びに当該指定をした日を公示しなければならない。

2 指定試験機関は、その名称又は主たる事務所の所在地を変更しようとするときは、変更しようとする日の2週間前までに、その旨を厚生労働大臣に届け出なければならない。
3 厚生労働大臣は、前項の規定による届出があつたときは、その旨を公示しなければならない。
〔改正〕
　　追加（第6次改正）、一部改正（第12次改正）
〔参照条文〕
　　第2項　「名称」等の変更の届出＝平成10年1月厚令第9号「美容師法に基づく指定試験機関及び指定登録機関に関する省令」2

第4条の5 削除（第10次改正）
（役員の選任及び解任）
第4条の6 指定試験機関の役員の選任及び解任は、厚生労働大臣の認可を受けなければ、その効力を生じない。
2 厚生労働大臣は、指定試験機関の役員が、この法律（これに基づく命令又は処分を含む。）若しくは第4条の9第1項に規定する試験事務規程に違反する行為をしたとき、又は試験事務に関し著しく不適当な行為をしたときは、指定試験機関に対し、当該役員を解任すべきことを命ずることができる。
〔改正〕
　　追加（第6次改正）、一部改正（第12次改正）
〔参照条文〕
　　第1項　役員の選任又は解任の認可の申請＝平成10年1月厚令第9号「美容師法に基づく指定試験機関及び指定登録機関に関する省令」3
　　第2項　本項の試験委員の解任への準用＝法4の7Ⅳ

（試験委員）
第4条の7 指定試験機関は、試験事務のうち、美容師として必要な知識及び技能を有するかどうかの判定に関する事務を行う場合には、試験委員にその事務を行わせなければならない。
2 指定試験機関は、試験委員を選任しようとするときは、厚生労働省令で定める要件を備える者のうちから選任しなければならない。
3 指定試験機関は、試験委員を選任したときは、厚生労働省令で定めるところにより、遅滞なく、その旨を厚生労働大臣に届け出なければならない。試験委員に変更があつたときも、同様とする。
4 前条第2項の規定は、試験委員の解任について準用する。
〔改正〕
　　追加（第6次改正）、一部改正（第12次改正）
〔委任〕
　　第2項　「厚生労働省令」＝平成10年1月厚令第9号「美容師法に基づく指定試験機関及び指定登録機関に関する省令」4
　　第3項　「厚生労働省令」＝平成10年1月厚令第9号「美容師法に基づく指定試験機関及び指定登録機関に関する省令」5

(秘密保持義務等)

第4条の8 指定試験機関の役員若しくは職員（試験委員を含む。次項において同じ。）又はこれらの職にあつた者は、試験事務に関して知り得た秘密を漏らしてはならない。

2 試験事務に従事する指定試験機関の役員又は職員は、刑法（明治40年法律第45号）その他の罰則の適用については、法令により公務に従事する職員とみなす。

〔改正〕
　　追加（第6次改正）

〔参照条文〕
　　第1項　罰則＝法17の2

(試験事務規程)

第4条の9 指定試験機関は、試験事務の開始前に、試験事務の実施に関する規程（以下「試験事務規程」という。）を定め、厚生労働大臣の認可を受けなければならない。これを変更しようとするときも、同様とする。

2 試験事務規程で定めるべき事項は、厚生労働省令で定める。

3 厚生労働大臣は、第1項の規定により認可をした試験事務規程が試験事務の適正かつ確実な実施上不適当となつたと認めるときは、指定試験機関に対し、これを変更すべきことを命ずることができる。

〔改正〕
　　追加（第6次改正）、一部改正（第10・12次改正）

〔委任〕
　　第2項　「厚生労働省令」＝平成10年1月厚令第9号「美容師法に基づく指定試験機関及び指定登録機関に関する省令」7

〔参照条文〕
　　第1項　「認可」の申請＝平成10年1月厚令第9号「美容師法に基づく指定試験機関及び指定登録機関に関する省令」6

(事業計画の認可等)

第4条の10 指定試験機関は、毎事業年度、事業計画及び収支予算を作成し、当該事業年度の開始前に（第4条の2第1項の規定による指定を受けた日の属する事業年度にあつては、その指定を受けた後遅滞なく）、厚生労働大臣の認可を受けなければならない。これを変更しようとするときも、同様とする。

2 指定試験機関は、毎事業年度、事業報告書及び収支決算書を作成し、当該事業年度の終了後3月以内に、厚生労働大臣に提出しなければならない。

〔改正〕
　　追加（第6次改正）、一部改正（第10・12次改正）

〔参照条文〕
　　第1項　「認可」の申請＝平成10年1月厚令第9号「美容師法に基づく指定試験機関及び指定登録機関に関する省令」8

(帳簿の備付け)

第4条の11 指定試験機関は、厚生労働省令で定めるところにより、試験事務に関する事

項で厚生労働省令で定めるものを記載した帳簿を備え、これを保存しなければならない。

〔改正〕
　　　追加（第6次改正）、一部改正（第12次改正）

〔委任〕
　　　「厚生労働省令」＝平成10年1月厚令第9号「美容師法に基づく指定試験機関及び指定登録機関に関する省令」9

〔参照条文〕
　　　罰則＝法17の4一

（監督命令）
第4条の12　厚生労働大臣は、試験事務の適正な実施を確保するため必要があると認めるときは、指定試験機関に対し、試験事務に関し監督上必要な命令をすることができる。

〔改正〕
　　　追加（第6次改正）、一部改正（第10・12次改正）

（報告、検査等）
第4条の13　厚生労働大臣は、試験事務の適正な実施を確保するため必要があると認めるときは、指定試験機関に対し、試験事務の状況に関し必要な報告を求め、又はその職員に、指定試験機関の事務所に立ち入り、試験事務の状況若しくは設備、帳簿、書類その他の物件を検査させることができる。

2　前項の規定により立入検査を行う職員は、その身分を示す証明書を携帯し、関係者の請求があつたときは、これを提示しなければならない。

3　第1項の規定による権限は、犯罪捜査のために認められたものと解してはならない。

〔改正〕
　　　追加（第6次改正）、一部改正（第10・12次改正）

〔参照条文〕
　　　第1項　罰則＝法17の4二
　　　第2・3項　本項の美容所への立入検査への準用＝法14Ⅱ

（試験事務の休廃止）
第4条の14　指定試験機関は、厚生労働大臣の許可を受けなければ、試験事務の全部又は一部を休止し、又は廃止してはならない。

2　厚生労働大臣は、指定試験機関の試験事務の全部又は一部の休止又は廃止により試験事務の適正かつ確実な実施が損なわれるおそれがないと認めるときでなければ、前項の規定による許可をしてはならない。

3　厚生労働大臣は、第1項の規定による許可をしたときは、その旨を公示しなければならない。

〔改正〕
　　　追加（第6次改正）、一部改正（第10・12次改正）

〔参照条文〕
　　　第1項　厚生労働大臣による試験事務の実施＝法4の17　「試験事務」の休廃止の許可の申請＝平成10年1月厚令第9号「美容師法に基づく指定試験機関及び指定登録機関に関する省令」11　罰則＝法17の4三

（指定の取消し等）

第4条の15　厚生労働大臣は、指定試験機関が第4条の3第2項第1号又は第3号に該当するに至つたときは、その指定を取り消さなければならない。

2　厚生労働大臣は、指定試験機関が次のいずれかに該当するときは、その指定を取り消し、又は期間を定めて試験事務の全部若しくは一部の停止を命ずることができる。

一　第4条の3第1項各号の要件を満たさなくなつたと認められるとき。

二　第4条の6第2項（第4条の7第4項において準用する場合を含む。）、第4条の9第3項又は第4条の12の規定による命令に違反したとき。

三　第4条の7第1項、第4条の10、第4条の11又は前条第1項の規定に違反したとき。

四　第4条の9第1項の規定により認可を受けた試験事務規程によらないで試験事務を行つたとき。

五　不正な手段により第4条の2第1項の規定による指定を受けたとき。

3　厚生労働大臣は、前2項の規定により指定を取り消し、又は前項の規定により試験事務の全部若しくは一部の停止を命じたときは、その旨を公示しなければならない。

〔改正〕
　　追加（第6次改正）、一部改正（第8・10・12次改正）

〔参照条文〕
　　第2項　罰則＝法17の3

（指定等の条件）

第4条の16　第4条の2第1項、第4条の6第1項、第4条の9第1項、第4条の10第1項又は第4条の14第1項の規定による指定、認可又は許可には、条件を付し、及びこれを変更することができる。

2　前項の条件は、当該指定、認可又は許可に係る事項の確実な実施を図るため必要な最小限度のものに限り、かつ、当該指定、認可又は許可を受ける者に不当な義務を課することとなるものであつてはならない。

〔改正〕
　　全部改正（第10次改正）

（厚生労働大臣による試験事務の実施）

第4条の17　厚生労働大臣は、指定試験機関の指定をしたときは、試験事務を行わないものとする。

2　厚生労働大臣は、指定試験機関が第4条の14第1項の規定による許可を受けて試験事務の全部若しくは一部を休止したとき、第4条の15第2項の規定により指定試験機関に対し試験事務の全部若しくは一部の停止を命じたとき、又は指定試験機関が天災その他の事由により試験事務の全部若しくは一部を実施することが困難となつた場合において必要があると認めるときは、当該試験事務の全部又は一部を自ら行うものとする。

3　厚生労働大臣は、前項の規定により試験事務の全部若しくは一部を自ら行うこととするとき、又は自ら行つていた試験事務の全部若しくは一部を行わないこととするとき

は、その旨を公示しなければならない。
　〔改正〕
　　　　追加（第6次改正）、一部改正（第10・12次改正）
　〔参照条文〕
　　　　第2項　「試験事務」の引継ぎ等＝平成10年1月厚令第9号「美容師法に基づく指定試験機関及び指定登録機関に関する省令」12
（受験手数料）
第4条の18　美容師試験を受けようとする者は、国（指定試験機関が当該試験に係る試験事務を行う場合にあつては、指定試験機関）に、実費を勘案して政令で定める額の受験手数料を納付しなければならない。
2　前項の規定により指定試験機関に納められた受験手数料は、指定試験機関の収入とする。
　〔改正〕
　　　　追加（第6次改正）、一部改正（第10次改正）
　〔委任〕
　　　　第1項　「政令」＝令2
（厚生労働省令への委任）
第4条の19　第4条の2から前条までに規定するもののほか、指定試験機関及びその行う試験事務並びに試験事務の引継ぎに関し必要な事項は、厚生労働省令で定める。
　〔改正〕
　　　　追加（第6次改正）、一部改正（第10・12次改正）
　〔委任〕
　　　　「厚生労働省令」＝平成10年1月厚令第9号「美容師法に基づく指定試験機関及び指定登録機関に関する省令」
（美容師名簿）
第5条　厚生労働省に美容師名簿を備え、美容師の免許に関する事項を登録する。
　〔改正〕
　　　　一部改正（第10・12次改正）
（登録及び免許証の交付）
第5条の2　美容師の免許は、美容師試験に合格した者の申請により、美容師名簿に登録することによつて行う。
2　厚生労働大臣は、美容師の免許を与えたときは、美容師免許証を交付する。
　〔改正〕
　　　　追加（第10次改正）、一部改正（第12・14次改正）
（意見の聴取）
第5条の2の2　厚生労働大臣は、美容師の免許を申請した者について、第3条第2項第1号に掲げる者に該当すると認め、同項の規定により美容師の免許を与えないこととするときは、あらかじめ、当該申請者にその旨を通知し、その求めがあつたときは、厚生労働大臣の指定する職員にその意見を聴取させなければならない。

〔改正〕
　　　追加（第14次改正）
（指定登録機関の指定）
第５条の３　厚生労働大臣は、その指定する者（以下「指定登録機関」という。）に、美容師の登録の実施等に関する事務（以下「登録事務」という。）を行わせることができる。
２　指定登録機関の指定は、登録事務を行おうとする者の申請により行う。
〔改正〕
　　　追加（第10次改正）、一部改正（第12次改正）
〔委任〕
　　　第１項　「厚生労働大臣」の「指定」＝平成10年４月厚告第140号（理容師法第５条の３第１項及び美容師法第５条の３第１項の規定に基づく指定登録機関の指定）
（指定登録機関が登録事務を行う場合の規定の適用等）
第５条の４　指定登録機関が登録事務を行う場合における第５条及び第５条の２第２項の規定の適用については、第５条中「厚生労働省」とあるのは「指定登録機関」と、第５条の２第２項中「厚生労働大臣」とあるのは「指定登録機関」と、「美容師の免許を与えたときは、美容師免許証」とあるのは「前項の規定による登録をしたときは、当該登録に係る者に美容師免許証明書」とする。
２　指定登録機関が登録事務を行う場合において、美容師の登録又は美容師免許証若しくは美容師免許証明書の記載事項の変更若しくは再交付を受けようとする者は、実費を勘案して政令で定める額の手数料を指定登録機関に納付しなければならない。
３　前項の規定により指定登録機関に納められた手数料は、指定登録機関の収入とする。
〔改正〕
　　　追加（第10次改正）、一部改正（第12次改正）
〔委任〕
　　　第２項　「政令」＝令３
（準用）
第５条の５　第４条の３、第４条の４、第４条の６及び第４条の８から第４条の17までの規定は、指定登録機関について準用する。この場合において、これらの規定中「試験事務」とあるのは「登録事務」と、「試験事務規程」とあるのは「登録事務規程」と、第４条の３中「前条第２項」とあるのは「第５条の３第２項」と、第４条の４第１項、第４条の10第１項、第４条の15第２項第５号及び第４条の16第１項中「第４条の２第１項」とあるのは「第５条の３第１項」と、第４条の８第１項中「職員（試験委員を含む。次項において同じ。）」とあるのは「職員」と、第４条の15第２項第２号中「第４条の６第２項（第４条の７第４項において準用する場合を含む。）」とあるのは「第４条の６第２項」と、同項第３号中「第４条の７第１項、第４条の10」とあるのは「第４条の10」と読み替えるものとする。
〔改正〕

追加（第10次改正）

〔参照条文〕

登録事務規程の記載事項＝平成10年1月厚令第9号「美容師法に基づく指定試験機関及び指定登録機関に関する省令」13　指定登録機関における帳簿の備え付け＝平成10年1月厚令第9号「美容師法に基づく指定試験機関及び指定登録機関に関する省令」14

（厚生労働省令への委任）

第5条の6　第3条及び第5条から前条までに規定するもののほか、美容師の免許、美容師名簿の登録、美容師免許証、美容師免許証明書並びに指定登録機関及びその行う登録事務並びに登録事務の引継ぎに関し必要な事項は、厚生労働省令で定める。

〔改正〕

追加（第10次改正）、一部改正（第12次改正）

〔委任〕

「厚生労働省令」＝平成10年1月厚令第7号「美容師法施行規則」、平成10年1月厚令第9号「美容師法に基づく指定試験機関及び指定登録機関に関する省令」

（無免許営業の禁止）

第6条　美容師でなければ、美容を業としてはならない。

〔参照条文〕

罰則＝法18一

（美容所以外の場所における営業の禁止）

第7条　美容師は、美容所以外の場所において、美容の業をしてはならない。ただし、政令で定める特別の事情がある場合には、この限りでない。

〔委任〕

「政令」＝令4

（美容の業を行う場合に講ずべき措置）

第8条　美容師は、美容の業を行うときは、次に掲げる措置を講じなければならない。

一　皮ふに接する布片及び皮ふに接する器具を清潔に保つこと。

二　皮ふに接する布片を客1人ごとに取り替え、皮ふに接する器具を客1人ごとに消毒すること。

三　その他都道府県が条例で定める衛生上必要な措置

〔改正〕

一部改正（第11次改正）

〔参照条文〕

第1・2号の「器具」＝規則24　第2号の「消毒」の方法＝規則25

第9条　削除（第5次改正）

（免許の取消及び業務の停止）

第10条　厚生労働大臣は、美容師が第3条第2項第1号に掲げる者に該当するときは、その免許を取り消すことができる。

2　都道府県知事は、美容師が第7条若しくは第8条の規定に違反したとき、又は美容師が伝染性の疾病にかかり、その就業が公衆衛生上不適当と認めるときは、期間を定めて

その業務を停止することができる。
3　厚生労働大臣は、美容師が前項の規定による業務の停止処分に違反したときは、その免許を取り消すことができる。
4　第1項又は前項の規定による取消処分を受けた者であつても、その者がその取消しの理由となつた事項に該当しなくなつたとき、その他その後の事情により再び免許を与えるのが適当であると認められるに至つたときは、再免許を与えることができる。

〔改正〕
　　一部改正（第5・10～12・14次改正）

〔参照条文〕
　　業務停止に関する通知＝令5

（美容所の位置等の届出）
第11条　美容所を開設しようとする者は、厚生労働省令の定めるところにより、美容所の位置、構造設備、第12条の3第1項に規定する管理美容師その他の従業者の氏名その他必要な事項をあらかじめ都道府県知事に届け出なければならない。
2　美容所の開設者は、前項の規定による届出事項に変更を生じたとき、又はその美容所を廃止したときは、すみやかに都道府県知事に届け出なければならない。

〔改正〕
　　一部改正（第2・9・12次改正）

〔委任〕
　　第1項　「厚生労働省令」＝規則19

〔参照条文〕
　　第2項　「変更」の届出＝規則20
　　罰則＝法18二・19

（美容所の使用）
第12条　美容所の開設者は、その美容所の構造設備について都道府県知事の検査を受け、その構造設備が第13条の措置を講ずるに適する旨の確認を受けた後でなければ、当該美容所を使用してはならない。

〔参照条文〕
　　罰則＝法18三・19

（地位の承継）
第12条の2　第11条第1項の届出をした美容所の開設者が当該営業を譲渡し、又は当該届出をした美容所の開設者について相続、合併若しくは分割（当該営業を承継させるものに限る。）があつたときは、当該営業を譲り受けた者又は相続人（相続人が2人以上ある場合において、その全員の同意により当該営業を承継すべき相続人を選定したときは、その者）、合併後存続する法人若しくは合併により設立された法人若しくは分割により当該営業を承継した法人は、当該届出をした美容所の開設者の地位を承継する。
2　前項の規定により美容所の開設者の地位を承継した者は、遅滞なく、その事実を証する書面を添えて、その旨を都道府県知事に届け出なければならない。

〔改正〕

追加(第9次改正)、一部改正(第13・21次改正)

〔参照条文〕

第2項 「地位の承継」の届出＝規則20の2〜22の2

(管理者)

第12条の3 美容師である従業者の数が常時2人以上である美容所の開設者は、当該美容所(当該美容所における美容の業務を含む。)を衛生的に管理させるため、美容所ごとに、管理者(以下「管理美容師」という。)を置かなければならない。ただし、美容所の開設者が第2項の規定により管理美容師となることができる者であるときは、その者が自ら主として管理する一の美容所について管理美容師となることを妨げない。

2 管理美容師は、美容師の免許を受けた後3年以上美容の業務に従事し、かつ、厚生労働大臣の定める基準に従い都道府県知事が指定した講習会の課程を修了した者でなければならない。

〔改正〕

旧第12条の2として追加(第2次改正)、一部改正(第12次改正)、本条に繰下(第9次改正)

〔委任〕

第2項 「厚生労働大臣の定める」＝規則23

〔参照条文〕

本条の違反に対する制裁＝法15 I

(美容所について講ずべき措置)

第13条 美容所の開設者は、美容所につき、次に掲げる措置を講じなければならない。

一 常に清潔に保つこと。
二 消毒設備を設けること。
三 採光、照明及び換気を充分にすること。
四 その他都道府県が条例で定める衛生上必要な措置

〔改正〕

一部改正(第11次改正)

〔参照条文〕

第1号の「清潔」の保持の措置＝規則26 第3号の「採光、照明及び換気」の実施基準＝規則27
本条の違反に対する制裁＝法15 I

(立入検査)

第14条 都道府県知事は、必要があると認めるときは、当該職員に、美容所に立ち入り、第8条又は前条の規定による措置の実施の状況を検査させることができる。

2 第4条の13第2項及び第3項の規定は、前項の規定による立入検査について準用する。

〔改正〕

一部改正(第6・10・14次改正)

〔参照条文〕

第1項　罰則＝法18四・19

（閉鎖命令）
第15条　都道府県知事は、美容所の開設者が、第12条の3若しくは第13条の規定に違反したとき、又は美容師でない者若しくは第10条第2項の規定による業務の停止処分を受けている者にその美容所において美容の業を行わせたときは、期間を定めて当該美容所の閉鎖を命ずることができる。
2　当該美容所において美容の業を行う美容師が第8条の規定に違反したときも、前項と同様とする。ただし、当該美容所の開設者が美容師の当該違反行為を防止するために相当の注意及び監督を尽したときは、この限りでない。
〔改正〕
　　　一部改正（第2・5・9次改正）
〔参照条文〕
　　　罰則＝法18五・19

（美容師の会）
第16条　美容師は、美容の業務に係る技術の向上を図るため、美容師会を組織して、美容師の養成並びに会員の指導及び連絡に資することができる。
2　2以上の美容師会は、美容の業務に係る技術の向上を図るため、連合会を組織して、美容師の養成並びに会員及びその構成員の指導及び連絡に資することができる。
〔改正〕
　　　旧第16条を削り、旧第17条を本条に繰上（第10次改正）

（権限の委任）
第16条の2　この法律に規定する厚生労働大臣の権限は、厚生労働省令で定めるところにより、地方厚生局長に委任することができる。
2　前項の規定により地方厚生局長に委任された権限は、厚生労働省令で定めるところにより、地方厚生支局長に委任することができる。
〔改正〕
　　　追加（第12次改正）

（経過措置）
第17条　この法律に基づき命令を制定し、又は改廃する場合においては、その命令で、その制定又は改廃に伴い合理的に必要と判断される範囲内において、所要の経過措置（罰則に関する経過措置を含む。）を定めることができる。
〔改正〕
　　　追加（第10次改正）

（罰則）
第17条の2　第4条の8第1項（第5条の5において準用する場合を含む。）の規定に違反した者は、1年以下の懲役又は100万円以下の罰金に処する。
〔改正〕
　　　追加（第6次改正）、一部改正（第10・14次改正）

第17条の3　第4条の15第2項（第5条の5において準用する場合を含む。）の規定による試験事務又は登録事務の停止の命令に違反したときは、その違反行為をした指定試験機関又は指定登録機関の役員又は職員は、1年以下の懲役又は100万円以下の罰金に処する。
〔改正〕
　　　追加（第6次改正）、一部改正（第10・14次改正）

第17条の4　次の各号のいずれかに該当するときは、その違反行為をした指定試験機関又は指定登録機関の役員又は職員は、30万円以下の罰金に処する。
　一　第4条の11（第5条の5において準用する場合を含む。）の規定に違反して帳簿を備えず、帳簿に記載せず、若しくは帳簿に虚偽の記載をし、又は帳簿を保存しなかつたとき。
　二　第4条の13第1項（第5条の5において準用する場合を含む。）の規定による報告を求められて、報告をせず、若しくは虚偽の報告をし、又はこれらの規定による立入り若しくは検査を拒み、妨げ、若しくは忌避したとき。
　三　第4条の14第1項（第5条の5において準用する場合を含む。）の規定による許可を受けないで、試験事務又は登録事務の全部を廃止したとき。
〔改正〕
　　　追加（第6次改正）、一部改正（第10・14次改正）

第18条　次の各号のいずれかに該当する者は、30万円以下の罰金に処する。
　一　第6条の規定に違反した者
　二　第11条の規定による届出をせず、又は虚偽の届出をした者
　三　第12条の規定に違反して美容所を使用した者
　四　第14条第1項の規定による当該職員の検査を拒み、妨げ、又は忌避した者
　五　第15条の規定による美容所の閉鎖処分に違反した者
〔改正〕
　　　全部改正（第14次改正）

第19条　法人の代表者又は法人若しくは人の代理人、使用人その他の従業者が、その法人又は人の業務に関して前条第2号から第5号までの違反行為をしたときは、行為者を罰するほか、その法人又は人に対しても、各本条の刑を科する。
〔改正〕
　　　旧第19・20条を削り、旧第21条を一部改正し、本条に繰上（第14次改正）

（読替規定）
第20条　地域保健法（昭和22年法律第101号）第5条第1項の規定に基づく政令で定める市又は特別区にあつては、前各条の規定（第4条第3項及び第12条の3第2項を除く。）中「都道府県知事」とあるのは「市長」又は「区長」と、「都道府県」とあるのは「市」又は「特別区」とする。
〔改正〕
　　　全部改正（第18次改正）、一部改正（第19次改正）

（審査請求）
第21条 指定試験機関が行う試験事務に係る処分若しくはその不作為又は指定登録機関が行う登録事務に係る処分若しくはその不作為については、厚生労働大臣に対し、審査請求をすることができる。この場合において、厚生労働大臣は、行政不服審査法（平成26年法律第68号）第25条第2項及び第3項、第46条第1項及び第2項、第47条並びに第49条第3項の規定の適用については、指定試験機関又は指定登録機関の上級行政庁とみなす。
〔改正〕
旧第23条として追加（第1次改正）、一部改正（第6・10〜12・20次改正）、本条に繰上（第14次改正）

　　附　則　抄
（施行期日）
1　この法律は、公布の日〔昭和32年6月3日〕から起算して3箇月をこえない範囲内で政令で定める日〔昭和32年9月2日〕から施行する。
〔委任〕
「政令」＝昭和32年8月政令第276号「美容師法の施行期日を定める政令」
（経過規定）
2　この法律の施行前、附則第12項の規定による改正前の理容師美容師法（昭和22年法律第234号）（以下この項、附則第4項から附則第8項まで及び附則第13項において「旧法」という。）、理容師法の一部を改正する法律（昭和26年法律第251号）附則第2項、理容師美容師法の一部を改正する法律（昭和28年法律第49号）附則第3項若しくはこの法律の附則第15項の規定による改正前の理容師法特例（昭和23年法律第67号）の規定によりなされた美容師の免許又は旧法の規定によりなされた美容師の試験若しくは登録、美容師の業務停止、美容所の構造設備に係る検査若しくは確認、美容所の閉鎖処分その他の処分は、この法律の規定によりなされた美容師の免許又は美容師の試験若しくは登録、美容師の業務停止、美容所の構造設備に係る検査若しくは確認、美容所の閉鎖処分その他の処分とみなす。
3　この法律の施行の際、現に理容師美容師法の一部を改正する法律（昭和28年法律第49号）附則第2項の規定により美容師の免許を受けることのできる資格を有する者は、第3条の規定の適用については、第4条に規定する美容師試験に合格した者とみなす。
4　この法律の施行前旧法第3条の規定により厚生大臣の指定した美容師養成施設又は旧法第3条の規定による実地習練は、この法律の規定により厚生大臣の指定した美容師養成施設又はこの法律の規定による実地習練とみなす。
5　この法律の施行前旧法第8条第3号又は第12条第4号の美容師又は美容所の開設者に係る規定により都道府県知事が定めた衛生上必要な措置は、この法律の第8条第3号又は第13条第4号の規定により都道府県知事が定めた衛生上必要な措置とみなす。
6　この法律の施行前にした旧法第8条、第9条又は第12条の美容師又は美容所の開設者に係る規定に違反する行為は、この法律の第8条、第9条第1項又は第13条の規定に違反する行為とみなす。

7　この法律の施行前、理容師美容師法の一部を改正する法律（昭和30年法律第126号）の施行後においてした旧法第14条第1項後段に規定する美容所の開設者の行為は、この法律の施行後においてしたこの法律の第15条第1項後段に規定する美容所の開設者の行為とみなす。
8　この法律の施行前旧法の規定によりした、美容所の開設に係る届出又は当該届け出た事項の変更に係る届出は、この法律の第11条第1項又は第2項の規定によりした届出とみなす。
9　この法律の施行の際、現に美容所を開設している者が、附則第7項の理容師美容師法の一部を改正する法律の施行の日前から引き続き美容所を開設している者であり、かつ、同項の理容師美容師法の一部を改正する法律の附則第2項に規定する者であるときは、その者については、この法律の第12条の規定は、適用しない。
10　この法律の施行前にした美容の業務に係る行為に対する罰則の適用については、なお従前の例による。
11　旧中等学校令（昭和18年勅令第36号）による中等学校を卒業した者又は厚生労働省令で定めるところによりこれと同等以上の学力があると認められる者は、当分の間、第4条第3項の規定の適用については、学校教育法第90条に規定する者とみなす。

〔改正〕
　　　一部改正（第10・12・15次改正）

〔委任〕
　　「厚生労働省令」＝規則附則7

　　附　則（第10次改正）抄
（施行期日）
第1条　この法律は、平成10年4月1日から施行する。
（理容師試験又は美容師試験の受験資格の特例）
第3条　この法律の施行の日（以下「施行日」という。）前に第1条の規定による改正前の理容師法（以下「旧理容師法」という。）第3条第4項の規定により理容師になるのに必要な学科を修めた者であって旧理容師法第3条第5項に規定する1年以上の実地習練を経たもの又は施行日前に第2条の規定による改正前の美容師法（以下「旧美容師法」という。）第4条第4項の規定により美容師になるのに必要な学科を修めた者であって旧美容師法第4条第5項に規定する1年以上の実地習練を経たものは、第1条の規定による改正後の理容師法（以下「新理容師法」という。）第3条第3項又は第2条の規定による改正後の美容師法（以下「新美容師法」という。）第4条第3項の規定にかかわらず、新理容師法又は新美容師法の規定による理容師試験又は美容師試験を受けることができる。
第5条　当分の間、学校教育法（昭和22年法律第26号）第57条に規定する者であって、厚生労働省令で定める要件に該当し、かつ、新理容師法第3条第3項又は新美容師法第4条第3項の規定により理容師又は美容師になるのに必要な知識及び技能を修得したものは、新理容師法第3条第3項又は新美容師法第4条第3項の規定にかかわらず、新理容

師法又は新美容師法の規定による理容師試験又は美容師試験を受けることができる。
2　旧国民学校令（昭和16年勅令第148号）による国民学校の高等科を終了した者、旧中等学校令（昭和18年勅令第36号）による中等学校の２年の課程を終わった者又は厚生労働省令で定めるところによりこれらの者と同等以上の学力があると認められる者は、当分の間、前項の規定の適用については、学校教育法第57条に規定する者とみなす。
3　厚生労働大臣は、第１項の厚生労働省令を定めようとするときは、あらかじめ、文部科学大臣と協議しなければならない。

〔改正〕
　　一部改正（第12・15次改正）

〔委任〕
　　第１項　「厚生労働省令」＝規則附則6
　　第２項　「厚生労働省令」＝規則附則8

（理容師又は美容師の免許の特例）
第６条　旧理容師法又は旧美容師法の規定による理容師試験又は美容師試験（附則第２条の規定によりなお従前の例により行われる理容師試験又は美容師試験を含む。）に合格した者は、新理容師法第２条又は新美容師法第３条第１項の規定にかかわらず、厚生労働大臣の免許を受けて理容師又は美容師になることができる。

〔改正〕
　　一部改正（第12次改正）

〔参照条文〕
　　特例の「免許」申請手続の際の添付書類＝規則附則2

　　附　則（第21次改正）抄
（施行期日）
第１条　この法律は、公布の日から起算して６月を超えない範囲内において政令で定める日〔令和５年12月13日〕から施行する。ただし、附則第12条の規定は、公布の日〔令和５年６月14日〕から施行する。

〔委任〕
　　「政令」＝令和５年11月政令第329号「生活衛生関係営業等の事業活動の継続に資する環境の整備を図るための旅館業法等の一部を改正する法律の施行期日を定める政令」

（検討）
第２条　政府は、第１条の規定による改正後の旅館業法（以下この条及び次条において「新旅館業法」という。）第４条の２第１項の規定による協力の求め（同項第３号に掲げる者にあっては、当該者の体温その他の健康状態その他同号の厚生労働省令で定める事項の確認に係るものに限る。）を受けた者が正当な理由なくこれに応じないときの対応の在り方について、旅館業（旅館業法第２条第１項に規定する旅館業をいう。次項及び次条第３項において同じ。）の施設における特定感染症（新旅館業法第２条第６項に規定する特定感染症をいう。）のまん延防止を図る観点から検討を加え、必要があると認めるときは、その結果に基づいて所要の措置を講ずるものとする。
2　政府は、過去に旅館業の施設において第１条の規定による改正前の旅館業法第５条の

規定の運用に関しハンセン病の患者であった者等に対して不当な差別的取扱いがされたことを踏まえつつ、新旅館業法第５条第１項の規定の施行の状況について検討を加え、必要があると認めるときは、その結果に基づいて所要の措置を講ずるものとする。
3 　前２項に定めるもののほか、政府は、この法律の施行後３年を経過した場合において、この法律による改正後のそれぞれの法律の規定の施行の状況を勘案し、必要があると認めるときは、当該規定について検討を加え、その結果に基づいて所要の措置を講ずるものとする。
　　　（美容師法の一部改正に伴う経過措置）
第９条　第７条の規定による改正後の美容師法（次項において「新美容師法」という。）第12条の２の規定は、施行日前に営業の譲渡があった場合における当該営業を譲り受けた者については、適用しない。
2 　都道府県知事は、当分の間、新美容師法第12条の２第１項の規定により美容所の開設者の地位を承継した者（営業の譲渡により当該地位を承継した者に限る。）の業務の状況について、当該地位が承継された日から起算して６月を経過するまでの間において、少なくとも１回調査しなければならない。
　　　（政令への委任）
第12条　附則第３条から前条までに定めるもののほか、この法律の施行に関し必要な経過措置（罰則に関する経過措置を含む。）は、政令で定める。

〔参　考〕
　　　◉刑法等の一部を改正する法律の施行に伴う関係法律の整理等に関する法律（抄）

〔令和４年６月17日〕
〔法　律　第　68　号〕

注　令和５年５月17日法律第28号「刑事訴訟法等の一部を改正する法律」附則第36条により一部改正
　第１編　関係法律の一部改正
　　第11章　厚生労働省関係
　　（船員保険法等の一部改正）
第221条　次に掲げる法律の規定中「懲役」を「拘禁刑」に改める。
　二十　美容師法（昭和32年法律第163号）第17条の２及び第17条の３
　第２編　経過措置
　　第１章　通則
　　（罰則の適用等に関する経過措置）
第441条　刑法等の一部を改正する法律（令和４年法律第67号。以下「刑法等一部改正法」という。）及びこの法律（以下「刑法等一部改正法等」という。）の施行前にした行為の処罰については、次章に別段の定めがあるもののほか、なお従前の例による。
2 　刑法等一部改正法等の施行後にした行為に対して、他の法律の規定によりなお従前の例によることとされ、なお効力を有することとされ又は改正前若しくは廃止前の法律の

規定の例によることとされる罰則を適用する場合において、当該罰則に定める刑（刑法施行法第19条第１項の規定又は第82条の規定による改正後の沖縄の復帰に伴う特別措置に関する法律第25条第４項の規定の適用後のものを含む。）に刑法等一部改正法第２条の規定による改正前の刑法（明治40年法律第45号。以下この項において「旧刑法」という。）第12条に規定する懲役（以下「懲役」という。）、旧刑法第13条に規定する禁錮（以下「禁錮」という。）又は旧刑法第16条に規定する拘留（以下「旧拘留」という。）が含まれるときは、当該刑のうち無期の懲役又は禁錮はそれぞれ無期拘禁刑と、有期の懲役又は禁錮はそれぞれその刑と長期及び短期（刑法施行法第20条の規定の適用後のものを含む。）を同じくする有期拘禁刑と、旧拘留は長期及び短期（刑法施行法第20条の規定の適用後のものを含む。）を同じくする拘留とする。

（裁判の効力とその執行に関する経過措置）

第442条 懲役、禁錮及び旧拘留の確定裁判の効力並びにその執行については、次章に別段の定めがあるもののほか、なお従前の例による。

第４章　その他

（経過措置の政令への委任）

第509条 この編に定めるもののほか、刑法等一部改正法等の施行に伴い必要な経過措置は、政令で定める。

　　附　則　抄

（施行期日）

1　この法律は、刑法等一部改正法施行日〔令和７年６月１日〕から施行する。ただし、次の各号に掲げる規定は、当該各号に定める日から施行する。

　一　第509条の規定　公布の日

第2編　理容師・美容師

●美容師法施行令

〔昭和32年8月31日〕
〔政 令 第 2 7 7 号〕

〔一部改正経過〕
第1次	〔昭和38年7月16日政令第261号「美容師法施行令の一部を改正する政令」による改正
第2次	〔昭和44年6月21日政令第171号「沖縄における免許試験及び免許資格の特例に関する暫定措置法施行令」附則第4項による改正
第3次	〔昭和47年4月28日政令第109号「沖縄の復帰に伴う厚生省関係政令の改廃に関する政令」第3条による改正
第4次	〔昭和59年3月16日政令第31号「理容師法施行令等の一部を改正する政令」第3条による改正
第5次	〔昭和60年11月12日政令第296号「理容師法施行令等の一部を改正する政令」第3条による改正
第6次	〔平成2年8月1日政令第228号「理容師法施行令及び美容師法施行令の一部を改正する政令」第2条による改正
第7次	〔平成4年12月28日政令第394号「理容師法施行令及び美容師法施行令の一部を改正する政令」第2条による改正
第8次	〔平成6年7月1日政令第223号「地域保健対策強化のための関係法律の整備に関する法律の施行に伴う関係政令の整備に関する政令」第9条による改正
第9次	〔平成6年12月14日政令第389号「健康保険法施行令等の一部を改正する政令」第5条による改正
第10次	〔平成9年10月31日政令第321号「理容師法及び美容師法の一部を改正する法律の施行に伴う関係政令の整備に関する政令」第2・3条による改正
第11次	〔平成11年12月8日政令第393号「地方分権の推進を図るための関係法律の整備等に関する法律の施行に伴う厚生省関係政令の整備に関する政令」第34条による改正
第12次	〔平成12年3月17日政令第66号「理容師法施行令及び美容師法施行令の一部を改正する政令」第2条による改正
第13次	〔平成12年6月7日政令第309号「中央省庁等改革のための厚生労働省関係政令等の整備に関する政令」第48・146条による改正
第14次	〔平成14年11月7日政令第329号「地方分権の推進のための条例に委任する事項の整理に関する政令」第6条による改正
第15次	〔平成16年3月19日政令第46号「検疫法施行令等の一部を改正する政令」第4条による改正
第16次	〔平成21年3月25日政令第55号「理容師法施行令及び美容師法施行令の一部を改正する政令」第2条による改正
第17次	〔平成23年12月21日政令第407号「地域の自主性及び自立性を高めるための改革の推進を図るための関係法律の整備に関する法律の一部の施行に伴う厚生労働省関係政令等の整備等に関する政令」第5条による改正
第18次	〔平成24年10月12日政令第256号「理容師法施行令及び美容師法施行令の一部を改正する政令」による改正
第19次	〔平成26年10月29日政令第349号「美容師法施行令の一部を改正する政令」による改正
第20次	〔平成27年3月31日政令第128号「地域の自主性及び自立性を高めるための改革の推進を図るための関係法律の整備に関する法律の施行に伴う厚生労働省関係政令等の整備に関する省令」第9条による改正
第21次	〔平成27年9月30日政令第353号「理容師法施行令及び美容師法施行令の一部を改正する政令」第2号による改正

美容師法施行令

内閣は、美容師法（昭和32年法律第163号）第3条第4項、第4条第4項及び第5項並びに第7条の規定に基き、この政令を制定する。

第1条　削除（第20次改正）

（受験手数料）

第2条　美容師法（以下「法」という。）第4条の18第1項の政令で定める受験手数料の額は、筆記試験については1万2500円とし、実技試験については1万2500円とする。

〔改正〕
　　追加（第12次改正）、一部改正（第15・16・18～20次改正）

（登録等の手数料）

第3条 法第5条の4第2項の政令で定める手数料の額は、次の各号に掲げる者の区分に応じ、それぞれ当該各号に定める額とする。
　一　美容師の登録を受けようとする者　　　　　　　　　　　　　　　　　5200円
　二　美容師免許証又は美容師免許証明書の記載事項の変更を受けようとする者　3750円
　三　美容師免許証又は美容師免許証明書の再交付を受けようとする者　　　　4150円
　〔改正〕
　　　旧第2条として追加（第10次改正）、一部改正（第15・21次改正）、本条に繰下（第12次改正）

（美容所以外の場所で業務を行うことができる場合）
第4条　美容師が法第7条ただし書の規定により美容所以外の場所において業を行うことができる場合は、次のとおりとする。
　一　疾病その他の理由により、美容所に来ることができない者に対して美容を行う場合
　二　婚礼その他の儀式に参列する者に対してその儀式の直前に美容を行う場合
　三　前2号のほか、都道府県（地域保健法（昭和22年法律第101号）第5条第1項の規定に基づく政令で定める市（以下「保健所を設置する市」という。）又は特別区にあつては、市又は特別区）が条例で定める場合
　〔改正〕
　　　一部改正（第14・17次改正）、旧第7条を削り、旧第8条を旧第3条に繰上（第10次改正）、本条に繰下（第12次改正）

（業務停止に関する通知）
第5条　都道府県知事、保健所を設置する市の市長又は特別区の区長は、法第10条第2項の規定により業務停止の処分を行つたときは、厚生労働大臣に厚生労働省令で定める事項を通知しなければならない。
　〔改正〕
　　　旧第8条の2として追加（第4次改正）、一部改正（第8・10・13次改正）、旧第4条に繰上（第10次改正）、本条に繰下（第12次改正）
　〔委任〕
　　　「厚生労働省令」＝規則10

　　　附　則
この政令は、法施行の日（昭和32年9月2日）から施行する。
　〔改正〕
　　　旧附則第2項を削り、旧附則第1項を本附則に変更（第12次改正）

第2編　理容師・美容師

●美容師法施行規則

〔平成10年1月27日〕
〔厚生省令第7号〕

〔一部改正経過〕

第1次	〔平成12年3月30日厚生省令第57号「食品衛生法施行規則等の一部を改正する省令」第12条による改正
第2次	〔平成12年3月31日厚生省令第75号「理容師法施行規則等の一部を改正する省令」第3条による改正
第3次	〔平成12年8月15日厚生省令第114号「美容師法施行規則の一部を改正する省令」による改正
第4次	〔平成12年10月20日厚生省令第127号「中央省庁等改革のための健康保険法施行規則等の一部を改正する等の省令」第168条による改正
第5次	〔平成13年3月27日厚生労働省令第40号「公衆浴場法施行規則等の一部を改正する省令」第5条による改正
第6次	〔平成13年7月13日厚生労働省令第146号「美容師法施行規則の一部を改正する省令」による改正
第7次	〔平成16年3月26日厚生労働省令第47号「栄養士法施行規則等の一部を改正する省令」第16条による改正
第8次	〔平成17年3月7日厚生労働省令第25号「健康保険法施行規則等の一部を改正する省令」第2条による改正
第9次	〔平成17年4月1日厚生労働省令第75号「厚生労働省組織規則の一部を改正する省令」第14条による改正
第10次	〔平成21年1月28日厚生労働省令第6号「理容師法施行規則及び美容師法施行規則の一部を改正する省令」第2条による改正
第11次	〔平成24年6月29日厚生労働省令第97号「出入国管理及び難民認定法及び日本国との平和条約に基づき日本の国籍を離脱した者等の出入国管理に関する特例法の一部を改正する等の法律の施行に伴う厚生労働省関係省令の整備に関する省令」第25条による改正
第12次	〔平成27年3月31日厚生労働省令第55号「地域の自主性及び自立性を高めるための改革の推進を図るための関係法律の整備に関する法律の施行に伴う厚生労働省関係省令の整備に関する省令」第23条による改正
第13次	〔平成27年12月9日厚生労働省令第166号「理容師法施行規則及び美容師法施行規則の一部を改正する省令」第2条による改正
第14次	〔平成29年3月31日厚生労働省令第39号「理容師法施行規則等の一部を改正する省令」第5・6条による改正
第15次	〔令和元年5月7日厚生労働省令第1号「元号の表記の整理のための厚生労働省関係省令の一部を改正する省令」第71条による改正
第16次	〔令和元年9月13日厚生労働省令第43号「理容師法施行規則の一部を改正する省令の一部を改正する省令」による改正
第17次	〔令和2年7月14日厚生労働省令第140号「食品衛生法施行規則等の一部を改正する省令」第6条による改正
第18次	〔令和2年12月8日厚生労働省令第196号「クリーニング業法施行規則等の一部を改正する省令」第4条による改正
第19次	〔令和5年8月3日厚生労働省令第101号「旅館業法施行規則等の一部を改正する省令」第6条による改正

　美容師法（昭和32年法律第163号）第4条第3項及び<u>第6項</u>、第5条の6、第11条第1項並びに附則第11項、理容師法及び美容師法の一部を改正する法律（平成7年法律第109号）附則第5条第1項及び第2項並びに美容師法施行令（昭和32年政令第277号）<u>第4条</u>の規定に基づき、並びに美容師法を実施するため、美容師法施行規則（昭和32年厚生省令第43号）の全部を改正するこの省令を次のように定める。

　　美容師法施行規則

目次　　　　　　　　　　　　　　　　　　　　　　　　　　　　　　　　　　　　　　　頁
　第1章　免許及び登録（第1条—第10条）……………………………………………… 254
　第2章　美容師試験（第11条—第18条）……………………………………………… 257
　第3章　美容所等（第19条—第28条）………………………………………………… 259
　附則

　　　第1章　免許及び登録
　　（免許の申請手続）
第1条　美容師法（昭和32年法律第163号。以下「法」という。）第3条第1項の規定によ

り美容師の免許を受けようとする者は、様式第1による申請書に次に掲げる書類を添えて、厚生労働大臣に提出しなければならない。
一　戸籍の謄本若しくは抄本又は住民票の写し（住民基本台帳法（昭和42年法律第81号）第7条第5号に掲げる事項（出入国管理及び難民認定法（昭和26年政令第319号）第19条の3に規定する中長期在留者及び日本国との平和条約に基づき日本の国籍を離脱した者等の出入国管理に関する特例法（平成3年法律第71号）に定める特別永住者にあっては、住民基本台帳法第30条の45に規定する国籍等）を記載したものに限る。第3条第2項において同じ。）（出入国管理及び難民認定法第19条の3各号に掲げる者にあっては、旅券その他の身分を証する書類の写し。第3条第2項において同じ。）
二　精神の機能の障害に関する医師の診断書
〔改正〕
　　　一部改正（第4・6・11次改正）
（法第3条第2項第1号の厚生労働省令で定める者）
第1条の2　法第3条第2項第1号の厚生労働省令で定める者は、精神の機能の障害により美容師の業務を適正に行うに当たって必要な認知、判断及び意思疎通を適切に行うことができない者とする。
〔改正〕
　　　追加（第6次改正）
（治療等の考慮）
第1条の3　厚生労働大臣は、美容師の免許の申請を行った者が前条に規定する者に該当すると認める場合において、当該者に免許を与えるかどうかを決定するときは、当該者が現に受けている治療等により障害の程度が軽減している状況を考慮しなければならない。
〔改正〕
　　　追加（第6次改正）
（美容師名簿の登録事項）
第2条　美容師名簿（以下「名簿」という。）には、次に掲げる事項を登録する。
一　登録番号及び登録年月日
二　本籍地都道府県名（日本の国籍を有しない者については、その国籍）
三　氏名、生年月日及び性別
四　美容師試験合格の年月
五　業務停止の処分年月日、期間及び理由並びに処分をした者
六　免許取消しの処分年月日及び理由
七　再免許のときは、その旨
八　美容師免許証（以下「免許証」という。）若しくは美容師免許証明書（以下「免許証明書」という。）を書換え交付し、又は再交付した場合には、その旨並びにその理由及び年月日

九　登録の消除をした場合には、その旨並びにその理由及び年月日
　（名簿の訂正）
第3条　美容師は、前条第2号又は第3号の登録事項に変更を生じたときは、30日以内に、名簿の訂正を申請しなければならない。
2　前項の申請をするには、様式第2による申請書に戸籍の謄本若しくは抄本又は住民票の写しを添え、これを厚生労働大臣に提出しなければならない。
　〔改正〕
　　　一部改正（第4・6・11次改正）
　（登録の消除）
第4条　名簿の登録の消除を申請するには、様式第3による申請書を厚生労働大臣に提出しなければならない。
2　美容師が死亡し、又は失そうの宣告を受けたときは、戸籍法（昭和22年法律第224号）による死亡又は失そうの届出義務者は、30日以内に、名簿の登録の消除を申請しなければならない。
　〔改正〕
　　　一部改正（第4次改正）
　（免許証の書換え交付）
第5条　美容師は、免許証又は免許証明書の記載事項に変更を生じたときは、免許証の書換え交付を申請することができる。
2　前項の申請をするには、様式第2による申請書に免許証又は免許証明書を添え、これを厚生労働大臣に提出しなければならない。
　〔改正〕
　　　一部改正（第4次改正）
　（免許証の再交付）
第6条　美容師は、免許証又は免許証明書を破り、汚し、又は失ったときは、免許証の再交付を申請することができる。
2　前項の申請をするには、様式第4による申請書を厚生労働大臣に提出しなければならない。
3　第1項の申請をする場合には、手数料として4150円を国に納めなければならない。
4　免許証又は免許証明書を破り、又は汚した美容師が第1項の申請をする場合には、申請書にその免許証又は免許証明書を添付しなければならない。
5　美容師は、免許証の再交付を受けた後、失った免許証又は免許証明書を発見したときは、5日以内に、これを厚生労働大臣に返納しなければならない。
　〔改正〕
　　　一部改正（第4次改正）
　（免許証又は免許証明書の返納等）
第7条　美容師は名簿の登録の消除を申請するときは、免許証又は免許証明書を厚生労働大臣に返納しなければならない。第4条第2項の規定により名簿の登録の消除を申請す

る者についても、同様とする。
2　法第10条第1項又は第3項の規定により免許の取消処分を受けた者は、速やかに、厚生労働大臣に免許証又は免許証明書を返納しなければならない。
3　法第10条第2項の規定により業務の停止処分を受けた者は、速やかに、処分を行った都道府県知事、地域保健法（昭和22年法律第101号）第5条第1項の規定に基づく政令で定める市（以下「保健所を設置する市」という。）の市長又は特別区の区長に免許証又は免許証明書を提出するものとする。
〔改正〕
　　一部改正（第1・4次改正）
（登録免許税及び手数料の納付）
第8条　第1条又は第3条第2項の申請書には、登録免許税の領収証書又は登録免許税の額に相当する収入印紙をはらなければならない。
2　第6条第2項の申請書には、手数料の額に相当する収入印紙をはらなければならない。
（規定の適用等）
第9条　法第5条の3第1項に規定する指定を受けた者（以下「指定登録機関」という。）が美容師の登録の実施等に関する事務を行う場合における第1条、第3条第2項、第4条第1項、第5条（見出しを含む。）、第6条の見出し、同条第1項、第2項及び第5項並びに第7条第1項及び第2項の規定の適用については、これらの規定（第5条の見出し、同条第1項、第6条の見出し及び同条第1項を除く。）中「厚生労働大臣」とあるのは「指定登録機関」と、第5条の見出し及び同条第1項中「免許証の書換え交付」とあるのは「免許証明書の書換え交付」と、第6条の見出し並びに同条第1項及び第5項中「免許証の再交付」とあるのは「免許証明書の再交付」とする。
2　前項に規定する場合においては、第6条第3項及び第8条第2項の規定は適用しない。
〔改正〕
　　一部改正（第1・2・4次改正）
（業務停止に関する通知）
第10条　美容師法施行令（昭和32年政令第277号）第5条の厚生労働省令で定める事項は、次のとおりとする。
一　処分を受けた者の登録番号及び登録年月日
二　処分を受けた者の氏名、生年月日及び住所
三　処分の内容及び処分を行った年月日
〔改正〕
　　一部改正（第2・4次改正）
第2章　美容師試験
（法第4条第3項の厚生労働省令で定める期間）
第11条　法第4条第3項の厚生労働省令で定める期間は、同条第4項第1号又は第2号に

規定する昼間課程又は夜間課程において知識及び技能を修得する者にあっては2年、同項第3号に規定する通信課程において知識及び技能を修得する者にあっては3年とする。ただし、理容師法（昭和22年法律第234号）第3条第3項に規定する指定を受けた理容師養成施設において理容師法施行規則（平成10年厚生省令第4号）第11条前段に規定する期間以上理容師になるのに必要な知識及び技能を修得している者については、昼間課程又は夜間課程において知識及び技能を修得するものにあっては1年、通信課程において知識及び技能を修得するものにあっては1年6月とする。

〔改正〕
　　一部改正（第4・14次改正）

(試験の課目)

第12条　美容師試験を分けて筆記試験及び実技試験とし、その課目は、それぞれ次のとおりとする。

筆記試験
　関係法規・制度
　衛生管理
　保健
　香粧品化学
　文化論
　美容技術理論
　運営管理
実技試験
　美容実技

〔改正〕
　　一部改正（第14次改正）

(試験の免除)

第13条　筆記試験又は実技試験に合格した者については、その申請により、筆記試験又は実技試験に合格した美容師試験に引き続いて行われる次回の美容師試験に限り、その合格した試験を免除する。

2　理容師法第2条の規定により理容師の免許を受けた者については、その申請により、美容技術理論を除く筆記試験を免除する。

〔改正〕
　　一部改正（第14次改正）

(試験施行期日等の公告)

第14条　試験を施行する期日及び場所並びに受験願書の提出期限は、あらかじめ、官報で公告する。

(受験の手続)

第15条　試験を受けようとする者は、様式第5による受験願書を厚生労働大臣に提出しなければならない。

2　前項の受験願書には、次に掲げる書類を添付しなければならない。
　一　法第4条第3項に規定する指定を受けた美容師養成施設の卒業証明書
　二　写真（出願前6月以内に脱帽して正面から撮影した縦4.5センチメートル横3.5センチメートルのもので、その裏面には撮影年月日及び氏名を記載すること。）
〔改正〕
　　　一部改正（第4・10・14次改正）
（合格証書の交付）
第16条　厚生労働大臣は、美容師試験に合格した者に合格証書を交付するものとする。
〔改正〕
　　　一部改正（第4次改正）
（合格証明書の交付及び手数料）
第17条　美容師試験に合格した者は、厚生労働大臣に合格証明書の交付を申請することができる。
2　前項の申請をする場合には、手数料として1150円を国に納めなければならない。
〔改正〕
　　　一部改正（第2・4・7次改正）
（手数料の納入方法）
第17条の2　第15条第1項の出願又は前条第1項の申請をする場合には、手数料の額に相当する収入印紙を受験願書又は申請書にはらなければならない。
〔改正〕
　　　追加（第2次改正）
（規定の適用等）
第18条　法第4条の2第1項に規定する指定を受けた者（以下「指定試験機関」という。）が試験の実施に関する事務を行う場合における第15条第1項、第16条及び第17条の規定の適用については、これらの規定中「厚生労働大臣」とあり、及び「国」とあるのは、「指定試験機関」とする。
2　前項の規定により読み替えて適用する第17条第2項の規定により指定試験機関に納められた手数料は、指定試験機関の収入とする。
3　第1項に規定する場合においては、前条の規定は適用しない。
〔改正〕
　　　一部改正（第2・4次改正）

第3章　美容所等

（開設の届出）
第19条　法第11条第1項の規定による美容所の開設の届出は、次に掲げる事項を記載した届出書を当該美容所所在地の都道府県知事、保健所を設置する市の市長又は特別区の区長に提出することによって行うものとする。
　一　美容所の名称及び所在地
　二　開設者の氏名及び住所（法人にあっては、その名称、所在地及び代表者の氏名）

三　法第12条の3第1項に規定する美容所にあっては、管理美容師の氏名及び住所
四　美容所の構造及び設備の概要
五　美容師の氏名及び登録番号並びにその他の従業者の氏名
六　美容師につき、結核、皮膚疾患その他厚生労働大臣の指定する伝染性疾病がある場合は、その旨
七　開設予定年月日
八　開設しようとする美容所と同一の場所で現に理容所（理容師法第1条の2第3項に規定する理容所をいう。次号において同じ。）が開設されている場合は、当該理容所の名称
九　開設しようとする美容所と同一の場所で理容師法第11条第1項の届出がされている場合（前号の場合を除き、当該届出を当該美容所の開設の届出と同時に行う場合を含む。）は、当該理容所の開設予定年月日
2　前項の届出書には、美容師につき、同項第6号に規定する疾病の有無に関する医師の診断書を添付しなければならない。
3　法第12条の3第1項に規定する美容所を開設しようとする者が第1項の届出をするに当たっては、前項の書類のほか、当該美容所の管理美容師が同条第2項の規定に該当することを証する書類を添付しなければならない。
4　外国人が第1項の届出をするに当たっては、第2項の書類のほか、住民票の写し（住民基本台帳法第30条の45に規定する国籍等を記載したものに限る。）を添えるものとする。
〔改正〕
　　　一部改正（第1・4・11・13・14・17・19次改正）
（変更の届出）
第20条　法第11条第2項に規定する変更の届出は、その旨を記載した届出書を当該美容所所在地の都道府県知事、保健所を設置する市の市長又は特別区の区長に提出することによって行うものとする。この場合において、その届出が前条第1項第6号に規定する事項の変更又は美容師の新たな使用に係るものであるときは、その者につき、同号に規定する疾病の有無に関する医師の診断書を、その届出が管理美容師の設置又は変更に係るものであるときは、新たに管理美容師となる者が法第12条の3第2項の規定に該当することを証する書類を添付しなければならない。
〔改正〕
　　　一部改正（第1次改正）
（地位の承継の届出）
第20条の2　法第12条の2第2項の規定により譲渡による美容所の開設者の地位の承継の届出をしようとする者は、次に掲げる事項を記載した届出書を当該美容所所在地の都道府県知事、保健所を設置する市の市長又は特別区の区長に提出しなければならない。
一　届出者の住所、氏名及び生年月日（法人にあっては、その名称、主たる事務所の所在地及び代表者の氏名）

二　営業を譲渡した者の住所及び氏名（法人にあっては、その名称、主たる事務所の所在地及び代表者の氏名）
三　譲渡の年月日
四　美容所の名称及び所在地
2　前項の届出書には、営業の譲渡が行われたことを証する書類を添付しなければならない。
3　第19条第4項の規定は、第1項の規定による届出について準用する。
〔改正〕
　　追加（第19次改正）

第21条　法第12条の2第2項の規定により相続による美容所の開設者の地位の承継の届出をしようとする者は、次に掲げる事項を記載した届出書を当該美容所所在地の都道府県知事、保健所を設置する市の市長又は特別区の区長に提出しなければならない。
一　届出者の住所、氏名及び生年月日並びに被相続人との続柄
二　被相続人の氏名及び住所
三　相続開始の年月日
四　美容所の名称及び所在地
2　前項の届出書には、次に掲げる書類を添付しなければならない。
一　戸籍謄本又は不動産登記規則（平成17年法務省令第18号）第247条第5項の規定により交付を受けた同条第1項に規定する法定相続情報一覧図の写し
二　相続人が2人以上ある場合において、その全員の同意により美容所の開設者の地位を承継すべき相続人として選定された者にあっては、その全員の同意書
〔改正〕
　　一部改正（第1・17・19次改正）

第22条　法第12条の2第2項の規定により合併による美容所の開設者の地位の承継の届出をしようとする者は、次に掲げる事項を記載した届出書を当該美容所所在地の都道府県知事、保健所を設置する市の市長又は特別区の区長に提出しなければならない。
一　届出者の名称、主たる事務所の所在地及び代表者の氏名
二　合併により消滅した法人の名称、主たる事務所の所在地及び代表者の氏名
三　合併の年月日
四　美容所の名称及び所在地
2　前項の届出書には、合併後存続する法人又は合併により設立された法人の登記事項証明書を添付しなければならない。
〔改正〕
　　一部改正（第1・8次改正）

第22条の2　法第12条の2第2項の規定により分割による美容所の開設者の地位の承継の届出をしようとする者は、次に掲げる事項を記載した届出書を当該美容所所在地の都道府県知事、保健所を設置する市の市長又は特別区の区長に提出しなければならない。
一　届出者の名称、主たる事務所の所在地及び代表者の氏名

二 分割前の法人の名称、主たる事務所の所在地及び代表者の氏名
三 分割の年月日
四 美容所の名称及び所在地
2 前項の届出書には、分割により営業を承継した法人の登記事項証明書を添付しなければならない。
〔改正〕
追加（第5次改正）、一部改正（第8次改正）
(講習会の指定基準)
第23条 美容師法第12条の3第2項の厚生労働大臣の定める基準は、次のとおりとする。
一 次の表の上欄に掲げる科目を教授し、その時間数が同表の下欄に掲げる時間数以上であること。

科　　　　　目	時　　　間
公衆衛生	4時間
美容所の衛生管理	14時間

二 次に掲げるいずれかの条件に適合する知識及び経験を有する者が前号の科目を教授するものであること。
　イ 医師
　ロ 歯科医師
　ハ 薬剤師
　ニ 獣医師
　ホ イからニまでに掲げる者と同等の知識及び経験を有すると認められる者
三 受講者に対し、講習会の終了に当たり試験その他の方法により講習修了の認定を適切に行うものであること。
四 前号の認定を受けた者に対し、講習会修了証書を交付すること。
〔改正〕
追加（第10次改正）
(皮膚に接する器具)
第24条 法第8条第1号及び第2号に規定する器具とは、クリッパー、はさみ、くし、刷毛、ふけ取り、かみそりその他の皮膚に直接接触して用いられる器具とする。
〔改正〕
旧第23条を本条に繰下（第10次改正）
(消毒の方法)
第25条 法第8条第2号に規定する消毒は、器具を十分に洗浄した後、次の各号に掲げる区分に応じ、当該各号に定めるいずれかの方法により行わなければならない。
一 かみそり（専ら頭髪を切断する用途に使用されるものを除く。以下この号において同じ。）及びかみそり以外の器具で血液が付着しているもの又はその疑いのあるもの

に係る消毒
　イ　沸騰後2分間以上煮沸する方法
　ロ　エタノール水溶液（エタノールが76.9パーセント以上81.4パーセント以下である水溶液をいう。次号ニにおいて同じ。）中に10分間以上浸す方法
　ハ　次亜塩素酸ナトリウムが0.1パーセント以上である水溶液中に10分間以上浸す方法
　二　前号に規定する器具以外の器具に係る消毒
　イ　20分間以上1平方センチメートル当たり85マイクロワット以上の紫外線を照射する方法
　ロ　沸騰後2分間以上煮沸する方法
　ハ　10分間以上摂氏80度を超える湿熱に触れさせる方法
　ニ　エタノール水溶液中に10分間以上浸し、又はエタノール水溶液を含ませた綿若しくはガーゼで器具の表面をふく方法
　ホ　次亜塩素酸ナトリウムが0.01パーセント以上である水溶液中に10分間以上浸す方法
　ヘ　逆性石ケンが0.1パーセント以上である水溶液中に10分間以上浸す方法
　ト　グルコン酸クロルヘキシジンが0.05パーセント以上である水溶液中に10分間以上浸す方法
　チ　両性界面活性剤が0.1パーセント以上である水溶液中に10分間以上浸す方法

〔改正〕
　　旧第24条の全部改正（第3次改正）、本条に繰下（第10次改正）

（清潔保持の措置）
第26条　法第13条第1号に規定する清潔の保持のための措置は、次のとおりとする。
　一　床及び腰板にはコンクリート、タイル、リノリューム又は板等不浸透性材料を使用すること。
　二　洗場は、流水装置とすること。
　三　ふた付きの汚物箱及び毛髪箱を備えること。

〔改正〕
　　旧第25条を本条に繰下（第10次改正）

（採光、照明及び換気の実施基準）
第27条　法第13条第3号に規定する採光、照明及び換気の実施の基準は、次のとおりとする。
　一　採光及び照明　美容師が美容のための直接の作業を行う場合の作業面の照度を100ルクス以上とすること。
　二　換気　美容所内の空気1リットル中の炭酸ガスの量を5立方センチメートル以下に保つこと。

〔改正〕
　　旧第26条を本条に繰下（第10次改正）

第2編　理容師・美容師

　　（環境衛生監視員）
第28条　法第14条第1項の職権を行う者を環境衛生監視員と称し、同条第2項において準用する法第4条の13第2項の規定によりその携帯する証明書は、別に定める。
　　〔改正〕
　　　　旧第27条を本条に繰下（第10次改正）
　　〔委任〕
　　　　「別に定める」＝昭和52年1月厚令第1号「環境衛生監視員証を定める省令」

　　　附　則　抄
　　（施行期日）
第1条　この省令は、平成10年4月1日から施行する。
　　（経過規定）
第2条　理容師法及び美容師法の一部を改正する法律（平成7年法律第109号。以下「改正法」という。）附則第6条の規定により美容師の免許を受けようとする者が第1条の申請をするに当たっては、同条各号に掲げる書類のほか、改正法第2条の規定による改正前の美容師法の規定による美容師試験（改正法附則第2条の規定により、なお従前の例により行われる美容師試験を含む。）の実地試験に合格したことを証する証書の写し又は当該証書に代わる合格証明書を添付しなければならない。
第4条　地方公共団体の事務に係る国の関与等の整理、合理化等に関する法律（昭和60年法律第90号）第19条の規定による改正前の美容師法の規定による美容師試験又は改正法第2条の規定による改正前の美容師法の規定による美容師試験（改正法附則第2条の規定によりなお従前の例により行われる美容師試験を含む。）の学科試験若しくは実地試験に合格した者は、厚生労働大臣に当該試験の合格証明書の交付を申請することができる。
2　第17条第2項、第17条の2及び第18条の規定は、前項の合格証明書の交付の申請について準用する。この場合において、第17条第2項中「前項」とあり、及び第17条の2中「第15条第1項の出願又は前条第1項」とあるのは「附則第4条第1項」と、「受験願書又は申請書」とあるのは「申請書」と、第18条第1項中「第15条第1項、第16条及び第17条」とあるのは「第17条第2項及び附則第4条第1項」と読み替えるものとする。
　　〔改正〕
　　　　一部改正（第2・4次改正）
第6条　改正法附則第5条第1項に規定する厚生労働省令で定める要件は、次のいずれかに該当することとする。
　一　厚生労働大臣が別に定める講習の課程を修了した者
　二　美容師養成施設指定規則（平成10年厚生省令第8号）第3条第2項の規定により厚生労働大臣が入所資格について特別の基準を設定した場合において、当該特別の基準が適用される美容師養成施設の全教科課程を修了した者
　　〔改正〕
　　　　一部改正（第4次改正）

〔委任〕
　　第1号の「厚生労働大臣が別に定める」＝平成20年2月厚労告第46号「美容師養成施設における中学校卒業者等に対する講習の基準等」

第7条 法附則第11項の規定により旧中等学校令（昭和18年勅令第36号）による中等学校を卒業した者と同等以上の学力があると認められる者は、次のとおりとする。
一　旧国民学校令（昭和16年勅令第148号）による国民学校（この条及び次条において「国民学校」という。）初等科修了を入学資格とする修業年限4年の旧中等学校令による高等女学校卒業を入学資格とする同令による高等女学校の高等科又は専攻科の第1学年を修了した者
二　国民学校初等科修了を入学資格とする修業年限4年の旧中等学校令による実業学校卒業を入学資格とする同令による実業学校専攻科の第1学年を修了した者
三　旧師範教育令（昭和18年勅令第109号）による師範学校予科の第3学年を修了した者
四　旧師範教育令による附属中学校又は附属高等女学校を卒業した者
五　旧師範教育令（明治20年勅令第346号）による師範学校本科第1部の第3学年を修了した者
六　内地以外の地域における学校の生徒、児童、卒業者等の他の学校へ入学及び転学に関する規程（昭和18年文部省令第63号）第2条若しくは第5条の規定により中等学校を卒業した者又は前各号に掲げる者と同一の取扱いを受ける者
七　旧青年学校令（昭和14年勅令第254号）による青年学校本科（修業年限2年のものを除く。）を卒業した者
八　旧専門学校令（明治36年勅令第61号）に基づく旧専門学校入学者検定規程（大正13年文部省令第22号）による試験検定に合格した者又は同規程により文部大臣において専門学校入学に関し中学校若しくは高等女学校卒業者と同等以上の学力を有するものと指定した者
九　旧実業学校卒業程度検定規程（大正14年文部省令第30号）による検定に合格した者
十　旧高等試験令（昭和4年勅令第15号）第7条の規定により文部大臣が中学校卒業程度において行う試験に合格した者
十一　教育職員免許法施行法（昭和24年法律第148号）第1条第1項の表の第2号、第3号、第6号若しくは第9号の上欄に掲げる教員免許状を有する者又は同法第2条第1項の表の第9号、第18号から第20号の4まで、第21号若しくは第23号の上欄に掲げる資格を有する者
十二　前各号に掲げる者のほか、都道府県知事において、美容師養成施設の入学に関し中等学校の卒業者と同等以上の学力を有するものと認定した者
〔改正〕
　　一部改正（第4・9・12次改正）

第8条 改正法附則第5条第2項の規定により国民学校の高等科を修了した者又は旧中等学校令による中学校の2年の課程を終わった者と同等以上の学力があると認められる

者は、次のとおりとする。
一　旧師範教育令（昭和18年勅令第109号）による附属中学校又は附属高等女学校の第2学年を修了した者
二　旧盲学校及聾唖学校令（大正12年勅令第375号）によるろうあ学校の中等部第2学年を修了した者
三　旧高等学校令（大正7年勅令第389号）による高等学校尋常科の第2学年を修了した者
四　旧青年学校令（昭和14年勅令第254号）による青年学校の普通科の課程を修了した者
五　昭和18年文部省令第63号（内地以外の地域に於ける学校の生徒、児童、卒業者等の他の学校へ入学及転学に関する規程）第1条から第3条まで及び第7条の規定により国民学校の高等科を修了した者、中等学校の2年の課程を終わった者又は第3号に掲げる者と同一の取扱いを受ける者
六　前各号に掲げる者のほか、都道府県知事において、美容師養成施設の入学に関し国民学校の高等科を修了した者又は中等学校の2年の課程を終わった者とおおむね同等の学力を有すると認定した者

〔改正〕
　　一部改正（第4・9・12次改正）

美容師法施行規則

様式第1

登録年月日	登録番号		収入印紙貼付欄
※			（消印しないこと）

美容師免許申請書

美容師試験合格の年月	年 月	合格番号	

質問事項

美容師免許を受けないで美容の業務を行ったことは
　1 ない　2 ある　・行った内容と期間　内容：
　　　　　　　　　　　　　　　　　　　期間：　年　月　日～　年　月　日
　　　　　　　　　　　・このことによって、罰金刑を受けたことは
　　　　　　　　　　　　1 ない　2 ある（　　年　月　　日に処分を受けた）

美容師免許の取消処分を受けたことは
　1 ない　2 ある　・処分された理由：
　　　　　　　　　・処分された年月日：　　　　年　月　日

本　籍 (国　籍)	都道府県		（合格通知後氏名に変更がある場合は、現在の氏名）	
	（氏）	（名）	（氏）	（名）
ふりがな				
氏　名				
旧姓・通称名 (併記を希望する場合)				
生年月日	1 昭和 2 平成 3 令和	年　月　日	性別	1 男 2 女

連絡先電話番号	（　　）		
住　所	郵便番号	｜｜｜-｜｜｜｜	
	都道府県		
	※		

厚生労働大臣
指定登録機関代表者　殿

上記により、美容師免許を申請します。

申請日　　年　月　日

備考1　※印欄には、記入しないこと。
　　2　該当する数字を○で囲むこと。
　　3　この申請書には、所定の登録免許税に相当する収入印紙又は領収証書を貼ること。（領収証書は、裏面に貼ること。）
　　4　指定登録機関に申請する場合には、所定の手続により手数料を納付すること。
　　5　免許証（免許証明書）に旧姓の併記を希望する場合は、「旧姓・通称名」欄に旧姓を記入すること。
　　6　外国籍の方で、免許証（免許証明書）に通称名の併記を希望する場合は、「旧姓・通称名」欄に通称名を記入すること。
　　7　用紙の大きさは、A4とすること。

〔改正〕

　　全部改正（第18次改正）

第2編　理容師・美容師

様式第2

名簿訂正・書換え交付年月日 ※	登録番号	収入印紙貼付欄（消印しないこと）

美容師名簿訂正・免許証（免許証明書）書換え交付申請書

免許証（免許証明書）を交付した者	1 大臣（指定登録機関代表者） 2 都道府県知事	登録番号	登録第　　号	登録年月日	1 昭和 2 平成　年　月　日 3 令和

変更が生じた事項

	変　更　前	変　更　後
本　籍 (国　籍)	都道府県	都道府県
ふりがな	(氏)　　　(名)	(氏)　　　(名)
氏　名		
旧姓・通称名 (併記を希望する場合)		
生年月日	1 昭和 2 平成　年　月　日 3 令和	
性　別	1 男　　2 女	1 男　　2 女
変更の理由	1 氏の変更　2 名の変更　3 本籍の変更　4 性別の変更 5 その他（　　　　　　　　　　　　　　　　　　　）	

連絡先電話番号	(　　)
住　所	郵便番号　□□□-□□□□ 都道府県
※	

厚生労働大臣
指定登録機関代表者　殿

上記により、美容師名簿訂正・免許証（免許証明書）書換え交付を申請します。

申請日　　年　月　日

備考 1　※印欄には、記入しないこと。
　　 2　該当する数字を〇で囲むこと。
　　 3　この申請書には、所定の登録免許税に相当する収入印紙又は領収証書を貼ること。
　　　　（領収証書は、裏面に貼ること。）
　　 4　指定登録機関に申請する場合には、所定の手続により手数料を納付すること。
　　 5　免許証（免許証明書）に旧姓の併記を希望する場合は、「旧姓・通称名」欄に旧姓を記入すること。
　　 6　外国籍の方で、免許証（免許証明書）に通称名の併記を希望する場合は、「旧姓・通称名」欄に通称名を記入すること。
　　 7　用紙の大きさは、A4とすること。

〔改正〕

　　全部改正（第18次改正）

美容師法施行規則

様式第3

| 消除年月日 | ※ | | | | | | | |

美容師名簿登録消除申請書

| 免許証（免許証明書）を交付した者 | 1 大臣（指定登録機関代表者）
2 都道府県知事 | 登録番号第　号 | 登録年月日 | 1 昭和
2 平成
3 令和 | 年　月　日 |

美容師名簿に登録されている者

本　籍 （国　籍）		都道府県

	(氏)	(名)
ふりがな		
氏　名		

生年月日	1 昭和 2 平成 3 令和　年　月　日
消除理由	1 死亡　2 失踪　3 その他（　　　　　　　　）
消除理由の生じた年月日	年　月　日

申　請　者

氏　名		登録されている者との関係	
連絡先電話番号	（　　）		
住　所	郵便番号 □□□-□□□□ 都道府県		
※			

厚生労働大臣
指定登録機関代表者　殿

上記により、美容師名簿の登録を消除されたく免許証（免許証明書）及び関係書類を添えて申請します。

申請日　年　月　日

備考1　※印欄には、記入しないこと。
　　2　該当する数字を〇で囲むこと。
　　3　用紙の大きさは、A4とすること。

〔改正〕

全部改正（第15次改正）

第2編　理容師・美容師

様式第4

再交付年月日　登録番号 ※	収入印紙貼付欄 （消印しないこと）

美容師免許証（免許証明書）再交付申請書

免許証（免許証明書）を交付した者	1　大臣（指定登録機関代表者） 2　都道府県知事	登録番号	第　　号	登録年月日	1昭和 2平成 3令和	年　月　日

本　籍 （国　籍）	都道府県

ふりがな	（氏）	（名）
氏　名		
旧姓・通称名 （併記を希望する場合）		
生年月日	1昭和　2平成　3令和　　年　月　日	
性　別	1男　　2女	
再交付の理由	1紛失　2破損　3汚損　4焼失　5その他（　　　）	

連絡先 電話番号	（　　）
住　所	郵便番号 □□□-□□□□ 都道府県
※	

厚生労働大臣
指定登録機関代表者　殿

上記により、関係書類を添えて免許証（免許証明書）の再交付を申請します。
申請日　　年　　月　　日

備考
1　※印欄には、記入しないこと。
2　該当する数字を○で囲むこと。
3　指定登録機関に申請する場合には、所定の手続により、手数料を納付し、収入印紙は貼らないこと。
4　免許証（免許証明書）に旧姓の併記を希望する場合は、「旧姓・通称名」欄に旧姓を記入すること。
5　外国籍の方で、免許証（免許証明書）に通称名の併記を希望する場合は、「旧姓・通称名」欄に通称名を記入すること。
6　用紙の大きさは、A4とすること。

〔改正〕

全部改正（第18次改正）

美容師法施行規則

様式第5

収入印紙欄
（消印しないこと）

美容師国家試験受験願書

申込日　令和　年　月　日

厚生労働大臣
指定試験機関代表者　殿

下記により、国家試験を受験したいので、付属書類を添えて申し込みます。

1	フリガナ			(4.5cm×3.5cm)
2	氏　名	姓	名	
3	性　別	1 男 ・ 2 女		
4	生年月日	1 昭和 2 平成 3 令和	年　月　日生	
				（令和　年　月　日撮影）
5	受験票等送付先	郵便番号　　－ 住　所　都道府県　市区郡		
6	連絡先電話番号	携　帯　　－　　－ 自　宅　　－　　－ 勤務先　　－　　－		
7	筆記試験受験地 （都道府県名）	01北海道　02青森県　………47沖縄県 （※　受験会場が設置される都道府県名が記載されている。）		
8	実技試験受験地 （都道府県名）	01北海道　02青森県　………47沖縄県 （※　受験会場が設置される都道府県名が記載されている。）		
9	卒業又は在学中の美容師養成施設	養成施設名 課　程　　1 昼間 ・ 2 夜間 ・ 3 通信 卒業（見込）年月　1 昭和 2 平成 3 令和　年　月　1 卒業 2 卒業見込		
10	手話又は介助	1 手話通訳　2 車椅子使用　3 歩行困難		
11	前回試験結果による一部免除申請	1 筆記試験免除　2 実技試験免除　合格番号　第　　号		
12	理容師免許所持者の免除申請	免許登録者　1 知事　2 厚生（労働）大臣　免許登録番号　第　　号		

備考1．指定試験機関に申請する場合には、所定の手続により、受験手数料を納付し、収入印紙を貼らないこと。
　　2．該当する数字を〇で囲むこと。
　　3．用紙の大きさは、A4とすること。

〔改正〕

　　全部改正（第15次改正）

第2編　理容師・美容師

●美容師養成施設指定規則

〔平成10年1月27日〕
〔厚 生 省 令 第 8 号〕

〔一部改正経過〕

第1次	平成12年10月20日厚生省令第127号「中央省庁等改革のための健康保険法施行規則等の一部を改正する等の省令」第169条による改正
第2次	平成17年9月30日厚生労働省令第156号「理容師養成施設指定規則及び美容師養成施設指定規則の一部を改正する省令」第2条による改正
第3次	平成19年12月25日厚生労働省令第152号「学校教育法等の一部を改正する法律の施行に伴う厚生労働省関係省令の整理に関する省令」第18条による改正
第4次	平成20年2月29日厚生労働省令第21号「理容師養成施設指定規則及び美容師養成施設指定規則の一部を改正する省令」第2条による改正
第5次	平成21年12月28日厚生労働省令第159号「理容師養成施設指定規則及び美容師養成施設指定規則の一部を改正する省令」第2条による改正
第6次	平成27年3月31日厚生労働省令第55号「地域の自主性及び自立性を高めるための改革の推進を図るための関係法律の整備に関する法律の施行に伴う厚生労働省関係省令の整備に関する省令」第24条による改正
第7次	平成28年5月31日厚生労働省令第104号「理容師養成施設指定規則及び美容師養成施設指定規則の一部を改正する省令」第2条による改正
第8次	平成29年3月31日厚生労働省令第39号「理容師法施行規則等の一部を改正する省令」第7条による改正
第9次	平成30年2月16日厚生労働省令第15号「学校教育法の一部を改正する法律の施行に伴う厚生労働省関係省令の整理等に関する省令」第21条による改正
第10次	令和4年2月9日厚生労働省令第21号「理容師養成施設指定規則及び美容師養成施設指定規則の一部を改正する省令」第2条による改正

　美容師法（昭和32年法律第163号）第4条<u>第6項</u>の規定に基づき、美容師養成施設指定規則を次のように定める。

美容師養成施設指定規則

（この省令の趣旨）

第1条　美容師法（昭和32年法律第163号。以下「法」という。）第4条第3項に規定する美容師養成施設の指定に関しては、この省令の定めるところによる。

（理容修得者課程）

第1条の2　法第4条第4項に規定する昼間課程、夜間課程又は通信課程には、昼間課程又は夜間課程に理容師法（昭和22年法律第234号）第3条第3項に規定する指定を受けた理容師養成施設において理容師になるのに必要な知識及び技能を修得していない者を対象とする教科課程を設けている場合に限って、当該理容師養成施設において理容師法施行規則（平成10年厚生省令第4号）第11条前段に規定する期間以上理容師になるのに必要な知識及び技能を修得している者を対象とする教科課程（以下「理容修得者課程」という。）を設けることができる。

〔改正〕

　　追加（第8次改正）

（指定の申請手続）

第2条　法第4条第3項に規定する指定を受けようとする美容師養成施設の設立者は、次の各号に掲げる事項を記載した申請書に、美容師養成施設の長及び教員の履歴書を添えて美容師養成施設を設立しようとする日の4月前までに、当該指定に係る美容師養成施設所在地の都道府県知事に提出しなければならない。

一　美容師養成施設の名称、所在地及び設立予定年月日

二　設立者の住所及び氏名（法人又は団体にあっては、その名称、主たる事務所の所在地並びに代表者の住所及び氏名）
三　美容師養成施設の長の氏名
四　養成課程の別
四の二　設立者を同じくする理容師養成施設がある場合にあっては、理容師養成施設指定規則（平成10年厚生省令第5号）第4条の2第1項に規定する同時授業（以下「同時授業」という。）の有無
五　教員の氏名及び担当課目並びに専任又は兼任の別
六　生徒の定員及び学級数
七　入所資格
八　入所の時期
九　修業期間、教科課程及び教科課目ごとの実習を含む総単位数（通信課程にあっては、各教科課目ごとの添削指導の回数及び面接授業の単位数）
九の二　卒業認定の基準
十　入学料、授業料及び実習費の額
十一　美容実習のモデルとなる者の選定その他美容実習の実施の方法
十二　校舎の各室の用途及び面積並びに建物の配置図及び平面図
十二の二　設備の状況
十三　設立者の資産状況及び美容師養成施設の経営方法
十四　指定後2年間の財政計画及びこれに伴う収支予算

2　2以上の養成課程又は同一の養成課程に教科課程が異なる2以上の教科課程を設ける美容師養成施設にあっては、前項第5号から第10号までに掲げる事項（同一の養成課程に教科課程が異なる2以上の教科課程を設ける場合は当該教科課程ごとに異なる事項に限る。）は、それぞれの養成課程又は教科課程ごとに記載しなければならない。

3　通信課程を併せて設ける美容師養成施設にあっては、第1項に規定するもののほか、次に掲げる事項を申請書に記載し、かつ、これに通信養成に使用する教材を添付しなければならない。
一　通信養成を行う地域
二　授業の方法
三　課程修了の認定方法

〔改正〕
　　一部改正（第1・4～6・8次改正）

（養成施設指定の基準）
第3条　法第4条第3項に規定する美容師養成施設の指定の基準は、次のとおりとする。
一　昼間課程に係る基準
　イ　学校教育法（昭和22年法律第26号）第90条に規定する者であることを入所資格とするものであること。
　ロ　修業期間は、2年以上であること。ただし、理容修得者課程の修業期間は、1年以上であること。

第2編　理容師・美容師

　　ハ　教科課目及び単位数は、別表第1（理容修得者課程については別表第1の2）に定めるとおりであること。
　　ニ　美容実習のモデルとなる者の選定等について適当と認められるものであること。
　　ホ　美容師養成施設の長は、専ら美容師養成施設の管理の任に当たることのできる者であって、かつ、美容師の養成に適当であると認められるものであること。
　　ヘ　教員の数は、別表第2に掲げる算式によって算出された人数（その数が5人未満であるときは、5人。ただし、昼間課程に理容修得者課程のみを設ける場合においてその数が2人未満であるときは、2人）以上であり、かつ、これらによって算出された人数の2分の1以上が専任であること。
　　ト　教員は、別表第3の上欄に掲げる課目についてそれぞれ同表の下欄に該当する者であって、かつ、美容師の養成に適当であると認められるものであること。
　　チ　同時に授業を行う1学級の生徒数は、40人以下とすること。
　　リ　卒業の認定の基準が適当であると認められること。
　　ヌ　校舎は、教員室、事務室、図書室、同時に授業を行う学級の数を下らない数の専用の普通教室及び適当な数の専用の実習室を備えているものであること。
　　ル　普通教室の面積は、生徒1人当たり1.65平方メートル以上であること。
　　ヲ　実習室の面積は、生徒1人当たり1.65平方メートル以上であること。
　　ワ　建物の配置及び構造設備は、ヌからヲまでに定めるもののほか、学習上、保健衛生上及び管理上適切なものであること。
　　カ　学習上必要な機械器具、標本及び模型、図書並びにその他の備品を有するものであること。
　　ヨ　入学料、授業料及び実習費は、それぞれ当該養成施設の運営上適当と認められる額であること。
　　タ　経営方法は、適切かつ確実なものであること。
　二　夜間課程に係る基準
　　イ　前号（ヘを除く。）に該当するものであること。
　　ロ　教員の数は、別表第2に掲げる算式によって算出された人数（その数が4人未満であるときは、4人。ただし、夜間課程に理容修得者課程のみを設ける場合においてその数が2人未満であるときは、2人）以上であり、かつ、これらによって算出された人数の2分の1以上が専任であること。
　三　通信課程に係る基準
　　イ　第1号のイ、ハ（単位数に係る基準を除く。）、ニ、ト、リ、ヨ及びタに該当するものであること。
　　ロ　修業期間は、3年以上であること。ただし、理容修得者課程の修業期間は、1年6月以上であること。
　　ハ　教員は、相当数の者を置くものとし、そのうち、専任の者の数は、生徒200人以下の場合は3人、200人又はその端数を超えるごとに1人を加えた数であること。ただし、通信課程に理容修得者課程のみを設ける場合の専任の者の数は、生徒200人以下の場合は1人、200人又はその端数を超えるごとに1人を加えた数であるこ

と。
　ニ　定員は、当該養成施設における昼間課程又は夜間課程の定員（昼間課程と夜間課程とを併せて設ける美容師養成施設にあっては、そのいずれか多数の定員）のおおむね1.5倍以内であること。
　ホ　通信課程における授業は、通信授業及び面接授業とし、その方法等は、厚生労働大臣が別に定める基準によること。
2　美容師養成施設のうち、特殊の地域的事情にあること、特定の者を生徒とすることその他特別の事情により、入所資格、修業期間、教員の数、同時に授業を受ける1学級の生徒数、普通教室の面積又は実習室の面積が前項各号に掲げる当該基準によることができないか、又はこれらの基準によることを適当としないものについては、厚生労働大臣は、当該養成施設の特別の事情に基づいて、それぞれ特別の基準を設定することがある。

〔改正〕
　　一部改正（第1・3・4・8次改正）

〔委任〕
　　第1項　第3号ホの「厚生労働大臣が別に定める基準」＝平成20年2月厚労告第47号「美容師養成施設の通信課程における授業方法等の基準」
　　第2項　「特別の基準」＝平成20年2月厚労告第46号「美容師養成施設における中学校卒業者等に対する講習の基準等」、平成20年2月厚労告第48号「聴覚障害者である生徒に対する教育を主として行う特別支援学校における美容師養成施設の指定の基準」、平成20年2月厚労告第49号「矯正施設における美容師養成施設の指定の基準」

（同時授業に関する特例）
第3条の2　美容師養成施設が同時授業を行う場合には、次の表の上欄に掲げる規定中同表の中欄に掲げる字句は、それぞれ同表の下欄に掲げる字句とする。

| 第3条第1項第1号ヘ | 別表第2に掲げる算式によって算出された人数（その数が5人未満であるときは、5人。ただし、昼間課程に理容修得者課程のみを設ける場合においてその数が2人未満であるときは、2人）以上であり、かつ、これらによって算出された人数の2分の1以上が専任であること | 同時授業を行う理容師養成施設の教員数と合算して、別表第2に掲げる算式によって算出された人数（その数が5人未満であるときは、5人。ただし、理容修得者課程の教科課目と理容師養成施設指定規則第2条第4項に規定する美容修得者課程の教科課目のみで同時授業を行う場合においてその数が2人未満であるときは、2人）以上であり、かつ、これらによって算出された人数の2分の1以上が専任であること。ただし、専任教員のうち1人以上は、美容師養成施設の教員であること |
| 第3条第1項第1号チ | こと | こと。ただし、同時授業を行う場合において、教育上支障のないときは、この限りでない |

第2編 理容師・美容師

第3条第1項第2号ロ	別表第2に掲げる算式によって算出された人数（その数が4人未満であるときは、4人。ただし、夜間課程に理容修得者課程のみを設ける場合においてその数が2人未満であるときは、2人）以上であり、かつ、これらによって算出された人数の2分の1以上が専任であること	同時授業を行う理容師養成施設の教員数と合算して、別表第2に掲げる算式によって算出された人数（その数が4人未満であるときは、4人。ただし、理容修得者課程の教科課目と理容師養成施設指定規則第2条第4項に規定する美容修得者課程の教科課目のみで同時授業を行う場合においてその数が2人未満であるときは、2人）以上であり、かつ、これらによって算出された人数の2分の1以上が専任であること。ただし、専任教員のうち1人以上は、美容師養成施設の教員であること
別表第2	定員	（定員＋同時授業を行う理容師養成施設の定員）
別表第3衛生管理保健の項	美容師	美容師又は理容師（同時授業を行う場合に限る。）

〔改正〕
　　　追加（第5次改正）、一部改正（第8次改正）

（教科課程の基準）
第4条　法第4条第3項に規定する指定を受けた美容師養成施設（以下「指定養成施設」という。）の教科課程は、教科課程の基準として厚生労働大臣が別に定めるところによらなければならない。

〔改正〕
　　　一部改正（第1次改正）

〔委任〕
　　　「教科課程の基準として厚生労働大臣が別に定める」＝平成20年2月厚労告第50号「美容師養成施設の教科課程の基準」

（変更等の承認）
第5条　指定養成施設の設立者は、当該養成施設における生徒の定員を増加しようとするとき、又は第2条第1項第12号に掲げる事項を変更しようとするときは、2月前までに、その旨を記載した申請書を当該指定養成施設所在地の都道府県知事に提出し、その承認を得なければならない。
2　指定養成施設において新たに養成課程を設けようとするとき（新たに理容修得者課程を設けようとするときを含む。）及び新たに同時授業を行おうとするときも、前項と同様とする。
3　指定養成施設の設立者は、当該養成施設における養成課程の一部を廃止（理容修得者課程の一部又は全部を廃止する場合を含む。）し、又は当該養成施設を廃止しようとす

るときは、2月前までに、次の各号に掲げる事項を記載した申請書を当該指定養成施設所在地の都道府県知事に提出し、その承認を得なければならない。
一 廃止の理由
二 廃止の予定年月日
三 入所中の生徒があるときは、その処置
四 指定養成施設を廃止しようとする場合にあっては、当該養成施設に在学し、又はこれを卒業した者の学習の状況を記録した書類を保存する者の住所及び氏名（法人又は団体にあっては、その名称、主たる事務所の所在地並びに代表者の住所及び氏名）並びに当該書類の承継の予定年月日

〔改正〕
　　一部改正（第1・4～6・8次改正）

（指定養成施設廃止後の書類の保存）
第6条 指定養成施設が廃止される場合において、当該養成施設に在学し、又はこれを卒業した者の学習の状況を記録した書類を適切に保存することができる者がいないときは、当該指定養成施設所在地の都道府県知事が、当該書類を保存しなければならない。

〔改正〕
　　追加（第4次改正）、一部改正（第6次改正）

（変更の届出）
第7条 指定養成施設の設立者は、第2条第1項第1号、第2号、第3号、第5号、第6号（学級数に関する部分に限る。）、第7号、第8号、第9号（教科課程に関する部分に限る。）、第9号の2、第10号若しくは第11号若しくは同条第3項に掲げる事項又は通信課程における通信教材の内容に変更を生じたときは、その旨を記載した届出書を当該指定養成施設所在地の都道府県知事に提出しなければならない。
2 指定養成施設の設立者は、第2条第1項第4号の2又は第6号に掲げる事項について変更（生徒の定員を減ずる場合に限る。）しようとするときは、あらかじめ、その旨を記載した届出書を当該指定養成施設所在地の都道府県知事に提出しなければならない。

〔改正〕
　　一部改正（第1・4～6次改正）、旧第6条を本条に繰下（第4次改正）

（収支決算等の届出）
第8条 指定養成施設の設立者は、毎年7月31日までに、次の事項を当該指定養成施設所在地の都道府県知事に届け出なければならない。
一 前年の4月1日からその年の3月31日までの収支決算の細目
二 その年の4月1日から翌年の3月31日までの収支予算の細目

〔改正〕
　　一部改正（第4・6次改正）、旧第7条を本条に繰下（第4次改正）

（入所及び卒業の届出）
第9条 指定養成施設の設立者は、毎年4月30日までに、前年の4月1日からその年の3月31日までの入所者の数及び卒業者の数を当該指定養成施設所在地の都道府県知事に届け出なければならない。

〔改正〕
　　　　一部改正（第4・6次改正）、旧第8条を本条に繰下（第4次改正）
　（卒業証書）
第10条　指定養成施設の長は、その施設の全教科課程を修了したと認めた者には、次の事項を記載した卒業証書を授与しなければならない。
　一　卒業者の本籍、氏名及び生年月日
　二　卒業の年月日
　三　指定養成施設の名称、所在地及び長の氏名
　〔改正〕
　　　　旧第9条を本条に繰下（第4次改正）
　（報告の徴収及び指示）
第11条　指定養成施設所在地の都道府県知事は、指定養成施設につき必要があると認めるときは、その設立者又は長に対して報告を求めることができる。
　2　指定養成施設所在地の都道府県知事は、指定養成施設の教育の内容、教育の方法、施設、設備その他が適当でないと認めるときは、その設立者又は長に対して必要な指示をすることができる。
　〔改正〕
　　　　旧第10条として追加（第2次改正）、一部改正（第6次改正）、本条に繰下（第4次改正）
　（指定の取消し）
第12条　指定養成施設所在地の都道府県知事は、指定養成施設が第3条の規定による基準に適合しなくなったと認めるとき、その設立者が第5条の規定に違反したとき、又はその設立者若しくは長が前条第2項の規定による指示に従わないとき若しくは定員を超えて生徒を入所させているときは、その指定を取り消すことができる。
　2　第6条の規定は、前項の規定による取消しについて準用する。
　〔改正〕
　　　　一部改正（第1・2・4・6次改正）、旧第10条を旧第11条に繰下（第2次改正）、本条に繰下（第4次改正）
　　　附　則　抄
　（施行期日）
第1条　この省令は、平成10年4月1日から施行する。
　（経過規定）
第2条　この省令の施行の際現に美容師法施行規則（平成10年厚生省令第7号）による改正前の美容師法施行規則（昭和32年厚生省令第43号。以下「旧規則」という。）第9条第1項の規定により提出されている申請書は、第2条第1項の規定により提出されているものとみなす。
第3条　指定養成施設（第3条第2項の規定により、入所資格について設定された特別の基準が適用されるものを除く。）は、第3条第1項第1号イの規定にかかわらず、当分の間、学校教育法第57条に規定する者（理容師法及び美容師法の一部を改正する法律（平成7年法律第109号。以下「改正法」という。）附則第5条第2項に規定する者を含む。）を入所させることができる。この場合において、指定養成施設の長は、美容師法施行規則附則第6条第1号に規定する講習を実施しなければならない。

〔改正〕
　　一部改正（第3次改正）
第4条　この省令の施行の日の前日において改正法による改正前の美容師法第4条第4項の規定による指定を受けていた美容師養成施設（以下「旧指定養成施設」という。）については、平成11年3月31日までの間は、第3条第1項第1号ヘ及び第2号ロの規定中「2分の1」とあるのは「3分の1」とし、同条第1項第1号リ（図書室に関する部分に限る。）、ヌ及びヲの規定は適用しない。

第5条　この省令の施行の日の前日において1年以上継続して旧指定養成施設において旧規則別表第2に掲げる消毒法（実習）又は美容理論（実習を含む。）の教員として勤務していた者であって、厚生労働大臣が認定した研修の課程を修了したものは、第3条第1項第1号トの規定にかかわらず、当分の間、消毒法（実習）の教員にあっては別表第3に掲げる衛生管理又は美容保健の教員と、美容理論（実習を含む。）の教員にあっては同表に掲げる美容技術理論又は美容実習の教員となることができる。

〔改正〕
　　一部改正（第1次改正）
第6条　この省令の施行の日の前日において6年以上旧指定養成施設において旧規則別表第2に掲げる美容理論（実習を含む。）の教員として勤務していた者は、第3条第1項第1号トの規定にかかわらず、当分の間、別表第3に掲げる美容技術理論又は美容実習の教員となることができる。

第7条　改正法附則第4条第2項の規定により、厚生大臣の指定がなおその効力を有するとされる美容師養成施設については、旧規則第8条、第10条及び第11条の規定は、同項に規定する日までの間は、なおその効力を有する。

　　　附　　則（第4次改正）抄
（施行期日）
第1条　この省令は、平成20年4月1日から施行する。
（美容師養成施設に係る経過措置）
第9条　この省令の施行の日前になされたこの省令による改正前の美容師養成施設指定規則（以下「旧美容規則」という。）第2条第1項の規定に基づく申請又は第5条第2項の規定に基づく申請（新たに養成課程を設ける場合に限る。）については、この省令による改正後の美容師養成施設指定規則（以下「新美容規則」という。）第2条第1項第9号の2及び第3条第1項第1号リの規定は適用しない。

第10条　この省令の施行の際現に旧美容規則第3条第1項第1号ト及び別表第3の規定に基づき関係法規・制度、美容の物理・化学、美容文化論又は美容運営管理の教員として勤務していた者は、新美容規則第3条第1項第1号ト及び別表第3の規定にかかわらず、当分の間、当該課目の教員となることができる。

第14条　この省令の施行の際現に旧美容規則第5条第1項の規定に基づく申請（生徒の定員を減ずる場合に限る。）を行っている者は、新美容規則第7条第2項の規定による届出を行った者とみなす。

第15条　この省令の施行の日前になされた旧美容規則第5条第2項の規定に基づく申請（養成施設を廃止する場合に限る。）については、なお従前の例による。

第2編　理容師・美容師

附　則（第7次改正）抄
（施行期日）
第1条　この省令は、公布の日〔平成28年5月31日〕から施行する。
（美容師養成施設に係る経過措置）
第3条　この省令の施行の際現に第2条の規定による改正前の美容師養成施設指定規則第3条第1項第1号ト及び別表第3の規定に基づき美容技術理論及び美容実習の課目の教員として勤務していた者は、第2条の規定による改正後の美容師養成施設指定規則（以下「新美容規則」という。）別表第3の規定にかかわらず、当分の間、当該課目の教員となることができる。
2　この省令の施行の際現に美容師の免許を受けた後3年以上実務に従事した経験のある者であって、平成29年3月31日までの間において新美容規則別表第3美容技術理論美容実習の項の規定に基づき厚生労働大臣が認定した研修の課程を修了したものは、新美容規則別表第3の規定にかかわらず、当分の間、美容技術理論及び美容実習の課目の教員となることができる。

附　則（第8次改正）抄
（施行期日）
第1条　この省令の規定は、次の各号に掲げる区分に応じ、それぞれ当該各号に定める日から施行する。
一　〔前略〕附則第13条及び第14条の規定　この省令の公布の日〔平成29年3月31日〕
二　〔前略〕第7条の規定並びに〔中略〕附則第15条から第19条までの規定　平成30年4月1日
（美容師養成施設に係る準備行為）
第13条　美容師法第4条第3項の指定を受けて第7条の規定による改正後の美容師養成施設指定規則（以下「新美容師養成施設指定規則」という。）第3条の基準に係る美容師養成施設を設けようとする者、新美容師養成施設指定規則第5条第2項の変更の承認を受けて新美容師養成施設指定規則第1条の2に規定する理容修得者課程を設けようとする者又は新美容師養成施設指定規則第5条第2項の変更の承認を受けて新理容師養成施設指定規則第4条の2第1項に規定する同時授業を行おうとする者は、第2号施行日前においても、新美容師養成施設指定規則第1条の2、第2条第2項若しくは第5条第2項の規定又は新理容師養成施設指定規則第4条の2第1項の規定の例により、その指定又は変更の承認の申請をすることができる。
2　都道府県知事は、前項の規定による指定又は変更の承認の申請があった場合には、第2号施行日前においても、新美容師養成施設指定規則第3条第1項、第3条の2、別表第1、別表第1の2又は別表第3の規定の例により、その指定又は変更の承認をすることができる。この場合において、その指定又は変更の承認を受けた者は、第2号施行日において美容師法第4条第3項の指定又は新美容師養成施設指定規則第5条第2項の変更の承認を受けたものとみなす。
第14条　厚生労働大臣は、第2号施行日前においても、新美容師養成施設指定規則別表第3の規定の例により、同表衛生管理保健、香粧品化学、文化論又は運営管理の各項の規定による研修の認定をすることができる。

（美容師養成施設指定規則に係る経過措置）
第15条 理容師法及び美容師法の一部を改正する法律附則第3条の規定により同法第1条の規定による改正後の理容師法の規定による理容師試験を受けることができるものとされている者については、新美容師養成施設指定規則第1条の2の規定の適用に当たっては、理容師法第3条第3項に規定する指定を受けた理容師養成施設において理容師法施行規則第11条前段に規定する期間以上理容師になるのに必要な知識及び技能を修得している者とみなす。

第16条 第7条の規定の施行の際現に美容師法第4条第3項に規定する指定を受けた美容師養成施設に入所中の生徒に係る修業期間、教科課目、単位数、教科課目の教員及び通信課程における授業方法並びに当該生徒に係る教科課程については、なお従前の例による。

第17条 次の各号に掲げる者は、新美容師養成施設指定規則別表第3の規定にかかわらず、当分の間、それぞれ当該各号に掲げる美容師養成施設の課目の教員となることができる。
一　第7条の規定の施行の際現に同条の規定による改正前の美容師養成施設指定規則（以下「旧美容師養成施設指定規則」という。）第3条第1項第1号ト及び別表第3の規定に基づき衛生管理の課目の教員として勤務していた者　衛生管理
二　第2号施行日の前日において現に旧美容師養成施設指定規則第3条第1項第1号ト及び別表第3の規定に基づき美容保健、美容の物理・化学、美容文化論又は美容運営管理の課目の教員として勤務していた者　それぞれ保健、香粧品化学、文化論又は運営管理
三　第2号施行日の前日において現に美容師養成施設指定規則附則第5条の規定に基づき旧美容師養成施設指定規則別表第3に掲げる衛生管理又は美容保健の課目の教員として勤務していた者　それぞれ衛生管理又は保健
四　第2号施行日の前日において現に理容師養成施設指定規則及び美容師養成施設指定規則の一部を改正する省令附則第10条の規定に基づき旧美容師養成施設指定規則別表第3に掲げる美容の物理・化学、美容文化論又は美容運営管理の課目の教員として勤務していた者　それぞれ香粧品化学、文化論又は運営管理
五　平成29年4月1日から第2号施行日の前日までの間に旧美容師養成施設指定規則別表第3の衛生管理美容保健、美容文化論又は美容運営管理の各項の規定に基づき厚生労働大臣の認定した研修の課程を修了した者　それぞれ衛生管理、保健、文化論又は運営管理

第18条 美容師の免許を受けた後、第2号施行日前に旧美容師養成施設指定規則別表第3に掲げる美容保健、美容の物理・化学、美容文化論又は美容運営管理の課目の教育に関する業務に従事した期間がある者の当該期間及び附則第16条の規定によりなお従前の例によることとされる教科課目のうち美容保健、美容の物理・化学、美容文化論又は美容運営管理の課目の教育に関する業務に従事した期間がある者の当該期間については、それぞれ新美容師養成施設指定規則別表第3の衛生管理保健の項の下欄第8号、香粧品化学の項の下欄第6号、文化論の項の下欄第4号㈡又は運営管理の項の下欄第4号㈡に規定する期間に含めて計算するものとする。

別表第1

課	目	単 位 数
必 修 課 目	関 係 法 規 ・ 制 度	1単位以上
	衛 生 管 理	3単位以上
	保 健	3単位以上
	香 粧 品 化 学	2単位以上
	文 化 論	2単位以上
	美 容 技 術 理 論	5単位以上
	運 営 管 理	1単位以上
	美 容 実 習	30単位以上
小	計	47単位以上
選 択	課 目	20単位以上
合	計	67単位以上

　備考　単位の計算方法は、授業の方法に応じ、当該授業による教育効果等を考慮して、30時間から45時間までの範囲で美容師養成施設が定める授業時間をもって1単位とする。

〔改正〕
　全部改正（第4次改正）、一部改正（第8次改正）

別表第1の2

課　　　目		単　位　数
必　修　課　目	美　容　技　術　理　論	4単位以上
	美　　容　　実　　習	23単位以上
小　　　　　　計		27単位以上
選　　択　　課　　目		7単位以上
合　　　　　　計		34単位以上

備考　単位の計算方法は、授業の方法に応じ、当該授業による教育効果等を考慮して、30時間から45時間までの範囲で美容師養成施設が定める授業時間をもって1単位とする。

〔改正〕
　追加（第8次改正）

別表第2

$$\frac{定員 \times 一学級の週当たり平均授業時間数}{40 \times 15}$$

第2編　理容師・美容師

別表第3

関係法規・制度	一　旧教員免許令（明治33年勅令第134号）に基づく旧中学校高等女学校教員検定規程（明治41年文部省令第32号）第7条第1号又は第2号の規定により指定又は許可を受けた学校の卒業者であって、当該学校において法律学を修めた者 二　学校教育法（昭和22年法律第26号）に基づく大学の卒業者（同法に基づく専門職大学の前期課程（以下「専門職大学前期課程」という。）の修了者を含む。）であって、法律学に係る短期大学士、学士、修士又は博士の学位（同法第104条第2項に規定する文部科学大臣の定める学位又は同条第6項に規定する文部科学大臣の定める学位を含む。）を有する者 三　教育職員免許法（昭和24年法律第147号）第5条又は教育職員免許法施行法（昭和24年法律第148号）第1条若しくは第2条の規定により高等学校の公民若しくは中学校の社会の教諭の免許状の授与を受けた者又はその免許状を有するものとみなされる者 四　衛生行政に3年以上の経験を有する者 五　旧高等試験令（昭和4年勅令第15号）による高等試験に合格した者又は裁判所法（昭和22年法律第59号）による司法修習生となる資格を得た者
衛生管理保健	一　医師 二　歯科医師 三　薬剤師 四　獣医師 五　保健師 六　助産師 七　看護師 八　美容師の免許を受けた後、実務又は美容師養成施設において上欄の課目の教育に関する業務に従事した期間が通算して4年以上になる者であって、厚生労働大臣の認定した研修の課程を修了したもの
香粧品化学	一　薬剤師 二　旧教員免許令に基づく旧中学校高等女学校教員検定規程第7条第1号又は第2号の規定により指定又は許可を受けた学校の卒業者であって、当該学校において化学を修めた者 三　旧教員免許令に基づく旧実業学校教員検定ニ関スル規程（大正11年文部省令第4号）第6条第5号の規定により許可を受けた学校又は同条第7号の規定に基づく昭和15年10月文部省告示第569号（実業学校教員検定ニ関スル規程第6条第7号により無試験検定を受けることができる者の指定の件）に掲げる学校若しくは養成所の卒業者であって、当該学校又は養成所において化学を修めた者 四　学校教育法に基づく大学の卒業者（専門職大学前期課程の修了者を含む。）であって、化学に係る短期大学士、学士、修士又は

	博士の学位（同法第104条第2項に規定する文部科学大臣の定める学位又は同条第6項に規定する文部科学大臣の定める学位を含む。）を有する者 五　教育職員免許法第5条又は教育職員免許法施行法第1条若しくは第2条の規定により高等学校若しくは中学校の理科の教諭の免許状の授与を受けた者又はその免許状を有するものとみなされる者 六　美容師の免許を受けた後、実務又は美容師養成施設において上欄の課目の教育に関する業務に従事した期間が通算して4年以上になる者であって、厚生労働大臣の認定した研修の課程を修了したもの
文化論	一　旧教員免許令に基づく旧中学校高等女学校教員検定規程第7条第1号又は第2号の規定により、指定又は許可を受けた学校の卒業者であって当該学校において美術を修めた者 二　学校教育法に基づく大学の卒業者（専門職大学前期課程の修了者を含む。）であって、美術に係る短期大学士、学士、修士又は博士の学位（同法第104条第2項に規定する文部科学大臣の定める学位又は同条第6項に規定する文部科学大臣の定める学位を含む。）を有する者 三　教育職員免許法第5条又は教育職員免許法施行法第1条若しくは第2条の規定により高等学校若しくは中学校の美術の教諭の免許状の授与を受けた者又はその免許状を有するものとみなされる者 四　次の各号のいずれかに該当する者であって、厚生労働大臣が認定した研修の課程を修了したもの 　㈠　一から三までに定める者に準ずると認められる者 　㈡　美容師の免許を受けた後、実務又は美容師養成施設において上欄の課目の教育に関する業務に従事した期間が通算して4年以上になる者
運営管理	一　旧教員免許令に基づく旧中学校高等女学校教員検定規程第7条第1号又は第2号の規定により指定又は許可を受けた学校の卒業者であって、当該学校において経済学、経営学又は会計学を修めた者 二　学校教育法に基づく大学の卒業者（専門職大学前期課程の修了者を含む。）であって、経済学、経営学又は会計学に係る短期大学士、学士、修士又は博士の学位（同法第104条第2項に規定する文部科学大臣の定める学位又は同条第6項に規定する文部科学大臣の定める学位を含む。）を有する者 三　教育職員免許法第5条又は教育職員免許法施行法第1条若しくは第2条の規定により、高等学校の公民若しくは中学校の社会の教諭の免許状の授与を受けた者又はその免許状を有するものとみなされる者 四　次の各号のいずれかに該当する者であって、厚生労働大臣が認

	定した研修の課程を修了したもの (一) 一から三までに定める者に準ずると認められる者 (二) 美容師の免許を受けた後、実務又は美容師養成施設において上欄の課目の教育に関する業務に従事した期間が通算して4年以上になる者
美容技術理論 美容実習	美容師の免許を受けた後、実務又は美容師養成施設において上欄の課目の教育に関する業務に従事した期間が通算して4年以上になる者であって、厚生労働大臣の認定した研修の課程を修了したもの
選択課目	それぞれの課目を教授するのに適当と認められる者

〔改正〕

　一部改正（第1・2・4・7～10次改正）

●美容師法に基づく指定試験機関及び指定登録機関に関する省令

〔平成10年1月27日〕
〔厚生省令第9号〕

〔一部改正経過〕

第1次	平成12年3月30日厚生省令第56号「クリーニング業法施行規則等の一部を改正する省令」第5条による改正
第2次	平成12年3月30日厚生省令第57号「食品衛生法施行規則等の一部を改正する省令」第13条による改正
第3次	平成12年3月31日厚生省令第75号「理容師法施行規則の一部を改正する省令」第4条による改正
第4次	平成12年10月20日厚生省令第127号「中央省庁等改革のための健康保険法施行規則等の一部を改正する等の省令」第170条による改正
第5次	平成17年3月7日厚生労働省令第25号「健康保険法施行規則等の一部を改正する省令」第2条による改正
第6次	平成17年3月31日厚生労働省令第56号「理容師法に基づく指定試験機関及び指定登録機関に関する省令及び美容師法に基づく指定試験機関及び指定登録機関に関する省令の一部を改正する省令」第2条による改正
第7次	平成19年3月30日厚生労働省令第43号「学校教育法の一部を改正する法律等の施行に伴う厚生労働省関係省令の整備等に関する省令」第3条による改正
第8次	平成20年11月28日厚生労働省令第163号「一般社団法人及び一般財団法人に関する法律等の施行に伴う厚生労働省関係省令の整備等に関する省令」第24条による改正
第9次	平成29年3月31日厚生労働省令第39号「理容師法施行規則等の一部を改正する省令」第8条による改正
第10次	令和元年6月28日厚生労働省令第20号「不正競争防止法等の一部を改正する法律の施行に伴う厚生労働省関係省令の整備に関する省令」第50条による改正
第11次	令和5年12月26日厚生労働省令第161号「デジタル社会の形成を図るための規制改革を推進するための厚生労働省関係省令の一部を改正する省令」第21条による改正
第12次	令和5年12月27日厚生労働省令第165号「デジタル社会の形成を図るための規制改革を推進するための厚生労働省関係省令の一部を改正する省令」第17条による改正

　美容師法（昭和32年法律第163号）の規定に基づき、美容師法に基づく指定試験機関及び指定登録機関に関する省令を次のように定める。

**　　美容師法に基づく指定試験機関及び指定登録機関に関する省令**

目次　　　　　　　　　　　　　　　　　　　　　　　　　　　　　　　　　　　頁
　第1章　指定試験機関（第1条—第12条）……………………………………………… 287
　第2章　指定登録機関（第13条—第20条）……………………………………………… 291
　附則

第1章　指定試験機関

（指定試験機関の指定の申請）

第1条　美容師法（昭和32年法律第163号。以下「法」という。）第4条の2第2項の規定による申請は、次に掲げる事項を記載した申請書によって行わなければならない。
　一　名称及び主たる事務所の所在地
　二　美容師試験の実施に関する事務（以下「試験事務」という。）を行おうとする事務所の名称及び所在地
　三　試験事務を開始しようとする年月日
2　前項の申請書には、次に掲げる書類を添付しなければならない。
　一　定款及び登記事項証明書
　二　申請の日を含む事業年度の直前の事業年度における財産目録及び貸借対照表（申請

の日を含む事業年度に設立された法人にあっては、その設立時における財産目録）
　三　申請の日を含む事業年度の事業計画書及び収支予算書
　四　申請に係る意思の決定を証する書類
　五　役員の氏名及び略歴を記載した書類
　六　現に行っている業務の概略を記載した書類
　七　試験事務の実施に関する計画を記載した書類
　八　その他参考となる事項を記載した書類
　〔改正〕
　　　一部改正（第5・8次改正）
　（指定試験機関の名称の変更等の届出）
第2条　法第4条の2第1項に規定する指定を受けた者（以下「指定試験機関」という。）は、法第4条の4第2項の規定によりその名称又は主たる事務所の所在地の変更の届出をするときは、次に掲げる事項を記載した届出書によって行わなければならない。
　一　変更後の指定試験機関の名称又は主たる事務所の所在地
　二　変更しようとする年月日
　三　変更の理由
2　指定試験機関は、試験事務を行う事務所を新設し、又は廃止しようとするときは、次に掲げる事項を記載した届出書を厚生労働大臣に提出しなければならない。
　一　新設し、又は廃止しようとする事務所の名称及び所在地
　二　新設し、又は廃止しようとする事務所において試験事務を開始し、又は廃止しようとする年月日
　三　新設又は廃止の理由
　〔改正〕
　　　一部改正（第4次改正）
　（役員の選任又は解任の認可の申請）
第3条　指定試験機関は、法第4条の6第1項の規定により役員の選任又は解任の認可を受けようとするときは、次に掲げる事項を記載した申請書を厚生労働大臣に提出しなければならない。
　一　役員として選任しようとする者の氏名、住所及び略歴又は解任しようとする役員の氏名
　二　選任し、又は解任しようとする年月日
　三　選任又は解任の理由
　〔改正〕
　　　一部改正（第4次改正）
　（試験委員の要件）
第4条　法第4条の7第2項の厚生労働省令で定める要件は、次の各号のいずれかに該当する者であることとする。

一　学校教育法（昭和22年法律第26号）に基づく大学において法学、医学、薬学、物理学、化学、経済学、経営学若しくは会計学に関する科目を担当する教授若しくは准教授の職にあり、又はあった者
二　学校教育法に基づく大学において理科系統の正規の課程を修めて卒業した者であって、その後10年以上国、地方公共団体、一般社団法人又は一般財団法人その他これらに準ずるものの研究機関において伝染病学（細菌学を含む。）、公衆衛生学又は皮膚科学に関する研究の業務に従事した経験を有するもの
三　国又は地方公共団体の職員又は職員であった者で、衛生法規、伝染病学（細菌学を含む。）、公衆衛生学又は皮膚科学について専門的な知識を有するもの
四　法第4条第3項の規定により指定を受けた美容師養成施設において美容師養成施設指定規則（平成10年厚生省令第8号）別表第1又は別表第1の2に掲げる必修課目を5年以上講義した経験を有する者
五　美容師の免許を受けた後、15年以上実務に従事した経験を有する者
〔改正〕
　　　一部改正（第4・7～9次改正）
（試験委員の選任又は変更の届出）
第5条　法第4条の7第3項の規定による試験委員の選任又は変更の届出は、次に掲げる事項を記載した届出書によって行わなければならない。
一　選任した試験委員の氏名及び略歴又は変更した試験委員の氏名
二　選任し、又は変更した年月日
三　選任又は変更の理由
（試験事務規程の認可の申請）
第6条　指定試験機関は、法第4条の9第1項前段の規定により試験事務規程の認可を受けようとするときは、その旨を記載した申請書に当該試験事務規程を添えて、これを厚生労働大臣に提出しなければならない。
2　指定試験機関は、法第4条の9第1項後段の規定により試験事務規程の変更の認可を受けようとするときは、次に掲げる事項を記載した申請書を厚生労働大臣に提出しなければならない。
一　変更の内容
二　変更しようとする年月日
三　変更の理由
〔改正〕
　　　一部改正（第4次改正）
（試験事務規程の記載事項）
第7条　法第4条の9第2項の試験事務規程で定めるべき事項は、次のとおりとする。
一　試験事務の実施の方法に関する事項
二　受験手数料の収納の方法に関する事項
三　試験事務に関して知り得た秘密の保持に関する事項

四　試験事務に関する帳簿及び書類の保存に関する事項
　五　その他試験事務の実施に関し必要な事項
　（事業計画及び収支予算の認可の申請）
第8条　指定試験機関は、法第4条の10第1項前段の規定により事業計画及び収支予算の認可を受けようとするときは、その旨を記載した申請書に事業計画書及び収支予算書を添えて、これを厚生労働大臣に提出しなければならない。
2　指定試験機関は、法第4条の10第1項後段の規定により事業計画又は収支予算の変更の認可を受けようとするときは、次に掲げる事項を記載した申請書を厚生労働大臣に提出しなければならない。
　一　変更の内容
　二　変更しようとする年月日
　三　変更の理由
　〔改正〕
　　　一部改正（第4次改正）
　（帳簿）
第9条　法第4条の11の厚生労働省令で定める事項は、次のとおりとする。
　一　試験を施行した日
　二　試験地
　三　受験者の受験番号、氏名、住所、生年月日及び合否の別
2　指定試験機関は、法第4条の11に規定する帳簿を、試験事務を廃止するまで保存しなければならない。
　〔改正〕
　　　一部改正（第4次改正）
　（試験結果の報告）
第10条　指定試験機関は、美容師試験を実施したときは、遅滞なく、次に掲げる事項を記載した報告書を厚生労働大臣に提出しなければならない。
　一　試験を施行した日
　二　試験地
　三　受験申込者数
　四　受験者数
　五　合格者数
2　前項の報告書には、合格した者の受験番号、氏名、生年月日、住所及び合格証書の番号を記載した合格者一覧表を添付しなければならない。
　〔改正〕
　　　一部改正（第4次改正）
　（試験事務の休止又は廃止の許可の申請）
第11条　指定試験機関は、法第4条の14第1項の規定により試験事務の休止又は廃止の許可を受けようとするときは、次に掲げる事項を記載した申請書を厚生労働大臣に提出し

なければならない。
一　休止し、又は廃止しようとする試験事務の範囲
二　休止しようとする年月日及びその期間又は廃止しようとする年月日
三　休止又は廃止の理由
〔改正〕
　　　一部改正（第4次改正）
（試験事務の引継ぎ等）
第12条　指定試験機関は、法第4条の14第1項の許可を受けて試験事務の全部若しくは一部を廃止する場合、法第4条の15第1項の規定により指定を取り消された場合又は法第4条の17第2項の規定により厚生労働大臣が試験事務の全部若しくは一部を自ら行うこととなった場合には、次に掲げる事項を行わなければならない。
一　試験事務を厚生労働大臣に引き継ぐこと。
二　試験事務に関する帳簿及び書類を厚生労働大臣に引き継ぐこと。
三　その他厚生労働大臣が必要と認める事項
〔改正〕
　　　一部改正（第4次改正）

第2章　指定登録機関

（登録事務規程の記載事項）
第13条　法第5条の5において準用する法第4条の9第2項の厚生労働省令で定める事項は、次のとおりとする。
一　美容師の登録の実施等に関する事務（以下「登録事務」という。）を行う時間及び休日に関する事項
二　登録事務を行う場所に関する事項
三　登録事務の実施の方法に関する事項
四　手数料の収納の方法に関する事項
五　登録事務に関して知り得た秘密の保持に関する事項
六　登録事務に関する帳簿及び書類並びに美容師名簿の管理に関する事項
七　その他登録事務の実施に関し必要な事項
〔改正〕
　　　一部改正（第4次改正）
（帳簿）
第14条　法第5条の5において準用する法第4条の11の厚生労働省令で定める事項は、次のとおりとする。
一　各月における登録、美容師名簿の訂正及び登録の消除の件数
二　各月における美容師免許証明書の書換え交付及び再交付の件数
三　各月の末日において登録を受けている者の人数
2　法第5条の3第1項に規定する指定を受けた者（以下「指定登録機関」という。）は、法第5条の5において準用する法第4条の11に規定する帳簿を、登録事務を廃止す

るまで保存しなければならない。
〔改正〕
　　　一部改正（第4次改正）
（登録状況の報告）
第15条　指定登録機関は、毎事業年度の経過後遅滞なく、次に掲げる事項を記載した報告書を厚生労働大臣に提出しなければならない。
　一　当該事業年度における登録、美容師名簿の訂正及び登録の消除の件数
　二　当該事業年度における美容師免許証明書の書換え交付及び再交付の件数
　三　当該事業年度の末日において登録を受けている者の人数
〔改正〕
　　　一部改正（第4・6次改正）
（虚偽登録者等の報告）
第16条　指定登録機関は、美容師が虚偽又は不正の事実に基づいて登録を受けたと考えるときは、直ちに、次に掲げる事項を記載した報告書を厚生労働大臣に提出しなければならない。
　一　当該美容師に係る名簿の登録事項
　二　虚偽又は不正の事実
〔改正〕
　　　一部改正（第4次改正）
（試験に合格した者の氏名等の通知）
第17条　厚生労働大臣は、指定登録機関に対し、美容師試験に合格した者の受験番号、氏名、生年月日、住所、試験に合格した年月及び合格証書の番号を記載した書類を交付するものとする。
〔改正〕
　　　一部改正（第4次改正）
（免許の取消し等の処分の通知）
第18条　厚生労働大臣は、法第10条の規定により美容師の免許を取り消し、又は再免許を与えたときは、次に掲げる事項を指定登録機関に通知するものとする。
　一　処分を受けた者の登録番号及び登録年月日
　二　処分を受けた者の氏名、生年月日及び住所
　三　処分の内容及び処分を行った年月日
2　厚生労働大臣は、美容師法施行令（昭和32年政令第277号）第5条の規定により都道府県知事、保健所を設置する市の市長又は特別区の区長から通知を受けたときは、当該通知を受けた事項を指定登録機関に通知するものとする。
〔改正〕
　　　一部改正（第2～4次改正）
（準用）
第19条　第1条から第3条まで、第6条、第8条、第11条及び第12条の規定は、指定登録

美容師法に基づく指定試験機関及び指定登録機関に関する省令

機関について準用する。この場合において、これらの規定(第1条第1項第2号及び第2条第1項各号列記以外の部分を除く。)中「指定試験機関」とあるのは「指定登録機関」と、「試験事務」とあるのは「登録事務」と、第1条第1項中「第4条の2第2項」とあるのは「第5条の3第2項」と、同項第2号中「美容師試験の実施に関する事務(以下「試験事務」という。)」とあるのは「登録事務」と、第2条第1項各号列記以外の部分中「法第4条の2第1項に規定する指定を受けた者(以下「指定試験機関」という。)」とあるのは「指定登録機関」と、「法第4条の4第2項」とあるのは「法第5条の5において準用する法第4条の4第2項」と、第3条中「法第4条の6第1項」とあるのは「法第5条の5において準用する法第4条の6第1項」と、第6条第1項中「法第4条の9第1項前段」とあるのは「法第5条の5において準用する法第4条の9第1項前段」と、同条第2項中「法第4条の9第1項後段」とあるのは「法第5条の5において準用する法第4条の9第1項後段」と、第8条第1項中「法第4条の10第1項前段」とあるのは「法第5条の5において準用する法第4条の10第1項前段」と、同条第2項中「法第4条の10第1項後段」とあるのは「法第5条の5において準用する法第4条の10第1項後段」と、第11条中「法第4条の14第1項」とあるのは「法第5条の5において準用する法第4条の14第1項」と、第12条中「法第4条の14第1項」とあるのは「法第5条の5において準用する法第4条の14第1項」と、「法第4条の15第1項」とあるのは「法第5条の5において準用する法第4条の15第1項」と、「法第4条の17第2項」とあるのは「法第5条の5において準用する法第4条の17第2項」と、同条第2号中「書類」とあるのは「書類並びに美容師名簿」と読み替えるものとする。

(電磁的記録媒体による手続)

第20条 次の各号に掲げる書類の提出については、これらの書類に記載すべき事項を記録した電磁的記録媒体(電磁的記録(電子的方式、磁気的方式その他人の知覚によっては認識することができない方式で作られる記録であって、電子計算機による情報処理の用に供されるものをいう。)に係る記録媒体をいう。)並びに申請者、届出者又は報告者の名称及び主たる事務所の所在地並びに申請、届出又は報告の趣旨及びその年月日を記載した書類を提出することによって行うことができる。

一 第1条第1項に規定する申請書
二 第2条第1項に規定する届出書
三 第2条第2項に規定する届出書
四 第3条に規定する申請書
五 第5条に規定する届出書
六 第6条第1項に規定する申請書
七 第6条第2項に規定する申請書
八 第8条第1項に規定する申請書
九 第8条第2項に規定する申請書
十 第10条第1項に規定する報告書
十一 第11条に規定する申請書

十二　第15条に規定する報告書
十三　第16条に規定する報告書
〔**改正**〕
　　追加（第１次改正）、一部改正（第11次改正）

　　附　則　抄
1　この省令は、平成10年４月１日から施行する。
　　附　則（第９次改正）抄
（施行期日）
第１条　この省令の規定は、次の各号に掲げる区分に応じ、それぞれ当該各号に定める日から施行する。
一　〔前略〕第８条の規定〔中略〕　この省令の公布の日〔平成29年３月31日〕
二　〔前略〕附則第15条から第19条までの規定　平成30年４月１日
（美容師法に基づく指定試験機関及び指定登録機関に関する省令に係る経過措置）
第19条　第２号施行日前に旧美容師養成施設指定規則別表第１に掲げる必修課目を講義した経験を有する者の当該経験及び附則第16条の規定によりなお従前の例によることとされる教科課目のうち必修課目を講義した経験を有する者の当該経験については、第８条の規定による改正後の美容師法に基づく指定試験機関及び指定登録機関に関する省令第４条第４号に規定する講義の経験に含めて計算するものとする。

●美容師養成施設における中学校卒業者等に対する講習の基準等

〔平成20年2月29日〕
〔厚生労働省告示第46号〕

　美容師法施行規則（平成10年厚生省令第7号）附則第6条第1号及び美容師養成施設指定規則（平成10年厚生省令第8号）第3条第2項の規定に基づき、美容師養成施設における中学校卒業者等に対する講習の基準等を次のように定め、平成20年4月1日から適用する。

美容師養成施設における中学校卒業者等に対する講習の基準等

第1　総則
一　美容師養成施設においては、美容師養成施設指定規則（平成10年厚生省令第8号）第3条第1項第1号イの規定にかかわらず、学校教育法（昭和22年法律第26号）第57条に規定する者（理容師法及び美容師法の一部を改正する法律（平成7年法律第109号）附則第5条第2項に規定する者を含む。以下「中学校卒業者等」という。）であって、当該養成施設が実施する入所試験に合格した者を入所させることができる。
二　中学校卒業者等に入所を認める美容師養成施設においては、学校教育法第90条に規定する者に該当しない生徒（以下「講習対象生徒」という。）に対して、当該養成施設における教科課目の学習を補助するための講習を実施しなければならない。

第2　講習の内容
一　講習課目は、現代社会、化学及び保健とし、その単位数は、それぞれ1単位以上を定めるものとする。
二　単位の計算方法は、授業の方法に応じ、当該授業による教育効果等を考慮して、35時間から45時間までの範囲で美容師養成施設が定める授業時間をもって1単位とする。
三　単位により行うことが困難な美容師養成施設にあっては、それぞれの講習課目の区分ごとの授業時間数は35時間以上とし、単位数に代えて適切な時間数を定めるものとする。

第3　課程修了の認定
　美容師養成施設においては、講習対象生徒が当該養成施設が定める所定の講習課目及び所定の単位数（単位で行うことが困難な美容師養成施設にあっては、授業時間数）を履修し、その成果が講習課目の指導目標からみて満足できると認められる場合には、課程の修了を認定しなければならない。

第4　講習の免除
一　理容師養成施設に入所し、理容師養成施設における中学校卒業者等に対する講習の基準等（平成20年厚生労働省告示第41号）に基づき当該養成施設が講習課程の修了を認定した者については、講習を免除することができる。

二　美容師養成施設は、個別の入所資格審査を行い、高等学校を卒業した者と同等以上の学力があると認められた者については、講習課目の区分ごとに、その課目の履修を免除し、又は時間を減ずることができる。

◉美容師養成施設の通信課程における授業方法等の基準

[平成20年2月29日
厚生労働省告示第47号]

〔一部改正経過〕
第1次 〔平成21年12月28日厚労告第510号〕
第2次 〔平成29年3月31日厚労告第139号〕

　美容師養成施設指定規則（平成10年厚生省令第8号）第3条第1項第3号ホの規定に基づき、美容師養成施設の通信課程における授業方法等の基準を次のように定め、平成20年4月1日から適用する。

美容師養成施設の通信課程における授業方法等の基準

第1　総則
一　美容師養成施設の通信課程における授業は、教材を送付又は指定し、主としてこれにより学習させる授業（以下「通信授業」という。）及び美容師養成施設の校舎における講義、演習、実験又は実技による授業（以下「面接授業」という。）の併用により行うものとする。
二　通信授業の実施に当たっては、添削等による指導（以下「添削指導」という。）を併せ行うものとする。
三　美容師養成施設においては、通信授業及び添削指導並びに面接授業について相互の連携を図り、全体として調和がとれ、発展的、系統的に指導できるよう、通信課程に係る具体的な教育計画を策定し、これに基づき、定期試験等を含め、年間を通じて適切に授業を行うものとする。

第2　通信授業
一　通信授業における添削指導の回数は、第1表（美容師養成施設指定規則（平成10年厚生省令第8号）第1条の2に規定する理容修得者課程（以下「理容修得者課程」という。）については第2表）の上欄に掲げる必修課目の区分ごとにそれぞれこれらの表の下欄に掲げる添削指導の回数を満たすよう定めるものとする。なお、選択課目については、進度に応じて適当な回数を定めるものとする。

第1表

必修課目	添削指導の回数
関係法規・制度	3回以上
衛生管理	4回以上
保健	3回以上
香粧品化学	2回以上
文化論	2回以上

第2編　理容師・美容師

美　容　技　術　理　論	8回以上
運　　営　　管　　理	3回以上
美　　容　　実　　習	6回以上

第2表

必　修　課　目	添削指導の回数
美　容　技　術　理　論	8回以上
美　　容　　実　　習	6回以上

二　美容師養成施設においては、添削指導及び教育相談を円滑に処理するため、適当な組織等を設けるものとする。

第3　面接授業

一　面接授業は、通信授業及び添削指導との関連を考慮して行うものとする。

二　単位数

1　面接授業の単位数は、第1表（理容修得者課程については第2表）の上欄に掲げる教科課目の区分ごとにそれぞれ第1表の中欄又は第2表の下欄に掲げる単位数を満たすよう定めるものとする。ただし、美容所に常勤で従事している者である生徒に対する理容修得者課程以外の教科課程における面接授業の単位数については、第1表の上欄に掲げる教科課目の区分ごとにそれぞれ同表の下欄に掲げる単位数を満たせば足りるものとする。

第1表

必　修　課　目	118単位以上	59単位以上
関　係　法　規　・　制　度	2単位以上	2単位以上
衛　　生　　管　　理	6単位以上	6単位以上
保　　　　　健	5単位以上	5単位以上
香　粧　品　化　学	6単位以上	6単位以上
文　　化　　論	2単位以上	2単位以上
美　容　技　術　理　論	5単位以上	2単位以上
運　　営　　管　　理	2単位以上	1単位以上
美　　容　　実　　習	90単位以上	35単位以上
選択課目（実習を伴う各課目）	2単位以上	1単位以上
計	120単位以上	60単位以上

第2表

美容師養成施設の通信課程における授業方法等の基準

必　　修　　課　　目	47単位以上
美　容　技　術　理　論	2単位以上
美　　容　　実　　習	45単位以上
選択課目（実習を伴う各課目）	1単位以上
計	48単位以上

2　単位数の計算方法は、授業の方法に応じ、当該授業による教育効果等を考慮して、5時間以上を基準として美容師養成施設が定める授業時間をもって1単位とする。

3　単位により行うことが困難な美容師養成施設にあっては、第1表（理容修得者課程については第2表）の上欄に掲げる教科課目の区分ごとにそれぞれ第1表の中欄又は第2表の下欄に掲げる時間数を満たすよう適切な時間数を定めるものとする。ただし、美容所に常勤で従事している者である生徒に対する理容修得者課程以外の教科課程における面接授業の時間数については、第1表の上欄に掲げる教科課目の区分ごとにそれぞれ同表の下欄に掲げる時間数を満たせば足りるものとする。

第1表

必　　修　　課　　目	590時間以上	295時間以上
関　係　法　規　・　制　度	10時間以上	10時間以上
衛　　生　　管　　理	30時間以上	30時間以上
保　　　　　　　　健	25時間以上	25時間以上
香　粧　品　化　学	30時間以上	30時間以上
文　　　化　　　論	10時間以上	10時間以上
美　容　技　術　理　論	25時間以上	10時間以上
運　　営　　管　　理	10時間以上	5時間以上
美　　容　　実　　習	450時間以上	175時間以上
選択課目（実習を伴う各課目）	10時間以上	5時間以上
計	600時間以上	300時間以上

第2表

必　　修　　課　　目	235時間以上
美　容　技　術　理　論	10時間以上
美　　容　　実　　習	225時間以上

選 択 課 目（実 習 を 伴 う 各 課 目）	5時間以上
計	240時間以上

三　面接授業の1日の授業時間数は、7時間以内とする。

四　同時に授業を行う1学級の生徒数は、40人以下とする。ただし、理容師養成施設指定規則（平成10年厚生省令第5号）第4条の2第1項に規定する同時授業を行う場合において、教育上支障のないときは、この限りでない。

◉聴覚障害者である生徒に対する教育を主として行う特別支援学校における美容師養成施設の指定の基準

〔平成20年 2 月29日〕
〔厚生労働省告示第48号〕

　美容師養成施設指定規則（平成10年厚生省令第 8 号）第 3 条第 2 項の規定に基づき、聴覚障害者である生徒に対する教育を主として行う特別支援学校における美容師養成施設の指定の基準を次のように定め、平成20年 4 月 1 日から適用する。

聴覚障害者である生徒に対する教育を主として行う特別支援学校における美容師養成施設の指定の基準

　聴覚障害者である生徒に対する教育を主として行う特別支援学校における美容師養成施設の指定については、美容師養成施設指定規則（平成10年厚生省令第 8 号）第 3 条第 1 項第 1 号に規定する基準を適用する。ただし、同号イ、ヘ、チ、ル及びヲの規定の適用については、同号イ、ヘ、チ、ル及びヲの規定にかかわらず、次に掲げる基準によることができる。

一　学校教育法（昭和22年法律第26号）第57条に規定する者であることを入所資格とするものであること。
二　教員の数は、 5 人以上であり、かつ、教員数の 5 分の 2 以上が専任であること。
三　同時に授業を行う 1 学級の生徒数は、15人以下とすること。
四　普通教室の面積は、24.75平方メートル以上であること。
五　実習室の面積は、24.75平方メートル以上であること。

第2編　理容師・美容師

●矯正施設における美容師養成施設の指定の基準

〔平成20年2月29日〕
〔厚生労働省告示第49号〕

〔一部改正経過〕
　　第1次　〔令和5年4月7日厚労告第171号〕

　美容師養成施設指定規則（平成10年厚生省令第8号）第3条第2項の規定に基づき、矯正施設における美容師養成施設の指定の基準を次のように定め、平成20年4月1日から適用する。

　　矯正施設における美容師養成施設の指定の基準

　法務省の所管に係る矯正施設（刑務所、少年刑務所、拘置所、少年院及び少年鑑別所をいう。）における美容師養成施設の指定については、美容師養成施設指定規則（平成10年厚生省令第8号）第3条第1項第1号に規定する基準を適用する。

　ただし、同号ヲの規定の適用については、同号ヲの規定にかかわらず、同時に授業を行う1学級の生徒数が20人以上40人未満のものについては、実習室の面積は、49.5平方メートル以上とすることができる。

●美容師養成施設の教科課程の基準

〔平成20年2月29日〕
〔厚生労働省告示第50号〕

〔一部改正経過〕
　第1次　〔平成21年3月26日厚労告第107号〕
　第2次　〔平成29年3月31日厚労告第139号〕

　美容師養成施設指定規則（平成10年厚生省令第8号）第4条の規定に基づき、美容師養成施設の教科課程の基準を次のように定め、平成20年4月1日から適用する。

美容師養成施設の教科課程の基準
第1　教科課程の編成
　一　美容師養成施設における教科課程は、消費者の美容業に対する需要、科学技術の進歩、生徒の生活環境、地域の実態等を勘案しつつ、美容技術の専門家であるとともに、地域の保健衛生の担い手でもある美容師の養成にふさわしい内容にしなければならない。
　二　必修課目
　　1　単位数
　　(1)　美容師養成施設においては、必修課目について、それぞれの教科課目ごとに、美容師養成施設指定規則（平成10年厚生省令第8号）別表第1又は別表第1の2に定められている単位数に則り、当該養成施設が設定する教育計画及び教育目標に基づき、適切な単位数を定めるものとする。
　　(2)　単位により行うことが困難な美容師養成施設にあっては、それぞれの教科課目ごとに第1表（美容師養成施設指定規則第1条の2に規定する理容修得者課程（以下「理容修得者課程」という。）については第2表）のとおり定められている授業時間数に則り、単位に代えて適切な時間数を定めるものとする。
　　第1表

関　係　法　規　・　制　度	30時間以上
衛　　　生　　　管　　　理	90時間以上
保　　　　　　　　　　　健	90時間以上
香　　粧　　品　　化　　学	60時間以上
文　　　　　化　　　　　論	60時間以上
美　　容　　技　　術　　理　　論	150時間以上

運 営 管 理	30時間以上
美 容 実 習	900時間以上
計	1410時間以上

第2表

美 容 技 術 理 論	120時間以上
美 容 実 習	690時間以上
計	810時間以上

(3) 通信課程については、美容師養成施設の通信課程における授業方法等の基準（平成20年厚生労働省告示第47号。以下「通信課程の授業方法等の基準」という。）に定めるところによるものとする。

2 理容師養成施設の理容師養成施設指定規則（平成10年厚生省令第5号）第2条第4項に規定する美容修得者課程（以下「美容修得者課程」という。）以外の教科課程において履修している者が美容師養成施設の理容修得者課程以外の教科課程において履修しようとする場合であって、本人から必修課目の履修の免除の申出があったときは、当該理容師養成施設において履修すべき理容師養成施設指定規則別表第1に掲げる全ての必修課目及び全ての選択課目の修了（理容師養成施設の教科課程の基準（平成20年厚生労働省告示第45号）第1の三4(2)の規定の適用による履修を含む。）を条件として美容技術理論及び美容実習を除く必修課目の履修を免除するものとする。この場合においては、美容技術理論及び美容実習の各教科課目を理容修得者課程の教科課目とみなして、1(1)及び(2)の規定を適用する。

三 選択課目

1 選択課目については、日本語又は芸術などの一般教養課目及びエステティック技術又は美容カウンセリングなどの専門教育課目を一般教養と専門教育のバランスに配意しつつ、各美容師養成施設が設定するものとする。

2 選択課目の内容は、美容師に必要な幅広い教養を身につけることによって、人間性豊かな人格の形成を目指すとともに、保健衛生に携わる専門的技術者としての自覚をかん養するものでなければならない。

3 単位数

(1) 美容師養成施設においては、選択課目の各教科課目について、その内容等に応じて適切な単位数を定めるものとする。この場合、一般教養に係る教科課目の単位数は、1課目につき1単位以上、専門教育に係る教科課目の単位数は、1課目につき2単位以上とし、選択課目の総単位数は、20単位以上とする（理容修得者課程の選択課目の総単位数は、7単位以上とする。）。

(2) 単位により行うことが困難な美容師養成施設にあっては、一般教養に係る教科課目の授業時間数は、1課目につき30時間以上、専門教育に係る教科課目の授業

時間数は、1課目につき60時間以上とし、選択課目の総授業時間数は、600時間以上とする（理容修得者課程の選択課目の総授業時間数は、210時間以上とする。）。
　(3)　通信課程については、通信課程の授業方法等の基準の定めるところによるものとする。
　4　免除等
　(1)　美容師養成施設においては、理容師養成施設の美容修得者課程以外の教科課程において履修している者が当該美容師養成施設の理容修得者課程以外の教科課程において履修しようとする場合であって、本人から選択課目の履修の免除の申出があったときは、当該理容師養成施設において履修すべき理容師養成施設指定規則別表第1に掲げる全ての必修課目及び全ての選択課目の修了（理容師養成施設の教科課程の基準第1の三4(2)の規定の適用による履修を含む。）を条件として、選択課目の総単位数を7単位（単位により行うことが困難な美容師養成施設にあっては、総授業時間数を210時間）以上とする。
　(2)　美容師養成施設においては、生徒が当該美容師養成施設に入所する前に行った理容師養成施設又は美容師養成施設の選択課目若しくは専修学校における授業課目の履修（理容修得者課程において履修している生徒及び(1)の規定が適用される生徒が理容師養成施設において行った選択課目の履修を除く。）、大学、短期大学若しくは高等専門学校の課程における学修又は大学、短期大学若しくは高等専門学校の専攻科における学修のうち、美容師養成施設が適当と認めるものについて、当該養成施設の卒業に必要な選択課目の総単位数（単位により行うことが困難な美容師養成施設にあっては、総授業時間数）の2分の1を超えない範囲で、当該養成施設における選択課目の履修とみなすことができる。
第2　卒業の認定
　美容師養成施設においては、生徒が当該養成施設の定める教育計画に従って所定の教科課目及び所定の単位数（単位により行うことが困難な美容師養成施設にあっては、授業時間数）を履修し、その成果が教科課目の教育目標からみて満足できると認められる場合には、卒業を認定しなければならない。

●美容業の振興指針

〔平成31年 3 月 7 日〕
〔厚生労働省告示第58号〕

〔一部改正経過〕
　　第 1 次　〔令和 3 年 3 月18日厚労告第79号〕

　生活衛生関係営業の運営の適正化及び振興に関する法律（昭和32年法律第164号）第56条の 2 第 1 項の規定に基づき、美容業の振興指針（平成26年厚生労働省告示第74号）の全部を次のように改正し、平成31年 4 月 1 日から適用する。

美容業の振興指針

　美容業の営業者が、美容師法（昭和32年法律第163号）等の衛生規制に的確に対応しつつ、現下の諸課題にも適切に対応し、経営の安定及び改善を図ることは、国民生活の向上に資するものである。

　このため、生活衛生関係営業の運営の適正化及び振興に関する法律（昭和32年法律第164号。以下「生衛法」という。）第56条の 2 第 1 項に基づき、美容業の振興指針を定めてきたところであるが、今般、営業者、生活衛生同業組合（生活衛生同業小組合を含む。以下「組合」という。）等の事業の実施状況等を踏まえ、営業者、組合等の具体的活用に資するよう、実践的かつ戦略的な指針として改正を行った。

　今後、営業者、組合等において本指針が十分に活用されることを期待するとともに、新たな衛生上の課題や経済社会情勢の変化、営業者及び消費者等のニーズを反映して、適時かつ適切に本指針を改定するものとする。

第一　美容業を取り巻く状況
　一　美容業の事業者の動向
　　　美容業は、衛生的で、かつ、容姿を美しくしたいという国民の文化的欲求に応えるサービスを提供することで、国民生活の充実に大いに寄与してきたところである。
　　　美容所の施設数は243,360施設（平成28年度末）であり、10年前と比較して25,591施設の増となっている。平成16年から平成17年頃に美容師免許取得者数が約 3 万人となる高い水準となっていたことから、美容所の新規開設希望者が増大することが予想される。従業美容師数は509,279人であり、10年前と比較して77,594人の増となっている（厚生労働省『衛生行政報告例』による）。
　　　平成27年度調査において、従業者数 5 人未満の事業者は78.2％で（平成22年度は69.2％）、経営者の年齢については、60歳から69歳の者の割合が32.4％（平成22年度は25.0％）、70歳以上の者の割合が19.0％（平成22年度は10.8％）となっており、経営者の高齢化が着実に進んでいる（厚生労働省『平成27年度生活衛生関係営業経営実態調査』による）。

住宅地に立地し、中高年の経営者による小規模個人経営の店と、商業地や交通至便の場所に立地する比較的新しい店や法人経営の中規模・大規模店が見られるなど、二層分化の傾向も見られる。

経営上の課題としては（複数回答）、「客数の減少」を最も多くあげており、次に多い問題点としては、「施設・設備の老朽化」、「客単価の減少」、「原材料費の上昇」、「水道・光熱費の上昇」等となっている（厚生労働省『平成27年度生活衛生関係営業経営実態調査』による）。

また、日本政策金融公庫（以下「日本公庫」という。）が行った『生活衛生関係営業の景気動向等調査（平成30年7～9月期）』において、美容業の経営上の問題点は、多い順に「顧客数の減少」（58.8％）、「客単価の低下」（25.2％）、「従業員の確保難」（20.6％）となっている。

従業員の過不足感としては、「適正」が58.1％となっている一方で、「不足」が36.9％と約4割を占めている（日本公庫『生活衛生関係営業の景気動向等調査特別調査（平成29年10～12月期）』による）。

また、令和元年12月に確認された新型コロナウイルス感染症（COVID—19）（以下「新型コロナウイルス感染症」という。）の感染拡大は社会経済に大きな影響を与え、我が国の美容業も多大な影響を受けたところである。

新型コロナウイルス感染症の感染拡大に伴う事業への影響について、美容業の営業者で、売上が減少したと回答した者は95.2％で、その売上の減少幅（令和2年2～5月の対前年比）は、「20％未満」が24.2％、「20％以上50％未満」が52.9％、「50％以上80％未満」が22.7％、「80％以上」が0.2％となっている（日本公庫『生活衛生関係営業の景気動向等調査（令和2年4～6月期）特別調査』による）。

二 消費動向

平成27年の1世帯当たりのパーマネント代の平均支出額は4,280円で前年比241円の減、カット代の平均支出額は5,459円で前年比17円の減で、平成17年の支出額を100とした場合、平成27年のパーマネント代の支出額は61.9、カット代の支出額は102.4となっている（総務省『家計調査報告』による）。

また、美容店1回当たりの費用（商品の購入費用は除く）は、「4,000～5,999円」が35.9％と最も多く、「6,000～7,999円」が22.2％、「2,000～3,999円」が19.7％となっている（厚生労働省『平成27年度生活衛生関係営業経営実態調査』による）。

三 営業者の考える今後の経営方針

営業者の考える今後の経営方針としては（複数回答）、「接客サービスの充実」46.1％、「価格の見直し」21.1％、「店舗・設備の改装」19.0％、「廃業」16.2％、「広告・宣伝等の強化」14.8％となっている（厚生労働省『平成27年度生活衛生関係営業経営実態調査』による）。

また、美容業を営む者が、新型コロナウイルス感染症収束後に予定している取組としては、「広報活動の強化」が35.4％、次いで「新商品、新メニューの開発」が32.4

％、「新たな販売方法の開拓」が20.1％となっている一方、「特にない」が41.5％となっている（日本公庫『生活衛生関係営業の景気動向等調査（令和2年4～6月期）特別調査』による）。

第二　前期の振興計画の実施状況

都道府県別に設立された美容業の組合（平成30年12月末現在で47都道府県で設立）においては、前期の美容業の振興指針（平成26年厚生労働省告示第74号）を踏まえ、振興計画を策定、実施しているところであるが、当該振興計画について、全5ヵ年のうち4ヵ年終了時である平成29年度末に実施した自己評価は次表のとおりである。

表　振興計画の実施状況についての各組合による自己評価

	事業名	達成	概ね達成	主な事業
1	衛生に関する知識及び意識の向上に関する事業	66％	30％	・衛生管理等に関する講習会の開催 ・自主点検の実施 ・ホームページ、情報誌による情報提供
2	施設及び設備の改善に関する事業	28％	60％	・店舗特性を踏まえた改装や省エネ、バリアフリー対応の設備、営業用車両の導入投資
3	消費者利益の増進に関する事業	46％	50％	・小冊子、ポスター配布 ・賠償責任保険への加入促進 ・接客講習会の開催 ・標準営業約款制度への登録促進
4	経営マネジメントの合理化及び効率化に関する事業	39％	50％	・経営講習会、各種研修会の開催 ・税務相談会、融資相談会の開催
5	営業者及び従業員の技能の向上に関する事業	45％	49％	・技術講習会の開催 ・技能コンテストの開催
6	事業の共同化及び協業化に関する事業	29％	39％	・共同購入の実施 ・講習会の開催 ・共同研修機器の整備
7	取引関係の改善に関する事業	40％	40％	・関連業界等との定期的協議会の開催
8	従業員の福祉の充実に関する事業	41％	50％	・共済制度の加入促進 ・研修会、講習会の開催 ・定期健康診断実施の促進

9	事業の承継及び後継者支援に関する事業	47%	36%	・後継者育成支援のための研修会等の開催 ・若手経営者組織の育成
10	少子・高齢化社会等への対応に関する事業	30%	57%	・福祉ボランティアの推進 ・ハートフル美容師養成講習会の開催
11	環境の保全及び省エネルギーの強化に関する事業	31%	49%	・研修会、講習会の開催 ・廃棄物のリサイクル推進
12	地域との共生に関する事業	30%	57%	・地域行事への参加 ・ボランティア活動の推進
13	東日本大震災への対応に関する事業	14%	57%	・被災事業者への支援 ・広報誌等での節電の啓発 ・防災講習会の実施

（注）組合からの実施状況報告を基に作成。

　なお、国庫補助金としての予算措置（以下「予算措置」という。）については、平成23年度より、外部評価の導入を通じた効果測定の検証やPDCAサイクル（事業を継続的に改善するため、Plan（計画）―Do（実施）―Check（評価）―Act（改善）の段階を繰り返すことをいう。）の確立を目的として、「生活衛生関係営業の振興に関する検討会」の下に設けられた「生活衛生関係営業対策事業費補助金審査・評価会」において、補助対象となる事業の審査から評価までを一貫して行う等、必要な見直し措置を講じている。

　このため、組合及び生活衛生同業組合連合会（以下「連合会」という。）等においても、振興計画に基づき事業を実施する際は、事業目標及び成果目標を可能な限り明確化した上で、達成状況についても評価を行う必要がある。

　当該振興計画等の実施に向けて、組合、連合会等においては、本指針及び振興計画の内容について広報を行い、組合未加入の営業者への加入勧誘を図ることが期待されている。

　組合への加入、非加入は営業者の任意であるが、生衛法の趣旨、組合の活動内容等を詳しく知らない新規開設者等の営業者がいることも考えられるため、都道府県、保健所設置市又は特別区（以下「都道府県等」という。）は、営業者による営業の許可申請又は届出等の際に、営業者に対して、生衛法の趣旨並びに関係する組合の活動内容、所在地、連絡先等について情報提供を行う等の取組の実施が求められる。

第三　美容業の振興の目標に関する事項
　一　営業者の直面する課題と地域社会から期待される役割
　　美容業は、衛生的で、かつ、容姿を美しくしたいという国民の文化的欲求に応えるサービスを提供することで、国民生活の充実に大いに寄与してきた。こうした重要な

役割を美容業が引き続き担い、国民生活の向上に貢献できるよう、経営環境や国民のニーズ、衛生課題に適切に対応しつつ、各々の営業者の経営戦略に基づき、その特性を活かし、事業の安定と活力ある発展を図ることが求められる。

また、国民の「美と健康（ビューティーアンドヘルシー）」に対する需要はますます高まってきており、その需要に応えて質の高いサービスを提供できるよう、業界全体が変わっていくことが必要である。

さらに、高齢者や障害者等のニーズに的確に即応することで、美容業の営業者の地域住民が日常生活を送るために必要なセーフティーネットとしての役割や地域における重要な構成員としての位置づけが強化され、生活者の安心を支える役割を担うことが期待される。

一方で、パーマネントウェーブ用剤、染毛剤、化粧品等の安全性やアレルギー等への影響に対する消費者の関心も高くなっていることから、利用者に対し施術等の説明を十分に行い納得と安心感を提供していくことが求められる。また、公衆衛生の見地から感染症の発生状況を踏まえた対策を行い、衛生管理の徹底を図ることが求められる。

また、まつ毛エクステンションの普及に伴い、こうした新たな技術やサービスへの対応については、美容師の養成段階はもとより、美容師免許取得後も新たな技術への対応のための取組が求められる。

さらに、社会全体の少子高齢化の中で、営業者自身の高齢化による後継者問題に加え、従業員等への育児支援等も課題となっている。併せて、障害を理由とする差別の解消の推進に関する法律（平成25年法律第65号。以下「障害者差別解消法」という。）の施行を踏まえ、全ての消費者が店舗を円滑に利用できるよう、ソフト、ハード両面におけるバリアフリー化及びユニバーサルデザイン化の取組が求められる。

各営業者は、これらを十分に認識し、利用者の安全衛生の確保、技術及びサービスの向上、消費者に対する情報提供等に積極的に取り組むことにより、美容業に対する消費者の理解と信頼の向上を図ることを目標とすべきである。

また、新型コロナウイルス感染症の感染拡大に伴う売上減や経営維持、雇用確保等に対応するため、日本公庫の融資や国・自治体の補助金・助成制度を積極的に活用して早期に業績回復を図る必要がある。

二　今後5年間における営業の振興の目標
　1　衛生問題への対応
　　美容業は、人の身体の一部である毛髪及び皮ふに化粧品などを使用して容姿を美しくする営業であり、衛生上の問題に対して、特に注意が必要な業態である。衛生上の危険を防止し、利用者に対して安全で良質なサービスを提供することは営業者の責務である。

　　また、新型コロナウイルス感染症の感染拡大に伴い、我が国でも3つの「密」（密閉・密集・密接）の回避、人と人との距離を空ける、消毒や換気の徹底、業種

別の感染拡大予防ガイドラインの遵守・徹底など、感染症対策に関する「新しい生活様式」に向けて徹底した衛生対策が求められている。

　衛生課題は、営業者の地道な取組が中心となる課題と、新型インフルエンザへの対応のように、営業者にとどまらず、保健所等衛生関係機関や都道府県生活衛生営業指導センター（以下「都道府県指導センター」という。）等との連携を密にして対応すべき課題とに大別される。衛生問題は、営業者が一定水準の衛生管理を行っている場合、通常、発生するものではないため、発生防止に必要な費用及び手間について判断しにくい特質がある。しかし、一旦、衛生上の問題が発生した場合には、多くの消費者に被害が及ぶことはもとより、営業自体の存続が困難になる可能性があることから、日頃からの地道な衛生管理の取組が重要である。

　また、こうした衛生問題は、個々の営業者の問題にとどまらず、業界全体に対する信頼を損ねることにもつながることから、組合及び連合会には、組合員、非組合員双方の営業者が自覚と責任感を持ち、衛生水準の向上が図られるよう、継続的に知識及び意識向上に資する普及啓発や適切な指導及び支援に努めることが求められる。

　とりわけ、零細な営業者は重要な公衆衛生情報の把握が困難となる場合が考えられるため、これら営業者に対する組合加入の促進や公衆衛生情報の提供が円滑に行われることが期待される。

　さらに、管理美容師資格認定講習会については、店舗の管理者にふさわしい衛生管理に係る知識や意識の点検を図り、その徹底を図るための重要な制度であり、新規受講対象者を中心に管理美容師の資格取得を促していく必要がある。

2　経営方針の決定と消費者及び地域社会への貢献

　美容所の施設数が増加する中で、チェーン店の増加や個人所得の伸び悩み、利用頻度の低下もあいまって、経営環境は厳しいものとなっている。

　こうした中で、営業者は、消費者のニーズや世帯動向等を的確に把握し、専門性や技術力、地域密着、対面接客等の特性を活かし、競争軸となる強みを見出し、独自性を十分に発揮し、経営展開を行っていくことが求められる。

(1)　消費者ニーズの把握と創意工夫による経営展開

　　生活水準の向上に伴い、国民が生活の質的充実を志向し、美容業に対する要望の多様化、高度化、ファッション化及び個性化の傾向が強まっているとともに、精神的な癒し（リラクゼーション）及び健康が重視される中で、消費者は、技術の質、料金、施設及び設備、接客態度等を合理的に選好することにより、美容所の選択を行っている。このため、ヘアスタイル等の流行に合った施術内容の見直しと、その技術の研さん向上を図るとともに、顧客に総合的な美（トータルビューティ）を提供するという観点から、サービスの総合化を推進し、個々の店の経営方針に沿って、美と健康を求める消費者の需要に対応して、激化する競争の中で安定した経営を確保するための付加価値を提供することを経営の目標とする必

要がある。
(2) 高齢者、障害者及び子育て世帯等への配慮
　　人口減少、少子高齢化及び過疎化の進展は、営業者の経営環境を厳しくする一方、買い物の場所や移動手段など日常生活に不可欠な生活インフラそのものを弱体化させる側面があることから、高齢者や障害者、子育て・共働き世帯等が身近な買い物に不便・不安を感じる、いわゆる「買い物弱者」の問題を顕在化させる。地域に身近な営業者の存在は、買い物弱者になりがちな高齢者等から頼られる位置づけを確立し、中長期的な経営基盤の強化につながることが期待される。
　　特に、高齢化が進展する中で、在宅や老人福祉施設等で美容所に来店することが困難な高齢者が増加していくことが予想されることから、これらの者に対する訪問美容サービスや送迎を推進していくことが期待される。美容サービスによって身だしなみを整えることは高齢者の気持ちを若返らせ、心身をリフレッシュさせる上でも重要である。
　　こうしたシニア層向けのサービスの提供は、単に売上げを伸ばすだけでなく、地域社会が抱える問題の課題解決や地域経済の活性化にも貢献するものであり、これら取組を通じた経営基盤の強化により、大手資本によるチェーン店との差別化にもつながるものと期待できる。
　　また、障害者差別解消法において、民間事業者は、障害者に対し合理的な配慮を行うよう努めなければならないとされていることから、ソフト、ハード両面におけるバリアフリー化及びユニバーサルデザイン化の取組を進める必要がある。
(3) 省エネルギーへの対応
　　節電などの省エネルギーによる経営の合理化、コスト削減、環境保全に資するため、不要時の消灯や照明ランプの間引き、ＬＥＤ照明装置やエネルギー効率の高い空調設備等の導入等を推進することが期待される。
(4) 訪日・在留外国人への配慮
　　政府においては、東京オリンピック・パラリンピックが開催される2020年度までに訪日外国人旅行者4,000万人、2030年度までに6,000万人を目標に掲げ、「観光先進国」への新たな国づくりに向けて取組を進めている。また、訪日外国人旅行者の急増に加え、外国人労働者や在留外国人も増加していることから、営業者においても、外国語表記の充実や外国人とのコミュニケーション能力の向上、キャッシュレス決済等の導入を図るなど、外国人が入りやすい店づくりが求められる。さらに、インターネット経由での観光情報の入手を容易にし、外国人客の利便性を向上させるため、公衆無線ＬＡＮの環境整備が期待される。
(5) 受動喫煙防止対策への対応
　　受動喫煙（他人のたばこの煙にさらされること）については、健康に悪影響を与えることが科学的に明らかにされており、受動喫煙による健康への悪影響をなくし、国民・労働者の健康の増進を図る観点から、健康増進法（平成14年法律第

103号）及び労働安全衛生法（昭和47年法律第57号）により、多数の者が利用する施設の管理者や事業者は受動喫煙を防止するための措置を講ずることとされている。国際的に見ても、「たばこの規制に関する世界保健機関枠組条約」の締結国として、国民の健康を保護するために受動喫煙防止対策を推進することが求められている。これらのことから、美容業においても、受動喫煙防止対策の強化を図り、その実効性を高めることが求められる。

3　税制及び融資の支援措置

美容業の組合又は組合員には、生活衛生関係営業の一つとして、税制優遇措置及び日本公庫を通した低利融資を受ける仕組みがある。

税制優遇措置については、組合が共同利用施設を取得した場合の特別償却制度が設けられており、組合において共同研修施設の建設、共同蓄電設備の購入時や組合の会館を建て替える際などに活用することができる。

融資については、対象設備及び運転資金について、振興計画を策定している組合の組合員である営業者が借りた場合は、組合員でない営業者が借りる場合よりも低利の融資を受けることができる。また、各都道府県の組合が作成した振興計画に基づき、一定の会計書類を備えている営業者が所定の事業計画を作成して設備資金及び運転資金を借りた場合には、さらに低利の融資を受けることができる振興事業促進支援融資制度が設けられており、特に設備投資を検討する営業者には、積極的な活用が期待される。

加えて、組合の経営指導を受けている小規模事業者においては、低利かつ無担保・無保証で融資を受けることができる生活衛生関係営業経営改善資金特別貸付が設けられており、積極的な活用が期待される。

三　関係機関に期待される役割

1　組合及び連合会に期待される役割

組合は、公衆衛生の向上及び消費者の利益の増進に資する目的で、組合員たる営業者の営業の振興を図るための振興計画を策定することができる。組合には、地域の実情に応じ、適切な振興計画を策定することが求められる。

組合及び連合会には、予算措置や独自の財源を活用して、営業者の直面する衛生問題及び経営課題に対する適切な支援事業を実施することが期待される。

事業の実施に際しては、有効性及び効率性（費用対効果）の観点から、計画期間に得られる成果目標を明確にしながら事業の企画立案及び実施を行い、得られた成果については適切に効果測定する等、事業の適切かつ効果的な実施に努めることが求められる。

また、事業効果を最大限発揮し事業成果を広く国民や社会に還元できるよう、都道府県指導センター、保健所等衛生関係行政機関、日本公庫支店等との連携及び調整を行うことが期待される。

さらに、美容師の資質向上、衛生上の諸問題への対応、消費者ニーズに適応した

サービス内容の充実等のため、公益財団法人理容師美容師試験研修センター及び公益社団法人日本理容美容教育センターと連携して取り組むことが期待される。

2 都道府県等、都道府県指導センター及び日本公庫に期待される役割

営業許可申請等各種申請や届出、研修会、融資相談などの様々な機会を捉え、新規営業者をはじめとする組合未加入の事業者に対し、組合に関する情報提供や組合活動の活性化のための取組等を積極的に行うことが期待される。

また、多くの営業者が経営基盤が脆弱な中小零細事業者であることに鑑み、都道府県指導センター及び日本公庫において、組合と連携しつつ、営業者へのきめ細かな相談、指導その他必要な支援等を行い、予算措置、融資による金融措置（以下「金融措置」という。）、税制優遇措置等の有効的な活用を図ることが期待される。

とりわけ、金融措置については、審査及び決定を行う日本公庫において営業者が利用しやすい融資の実施、生活衛生関係営業に係る経済金融事情等の把握及び分析に努め、関係団体に情報提供するとともに、日本公庫と都道府県指導センターが協力して、融資手続や事業計画の作成に不慣れな営業者への支援の観点から、融資に係るきめ細かな相談及び融資手続の簡素化を行うことが期待される。低利融資制度については、各々の営業者の事業計画作成が前提とされることから、本指針の内容を踏まえ、営業者の戦略性を引き出す形での指導を行うことが求められる。

加えて、都道府県指導センターにおいて、組合が行う生活衛生関係営業経営改善資金特別貸付に係る審査を代行するなど、金融措置の利用の促進を図ることが期待される。

3 国及び公益財団法人全国生活衛生営業指導センターに期待される役割

国及び公益財団法人全国生活衛生営業指導センター（以下「全国指導センター」という。）は、公衆衛生の向上及び営業の健全な振興を図る観点から、都道府県等及び連合会と適切に連携を図り、信頼性の高い情報の発信、的確な政策ニーズの把握等を行う必要がある。また、予算措置、金融措置、税制優遇措置を中心とする政策支援措置については、営業者の衛生水準の確保及び経営の安定に最大限の効果が発揮できるよう、安定的に所要の措置を講ずるとともに、制度の活性化に向けた不断の改革の取組が必要である。

国は都道府県等に対し、営業許可申請等各種申請や届出等の機会に組合未加入の営業者への組合に関する情報提供や組合活動の活性化のための取組等を求めるものとする。また、全国指導センターにおいては、地域で孤立する中小規模の営業者のほか、大規模チェーン店に対しても、組合加入の働きかけや公衆衛生情報の提供機能の強化を行うため、関係の組合及び連合会との連携を促すための取組が求められる。

第四 美容業の振興の目標を達成するために必要な事項

美容業の目標を達成するために必要な事項としては、次に掲げるように多岐にわたるが、営業者においては、衛生水準の向上等のために必須で取り組むべき事項と、戦

略的経営を推進するために選択的に取り組むべき事項の区別を行うことで、課題解決と継続的な成長を可能にし、国民生活の向上に貢献することが期待される。

また、組合及び連合会においては、組合員である営業者等に対する指導及び支援並びに消費者の美容業への信頼向上に資する事業の計画的な推進が求められる。

このために必要となる具体的取組としては、次に掲げるとおりである。

一 営業者の取組
  1 衛生水準の向上に関する事項
    (1) 日常の衛生管理に関する事項

美容業は、人の体の一部である毛髪及び皮ふを対象として、パーマネントウェーブ用剤、化粧品等を使用して容姿を美しくする営業であり、人の身体の安全及び衛生に直接関わる営業である。このため、営業者及び従業員は、美容師法等の関係法令を遵守することは当然のことであり、衛生上の問題発生の防止及び衛生水準の一層の向上を図るため、衛生に関する専門的な知識を深め、常時、施設及び設備、器具等の衛生管理に努めるとともに、各種器具、薬品、化粧品等の適正な取扱い、毛髪など廃棄物の適切な処理にも十分留意し、衛生管理の改善に取り組むことが必要であり、感染症、皮膚障害等の発生を防止するものとする。

また、新型コロナウイルス感染症の感染拡大に伴い、我が国でも３つの「密」（密閉・密集・密接）の回避、人と人との距離を空ける、消毒や換気の徹底、業種別の感染拡大予防ガイドラインの遵守・徹底など、感染症対策に関する「新しい生活様式」に向けて徹底した衛生対策を行う必要がある。

消費者の関心は、特に、器具の消毒、パーマネントウェーブ用剤、染毛剤、化粧品等の肌への健康被害並びに肝炎、エイズ及び新型インフルエンザの発生状況及び発生の可能性を踏まえた予防策等の衛生上の問題にある。また、小学生以下の児童にはアタマジラミの発生がしばしば見られることから留意が必要である。したがって、営業者は、皮ふに触れる物の消毒の徹底、化粧品等と顧客の体質等の関係についての従業員の教育、汚れの目立ちやすい清潔な外衣の着用、顧客一人ごとの作業前後のうがい、手指の洗浄や消毒、つめの手入れ、風邪等の流行時のマスクの着用等自ら衛生管理を徹底し、従業員の健康管理に十分留意し、従業員に対する衛生教育及び指導監督に当たることが必要である。

特に、新しい施術の実施に際しては、従業員に、その施術のやり方及びリスクを認識させ、利用者に対してもより詳細な説明を行い、健康被害等の発生防止及び発生した場合の対応に配慮しなければならない。そして、これらの取組を利用者に分かりやすく伝えることが、利用者に納得と安心感を提供するために最も重要である。

    (2) 衛生面における施設及び設備の改善に関する事項

営業者は、日常の衛生的管理の取組に加えて、店舗を衛生的に保つとともに、設備及び消毒器材について定期的かつ積極的にその改善に取り組むことが重要で

ある。
　また、消費者にとって安全及び衛生は最大の関心事項であるため、衛生管理を徹底した店舗であるとの印象を利用者に与えることが必要である。
2　経営課題への対処に関する事項
　個別の経営課題への対処については、営業者の自立的な取組が前提であるが、多様な消費者の要望に対応する良質なサービスを提供し、国民生活の向上に貢献する観点から、営業者においては、次に掲げる事項を念頭に置き、経営改革に積極的に取り組むことが期待される。特に、家族経営等の小規模店は、営業者や従業員が変わることはほとんどないため、経営手法が固定的になりやすい面があるが、経営意識の改革を図り、以下の事項に選択的に取り組んでいくことが期待される。
(1)　経営方針の明確化及び独自性の発揮に関する事項
　現在置かれている経営環境や市場を十分に把握、分析し、専門性や技術力、立地条件等の特性を踏まえ、強みを見出し、経営方針を明確化し、自店の付加価値や独自性を高めていくとともに、経営管理の合理化及び効率化を図ることが必要である。
　ア　自店の立地条件、顧客層、サービスメニュー、資本力、経営能力、技術力等の経営上の特質の把握
　イ　周辺競合店に関する情報収集と比較
　ウ　ターゲットとする顧客層の特定
　エ　重点サービスの明確化
　オ　店舗のコンセプト及び経営戦略の明確化
　カ　経営手法、熟練技能、専門的知識の習得・伝承や後継者の育成
　キ　若手人材の活用による経営手法の開拓
　ク　共同仕入れ等の共同事業の推進
　ケ　都道府県指導センター等の経営指導機関による経営診断の積極的活用
(2)　サービスの見直し及び向上に関する事項
　消費者のニーズやライフスタイル、世帯構造の変化等に的確に対応し、消費者が安心して利用できるよう、サービス及び店づくりの充実や情報提供の推進に努め、利用者の満足度を向上させることが重要であることから、以下の事項を選択的に取り組むことが期待される。
　ア　サービスの充実
　　①　ヘアスタイル等の流行に合わせたメニューの見直し
　　②　若者等ファッションに関心の高い顧客向けの新しいヘアスタイルの提案、総合的な美のためのコーディネイト
　　③　傷んだ髪等のトリートメント、ヘアカラー、ヘアマニキュア
　　④　ネイルケアやネイルアート
　　⑤　新しい手法を採りこんだメイクコース

　　　　⑥　まつ毛エクステンション
　　　　⑦　フェイシャルエステ、エステティックサービス
　　　　⑧　結髪及び着付けの伝統的技術
　　　　⑨　ウエディングドレス着付け
　　　　⑩　若い男性を対象としたメニュー、中高年齢者を対象としたリラクゼーションに配慮したメニュー
　　　　⑪　毛髪や化粧等の知識の提供、顧客層に合った化粧品等の提供
　　　　⑫　在宅や施設の高齢者等への訪問美容
　　　　⑬　高齢者等の来店が困難な顧客の送迎
　　　　⑭　マニュアルを超えた「おもてなしの心（気配り・目配り・心配り）」による温もりのあるサービスの提供
　　　イ　消費者のニーズやライフスタイルの変化等に対応した店づくり
　　　　①　地域の顧客や高齢者等を対象とした地域に根ざした店づくり、ファッションの最先端のサービスの拡充に取り組む店づくり、などの店のコンセプトを踏まえた店づくり
　　　　②　リラクゼーションを重視した店の雰囲気づくり
　　　　③　高齢者や障害者にやさしい店づくり
　　　　④　地域住民が集えるサロンの提供
　　　　⑤　立地条件及び経営方針に照らした営業日及び営業時間の見直し
　(3)　店舗及び設備の改善並びに業務改善等に関する事項
　　　営業者は、店舗及び設備の改善並びに業務の効率化等のため、以下の事項に取り組むことが期待される。
　　　ア　安全で衛生的な店舗とするための定期的な内外装の改装
　　　イ　各店舗の特性を踏まえた清潔な雰囲気の醸成
　　　ウ　サービスの内容やメニューに合った椅子等調度品、洗髪設備
　　　エ　訪問美容のための車両、携帯器具
　　　オ　高齢者、障害者等に配慮したバリアフリー対策の実施
　　　カ　節電・省エネルギーの推進
　　　キ　作業手順の標準化・見える化やコンピュータ・情報システムの導入等による業務の合理化及び効率化
　　　ク　都道府県指導センターなどが開催する生産性向上等を図るためのセミナー等への参加及び業務改善助成金等各種制度の活用
　　　ケ　賠償責任保険への加入
　(4)　情報通信技術を利用した新規顧客の獲得及び顧客の確保に関する事項
　　　営業者は、情報セキュリティの管理に留意しつつ、インターネット等の情報通信技術を効果的に活用する等、以下の事項に選択的に取り組むことが期待される。

　　　　ア　インターネット等の活用による予約の受付、割引サービスの実施、異業種との提携
　　　　イ　ホームページの開設等、積極的な情報発信によるプロモーションの促進
　　　　ウ　顧客情報のデータベース化等による適切な管理
　　　　エ　ダイレクトメールの郵送や広報チラシの配布
　　　　オ　クレジットカード決済、電子決済の導入・普及
　　　　カ　スマートフォンアプリ等を介したサービスの実施
　　　　キ　外国人客に対応するための多言語音声アプリ等の活用
　　(5)　表示の適正化と苦情の適切な処理に関する事項
　　　　営業者は、店外など消費者の見やすい場所にメニューとサービスごとの料金を明示すべきであり、利用者にとって初めてとなるメニューの施術に際しては、十分な事前の説明を行うべきである。
　　　　このため、営業者は、全国指導センターが定めるサービスの内容並びに施設及び設備の表示の適正化に関する事項等を内容とする美容業の標準営業約款に従って営業を行う旨の登録をし、標識及び当該登録に係る約款の要旨を掲示するよう努めるものとする。
　　　　さらに、営業者は、事故が生じた場合には、適切かつ誠実な苦情処理と賠償責任保険等を活用した損害の補填を行い、顧客との信頼関係の維持向上に努めるものとする。
　　(6)　人材育成及び自己啓発の推進に関する事項
　　　　美容業は、対人サービスであり、従業員の資質がサービスの質を左右することから、優秀な人材の獲得及び育成を図ることが極めて重要な課題である。特に、若手従業員の育成及び指導を図るとともに、若者に魅力ある職場作りに努めることが必要である。
　　　　したがって、営業者は、従業員が新しいヘアスタイルやネイルケア、エステティック等の新しいメニューやサービス内容の拡充に対応できるよう、技術面を向上させるとともに、接客技術、顧客への知識提供等の面での技能向上にも努める必要がある。また、安全衛生履行の観点も含め、従業員に対する適正な労働条件の確保に努めるものとする。
　　　　さらに、営業者は、後継者及び独立を希望する従業員が、経営、顧客管理、従業員管理等の技能を取得できるよう、自己啓発を促すとともに、後継者及び従業員の人材育成に努めるものとする。
二　営業者に対する支援に関する事項
　1　組合及び連合会による営業者の支援
　　　組合及び連合会においては、営業者の自立的な経営改革を支援する都道府県指導センター等の関係機関との連携を密にし、次に掲げる事項を中心に積極的な支援に努めることが期待される。また、支援に当たっては、関係機関等が作成する、営業

者の経営改善に役立つ手引や好事例集等を効果的に活用すること、及び関係機関が開催する生産性向上等を推進するためのセミナー等に関して組合員に対する参加の促進等必要な協力を行うことが期待される。
(1) 衛生に関する知識及び意識の向上に関する事項

営業者に対して衛生管理を徹底するための研修会及び講習会の開催、衛生管理の手引の作成等による普及啓発、毛髪及び肌の健康管理等に関する新技術の開発、衛生管理体制の整備充実、化粧品の組合せによる事故防止並びに各種感染症対策等の情報提供に努めることが期待される。
(2) サービス、店舗及び設備の改善並びに業務の効率化に関する事項

衛生水準の向上、経営マネジメントの合理化及び効率化、消費者の利益の増進等のため、サービス、店舗及び設備の改善並びに業務の効率化に関する指導、助言、情報提供、ＩＣＴの活用に係るサポート等、必要な支援に努めることが期待される。

また、高齢者等の利便性を考慮したバリアフリーの店舗構造や高齢者向けサロン経営のあり方等の研究を行うことにより、営業者の取組を支援することに努めることが期待される。
(3) 消費者利益の増進に関する事項

サービスの適正表示、営業者が自店の特質に応じ作成する接客手引の基本となるマニュアルの作成、利用者意識調査、利用者を対象とした美容啓発講座の実施及び利用者の美容施術に対する正しい知識の啓発のためのパンフレットの作成に努めることが期待される。
(4) 経営マネジメントの合理化及び効率化に関する事項

先駆的な経営事例等経営管理の合理化及び効率化に必要な情報、地域的な経営環境条件に関する情報並びに美容業の将来の展望に関する情報の収集及び整理並びに営業者に対するこれらの情報提供、さらに、新規開業希望者の増加を踏まえ、関係機関との連携の下での、創業や事業承継における助言・相談の取組の推進が期待される。
(5) 経営課題に即した相談支援に関する事項

営業者が直面する様々な経営課題に対して、経営特別相談員による経営指導事業の周知に努めるとともに、これを金融面から補完する生活衛生関係営業経営改善資金特別貸付制度の趣旨や活用方法の周知が期待される。
(6) 営業者及び従業員の技能の向上に関する事項

新しいヘアスタイル、メイク、まつ毛エクステンション、ネイルケア、エステティック、訪問美容等多様化する需要に対応した講習会、技能コンテストの開催、連合会がすすめるハートフル美容師、着付社内検定等の独自の技能資格制度及びエステティック、ネイル、メイクの評価認定制度の推進等による、新しい顧客需要に対応した美容技術の向上及び普及啓発に努めることが期待される。

(7) 事業の共同化及び協業化に関する事項
　　事業の共同化及び協業化の企画立案並びに実施に係る指導に努めることが期待される。
(8) 取引関係の改善に関する事項
　　共同購入等取引面の共同化の推進、美容用品業界の協力を得ながらの取引条件の合理的改善及び組合員等の経済的地位の向上に努めることが期待される。
　　また、関連業界と連携を深め、情報の収集及び交換会の機会の確保に努めることが期待される。
(9) 従業員の福利の充実に関する事項
　　従業員の労働条件整備及び労働関係法令の遵守に関する助言、作業環境の改善及び健康管理充実（定期健康診断の実施等を含む。）のための支援、医療保険、年金保険及び労働保険の加入等に係る啓発、組合員等の大多数の利用に資する福利厚生の充実並びに共済等制度（退職金、生命保険等をいう。）の整備及び強化に努めるものとする。
　　また、男女共同参画社会の推進及び少子高齢化社会の進展を踏まえ、従業員の福利の充実に努めることが期待される。
(10) 事業の承継及び後継者育成支援に関する事項
　　営業者の高齢化が急激に進んでいることから、事業の円滑な承継に関するケーススタディ及び成功事例等の経営知識や各地域にある事業承継に関する相談機関及び最新の関連税制についての情報提供並びに後継者育成支援の促進を図るために必要な支援体制の整備に努めることが期待される。

2　行政施策及び政策金融による営業者の支援及び消費者の信頼の向上
(1) 都道府県指導センター
　　組合との連携を密にして、以下に掲げる事項を中心に積極的な取組に努めることが期待される。
　ア　関係機関等が作成する手引や好事例集等を効果的に活用した、営業者に対する経営改善の具体的指導、助言等の支援
　イ　消費者からの苦情及び要望の営業者への伝達
　ウ　消費者の信頼の向上に向けた積極的な取組
　エ　都道府県等（保健所）と連携した組合加入促進に向けた取組
　オ　生産性向上や業務改善を推進するためのセミナー等の開催
(2) 全国指導センター
　　都道府県指導センターの取組を推進するため、以下に掲げる事項を中心に積極的な取組に努めることが期待される。
　ア　関係機関等が作成する手引や好事例集等、営業者の経営改革の取組に役立つ情報の収集、整理及び情報提供
　イ　危機管理マニュアルの作成

ウ　苦情処理マニュアルの作成
　　　エ　標準営業約款の登録の促進
　　　オ　効果測定の支援及び政策提言機能の強化
　　　カ　公衆衛生情報の提供機能の強化
　　(3) 国及び都道府県等
　　　　美容業に対する消費者の信頼の向上及び営業の健全な振興を図る観点から、以下に掲げる事項を中心に積極的な取組に努める。
　　　ア　美容師法等関係法令の施行業務等を通じた指導監督
　　　イ　安全衛生、苦情対応に関する情報提供その他必要な支援
　　　ウ　災害又は事故等における適時、適切な風評被害防止策の実施
　　　エ　営業者の経営改善に役立つ手引や好事例集等の作成・更新及び周知
　　(4) 日本公庫
　　　　営業者の円滑な事業実施に資するため、以下に掲げる事項を中心に積極的な取組に努めることが期待される。
　　　ア　営業者が利用しやすい融資の実施
　　　イ　生活衛生関係営業に係る経済金融事情等の把握、分析及び情報提供
　　　ウ　組合等と連携した経営課題の解決に資するセミナーの開催及び各種印刷物の発行による情報提供
　　　エ　災害時等における速やかな相談窓口の設置
　　　オ　事業承継の相談窓口に関する情報提供
第五　営業の振興に際し配慮すべき事項
　　美容業においては、他の生活衛生関係営業と同様に、衛生水準の確保と経営の安定のみならず、時代の要請である少子高齢化社会等への対応、営業者の社会的責任としての環境の保全及び省エネルギーの強化、地域との共生、禁煙等に関する対策、災害への対応及び従業員の賃金引上げに向けた対応、働き方・休み方改革への対応といった課題に応えていくことが要請される。こうした課題への対応は、個々の営業者が中心となって関係者の支援の下で行われることが必要である。こうした課題に適切に対応することを通じて、地域社会に確固たる位置づけを確保することが期待される。
一　少子高齢化社会等への対応
　1　営業者に期待される役割
　　　営業者は、高齢者、障害者及び一人暮らしの者並びに子育て世帯、共働き世帯等が住み慣れた地域社会で安心かつ充実した日常生活を営むことができるよう、以下に掲げる事項を中心に積極的な取組に努めることが期待される。
　　(1) 高齢者、障害者、妊産婦及び子ども連れの顧客等に配慮した店舗のバリアフリー対策
　　(2) 子ども連れの顧客に対応した店内設備等の改善
　　(3) 在宅や施設への訪問美容

第2編　理容師・美容師

　　(4)　高齢者や障害者に配慮した美容施術の開発
　　(5)　障害者差別解消法の規定に基づく障害者への合理的配慮
　　(6)　従業員に対する教育及び研修の充実・強化
　　(7)　子育て世帯、共働き世帯等が働きやすい職場環境の整備
　　(8)　地域社会とのつながりを強化する観点も含めた地域の高齢者、障害者等の積極的雇用の推進
　2　組合及び連合会に期待される役割
　　高齢者、障害者、妊産婦及び子ども連れの顧客等の利便性を考慮した店舗設計やサービス提供に係る研究を実施する。
　3　日本公庫に期待される役割
　　高齢者、障害者、妊産婦及び子ども連れの顧客等の利用の円滑化を図るために必要な設備（バリアフリー化等）導入時に、振興事業貸付等が積極的に活用されるよう、引き続き制度の周知等を図る。
二　環境の保全及び省エネルギーの強化
　1　営業者に期待される役割
　　(1)　省エネルギー対応の空調設備、太陽光発電設備等の導入
　　(2)　節電に資する人感センサー、ＬＥＤ照明、蓄電設備等の導入
　　(3)　廃棄物の最小化、分別回収の実施
　　(4)　薬品、化粧品等の各種容器や廃液、毛髪等の廃棄物の適切な処置
　　(5)　温室効果ガス排出の抑制
　2　組合及び連合会に期待される役割
　　(1)　廃棄物の最小化、分別回収の普及啓発
　　(2)　業種を超えた組合間の相互協力
　3　日本公庫に期待される役割
　　省エネルギー設備導入時に、振興事業貸付等が積極的に活用されるよう、引き続き制度の周知を図る。
三　地域との共生（地域コミュニティの再生及び強化（商店街の活性化））
　1　営業者に期待される役割
　　営業者は、地域住民に対して美容業の店舗の存在、提供するサービスの内容並びに営業の社会的役割及び意義をアピールするとともに、地域で増加する「買い物弱者」の新たなニーズに対応し、地域のセーフティーネットとしての役割や地域コミュニティの基盤である商店街における重要な構成員としての位置付けが強化されるよう、以下に掲げる事項を中心に積極的に取り組むことで、地域コミュニティの再生及び強化や商店街の活性化につなげることが期待される。
　　(1)　地域の街づくりへの積極的な参加
　　　ア　祭りや商店街による手作りイベント等共同事業の立案及び参加
　　　イ　商店街の活性化を通じた地域生活者の「ふれあい」、「憩い」、「賑わい」の創

出
- (2) 「賑わい」や「つながり」を通じた豊かな人間関係（ソーシャル・キャピタル）の形成
- (3) 福祉施設における訪問美容の実施
- (4) 共同ポイントサービス事業及びスタンプ事業の実施
- (5) 地域の防犯、消防、防災、自殺防止、交通安全及び環境保護活動の推進に対する協力
- (6) 暴力団排除等への対応

2 組合及び連合会に期待される役割
- (1) 地域の自治体等と連携し、社会活動の企画、指導及び援助ができる指導者を育成
- (2) 業種を超えた相互協力の推進
- (3) 地域における特色ある取組の支援
- (4) 自治会、町内会、地区協議会、NPO、大学等との連携活動の推進
- (5) 商店街役員への美容業の若手経営者の登用
- (6) 地域における事業承継の推進（承継マッチング支援）
- (7) 地域、商店街活性化に資する組合活動事例の周知

3 日本公庫に期待される役割
　きめ細かな相談、指導、融資の実施等により営業者及び新規開業希望者を支援する。

四 禁煙等に関する対策
1 営業者に求められる役割
　店舗内の禁煙の徹底及び喫煙専用室等の設置により受動喫煙を防止する。
2 組合及び連合会に期待される役割
　効果的な受動喫煙防止対策に関する情報提供を行い、併せて制度周知を図る。
3 国及び都道府県等の役割
　受動喫煙防止に関する制度周知や受動喫煙防止対策に有効な予算措置、金融措置等に関する情報提供を行う。
4 日本公庫に期待される役割
　受動喫煙防止設備の導入時に、振興事業貸付等が積極的に活用されるよう、引き続き制度の周知等を図る。

五 災害への対応と節電行動の徹底
　我が国は、その位置、地形、地質、気象等の自然的条件から、台風、豪雨、豪雪、洪水、土砂災害、地震、津波、火山噴火等による災害が発生しやすい国土となっており、継続的な防災対策及び災害時の地域支援を含めた対応並びに節電行動への取組が期待される。
1 営業者に期待される役割（災害時は営業者自身の安全を確保した上で対応する）

第2編　理容師・美容師

- (1) 災害発生前段階における防災対策の実施及び災害対応能力の維持向上
- (2) 地域における防災訓練への参加及び自店舗等での防災訓練の実施
- (3) 近隣住民等の安否確認や被災状況の把握及び自治体等への情報提供
- (4) 地震等の大規模災害が発生した場合における、地域住民への支援
- (5) 災害発生時における、被災営業者のみならず営業者全体による相互扶助と連携の下での役割発揮
- (6) 災害発生時における、被災営業者の営業再開を通じた被災者へのサービスの確保・充実や地域コミュニティの復元
- (7) 従業員及び顧客に対する節電啓発
- (8) 中長期の節電に資する省エネルギー対応の設備の導入
- (9) 節電を通じた経営の合理化
- (10) 電力制約下における新たな需要（ビジネス機会）の取り込み

2　組合及び連合会に期待される役割
- (1) 営業者及び地域並びに災害種別を想定した防災対策への支援
- (2) 同業者による支え合い（太い「絆」で再強化）
- (3) 災害発生時の被災者の避難誘導などを通じた帰宅困難者防止等への取組
- (4) 被災した地域住民への美容ボランティアに関する呼びかけ
- (5) 節電啓発や節電行動に対する支援
- (6) 節電に資する共同利用施設（共同蓄電設備等）の設置

3　国及び都道府県等の役割
　過去の災害を教訓とした防災対策や情報収集、広報の実施等、以下に掲げる事項を中心に積極的な取組に努める。
- (1) 過去の災害を教訓とした緊急に実施する必要性が高く、即効性の高い防災、減災等の施策
- (2) 節電啓発や節電行動の取組に対する支援

4　日本公庫に期待される役割
　災害発生時には、被災した営業者に対し低利融資を実施し、きめ細やかな相談及び支援を行う。

六　最低賃金の引上げを踏まえた対応（生産性向上を除く）

　最低賃金については、政府の目標として「年率3％程度を目途として、名目GDP成長率にも配慮しつつ引き上げ、全国加重平均が1000円となることを目指す」ことが示されていることから、以下に掲げる事項を中心に積極的な取組に努めることが必要である。

1　営業者に求められる役割
- (1) 最低賃金の遵守
- (2) 業務改善助成金及びキャリアアップ助成金等各種制度の必要に応じた活用
- (3) 関係機関が開催する最低賃金に関するセミナー等への参加を通じた最低賃金制

度の理解
2 組合及び連合会に期待される役割
 (1) 最低賃金の制度周知
 (2) 助成金の利用促進
  助成金等各種制度や関係機関が開催する最低賃金に関するセミナー等の周知を図る。
3 都道府県指導センターに期待される役割
 (1) 最低賃金の周知
  従業員等の最低賃金違反に関する相談窓口（労働基準監督署等）の周知を図る。
 (2) 助成金の利用促進に向けた体制の整備
  助成金等の申請に係る支援の周知や相談体制の整備を図る。
 (3) 関係機関との連携によるセミナー等の開催
  労働局等との連携により経営相談事業等を実施するほか、関係機関との連携により最低賃金に関するセミナー等を開催する。
4 国及び都道府県等の役割
 (1) 営業許可等を行っている自治体における事業者向け講習会等の機会を利用した周知
 (2) 営業許可等の際における窓口での個別周知
 (3) 研修会等を通じた助成金制度の周知
5 日本公庫に期待される役割
  従業員の賃金引上げや人材確保に必要な融資に、振興事業貸付等が積極的に活用されるよう、引き続き制度の周知等を図る。
七 働き方・休み方改革に向けた対応
  従業員がそれぞれの事情に応じた多様な働き方を選択できる職場環境をつくることで人材の確保に繋がり、ひいては生産性の向上が図られるよう、営業者には長時間労働の是正や、公正な待遇の確保等のための措置が求められる。
1 営業者に求められる役割
 (1) 時間外労働の上限規制及び月60時間超の時間外割増賃金率の引き上げへの対応による長時間労働の是正
 (2) 年5日の年次有給休暇の確実な取得
 (3) 雇用形態又は就業形態に関わらない公正な待遇の確保
 (4) 従業員に対する待遇に関する説明
2 組合及び連合会に期待される役割
  相談窓口及び関係機関が開催するセミナー等の周知を図る。
3 都道府県指導センターに期待される役割
  相談窓口及び関係機関が開催するセミナー等の周知を図る。

4 国及び都道府県等の役割
 (1) 営業許可等を行っている自治体における事業者向け講習会等の機会を利用した制度周知
 (2) 営業許可等の際における窓口での制度周知
 (3) 研修会等を通じた制度周知
5 日本公庫に期待される役割
　従業員の長時間労働の是正や非正規雇用の処遇改善に取り組むために必要な融資に、振興事業貸付等が積極的に活用されるよう、引き続き制度の周知等を図る。

●美容業に関する標準営業約款

〔昭和59年10月18日〕
〔厚生省告示第180号〕

〔一部改正経過〕
　第1次　〔平成13年3月30日厚労告第149号〕
　第2次　〔平成31年2月12日厚労告第31号〕

　環境衛生関係営業の運営の適正化に関する法律（昭和32年法律第164号）第57条の12第1項の規定に基づき美容業に関する標準営業約款を認可したので、同条第3項の規定に基づき告示する。

　　美容業に関する標準営業約款
　（目的）
第1条　美容業に関する標準営業約款（以下「約款」という。）は、生活衛生関係営業の運営の適正化及び振興に関する法律（昭和32年法律第164号。以下「法」という。）第57条の12第1項の規定に基づき、美容業について役務の内容の表示の適正化及び損害賠償の実施の確保等に関する事項を定めることにより、利用者の選択の利便を図り、併せて公衆衛生の向上に資することを目的とする。
　〔改正〕
　　　一部改正（第1次改正）
　（定義）
第2条　この約款で「営業者」とは、美容師法（昭和32年法律第163号）第2条第1項に規定する美容の業を営む者で、この約款に従い営業を行う者として都道府県生活衛生営業指導センターの登録を受けたものをいう。
2　この約款で「美容所」とは、美容の業を行うために設けられた施設をいう。
3　この約款で「営業施設」とは、営業者の登録に係る美容所をいう。
4　この約款で「表示」とは、提供する役務の内容等を利用者に周知させることを目的として営業施設の店頭又は店内に掲げる掲示板、ポスター等による広告及びビラ、パンフレット、看板等による広告をいう。
　〔改正〕
　　　一部改正（第1次改正）
　（役務の内容の表示の適正化に関する事項）
第3条　営業者は、提供する役務の内容について、次の各号に定めるところに従い表示するものとする。
⑴　施術内容及び料金の表示に関する事項
　①　営業者は、利用者が安心して利用するため、営業施設において提供する施術内容及び料金を表示するとともに、施術前にカウンセリングを行い、当日の施術内容及び料金を明示するものとする。
　②　営業者は、店頭販売品（店販品）について全てその価格を表示するものとする。

(2) 美容師の表示に関する事項
① 営業者は、利用者の希望に対応するため、施術する美容師について以下の事項を表示するものとする。
　1) 必須事項
　　ア　氏名
　　イ　指名料（ある場合に限る。）
　2) 努力義務事項
　　ア　美容師の写真
　　イ　当該美容師による仕上り例
　　ウ　業界団体等が主催する研修・講習の受講履歴、コンテスト等の入賞歴
② 営業者は、前①の表示を行うとともに施術する美容師について、名札等によりそれぞれの美容師の氏名が分かるように配慮するものとする。
(3) 衛生水準の確保に関する事項
営業者は、営業施設の衛生水準の確保のため、定期的に行政機関及び業界団体等が主催する衛生管理に関する研修・講習を受講するとともに、受講した旨を表示するものとする。
(4) 地域社会に対する取り組みに関する事項
営業者は、顧客満足度をより高めるため、地域社会のために次の事項について積極的に取り組むものとし、取り組んでいる事項について表示するものとする。
　ア　店舗のバリアフリー化の推進（段差の解消等）
　イ　来店が困難な利用者の送迎
　ウ　来店が困難な利用者の訪問美容サービス
　エ　ハートフル美容師・サービス介助士資格の取得
　オ　障がいのある方への対応（車椅子対応、視覚・聴覚・発達障がい等への対応）
　カ　子育て世代の方への対応（託児サービス、ベビーカー置き場の確保等）
　キ　外国人対応（メニューの多言語表記、外国語対応スタッフの配置等）
　ク　地域活動への参加（組合活動・商店街活動への参加、職業体験、こども110番等への協力等）
2　営業者は、前項の事項を遵守するほか全国生活衛生営業指導センター（以下「全国指導センター」という。）が別途定める美容施術処理基準を遵守するものとする。
〔改正〕
　　一部改正（第1・2次改正）
（損害賠償の実施の確保に関する事項）
第4条　営業者は、利用者に対する役務の提供又は営業施設若しくは設備の管理に起因して事故が発生した場合は、全国指導センターが別途定める美容所事故賠償基準に基づき、利用者等に対してその損害賠償を速やかに行うものとする。
2　営業者は、前項の損害賠償の確実な実施を図るため、全国指導センターが別途定める損害賠償保険等に加入しなければならない。

3 営業者は、事故に関し迅速かつ円滑な解決を図るため、利用者等の利便に配慮してその苦情処理に努めるものとする。
　（標識等の掲示）
第5条 営業者は、全国指導センターが法第57条の13第2項の規定に基づき定める様式の標識を、営業施設ごとに、店頭又は店内の利用者の見やすい場所に掲示するものとする。
2 前項の標識の有効期間は、登録の有効期間と同一とする。
3 営業者は、この約款に従つて営業を行う旨、第3条第1項に規定する事項、前条の損害賠償の実施の確保に関する事項その他の提供する役務に関する事項の要旨（以下「役務の要旨」という。）を、営業施設ごとに、店頭又は店内の利用者の見やすい場所に掲示するものとする。
4 営業者が営業を廃止する旨の届出を行つたとき若しくは登録を取り消されたとき又は登録の有効期間が経過したときは、営業者は、当該営業施設について、速やかに、第1項の標識及び前項の役務の要旨の掲示を取り外さなければならない。
　〔改正〕
　　　一部改正（第1次改正）

Ⅱ 基本通知編

第1章 共通事項

○理容師法施行に関する件

〔昭和23年3月9日　厚生省発健第16号〕
〔各都道府県知事宛　厚生事務次官通知〕

〔改正経過〕
　　第1次改正　〔昭和27年6月4日発衛第110号〕
　　第2次改正　〔昭和27年10月30日発衛第202号〕

　さきに制定を見た法律第234号理容師法について、今般理容師法施行規則が制定されたのであるが、理容業の公衆衛生上における重要性に鑑み下記に依りその運用について遺憾なきを期せられたい。

記

第1　免許に関する事項
(1)　施行規則第2条に依る登録は、将来此の法律により免許を与える者及び法第19条第1項の規定に依り免許を受けた者と見做された者の一切を登録すること。
(2)　法第19条第1項に規定する者の登録については、該当者は昭和23年6月30日迄に、既に所有する都道府県知事の免許、許可、其の他の処分を証する書類を添えて、登録申請を行わしめること。
(3)　法第5条第2項の登録手数料は理容師法に基いて将来新たに免許を与える時にのみ要するものであり、法第19条第1項の規定による者の登録については、此の手数料は、徴収は出来ないものであること。
(4)　従前の都道府県令によって、理髪美容双方の業務に従事することの許可を与えている場合において、法第19条第1項の規定に依り昭和23年1月1日現在、理髪又は美容の何れか一方のみを業としていたことが確認された者に対しては、その業務に従い、理髪師又は美容師の何れか一方のみの登録をなし理髪師又は美容師の免許証を交付すること。但し、理髪、美容双方の免許、許可等の処分を受け、本年1月1日現在において双方の業務に従っていたことの確実な者については、双方の名簿に登録し双方の免許証を交付すること。
(5)　削除
(6)　朝鮮、台湾、樺太、関東州、満州、中華民国その他の国において、その他の法令に基いて免許、許可その他の処分を受けて理髪又は美容を業としていた者であって、この法律施行後昭和27年10月31日までに内地に引き揚げた者については昭和27年12月31日までに、又昭和27年11月1日以後内地に引き揚げる者については、引き揚げた日から通算して6か月以内に、それぞれ審査の上、法第19条第1項に該当するものとして登録されたい。
(7)　法第19条第1項に該当する者が、此の法律に依る免許証の交付を希望する場合は、

第2　試験に関する事項
　(1)　此の法律制定の主旨に鑑み、試験は相当程度高きものとし、厳選主義をとり、業者の資質向上を計ること。
　(2)　学科試験の試験委員は、関係吏員とする。実地試験については、それが特に重要であるのに鑑み、関係吏員の外理髪師試験又は美容師試験について識見技倆の優れた理髪師又は美容師を委嘱すること。
　(3)　実地試験の程度は、少くとも実地修業1か年以上の技能を有することを基準とすることが妥当と思われるので、受験願書又はそれに添付する履歴書中に、実地修業の期間についての記載を求め、試験施行上の参考とすること。
第3　理容所の開設に関する事項
　(1)　開設を届出制としたのは、免許を有する者の自由なる営業を認めようとする理由からである。然しその施設等に関しては、法第12条、施行規則第21条に規定する如く相当厳格なる規定があり、その設備如何は公衆衛生上大なる影響を持つものであるから、臨検、検査の規定を活用し、その指導、取締を十分行うこと。
　(2)　都道府県は理容所名簿を備え、現在正規手続により開設しているもの及び将来届出あるものすべてを記入し、業務の実体把握及び指導監督に遺漏なきを期すること。尚臨検等の便宜上、理容師名簿に記載したときは適宜様式の届出済証を交付し、理容所入口等に貼付せしめること。
第4　指導に関する事項
　此の法律制定の主旨は理容業者の資質の劃期的向上を期したものであるが、最近理容業者の素質技倆、清潔観念の低下等甚しき事例多く寒心すべき状態にあるので指導監督に関して特段の御努力を御願い致し度い。猶業者の講習等に関しては本法施行を契機として、能うる限り開催せられ度い。

○理容師美容師法施行に関する件

〔昭和26年8月15日　厚生省発衛第121号〕
〔各都道府県知事宛　厚生事務次官通知〕

　理容師法の一部を改正する法律は6月30日に法律第251号をもって公布施行され、これに伴ない省令の改正が行われた。
　今回の法律及び省令の改正には、免許営業等についての重要な改正が含まれているので、下記の点に留意し遺憾のないようにされたい。

記

一　法の改正に伴なうもの
　(1)・(2)　略
　(3)　営業に関する事項
　　　従来理容所又は美容所以外の場所において理容又は美容の業を行うことについては、なんら制限はされていなかったが、今回の法改正により原則として理容所又は美

第2編　理容師・美容師

容所以外の場所において理容又は美容の業を行うことは禁止されたこと。但し、疾病、不具、廃疾等であって理容所又は美容所に来ることができないもの等についてまでも出張して業を行うことを禁止することは妥当でないので、省令で定めた特別の事情のある場合に限り認めることとしたこと。

一　省令改正に伴うもの
　(1)　免許に関する事項
　　　従来免許登録については業務地主義をとり業務地他府県に移動するにつれて登録も移動せしめていたのであるが、行政上種々の不便が生じたので、試験合格地主義に改めて登録は試験合格地において行ない、業務地を変更した場合においても、登録地の変更を要しないこととしたこと。従って、免許証の再交付免許の取消等免許に関する事務は登録地（即ち試験合格地）の都道府県知事が行うこととしたこと。
　(2)　略

○理容師美容師法の一部を改正する法律等の施行について

［昭和28年12月10日　厚生省発衛第320号　
　各都道府県知事宛　　厚生事務次官通知　］

理容師美容師法の一部を改正する法律（昭和28年法律第49号）及び地方自治法の一部を改正する法律の施行に伴う関係法令の整理に関する法律（昭和28年法律第213号）により、理容師美容師法の一部が改正され、これに伴い、理容師美容師法施行令（昭和28年政令第232号）及び理容師美容師法施行規則の一部を改正する省令（昭和28年厚生省令第64号）が公布施行されたので、これが施行に当っては、下の諸点に留意の上、その運用に万全を期せられたい。

記

1　法改正に関する事項
㈠　理容師美容師法（以下「法」という。）第2条及び第3条の改正は、昭和28年6月30日で都道府県知事が行う試験のみによる理容師又は美容師の資格取得制度が廃止され、以後理容師又は美容師になろうとする者は、すべて養成施設における修習を経なければならないこととしたこと。また、養成施設における修習期間は、その教育の態様に応じて合理的に考慮し得るよう省令で適当な期間を定めることとしたものであること。
　　なお、以上と関連して改正法の附則で下の措置を講じたものであること。
　(1)　改正法施行の際、改正前の第2条又は第3条の規定により養成施設で修習中の者又は修習を終えた者の免許取得の資格については、従前の例によること。
　(2)　法第21条の試験のみによる資格取得制度の試験の受験を出願した者に対する暫定措置を規定したこと。
　(3)　旧国民学校令による国民学校の高等科を修了した者及び旧中等学校令による中等学校の2年の課程を終った者は、法第2条又は第3条の適用については、学校教育

法第47条に規定する者とみなしたこと。
㈡ 法第4条の改正は、法第2条及び第3条の改正により理容師又は美容師になろうとする者は、すべて養成施設における修習を経なければならないこととなり、且つ、養成施設における養成の態様が今後通信養成等の形態をとることが考えられるので、都道府県知事に養成施設の指定に関する事務の一部を委任し、養成施設に関し、指導の徹底と円滑な運営を図ることができるようにしたこと。
㈢ 略
2 政令制定に関する事項
　理容師美容師法施行令の制定は、上記1の㈢の趣旨による法の改正に基くとともに、法第4条の改正により都道府県知事に委任した養成施設の指定に関する事務の内容を規定したものであること。
3 省令の改正に関する事項
　理容師美容師法施行規則の一部改正は、法第2条及び第3条の改正に基き、養成施設における養成課程を、従来の昼間課程、夜間課程の他に地域的経済的事情により在学教育をうけることができない者に対して便宜を与えるため通信課程を設け、その修習の期間及び指定基準を各課程に応じて定め、その内容の充実、資質の向上等を期したこと及び改正法の附則第3項により旧国民学校令による国民学校の高等科を修了した者又は旧中等学校令による中等学校の2年の課程を終った者と同等以上の学力があると認められる者を定めたこと。並びに上記1の㈢及び2に従って、施行規則の内容の整備をはかったものであること。

○理容師美容師法の一部を改正する法律の施行に関する件

［昭和30年10月3日　厚生省発衛第324号］
［各都道府県知事宛　厚生事務次官通知］

　さる第22回国会において成立をみた理容師美容師法の一部を改正する法律は、昭和30年法律第126号をもって8月5日に公布施行され、これに伴って、理容師美容師法施行規則の一部を改正する省令が、昭和30年厚生省令第20号をもって9月21日に公布施行された。
　この改正は、近時における理容所、美容所の増加及びこれらの施設における従業者の激増という実態に即応して、施設に対する衛生措置の確保及び開設者の従業者に対する適切な業務管理を図るために、現行法を整備して、理容、美容業の適切な運営を期したものであるので、この趣旨を普及徹底するは勿論、これが運用にあたっては、特に下記事項に御留意の上、改正法の所期する目的達成につとめられたく、命によって通知する。

記

第1　改正の要旨
　理容師美容師法の改正の主要点及びその趣旨は、次のとおりであること。
　1　従来、理容所、美容所の開設は届出のみをもって行い得たが、これらの施設について開設の当初から充分な衛生措置を確保するとともに、施設に対する衛生的管理の強

第2編　理容師・美容師

　　化を期するために、施設の開設者に対しその施設を使用するに際しては、その構造設備に関し、都道府県知事の検査を受けさせ、その確認を得なければならないようにしたこと。
  2　理容所、美容所において理容、美容の業務に従事する従業者に対して、開設者が適正な業務管理を行うことによって、公衆衛生上の措置の確保を図るために、開設者が当該施設内で無免許者若しくは業務停止を受けている者に業務を行わせた場合又は当該施設内で業務を行う者が法定の措置を講じなかったときに開設者が必要な管理を怠っていた場合は、当該施設の閉鎖を命ずることができるようにしたこと。
  3　都道府県知事が免許取消、業務停止又は閉鎖命令の処分を適正に行うために、処分を受ける者に弁明の機会を与えるようにしたこと。
　　理容師美容師法施行規則の改正の主要点及びその趣旨は、次のとおりであること。
  1　理容所、美容所の開設について、施設の公益性の確保と業務管理の徹底とを図るために、施設の開設者の実態に応じ届出の内容を整備したこと。
  2　理容師養成施設、美容師養成施設の指定及び運営について、養成施設本来の教育機能を完全に保持しその適正な管理を図るために、経営方法、実習のモデル等について必要な規制を加えたものであること。
  3　理容師養成施設、美容師養成施設の通信教育について、現状に即応した態勢を整えるとともに、通信教育の合理化を図るために、定員、面接授業の場所及び時間数にわたり現行省令を整備したこと。
第2　運用上留意すべき事項
  1　検査の実施に関する事項
    (1)　施設の使用開始を検査による確認後とした所以は、公衆衛生上の適切な措置を使用開始当初から確保し、もって近時の理容所、美容所の設置の増大に伴う衛生措置の低下を未然に防止しようとするものであるから、この趣旨の徹底には特に意を用いるようにされたいこと。
    (2)　検査に当っては、当該施設が構造設備において所定の基準に合致するかどうかの点についてのみ実施するものとし、爾余のことに関し過重な検査を行うことのないよう留意するとともに、いやしくも所定の検査については、その厳正な執行を図るようにされたいこと。
    (3)　検査の実施にあたっては、その効果を考慮の上、能率的にすみやかに行うことを旨とし、いたずらに遅延して正当な営業の開始をさまたげる事態を招ぜしめないようされたいこと。
    (4)　法第12条の衛生措置は、検査の基準となるものであるから、特にこの際併せて再検討を行い、もって検査が営業施設における衛生措置の全般にわたって必要かつ十分な限度においてなしえられるよう措置せられたいこと。
  2　開設者の業務管理に関する事項
    (1)　理容師美容師法の規制の対象は、従来個々の業務を行う理容師、美容師に限られ、理容所、美容所の開設者は直接その対象とならなかったのであるが、これらの営業施設における衛生措置の確保は、結局開設者の経営管理方針の如何によって左右されるものであることに鑑みて、今次の改正が行われたものであるから、特に営

業者に対しこの本旨を徹底するよう啓蒙につとめられたいこと。
(2) 開設者が適正な業務管理を行っているかどうかは、もっぱら常時の監視及び検査の総合的判断に基いて決せられることが多いので、これら監視及び検査については従前以上に厳にその励行を図られるよう措置されたいこと。
(3) 開設者の業務管理に関する規定の違反については、当該施設の閉鎖処分を命ずることができるようになったが、この場合にあっては、その実態に則する程度を勘案して適切な運用を図るようつとめられたいこと。

3 その他一般的事項
(1) 理容師美容師法の運用にあたっては、その公衆衛生上における重要度と行政の多様性にかんがみ、都道府県においてできる限り審議会制度を採用するようにし、単独の審議会の設置が困難なときは、既存の営業関係審議会等を活用し、衛生措置基準の設定、養成施設の指導育成、適正料金の検討等にわたり問題の適切な処理につとめられるよう考慮せられたいこと。
(2) 理容師美容師法の所期する目的の達成は、殊に業界の積極的な協力と認識とに俟つところが極めて大きいので、業界に対する指導はこれを更に強化するとともに、業界において自主的にして統一ある措置を積極的に推進せしめ、もって、効率的な行政効果を確保しうるよう留意せられたいこと。
(3) 理容師養成施設及び美容師養成施設の運用については、近時施設数の増加とともに、学校教育本来の機能を著しく逸脱する向きもあるので、今次改正省令の趣旨にそい、特に養成施設の適正な経営、教育内容の充実及び教育に適した施設の運営について厳正な指導監督を行い、その資質向上につとめられるとともに、指定基準に適合しなくなった場合等養成施設として不適当なものについてはすみやかにその処分を講じられるよう措置されたいこと。

○理容師美容師法の一部を改正する法律等の施行について

〔昭和30年10月3日　厚生省発衛第324号〕
〔各都道府県知事宛　厚生省公衆衛生局長通知〕

理容師美容師法の一部を改正する法律及びこれに伴う理容師美容師法施行規則の一部を改正する省令の施行については、さきに厚生事務次官通知により通達されたところであるが、更にこれが実施にあたっては下記事項に御留意の上、万遺憾のないようにされたい。

記

1 営業施設の開設に関する事項
(1) 従来、営業施設の開設は届出のあった日から15日以後において成立したが、今次の改正により、開設と使用開始が区分せられ、開設は事前に届出をもって行い、その届出に基いて実施される検査確認を経て使用開始が行われるようになったこと。
(2) 届出事項の変更については、従来は変更の事前（15日前）に届け出ることを要したが、今後は事後の届出をもって足ることとしたので、変更があったときはすみやかに

変更届を提出させるよう指導されたいこと。
(3) 略
(4) 改正後の省令第20条第1項第2号の規定による管理人については、開設者が免許資格者であって現実に当該施設を自ら管理する場合の外は、すべて特定の管理人を定めて届出事項として記載させること。
(5) 右の管理人を記載させる趣旨は、理容美容業務の技術的管理及び運営の適正化を確保しようとするものであるから、現に当該施設の衛生措置及び運営について適確な指導監督を行いうるような業務経験及び知識を有する免許資格者を選任して置かせるよう指導されたいこと。
(6) 改正後の省令第20条第1項第4号の免許番号に関しては、理容師名簿又は美容師名簿に登録した免許証番号を記載させることをもって足り、免許証又はその写を添付させることは原則として必要はないものであること。
(7) 改正後の省令第20条第1項第5号の開設予定年月日は、検査確認実施上の基礎となるものであるので、これに基いてできる限り早急に検査を実施するよう留意されたいこと。
(8) 改正後の省令第20条第1項第6号に掲げる事項は、免許資格者が当該施設を現実に自ら管理しうるかどうか或いは免許資格を有しない者が当該施設を適正に経営管理しうる措置を講じられるかどうかについての判断資料として記載させるものであるから、この趣旨にそい厳正な運用を期せられたいこと。
(9) 改正後の省令第20条第3項の規定による事実証明書は、当該外国人の居住地の市町村の長（東京都の特別区、京都、大阪、名古屋、横浜、神戸の各市にあっては区長）が発行することを原則とし、特定の場合には都道府県知事において発行できるものであるが、この記載内容は外国人登録法第4条第1項各号に掲げる事項のうち、特に第1号、第3号、第4号、第6号、第9号、第14号から第16号まで、第19号及び第20号等についてはすべてこれを明記するよう措置を講ぜられたいこと。
2 営業施設使用前の検査に関する事項
(1) 営業施設使用前の検査は、法第12条及びこれに基く都道府県規則に規定する衛生措置の適否について実施するものであるから、営業施設に対し公衆衛生上要求せられる度合と地方の実情を勘案して、特に都道府県規則の整備を行われたいこと。
(2) 検査は、あらたに営業施設を開設する場合にのみ適用せられ、既存の施設を変更する場合には適用せられないので、施設の変更にあっては一般的な立入検査を励行して衛生措置を確保するようつとめられたいこと。
(3) 検査の手続については、あらたに検査申請を要することなく、開設届を受理すれば都道府県において自主的に実施する建前をとりうるものであること。
(4) 検査の実施は、当然当該営業施設を管轄する保健所の環境衛生監視員をしてあたらせることになるので、特にその能率的な運営を図るようされたいこと。
(5) 検査の結果、当該施設の衛生措置が法定の措置に適合していることを確認したときは、確認の事実を証するとともに、爾後の監督上の便宜を図るため、検査確認済の証等検査確認を証する書面を交付する等の措置をとられたいこと。

(6)　検査に要する手数料の徴収については、地方公共団体手数料令及び地方公共団体手数料規則を改正するよう目下自治庁において手続中であるので、これが決定次第おって通知するものであること。
3　開設者の業務管理に関する事項
　(1)　営業施設に対する指導監視については、今後個々の理容、美容の業務についての監視と同時に、開設者の業務管理状況についても重点的に指導監視するよう特に意を用いられたいこと。
　(2)　改正後の省令第20条第1項第2号の規定による管理人を営業施設において定めた場合であっても、業務管理の責任の主体となる者はあくまでも開設者であるから、行政運用にあたり誤りなきようされたいこと。
4　養成施設の指定及び運営に関する事項
　(1)　養成施設の指定申請にあたり、今回あらたに「団体」を「法人」に類する設立者として取り扱うことにしたが、この場合の「団体」は、法第14条の3に規定する理容師会、美容師会の組合をさすものであるので、この点御留意ありたいこと。
　(2)　養成施設において行う実習のモデルとなる者及びその者から徴収する料金については、あらたに指定申請事項として加えたので、申請書中にこれを明記させるよう徹底せられたいこと。
　(3)　実習のモデルの範囲及びその者から徴収する料金は、養成教育としての実習の本旨に則り、一般営業と厳に区別が設けられるよう考慮を払う趣旨により改正されたものであるので、その対象については生活保護法又は社会福祉事業法の適用を受ける生計困難者等とし、その料金については実習に要する実費程度の範囲において承認を与えるようされたいこと。
　(4)　養成施設の経営方法については、厚生大臣において十分その実態を正確に把握しうるよう具体的資料を記載させるよう指導されたいこと。
　(5)　養成施設に附設する生徒の寄宿舎の設備については、改正後の省令第10条第1項第12号の規定によりその詳細を明記させるとともに、その建物の図面については同条同項第13号の図面にこれを含ましめるよう措置されたいこと。
　(6)　略
　(7)　指定養成施設の廃止については、従来届出をもって行ってきたが、養成施設の廃止はこれを任意的に行わせるときは生徒の処置等について万全を期しがたいため、今回これを厚生大臣の承認にかからせ、もって養成教育の円滑な運営を図ったので、指導監督にあたって遺憾のないようされたい。
5　略
6　その他
　理容美容業に関する行政の運用の効果をたかめるため、統一ある業界団体の積極的な協力態勢を培養するものとし、これが活用については例えば、保健所の行う営業施設に対する検査の実施に対する自主的な協力を行わせること。行政庁の運用方針、指示等についてかかる団体を通じてその趣旨の徹底を図る等の指導を行い、団体において行政庁の方針にそい自主的に法令遵守の態勢をとりうる等考慮せられたいこと。

○理容師美容師法施行規則の一部を改正する省令の施行に関する件

〔昭和31年10月5日　発衛第360号〕
〔各都道府県知事宛　厚生事務次官通知〕

　理容師美容師法施行規則の一部を改正する省令が昭和31年10月1日厚生省令第48号をもって別紙のとおり公布されその一部は、直ちに施行されることとなった。
　今次改正は、理容師養成施設及び美容師養成施設の現況に鑑み、一層その経営の適正化及び教育内容の充実強化を図ることにより、養成施設本来の使命を十分発揮させることを主たる目的とし、その他理容師及び美容師試験を合理化すること等をその内容とするものであるから、各都道府県においてこれが趣旨の普及徹底を図るはもちろん、運用に当っては特に次の事項に御留意の上、改正省令の所期する目的達成に遺憾なきを期せられたい。

記

第1　改正の趣旨
　　理容師美容師法施行規則改正の主要点及び趣旨は次のとおりであること。
　一　養成施設の指定の申請については、従来ややもすれば養成施設設立の直前に至って、指定の申請をする向があり、これがため養成施設運用上支障を来すことのある現況に鑑み、今回指定の申請書の提出期限を定め、これらの傾向の是正を図ることとしたこと。
　　おって、指定養成施設が申請事項を変更しようとするときも申請書の提出期限が定められたが、これが運用は新規設立の場合の取扱に準ずること。
　二　養成施設の経営の適正化及び教育内容の充実強化を図る等の措置として、主として次の点につきこれが整備を図ったこと。
　　1　教科課程の全国的均衡を図るため、必修の教科課目の課目別授業時間数を定めるとともに、教育内容の充実を図るため、一部の課目について、その教員となるものの資格を改めたこと。
　　2　経営の適正化と生徒の経済的負担の軽減を図るため、入学料、授業料及び実習費の最高限を定め、また、生徒定員の最低限度を引き上げたこと。
　　3　養成施設における教育的機能を高めるため、その長の資格要件を定め、また実習室その他の設備基準を高めたこと。
　三　指定養成施設の実施状況等の届出事項の整備を図るとともに、理容師及び美容師試験の実施方法を合理化したこと。
第2　指定養成施設の運営について
　　指定養成施設が理容師美容師制度において占める意義の重要性特にその社会的公共性に鑑み、その本来の使命を十分に果すには、その運営の適正化を期する必要が特に痛感され、今回の省令改正もこの趣旨により行われたものであるが、なおこれが指導の徹底を図るためには、設立者が国及び地方公共団体の場合を除いては、私立学校法第3条の規定による学校法人、民法第34条の規定による公益法人その他営利を目的としない法人

組織によって運営されることが最も適切であると思料されるので、今後養成施設設立の場合の設立者は、原則的にはこの種法人組織とさせるよう強力に指導するとともに、既設の指定養成施設についても、でき得る限り速やかに法人に組織変更させるよう配意願いたいこと。
第3　その他の事項
　今回の省令改正において、既設の指定養成施設に対しては経過措置として、生徒定員及び施設設備等において若干の猶予期間を設けてあるが、本省令改正の趣旨からも速やかに、これが整備の措置を講じるよう指導されたいこと。

〇理容師美容師法施行規則の一部を改正する省令の施行について

〔昭和31年10月8日　衛発第675号　　　　　　　〕
〔各都道府県知事宛　厚生省公衆衛生局長通知〕

標記については、別途次官通知により通達されたところであるが、なお、下記事項につき御留意の上、その実施に遺憾ないようされたい。
　　　　　　　　　　　　　　　記
1　略
2　指定の基準に関する事項
　(1)　略
　(2)　教員のほか新たに養成施設の長についての資格要件が定められたが、ここにいう「もっぱら養成施設の管理の任に当ることのできるもの」とは、例えば大学の講師等非常勤の職との兼務は差支えないが、他の常勤の職との兼務はできない意であり、また「理容師又は美容師の養成に適当であると認められるもの」とは、例えば理容師美容師法の規定に違反し、あるいは刑法各条の罪の規定によって、有期刑に処せられたものその他養成施設の長として適当と認められないものがこの要件に合致しないものであること。（規則第11条第1号ニ）
　　なお、附則第3項の規定により指定養成施設に対しては昭和32年4月1日から適用されるものであること。
　(3)　略
　(4)　入学料、授業料及び実習費の額が制限されることとなったが、これは主として養成施設の経営の適正化及び軽減化を図ることを目的としたものであって、省令で規定する額はあくまでも最高限であるから、実際に各養成施設がこれらの費用を徴収するに当っては、本改正の趣旨に基き適当と認められる額でないかぎりその額の変更は承認できないものであること。なお、昼間課程及び夜間課程におけるこれらの額の例外措置は、極めて特殊の事情のある場合にのみ限って認められるものであるが、その具体的事項については別途通知するものであること。（規則第11条第1号ヘ及び第3号ハ）

第2編　理容師・美容師

(5)　生徒定員が100人以上に改正されたことにより、これが基準に合致しない指定養成施設は、附則第3項の規定により昭和34年9月30日までの間において普通教室の面積の拡充を行わねばならないこと。(規則第11条第1号ト及びワ)

(6)　実習室の面積の基準が理容師養成施設にあっては25坪、美容師養成施設にあっては20坪に引上げられ、また消毒室及び洗場の最低基準が設けられたが、これらの基準は附則第3項の規定により指定養成施設においても昭和34年9月30日までの間において合致させねばならないこと。(規則第11条第1号カ、ヨ及びタ)

3　変更の承認及び届出に関する事項

(1)　指定養成施設の「所在地の変更」及び「設立者の氏名の変更」は従来変更承認を要する事項とされていたのが、事務簡素化の趣旨に沿って今回届出事項に改められたこと。なお、ここにいう「所在地の変更」とは、市町村の境界変更、配置分合等による市町村名の変更の場合及び都市計画の施行による位置の変更の場合等のほか、養成施設の設立場所の移転の場合も含まれるが、ただ例えば移転に際し従前とは全く規模を異にした養成施設を設立した場合のごとく当該養成施設の機能の同一性を失うような「所在地の変更」は新たな指定手続を要するものであること。また「設立者の氏名の変更」とは、養子縁組等による設立者の氏名の変更の場合、個人立であったものが当該者を発起人とする法人立に改める場合、任意団体立であったものが、その役員を発起人とする法人立に改める場合等設立者の同一性を保持できる場合をいい、譲渡等設立者の同一性を失うような「設立者の変更」は、「所在地の変更」のときと同様新たな指定手続を要するものであること。(規則第12条第1項及び第13条)

(2)　今回入学の時期(規則第10条第1項第8号)を変更する場合、厚生大臣の承認を要する事項となったので、今後は生徒の定員、教科課程等に変更を及ぼさない単なる入学の時期のみの変更も承認手続を要するものであること。(規則第12条第1項)

(3)　申請事項の変更承認を求める場合、養成施設の設立者は、変更しようとする日の2箇月前までに経由庁である都道府県知事に申請書を提出しなければならないこととされたこと。(規則第12条第2項)

4　略

5　卒業証書に関する事項

卒業証書の記載事項中卒業者の住所及び養成課程の種別が必要事項でなくなったこと。(規則第16条)

なお、卒業者の本籍とは、都道府県名を記載することをもってたりるものであること。

6及び7　略

8　運用上留意すべき事項

1にもあるとおり、今回の改正により新たに指定を受けようとする養成施設の設立者は、4箇月前までに指定の申請をしなければならないこととなったが、理容師及び美容師の需給の均衡を図る上から、養成施設の適正配置は極めて望まれるところであり、これがため建築基準法に基く建築主事の確認を行う際、衛生主管部局と連絡をさせる等の

措置を講じさせることによって、その状況の把握に務めるとともに、また、当省に対してもでき得る限り早い機会に事実上、事前連絡をとるよう配意願いたいこと。

○美容師法等の施行について（依命通達）

〔昭和32年2月13日　厚生省発衛第29号〕
〔各都道府県知事宛　厚生事務次官通知〕

　美容師法は、去る第26国会において成立し、昭和32年法律第163号をもって公布、同年9月2日から施行され（美容師法の施行期日を定める政令（昭和32年政令第276号））、これに基き美容師法施行令が昭和32年政令第277号をもって公布、同年9月2日から施行され、また、理容師美容師法施行規則の一部を改正する省令及び美容師法施行規則が昭和32年厚生省令第42号及び第43号をもって公布、それぞれ即日施行されることとなったが、これが運用に関しては、特に次の事項に留意のうえ、遺憾なきを期せられたく、命によって通達する。

記

第1　法制定の趣旨
1　近時、文化生活の進展とともに、美容業もより高度の知識と技術を要求せられ、その内容において理容業とはかなり相異した面を生ずるに至っており、これがため、美容業を従前の理容師美容師法（昭和22年法律第234号。以下「旧法」という。）によって理容業とともに一括規制することは、最近の実態にかんがみて斯業の発展を阻害するおそれがあるのみならず、保健衛生上の立場からも幾多の不便を生ずる憂いなしとしないので、美容業に対し、理容業とは別個の法体系の下において規制を図ろうとする趣旨に基き、美容師法が制定されたものであること。なお、今回の法制定は、さしあたり、美容業及び理容業についてそれぞれ別個の法体系を確立することに主眼が置かれた関係からして、次に掲げる部分を除き、原則的には旧法に規定する制度内容が踏襲され、従って美容業及び理容業両者の制度内容を対比した場合、その大綱については差異がないものであること。

(1)　無免許営業者又は免許の取消処分を受けた者には免許を与えないことができることとして、欠格要件の整備が図られたこと（美容師法第3条第3項、理容師法第7条第2項）。
(2)　美容師又は理容師の美容師法又は理容師法の規定に違反する行為に対しての行政処分については、すべて第一次的には業務の停止をもってし、第二次的に免許の取消処分をもって臨むこととして、その合理化が図られたこと（美容師法第10条第2項及び第3項、理容師法第10条第2項及び第3項）。
(3)　美容師法第10条第1項若しくは第3項又は理容師法第10条第1項若しくは第3項の規定により免許の取消処分を受けた者であっても、当該疾病がなおり、又は改しゅんの情が顕著であるときは、再免許を与えることができることとして、これらの者に対する再起の機会が設けられたこと（美容師法第10条第4項、理容師法第10条

第4項)。
- (4) 美容師法及び理容師法の規定に違反する行為に対する罰則が整備されたこと（美容師法第18条及び第19条、理容師法第14条の4及び第15条)。
- (5) 美容師試験又は理容師試験における学科試験に合格した者に対しては、その後翌翌年の12月31日までに当該都道府県知事の行う学科試験に限って、これを免除されることとして、試験制度の合理化が図られたこと（美容師法施行令第2条第4項、理容師法施行令第5条第4項)。
- (6) 実地習練の開始の届出は、実地習練を行おうとする者が行うこととし、その際、実地習練の実施計画を記載した書類を提出することにより実地習練に計画性をもたせ、その効果を高める方途が講ぜられたこと（美容師法施行規則第17条、理容師法施行規則第17条)。

第2 運用上留意すべき事項
1 美容師及び理容師の免許関係の規定の整備された所以は、美容師及び理容師の資質の向上を期せんがためであるから、その厳正な執行を期するとともに、いやしくも、無免許者が美容又は理容を業として行うことのないよう指導の徹底に努められたいこと。
2 美容師試験及び理容師試験における学科試験と実地試験の関係が明確に区分されたことにともない、実地試験のみの受験者に対しては、各都道府県の実情に応じ、受験手数料を減額する等の措置を考慮し、受験者の負担の軽減化を図られたいこと。
3 実地習練の期間は、美容師又は理容師たるに必要な実技を修得するうえにおいて最も重要なものであるにもかかわらず、従来ややもすればその趣旨の不徹底から習練実施の不円滑を招きがちであったので、今回の制度内容の改正を機に、その指導者に対し、一段とこれが趣旨及び方法等につき周知徹底に努め、もって実地習練の実効を十二分に発揮するようその指導にあたられたいこと。なお、実地習練の実地計画の基準等については、別途指示する予定である。
4 美容師養成施設及び理容師養成施設における通信課程の生徒募集の回数制限が廃止された所以は、面接指導の方法の合理化を図り、その内容の向上を期せんとする趣旨のものであるから、これが指導に十分配意願いたいこと。

○美容師法等の施行について

［昭和33年2月13日　厚生省発衛第29号］
［各都道府県知事宛　厚生省公衆衛生局長通知］

標記については、別途厚生事務次官通達により指示されたところであるが、なお、次の事項につき御留意のうえ、その実施に遺憾ないようされたい。

記

第1 免許に関する事項
(1) 美容師及び理容師の免許申請手続が簡素化され、養成施設の卒業証書の写（又は卒

美容師法等の施行について

業証明書）及び実地習練の修了証書の写（又は修了証明書）の添付を要しないこととされたから、今後これらの事実の認定は、美容師試験及び理容師試験の際に行われたいこと（美容師法施行規則（昭和32年厚生省令第43号。以下「美容師規則」という。）第1条及び理容師法施行規則（昭和23年厚生省令第41号。以下「理容師規則」という。）第1条）。
(2) 美容師及び理容師の免許証の様式が改められたが、従前において交付されているものは、そのままで差し支えないこと（美容師規則第2条様式第2、理容師規則第2条様式第2）。
(3) 美容師及び理容師の免許証の書換、再交付、返還等に関しては、従来と同様に運用されたいこと（美容師規則第3条から第5条まで、理容師規則第3条から第5条まで）。

第2 養成施設に関する事項
(1) 理容師美容師法施行規則の一部を改正する省令（昭和31年厚生省令第48号）附則第3項に規定する美容師養成施設及び理容師養成施設（昭和31年10月1日現在において存している指定養成施設）に対する美容師規則第10条及び理容師規則第11条に規定する指定基準適用の猶予期限の取扱は、従前どおりであること（美容師規則附則第6項、理容師美容師法施行規則の一部を改正する省令（昭和32年厚生省令第42号。以下「改正省令」という。）附則第6項）。
(2) 美容理論及び実習並びに理容理論（実習を含む。）の課目の教員資格要件について、新たに短期大学卒業者又は大学の進学課程の修了者であって免許取得後1年以上の実務経験を有するものが適格者として加えられるとともに、免許取得後13年以上の実務経験を要する者については、実務経験年数が9年に短縮されたこと（美容師規則別表第2、理容師規則別表第2）。
(3) 通信課程の定員に関する特例承認制度が廃止されたが、昭和32年11月5日現在において存する指定養成施設であって、通信課程の定員及び1回の採用定員につき、改正省令による改正前の理容師美容師法施行規則（昭和23年厚生省令第41号）の当該規定に基いて厚生大臣から特に認められているものの通信課程の定員については、昭和32年11月5日現在、通信課程に入所中の生徒が卒業するまでの間は、当該規定に基いて認められた定員を勘案して、厚生大臣が定める特別の基準によることができることとされているので、必要と認められるときは、当該指定養成施設から特別基準設定の申請手続をとらせること。

　この特例措置は、改正前の規定に基いて特例を認められていた養成施設につき直ちに美容師規則第10条第1項第3号ハ又は理容師規則第11条第1項第3号ハの規定を適用すると、当該養成施設は、今後数期にわたって新たに採用する人員を縮小しなければならないか、又は採用することができない結果となるので、この結果を避けるため設けられたものであること（美容師規則第10条第1項第3号ハ、同規則附則第4項、理容師規則第11条第1項第3号ハ、改正省令附則第4項）。
(4) 美容師規則第10条第2項及び理容師規則第11条第2項の規定による特別基準の設定

第2編　理容師・美容師

は、原則として個個の養成施設につき行われるものであり、従って必要と認められるときは、従前どおり当該養成施設から設定申請の手続をとらせること。なお、改正省令による改正前の規定に基き厚生大臣から特に認められているものは、当分の間、特別基準が設定されているものとみなす取扱とされたこと（美容師規則第10条第2項、同規則附則第3項、理容師規則第11条第2項、改正省令附則第3項）。
(5)　指定養成施設の設立者が当該養成施設の運営に関し、都道府県知事に届出る事項が改められたので、従来不統一であった収支予算、決算等の届出を今後は一律に毎年4月1日から翌年3月31日までの期間を単位として提出させ、これに基いて養成施設の適切な運営を図るよう指導されたいこと（美容師規則第14条、理容師規則第14条）。
(6)　従来、養成施設の生徒の入所及び卒業に関する届出事項は、生徒の員数のみであったが、今後は、卒業の場合は卒業者の氏名及び生年月日に改められたこと（美容師規則第15条、理容師規則第15条）。

第3　試験に関する事項

　学科試験と実地試験の前後関係については、従前と全く同様の取扱であること。この場合において、学科試験に合格した者は、美容師法施行令（昭和32年政令第277号。以下「美容師令」という。）第2条第4項又は理容師法施行令（昭和23年政令第233号。以下「理容師令」という。）第5条第4項の規定によって、学科試験に合格した年の翌翌年の12月31日までに当該都道府県知事において行われる学科試験は免除されることとなるので、今後は学科試験合格証明書を発行する等の措置を講じ、学科試験合格の有無を明確にさせておくこと。なお、昭和32年9月1日以前において学科試験に合格した者についても同様の取扱をして差し支えないものであること（美容師令第2条、理容師令第5条）。

第4　実地習練に関する事項

　実地習練に関する届出は、実地習練を行おうとする者自らが行うことに改められたが、実地習練を行う美容所又は理容所を変更する都度、新たな届出を必要とし、この場合、必ず美容所又は理容所の開設者の同意書を添付しなければならないものであること（美容師規則第17条、理容師規則第17条）。

第5　美容所、理容所に関する事項

　美容所又は理容所の開設の届出事項に変更を生じた場合、その内容が新たな美容師又は理容師の使用であるときは、届書にその者の伝染性疾患の有無についての医師の診断書を添付させることとしたこと（美容師規則第21条、理容師規則第20条の2）。

○理容師法施行規則等の一部を改正する省令の施行について

〔昭和33年12月15日　衛発第1,147号〕
〔各都道府県知事宛　厚生省公衆衛生局長通知〕

理容師法施行規則等の一部を改正する省令が昭和33年12月8日厚生省令第45号をもって

別紙のとおり公布され、昭和34年1月1日から施行されることとなった。今回の改正は、理容師養成施設及び美容師養成施設の現況にかんがみ、通信課程の授業料及び定員に関する経過措置について改訂を加え、経営の適正化及び教育内容の充実強化を図らんとするものであって、その内容は下記のとおりであるから、関係養成施設にこれが趣旨の周知徹底を行い、改正の所期の目的達成に遺憾なきを期せられたい。

記

1　理容師養成施設及び美容師養成施設通信課程の授業料について、現行授業料をもってしては必ずしも教育内容及び効果の万全を期し難い状況にあるので、これを月額330円に改訂し、昭和34年1月1日より実施するものとしたこと（理容師法施行規則第11条第1項第3号及び美容師法施行規則第10条第1項第3号）。

2　昭和32年2月1日において現に存する理容師養成施設及び美容師養成施設の定員については、昭和34年9月30日までに従前の例により100人未満とすることが認められているが、その後の状況をみるに現在なお相当数が経過措置によっており、昭和34年9月30日までにすべての養成施設が定員を改めることは困難な実情にあるので、この際この経過措置を当分の間に改めたこと（理容師美容師法施行規則の一部を改正する省令（昭和31年厚生省令第48号）附則第3項及び美容師法施行規則附則第6項）。従って、該当養成施設に対してはいたずらに定員増加のための施設増改築を行うよりもむしろ教育内容の質的向上に努めるよう御指導願いたいこと。

別紙　略

○理容師法施行規則の一部を改正する省令及び美容師法施行規則の一部を改正する省令の施行について

［昭和36年10月23日　環発第201号
各都道府県知事・各指定都市市長宛　厚生省環境衛生局長通知］

　理容師法施行規則の一部を改正する省令及び美容師法施行規則の一部を改正する省令は、それぞれ昭和36年10月18日厚生省令第42号及び厚生省令第43号をもって、別紙のとおり公布され、その一部はただちに施行されることとなった。

　今回の改正は、最近における理容師養成施設及び美容師養成施設の経営上の諸条件の変動に対応して、その経営の基盤を安定させ、その教育内容の適正化を図ること、並びに最新の学問的研究の成果に基づき理容業及び美容業における衛生措置の実施基準の合理化を図ることを主たる目的とするものであるが、各都道府県及び各指定都市においては、関係者に対し、その趣旨の普及徹底を図ることはもちろん、運用にあたってはとくに次の事項に留意の上、改正の目的の達成に遺憾のないよう処せられたく、通知する。

記

第1　改正の要旨

第2編　理容師・美容師

一　理容師養成施設及び美容師養成施設の授業料の額は、従来、それぞれ、昼間課程及び夜間課程については昭和31年以来月1500円以内、通信課程については昭和34年以来月330円以内とされてきたのであるが、その後における諸物価、人件費の高騰等により経営上の諸条件にかなりの変動が生じ、このため、養成施設の適正な運営が困難となっているものもある状況にあるので、今回、養成施設の指定基準の一部を改め、授業料の額を昼間課程及び夜間課程については月2000円以内に、通信課程については月400円以内に改訂したこと（理容師法施行規則第11条第1項第1号及び第3号並びに美容師法施行規則第10条第1項第1号及び第3号）。なお、施行の期日は、それぞれ、養成施設への入所時期、実施のための準備期間等を勘案して、通信課程についてはこれら省令の施行の日から、昼間課程及び夜間課程については昭和37年4月1日からとしたこと。

二　従来、理容師が理容の業を行なう場合又は美容師が美容の業を行なう場合における皮ふに接する器具の消毒のために認められてきた方法のうち、蒸気消毒の方法については、消毒しようとする器具を30分間以上摂氏100度をこえる湿熱にふれさせなければならない旨定められていたのであるが、その後理容所及び美容所で使用されている器具の実態について実験検討を加えた結果、この基準をある程度緩和しても、理容所及び美容所の器具について殺菌消毒効果が確保されることが明らかにされるにいたったので、今回これを湿熱にふれさせなければならない時間については10分間以上に、湿熱の温度については80度以上に改めたものであること（理容師法施行規則第1項第2号及び美容師法施行規則第1項第2号）。

三　従来、紫外線による消毒方法は、理容師が理容の業を行なう場合又は美容師が美容の業を行なう場合における皮ふに接する器具の消毒方法のうちに加えられていなかったのであるが、その後の研究によって、この方法についても、それが適正な方法によって行なわれる限りは従来認められてきた消毒方法に比してなんら遜色のない消毒効果は得られること及び器具の種類によっては、この紫外線消毒が消毒の効果が大きいことが明らかにされ、さらに適当な消毒器具の量産も可能とされるにいたったので、これを皮ふに接する器具の消毒方法のうちに加えたこと（理容師法施行規則第22条第1項第8号及び美容師法施行規則第23条第1項第8号）。

四　従来、理容所又は美容所に必要な措置のうち、採光、照明及び換気の実施基準は、なんら具体的には示されていなかったことから、運用上種々の不便を招いていたので、今回、これらの措置の実施基準として、照明及び採光については理容又は美容のための直接の作業を行なう場合の作業面の照度を100ルクス以上とし、換気については理容所又は美容所内の空気1リットル中の炭酸ガスの量を5立方センチメートル以下に保たなければならない旨定めたこと（理容師法施行規則第23条の2及び美容師法施行規則第24条の2）。なお、関係営業者のうちには、これらの措置を講ずるために、営業施設の構造設備等の改善を必要とする者があることも予想されるので、準備期間をおいて、昭和37年10月1日から実施するものとしたこと。

第2　運用上留意すべき事項

一　今回の養成施設の授業料の最高額の改訂に伴ない、相当数の養成施設から授業料の変更の承認の申請が提出されるものと予想されるが、従前どおり、授業料の変更は養成施設の適正な経営を確保するため、真に必要があると認められる場合に限り承認されるものであるから、養成施設の経営者に対して、この趣旨の徹底を図るとともに、申請書の提出があった場合にはその取扱について慎重を期すること。
二　今回の改正によって、皮ふに接する器具の消毒方法として紫外線消毒の方法を新たに加え、及び従来認められていた消毒方法のうち、蒸気消毒の実施基準を改訂したのは、あくまでも、理容及び美容に関する衛生措置基準の合理化を図り、その一層の徹底を期するためであることに十分留意の上、今後の営業者の監督指導に遺憾のないよう努められたいこと。なお、皮ふに接する器具の消毒は、及ぶ限り、当該器具に適した消毒方法によることが望ましく、営業者に対してかかる方向での指導を行なうよう努められたいこと。
三　理容所及び美容所の採光及び照明並びに換気の実施基準の施行は、昭和37年10月1日からとされているが、この施行後において、この基準に適合しない営業施設の生じないよう営業者に対して事前に十分指導されたいこと。
　なお、今回採光及び照明並びに換気の実施基準が省令によって規定されたことに伴ない、従来、都道府県又は市の規則によりこれらの実施基準を定めてきた都道府県又は市においては、今回の改正省令の規定の施行期日までに、都道府県又は市の規則の相当規定を削除する等必要な整理を行なわれたいこと。

別紙　略

○理容師法施行令の一部を改正する政令等の施行について

〔昭和38年8月9日　環発第330号〕
〔各都道府県知事宛　厚生省環境衛生局長通知〕

　理容師法施行令の一部を改正する政令及び美容師法施行令の一部を改正する政令が昭和38年7月16日政令第260号及び第261号をもって、理容師法施行規則の一部を改正する省令及び美容師法施行規則の一部を改正する省令が昭和38年7月27日厚生省令第33号及び第34号をもって、また、理容師法施行規則及び美容師法施行規則の一部を改正する省令が昭和38年8月1日厚生省令第35号をもって、それぞれ別紙2のとおり公布され、その一部は来る8月16日から、また、その他は来る10月1日から施行されることとなった。今回の改正の主な内容及び目的は、時代の要求に即して理容師養成施設及び美容師養成施設（以下「養成施設」という。）における教育内容の改善充実を図りもって理容師及び美容師の資質の向上を図ること並びに養成施設の内容変更の承認に関する権限の一部を都道府県知事に委任する等養成施設に関する事務を極力簡素化することにあるが、各都道府県におかれては、権限委任に伴う事務処理態勢の整備、関係者に対する制度改正の趣旨の徹底等に努められるとともに、その運用にあたってはとくに次の事項に留意して、遺憾のないように

第2編　理容師・美容師

されたい。

記

第1　養成施設に係る事務処理手続の簡素化に関する事項
  (1) 従来、養成施設の内容を変更する場合に厚生大臣の事前承認を要した事項の大部分を次のとおり都道府県知事に委任し、あるいは事後届出で足りることとしたが、これは行政事務手続を簡素化して養成施設の内容変更が実情に応じ速やかに行ない得るようにし、もって業務の円滑な運営に資するために行なったものである。これによって養成施設の負担が軽減されることになるが、このことがいやしくも法令を軽視する傾向を生ずることとなってはならないのであって、むしろ、今回の改正を機として管下の養成施設に対する指導監督を一層強化し、従来散見された法令に定められている義務を怠り、又は法令に違反するような状況を一掃するよう格段の努力を払われたいこと。
  (イ) 従来、厚生大臣の承認を得なければならないとされていた養成施設の入学料、授業料若しくは実習費の額若しくは通信課程における面接指導の方法の変更、又は施設の構造設備の変更（生徒の定員を変更するためのものを除く。）については、今回の改正後は、都道府県知事の承認を得るものとし、（理容師法施行令第2条第3項及び美容師法施行令第4条第3項の新設）この場合における都道府県知事に対する内容変更の承認の申請手続に関しては、新たに理容師法施行規則第12条の2及び美容師法施行規則第12条に、それぞれ第2項を新設してこれを規定したこと。ここに「通信課程における面接指導の方法」とは、面接指導の実施の時期、時間及び場所、使用する教材、学級編成等をいうものであること。なお、入学料、授業料及び実習費の額の変更の申請については、特に著しく不当と認められない限り承認して差しつかえないこと。
  (ロ) 従来、厚生大臣の承認を要することとされていた養成施設の学級数、修業期間、教科課程及び通信課程修了の認定方法の変更については、厚生大臣に対して届出を行なえば足りることとし、また、同じく従来厚生大臣の承認を要することとされていた通信課程における通信養成を行なう場所の変更及び理容所又は美容所の従業者である生徒に対する通信課程に係る面接指導の総時間数の短縮については、承認の制度を廃止しただけではなく、これらに関する行政庁への届出をもとくに要しないものとしたこと。
  (ハ) 従来、通信課程における面接指導の場所については、当該養成施設の校舎であることが原則とされ、この原則によりがたい特別の事情があると認められるときは厚生大臣が特別の基準を設定することができるとされていたが、従来の運用の実績及び面接指導の特殊性を考慮して、今回、特別の基準の設定をまつことなく、当該養成施設の校舎において面接指導を行なうことが困難であると認められる生徒については、他の養成施設その他適当と認められる施設で面接指導を行なうことができるよう指定基準を改めたこと（理容師法施行規則第11条第1項第3号ヘ(6)ただし書及び美容師法施行規則第10条第1項第3号ヘ(6)ただし書の追加）。なお、通信課程を

新設しようとする養成施設がこのただし書の規定の適用を受けようとするときは、指定申請書又は課程新設承認申請書にその場所及び使用する施設の概況を記載するものとし、また、既に通信課程を設置している養成施設が新たにこの規定の適用を受けようとするときは、面接指導の方法の変更に関して都道府県知事の承認を得なければならないのであること。この場合において、承認申請を受けた都道府県知事は、充分調査を行ない、承認を行なうこと。なお、その承認の基準は、昭和32年12月17日衛環発第76号各都道府県知事あて厚生省環境衛生部長通知「理容師養成施設及び美容師養成施設における通信課程の面接指導を行なう場所について」に掲げるところによること。
(2) 以上の改正は、いずれも昭和38年8月16日から施行されるものであるが、今回の改正による事務処理の変更に伴う経過的措置は次によられたいこと。
　(イ) 都道府県知事にその承認の権限が委任された事項に係る養成施設の内容変更（面接指導の場所に係る特別の基準の変更を含む。）であって、その変更の時期が同日以降であるものに係る申請書についてはすでに厚生大臣に進達済みのものを除き、都道府県知事において承認を行なうよう所要の措置を講ぜられたいこと。なお、この場合において申請先を都道府県知事に改めさせる必要はないこと。
　(ロ) 従来その変更について厚生大臣の承認を要した事項であって今回の改正により行政庁の承認を要しないものとされた事項に係る変更承認申請書がすでに提出されている場合又は今後提出された場合は、その変更の時期が昭和38年8月16日以降であるときは、それぞれ今回の改正内容に応じ、その変更を生じたときに厚生大臣あてに届出をしなければならない旨又は変更承認を要しなくなった旨を付記して、一件書類を申請者あてに返戻されたいこと。
第2 養成施設の必修の教科課目の追加に関する事項
(1) 従来、養成施設の必修の教科課目は、もっぱら保健衛生並びに理容又は美容の施術に関する知識及び技能を教授するための課目によって構成されていたのであるが、最近の社会情勢の変化及び類似の技能者養成制度の現状からみて、理容師又は美容師の資質の一層の向上を図り、その業務を公共の福祉に適合せしめるには、これらの知識及び技能のほか、その養成の課程において理容又は美容の業務の実態に即した体系的な社会知識及び教養を授け、かつ、これを通じて人格の円満な形成及び職業倫理の確立を図る必要があると認められるので、ここに必修の教科課目として、在来の8課目のほかに、新たに社会を加えることとしたこと（改正後の理容師法施行令第1条第3号チ及び改正後の美容師法施行令第3条第3号チ）。しかしながら、社会については、その内容の特殊性にかんがみ、理容師試験及び美容師試験の試験科目とはしなかったこと。
(2) 社会の担当教員の資格については、別表第2に新たに規定したが、その教科内容がきわめて複雑であり、かつ、多岐にわたることにかんがみ、努めてその教科内容の各部門ごとに、それぞれその教授を行なうにふさわしい学識経験を有する者をもって当てることが望ましいこと。なお、社会の担当教員については、資格認容の制度を設け

たが、これは施設長、理容理論及び実習又は美容理論及び実習の教員等のうち、適当と認められるものについて、厚生大臣の認定する一定の研修の課程を履ませて、これに社会の教員の資格を与え、社会の教科内容のうち、理容又は美容の歴史、美学、職場における人間関係、職業倫理等の部門の教授に当たらせようという趣旨に出たものであること。なお、この趣旨に沿って、近く社団法人日本理容美容教育センター（旧日本理容美容通信教育サービスセンター）主催の研修会につき、この認定を行なう予定であること。
  (3) 社会を養成施設の必修の教科課目とする改正規定は、来たる10月1日から施行されるが、同日現在、養成施設に入所中の生徒については、これを必修の教科課目としないことができるものであること。
第3 養成施設の教科課程の基準の設定について
  (1) 従来、養成施設の教科内容については、昭和27年2月26日衛発第150号厚生省公衆衛生局長通知「厚生大臣指定の理容師美容師養成施設教科内容細目の決定について」をもって、その基準を示してきたところであるが、その後における理容業及び美容業の業態の変化、教育技術の進歩、或いは今回の必修教科としての社会の追加等の事情により、その内容はかなり現状に即しなくなっているので、かねてから、当省においては、これに代るべきものとして、養成施設の教科課程の基準の設定の準備を進めてきたのであるが、このたび、その成案を得たので、今後は養成施設における教科課程の編成及び実施については、この厚生大臣の定める基準によらなければならないものとしたこと（昭和38年8月1日厚生省令第35号による理容師法施行規則第12条及び美容師法施行規則第11条の改正）。なお、この養成施設の教科課程の基準は、近く厚生省告示をもって設定し、来たる10月1日からこれを施行する予定であるので、その設定後は、各養成施設における必修教科課目の学習指導がこれに準拠して適正に行なわれるよう御配意を願いたいこと。また今後は、理容師試験及び美容師試験の問題は、主としてこの教科課程の基準に示された必須学習事項であって、同基準において「…………を学ばせる。」、「…………を理解させる。」、或いは「…………に習熟させる。」等重要事項として取り扱っているもののうちから選択するようにされたいこと。
  (2) 来たる10月1日現在、現に養成施設に入所中の生徒に係る教科課程については、教科課程の基準の設定後もなお従前の例によることができるのであるが、これらの生徒に対する学習指導についても及ぶ限り、教科課程の基準の趣旨に沿って行なうよう養成施設に対して指導されたいこと。
第4 養成施設の指定基準の変更について
  (1) 理容師法施行規則第11条第1項第1号イ及び美容師法施行規則第10条第1項第1号イの改正規定は、いずれも教科課程の基準の設定及び必修教科課目としての社会の追加に伴い、従来の総授業時間数1200時間の枠内で、教科課程の基準設定後における各教科ごとの適正な学習量を考慮して各必修教科課目の授業時間数の再配分を行なったものであること。
  (2) 理容師法施行規則第11条第1項第3号2及び美容師法施行規則第10条第1項第3号

2の規定の改正は、通信課程の授業料の額を改訂したものであるが、これは主として最近における印刷代の騰貴により通信課程の教材の作成及び配布の費用が著しく増大しつつあること。さらには新たに社会が設けられたことにより通信指導及び添削指導に要する費用の増加が予想される等の事情を考慮したものであること。したがって、近日中に通信課程を有する養成施設から各都道府県知事あてに、授業料の額の変更の承認申請がなされるものと思われるが、通信課程の生徒に対する指導が、面接指導を除き、全国的に統一的に実施されている実情を勘案の上、その処理に当たっては、養成施設間の授業料の額の均衡を保持するよう努められたいこと。
(3) 養成施設の伝染病学（細菌学を含む。）及び公衆衛生学の教員の資格は、従来、医師についてのみ認められていたが、今後は、国立公衆衛生院において正規課程の衛生技術学科を修了した薬剤師、歯科医師又は獣医師についてもこの資格を認めることとしたこと（理容師法施行規則別表第2及び美容師法施行規則別表第2の改正）。
(4) 従来、美容師法施行規則別表第3中には美容師養成施設に備えなければならない設備としてパーマネントマシンが掲げられていたのであるが、近年、このパーマネントマシンを用いてするパーマネントウエーブの方法がほとんど行なわれなくなったので、今回同表を改めてパーマネントマシンを美容師養成施設に備えなければならない備品のうちから落したこと。

第5 試験及び免許に関する事項
(1) 従来、理容師試験及び美容師試験の学科試験の課目は、6課目とされており、養成施設における必修の教科課目とは内容においては一致をみていたものの形式的には対応していなかったのであるが、今回の改正を機にこれを8課目制に改めたこと（理容師法施行規則第19条第1項各号及び美容師法施行規則第19条第1項各号の改正）。
(2) 理容師免許申請書及び美容師免許申請書の様式をたて書に改めることとしたが、都道府県、養成施設等において従来の様式による申請書の用紙を保有する場合においては、当分の間これを用いてもさしつかえないものであること（理容師法施行規則様式第1及び美容師法施行規則様式第1の改正）。

第6 その他
(1) 従来、養成施設の入所者については、その数のみを都道府県知事に届け出ることとされていたが、今回の改正によって、卒業者の場合と同様、その氏名及び生年月日についてもこれを届け出なければならないものとし、養成施設の監督の強化を期したこと（理容師法施行規則第15条及び美容師法施行規則第15条の改正）。
(2) 従来、養成施設に寄宿舎の設備があるときは、その室数、管理者の氏名等は、指定申請書の記載事項、変更したときの届出事項とされていたのであるが、今回このうち管理者の氏名についてはこれらの事項から除外したこと。しかしながら、今後とも、寄宿舎の管理についてはその適正化を期されたいこと（理容師法施行規則第10条第1項第12号及び美容師法施行規則第9条第1項第12号の改正）。
(3) 今回の改正により、養成施設の教科課程については、厚生大臣の定める教科課程の基準によらなければならないこととなったこと。及び必修の教科課目に社会が加えら

第2編　理容師・美容師

れたことに伴い、通信課程の教材及び面接指導に係る単位及び単元を改訂する必要があるので、近くこれを告示する予定であること。
(4)　先に昭和31年3月30日衛環発第12号各都道府県知事あて厚生省環境衛生部長通知「理容師養成施設及び美容師養成施設の運営について」において、通信課程の通信教材による単位取得については、社団法人日本理容美容教育センターが、各養成施設に対しては「卒業単位修得者一覧表」を送付し、また、各生徒に対しては「単位修得証明書」を交付するので、通信課程の卒業生の修了認定の指導監督等にあたってはこれを参照の上行なうこととされたい旨指示したところであるが、今回の改正に伴い、同法人では、「単位修得証明書」の様式を別紙1のとおり改めたので、これに留意されたいこと。

別紙2　略

理容師法施行令の一部を改正する政令等の施行について

別紙1

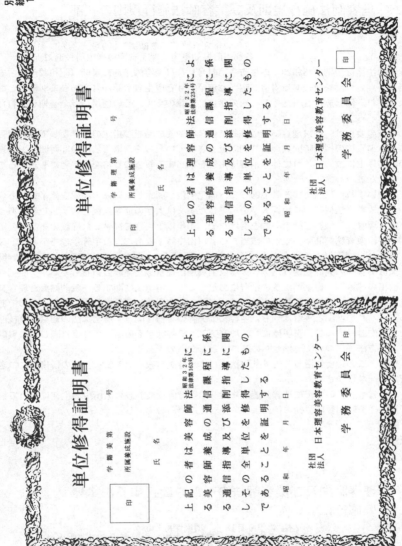

353

○理容師法施行規則及び美容師法施行規則の一部を改正する省令の施行について

〔昭和42年8月24日　環衛第7,090号
各都道府県知事宛　厚生省環境衛生局長通知〕

　理容師法施行規則（昭和23年厚生省令第41号）及び美容師法施行規則（昭和32年厚生省令第13号）の一部を改正する省令が昭和42年7月4日厚生省令第20号をもって別紙のとおり公布され、即日施行されたので、次の諸点に留意のうえ、その運用に万全を期せられたい。

1　改正の要点は、従来理容師養成施設又は美容師養成施設の指定の基準として教科課目のうち消毒法の授業時間数が50時間以上とされていたのを、消毒法理論35時間以上実習15時間以上に改め、これに伴い消毒法実習を担当する教員の資格を次の者にも認めることとしたことである。

　　次のいずれかに該当する者であって、厚生大臣が認定した研修の課程を修了したもの
　(1)　学校教育法に基づく短期大学を卒業した者又は大学の進学課程を修了した者であって、理容師又は美容師の免許を受けた後、1年以上実務に従事した経験のあるもの
　(2)　学校教育法第56条の規定に該当する者（旧中等学校令による中学校を卒業し、又はこれと同等以上の学力を有すると文部大臣が認めた者を含む。）であって、理容師又は美容師の免許を受けた後、3年以上実務に従事した経験のあるもの

2　改正の趣旨は、従来消毒法の学習にあたっては、消毒法に関する一般的知識と理容又は美容の実務に関連する消毒法の知識及び技能とが明確に区分されていなかったのであるが、これを理論と実習に分ち、理容又は美容の実務に関連する消毒法の知識及び技能を学習内容とすることを明確にし、理容師又は美容師がその業を行なうに際しての実際の消毒方法等について習熟せしめることとしたものである。

　　なお、この趣旨に沿って近く社団法人日本理容美容教育センター主催の研修会につき認定を行なう予定である。

3　この省令施行の際現に理容師養成施設又は美容師養成施設に入所中の生徒について消毒法の授業時間数は従前の例によって差支えないものである。

4　略

別紙　略

○理容師法及び美容師法の一部を改正する法律等の施行について

〔昭和43年9月18日　環衛第8,140号
各都道府県知事・各政令市市長宛　厚生省環境衛生局長通知〕

　理容師法及び美容師法の一部を改正する法律（以下「改正法」という。）が昭和43年6

理容師法及び美容師法の一部を改正する法律等の施行について

月10日法律第96号をもって、また、理容師法施行規則及び美容師法施行規則の一部を改正する省令（以下「改正省令」という。）が昭和43年9月10日厚生省令第39号をもって、それぞれ別紙1及び2のとおり公布され、ともに昭和43年9月10日から施行された。今回の改正は、一定規模以上の理容所又は美容所について、所定の資格を有する管理者（「管理理容師」又は「管理美容師」という。）を置くことにより、当該理容所又は美容所における理容又は美容の業務を含めて、その衛生の確保を図ることを目的として行なわれたものであるが、改正の要旨及び運用上留意すべき事項は下記のとおりであるので、これらの趣旨等を御了知のうえ、改正法令の運用に遺憾のないようにされたい。

記

第1　改正の要旨
1　理容師又は美容師である従業員の数が常時2人以上である理容所又は美容所の開設者は、当該理容所又は美容所（当該理容所又は美容所における理容又は美容の業務を含む。）を衛生的に管理させるため、理容所又は美容所ごとに管理者（以下「管理理容師」又は「管理美容師」という。）を置かなければならないこととしたこと（理容師法第11条の3第1項、美容師法第12条の2第1項）。
2　都道府県知事（保健所を設置する市にあっては、市長とする。以下同じ。）は、管理理容師又は管理美容師を置かなければならない理容所又は美容所の開設者が、管理理容師又は管理美容師を置かなかったときは、期間を定めて理容所又は美容所の閉鎖を命ずることができることとしたこと（理容師法第14条第1項、美容師法第15条第1項）。
3　理容所又は美容所を開設しようとする者は、管理理容師又は管理美容師の氏名その他必要な事項をあらかじめ都道府県知事に届け出なければならないこととしたこと（理容師法第11条第1項、美容師法第11条第1項）。
4　理容師法第11条第2項及び美容師法第11条第2項中「規定により届け出た事項」を「規定による届出事項」に改め、理容所又は美容所が、改正法の施行により、又は改正法の施行後に、管理理容師又は管理美容師を置かなければならない理容所又は美容所となった場合に、開設者に、管理理容師又は管理美容師の氏名その他必要な事項を届け出させることとしたこと。
5　管理理容師及び管理美容師制度の創設に伴い、理容所又は美容所の開設の届出及び届出事項の変更の届出に関する理容師法施行規則及び美容師法施行規則の規定を改めたこと（理容師法施行規則第20条、第20条の2、美容師法施行規則第20条、第21条）。
第2　運用上留意すべき事項
1　管理理容師及び管理美容師について
(1)　管理理容師及び管理美容師は、理容師又は美容師の免許を受けた後3年以上理容又は美容の業務に従事し、かつ、厚生大臣の定める基準に従い都道府県知事が指定した講習会の課程を修了した者（以下「講習会修了者」という。）でなければならないが（理容師法第11条の3第2項、美容師法第12条の2第2項）、その資格制限

第2編　理容師・美容師

については、附則により猶予期間を設け、昭和46年12月31日までは、理容師又は美容師であれば誰でも管理理容師又は管理美容師となることができるとされていること（改正法附則第2項）。しかしながら、法改正の趣旨からみて、できるだけ早い機会に講習会修了者を管理理容師又は管理美容師にあてるように指導されたいこと。なお、都道府県知事の指定する講習会の指定基準等講習会に関する事項は、おって通知する予定であること。
　(2)　同一人が、同時に2以上の理容所又は美容所の管理理容師又は管理美容師となることはできないこと。
2　理容所及び美容所の開設の届出及び届出事項の変更の届出に係る届書に添付すべき書類について
　(1)　管理理容師又は管理美容師を置かなければならない理容所又は美容所の開設の届出及び届出事項の変更の届出に係る届書には、管理理容師及び管理美容師につき、講習会修了者であることを証する書類（以下「修了証」という。）を添えなければならないこととしたこと（理容師法施行規則第20条第3項、第20条の2、美容師法施行規則第20条第3項、第21条）。しかしながら、昭和46年12月31日までは、経過的措置として、講習会修了者以外の理容師又は美容師を管理理容師又は管理美容師にあてることが認められているので、その場合には添えることを要しないとしたものであること（改正省令附則第2項）。従って届出時において、当該管理理容師又は管理美容師が講習会修了者である場合は、修了証を添えさせることはもとより、届出後に当該管理理容師又は管理美容師が、講習会修了者に該当するに至った場合にも、すみやかに修了証を提出するように指導されたいこと。
　(2)　昭和47年1月1日以降は、管理理容師又は管理美容師はすべて講習会修了者でなければならないので、同日現在における管理理容師又は管理美容師に係る修了証が同日までに提出されていない場合は、当該理容所又は美容所の開設者は、同日以降すみやかに修了証を提出しなければならないこととしたこと。なお、同日以降開設する予定の理容所又は美容所であって、同日以前に届書が提出されているものの開設者については、開設の日以降、すみやかに同様な手続をとるべきことが定められていること（改正省令附則第3項）。
3　その他
　管理理容師及び管理美容師制度の創設に伴い、従来の管理人に関する届出は廃止したこと（理容師法施行規則第20条第1項第2号、美容師法施行規則第20条第1項第2号）。
別紙1・2　略

◯理容師法施行規則及び美容師法施行規則の一部改正について

[昭和44年8月20日　環衛第9,119号
各都道府県知事宛　厚生省環境衛生局長通知]

　昭和43年10月8日閣議決定された「行政改革計画（第1次）について」に基づき、「児童福祉法施行規則等の一部を改正する省令」が昭和44年7月1日厚生省令第17号をもって別添のとおり公布され、即日施行されたが、その中で理容師法施行規則及び美容師法施行規則の一部が改正された。今回の改正は行政改革の一環として許可、認可等に関する事務の簡素合理化を図ることを目的として行なわれたものであるが、改正の要旨は下記のとおりであるので、これが取扱いに遺憾のないようにされたい。

　なお、報告事務の簡素化のため、「環境衛生関係営業の運営の適正化に関する法律の施行状況の報告について」（昭和35年1月20日衛環発第2号環境衛生部長通知）のうち環境衛生同業組合の定款変更の報告、都道府県環境衛生適正化審議会委員等の異動報告及び適正化規程審議状況報告に係る部分は廃止することとしたので、あわせて通知する。

記

1　理容師養成施設及び美容師養成施設の指定申請書の添付書類のうち、設立者の履歴書（法人又は団体にあっては、定款、寄附行為その他の規約）及び養成施設の長の戸籍抄本は添付することを要しないこと。従って、定款、寄附行為その他の規約の変更についても届け出ることを要しないこと。
2　理容師養成施設及び美容師養成施設の指定申請書には、養成施設の長の住所及び寄宿舎に関する事項を記載する必要はないこと。
3　理容師又は美容師の指定養成施設の長の変更の届出にあたっては、新たに長となった者の戸籍抄本は添えることを要しないこと。
4　理容師又は美容師の指定養成施設の生徒の入所又は卒業の届出は、その数を届け出れば足りること。

別添　略

◯理容師法及び美容師法の一部を改正する法律の一部を改正する法律等の施行について

[昭和46年12月27日　環衛第218号
各都道府県知事・各政令市市長宛　厚生省環境衛生局長通知]

　理容師法及び美容師法の一部を改正する法律（昭和43年法律第96号）の一部を改正する法律が昭和46年12月27日法律第128号をもって、また、理容師法施行規則及び美容師法施行規則の一部を改正する省令（昭和43年厚生省令第39号）の一部を改正する省令が同日厚生省令第44号をもって、それぞれ別紙1及び2のとおり公布され、ともに即日施行され

た。
　その内容は、管理理（美）容師について、昭和46年12月31日までは、経過措置として理（美）容師の資格のみで足りることとされていたが、管理理（美）容師の講習会の受講の状況等にかんがみ、この経過措置の期限を昭和47年12月31日まで1年間延長する（以上法律関係）とともに、管理理（美）容師に関する届出について、講習会修了証の添付・提出を要しない期限を同様に1年間延長した（以上省令関係）ものである。
別紙1・2　略

○地方自治法の一部を改正する法律等の施行に伴う環境衛生関係事務の一部の特別区への移行について

　　　　　　　　　　　　　　　　　　　　　　　　昭和49年11月14日　環企第121号
　　　　　　　　　　　　　　　　　　　　　　　　東京都知事・各特別区区長宛　厚生省環境衛生局長通知

　昭和49年6月1日法律第71号をもって地方自治法の一部を改正する法律が、同月10日政令第203号をもって地方自治法施行令の一部を改正する政令が、それぞれ公布され、貴職においても所要の措置を講じられていることと思料されるが、これらの改正は、環境衛生行政関係事務の一部の特別区への移管を伴うものであり、数か月後の施行を控えるところとなったので、以下の事項に留意のうえ、遺憾のないようにされたく、通知する。

第1　地方自治法改正及び地方自治法施行令改正の内容
　　今般の地方自治法等の一部改正の趣旨は、特別区の区長の選挙制の採用、都及び特別区間の事務の再配分等を行うこととするものであるが、とくに都及び特別区間の事務の再配分に関しては、特別区又は特別区の区長は、当分の間原則として保健所を設置する市（以下「政令市」という。）に属する事務又は保健所を設置する市の市長（以下「政令市の市長」という。）の権限に属する事務を処理し、又は管理し、及び執行することとされ、これに伴い、従来都又は都知事が行うこととされていた環境衛生関係の事務の一部を特別区又は特別区の区長が行なうこととなったこと。ただし、これらの事務のうち、事務の広域性、事務処理の現状等の理由によって、都又は都知事が行うことが適当であると考えられるものについては、従来どおり、都又は都知事が処理し、又は管理し、及び執行することとされたこと。
　　なお、今回の改正による環境衛生関係の事務の配分は、下記第2から第4のとおりであること。

第2　特別区又は特別区の区長が処理することとなる事務（第4の関係を除く。）
　　次に掲げる法律又は政令に定める政令市に属する事務又は政令市の市長の権限に属する事務は、特別区又は特別区の区長が処理し、又は管理し、及び執行することとされたこと。
　(1)　興行場法（第5条関係）

(2) 公衆浴場法（第6条関係）
(3) 旅館業法（第7条関係）
(4) 理容師法（第17条の2の規定により読み替えて適用される第9条第2項、第10条第2項、第11条、第11条の2、第13条第1項、第14条第1項及び第14条の2関係）
(5) 理容師法施行令（第8条第2項関係）
(6) 美容師法（第22条の規定により読み替えて適用される第9条第2項、第10条第2項、第11条、第12条、第14条第1項、第15条及び第16条関係）
(7) クリーニング業法（第14条の規定により読み替えて適用される第5条、第5条の2及び第9条から第13条まで関係）
(8) へい獣処理場等に関する法律（第6条関係）
(9) 墓地埋葬等に関する法律（第19条の2の規定により読み替えて適用される第18条及び第19条関係）

第3 都又は都知事が処理する事務（第4の関係を除く。）

　次に掲げる法律又は政令に定める政令市に属する事務又は政令市の市長の権限に属する事務は、事務の広域性、事務処理の現状等を総合的に勘案し、従来どおり、都又は都知事が処理し、又は管理し、及び執行することとされたこと。

(1) 狂犬病予防法（第25条の規定により読み替えて適用される第2条第2項、第3条第1項、第4条第1項、第2項及び第4項、第6条第2項、第5項及び第10項、第10条、第13条から第19条まで、第21条並びに第23条関係）
　なお、同法第4条第1項の規定による登録の申請は、当然従来どおり特別区の区長を経由するものであり、また、同法第5条第2項、第8条第1項及び第2項並びに同法施行令第3条の規定による保健所長の事務については、特別区においては特別区の保健所長が行うものであること。
(2) と畜場法（第13条第1項並びに第20条の規定により読み替えて適用される第9条、第10条、第12条、第14条及び第15条関係）
(3) 廃棄物の処理及び清掃に関する法律（第8条第1項及び第3項、第12条第4項、第14条第1項、第2項及び第4項、第15条第1項及び第3項、第18条、第19条並びに第20条関係）
　なお、地方自治法第281条第2項が改正されるとともに、附則第23条により、廃棄物の処理及び清掃に関する法律第23条の2が追加され、附則第24条によりそれに伴う経過措置が定められたが、その趣旨は、特別区が行う公衆便所及び公衆用ごみ容器の設置及び管理に関する事務を除いた一般廃棄物の収集及び運搬並びに大掃除の実施計画に関する事務については、都が、別に法律で定める日まで従来どおり処理するものであること。
(4) 有害物質を含有する家庭用品の規制に関する法律（第6条、第7条第1項及び第8条関係）
(5) 建築物における衛生的環境の確保に関する法律（第5条、第7条第4項、第11条第

1項、第12条並びに第13条第2項及び第3項関係)
第4　食品衛生法関係事務
1　特別区又は特別区の区長が処理することとなる事務

食品衛生法又は同法施行令に定める政令市に属する事務又は政令市の市長の権限に属する事務（同法第17条、第18条第2項、第19条第1項及び第3項、第28条及び第29条の2の規定により読み替えて適用される第19条の17第6項及び第21条から第24条並びに同法施行令第7条第2項関係）は、2に定めるものを除き、特別区又は特別区の区長が処理し、又は管理し、及び執行するものとされたこと。

なお、同法第27条第2項及び同法施行令第7条第1項に定める保健所長の事務は、特別区においては、特別区の保健所長が行うものであること。

2　都又は都知事が行う事務
(1)　食品衛生法及び同法施行令により、政令市又は政令市の市長の事務とされているものについては、原則として特別区又は特別区の区長の事務とされるが、都と特別区との関連とは、一般の府県と政令市との関連とは異った性格を有することから、事務の広域性、従来の経緯等を総合的に勘案して、施行令第8条に定める営業に関する事務又は卸売市場法に定める卸売市場に係る事務は、都又は都知事が行うこととしたものであること。
(2)　施行令第8条に定める営業に関する事務とは、当該営業に係る法第17条第1項、第19条第3項、第19条の17第6項及び第21条から第24条に定める事務であること。

なお、施行令第8条に定める営業に係る同条に定める処分は、当然のことながら従前どおり都知事が行うものであること。
(3)　卸売市場法に定める卸売市場に係る事務とは、同法第2条第2項に規定する卸売市場の区域内における食品衛生法第17条第1項、第19条第3項、第19条の17第6項及び第21条から第24条に定める事務であること。

なお、同法施行令第8条に定める営業に係る同条に定める処分については、(2)と同様であること。

第5　留意すべき事項
(1)　特別区においては、今般の地方自治法等の改正によって、新たに環境衛生行政の一部を実施することとなるものであり、これに伴う行政体制の整備が急務であるので、衛生行政の実施に必要な専門職員の確保、諸設備の整備、関係規則の制定等、各般にわたり十分な措置を講じ、事務の実施に際して遺漏のないようにすること。
(2)　環境衛生行政は、広域的な性格を有するものが多く、とくに、特別区については、その地域的条件等からしても他の政令市と異った面を有するため、事務の迅速かつ統一的な処理がとくに必要とされるので、特別区相互間及び都と特別区の間の連絡を密にする体制を整えること。
(3)　この環境衛生関係事務の一部の特別区への移行に係る改正規定は、昭和50年4月1日から施行されること。

○許可、認可等の整理に関する法律等の施行について

> 昭和53年5月23日　環指第61号
> 各都道府県知事・各政令市市長・各特別区区長宛　厚生省環境衛生局長通知

　昨年以来、政府部内において種々検討が行われてきた行政改革に係る諸施策のうち、当局関係の事項について、下記のとおり改正が行われたので、この旨十分御了知の上、これが運用については遺憾のないよう取り計らわれたい。

記

第1　改正事項及びその要点
1　許可、認可等の整理について
　(1)　許可、認可等の整理については、昭和53年5月23日付けで公布、施行された許可、認可等の整理に関する法律（昭和53年法律第54号）（以下「整理法」という。）第18条から第20条までの規定により理容師法（昭和22年法律第234号）第9条第1項、クリーニング業法（昭和25年法律第207号）第9条第1項及び美容師法（昭和32年法律第163号）第9条第1項がそれぞれ改正され、理容師等の業務従事者が受けなければならない健康診断の疾病の種類、回数等を実態に即したものとして定めることができるよう厚生省令の定めるところによるものとしたこと。
　(2)　前記整理法改正に伴い理容師法施行規則等の一部を改正する省令（昭和53年厚生省令第27号）が同日公布、施行され、同省令において理容師法施行規則（昭和23年厚生省令第41号）、クリーニング業法施行規則（昭和25年厚生省令第35号）及び美容師法施行規則（昭和32年厚生省令第43号）の規定がそれぞれ改正され、健康診断を受けなければならない疾病として結核、トラホーム及び皮膚疾患が定められるとともに、結核に関する健康診断の回数については年1回以上と改められたこと。
　(3)　環境衛生関係営業の運営の適正化に関する法律（昭和32年法律第164号（以下「環営法」という。）第14条の2に基づく共済規程の設定、認可等については、昭和36年の環営法改正により旧環境衛生同業組合等共済事業令（昭和33年政令第311号、昭和37年政令第14号により廃止）に定める規定が環営法の一部に包含されることとなった後も、「環境衛生同業組合等共済事業令及び環境衛生同業組合等共済事業規則の施行について」（昭和33年11月24日付、厚生省発衛第468号各都道府県知事あて厚生事務次官通知）に従ってその運用を図ることとされてきたが当該通知第2の4の規定中、厚生大臣に対する協議に係る部分については、今後はこれを要しないこととしてさしつかえないこと。
2　審議会関係について
　環営法第58条に規定されている環境衛生適正化審議会については、昭和53年5月23日付けで公布、施行された審議会等の整理等のための厚生省関係政令の整備に関する政令（昭和53年政令第186号）以下「整備令」という。）第9条の規定により、環境衛

生関係営業の運営の適正化に関する法律施行令(昭和32年政令第279号)第2条第2項の規定を改正し、同項第1号に規定する「関係行政機関の職員」を当該審議会の委員から削除されたこと及びこれに伴う所要の改正が行われたこと。

第2 運用上注意すべき事項
 1 許可、認可等の整理について
  (1) 理容師法等に基づく健康診断については、今回改正が行われなかった疾病についても今後、実態に沿うよう見直しを図る予定であること。
  (2) 結核に係る健康診断については、従来より結核予防法に基づく健康診断と併せて実施されるよう通知してきたが(昭和26年9月6日付け衛発第684号厚生省公衆衛生局長通知参照)、今後も引き続き同様の扱いとされたいこと。
 2 審議会(都道府県環境衛生適正化審議会)関係について
  (1) 都道府県環境衛生適正化審議会に対する整備令の適用については、同令附則により同令施行後6か月の間は改正後の規定を適用しないこととされたので、この間に委員の任免等の事務手続を実施するよう措置されたいこと。
  (2) 従来、関係行政機関の職員として委員であった者については必要に応じて引き続きオブザーバー等の資格で審議会に出席することができるよう運用を図られたいこと。

○行政事務の簡素合理化及び整理に関する法律等の施行について(抄)

[昭和58年12月23日 環企第128号
各都道府県知事・各政令市市長・各特別区区長宛 厚生省環境衛生局長通知]

行政事務の簡素合理化及び整理に関する法律、理容師法施行令等の一部を改正する政令及び墓地、埋葬等に関する法律施行規則等の一部を改正する省令が、それぞれ、昭和58年12月10日法律第83号、昭和58年12月10日政令第255号、昭和58年12月23日厚生省令第45号をもって公布されたことに伴い、墓地、埋葬等に関する法律(昭和23年法律第48号)、墓地、埋葬等に関する法律施行規則(昭和23年厚生省令第24号)、建築物における衛生的環境の確保に関する法律(昭和45年法律第20号)、理容師法(昭和22年法律第234号)、理容師法施行令(昭和28年政令第232号)、理容師法施行規則(昭和23年厚生省令第41号)、興行場法(昭和23年法律第137号)、クリーニング業法(昭和25年法律第207号)、クリーニング業法施行規則(昭和25年厚生省令第35号)、美容師法(昭和32年法律第163号)、美容師法施行規則(昭和32年厚生省令第43号)、製菓衛生師法(昭和41年法律第115号)、へい獣処理場等に関する法律(昭和23年法律第140号)及びと畜場法(昭和28年法律第114号)の一部がそれぞれ改正された。その改正の趣旨及び内容等は、下記のとおりであるので了知のうえ、その運用に遺憾のないようにされたい。

記

行政事務の簡素合理化及び整理に関する法律等の施行について（抄）

第1　改正の趣旨
　行政事務の簡素合理化を促進するため、資格制度等に係る事務について、廃止・民間等への委譲などの合理化を行うこととし、また、機関委任事務について、地方公共団体の事務として既に同化・定着していると認められる事務を団体委任事務とするほか、都道府県知事の権限に属する事務の保健所設置市長への委譲を行ったものであること。

第2　改正の内容及び運用上留意すべき事項
　1　墓地、埋葬等に関する法律関係
　　(1)　改正の内容
　　　　地方の実情に即した墓地及び埋葬等に関する行政の推進を図るため、同法において都道府県知事又は保健所設置市の市長に委任されていた墓地等の経営の許可等の機関委任事務を団体委任事務としたこと。なお、埋・火葬等の許可等市町村長に委任されている事務は、従来どおり機関委任事務であること。
　　(2)　運用上留意すべき事項
　　　ア　今回の法改正の趣旨を踏まえ、同法施行規則において、経営等の許可等の申請手続を定めている第5条を削除したが、今後、これらの事項について、各都道府県及び指定都市において所要の規定の整備を図られたいこと。
　　　イ　団体委任事務化に伴い、施行（昭和59年1月1日）後において都道府県知事、指定都市の市長又は保健所設置市の市長が行った処分に対する不服申立てについては、行政不服審査法第6条に規定する異議申立てとなるのでその旨留意されたいこと。
　2　建築物における衛生的環境の確保に関する法律関係
　　(1)　改正の内容
　　　　国の事務負担を軽減するため、建築物環境衛生管理技術者の試験に関する事務を指定試験機関に行わせることとしたこと。
　　　　これに伴い、次の規定を新たに設けたこと。
　　　ア　厚生大臣は、その指定する民法法人に試験事務の全部又は一部を行わせることができる旨の規定
　　　イ　指定試験機関の指定に関する規定
　　　ウ　指定試験機関の役員の選任及び解任に関する規定
　　　エ　指定試験機関の役職員の秘密保持義務等に関する規定
　　　オ　報告・検査等指定試験機関の監督に関する規定
　　　カ　その他所要の改正規定
　　(2)　運用上留意すべき事項
　　　　今回の改正法は、昭和59年10月1日より施行され、同日から試験事務の委譲が法律上可能となるが具体的な実施の方法、時期等については、今後、さらに検討を進め所要の政・省令の改正を行うこととしていること。
　3　理容師法、美容師法及びクリーニング業法関係
　　(1)　改正の内容

第2編　理容師・美容師

　　近年における保健衛生水準の向上にかんがみ、各法律において理容師、美容師及びクリーニング業務従事者（以下「理容師等」という。）に対する定期健康診断の義務付けを廃止し、新たに、伝染性の疾病にり患している者に対する公衆衛生上の観点からの業務停止の規定の整備を図ったこと。
　　法改正に伴い、理容師法施行令の条文を整理するとともに理容師法施行規則、美容師法施行規則及びクリーニング業法施行規則において下記のような改正を行ったこと。
　　ア　定期健康診断に関する規定を削除したこと。（改正前の理容師法施行規則第4章の2、美容師法施行規則第4章の2及びクリーニング業法施行規則第9条の規定の削除）
　　イ　理容師又は美容師が結核、皮膚疾患その他厚生大臣の指定する疾病にかかった場合に、当該理容師又は美容師が業務を行う理容所又は美容所の開設者は、その者について、当該疾病の有無に関する医師の診断書を添え、その者につき、当該疾病がある旨の届出を行わなければならないこととしたこと。また、当該理容師又は美容師について届出対象の疾病が治ゆした場合にも同様の届出を行わなければならないこととしたこと。（理容師法施行規則第20条及び第20条の2並びに美容師法施行規則第20条及び第21条）
(2)　運用上留意すべき事項
　　ア　今回の改正（昭和59年1月1日施行）により、定期健康診断の義務付けが廃止されることとなるが、今後は、行政庁の指導及び業務停止処分等の運用により、事業所開設者による自主的な健康管理体制の整備を促進し、理容師等の健康保持を図っていくものであること。
　　イ　クリーニング業務従事者については、クリーニング業法第3条第3項第6号に基づく都道府県知事が定める必要な措置として、次のような措置を都道府県規則において定められたいこと。
　　　(ｱ)　営業者は、クリーニング業法第9条に規定する業務に従事する者（以下「業務従事者」という。）が結核又は皮膚疾患にかかった場合には、直ちにその旨を保健所長に連絡し、その指示に従って作業に従事させるものとすること。
　　　(ｲ)　営業者は、保健所長から業務従事者に対して結核又は皮膚疾患等の健康診断を受けさせるべき旨の指示があった場合には、当該疾病について健康診断を受けさせなければならないこととすること。
　　ウ　(1)のイの届出が必要な疾病は、当面、結核及び皮膚疾患であるが、今後、これらの疾病のほかに理容又は美容に関連して特に問題となる伝染性疾病が生ずれば、必要に応じ、厚生大臣告示により指定するものであること。なお、皮膚疾患としては、伝染性膿痂疹（トビヒ）、単純性疱疹頭部白癬（シラクモ）、疥癬等の伝染性の皮膚疾患がその対象となるものであること。
　　　また、(2)のイの(ｱ)に規定する措置についても前記と同様の考え方であること。
　　エ　(1)のイ及び(2)のイ並びにその他の伝染病予防事業等により、理容師等につき、

伝染性疾病のり患の事実を知り、公衆衛生上の観点から当該理容師等の就業が不適当と認めるときは、期間を定めてその業務を停止させるものとすること。

なお、この場合において業務停止の事由となる疾病は必ずしも結核、皮膚疾患に限られるものではなく、理容業、美容業及びクリーニング業の業務遂行に当たって、公衆衛生上不適当と考えられるその他の伝染性疾病を含みうるものであること。

オ 今回の改正により、理容師等の定期健康診断は廃止されることとなるが、結核に係る健康診断については、結核予防法（昭和26年法律第96号）に基づき実施されていることから、今後とも、当該健康診断の受診を行うよう指導されたいこと。また、今後、事業者自身による健康管理の一環として行われる各環境衛生同業組合等の事業者団体による自主的な健康診断については管下保健所等において十分協力されたいこと。

4 興行場法関係
(1) 改正の内容
地域の実情に即した興行場行政の推進を図るため同法において都道府県知事又は保健所設置市の市長に委任されていた営業の許可等に関する事務を機関委任事務から団体委任事務としたこと。

これに伴い、営業の許可の際の手数料に関する政令の規定を削除するとともに、設置の場所又は構造設備について公衆衛生上必要な基準を都道府県の条例で定めることとする等所要の規定の整備を図ったこと。

(2) 運用上留意すべき事項
ア 今後、所要の省令改正を行うこととしているが、各都道府県においては、興行場の設置の場所又は構造設備についての公衆衛生上必要な基準に関する条例を施行日（昭和59年10月1日）までに制定する必要があり、追ってその基準に関する条例準則を示す予定であるので条例制定に当たって参考にされたいこと。
イ 施行後において各地方公共団体の長が行った処分に対する不服申立てについては、第2の1の(2)のイと同旨であること。

5 製菓衛生師法関係
6 へい獣処理場等に関する法律関係 ｝略
7 と畜場法関係

○理容師法施行令等の一部を改正する政令等の施行について

［昭和59年3月31日　環指第26号
各都道府県知事・各政令市市長・各特別区区長宛　厚生省環境衛生局長通知］

理容師法施行令等の一部を改正する政令及び理容師法施行規則等の一部を改正する省令

第2編　理容師・美容師

が、それぞれ昭和59年3月16日政令第31号、昭和59年3月27日厚生省令第16号をもって公布されたことに伴い、理容師法施行令（昭和28年政令第232号）、理容師法施行規則（昭和23年厚生省令第41号）クリーニング業法施行令（昭和28年政令第233号）、クリーニング業法施行規則（昭和25年厚生省令第35号）、美容師法施行令（昭和32年政令第277号）及び美容師法施行規則（昭和32年厚生省令第43号）並びに地方公共団体手数料令（昭和30年政令第330号）の一部がそれぞれ改正され、昭和59年4月1日から施行されることとされている。その改正の趣旨及び内容等は、下記のとおりであるので御了知のうえ、その運用に遺憾のないようにされたい。

記

第1　改正の趣旨
　行政事務の簡素合理化を促進するため、資格制度及び許認可に係る事務について整理合理化を行うとともにあわせて、理容、クリーニング及び美容について所要の改正を行ったものであること。
第2　改正の内容及び運用上留意すべき事項
　1　理容師法関係
　　(1)　改正の内容
　　　ア　理容師法（昭和22年法律第234号）第2条第1項に規定する厚生大臣の指定した理容師養成施設（以下「指定理容師養成施設」という。）に係る入学料、授業料又は実習費（以下「入学料等」という。）の額の変更については、都道府県知事の承認を廃止し、新たに都道府県知事への届出事項としたこと。
　　　イ　指定理容師養成施設に係る厚生大臣への届出事項のうち、教員の氏名及び担当科目、学級数並びに理容実習のモデルとなる者の選定その他理容実習の方法については、都道府県知事への届出事項としたこと。
　　　ウ　理容師法第8条第2号に規定する皮膚に接する器具として、クリッパー、はさみ、くし、刷毛、ふけ取り及びかみそりに加えて、その他の皮膚に直接接触して用いられる器具を加えるとともに、同号に規定する消毒方法として、両性界面活性剤消毒及び消毒用エタノール消毒を加えたこと。
　　　エ　理容師免許証の様式について理容師の本籍地の記載事項を都道府県名のみで足りることとしたこと。また、この改正に伴い、理容師について行政処分を行った場合の通知事項についても整理を行ったこと。
　　　オ　指定理容師養成施設における伝染病学（細菌学を含む。）及び公衆衛生学の教員の資格について、所要の改正を行ったこと。
　　(2)　運用上留意すべき事項
　　　ア　今回の改正により、指定理容師養成施設に係る入学料等の額の変更については、都道府県知事の承認事項ではなくなったが、今後とも、これらの金額については、標準となるべき金額を示すこととしているので、これを参考として、入学料等の額が適当なものとなるように都道府県において指導を行い、届出を行わせるようにされたいこと。

イ　今回の改正により、都道府県知事への届出事項となった事項については、それぞれ理容師法施行規則に規定する基準に合致するように都道府県において指導を行われたいこと。
　ウ　理容師法施行規則第21条に規定するその他皮膚に直接接触して用いられる器具としては、ロッド及びヘア・アイロン等が考えられるものであり、また今後の理容において皮膚に直接接触して用いられる同条に例示した器具以外の器具がこれに該当するものであること。
　エ　今回の改正によって変更の行われた理容師免許証の様式は、昭和59年4月1日以降に理容師法施行令第7条に基づき交付する免許証に対して適用されるものであること。
　オ　昭和59年4月1日において現に指定理容師養成施設に係る入学料等の額の変更の承認の申請を行っている者は、当該事項につき届出を行ったものとみなされるものであること。
２　クリーニング業法関係
　(1)　改正の内容
　　ア　クリーニング師試験に係る合格証書及び合格証明書を廃止し、クリーニング師の免許申請手続について、クリーニング師試験の合格証書の写又は合格証明書の添付を行わないこととしたこと。
　　イ　クリーニング師免許に係る登録事項から住所を削除することとし、これに伴い、クリーニング師の住所の変更に関する規定を削除するとともに、クリーニング師の行政処分に係る都道府県知事間の通知の規定を整備したこと。
　　ウ　クリーニング師免許の申請をクリーニング師試験合格地の都道府県知事に対し行うこととするとともに、免許証の再交付、訂正の申請、返納及び登録の抹消等についての申請又は返納を免許を与えた都道府県知事に対して行うこととしたこと。
　　エ　クリーニング業法（昭和25年法律第207号）第3条第3項第5号に規定する伝染性の疾病による汚染のおそれのある洗濯物として、病院又は診療所において療養のために使用された寝具その他これに類するものを加えたこと。
　　オ　クリーニング師試験合格証明書の廃止に伴い、地方公共団体手数料令において、クリーニング師試験合格証明書交付に係る手数料の規定を削除したこと。
　(2)　運用上留意すべき事項
　　ア　今回の改正により、クリーニング師試験合格証書又は合格証明書の交付は行われないこととなったが、クリーニング師試験受験者の便宜を図るために受験者に対し、試験の合否に関する通知を行うようにされたいこと。
　　イ　昭和59年3月31日までにクリーニング師免許を受けた者についての免許に係る登録事項及び免許証の再交付等の事務等の管理は、現に免許証を交付した登録地の都道府県知事において行うものであること。
　　ウ　病院又は診療所において療養のために使用された寝具その他これに類するもの

第2編　理容師・美容師

の取扱いについては、厚生省環境衛生局指導課長より別途通知することとしているので御留意願いたいこと。
3　美容師法関係
(1) 改正の内容
　ア　美容師法（昭和32年法律第163号）第4条第2項に規定する厚生大臣の指定した美容師養成施設（以下「指定美容師養成施設」という。）に係る入学料、授業料又は実習費（以下「入学料等」という。）の額の変更については、都道府県知事の承認を廃止し、新たに都道府県知事への届出事項としたこと。
　イ　指定美容師養成施設に係る厚生大臣への届出事項のうち、教員の氏名及び担当科目、学級数並びに美容実習のモデルとなる者の選定その他美容実習の方法については、都道府県知事への届出事項としたこと。
　ウ　美容師について行政処分を行った場合の都道府県知事間の通知の規定及び通知事項について整備を図ったこと。
　エ　美容師法第8条第2号に規定する皮膚に接する器具として、クリッパー、はさみ、くし、刷毛、ふけ取り及びかみそりに加えて、その他の皮膚に直接接触して用いられる器具を加えるとともに、同号に規定する消毒方法として、両性界面活性剤消毒及び消毒用エタノール消毒を加えたこと。
　オ　美容師免許証の様式について、美容師の本籍地の記載事項を都道府県名のみで足りることとしたこと。
　カ　指定美容師養成施設における伝染病学（細菌学を含む。）及び公衆衛生学の教員の資格について、所要の改正を行ったこと。
(2) 運用上留意すべき事項
　ア　今回の改正により、指定美容師養成施設に係る入学料等の額の変更については、都道府県知事の承認事項ではなくなったが、今後とも、これらの金額については、標準となるべき金額を示すこととしているので、これを参考として、入学料等の額が適当なものとなるように都道府県において指導を行い、届出を行わせるようにされたいこと。
　イ　今回の改正により、都道府県知事への届出事項となった事項については、それぞれ美容師法施行規則に規定する基準に合致するように都道府県において指導を行われたいこと。
　ウ　美容師法施行規則第22条に規定するその他皮膚に直接接触して用いられる器具としては、ロッド、ローラー、マニキュア器具、脱毛器具及びヘア・アイロン等が考えられるものであり、また今後の美容において皮膚に直接接触して用いられる同条に例示した器具以外の器具がこれに該当するものであること。
　エ　今回の改正によって変更の行われた美容師免許証の様式は、昭和59年4月1日以降に美容師法施行令第1条に基づき交付する免許証に対して適用されるものであること。
　オ　昭和59年4月1日において現に指定美容師養成施設に係る入学料等の額の変更

の承認の申請を行っている者は、当該事項につき届出を行ったものとみなされるものであること。

○地方公共団体の事務に係る国の関与等の整理、合理化等に関する法律等の施行について（抄）

〔昭和60年7月12日　衛企第72号
各都道府県知事・各政令市市長・各特別区区長宛　厚
生省生活衛生局長通知〕

　地方公共団体の事務に係る国の関与等の整理、合理化等に関する法律、児童福祉法施行令等の一部を改正する等の政令及び伝染病予防法施行規則等の一部を改正する省令が、それぞれ、昭和60年7月12日法律第90号、昭和60年7月12日政令第225号及び昭和60年7月12日厚生省令第31号をもって公布されたことに伴い、伝染病予防法（明治30年法律第36号）、伝染病予防法施行令（昭和25年政令第120号）、伝染病予防法施行規則（大正11年内務省令第24号）、有害物質を含有する家庭用品の規制に関する法律（昭和48年法律第112号）、地方自治法施行令（昭和22年政令第16号）、有害物質を含有する家庭用品の規制に関する法律施行規則（昭和49年厚生省令第34号）、理容師法（昭和22年法律第234号）、クリーニング業法（昭和25年法律第207号）、美容師法（昭和32年法律第163号）、狂犬病予防法（昭和25年法律第247号）、と畜場法（昭和28年法律第114号）及びと畜場法施行令（昭和28年政令第216号）の一部がそれぞれ改正された。その改正の趣旨及び内容等は、下記のとおりであるので了知の上、その運用に遺憾のないようにされたい。

記

第1　改正の趣旨
　国及び地方を通ずる行政改革を促進する等のため、「行政改革の推進に関する当面の実施方針について」（昭和59年12月29日閣議決定）に従い、地方公共団体に対する国の関与、必置規制及び許認可等の整理合理化を行ったものであること。
第2　改正の内容及び運用上留意すべき事項
　1　伝染病予防法関係　略
　2　有害物質を含有する家庭用品の規制に関する法律関係
　　(1)　改正の内容
　　　ア　家庭用品衛生監視員は、その多くが他の必置職（食品衛生監視員等）を兼任していることなどから、それら他職の活用を図ることにより、地方公共団体の事務負担を軽減するため、都道府県知事等が家庭用品の製造等を行う者の事務所等に対して立入検査、質問及び収去を行わせる職員を、食品衛生監視員、薬事監視員その他の厚生省令で定める職員のうちからあらかじめ指定する者とすることとしたこと。
　　　イ　厚生省令で定める職員は、次のいずれかに該当する者としたこと。
　　　　①　食品衛生監視員（ただし、食品衛生監視員の養成施設修了者及び実務経験を

第2編　理容師・美容師

　　　有する栄養士であることにより食品衛生監視員となった者を除く。)
　　②　薬事監視員（ただし、実務経験を有することにより薬事監視員となった者を
　　　除く。)
　　③　次のいずれかに該当する職員
　　　a　医師、歯科医師、薬剤師又は獣医師
　　　b　大学、高等専門学校等において理学、工学等の課程を修めて卒業した者
　　　c　厚生大臣の指定した養成施設の課程を修了した者
　　　なお、③の資格は改正前の家庭用品衛生監視員の資格と同じであるが、bにつ
　　いては業務の運営の実態にかんがみ、「家庭用品衛生監視について十分の知識経
　　験を有するもの」との規定を削除したこと。
　(2)　運用上留意すべき事項
　　ア　今回の改正法は、公布の日から施行されること。
　　イ　今回の改正は、任命制を指定制に改めることにより、人事管理その他の簡素化
　　　を図ろうとするものであり、家庭用品衛生監視業務の内容については、何らの変
　　　更を行うものではないこと。
　　ウ　施行日において、従前の規定による家庭用品衛生監視員である者については、
　　　改正法附則の規定により改正後の規定による家庭用品衛生監視員とみなされるの
　　　で、指定の手続は要しないこと。
　　エ　従前の様式による家庭用品衛生監視員証については、施行日において既に家庭
　　　用品衛生監視員に交付されているものに限り、施行規則附則の規定により改正後
　　　の様式の家庭用品衛生監視員証明書とみなすこととなっているので、有効期間内
　　　にあっては引き続き使用できること。ただし、施行日以降、新たに家庭用品衛生
　　　監視員に指定される者は、新様式による監視員証を携帯して立入検査等を行わな
　　　ければならないこと。
3　理容師法、美容師法及びクリーニング業法関係
　(1)　改正の内容
　　ア　理容師、美容師の学科試験受験の要件及び実地習練の改善（理容師法及び美容
　　　師法）
　　　　従来理容師、美容師試験の学科試験は、養成施設卒業後1年以上の実地習練を
　　　経たものでなければ、受けることができないこととされていたが、受験生の負担
　　　軽減を図るため、学科試験は養成施設卒業のみを要件として受験できることとし
　　　たこと。したがって、実地習練中であっても、学科試験を受けられることとな
　　　る。
　　イ　試験事務の委任（理容師法、美容師法及びクリーニング業法）
　　　　都道府県知事の事務負担を軽減するため、都道府県知事は厚生大臣の指定する
　　　試験機関にその試験事務の全部又は一部を委任することができることとしたこ
　　　と。
　　　　これに伴い、次の規定を新たに設けたこと。

- 都道府県知事は、厚生大臣の指定する民法第34条に基づいて設立された法人に試験事務の全部又は一部を行わせることができる旨の規定
- 指定試験機関の指定の基準に関する規定
- 指定試験機関の役員の選任及び解任に関する規定
- 指定試験機関の役職員の秘密保持義務等に関する規定
- 指定試験機関による試験事務規程、事業計画及び収支予算の作成に関する規定
- 指定試験機関に対する厚生大臣の監督命令、都道府県知事の試験事務の適正な実施のための指示に関する規定
- 指定試験機関に対する厚生大臣及び都道府県知事の立入検査に関する規定
- その他所要の規定

(2) 運用上留意すべき事項

　今回の改正法は、昭和61年4月1日より施行されること。ただし、試験事務の委任については、同日以降委任が法律上可能となるということであり、具体的な実施の方法、時期等については、今後、さらに検討を進める予定である。

　また、関連の政省令の改正は、追って行う予定である。

4　狂犬病予防法関係 ┐
5　と畜場法関係　　 ┘ 略

○理容師法施行令等の一部を改正する政令等の施行について

[昭和60年11月19日　衛指第243号
各都道府県知事・各政令市市長・各特別区区長宛　厚生省生活衛生局長通知]

　理容師法施行令等の一部を改正する政令及び理容師法施行規則等の一部を改正する省令が、それぞれ昭和60年11月12日政令第296号、昭和60年11月19日厚生省令第42号をもって公布されたことに伴い、理容師法施行令（昭和28年政令第232号）、理容師法施行規則（昭和23年厚生省令第41号）、クリーニング業法施行令（昭和28年政令第233号）、クリーニング業法施行規則（昭和25年厚生省令第35号）、美容師法施行令（昭和32年政令第277号）、美容師法施行規則（昭和32年厚生省令第43号）及び環境衛生監視員証を定める省令（昭和52年厚生省令第1号）並びに地方公共団体手数料令（昭和30年政令第330号）及び法人税法施行令（昭和40年政令第97号）の一部がそれぞれ改正され、一部を除き、昭和61年4月1日から施行されることとなった。その改正の趣旨及び内容等は下記のとおりであるので御了知のうえ、その運用に遺憾のないようにされたい。

記

第1　改正の趣旨

　地方公共団体の事務に係る国の関与等の整理、合理化等に関する法律（昭和60年法律

第2編　理容師・美容師

第90号）（以下「整理合理化法」という。）により理容師法、クリーニング業法及び美容師法が改正され、理容師試験及び美容師試験制度が改正されたこと等に伴い、並びに臨時行政改革推進審議会の「行政改革の推進方策に関する答申」（昭和60年7月23日）の指摘に基づき行政事務の簡素化等を図るため、関係政省令について所要の改正を行うものであること。

第2　改正の内容
1　理容師法施行令及び同法施行規則並びに美容師法施行令及び同法施行規則関係等
　ア　整理合理化法により理容師法及び美容師法の一部が改正され、理容師試験及び美容師試験が学科試験及び実地試験に分けられたことに伴い、都道府県知事は学科試験又は実地試験に合格した者に対し、それぞれ当該試験に合格したことを証する証書を交付しなければならないこととしたこと。（施行令関係）
　イ　都道府県知事は、前記アの証書を破り、汚し、又は失った者から当該証書に代わる合格証明書の交付の申請があったときは、合格証明書を交付しなければならないこととしたこと。これに伴い、地方公共団体手数料令（以下「手数料令」という。）において、合格証明書の交付手数料を定めたこと。（施行令、手数料令関係）
　ウ　理容師法第4条の18の規定及び美容師法第4条の18の規定に基づき、学科試験及び実地試験の受験手数料の金額を、それぞれ4000円とし、これを理容師法施行令及び美容師法施行令において定めたこと。（施行令関係）
　エ　理容師又は美容師の免許を受けようとする者は、実地試験合格地の都道府県知事に申請書を提出しなければならないこととしたこと。（施行規則関係）
　オ　理容師養成施設及び美容師養成施設の「各教科課目ごとの総授業時間数の変更の届出」は廃止することとしたこと。（施行規則関係）
　カ　清潔保持のため備え付けることとされていたたんつぼを、実態に即し廃止することとしたこと。（施行規則関係）
　キ　理容師又は美容師の免許申請書の本籍地の記載事項を都道府県名のみで足りることとしたこと。（施行規則関係）
2　クリーニング業法施行令関係
　クリーニング業法第7条の18の規定に基づき、クリーニング師の試験の受験手数料の金額を7000円とし、これをクリーニング業法施行令において定めたこと。
3　環境衛生監視員証を定める省令関係
　環境衛生監視員証に引用されている理容師法、クリーニング業法及び美容師法の抜粋を改正条文に合わせて改正したこと。
4　経過措置関係
　ア　整理合理化法による改正前の理容師試験又は美容師試験に合格した者に対しては、都道府県知事は、従前どおり理容師試験又は美容師試験の合格証書又は合格証明書を交付することとしたこと。これに伴い、手数料令において従前の試験に係る合格証明書交付手数料を定めたこと。（施行令、手数料令関係）
　イ　整理合理化法附則により理容師試験又は美容師試験の学科試験を免除される者

は、昭和59年1月1日から昭和61年3月31日までに行われた従前の理容師試験又は美容師試験の学科試験に合格した者とし、政令で定める期間は、昭和61年4月1日からその者が当該学科試験に合格した年の翌々年の12月31日までの間とすることとしたこと。（施行令関係）
　ウ　従前の理容師試験又は美容師試験に合格した者は、従前どおり理容師試験又は美容師試験合格地の都道府県知事に免許の申請を行うこととしたこと。（施行規則関係）
　5　施行期日関係
　　ア　公布の日（昭和60年11月19日）から施行　第2の1のオ及びカ
　　イ　昭和61年4月1日から施行　前記ア以外の規定
第3　その他
1　今回の改正により、理容師試験、美容師試験及びクリーニング師試験の受験手数料がそれぞれ各施行令において定額で定められ、これに伴い手数料令からこれら受験手数料に関する規定が削除されたため、都道府県においては受験手数料を定める規則等の改正が必要となるので、所要の規則等の改正をされたい。
2　整理合理化法による理容師法等の改正においては、理容師試験及び美容師試験制度の改正のほか、理容師試験、美容師試験及びクリーニング師試験の試験事務の委任の制度が創設されたところであるが、今回の省令の改正は試験制度改正に関するものについてのみ行っており、試験事務の委任に関する規定の整備については追って行う予定である。

○理容師法施行規則等の一部を改正する省令の施行について

　　　　　　　　　　　［昭和61年9月8日　衛指第153号
　　　　　　　　　　　　各都道府県知事・各政令市市長・各特別区区長宛　厚
　　　　　　　　　　　　生省生活衛生局長通知］

　地方公共団体の事務に係る国の関与等の整理、合理化等に関する法律（昭和60年法律第90号）（以下「整理合理化法」という。）による理容師法（昭和22年法律第234号）、クリーニング業法（昭和25年法律第207号）及び美容師法（昭和32年法律第163号）の改正については既に昭和60年7月12日衛企第72号をもって通知したところであるが、今般、理容師法施行規則等の一部を改正する省令が昭和61年8月9日厚生省令第42号をもって公布施行されたことにより、理容師法施行規則（昭和23年厚生省令第41号）、クリーニング業法施行規則（昭和25年厚生省令第35号）及び美容師法施行規則（昭和32年厚生省令第43号）の一部がそれぞれ改正された。その改正の趣旨及び内容等は下記のとおりであるので、御了知のうえその運用に遺憾のないようにされたい。

　　　　　　　　　　　　　　　　　記
第1　改正の趣旨

第2編　理容師・美容師

　整理合理化法により、理容師法、クリーニング業法及び美容師法が改正され、理容師試験、クリーニング師試験及び美容師試験の試験事務の委任の制度が創設されたこと等に伴い、理容師法施行規則、クリーニング業法施行規則及び美容師法施行規則について所要の改正を行うものであること。

第2　改正の内容
1　試験事務の委任関係（理容師法施行規則、クリーニング業法施行規則及び美容師法施行規則）

　ア　整理合理化法により理容師法、クリーニング業法、理容師法の一部が改正され、都道府県知事が厚生大臣の指定する者（以下「指定試験機関」という。）に理容師試験、クリーニング師試験又は美容師試験の実施に関する事務（以下「試験事務」という。）の全部又は一部を行わせることができることとなったことに伴い、指定試験機関に対する監督等（指定の申請、名称等の変更の届出、役員の選任又は解任の認可の申請、試験委員の要件、試験委員の選任又は変更の届出、試験事務規程の認可の申請、試験事務規程の記載事項、事業計画及び収支予算の認可の申請、帳簿、試験事務の休止又は廃止の認可の申請）について必要な事項を定めたこと。
　　　なお、新たに定められた試験委員の要件等は、指定試験機関に関するものであり、都道府県知事が自ら試験事務を行う場合に適用されるものではないこと。
　イ　指定試験機関の行った実地試験を受けて理容師又は美容師の免許を受けようとする者は、当該実地試験の実施に関する事務を当該指定試験機関に行わせることとした都道府県知事に申請書を提出しなければならないこととしたこと。
　ウ　クリーニング師試験を受けようとする者は、指定試験機関が当該クリーニング師試験に係る受験手続に関する事務を行う場合にあっては、指定試験機関に受験願書を提出しなければならないこととしたこと。また、指定試験機関の行ったクリーニング師試験を受けてクリーニング師の免許を受けようとする者は、当該試験事務を当該指定試験機関に行わせることとした都道府県知事に申請書を提出しなければならないこととしたこと。
　エ　指定試験機関は、各試験を実施したときは、遅滞なく、合格者一覧表を添付した報告書を、その試験事務を行わせることとした都道府県知事（以下「委任都道府県知事」という。）に提出しなければならないこととしたこと。
　オ　指定試験機関は、委任都道府県知事が指定試験機関に試験事務を行わせないこととした場合等においては、試験事務を委任都道府県知事に引き継ぎ、試験事務に関する帳簿及び書類を委任都道府県知事に引き渡し、その他厚生大臣又は委任都道府県知事が必要と認める事項を行うこととしたこと。
　カ　クリーニング業法第8条に規定する原簿に登録しなければならない事項のうち、「クリーニング師試験を施行した都道府県名及び試験合格の年月日」を廃止することとしたこと。

2　消毒の方法関係（理容師法施行規則及び美容師法施行規則）
　伝染病予防法施行令の一部を改正する政令（昭和61年政令第41号）により、代用消

理容師法施行規則の一部を改正する省令等の施行等について

　毒薬の国家検定が廃止されたことに伴い、理容師法第8条第2号又は美容師法第8条第2号に規定する消毒方法について、伝染病予防法施行規則（大正11年内務省令第24号）第24条第8号の規定に基づき厚生大臣が指定する医薬品を同号の規定に基づき厚生大臣が定める用法により使用することにより行うことができることとしたこと。
　なお、前記伝染病予防法施行令の一部改正、それに伴い新設された伝染病予防法施行規則第24条第8号の規定、同条同号の規定に基づき厚生大臣が指定する医薬品等は、別紙のとおりであり、実際の取扱いについては従前と異なるものではないこと。
別紙　略

○理容師法施行規則の一部を改正する省令及び美容師法施行規則の一部を改正する省令の施行等について

〔昭和63年10月4日　衛指第209号
各都道府県知事・各政令市市長・各特別区区長宛　厚
生省生活衛生局長通知〕

　理容師法施行規則の一部を改正する省令及び美容師法施行規則の一部を改正する省令が、それぞれ昭和63年10月4日厚生省令第58号及び同日厚生省令第59号をもって別紙1及び別紙2のとおり公布され、ともに昭和63年11月1日から施行されることになった。その改正の趣旨及び内容等は下記のとおりであるので、その運用に遺憾のないようにされたい。
　また、今回の省令改正に伴い、昭和56年6月1日環指第95号環境衛生局長通知「理容所及び美容所における衛生管理要領について」の別添「理容所及び美容所における衛生管理要領」の一部を別紙3のとおり改正するので、了知の上、理容業及び美容業の開設者等に対する周知徹底を図られたい。

記

1　改正の趣旨
　　理容師法施行規則第22条及び美容師法施行規則第23条に定められた皮膚に接する器具の消毒方法については、理容師法施行規則が昭和23年に制定されて以来、2次の改正により数種の消毒方法が追加されてきたが、従来からの消毒方法については見直しが行われておらず、この間、社会全般の衛生状態の向上、理容所及び美容所の作業環境の変化等により、これらの消毒方法には必ずしも実情に合わないものがあること、また、近年新しい感染症が社会的問題となってきたこと等から、最近の知見をもとに消毒方法の見直しを行ったものである。
2　改正の要点
　(1)　理容所及び美容所で近年使用されなくなった乾熱滅菌、ホルマリン消毒等を消毒方法から削除したこと。
　(2)　効果、使いやすさ等を勘案して、次亜塩素酸ナトリウム等の塩素系薬剤等を追加し

第2編　理容師・美容師

たこと。
(3)　逆性石けん液等の濃度、接触時間等について見直しを行ったこと。
(4)　伝染病予防法施行規則第24条第8号の規定に基づく指定医薬品に関する準用規定を廃止したこと。

別紙1～3　略

○理容師法施行令及び美容師法施行令の一部を改正する政令の施行について

[平成4年12月28日　衛指第244号
各都道府県知事・各政令市市長・各特別区区長宛　厚生省生活衛生局長通知]

　理容師法施行令及び美容師法施行令の一部を改正する政令が、平成4年12月28日政令第394号をもって別紙のとおり公布され、平成5年2月1日から施行されることになったので、その運用に遺憾のなきようにされたい。

1　改正の理由
　　最近の経済情勢等にかんがみ、理容師試験及び美容師試験の受験手数料の金額を改めた。
2　改正の内容
　　理容師試験及び美容師試験の受験手数料の金額を学科試験については9000円から1万1000円に、実地試験については9000円から1万3000円に改めた。
3　施行年月日
　　平成5年2月1日

別紙　略

○健康保険法施行令等の一部を改正する政令及び厚生大臣の所管に属する公益法人の設立及び監督に関する規則等の一部を改正する省令の施行について

[平成6年12月14日　衛企第139号
各都道府県知事・各政令市市長・各特別区区長宛　厚生省生活衛生局長通知]

　建築物における衛生的環境の確保に関する法律施行規則（昭和46年厚生省令第2号）、環境衛生関係営業の運営の適正化に関する法律施行規則（昭和32年厚生省令第37号）、理容師法施行令（昭和28年政令第232号）、理容師法施行規則（昭和23年厚生省令第41号）、美容師法施行令（昭和32年政令第277号）、美容師法施行規則（昭和32年厚生省令第43号）、製菓衛生師法施行令（昭和41年政令第387号）、製菓衛生師法施行規則（昭和41年厚

公益法人の設立及び監督に関する規則等の一部改正省令の施行について

生省令第45号)、食鳥処理の事業の規制及び食鳥検査に関する法律施行規則(平成2年厚生省令第40号)及び水道法施行規則(昭和32年厚生省令第45号)の一部が、健康保険法施行令等の一部を改正する政令(平成6年政令第389号)及び厚生大臣の所管に属する公益法人の設立及び監督に関する規則等の一部を改正する省令(平成6年厚生省令第77号)をもって、別添のとおり改正されたので、下記の事項に留意の上、その運用に遺憾のないようにされたい。

記

第1 改正の趣旨

今回の改正は、行政改革の一環として、民間活動等に係る規制がもたらす負担の軽減や行政事務の簡素化を図るため、許可等の整理及び合理化を行ったものであり、「今後における行政改革の推進方策について」(平成6年2月15日閣議決定)において、平成6年内に措置を講ずることとされた政令及び省令改正の必要な規制緩和事項のうち、単独の政令及び省令によるべきもの以外を一括して改正したものであること。

第2 改正の内容

1 建築物における衛生的環境の確保に関する法律関係

(1) 建築物における衛生的環境の確保に関する法律第7条第1項第1号の講習会の受講資格を有する者に、以下の学歴及び実務の経験を有する者を加えたこと。(建築物における衛生的環境の確保に関する法律施行規則第6条関係)

ア 防衛庁設置法(昭和29年法律第164号)による防衛大学校において本科における理工学の正規の課程を修めて卒業した後、1年以上建築物の維持管理に関する実務に従事した経験を有する者

イ 運輸省組織令(昭和59年政令第175号)による海上保安大学校を卒業した後、1年以上建築物の維持管理に関する実務に従事した経験を有する者

(2) 建築物における衛生的環境の確保に関する法律第7条第1項第1号の講習会の受講資格を有する者に、以下の知識及び技能を有する者を加えたこと。(建築物における衛生的環境の確保に関する法律施行規則第7条関係)

ア 技術士法(昭和58年法律第25号)第32条第1項の規定により登録を受けた技術士(機械部門、電気・電子部門、水道部門又は衛生工学部門に係る登録を受けた者に限る。)

2 環境衛生関係営業の運営の適正化に関する法律関係

環境衛生同業組合、環境衛生同業小組合及び環境衛生同業組合連合会の組合員の異動に係る都道府県知事への報告を月1回(毎月15日まで)から、年1回(毎年1月31日まで)としたこと。(環境衛生関係営業の運営の適正化に関する法律施行規則第11条関係)

3 理容師法関係

(1) 理容師法第3条第4項に規定する厚生大臣の指定した理容師養成施設(以下「指定理容師養成施設」という。)の設立者が、通信課程における通信教材の内容又は指導の方法の変更(面接指導の方法を除く。)をする場合の厚生大臣の承認を廃止

し、新たに、厚生大臣への届出事項としたこと。（理容師法施行令第2条第1項並びに理容師法施行規則第12条の2第1項及び第13条第1項関係）
- (2) 指定理容師養成施設の設立者が、通信課程における面接指導の方法又は施設の構造設備の変更（生徒の定員を変更するためのものを除く。）をする場合の都道府県知事の承認を廃止し、新たに、都道府県知事への届出事項としたこと。（理容師法施行令第2条第3項並びに理容師法施行規則第12条の2第2項及び第13条第2項関係）
- (3) 指定理容師養成施設の設立者が、毎年7月31日までに都道府県知事に届け出なければならない収支決算等の事項のうち、前年の4月1日からその年の3月31日までに卒業した者に係る学級別及び教科課目別授業時間数の届出を不要としたこと。（理容師法施行規則第14条関係）
- (4) 従来、指定理容師養成施設の設立者が、生徒を入所又は卒業させたときは、15日以内に入所者又は卒業者の数を都道府県知事に届け出なければならないとされていたが、これを、毎年4月30日までに、前年の4月1日からその年の3月31日までの入所者の数及び卒業者の数を都道府県知事に届け出るものとしたこと。（理容師法施行規則第15条関係）

4 美容師法関係
- (1) 美容師法第4条第4項に規定する厚生大臣の指定した美容師養成施設（以下「指定美容師養成施設」という。）の設立者が、通信課程における通信教材の内容又は指導の方法の変更（面接指導の方法を除く。）をする場合の厚生大臣の承認を廃止し、新たに、厚生大臣への届出事項としたこと。（美容師法施行令第4条第1項並びに美容師法施行規則第12条第1項及び第13条第1項関係）
- (2) 指定美容師養成施設の設立者が、通信課程における面接指導の方法又は施設の構造設備の変更（生徒の定員を変更するためのものを除く。）をする場合の都道府県知事の承認を廃止し、新たに、都道府県知事への届出事項としたこと。（美容師法施行令第4条第3項並びに美容師法施行規則第12条第2項及び第13条第2項関係）
- (3) 指定美容師養成施設の設立者が、毎年7月31日までに都道府県知事に届け出なければならない収支決算等の事項のうち、前年の4月1日からその年の3月31日までに卒業した者に係る学級別及び教科課目別授業時間数の届出を不要としたこと。（美容師法施行規則第14条関係）
- (4) 従来、指定美容師養成施設の設立者が、生徒を入所又は卒業させたときは、15日以内に入所者又は卒業者の数を都道府県知事に届け出なければならないとされていたが、これを、毎年4月30日までに、前年の4月1日からその年の3月31日までの入所者の数及び卒業者の数を都道府県知事に届け出るものとしたこと。（美容師法施行規則第15条関係）

5 製菓衛生師法関係
- (1) 製菓衛生師法第5条第1号に規定する厚生大臣の指定した養成施設（以下「指定製菓衛生師養成施設」という。）の設立者が、通信課程における通信教材の内容若

しくは指導の方法を変更をする場合の厚生大臣の承認を廃止し、新たに、厚生大臣への届出事項としたこと。(製菓衛生師法施行令第10条第2項及び製菓衛生師法施行規則第9条関係)
(2) 指定製菓衛生師養成施設の設立者が、施設の構造設備の変更(生徒の定員を変更するためのものを除く。)をする場合の都道府県知事の承認を廃止し、新たに、都道府県知事への届出事項としたこと。(製菓衛生師法施行令第10条第3項関係)
(3) 指定製菓衛生師養成施設の設立者が入学料、授業料及び実習費の額並びに養成施設の教員を変更する場合の厚生大臣の届出を都道府県知事の届出としたこと。(製菓衛生師法施行令第10条第3項並びに製菓衛生師法施行規則第9条第3項及び同条第4項関係)
(4) 職業能力開発促進法施行令(昭和44年政令第258号)別表に掲げる検定職種のうち、菓子製造に係る1級又は2級の技能検定に合格した者は、試験科目のうち製菓理論及び実技の免除を受けることができるものとしたこと。(製菓衛生師法施行規則第4条の2関係)
6 食鳥処理の事業の規制及び食鳥検査に関する法律関係
食鳥処理の事業の規制及び食鳥検査に関する法律第12条第3項第4号の講習会の受講資格を有する者に、旧海員養成所官制(昭和14年勅令第458号)による海員養成所を卒業した者を加えたこと。(食鳥処理の事業の規制及び食鳥検査に関する法律施行規則第6条関係)
7 水道法関係
水道法第21条第1項(第31条、第34条第1項において準用する場合を含む。)の規定により行う定期の健康診断をおおむね3箇月ごとから、おおむね6箇月ごとに行うものとしたこと。(水道法施行規則第15条第1項関係)
第3 運用上留意すべき事項
今回の改正は、公布の日(平成6年12月14日)から施行することとしたこと。ただし、第2の3から5までの改正は、平成7年4月1日から施行することとしたこと。
第4 その他
第2の1の(2)の改正に伴い、「建築物における衛生的環境の確保に関する法律第7条第1項第1号の講習会の受講資格の認定について(昭和47年1月13日環衛第6号)」を次のように改正する。
次のよう 略
別添 略

第2編 理容師・美容師

○理容師法施行規則及び美容師法施行規則の一部を改正する省令の施行について

〔平成7年4月14日　衛指第122号
各都道府県知事宛　厚生省生活衛生局長通知〕

　理容師法施行規則及び美容師法施行規則の一部を改正する省令が、平成7年4月14日厚生省令第31号をもって公布されたことに伴い、理容師法施行規則（昭和23年厚生省令第41号）及び美容師法施行規則（昭和32年厚生省令第43号）の一部がそれぞれ改正された。その改正の趣旨及び内容等は下記のとおりであるので、御了知されたい。

記

第1　改正の趣旨

　　平成7年度春の試験から理容師・美容師試験の実地試験を全国統一的に実施することに伴い、理容師・美容師試験について、実地試験の試験委員に係る資格要件の拡大を行ったものであること。

第2　改正の内容等

　1　改正の内容

　　　理容師・美容師試験の実地試験委員の資格要件について、地方公共団体の職員又は職員であった者で、環境衛生監視員の業務に3年以上従事した経験を有するもの（1号）に「厚生大臣がこれと同等以上の知識及び経験を有すると認めたもの」を加えることとしたこと。

　2　施行日

　　　今回の改正省令は、公布の日（平成7年4月14日）から施行されること。

○理容師法及び美容師法の一部を改正する法律の公布について

〔平成7年6月16日　衛指第152号
各都道府県知事宛　厚生省生活衛生局長通知〕

　理容師法及び美容師法の一部を改正する法律（以下「改正法」という。）が、衆議院厚生委員長から議員提案され、平成7年6月16日法律第109号として公布された。改正法の施行日は平成10年4月1日であるが、理容師名簿及び美容師名簿の登録事務の引継ぎその他改正法の施行に当たっては十分な準備期間が必要であると考えられるため、貴職におかれては、下記の内容を十分御理解の上、法の施行に遺憾のないようにするとともに、関係方面への周知方よろしくお願いする。

記

第1　改正の趣旨・目的

　　近年における科学技術の進歩、生活文化の向上、消費者ニーズの高度化等に伴い、理容師及び美容師に対して、高度な技術とさらなる衛生水準の維持向上が要請されている

理容師法及び美容師法の一部を改正する法律の公布について

ことに鑑み、理容師及び美容師の資質の向上等に資するため、理容師試験及び美容師試験の受験資格の改正その他所要の改正を行うこととすること。

第2 主な改正の内容
(1) 理容師法の目的を規定すること。（理容師法第1条関係）
(2) 理容師及び美容師の免許を与える者を、都道府県知事から厚生大臣とすること。（理容師法第2条、美容師法第3条関係）
(3) 理容師試験及び美容師試験を実施する者を、都道府県知事から厚生大臣とし、厚生大臣は、その指定する試験機関に試験事務を行わせることができることとすること。（理容師法第3条第3項等、美容師法第4条第3項等関係）
(4) 理容師試験及び美容師試験の受験資格を、学校教育法第56条に規定する者（高等学校卒業）であって、厚生大臣の指定した養成施設において厚生省令で定める期間以上理容師又は美容師となるのに必要な知識及び技能を修得したものとすること。これに伴い、実地習練は廃止すること。（理容師法第3条第4項等、美容師法第4条第4項等関係）
　　ただし、学校教育法第47条に規定する者（中学校卒業）であって、厚生省令で定める要件に該当すること等一定の要件を満たすものについて、当分の間、理容師試験又は美容師試験の受験資格を認めること。（改正法附則第5条関係）
(5) 理容師及び美容師の登録に関する事務を実施する者を、都道府県知事から厚生大臣とし、厚生大臣は、その指定する登録機関に登録事務を行わせることができることとすること。（理容師法第5条等、美容師法第5条等関係）
(6) 理容師免許及び美容師免許の精神病者等に係る欠格事由を、絶対的欠格事由から相対的欠格事由とすること。（理容師法第7条、美容師法第3条第2項関係）

第3 施行日
　平成10年4月1日。ただし、改正法に基づく理容師試験又は美容師試験は、平成12年4月1日から実施する。

第4 その他
(1) 第2(4)のとおり、理容師試験及び美容師試験の受験資格を改正することに伴い、中学校卒業者の就業機会が狭められることのないよう、適切な措置を講ずることとしている。
　　また、理容師又は美容師の養成課程を有するろう学校高等部卒業者の理容師試験又は美容師試験の受験資格については、これらの者の置かれている状況に鑑み、特段の配慮を払うこととしている。
(2) 今後、改正法に基づき、理容師・美容師養成施設の指定基準及び理容師・美容師の免許・登録に関する手続等を改め、また、中学校卒業者に理容師・美容師試験の受験資格を認める場合の要件等を定めるため、必要な政省令等の改正を行うこととなるが、理容師・美容師養成施設及び都道府県等における必要な準備期間等を考慮し、できる限り早い時期に改正を行うこととしている。
(3) その他、今回の法律改正に伴い必要となる事務の詳細については、追って通知することとしている。

○民間活動に係る規制の改善及び行政事務の合理化のための厚生省関係法律の一部を改正する法律等による理容師法等の一部改正の施行について

　　平成8年6月26日　衛指第103号
　　各都道府県知事・各政令市市長・各特別区区長宛　厚生省生活衛生局長通知

　民間活動に係る規制の改善及び行政事務の合理化のための厚生省関係法律の一部を改正する法律、理容師法施行規則等の一部を改正する省令が、それぞれ、平成8年6月26日法律第107号、平成8年6月26日厚生省令第39号をもって公布されたことにより、理容師法（昭和22年法律第234号）、クリーニング業法（昭和25年法律第207号）、美容師法（昭和32年法律第163号）、理容師法施行規則（昭和23年厚生省令第41号）、クリーニング業法施行規則（昭和25年厚生省令第35号）、美容師法施行規則（昭和32年厚生省令第43号）の一部がそれぞれ改正された。その改正の趣旨及び内容等は、下記のとおりであるので了知のうえその運用に遺憾のないようにされたい。

記

第1　改正の趣旨

　　理容師法、クリーニング業法及び美容師法の改正は、「規制緩和推進計画について」（平成7年3月31日閣議決定）等に基づき、国民負担の軽減及び行政事務の簡素化等の観点から、理容所、クリーニング所及び美容所（以下「理容所等」という。）の開設届出・使用前検査制度について、保有する施設設備が同一であるにもかかわらず、再度開設の届出を行い、使用前検査を受けなければ理容所等を使用出来ないとすることが、事業者、行政庁の双方にとって負担となっていることにかんがみ、相続又は合併による営業承継の場合には、新規の開設届出及び使用前検査を不要とするものであること。

第2　地位承継に関する事項

1　理容所等の開設者に相続又は合併があったときは、相続人又は合併後存続する法人若しくは合併により設立された法人は、当該開設者の地位を承継すること。
　　また、この場合において、その開設者の地位を承継した者は、遅滞なく、その事実を証明する書面を添えて、その旨を都道府県知事又は保健所設置市長（以下「都道府県知事等」という。）に届け出なければならないこと。

2　これに伴い、理容業については、改正後の理容師法施行規則第20条の3及び第20条の4、クリーニング業については、改正後のクリーニング業法施行規則第2条の2及び第2条の3、美容業については、改正後の美容師法施行規則第21条の2及び第21条の3に定める所定の事項を都道府県知事等に届け出ることとしたこと。

第3　施行期日

　　平成8年12月26日から施行すること。

○理容師法及び美容師法の一部を改正する法律等の施行について

> 平成10年2月3日　生衛発第121号
> 各都道府県知事・各政令市市長・各特別区区長宛　厚生省生活衛生局長通知

　理容師法及び美容師法の一部を改正する法律（平成7年法律第109号。以下「改正法」という。）については、「理容師法及び美容師法の一部を改正する法律の公布について」（平成7年6月16日衛指第152号各都道府県知事あて本職通知）において、既に法改正の要点等について通知したところであるが、同法は、平成10年4月1日より施行されることとなっており、これに伴い、理容師法及び美容師法の一部を改正する法律の施行に伴う関係政令の整備に関する政令（平成9年政令第321号）、理容師法施行規則（平成10年厚生省令第4号）、理容師養成施設指定規則（平成10年厚生省令第5号）、理容師法に基づく指定試験機関及び指定登録機関に関する省令（平成10年厚生省令第6号）、美容師法施行規則（平成10年厚生省令第7号）、美容師養成施設指定規則（平成10年厚生省令第8号）及び美容師法に基づく指定試験機関及び指定登録機関に関する省令（平成10年厚生省令第9号）が公布され、平成10年4月1日より施行されることとなった。

　各政省令の概要及び施行に際し留意すべき事項は下記のとおりであるので、御了知の上、各法令の施行及び関係各方面の指導に遺憾なきを期せられたい。

記

第1　政令の概要
 1　理容師法施行令及び美容師法施行令の一部改正（第1条及び第2条）
　(1)　理容師・美容師試験、養成施設、免許及び登録（手数料を除く。）並びに実地習練に関する規定を削除すること。
　(2)　登録等の手数料を定めたこと。
　(3)　都道府県知事等が業務停止処分を行った場合、厚生大臣に通知するものとしたこと。
　(4)　従前の例による試験の受験手数料を附則に定めたこと。
 2　その他の関係政令の整備
　(1)　理容師法施行令等の一部を改正する政令（昭和60年政令第296号）について、合格証明書の交付に係る経過規定に期限（平成12年3月31日）を設けたこと。（第3条）
　(2)　地方公共団体手数料令（昭和30年政令第330号）について、免許手数料等に関する規定を削除するとともに、合格証明書の根拠条項を整理したこと。（第4条）
　(3)　法人税法施行令等について、理容師法及び美容師法を引用している規定を整理したこと。（第5条及び第6条）

3　理容師法施行令、美容師法施行令等の改正に伴う経過措置を設けたこと。
第2　省令の概要
1　理容師法施行規則及び美容師法施行規則関係
(1)　概要
改正法により、免許権者及び試験の実施者が都道府県知事から厚生大臣に改められたこと並びに従来政令に委任されていた試験、免許及び登録に関する事項が省令に委任されたこと等に伴い、厚生大臣が免許を付与し、及び試験を実施する上で必要な規定を整備した。
(2)　免許及び登録
① 　免許の申請手続き、免許の書換え交付及び再交付の申請手続き等について定めたこと。（理容・美容―第1条、第5条、第6条及び第8条）
② 　理容師・美容師名簿の登録事項を規定するとともに、名簿の訂正及び登録の消除の申請手続きについて定めたこと。（理容・美容―第2条、第3条、第4条及び第7条）
③ 　指定登録機関が登録事務を行う場合における関係規定の適用について必要な読み替え規定を設けたこと。（理容・美容―第9条）
④ 　都道府県知事等が理容師・美容師に対し業務停止処分を行ったときの厚生大臣に通知する内容について定めたこと。（理容・美容―第10条）
(3)　理容師・美容師試験
① 　理容師・美容師試験の受験資格としての養成施設における修業期間は、昼間課程又は夜間課程においては2年、通信課程においては3年としたこと。（理容・美容―第11条）
② 　理容師・美容師試験は、筆記試験及び実技試験とし、それぞれの試験課目について定めたこと。（理容・美容―第12条）
③ 　筆記試験又は実技試験の合格者について、次回の理容師・美容師試験における免除規定を設けたこと。（理容・美容―第13条）
④ 　受験の手続き、合格証書及び合格証明書の交付について定めたこと。（理容・美容―第14条から第17条）
⑤ 　指定試験機関が試験事務を行う場合における関係規定の適用について必要な読み替え規定を設けたこと。（理容・美容―第18条）
⑥ 　旧試験（改正法附則第2条の規定による試験を含む。）の合格証明書の交付は、厚生大臣（指定試験機関が試験事務を行う場合には、指定試験機関）が行うこととしたこと。（理容・美容―附則第4条）
⑦ 　①から⑥までの規定は、平成12年4月1日から適用することとしたこと。（理容・美容―附則第3条）
⑧ 　改正法附則第2条の規定による理容師・美容師試験の学科試験の合格者について、平成14年3月31日までの間は、新試験の筆記試験を免除する規定を設けたこと。（理容・美容―附則第5条）

⑨　改正法附則第5条第1項に規定する厚生省令で定める要件は、
　　ア　厚生大臣が別に定める講習の課程を修了した者
　　イ　入所資格について特別の基準が設定された養成施設の全教科課程を修了した者
　のいずれかに該当することとしたこと。(理容・美容―附則第6条)
⑩　学校教育法第56条に規定する者とみなすもの及び第47条に規定する者とみなすものをそれぞれ定めたこと。(理容・美容―附則第7条及び第8条)
(4)　理容所・美容所等
　現行の理容師法施行規則及び美容師法施行規則と同様の規定を設けたこと。(理容・美容―第19条から第27条)
2　理容師養成施設指定規則及び美容師養成施設指定規則関係
(1)　**概要**
　改正法により、養成施設に関し必要な事項は省令で定めるとされたことに伴い、養成施設の指定の申請手続き、指定基準及び監督上必要な規定を整備した。
(2)　養成課程
　現行どおり、昼間課程、夜間課程、通信課程としたこと。(理容―第2条)
(3)　指定の申請手続き
①　指定の申請書の記載事項、添付書類について定めたこと。(理容―第3条、美容―第2条)
②　養成制度の全面的な改正に伴い、改正法の施行後に改めて養成施設の指定を行うこととしているが、平成10年度当初に指定を受けることができるよう、現行の理容師法施行規則及び美容師法施行規則の規定による申請を理容師養成施設指定規則及び美容師養成施設指定規則の規定による申請とみなす規定を設けたこと。
　(理容・美容―附則第2条)
(4)　指定基準
①　理容師・美容師試験の受験資格が改められたことに伴い、入所資格を学校教育法第56条に規定する者(高等学校卒業者)としたこと。(理容―第4条第1項第1号イ、美容―第3条第1項第1号イ)
②　教科課目、授業時間数、教員資格等について、新しい教科課程の内容に対応して全面的に改めたこと。(理容・美容―別表第1及び第3)
③　専任教員の数、1学級の定員、施設設備等について、他の養成制度等の基準を参考に所要の改正をしたこと。(理容―第4条第1項第1号ヘ、チ、リ及びヌ、美容―第3条第1項第1号ヘ、チ、リ及びヌ)
④　通信課程における授業方法等については、格段の充実・強化が必要であるため、別途詳細な基準を定めることとしたこと。(理容―第4条第1項第3号ホ、美容―第3条第1項第3号ホ)
⑤　特別の事情のある養成施設について、厚生大臣は特別の基準を設けることがあることとしたこと(ろう学校、矯正施設について設定する予定)。(理容―第4条

第2項、美容—第3条第2項）
⑥ 入所資格に係る基準にかかわらず、養成施設の長が、厚生大臣が別に定める講習を実施する場合においては、学校教育法第47条に規定する者（中学校卒業者）を入所させることができることとしたこと。（理容・美容—附則第3条）
⑦ 既存の養成施設については、専任教員の数及び施設設備の基準に係る経過措置を設けたこと。（理容・美容—附則第4条）
⑧ 現に養成施設の教員である者については、教員資格に係る経過措置を設けたこと。（理容・美容—附則第5条及び第6条）

(5) 教科課程の基準
養成施設の教科課程は、厚生大臣が別に定める教科課程の基準によらなければならないこととしたこと。（理容—第5条、美容—第4条）

(6) 変更等の承認、届出
① 生徒の定員若しくは生徒の定員を変更するための施設の構造設備の変更、養成課程の新設若しくは一部廃止又は養成施設の廃止については、厚生大臣の承認を得なければならないこととしたこと。（理容—第6条、美容—第5条）
② 養成施設について①以外の変更が生じた場合には、変更事項に応じた手続きにより届け出なければならないこととしたこと。（理容—第7条、美容—第6条）
③ 収支決算、入所者・卒業者数については、毎年、都道府県知事に届け出なければならないこととしたこと。（理容—第8条及び第9条、美容—第7条及び第8条）

(7) 指定の取消し
① 養成施設が指定基準に適合しなくなったとき、又はその設立者が変更等の承認の規定に違反したときは、厚生大臣はその指定を取り消すことができることとしたこと。（理容—第11条、美容—第10条）
② 改正法附則第4条第2項の規定により厚生大臣の指定がなおその効力を有するとされる養成施設については、修業期間、養成施設の指定、教科課程に係る旧基準はなおその効力を有することとしたこと。（理容・美容—附則第7条）

3 理容師法に基づく指定試験機関及び指定登録機関に関する省令及び美容師法に基づく指定試験機関及び指定登録機関に関する省令関係

(1) 概要
改正法により、厚生大臣はその指定する者に試験事務及び登録事務を委任できるとされたこと並びに指定試験機関及び指定登録機関に関し必要な事項は省令で定めるとされたことに伴い、指定試験機関及び指定登録機関の指定の申請手続き、及び監督上必要な規定等を整備した。

(2) 指定試験機関
① 指定試験機関の指定の申請手続き、名称の変更等の届出等について定めたこと。（理容・美容—第1条及び第2条）
② 試験委員の要件、試験委員の選任・変更の届出について定めたこと。（理容・

美容—第4条及び第5条)
  ③ 試験事務規程の認可の申請手続き、試験事務規程の記載事項、事業計画・収支予算の認可の申請手続き、帳簿の記載事項等について定めたこと。(理容・美容—第6条から第9条)
  ④ 指定試験機関は、試験結果を厚生大臣に報告しなければならないこととしたこと。(理容・美容—第10条)
  ⑤ 試験事務の休・廃止の許可の申請手続き、試験事務の引継ぎ等について定めたこと。(理容・美容—第11条及び第12条)
  ⑥ ①から⑤までの規定は、平成12年4月1日から適用することとしたこと。(理容・美容—附則第2項)
 (3) 指定登録機関
  ① 登録事務規程の記載事項、帳簿の記載事項等について定めたこと。(理容・美容—第13条及び第14条)
  ② 指定登録機関は、登録状況、虚偽登録者等について厚生大臣に報告しなければならないこととしたこと。(理容・美容—第15条及び第16条)
  ③ 厚生大臣は、試験の合格者、免許の取消し等の処分について指定登録機関に通知するものとしたこと。(理容・美容—第17条及び第18条)
  ④ 指定登録機関の指定の申請手続き等について、指定試験機関に関する規定を準用する規定を設けたこと。(理容・美容—第19条)
第3 留意事項
 1 改正法の施行及び養成施設の指定基準の改正に伴い、既存の養成施設についても再度厚生大臣の指定を行うこととなるため、既存の養成施設についても指定申請の手続きが必要であり、その申請書の提出期限は2月末日であること。
 2 養成施設の指定基準については、理容師養成施設指定規則及び美容師養成施設指定規則のほかに具体的な運用基準を示すため、養成施設指導要領を別途定めることとしているので、養成施設に対する指導等は両規則及び指導要領に基づき適切に行われたいこと。
 3 登録の実施等に関する事務については、改正法による改正後の理容師法第5条の3第1項及び改正法による改正後の美容師法第5条の3第1項の規定により、指定登録機関に行わせることとしており、(財)理容師美容師試験研修センターを指定登録機関として指定する予定であること。
   なお、登録事務の具体的な引継ぎ手続については、別途通知する予定であること。
 4 試験の実施は、平成12年度から国に移行することとなるが、その実施等に関する事務を改正法による改正後の理容師法第4条の2第1項及び改正法による改正後の美容師法第4条の2第1項の規定により、指定試験機関に行わせることとしており、指定試験機関の指定はそれまでに行う予定であること。また、試験の手数料に関する規定についてもそれまでに整備すること。
 5 理容師法施行規則附則第7条第12号及び第8条第6号及び美容師法施行規則附則第

第2編　理容師・美容師

　　7条第12号及び第8条第6号に基づく認定は、施行後直ちに行うこととしているので、平成10年度入学者のうち認定が必要となる者の取扱いについては、十分留意すること。
　6　実地習練については、改正法附則第4条第1項の規定により、「厚生大臣が告示する日」までの間は、なお従前の例とすることから、実地習練に関する規定は従前と同様の取扱いとなること。
　7　理容師法施行規則及び美容師法施行規則における理容所及び美容所の規定は従前と同様であるので指導等に当たっては十分留意すること。

○理容師法施行令及び美容師法施行令の一部を改正する政令の施行について

〔平成12年3月17日　生衛発第420号〕
〔各都道府県知事宛　厚生省生活衛生局長通知〕

　理容師法施行令及び美容師法施行令の一部を改正する政令が平成12年3月17日政令第66号をもって公布され、理容師法施行令（昭和28年政令第232号）及び美容師法施行令（昭和32年政令第277号）の一部がそれぞれ下記のとおり改正されたので、御了知願いたい。

記

第1　改正の趣旨
　　理容師試験及び美容師試験について、都道府県知事による試験から厚生大臣による試験へ変更され、平成12年4月から実施されることに伴い、受験手数料の額を定めたものであること。
第2　改正の内容
　1　理容師試験及び美容師試験の受験手数料の額を定めたこと。
　　　　筆記試験　　1万1000円
　　　　実技試験　　1万3000円
　2　従前の例によることとされている理容師試験及び美容師試験の受験手数料の額に関する規定を削除したこと。
第3　施行期日
　　この改正政令は、平成12年4月1日より施行されること。
第4　その他
　　試験の実施に関する事務については、理容師法第4条の2第1項及び美容師法第4条の2第1項の規定により、指定試験機関に行わせることとしており、財団法人理容師美容師試験研修センターを指定試験機関として指定する予定であること。

○地方分権の推進を図るための関係法律の整備等に関する法律等の施行について（抄）

> 平成12年3月30日　生衛発第569号
> 各都道府県知事・各指定都市市長・各中核市市長宛
> 厚生省生活衛生局長通知

　地方分権推進計画（平成10年5月閣議決定）を踏まえ、地方分権の推進を図るための関係法律の整備等に関する法律（平成11年法律第87号。以下「整備法」という。）、地方分権の推進を図るための関係法律の整備等に関する法律の施行に伴う厚生省関係政令の整備等に関する政令（平成11年政令第393号）が既に制定、公布されているところである。また、本日、食品衛生法施行規則等の一部を改正する省令（平成12年厚生省令第57号）が公布されたところであり、これらは、いずれも平成12年4月1日より施行されることとなっている。
　このうち、生活衛生局所管に係るものの概要等は下記のとおりであるので、御了知の上、関係者への周知を図るとともに、その運用に当たってよろしく御配慮願いたい。

記

第1　改正の趣旨
　　地方分権推進計画において、従来の機関委任事務制度の廃止並びに自治事務及び法定受託事務の区分の創設、権限委譲の推進、必置規制の見直し等が定められたことに伴い、関係法令について必要な整備を行うものであること。
第2　各法律等における改正内容について
　　生活衛生局所管の法令に係る整備法等による主な改正内容は以下のとおりであること。
　1　食品衛生法関係　略
　2　理容師法関係
　　(1)　理容師法（昭和22年法律第234号）の一部改正
　　　①　厚生大臣から都道府県知事に委任することができることとされている理容師養成施設の指定に関する事務の一部を、この法律又はこの法律に基づく政令の規定により都道府県知事が行うこととすることができる事務とすること。
　　　②　理容師に対する業務の停止に係る厚生大臣の権限規定を削除すること。
　　(2)　理容師法施行令（昭和28年政令第232号）の一部改正
　　　理容師養成施設の指定を行うのに必要な調査及び理容師養成施設に関する指定取消理由の有無の調査に関する事務を都道府県が処理する法定受託事務とすること。
　　(3)　理容師法施行規則（平成10年厚生省令第4号）の一部改正
　　　①　法の改正に伴う規定の整備を行うこと。
　　　②　保健所長の経由事務を廃止すること。
　　(4)　理容師法に基づく指定試験機関及び指定登録機関に関する省令（平成10年厚生省令第6号）の一部改正

第2編　理容師・美容師

　　　法の改正に伴う規定の整備を行うこと。
　3　興行場法関係
　　　興行場法（昭和23年法律第137号）の一部改正
　　　　機関委任事務の廃止に伴い大都市等の特例に関する規定を整備すること。
　4　旅館業法関係
　　　旅館業法（昭和23年法律第138号）の一部改正
　　　　旅館業の経営の許可に係る手数料規定を削除すること。
　5　公衆浴場法関係
　　　公衆浴場法（昭和23年法律第139号）の一部改正
　　　　公衆浴場の経営の許可に係る手数料規定を削除すること。
　6　クリーニング業法関係
　(1)　クリーニング業法（昭和25年法律第207号）の一部改正
　　　　指定試験機関が行うクリーニング師試験に係る手数料に関し、条例により、指定試験機関の収入とすることができるものとすること。
　(2)　クリーニング業法施行令（昭和28年政令第233号）の一部改正
　　　　クリーニング師試験の受験手数料の規定を削除すること。
　(3)　クリーニング業法施行規則（昭和25年厚生省令第35号）の一部改正
　　①　保健所長の経由事務等を廃止すること。
　　②　その他所要の規定の整備を行うこと。
　7　狂犬病予防法関係　略
　8　と畜場法関係　略
　9　美容師法関係
　(1)　美容師法（昭和32年法律第163号）の一部改正
　　①　厚生大臣から都道府県知事に委任することができることとされている美容師養成施設の指定に関する事務の一部を、この法律又はこの法律に基づく政令の規定により都道府県知事が行うこととすることができる事務とすること。
　　②　美容師に対する業務の停止に係る厚生大臣の権限規定を削除すること。
　(2)　美容師法施行令（昭和32年政令第277号）の一部改正
　　　　美容師養成施設の指定を行うのに必要な調査及び美容師養成施設に関する指定取消理由の有無の調査に関する事務を都道府県が処理する法定受託事務とすること。
　(3)　美容師法施行規則（平成10年厚生省令第7号）の一部改正
　　①　法の改正に伴う規定の整備を行うこと。
　　②　保健所長の経由事務を廃止すること。
　(4)　美容師法に基づく指定試験機関及び指定登録機関に関する省令（平成10年厚生省令第8号）の一部改正
　　　　法の改正に伴う規定の整備を行うこと。
　10　環境衛生関係営業の運営の適正化に関する法律関係
　(1)　環境衛生関係営業の運営の適正化に関する法律（昭和32年法律第164号）の一部

改正
① 都道府県に置かれる環境衛生適正化審議会に関する規制を弾力化すること。
② 振興計画の認定の申請等に係る経由の事務を都道府県が処理する法定受託事務とすること。
(2) 環境衛生関係営業の運営の適正化に関する法律施行令（昭和32年政令第279号）の一部改正
都道府県に置かれる環境衛生適正化審議会に関する規制を弾力化すること。
(3) 環境衛生関係営業の運営の適正化に関する法律施行規則（昭和32年厚生省令第37号）の一部改正
都道府県知事の経由事務を廃止すること。
11 製菓衛生師法関係　略
12 建築物における衛生的環境の確保に関する法律関係
(1) 建築物における衛生的環境の確保に関する法律（昭和45年法律第20号）の一部改正
機関委任事務の廃止に伴い再審査請求に関する規定を削除すること。
(2) 建築物における衛生的環境の確保に関する法律施行規則（昭和46年厚生省令第2号）の一部改正
① 保健所長の経由事務を廃止すること。
② 都道府県労働局の創設に伴う改正を行うこと。
13 有害物質を含有する家庭用品の規制に関する法律関係
有害物質を含有する家庭用品の規制に関する法律（昭和48年法律第112号）の一部改正
家庭用品の回収命令等の事務を都道府県が処理する法定受託事務とすること。
14 食鳥処理の事業の規制及び食鳥検査に関する法律関係　略
15 地域保健対策強化のための関係法律の整備等に関する法律関係　略
16 物価統制令関係
公衆浴場入浴料金の統制額の指定等に関する省令（昭和32年厚生省令第38号）の一部改正
① 地方分権の推進を図るための関係法律の整備等に関する法律の施行に伴う経済企画庁関係政令の整備に関する政令（平成11年政令第373号）第1条による物価統制令施行令（昭和27年政令第319号）の一部改正に伴う規定の整備を行うこと。
② その他所要の規定の整備を行うこと。
第3 既存の通知等の取扱いについて
生活衛生局所管の法律又はこれに基づく政令の規定に基づく地方公共団体の事務に係る既存の通知等に関しては、その文言の如何にかかわらず、以下の通り取り扱うこととするので、御了知願いたい。
1 地方公共団体が国の機関であると解釈しないこと。
2 国の地方公共団体に対する包括的な指揮監督権限の発動と解釈しないこと。

第2編　理容師・美容師

3　別途の通知等が発出されない限り、整備法による改正後の地方自治法（昭和22年法律第67号）第245条の4の規定に基づく技術的な助言若しくは勧告又は資料の提出の要求と解釈すること。

○理容師法施行規則等の一部を改正する省令の施行について

［平成12年3月31日　　生衛発第631号　　　　　　　　　］
［各都道府県知事宛　厚生省生活衛生局長通知］

　理容師法施行規則等の一部を改正する省令（以下「改正省令」という。）が平成12年3月31日厚生省令第75号をもって公布され、理容師法施行規則（平成10年厚生省令第4号）、理容師法に基づく指定試験機関及び指定登録機関に関する省令（平成10年厚生省令第6号）、美容師法施行規則（平成10年厚生省令第7号）及び美容師法に基づく指定試験機関及び指定登録機関に関する省令（平成10年厚生省令第9号）の一部がそれぞれ下記のとおり改正されたので、御了知願いたい。

記

第1　改正の趣旨
　　理容師試験及び美容師試験について、都道府県知事による試験から厚生大臣による試験へ変更され、平成12年4月から実施されることに伴い、合格証明書の交付手数料の額を定める等の整備を行うものであること。
第2　改正の内容
　1　理容師法施行規則及び美容師法施行規則の一部改正
　　(1) 理容師試験及び美容師試験の合格証明書の交付手数料の額（2600円）を定めたこと。
　　(2) 合格証明書の交付手数料の納入方法に関する規定を定めたこと。
　　(3) 指定試験機関が試験事務を行う場合の合格証明書の交付手数料に関する規定の適用について定めたこと。
　2　理容師法に基づく指定試験機関及び指定登録機関に関する省令及び美容師法に基づく指定試験機関及び指定登録機関に関する省令の一部改正
　　　理容師法施行令及び美容師法施行令の一部を改正する政令（平成12年政令第66号）の施行に伴い、所要の規定の整備を行ったこと。
第3　施行期日
　　この改正省令は、平成12年4月1日より施行されること。

○理容師法施行規則の一部を改正する省令及び美容師法施行規則の一部を改正する省令の施行等について

[平成12年8月15日　生衛発第1,279号
各都道府県知事・各政令市市長・各特別区区長宛　厚生省生活衛生局長通知]

　理容師法施行規則の一部を改正する省令及び美容師法施行規則の一部を改正する省令が、それぞれ平成12年8月15日厚生省令第113号及び同日厚生省令第114号をもって公布され、ともに平成12年9月1日から施行されることとなった。

　これらの改正の趣旨、内容等は下記第1のとおりであるので、御了知されたい。

　また、今回の省令改正の趣旨を踏まえるとともに、感染症の予防及び感染症の患者に対する医療に関する法律（平成10年法律第114号）及び感染症の予防及び感染症の患者に対する医療に関する法律施行規則（平成10年厚生省令第99号）における就業制限に関する規定等との整合性を考慮して、昭和56年6月1日環指第95号環境衛生局長通知「理容所及び美容所における衛生管理要領について」の別添「理容所及び美容所における衛生管理要領」の一部を下記第2のとおり改正することとしたので、あわせて御了知の上、関係機関等への周知並びに理容所及び美容所に対する指導方よろしくお取り計らい願いたい。

記

第1　改正の趣旨、内容等について
　1　改正の趣旨
　　　理容所及び美容所では、理容師法第8条第2号及び美容師法第8条第2号の規定に基づき、皮ふに接する器具を客1人ごとに消毒することとされており、これを受けて、理容師法施行規則第24条及び美容師法施行規則第24条において消毒の方法が定められているところ、ウイルス性肝炎等への感染予防対策の充実の観点から、理容師法施行規則第24条及び美容師法施行規則第24条で定める皮ふに接する器具の消毒の方法を見直したものであること。
　2　改正の内容
　(1)　理容所及び美容所で使用される皮ふに接する器具のうち、かみそり（専ら頭髪を切断する用途に使用されるものを除く。以下同じ。）及びかみそり以外の器具で血液が付着しているもの又はその疑いのあるものの消毒は、器具を十分に洗浄した後、以下のいずれかの方法により行うこととすること。
　　　ア　沸騰後2分間以上煮沸する方法
　　　イ　エタノール水溶液中に10分間以上浸す方法
　　　ウ　次亜塩素酸ナトリウム水溶液中に10分間以上浸す方法
　(2)　前記以外の皮ふに接する器具の消毒は、器具を十分に洗浄した後、従前と同様の方法によることとすること。
　　　　ただし、クレゾールを含有する製剤が毒物及び劇物指定令（昭和40年政令第2

号）第2条第1項により毒物及び劇物取締法（昭和25年法律第303号）第2条第2項の劇物に指定されており廃棄の方法が容易ではないこと等から、従前、消毒方法として理容師法施行規則第24条第8号及び美容師法施行規則第24条第8号において掲げられていたクレゾール水消毒を削除することとする。
3　経過措置
　　改正の際、現に日本薬局方クレゾール石ケン液を保有する理容所及び美容所にあっては、2の(2)に掲げる器具の消毒は、2の(2)にかかわらず、当該日本薬局方クレゾール石ケン液を使用する場合に限り、器具を十分に洗浄した後、改正前の理容師法施行規則第24条第8号又は美容師法施行規則第24条第8号の方法により行うことができること。
第2　理容所及び美容所における衛生管理要領の一部改正
　　昭和56年6月1日環指第95号厚生省環境衛生局長通知「理容所及び美容所における衛生管理要領について」の別添「理容所及び美容所における衛生管理要領」の一部を次のように改正する。
　　次のよう　略

○理容師法及び美容師法の一部を改正する法律（平成7年法律第109号）附則第4条第1項に規定する厚生大臣の告示について

> 平成12年11月20日　衛指第122号
> 各都道府県・各政令市・各特別区衛生主管部（局）長宛
> 厚生省生活衛生局指導課長通知

　理容師法及び美容師法の一部を改正する法律（平成7年法律第109号。以下「改正法」という。）により、改正前の理容師法及び美容師法に基づく実地習練の制度が廃止され、経過措置として改正法附則第4条第1項の規定により「厚生大臣が告示する日」までの間は、なお従前の例によることとされているところでありますが、このたび、平成12年11月20日付け厚生省告示第357号により、「厚生大臣が告示する日」は平成14年3月31日と定められましたので、その旨御了知の上、関係機関等への周知及び指導方よろしくお願いいたします。

○「公衆浴場法施行規則等の一部を改正する省令」の施行について（抄）

> 平成13年3月27日　健発第336号
> 各都道府県知事・各政令市市長・各特別区区長宛　厚生労働省健康局長通知

　公衆浴場法施行規則等の一部を改正する省令（以下「改正省令」という。）が、平成13年3月27日厚生労働省令第40号をもって公布され、平成13年4月1日から施行されることとなった。

「公衆浴場法施行規則等の一部を改正する省令」の施行について（抄）

これらの趣旨等は下記のとおりであるので、御了知の上、その運用に遺漏のないよう願います。

記

第1　改正の趣旨

「商法等の一部を改正する法律」（平成12年法律第90号）、「商法等の一部を改正する法律の施行に伴う関係法律の整備に関する法律」（平成12年法律第91号。以下「整備法」という。）の施行に伴い、会社の分割により浴場業等の営業者の地位を承継した者の届出等に係る規定を整備するものであること。

第2　改正の内容

1　公衆浴場法施行規則（昭和23年厚生省令第27号）の一部改正　略
2　旅館業法施行規則（昭和23年厚生省令第28号）の一部改正　略
3　クリーニング業法施行規則（昭和25年厚生省令第35号）の一部改正　略
4　理容師法施行規則（平成10年厚生省令第4号）の一部改正
 (1)　理容所の開設者について分割（当該営業を承継させるものに限る。）があったときは、分割により当該営業を承継した法人は、営業者の地位を承継することとされた（整備法により改正後の理容師法（昭和22年法律第234号）第11条の3第1項）。
 (2)　分割により理容所の開設者の地位を承継した者は、届出者の名称、主たる事務所の所在地及び代表者の氏名、分割前の法人の名称、主たる事務所の所在地及び代表者の氏名、分割の年月日並びに理容所の名称及び所在地を記載した届出書を当該理容所所在地の都道府県知事等に提出しなければならない（改正省令により改正後の理容師法施行規則第22条の2第1項）。

　　　この場合、届出書には、分割により営業を承継した法人の登記簿の謄本を添付しなければならない（同条第2項）。

5　美容師法施行規則（平成10年厚生省令第7号）の一部改正
 (1)　美容所の開設者について分割（当該営業を承継させるものに限る。）があったときは、分割により当該営業を承継した法人は、営業者の地位を承継することとされた（整備法により改正後の美容師法（昭和32年法律第163号）第12条の2第1項）。
 (2)　分割により美容所の開設者の地位を承継した者は、届出者の名称、主たる事務所の所在地及び代表者の氏名、分割前の法人の名称、主たる事務所の所在地及び代表者の氏名、分割の年月日並びに美容所の名称及び所在地を記載した届出書を当該美容所所在地の都道府県知事等に提出しなければならない（改正省令により改正後の美容師法施行規則第22条の2第1項）。

　　　この場合、届出書には、分割により営業を承継した法人の登記簿の謄本を添付しなければならない（同条第2項）。

○「障害者等に係る欠格事由の適正化等を図るための医師法等の一部を改正する法律」等の施行について

〔平成13年7月13日　健衛発第82号
各都道府県・各政令市・各特別区衛生主管部(局)長宛
厚生労働省健康局生活衛生課長通知〕

　「障害者等に係る欠格事由の適正化等を図るための医師法等の一部を改正する法律」（平成13年法律第87号。以下「改正法」という。）並びに理容師法施行規則の一部を改正する省令（平成13年厚生労働省令第145号）及び美容師法施行規則の一部を改正する省令（平成13年厚生労働省令第146号）が、一部を除き平成13年7月16日から施行されることとなった。
　これらの改正法令のうち、理容師及び美容師に関する改正事項等は下記のとおりであるので、御了知の上、その運用に遺漏のないよう願います。

記

第1　改正法による理容師法（昭和22年法律第234号）及び美容師法（昭和32年法律第163号）の一部改正
　1　改正の趣旨
　　改正法は、「障害者に係る欠格条項の見直しについて」（平成11年8月9日障害者施策推進本部決定）を踏まえ、精神病者等障害者を特定した規定を障害を特定しないで業務を適正に行うことができるかどうかに着目した規定に改める等、理容師法、美容師法等において定められている障害者等に係る欠格事由の適正化等を図り、障害者の社会経済活動への参加を促進することを目的とするものであること。
　2　改正の主な内容
　(1)　理容師又は美容師の免許を与えないことがある者のうち「精神病者又はてんかんにかかっている者」を、心身の障害により理容師又は美容師の業務を適正に行うことができない者として厚生労働省令で定めるものとしたこと。（理容師法第7条、美容師法第3条第2項関係）
　(2)　厚生労働大臣が、心身の障害により理容師又は美容師の業務を適正に行うことができない者に該当すると認め、申請者に対し免許を与えないこととしようとする場合につき、当該申請者の意見を聴取する機会を設けることとしたこと。（理容師法第8条、美容師法第5条の2の2関係）
　(3)　罰則としての実効性確保の観点から、罰金の最高額を引き上げたこと。（理容師法第14条の4から第15条まで、美容師法第17条の2から第18条まで関係）
　(4)　その他、必要な文言の整理を行ったこと。
第2　理容師法施行規則（平成10年厚生省令第4号）及び美容師法施行規則（平成10年厚生省令第7号）の一部改正
　1　改正の趣旨

「医師法等の一部を改正する法律」等の施行について

改正法により、理容師法及び美容師法の一部が改正されたことに伴い、理容師法施行規則及び美容師法施行規則中の関係規定を整備するものであること。
　また、これと併せて、規制緩和の観点から、理容師又は美容師の免許の申請書の添付書類を見直したものであること。
2　改正の内容等
(1)　改正法による改正後の理容師法第7条第1号又は美容師法第3条第2項第1号にいう心身の障害により理容師又は美容師の業務を適正に行うことができない者として厚生労働省令で定めるものとして、精神の機能の障害により理容師又は美容師の業務を適正に行うに当たって必要な認知、判断及び意思疎通を適切に行うことができない者を定めたこと。（理容師法施行規則第1条の2、美容師法施行規則第1条の2関係）
　なお、改正法による改正前の理容師法及び美容師法において欠格事由に掲げられていた「てんかん」は、これに該当しない。
(2)　厚生労働大臣は、理容師又は美容師の免許の申請者が、精神の機能の障害により理容師又は美容師の業務を適正に行うに当たって必要な認知、判断及び意思疎通を適切に行うことができない者に該当すると認める場合において、免許を与えるかどうかを決定するときは、当該申請者が現に受けている治療等により障害の程度が軽減している状況を考慮しなければならないこととしたこと。（理容師法施行規則第1条の3、美容師法施行規則第1条の3関係）
(3)　理容師又は美容師の免許の申請書及び名簿の訂正の申請書の添付書類のうち、戸籍の謄本又は抄本については、これに代えて、住民票の写し（戸籍の表示又は本籍のない者及び本籍の明らかでない者についてはその旨を記載したものに限る。）を添付書類とすることができることとしたこと。
　また、日本の国籍を有しない者について、理容師又は美容師の免許の申請書及び名簿の訂正の申請書に添付することとされていた外国人登録証明書については、その写しを添付すべき旨を条文上明らかにしたこと。（理容師法施行規則第1条第1号、第3条第2項、美容師法施行規則第1条第1号、第3条第2項関係）
(4)　従前、理容師又は美容師の免許の申請書の添付書類とされていた精神病者又はてんかんにかかっていることの有無に関する医師の診断書に代えて、精神の機能の障害に関する医師の診断書を添付書類とすることとしたこと。（理容師法施行規則第1条第2号、美容師法施行規則第1条第2号関係）
　なお、この医師の診断書は、免許の申請を受けようとする者に係る精神の機能の障害の有無及び精神の機能の障害がある場合には、その具体的な症状、治療による障害の程度の軽減の状況等、厚生労働大臣において、理容師又は美容師の業務を適正に行うことができるかどうかを判断するのに参考となる事項を記載したものであることを要する。
第3　施行期日
　本改正は、平成13年7月16日から施行されること。
　ただし、第2の2の(3)の改正事項については、平成13年7月13日から施行されること。

第2編　理容師・美容師

○理容師養成施設指定規則及び美容師養成施設指定規則の一部を改正する省令の施行について

〔平成17年9月30日　健発第0930001号〕
〔各都道府県知事宛　厚生労働省健康局長通知〕

　理容師養成施設指定規則及び美容師養成施設指定規則の一部を改正する省令が、平成17年9月30日厚生労働省令第156号をもって公布され、同年10月1日から施行されることとなった。
　この改正の趣旨及び内容は、下記のとおりであるので、十分御了知の上、貴管内の関係施設及び団体等に対する周知方をお願いするとともに、理容師養成施設及び美容師養成施設に対する指導に際しては、今後とも、各地方厚生（支）局と連携の上、これに当たられるよう併せてお願いする。

記

1　改正の趣旨
　理容師養成施設及び美容師養成施設（以下「理美容師養成施設」という。）に関して必要な事項については、理容師養成施設指定規則（平成10年厚生省令第5号）及び美容師養成施設指定規則（平成10年厚生省令第8号）（以下「指定規則」という。）において定められているところである。
　今般、理美容師養成施設の一部に指定規則を遵守していないなどの不適正な運営実態が散見されることから、その指導監督事務の円滑な実施により、理美容師養成施設の健全な教育機関としての機能の確保を図る必要があるため、理美容師養成施設に対する是正措置等に係る規定についての整備を行うものである。

2　改正の内容
　(1)　厚生労働大臣は、理美容師養成施設につき必要があると認めるときは、その設立者又は長に対して報告を求めることができることとされた。（改正後の理容師養成施設指定規則第11条第1項、美容師養成施設指定規則第10条第1項関係）
　(2)　厚生労働大臣は、理美容師養成施設の教育の内容、教育の方法、施設、設備その他が適当でないと認めるときは、その設立者又は長に対して必要な指示をすることができることとされた。（理容師養成施設指定規則第11条第2項、美容師養成施設指定規則第10条第2項関係）
　(3)　厚生労働大臣は、理美容師養成施設の設立者又は長が上記(2)の指示に従わないときは、その指定を取り消すことができることとされた。（理容師養成施設指定規則第12条、美容師養成施設指定規則第11条関係）

○理容師養成施設指定規則及び美容師養成施設指定規則の一部を改正する省令等の施行について

〔平成20年2月29日　健発第0229004号〕
〔各都道府県知事宛　厚生労働省健康局長通知〕

　今般、理容師養成施設指定規則及び美容師養成施設指定規則の一部を改正する省令（平成20年2月29日厚生労働省令第21号）、理容師法第14条の3の規定により地方厚生局長及び地方厚生支局長に委任する権限を定める省令（平成20年2月29日厚生労働省令第22号）、美容師法第16条の2の規定により地方厚生局長及び地方厚生支局長に委任する権限を定める省令（平成20年2月29日厚生労働省令第23号）、理容師養成施設における中学校卒業者等の講習の基準等（平成20年2月29日厚生労働省告示第41号）、理容師養成施設の通信課程における授業方法等の基準（平成20年2月29日厚生労働省告示第42号）、聴覚障害者である生徒に対する教育を主として行う特別支援学校における理容師養成施設の指定の基準（平成20年2月29日厚生労働省告示第43号）、矯正施設における理容師養成施設の指定の基準（平成20年2月29日厚生労働省告示第44号）、理容師養成施設の教科課程の基準（平成20年2月29日厚生労働省告示第45号）、美容師養成施設における中学校卒業者等の講習の基準等（平成20年2月29日厚生労働省告示第46号）、美容師養成施設の通信課程における授業方法等の基準（平成20年2月29日厚生労働省告示第47号）、聴覚障害者である生徒に対する教育を主として行う特別支援学校における美容師養成施設の指定の基準（平成20年2月29日厚生労働省告示第48号）、矯正施設における美容師養成施設の指定の基準（平成20年2月29日厚生労働省告示第49号）及び美容師養成施設の教科課程の基準（平成20年2月29日厚生労働省告示第50号）が公布され、それぞれ平成20年4月1日より施行されることとされたところである。

　貴職におかれては、下記の改正等の趣旨及び内容を十分御了知の上、関係者への周知を図るとともに、その実施に当たりよろしく取り図られたい。

記

第1　改正等の趣旨

　平成7年の理容師法及び美容師法の一部改正（平成10年から施行）を踏まえた新たな理容師養成施設及び美容師養成施設に関する制度が整備されてから概ね10年が経過し、養成施設の教育内容を時代に即したものに改める必要が生じていること、養成施設の適正な運営及び指導監督を確保する上で見直しを検討すべき点が生じていることなどから、平成19年6月に「理容師養成施設及び美容師養成施設の適正な運営の確保に関する検討会」が設置され、同年11月に今後の対応などを盛り込んだ同検討会の報告書が取りまとめられたところである。

　この報告書を踏まえ、理容師養成施設指定規則及び美容師養成施設指定規則の一部の改正等を行うものであること。

第2　改正等の内容

1　理容師養成施設指定規則及び美容師養成施設指定規則の一部を改正する省令関係

第2編　理容師・美容師

(1)　理容師養成施設及び美容師養成施設の指定の申請の記載事項に、卒業認定の基準を追加したこと。
(2)　理容師養成施設及び美容師養成施設のカリキュラムを原則として時間制から単位制に改めることに伴い、所要の規定の整備を行ったこと。
(3)　理容師養成施設及び美容師養成施設の教員資格の一部を改めたこと。
(4)　同時に授業を行う1学級の生徒数を40人以下に改めたこと。
(5)　理容師養成施設及び美容師養成施設に対する消毒室の設置の義務付けを廃止したこと。
(6)　理容師養成施設及び美容師養成施設が生徒の定員を増加しようとするとき又は校舎の各室の用途等を変更しようとするときは、厚生労働大臣の事前の承認を要するよう改めたこと。
(7)　理容師養成施設及び美容師養成施設の廃止等の申請の記載事項に、廃止の理由、廃止の予定年月日、入所中の生徒の処置等を追加したこと。
(8)　理容師養成施設及び美容師養成施設が生徒の定員や授業料等の変更をする場合の届出先を都道府県知事から厚生労働大臣に改めたこと。
(9)　理容師養成施設及び美容師養成施設の指定の取消しの要件として、卒業の認定の基準が適当でないこと及び定員を超えて生徒を入所させていることを追加したこと。
(10)　その他所要の改正を行ったこと。
(11)　経過措置
　ア　理容師養成施設関係
　　(ｱ)　この省令の施行の日前になされたこの省令による改正前の理容師養成施設指定規則（以下「旧理容規則」という。）第3条第1項の規定に基づく申請又は第6条第2項の規定に基づく申請（新たに養成課程を設ける場合に限る。）については、この省令による改正後の理容師養成施設指定規則（以下「新理容規則」という。）第3条第1項第9号の2及び第4条第1項第1号リの規定は適用しないこと。
　　(ｲ)　この省令の施行の際現に旧理容規則第4条第1項第1号ト及び別表第3の規定に基づき関係法規・制度、理容の物理・化学、理容文化論又は理容運営管理の教員として勤務していた者は、新理容規則第4条第1項第1号ト及び別表第3の規定にかかわらず、当分の間、当該課目の教員となることができること。
　　(ｳ)　この省令の施行の日の前日において理容師法（昭和22年法律第234号）第3条第3項の規定による指定を受けていた理容師養成施設（以下「既存理容師養成施設」という。）、旧理容規則第3条第1項の規定に基づき申請を提出しこの省令の施行後に理容師法第3条第3項の規定による指定を受けた理容師養成施設及び旧理容規則第6条第2項の規定に基づき申請（新たに養成課程を設ける場合に限る。）を提出しこの省令の施行後に新理容規則第6条第1項の規定による承認を受けた理容師養成施設については、平成21年3月31日までの間は、

新理容規則第4条第1項第1号リの規定は適用しないこと。
㈣　既存理容師養成施設、旧理容規則第3条第1項の規定に基づき申請を提出しこの省令の施行後に理容師法第3条第3項の規定による指定を受けた理容師養成施設又は旧理容規則第6条第2項の規定に基づき申請（新たに養成課程を設ける場合に限る。）を提出しこの省令の施行後に新理容規則第6条第1項の規定による承認を受けた理容師養成施設の設立者は、平成21年3月31日までに同規則第3条第1項第9号の2に規定する卒業認定の基準を厚生労働大臣に提出し、その承認を得なければならないこと。
㈤　既存理容師養成施設の設立者は、平成20年5月31日までに新理容規則第3条第1項第12号の規定に基づく校舎の各室の用途及び面積並びに建物の配置図及び平面図について変更しようとするときは、同規則第6条第1項の規定にかかわらず、その旨を記載した届出書を厚生労働大臣に提出しなければならないこと。
㈥　この省令の施行の際現に旧理容規則第6条第1項の規定に基づく申請（生徒の定員を減ずる場合に限る。）を行っている者は、新理容規則第8条第2項の規定による届出を行った者とみなすこと。
㈦　この省令の施行の日前になされた旧理容規則第6条第2項の規定に基づく申請（養成施設を廃止する場合に限る。）については、なお従前の例によること。
イ　美容師養成施設関係
㈦　この省令の施行の日前になされたこの省令による改正前の美容師養成施設指定規則（以下「旧美容規則」という。）第2条第1項の規定に基づく申請又は第5条第2項の規定に基づく申請（新たに養成課程を設ける場合に限る。）については、この省令による改正後の美容師養成施設指定規則（以下「新美容規則」という。）第2条第1項第9号の2及び第3条第1項第1号リの規定は適用しないこと。
㈧　この省令の施行の際現に旧美容規則第3条第1項第1号ト及び別表第3の規定に基づき関係法規・制度、美容の物理・化学、美容文化論又は美容運営管理の教員として勤務していた者は、新美容規則第3条第1項第1号ト及び別表第3の規定にかかわらず、当分の間、当該課目の教員となることができること。
㈨　この省令の施行の日の前日において美容師法（昭和32年法律第163号）第4条第3項の規定による指定を受けていた美容師養成施設（以下「既存美容師養成施設」という。）、旧美容規則第2条第1項の規定に基づき申請を提出しこの省令の施行後に美容師法第4条第3項の規定による指定を受けた美容師養成施設及び旧美容規則第5条第2項の規定に基づき申請（新たに養成課程を設ける場合に限る。）を提出しこの省令の施行後に新美容規則第5条第1項の規定による承認を受けた美容師養成施設については、平成21年3月31日までの間は、新美容規則第3条第1項第1号リの規定は適用しないこと。

第2編　理容師・美容師

(エ)　既存美容師養成施設、旧美容規則第2条第1項の規定に基づき申請を提出しこの省令の施行後に美容師法第4条第3項の規定による指定を受けた美容師養成施設又は旧美容規則第5条第2項の規定に基づき申請（新たに養成課程を設ける場合に限る。）を提出しこの省令の施行後に新美容規則第5条第1項の規定による承認を受けた美容師養成施設の設立者は、平成21年3月31日までに同規則第2条第1項第9号の2に規定する卒業認定の基準を厚生労働大臣に提出し、その承認を得なければならないこと。

(オ)　既存美容師養成施設の設立者は、平成20年5月31日までに新美容規則第2条第1項第12号の規定に基づく校舎の各室の用途及び面積並びに建物の配置図及び平面図について変更しようとするときは、同規則第5条第1項の規定にかかわらず、その旨を記載した届出書を厚生労働大臣に提出しなければならないこと。

(カ)　この省令の施行の際現に旧美容規則第5条第1項の規定に基づく申請（生徒の定員を減ずる場合に限る。）を行っている者は、新美容規則第7条第2項の規定による届出を行った者とみなすこと。

(キ)　この省令の施行の日前になされた旧美容規則第5条第2項の規定に基づく申請（養成施設を廃止する場合に限る。）については、なお従前の例によること。

2　地方厚生局長及び地方厚生支局長に委任する権限を定める省令関係

(1)　理容師法第14条の3の規定により地方厚生局長及び地方厚生支局長に委任する権限を定める省令の内容

　ア　理容師法（昭和22年法律第234号）第3条第3項に規定する厚生労働大臣の権限（理容師養成施設指定規則（平成10年厚生省令第5号）に係るものに限る。）を地方厚生局長に委任するものとすること。ただし、厚生労働大臣が当該権限（養成施設の指定の取消しに係るものに限る。）を自ら行うことを妨げないものとしたこと。

　イ　アに規定する権限を地方厚生支局長に委任するものとしたこと。ただし、地方厚生局長が当該権限を自ら行うことを妨げないものとしたこと。

(2)　美容師法第16条の2の規定により地方厚生局長及び地方厚生支局長に委任する権限を定める省令の内容

　ア　美容師法（昭和32年法律第163号）第4条第3項に規定する厚生労働大臣の権限（美容師養成施設指定規則（平成10年厚生省令第8号）に係るものに限る。）を地方厚生局長に委任するものとすること。ただし、厚生労働大臣が当該権限（養成施設の指定の取消しに係るものに限る。）を自ら行うことを妨げないものとしたこと。

　イ　アに規定する権限を地方厚生支局長に委任するものとすること。ただし、地方厚生局長が当該権限を自ら行うことを妨げないものとしたこと。

3　告示関係

(1) 理容師養成施設における中学校卒業者等の講習の基準等
　ア　理容師養成施設においては、理容師養成施設指定規則第４条第１項第１号イの規定にかかわらず、学校教育法第57条に規定する者（理容師法及び美容師法の一部を改正する法律（平成７年法律第109号）附則第５条第２項に規定する者を含む。以下「中学校卒業者等」という。）であって、当該養成施設が実施する入所試験に合格した者を入所させることができることとしたこと。
　イ　中学校卒業者等に入所を認める理容師養成施設においては、学校教育法第90条に規定する者に該当しない生徒（以下「講習対象生徒」という。）に対して、当該養成施設における教科課目の学習を補助するための講習を実施しなければならないこととしたこと。
　ウ　講習課目は現代社会、化学及び保健とし、その単位数は、それぞれ１単位以上とするよう定めることとしたこと。
　エ　単位により行うことが困難な理容師養成施設にあっては、それぞれの講習課目の区分ごとの授業時間数は35時間以上とし、単位数に代えて適切な時間数を定めることとしたこと。
　オ　理容師養成施設においては、講習対象生徒が当該養成施設が定める所定の講習課目及び所定の単位数又は授業時間数を履修し、その成果が講習課目の指導目標からみて満足できると認められる場合には、課程の修了を認定しなければならないこととしたこと。
　カ　美容師養成施設に入所し、「美容師養成施設における中学校卒業者等に対する講習の基準等を定める件」に基づき当該養成施設が講習課程の修了を認定した者については、講習を免除することができることとしたこと。
　キ　理容師養成施設は、個別の入所資格審査を行い、高等学校を卒業した者と同等以上の学力があると認められた者については、講習課目の区分ごとに、その課目の履修を免除し、又は時間を減じることができることとしたこと。
(2) 理容師養成施設の通信課程における授業方法等の基準
　ア　理容師養成施設の通信課程における授業は、教材を送付又は指定し、主としてこれにより学習させる通信授業（添削指導を含む）及び理容師養成施設の校舎における講義、演習、実験又は実技による面接授業の併用により行うこととしたこと。
　イ　理容師養成施設においては、通信授業、添削指導及び面接授業について相互の連携を図り、全体として調和がとれ、発展的、系統的に指導できるよう、通信課程に係る具体的な教育計画を策定し、これに基づき、定期試験等を含め、年間を通じて適切に授業を行うこととしたこと。
　ウ　通信授業における添削指導の回数は、必修課目の区分ごとに掲げる回数を満たすよう定め、選択必修課目については進度に応じて適当な回数を定めることとしたこと。
　エ　理容師養成施設においては、添削指導及び教育相談を円滑に処理するため、適

オ　面接授業は通信授業及び添削指導との関連を考慮して行うものとし、その単位数は、教科課目の区分ごとに掲げる単位数を満たすよう定めることとしたこと。
　　　カ　単位により行うことが困難な理容師養成施設にあっては、教科課目の区分ごとに掲げる時間数を満たすよう適切な時間数を定めるものとすることとしたこと。
　　　キ　面接授業の1回の日数は5日以上とし、1日の授業時間数は7時間以内とするとともに、同時に授業を行う1学級の生徒数は40人以下とすることとしたこと。
　(3)　聴覚障害者である生徒に対する教育を主として行う特別支援学校における理容師養成施設の指定の基準
　　　聴覚障害者である生徒に対する教育を主として行う特別支援学校における理容師養成施設の指定については、理容師養成施設指定規則第4条第1項第1号の規定する基準を適用することとしたこと。
　　　ただし、入所資格、教員の数、同時に授業を行う1学級の生徒の数、普通教室の面積及び実習室の面積の規定の適用については、理容師養成施設指定規則第4条第1項第1号の規定にかかわらず、次の基準によることができることとしたこと。
　　　ア　学校教育法第57条に規定する者であることを入所資格とすることとしたこと。
　　　イ　教員の数は、5人以上であり、かつ、教員数の5分の2以上が専任であることとしたこと。
　　　ウ　同時に授業を行う1学級の生徒数は、15人以下とすることとしたこと。
　　　エ　普通教室の面積は、24.75平方メートル以上であることとしたこと。
　　　オ　実習室の面積は、24.75平方メートル以上であることとしたこと。
　(4)　矯正施設における理容師養成施設の指定の基準
　　　法務省の所管にかかる矯正施設（刑務所、少年刑務所、拘置所、少年院、少年鑑別所及び婦人補導院をいう。）の経営する理容師養成施設の指定については、理容師養成施設指定規則第4条第1項第1号に規定する基準を適用することとしたこと。
　　　ただし、実習室の面積の適用については、理容師養成施設指定規則第4条第1項第1号の規定にかかわらず、同時に授業を行う1学級の生徒数が20人以上40人未満のものについては、実習室の面積が49.5平方メートル以上とすることができることとしたこと。
　(5)　理容師養成施設の教科課程の基準
　　　ア　理容師養成施設における教科課程は、理容技術の専門家であるとともに、地域の保健衛生の担い手でもある理容師の養成にふさわしい内容にしなければならないこととしたこと。
　　　イ　選択必修課目は、一般教養課目と専門教育課目のバランスに配慮しつつ、各理容師養成施設が設定することとし、その内容は、幅広い教養を身につけることによって、人間性豊かな人格の形成を目指すとともに、保健衛生に携わる専門的技術者としての自覚をかん養するものでなければならないこととしたこと。

ウ 理容師養成施設は、必修課目について、それぞれの教科課目ごとに、理容師養成施設指定規則に定める単位数に則り、当該養成施設が設定する教育計画及び教育目標に基づき、適切な単位数を定めることとしたこと。

エ 単位により行うことが困難な理容師養成施設にあっては、それぞれの教科課目の区分ごとに定められる授業時間数に則り、単位に代えて適切な時間数を定めることとしたこと。

オ 選択必修課目について、一般教養課目は１課目につき１単位以上（授業時間数は１課目につき30時間以上）、専門教育課目は１課目につき２単位以上（授業時間数は１課目につき60時間以上）とすることとしたこと。

カ 美容師養成施設を卒業した者が履修する場合は、関係法規・制度、衛生管理、理容保健及び理容の物理・化学の教科課目のうち、その者が履修した美容師養成施設の教科課程を通じて同一の内容である教科課目の履修を免除することができることとしたこと。

キ 他の理容師養成施設の選択必修課目若しくは専修学校等における授業課目の履修等のうち、理容師養成施設が適当と認めるものについて、当該養成施設の卒業に必要な選択必修課目の総単位数又は総授業時間数の４分の１を超えない範囲で、当該養成施設における選択必修課目の履修とみなすことができることとしたこと。

ク 生徒が理容師養成施設の定める教育計画に従って所定の教科課目及び所定の単位数又は授業時間数を履修し、その成果が教科課目の教育目標からみて満足できると認められる場合には、卒業を認定しなければならないこととしたこと。

(6) 美容師養成施設における中学校卒業者等の講習の基準等

ア 美容師養成施設においては、美容師養成施設指定規則第３条第１項第１号イの規定にかかわらず、学校教育法第57条に規定する者（理容師法及び美容師法の一部を改正する法律（平成７年法律第109号）附則第５条第２項に規定する者を含む。以下「中学校卒業者等」という。）であって、当該養成施設が実施する入所試験に合格した者を入所させることができることとしたこと。

イ 中学校卒業者等に入所を認める美容師養成施設においては、学校教育法第90条に規定する者に該当しない生徒（以下「講習対象生徒」という。）に対して、当該養成施設における教科課目の学習を補助するための講習を実施しなければならないこととしたこと。

ウ 講習課目は現代社会、化学及び保健とし、その単位数は、それぞれ１単位以上とするよう定めることとしたこと。

エ 単位により行うことが困難な美容師養成施設にあっては、それぞれの講習課目の区分ごとの授業時間数は35時間以上とし、単位数に代えて適切な時間数を定めることとしたこと。

オ 美容師養成施設においては、講習対象生徒が当該養成施設が定める所定の講習課目及び所定の単位数又は授業時間数を履修し、その成果が講習課目の指導目標

からみて満足できると認められる場合には、課程の修了を認定しなければならないこととしたこと。
- カ 理容師養成施設に入所し、「理容師養成施設における中学校卒業者等に対する講習の基準等を定める件」に基づき当該養成施設が講習課程の修了を認定した者については、講習を免除することができることとしたこと。
- キ 美容師養成施設は、個別の入所資格審査を行い、高等学校を卒業した者と同等以上の学力があると認められた者については、講習課目の区分ごとに、その課目の履修を免除し、又は時間を減ずることができることとしたこと。

(7) 美容師養成施設の通信課程における授業方法等の基準
- ア 美容師養成施設の通信課程における授業は、教材を送付又は指定し、主としてこれにより学習させる通信授業（添削指導を含む）及び美容師養成施設の校舎における講義、演習、実験又は実技による面接授業の併用により行うこととしたこと。
- イ 美容師養成施設においては、通信授業、添削指導及び面接授業について相互の連携を図り、全体として調和がとれ、発展的、系統的に指導できるよう、通信課程に係る具体的な教育計画を策定し、これに基づき、定期試験等を含め、年間を通じて適切に授業を行うこととしたこと。
- ウ 通信授業における添削指導の回数は、必修課目の区分ごとに掲げる回数を満たすよう定め、選択必修課目については進度に応じて適当な回数を定めることとしたこと。
- エ 美容師養成施設においては、添削指導及び教育相談を円滑に処理するため、適当な組織等を設けることとしたこと。
- オ 面接授業は通信授業及び添削指導との関連を考慮して行うものとし、その単位数は、教科課目の区分ごとに掲げる単位数を満たすよう定めることとしたこと。
- カ 単位により行うことが困難な美容師養成施設にあっては、教科課目の区分ごとに掲げる時間数を満たすよう適切な時間数を定めるものとすることとしたこと。
- キ 面接授業の1回の日数は5日以上とし、1日の授業時間数は7時間以内とするとともに、同時に授業を行う1学級の生徒数は40人以下とすることとしたこと。

(8) 聴覚障害者である生徒に対する教育を主として行う特別支援学校における美容師養成施設の指定の基準

聴覚障害者である生徒に対する教育を主として行う特別支援学校における美容師養成施設の指定については、美容師養成施設指定規則第3条第1項第1号の規定する基準を適用することとしたこと。

ただし、入所資格、教員の数、同時に授業を行う1学級の生徒の数、普通教室の面積及び実習室の面積の規定の適用については、美容師養成施設指定規則第3条第1項第1号の規定にかかわらず、次の基準によることができることとしたこと。
- ア 学校教育法第57条に規定する者であることを入所資格とすることとしたこと。
- イ 教員の数は、5人以上であり、かつ、教員数の5分の2以上が専任であること

としたこと。
　ウ　同時に授業を行う１学級の生徒数は、15人以下とすることとしたこと。
　エ　普通教室の面積は、24.75平方メートル以上であることとしたこと。
　オ　実習室の面積は、24.75平方メートル以上であることとしたこと。
(9)　矯正施設における美容師養成施設の指定の基準
　　法務省の所管にかかる矯正施設（刑務所、少年刑務所、拘置所、少年院、少年鑑別所及び婦人補導院をいう。）の経営する美容師養成施設の指定については、美容師養成施設指定規則第３条第１項第１号に規定する基準を適用することとしたこと。
　　ただし、実習室の面積の適用については、美容師養成施設指定規則第３条第１項第１号の規定にかかわらず、同時に授業を行う１学級の生徒数が20人以上40人未満のものについては、実習室の面積が49.5平方メートル以上とすることができることとしたこと。
(10)　美容師養成施設の教科課程の基準
　ア　美容師養成施設における教科課程は、美容技術の専門家であるとともに、地域の保健衛生の担い手でもある美容師の養成にふさわしい内容にしなければならないこととしたこと。
　イ　選択必修課目は、一般教養課目と専門教育課目のバランスに配慮しつつ、各美容師養成施設が設定することとし、その内容は、幅広い教養を身につけることによって、人間性豊かな人格の形成を目指すとともに、保健衛生に携わる専門的技術者としての自覚をかん養するものでなければならないこととしたこと。
　ウ　美容師養成施設は、必修課目について、それぞれの教科課目ごとに、美容師養成施設指定規則に定める単位数に則り、当該養成施設が設定する教育計画及び教育目標に基づき、適切な単位数を定めることとしたこと。
　エ　単位により行うことが困難な美容師養成施設にあっては、それぞれの教科課目の区分ごとに定められる授業時間数に則り、単位に代えて適切な時間数を定めることとしたこと。
　オ　選択必修課目について、一般教養課目は１課目につき１単位以上（授業時間数は１課目につき30時間以上）、専門教育課目は１課目につき２単位以上（授業時間数は１課目につき60時間以上）とすることとしたこと。
　カ　理容師養成施設を卒業した者が履修する場合は、関係法規・制度、衛生管理、美容保健及び美容の物理・化学の教科課目のうち、その者が履修した理容師養成施設の教科課程を通じて同一の内容である教科課目の履修を免除することができることとしたこと。
　キ　他の美容師養成施設の選択必修課目若しくは専修学校等における授業課目の履修等のうち、美容師養成施設が適当と認めるものについて、当該養成施設の卒業に必要な選択必修課目の総単位数又は総授業時間数の４分の１を超えない範囲で、当該養成施設における選択必修課目の履修とみなすことができることとした

第2編　理容師・美容師

こと。
ク　生徒が美容師養成施設の定める教育計画に従って所定の教科課目及び所定の単位数又は授業時間数を履修し、その成果が教科課目の教育目標からみて満足できると認められる場合には、卒業を認定しなければならないこととしたこと。

○理容師養成施設指定規則及び美容師養成施設指定規則の一部を改正する省令等の施行に伴う関係通知の廃止について

〔平成20年3月25日　健発第0325012号〕
〔各地方厚生(支)局長宛　厚生労働省健康局長通知〕

　理容師養成施設指定規則及び美容師養成施設指定規則の一部を改正する省令（平成20年厚生労働省令第21号）等が平成20年2月29日付けで公布され、平成20年4月1日より施行されることに伴い、下記に掲げる理容師養成施設及び美容師養成施設に関する通知を廃止する。

記

1　今般の改正に伴い、以下の通知を廃止すること。
　○ろう学校理容科を理容師養成施設として指定する場合の指定基準について（昭和25年5月23日衛発第427号各都道府県知事あて厚生省公衆衛生局長通知）
　○改正理容師美容師法の運用について（昭和26年9月6日衛発第684号各都道府県知事あて厚生省公衆衛生局長通知）
　○理容師養成施設及び美容師養成施設の通信課程の生徒定員等について（昭和31年11月30日衛環第56号厚生省公衆衛生局環境衛生部長通知）
　○理容師養成施設及び美容師養成施設における通信課程の面接指導を行う場所の特例について（昭和32年12月17日衛環発第76号厚生省公衆衛生局環境衛生部長通知）
　○理容及び美容に関する実地修練について（昭和33年2月15日衛発第136号各都道府県知事あて厚生省公衆衛生局長通知）
　○理容師養成施設又は美容師養成施設が設置場所を移転する場合の取扱いについて（昭和39年4月25日環発第157号厚生省環境衛生局長通知）
　○理容師養成施設並びに美容師養成施設の運営について（昭和41年2月16日環衛第5,016号厚生省環境衛生局長通知）
　○ろう学校における理容師養成施設の指定基準について（平成10年2月3日生衛発第128号各都道府県知事あて厚生省生活衛生局長通知）
　○ろう学校における美容師養成施設の指定基準について（平成10年2月3日生衛発第129号各都道府県知事あて厚生省生活衛生局長通知）
　○矯正施設における理容師養成施設の指定基準について（平成10年2月3日生衛発第130号各都道府県知事あて厚生省生活衛生局長通知）

○矯正施設における美容師養成施設の指定基準について（平成10年2月3日生衛発第131号各都道府県知事あて厚生省生活衛生局長通知）
2　今般の改正を踏まえて、以下の回答の解釈について今後適用しないこと。
○理容師美容師法実施についての質疑について（昭和27年8月26日衛発第777号北海道知事あて厚生省公衆衛生局長通知）
○理容所又は美容所の開設及び実地修練等の取扱いについて（昭和30年12月26日衛環発第49号秋田県知事あて厚生省公衆衛生局環境衛生部長通知）〔4に関する部分に限る〕
○特殊養成施設で行う実地修練の場所について（昭和33年2月26日衛環発第19号山形県衛生部長あて厚生省公衆衛生局環境衛生部長回答）
○理容師法施行規則第11条第3項及び美容師法施行規則第10条第3項の取扱について（昭和33年8月20日衛環発第59号千葉県衛生民生部長あて厚生省公衆衛生局環境衛生部長回答）

○理容師法施行規則及び美容師法施行規則の一部を改正する省令の施行について

〔平成21年1月28日　健発第0128007号
　各都道府県知事宛　厚生労働省健康局長通知〕

　今般、理容師法施行規則及び美容師法施行規則の一部を改正する省令（平成21年1月28日厚生労働省令第6号）が公布され、同日より施行されたところである。
　貴職におかれては、下記の改正の趣旨及び内容を十分御了知の上、関係者への周知を図るとともに、その実施に当たりよろしく取り図られたい。

記

第1　改正の趣旨
　　昨今の理容業務及び美容業務における科学技術の進歩、消費者ニーズの高度化等に伴い、管理理容師及び管理美容師に求められる知識等にも変化が生じたため、講習会の内容が管理理容師及び管理美容師に必要とされる事項に即したものとなるよう基準の見直しを行うものである。
　　また、併せて理容師試験及び美容師試験の受験願書について、その様式を理容師法施行規則及び美容師法施行規則で定めているところ、受験者の負担を軽減するため必要な見直しを行うものである。
第2　改正の内容
　1　理容師法第11条の4第2項及び美容師法第12条の3第2項の規定により厚生労働大臣が定める基準については、昭和44年環衛第9,082号厚生労働省健康局長通知にて定めていたところであるが、基準を見直すとともに新たに理容師法施行規則及び美容師法施行規則に位置付けたこと。
　2　理容師試験及び美容師試験の受験願書について、記入が必要な事項を明確にするた

め、様式を見直したこと。
 3　この省令の施行の際現に都道府県知事が指定している講習会については、この省令による改正後の理容師法施行規則及び美容師法施行規則の規定にかかわらず、なお従前の例によること。

○理容師法施行令及び美容師法施行令の一部を改正する政令の施行について

〔平成21年3月25日　健発第0325008号〕
〔各都道府県知事宛　厚生労働省健康局長通知〕

　今般、理容師法施行令及び美容師法施行令の一部を改正する政令（平成21年3月25日厚生労働省令第55号）が公布され、理容師法施行令（昭和28年政令第232号）及び美容師法施行令（昭和32年政令第277号）の一部がそれぞれ下記のとおり改正されたので、御了知願いたい。

記

第1　改正の趣旨
　理容師試験及び美容師試験の受験者数が減少していることから、実費を勘案して、受験手数料の額を改定するものである。
第2　改正の内容
　理容師試験及び美容師試験の受験手数料の額を以下のとおり改定したこと。
　　　　　　　（現行）　　　　（改定後）
　筆記試験　　　9600円　　→　1万3800円
　実技試験　　1万3000円　　→　1万6200円
第3　施行期日
　この改正政令は、平成21年4月1日より施行されること。

○理容師養成施設の教科課程の基準及び美容師養成施設の教科課程の基準の一部を改正する告示の施行について

〔平成21年3月26日　健発第0326002号〕
〔各地方厚生(支)局長宛　厚生労働省健康局長通知〕

　今般、理容師養成施設の教科課程の基準及び美容師養成施設の教科課程の基準の一部を改正する告示（平成21年厚生労働省告示第107号）が公布され、理容師養成施設の教科課程の基準（平成20年厚生労働省告示第45号）及び美容師養成施設の教科課程の基準（平成20年厚生労働省告示第50号）の一部がそれぞれ下記のとおり改正されたので、御了知願いたい。

記

第1　改正の趣旨
　　理容師資格又は美容師資格を取得している者がもう一方の資格を取得する場合について、一部の教科課程は免除されるものの、その範囲は必修科目の4分の1程度であることなど、もう一方の資格を取得し就労を目指す者にとって負担があるとの観点から、免除範囲の拡大を検討することが閣議決定された（「規制改革推進のための3か年計画（改定）」平成20年3月25日閣議決定）。
　　これを受け、新たな資格を取得し就労を目指すに当たっての負担を軽減することを前提に、理容師法及び美容師法の趣旨を踏まえ、理容師養成施設及び美容師養成施設における教科課目のうち選択必修課目について、その免除範囲を拡大するものであること。
第2　改正の内容
　　選択必修課目に関し、養成施設への入所前に、養成施設、専修学校等の教育機関における授業課目の履修又は課程における学修等のうち、養成施設が適当とみとめるものについて、養成施設の卒業に必要な総単位数（単位により行うことが困難な養成施設にあっては、総授業時間数）のうち、当該養成施設における選択必修課目の履修とみなすことができる範囲を「4分の1」から「2分の1」に引き上げる等、所要の改正を行ったこと。
第3　施行期日
　　この改正政令は、平成21年4月1日より施行されること。

○理容師養成施設指定規則及び美容師養成施設指定規則の一部を改正する省令等の施行について

〔平成22年1月4日　健発0104第2号〕
〔各都道府県知事宛　厚生労働省健康局長通知〕

　今般、理容師養成施設指定規則及び美容師養成施設指定規則の一部を改正する省令（平成21年12月28日厚生労働省令第159号）及び理容師養成施設の通信課程における授業方法等の基準及び美容師養成施設の通信課程における授業方法等の基準の一部を改正する告示（平成21年12月28日厚生労働省告示第510号）が公布され、それぞれ平成22年1月1日より施行されたところである。
　貴職におかれては、下記の改正等の趣旨及び内容を十分御了知の上、関係者への周知を図るとともに、その実施に当たりよろしくお取り計らい願いたい。

記

第1　改正等の趣旨
　　昨今の少子化及び社会情勢の変化等から、理容師・美容師試験の受験者数が減少しており、今後もその減少が続くおそれがあることが予想されるところである。とりわけ理容師はその資格を取得しようとする者が少なく、養成施設の運営を入所者の授業料等の収入とする法人としての運営を踏まえると、理容師養成施設の安定した運営の維持に支障が生じている。

第2編　理容師・美容師

　その結果、理容師養成施設を休止又は廃止する学校もあり、理容師養成施設への入所を希望する者に不利益が生じるとともに、質の高い理容師の養成ができなくなるおそれがあることから、養成施設の運営の安定化を図り、優秀な有資格者を安定的に養成することも必要である。
　こうした状況を踏まえ、理容師養成施設指定規則及び美容師養成施設指定規則の一部の改正等を行うものであること。
第2　改正等の内容
1　理容師養成施設指定規則及び美容師養成施設指定規則の一部を改正する省令関係
　(1)　養成課程の別を同じくする理容師養成施設の生徒と美容師養成施設の生徒に対して、当該両施設を兼任する教員により、同時に授業を行う（以下「同時授業」という。）ことができることとしたこと。
　　ア　同時授業を実施できるのは、同一の設立者により設立される理容師養成施設及び美容師養成施設であり、理容師養成施設において同時授業を開始しようとする年の前年及び前々年の入所者数が、いずれも15人未満の場合とすることとしたこと。
　　イ　同時授業を実施できる課目は、理容師養成施設の教科課程のうち、理容実習、理容技術理論、理容文化論、理容運営管理などを除いた同時授業を行うことが可能なものに限られることとしたこと。
　(2)　指定を受けている理容師養成施設と同一の設立者により設立される美容師養成施設の指定の申請に当たっては、同時授業の実施の有無を申請書に記載しなければならないこと。また、指定を受けている理容師養成施設又は美容師養成施設が新たに同時授業を行おうとするときは、厚生労働大臣の承認を得なければならないこととしたこと。
　(3)　同時授業の実施を終了しようとする場合には、あらかじめ、その旨を厚生労働大臣に届け出なければならないこととしたこと。
　(4)　同時授業を実施する際の1学級の生徒数については、生徒の適切な学習を確保する必要があることから、一の教科課目について同時に授業を行う生徒数は40人以下とすることを基本とすること。
　(5)　同時授業を行うことにより生徒数が40人を超えることも想定されることから、同時授業を行う場合に限り、施設内で面積基準（普通教室の面積が生徒1人当たり1.65㎡以上）を満たすことで足りるものとしたこと。
　(6)　同時授業を行う場合に限り、理容師養成施設及び美容師養成施設の定員数を合算した数を基に算出した数以上の教員数を置くこととしたこと。また、教員の半数以上を専任とし、かつ、理容師養成施設及び美容師養成施設にそれぞれに1人以上の専任教員を置くこととしたこと。
　(7)　同時授業を実施する際の教員資格の特例を設けたこと。
　　ア　理容師又は美容師の資格を有する者が教員となれる教科課目のうち、同時授業については、厚生労働大臣の認定した講習を受講することにより、理容師の資格

を有する者は美容師養成施設の教員に、美容師の資格を有する者は理容師養成施設の教員に、それぞれなることができることとしたこと。
　　イ　平成23年3月31日までの間は、これらの教科課目に係る同時授業については、この省令の施行の際、既に理容師養成施設の教員となることができる理容師は美容師養成施設の教員に、既に美容師養成施設の教員となることができる美容師については理容師養成施設の教員に、それぞれなることができることとしたこと。
　(8)　同時授業の実施については、施行日から5年後を目途に検証を行い、必要があれば見直すこととしたこと。
2　理容師養成施設の通信課程における授業方法等の基準及び美容師養成施設の通信課程における授業方法等の基準の一部を改正する告示関係
　(1)　同時授業を実施する際の1学級の生徒数の上限の緩和を行ったこと。
　　ア　生徒の適切な学習を確保する必要があることから、一の教科課目について同時に授業を行う生徒数は40人以下とすることを基本とすること。
　　イ　同時授業を行うことにより生徒数が40人を超えることも想定され、同時授業を行う場合に限り、施設内で面積基準（普通教室の面積が生徒1人当たり1.65㎡以上）を満たすことで足りるものとしたこと。
　(2)　通信課程の面接授業の1回の日数の制限を廃止したこと。

○地域の自主性及び自立性を高めるための改革の推進を図るための関係法律の整備に関する法律の施行等について

〔平成23年8月30日　健発0830第10号
各都道府県知事・各政令市市長・各特別区区長宛　厚生労働省健康局長通知〕

「地域の自主性及び自立性を高めるための改革の推進を図るための関係法律の整備に関する法律」（平成23年法律第105号。以下「整備法」という。）は、平成23年8月26日に成立し、平成23年8月30日に公布されたところである。

これに伴い、健康局が所管する法律が改正され、一部は公布日（平成23年8月30日）に施行され、その他については平成24年4月1日又は平成25年4月1日に施行されることとなっている。また、あわせて関係政令及び通知を改正する予定である。改正の趣旨、内容等は下記のとおりであるので、御了知の上、貴管内市町村に対し、その周知徹底を図るとともに、その事務の運営に当たってよろしく御配慮願いたい。

記

第一　整備法による法律の改正
　第1　改正の趣旨
　　　整備法は、地域主権戦略大綱（平成22年6月22日閣議決定。以下「大綱」という）を踏まえ、地域の自主性及び自立性を高めるための改革を総合的かつ計画的に推進す

ることを目的とするものである。なお、整備法により改正される法律のうち、健康局所管のものは以下のとおりである。
- 地域保健法（昭和22年法律第101号）
- 理容師法（昭和22年法律第234号）
- 墓地、埋葬等に関する法律（昭和23年法律第48号）
- 興行場法（昭和23年法律第137号）
- 旅館業法（昭和23年法律第138号）
- 公衆浴場法（昭和23年法律第139号）
- クリーニング業法（昭和25年法律第207号）
- 美容師法（昭和32年法律第163号）
- 水道法（昭和32年法律第177号）
- 水道原水水質保全事業の実施の促進に関する法律（平成6年法律第8号）
- 感染症の予防及び感染症の患者に対する医療に関する法律（平成10年法律第114号）
- 健康増進法（平成14年法律第103号）
- がん対策基本法（平成18年法律第98号）

第2　改正の内容
一　地域保健法の一部改正（整備法第21条関係）
　都道府県が人材確保支援計画に定めるものとされている事項のうち、特定町村の地域保健対策を円滑に実施するための人材の確保又は資質の向上の基本的方針に関する事項については、人材確保支援計画に定めるよう努める事項として、努力義務化し、その他特定町村の地域保健対策を円滑に実施するための人材の確保又は資質の向上に関し都道府県が必要と認める事項については削除すること。

二　理容師法の一部改正（整備法第23条関係）
　理容師が理容の業を行うときに講じなければならない衛生上必要な措置の基準及び理容所の開設者が講じなければならない衛生上必要な措置の基準に係る条例の制定に関する権限を都道府県から保健所を設置する市及び特別区へ移譲すること。

三　墓地、埋葬等に関する法律の一部改正（整備法第24条関係）
　墓地、納骨堂及び火葬場の経営の許可、許可の取消その他の監督権限を都道府県知事からすべての市の市長及び特別区の区長へ移譲すること。

四　興行場法の一部改正（整備法第25条関係）
　興行場の設置の場所及び構造設備に係る公衆衛生上必要な基準並びに興行場について営業者が講ずべき衛生措置の基準に係る条例の制定に関する権限を都道府県から保健所を設置する市及び特別区へ移譲すること。

五　旅館業法の一部改正（整備法第26条関係）
　社会教育施設等で学校・児童福祉施設に類するものの指定、旅館業を営む施設について営業者が講ずべき衛生措置の基準及び宿泊を拒むことができる事由に係る条例の制定に関する権限を都道府県から保健所を設置する市及び特別区へ移譲するこ

と。
六　公衆浴場法の一部改正（整備法第27条関係）
　　公衆浴場の設置の場所の配置基準並びに公衆浴場について営業者が講ずべき衛生及び風紀に必要な措置の基準に係る条例の制定に関する権限を都道府県から保健所を設置する市及び特別区へ移譲すること。
七　クリーニング業法の一部改正（整備法第32条関係）
　　クリーニング業を営む者が講ずべき措置の基準に係る条例の制定に関する権限を都道府県から保健所を設置する市及び特別区へ移譲すること。
八　美容師法の一部改正（整備法第37条関係）
　　美容師が美容の業を行うときに講じなければならない衛生上必要な措置の基準及び美容所の開設に際して衛生上必要な措置の基準に係る条例の制定に関する権限を都道府県から保健所を設置する市及び特別区へ移譲すること。
九　水道法の一部改正（整備法第38条関係）
　1　水道事業者又は水道用水供給事業者が地方公共団体である場合には、当該事業者は布設工事監督職員の配置基準（布設工事監督職員を配置しなければならない水道の布設工事の範囲）及び資格基準を政令で定める要件を参酌して条例で定めるものとすること。
　2　水道事業者、水道用水供給事業者又は専用水道の設置者が地方公共団体である場合には、当該事業者又は設置者は水道技術管理者の資格基準を政令で定める要件を参酌して条例で定めるものとすること。
　3　専用水道及び簡易専用水道に係る権限（専用水道の布設工事の設計の確認等、専用水道の給水開始の届出受理、専用水道の業務委託の際の届出受理、改善の指示、給水停止命令、報告徴収及び立入検査）をすべての市に移譲すること。
十　水道原水水質保全事業の実施の促進に関する法律の一部改正（整備法第49条関係）
　1　都道府県計画の内容のうち、地域水道原水水質保全事業の実施に際し配慮すべき重要事項に係る規定を廃止し、都道府県計画の公表に係る規定を努力義務化すること。
　2　河川管理者事業計画の内容のうち、その他河川水道原水水質保全事業の実施に際し配慮すべき重要事項に係る規定を廃止し、河川管理者事業計画の公表に係る規定を努力義務化すること。
十一　感染症の予防及び感染症の患者に対する医療に関する法律の一部改正（整備法第51条関係）
　1　都道府県の予防計画に定めるものとされている事項のうち、感染症に関する研究の推進、人材の養成及び知識の普及については努力義務化し、その他地域の実情に即した感染症の予防のための施策に関する重要事項については削除すること。
　2　予防計画の公表にかかる規定を削除すること。

3 都道府県知事並びに指定都市及び中核市の市長が行う結核指定医療機関の指定等の権限を、保健所設置市及び特別区の長へ移譲すること。
十二 健康増進法の一部改正（整備法第52条関係）
都道府県健康増進計画及び市町村健康増進計画の公表にかかる規定を削除すること。
十三 がん対策基本法の一部改正（整備法第55条関係）
都道府県がん対策推進計画の公表に係る規定を削除するとともに、その変更の義務付けを努力義務化すること。
第3 施行日
第2に掲げる改正は、整備法の公布の日（平成23年8月30日）から施行すること。ただし、次の各号に掲げる規定は、当該各号に定める日から施行すること。
一 理容師法、墓地、埋葬等に関する法律、興行場法、旅館業法、公衆浴場法、クリーニング業法及び美容師法の一部改正並びに水道法の一部改正（同法第46条、第48条の2、第50条及び第50条の2の改正規定を除く。）並びに感染症の予防及び感染症の患者に対する医療に関する法律の一部改正（同法第64条の改正規定に限る。）
平成24年4月1日
二 水道法の一部改正（同法第46条、第48条の2、第50条及び第50条の2の改正規定に限る。） 平成25年4月1日
第二 その他
第1 生活衛生局長通知の改正
水道法の一部改正による専用水道及び簡易専用水道の権限移譲を踏まえ、飲用井戸等の衛生確保についても都道府県、すべての市又は特別区が実施するよう、平成25年4月1日から、「飲用井戸等衛生対策要領」（昭和62年1月29日衛水第12号厚生省生活衛生局長通知別紙）の「2 実施主体」中「保健所を設置する市」を「市」と、「市町村」を「町村」と改正する。
第2 政令の改正
整備法による前記法律改正のほか、大綱を踏まえ以下の事項について政令改正を行う予定であり、追って通知することとしている。なお、以下の改正は、平成24年4月1日から施行することを予定している。
一 理容所以外の場所で理容の業務ができる場合の条例制定権の保健所設置市及び特別区への移譲（理容師法施行令（昭和28年政令第232号））
二 旅館業営業施設の構造設備基準の条例制定権の保健所設置市及び特別区への移譲（旅館業法施行令（昭和32年政令第152号））
三 美容所以外の場所で美容の業務ができる場合の条例制定権の保健所設置市及び特別区への移譲（美容師法施行令（昭和32年政令第277号））

○理容師法施行令及び美容師法施行令の一部を改正する政令の施行について

〔平成24年10月12日　健発1012第20号〕
〔各都道府県知事宛　厚生労働省健康局長通知〕

　理容師法施行令及び美容師法施行令の一部を改正する政令（平成24年政令第256号）は、本日、公布、施行され、理容師法施行令（昭和28年政令第232号）及び美容師法施行令（昭和32年政令第277号）に規定する理容師試験及び美容師試験の受験手数料の額が下記のとおり改正されたので、御了知願いたい。

記

第1　改正の趣旨
　　指定試験機関（財団法人理容師美容師試験研修センター）において、理容師試験及び美容師試験の事務の見直しを行うことにより、経費が削減されたため、これを勘案し、受験手数料を改定することとしたもの。

第2　改正の内容
　　理容師試験及び美容師試験の受験手数料の額を以下のとおり改定したこと。

　　　　　　　　　（現行）　　　　（改定後）
　　実技試験　　1万6200円　→　1万4700円
　　　※筆記試験の受験手数料については、1万3800円に据え置き

第3　施行期日
　　この改正政令は、公布の日より施行されること。

○理容師法施行令の一部を改正する政令及び美容師法施行令の一部を改正する政令の施行について

〔平成26年10月29日　健発1029第6号〕
〔各都道府県知事宛　厚生労働省健康局長通知〕

　理容師法施行令の一部を改正する政令（平成26年政令第348号）及び美容師法施行令の一部を改正する政令（平成26年政令第349号）は、本日、公布、施行され、理容師法施行令（昭和28年政令第232号）及び美容師法施行令（昭和32年政令第277号）に規定する理容師試験及び美容師試験の受験手数料の額が下記のとおり改正されたので、御了知願いたい。

記

第1　改正の趣旨
　　指定試験機関（公益財団法人理容師美容師試験研修センター）の平成25年度決算及び今後3年間の受験者数の見込みを踏まえ、試験事務を実施するに当たって必要な額を改

めて勘案した結果、受験手数料を引き下げることとしたもの。
第2　改正の内容
　　理容師試験及び美容師試験の受験手数料の額を以下のとおり改定したこと。
　　　　　　　（現行）　　　（改定後）
　　筆記試験　1万3800円　→　1万2500円
　　実技試験　1万4700円　→　1万2500円
第3　施行期日
　　これらの改正政令は、公布の日より施行されること。

○理容師法施行令及び美容師法施行令の一部を改正する政令の施行について

［平成27年9月30日　健発0930第10号　各都道府県知事宛　厚生労働省健康局長通知］

　理容師法施行令及び美容師法施行令の一部を改正する政令（平成27年政令第353号）は、本日、公布、施行され、理容師法施行令（昭和28年政令第232号）及び美容師法施行令（昭和32年政令第277号）に規定する理容師及び美容師の登録手数料の額が下記のとおり改正されたので、御了知願いたい。

記

1　改正の趣旨
　　指定登録機関（公益財団法人理容師美容師試験研修センター）の平成26年度決算及び今後5年間の登録者数の見込みを踏まえ、登録事務を実施するに当たって必要な額を改めて勘案した結果、登録手数料を引き下げることとしたもの。
2　改正の内容
　　理容師及び美容師の登録手数料の額を以下のとおり改定したこと。
　　（現行）　　（改定後）
　　5800円　→　5200円
3　施行期日
　　公布の日より施行されること。

○理容師法施行規則及び美容師法施行規則の一部を改正する省令の施行等について

平成27年12月9日　生食発1209第2号
各都道府県知事・各政令市市長・各特別区区長宛　厚生労働省医薬・生活衛生局生活衛生・食品安全部長通知

　本日公布された理容師法施行規則及び美容師法施行規則の一部を改正する省令（平成27年厚生労働省令第166号）により、理容師法施行規則（平成10年厚生省令第4号）及び美容師法施行規則（平成10年厚生省令第7号）が改正され、平成28年4月1日から施行されることとされたところである。その改正の趣旨、内容等は下記第1のとおりである。
　また、これに関連して、理容師法及び美容師法の運用を改め、下記第2及び第3により運用することとするので、これらの内容等について十分御了知の上、貴管下営業者に対する周知徹底及び指導等について、遺漏なきよう適切な対応を願いたい。

記

第1　理容師法施行規則及び美容師法施行規則の一部改正について
　1　改正の趣旨
　　理容所及び美容所については、「理容師法の運用に関する件」（昭和23年12月8日付け衛発第382号厚生省公衆衛生局長通知。以下「昭和23年公衆衛生局長通知」という。）の記4ただし書により、それぞれ別個に設けなければならないとされているところであるが、規制改革実施計画（平成27年6月30日閣議決定）を踏まえ、理容所及び美容所に必要な衛生上の要件を満たし、かつ、理容師及び美容師双方の資格を有する者のみからなる事業所に限り、これを同一の場所で開設することができるよう措置することとしたところである。
　　今般の省令改正は、理容所及び美容所を同一の場所で開設すること（以下「重複開設」という。）が認められる条件である「理容所及び美容所に必要な衛生上の要件を満たし、かつ、理容師及び美容師双方の資格を有する者のみからなる事業所」を的確に把握するため、理容所及び美容所の開設の届出事項を規定する理容師法施行規則第19条及び美容師法施行規則第19条に、重複開設に関する事項を追加するものである。
　2　改正の内容
　　(1)　理容師法施行規則関係
　　　理容師法施行規則第19条第1項に次の2号を追加した。
　　　八　開設しようとする理容所と同一の場所で現に美容所（美容師法（昭和32年法律第163号）第2条第3項に規定する美容所をいう。次号において同じ。）が開設されている場合は、当該美容所の名称
　　　九　開設しようとする理容所と同一の場所で美容師法第11条第1項の届出がされている場合（前号の場合を除き、当該届出を当該理容所の開設の届出と同時に行う場合を含む。）は、当該美容所の開設予定年月日

第2編　理容師・美容師

(2) 美容師法施行規則関係

美容師法施行規則第19条第1項に次の2号を追加した。

八　開設しようとする美容所と同一の場所で現に理容所（理容師法（昭和22年法律第234号）第1条の2第3項に規定する理容所をいう。次号において同じ。）が開設されている場合は、当該理容所の名称

九　開設しようとする美容所と同一の場所で理容師法第11条第1項の届出がされている場合（前号の場合を除き、当該届出を当該美容所の開設の届出と同時に行う場合を含む。）は、当該理容所の開設予定年月日

第2　昭和23年公衆衛生局長通知の改正について

　　規制改革実施計画を踏まえ、前記第1の1の重複開設が認められる条件を満たす場合に限り重複開設が可能となるよう昭和23年公衆衛生局長通知を別紙新旧対照表のとおり改正し、平成28年4月1日から施行する。

第3　重複開設を行う事業所に対する監督上の留意事項について

　　重複開設を行う事業所が、重複開設の条件を満たしていることを担保するため、以下の対応を図ること。

1　引き続き、開設等の届出時に免許証等による資格の確認を徹底すること（「美容所等における無免許者の業務に関する指導の徹底について」（平成11年9月28日付け生衛発第1,391号厚生省生活衛生局長通知）参照）。

2　重複開設を行う事業所に対しては、原則として年1回以上の立入検査により、資格の有無や衛生上の措置の内容を確認すること。

別紙　略

◯理容師養成施設指定規則及び美容師養成施設指定規則の一部を改正する省令について

　　　平成28年5月31日　生食発0531第1号
　　　各都道府県知事宛　厚生労働省医薬・生活衛生局生活
　　　衛生・食品安全部長通知

　本日公布された理容師養成施設指定規則及び美容師養成施設指定規則の一部を改正する省令（平成28年厚生労働省令第104号。以下「改正規則」という。）により、理容師養成施設指定規則（平成10年厚生省令第5号）及び美容師養成施設指定規則（平成10年厚生省令第8号）が改正され、本日から施行されることとなった。その改正の趣旨、内容、留意事項等は下記のとおりである。

　ついては、これらの内容について十分御了知の上、貴管下営業者に対する周知徹底、指導等について、遺漏なきよう適切な対応を願いたい。

記

第1　改正の趣旨及び内容

理容師養成施設指定規則及び美容師養成施設指定規則の一部を改正する省令について

1　理容師・美容師養成施設における教員資格要件の見直し
　　理容師養成施設及び美容師養成施設における教員について、その適正な水準を確保しつつ、より幅広い人材を活用できるよう、これらの養成施設における教員資格要件を、専修学校設置基準（昭和51年文部省令第2号）第41条に規定されている専修学校の専門課程における教員資格要件との均衡等も考慮し、今般、理容師養成施設指定規則及び美容師養成施設指定規則を以下のとおり改正する。
　(1)　理容師養成施設指定規則別表第3及び美容師養成施設指定規則別表第3を改正し、理容師養成課程における必修課目のうち「衛生管理」及び「理容保健」並びに美容師養成課程における必修課目のうち「衛生管理」及び「美容保健」の教員になることができる者として、保健師、助産師及び看護師を追加する。
　(2)　理容師養成施設指定規則別表第3により、理容師養成課程における「理容技術理論」及び「理容実習」の教員資格要件については、「理容師の免許を受けた後、3年以上実務に従事した経験のある者であって、厚生労働大臣の認定した研修の課程を修了したもの」又は「理容師の免許を受けた後、9年以上実務に従事した経験のある者」とされていたところ、これを「理容師の免許を受けた後、実務又は理容師養成施設において上欄（「理容技術理論」及び「理容実習」）の課目の教育に関する業務に従事した期間が通算して4年以上になる者であって、厚生労働大臣の認定した研修の課程を修了したもの」に改める。
　(3)　美容師養成施設指定規則別表第3により、美容師養成課程における「美容技術理論」及び「美容実習」の教員資格要件については、「美容師の免許を受けた後、3年以上実務に従事した経験のある者であって、厚生労働大臣の認定した研修の課程を修了したもの」又は「美容師の免許を受けた後、9年以上実務に従事した経験のある者」とされていたところ、これを「美容師の免許を受けた後、実務又は美容師養成施設において上欄（「美容技術理論」及び「美容実習」）の課目の教育に関する業務に従事した期間が通算して4年以上になる者であって、厚生労働大臣の認定した研修の課程を修了したもの」に改める。
2　理美容併設養成施設における同時授業の特例の見直し
　　設立者を同じくする理容師養成施設及び美容師養成施設のそれぞれの生徒が、いずれの施設にも勤務する教員から、同時に授業を受けることができる「同時授業」の仕組みは、理容師養成施設指定規則及び美容師養成施設指定規則の一部を改正する省令（平成21年厚生労働省令第159号。平成22年1月1日施行。）により設けられたものである。同令の附則第3条には、施行後5年を目途として見直しを行い、その結果に基づき必要な措置を講ずるものとする旨規定されている。
　　今般、当該規定に基づき、これまでの実施状況等を踏まえ、運営の安定化の観点から同時授業の要件を弾力化するため、理容師養成施設指定規則第4条の2において、理容師養成施設の前年及び前々年それぞれにおける入所者の数が15人未満である養成課程は同時授業を行うことができることとされていたところ、理容師養成施設の入所者の数が前年又は前々年のいずれか一方の年において15人未満であり、かつ、他方の

年において20人未満である養成課程は同時授業を行うことができるよう改める。
第2　経過措置
1　改正規則の施行の際、現に改正前の理容師養成施設指定規則第4条第1項第1号ト及び別表第3の規定に基づき「理容技術理論」及び「理容実習」の課目の教員として勤務していた者は、改正後の理容師養成施設指定規則（以下「新理容規則」という。）別表第3の規定にかかわらず、当分の間、当該課目の教員となることができる。

　　また、改正規則の施行の際、現に理容師の免許を受けた後3年以上実務に従事した経験のある者であって、平成29年3月31日までの間において新理容規則別表第3に基づき厚生労働大臣が認定した研修の課程を修了したものは、新理容規則別表第3の規定にかかわらず、当分の間、「理容技術理論」及び「理容実習」の課目の教員となることができる。

2　改正規則の施行の際、現に改正前の美容師養成施設指定規則第4条第1項第1号ト及び別表第3の規定に基づき「美容技術理論」及び「美容実習」の課目の教員として勤務していた者は、改正後の美容師養成施設指定規則（以下「新美容規則」という。）別表第3の規定にかかわらず、当分の間、当該課目の教員となることができる。

　　また、改正規則の施行の際、現に美容師の免許を受けた後3年以上実務に従事した経験のある者であって、平成29年3月31日までの間において新美容規則別表第3に基づき厚生労働大臣が認定した研修の課程を修了したものは、新美容規則別表第3の規定にかかわらず、当分の間、「美容技術理論」及び「美容実習」の課目の教員となることができる。

第3　運用上の留意事項等について
　理容師養成施設及び美容師養成施設の指定や変更の届出の受理等に当たっては、改正規則の施行を踏まえ、教員資格の確認を十分行うようお願いする。

○理容師法施行規則等の一部を改正する省令等の施行について

［平成29年3月31日　生食発0331第8号
各都道府県知事・各政令市市長・各特別区区長宛　厚生労働省医薬・生活衛生局生活衛生・食品安全部長通知］

　本日、理容師法施行規則等の一部を改正する省令（平成29年3月31日厚生労働省令第33号）及び理容師養成施設の通信課程における授業方法等の基準等の一部を改正する告示（平成29年3月31日厚生労働省告示第139号）が公布され、それぞれ下記第4のとおり施行日が定められている。

　貴職におかれては、下記の改正の趣旨及び内容を十分御了知の上、関係者への周知を図

るとともに、その実施に当たり遺漏なきよう適切な対応を願いたい。

記

第1　改正の趣旨

　平成27年6月30日に閣議決定された「規制改革実施計画」において、理容師・美容師関係の規制改革事項として、「理容師又は美容師のいずれか一方の資格を持った者が他方の資格を取得しやすくするため、専門家による検討の場を設けて検討を行い、結論を得た上で所要の措置を講ずる」こと及び「国家試験及び養成施設の教育内容について、現場のニーズにより即した理容師・美容師を養成する観点から、経営者、従事者、専門学校など、広く関係者の意見を聴取する場を設置して検討を行い、結論を得た上で所要の措置を講ずる」こととされた（平成28年度結論・措置）。

　これを受け、当省は「理容師・美容師の養成のあり方に関する検討会」を開催して検討を進め、平成28年12月に検討結果をまとめた報告書を公表した。

　今般、同報告書を踏まえ、理容師法施行規則（平成10年厚生省令第4号）及び美容師法施行規則（平成10年厚生省令第7号）等の改正を行ったものである。

第2　理容師法施行規則等の一部を改正する省令による改正及び経過措置の内容

　1　理容師法施行規則（以下「理容規則」という。）及び美容師法施行規則（以下「美容規則」という。）の改正

　　(1)　理容規則第11条及び美容規則第11条関係

　　　　理容師試験又は美容師試験の受験資格を得ることができる養成施設での修業期間について、理容師養成施設又は美容師養成施設において昼間課程若しくは夜間課程で2年間又は通信課程で3年間必要な知識及び技能を修得している者が他方の資格試験を受験する場合の養成施設での修業期間を短縮し、昼間課程又は夜間課程は1年以上、通信課程は1年6月以上としたこと。

　　(2)　理容規則第12条及び美容規則第12条関係

　　　　理容師試験又は美容師試験の試験課目について、新たな課目（文化論及び運営管理）を追加する等課目を変更したこと。

　　(3)　理容規則第13条第2項及び美容規則第13条第2項関係

　　　　理容師又は美容師の免許を受けた者が他方の資格試験を受験する場合の試験課目について、その申請により、技術理論を除く筆記試験を免除することとしたこと。

　　(4)　理容規則第15条及び美容規則第15条関係

　　　　理容師試験又は美容師試験を受験する場合の受験願書の添付書類について、試験の免除者に該当することを証するものを不要としたこと。

　　(5)　理容規則様式第1から第5まで及び美容規則様式第1から第5まで関係

　　　　様式第1から第4までについて、事務の効率化等のため改めるとともに、様式第5について、理容師又は美容師の免許を有する者が他方の資格試験を受験する場合の試験の一部免除の導入等に伴い改めたこと。

　2　理容師養成施設指定規則（平成10年厚生省令第5号。以下「理容指定規則」という。）及び美容師養成施設指定規則（平成10年厚生省令第8号。以下「美容指定規

則」という。）の改正
(1) 理容指定規則第2条第4項及び美容指定規則第1条の2関係
　　美容修得者課程（美容師養成施設において2年以上美容師になるのに必要な知識及び技能を修得している者を対象とする理容師養成施設の教科課程をいう。以下同じ。）又は理容修得者課程（理容師養成施設において2年以上理容師になるのに必要な知識及び技能を修得している者を対象とする美容師養成施設の教科課程をいう。以下同じ。）について、養成施設の昼間課程又は夜間課程に通常の教科課程を設けている場合に限り、設けることができることとしたこと。
(2) 理容指定規則第3条第2項及び美容指定規則第2条第2項関係
　　養成施設を設立しようとする場合の指定申請における申請書の記載事項について、養成課程にカリキュラム等の異なる複数の教科課程を設けようとする場合は、それぞれの教科課程ごとに必要な事項を記載することとしたこと。
(3) 理容指定規則第4条及び美容指定規則第3条関係
　　養成施設指定の基準について、主に以下を追加したこと（教科課目及び単位数については(7)参照）。
　① 美容修得者課程又は理容修得者課程の修業期間（昼間課程又は夜間課程は1年以上、通信課程は1年6月以上）
　② 昼間課程又は夜間課程に美容修得者課程又は理容修得者課程のみを設ける場合の教員の最低数
　③ 通信課程に美容修得者課程又は理容修得者課程のみを設ける場合の専任教員の最低数
(4) 理容指定規則第4条の2及び美容指定規則第3条の2関係
　　同時授業を行うことができる教科課目について、文化論及び運営管理を追加したこと。
(5) 理容指定規則第6条及び美容指定規則第5条関係
　　養成施設の変更又は廃止の承認手続について、理容修得者課程又は美容修得者課程を対象としたこと。
(6) 理容指定規則別表第1及び美容指定規則別表第1関係
　　課目名及び単位数を変更したこと。
(7) 理容指定規則別表第1の2及び美容指定規則別表第1の2関係
　　理容修得者課程又は美容修得者課程の教科課目及び単位数について、必修課目は理容技術理論（美容技術理論）及び理容実習（美容実習）の合計27単位以上、選択課目は7単位以上と定めたこと。
(8) 理容指定規則別表第3及び美容指定規則別表第3関係
　　以下のとおり変更したこと。
　① 教科課目名の変更
　② 教科課目名変更後の衛生管理、保健、文化論及び運営管理の教員資格要件について、厚生労働大臣が認定した研修課程の受講対象者を「理容師又は美容師の免

許を受けた後、実務又は養成施設において当該課目の教育に関する業務に従事した期間が通算して4年以上になる者」に変更
③ 課目名変更後の香粧品化学の教員資格要件について、「理容師又は美容師の免許を受けた後、実務又は養成施設において当該課目の教育に関する業務に従事した期間が通算して4年以上になる者であって、厚生労働大臣の認定した研修の課程を修了したもの」を追加
④ 理容の物理・化学（美容の物理・化学）を香粧品化学とすることに伴い、香粧品化学の教員資格要件から「物理学」を削除
3 理容師法に基づく指定試験機関及び指定登録機関に関する省令（平成10年厚生省令第6号）及び美容師法に基づく指定試験機関及び指定登録機関に関する省令（平成10年厚生省令第9号）の改正

いずれも上記省令第4条に規定する理容師試験又は美容師試験の試験委員の要件について、経済学、経営学又は会計学に関する科目を担当する教授又は准教授の職を追加する（第1号）とともに、養成施設の教員経験者を対象とする試験委員の要件に文化論及び運営管理の教員経験者を追加した（第4号）こと。なお、第1号の試験委員の要件に「物理学」を残しているのは、試験問題の作成には専門家の知見が必要となり得るためである。

4 経過措置
(1) 附則第2条及び第11条関係
　理容指定規則及び美容指定規則の施行日（平成30年4月1日。以下これらの施行日を「指定規則施行日」という。）以後も引き続き変更前の養成課程で履修をすることになる者（附則第7条及び第16条参照）のうち、以下に掲げるもの（理容師又は美容師の免許を受け、他方の資格試験が一部免除される者を除く。）が受ける理容師試験又は美容師試験について、平成33年3月31日までの間は、試験課目変更前の現行試験によることとしたこと。
① 昼間課程又は夜間課程において履修する者であって平成31年9月30日までに養成施設を卒業するもの
② 通信課程において履修する者であって平成32年9月30日までに養成施設を卒業するもの
(2) 附則第3条及び第12条関係
　理容師法及び美容師法の一部を改正する法律（平成7年法律第109号）附則第3条の規定により、理容師試験又は美容師試験を受験することができるものとされている者について、理容規則第11条ただし書及び美容規則第11条ただし書の規定の適用に当たっては、他方の資格養成施設で知識及び技能を修得している者とみなすこととしたこと。
(3) 附則第4条及び第13条関係
　指定規則施行日前であっても、以下に掲げる者は養成施設の指定又は変更の承認の申請をすることができるとともに、都道府県知事は当該申請があった場合には、

その指定又は変更の承認をすることができることとしたこと。この場合において、その指定又は変更の承認を受けた者は、指定規則施行日において指定又は変更の承認を受けたものとみなすこととしたこと。
① 改正後の養成施設指定の基準に係る養成施設を設けようとする者
② 美容修得者課程又は理容修得者課程を設けようとする者
③ 改正後の同時授業の規定に基づき同時授業を行おうとする者
(4) 附則第5条及び第14条関係
指定規則施行日前であっても、厚生労働大臣は、教科課目名変更後の衛生管理、保健、香粧品化学、文化論又は運営管理の教員資格に必要な研修の認定をすることができることとしたこと。
(5) 附則第6条及び第15条関係
理容師法及び美容師法の一部を改正する法律（平成7年法律第109号）附則第3条の規定により、理容師試験又は美容師試験を受験することができるものとされている者について、美容修得者課程を規定する理容指定規則第2条第4項及び理容修得者課程を規定する美容指定規則第1条の2の規定の適用に当たっては、他方の資格養成施設で知識及び技能を修得している者とみなすこととしたこと。
(6) 附則第7条及び第16条関係
指定規則施行日前から養成施設で履修している者に係る修業期間、教科課目、単位数、教科課目の教員資格及び通信課程における授業方法並びに当該者に係る教科課程については、引き続き現行の規定によることとしたこと。なお、当該者が受験する理容師試験又は美容師試験については、附則第2条及び第10条を参照すること。
(7) 附則第8条及び第17条関係
以下に掲げる者について、指定規則施行日以後も当分の間、それぞれ以下に掲げる課目の教員となることができることとしたこと。
① 指定規則施行の際、現に厚生労働大臣の認定した研修の課程を修了して衛生管理の課目の教員として勤務していた者　衛生管理
② 指定規則施行日の前日において、現に厚生労働大臣の認定した研修の課程を修了して理容保健（美容保健）、理容文化論（美容文化論）若しくは理容運営管理（美容運営管理）の課目の教員として勤務していた者又は物理学の専門的知見に基づき理容の物理・化学（美容の物理・化学）の課目の教員として勤務していた者　それぞれ保健、文化論、運営管理又は香粧品化学
③ 指定規則施行日の前日において、理容指定規則附則第5条又は美容指定規則附則第5条の規定に基づき衛生管理又は理容保健（美容保健）の課目の教員として勤務していた者　それぞれ衛生管理又は保健
④ 指定規則施行日の前日において、現に理容師養成施設指定規則及び美容師養成施設指定規則の一部を改正する省令（平成20年厚生労働省令第21号）附則第3条又は附則第10条の規定に基づき理容の物理・化学（美容の物理・化学）、理容文

化論（美容文化論）又は理容運営管理（美容運営管理）の課目の教員として勤務していた者　それぞれ香粧品化学、文化論又は運営管理
⑤　平成29年4月1日から指定規則施行日の前日までの間に衛生管理、理容保健（美容保健）、理容文化論（美容文化論）又は理容運営管理（美容運営管理）について、厚生労働大臣の認定した研修の課程を修了した者　それぞれ衛生管理、保健、文化論又は運営管理
(8)　附則第9条及び第18条関係
理容師の免許を受けた後、指定規則施行日前に、理容保健（美容保健）、理容の物理・化学（美容の物理・化学）、理容文化論（美容文化論）又は理容運営管理（美容運営管理）の課目の教育に関する業務に従事した期間がある者の当該期間及び附則第7条又は第16条の規定によりなお従前の例によることとされる教科課目のうち理容保健（美容保健）、理容の物理・化学（美容の物理・化学）、理容文化論（美容文化論）又は理容運営管理（美容運営管理）の課目の教育に関する業務に従事した期間がある者の当該期間については、それぞれ保健、香粧品化学、文化論又は運営管理の教員資格要件に関して厚生労働大臣が認定する研修を受講することができる必要な期間に含めて計算するものとしたこと。
(9)　附則第10条及び第19条関係
指定規則施行日前に、必修課目を講義した経験を有する者の当該経験及び附則第7条又は第16条の規定によりなお従前の例によることとされる教科課目のうち必修課目を講義した経験を有する者の当該経験については、理容師試験又は美容師試験の試験委員の要件として必要な講義の経験に含めて計算するものとしたこと。

第3　理容師養成施設の通信課程における授業方法等の基準等の一部を改正する告示による改正の内容
1　理容師養成施設の通信課程における授業方法等の基準（平成20年厚生労働省告示第42号）及び美容師養成施設の通信課程における授業方法等の基準（平成20年厚生労働省告示第47号）の改正
以下のとおり変更したこと。
(1)　教科課目名の変更
(2)　通常の教科課程における添削指導の回数並びに面接授業の単位数及び時間数の変更
(3)　美容修得者課程及び理容修得者課程における添削指導の回数並びに面接授業の単位数及び時間数の設定
2　理容師養成施設の教科課程の基準（平成20年厚生労働省告示第45号）及び美容師養成施設の教科課程の基準（平成20年厚生労働省告示第50号）の改正
以下のとおり変更したこと。
(1)　教科課目名の変更
(2)　通常の教科課程における必修課目の授業時間数の変更
(3)　美容修得者課程及び理容修得者課程における必修課目の授業時間数の設定

第2編　理容師・美容師

(4) 美容修得者課程又は理容修得者課程において履修することができる者が、通常の教科課程において履修しようとする場合であって、本人から申出があったときは、他方の資格養成施設の必修課目及び選択課目の全ての修了を条件として理容技術理論（美容技術理論）及び理容実習（美容実習）を除く必修課目の履修を免除することとしたこと。
(5) 選択課目の内容について、理容師又は美容師に必要な幅広い教養を身につけることとしたこと。
(6) 美容修得者課程又は理容修得者課程における選択課目の総単位数及び総授業時間数を設定
(7) 美容修得者課程又は理容修得者課程において履修することができる者が、通常の教科課程において履修しようとする場合であって、本人から申出があったときは、他方の資格養成施設の必修課目及び選択課目の全ての修了を条件として選択課目の総単位数を7単位（単位により行うことが困難な理容師養成施設にあっては総授業時間数を210時間）以上とすることとしたこと。

第4　主な施行日
1　理容師法施行規則等の一部を改正する省令
(1) 理容規則及び美容規則のうちいずれも様式第1から第4までの改正規定並びに理容師法に基づく指定試験機関及び指定登録機関に関する省令及び美容師法に基づく指定試験機関及び指定登録機関に関する省令の改正　公布日
(2) 理容指定規則及び美容指定規則の改正　平成30年4月1日
(3) 理容規則及び美容規則のうち試験の免除に関する事項　平成30年10月1日
(4) 理容規則及び美容規則の改正（上記(1)及び(3)以外の事項）　平成31年10月1日
2　理容師養成施設の通信課程における授業方法等の基準等の一部を改正する告示　平成30年4月1日

第5　留意事項
1　美容修得者課程及び理容修得者課程を履修することができるのは、他方の資格養成施設を卒業している者、他方の資格養成施設において履修中の者、他方の資格を受けている者及び今般の理容師法施行規則等の一部を改正する省令附則第6条及び第15条に該当する者であること。
2　美容修得者課程及び理容修得者課程が通常の教科課程と比較して修得すべき教科課目及び単位数が少なく設定されているのは、他方の資格養成施設の卒業を前提とするものであることから、美容修得者課程及び理容修得者課程の卒業認定の基準（理容指定規則第4条第1項第1号リ及び理容指定規則第3条第1項第1号リ参照）については、他方の資格養成施設の通常の教科課程の卒業を条件として設定する必要があること。

○理容師法施行規則等の一部を改正する省令の一部を改正する省令の施行について

〔令和元年9月13日　生食発0913第1号
各都道府県知事宛　厚生労働省大臣官房生活衛生・食
品安全審議官通知〕

　理容師法施行規則等の一部を改正する省令の一部を改正する省令（令和元年9月13日厚生労働省令第43号。以下「改正省令」という。）が本日別添のとおり公布され、令和元年10月1日より施行されることとなった。

　改正省令の趣旨・概要等は下記のとおりであるので、これらについて御了知の上、貴管内において改正省令の対象となる理容師養成施設又は美容師養成施設（以下「養成施設等」という。）に対し周知願いたい。

記

第1　改正の趣旨

　理容師試験及び美容師試験の試験課目については、理容師法施行規則等の一部を改正する省令（平成29年厚生労働省令第39号。以下「平成29年省令」という。）第2条の規定による理容師法施行規則（平成10年厚生省令第4号）の改正及び平成29年省令第6条の規定による美容師法施行規則（平成10年厚生省令第7号）の改正により変更され、令和元年10月1日から施行することとされているところ、平成29年省令附則第2条及び第11条において、平成30年4月1日より前に履修を開始し令和元年9月30日までに卒業する者については、試験課目変更前の試験を受験することができることとする旨の経過措置が設けられている。

　養成施設等によっては、平成30年4月1日より前に履修を開始した者であっても、令和元年10月1日から令和3年3月31日までの間に卒業する者があることを踏まえ、当該経過措置の対象外となっているこれらの者についても経過措置の対象とする改正を行ったもの。

第2　改正の概要

　平成29年省令附則第2条及び第11条を改正し、平成30年4月1日より前から昼間課程及び夜間課程の履修を開始した者であって令和元年10月1日から令和3年3月31日までの間に卒業するもののうち、

・理容師又は美容師の免許を受け他方の資格試験が一部免除される者、

・修業期間が2年である養成施設の留年生・休学生、

・修業期間が3年である養成施設の留年生・休学生のうち令和2年10月1日から令和3年3月31日までの間に卒業するもの

を除いたものについて、令和3年3月31日までの間は、試験課目変更前又は変更後の試験を選択し受験することができることとしたこと。

第3　施行期日

　令和元年10月1日

別添　略

第2編　理容師・美容師

○食品衛生法施行規則等の一部を改正する省令の公布について

　　令和2年7月14日　生食発0714第4号
　　各都道府県知事・各保健所設置市市長・各特別区区長宛
　　厚生労働省大臣官房生活衛生・食品安全審議官通知

　食品衛生法施行規則等の一部を改正する省令（令和2年厚生労働省令第140号。以下「改正省令」という。）が本日別添のとおり公布されました。
　改正省令の内容等は下記のとおりですので、これらについて十分御了知の上、適切な対応をお願いします。
　なお、本通知は、地方自治法（昭和22年法律第67号）第245条の4第1項に基づく技術的な助言であることを申し添えます。

記

第1　改正の趣旨
　「規制改革実施計画」（令和元年6月21日閣議決定）において、「個人事業主の事業承継時の手続に関し、相続について簡素な届出で許認可等の承継を認めている場合に、生前贈与を含む事業譲渡の場合にも同様に簡素な届出で承継を認めるための規定を設ける等、簡素化のための措置を講ずる」とされたことを踏まえ、食品衛生法施行規則（昭和23年厚生省令第23号）等において、事業譲渡に伴う許可申請等の際の提出書類の簡略化・削減を行い、手続の簡素化を図るものであること。
　また、相続による事業承継時の手続において、従来届出書等に戸籍謄本の添付を求めているところ、これに代えて法定相続情報一覧図の写しの添付によることも可能とするものであること。

第2　改正の内容
(1)　食品衛生法施行規則
　①　食品衛生法（昭和22年法律第233号）第52条第1項の規定による営業の許可を受けた者から当該営業を譲り受けた者は、図面の内容及び食品衛生法施行規則第67条第1項第5号に掲げる事項に変更がない場合において、同条第1項の規定に基づき都道府県知事等に提出しなければならない書類について、図面や記載事項の省略を可能とする等の措置を講ずるものであること。（食品衛生法施行規則第67条関係）
　②　相続による事業承継時の手続において、現行、同令第68条第2項の規定に基づき届出書に戸籍謄本の添付を求めているところ、これに代えて法定相続情報一覧図の写しの添付によることも可能とするものであること。（食品衛生法施行規則第68条関係）
　③　その他所要の改正を行うものであること。（食品衛生法施行規則第73条関係）
(2)　公衆浴場法施行規則
　①　浴場業を営む者から当該浴場業を譲り受けた者は、公衆浴場法施行規則（昭和23

年厚生省令第27号）第１条の規定に基づき都道府県知事等に提出しなければならない書類について、記載事項の省略を可能とする（譲り受けたものから変更がない部分に限る）等の措置を講ずるものであること。（公衆浴場法施行規則第１条関係）

② 相続による事業承継時の手続において、現行、同令第２条第２項の規定に基づき届書に戸籍謄本の添付を求めているところ、これに代えて法定相続情報一覧図の写しの添付によることも可能とするものであること。（公衆浴場法施行規則第２条関係）

(3) 旅館業法施行規則

① 旅館業を営む者から当該旅館業を譲り受けた者は、譲り受けたものから変更がない部分に限り、旅館業法施行規則（昭和23年厚生省令第28号）第１条の規定に基づき都道府県知事等に提出しなければならない書類について、記載事項や添付資料の省略を可能とする等の措置を講ずるものであること。（旅館業法施行規則第１条関係）

② 相続による事業承継時の手続において、現行、同令第３条第２項の規定に基づき申請書に戸籍謄本の添付を求めているところ、これに代えて法定相続情報一覧図の写しの添付によることも可能とするものであること。（旅館業法施行規則第３条関係）

(4) クリーニング業法施行規則

① クリーニング所等の営業者から当該営業を譲り受けた者は、クリーニング業法施行規則（昭和25年厚生省令第35号）第１条の３第１項及び第２項の規定に基づき都道府県知事等に提出しなければならない書類について、記載事項の省略を可能とする（譲り受けたものから変更がない部分に限る）等の措置を講ずるものであること。（クリーニング業法施行規則第１条の３関係）

② 相続による事業承継時の手続において、現行、同令第２条の２第２項の規定に基づき届出書に戸籍謄本の添付を求めているところ、これに代えて法定相続情報一覧図の写しの添付によることも可能とするものであること。（クリーニング業法施行規則第２条の２関係）

(5) 理容師法施行規則

① 理容所の開設者から当該営業を譲り受けた者は、譲り受けたものから変更がない部分に限り、理容師法施行規則（平成10年厚生省令第４号）第19条の規定に基づき都道府県知事等に提出しなければならない書類について、記載事項や添付資料の省略を可能とする等の措置を講ずるものであること。（理容師法施行規則第19条関係）

② 相続による事業承継時の手続において、現行、同令第21条第２項の規定に基づき届出書に戸籍謄本の添付を求めているところ、これに代えて法定相続情報一覧図の写しの添付によることも可能とするものであること。（理容師法施行規則第21条関係）

(6) 美容師法施行規則

第2編　理容師・美容師

　　① 美容所の開設者から当該営業を譲り受けた者は、譲り受けたものから変更がない部分に限り、美容師法施行規則（平成10年厚生省令第7号）第19条の規定に基づき都道府県知事等に提出しなければならない書類について、記載事項や添付資料の省略を可能とする等の措置を講ずるものであること。（美容師法施行規則第19条関係）

　　② 相続による事業承継時の手続において、現行、同令第21条第2項の規定に基づき届出書に戸籍謄本の添付を求めているところ、これに代えて法定相続情報一覧図の写しの添付によることも可能とするものであること。（美容師法施行規則第21条関係）

第3　運用上の留意事項等

(1) 今般の省令改正（第2(1)～(6)の①）は、既存の営業者等から営業等を譲り受けた者が営業等の許可等を申請する場合において、都道府県知事等に提出しなければならない書類について、一部、記載事項の省略や添付書類の省略を可能とする（譲り受けたものから変更がない部分に限る）ものであり、新規の許可申請・届出という枠組み自体は変わるものではないこと。なお、対象となる申請者については、個人事業主や法定相続人に限られるものではないこと。

(2) (1)の場合において、業の譲渡とは、基本的には、施設の使用権を譲受人が譲り受けた場合が想定されること。また、申請書への記載事項中、「当該営業を譲り受けたことを証する旨」については、基本的には、事業を譲り受けたことを証する書面（契約書等）の写し等により確認することが想定されること。このほか、申請書に事業譲渡の事実についての記入欄を設け、当該欄への譲渡人の署名により確認する等の対応が考えられること。なお、実際に譲渡が完了する前であっても、譲渡契約を締結したことをもって、各都道府県等において、記載事項や添付書類を省略した申請等を受け付けることが考えられること。

(3) (1)の場合において、改正省令における「変更がない場合」「変更がない事項」に該当するか否かの基準は、既存の営業者等が営業等していた場合に、変更届の提出が不要である場合に該当するか否かの基準と同様であること。なお、「変更がない」ことを申請者に確認するに当たっては、口頭により申出をさせる、申請書にその旨を記載させるなどの方法が考えられること。

(4) (1)の場合において、営業の開始にあたり、各法令等において使用前検査、確認が求められているものがあるが、施設の構造設備について譲り受けたものから大きな変更がない場合においては、実地検査を省略することとして差し支えなく、今般の簡素化の趣旨に照らし、できる限り実地検査を省略することを原則とする取扱いとしていただきたいこと。また、許可申請等に係る手数料については、実費等を勘案してその額が定められているものと承知しているが、事業の譲受けに伴う許可申請等の手数料について、実地検査の省略等を踏まえ、減免・引下げについて積極的に検討いただきたいこと。

(5) (1)の場合において、許可申請等に当たり、各都道府県等の条例・規則等に基づき提

出を求めている書類等がある場合には、今般の簡素化の趣旨を踏まえ、事業の譲受けに伴う許可申請等については省略等を認める取扱いを検討いただきたいこと。
⑹ ⑴の場合において、許可申請等に係る適正な審査を行うために必要な書類について、申請者に対して追加で提出を求めることは差し支えないが、その場合であっても今般の簡素化の趣旨を踏まえ、必要最限に留めていただきたいこと。
⑺ 旅館業、興行場営業、浴場業については、「旅館業、興行場営業及び浴場業に対する防火安全対策の強化について」（昭和44年5月21日環衛第9,072号厚生省環境衛生課長通知）、「旅館業に対する防火安全対策の徹底について」（平成15年10月2日健衛発第1002003号厚生労働省健康局生活衛生課長通知）等において、許可申請に係る審査を行うにあたり、建築基準法関係の検査済証や消防法令適合通知書の提出を求めているところ、施設の構造設備について譲り受けたものから変更がない場合においては、検査済証や消防法令適合通知書についての提出は省略可能であること。
⑻ 興行場法（昭和23年法律第137号）第2条の規定に基づく興行場営業の許可申請手続等についても、今回の改正の趣旨を踏まえ、所要の規定の整備を検討いただきたいこと。
⑼ 第2⑴③　食品衛生法施行規則第73条部分の改正は、食品衛生法等の一部を改正する法律の施行に伴う厚生労働省令の整備に関する省令（令和元年厚生労働省令第68号）において、手当てがなされなかった部分について、所要の改正を行うものであること。

第4　施行期日等について
　この省令は、令和2年12月15日から施行すること。ただし、第2⑴③については、公布の日から施行すること。

第5　施行状況の把握について
　今般の省令改正による手続簡素化の施行状況を把握するため、今後、省令改正による手続簡素化の状況（適用件数、処理期間、手数料等）、効果及び活用事例についてフォローアップを行う予定であること。

別添　略

○クリーニング業法施行規則等の一部を改正する省令の施行等について

> 令和2年12月8日　生食発1208第1号
> 各都道府県知事・各保健所設置市市長・各特別区区長宛
> 厚生労働省大臣官房生活衛生・食品安全審議官通知

「女性活躍加速のための重点方針2016」（平成28年5月20日すべての女性が輝く社会づくり本部決定）において、旧姓の通称としての使用拡大に向けて、政府が必要な取組を進めることとされていることとされております。

また、「経済財政運営と改革の基本方針2020」（令和2年7月17日閣議決定）において、全ての行政手続きを対象に、原則として押印を不要とし、デジタルで完結できるよう見直しを行うこととする方針が示されました。

これに伴い、クリーニング業法施行規則等の一部を改正する省令（令和2年厚生労働省令第196号。以下「改正省令」という。）が本日別添のとおり公布され、令和3年4月1日より施行されることとなりました。

改正省令の内容等は下記のとおりですので、これらについて十分御了知の上、適切な対応をお願いします。

なお、本通知は、地方自治法（昭和22年法律第67号）第245条の4第1項に基づく技術的な助言であることを申し添えます。

記

第1　改正の趣旨

「女性活躍加速のための重点方針2016」を踏まえ、クリーニング師、建築物環境衛生管理技術者、理容師及び美容師に係る免許証等の各種様式について、旧姓併記を可能とする等の所要の改正を行うとともに、「経済財政運営と改革の基本方針2020」を踏まえ、建築物における衛生的環境の確保に関する法律施行規則（昭和46年厚生省令第2号）で定める各種様式について、申請者等による押印を廃止すること。

第2　改正の内容

(1)　クリーニング業法施行規則

クリーニング業法施行規則（昭和25年厚生省令第35号）第5条の規定に基づく別記様式について、免許証に旧姓又は外国人における通称名（以下「旧姓等」という。）を記載することを可能とする措置を講ずるものであること。

(2)　建築物における衛生的環境の確保に関する法律施行規則

①　建築物における衛生的環境の確保に関する法律施行規則第9条第1項、第10条、第11条第2項及び第12条第2項の規定に基づく様式第1号から様式第4号までについて、免状に旧姓等を記載することを可能とする措置を講ずるものであること。

②　同規則第9条第1項、第11条第2項、第12条第2項、第14条の4及び第18条の規定に基づく様式第1号及び様式第4号から様式第5号までについて、申請者等によ

る押印を廃止するものであること。
③ 同規則第3条の17及び第25条の16の規定に基づく登録較正機関及び清掃作業監督者講習等登録機関の登録等の状況の官報による公示について、厚生労働省ホームページへの掲載により公示を行うこととする措置を講ずるものであること。
(3) 理容師法施行規則
理容師法施行規則(平成10年厚生省令第4号)第1条、第3条第2項、第5条第2項及び第6条第2項の規定に基づく様式第1、様式第2及び様式第4について、免許証に旧姓等を記載することを可能とする措置を講ずるものであること。
(4) 美容師法施行規則
美容師法施行規則(平成10年厚生省令第7号)第1条、第3条第2項、第5条第2項及び第6条第2項の規定に基づく様式第1、様式第2及び様式第4について、免許証に旧姓等を記載することを可能とする措置を講ずるものであること。

第3 運用上の留意事項等について
免許証等の氏名に旧姓の併記を希望する者については、申請書等に記入されている旧姓が戸籍謄本、戸籍抄本又は旧姓が併記されている住民票の写しに記載されている旧姓と合致することを確認すること。また、外国籍の者で免許証等の氏名に通称名の併記を希望する者については、申請書等に記入されている通称名が住民票の写しに記載されている通称名と合致することを確認すること。

第4 施行期日について
改正省令は、令和3年4月1日から施行すること。

第5 その他
今般の改正の趣旨を鑑み、理容師法施行規則第23条第4号の規定に基づく管理理容師の講習会修了証書及び美容師法施行規則第23条第4号の規定に基づく管理美容師の講習会修了証書についても、旧姓等の併記を可能とすること。

別添 略

○理容師養成施設指定規則及び美容師養成施設指定規則の一部を改正する省令の公布について

〔令和4年2月16日　生食発0209第1号
各都道府県知事・各保健所設置市市長・各特別区区長宛
厚生労働省大臣官房生活衛生・食品安全審議官通知〕

　理容師養成施設指定規則及び美容師養成施設指定規則の一部を改正する省令（令和4年厚生労働省令第21号）が令和4年2月9日に別添のとおり公布されました。
　改正の趣旨等については下記のとおりですので、これらについて十分御了知の上、その施行に遺憾のないようお願いするとともに、関係機関等に対する周知方お願いします。

記

第1　改正の趣旨
　　理容師法（昭和22年法律第234号）第3条第3項においては、理容師試験を受けようとする者は、理容師として必要な知識・技能を修得するため、都道府県知事の指定した理容師養成施設において理容師に必要な知識・技能を修得することとされている。理容師養成施設の指定の基準については、理容師養成施設指定規則（平成10年厚生省令第5号）において定められているところ、同令第4条第1項及び別表第3において、「関係法規・制度」の教員に係る要件の一つとして、「司法試験法（昭和24年法律第140号）による司法試験に合格した者」が規定されている。
　　また、美容師についても、美容師法（昭和32年法律第163号）第4条第2項並びに美容師養成施設指定規則（平成10年厚生省令第8号）第3条第1項及び別表第3において、前記と同様の規定が置かれている。
　　今般、法科大学院の教育と司法試験等との連携等に関する法律等の一部を改正する法律（令和元年法律第44号）により、司法試験法（昭和24年法律第140号）及び裁判所法（昭和22年法律第59号）が改正され、令和4年10月から、
・　法科大学院の課程に在学中の者で、司法試験が行われる日の属する年の4月1日から1年以内に修了見込みがある等の要件を満たす者も司法試験の受験が可能となり、
・　前記要件に該当して司法試験を受けた者が司法修習生に採用されるには、司法試験の合格に加え、法科大学院の課程を修了したことが必要となる
ことに伴い、理容師養成施設及び美容師養成施設における「関係法規・制度」の教員に係る要件を見直すものであること。

第2　改正の概要
　　理容師養成施設及び美容師養成施設における「関係法規・制度」の教員に係る要件のうち、「司法試験に合格した者」について、「司法修習生となる資格を得た者」に見直す

ものであること(理容師養成施設指定規則別表第3及び美容師養成施設指定規則別表第3関係)。
第3 施行期日について
　本省令は、令和4年10月1日から施行すること。
別添　略

○旅館業法施行規則等の一部を改正する省令の公布等について

〔令和5年8月3日　生食発0803第1号
各都道府県知事・各保健所設置市市長・各特別区区長宛
厚生労働省大臣官房生活衛生・食品安全審議官通知〕

　旅館業法施行規則等の一部を改正する省令(令和5年厚生労働省令第101号。以下「改正省令」という。)が本日別添のとおり公布されました。

　改正省令の内容等は下記第1及び第2のとおりであるほか、生活衛生関係営業等の事業活動の継続に資する環境の整備を図るための旅館業法等の一部を改正する法律(令和5年法律第52号。以下「一部改正法」という。)における事業譲渡に係る規定に関する運用上の留意事項等は下記第3のとおりですので、これらについて十分御了知の上、適切な対応をお願いいたします。

　なお、本通知は、地方自治法(昭和22年法律第67号)第245条の4第1項に基づく技術的な助言であることを申し添えます。

記

第1　改正省令の趣旨
　一部改正法により、旅館業法(昭和23年法律第138号)第3条の2の規定を新設する等の改正が行われ、事業譲渡による事業承継の手続が整備されることに伴い、旅館業法施行規則(昭和23年厚生省令第28号)等において、事業譲渡により旅館業の営業者の地位を承継する者が提出すべき申請書の記載事項等について定めるものであること。
　また、一部改正法により旅館業法第6条が改正され、宿泊者名簿の記載事項が変更されることに伴い、所要の規定の整理を行うものであること。
第2　改正省令の内容
(1)　旅館業法施行規則
　① 　一部改正法による改正後の旅館業法(以下「新旅館業法」という。)第3条の2第1項の規定により事業譲渡について都道府県知事等(保健所を設置する市又は特別区にあっては、市長又は区長。以下同じ。)の承認を受けようとする者がその営業施設所在地を管轄する都道府県知事等に提出しなければならない申請書の記載事項及び添付書類について定めるものであること。(旅館業法施行規則第1条の3関係)

②　旅館業法第3条第1項の規定による許可を受けようとする者が都道府県知事等に提出しなければならない書類の記載事項及び添付書類について、当該者が事業譲渡により旅館業を譲り受けた者である場合の規定を削除するものであること。（旅館業法施行規則第1条関係）

③　新旅館業法第6条第1項において、旅館業の営業者が備えなければならない宿泊者名簿の記載事項について、「職業」が「連絡先」に改められたことから、所要の規定の整理を行うものであること。（旅館業法施行規則第4条の2関係）

④　その他所要の改正を行うものであること。（旅館業法施行規則第2条、第3条、第4条関係）

(2)　食品衛生法施行規則

①　一部改正法による改正後の食品衛生法（昭和22年法律第233号）第56条第1項の規定により営業の譲渡により営業者の地位を承継し、同条第2項の規定によりその旨を届け出ようとする者がその施設の所在地を管轄する都道府県知事等に提出しなければならない届出書の記載事項及び添付書類について定めるものであること。（食品衛生法施行規則（昭和23年厚生省令第23号）第67条の2関係）

②　食品衛生法第55条第1項の規定による許可を受けようとする者が都道府県知事等に提出しなければならない書類の記載事項について、当該者が事業譲渡により営業を譲り受けた者である場合の規定を削除するものであること。（食品衛生法施行規則第67条関係）

③　地位の承継等に関する規定を届出営業者等について準用することを明確化するものであること。（食品衛生法施行規則第70条の2、第71条関係）

④　承継時の届出に関する事項について「許可の番号」に記載を統一する等その他所要の改正を行うものであること。（食品衛生法施行規則第68条、第69条関係）

(3)　公衆浴場法施行規則

①　一部改正法による改正後の公衆浴場法（昭和23年法律第139号）第2条の2第1項の規定により浴場業の譲渡により営業者の地位を承継し、同条第2項の規定によりその旨を届け出ようとする者がその施設の所在地を管轄する都道府県知事等に提出しなければならない届書の記載事項及び添付書類について定めるものであること。（公衆浴場法施行規則（昭和23年厚生省令第27号）第1条の2関係）

②　公衆浴場法第2条第1項の規定による許可を受けようとする者が都道府県知事等に提出しなければならない書類の記載事項について、当該者が事業譲渡により浴場業を譲り受けた者である場合の規定を削除するものであること。（公衆浴場法施行規則第1条関係）

③　その他所要の改正を行うものであること。（公衆浴場法施行規則第4条関係）

(4)　クリーニング業法施行規則

①　一部改正法による改正後のクリーニング業法（昭和25年法律第207号）第5条の3第1項の規定によりクリーニング業の譲渡により営業者の地位を承継し、同条第2項の規定によりその旨を届け出ようとする者がその施設の所在地を管轄する都道

府県知事等に提出しなければならない届出書の記載事項及び添付書類について定めるものであること。（クリーニング業法施行規則（昭和25年厚生省令第35号）第2条の2関係）

② クリーニング業法第5条第1項及び第2項の規定による届出をしようとする者が都道府県知事等に提出しなければならない書類の記載事項について、当該者が事業譲渡により営業を譲り受けた者である場合の規定を削除するものであること。（クリーニング業法施行規則第1条の3関係）

③ その他所要の改正を行うものであること。（クリーニング業法施行規則第2条の3、第2条の4、第2条の5関係）

(5) 理容師法施行規則

① 一部改正法による改正後の理容師法（昭和22年法律第234号）第11条の3第1項の規定により理容業の譲渡により開設者の地位を承継し、同条第2項の規定によりその旨を届け出ようとする者がその施設の所在地を管轄する都道府県知事等に提出しなければならない届出書の記載事項及び添付書類について定めるものであること。（理容師法施行規則（平成10年厚生省令第4号）第20条の2関係）

② 理容師法第11条第1項の規定による届出をしようとする者が都道府県知事等に提出しなければならない書類の記載事項について、当該者が事業譲渡により営業を譲り受けた者である場合の規定を削除するものであること。（理容師法施行規則第19条関係）

③ その他所要の改正を行うものであること。（理容師法施行規則第21条関係）

(6) 美容師法施行規則

① 一部改正法による改正後の美容師法（昭和32年法律第163号）第12条の2第1項の規定により美容業の譲渡により開設者の地位を承継し、同条第2項の規定によりその旨を届け出ようとする者がその施設の所在地を管轄する都道府県知事等に提出しなければならない届出書の記載事項及び添付書類について定めるものであること。（美容師法施行規則（平成10年厚生省令第7号）第20条の2関係）

② 美容師法第11条第1項の規定による届出をしようとする者が都道府県知事等に提出しなければならない書類の記載事項について、当該者が事業譲渡により営業を譲り受けた者である場合の規定を削除するものであること。（美容師法施行規則第19条関係）

③ その他所要の改正を行うものであること。（美容師法施行規則第21条関係）

(7) 施行期日等

この省令は、一部改正法の施行の日から施行すること。（改正省令附則第1条関係）

この省令の施行に関し必要な経過措置を定めること。（改正省令附則第2条から第8条まで関係）

第3 一部改正法における事業譲渡に係る規定に関する運用上の留意事項等

(1) 衛生水準の確保に係る留意事項

第2編　理容師・美容師

　　一部改正法における事業譲渡に係る規定（以下「本規定」という。）は、以下により、衛生水準の確保を図ることを前提として、譲受人に営業者の地位の承継を認めるものであり、事業譲渡により衛生管理の確保に支障が生じないよう十分に注意すること。
① 都道府県知事等への事前の相談
　ア）営業者に対し、事業譲渡の予定がある場合には、可能な限り、都道府県知事等に事前相談することを周知すること。
　イ）事前相談を受けた都道府県知事等は、営業者を通じて事業譲渡後の譲り受ける予定の者による衛生管理や事業の方針等を確認するとともに、事業譲渡の手続き、各業法による営業の規定、衛生管理等に関する助言を行うこと。
　ウ）都道府県知事等は、(1)①イとは別に、事業譲渡に際しては、事業の継続や従業員の雇用の維持等により衛生水準を確保することが重要であることを周知するとともに、生活衛生関係営業の運営の適正化及び振興に関する法律（昭和32年法律第164号）に規定する都道府県生活衛生営業指導センターや各生活衛生同業組合、食品衛生協会等に関する情報提供を積極的に行うほか、これらの団体が実施する講習会・講演会等の紹介、生活衛生同業組合への加入の案内等を行うこと。
② 事業譲渡時の届出（旅館業にあっては承認申請）
　ア）営業者から事前の相談を受けていなかった場合には、都道府県知事等は、譲受人（旅館業にあっては譲り受ける予定の者）による衛生管理や事業の方針等を確認するとともに、各業法による営業の規定、衛生管理等に関する助言を行うこと。
　イ）都道府県知事等は、(1)②アとは別に、事業譲渡に際しては、事業の継続や従業員の雇用の維持等により衛生水準を確保することが重要であることを周知するとともに、都道府県生活衛生営業指導センターや各生活衛生同業組合、食品衛生協会等に関する情報提供を積極的に行うほか、それらが実施する講習会・講演会等の紹介、生活衛生同業組合への加入の案内等を行うこと。
③ 都道府県知事等が、当分の間、本改正により措置した規定により営業者の地位を承継した者（営業の譲渡により当該地位を承継したものに限る。）の業務の状況について、当該地位が承継された日から起算して6月を経過するまでの間において、少なくとも1回行わなければならないとされる調査（改正法附則第3条第1項、第4条第2項、第5条第2項、第6条第2項、第7条第2項、第8条第2項、第9条第2項及び第10条第2項関係）
　ア）承継後、都道府県知事等が調査の体制を整えた上で、可能な限り速やかに各業法に基づく実地検査を含めた必要な調査が行われるようにすること。以下のいずれかに該当する場合には、特に速やかに必要な調査が行われるようにすること。
　　・事業譲渡に際し、事業譲渡に併せて営業許可等の申請内容の変更届が提出される場合であって、衛生水準の継続的な確保に懸念があるとき
　　・事業譲渡に際し、衛生等に係る情報提供等がある場合であって、衛生水準の

継続的な確保に懸念があるとき（例えば、衛生管理の方法が変わる場合、従業員が大幅に入れ替えられる場合等）
・　事業譲渡に際し、施設の増設や変更が行われる場合
・　食品衛生法における許可営業の譲渡が行われる場合
・　食鳥処理の事業譲渡が行われる場合
　イ）本調査において調査する「業務の状況」については、営業の種別等に応じて、報告の徴収（各業法に基づかない任意の質問等を含む。以下同じ。）等を行うことにより、事業が継続されているか、資格者がいるか（業法において資格者が必要とされている場合に限る。）、各業法に基づく施設・設備の基準を満たしているか等、衛生管理が適切に行われているかを確認すること。その際、必要に応じて図面等を求めることも考えられる。当該確認結果に基づき、必要に応じて、各業法に基づく実地検査を行うこと。
　　　ただし、(1)③ア）に掲げた場合に該当する場合など衛生水準の継続的な確保に懸念があるとき等には、必ずしも報告の徴収の過程を経る必要はなく、速やかに各業法に基づく実地検査を行うことにより、衛生管理が適切に行われているかを確認すること。
(2)　その他の留意事項
①　地位の承継
　　「地位を承継する」とは、許可又は届出の基本となる法律に関して、許可を受けた者又は届出をした者と同一の権利義務関係に立つということであるから、原則として、承継の前後で許可又は届出の内容が変更されることはないこと。ただし、譲渡の申請又は届出の際に、変更の届出を行うことを妨げない。
　　こうしたことから、許可に際して付される条件は、当該許可の内容の一部となるものであるため、今回の改正により措置した譲渡に係る規定により営業者の地位を承継した場合には、許可の条件は承継されるのが原則であること。
　　また、営業の許可又は届出がされている事業の一部を譲渡する場合（例えば、1号棟及び2号棟を有し、両棟における旅館業を一体的に管理するものとして一つの許可を受けている旅館業の営業者が、どちらか一方の棟における事業のみを譲渡する場合等）には、今回の改正により措置した事業譲渡に係る規定の対象外であること。
②　手続関係
　ア）届出書等への添付書類として掲げる「営業の譲渡が行われたことを証する書類」等については、基本的には、譲渡契約書等の写し等が想定されること。当該書類においては、当事者による譲渡の意思と譲渡の事実が最低限確認できるものである必要がある。なお、個人事業主が法人に成り代わる（法人成り）場合は、当該個人事業主と法人成り後の法人との譲渡契約書等の写し等が想定されること。
　イ）仮に事業譲渡後に施設の増設等を行う場合は、営業者は、各業法に則り、事業

　　　　譲渡の手続きとは別に、通常の施設の増設等に必要となる都道府県知事等への変更届の提出等を行う必要があること。なお、同一性が認められないような大幅な変更がある場合は、新規と同様の取扱いとする必要があること。
　　ウ）今回の改正により措置した譲渡に係る規定により営業者の地位を承継した場合には、新規の許可又は届出、使用前検査及び譲渡人が営業を廃止した旨の届出を不要とするものであること。
　　エ）申請等に係る適正な審査を行うために必要な書類について、申請者等に対して追加で提出を求める場合には、必要最低限に留めること。
　　オ）前記(2)②ウ)及びエ)を踏まえ、事業譲渡に伴う申請等に係る手数料については、合併・分割・相続に伴う申請等に係る手数料との平仄を踏まえつつ、従来の事業譲渡に伴う申請等に係る手数料と比較して減免・引き下げを行うことについて積極的に検討すること。
　　カ）旅館業法施行規則、公衆浴場法施行規則、クリーニング業法施行規則、理容師法施行規則及び美容師法施行規則における営業の譲渡による地位の承継に関する申請等の様式は、別紙1から別紙5を参考にされたい。
　(3) その他の留意事項（旅館業法関係）
　　① 旅館業の営業者が当該旅館業を譲渡する場合において、譲渡する予定の者及び譲り受ける予定の者がその譲渡及び譲受けについて、あらかじめ、改正後の旅館業法施行規則第1条の3に規定する申請書を都道府県知事等に提出して、その承認を受けなければならないこと。なお、その申請に際して、譲渡する予定の者又は譲り受ける予定の者のいずれか一方が、譲渡する予定の者と譲り受ける予定の者の連名の申請書を提出することが想定されるが、その場合には、都道府県知事等は、譲渡する予定の者と譲り受ける予定の者の双方を宛名とした承認書を提出者（申請書を提出した譲渡する予定の者又は譲り受ける予定の者）に交付することが考えられる。
　　　都道府県知事等は、この承認に当たっては、
　　ア）譲り受ける予定の者が旅館業法第3条第2項各号に該当するか
　　イ）当該施設の設置が同条第3項の要件に抵触するか
　　を審査して、承認の可否を判断すること。その際、承認を与える場合には、同条第4項に規定する者の意見を求めなければならず、また、承認を与えない場合には、同条第5項に則り理由を通知しなければならないこと。
　　　なお、この承認は、譲渡そのものを対象とするものではなく、譲受人が旅館業を営むことを対象としてなされるものである。
　　② 申請書への添付書類として掲げる「旅館業の譲渡を証する書類」については、譲渡が完了したことを証する書類ではなく、今後譲渡する旨を証する書類（基本的には、譲渡契約書等の写し等）であること。当該書類においては、当事者による譲渡の意思と譲渡の事実、譲渡の効力発生日が最低限確認できるものである必要がある。
　　③ 申請書に添付することとされる定款及び寄付行為の写しは、事業譲渡に伴い定款

等の変更がある場合には、その一部変更等の手続を経た正式のものでなければならないこと。このため、譲渡について認可が必要な場合にあってはその認可後のものでなければならないこと。
④　譲渡の効力が承認より前に発生する場合は、新規の許可を要することとなり、今回の改正により導入された承認制度は適用されないこと。
(4)　その他の留意事項（食品衛生法関係）
食品衛生法施行規則における営業の譲渡による地位の承継に関する届出及び記載様式等については、食品衛生申請等システムの改修状況を踏まえ、別途通知する予定であること。
(5)　その他の留意事項（興行場法関係）
一部改正法による改正後の興行場法（昭和23年法律第137号）第2条の2の規定に基づく興行場営業の譲渡の届出手続等についても、公衆浴場法施行規則等を参考にして、所要の規定の整備を図られたいこと。
(6)　その他の留意事項（食鳥処理の事業の規制及び食鳥検査に関する法律関係）
一部改正法による改正後の食鳥処理の事業の規制及び食鳥検査に関する法律（平成2年法律第70号）第7条第2項の規定に基づく食鳥処理業者の地位の承継の届出手続については、「食鳥処理の事業の規制及び食鳥検査に関する法律の施行について（平成3年3月29日衛乳第26号厚生省生活衛生局通知）」の別紙様式第6号を別紙6に差し替えること。
(7)　施行状況等の把握
今回の改正による事業譲渡手続の整備状況等について把握するため、今後、その整備状況（処理期間、手数料等）、効果（業法別に今回の改正により措置した譲渡に係る規定により営業者の地位を承継した件数等）、活用事例及び都道府県等による譲渡後の調査状況等についてフォローアップを行う予定であること。

以上

別添・別紙6　略

別紙1

承継届

年　月　日

●●●●　殿

　　　　　　　　届出者の住所（法人にあって
　　　　　　　　は、主たる事務所の所在地）
　　　　　　　　届出者の氏名（法人にあって
　　　　　　　　は、名称）
　　　　　　　　届出者の生年月日（法人にあ
　　　　　　　　っては、代表者の氏名）

　理容所の開設者の地位を承継したため、理容師法（昭和22年法律第234号）第11条の3第2項の規定により下記のとおり届け出ます。

記

1　営業を譲渡した者（譲渡人）の住所及び氏名（法人にあっては、その名称、主たる事務所の所在地及び代表者の氏名）
　　譲渡人の住所（法人にあっては、
　　主たる事務所の所在地）
　　譲渡人の氏名（法人にあっては、
　　名称及び代表者の氏名）

2　譲渡の年月日

3　理容所の名称及び所在地
　　理容所の名称
　　理容所の所在地
　　理容所に係る届出番号

4　添付書類
 (1)　営業の譲渡が行われたことを証する書類
 (2)　届出者が外国人の場合にあっては、住民票の写し（住民基本台帳法第30条の45に規定する国籍等を記載したものに限る。）

以上

別紙2

営業者の地位の承継に係る承認申請書

年　月　日

●●●●　殿

　　　　＜譲受人＞
　　　　　申請者（譲受人）の住所（法人にあっては、主たる事務所の所在地）
　　　　　申請者（譲受人）の氏名（法人にあっては、名称）
　　　　　申請者（譲受人）の生年月日（法人にあっては、代表者の氏名）
　　　　＜譲渡人＞
　　　　　申請者（譲渡人）の住所（法人にあっては、主たる事務所の所在地）
　　　　　申請者（譲渡人）の氏名（法人にあっては、名称及び代表者の氏名）

　営業者の地位を承継するため、旅館業法（昭和23年法律第138号）第3条の2第1項の規定により、下記のとおり、承認を求めます。

記

1　譲渡の予定年月日

2　営業施設の名称及び所在地並びに営業施設に係る許可番号
　　営業施設の名称
　　営業施設の所在地
　　営業施設に係る許可番号

3　旅館業法第3条第2項各号に該当することの有無及び該当するときはその内容
　　　該当事項の有無　　　　　　有・無
　　（有の場合）その内容

4　添付書類
　(1)　旅館業の譲渡を証する書類
　(2)　譲受人が法人の場合にあっては、譲受人の定款又は寄附行為の写し

以上

別紙3

承継届

年　月　日

●●●●　殿

届出者の住所（法人にあって
は、主たる事務所の所在地）
届出者の氏名（法人にあって
は、名称）
届出者の生年月日（法人にあ
っては、代表者の氏名）

　営業者の地位を承継したので、公衆浴場法（昭和23年法律第139号）第2条の2第2項の規定により、下記のとおり届け出ます。

記

1　浴場業を譲渡した者（譲渡人）の住所及び氏名（法人にあっては、その名称、主たる事務所の所在地及び代表者の氏名）
　　届出者の住所（法人にあっては、
　　主たる事務所の所在地）
　　届出者の氏名（法人にあっては、
　　名称及び代表者の氏名）

2　譲渡の年月日

3　公衆浴場の名称及び所在地
　　公衆浴場の名称
　　公衆浴場の所在地
　　公衆浴場に係る許可番号

4　添付書類
　(1)　営業の譲渡が行われたことを証する書類
　(2)　届出者が法人の場合にあっては、届出者の定款又は寄附行為の写し

以上

旅館業法施行規則等の一部を改正する省令の公布等について

別紙4

承継届

年　月　日

●●●● 殿

届出者の住所（法人にあって
は、主たる事務所の所在地）
届出者の氏名（法人にあって
は、名称）
届出者の生年月日（法人にあ
っては、代表者の氏名）

　営業者の地位を承継したので、クリーニング業法（昭和25年法律第207号）第5条の3第2項の規定により下記のとおり届け出ます。

記

1　営業を譲渡した者（譲渡人）の住所及び氏名（法人にあっては、その名称、主たる事務所の所在地及び代表者の氏名）
　　譲渡人の住所（法人にあっては、
　　主たる事務所の所在地）
　　譲渡人の氏名（法人にあっては、
　　名称及び代表者の氏名）
2　譲渡の年月日
3　クリーニング所又は無店舗取次店の名称及び所在地
　　クリーニング所又は無店舗取次店
　　の名称
　　クリーニング所又は無店舗取次店
　　の所在地
　　クリーニング所又は無店舗取次店
　　に係る届出番号
4　クリーニング所又は無店舗取次店の業務用車両の保管場所及び自動車登録番号若しくは車両番号
　　業務用車両の保管場所
　　業務用車両の自動車登録番号又は
　　車両番号
5　添付書類
(1)　営業の譲渡が行われたことを証する書類

以上

別紙5

承継届

年　月　日

●●●●　殿

届出者の住所（法人にあっては、主たる事務所の所在地）
届出者の氏名（法人にあっては、名称）
届出者の生年月日（法人にあっては、代表者の氏名）

　美容所の開設者の地位を承継したため、美容師法（昭和32年法律第163号）第12条の2第2項の規定により下記のとおり届け出ます。

記

1　営業を譲渡した者（譲渡人）の住所及び氏名（法人にあっては、その名称、主たる事務所の所在地及び代表者の氏名）
　　譲渡人の住所（法人にあっては、
　　主たる事務所の所在地）
　　譲渡人の氏名（法人にあっては、
　　名称及び代表者の氏名）

2　譲渡の年月日

3　美容所の名称及び所在地
　　美容所の名称
　　美容所の所在地
　　美容所の届出番号

4　添付書類
　(1)　営業の譲渡が行われたことを証する書類
　(2)　届出者が外国人の場合にあっては、住民票の写し（住民基本台帳法第30条の45に規定する国籍等を記載したものに限る。）

以上

第2章　業務範囲等

○理容師法の運用に関する件

〔昭和23年12月8日　衛発第382号〕
〔各都道府県知事宛　厚生省公衆衛生局長通牒〕

〔改正経過〕
第1次改正　〔昭和53年12月5日環指第149号〕
第2次改正　〔平成27年12月9日生食発1209第2号〕

　理容師法の運用については、しばしば通牒したところであるが、なお、下記事項留意の上その万全を期せられたい。
　なお、昭和23年4月21日公保発第48号公衆保健局長通牒及び同年8月21日衛発第111号公衆衛生局長通牒は、今後これを廃止することと承知されたい。

記

1　法第21条第2項に規定する「従前の例により行う」とは、理容師法施行規則（昭和23年8月31日厚生省令第41号）第37条の規定によって行うことであって、旧府県規則の規定によって行うということではない。したがって、学校試験のみによって合格証を交付することは違法である。（昭和23年9月6日衛発第137号公衆衛生局長通牒参照）
2　削除
3　化粧に附随した軽い程度の「顔そり」は化粧の一部として美容師がこれを行ってもさしつかえない。
4　理容所の開設者は、理容師であると否とを問わない。又同一人が同時に理容所と美容所を開設することもできる。
5　理容所と美容所は、原則として同一の場所で開設してはならない。ただし、理容所及び美容所に必要な衛生上の要件をいずれも満たし、かつ、施術者全員が理容師及び美容師双方の資格を有する者のみからなる事業所については、この限りでない。
6　従来朝鮮、台湾、樺太、関東局において、その地の法令に基いて理容師の免許を受けて営業を営んでいた者が、引揚げに際してその資格書類を失った場合は、昭和23年7月29日衛庶発第6号通知にかかわらずそれぞれ当残務整理事務所（所在地別記参照）の発行する免許を受けた者であることの証明書に基き、昭和23年3月9日厚生省発健第16号厚生次官通牒記第1の(5)に準じて登録すること。
　　なお、中華民国その他の外地については、前記庶発第6号通知の通りである。
別記　略

○理容師法の運用に関する件

〔昭和24年5月31日　衛発第590号〕
〔各都道府県知事宛　厚生省公衆衛生局長通知〕

　従来「理容を業とする」とは判例その他に基き「反覆継続の意思をもって不特定多数の

者に対し、理髪又は美容の行為を行うこと」と解し、特定人を対象とする官庁、会社、工場、学校等のいわゆる福利施設として理容所については、理容師法を適用しないように指導して来たところであるが、最近この種の理容所及び利用者が相当多数に上り、公衆衛生に及ぼす影響大なるものがあるので、法務府と協議の結果、今後従来の解釈の範囲を拡張しこれ等の施設についても理容師法を適用することに意見の統一を見たので、下記事項留意の上至急所要の措置を講ずるとともに、新たに設置するものについてもその都度指導監督をされたい。

記

1　反覆継続の意思をもって理髪又は美容の行為を行う者は、その対象が特定であると不特定であるとを問わず、又営利を目的とすると否とを問わず、必ず理髪師又は美容師の免許を受けたものであること。
2　官庁、学校等の開設する福利施設たる理容所については、無料又は実費等対価の如何を問わず理容師法第11条の規定による届出を行わさせること。

○美容師の業務範囲について

［昭和52年12月3日
各都道府県衛生主管(部)局長宛　厚生省環境衛生局指導課長］

拝啓　時下益々御清祥のこととお慶び申し上げます。

さて、美容師法の施行及び美容業界の指導につきましては、日頃より種々御高配を賜わって来たところでありますが、近年における国民生活の多様化は、美容師の業務に類似する各種美容行為への需要を生ぜしめているところであります。

しかしながら美容行為は、国民の公衆衛生の保持に極めて重要な係りを有するものであり、この見地より美容師法に規定する化粧結髪等人体に直接影響のある行為について、美容師の資格を有しない類似業者が、業務の対象とすることは、是非とも避けなければならない問題であります。

仄聞するところによれば、一部の県において、いわゆる「着付士」が美容師の業務を行うかのように宣伝する事例が見うけられるとのことでありますが、美容師法の精神からして、これらの者の業務が化粧結髪等の行為に及ぶことのないよう、指導の徹底をお願いする次第であります。

特に、婚礼に伴う着付行為につきましては、行為の類型として化粧結髪等を附随することが多いため、この点特にご配慮願い、今後とも美容師法の施行につき、遺憾ないようお願い申し上げます。

敬具

○パーマネント・ウエーブ用剤の目的外使用について

［昭和60年7月1日　衛指第117号
各都道府県・各政令市・各特別区衛生主管部（局）長宛
厚生省生活衛生局指導課長通知］

　最近、マツ毛パーマと称して医薬部外品であるパーマネント・ウエーブ用剤を使用し、マツ毛に施術を行う技法が現われ、流行の兆しを見せているが、この施術を行う個所が目に非常に近いところからパーマネント・ウエーブ用剤が容易に目に入る可能性があり、薬剤の成分による視力障害等の被害が懸念されるところである。

　また、医薬部外品であるパーマネント・ウエーブ用剤は頭髪にウエーブをもたせ、保つために使用する目的で製造承認がなされているものであり、かかる施術に使用することは、薬事法に基づく承認内容を逸脱した目的外使用となる。

　医薬部外品であるパーマネント・ウエーブ用剤は、その定められた方法に従い、正しく使用されてはじめて、その安全、有効な効果が期待できるものである。しかるに、これを美容師が顧客に対し目的外使用し、その結果として何らかの事故を生ぜしめるなどは美容師の社会的責務に背くものであり、厳に慎まねばならないものである。

　貴職におかれては、管下の美容所等においてかかる行為により事故等の起ることのないよう、美容所等への立入検査、巡回指導を行い営業者等を十分に指導する等により美容所における美容業務の適正な実施の確保を図られたい。

　なお、本通知については、当省薬務局と打合せ済みであるので念のため申し添える。

○パーマネント・ウエーブ用剤の目的外使用について

> 平成16年9月8日　健衛発第0908001号
> 各都道府県・各政令市・各特別区衛生主管部（局）長宛
> 厚生労働省健康局生活衛生課長通知

記

　標記については、「パーマネント・ウエーブ用剤の目的外使用について」（昭和60年7月1日付衛指第117号生活衛生局指導課長通知）（以下「本職通知」という。）により、美容所等においていわゆるまつ毛パーマと称する施術（以下「まつ毛パーマ」という。）により事故等の起こることのないよう、貴職に対し美容業務の適正な実施の確保をお願いしているところである。

　今般、独立行政法人国民生活センターの実施したまつ毛パーマに関する調査に基づき、エステサロン、美容所等において、まぶたや目に対する健康被害の発生が見られ、同センターより行政に対し、パーマネント・ウエーブ用剤がまつ毛に使用されることのないよう、周知及び指導の徹底が要望されたところである。

　貴職におかれては、管下のエステサロン、美容所等において、かかる行為により事故等の起こることのないよう営業者等に対し周知徹底を図るとともに、再度、本職通知の趣旨に基づき、美容業務の適正な実施の確保を図られるよう、特段の御配慮をお願いする。

　なお、本通知は、地方自治法（昭和22年法律第67号）第245条の4第1項の規定に基づく技術的助言として通知するものであり、当省医薬食品局と予め打合せ済みであるので念のため申し添える。

別添　略

○まつ毛エクステンションによる危害防止の徹底について

> 平成20年3月7日　健衛発第0307001号
> 各都道府県・各政令市・各特別区衛生主管部（局）長宛
> 厚生労働省健康局生活衛生課長通知

　今般、東京都生活文化スポーツ局消費生活部長より、別紙のとおり、近年のまつ毛エクステンションの流行に合わせて、消費生活センター等へ寄せられる危害に関する相談件数が増加し、まつ毛エクステンション用の接着剤による健康被害がみられるとの情報提供がされたところである。

　貴職におかれては、管下の美容所等において、かかる行為により事故等のおこることのないよう営業者等に対し周知徹底を図るとともに、再度、本職通知の趣旨に基づき、美容業務の適正な実施の確保を図られるよう、特段の御配慮をお願いする。

　なお、美容師法第2条第1項の規定において、美容とはパーマネントウエーブ、結髪、化粧等の方法により容姿を美しくすることをいうとされており、通常首から上の容姿を美しくすることと解されているところである。ここでいう「首から上の容姿を美しくする」ために用いられる方法は、美容技術の進歩や利用者の嗜好により様々に変化するため、個々の営業方法や施術の実態に照らして、それに該当するか否かを判断すべきであるが、いわゆるまつ毛エクステンションについては、①「パーマネント・ウエーブ用剤の目的外使用について」（平成16年9月8日健衛発第0908001号厚生労働省健康局生活衛生課長通知）において、まつ毛に係る施術を美容行為と位置付けた上で適正な実施の確保を図ることとしていること、②「美容師法の疑義について」（平成15年7月30日大健福第1,922号大阪市健康福祉局健康推進部長照会に対する平成15年10月2日健衛発第1002001号厚生労働省健康局生活衛生課長回答）において、いわゆるエクステンションは美容師法にいう美容に該当するとされていることから、当該行為は美容師法に基づく美容に該当するものであることを申し添える。

別紙　略

○まつ毛エクステンションによる危害防止の周知及び指導・監督の徹底について

> 平成22年2月18日　健衛発0218第1号
> 各都道府県・各政令市・各特別区衛生主管部（局）長宛
> 厚生労働省健康局生活衛生課長通知

　まつ毛エクステンションによる危害防止については、「まつ毛エクステンションによる危害防止の徹底について」（平成20年3月7日健衛発第0307001号当職通知）により、その徹底をお願いしているところであるが、今般、独立行政法人国民生活センター相談部長より、別紙1のとおり、まつ毛エクステンションの危害の相談が依然として増加しているとの情報提供がされたところである。

第2編　理容師・美容師

　また、消費者庁政策調整課長より、別紙2のとおり、まつ毛エクステンションに係る安全性の確保について要請がされたところである。
　貴職におかれては、管下の美容所等において、かかる行為により事故等のおこることのないよう営業者等に対し周知徹底を図るとともに、消費者に対してもホームページや広報誌などを活用することにより、まつ毛エクステンションによる健康被害について広く情報提供を行うなど、再度、本職通知の趣旨に基づき、美容業務の適正な実施の確保を図られるよう、特段の御配慮をお願いする。
　なお、美容師法違反のおそれのある事案に対する指導・監督の徹底を図っていただくとともに、特に悪質な事例については、捜査機関と連携をとった上で告発も視野に入れた厳正な対応をお願いしたい。

別紙1　略

（別紙2）
　　　まつ毛エクステンションに係る安全性の確保について

> 平成22年2月17日　消政調第9号
> 厚生労働省健康局生活衛生課長宛　消費者庁政策調整課長通知

　まつ毛エクステンションに係る消費者事故等については、消費者安全法（平成21年法律第50号）に基づき、平成21年12月8日付けで関係行政機関等から消費者庁に重大事故等として1件通知されており、平成21年12月16日付けでその概要について当庁より公表したところです。
　また、今般、独立行政法人国民生活センターがまつ毛エクステンションの危害に係る資料を平成22年2月17日付けで公表しましたが、その中では当該施術に係る危害相談が増加していること、美容師でない者が施術を行うといった美容師法（昭和32年法律第163号）に抵触する可能性のある事例も見られることなどが報告されております。
　まつ毛エクステンションは安全性に十分な配慮がなされなければ、目などに大きな負担を伴う行為であり、目や目元における危害は重大な消費者事故等につながるおそれがあることから、消費者庁としても当該施術に係る安全性の確保をより充実していく必要があると考えています。
　まつ毛エクステンションによる危害防止の徹底については、平成20年3月7日付け健衛発第0307001号厚生労働省健康局生活衛生課長通知をもって、貴課より美容業務の適正な実施の確保を図るよう都道府県等衛生主管部（局）長あて通知しているところですが、消費者の安全・安心の確保を図る観点から、貴課におかれましては、まつ毛エクステンションの危害防止を更に徹底するよう、下記についてご対応いただきますようお願いいたします。

記

1　まつ毛エクステンションを行っている美容所等への監視指導を強化するとともに美容師法に抵触する営業者及び施術者に対して適切な措置を講じるよう、監督権限を有する都道府県等に要請すること
2　今般の独立行政法人国民生活センターの公表資料に示された危害状況等を広く国民に周知するとともに、危害防止の徹底を営業者に周知するなど、施術の安全性の確保に係る施策を推進すること

○まつ毛エクステンションによる安全性の確保について

> 平成24年11月28日　健衛発1128第1号
> 各都道府県・各政令市・各特別区衛生主管部(局)長宛
> 厚生労働省健康局生活衛生課長通知

　まつ毛エクステンションについては、「まつ毛エクステンションによる危害防止の徹底について」（平成20年3月7日付健衛発第0307001号当職通知）及び「まつ毛エクステンションによる危害防止の周知及び指導・監督の徹底」（平成22年2月18日付健衛発0218第1号）により、まつ毛エクステンションの危害防止のため、周知や指導監督をお願いしているところです。

　一方で、国民生活センター等に寄せられる健康危害等の相談が多数に上り、関係機関からも対応が求められる状況を踏まえ、昨年11月から、生活衛生関係営業等衛生問題検討会においてまつ毛エクステンションの施術に係る安全の確保等について検討が行われ、「まつ毛エクステンションの施術に係る論点の整理」がとりまとめられましたので、別添のとおりお送りします。

　まつ毛エクステンションを実施する教育プログラムと消費者への安全な情報提供のあり方については、論点整理においても優先して検討を行うこととされており、これらの点については、さらに参考資料のとおり検討を進めていくこととなっています。

　まつ毛エクステンションの施術については美容師免許が必要であることはこれまで通知で明示してきたところであり、その点に変わりはありませんが、今般の論点整理の指摘も踏まえ、美容師養成課程（通信教育を含む）に加わっている者については、美容師免許の円滑な資格取得を促すとともに、衛生措置が不十分な店舗については重点的な指導監督をお願いします。

　また、消費者から寄せられたエステティックによる健康被害等の把握をお願いしているところですが、健康被害等の情報の収集に努めるとともに、施術による健康被害のリスク等について消費者行政対応部局と連携し消費者等に対してわかりやすく周知徹底を図るようお願いします。その際、眼等に異常が生じた場合には、直ちに医師による受診を勧奨するよう、消費者及び営業者等に対する注意喚起をお願いします。

別　添

　　　まつ毛エクステンションの施術に係る論点の整理

> 平成24年8月8日
> 生活衛生関係営業等衛生問題検討会

1　検討に至った経過
　○　まつ毛エクステンションについては、これまで、国民生活センター等の受ける相談件数の増加や、消費者庁からの要請等を受けて、平成20年及び平成22年に、厚生労働省より通知を行い、当該行為が美容師法上に基づく美容に該当する等取扱について解釈を行ってきた。

第2編　理容師・美容師

○　しかしながら、現実には、美容師免許を取得せずに営業を行う者が多いこと、また、美容師が実施するとしても、単に美容師養成課程を修了しただけでは、まつ毛エクステンションについての専門教育を受けていないことから、施術を受ける者の安全性について確保ができない側面があり、今回の検討を行うに至っている。

○　また、こうした消費者における健康被害等の状況も受けて、平成23年12月には、消費者委員会から「まつ毛エクステンション等の施術について技術基準等を整備すること」等について検討を行うべきことが建議されている。

2　消費者に対する適切な情報提供

○　検討会においては、消費者が適切な情報に接し、選択を行えるようにすることが第一に優先すべき課題とされた。まつ毛エクステンションは、目の周りへの施術であることから、目や皮膚に健康被害が生ずるおそれがあること、また、同健康被害は施術の仕方のみならず、消費者の体調等にも影響を受けること等について、消費者に理解が求められることが議論された。

○　消費者に対し、施術による健康被害のリスクがあることについて、わかりやすく情報提供を行い、消費者が適切な自己決定を行いやすくするようにすることが求められる。

○　昨今では、消費者は、インターネットやいわゆるフリーペーパーを通じた広告等で情報を入手し、サービスや店舗の選択の意思決定を行っている。こうした広告等を掲載するサイト運営者やフリーペーパー編集者に本検討会の検討状況等が伝わることも求められる。

○　施術所においては、サービスの内容や健康被害のリスクの明示がなされるとともに、施術者の資格・経験の明示、顧客の体調の確認（カウンセリング、アレルギーテスト等）、事故発生時の対応方針の説明と事故情報の開示、等が求められる。なお、健康被害の事故が発生した場合には、医師による受診の勧奨は当然のこととして、その後の経過について把握して、情報を蓄積することが求められる。

○　なお、まつ毛エクステンションに係る健康被害の事故情報については、厚生労働省において、地方自治体の衛生部局と消費者担当部局との連携を図った上での情報収集と情報公開が必要と考えられる。

3　安全な施術のあり方について

(1)　美容師免許を有する者による施術について

○　平成20年及び平成22年の厚生労働省の通知では、まつ毛エクステンションの実施者は美容師であるとされているが、一方で、美容師養成課程では、衛生面全般の教育はあるものの、まつ毛エクステンションを目的とした教育は乏しい。美容師免許を取得しただけでは安全な施術には不十分な状況にあると結論せざるを得ない。

○　平成24年度に入学する美容師養成課程の教科書にまつ毛エクステンションに係る記述が加えられ、学生に安全な施術についての意識を持てるようにしたことは歓迎できる。

○　その上で、美容師資格を取得した者がまつ毛エクステンションを安全に実施する

ための標準的あるいはモデル的な教育プログラムが厚生労働省も加わった中でとりまとめられれば、消費者にとっての安全、安心は向上する。
○ 上記のまつ毛エクステンションの教育プログラムの開発について、美容師養成施設、美容師、施術を行っている者、関係の医師会等が協力して行うことにより、実践的かつ安全性の高いプログラムとすることが出来ると同時に、関係者の間での協力関係を深めるものとして有益と考えられる。
○ こうした教育プログラムを美容師養成課程における選択科目に取り込んでいく、また、美容師が生涯学習の中で学べる仕組みとしていくことができれば、美容師が行う場合の安全性を向上させることができると考えられる。

(2) 美容師免許を有しない者による施術について
○ 一方で、現実には、美容師免許を有しないで施術を行う者が多く、行政機関等からの指導や取締を受ける場合もあることについて、多くの議論がなされた。こうした者の中には、美容師養成課程に通学又は通信課程に学ぶ者もいれば、そうした養成課程には加わらず、美容師免許を有しない者をも受け入れるまつ毛エクステンションの先生やスクールでの指導を受けて、一定の技術を取得したとされる者も多いことがわかった。
○ もともとは美容師免許を取得せずに施術を行いつつ、美容師養成課程に加わっている者については、現時点では美容師免許は未取得ながら、研修中の者として、美容師免許を有する者の指導の下で実習を行う者としての位置づけは可能と整理し、円滑な資格取得を進めることが考えられる。
○ 美容師養成課程に加わらず、まつ毛エクステンションに係る指導のみを受けてきた者についての扱いが問題として残る。
○ 消費者の安全を第一に優先して考える当検討会の立場からは、まつ毛エクステンションが目の周囲に係る施術であって、相当数の健康被害につながる危険性を考えると、全くの無資格者が施術を行う仕組みは不適切と考える。
○ 現状で、美容師免許を取得しないで、先生やスクールで指導を受けたり、あるいは、施術者の団体等で履修したことを認定したりする仕組みがあるとされるが、検討会でヒアリングを行った限りでは、それらの教育は、容姿を美しく見せるための技術としてはともかく、医学面での知識を習得しているかは確認できず、消費者の安全性を確保するためのものとしては、不十分と判断せざるを得ない。
○ 特に、各施術者の団体からは、検討の当初の時期より、医学面での医師によるアドバイスを受けながら施術者の教育を行っている、また、施術者の実際の技術面でのアドバイスも医師から受けているとの説明がなされたが、その後、繰り返し、そうしたアドバイスをしている医師からの検討会における説明を求めてきたにもかかわらず、関係団体が10以上もあるとされる中、そうした医師の出席と説明が得られず今日に至っていることについては、遺憾であり、これら団体の説明の説得力は乏しい。
○ 団体側からの説明と対照的に、これらの施術者の団体を代表して実際に施術を行

第2編　理容師・美容師

っている者からの説明の多くについては、術前の消費者への健康状態のチェック、器具等の取扱、事故時の対応と施術者間での事故情報の共有等について、慎重かつ安全な施術を行っているとの心証を与えるしっかりしたものであった。但し、施術をする立場から説明を行った施術者については、美容師免許を有する者であった。こうした参加者の説明は安全な施術を行っているとの印象を与えるものであったが、一方で、店舗間での技術、安全面での格差（サービスの質の差）があることも検討会の随所から窺われ、衛生的な取扱の不十分な店舗について取締が行われることは、消費者保護の上で当然のことと考えられる。

○　なお、検討会として、説明を行った関係者に感じた違和感のひとつは、健康被害等の事故情報の記録と従事者間での共有についての意識が低いことが見受けられたことであった。現場でサービスを提供する立場の施術者や店舗に関係する者が検討会の場で説明することに慣れないことからの緊張もあることは割り引く必要があるが、営業店舗でこれまで事故は無かった等の説明は、衛生問題の検討を行う立場からすると事実とは受け止めることはできず、むしろ、事故情報の取扱が適切にできていないと判断せざるを得ないことに注意を促したい。

○　美容師免許を有しない者の取扱について、まつ毛エクステンションに限定した免許制度の創設を求める意見が施術を実施する者の団体から提出された。

○　現状において、美容師は、美容に係る業務独占の資格として美容師法に規定されている。資格制度において、その一部に限定した資格を設けることは、議論としてはあり得るが、法律改正を必要とするもので、国民的合意が必要である。

○　一方で法律としては美容師制度を設けている中で、まつ毛エクステンションに求められる教育プログラム自体が明確でないことから、まずは、安全にまつ毛エクステンションを実施する教育プログラムを関係者の協力でまとめることが適切と考えられる。まつ毛エクステンションに限定した免許制度の創設要望の意見については、そうした教育プログラムの作成を行いつつ、美容師法における美容師免許の位置づけ（いわゆる業務独占資格についての業権の問題等）との整理について十分議論を行って、検討されるべきものと考える。

4　今後の検討の進め方

○　本検討会では、昨年11月に本問題の検討を開始してから、多くの関係者からのヒアリングを行い、まつ毛エクステンションの施術を受ける消費者の安全の確保、施術を実施する者の現状と、施術者に求められる知識、技術のあり方、法規制のあり方と現実に施術を実施する者の位置づけ等について検討を行ってきた。

○　今回、論点の整理を行ったが、これらのうち、消費者への安全な情報の提供のあり方と、安全にまつ毛エクステンションを実施する教育プログラムの開発を優先して検討することが求められる。

○　現行法令のもとでは、まつ毛エクステンションについて美容師免許が必要であることはこれまで通知で明示されたところであるが、その指導監督等が行き渡っていないことも実態としてあり、一方で、無資格者であって美容師免許を取得しようとする者

の円滑な資格取得を促すとともに、他方で、無資格者のうち特に衛生措置が不十分な施術者やその店舗について重点的な指導監督が行われ、消費者の安全、安心が向上することが期待される。

○まつ毛エクステンションに係る教育プログラムと情報提供等について

［平成25年6月28日　健衛発0628第5号
各都道府県・各政令市・各特別区衛生主管部（局）長宛
厚生労働省健康局生活衛生課長通知］

　まつ毛エクステンションについては、「まつ毛エクステンションによる危害防止の徹底について」（平成20年3月7日付け健衛発第0307001号）、「まつ毛エクステンションによる危害防止の周知及び指導・監督の徹底について」（平成22年2月18日付け健衛発0218第1号）及び「まつ毛エクステンションによる安全性の確保について」（平成24年11月28日付け健衛発1128第1号）によりまつ毛エクステンションの危害の防止のため、周知や指導監督をお願いしてきたところです。

　他方、国民生活センター等に寄せられる健康被害等の相談が多数に上る中で、生活衛生関係営業等衛生問題検討会においてまつ毛エクステンションの施術に係る安全の確保等について検討が行われ、昨年8月に「まつ毛エクステンションの施術に係る論点の整理」がとりまとめられたところですが、今般、これを踏まえ、教育プログラムに関する専門的な検討が行われ、別添1のとおり、「まつ毛エクステンションの教育プログラム等について」（以下「検討会報告」という。）がとりまとめられ、同検討会に報告が行われました。

　つきましては、検討会報告と関係資料（別添2）を送付しますので、御了知ください。なお、今般の教育プログラムを踏まえ、養成施設においてまつ毛エクステンションに係る教育の充実が図られるよう、別添3のとおり、関係機関に対し通知を行っていますので、あわせて御了知ください。

　まつ毛エクステンションについては、検討会報告においても改めて指摘されているように、目の周りへの施術であり、目や皮膚への健康被害等のトラブルを生じさせるリスクを内包していることから、その安心・安全を確保するために、安心・安全を第一とする施術者の十分な自覚や配慮のもと、下記のような情報提供等の取組みの徹底が極めて重要でありますので、営業者に対する周知や指導監督をお願いします。

　また、消費者においても、健康被害等のリスクを十分に認識の上、施術前に施術者に十分な説明を求めるとともに、万一、目等に異常が生じた場合には、医師の診察を受けるようにする必要がありますので、消費者行政対応部局と連携し、これらの点に関して消費者等に対する注意喚起をよろしくお願いします。

記

1　まつ毛エクステンションの施術に当たっては、あらかじめ顧客の状況に応じて施術が可能であるかを問診票等を用いて確認すること。

2 まつ毛エクステンションの施術の前に、施術中の注意事項や施術後のケア、健康被害のリスク等について、利用者に十分な説明を行い、理解を得ること。
3 「理容所及び美容所における衛生管理要領」(昭和56年6月1日付け環指第95号)に基づき、器具の消毒などの衛生管理を徹底すること。
4 眼等に異常が生じた場合には、直ちに眼科、皮膚科等の医師の診察を受ける必要があること。

別添2・3 略

(別添1)
　　　まつ毛エクステンションの教育プログラム等について
　　　～まつ毛エクステンションの安心・安全のために～
　　　　　　　　　　〔まつ毛エクステンション教育プログラム検討会〕

　標記については、昨年11月の厚生労働省の生活衛生関係営業等衛生問題検討会においてとりまとめられた「まつ毛エクステンションの施術に係る論点の整理」を受け、全日本美容業生活衛生同業組合連合会が事務局となり、有識者の参画のもとに検討を進めてきたところであるが、今般、教育プログラムを別添のとおり、とりまとめたので報告を行う。
　この教育プログラムは、美容師養成施設において選択必修課目としてまつ毛エクステンションを実施する場合を想定したものであり、美容師養成施設において、まつ毛エクステンションを選択必修課目とする場合、本教育プログラムが取り入れられ、教育内容の充実が図られることを期待する。
　なお、公益社団法人日本理容美容教育センターの美容技術理論の教科書において、本年4月から、まつ毛エクステンションに係る記述の拡充が行われたところであり、さらに、今後、順次、内容の充実を図っていく予定と聞いているところであるが、本教育プログラムも参考にして、さらに教科書の充実が図られることを期待する。
　まつ毛エクステンションの施術については、安心・安全が何よりも重視されるべきであるというのが本検討会の基本的な認識であり、今般の教育プログラムの眼目も、安心・安全の確保のための基礎的部分の形成を図るというものであり、安心・安全のために必要な事項を徹底して学ぶ必要があると考えたものである。
　まつ毛エクステンションの施術については、目の周りへの施術であり、目や皮膚への健康被害等のトラブルを生じさせるリスクを内包しており、その因子としては、接着剤(グルー)のほか、固定テープや器具、人工毛等が想定されることから、これらに対応するトラブルの防止策について、具体事例に則して学ぶことの重要性を強調したい。また、健康被害等は、アレルギーや眼等の個々の状況に左右される面もあることから、カウンセリングを適切に行い、個々の状況に応じた施術を行うための基礎として、眼付属器官に関する知識が重要である点も指摘しておきたい。
　もとより、実際の施術には、美容師養成施設で学んだ基礎の上に、さらに技術的な研鑽を重ねていく必要があり、生涯学習としてまつ毛エクステンションのより専門的、高度な技術を学ぶことができるような教育環境の充実が図られることも重要である。
　これらによって、各段階において、美容師がまつ毛エクステンションの施術に係る知識

まつ毛エクステンションに係る教育プログラムと情報提供等について

及び技術を学び、向上させることができるような教育環境の充実が図られることを期待するものである。

さらに、まつ毛エクステンションの施術に係る安心・安全の確保のためには、教育プログラムでも強調しているように、眼付属器官への施術であることを十分に踏まえた安心・安全な施術のための知識や技術はもとより、安心・安全を第一とする施術者の自覚や心構え、配慮が重要である点も指摘しておきたい。

まつ毛エクステンションの施術に当たっては、施術者の十分な認識のもと、美容所における「衛生管理要領」に基づき器具の消毒などの衛生管理が徹底されるとともに、施術者は問診票等を用いてカウンセリングを適切に行い、顧客の状況に応じて施術が可能であるかどうかについて十分に確認を行った上で、施術中の注意事項や施術後のケア、健康被害のリスク等について利用者に十分な説明を行い、理解を得るといった情報提供等の取組みが徹底される必要がある。さらに、万一、目等の異常が生じた場合には、医師の受診を受けるようにする必要があり、これらの点に関して意識の徹底を図ることが重要である。

本検討会における検討結果が、安全・安心なまつ毛エクステンションの施術の推進のための一助となれば幸いである。

別添

まつ毛エクステンション教育プログラム

事　項		留　意　点
眼及びまつ毛などの眼付属器官に関する知識	・眼及びまつ毛などの眼付属器官の構造及び機能について、科学的、系統的な知識を習得すること。 ・眼及び眼付属器官の状態に影響を与える因子について知識を習得すること。 ・眼疾患、眼周囲の皮膚疾患等について、その発生機序や予防法に関して理解すること。	・眼及び眼付属器官の構造、機能に関する知識はもとより、毛周期があることやアレルギー、細菌、ウイルスといった目の状態に影響を及ぼす因子、ドライアイ、結膜炎、角膜炎、接触性皮膚炎といった眼及び眼の周囲の疾患に関する知識は、施術の判断やカウンセリング、施術後のケアの基礎となるものであることから、これらについて施術やカウンセリングと関連づけながら理解させることが重要である。 ・まつ毛の生え方等には個人差があることについて十分に理解させる必要がある。
まつ毛エクステンションの施術に係る技術の理論と実習	・器具等の種類、使用目的、形態、機能、成分、材質、物性、原理、特性、使用方法、使用上の注意、保守管	・ツィーザー、固定テープ、グルー、リムーバー、人工毛といった施術に係る器具等については、いずれも施術の際にまつ毛や眼の周辺の皮膚に触れるものであることから、これらの器具の正確な取扱い

	理方法、選定方法等について理解すること。 ・技術の内容、手順、技術上の注意等について理解すること。 ・施術に係る適正な技術や安全のために必要な措置を身に付けること。	の方法はもとより、使用上の注意事項も含め、安全な施術や健康被害の防止、適切なカウンセリングを実施する上で必要な知識を習得させる必要がある。 ・施術に必要な技術について、実習も交えて基礎を身に付けさせるとともに、安全な施術や健康被害の防止のために必要な施術前後も含めた各手順における注意事項や安全な施術環境の確保のための措置、施術者としての心得について、健康被害の原因とその予防策に関する具体事例を交えて、十分に理解させる必要がある。
まつ毛エクステンションの施術に係る説明等	・施術が可能であるか事前に顧客の状態を確認するための方法について理解すること。 ・施術中の注意事項や施術後のケア、健康被害のリスク等についての顧客への事前説明の内容や方法について理解すること。 ・眼等の異常が生じた場合には、直ちに医師に受診することが必要であることを理解すること。	・問診票等によるカウンセリングを適切に行い、顧客の状況に応じて施術が可能であるかを適切に判断するとともに、顧客の正確な理解の上で施術が行われるよう、健康被害のリスク等に関する事前説明について必要な知識を習得させる必要がある。 ・安全な施術や健康被害の防止のため、施術中の注意事項や施術後のケア、眼等の異常が生じた場合の対応に関して顧客に適切な説明が行えるよう必要な知識を習得させる必要がある。

参　考　略

○まつ毛エクステンションに係る消費者事故等について（依頼）

平成27年6月4日　事務連絡
各都道府県・各政令指定都市消費者行政・各都道府県・各政令市・各特別区衛生主管部（局）担当課長宛　消費者庁消費者安全・厚生労働省健康局生活衛生課

　まつ毛エクステンションについては、「まつ毛エクステンションによる危害防止の徹底について」（平成20年3月7日付健衞発第0307001号）、「まつ毛エクステンションによる危害防止の周知及び指導・監督の徹底について」（平成22年2月18日付健衞発0218第1号）、「まつ毛エクステンションによる安全性の確保について」（平成24年11月28日付健衞発1128第1号）及び「まつ毛エクステンションに係る教育プログラムと情報提供等について」（平成25年6月28日付健衞発0628第5号）により、まつ毛エクステンションの危害防止のため、周知や指導監督をお願いしているところです。
　今般、独立行政法人国民生活センターが「後を絶たない、まつ毛エクステンションの危害」を公表し、まつ毛エクステンションによる危害相談が依然として寄せられていることが報告されました。
　衛生主管部局におかれては、管下の美容所等に対し、衛生管理の徹底や利用者へ十分な説明を行う等、施術の安全・安心を確保するための取組の周知徹底をお願いいたします。また、まつ毛エクステンションに係る教育が適切に実施されるよう、美容師養成施設への指導・監督をお願いいたします。
　消費者行政担当部局におかれては、消費生活相談窓口に対して、美容師法違反のおそれがある相談情報等、衛生主管部局における指導監督に資する情報が寄せられた場合、衛生主管部局への情報提供をお願いいたします。
　また、衛生主管部局にはこれまでも健康被害等の情報収集をお願いしているところですが、地方公共団体において消費者事故等の情報を得た場合、消費者安全法（平成21年法律第50号）に基づき、消費者庁に通知する義務があります。まつ毛エクステンションに関しては、以下に該当する場合は原則として通知が必要と考えられます。
① 目や目の回りの皮膚の治療に30日以上を要する危害が生じており、まつ毛エクステンションの施術が危害に影響していると疑われる情報
② 同一の美容所で複数の被害相談がある、美容師以外の者の施術による被害相談がある等、当該施術所での被害拡大が懸念される情報
③ まつ毛エクステンション用の接着剤に一定の有害物質が含有しているとの情報
　各地方公共団体におかれては、「消費者事故等の通知の運用マニュアル」を参照いただき、消費者事故等の情報を漏れなく消費者庁に通知するようお願いいたします。
　さらに、消費者においても、健康被害のリスクを十分に認識し、施術前に施術者に十分な説明を求めるとともに、万が一、目などに異常が生じた場合には医師の診察を受けるよ

第2編　理容師・美容師

うにする必要がありますので、消費者行政担当部局と衛生主管部局が連携し、消費者へ分かりやすく周知徹底を図るようお願いいたします。
　なお、引き続き、美容師法違反のおそれのある事案に対する指導・監督の徹底を図っていただくとともに、特に悪質な事例については、捜査機関と連携をとった上で告発も視野に入れた厳正な対応をお願いいたします。
（参考1）
　・独立行政法人国民生活センター　平成27年6月4日公表資料
　　「後を絶たない、まつ毛エクステンションの危害」
　　http://www.kokusen.go.jp/news/data/n-20150604_1.html
（参考2）まつ毛エクステンションによる消費者事故等のイメージ
　・まつ毛エクステンションの施術を受けたところ、激しい痛みを伴い、目に違和感を覚えた。2回目の施術を受けたところ、目のあたりに激痛が走り、両角膜びらんの重症。
　・まつ毛エクステンション施術直後から目が沁みて、翌朝目が覚めるとまぶたが腫れ、エクステンションを取った後もまぶたの腫れが継続。
　・施術の翌日に目が腫れたため、医師の診察を受けたところ、エクステに使用した接着剤が原因のアレルギー性結膜炎と診断された。
　・まつ毛エクステの接着剤により眼瞼に炎症を起こした。
＜消費者庁の情報通知・問合せ先＞　略
＜厚生労働省問合せ先＞　略
＜添付資料＞
　資料1：消費者事故情報の通知の運用マニュアル（平成27年3月27日改訂）　略
　資料2：消費者事故情報通知様式　略
　資料3：消費者事故情報通知様式による通知の仕方　略

○理容師法及び美容師法の運用について

［平成27年7月17日　健発0717第2号
各都道府県知事・各政令市市長・各特別区区長宛　厚
生労働省健康局長通知］

　理容師法第1条の2第1項に規定する理容の行為及び美容師法第2条第1項に規定する美容の行為の範囲については、昭和53年12月5日環指第149号厚生省環境衛生局長通知に基づき運用してきたところであるが、近年における利用者の社会風俗の変化等に伴い、今後は下記により運用することとしたので、この旨十分御了知のうえ、貴管下営業者に対する指導等を行われたい。

　なお、昭和53年12月5日環指第149号厚生省環境衛生局長通知は廃止する。

記

1　理容又は美容には、それぞれ理容師法第1条の2第1項又は美容師法第2条第1項に明示する行為のほかこれに準ずる行為が一定の範囲内で含まれるものであり、理容師又は美容師は、それぞれこれらの行為を業として行い得るものであること。
2　1の趣旨にもとづき、理容師又は美容師が行い得る範囲等については、次により取り扱うこととする。
　(1)　理容師がパーマネントウエーブを行うことは差し支えないこと。
　(2)　美容師がカッティングを行うことは差し支えないこと。
　(3)　染毛は、理容師法第1条第1項及び美容師法第2条第1項に明示する行為に準ずる行為であるので、理容師又は美容師でなければこれを業として行ってはならないこと。

第3章 免許・登録

○美容所等における無免許者の業務に関する指導の徹底について

[平成11年9月28日　生衛発第1,391号
各都道府県知事・各政令市市長・各特別区区長宛　厚生省生活衛生局長通知]

　美容師法（昭和32年法律第163号）の規定により美容師が行う美容の業については、必要な衛生措置を適正に講じた上で人体に直に接して業を行うものであり、公衆衛生の維持向上の観点から、美容師の資格のない者又は実地習練中である者が美容師と同様の美容の業を行えるものではないことは周知のとおりである。

　しかしながら、今般、実地習練中である者が美容の業を行っている事例が確認されたところであるが、このような行為は美容師法第6条に違反するのみならず、利用者の利益の擁護に反し、美容師の社会的信頼を著しく損ねるものである。

　貴職におかれては、管下の美容所等において当該行為が行われることのないよう、下記に留意のうえ、営業者等を十分指導する等により、美容所等における業務の適正な実施の確保を図られたい。

記

1　美容師法第11条第1項の規定に基づく美容所の開設時の届出及び同法第11条第2項の規定に基づく従業者の変更時の届出の受理に際しては、美容師法施行規則（平成10年厚生省令第7号）第19条に規定される届出事項を確認するとともに、美容師である従業者については免許証による資格の確認を徹底すること。

　　なお、紛失等により免許証の確認が困難な者については、再交付等を受けるように指示するとともに、財団法人理容師美容師試験研修センターに対して、氏名（ふりがな）、生年月日、理容師・美容師の別を記載した文書をもって照会確認を行われたいこと。

2　管下の全美容所に対し、立入検査を行うとともに、無免許者によって美容の業が行われていないことを予約簿その他の帳簿等により確認すること。

　　また、理容師法又は美容師法の一部を改正する法律（平成7年法律第109号。以下「改正法」という。）附則第2条の規定によりなお従前の例によることとされている同法第1条による改正前の美容師法第4条第5項の規定に基づく実地習練を行う者については、「理容及び美容に関する実地習練について（昭和33年2月15日衛発第136号厚生省公衆衛生局長通知。以下「公衆衛生局長通知」という。）」に基づき、実地習練者の氏名の掲示及び標識の着用等が適正に行われるよう指導すること。

　　なお、実地習練については、改正法附則第4条第1項の規定によりなお従前の例によることとされているが、その終期を定める告示の制定について、現在、厚生省において検討中であること。

3 「美容師養成施設の教科課程の基準について（平成10年2月3日生衛発第123号厚生省生活衛生局長通知）」に基づき実務実習を行うための生徒を受け入れている美容所に対しては、当該通知に基づき適正にこれを実施するよう指導するとともに、実務実習者の氏名の掲示及び標識の着用等が適正に行われること等、公衆衛生局長通知の内容に準じて、前記2と同様の指導を行われたいこと。
4 定期的な立入検査の際にも、前記2及び3と同様の措置を講じること。
5 前記2の全美容所に対する立入検査に先立って、当面の措置として、実地習練者や無免許者が美容師と同様の美容の業を行うことのないよう、管下の全美容所に対し、平成11年10月15日までに文書による指導を行うこと。
　また、前記の指導後において、これに違反した場合には、美容師法第15条第1項に基づく美容所の閉鎖命令及び本人に対する同法第18条の罰則の対象とする等厳正な処分を検討されたいこと。
　なお、厚生省においても、前記の違反事例については、同法第3条第2項に基づき美容師の免許を与えないことを検討する方針であるので、併せてその旨周知されたいこと。
6 前記5の違反者が出た場合は、速やかに当職あて、美容所名、違反者名、処分内容等を報告願いたいこと。
7 理容所についても、美容所と同様に前記1から6に準じて適正な措置を講じられたいこと。

第4章　理容師・美容師養成施設

○理容師美容師法に規定する学校教育法第47条の解釈について

> 昭和27年3月12日　衛環第18号
> 各都道府県衛生部長宛　厚生省公衆衛生局環境衛生部
> 環境衛生課長通知

　昨年6月22日文部省において省令第13号を以って「大学入学資格検定規程」を制定し、同規程により合格した場合は、学校教育法第56条第1項（大学入学資格基準）に規定する者として取扱われることとなったが、右は学校教育法第47条に基く同法施行規則第63条第2号「文部大臣の指定した者」にも該当するものと解釈して差し支えないものであるとの文部省側の意向なので念の為御知らせする。
　おって、爾後の事務処理に遺憾のないよう留意せられたい。

○理容師養成施設及び美容師養成施設の入学資格並びにクリーニング師試験の受験資格の認定について

> 昭和43年2月8日　環衛第8,023号
> 各都道府県知事・各指定都市市長宛　厚生省環境衛生局長通知

　理容師法（昭和22年法律第234号）第2条第1項に規定する理容師養成施設及び美容師法（昭和32年法律第163号）第4条第2項に規定する美容師養成施設の入学資格の認定並びにクリーニング業法（昭和25年法律第207号）第7条第1項に規定するクリーニング師試験の受験資格の認定については、かねてから配意を願っているところであるが、今般下記要領により処理することとしたので、このことの周知徹底を図るとともに、その取扱いに遺憾のないようにされたい。
　なお、昭和40年2月11日付環衛第5,021号環境衛生局長通知は、廃止する。

記

　　理容師養成施設及び美容師養成施設の入学資格の認定並びにクリーニング
　　師試験の受験資格の認定に関する措置要領
1　旧国民学校令（昭和16年勅令第148号）による国民学校の初等科を修了した者は、理容師美容師法施行規則の一部を改正する省令（昭和28年厚生省令第64号）附則第3項第6号、美容師法施行規則（昭和32年厚生省令第43号）附則第9項第6号又はクリーニング業法施行規則の一部を改正する省令（昭和30年厚生省令第21号）附則第2項第6号の規定に基づき、厚生大臣において、個別に、当該資格の有無を認定するものとすること。

2　当該資格の認定を申請する場合には、下記の添附書類を具して別記様式1又は2により、都道府県知事を経由のうえ提出するものとすること。
(1)　履歴書
(2)　最終学校卒業(修了)証明書(旧国民学校令による国民学校の初等科を修了した後学校教育法(昭和22年法律第26号)による各種学校その他これと同等以上と認められる教育施設に在学の経験がある者については、当該初等科の修了書に加えて当該各種学校その他これと同等以上と認められる教育施設に何年間在学したかの証明書)
(3)　当該資格に係る従業年数に関する証明書(理容、美容又はクリーニングの業務に従事した経験(クリーニングについては、昭和39年7月19日以前にクリーニング業法第2条第1項かっこ書きに規定する業務に従事した経験を含む。)がある者については、何年間従事したかについて従業した施設(クリーニング所に準ずると認められる施設(病院等のようにせんたく物について衛生的な管理が行なわれることが法令上期待できる施設であって、かつ、せんたく物の処理に関する知識及び技能を修得することができる機械及び器具を有するもの又はクリーニング師がクリーニングの業務に従事している施設)を含む。以下同じ。)の営業者又は当該施設を管轄する保健所長等が発行する証明書。ただし、当該施設の家族従業員にあっては、営業者及び管轄保健所長等の発行する証明書、当該施設の営業者にあっては、管轄保健所長等が発行する証明書であること。)
3　当該資格の認定申請書を都道府県知事が進達するときは、下記の事項について意見を附すものとすること。
(1)　申請者が、厚生大臣において入学資格又は受験資格を有する者として認定することが適当であるかどうかについての意見
(2)　クリーニング部の受験資格の認定に関する申請者が、クリーニング所でない施設に従事した経験を有する者であるときは、当該施設がクリーニング所に準ずるものと認められるか否かについての意見

別記様式1

理容師養成施設(美容師養成施設)入学資格認定申請書

今般｛理容師美容師法施行規則の一部を改正する省令(昭和28年厚生省令第64号)附則／美容師法施行規則(昭和32年厚生省令第43号)附則第9項第6号
第3項第6号｝の規定により｛理容師養成施設／美容師養成施設｝の入学資格を有する旨の認定を願いたく、関係書類を添えて申請致します。

　　　昭和　年　月　日

　　　　　　　　　　　　　　　　　　　申請者住所
　　　　　　　　　　　　　　　　　　　　　氏名

厚生大臣　殿
　(備考　この用紙は、日本工業規格B列5番とすること。)

別記様式2
クリーニング師受験資格認定申請書
　今般クリーニング業法施行規則の一部を改正する省令（昭和30年厚生省令第21号）附則第2項第6号の規定により、クリーニング師試験を受ける資格を有する旨の認定を願いたく、関係書類を添えて申請致します。
（以下別記様式1の要領に同じ。）

○理容師養成施設及び美容師養成施設の指定等に係る申請書等の取扱いについて

［平成6年6月23日　衛指第117号
　各都道府県衛生主管部(局)長宛　厚生省生活衛生局指
　導課長通知］

　理容師養成施設及び美容師養成施設に対する指導については、平素より種々御配意いただいているところであるが、このたび、「今後における行政改革の推進方策について」が閣議決定（平成6年2月15日）され、その中で、個別省際問題等について、別添のとおり所要の措置を講ずることとされたところである。
　理容師法及び美容師法に基づく養成施設の指定、変更等に係る申請書、変更届等については、理容師法施行規則及び美容師法施行規則の定める申請等に必要な記載事項が記載されていれば、学校教育法に基づく私立専修学校等の設置認可申請書等の様式で提出された場合にも様式にこだわらず受理するようお願いするとともに、この取扱いについて貴管下養成施設に対し、周知方よろしくお願いする。
　なお、学校教育法に基づく私立専修学校の認可申請等関係書類の取扱に関しては、文部省から、各都道府県私立専修学校主管課に対して、別途指導がなされていることを申し添える。

（別　添）
　　　　今後における行政改革の推進方策について（抄）

［平成6年2月15日
　閣　議　決　定］

4　総合調整機能の充実
　　縦割り行政の弊害を是正し、行政の一体性、総合性を確保する観点から、内閣機能を始めとする総合調整機能の充実を図るとともに、省際問題の改善を推進する。
　(1)・(2)　略
　(3)　個別省際問題等の改善
　　　個別省際問題等について、別紙4のとおり所要の措置を講ずる。
（別紙4）
　　　　個別省際問題等の改善事項（抄）
5　教育・科学技術
　③　専修学校関係許認可等と理容師（美容師）指定養成施設関係許認可等について、学

校教育法に基づく私立専修学校の認可申請、私立専修学校の名称、位置、授業料等に係る学則の変更届については、理容師法及び美容師法に基づく養成施設の指定申請、養成施設の名称、所在地、授業料等の変更届に係る書類で申請（届出）があっても、必要事項が記載されていれば、当該申請（届出）を受理することについて、各都道府県等、申請（届出）者に対する周知を徹底するとともに、理容師法及び美容師法に基づく養成施設の指定申請、養成施設の名称、所在地、授業料等の変更届については、学校教育法に基づく私立専修学校の認可申請、私立専修学校の名称、位置、授業料等に係る学則の変更届に係る書類で申請（届出）があっても、必要事項が記載されていれば、当該申請（届出）を受理することについて、各都道府県、申請（届出）者に対する周知を徹底する。（文部省、厚生省）

○理容師・美容師養成施設における入学料等について

[平成10年3月17日　衛指第21号
各都道府県衛生主管部(局)長宛　厚生省生活衛生局指導課長通知]

　理容師養成施設及び美容師養成施設における入学料、授業料及び実習費の取扱いについては、理容師法及び美容師法の一部改正に伴い、理容師養成施設指定規則（以下「理容指定規則」という。）及び美容師養成施設指定規則（以下「美容指定規則」という。）が新たに定められ、理容指定規則第4条第1号ヨ及び美容指定規則第3条第1号ヨに当該養成施設の運営上適当と認められる額であることとされたところである。

　ついては、教科課程において必修課目のほかに選択必修課目が設定されたこと等を踏まえ、「理容師・美容師養成施設における入学料等の標準額の改訂について」（平成8年10月17日衛指第176号本職通知）は廃止することとしたので通知する。

　なお、今後の入学料等の取扱いについては、それぞれの養成施設において、養成施設の教育内容の充実及び健全な運営の維持の観点から適当な額を定めることとし、各養成施設に対する指導等は、理容指定規則及び美容指定規則のほか、理容師養成施設指導要領及び美容師養成施設指導要領に基づき行われたい。

○理容師及び美容師養成施設の通信課程における面接授業の取扱いについて

[平成10年4月9日　事務連絡
各都道府県衛生主管部(局)生活衛生主管課環境衛生営業担当課長宛　厚生省生活衛生局指導課指導係]

　理容・美容養成施設の通信課程における面接授業に関して、当該養成施設の校舎以外での面接授業の取り扱い等の照会があり、別紙のとおり回答したので参考に送付します。

第2編　理容師・美容師

（別　紙）
　（照会内容）
　理容・美容養成施設通信課程の面接授業の取り扱いについては、「養成施設の校舎において面接授業を行うことが困難であると認められる生徒に対する面接授業を行う場所は、他の養成施設その他面接授業を行う場所として適当と認められる施設であること」となっており、この適当と認められる施設は、「①他の養成施設、②保健所、③小学校、中学校等の教育施設その他公民館等公共的施設」となっている。
　この場合、通信課程の生徒が入学している養成施設の校舎において面接授業を行うことが困難であると認められる要件に該当する生徒の面接授業を、適当と認められる施設に委託して行うことができるか。
　また、職業能力開発促進法に基づく職業訓練校の理美容科に在学しつつ、養成施設の通信課程に在学している生徒について、養成施設の通信課程の面接授業が職業訓練校の理美容科の教科課目と同じである場合、当該面接授業を職業訓練校に委託、又は、これをもって養成施設の面接授業の代わりとすることができるか。
　（回答内容）
1　この規定は、通信課程の生徒のうち「理容師養成施設指導要領」及び「美容師養成施設指導要領」の第5の5で規定している要件に該当する生徒にあっては、養成施設の校舎以外の施設で面接授業を行うことができることとしたものであり、一定の要件に該当する生徒の面接授業の実施場所（施設）の特例を認めているものであること。
　　（参考：指導要領第5の5の要件）
　　　在住している都道府県に養成施設がないことや養成施設はあるが通信課程の定員の事情により、やむなく他の都道府県の養成施設の通信課程に入学した生徒及び山間僻地等交通至難に在住している生徒にとって、時間的及び経済的に著しく不適当であると認められる場合
2　通信課程の生徒に対しては、昼間課程、夜間課程の生徒と同様に、在学する養成施設が理美容師の養成教育を行うものであること。したがって、養成施設の校舎以外の施設で授業を行う場合とは、授業を行う場所（施設）を借り、授業は養成施設自らが実施することを意味しており、授業の委託を認めるものではないこと。
　　また、職業訓練校の取り扱いについては、理容師美容師の受験資格の要件は、養成施設の課程を修めることと法律上規定されており、養成施設での養成教育を前提としているものであることから、職業訓練校の生徒であっても他の通信課程の生徒と同様、養成施設が行う授業を受けることが必要であり、職業訓練校の授業を養成施設の授業に代えることはできないものであること。
3　なお、当該養成施設の校舎以外で面接授業を行う場合には、指定申請書等に授業を行う施設の場所及び概況を記載することが必要となること。

○理容師及び美容師養成施設の指導等について

> 平成10年7月17日　事務連絡
> 各都道府県衛生主管部（局）理美容師法担当課担当係宛
> 厚生省生活衛生局指導課指導係

　理容師及び美容師養成施設（以下、「養成施設」という。）の指定については、理容師養成施設指定規則（平成10年厚生省令第5号。）、美容師養成施設指定規則（平成10年厚生省令第8号。）（以下、「指定規則」という。）及び理容師養成施設の指導要領（平成10年2月3日生衛発第132号厚生省生活衛生局長通知）、美容師養成施設の指導要領（平成10年2月3日生衛発第133号厚生省生活衛生局長通知）（以下、「指導要領」という。）等に定められているところですが、養成施設の新設等の計画の取り扱いについては、地域の実情、関係団体等に関して関係都道府県との連携を十分に諮ることが必要となるため、下記の事項について格段の御協力をよろしくお願いしたい。

記

1　設置計画概要の情報提供について
　⑴　都道府県において養成施設を新規に設置しようとする者（以下、「新設者」という。）に対し、その設置計画に関する指導等を行った場合にあっては、その計画の概要を取りまとめ、別紙様式により、当課に情報提供されたい。
　　また、当課において同様の指導等を行った場合には、関係都道府県に対し、情報提供を行うこととする。
　⑵　養成施設の学生の定員及び生徒の定員を変更するための施設の構造設備を変更しようとする者にあっても、上記と同様の取り扱いとする。

2　新設等の相談
　新設者又は変更者（以下、「新設者等」という。）からの相談を受けた場合には、都道府県主管課において地域の実情の説明及び情報等の提供を行い、以下に示す事項等について新設者等が十分な検討の上判断できるよう指導すること。
　⑴　新設等の際の法律上の基準等基本的な考え方を、新設者等が十分に理解するよう、情報提供を行うこと。
　⑵　新設等に当たって、地域の実情に関して、需要動向、地域的な養成施設の配置状況並びに充足状況及び関係団体等の動向等について説明し、新設者等が十分理解するよう指導すること。

3　都道府県の意見
　都道府県は、新設者等から設置計画に関して指導等を行った場合は、上記2を踏まえ、意見を添付されたい。

第2編　理容師・美容師

(別紙様式)

理容師・美容師養成施設の設置計画等の概要

養成施設の名称				
設立年月日	平成　　年　　　月　　　日			
養成施設の所在地				
設立者の氏名	学校法人　〇〇〇〇法人			
設立者の住所				
養成課程の別	昼間課程・夜間課程・通信課程	定員		人
地域の状況	養成施設数			
	総定員数	人	充足率	％
地域的な配置状況				
地域の需要状況				
業界等の動向				
都道府県の意見				

その他参考資料を添付すること

○理容師・美容師養成施設の新設等について（回答）

```
平成11年6月17日　衛指第60号
社団法人日本理容美容教育センター理事長宛　厚生省
生活衛生局指導課長通知
```

平成11年6月14日付け日理美教発第6,022号をもって照会のあった標記について、下記のとおり回答する。

記

1について

　理容師養成施設及び美容師養成施設の新設等の指定については、理容師法（昭和22年法律第234号）第3条第3項及び美容師法（昭和32年法律第163号）第4条第3項の規定並びに理容師養成施設指定規則（平成10年厚生省令第5号）及び美容師養成施設指定規則（平成10年厚生省令第8号）の規定に基づき、それぞれの基準に合致しているかを審査した上で、当該基準に適合している場合には、法令に基づく公正な行政運営を確保するという観点から、指定を行わなければならない。

　また、他の類似の資格の養成施設の指定申請に対し、一昨年に厚生大臣が指定を行わない旨の行政処分をしたことから、これを不服とする不指定処分取消訴訟があり、裁判所の判断として、行政機関は、法令に具体的な規定がない参入・退出に関する行政指導により公正かつ自由な競争が制限され、又は阻害され、「私的独占の禁止及び公正取引の確保に関する法律」（昭和22年法律第54号。以下「独占禁止法」という。）との関係において問題を生じさせるおそれが生じないよう十分に留意すべきであり、規則に規定されている指定基準が充たされている以上、裁量の余地はなく、養成施設を指定しなければならず、本処分は違法であるとの判決が出されているところである。

　以上のことから、既存の養成施設による新設反対を理由として不指定処分を行うことは困難であると考えられる。

　なお、養成施設の生徒の確保に関連して、最近、大都市部の養成施設を中心に入学定員数を大幅に超過して入学させている実態が見受けられるので、各都道府県に対し、近く適正化のための指導の徹底について通知する予定である。

2について

　社団法人日本理容美容教育センターは、民法（明治29年法律第89号）第34条の規定に基づく厚生大臣認可の公益法人であり、理容及び美容の教育の公共的使命を達成するため、定款に定める事業を行うものであることから、社員のみを対象とした事業を行うものではない。

　また、特定事業者への教材等の不売行為が行われれば、独占禁止法第8条第1項第3号「一定の事業分野における現在又は将来の事業者の数を制限すること。」または同法第19条「事業者は、不公正な取引方法を用いてはならない。」に違反するおそれがある。

その場合、同法第8条の2において、「前条(第8条)の規定に違反する行為があるときは、公正取引委員会は、第8章第2節に規定する手続に従い、事業者団体に対し、届出を命じ、又は当該行為の禁止、当該団体の解散その他当該行為の排除に必要な措置を命ずることができる。」と規定され、同法第90条第2号に罰則規定が設けられている。

なお、公正取引委員会事務総局に対し、現在非公式に照会を行っているところであることを申し添える。

○保健医療分野及び福祉分野における各資格の養成所の入所資格等の見直しについて(抄)

> 平成15年10月7日　医政発第1007001号・健発第1007001号・社援発第1007003号
> 各都道府県知事宛　厚生労働省医政・健康・社会・援護局長連名通知

今般、大学等の入学資格の弾力化を図るため、「学校教育法施行規則の一部を改正する省令(平成15年文部科学省令第41号)」が平成15年9月19日に公布、同日施行され、また、「昭和56年文部省告示第153号(外国において学校教育における12年の課程を修了した者に準ずる者を指定する件)の一部を改正する件」(平成15年文部科学省告示第151号)及び「昭和23年文部省告示第47号(大学入学に関し高等学校を卒業した者と同等以上の学力があると認められる者を指定する件)の一部を改正する件」(平成15年文部科学省告示第152号)が、同日に告示され、同日適用されたところである。また、これらの省令及び告示の概要並びに留意すべき事項については、別添のとおり「学校教育法施行規則の一部改正等について(通知)」(平成15年9月19日付け15文科高第391号)において示されているところである。

これに合わせて、保健医療分野及び福祉分野における各資格の養成所の入所資格についても、社会人や様々な学習歴を有する者の養成所への入所機会の拡大等を図る観点から、下記1のとおり取り扱うこととするとともに、その際の留意事項等を下記2及び3のとおり示すこととしたので、御了知の上、貴管内の関係資格の養成所、関係団体等に対する周知方よろしくお願いする。

記

1　保健医療分野及び福祉分野における各資格の養成所の入所資格の取扱い

　保健医療分野及び福祉分野における各資格の養成所の入所資格について、各養成所において、個別の入所資格審査により高等学校を卒業した者と同等以上の学力があると認めた者で、18歳に達したものについても、当該養成所の入所資格を認めること。具体的には、別表第1の左欄に掲げる法令の規定において、それぞれ右欄に掲げる者を養成所の入所資格を有する者として定める趣旨は、高等学校を卒業した者と同等以上の学力がある者を養成所の入所資格を有する者とすることであるため、「養成所において、個別の入所資格審査により、高等学校を卒業した者と同等以上の学力があると認めた者で、

18歳に達したもの」についても、養成所の入所資格を有する者として取り扱うこと。
2　留意事項
(1)　個別の入所資格審査の実施に当たっては、以下の点に留意されたいこと。
　　イ　個別の入所資格審査に当たっては、
　　　(イ)　専修学校や各種学校等における学習歴や、大学の科目等履修生としての単位の取得などの個人の学習歴
　　　(ロ)　社会における実務経験や取得した資格
　　　などに基づいて、高等学校を卒業した者と同等以上の学力があると認められる者であるかどうかを審査すること。
　　ロ　個別の入所資格審査に当たっては、適切な審査体制を設けるとともに、個人の学習歴等を明らかにする書類等に基づいて行うなど適切な審査方法によること。
　　　これらの審査体制、審査方法については、適当な方法により公表すること。
　　ハ　各養成所においては、個別の入所資格審査が、社会人や様々な学習歴を有する者の養成所への入所機会の拡大という趣旨に沿ったものとなるよう、また、養成所の教育水準の低下を招くことのないよう、十分配慮すること。
　　ニ　個別の入所資格審査による認定は、入所者選抜とは別個のものであること。
(2)　個別の入所資格審査の申請期間及び審査期間については、各養成所において実施する入所者選抜の出願受付前までに、個別の入所資格審査による認定を行うことができるように申請の受付及び審査を行うこと等に留意し、各養成所において適切に設定すること。
(3)　個別の入所資格審査は各養成所の判断により導入し実施するものであり、認定の効力は、当該養成所にのみ及ぶものであること。
　　なお、実際の運用に当たっては、学科・課程等ごとに個別の入所資格審査を行うことも差し支えないこと。
3　その他
　上記1の取扱いと同様に、別表第2に掲げる法律の規定において、それぞれ右欄に掲げる者であることを各資格の国家試験の受験資格又は免許取得の要件の1つとして定める趣旨は、高等学校を卒業した者と同等以上の学力がある者であることを各資格の国家試験の受験資格又は免許取得の要件の1つとすることであるため、「養成所において、個別の入所資格審査により、高等学校を卒業した者と同等以上の学力があると認めた者で、18歳に達したもの」についても、各資格の国家試験の受験資格又は免許取得の当該要件を満たす者として取り扱うこと。

別表第1

法令の規定	養成所の入所資格を有する者
理容師養成施設指定規則（平成10年厚生省令第5号）第4条第1号のイ（第2号のイ及び第3号のイにおいて引用する場合を含む。）	学校教育法（昭和22年法律第26号）第56条に規定する者

美容師養成施設指定規則（平成10年厚生省令第8号）第3条第1号のイ（第2号のイ及び第3号のイにおいて引用する場合を含む。）	学校教育法（昭和22年法律第26号）第56条に規定する者

別表第2

法　律　の　規　定	国家試験の受験資格又は免許取得の要件
理容師法（昭和22年法律第234号）第3条第3項	学校教育法（昭和22年法律第26号）第56条に規定する者
美容師法（昭和32年法律第163号）第4条第3項	学校教育法（昭和22年法律第26号）第56条に規定する者

別添　略

○理容師養成施設及び美容師養成施設における入所資格等の取扱いについて

［平成15年10月7日　健衛発第1007002号
各都道府県衛生主管部（局）長宛　厚生労働省健康局生活衛生課長通知］

　標記については、平成15年10月7日付け医政発第1007001号、健発第1007001号及び社援発第1007003号をもって通知されたところであるが、更に下記の点につき留意され、業務の適正な実施の確保を図られたい。

記

　中学校卒業者等（学校教育法（昭和22年法律第26号）第47号に規定する者（理容師法及び美容師法の一部を改正する法律（平成7年法律第109号）附則第5条第2項に規定する者を含む。））であって、18歳に達しない者の入所資格の取扱いについては、平成10年2月3日付け生衛発第126号及び同第127号厚生省生活衛生課長通知のとおりであり、変更はない。

　ただし、同通知に基づく入所者であって、既に18歳に達している者については、個別の入所資格審査を行い、高等学校を卒業した者と同等以上の学力があると認められる者については、同通知に規定する講習を免除することができる。

○理容師養成施設指定規則及び美容師養成施設指定規則の一部を改正する省令の施行に関する留意事項について

> 平成17年9月30日　健衛発第0930001号
> 各都道府県衛生主管部(局)長宛　厚生労働省健康局生活衛生課長通知

　理容師養成施設指定規則及び美容師養成施設指定規則の一部を改正する省令（以下「改正規則」という。）が、平成17年9月30日厚生労働省令第156号をもって公布され、同年10月1日から施行されることとなった。

　この改正の趣旨及び内容については、「理容師養成施設指定規則及び美容師養成施設指定規則の一部を改正する省令の施行について」（平成17年9月30日付け健発第0930001号厚生労働省健康局長通知）により既に示しているところであるが、本改正に伴う留意事項は下記のとおりであるので、御了知の上、貴管内の理容師養成施設及び美容師養成施設（以下「理美容師養成施設」という。）に対する周知、指導方とともに、地方厚生（支）局への協力方をお願いする。

記

1　改正規則に係る事務の所掌について
　前記健康局長通知の記の2の(1)及び(2)に係る事務については、各地方厚生（支）局において実施するものである。

2　地方厚生（支）局への協力等について
　地方厚生（支）局が、理美容師養成施設に対して報告を求め又は必要な指示を行うに際しては、都道府県に対し、理美容師養成施設から都道府県に提出されている届出の内容の照会や、理容師法施行令（昭和28年政令第232号）第1条第2号及び美容師法施行令（昭和32年政令第277号）第1条第2号により都道府県知事が行うこととされている「指定を受けた理容師養成施設（美容師養成施設）に関する指定取消理由の有無の調査」の実施の依頼を行うことが考えられるところ、これらの場合には、地方厚生（支）局に対する情報の提供及び調査の実施についての協力方をお願いする。

　また、都道府県において、管内の理美容師養成施設における不適正な運営実態を把握された場合には、関係地方厚生（支）局に対して当該情報を提供いただくとともに、当該養成施設の指導に際しても、当該地方厚生（支）局との連携を図りつつ、これに当たられるよう併せてお願いする。

○養成施設の教員資格に係る免許証等の原本確認について

> 平成20年6月16日　健習発第0616001号・健衛発第0616001号
> 各都道府県衛生主管部(局)長宛　厚生労働省健康局総務課生活習慣病対策室長・生活衛生課長連名通知

　標記について、今般、免許証の改ざんにより、教員資格を有しない者が教員として採用されていた事案が発生したことから、別添のとおり、各地方厚生局宛通知したので、ご了知願います。

　なお、各養成施設には、地方厚生局から指導することを申し添えます。

〔別　添〕

　　養成施設の教員資格に係る免許証等の原本確認について

> 平成20年6月16日　健習発第0616001号・健衛発第0616001号
> 関東信越厚生局健康福祉部長宛　厚生労働省健康局総務課生活習慣病対策室長・生活衛生課長連名通知

　標記について、今般、九州の調理師養成施設において、免許証の改ざんにより、教員資格を有しない者が教員として採用されていた事案が発生したところである。

　貴職においては、栄養士・調理師・理容師・美容師養成施設に対して、採用時の教員資格確認に当たり免許証等の原本を確認するよう、管内各養成施設に指導をお願いする。

○理容師養成施設及び美容師養成施設の教科課目の内容の見直しについて

> 平成22年11月9日　健衛発1109第1号
> 社団法人日本理容美容教育センター理事長宛　厚生労働省健康局生活衛生課長通知

　理容師養成施設及び美容師養成施設の教科課程については、「理容師養成施設の教科課程の基準」（平成20年厚生労働省告示第45号）及び「理容師養成施設の教科課程の基準の運用について」（平成20年3月25日付健発第0325006号本職通知）並びに「美容師養成施設の教科課程の基準」（平成20年厚生労働省告示第50号）及び「美容師養成施設の教科課程の基準の運用について」（平成20年3月25日付健発第0325010号本職通知）に基づき実施しているところであるが、養成施設において教授する教科課目の内容について、「規制改革のための3か年計画（改訂）」（平成20年3月25日閣議決定）において、理容業務及び美容業務に関連の深い内容を中心とした構成となるよう見直しを行うべきとされたところである。

　これを踏まえ、理容師養成施設及び美容師養成施設の運営管理に関する検討委員会において検討を行い、平成21年3月に教科課目の見直しについて報告がされたところであるが、今般、報告内容を踏まえ、下記のとおり教科課目の内容の見直しをお願いしたい。

　なお、当該見直しに基づく教科課目の実施については、編纂時期を踏まえ改めて関係者に対して通知することとしている。

記

　各教科課目についての見直すべき視点については以下のとおりである。
1　関係法規・制度
　　理容師又は美容師は理容師法又は美容師法により業務独占資格を付与された者として、法に基づく衛生措置を講じなければならない等の責務がある。「関係法規・制度」においては、公衆衛生を担う理容師及び美容師としての社会的責務と職業倫理について自覚を促すとともに、理容業及び美容業と衛生法規についての意義を学習させるものであるが、「法規」、「制度」としてどの程度まで詳細に学習する必要があるか整理する必要がある。
　　したがって、以下のとおり見直す必要がある。
　　① 理容師法又は美容師法以外の関係法規は、他の教科課目においても同様の内容が含まれていることからも、法規として何を学ぶために学習するのかを整理した上で、理容又は美容に関係する「一般衛生法規」、「公衆衛生法規」、「生活衛生法規」を中心とした内容に改める必要がある。
2　衛生管理
　　理容業務又は美容業務を行う上で「衛生管理」は根幹となる分野であり、理容師又は美容師として全体を学習する必要があるが、現場における理容業又は美容業との関連性

からみると、学ぶべき必要性の薄い項目が見受けられる。
したがって、以下のとおり見直す必要がある。
① 公衆衛生における「死亡率」、「乳児死亡率」、「平均寿命」は、歴史的な流れを踏まえた公衆衛生を学習する上で必要ではあるが、理容業務又は美容業務に関連が薄いことから、省略又は簡略化した記載に改める必要がある。
② 感染症における病原微生物の種類、大きさ、構造、その病状等について、医学的側面からその詳細を学習するのではなく、総論として全体を学習し、特に関連する項目に絞って、理容業務又は美容業務に関連付けて個別具体的に学習する必要がある。特に、最近、保育園児及び低学年児童を中心に「アタマジラミ」の発生が見られる等、理容業・美容業に密接に関連する事例等を挙げ、現状を踏まえた項目を詳細に、かつ、分かりやすく学習させる必要がある。
③ 理容所・美容所における環境保全対策は、理容業務・美容業務を行う上で必要不可欠な項目に絞る必要があり、特に「公害」は理容業務・美容業務との関連を踏まえて学習させる必要がある。

3 保健

理容師・美容師が人に直接接して業務を行っている以上、人体や皮膚の構造及び機能等に関する知識は必要不可欠であるが、その知識はあくまでも理容業務・美容業務を行う上で必要な知識の範囲に限定するのが妥当であり、医学的見地からの専門的な内容の学習までは必要はないものと考えられる。

特に、医学に関する専門用語が多く、医学の専門的な観点からの記載となっていることから、理容業・美容業の実態を踏まえた分かりやすい学習内容とする必要がある。

したがって、十分に学習すべきであるという意見があることも踏まえつつ、以下のとおり見直す必要がある。
① 理容業務・美容業務を行う上で必要と考えられる項目は「人体各部の名称」、「頭部」、「頭部・頸部の体表解剖学」、「末梢神経とその働き」で、人体の他の部分について、これらと同等の詳細な内容の学習までは必要はない。
② 「神経系」は非常に医学的すぎて難解なため、理容業務又は美容業務における具体的事例を挙げて、生徒が興味を持てるような分かりやすい記述にする必要がある。
③ 「皮膚に関する疾患」について、あらゆる疾患を網羅しているが、理容業務・美容業務を行う上で必要とされる範囲に限定することが必要であるとともに、その種類・原因・予防を中心に学習する必要がある。
④ 毛髪に関する利用者の知識レベルの向上及び頭皮と他の皮膚との構造の相違等から、毛髪や頭皮に関してはより詳細に学習する必要がある。

4 物理・化学

理容業務・美容業務を行う場合は、はさみやヘアアイロン等の機械器具を使用し、その使用する器具に「力」、「熱」、「光」、「電気」等が必ず関係しており、理容業務・美容業務を安全かつ効果的に行うためには、これら科学的な基礎知識が必要である。しかし

ながら、学習している内容をみると、理容業務・美容業務に関連した具体的事例が少ないために、あたかも必要性が薄いものと考えられる傾向にある。
　したがって、以下のとおり見直す必要がある。
　① 「物理」では、理容業務又は美容業務で使用する機械器具を実例として挙げ、それら機械器具をベースとして、使用に当たって必要とされる基本原理を学習するようにすることがよいと考えられる。
　② 「化学」では、香粧品に係る部分や実際の理容業務・美容業務との関連を踏まえて学習させる必要がある。

5　文化論
　理容業務・美容業務を行う上で感性や表現力は欠かせないものであり、特に文化史は理容業・美容業に携わる者として学習する必要がある。社団法人日本理容美容教育センターが作成する文化論の教科書においては、写真及び絵を多用しており、生徒に視覚による感性を磨かせることに適した構成になっているが、一部の項目について、分かりやすい学習ができるようにする必要がある。
　したがって、以下のとおり見直す必要がある。
　① 「理容業・美容業の歴史」は、理容師・美容師自らが知るべき内容であり、巻末に年表を掲示する等表現の方法を検討する必要がある。
　② 「ファッション文化史」は可能な限り「現在」に近い年代を中心として記載する必要がある。

6　運営管理
　理容師・美容師として業を行うこと、また、将来独立して事業を展開していくこと等を踏まえ、理容師・美容師として必要な項目が将来的な視点に立って盛り込まれているが、理容業及び美容業の現状を踏まえた学習も必要である。
　したがって、以下のとおり見直す必要がある。
　① 最近の生徒は日常の挨拶ができない等社会人としてのマナーに欠けている部分が多く見られることから、ビジネスマナー等「接客法」をより詳細に学習する必要がある。
　② 理容業及び美容業における雇用状況及び労働状況等については、現状を踏まえて適切に学習できる内容とする必要がある。

○理容師養成施設における中学校卒業者等に対する講習の基準等の運用について

［平成27年3月31日　健発0331第13号
　各都道府県知事宛　厚生労働省健康局長通知］

　地域の自主性及び自立性を高めるための改革の推進を図るための関係法律の整備に関する法律（平成26年法律第51号）が平成26年6月4日に、地域の自主性及び自立性を高めるための改革の推進を図るための関係法律の整備に関する法律の施行に伴う厚生労働省関係

第2編　理容師・美容師

政令等の整備等に関する政令（平成27年政令第128号）及び地域の自主性及び自立性を高めるための改革の推進を図るための関係法律の整備に関する法律の施行に伴う厚生労働省関係省令の整備に関する省令（平成27年厚生労働省令第55号）が平成27年3月31日に公布され、一部を除いて平成27年4月1日から施行されることとなった。

これに伴い、理容師法（昭和22年法律第234号）及び理容師養成施設指定規則（平成10年厚生省令第5号）の一部が改正され、理容師養成施設の指導等に係る事務については、都道府県知事が行うこととなった。

ついては、標記に関する理容師養成施設への指導等に当たっては、別紙により取り扱われたい。

（別　紙）
理容師養成施設における中学校卒業者等に対する講習の基準の運用

1　総則

理容師法及び美容師法の一部を改正する法律（平成7年法律第109号。以下「改正法」という。）附則第5条第1項の規定に基づき、学校教育法（昭和22年法律第26号）第57条に規定する者（改正法附則第5条第2項に規定する者を含む。以下「中学校卒業者等」という。）であって、「理容師養成施設における中学校卒業者等に対する講習の基準等」（平成20年厚生労働省告示第41号。以下「中卒者等の講習の基準」という。）で定める講習の課程を修了し、かつ、理容師になるのに必要な知識及び技能を修得したものは、理容師試験を受験することができること。

2　入所試験

(1)　目的

中学校卒業者等に対する入所試験は、理容師養成施設における学習に支障のない程度の学力を有する者を選抜するために行うこと。

(2)　試験課目

中学校卒業者等に対する入所試験は、中学校の必修教科のうち、理容師養成施設における教科課目の内容を勘案し、理容師養成施設において必要と認めた課目について行うこと。

(3)　試験の方法

理容師養成施設において、適切な方法を定めること。

(4)　入所の判定

理容師養成施設において、入所後に行う講習との関連を考慮の上、入所試験の結果からみて適当な学力を有すると認められる者を入所させること。

3　講習

(1)　目的

講習は、学校教育法第90条に規定する者に該当しない生徒（以下「講習対象生徒」という。）に対し、理容師養成施設における教科課目の学習を補助するために実施すること。

(2)　講習の内容

理容師養成施設における中学校卒業者等に対する講習の基準等の運用について

　　ア　講習は、「中卒者等の講習の基準」に基づき、それぞれの講習課目ごとに適切に行うこと。
　　イ　授業の1単位時間は50分を標準とし、講習課目の特質等に応じて、授業の実施形態を工夫することができること。
　　ウ　各講習課目の内容は、別添「理容師養成施設における中学校卒業者等に対する講習課目の内容の基準」によること。
　(3)　講師
　　理容師養成施設においては、それぞれの講習課目ごとに、専門的な知識及び技能を有する者を講師として選任すること。
　(4)　講習の方法
　　ア　講習は、理容師養成施設における教科課目の学習との関連を考慮し、計画的に行うこと。
　　イ　講習は、原則として各養成課程ごとに設ける。ただし、講習対象生徒の負担等を勘案し、当該養成施設における他の養成課程の講習の履修を認めることができること。
　　ウ　講習は、理容師養成施設において、講習対象生徒の負担等を勘案し、適当と認められるときは、通信授業及び添削指導により行うことができること。この場合においては、「理容師養成施設の通信課程における授業方法等の基準」（平成20年厚生労働省告示第42号）第二の二及び「理容師養成施設の通信課程における授業方法等の基準の運用について」（平成27年3月31日健発0331第15号厚生労働省健康局長通知）1（(1)ア、イ及び(2)を除く。）及び5に定めるもののほか、次の方法によるものとすること。
　　　(ｱ)　教材は、別添「理容師養成施設における中学校卒業者等に対する講習課目の内容の基準」に従って構成されるものであること。
　　　(ｲ)　添削による指導は、それぞれの講習課目について3回以上行うこと。
4　講習の免除
　(1)　美容師養成施設に入学し、「美容師養成施設における中学校卒業者等に対する講習の基準等」（平成20年厚生労働省告示第46号）に基づき、当該養成施設が講習課程の修了を認定した者については、講習を免除することができること。
　(2)　理容師養成施設は、講習対象生徒に対し、個別の入所資格審査を行い、高等学校を卒業した者と同等以上の学力があると認められた者については、講習課目の区分ごとに、その課目の履修を免除し、又は時間を減ずることができるものとすること。
　　この場合において、その入所資格審査の実施に当たっては、「保健医療分野及び福祉分野における各資格の養成所の入所資格等の見直しについて」（平成15年10月7日医政発第1007001号・健発第1007001号・社援発第1007003号厚生労働省医政局長・厚生労働省健康局長・厚生労働省社会・援護局長通知。以下「各資格の養成所の入所資格等の見直しについて」という。）2（(1)イ(ｲ)を除く。）に基づくほか、高等学校等を途中で退学した者にあっては、当該高等学校等での在学中における学習歴を踏まえた

第2編　理容師・美容師

　　　上で行うこと。
　(3)　理容師養成施設は、講習対象生徒が既に18歳に達している場合は、個別の入所資格審査を行い、高等学校を卒業した者と同等以上の学力があると認められた者については、講習を免除することができるものとすること。この場合において、その入所資格審査の実施に当たっては、「各資格の養成所の入所資格等の見直しについて」に基づき、適切に行わなければならないこと。
5　その他
　(1)　理容師養成施設においては、改正法附則第5条第1項及び第2項の規定が設けられた趣旨にかんがみ、入所資格の設定に当たって、中学校卒業者等の志望の動向に十分留意しなければならないこと。
　(2)　中学校卒業者等に入所を認める理容師養成施設においては、入所試験及び講習の実施に当たって、中学校卒業者等の負担加重とならないよう、十分配慮しなければならないこと。
　(3)　理容師養成施設の長は、講習の課程を修了していない講習対象生徒に対しては、理容師養成施設指定規則第10条（平成10年厚生省令第5号）に規定する卒業証書を授与してはならないこと。
（別添）
　　　理容師養成施設における中学校卒業者等に対する講習課目の内容の基準
第1　現代社会
　1　実施方針
　　　人間の尊重と科学的な探究の精神に基づいて、広い視野に立って、現代の社会と人間についての理解を深めさせ、現代社会の基本的な問題について主体的に考え公正に判断するとともに自ら人間としての在り方生き方について考える力の基礎を養い、良識ある公民として必要な能力と態度を育てる。
　2　各項目の内容
　(1)　現代に生きる私たちの課題
　　　現代社会の諸問題について自己とのかかわりに着目して課題を設け、倫理、社会、文化、政治、経済など様々な観点から追究する学習を通して、現代社会に対する関心を高め、いかに生きるかを主体的に考えることの大切さを自覚させる。
　(2)　現代の社会と人間としての在り方生き方
　　　現代社会について多様な角度から理解させるとともに、青年期の意義、経済活動の在り方、政治参加、民主社会の倫理、国際社会における日本の果たすべき役割などについて自己とのかかわりに着目して考えさせる。
　　ア　現代の社会生活と青年
　　　　大衆化、少子高齢化、高度情報化、国際化など現代社会の特質と社会生活の変化について理解させる。また、生涯における青年期の意義と自己形成の課題について考えさせるとともに、自己実現と職業生活、社会参加に触れながら、現代社会における青年の生き方について自覚を深めさせる。

イ　現代の経済社会と経済活動の在り方
　　　　現代の経済社会における技術革新と産業構造の変化、企業の働き、公的部門の役割と租税、金融機関の働き、雇用と労働問題、公害の防止と環境保全について理解させるとともに、個人と企業の経済活動における社会的責任について考えさせる。
　　ウ　現代の民主政治と民主社会の倫理
　　　　基本的人権の保障と法の支配、国民主権と議会制民主主義、平和主義と我が国の安全について理解を深めさせ、日本国憲法の基本的原則について国民生活とのかかわりから認識を深めさせるとともに、世論形成と政治参加の意義について理解させ、民主政治における個人と国家について考えさせる。また、生命の尊重、自由・権利と責任・義務、人間の尊厳と平等、法と規範などについて考えさせ、民主社会において自ら生きる倫理について自覚を深めさせる。
　　エ　国際社会の動向と日本の果たすべき役割
　　　　世界の主な国の政治や経済の動向に触れながら、人権、国家主権、領土に関する国際法の意義、人種・民族問題、核兵器と軍縮問題、我が国の安全保障と防衛、資本主義経済と社会主義経済の変容、貿易の拡大と経済摩擦、南北問題について理解させ、国際平和や国際協力の必要性及び国際組織の役割について認識させるとともに、国際社会における日本の果たすべき役割及び日本人の生き方について考えさせる。
　3　学習指導上の留意事項
　(1)　必修の教科課目、特に、関係法規・制度、理容文化論、理容運営管理との関連を考慮するとともに、細かな事象や高度な事項・事柄には深入りしないようにすること。
　(2)　生徒が主体的に自己の生き方にかかわって考えるよう学習指導の展開を工夫すること。
　(3)　的確な資料に基づいて、社会的事象に対する客観的かつ公正なものの見方や考え方を育成するとともに、統計などの資料の見方やその意味、情報の検索や処理の仕方などについて指導すること。
第2　化学
　1　実施方針
　　　自然の物事・現象に関する観察、実験などを通じて、エネルギーと物質の成り立ちを中心に、自然の物事・現象について理解させるとともに、人間と自然とのかかわりについて考察させ、自然に対する総合的な見方や考え方を養う。
　2　各項目の内容
　(1)　物質の構成と変化
　　ア　物質の構成単位
　　　　原子、分子、イオンとその結合についての基礎を理解させる。
　　イ　物質の変化

物質の状態変化及び化学変化における原子、分子、イオンの状態をエネルギーと関連させて理解させる。
(2) 物質の利用
ア 日常生活と物質
人間生活とかかわりの深い物質の特性と利用及び物質の製造にエネルギーが必要であることを理解させる。
イ 生物のつくる物質
生物が有用な物質をつくること及び生物体内の化学反応の精妙さについて理解させる。
3 学習指導上の留意事項
(1) 必修の教科課目、特に、理容の物理・化学、理容技術理論及び理容実習との関連を考慮するとともに、詳細で羅列的な扱いはせず、高度な事項・事柄には深入りしないようにすること。
(2) 生徒が興味、関心をもって学習できるよう教材や学習方法を工夫すること。

第3 保健

1 実施方針
個人及び社会生活における健康・安全について理解を深めるようにし、生涯を通じて自らの健康を適切に管理し、改善していく資質や能力を育てる。
2 各項目の内容
(1) 現代社会と健康
我が国の疾病構造や社会の変化に対応して、健康を保持増進するためには、ヘルスプロモーションの考え方を生かし、人々が適切な生活行動を選択し実践すること及び環境を改善していく努力が重要であることを理解できるようにする。
ア 健康の考え方
健康の考え方やその保持増進の方法は、国民の健康水準の向上や疾病構造の変化に伴って変わってきており、健康に関する個人の適切な意志決定や行動選択が重要となっていること。また、我が国や世界では、様々な保健活動や対策などが行われていること。
イ 健康の保持増進と疾病の予防
健康を保持増進するとともに、生活習慣病を予防するためには、食事、運動、休養及び睡眠の調和のとれた生活の実践及び喫煙、飲酒に関する適切な意志決定や行動選択が必要であること。
薬物乱用は心身の健康などに深刻な影響を与えることから行ってはならないこと。
また、医薬品は正しく使用する必要があること。
感染症の予防には、適切な対策が必要であること。
ウ 精神の健康
人間の欲求と適応機制には様々な種類があること及び精神と身体には密接な関

連があること。また、精神の健康を保持増進するためには、欲求やストレスに適切に対処するとともに、自己実現を図るよう努力していくことが重要であること。
 エ 交通安全
  交通事故を防止するためには、車両の特性の理解、安全な運転や歩行など適切な行動、自他の生命を尊重する態度及び交通環境の整備などが重要であること。また、交通事故には責任や補償問題が生じること。
 オ 応急手当
  傷害や疾病に際しては、心肺蘇（そ）生法などの応急手当を行うことが重要であること。また、応急手当には正しい手順や方法があること。
(2) 生涯を通じる健康
 生涯の各段階において健康についての課題があり、自らこれに適切に対応する必要があること及び我が国の保健・医療制度や機関を適切に活用することの重要性が理解できるようにする。
 ア 生涯の各段階における健康
  生涯にわたって健康を保持増進するためには、生涯の各段階の健康課題に応じた自己の健康管理を行う必要があること。
 イ 保健・医療制度及び地域の保健・医療
  機関生涯を通じて健康を保持増進するためには、我が国の保健・医療制度や機関について知り、地域の保健所、保健センター、医療機関などを適切に活用することが重要であること。
(3) 社会生活と健康
 社会生活における健康の保持増進には、環境などが深くかかわっていることから、環境と健康、環境と食品の保健、労働と健康について理解できるようにする。
 ア 環境と健康
  人間の生活や産業活動は、自然環境を汚染し健康に影響を及ぼすこともあること。このため、様々な対策がとられていること。
 イ 環境と食品の保健
  学校や地域の環境を健康に適したものとするよう基準が設定され、環境衛生活動が行われていること。また、食品の安全性を確保するための基準が設定され、食品衛生活動が行われていること。
 ウ 労働と健康
  職業病や労働災害の防止には、作業形態や作業環境の変化を踏まえた健康管理及び安全管理を行うことが必要であること。
3 学習指導上の留意事項
 必修の教科課目、特に、衛生管理及び理容保健との関連を考慮するとともに、具体的事例をあげることによって生徒の理解を高めるようにすること。

○美容師養成施設における中学校卒業者等に対する講習の基準等の運用について

〔平成27年3月31日　健発0331第14号〕
〔各都道府県知事宛　厚生労働省健康局長通知〕

　地域の自主性及び自立性を高めるための改革の推進を図るための関係法律の整備に関する法律（平成26年法律第51号）が平成26年6月4日に、地域の自主性及び自立性を高めるための改革の推進を図るための関係法律の整備に関する法律の施行に伴う厚生労働省関係政令等の整備等に関する政令（平成27年政令第128号）及び地域の自主性及び自立性を高めるための改革の推進を図るための関係法律の整備に関する法律の施行に伴う厚生労働省関係省令の整備に関する省令（平成27年厚生労働省令第55号）が平成27年3月31日に公布され、一部を除いて平成27年4月1日から施行されることとなった。

　これに伴い、美容師法（昭和32年法律第163号）及び美容師養成施設指定規則（平成10年厚生省令第8号）の一部が改正され、美容師養成施設の指導等に係る事務については、都道府県知事が行うこととなった。

　ついては、標記に関する美容師養成施設への指導等に当たっては、別紙により取り扱われたい。

（別　紙）

　　　　　美容師養成施設における中学校卒業者等に対する講習の基準の運用

1　総則

　理容師法及び美容師法の一部を改正する法律（平成7年法律第109号。以下「改正法」という。）附則第5条第1項の規定に基づき、学校教育法（昭和22年法律第26号）第57条に規定する者（改正法附則第5条第2項に規定する者を含む。以下「中学校卒業者等」という。）であって、「美容師養成施設における中学校卒業者等に対する講習の基準等」（平成20年厚生労働省告示第46号。以下「中卒者等の講習の基準」という。）で定める講習の課程を修了し、かつ、美容師になるのに必要な知識及び技能を修得したものは、美容師試験を受験することができること。

2　入所試験

(1)　目的

　　中学校卒業者等に対する入所試験は、美容師養成施設における学習に支障のない程度の学力を有する者を選抜するために行うこと。

(2)　試験課目

　　中学校卒業者等に対する入所試験は、中学校の必修教科のうち、美容師養成施設における教科課目の内容を勘案し、美容師養成施設において必要と認めた課目について行うこと。

(3)　試験の方法

　　美容師養成施設において、適切な方法を定めること。

⑷　入所の判定

　　美容師養成施設において、入所後に行う講習との関連を考慮の上、入所試験の結果からみて適当な学力を有すると認められる者を入所させること。

3　講習

⑴　目的

　　講習は、学校教育法第90条に規定する者に該当しない生徒（以下「講習対象生徒」という。）に対し、美容師養成施設における教科課目の学習を補助するために実施すること。

⑵　講習の内容

　ア　講習は、「中卒者等の講習の基準」に基づき、それぞれの講習課目ごとに適切に行うこと。

　イ　授業の1単位時間は50分を標準とし、講習課目の特質等に応じて、授業の実施形態を工夫することができること。

　ウ　各講習課目の内容は、別添「美容師養成施設における中学校卒業者等に対する講習課目の内容の基準」によること。

⑶　講師

　　美容師養成施設においては、それぞれの講習課目ごとに、専門的な知識及び技能を有する者を講師として選任すること。

⑷　講習の方法

　ア　講習は、美容師養成施設における教科課目の学習との関連を考慮し、計画的に行うこと。

　イ　講習は、原則として各養成課程ごとに設ける。ただし、講習対象生徒の負担等を勘案し、当該養成施設における他の養成課程の講習の履修を認めることができること。

　ウ　講習は、美容師養成施設において、講習対象生徒の負担等を勘案し、適当と認められるときは、通信授業及び添削指導により行うことができること。この場合においては、「美容師養成施設の通信課程における授業方法等の基準」（平成20年厚生労働省告示第47号）第二の二及び「美容師養成施設の通信課程における授業方法等の基準の運用について」（平成27年3月31日健発0331第16号厚生労働省健康局長通知）1（⑴ア、イ及び⑵を除く。）及び5に定めるもののほか、次の方法によるものとすること。

　　㈅　教材は、別添「美容師養成施設における中学校卒業者等に対する講習課目の内容の基準」に従って構成されるものであること。

　　㈆　添削による指導は、それぞれの講習課目について3回以上行うこと。

4　講習の免除

⑴　理容師養成施設に入学し、「理容師養成施設における中学校卒業者等に対する講習の基準等」（平成20年厚生労働省告示第41号）に基づき、当該養成施設が講習課程の修了を認定した者については、講習を免除することができること。

(2) 美容師養成施設は、講習対象生徒に対し、個別の入所資格審査を行い、高等学校を卒業した者と同等以上の学力があると認められた者については、講習課目の区分ごとに、その課目の履修を免除し、又は時間を減ずることができるものとすること。
　この場合において、その入所資格審査の実施に当たっては、「保健医療分野及び福祉分野における各資格の養成所の入所資格等の見直しについて」（平成15年10月7日医政発第1007001号・健発第1007001号・社援発第1007003号厚生労働省医政局長・厚生労働省健康局長・厚生労働省社会・援護局長通知。以下「各資格の養成所の入所資格等の見直しについて」という。）2（(1)イ(イ)を除く。）に基づくほか、高等学校等を途中で退学した者にあっては、当該高等学校等での在学中における学習歴を踏まえた上で行うこと。
(3) 美容師養成施設は、講習対象生徒が既に18歳に達している場合は、個別の入所資格審査を行い、高等学校を卒業した者と同等以上の学力があると認められた者については、講習を免除することができるものとすること。この場合において、その入所資格審査の実施に当たっては、「各資格の養成所の入所資格等の見直しについて」に基づき、適切に行わなければならないこと。

5　その他
(1) 美容師養成施設においては、改正法附則第5条第1項及び第2項の規定が設けられた趣旨にかんがみ、入所資格の設定に当たって、中学校卒業者等の志望の動向に十分留意しなければならないこと。
(2) 中学校卒業者等に入所を認める美容師養成施設においては、入所試験及び講習の実施に当たって、中学校卒業者等の負担加重とならないよう、十分配慮しなければならないこと。
(3) 美容師養成施設の長は、講習の課程を修了していない講習対象生徒に対しては、美容師養成施設指定規則第10条（平成10年厚生省令第8号）に規定する卒業証書を授与してはならないこと。

（別添）
　　美容師養成施設における中学校卒業者等に対する講習課目の内容の基準
第1　現代社会
　1　実施方針
　　　人間の尊重と科学的な探究の精神に基づいて、広い視野に立って、現代の社会と人間についての理解を深めさせ、現代社会の基本的な問題について主体的に考え公正に判断するとともに自ら人間としての在り方生き方について考える力の基礎を養い、良識ある公民として必要な能力と態度を育てる。
　2　各項目の内容
　　(1)　現代に生きる私たちの課題
　　　　現代社会の諸問題について自己とのかかわりに着目して課題を設け、倫理、社会、文化、政治、経済など様々な観点から追究する学習を通して、現代社会に対する関心を高め、いかに生きるかを主体的に考えることの大切さを自覚させる。

(2) 現代の社会と人間としての在り方生き方

現代社会について多様な角度から理解させるとともに、青年期の意義、経済活動の在り方、政治参加、民主社会の倫理、国際社会における日本の果たすべき役割などについて自己とのかかわりに着目して考えさせる。

ア 現代の社会生活と青年

大衆化、少子高齢化、高度情報化、国際化など現代社会の特質と社会生活の変化について理解させる。また、生涯における青年期の意義と自己形成の課題について考えさせるとともに、自己実現と職業生活、社会参加に触れながら、現代社会における青年の生き方について自覚を深めさせる。

イ 現代の経済社会と経済活動の在り方

現代の経済社会における技術革新と産業構造の変化、企業の働き、公的部門の役割と租税、金融機関の働き、雇用と労働問題、公害の防止と環境保全について理解させるとともに、個人と企業の経済活動における社会的責任について考えさせる。

ウ 現代の民主政治と民主社会の倫理

基本的人権の保障と法の支配、国民主権と議会制民主主義、平和主義と我が国の安全について理解を深めさせ、日本国憲法の基本的原則について国民生活とのかかわりから認識を深めさせるとともに、世論形成と政治参加の意義について理解させ、民主政治における個人と国家について考えさせる。また、生命の尊重、自由・権利と責任・義務、人間の尊厳と平等、法と規範などについて考えさせ、民主社会において自ら生きる倫理について自覚を深めさせる。

エ 国際社会の動向と日本の果たすべき役割

世界の主な国の政治や経済の動向に触れながら、人権、国家主権、領土に関する国際法の意義、人種・民族問題、核兵器と軍縮問題、我が国の安全保障と防衛、資本主義経済と社会主義経済の変容、貿易の拡大と経済摩擦、南北問題について理解させ、国際平和や国際協力の必要性及び国際組織の役割について認識させるとともに、国際社会における日本の果たすべき役割及び日本人の生き方について考えさせる。

3 学習指導上の留意事項

(1) 必修の教科課目、特に、関係法規・制度、美容文化論、美容運営管理との関連を考慮するとともに、細かな事象や高度な事項・事柄には深入りしないようにすること。

(2) 生徒が主体的に自己の生き方にかかわって考えるよう学習指導の展開を工夫すること。

(3) 的確な資料に基づいて、社会的事象に対する客観的かつ公正なものの見方や考え方を育成するとともに、統計などの資料の見方やその意味、情報の検索や処理の仕方などについて指導すること。

第2 化学

1 実施方針
　自然の物事・現象に関する観察、実験などを通じて、エネルギーと物質の成り立ちを中心に、自然の物事・現象について理解させるとともに、人間と自然とのかかわりについて考察させ、自然に対する総合的な見方や考え方を養う。
2 各項目の内容
　(1) 物質の構成と変化
　　ア 物質の構成単位
　　　原子、分子、イオンとその結合についての基礎を理解させる。
　　イ 物質の変化
　　　物質の状態変化及び化学変化における原子、分子、イオンの状態をエネルギーと関連させて理解させる。
　(2) 物質の利用
　　ア 日常生活と物質
　　　人間生活とかかわりの深い物質の特性と利用及び物質の製造にエネルギーが必要であることを理解させる。
　　イ 生物のつくる物質
　　　生物が有用な物質をつくること及び生物体内の化学反応の精妙さについて理解させる。
3 学習指導上の留意事項
　(1) 必修の教科課目、特に、美容の物理・化学、美容技術理論及び美容実習との関連を考慮するとともに、詳細で羅列的な扱いはせず、高度な事項・事柄には深入りしないようにすること。
　(2) 生徒が興味、関心をもって学習できるよう教材や学習方法を工夫すること。

第3 保健
1 実施方針
　個人及び社会生活における健康・安全について理解を深めるようにし、生涯を通じて自らの健康を適切に管理し、改善していく資質や能力を育てる。
2 各項目の内容
　(1) 現代社会と健康
　　我が国の疾病構造や社会の変化に対応して、健康を保持増進するためには、ヘルスプロモーションの考え方を生かし、人々が適切な生活行動を選択し実践すること及び環境を改善していく努力が重要であることを理解できるようにする。
　　ア 健康の考え方
　　　健康の考え方やその保持増進の方法は、国民の健康水準の向上や疾病構造の変化に伴って変わってきており、健康に関する個人の適切な意志決定や行動選択が重要となっていること。また、我が国や世界では、様々な保健活動や対策などが行われていること。
　　イ 健康の保持増進と疾病の予防

健康を保持増進するとともに、生活習慣病を予防するためには、食事、運動、休養及び睡眠の調和のとれた生活の実践及び喫煙、飲酒に関する適切な意志決定や行動選択が必要であること。
　　　薬物乱用は心身の健康などに深刻な影響を与えることから行ってはならないこと。
　　　また、医薬品は正しく使用する必要があること。
　　　感染症の予防には、適切な対策が必要であること。
　　ウ　精神の健康
　　　人間の欲求と適応機制には様々な種類があること及び精神と身体には密接な関連があること。また、精神の健康を保持増進するためには、欲求やストレスに適切に対処するとともに、自己実現を図るよう努力していくことが重要であること。
　　エ　交通安全
　　　交通事故を防止するためには、車両の特性の理解、安全な運転や歩行など適切な行動、自他の生命を尊重する態度及び交通環境の整備などが重要であること。また、交通事故には責任や補償問題が生じること。
　　オ　応急手当
　　　傷害や疾病に際しては、心肺蘇（そ）生法などの応急手当を行うことが重要であること。また、応急手当には正しい手順や方法があること。
(2)　生涯を通じる健康
　生涯の各段階において健康についての課題があり、自らこれに適切に対応する必要があること及び我が国の保健・医療制度や機関を適切に活用することの重要性が理解できるようにする。
　　ア　生涯の各段階における健康
　　　生涯にわたって健康を保持増進するためには、生涯の各段階の健康課題に応じた自己の健康管理を行う必要があること。
　　イ　保健・医療制度及び地域の保健・医療機関
　　　生涯を通じて健康を保持増進するためには、我が国の保健・医療制度や機関について知り、地域の保健所、保健センター、医療機関などを適切に活用することが重要であること。
(3)　社会生活と健康
　社会生活における健康の保持増進には、環境などが深くかかわっていることから、環境と健康、環境と食品の保健、労働と健康について理解できるようにする。
　　ア　環境と健康
　　　人間の生活や産業活動は、自然環境を汚染し健康に影響を及ぼすこともあること。このため、様々な対策がとられていること。
　　イ　環境と食品の保健
　　　学校や地域の環境を健康に適したものとするよう基準が設定され、環境衛生活動が行われていること。また、食品の安全性を確保するための基準が設定され、

食品衛生活動が行われていること。
　　ウ　労働と健康
　　　　職業病や労働災害の防止には、作業形態や作業環境の変化を踏まえた健康管理及び安全管理を行うことが必要であること。
　3　学習指導上の留意事項
　　　必修の教科課目、特に、衛生管理及び美容保健との関連を考慮するとともに、具体的事例をあげることによって生徒の理解を高めるようにすること。

○理容師養成施設の通信課程における授業方法等の基準の運用について

〔平成27年3月31日　　健発0331第15号〕
〔各都道府県知事宛　厚生労働省健康局長通知〕

〔改正経過〕
　　第1次改正　〔平成29年7月10日生食発0710第7号〕

　地域の自主性及び自立性を高めるための改革の推進を図るための関係法律の整備に関する法律（平成26年法律第51号）が平成26年6月4日に、地域の自主性及び自立性を高めるための改革の推進を図るための関係法律の整備に関する法律の施行に伴う厚生労働省関係政令等の整備等に関する政令（平成27年政令第128号）及び地域の自主性及び自立性を高めるための改革の推進を図るための関係法律の整備に関する法律の施行に伴う厚生労働省関係省令の整備に関する省令（平成27年厚生労働省令第55号）が平成27年3月31日に公布され、一部を除いて平成27年4月1日から施行されることとなった。
　これに伴い、理容師法（昭和22年法律第234号）及び理容師養成施設指定規則（平成10年厚生省令第5号）の一部が改正され、理容師養成施設の指導等に係る事務については、都道府県知事が行うこととなった。
　ついては、標記に関する理容師養成施設への指導等に当たっては、別紙により取り扱われたい。

（別　紙）
　　　　理容師養成施設の通信課程における授業方法等の基準の運用
1　通信授業
　(1)　通信授業における教材は、次によるものであること。
　　ア　必修課目については、理容師の養成に必要な知識及び技能を修得させるのに適するものであって、「理容師養成施設の教科課程の基準の運用について」（平成27年3月31日健発0331第17号厚生労働省健康局長通知。以下「教科課程の基準の運用」という。）に定める教科課目の各項目の内容に従って構成されるものであること。選択課目については、「教科課程の基準の運用」に従い、各理容師養成施設において、適切な構成とすること。
　　イ　各教科課目相互の関連が十分とれていること。
　　ウ　生徒の能力からみて程度が高過ぎるところはないこと。
　　エ　正確、公正であって、かつ、配列、分量、区分及び図表が適切であること。

オ　統計などの資料は、信頼性のある適切なものであること。
カ　自学自習についての便宜が適切に与えられていること。
(2) 添削による指導は、理容師養成施設の通信課程における授業方法等の基準（平成20年厚生労働省告示第42号。以下「通信課程における授業方法等の基準」という。）に基づき、それぞれの教科課目ごとに適切に行うこと。
(3) 添削に当たっては、採点、講評、学習上の注意等を記入すること。
(4) 生徒からの質問は随時適切な方法で受け付け、十分に指導を行うこと。
2　面接授業
(1) 面接授業は、「通信課程における授業方法等の基準」に基づき、それぞれの教科課目ごとに適切に行い、その必修課目の内容は、別添「理容師養成施設の通信課程の面接授業における必修課目の内容の基準」によるものとし、選択課目の内容については、各理容師養成施設において、適切なものとすること。特に、美容修得者課程における面接授業については、理容技術等の習得が確実に行われるよう授業内容や単位設定に十分留意すること。
(2) 授業の1単位時間は50分を基準とし、教科課目の特質等に応じて授業の実施形態を工夫することができること。ただし、理容実習の授業時間は、原則として、1回あたり2単位時間を配当すること。
(3) 理容所に常勤として補助的な作業に従事している者である生徒に対する面接授業の緩和に当たっては、入所決定時に理容所に常勤で従事していることを確認した上で行うとともに、入所途中においても、当該生徒が従事している理容所から、その証明の提出を受けるものとすること。
なお、入所途中で生徒の理容所における就業形態が常勤から非常勤に変更された場合にあっては、当該生徒が履修する面接授業の単位数又は授業時間数の緩和について、「通信課程における授業方法等の基準」第三の二の1及び3に定める表の中欄に掲げる単位数又は時間数により行うものとすること。ただし、理容所に常勤として補助的な作業に従事している者である生徒に対する面接授業の単位（時間）数の取り扱いについては、平成39年度までに一般の生徒と同基準とすることとしているので、各養成施設への周知・指導等を適宜行うこと。
(4) 面接授業を行う場所は、当該養成施設の校舎であること。ただし、当該養成施設の校舎において面接授業を行うことが時間的及び経済的に不適当であると認められる生徒に対する面接授業を行う場所は、他の理容師養成施設その他面接授業を行う場所として適当と認められる施設であること。
(5) 通信養成を行う地域を複数の都道府県とする等広範囲の地域とする理容師養成施設にあっては、適切かつ確実な方法により面接授業を行い、面接授業を受けることができない生徒が生じないようにすること。
(6) 理容実習における実務実習又は選択課目の校外実習を行う理容師養成施設は、「教科課程の基準の運用」の定めるところにより、厳正に行うこと。
3　その他
(1) 理容師養成施設は、通信授業及び添削指導に係る事務の一部を適当な機関に委託す

ることができること。この場合において、当該養成施設及び受託機関は、相互に連携を図り、生徒の学習に支障のないようにすること。
(2) 通信授業及び添削指導に係る事務の一部を委託する機関については、理容師の養成、教育の円滑な運営を図るとともに、理容師養成施設の運営の一部であることから、委託する事務の継続性、事務処理体制の確実性等を確保することが必要であること。このため、委託先はこれらの趣旨を踏まえて営利を目的としない法人であること。

(別添)
理容師養成施設の通信課程の面接授業における必修課目の内容の基準
第1 関係法規・制度
 1 衛生行政
  (1) 衛生行政の意義
 2 理容師法
  (1) 法の目的
  (2) 理容師に対する法的規制
  (3) 理容所に対する法的規制
第2 衛生管理
 1 公衆衛生概説
  (1) 公衆衛生の意義
  (2) 公衆衛生と理容業
  (3) 保健所の業務
 2 感染症
  (1) 理容所における感染症対策
 3 環境衛生
  (1) 環境衛生の意義と目的
  (2) 理容所における環境衛生
 4 衛生管理技術
  (1) 理容所における衛生管理の意義と目的
  (2) 消毒法の選択と実施方法
  (3) 消毒法の実習
第3 保健
 1 皮膚及び皮膚付属器官の構造及び機能
  (1) 皮膚及び皮膚付属器官の構造
  (2) 皮膚の生理的作用と理容との関係
  (3) 毛髪及び爪の生理的意義と特性
 2 皮膚及び皮膚付属器官の保健衛生

(1)　皮膚及び皮膚付属器官の保健衛生と理容施術上の注意
　3　皮膚及び皮膚付属器官の疾患
　(1)　皮膚及び皮膚付属器官の疾患と理容との関係
　(2)　理容で使用する香粧品等によるかぶれ・アレルギーと理容施術上の注意
第4　香粧品化学
　1　香粧品の化学
　(1)　化学薬品の取扱い、溶液の調整法等の実習
　(2)　香粧品の種類、使用目的、成分、作用原理及び使用上の注意
第5　文化論
　1　理容文化史
　(1)　理容ファッションの変遷
　(2)　理容業における流行の意義と役割
　2　服飾
　(1)　理容における服飾の意義
　(2)　衣服に関するエチケット
第6　理容技術理論
　1　器具の取扱い等
　(1)　理容業で使用される機械器具の使用上の注意及び保守管理の方法、理容器具の種類、各部の名称及び使用目的
　(2)　理容業で使用される機械器具に係る物理の基本事項及び理容器具の選定方法、基本的操作方法及び手入れ方法
　(3)　被布及び布片類の使用目的
　2　基礎技術
　(1)　理容技術の意義と基礎知識
　3　頭部、顔部及び頸部技術
　(1)　頭部、顔部及び頸部技術の基礎知識
　4　特殊技術
　(1)　特殊技術の基礎知識
　5　理容デザイン
　(1)　理容におけるヘアデザインの造形の意義とその応用
　(2)　色彩の原理と理容におけるその応用
第7　運営管理
　1　経営管理
　(1)　理容業における経理事務
　2　労務管理
　(1)　理容業における労務管理
　3　接客
　(1)　社会人としての一般常識及び理容業における接客の意義と技術
　(2)　理容業における消費者対応

第8　理容実習
　1　器具の取扱実習
　2　基礎技術実習
　3　頭部、顔部及び頸部技術実習
　4　特殊技術実習
　5　総合実習

○美容師養成施設の通信課程における授業方法等の基準の運用について

〔平成27年3月31日　健発0331第16号〕
〔各都道府県知事宛　厚生労働省健康局長通知〕

〔改正経過〕
　第1次改正　〔平成29年7月10日生食発0710第8号〕

　地域の自主性及び自立性を高めるための改革の推進を図るための関係法律の整備に関する法律（平成26年法律第51号）が平成26年6月4日に、地域の自主性及び自立性を高めるための改革の推進を図るための関係法律の整備に関する法律の施行に伴う厚生労働省関係政令等の整備等に関する政令（平成27年政令第128号）及び地域の自主性及び自立性を高めるための改革の推進を図るための関係法律の整備に関する法律の施行に伴う厚生労働省関係省令の整備に関する省令（平成27年厚生労働省令第55号）が平成27年3月31日に公布され、一部を除いて平成27年4月1日から施行されることとなった。
　これに伴い、美容師法（昭和32年法律第163号）及び美容師養成施設指定規則（平成10年厚生省令第8号）の一部が改正され、美容師養成施設の指導等に係る事務については、都道府県知事が行うこととなった。
　については、標記に関する美容師養成施設への指導等に当たっては、別紙により取り扱われたい。

（別　紙）
　　美容師養成施設の通信課程における授業方法等の基準の運用
1　通信授業
　(1)　通信授業における教材は、次によるものであること。
　　ア　必修課目については、美容師の養成に必要な知識及び技能を修得させるのに適するものであって、「美容師養成施設の教科課程の基準の運用について」（平成27年3月31日健発0331第18号厚生労働省健康局長通知。以下「教科課程の基準の運用」という。）に定める教科課目の各項目の内容に従って構成されるものであること。選択課目については、「教科課程の基準の運用」に従い、各美容師養成施設において、適切な構成とすること。
　　イ　各教科課目相互の関連が十分とれていること。
　　ウ　生徒の能力からみて程度が高過ぎるところはないこと。

エ　正確、公正であって、かつ、配列、分量、区分及び図表が適切であること。
　　オ　統計などの資料は、信頼性のある適切なものであること。
　　カ　自学自習についての便宜が適切に与えられていること。
　(2)　添削による指導は、美容師養成施設の通信課程における授業方法等の基準（平成20年厚生労働省告示第47号。以下「通信課程における授業方法等の基準」という。）に基づき、それぞれの教科課目ごとに適切に行うこと。
　(3)　添削に当たっては、採点、講評、学習上の注意等を記入すること。
　(4)　生徒からの質問は随時適切な方法で受け付け、十分に指導を行うこと。
2　面接授業
　(1)　面接授業は、「通信課程における授業方法等の基準」に基づき、それぞれの教科課目ごとに適切に行い、その必修課目の内容は、別添「美容師養成施設の通信課程の面接授業における必修課目の内容の基準」によるものとし、選択課目の内容については、各美容師養成施設において、適切なものとすること。特に、理容修了者課程における面接授業については、美容技術等の習得が確実に行われるよう授業内容や単位設定に十分留意すること。
　(2)　授業の1単位時間は50分を基準とし、教科課目の特質等に応じて授業の実施形態を工夫することができること。ただし、美容実習の授業時間は、原則として、1回あたり2単位時間を配当すること。
　(3)　美容所に常勤として補助的な作業に従事している者である生徒に対する面接授業の緩和に当たっては、入所決定時に美容所に常勤で従事していることを確認した上で行うとともに、入所途中においても、当該生徒が従事している美容所から、その証明の提出を受けるものとすること。
　　なお、入所途中で生徒の美容所における就業形態が常勤から非常勤に変更された場合にあっては、当該生徒が履修する面接授業の単位数又は授業時間数の緩和について、「通信課程における授業方法等の基準」第三の二の1及び3に定める表の中欄に掲げる単位数又は時間数により行うものとすること。ただし、美容所に常勤として補助的な作業に従事している者である生徒に対する面接授業の単位（時間）数の取り扱いについては、平成39年度までに一般の生徒と同基準とすることとしているので、各養成施設への周知・指導等を適宜行うこと。
　(4)　面接授業を行う場所は、当該養成施設の校舎であること。ただし、当該養成施設の校舎において面接授業を行うことが時間的及び経済的に不適当であると認められる生徒に対する面接授業を行う場所は、他の美容師養成施設その他面接授業を行う場所として適当と認められる施設であること。
　(5)　通信養成を行う地域を複数の都道府県とする等広範囲の地域とする美容師養成施設にあっては、適切かつ確実な方法により面接授業を行い、面接授業を受けることができない生徒が生じないようにすること。
　(6)　美容実習における実務実習又は選択課目の校外実習を行う美容師養成施設は、「教科課程の基準の運用」の定めるところにより、厳正に行うこと。
3　その他

(1) 美容師養成施設は、通信授業及び添削指導に係る事務の一部を適当な機関に委託することができること。この場合において、当該養成施設及び受託機関は、相互に連携を図り、生徒の学習に支障のないようにすること。
(2) 通信授業及び添削指導に係る事務の一部を委託する機関については、美容師の養成、教育の円滑な運営を図るとともに、美容師養成施設の運営の一部であることから、委託する事務の継続性、事務処理体制の確実性等を確保することが必要であること。このため、委託先はこれらの趣旨を踏まえて営利を目的としない法人であること。

(別添)
　　　　美容師養成施設の通信課程の面接授業における必修課目の内容の基準
第1　関係法規・制度
　1　衛生行政
　　(1)　衛生行政の意義
　2　美容師法
　　(1)　法の目的
　　(2)　美容師に対する法的規制
　　(3)　美容所に対する法的規制
第2　衛生管理
　1　公衆衛生概説
　　(1)　公衆衛生の意義
　　(2)　公衆衛生と美容業
　　(3)　保健所の業務
　2　感染症
　　(1)　美容所における感染症対策
　3　環境衛生
　　(1)　環境衛生の意義と目的
　　(2)　美容所における環境衛生
　4　衛生管理技術
　　(1)　美容所における衛生管理の意義と目的
　　(2)　消毒法の選択と実施方法
　　(3)　消毒法の実習
第3　保健
　1　皮膚及び皮膚付属器官の構造及び機能
　　(1)　皮膚及び皮膚付属器官の構造
　　(2)　皮膚の生理的作用と美容との関係

(3)　毛髪及び爪の生理的意義と特性
 2　皮膚及び皮膚付属器官の保健衛生
　(1)　皮膚及び皮膚付属器官の保健衛生と美容施術上の注意
 3　皮膚及び皮膚付属器官の疾患
　(1)　皮膚及び皮膚付属器官の疾患と美容との関係
　(2)　美容で使用する香粧品等によるかぶれ・アレルギーと美容施術上の注意
第4　香粧品化学
 1　香粧品の化学
　(1)　化学薬品の取扱い、溶液の調整法等の実習
　(2)　香粧品の種類、使用目的、成分、作用原理及び使用上の注意
第5　文化論
 1　美容文化史
　(1)　美容ファッションの変遷
　(2)　美容業における流行の意義と役割
 2　服飾
　(1)　美容における服飾の意義
　(2)　衣服に関するエチケット
第6　美容技術理論
 1　器具の取扱い等
　(1)　美容業で使用される機械器具の使用上の注意及び保守管理の方法、美容器具の種類、各部の名称及び使用目的
　(2)　美容業で使用される機械器具に係る物理の基本事項及び美容器具の選定方法、基本的操作方法及び手入れ方法
　(3)　被布及び布片類の使用目的
 2　基礎技術
　(1)　美容技術の意義と基礎知識
 3　頭部、顔部及び頸部技術
　(1)　頭部、顔部及び頸部技術の基礎知識
 4　特殊技術
　(1)　特殊技術の基礎知識
 5　和装技術
　(1)　和装技術の基礎知識
 6　美容デザイン
　(1)　美容におけるヘアデザインの造形の意義とその応用
　(2)　色彩の原理と美容におけるその応用
第7　運営管理
 1　経営管理
　(1)　美容業における経理事務
 2　労務管理

(1)　美容業における労務管理
　3　接客法
　(1)　社会人としての一般常識及び美容業における接客の意義と技術
　(2)　美容業における消費者対応
第8　美容実習
　1　器具の取扱実習
　2　基礎技術実習
　3　頭部、顔部及び頸部技術実習
　4　特殊技術実習
　5　和装技術実習
　6　総合実習

○理容師養成施設の教科課程の基準の運用について

[平成27年3月31日　健発0331第17号
各都道府県知事宛　厚生労働省健康局長通知]

〔改正経過〕
　　第1次改正　〔平成29年7月10日生食発0710第9号〕

　地域の自主性及び自立性を高めるための改革の推進を図るための関係法律の整備に関する法律（平成26年法律第51号）が平成26年6月4日に、地域の自主性及び自立性を高めるための改革の推進を図るための関係法律の整備に関する法律の施行に伴う厚生労働省関係政令等の整備等に関する政令（平成27年政令第128号）及び地域の自主性及び自立性を高めるための改革の推進を図るための関係法律の整備に関する法律の施行に伴う厚生労働省関係省令の整備に関する省令（平成27年厚生労働省令第55号）が平成27年3月31日に公布され、一部を除いて平成27年4月1日から施行されることとなった。
　これに伴い、理容師法（昭和22年法律第234号）及び理容師養成施設指定規則（平成10年厚生省令第5号）の一部が改正され、理容師養成施設の指導等に係る事務については、都道府県知事が行うこととなった。
　ついては、標記に関する理容師養成施設への指導等に当たっては、別紙により取り扱われたい。

【別　紙】
　　　理容師養成施設の教科課程の基準の運用
1　教科課程の編成

(1) 必修課目
　ア　必修の教科課目のうち、必修課目は、関係法規・制度、衛生管理、保健、香粧品化学、文化論、理容技術理論、運営管理及び理容実習の8課目となっていること。
　イ　理容師養成施設においては、必修課目について、理容師養成施設指定規則（平成10年厚生省令第5号。以下「指定規則」という。）別表第1、第1の2及び理容師養成施設の教科課程の基準（平成20年厚生労働省告示第45号。以下「教科課程の基準」という。）に基づき、それぞれの教科課目ごとに適切に行うこと。ただし、通信課程を設ける理容師養成施設においては、理容師養成施設の通信課程における授業方法等の基準（平成20年厚生労働省告示第42号。以下「通信課程における授業方法等の基準」という。）及び理容師養成施設の通信課程における授業方法等の基準の運用について（平成27年3月31日健発0331第15号厚生労働省健康局長通知。以下「通信課程における授業方法等の基準の運用」という。）に従い、適切に行うこと。
　ウ　授業の1単位時間は50分を標準とし、教科課目の特質等に応じて、授業の実施形態を工夫することができること。ただし、理容実習の授業時間については、原則として、1回当たり2単位時間を配当するものとすること。
　エ　非常災害などによって、所定の時間の授業を実施できなかった場合においても、必修課目については、その所定授業時間を下ることのないよう補習授業の実施などの措置をとるものとすること。
(2) 選択課目
　ア　理容師養成施設においては、必修の教科課目として、必修課目以外に適当な選択課目を設定すること。
　イ　選択課目の内容は、日本語、芸術、エステティック技術、理容カウンセリングなど、幅広い教養を身に付けることによって、人間性豊かな人格の形成を目指すとともに、保健衛生に携わる専門的技術者としての自覚をかん養するものでなければならないこと。
　ウ　選択課目については、「（別添）理容師養成施設における教科課目の内容の基準」第2に示す一般教養課目群及び専門教育課目群の実施方針にのっとり、課目の例を参考に、一般教養と専門教育のバランスに配意しつつ、各理容師養成施設において独自に設定すること。
　エ　選択課目、校外実習などの実施に当たっては、生徒の負担加重とならないように、時間数、実施時期、実施回数及び実施方法を考慮しなければならないこと。この場合、これらの実施によって、必修課目の単位数又は授業時間数が所定の単位数又は授業時間数を下回ることのないように留意すること。
　オ　理容師養成施設においては、選択課目の各教科課目について、「指定規則」別表第1、第1の2及び「教科課程の基準」に基づき、その内容等に応じて適切に行うこと。
　　　ただし、通信課程を設ける理容師養成施設においては、「通信課程における授業方法等の基準」及び「通信課程における授業方法等の基準の運用」に従い、適切に

行うこと。
　　カ　授業の1単位時間は50分を標準とし、教科課目の特質等に応じて、授業の実施形態を工夫することができること。ただし、実習を伴う教科課目の授業時間については、原則として、1回当たり2単位時間を配当するものとすること。
2　教科課目の内容
　教科課目の内容は、別添「理容師養成施設における教科課程の内容の基準」によるものとすること。なお、同基準に示す必修課目の各項目の内容及び選択課目の課目の例に掲げる事項は、指導の一例であって、理容師養成施設においては、各項目のまとめ方や順序などを工夫し、学習効果を高めるように努めなければならないこと。
3　学習指導上の留意事項
(1)　理容師養成施設においては、必修課目、選択課目、校外実習などについて、相互の連携を図り、全体として調和がとれ、発展的、系統的に指導できるように努めなければならないこと。このため、理容師養成施設においては、必ず、学期又は月ごとに総合的教育計画を作成し、具体的な指導の目標を明確にするとともに、実際に指導する事項を選定配列しなければならないこと。
(2)　各教科課目の教授に当たっては、特に理容の業務の実際と直接関係の深い事項を中心に、その関連性を強調した内容とするとともに実験や実習などを行うことによって、それらの事項を十分に理解させるように努めなければならないこと。
(3)　指導に当たっては、常にその教育目的の達成に心がけ、特に次の事項に留意すること。
　　ア　生徒の経験、能力や生活環境を十分に理解しておくこと。
　　イ　理容業務の実情や科学技術の進歩に対応して常に教育方法、事項の見直しに努めること。
　　ウ　学習の目標を生徒に十分理解させること。
　　エ　生徒の興味や関心を重んじ、自主的自発的な学習をするように導くこと。
　　オ　集団活動を通じて生徒の社会性と協同性をかん養するとともに、生徒の個人差に留意して指導し、それぞれの生徒の個性や力をできるだけ伸ばすようにすること。
　　カ　教科書その他の教材、教具などについて常に研究し、その活用に努めること。
　　キ　専門的職業教育の本旨にのっとり、将来、理容業に従事する者として必要な心構えを養わせること。
　　ク　定期試験などによって指導の成果を絶えず評価し、指導の改善に努めること。
(4)　本通知において、次の各項目に掲げる用語の定義は、それぞれ当該各項目に定めるところによること。
　　ア　「知らせる」及び「述べる」　ある事柄を話す、見せる、読ませるなど適当な方法によって説明することをいうこと。
　　イ　「理解させる」　ある事柄についてよく知らせた上、生徒の全員が納得できるまで質問を受けたり、復習させたり、設問して考えさせたりすることをいうこと。
　　ウ　「身に付けさせる」　主として技術に関する事柄について理解させる場合について用い、知らせたことを実習させたり、見学させたり、体得させることをいうこ

と。
　エ　「学ばせる」　ある事柄について、知らせたり理解させるばかりでなく、その事柄についての興味や関心を誘発したり、進んで研究調査するようにしむけたり、共同学習をさせたり、問題を与えてレポートを提出させるなど、いろいろな方法を講じて、学習の効果を十分に高めることをいうこと。
4　卒業の認定
(1)　理容師養成施設においては、卒業までに履修すべき教科課目及びその単位数又は授業時間数並びに数値化した成績考査等に関する事項を内容とする卒業認定の基準を定めるものとすること。このうち、各教科課目ごとの単位数又は授業時間数等については、「指定規則」別表第1、第1の2及び「教科課程の基準」に定める単位数又は授業時間数を基準（通信課程にあっては「通信課程における授業方法等の基準」に定める添削指導の回数及び面接授業の単位数又は授業時間数を基準）に設定すること。
(2)　理容師養成施設においては、生徒が当該養成施設の定める教育計画に従って所定の教科課目及び所定の単位数又は授業時間数を履修し、かつ、卒業認定の基準を満たし、その成果が教科課目の教育目標からみて満足できると認められる場合には、卒業を認定しなければならないこと。
(3)　理容師養成施設においては、生徒の出席状況を確実に把握し、教科課目ごとに欠席があった場合（例えば、教科課目の3分の1（実習を伴う教科課目にあっては5分の1）以内）であっても、十分な補習等を行った上で、卒業を認めなければならないこと。なお、出席状況が不良な者（例えば、欠席が出席すべき教科課目の3分の1（実習を伴う教科課目にあっては5分の1）を超える者）については卒業を認めてはならないこと。
【別添】
　　　理容師養成施設における教科課目の内容の基準
第1　必修課目
　1　関係法規・制度
　　(1)　実施方針
　　　ア　理容師の業務に関係する衛生法規・制度及び消費者保護法規・制度について、正しい知識を習得しておかなければならない必要性を理解させ、あわせて、公衆衛生を担う理容師の社会的責務、職業倫理について、自覚を促すこと。
　　　イ　理容の業務に関する規定内容を正確に理解させるとともに、衛生法規が、理容業を行う場合の指針として有する意義を把握させること。
　　(2)　各項目の内容
　　　ア　衛生行政
　　　　(ｱ)　社会生活のなかでの法律、政治、行政の役割、機能など衛生法規を学ぶために必要な基礎的事項について理解させること。
　　　　(ｲ)　我が国の行政の仕組み、国の行政と地方の行政との関係などについて理解させること。
　　　　(ｳ)　衛生行政とはどのような行政か、衛生行政の目標、衛生行政の種類など衛生

行政の意義について知らせること。
　　　㊁　衛生行政を行う行政機関について述べ、特に理容業と関係の深い保健所について、その任務や活動及び組織を理解させること。
　　イ　理容師法
　　　㋐　理容師法がどのような沿革を経て現在の姿になったかを知らせ、これらの法律の目的と意義について理解させること。
　　　㋑　理容に関する用語が法律でどのように定義されているかを理解させること。
　　　㋒　理容師について、その意義、免許制度、免許手続、免許の欠格要件、免許の登録などを理解させること。
　　　㊁　理容師試験について、その意義、試験の内容及び受験の手続を理解させること。
　　　㋔　理容師養成施設について、その課程、教科課目などを知らせること。
　　　㋕　理容師の業務上の遵守事項、業務を行う場所などに関する法律の規定について理解させる。特に、理容師の講じるべき衛生措置について、その意義と内容を十分に理解させることにより、公衆衛生における理容師の職責を自覚させること。
　　　㋖　理容所の開設などの届出、施設の検査確認、理容所について講じなければならない衛生措置など理容所に関する規制の内容を十分に理解させること。
　　　㋗　理容師の免許取消、業務停止及び再免許を与えることについて、その内容を理解させること。
　　　㋘　管理理容師の業務について、その内容を理解させること。
　　　㋙　理容所の閉鎖命令について、その内容を理解させること。
　　　㋚　理容師法の罰則について、その内容を理解させること。
　　ウ　その他の関係法規
　　　㋐　理容業を行う上で密接な関係がある生活衛生関係営業の適正化及び振興に関する法律及び消費者保護関連法規について、その意義と内容とを十分に理解させること。
　　　㋑　理容師法以外の理容に関係のある法律（地域保健法、感染症の予防及び感染症の患者に対する医療に関する法律、労働基準法、株式会社日本政策金融公庫法及び廃棄物の処理及び清掃に関する法律等）についてその目的とあらましを知らせること。
　　　㋒　理容師法と美容師法の法令上の違いについて知らせること。
　(3)　学習指導上の留意事項
　　ア　最寄りの保健所の活動の実例を示し、保健所がどのような活動をするところか、理容の業務とどのように関連するかを理解させること。
　　イ　理容所の衛生措置などについて、生徒の間で自由討論を行なわせ、討論を通じて衛生措置の意義と内容とを理解させるとともに、理容師の職責と倫理規範を学ばせること。
　　ウ　理容所を見学させ、実際の理容の業務内容、業務上注意すべき事項などを理解

させること。
2　衛生管理
 (1) 実施方針
　　ア　公衆衛生の意義と本質とを明らかにすることによって、理容師が公衆衛生の維持と増進とについて重大な責務を担わなければならない理由は何かを十分に理解させることが必要であること。特に、生活衛生の意義と目的について、理容師の業務と関連付けながら具体的に理解させること。
　　イ　理容師の業務内容と感染症予防、環境衛生の保持との具体的な関連付けを重視して、理容における衛生措置の重要性について理解させること。特に、理容器具などの消毒法は、理容業務の衛生性を担保する上で最も重要な技術であるので、その意義と原理について十分に理解させるとともに、その適正な実施方法を身に付けさせることが肝要であること。
 (2) 各項目の内容
　　ア　公衆衛生概説
　　　(ア)　公衆衛生の意義について理解させるとともに、公衆衛生が日常生活あるいは理容業とどのように結びつくか、公衆衛生の発展向上のために理容師として何をなすべきかを理解させること。
　　　(イ)　公衆衛生の発展の歴史を概観し、公衆衛生の思想がどのように発展してきたかを知らせること。
　　　(ウ)　公衆衛生は、対人的な予防医学と対物的な環境衛生とに大別されることを知らせ、さらに環境衛生が健康で文化的な生活の基盤をなすものであることを理解させること。
　　　(エ)　保健所の機能、組織、業務などについて知らせ、保健所が地域の保健衛生行政において、中核的存在であること及び理容業と保健所とは密接な関係があることを理解させること。
　　イ　感染症
　　　(ア)　理容の業務を行う上で、どのような感染症に注意すべきかを具体的に示すとともに、その予防対策について系統的に理解させること。
　　　(イ)　理容所における衛生措置、特に消毒の意義について、感染症対策と関連付けて理解させること。
　　ウ　環境衛生
　　　(ア)　環境衛生の意義と内容を理解させるとともに、理容所において特に注意しなければならない点について理解させること。
　　　(イ)　理容所における環境衛生、特に採光、照明、換気、床などの構造設備、衣服の衛生について理解させること。
　　　(ウ)　理容所における廃棄物処理、環境保全対策について理解させること。
　　エ　衛生管理技術
　　　(ア)　理容所における衛生管理、特に消毒の意義と目的について理解させること。

第2編　理容師・美容師

　　　　(イ)　消毒方法の種類、原理、特徴について具体的に説明すること。
　　　　(ウ)　理容器具などの対象物の材質、構造などに応じた適切な消毒方法の選択と適正な実施方法について学ばせること。
　　　　(エ)　理容所において用いられている代表的な消毒方法について、正しい操作方法及び注意事項を確実に身に付けさせること。
　　(3)　学習指導上の留意事項
　　　ア　衛生管理は理容業務の基本であるので、単に学説、理論の羅列的説明にとどまらず理容との関連に配意しつつ、その重要性を認識させ、具体的かつ実践的な知識・技術の習得に努めさせること。
　　　イ　必要に応じて、各種の統計資料、映像などの視聴覚教材を用いたり、実験を行ったり、保健所、理容所への見学などを行ったりして学習効果を高めること。
　3　保健
　　(1)　実施方針
　　　ア　理容技術の基礎となる人体について、特に皮膚及び毛髪などの皮膚付属器官の構造と機能に関する科学的、系統的な知識の習得を目的とすること。
　　　イ　理容の業務を安全かつ効果的に行うためには、皮膚、毛髪などに関する正確な科学的知識が不可欠であることを理解させること。
　　(2)　各項目の内容
　　　ア　人体の構造及び機能
　　　　(ア)　人体各部の名称並びに頭部、顔部及び頸部の解剖学的特徴について理解させること。
　　　　(イ)　理容の施術の際に使う骨格及び筋について種類、構造及び機能について理解させること。
　　　　(ウ)　人体（頭部、顔部及び頸部に限る）の骨格、筋の種類、構造、機能について理解させること。
　　　　(エ)　人体（頭部、顔部及び頸部に限る）の神経機能の仕組みについて理解させること。
　　　イ　皮膚及び皮膚付属器官の構造及び機能
　　　　(ア)　皮膚、皮膚付属器官（毛髪、爪、脂せん、汗せんなど）の構造について理解させること。
　　　　(イ)　皮膚の生理的作用について理解させるとともに、これらの作用と理容との関係について学ばせること。
　　　　(ウ)　毛髪、爪の生理的意義と特性について、理容技術との関連に配意しつつ理解させること。
　　　ウ　皮膚及び皮膚付属器官の保健衛生
　　　　(ア)　皮膚、皮膚付属器官の状態に影響を与える因子にはどのようなものがあるか知らせること。
　　　　(イ)　皮膚、皮膚付属器官を健康に保つための方法について述べ、理容の施術を安

全かつ効果的に行うために注意すべき事項について学ばせること。特に、毛髪の保健衛生については、理容技術の基礎であることから、重点をおいて学ばせること。
　エ　皮膚及び皮膚付属器官の疾患
　　(ｱ)　主な皮膚、皮膚付属器官の疾患の種類、原因、症状について、理容の施術と関連付けながら理解させること。
　　(ｲ)　理容で使用する香粧品等によるかぶれ・アレルギーについて、その発生機序と予防法との概略を述べ、理容の業務において注意すべき点は何かを学ばせること。
(3)　学習指導上の留意事項
　ア　必要に応じて、各種の模型、標本、映像などの視聴覚教材を用いたり、実験や観察を行って学習効果を高めること。
　イ　本課目は、安全で効果的な理容技術を提供するための基礎となるものであるから、特に、皮膚、毛髪などに関する講義に当たっては、常に理容業務との関連に配意しつつ、具体的事例を挙げることによって生徒の理解を高めるようにすること。
　ウ　皮膚、毛髪の保健衛生については、衛生管理と関連させながら体系的な知識の習得に努めさせること。
4　香粧品化学
(1)　実施方針
　ア　香粧品は、理容技術を行う上で欠くことのできないものである反面、その使用方法を誤れば重大な健康被害を起こすおそれがあるものであることから、その化学的な性質を理解させるとともに、これを正しく使用するためには正確な知識と適正な技術とを身に付けることが重要であることを認識させること。
　イ　理容の業務を安全かつ効果的に行うためには、香粧品の正確な科学的知識と合理的な取扱方法を習熟させ、あわせて、香粧品による危害を防止するための使用上の注意を学ばせること。
(2)　各項目の内容
　ア　香粧品の化学
　　(ｱ)　物質の相変化、溶液、酸アルカリ、酸化還元反応など化学の基本原理について、理容技術の実例に即して理解させること。
　　(ｲ)　化学薬品の取扱い、溶液の調製法など化学の基本操作を身に付けさせること。
　　(ｳ)　石けん、洗剤、化粧水、ヘアシャンプー、ヘアリンス、整髪料、養毛剤、染毛剤、パーマ液など理容において使用される主な香粧品の種類、使用目的、成分、作用原理、使用上の注意について理解させること。
(3)　学習指導上の留意事項
　ア　必要に応じて、各種の模型、映像などの視聴覚教材を用いたり、実験や観察を

行って学習効果を高めること。
　イ　特に、実験や観察は香粧品化学の基本を理解する上で不可欠の学習方法であるから、これらの授業に当たっては、講義に片寄らず、できるだけ多くの実験や観察の機会を設け、科学的思考方法を身に付けさせることが望ましいこと。
　ウ　理論や法則を羅列する講義に終始することを避け、常に理容の業務との関連性を念頭におきつつ、香粧品化学に関する正確な知識と理解とが理容師の業務を全うするために重要であることを生徒に認識させることが必要であること。
5　文化論
　(1)　実施方針
　　ア　理容業の使命の一つが、より優れた人間美の創造、実現にあることをよく認識させ、この使命の達成のために必要な美的感覚を身に付け、これを洗練し、芸術的な表現力と鑑賞力とを養うこと。
　　イ　理容の業務を全うするためには、確かな技術力を身に付けるとともに、豊かな感性に裏打ちされた優れた表現力を養うことが必要であることを自覚させること。
　(2)　各項目の内容
　　ア　理容文化史
　　　(ア)　理容文化の歴史及び沿革について知らせること。
　　　(イ)　我が国における理容ファッションの変遷について知らせること。
　　　(ウ)　海外における理容ファッションの変遷について知らせること。
　　　(エ)　流行を追う心理、流行が社会に及ぼす影響、流行が理容業において占める意義と役割について知らせること。
　　イ　服飾
　　　(ア)　服飾の原理、理容における服飾の意義などについて理解させること。
　　　(イ)　服飾の歴史のあらまし、衣服の種類、衣服に関するエチケットなどについて学ばせること。
　(3)　学習指導上の留意事項
　　一方的な講義に片寄ることなく、教科内容に即した適当な課題を与えて、生徒同士に討論させ、あるいは、レポートを作成させ、さらには、適当な教材を用いてこれについて感じたことを発表させるなど生徒の自主的な判断力の向上を図るような学習方法を用いるように努めること。
6　理容技術理論
　(1)　実施方針
　　ア　理容技術についての知識を衛生的、能率的に実践する態度と習慣とを養い、工夫と創造の能力とを身に付けさせること。
　　イ　理容の業務を安全かつ効果的に行うため、理容器具の正確な科学的知識と合理的思考に裏付けされた正しい取扱いの方法と理容の基礎的技術とを作業の実際に即して指導し習熟させること。あわせて、理容器具による危害を防止するための

理容師養成施設の教科課程の基準の運用について

使用上の注意を学ばせること。
ウ　優れた理容技術は、経験によってだけ得られるものではなく、科学的合理的な方法によって把握されなければならないことを強調すること。
(2) 各項目の内容
　ア　理容で使用する器具
　　(ｱ)　理容で使用する主な機械器具について物理の基本事項を学ばせるとともに、人間の手と器具の動き、理容器具の種類と特徴などについて理解させること。
　　(ｲ)　クリッパー、はさみ、くし、レザー及びヘアアイロンについて、その種類、各部の名称、使用目的、形態と機能、選定方法、基本的操作方法、手入れ方法などを学ばせること。また、刃物、はさみの材料として使用される金属の物性などについて学ばせること。
　　(ｳ)　ヘアドライヤー、ブラシ、被布及び布片類について、その種類、使用目的、形態と機能、手入れ方法などを知らせること。
　　(ｴ)　理容に用いられるその他の電気器具類、備品類、容器類などについて、その種類、各部の名称、使用目的、形態と機能、選定方法、基本的操作方法、使用上の注意、保守管理の方法などを学ばせること。
　イ　基礎技術
　　(ｱ)　理容技術の意義を学ばせ、技術を行う場合の心得を知らせること。
　　(ｲ)　理容技術に必要な人体各部の名称を知らせること。
　　(ｳ)　理容技術を行う場合の技術者の位置と姿勢、身体の機能その他理容技術を行う場合に考慮しなければならない基礎知識を知らせること。
　ウ　頭部、顔部及び頸部技術
　　(ｱ)　ヘアカッティング、シャンプー技術、頭部処置技術、ヘアアイロン技術、パーマネントウェービング、ヘアカラーリングなどの基本的な頭部技術の目的、種類、特徴、技術上の注意などについて学ばせること。
　　(ｲ)　シェービング、その他の顔面処理技術など基本的な顔部及び頸部技術の目的、種類、特徴、技術上の注意点などについて学ばせること。
　エ　特殊技術
　　エステティック技術、ネイル技術などの理容の特殊技術の目的、種類、特徴、技術上の注意点などについて学ばせること。
　オ　理容デザイン
　　(ｱ)　理容におけるヘアデザインの造形の意義とその応用などについて学ばせること。
　　(ｲ)　色彩の原理と理容における応用などについて学ばせること。
(3) 学習指導上の留意事項
　ア　理容所の作業の実態を見学させたり、実務に携わる理容師の講話を聞かせたりするなどして、理容技術に関する具体的な知識を習得させるように努めること。
　イ　必要に応じて、実物を示したり、各種の模型、見本、映像などの視聴覚教材を

第2編　理容師・美容師

　　　　用いて学習効果を高めること。
　　ウ　本課目は、理容実習とあいまって、理容師として必要な技術を身に付けさせる
　　　ための基礎となる課目であるから、常に理容実習の履修状況に配意しつつ、学習
　　　効果の向上に努めなければならないこと。
7　運営管理
　(1)　実施方針
　　ア　経営管理及び労務管理の基本的事項を学習することによって、理容業における
　　　運営管理手法の重要性を認識させ、理容所の運営に役立たせること。
　　イ　理容業において、適切な接客態度がいかに重要であるかを自覚させるととも
　　　に、消費者対応の基本を学ばせ、実践する能力を身に付けさせること。
　(2)　各項目の内容
　　ア　経営管理
　　　(ｱ)　経営戦略及び経営管理の基本的理論について、理容業における実例を交えて
　　　　理解させること。
　　　(ｲ)　理容所の運営に必要な経理事務に関する基本的事項を学ばせること。
　　イ　労務管理
　　　(ｱ)　労務管理の基本的理論について、理容業における実例を交えて理解させるこ
　　　　と。
　　　(ｲ)　従業者に社会保険、雇用保険の仕組みについて学ばせること。
　　ウ　接客
　　　(ｱ)　社会人としての一般常識を理解させ、理容業における接客の意義と技術につ
　　　　いて具体的事例を挙げながら学び、習得させること。
　　　(ｲ)　苦情処理など消費者対応の基本的事項について、理容業における実例を交え
　　　　て学ばせること。
　(3)　学習指導上の留意事項
　　ア　理容所の運営の実態を見学させ、理容の運営管理について、具体的な知識を習
　　　得させること。
　　イ　経営管理を単に理論として理解するだけにとどまらず、理容所の経営に実地に
　　　活用する能力を高めること。
8　理容実習
　(1)　実施方針
　　ア　理容の業務を安全かつ効果的に実施する技術を習得するため、基本的操作を確
　　　実に身に付けさせるとともに、これらの基本的操作を適宜組み合わせて完成させ
　　　る技術を習得させること。
　　イ　理容所における衛生管理の重要性を認識させ、器具の消毒などの適切な実施方
　　　法を身に付けさせること。
　　ウ　個々の客の要望に応じた理容技術を確実に提供できるよう総合的な技術の基礎
　　　を身に付けさせること。

(2) 各項目の内容
　ア　器具の取扱実習
　　(ア)　理容器具の操作方法、消毒方法、手入れ方法を確実に身に付けさせること。
　　(イ)　用途に適した理容器具の選択方法について、理解させ、実践する能力を身に付けさせること。
　イ　基礎技術実習
　　(ア)　理容技術を行う場合の位置、姿勢など理容技術を行う場合に必要な基本動作を身に付けさせること。
　　(イ)　施設の清掃、消毒など理容所の衛生管理のために必要な措置を確実に身に付けさせる。特に、器具の消毒については、その重要性を十分に認識させるとともに、適正な方法で実施することを習慣付けさせることが必要であること。
　ウ　頭部、顔部及び頸部技術実習
　　(ア)　ヘアカッティング、シャンプー技術、頭部処置技術、ヘアアイロン技術、パーマネントウェービング、ヘアカラーリングなどの基本的な頭部技術を確実に身に付けさせること。
　　(イ)　シェービング、その他の顔面処理技術など基本的な顔部及び頸部技術を確実に身に付けさせること。
　　(ウ)　この際、使用する器具は毎回必ず消毒することを身に付けさせること。
　エ　特殊技術実習
　　エステティック技術、ネイル技術など理容の特殊技術を身に付けさせること。
　オ　総合実習
　　頭部、顔部及び頸部技術、特殊技術を適当に組み合わせて調和のとれた理容技術を完成させるため、総合的な技術を身に付けさせること。
(3) 学習指導上の留意事項
　ア　生徒の技術習熟の状況を常に把握するため、生徒ごとに実習記録と評価記録を作成すること。
　イ　実習の効果を生徒の間で評価させて、技能の向上のための刺激を与え、学習効果を高めるように努めること。
　ウ　いたずらに新しい技術を追求することなく、基本的な技術を確実に習得させるように指導すること。
　エ　常に理容技術理論の学習状況に配意しつつ、理論と実習との相互の連携を図って、理容師としての専門技術を効果的に習得させるように努めること。
　オ　人体で行う理容実習の開始時期は、理容技術理論等必修課目である教科課目の学習状況及び生徒の習熟状況を十分に確認し、実施しなければならないこと。
　カ　実習は理容師養成施設内で実施することを原則とするが、生徒の技術習熟状況に応じ、当該養成施設が作成した実施計画に基づく教育課程の一環として、管理理容師を配置する理容所において、当該理容所に従事する理容師の適切な指導監督の下、理容行為及びその附随する作業（以下「実務実習」という。）を行うこ

とが望ましいこと。
キ 理容師養成施設は、実務実習を適正かつ効果的に実施するため、あらかじめ実施計画と評価方法を作成しなければならないこと。
ク 実施計画の作成に当たっては、生徒が基本的な理容技術に習熟し、状況に応じて応用できる基礎的能力を身に付けさせることを目標に、段階的に技術の習得ができるように配慮すること。
ケ 実務実習の開始時期は、入所後おおむね6か月を経過してからとすること。
コ 実務実習を行う場合は、年間60時間（通信課程の生徒のうち理容所に常勤で従事している者である生徒に対しては20時間）を超えないこと。
なお、1日当たりの時間数については、実務実習の実施計画、他の授業計画との調整及び受け入れ理容所の営業状況等を勘案して、適切な時間数とすること。
サ 実務実習を行う場合、理容師養成施設は、次の要件に適合する理容所に生徒の受け入れを依頼しなければならないこと。
　(ｱ) 管理理容師の資格を有し、かつ、適切な指導監督のできる理容師がいること。
　(ｲ) 当該理容所で受け入れる生徒数に応じた設備を有すること。
　(ｳ) 当該理容所の経営方法が適切かつ確実なものであること。
シ 実務実習の指導は、理容師養成施設が作成した実施計画に基づいて、当該理容所において十分な実務経験を有し、適切に指導監督できる理容師が行うこと。
ス 実務実習を受ける生徒は、理容師の資格を取得しておらず、独立して業務を行うことができないことから、指導にあたる理容師の十分な監督の下で実習を行わせなければならないこと。
セ 1人の理容師が同時に指導できる生徒の数は2人以下とすること。
ソ 実務実習を受ける生徒は、実務実習生であること及び氏名を記載した標識を着用しなければならないこと。
タ 指導にあたった理容師は、生徒ごとに作成した実務記録を理容師養成施設に提出し、これに基づいて当該養成施設が実務実習の評価を行うこと。

第2 選択課目
1 一般教養課目群
(1) 実施方針
一般教養課目は、理容業に必要な実践的な能力を高める内容に重点を置きつつ、社会生活における基本的規範やコミュニケーション技術などを学ぶことによって、社会人としての心構えを養い、さらに、専門的技術者としての自覚を促すとともに、芸術、文化など幅広い教養を身に付けることによって、人間性豊かな人格の形成を目指すものであること。
(2) 課目の例
ア 日本語
　(ｱ) コミュニケーションの基本技術としての日本語の重要性を認識させ、読み、

書き、話す表現力及び聞く力を身に付けさせること。
- (イ) 優れた文学作品を鑑賞させ、日本語の表現の多様性や美しさを感得させる。
- (ウ) 日本文学の歴史の概要を知らせ、その特色について学ばせること。

イ 外国語
- (ア) 英語などの外国語について、基礎的会話能力を身に付けさせること。
- (イ) 語学の学習を通じて外国の文化、生活習慣などに関する理解を深めること。

ウ 保健体育
- (ア) 各種の運動の合理的な実践を通して、運動機能を高め、健やかな心身の形成、協調性のかん養を図ること。
- (イ) 適度な運動や適切な休息が心身の健康増進のために重要であることを理解させ、生涯を通じて継続的に運動ができる能力と態度を育てること。

エ 情報技術
- (ア) 情報技術の基礎理論と応用技術を学ばせること。
- (イ) コンピュータなどの情報機器の操作方法、情報処理の基礎技術を身に付けさせること。
- (ウ) 情報機器を活用して、日常業務の効率化、合理化を図る能力を身に付けさせること。

オ 社会福祉
- (ア) 社会福祉の意義と目的とを学ばせるとともに、福祉施設や地域におけるボランティア活動などを通じてその重要性を認識させること。
- (イ) 理容師の職能を活かしてどのような社会福祉活動ができるかを学ばせること。
- (ウ) 我が国の社会保障制度のあらましについて知らせ、年金、医療保険などの重要性を学ばせること。

カ 芸術
- (ア) 優れた芸術作品に親しみ、鑑賞する能力を身に付けさせるとともに、生涯にわたって芸術を愛好する心情を育て、豊かな情操を養うこと。
- (イ) 我が国及び世界の芸術の歴史を通じて芸術が個人や社会に及ぼす影響について学ばせるとともに、現代芸術の主な潮流について知らせること。

キ 日本文化
- (ア) 我が国の伝統文化の歴史と特色を学ばせ、これを保存し、伝承することの重要性を理解させること。
- (イ) 茶道、華道などの代表的な我が国の伝統文化に親しませ、伝統文化が日常生活の根底に息づいていることを認識させること。

(3) 学習指導上の留意事項
- ア 上記(2)に示す課目は、一般教養課目の例であって、理容師養成施設においては、一般教養課目の実施方針にのっとり、これ以外の課目を独自に設定することができること。
- イ 一方的な講義に終始することなく、課外実習や視聴覚教材などを用いた授業を

行うことによって、学習意欲を高める工夫が必要であること。
ウ　知識の習得よりも生徒の自由な発想を重視し、豊かな感性の発達を促すことに主眼をおいて指導すること。
2　専門教育課目群
(1)　実施方針
ア　専門教育課目は、必修課目において習得した基礎的な専門知識や技術を基に、さらに高度な専門知識や技術を身に付けさせるものであること。
イ　科学的基礎に裏付けられた高度な理容技術を確実に実施する能力を身に付けるばかりでなく、これらを応用して新たな技術を開発するための総合的能力を習得させること。
(2)　課目の例
ア　エステティック技術
　(ア)　エステティック技術についての基本的事項は理容技術理論で学ぶこととし、エステティック技術についての歴史、現状のほか、より高度なエステティック技術について目的、種類、特徴、技術上の注意について学ばせること。
　(イ)　理容実習で行うこととしている基礎的なエステティック技術に対し、より高度なエステティック技術について、使用される主な薬剤や機器の使用方法や使用上の注意を身に付けさせる。
イ　理容カウンセリング
理容サービスの一環として行うカウンセリングの意義、目的、内容、実施上の留意点などについて、実地に即して学ばせ、理容師の業務を全うするためには、正確な技術を提供するとともに、顧客の要望に応じた適切なカウンセリングの実施が重要であることを認識させること。
ウ　食品保健・栄養理論
　(ア)　食品保健・栄養の基本的概念を理解させ、食品保健の意義、食生活と健康との関係、バランスのとれた食事の重要性について認識させること。
　(イ)　特に、食生活と全身状態や皮膚、毛髪の健康との関連について正しく学ばせること。
エ　理容モード理論
必修課目において学習した造形、色彩、服飾などに関する基礎的知識を基に、顧客の個性、服装、その他の環境に応じてヘアスタイルを設計し、流行を創り出す能力を身に付けさせること。
オ　理容総合技術
　(ア)　必修課目において習得した基本的技術を基に、さらに発展させた高度な技術を身に付けさせるとともに、理容デザインの最新の国際的動向について学ばせること。
　(イ)　常に新しい技術の吸収を怠らず、また、自らも新しい技術の開発に努める姿勢を習慣付けさせ、専門技術者としての心構えを身に付けさせること。
(3)　学習指導上の留意事項

ア 上記(2)に示す課目は、専門教育課目の例であって、理容師養成施設において
は、専門教育課目の実施方針にのっとり、これ以外の課目を独自に設定すること
ができること。
イ 生徒の学習段階に応じて、高度な技術の習得に努め、可能であれば、最先端の
技術に触れる機会を与えることが望ましいこと。
ウ 生徒が進んで新しい技術を身に付け、また、常に自ら新しい技術を開発・工夫
する姿勢を習慣付けることによって、理容業務においては、不断の改善と精進が
重要であることを認識させること。
エ 実習や生徒間の討論などを多用し、生徒が主体的に学習できるように努めなけ
ればならないこと。
オ 校外実習を実施する理容師養成施設は、第1の8の(3)に定める実務実習を実施
する上での留意事項に準じて、適正に実施しなければならないこと。
　　この場合において、教科課目の区分ごとに理容師養成施設が定める単位数又は
授業時間数の5分の1を超えない範囲で行うものとすること。

○美容師養成施設の教科課程の基準の運用について

[平成27年3月31日　健発0331第18号]
[各都道府県知事宛　厚生労働省健康局長通知]

〔改正経過〕
　第1次改正　〔平成29年7月10日生食発0710第10号〕

　地域の自主性及び自立性を高めるための改革の推進を図るための関係法律の整備に関する法律（平成26年法律第51号）が平成26年6月4日に、地域の自主性及び自立性を高めるための改革の推進を図るための関係法律の整備に関する法律の施行に伴う厚生労働省関係政令等の整備等に関する政令（平成27年政令第128号）及び地域の自主性及び自立性を高めるための改革の推進を図るための関係法律の整備に関する法律の施行に伴う厚生労働省関係省令の整備に関する省令（平成27年厚生労働省令第55号）が平成27年3月31日に公布され、一部を除いて平成27年4月1日から施行されることとなった。
　これに伴い、美容師法（昭和32年法律第163号）及び美容師養成施設指定規則（平成10年厚生省令第8号）の一部が改正され、美容師養成施設の指導等に係る事務については、都道府県知事が行うこととなった。
　ついては、標記に関する美容師養成施設への指導等に当たっては、別紙により取り扱われたい。

第2編　理容師・美容師

【別　紙】
　　美容師養成施設の教科課程の基準の運用
1　教科課程の編成
 (1)　必修課目
　ア　必修の教科課目のうち、必修課目は、関係法規・制度、衛生管理、保健、香粧品化学、文化論、美容技術理論、運営管理及び美容実習の8課目となっていること。
　イ　美容師養成施設においては、必修課目について、美容師養成施設指定規則（平成10年厚生省令第8号。以下「指定規則」という。）別表第1、第1の2及び美容師養成施設の教科課程の基準（平成20年厚生労働省告示第50号。以下「教科課程の基準」という。）に基づき、それぞれの教科課目ごとに適切に行うこと。ただし、通信課程を設ける美容師養成施設においては、美容師養成施設の通信課程における授業方法等の基準（平成20年厚生労働省告示第47号。以下「通信課程における授業方法等の基準」という。）及び美容師養成施設の通信課程における授業方法等の基準の運用について（平成27年3月31日健発0331第16号厚生労働省健康局長通知。以下「通信課程における授業方法等の基準の運用」という。）に従い、適切に行うこと。
　ウ　授業の1単位時間は50分を標準とし、教科課目の特質等に応じて、授業の実施形態を工夫することができること。ただし、美容実習の授業時間については、原則として、1回当たり2単位時間を配当するものとすること。
　エ　非常災害などによって、所定の時間の授業を実施できなかった場合においても、必修課目については、その所定授業時間を下ることのないよう補習授業の実施などの措置をとるものとすること。
 (2)　選択課目
　ア　美容師養成施設においては、必修の教科課目として、必修課目以外に適当な選択課目を設定すること。
　イ　選択課目の内容は、日本語、芸術、エステティック技術、美容カウンセリングなど、幅広い教養を身に付けることによって、人間性豊かな人格の形成を目指すとともに、保健衛生に携わる専門的技術者としての自覚をかん養するものでなければならないこと。
　ウ　選択課目については、「(別添) 美容師養成施設における教科課目の内容の基準」第2に示す一般教養課目群及び専門教育課目群の実施方針にのっとり、課目の例を参考に、一般教養と専門教育のバランスに配意しつつ、各美容師養成施設において独自に設定すること。
　エ　選択課目、校外実習などの実施に当たっては、生徒の負担加重とならないように、時間数、実施時期、実施回数及び実施方法を考慮しなければならないこと。この場合、これらの実施によって、必修課目の単位数又は授業時間数が所定の単位数又は授業時間数を下回ることのないように留意すること。
　オ　美容師養成施設においては、選択課目の各教科課目について、「指定規則」別表第1、第1の2及び「教科課程の基準」に基づき、その内容等に応じて適切に行う

こと。
　　ただし、通信課程を設ける美容師養成施設においては、「通信課程における授業方法等の基準」及び「通信課程における授業方法等の基準の運用」に従い、適切に行うこと。
　カ　授業の１単位時間は50分を標準とし、教科課目の特質等に応じて、授業の実施形態を工夫することができること。ただし、実習を伴う教科課目の授業時間については、原則として、１回当たり２単位時間を配当するものとすること。
２　教科課目の内容
　教科課目の内容は、別添「美容師養成施設における教科課程の内容の基準」によるものとすること。なお、同基準に示す必修課目の各項目の内容及び選択課目の課目の例に掲げる事項は、指導の一例であって、美容師養成施設においては、各項目のまとめ方や順序などを工夫し、学習効果を高めるように努めなければならないこと。
３　学習指導上の留意事項
(1)　美容師養成施設においては、必修課目、選択課目、校外実習などについて、相互の連携を図り、全体として調和がとれ、発展的、系統的に指導できるように努めなければならないこと。このため、美容師養成施設においては、必ず、学期又は月ごとに総合的教育計画を作成し、具体的な指導の目標を明確にするとともに、実際に指導する事項を選定配列しなければならないこと。
(2)　各教科課目の教授に当たっては、特に美容の業務の実際と直接関係の深い事項を中心に、その関連性を強調した内容とするとともに実験や実習などを行うことによって、それらの事項を十分に理解させるように努めなければならないこと。
(3)　指導に当たっては、常にその教育目的の達成に心がけ、特に次の事項に留意すること。
　ア　生徒の経験、能力や生活環境を十分に理解しておくこと。
　イ　美容業務の実情や科学技術の進歩に対応して常に教育方法、事項の見直しに努めること。
　ウ　学習の目標を生徒に十分理解させること。
　エ　生徒の興味や関心を重んじ、自主的自発的な学習をするように導くこと。
　オ　集団活動を通じて生徒の社会性と協同性をかん養するとともに、生徒の個人差に留意して指導し、それぞれの生徒の個性や力をできるだけ伸ばすようにすること。
　カ　教科書その他の教材、教具などについて常に研究し、その活用に努めること。
　キ　専門的職業教育の本旨にのっとり、将来、美容業に従事する者として必要な心構えを養わせること。
　ク　定期試験などによって指導の成果を絶えず評価し、指導の改善に努めること。
(4)　この基準において、次の各項目に掲げる用語の定義は、それぞれ当該各項目に定めるところによること。
　ア　「知らせる」及び「述べる」　ある事柄を話す、見せる、読ませるなど適当な方法によって説明することをいうこと。
　イ　「理解させる」　ある事柄についてよく知らせた上、生徒の全員が納得できるま

で質問を受けたり、復習させたり、設問して考えさせたりすることをいうこと。
　　ウ　「身に付けさせる」　主として技術に関する事柄について理解させる場合について用い、知らせたことを実習させたり、見学させたり、体得させることをいうこと。
　　エ　「学ばせる」　ある事柄について、知らせたり理解させるばかりでなく、その事柄についての興味や関心を誘発したり、進んで研究調査するようにしむけたり、共同学習をさせたり、問題を与えてレポートを提出させるなど、いろいろな方法を講じて、学習の効果を十分に高めることをいうこと。
４　卒業の認定
　(1)　美容師養成施設においては、卒業までに履修すべき教科課目及びその単位数又は授業時間数並びに数値化した成績考査等に関する事項を内容とする卒業認定の基準を定めるものとすること。このうち、各教科課目ごとの単位数又は授業時間数等については、「指定規則」別表第１、第１の２及び「教科課程の基準」に定める単位数又は授業時間数を基準（通信課程にあっては「通信課程における授業方法等の基準」に定める添削指導の回数及び面接授業の単位数又は授業時間数を基準）に設定すること。
　(2)　美容師養成施設においては、生徒が当該養成施設の定める教育計画に従って所定の教科課目及び所定の単位数又は授業時間数を履修し、かつ、卒業認定の基準を満たし、その成果が教科課目の教育目標からみて満足できると認められる場合には、卒業を認定しなければならないこと。
　(3)　美容師養成施設においては、生徒の出席状況を確実に把握し、教科課目ごとに欠席があった場合（例えば、教科課目の３分の１（実習を伴う教科課目にあっては５分の１）以内）であっても、十分な補習等を行った上で、卒業を認めなければならないこと。なお、出席状況が不良な者（例えば、欠席が出席すべき教科課目の３分の１（実習を伴う教科課目にあっては５分の１）を超える者）については卒業を認めてはならないこと。
【別添】
　　　　美容師養成施設における教科課目の内容の基準
第１　必修課目
　１　関係法規・制度
　　(1)　実施方針
　　　ア　美容師の業務に関係する衛生法規・制度及び消費者保護法規・制度について、正しい知識を習得しておかなければならない必要性を理解させ、あわせて、公衆衛生を担う美容師の社会的責務、職業倫理について、自覚を促すこと。
　　　イ　美容の業務に関する規定内容を正確に理解させるとともに、衛生法規が、美容業を行う場合の指針として有する意義を把握させること。
　　(2)　各項目の内容
　　　ア　衛生行政
　　　　(ｱ)　社会生活のなかでの法律、政治、行政の役割、機能など衛生法規を学ぶために必要な基礎的事項について理解させること。

(イ)　我が国の行政の仕組み、国の行政と地方の行政との関係などについて理解させること。
　(ウ)　衛生行政とはどのような行政か、衛生行政の目標、衛生行政の種類など衛生行政の意義について知らせること。
　(エ)　衛生行政を行う行政機関について述べ、特に美容業と関係の深い保健所について、その任務や活動及び組織を理解させること。
イ　美容師法
　(ア)　美容師法がどのような沿革を経て現在の姿になったかを知らせ、これらの法律の目的と意義について理解させること。
　(イ)　美容に関する用語が法律でどのように定義されているかを理解させること。
　(ウ)　美容師について、その意義、免許制度、免許手続、免許の欠格要件、免許の登録などを理解させること。
　(エ)　美容師試験について、その意義、試験の内容及び受験の手続を理解させること。
　(オ)　美容師養成施設について、その課程、教科課目などを知らせること。
　(カ)　美容師の業務上の遵守事項、業務を行う場所などに関する法律の規定について理解させる。特に、美容師の講じるべき衛生措置について、その意義と内容を十分に理解させることにより、公衆衛生における美容師の職責を自覚させること。
　(キ)　美容所の開設などの届出、施設の検査確認、美容所について講じなければならない衛生措置など美容所に関する規制の内容を十分に理解させること。
　(ク)　美容師の免許取消、業務停止及び再免許を与えることについて、その内容を理解させること。
　(ケ)　管理美容師の業務について、その内容を理解させること。
　(コ)　美容所の閉鎖命令について、その内容を理解させること。
　(サ)　美容師法の罰則について、その内容を理解させること。
ウ　その他の関係法規
　(ア)　美容業を行う上で密接な関係がある生活衛生関係営業の適正化及び振興に関する法律及び消費者保護関連法規について、その意義と内容とを十分に理解させること。
　(イ)　美容師法以外の美容に関係のある法律（地域保健法、感染症の予防及び感染症の患者に対する医療に関する法律、労働基準法、株式会社日本政策金融公庫法及び廃棄物の処理及び清掃に関する法律等）についてその目的とあらましを知らせること。
　(ウ)　美容師法と理容師法の法令上の違いについて知らせること。
(3)　学習指導上の留意事項
ア　最寄りの保健所の活動の実例を示し、保健所がどのような活動をするところか、美容の業務とどのように関連するかを理解させること。
イ　美容所の衛生措置などについて、生徒の間で自由討論を行なわせ、討論を通じ

て衛生措置の意義と内容とを理解させるとともに、美容師の職責と倫理規範を学ばせること。
　　ウ　美容所を見学させ、実際の美容の業務内容、業務上注意すべき事項などを理解させること。
　2　衛生管理
　　(1)　実施方針
　　　ア　公衆衛生の意義と本質とを明らかにすることによって、美容師が公衆衛生の維持と増進とについて重大な責務を担わなければならない理由は何かを十分に理解させることが必要であること。特に、環境衛生の意義と目的について、美容師の業務と関連付けながら具体的に理解させること。
　　　イ　美容師の業務内容と感染症予防、環境衛生の保持との具体的な関連付けを重視して、美容における衛生措置の重要性について理解させること。特に、美容器具などの消毒法は、美容業務の衛生性を担保する上で最も重要な技術であるので、その意義と原理について十分に理解させるとともに、その適正な実施方法を身に付けさせることが肝要であること。
　　(2)　各項目の内容
　　　ア　公衆衛生概説
　　　　(ア)　公衆衛生の意義について理解させるとともに、公衆衛生が日常生活あるいは美容業とどのように結びつくか、公衆衛生の発展向上のために美容師として何をなすべきかを理解させること。
　　　　(イ)　公衆衛生の発展の歴史を概観し、公衆衛生の思想がどのように発展してきたかを知らせること。
　　　　(ウ)　公衆衛生は、対人的な予防医学と対物的な環境衛生とに大別されることを知らせ、さらに環境衛生が健康で文化的な生活の基盤をなすものであることを理解させること。
　　　　(エ)　保健所の機能、組織、業務などについて知らせ、保健所が地域の保健衛生行政において、中核的存在であること及び美容業と保健所とは密接な関係があることを理解させること。
　　　イ　感染症
　　　　(ア)　美容の業務を行う上で、どのような感染症に注意すべきかを具体的に示すとともに、その予防対策について系統的に理解させること。
　　　　(イ)　美容所における衛生措置、特に消毒の意義について、感染症対策と関連付けて理解させること。
　　　ウ　環境衛生
　　　　(ア)　環境衛生の意義と内容を理解させるとともに、美容所において特に注意しなければならない点について理解させること。
　　　　(イ)　美容所における環境衛生、特に採光、照明、換気、床などの構造設備、衣服の衛生について理解させること。

(ｳ) 美容所における廃棄物処理、環境保全対策について理解させること。
　エ　衛生管理技術
　　(ｱ) 美容所における衛生管理、特に消毒の意義と目的について理解させること。
　　(ｲ) 消毒方法の種類、原理、特徴について具体的に説明すること。
　　(ｳ) 美容器具などの対象物の材質、構造などに応じた適切な消毒方法の選択と適正な実施方法について学ばせること。
　　(ｴ) 美容所において用いられている代表的な消毒方法について、正しい操作方法及び注意事項を確実に身に付けさせること。
(3) 学習指導上の留意事項
　ア　衛生管理は美容業務の基本であるので、単に学説、理論の羅列的説明にとどまらず美容との関連に配意しつつ、その重要性を認識させ、具体的かつ実践的な知識・技術の習得に努めさせること。
　イ　必要に応じて、各種の統計資料、映像などの視聴覚教材を用いたり、実験を行ったり、保健所、美容所への見学などを行ったりして学習効果を高めること。
3　保健
(1) 実施方針
　ア　美容技術の基礎となる人体について、特に皮膚及び毛髪などの皮膚付属器官の構造と機能に関する科学的、系統的な知識の習得を目的とすること。
　イ　美容の業務を安全かつ効果的に行うためには、皮膚、毛髪などに関する正確な科学的知識が不可欠であることを理解させること。
(2) 各項目の内容
　ア　人体の構造及び機能
　　(ｱ) 人体各部の名称並びに頭部、顔部及び頸部の解剖学的特徴について理解させること。
　　(ｲ) 美容の施術の際に使う骨格及び筋について種類、構造及び機能について理解させること。
　　(ｳ) 人体（頭部、顔部及び頸部に限る）の骨格、筋の種類、構造、機能について理解させること。
　　(ｴ) 人体（頭部、顔部及び頸部に限る）の神経機能の仕組みについて理解させること。
　イ　皮膚及び皮膚付属器官の構造及び機能
　　(ｱ) 皮膚、皮膚付属器官（毛髪、爪、脂せん、汗せんなど）の構造について理解させること。
　　(ｲ) 皮膚の生理的作用について理解させるとともに、これらの作用と美容との関係について学ばせること。
　　(ｳ) 毛髪、爪の生理的意義と特性について、美容技術との関連に配意しつつ理解させること。
　ウ　皮膚及び皮膚付属器官の保健衛生

(ｱ) 皮膚、皮膚付属器官の状態に影響を与える因子にはどのようなものがあるか知らせること。
(ｲ) 皮膚、皮膚付属器官を健康に保つための方法について述べ、美容の施術を安全かつ効果的に行うために注意すべき事項について学ばせること。特に、毛髪の保健衛生については、美容技術の基礎であることから、重点をおいて学ばせること。

エ　皮膚及び皮膚付属器官の疾患
(ｱ) 主な皮膚、皮膚付属器官の疾患の種類、原因、症状について、美容の施術と関連付けながら理解させること。
(ｲ) 美容で使用する香粧品等によるかぶれ・アレルギーについて、その発生機序と予防法との概略を述べ、美容の業務において注意すべき点は何かを学ばせること。

(3) 学習指導上の留意事項
ア　必要に応じて、各種の模型、標本、映像などの視聴覚教材を用いたり、実験や観察を行って学習効果を高めること。
イ　本課目は、安全で効果的な美容技術を提供するための基礎となるものであるから、特に、皮膚、毛髪などに関する講義に当たっては、常に美容業務との関連に配意しつつ、具体的事例を挙げることによって生徒の理解を高めるようにすること。
ウ　皮膚、毛髪の保健衛生については、衛生管理と関連させながら体系的な知識の習得に努めさせること。

4　香粧品化学
(1) 実施方針
ア　香粧品は、美容技術を行う上で欠くことのできないものである反面、その使用方法を誤れば重大な健康被害を起こすおそれがあるものであることから、その化学的な性質を理解させるとともに、これを正しく使用するためには正確な知識と適正な技術とを身に付けることが重要であることを認識させること。
イ　美容の業務を安全かつ効果的に行うためには、香粧品の正確な科学的知識と合理的な取扱方法を習熟させ、あわせて、香粧品による危害を防止するための使用上の注意を学ばせること。

(2) 各項目の内容
ア　香粧品の化学
(ｱ) 物質の相変化、溶液、酸アルカリ、酸化還元反応など化学の基本原理について、美容技術の実例に即して理解させること。
(ｲ) 化学薬品の取扱い、溶液の調製法など化学の基本操作を身に付けさせること。
(ｳ) 石けん、洗剤、化粧水、ヘアシャンプー、ヘアリンス、整髪料、養毛剤、染毛剤、パーマ液など美容において使用される主な香粧品の種類、使用目的、成

分、作用原理、使用上の注意について理解させること。
- (3) 学習指導上の留意事項
  - ア 必要に応じて、各種の模型、映像などの視聴覚教材を用いたり、実験や観察を行って学習効果を高めること。
  - イ 特に、実験や観察は香粧品化学の基本を理解する上で不可欠の学習方法であるから、これらの授業に当たっては、講義に片寄らず、できるだけ多くの実験や観察の機会を設け、科学的思考方法を身に付けさせることが望ましいこと。
  - ウ 理論や法則を羅列する講義に終始することを避け、常に美容の業務との関連性を念頭におきつつ、香粧品化学に関する正確な知識と理解とが美容師の業務を全うするために重要であることを生徒に認識させることが必要であること。

5 文化論
- (1) 実施方針
  - ア 美容業の使命の一つが、より優れた人間美の創造、実現にあることをよく認識させ、この使命の達成のために必要な美的感覚を身に付け、これを洗練し、芸術的な表現力と鑑賞力とを養うこと。
  - イ 美容の業務を全うするためには、確かな技術力を身に付けるとともに、豊かな感性に裏打ちされた優れた表現力を養うことが必要であることを自覚させること。
- (2) 各項目の内容
  - ア 美容文化史
    - (ア) 美容文化の歴史及び沿革について知らせること。
    - (イ) 我が国における美容ファッションの変遷について知らせること。
    - (ウ) 海外における美容ファッションの変遷について知らせること。
    - (エ) 流行を追う心理、流行が社会に及ぼす影響、流行が美容業において占める意義と役割について知らせること。
  - イ 服飾
    - (ア) 服飾の原理、美容における服飾の意義などについて理解させること。
    - (イ) 服飾の歴史のあらまし、衣服の種類、衣服に関するエチケットなどについて学ばせること。
- (3) 学習指導上の留意事項
  一方的な講義に片寄ることなく、教科内容に即した適当な課題を与えて、生徒同士に討論させ、あるいは、レポートを作成させ、さらには、適当な教材を用いてこれについて感じたことを発表させるなど生徒の自主的な判断力の向上を図るような学習方法を用いるように努めること。

6 美容技術理論
- (1) 実施方針
  - ア 美容技術についての知識を衛生的、能率的に実践する態度と習慣とを養い、工夫と創造の能力とを身に付けさせること。

イ 美容の業務を安全かつ効果的に行うため、美容器具の正確な科学的知識と合理的思考に裏付けされた正しい取扱いの方法と美容の基礎的技術とを作業の実際に即して指導し習熟させること。あわせて、美容器具による危害を防止するための使用上の注意を学ばせること。

ウ 優れた美容技術は、経験によってだけ得られるものではなく、科学的合理的な方法によって把握されなければならないことを強調すること。

(2) 各項目の内容

ア 美容で使用する器具

(ア) 美容で使用する主な機械器具について物理の基本事項を学ばせるとともに、人間の手と器具の働き、美容器具の種類と特徴などについて理解させること。

(イ) コーム、ヘアブラシ、はさみ、レザー及びヘアアイロンについて、その種類、各部の名称、使用目的、形態と機能、選定方法、基本的操作方法、手入れ方法などを学ばせること。また、刃物、はさみの材料として使用される金属の物性などについて学ばせること。

(ウ) ヘアドライヤー、ヘアスチーマー、ブラシ、被布及び布片類について、その種類、使用目的、形態と機能、手入れ方法などを知らせること。

(エ) 美容に用いられるその他の電気器具類、備品類、容器類などについて、その種類、各部の名称、使用目的、形態と機能、選定方法、基本的操作方法、使用上の注意、保守管理の方法などを学ばせること。

イ 基礎技術

(ア) 美容技術の意義を学ばせ、技術を行う場合の心得を知らせること。

(イ) 美容技術に必要な人体各部の名称を知らせること。

(ウ) 美容技術を行う場合の技術者の位置と姿勢、身体の機能その他美容技術を行う場合に考慮しなければならない基礎知識を知らせること。

ウ 頭部、顔部及び頸部技術

(ア) スキャルプトリートメント、ヘアトリートメント、ヘアシャンプー・ヘアリンス技術、ヘアカッティング、パーマネントウェービング、ヘアセッティング、ヘアカラーリングなどの基本的な頭部技術の目的、種類、特徴、技術上の注意などについて学ばせること。

(イ) メイクアップ、まつ毛エクステンション、その他基本的な顔部及び頸部技術の目的、種類、特徴、技術上の注意点などについて学ばせること。

エ 特殊技術

エステティック技術、ネイル技術などの美容の特殊技術の目的、種類、特徴、技術上の注意点などについて学ばせること。

オ 和装技術

(ア) 日本髪の基礎知識、技術の実際について学ばせる。

(イ) かつらの種類、あわせ方、かぶせ方について学ばせる。

(ウ) 和装に関する一般知識、着付け技術について学ばせる。

カ 美容デザイン
　(ｱ) 美容におけるヘアデザインの造形の意義とその応用などについて学ばせること。
　(ｲ) 色彩の原理と美容における応用などについて学ばせること。
(3) 学習指導上の留意事項
　ア 美容所の作業の実態を見学させたり、実務に携わる美容師の講話を聞かせたりするなどして、美容技術に関する具体的な知識を習得させるように努めること。
　イ 必要に応じて、実物を示したり、各種の模型、見本、映像などの視聴覚教材を用いて学習効果を高めること。
　ウ 本課目は、美容実習とあいまって、美容師として必要な技術を身に付けさせるための基礎となる課目であるから、常に美容実習の履修状況に配意しつつ、学習効果の向上に努めなければならないこと。

7 運営管理
(1) 実施方針
　ア 経営管理及び労務管理の基本的事項を学習することによって、美容業における運営管理手法の重要性を認識させ、美容所の運営に役立たせること。
　イ 美容業において、適切な接客態度がいかに重要であるかを自覚させるとともに、消費者対応の基本を学ばせ、実践する能力を身に付けさせること。
(2) 各項目の内容
　ア 経営管理
　　(ｱ) 経営戦略及び経営管理の基本的理論について、美容業における実例を交えて理解させること。
　　(ｲ) 美容所の運営に必要な経理事務に関する基本的事項を学ばせること。
　イ 労務管理
　　(ｱ) 労務管理の基本的理論について、美容業における実例を交えて理解させること。
　　(ｲ) 従業者に社会保険、雇用保険の仕組みについて学ばせること。
　ウ 接客
　　(ｱ) 社会人としての一般常識を理解させ、美容業における接客の意義と技術について具体的事例を挙げながら学び、習得させること。
　　(ｲ) 苦情処理など消費者対応の基本的事項について、美容業における実例を交えて学ばせること。
(3) 学習指導上の留意事項
　ア 美容所の運営の実態を見学させ、美容の運営管理について、具体的な知識を習得させること。
　イ 経営管理を単に理論として理解するだけにとどまらず、美容所の経営に実地に活用する能力を高めること。
8 美容実習

第2編　理容師・美容師

(1) 実施方針
 ア　美容の業務を安全かつ効果的に実施する技術を習得するため、基本的操作を確実に身に付けさせるとともに、これらの基本的操作を適宜組み合わせて完成させる技術を習得させること。
 イ　美容所における衛生管理の重要性を認識させ、器具の消毒などの適切な実施方法を身に付けさせること。
 ウ　個々の客の要望に応じた美容技術を確実に提供できるよう総合的な技術の基礎を身に付けさせること。

(2) 各項目の内容
 ア　器具の取扱実習
  (ｱ)　美容器具の操作方法、消毒方法、手入れ方法を確実に身に付けさせること。
  (ｲ)　用途に適した美容器具の選択方法について、理解させ、実践する能力を身に付けさせること。
 イ　基礎技術実習
  (ｱ)　美容技術を行う場合の位置、姿勢など美容技術を行う場合に必要な基本動作を身に付けさせること。
  (ｲ)　施設の清掃、消毒など美容所の衛生管理のために必要な措置を確実に身に付けさせる。特に、器具の消毒については、その重要性を十分に認識させるとともに、適正な方法で実施することを習慣付けさせることが必要であること。
 ウ　頭部、顔面及び頸部技術実習
  (ｱ)　スキャルプトリートメント、ヘアトリートメント、ヘアシャンプー・ヘアリンス技術、ヘアカッティング、パーマネントウェービング、ヘアセッティング、ヘアカラーリングなどの基本的な頭部技術を確実に身に付けさせること。
  (ｲ)　メイクアップ、まつ毛エクステンションなど、その他基本的な顔面及び頸部技術を確実に身に付けさせること。
  (ｳ)　この際、使用する器具は毎回必ず消毒することを身に付けさせること。
 エ　特殊技術実習
  エステティック技術、ネイル技術など美容の特殊技術を身に付けさせること。
 オ　和装技術実習
  日本髪の結髪技術、かつらのあわせ方、かぶせ方、着付け技術を身に付けさせること。
 カ　総合実習
  頭部、顔面及び頸部技術、特殊技術を適当に組み合わせて調和のとれた美容技術を完成させるため、総合的な技術を身に付けさせること。

(3) 学習指導上の留意事項
 ア　生徒の技術習熟の状況を常に把握するため、生徒ごとに実習記録と評価記録を作成すること。
 イ　実習の効果を生徒の間で評価させて、技能の向上のための刺激を与え、学習効

果を高めるように努めること。
ウ　いたずらに新しい技術を追求することなく、基本的な技術を確実に習得させるように指導すること。
エ　常に美容技術理論の学習状況に配意しつつ、理論と実習との相互の連携を図って、美容師としての専門技術を効果的に習得させるように努めること。
オ　人体で行う美容実習の開始時期は、美容技術理論等必修課目である教科課目の学習状況及び生徒の習熟状況を十分に確認し、実施しなければならないこと。
カ　実習は美容師養成施設内で実施することを原則とするが、生徒の技術習熟状況に応じ、当該養成施設が作成した実施計画に基づく教育課程の一環として、管理美容師を配置する美容所において、当該美容所に従事する美容師の適切な指導監督の下、美容行為及びその附随する作業（以下「実務実習」という。）を行うことが望ましいこと。
キ　美容師養成施設は、実務実習を適正かつ効果的に実施するため、あらかじめ実施計画と評価方法を作成しなければならないこと。
ク　実施計画の作成に当たっては、生徒が基本的な美容技術に習熟し、状況に応じて応用できる基礎的能力を身に付けさせることを目標に、段階的に技術の習得ができるように配慮すること。
ケ　実務実習の開始時期は、入所後おおむね６か月を経過してからとすること。
コ　実務実習を行う場合は、年間60時間（通信課程の生徒のうち美容所に常勤で従事している者である生徒に対しては20時間）を超えないこと。
　なお、１日当たりの時間数については、実務実習の実施計画、他の授業計画との調整及び受け入れ美容所の営業状況等を勘案して、適切な時間数とすること。
サ　実務実習を行う場合、美容師養成施設は、次の要件に適合する美容所に生徒の受け入れを依頼しなければならないこと。
　㋐　管理美容師の資格を有し、かつ、適切な指導監督のできる美容師がいること。
　㋑　当該美容所で受け入れる生徒数に応じた設備を有すること。
　㋒　当該美容所の経営方法が適切かつ確実なものであること。
シ　実務実習の指導は、美容師養成施設が作成した実施計画に基づいて、当該美容所において十分な実務経験を有し、適切に指導監督できる美容師が行うこと。
ス　実務実習を受ける生徒は、美容師の資格を取得しておらず、独立して業務を行うことができないことから、指導にあたる美容師の十分な監督の下で実習を行わせなければならないこと。
セ　１人の美容師が同時に指導できる生徒の数は２人以下とすること。
ソ　実務実習を受ける生徒は、実務実習生であること及び氏名を記載した標識を着用しなければならないこと。
タ　指導にあたった美容師は、生徒ごとに作成した実務記録を美容師養成施設に提出し、これに基づいて当該養成施設が実務実習の評価を行うこと。

第2 選択課目
1 一般教養課目群
(1) 実施方針

一般教養課目は、美容業に必要な実践的な能力を高める内容に重点を置きつつ、社会生活における基本的規範やコミュニケーション技術などを学ぶことによって、社会人としての心構えを養い、さらに、専門的技術者としての自覚を促すとともに、芸術、文化など幅広い教養を身に付けることによって、人間性豊かな人格の形成を目指すものであること。

(2) 課目の例

ア 日本語
- (ｱ) コミュニケーションの基本技術としての日本語の重要性を認識させ、読み、書き、話す表現力及び聞く力を身に付けさせること。
- (ｲ) 優れた文学作品を鑑賞させ、日本語の表現の多様性や美しさを感得させる。
- (ｳ) 日本文学の歴史の概要を知らせ、その特色について学ばせること。

イ 外国語
- (ｱ) 英語などの外国語について、基礎的会話能力を身に付けさせること。
- (ｲ) 語学の学習を通じて外国の文化、生活習慣などに関する理解を深めること。

ウ 保健体育
- (ｱ) 各種の運動の合理的な実践を通して、運動機能を高め、健やかな心身の形成、協調性のかん養を図ること。
- (ｲ) 適度な運動や適切な休息が心身の健康増進のために重要であることを理解させ、生涯を通じて継続的に運動ができる能力と態度を育てること。

エ 情報技術
- (ｱ) 情報技術の基礎理論と応用技術を学ばせること。
- (ｲ) コンピュータなどの情報機器の操作方法、情報処理の基礎技術を身に付けさせること。
- (ｳ) 情報機器を活用して、日常業務の効率化、合理化を図る能力を身に付けさせること。

オ 社会福祉
- (ｱ) 社会福祉の意義と目的とを学ばせるとともに、福祉施設や地域におけるボランティア活動などを通じてその重要性を認識させること。
- (ｲ) 美容師の職能を活かしてどのような社会福祉活動ができるかを学ばせること。
- (ｳ) 我が国の社会保障制度のあらましについて知らせ、年金、医療保険などの重要性を学ばせること。

カ 芸術
- (ｱ) 優れた芸術作品に親しみ、鑑賞する能力を身に付けさせるとともに、生涯にわたって芸術を愛好する心情を育て、豊かな情操を養うこと。
- (ｲ) 我が国及び世界の芸術の歴史を通じて芸術が個人や社会に及ぼす影響につい

て学ばせるとともに、現代芸術の主な潮流について知らせること。
　　キ　日本文化
　　　(ｱ)　我が国の伝統文化の歴史と特色を学ばせ、これを保存し、伝承することの重要性を理解させること。
　　　(ｲ)　茶道、華道などの代表的な我が国の伝統文化に親しませ、伝統文化が日常生活の根底に息づいていることを認識させること。
　(3)　学習指導上の留意事項
　　ア　上記(2)に示す課目は、一般教養課目の例であって、美容師養成施設においては、一般教養課目の実施方針にのっとり、これ以外の課目を独自に設定することができること。
　　イ　一方的な講義に終始することなく、課外実習や視聴覚教材などを用いた授業を行うことによって、学習意欲を高める工夫が必要であること。
　　ウ　知識の習得よりも生徒の自由な発想を重視し、豊かな感性の発達を促すことに主眼をおいて指導すること。
2　専門教育課目群
　(1)　実施方針
　　ア　専門教育課目は、必修課目において習得した基礎的な専門知識や技術を基に、さらに高度な専門知識や技術を身に付けさせるものであること。
　　イ　科学的基礎に裏付けられた高度な美容技術を確実に実施する能力を身に付けるばかりでなく、これらを応用して新たな技術を開発するための総合的能力を習得させること。
　(2)　課目の例
　　ア　エステティック技術
　　　(ｱ)　エステティック技術についての基本的事項は美容技術理論で学ぶこととし、エステティック技術についての歴史、現状のほか、より高度なエステティック技術について目的、種類、特徴、技術上の注意について学ばせること。
　　　(ｲ)　美容実習で行うこととしている基礎的なエステティック技術に対し、より高度なエステティック技術について、使用される主な薬剤や機器の使用方法や使用上の注意を身に付けさせる。
　　イ　美容カウンセリング
　　　美容サービスの一環として行うカウンセリングの意義、目的、内容、実施上の留意点などについて、実地に即して学ばせ、美容師の業務を全うするためには、正確な技術を提供するとともに、顧客の要望に応じた適切なカウンセリングの実施が重要であることを認識させること。
　　ウ　食品保健・栄養理論
　　　(ｱ)　食品保健・栄養の基本的概念を理解させ、食品保健の意義、食生活と健康との関係、バランスのとれた食事の重要性について認識させること。
　　　(ｲ)　特に、食生活と全身状態や皮膚、毛髪の健康との関連について正しく学ばせること。

エ　メイクアップ
　(ア)　メイクアップについての基本的事項は美容技術理論で学ぶこととし、メイクアップについての歴史、現状のほか、より高度なメイクアップについて目的、種類、特徴、技術上の注意について学ばせること。
　(イ)　美容実習で行うこととしている基礎的なメイクアップに対し、より高度なメイクアップについて、使用される主な薬剤や機器の使用方法や使用上の注意を身に付けさせる。
オ　まつ毛エクステンション
　(ア)　まつ毛エクステンションについての基本的事項は美容技術理論で学ぶこととし、より高度なまつ毛エクステンションについて目的、種類、特徴、技術上の注意について学ばせること。
　(イ)　美容実習で行うこととしている基礎的なまつ毛エクステンションに対し、より高度なまつ毛エクステンションについて、使用される主な薬剤や機器の使用方法や使用上の注意を身に付けさせる。
カ　美容モード理論
　必修課目において学習した造形、色彩、服飾などに関する基礎的知識を基に、顧客の個性、服装、その他の環境に応じてヘアスタイルを設計し、流行を創り出す能力を身に付けさせること。
キ　美容総合技術
　(ア)　必修課目において習得した基本的技術を基に、さらに発展させた高度な技術を身に付けさせるとともに、美容デザインの最新の国際的動向について学ばせること。
　(イ)　常に新しい技術の吸収を怠らず、また、自らも新しい技術の開発に努める姿勢を習慣付けさせ、専門技術者としての心構えを身に付けさせること。
(3)　学習指導上の留意事項
ア　上記(2)に示す課目は、専門教育課目の例であって、美容師養成施設においては、専門教育課目の実施方針にのっとり、これ以外の課目を独自に設定することができること。
イ　生徒の学習段階に応じて、高度な技術の習得に努め、可能であれば、最先端の技術に触れる機会を与えることが望ましいこと。
ウ　生徒が進んで新しい技術を身に付け、また、常に自ら新しい技術を開発・工夫する姿勢を習慣付けることによって、美容業務においては、不断の改善と精進が重要であることを認識させること。
エ　実習や生徒間の討論などを多用し、生徒が主体的に学習できるように努めなければならないこと。
オ　校外実習を実施する美容師養成施設は、第1の8の(3)に定める実務実習を実施する上での留意事項に準じて、適正に実施しなければならないこと。
　この場合において、教科課目の区分ごとに美容師養成施設が定める単位数又は授業時間数の5分の1を超えない範囲で行うものとすること。

○理容師養成施設の指導要領について

〔平成27年3月31日　健発0331第19号〕
〔各都道府県知事宛　厚生労働省健康局長通知〕

〔改正経過〕

　　　第1次改正　〔平成29年7月10日生食発0710第11号〕

　地域の自主性及び自立性を高めるための改革の推進を図るための関係法律の整備に関する法律（平成26年法律第51号）が平成26年6月4日に、地域の自主性及び自立性を高めるための改革の推進を図るための関係法律の整備に関する法律の施行に伴う厚生労働省関係政令等の整備等に関する政令（平成27年政令第128号）及び地域の自主性及び自立性を高めるための改革の推進を図るための関係法律の整備に関する法律の施行に伴う厚生労働省関係省令の整備に関する省令（平成27年厚生労働省令第55号）が平成27年3月31日に公布され、一部を除いて平成27年4月1日から施行されることとなった。
　これに伴い、理容師法（昭和22年法律第234号）及び理容師養成施設指定規則（平成10年厚生省令第5号）の一部が改正され、理容師養成施設の指定及び指導等に係る事務については、都道府県知事が行うこととなったが、これに基づき、別紙のとおり「理容師養成施設の指導要領」を定めたので、貴管下における理容師養成施設の指定及び指導等に関しては、理容師養成施設指定規則のほか、本指導要領に基づき指導方お願いする。

（別　紙）
　　　　　理容師養成施設の指導要領
1　指定の申請に関する事項
　(1)　理容師法（昭和22年法律第234号。以下「法」という。）第3条第3項に規定する指定を受けようとする理容師養成施設の設立者は、次に掲げる事項を記載した指定申請書を、当該養成施設を設立しようとする日の4か月前までに、当該指定に係る養成施設所在地の都道府県知事に提出しなければならないこと。
　　ア　理容師養成施設の名称、所在地及び設立予定年月日
　　イ　設立者の住所及び氏名（法人又は団体にあっては、その名称、主たる事務所の所在地並びに代表者の住所及び氏名）
　　ウ　理容師養成施設の長の氏名
　　エ　養成課程の別
　　オ　教員の氏名及び担当課目並びに専任又は兼任の別
　　カ　生徒の定員及び学級数
　　キ　入所資格
　　ク　入所の時期

第2編　理容師・美容師

　　　ケ　修業期間
　　　コ　教科課程及び教科課目ごとの実習を含む総単位数（単位により行うことが困難な理容師養成施設にあっては総授業時間数。通信課程にあっては、各教科課目ごとの添削指導の回数及び面接授業の総単位数（単位により行うことが困難な理容師養成施設にあっては総授業時間数））
　　　サ　卒業認定の基準
　　　シ　入学料、授業料及び実習費の額
　　　ス　理容実習のモデルとなる者の選定その他理容実習の実施方法
　　　セ　校舎の各室の用途及び面積並びに建物の配置図及び平面図
　　　ソ　設備の状況
　　　タ　設立者の資産状況及び理容師養成施設の経営方法
　　　チ　指定後2年間の財政計画及びこれに伴う収支予算
　(2)　2以上の養成課程を設ける理容師養成施設にあっては、前項オからシまでに掲げる事項は、それぞれの養成課程ごとに記載しなければならないこと。
　(3)　通信課程を併設する理容師養成施設にあっては、上記(1)に規定するもののほか、次に掲げる事項を指定申請書に記載しなければならないこと。
　　　ア　通信養成を行う地域
　　　イ　授業の方法
　　　ウ　課程修了の認定方法
　(4)　指定申請書には、次に掲げる書類を添付しなければならないこと。
　　　ア　設立者の履歴書（法人にあっては、定款、寄附行為等）
　　　イ　理容師養成施設の長の履歴書
　　　ウ　専任教員の履歴書
　　　エ　兼任教員の履歴書
　　　オ　土地建物等の登記事項証明書の写し
　　　カ　建物建築請負契約書及び物品購入契約書の写し
　　　キ　教授用及び実習用の機械器具、標本、模型及び図書の目録
　　　ク　法人の設立認可書の写し
　　　ケ　学則
　(5)　通信課程を併設する理容師養成施設にあっては、指定申請書に通信養成に使用する教材を添付しなければならないこと。
　(6)　理容師養成施設の指定申請書の作成に当たっては、別紙様式1を参照すること。
　(7)　指定を受けようとする理容師養成施設の設立者は、理容師養成施設を設立しようとする日の1年前までに設置計画書を当該指定に係る養成施設所在地の都道府県知事に提出しなければならないこと。
　(8)　理容師養成施設の設置計画書の様式については、指定申請書の様式に準じたものとすること。
2　一般的事項
　(1)　設立者は、国及び地方公共団体が設置者である場合のほか、営利を目的としない法

人であることを原則とすること。
- (2) 設立者たる法人又は団体が解散しようとするとき（設立者が個人の場合にあっては死亡したとき）は、理容師養成施設の長は、あらかじめ（設立者が個人の場合にあっては速やかに）その旨を当該指定養成施設所在地の都道府県知事に文書により届け出ること。
- (3) 理容師養成施設の長は、理容師養成施設指定規則（平成10年厚生省令第5号。以下「指定規則」という。）第4条第1項第1号ホに定めるとおりであるが、「理容師の養成に適当であると認められるもの」とは、個人であって、次の各号に該当する者であること。
  - ア 理容師養成施設の管理の責任者として、その職務を行うのに支障のない者であること。
  - イ 社会的信望があり、理容師の養成に熱意を有する者であること。
  - ウ 経歴、現在における職務上の地位等からみて、理容師の養成を行うのに適当であると認められる者であること。
- (4) 理容師養成施設は、少なくとも次に掲げる事項を明示した学則を定めること。
  - ア 設置目的
  - イ 名称
  - ウ 位置
  - エ 養成課程
  - オ 修業期間
  - カ 生徒定員及び学級数
  - キ 入所時期、学期及び休日
  - ク 教科課程及び教科課目ごとの単位数（単位により行うことが困難な理容師養成施設にあっては、時間数）
  - ケ 入所資格、入所者の選考の方法及び入所手続
  - コ 編入所及び転入所
  - サ 成績考査及び卒業の認定
  - シ 入学料、授業料、実習費等の費用徴収
  - ス 教職員の組織
  - セ 同時授業の実施の有無（併設校に限る。）
- (5) 通信課程を併設する養成施設にあっては、前項に掲げる事項のほか、次の事項を学則に記載すること。
  - ア 通信養成を行う地域
  - イ 添削指導のための組織等
  - ウ 通信授業及び添削指導に係る事務の一部を委託する場合は、受託機関名、委託事務の範囲

3 教員に関する事項
- (1) 教員の数及び専任教員の数は、各養成課程ごとに、指定規則第4条第1項第1号ヘ、第2号ロ、第3号ハに定めるとおりであること。

なお、同時授業を行う場合は、別表第2に掲げる算出方法により、同時授業を行う美容師養成施設の定員数と合算して算出された人数以上であり、かつ、専任教員のうち、1人以上は理容師養成施設の教員であること。
(2)　1教員の1週間当たりの授業時間数は、授業の準備等に要する時間を含めた労働時間が労働基準法（昭和22年法律第49号）第32条の規定等に定める基準を超えない範囲で設定すること。
(3)　専任教員は、一の理容師養成施設に限り専任教員となることができるものであること。
　　　ただし、一の理容師養成施設に昼間課程及び夜間課程がある場合には、上記(2)の範囲内で、それぞれの専任教員を兼ねることができること。
　　　なお、専任教員は、当該養成施設において、生徒に対する適切な教授及び相談指導を継続して確実に実施できる者を充てること。
(4)　通信課程を併設する場合の通信課程の専任教員については、2名を限度として昼間課程又は夜間課程の専任教員がこれを兼ねることができること。
　　　ただし、通信課程の専任教員のうち、昼間課程又は夜間課程の専任教員であって通信課程の専任教員を兼ねている者以外の専任教員は、上記(2)の授業時間数の2分の1を超えない範囲（ただし、上記(2)で設定された授業時間数の2分の1が7時間に満たない場合には7時間以内とし、10時間に満たない場合（理容実習を担当する教員に限る）は、10時間以内とする）で昼間課程又は夜間課程の教員を兼ねることができること。
(5)　通信課程を併設する理容師養成施設が通信授業及び添削指導に係る事務の一部を委託する場合であっても、添削指導を行う者は、当該養成施設の教員であること。
(6)　教員の出勤状況が確実に記録されていること。
(7)　教員の資格は、指定規則第4条第1項第1号トに定めるとおりであるが、「理容師の養成に適当であると認められるもの」とは、次の各号に該当する者であること。
　ア　教員の資格要件に関する法令に違反して刑事処分を受けたことのない者であること。
　イ　禁錮以上の刑に処せられたことのない者であること。
　ウ　理容師の養成に熱意及び能力を有する者であること。
(8)　指定規則別表第3衛生管理、保健、香粧品化学、文化論、運営管理、理容技術理論及び理容実習の項に規定する「実務」とは、理容所において理容師として業務に従事した経験をいうこと。なお、衛生管理、保健、香粧品化学、文化論及び運営管理については、同時授業を実施する場合に限り、美容所において美容師として業務に従事した場合も含むこと。
(9)　指定規則別表第3文化論及び運営管理の項に規定する「1から3までに定める者に準ずると認められる者」には、理容師法施行規則（平成10年厚生省令第4号）による改正前の理容師法施行規則（昭和23年厚生省令第41号）第11条第1項第1号ホの規定に基づく社会の教員であった者が含まれるものであること。
(10)　指定規則別表第3選択課目の項に規定する「それぞれの課目を教授するのに適当と

認められる者」とは、その担当課目に応じ、それぞれ専門的な知識、技能を有する者をいうこと。
4　生徒に関する事項
(1)　学則に定められた生徒の定員を遵守すること。
　　なお、定員とは総定員のことを指し、通信課程における1学年の学生数は昼間課程又は夜間課程のいずれか学生数が多い養成課程の1学年の学生数の同数以下とすること。
(2)　通信課程の定員は、指定規則により昼間課程又は夜間課程の定員のおおむね1.5倍以内としていることから、上記(1)により算出される総定員は昼間又は夜間課程の総定員の1.5倍を超えてはならないこと。
(3)　入所資格の審査は、卒業証書の写し又は卒業証明書を提出させ、確実かつ適正に行うこと。ただし、美容修得者課程履修者及び「理容師養成施設の教科課程の基準」（平成20年厚生労働省告示第45号。以下「教科課程の基準」という。）第1に定める教科課目の免除を受ける者にあっては、次の①又は②の書類を提出させ、その資格を確認することとし、入学時に美容師養成施設に在学中又は入所予定の者にあっては、その旨を証明する書類により確認し、卒業認定までに①又は②の書類の提出により確認すること。
①　美容師免許証の写し
②　美容師養成施設の卒業証書の写し又は卒業証明書（平成10年3月31日までに美容師養成施設に入学した者にあっては、実地修練を行った旨の証明書も提出）
(4)　入所者の選考は、学則に定めるところにより、厳正に行うこと。
(5)　学校教育法（昭和22年法律第26号）第57条に規定する者（理容師法及び美容師法の一部を改正する法律（平成7年法律第109号）附則第5条第2項に規定する者を含む。）の入所を認める理容師養成施設にあっては、「理容師養成施設における中学校卒業者等に対する講習の基準等の運用について」（平成27年3月31日健発0331第13号厚生労働省健康局長通知）に定めるところにより、必要な事項を学則に定め、これに基づき入所試験及び講習を適正に行うこと。
(6)　入所の時期について厳正な措置がとられ、かつ、途中入学が行われていないこと。
(7)　編入所は、法第3条第3項の規定により指定を受けた理容師養成施設（以下「指定養成施設」という。）相互間においてのみ認められるものであること。
(8)　編入所又は一の養成施設の養成課程間の転入所の取扱いに当たっては、編入所又は転入所しようとする生徒が修業期間内に指定規則第4条第1項第1号ハに定める教科課目等が履修できるよう、既に履修した課目及びその単位数（単位により行うことが困難な理容師養成施設にあっては、時間数。）等を十分検討した上で編入所又は転入所させること。
(9)　卒業の認定については、「理容師養成施設の教科課程の基準」（平成20年厚生労働省告示第45号。以下「教科課程の基準」という。）第二に定めるところにより、厳正に行うこと。
(10)　理容師試験の受験のため、卒業後に生徒から卒業証明書の発行を求められたとき

は、指定規則第2条に規定される養成課程の別及び卒業の年月日を記載し、速やかに発行すること。
⑾　健康診断の実施、疾病の予防措置等生徒の保健衛生に必要な措置を講ずること。
⑿　生徒の入所、卒業、成績及び出欠状況その他生徒に関する記録は、確実に保存されていること。
⒀　設立者は、毎年4月30日までに、前年の4月1日から3月31日までの入所者の数及び卒業者の数を当該指定養成施設所在地の都道府県知事に届け出なければならない。
⒁　同時授業を行う場合は、当該年度の入所者数を入所の時期から1か月を経過するまでに当該指定養成施設所在地の都道府県知事に報告しなければならない。
5　授業に関する事項
⑴　「教科課程の基準」及び「理容師養成施設の教科課程の基準の運用について」（平成27年3月31日健発0331第17号厚生労働省健康局長通知）に定めるところにより、適切かつ確実に授業を実施すること。
⑵　同時授業を行うことができるのは、入所者の数が理容師養成施設におけるその年の前年又は前々年のいずれか一方の年において15人未満であり、かつ他方の年において20人未満である場合に限られること。
⑶　美容師養成施設の教科課目と同時授業を行うことができる教科課目は、次に掲げる教科課目であること。
　ア　関係法規・制度
　イ　衛生管理
　ウ　保健
　エ　香粧品化学
　オ　文化論
　カ　運営管理
　キ　選択課目（同時授業を行うことが可能な課目に限る）
⑷　指定規則第4条の2第1項第5号に規定する「同時授業を行うことが可能な課目」とは、技術を除く教科課目のうち養成施設が適当と認めたものであること。
⑸　理容実習（実務実習を除く。）のモデルについては、養成教育としての実習の本旨に則り、一般営業と厳に区別が設けられるよう、その対象範囲を原則として社会福祉法第2条第2項及び第3項に規定する社会福祉事業の対象とされる生計困難者等及び相モデルに限定するなど、不特定多数の者をモデルとする実習が行われないよう、適切に取り扱うこと。
⑹　多数の生徒を1室に収容して授業を行うことは、著しく教育効果の妨げとなるので、指定規則第4条第1項第1号チに定めているとおり40人以下の生徒（同時に入所させる生徒の定員数が40人未満である場合は、その定員数。）を基準として構成すること。
　　なお、同時授業を実施する場合において、「教育上支障のないとき」とは、生徒1人当たり1.65㎡以上の面積を確保できる場合であること。
⑺　「理容師養成施設の通信課程における授業方法等の基準の運用について」（平成27

年3月31日健発0331第15号厚生労働省健康局長通知。以下「通信課程における授業方法等の基準の運用」という。）2の(4)ただし書に規定する「他の理容師養成施設その他面接指導を行う場所として適当と認められる施設」とは、原則として、次のような施設であること。
 ア 他の理容師養成施設
 イ 保健所
 ウ 小学校、中学校等の教育施設その他公民館等公共的施設
(8) 通信課程を新設しようとする理容師養成施設が、「通信課程における授業方法等の基準の運用」2の(4)ただし書の規定の適用を受けようとするときは、設置計画書、課程新設計画書、指定申請書又は課程新設承認申請書にその場所、使用する施設の概況、通信養成を行う生徒の地域及び授業の方法を記載するものとし、また、既に通信課程を設置している理容師養成施設が新たにこの規定の適用を受けようとするときは、授業の方法の変更の届出書を当該指定養成施設所在地の都道府県知事に提出しなければならないこと。
6 施設及び設備に関する事項
(1) 指定規則第4条第1項第1号ヌからヲに定める施設を有していること。
(2) 施設及び設備は、原則として同一構内にあって、それらが有機的に関連性をもって配置され、その構造は堅ろうであって、学習上、保健衛生上及び管理上適切なものであること。
(3) 教室は、特に採光、照明、換気、防災等危害予防に十分配慮されたものであること。
(4) 夜間課程の授業を行う教室の机及び黒板面の照度は、150ルクス以上であること。
(5) 施設及び設備は、原則として設立者が所有するものであること。
(6) 消毒薬を安全かつ適切に保管及び管理するための専用の設備を設けること。
(7) 学習上必要な機械器具、標本及び模型、図書並びにその他の備品は、別表1に基づき整備するとともに、別表2の左欄に掲げる事項の区分ごとに、右欄に掲げる具体的器具等を標準として学習上必要と考えられる種類及び数を整備すること。
7 変更等の承認に関する事項
(1) 理容師養成施設において次の事項を変更しようとするときは、あらかじめ当該指定養成施設所在地の都道府県知事の承認を得なければならないこと。
 ア 生徒の定員（定員を増加する場合に限る。）
 イ 校舎の各室の用途及び面積並びに建物の配置図及び平面図
(2) 理容師養成施設において新たに養成課程を設け（新たに美容修得者課程を設けようとする場合を含む。）、若しくは養成課程の一部を廃止（美容修得者課程の一部又は全部を廃止する場合を含む。）し、又は理容師養成施設を廃止しようとするとき及び新たに同時授業を行おうとするときは、あらかじめ当該指定養成施設所在地の都道府県知事の承認を得なければならないこと。
(3) 上記(1)及び(2)の承認を受けようとするときは、変更等承認申請書を、変更等をしようとする日の2か月前までに、当該指定養成施設所在地の都道府県知事に提出しなければならないこと。

(4) 上記(1)及び(2)の承認申請書には、次に掲げる事項を記載し、書類を添付しなければならないこと。
　ア　生徒の定員（定員を増加する場合に限る。）の変更
　〈記載事項〉
　　(ア)　理容師養成施設の名称及び所在地
　　(イ)　変更の理由
　　(ウ)　変更の予定年月日
　　(エ)　変更前及び変更後の生徒の定員、同時に授業を行う生徒の数及び学級数
　　(オ)　変更前及び変更後の入所の時期
　　(カ)　変更前及び変更後の教員の数、氏名及び担当課目並びに専任又は兼任の別
　　(キ)　変更前及び変更後の施設の各室の用途及び面積並びに建物の配置図及び平面図
　　(ク)　変更前及び変更後の設備の状況
　　(ケ)　変更後２年間の財政計画及びこれに伴う収支予算
　　(コ)　通信課程に係る変更にあっては、変更前及び変更後の通信養成を行う地域及び授業の方法
　〈添付書類〉
　　(サ)　過去３年間における生徒の募集状況
　　(シ)　設立者の履歴書（法人にあっては、定款、寄附行為等）
　　(ス)　新たな教員の履歴書
　　(セ)　設立者の資産状況
　　(ソ)　建物建築請負契約書及び物品購入契約書の写し
　　(タ)　学則
　イ　校舎の各室の用途及び面積並びに建物の配置図及び平面図の変更
　〈記載事項〉
　　(ア)　理容師養成施設の名称及び所在地
　　(イ)　変更の理由
　　(ウ)　変更の予定年月日
　　(エ)　変更前及び変更後の施設の各室の用途及び面積並びに建物の配置図及び平面図
　　(オ)　変更前及び変更後の設備の状況
　　(カ)　変更後２年間の財政計画及びこれに伴う収支予算
　〈添付書類〉
　　(キ)　設立者の履歴書（法人にあっては、定款、寄附行為等）
　　(ク)　設立者の資産状況
　　(ケ)　建物建築請負契約書及び物品購入契約書の写し
　　(コ)　学則
　ウ　養成課程の新設
　〈記載事項〉
　　(ア)　理容師養成施設の名称及び所在地
　　(イ)　新設の理由

(ウ)　新設の予定年月日
　　　(エ)　新設養成課程に係る１の(1)のオからシまでに掲げる事項
　　　(オ)　新設前及び新設後の理容実習のモデルとなる者の選定その他理容実習の実施方法
　　　(カ)　新設前及び新設後の施設の各室の用途及び面積並びに建物の配置図及び平面図
　　　(キ)　新設前及び新設後の設備の状況
　　　(ク)　設立者の資産状況及び理容師養成施設の経営方法
　　　(ケ)　新設後２年間の財政計画及びこれに伴う収支予算
　　　(コ)　通信課程の新設に係る場合は、１の(3)に掲げる事項
　　〈添付書類〉
　　　(サ)　設立者の履歴書（法人にあっては、定款、寄附行為等）
　　　(シ)　新設養成課程の教員の履歴書
　　　(ス)　建物建築請負契約書及び物品購入契約書の写し
　　　(セ)　教授用及び実習用の機械器具、標本、模型及び図書の目録
　　　(ソ)　学則
　　　(タ)　通信課程の新設に係る場合は、通信養成に使用する教材
　エ　養成課程の一部の廃止又は理容師養成施設の廃止
　　　(ア)　理容師養成施設の名称及び所在地
　　　(イ)　廃止の理由
　　　(ウ)　廃止の予定年月日
　　　(エ)　入所中の生徒の処置方法
　　　(オ)　指定養成施設を廃止しようとする場合にあっては、当該養成施設に在学し、又はこれを卒業した者の学習の状況を記録した学籍簿を保存する者の住所及び氏名（法人又は団体にあっては、その名称、主たる事務所の所在地並びに代表者の住所及び氏名）並びに学籍簿の承継の予定年月日
　　　(カ)　養成課程の一部の廃止に係る場合は、廃止後２年間の財政計画及びこれに伴う収支予算
　オ　同時授業の実施
　　〈記載事項〉
　　　(ア)　理容師養成施設の名称及び所在地
　　　(イ)　実施理由
　　　(ウ)　実施予定年月日
　　　(エ)　同時授業を行う教科課目名
　　　(オ)　変更前及び変更後の教員の氏名及び担当課目並びに専任又は兼任の別
　　　(カ)　同時授業を行う養成課程の生徒の定員及び学級数
　　　(キ)　変更前及び変更後の施設の各室の用途、面積並びに建物の配置図及び平面図
　　　(ク)　通信課程の実施にあっては、通信養成を行う地域及び授業の方法
　　〈添付書類〉
　　　(ケ)　過去２年間における生徒の入所状況（養成課程別）

㈢　同時授業を行う養成施設の新たな教員の履歴書
　　　㈣　学則
　　　　同時授業を行うために施設の用途変更を行う場合は、同時授業の承認申請書により、併せて承認することとしている。
　　　　　なお、普通教室の併用を除き、施設の用途変更を行う場合は、前記イ「校舎の各室の用途及び面積並びに建物の配置図及び平面図の変更」の㈺から㈷を追加すること。
(5) 養成課程の一部の廃止又は理容師養成施設の廃止をする場合の入所中の生徒の処置については、原則として他の指定養成施設に編入所させなければならないこと。
(6) 理容師養成施設の変更等の承認申請書の作成に当たっては、別紙様式2から6を参照すること。
(7) 上記(1)又は(2)の承認を受けようとするときは、変更等を行おうとする日の1年前（同時授業を行う場合は10か月前）までに、変更等計画書を当該指定養成施設所在地の都道府県知事に提出しなければならないこと。
(8) 理容師養成施設の変更等計画書の様式については、変更等承認申請書の様式に準じたものとすること。

8　変更の届出に関する事項
(1) 理容師養成施設において次の事項に変更があったときは、速やかに、変更の内容を記載した届出書を当該指定養成施設所在地の都道府県知事に提出しなければならないこと。
　　ア　理容師養成施設の名称及び所在地
　　イ　設立者の住所及び氏名（法人又は団体にあっては、その名称、主たる事務所の所在地並びに代表者の住所及び氏名）
　　ウ　理容師養成施設の長の氏名
　　エ　教員の氏名及び担当課目並びに専任又は兼任の別
　　オ　学級数
　　カ　入所資格
　　キ　入所の時期
　　ク　修業期間
　　ケ　教科課程
　　コ　卒業認定の基準
　　サ　入学料、授業料及び実習費の額
　　シ　理容実習のモデルとなる者の選定その他理容実習の実施方法
　　ス　通信課程における通信養成を行う地域
　　セ　通信課程における授業の方法
　　ソ　通信課程における課程修了の認定方法
　　タ　通信課程における通信教材の内容
(2) 前項の届出が、次の表の左欄に掲げるものであるときは、それぞれ同表の右欄に該当するものを、それぞれ届出書に添付しなければならないこと。

理容師養成施設の長の変更に係るもの	新たに長となった者の履歴書
教員の新たな使用に係るもの	その者の履歴書
(1)のア、オからコ又はスに係るもの	学則
入学料等の額の変更に係るもの	当該変更後2年間の財政計画及びこれに伴う収支予算並びに学則
通信課程における通信教材の内容の変更に係るもの	当該通信教材

(3) 理容師養成施設において、生徒の定員を減ずる変更をしようとするとき、又は同時授業の実施を終了するときは、あらかじめ、変更の内容を記載した届出書を当該指定養成施設所在地の都道府県知事に提出しなければならないこと。

なお、同時授業の終了に伴い、普通教室の併用を止める場合以外の用途変更をする場合は、別途用途変更の手続きを行わなければならないこと。

(4) 上記(3)の変更届出書には次のアからケ（同時授業については、アからウ及びコ）までに掲げる事項を記載するとともに、サからス（同時授業についてはサ及びス）に掲げる書類を添付しなければならないこと。

ア 理容師養成施設の名称及び所在地
イ 変更（終了）の理由
ウ 変更（終了）の予定年月日
エ 変更前及び変更後の同時に授業を行う生徒の数及び学級数
オ 変更前及び変更後の入所の時期
カ 変更前及び変更後の教員の数、氏名及び担当課目並びに専任又は兼任の別
キ 変更前及び変更後の設備の状況
ク 変更後2年間の財政計画及びこれに伴う収支予算
ケ 通信課程に係る変更にあっては、変更前及び変更後の通信養成を行う地域及び授業の方法
コ 終了する養成課程
サ 過去3年間における生徒の募集状況（同時授業については、過去2年間における生徒の入所者数（養成課程別））
シ 設立者の資産状況
ス 学則

(5) 理容師養成施設の変更届出書の作成に当たっては、別紙様式7から9を参照すること。

9 その他
(1) 理容師養成施設の経理は、養成施設以外の経理と明確に区分されていること。
(2) 入学料、授業料及び実習費等は学則に定める額とし、寄付金その他の名目で不当な金額を徴収しないこと。これらの費用の種類及び金額は、入学案内等により、募集の際、生徒に周知されていること。
(3) 次に掲げる表簿が備えられ、学籍簿については20年間、その他の表簿については5

年間保存されていること。
ア　学則
イ　日課（時間割）表
ウ　養成施設日誌
エ　教職員の名簿、履歴書及び出勤簿
オ　学籍簿、出席簿及び健康診断に関する表簿
カ　入所者の選考及び成績考査に関する表簿
キ　資産原簿、出納簿及び経費の予算決算についての帳簿
ク　機械器具等の目録
ケ　往復文書処理簿

(4)　学籍簿は、別紙様式10を標準に各理容師養成施設において適切に整備すること。また、通信課程の学籍簿については、別紙様式10に準じたものとすること。
(5)　指定養成施設を廃止しようとする設立者は、当該養成施設に在学し、又は当該養成施設を卒業した者の学籍簿を適切に保存することができる者がいないときは、当該指定養成施設所在地の都道府県知事に当該学籍簿を引き継がなければならないこと。
(6)　指定規則第7条の規定に基づき、当該指定養成施設所在地の都道府県知事が学籍簿等を保存しなければならない期間は、上記(3)に掲げる保存期間から当該養成施設において、これらの学籍簿を保存していた期間を控除した期間とすること。
(7)　選択課目において校外実習を行う理容師養成施設の設立者は、校外実習の実施方法（実施時期、時間数（1日当たりの時間数及び年間時間数）、実施場所の名称（理容所にあっては管理理容師の氏名を含む。））及び評価方法を当該指定養成施設所在地の都道府県知事に届け出なければならないこと。また、これらを変更する場合も同様とすること。
(8)　設立者は、毎年7月31日までに、前年度の収支決算の細目及び当年度の収支予算の細目を当該指定養成施設所在地の都道府県知事に届け出なければならないこと。
(9)　養成課程又は理容師養成施設の新設（生徒の定員の増加に伴う変更を含む。）の広告又は生徒の募集行為（募集要項の配布及び入学試験等の実施）は、当該養成施設に入所を希望する者に不利益が生じないよう、適切に行わなければならないこと。

（別表1）

1　普通教室（1教室につき）	（数量）
生徒用椅子及び机	同時に授業を行う生徒の数と同数以上
2　実習室	
理容用椅子（理容実習を行う1実習室につき）	同時に授業を行う生徒の数の2分の1以上
実験器具（別表2）	一式
視聴覚機器（別表2）	一式
顕微鏡	1台以上
人体模型	1台以上

理容師養成施設の指導要領について

(備考)
　　指定規則第4条第2項に基づき、指定基準を定めた聴覚障害者である生徒に対する教育を主として行う特別支援学校及び矯正施設の養成施設は、次のとおりとする。
　1　聴覚障害者である生徒に対する教育を主として行う特別支援学校の養成施設については「2実習室」欄の「理容用椅子」の数量を、「同時に授業を行う生徒の3分の1以上」とする。
　2　矯正施設の養成施設については「2実習室」欄の「理容用椅子」の数量を、「8以上」とする。

(別表2)

Ⅰ　標準とする器具	(具体的器具等の例)
1　香粧品化学、理容技術理論関係用	
(1)　電気関係実験器具	テスター、積算電力計、小型発動機、小型電動機、可変変圧器、可変抵抗器、蓄電池及び充電器、電気抵抗発熱試験器具、磁石と磁針、ヘアドライヤー（実験用）、ヘアアイロン（実験用）
(2)　化学関係実験器具	pHメーター、pH指示薬、リトマス試験紙、比重計、ブンゼンバーナー、実験用各種スタンド類、蒸留水製造器一式（ガラス製冷却器、フラスコ、冷却水循環ポンプ、ガラス管、ゴム管、ゴム栓等）、原子・分子構造模型、電池・電気分解実験器具
(3)　その他実験器具	色彩表
2　保健、衛生管理、皮膚科学、消毒関係用	
(1)　消毒関係実験器具	消毒薬一式、リットル枡、メスシリンダー、フラスコ、コルベン、ビュレット、ピペット、試薬ビン、ロート、シャーレ、試験管、理学的消毒器
(2)　皮膚関係実験器具	皮膚・毛髪組織の模型、皮膚・毛髪顕微鏡用プレパラート、主要な皮膚・毛髪疾患の模型
(3)　環境その他の実験器具	温度計、湿度計、気圧計、照度計、室内用風力計、空気成分試験器

Ⅱ　標準とする視聴覚機器	(具体的器具等の例)
視聴覚機材	視聴覚機材　映写スクリーン、教材用映像

Ⅲ　標準とする図書	(具体的器具等の例)
図書	教育上必要な専門図書及び学術雑誌

【様式第1】

平成　年　月　日

（都道府県知事名）　殿

（設立者の住所）　|法人の印|

（設立者の氏名）　|代表者の公印|

理容師養成施設指定申請書

　このたび（理容師養成施設名）を理容師法第3条第3項に規定する理容師養成施設としての指定を受けたいので理容師養成施設指定規則第3条の規定により関係書類を添えて申請いたします。
1　理容師養成施設の名称、所在地及び設立予定年月日
2　設立者の住所及び氏名（法人又は団体にあっては、その名称、主たる事務所の所在地並びに代表者の住所及び氏名）
3　理容師養成施設の長の氏名
4　養成課程の別
5　教員の氏名及び担当課目並びに専任又は兼任の別
6　生徒の定員及び学級数
7　入所資格
8　入所の時期
9　修業期間
10　教科課程及び教科課目ごとの実習を含む総単位数（単位により行うことが困難な理容師養成施設にあっては、総授業時間数。通信課程にあっては、各教科課目ごとの添削指導の回数及び面接授業の総単位数（単位により行うことが困難な理容師養成施設にあっては、総授業時間数））
11　卒業認定の基準
12　入学料、授業料及び実習費の額
13　理容実習のモデルとなる者の選定その他理容実習の実施方法
14　校舎の各室の用途及び面積並びに建物の配置図及び平面図
15　設備の状況
16　設立者の資産の状況及び理容師養成施設の経営方法
17　指定後2年間の財政計画及びこれに伴う収支予算
（通信課程に関する補足事項）
1　通信養成を行う地域
2　授業の方法

3　課程修了の認定方法

〔添付書類〕
1　設立者の履歴書（法人にあっては、定款、寄付行為等）
2　理容師養成施設の長の履歴書
3　専任教員の履歴書
4　兼任教員の履歴書
5　土地建物等の登記事項証明書の写し
6　建物建築請負契約書及び物品購入契約書の写し
7　教授用及び実験用の機械器具、標本、模型及び図書の目録
8　法人の設立認可書の写し
9　学則
10　通信課程にあっては、通信養成に使用する教材

〔申請事項記載例〕
1　理容師養成施設の名称、所在地及び設立予定年月日
　(1)　理容師養成施設の名称　　○○理容師学校
　(2)　理容師養成施設の所在地
　　　　　東京都千代田区霞が関１丁目２番２号
　(3)　理容師養成施設の設立年月日
　　　　　平成　　年　　月　　日
2　理容師養成施設の住所及び氏名（法人又は団体にあっては、その名称、主たる事務所の所在地並びに代表者の住所及び氏名）
　(1)　設立者の住所
　　　　　東京都千代田区霞が関１丁目２番２号
　(2)　設立者の氏名　　学校法人　　○○学園
　(3)　代表者の住所
　　　　　東京都千代田区霞が関１丁目２番２号
　(4)　代表者の氏名　理事長　○○○○
3　理容師養成施設の長の住所及び氏名
　(1)　施設長の住所
　　　　　東京都千代田区霞が関１丁目２番２号
　(2)　施設長の氏名　○○○○
4　養成課程の別
　　　　　昼間課程、夜間課程、通信課程
5　教員の氏名及び担当課目並びに専任又は兼任の別
　(1)　専任教員の氏名及び担当教科課目（○○課程）

第2編 理容師・美容師

整理番号	氏 名	担当教科課目	資 格	備 考
(必修課目)				
1	○○○○	関係法規・制度	○○大学法学博士	夜間(専任教員)
2	○○	衛生管理	医師	通信(兼任教員)
3				
4				
7				
8				
(選択課目)				
9				
10				

(記入上の注意)
1 この表は、養成課程ごとに作成すること。
2 他の課程の専任教員又は兼任教員を兼ねる場合には、備考欄に記載すること。

(2) 兼任教員の氏名及び担当教科課目(○○課程)

整理番号	氏 名	担当教科課目	資 格	備 考
(必修課目)				
1	○○○○	関係法規・制度	○○大学法学博士	
2	○○○○	衛生管理	医師	
3				
4				
7				
8				
(選択課目)				
9				
10				

(記入上の注意)
1 この表は、養成課程ごとに作成すること。
2 他の課程の専任教員又は兼任教員を兼ねる場合には、備考欄に記載すること。

(3) 教員担当課目一覧

			昼間課程												夜間課程												通信課程											
			通常課程									美容修得者課程			通常課程									美容修得者課程			通常課程									美容修得者課程		
	氏名	資格	関係法規・制度	衛生管理	保健	香粧品化学	文化論	理容技術理論	運営管理	理容実習	(選択課目の課目名)	理容技術理論	理容実習	(選択課目の課目名)	関係法規・制度	衛生管理	保健	香粧品化学	文化論	理容技術理論	運営管理	理容実習	(選択課目の課目名)	理容技術理論	理容実習	(選択課目の課目名)	関係法規・制度	衛生管理	保健	香粧品化学	文化論	理容技術理論	運営管理	理容実習	(選択課目の課目名)	理容技術理論	理容実習	(選択課目の課目名)
専任教員	○○○○	○○大学法学博士																																				
兼任教員	○○○○	医師																																				

(記入上の注意)
1 担当する教科課目に○印を付すこと。
2 専任教員が他の課程の兼任教員を兼ねる場合には、兼任教員欄ではなく、専任教員欄の担当教科課目に△印を付すこと。

第2編　理容師・美容師

6　生徒の定員及び学級数

区　分		入学定員	定　員	同時に授業を行う生徒の数（学級数）
昼間	通　常	名	名	名（　学級）
	美容修得者	名	名	名（　学級）
夜間	通　常	名	名	名（　学級）
	美容修得者	名	名	名（　学級）
通信	通　常	名	名	名（　学級）
	美容修得者	名	名	名（　学級）
合　　計		名	名	名（　学級）

7　入所資格
　(1)　学校教育法第90条に規定する者（これらの者と同等以上の学力があると認められる者を含む。）
　(2)　学校教育法第57条に規定する者（これらの者と同等以上の学力があると認められる者を含む。）であって、入所試験に合格したもの。

8　入所の時期　　昼間課程（通常）　　　　毎年　〇月
　　　　　　　　昼間課程（美容修得者）　毎年　〇月
　　　　　　　　夜間課程（通常）　　　　毎年　〇月
　　　　　　　　夜間課程（美容修得者）　毎年　〇月
　　　　　　　　通信課程（通常）　　　　毎年　〇月
　　　　　　　　通信課程（美容修得者）　毎年　〇月

9　修業期間　　　昼間課程（通常）　　　　2年
　　　　　　　　昼間課程（美容修得者）　1年
　　　　　　　　夜間課程（通常）　　　　2年
　　　　　　　　夜間課程（美容修得者）　1年
　　　　　　　　通信課程（通常）　　　　3年
　　　　　　　　通信課程（美容修得者）　1年6月

10　教科課程及び教科課目ごとの実習を含む総授業時間数
　〈昼間課程〉

教科課目	総単位数（総授業時間数）
（必修課目）	単位（時間）
関係法規・制度	
衛生管理	
保健	

香粧品化学		
文化論		
理容技術理論		
運営管理		
理容実習		
小計		単位（時間）
（選択課目）		単位（時間）
○○○○		
○○○○		
小計		単位（時間）
合計 （1週間当たり平均授業時間）	（	単位（時間） 時間）

（記入上の注意）

1　夜間課程についても同様に作成すること。
2　単位により行うことが困難な理容師養成施設にあっては授業時間数を記入すること。

〈通信課程〉

教科課目	添削指導の回数	面接授業の単位数（時間数）	第1回添削指導（○月〜○月）	第1回面接授業（○月○日間）	第2回添削指導（○月〜○月）	第2回面接授業（○月○日間）	第3回添削指導（○月〜○月）
（必修課目）							
関係法規・制度	回	単位（時間）	回	単位（時間）	回	単位（時間）	回
衛生管理							
保　健							
香粧品化学							
文化論							

第2編　理容師・美容師

理容技術理論								
運営管理								
理容実習								
小　計								
（選択課目）								
○　○								
○　○								
小　計								
合　計								

（記入上の注意）
　1　面接授業について、単位数により行うことが困難な理容師養成施設にあっては、授業時間数を記入すること。
　2　この表は、美容修得者・理容所に常勤で従事している者である生徒・それ以外の生徒別に別葉として作成すること。

11　卒業認定の基準
　(1)　学則で定める必要な単位数を履修していること。
　(2)　教科課目の区分ごとに、その教科課目の出席状況が著しく不良でないこと。
　(3)　○○試験が必修課目○○点以上、選択課目○○点以上であること。

12　入学料、授業料及び実習費の額

区分		入学料	授業料（月額）	実習費（月額）
昼間	通　常	円	円	円
	美容修得者	円	円	円
夜間	通　常	円	円	円
	美容修得者	円	円	円
通信	通　常	円	円	円
	美容修得者	円	円	円

13 理容実習のモデルとなる者の選定その他理容実習の実施方法
　(1) 理容実習（実務実習を除く。）のモデルとなる者の選定方法
　　ア　対象
　　イ　モデルを使用して行う実習の時期、場所、及び単位数（単位により行うことが困難な理容師養成施設にあっては、時間数）
　(2) 実務実習の実施方法
　　ア　実施時期及び年間時間数
　　イ　場所（理容所名）及び管理理容師名
　　ウ　評価方法
14　校舎の各室の用途及び面積並びに建物の配置図及び平面図
　(1) 校地の総面積　　〇〇平方メートル
　　　　内訳　校舎　　〇〇平方メートル
　　　　　　　その他　〇〇平方メートル（グランド、〇〇等）
　(2) 附近の見取図及び建物配置図
　(3) 建物の構造　　鉄筋〇階建
　(4) 施設の各室の用途及び面積
　　　　　1階

室　名	用　途	面　積(㎡)	収容人員	備　考
事務室				
教員室				
医務室				
更衣室（男女別）	生徒用			
図書室				
普通教室(1)	講義用			
〃　(2)				
実習室(1)	実習用			
ホール				
倉庫				
〇〇室				
その他				

　　　（記入上の注意）
　　　　　　校舎、各階別に施設の内容を記載すること。
　(5) 各室の平面図
15　設備の状況
　(1) 普通教室

第2編　理容師・美容師

品　　名	数　量	備　考
生徒用机 　　椅子		1人用

(2) 実習室

品　　名	数　量	備　考
理容用椅子 プロジェクター設備 映像設備 人体模型 実験器具 顕微鏡 　　・ 　　・ 　　・		

(3) 夜間課程にあっては、普通教室及び実習室の照明設備並びに教室の机上及び黒板面の照度（ルクス）

16　設立者の資産状況及び理容師養成施設の経営方法

(1) 設立者の資産状況

貸借対照表

資　産　の　部	金　額	負債及び基金の部	金額
流動資産	千円	流動負債	千円　　千円
現金	○○○	短期借入金	
有価証券	○○○	未払金	
短期貸付金		前受金	
立替金		○○	
○○		流動資産 計	
流動資産 計	○○○	固定負債	
固定資産		長期借入金	
土地		○○	
建物		固定負債 計	
構築物		引当金	
教育用設備備品		減価償却引当金	
○○		○○	
○○		引当金 計	

556

固定資産　計		基本金	
欠損金		○○積立金	
繰越欠損金		余剰金	
当期欠損金			
欠損金　計		基本金　計	
合　　　　計	○○○	合　　　　計	

(2) 理容師養成施設の経営方法
　ア　内部運営組織の状況
　イ　経理方式
　　・新設、増設等に要した資金の財源内訳

| 年度 | 事業区分 | 数量 | 事業費 | 財　源　内　訳 | | | | 備考 |
				自己資金	寄付金	借入金	その他	
○○年度	土地購入費	㎡						
○○年度	校舎建設費	㎡						
	備品費							

　　・支出経費に対する維持方法（収支に欠損を生じた場合の補填方法）
17　指定後2年間の財政計画及びこれに伴う収支予算
　(1)　財政計画
　　　　○年度　歳入予算　　　　　円
　　　　　　　　歳出予算　　　　　円
　　　　○年度　歳入予算　　　　　円
　　　　　　　　歳出予算　　　　　円
　(2)　収支予算

| 収　　入 | | | 支　　出 | | |
区分	○年度	○年度	区分	○年度	○年度
1　学生生徒納付金収入			1　人件費		
(1)　授業料			(1)　教員人件費		
(2)　入学金			(2)　事務職員人件費		
(3)　実習費			(3)　その他		
(4)　証明手数料			2　管理費		
(5)　○○費			(1)　消耗品費		

2 基本財産収入			(2) 光熱水費	
(1) 積立金利子			(3) 通信運搬費	
(2) その他の収入			3 教育研究費	
3 運用財産収入			(1) 研修費	
4 寄付金収入			(2) 研究費	
5 収益事業収入			(3) 外部講師謝金	
6 その他の収入			(4) 旅費交通費	
			(5) 実習経費	
			(6) 教材費	
			(7) 図書費	
			4 その他	
合　　計			合　　計	

(通信課程に関する補足事項)
1　通信養成を行う地域　　〇〇県全域
2　授業の方法
　(1)　通信授業及び添削指導
　　ア　教育計画

月	配本教材	教材の内容	添削指導の回数
4	関係法規・制度Ⅰ	・衛生行政	1回
	衛生管理Ⅰ	・公衆衛生　概説 ・感染症	2回
5			

　　イ　添削指導のための組織等
　　　・教育相談窓口を設置し、随時質問・相談を受け付ける。
　　　・通信授業及び添削指導に係る事務の一部を公益社団法人日本理容美容教育センターに委託する。（委託業務の内容：教本の配本）
　(2)　面接授業
　　ア　教育計画

課目	総単位数 (総授業 時間数)	第1回 (　月　日間)		第2回 (　月　日間)	
		内容	単位数 (時間数)	内容	単位数 (時間数)

理容師養成施設の指導要領について

関係法規・制度	2単位	衛生行政	単位	理容師法	単位
合　計	120単位	—		—	

（記入上の注意）
　　単位により行うことが困難な理容師養成施設にあっては授業時間数を記入すること。
　イ　場所
　　・本校校舎
　　・その他　　○○○中学校校舎（施設の概況）
　　　　　　　　（対象：○○郡在住者、理由：　　　　　　　）
3　課程修了の認定方法

第2編　理容師・美容師

【様式第2】

平成　年　月　日

（都道府県知事名）　殿

（設立者の住所）　|法人の印|

（設立者の氏名）　|代表者の公印|

（変更事項）変更承認申請書

　このたび（理容師養成施設名）における（変更事項）を変更したいので理容師養成施設指定規則第6条第1項の規定により関係書類を添えて申請いたします。
1　理容師養成施設の名称及び所在地
2　変更の理由
3　変更の予定年月日
4　生徒の定員を増加する場合にあっては、変更前及び変更後の生徒の定員、同時に授業を行う生徒の数及び学級数
5　生徒の定員を増加する場合にあっては、変更前及び変更後の入所の時期
6　生徒の定員を増加する場合にあっては、変更前及び変更後の教員の数、氏名及び担当課目並びに専任又は兼任の別
7　変更前及び変更後の施設の各室の用途及び面積並びに建物の配置図及び平面図
8　変更前及び変更後の設備の状況
9　変更後2年間の財政計画及びこれに伴う収支予算
10　通信課程に係る生徒の定員を増加する場合にあっては、変更前及び変更後の通信養成を行う地域及び授業方法
（添付書類）
1　過去3年間における生徒の募集状況
2　設立者の履歴書（法人にあっては、定款、寄付行為等）
3　新たな教員の履歴書
4　設立者の資産状況
5　建物建築請負契約書及び物品購入契約書の写し
6　学則
（申請事項記載例）
　　指定申請書の記載例を参考とすること。

【様式第3】

（都道府県知事名）　殿

平成　年　月　日

（設立者の住所）　|法人の印|

（設立者の氏名）　|代表者の公印|

○○課程設置承認申請書

　このたび（理容師養成施設名）に○○課程を設置したいので理容師養成施設指定規則第6条第2項の規定により関係書類を添えて申請いたします。
1　理容師養成施設の名称及び所在地
2　新設の理由
3　新設の予定年月日
4　新設養成施設課程の教員の氏名及び担当課目並びに専任又は兼任の別
5　新設養成課程の生徒の定員及び学級数
6　新設養成課程の入所資格
7　新設養成課程の入所の時期
8　新設養成課程の修業期間
9　新設養成課程の教科課程及び教科課目ごとの実習を含む総単位数（単位により行うことが困難な理容師養成施設にあっては、総授業時間数。通信課程にあっては、各教科課目ごとの添削指導の回数及び面接授業の総単位数（単位により行うことが困難な理容師養成施設にあっては、総授業時間数。））
10　新設養成課程の入学料、授業料及び実習費の額
11　新設前及び新設後の理容実習のモデルとなる者の選定その他理容実習の実施方法
12　新設前及び新設後の各室の用途及び面積並びに建物の配置図及び平面図
13　新設養成課程の設備の状況
14　設立者の資産状況及び理容師養成施設の経営方法
15　設立後2年間の財政計画及びこれに伴う収支予算
16　通信課程の新設にあっては、通信養成を行う地域、授業の方法、課程修了の認定方法

（添付書類）
1　設立者の履歴書（法人にあっては、定款、寄付行為等）
2　新設養成課程の教員の履歴書
3　建物建築請負契約書及び物品購入契約書の写し
4　教授用及び実習用の機械器具、標本、模型及び図書の目録
5　学則
6　通信課程にあっては、通信養成に使用する教材

（申請事項記載例）
　指定申請書の記載例を参考とすること。

第2編　理容師・美容師

【様式第4】

平成　年　月　日

（都道府県知事名）　殿

（設立者の住所）　　　法人の印

（設立者の氏名）　　　代表者の公印

同時授業実施承認申請書

　このたび（理容師養成施設名）において同時授業を実施したいので理容師養成施設指定規則第6条第2項の規定により関係書類を添えて申請いたします。
　1　理容師養成施設の名称及び所在地
　2　実施理由
　3　実施予定年月日
　4　同時授業を行う教科課目名
　5　変更前及び変更後の教員の氏名及び担当課目並びに専任又は兼任の別
　6　同時授業を行う養成課程の生徒の定員及び学級数
　7　変更前及び変更後の施設の各室の用途、面積並びに建物の配置図及び平面図
　8　通信課程の実施にあっては、通信養成を行う地域、授業の方法
（添付書類）
　1　過去2年間における生徒の入所状況
　2　同時授業を行う養成課程の新たな教員の履歴書
　3　学則
※　大幅に施設の用途変更を行う場合は、上記のほか「イ　校舎の各室の用途及び面積並びに建物の配置図及び平面図の変更」の（オ）から（ケ）を追加すること。
（申請事項記載例）
　　指定申請書の記載例を参考とすること。

【様式第5】

平成　年　月　日

（都道府県知事名）　殿

（設立者の住所）　　法人の印

（設立者の氏名）　　代表者の公印

〇〇課程廃止承認申請書

　このたび（理容師養成施設名）における〇〇課程を廃止したいので理容師養成施設指定規則第6条第3項の規定により申請いたします。
 1　理容師養成施設の名称及び所在地
 2　廃止の理由
 3　廃止の予定年月日
 4　廃止課程に入所中の生徒の処置方法
 5　廃止後2年間の財政計画及びこれに伴う収支予算
（申請事項記載例）
　　指定申請書の記載例を参考とすること。

【様式第6】

平成　年　月　日

（都道府県知事名）　殿

（設立者の住所）　　法人の印

（設立者の氏名）　　代表者の公印

理容師養成施設の廃止承認申請書

　このたび平成〇年〇月〇日〇〇〇〇〇号をもって指定された（理容師養成施設名）を廃止したいので理容師養成施設指定規則第6条第3項の規定により申請いたします。
1　理容師養成施設の名称及び所在地
2　廃止の理由
3　廃止の予定年月日
4　入所中の生徒の処置方法
5　理容師養成施設を廃止しようとする場合には、学籍簿等を保存する者の住所及び氏名（法人又は団体にあっては、その名称、主たる事務所の所在地並びに代表者の住所及び氏名）並びに学籍簿等の承継の予定年月日

【様式第7】

平成　年　月　日

（都道府県知事名）　殿

（設立者の住所）　法人の印

（設立者の氏名）　代表者の公印

（変更事項）変更届出書

　このたび（理容師養成施設名）における（変更事項）を次のとおり変更いたしましたので理容師養成施設指定規則第8条第1項の規定によりお届けいたします。
1　理容師養成施設の名称及び所在地
2　変更の理由
3　変更の年月日
4　変更の内容
　　　（旧）
　　　（新）

（添付書類）
1　理容師養成施設の長の変更の場合には、新たに長となった者の履歴書
2　教員の新たな使用に係る変更の場合には、その者の履歴書
3　理容師養成施設の名称又は所在地、学級数、入所資格、入所の時期、修業期間、教科課程、卒業認定の基準若しくは通信課程における通信養成を行う地域の変更の場合には、学則
4　入学料等の額又は施設の構造設備の変更の場合には、変更後2年間の財政計画及びこれに伴う収支予算並びに学則
5　通信教材の内容変更の場合には、当該通信教材

第2編　理容師・美容師

【様式第8】

平成　年　月　日

（都道府県知事名）　殿

（設立者の住所）　|法人の印|

（設立者の氏名）　|代表者の公印|

生徒の定員変更届出書

　このたび（理容師養成施設名）における生徒の定員を次のとおり変更いたしますので、理容師養成施設指定規則第8条第2項の規定により、あらかじめ、お届けいたします。
1　理容師養成施設の名称及び所在地
2　変更の理由
3　変更の予定年月日
4　変更前及び変更後の生徒の定員、同時に授業を行う生徒の数及び学級数
5　変更前及び変更後の入所の時期
6　変更前及び変更後の教員の数、氏名及び担当教科課目並びに専任又は兼任の別
7　変更前及び変更後の設備の状況
8　変更後2年間の財政計画及びこれに伴う収支予算
9　通信課程に係る変更にあっては、変更前及び変更後の通信養成を行う地域及び授業の方法
（添付書類）
1　過去3年間における生徒の募集状況
2　設立者の資産状況
3　学則

【様式第9】

平成　年　月　日

（都道府県知事名）　殿

（設立者の住所）　|法人の印|

（設立者の氏名）　|代表者の公印|

同時授業終了届出書

　このたび（理容師養成施設名）における同時授業を次のとおり終了いたしますので、理容師養成施設指定規則第8条第2項の規定により、あらかじめ、お届けいたします。
　1　理容師養成施設の名称及び所在地
　2　終了理由
　3　終了予定年月日
　4　終了する養成課程
（添付書類）
　1　過去2年間における生徒の入所状況
　2　学則

第2編 理容師・美容師

【別紙様式10】

表

学籍簿	理容		クラス		番号	
	昼・昼(美)	夜・夜(美)				

生徒

	ふりがな		性別	男 女	本籍地	(都道府県名)	(写真)
	氏名						
	生年月日	昭・平 年 月 日生		TEL			
現住所	入学時	〒					

入学前の

学歴	昭・平 年 月	学校卒業	入 学	平成 年 月 日
	昭・平 年 月		卒 業	平成 年 月 日
経歴	昭・平 年 月		編転入・退学	平成 年 月 日

保護者	氏名	年 月 日生	住所	〒 TEL（ ― ― ）	統柄
保証人	氏名	年 月 日生	住所	〒 TEL（ ― ― ）	統柄

出欠の記録

	必修課目							計	選択課目				計	合計
	関係法規・制度	衛生管理	保健	香粧品化学	文化論	理容技術理論	運営管理	理容実習							
担当教員														
法定単位（時間）数														
欠時	欠課時数													
	遅刻回数													
	早退回数													
補講回数														
履修単位（時間）数														
検印	担任													
	校長													

裏

学 習 の 記 録

担当教員	区分 教科課目	成績			学習の所見	行動の所見	その他
		評定	検印				
			担任	校長			
	関係法規・制度						
	衛生管理						
	保健						
	香粧品化学						
	文化論						
	理容技術理論						
	運営管理						
	理容実習						

○美容師養成施設の指導要領について

[平成27年3月31日　健発0331第20号]
[各都道府県知事宛　厚生労働省健康局長通知]

〔改正経過〕
　　第1次改正　〔平成29年7月10日生食発0710第12号〕

　地域の自主性及び自立性を高めるための改革の推進を図るための関係法律の整備に関する法律（平成26年法律第51号）が平成26年6月4日に、地域の自主性及び自立性を高めるための改革の推進を図るための関係法律の整備に関する法律の施行に伴う厚生労働省関係政令等の整備等に関する政令（平成27年政令第128号）及び地域の自主性及び自立性を高めるための改革の推進を図るための関係法律の整備に関する法律の施行に伴う厚生労働省関係省令の整備に関する省令（平成27年厚生労働省令第55号）が平成27年3月31日に公布され、一部を除いて平成27年4月1日から施行されることとなった。
　これに伴い、美容師法（昭和32年法律第163号）及び美容師養成施設指定規則（平成10年厚生省令第8号）の一部が改正され、美容師養成施設の指定及び指導等に係る事務については、都道府県知事が行うこととなったが、これに基づき、別紙のとおり「美容師養成施設の指導要領」を定めたので、貴管下における美容師養成施設の指定及び指導等に関しては、美容師養成施設指定規則のほか、本指導要領に基づき指導方お願いする。

（別　紙）
　　　　　美容師養成施設の指導要領
1　指定の申請に関する事項
　(1)　美容師法（昭和32年法律第163号。以下「法」という。）第4条第3項に規定する指定を受けようとする美容師養成施設の設立者は、次に掲げる事項を記載した指定申請書を、当該養成施設を設立しようとする日の4か月前までに、当該指定に係る養成施設所在地の都道府県知事に提出しなければならないこと。
　　ア　美容師養成施設の名称、所在地及び設立予定年月日
　　イ　設立者の住所及び氏名（法人又は団体にあっては、その名称、主たる事務所の所在地並びに代表者の住所及び氏名）
　　ウ　美容師養成施設の長の氏名
　　エ　養成課程の別
　　オ　設立者を同じくする理容師養成施設がある場合にあっては、理容師養成施設指定規則（平成10年厚生省令第5号）第4条の2第1項に規定する同時授業の有無
　　カ　教員の氏名及び担当課目並びに専任又は兼任の別
　　キ　生徒の定員及び学級数
　　ク　入所資格
　　ケ　入所の時期

  コ 修業期間
  サ 教科課程及び教科課目ごとの実習を含む総単位数（単位により行うことが困難な美容師養成施設にあっては総授業時間数。通信課程にあっては、各教科課目ごとの添削指導の回数及び面接授業の総単位数（単位により行うことが困難な美容師養成施設にあっては総授業時間数））
  シ 卒業認定の基準
  ス 入学料、授業料及び実習費の額
  セ 美容実習のモデルとなる者の選定その他美容実習の実施方法
  ソ 校舎の各室の用途及び面積並びに建物の配置図及び平面図
  タ 設備の状況
  チ 設立者の資産状況及び美容師養成施設の経営方法
  ツ 指定後2年間の財政計画及びこれに伴う収支予算
(2) 2以上の養成課程を設ける美容師養成施設にあっては、前項オからシまでに掲げる事項は、それぞれの養成課程ごとに記載しなければならないこと。
(3) 通信課程を併設する美容師養成施設にあっては、上記(1)に規定するもののほか、次に掲げる事項を指定申請書に記載しなければならないこと。
  ア 通信養成を行う地域
  イ 授業の方法
  ウ 課程修了の認定方法
(4) 指定申請書には、次に掲げる書類を添付しなければならないこと。
  ア 設立者の履歴書（法人にあっては、定款、寄附行為等）
  イ 美容師養成施設の長の履歴書
  ウ 専任教員の履歴書
  エ 兼任教員の履歴書
  オ 土地建物等の登記事項証明書の写し
  カ 建物建築請負契約書及び物品購入契約書の写し
  キ 教授用及び実習用の機械器具、標本、模型及び図書の目録
  ク 法人の設立認可書の写し
  ケ 学則
(5) 通信課程を併設する美容師養成施設にあっては、指定申請書に通信養成に使用する教材を添付しなければならないこと。
(6) 美容師養成施設の指定申請書の作成に当たっては、別紙様式1を参照すること。
(7) 指定を受けようとする美容師養成施設の設立者は、美容師養成施設を設立しようとする日の1年前（同時授業を行う場合は10か月前）までに設置計画書を当該指定に係る養成施設所在地の都道府県知事に提出しなければならないこと。
(8) 美容師養成施設の設置計画書の様式については、指定申請書の様式に準じたものとすること。
2 一般的事項
(1) 設立者は、国及び地方公共団体が設置者である場合のほか、営利を目的としない法人であることを原則とすること。

(2) 設立者たる法人又は団体が解散しようとするとき（設立者が個人の場合にあっては死亡したとき）は、美容師養成施設の長は、あらかじめ（設立者が個人の場合にあっては速やかに）その旨を当該指定養成施設所在地の都道府県知事に文書により届け出ること。
(3) 美容師養成施設の長は、美容師養成施設指定規則（平成10年厚生省令第8号。以下「指定規則」という。）第3条第1項第1号ホに定めるとおりであるが、「美容師の養成に適当であると認められるもの」とは、個人であって、次の各号に該当する者であること。
　ア　美容師養成施設の管理の責任者として、その職務を行うのに支障のない者であること。
　イ　社会的信望があり、美容師の養成に熱意を有する者であること。
　ウ　経歴、現在における職務上の地位等からみて、美容師の養成を行うのに適当であると認められる者であること。
(4) 美容師養成施設は、少なくとも次に掲げる事項を明示した学則を定めること。
　ア　設置目的
　イ　名称
　ウ　位置
　エ　養成課程
　オ　修業期間
　カ　生徒定員及び学級数
　キ　入所時期、学期及び休日
　ク　教科課程及び教科課目ごとの単位数（単位により行うことが困難な美容師養成施設にあっては、時間数）
　ケ　入所資格、入所者の選考の方法及び入所手続
　コ　編入所及び転入所
　サ　成績考査及び卒業の認定
　シ　入学料、授業料、実習費等の費用徴収
　ス　教職員の組織
　セ　同時授業の実施の有無（併設校に限る。）
(5) 通信課程を併設する養成施設にあっては、前項に掲げる事項のほか、次の事項を学則に記載すること。
　ア　通信養成を行う地域
　イ　添削指導のための組織等
　ウ　通信授業及び添削指導に係る事務の一部を委託する場合は、受託機関名、委託事務の範囲
3　教員に関する事項
(1) 教員の数及び専任教員の数は、各養成課程ごとに、指定規則第3条第1項第1号ヘ、第2号ロ、第3号ハに定めるとおりであること。
　なお、同時授業を行う場合は、別表第2に掲げる算出方法により同時授業を行う理容師養成施設の定員数と合算して算出された人数以上であり、かつ、専任教員のう

ち、1人以上は美容師養成施設の教員であること。
(2) 1教員の1週間当たりの授業時間数は、授業の準備等に要する時間を含めた労働時間が労働基準法（昭和22年法律第49号）第32条の規定等に定める基準を超えない範囲で設定すること。
(3) 専任教員は、一の美容師養成施設に限り専任教員となることができるものであること。

　ただし、一の美容師養成施設に昼間課程及び夜間課程がある場合には、上記(2)の範囲内で、それぞれの専任教員を兼ねることができること。

　なお、専任教員は、当該養成施設において、生徒に対する適切な教授及び相談指導を継続して確実に実施できる者を充てること。
(4) 通信課程を併設する場合の通信課程の専任教員については、2名を限度として昼間課程又は夜間課程の専任教員がこれを兼ねることができること。

　ただし、通信課程の専任教員のうち、昼間課程又は夜間課程の専任教員であって通信課程の専任教員を兼ねている者以外の専任教員は、上記(2)の授業時間数の2分の1を超えない範囲（ただし、上記(2)で設定された授業時間数の2分の1が7時間に満たない場合には7時間以内とし、10時間に満たない場合（美容実習を担当する職員に限る）は、10時間以内とする）で昼間課程又は夜間課程の教員を兼ねることができること。
(5) 通信課程を併設する美容師養成施設が通信授業及び添削指導に係る事務の一部を委託する場合であっても、添削指導を行う者は、当該養成施設の教員であること。
(6) 教員の出勤状況が確実に記録されていること。
(7) 教員の資格は、指定規則第3条第1項第1号トに定めるとおりであるが、「美容師の養成に適当であると認められるもの」とは、次の各号に該当する者であること。
　ア　教員の資格要件に関する法令に違反して刑事処分を受けたことのない者であること。
　イ　禁錮以上の刑に処せられたことのない者であること。
　ウ　美容師の養成に熱意及び能力を有する者であること。
(8) 指定規則別表第3衛生管理、保健、香粧品化学、文化論、運営管理、美容技術理論及び美容実習の項に規定する「実務」とは、美容所において美容師として業務に従事した経験をいうこと。なお、衛生管理、保健、香粧品化学、文化論及び運営管理については、同時授業を実施する場合に限り、理容所において理容師として業務に従事した場合も含むこと。
(9) 指定規則別表第3文化論及び運営管理の項に規定する「1から3までに定める者に準ずると認められる者」には、美容師法施行規則（平成10年厚生省令第7号）による改正前の美容師法施行規則（昭和32年厚生省令第43号）第10条第1項第1号ホの規定に基づく社会の教員であった者が含まれるものであること。
(10) 指定規則別表第3選択課目の項に規定する「それぞれの課目を教授するのに適当と認められる者」とは、その担当課目に応じ、それぞれ専門的な知識、技能を有する者をいうこと。
4　生徒に関する事項

(1) 学則に定められた生徒の定員を遵守すること。
　　なお、定員とは総定員のことを指し、通信課程における1学年の学生数は昼間課程又は夜間課程のいずれか学生数が多い養成課程の1学年の学生数の同数以下とすること。
(2) 通信課程の定員は、指定規則により昼間課程又は夜間課程の定員のおおむね1.5倍以内としていることから、上記(1)により算出される総定員は昼間又は夜間課程の総定員の1.5倍を超えてはならないこと。
(3) 入所資格の審査は、卒業証書の写し又は卒業証明書を提出させ、確実かつ適正に行うこと。ただし、理容修得者課程履修者及び「美容師養成施設の教科課程の基準」（平成20年厚生労働省告示第50号。以下「教科課程の基準」という。）第1に定める教科課目の免除を受ける者にあっては、次の①又は②の書類を提出させ、その資格を確認することとし、入学時に理容師養成施設に在学中又は入所予定の者にあっては、その旨を証明する書類により確認し、卒業認定までに①又は②の書類の提出により確認すること。
① 理容師免許証の写し
② 理容師養成施設の卒業証書の写し又は卒業証明書（平成10年3月31日までに理容師養成施設に入学した者にあっては、実地修練を行った旨の証明書も提出）
(4) 入所者の選考は、学則に定めるところにより、厳正に行うこと。
(5) 学校教育法（昭和22年法律第26号）第57条に規定する者（理容師法及び美容師法の一部を改正する法律（平成7年法律第109号）附則第5条第2項に規定する者を含む。）の入所を認める美容師養成施設にあっては、「美容師養成施設における中学校卒業者等に対する講習の基準等の運用について」（平成27年3月31日健発0331第14号厚生労働省健康局長通知）に定めるところにより、必要な事項を学則に定め、これに基づき入所試験及び講習を適正に行うこと。
(6) 入所の時期について厳正な措置がとられ、かつ、途中入学が行われていないこと。
(7) 編入所は、法第4条第3項の規定により指定を受けた美容師養成施設（以下「指定養成施設」という。）相互間においてのみ認められるものであること。
(8) 編入所又は一の養成施設の養成課程間の転入所の取扱いに当たっては、編入所又は転入所しようとする生徒が修業期間内に指定規則第3条第1項第1号ハに定める教科課目等が履修できるよう、既に履修した課目及びその単位数（単位により行うことが困難な美容師養成施設にあっては、時間数。）等を十分検討した上で編入所又は転入所させること。
(9) 卒業の認定については、「美容師養成施設の教科課程の基準」（平成20年厚生労働省告示第50号。以下「教科課程の基準」という。）第二に定めるところにより、厳正に行うこと。
(10) 美容師試験の受験のため、卒業後に生徒から卒業証明書の発行を求められたときは、美容師法第4条第4項に規定される養成課程の別及び卒業の年月日を記載し、すみやかに発行すること。
(11) 健康診断の実施、疾病の予防措置等生徒の保健衛生に必要な措置を講ずること。
(12) 生徒の入所、卒業、成績及び出欠状況その他生徒に関する記録は、確実に保存され

ていること。
(13) 設立者は、毎年4月30日までに、前年の4月1日から3月31日までの入所者の数及び卒業者の数を当該指定養成施設所在地の都道府県知事に届け出なければならない。
(14) 同時授業を行う場合は、当該年度の入所者数を入所の時期から1か月を経過するまでに当該指定養成施設所在地の都道府県知事に報告しなければならない。

5 授業に関する事項
(1) 「教科課程の基準」及び「美容師養成施設の教科課程の基準の運用について」(平成27年3月31日健発0331第18号厚生労働省健康局長通知)に定めるところにより、適切かつ確実に授業を実施すること。
(2) 同時授業を行うことができるのは、入所者の数が理容師養成施設におけるその年の前年又は前々年のいずれか一方の年において15人未満であり、かつ他方の年において20人未満である場合に限られること。
(3) 理容師養成施設の教科課目と同時授業を行うことができる教科課目は、次に掲げる教科課目であること。
 ア 関係法規・制度
 イ 衛生管理
 ウ 保健
 エ 香粧品化学
 オ 文化論
 カ 運営管理
 キ 選択課目(同時授業を行うことが可能な課目に限る)
(4) 理容師養成施設指定規則第4条の2第1項第5号に規定する「同時授業を行うことが可能な課目」とは、技術を除く教科課目のうち養成施設が適当と認めたものであること。
(5) 美容実習(実務実習を除く。)のモデルについては、養成教育としての実習の本旨に則り、一般営業と厳に区別が設けられるよう、その対象範囲を原則として社会福祉法第2条第2項及び第3項に規定する社会福祉事業の対象とされる生計困難者等及び相モデルに限定するなど、不特定多数の者をモデルとする実習が行われないよう、適切に取り扱うこと。
(6) 多数の生徒を1室に収容して授業を行うことは、著しく教育効果の妨げとなるので、指定規則第4条第1項第1号チに定めているとおり40人以下の生徒(同時に入所させる生徒の定員数が40人未満である場合は、その定員数。)を基準として構成すること。
 なお、同時授業を実施する場合において、「教育上支障のないとき」とは、生徒1人当たり1.65㎡以上の面積を確保できる場合であること。
(7) 「美容師養成施設の通信課程における授業方法等の基準の運用について」(平成27年3月31日健発0331第16号厚生労働省健康局長通知。以下「通信課程における授業方法等の基準の運用」という。) 2の(4)ただし書に規定する「他の美容師養成施設その他面接指導を行う場所として適当と認められる施設」とは、原則として、次のような施設であること。

ア　他の美容師養成施設
　　イ　保健所
　　ウ　小学校、中学校等の教育施設その他公民館等公共的施設
　(8)　通信課程を新設しようとする美容師養成施設が、「通信課程における授業方法等の基準の運用」2の(4)ただし書の規定の適用を受けようとするときは、設置計画書、課程新設計画書、指定申請書又は課程新設承認申請書にその場所、使用する施設の概況、通信養成を行う生徒の地域及び授業の方法を記載するものとし、また、既に通信課程を設置している美容師養成施設が新たにこの規定の適用を受けようとするときは、授業の方法の変更の届出書を当該指定養成施設所在地の都道府県知事に提出しなければならないこと。
6　施設及び設備に関する事項
　(1)　指定規則第3条第1項第1号ヌからヲに定める施設を有していること。
　(2)　施設及び設備は、原則として同一構内にあって、それらが有機的に関連性をもって配置され、その構造は堅ろうであって、学習上、保健衛生上及び管理上適切なものであること。
　(3)　教室は、特に採光、照明、換気、防災等危害予防に十分配慮されたものであること。
　(4)　夜間課程の授業を行う教室の机及び黒板面の照度は、150ルクス以上であること。
　(5)　施設及び設備は、原則として設立者が所有するものであること。
　(6)　消毒に必要な医薬品等の薬品について、安全かつ適切な保管及び管理を行うための専用の設備を設けること。
　(7)　学習上必要な機械器具、標本及び模型、図書並びにその他の備品は、別表1に基づき整備するとともに、別表2の左欄に掲げる事項の区分ごとに、右欄に掲げる具体的器具等を標準として学習上必要と考えられる種類及び数を整備すること。
7　変更等の承認に関する事項
　(1)　美容師養成施設において次の事項を変更しようとするときは、あらかじめ当該指定養成施設所在地の都道府県知事の承認を得なければならないこと。
　　ア　生徒の定員（定員を増加する場合に限る。）
　　イ　校舎の各室の用途及び面積並びに建物の配置図及び平面図
　(2)　美容師養成施設において新たに養成課程を設け（新たに理容修得者課程を設けようとする場合を含む。）、若しくは養成課程の一部を廃止（理容修得者課程の一部又は全部を廃止する場合を含む。）し、又は美容師養成施設を廃止しようとするとき及び新たに同時授業を行おうとするときは、あらかじめ当該指定養成施設所在地の都道府県知事の承認を得なければならないこと。
　(3)　上記(1)及び(2)の承認を受けようとするときは、変更等承認申請書を、変更等をしようとする日の2か月前までに、当該指定養成施設所在地の都道府県知事に提出しなければならないこと。
　(4)　上記(1)及び(2)の承認申請書には、次に掲げる事項を記載し、書類を添付しなければならないこと。
　　ア　生徒の定員（定員を増加する場合に限る。）の変更

〈記載事項〉
- (ア) 美容師養成施設の名称及び所在地
- (イ) 変更の理由
- (ウ) 変更の予定年月日
- (エ) 変更前及び変更後の生徒の定員、同時に授業を行う生徒の数及び学級数
- (オ) 変更前及び変更後の入所の時期
- (カ) 変更前及び変更後の教員の数、氏名及び担当課目並びに専任又は兼任の別
- (キ) 変更前及び変更後の施設の各室の用途及び面積並びに建物の配置図及び平面図
- (ク) 変更前及び変更後の設備の状況
- (ケ) 変更後2年間の財政計画及びこれに伴う収支予算
- (コ) 通信課程に係る変更にあっては、変更前及び変更後の通信養成を行う地域及び授業の方法

〈添付書類〉
- (サ) 過去3年間における生徒の募集状況
- (シ) 設立者の履歴書（法人にあっては、定款、寄附行為等）
- (ス) 新たな教員の履歴書
- (セ) 設立者の資産状況
- (ソ) 建物建築請負契約書及び物品購入契約書の写し
- (タ) 学則

イ　校舎の各室の用途及び面積並びに建物の配置図及び平面図の変更

〈記載事項〉
- (ア) 美容師養成施設の名称及び所在地
- (イ) 変更の理由
- (ウ) 変更の予定年月日
- (エ) 変更前及び変更後の施設の各室の用途及び面積並びに建物の配置図及び平面図
- (オ) 変更前及び変更後の設備の状況
- (カ) 変更後2年間の財政計画及びこれに伴う収支予算

〈添付書類〉
- (キ) 設立者の履歴書（法人にあっては、定款、寄附行為等）
- (ク) 設立者の資産状況
- (ケ) 建物建築請負契約書及び物品購入契約書の写し
- (コ) 学則

ウ　養成課程の新設

〈記載事項〉
- (ア) 美容師養成施設の名称及び所在地
- (イ) 新設の理由
- (ウ) 新設の予定年月日
- (エ) 新設養成課程に係る1の(1)のオからシまでに掲げる事項
- (オ) 新設前及び新設後の美容実習のモデルとなる者の選定その他美容実習の実施方法

㈏　新設前及び新設後の施設の各室の用途及び面積並びに建物の配置図及び平面図
　　　㈑　新設前及び新設後の設備の状況
　　　㈒　設立者の資産状況及び美容師養成施設の経営方法
　　　㈓　新設後2年間の財政計画及びこれに伴う収支予算
　　　㈐　通信課程の新設に係る場合は、1の(3)に掲げる事項
　　〈添付書類〉
　　　㈕　設立者の履歴書（法人にあっては、定款、寄附行為等）
　　　㈖　新設養成課程の教員の履歴書
　　　㈗　建物建築請負契約書及び物品購入契約書の写し
　　　㈘　教授用及び実習用の機械器具、標本、模型及び図書の目録
　　　㈙　学則
　　　㈚　通信課程の新設に係る場合は、通信養成に使用する教材
　　エ　養成課程の一部の廃止又は美容師養成施設の廃止
　　　㈢　美容師養成施設の名称及び所在地
　　　㈣　廃止の理由
　　　㈤　廃止の予定年月日
　　　㈥　入所中の生徒の処置方法
　　　㈦　指定養成施設を廃止しようとする場合にあっては、当該養成施設に在学し、又はこれを卒業した者の学習の状況を記録した学籍簿を保存する者の住所及び氏名（法人又は団体にあっては、その名称、主たる事務所の所在地並びに代表者の住所及び氏名）並びに学籍簿の承継の予定年月日
　　　㈧　養成課程の一部の廃止に係る場合は、廃止後2年間の財政計画及びこれに伴う収支予算
　　オ　同時授業の実施
　　　〈記載事項〉
　　　㈢　美容師養成施設の名称及び所在地
　　　㈣　実施理由
　　　㈤　実施予定年月日
　　　㈥　同時授業を行う教科課目名
　　　㈦　変更前及び変更後の教員の氏名及び担当課目並びに専任又は兼任の別
　　　㈧　同時授業を行う養成課程の生徒の定員及び学級数
　　　㈑　変更前及び変更後の施設の各室の用途、面積並びに建物の配置図及び平面図
　　　㈘　通信課程の実施にあっては、通信養成を行う地域及び授業の方法
　　　〈添付書類〉
　　　㈨　過去2年間における生徒の入所状況（養成課程別）
　　　㈩　同時授業を行う養成施設の新たな教員の履歴書
　　　㈕　学則
　　　　同時授業を行うために施設の用途変更を行う場合は、同時授業の承認申請書により、併せて承認することとしている。
　　　　なお、普通教室の併用を除き、施設の用途変更を行う場合は、前記イ「校舎の各

室の用途及び面積並びに建物の配置図及び平面図の変更」の(オ)から(ケ)を追加すること。
(5) 養成課程の一部の廃止又は美容師養成施設の廃止をする場合の入所中の生徒の処置については、原則として他の指定養成施設に編入所させなければならないこと。
(6) 美容師養成施設の変更等の承認申請書の作成に当たっては、別紙様式2から6を参照すること。
(7) 上記(1)又は(2)の承認を受けようとするときは、変更等を行おうとする日の1年前(同時授業を行う場合は10か月前)までに、変更等計画書を当該指定養成施設所在地の都道府県知事に提出しなければならないこと。
(8) 美容師養成施設の変更等計画書の様式については、変更等承認申請書の様式に準じたものとすること。
8 変更の届出に関する事項
(1) 美容師養成施設において次の事項に変更があったときは、すみやかに、変更の内容を記載した届出書を当該指定養成施設所在地の都道府県知事に提出しなければならないこと。
　ア　美容師養成施設の名称及び所在地
　イ　設立者の住所及び氏名(法人又は団体にあっては、その名称、主たる事務所の所在地並びに代表者の住所及び氏名)
　ウ　美容師養成施設の長の氏名
　エ　教員の氏名及び担当課目並びに専任又は兼任の別
　オ　学級数
　カ　入所資格
　キ　入所の時期
　ク　修業期間
　ケ　教科課程
　コ　卒業認定の基準
　サ　入学料、授業料及び実習費の額
　シ　美容実習のモデルとなる者の選定その他美容実習の実施方法
　ス　通信課程における通信養成を行う地域
　セ　通信課程における授業の方法
　ソ　通信課程における課程修了の認定方法
　タ　通信課程における通信教材の内容
(2) 前項の届出が、次の表の左欄に掲げるものであるときは、それぞれ同表の右欄に該当するものを、それぞれ届出書に添付しなければならないこと。

美容師養成施設の長の変更に係るもの	新たに長となった者の履歴書
教員の新たな使用に係るもの	その者の履歴書
(1)のア、オからコ又はスに係るもの	学則
入学料等の額の変更に係るもの	当該変更後2年間の財政計画及びこれに伴う収支予算並びに学則

第2編　理容師・美容師

| 通信課程における通信教材の内容の変更に係るもの | 当該通信教材 |

(3) 美容師養成施設において、生徒の定員を減ずる変更をしようとするとき、又は同時授業の実施を終了するときは、あらかじめ、変更の内容を記載した届出書を当該指定養成施設所在地の都道府県知事に提出しなければならないこと。
　　なお、同時授業の終了に伴い、普通教室の併用を止める場合以外の用途変更をする場合は、別途用途変更の手続きを行わなければならないこと。
(4) 上記(3)の変更届出書には次のアからケ（同時授業については、アからウ及びコ）までに掲げる事項を記載するとともに、サからス（同時授業についてはサ及びス）に掲げる書類を添付しなければならないこと。
　ア　美容師養成施設の名称及び所在地
　イ　変更（終了）の理由
　ウ　変更（終了）の予定年月日
　エ　変更前及び変更後の同時に授業を行う生徒の数及び学級数
　オ　変更前及び変更後の入所の時期
　カ　変更前及び変更後の教員の数、氏名及び担当課目並びに専任又は兼任の別
　キ　変更前及び変更後の設備の状況
　ク　変更後2年間の財政計画及びこれに伴う収支予算
　ケ　通信課程に係る変更にあっては、変更前及び変更後の通信養成を行う地域及び授業の方法
　コ　終了する養成課程
　サ　過去3年間における生徒の募集状況（同時授業については、過去2年間における生徒の入所者数（養成課程別）
　シ　設立者の資産状況
　ス　学則
(5) 美容師養成施設の変更届出書の作成に当たっては、別紙様式7から9を参照すること。
9　その他
(1) 美容師養成施設の経理は、養成施設以外の経理と明確に区分されていること。
(2) 入学料、授業料及び実習費等は学則に定める額とし、寄付金その他の名目で不当な金額を徴収しないこと。これらの費用の種類及び金額は、入学案内等により、募集の際、生徒に周知されていること。
(3) 次に掲げる表簿が備えられ、学籍簿については20年間、その他の表簿については5年間保存されていること。
　ア　学則
　イ　日課（時間割）表
　ウ　養成施設日誌
　エ　教職員の名簿、履歴書及び出勤簿
　オ　学籍簿、出席簿及び健康診断に関する表簿
　カ　入所者の選考及び成績考査に関する表簿

美容師養成施設の指導要領について

　　キ　資産原簿、出納簿及び経費の予算決算についての帳簿
　　ク　機械器具等の目録
　　ケ　往復文書処理簿
(4)　学籍簿は、別紙様式10を標準に各美容師養成施設において適切に整備すること。また、通信課程の学籍簿については、別紙様式10に準じたものとすること。
(5)　指定養成施設を廃止しようとする設立者は、当該養成施設に在学し、又は当該養成施設を卒業した者の学籍簿を適切に保存することができる者がいないときは、当該指定養成施設所在地の都道府県知事に当該学籍簿を引き継がなければならないこと。
(6)　指定規則第7条の規定に基づき、当該指定養成施設所在地の都道府県知事が学籍簿等を保存しなければならない期間は、上記(3)に掲げる保存期間から当該養成施設において、これらの学籍簿を保存していた期間を控除した期間とすること。
(7)　選択課目において校外実習を行う美容師養成施設の設立者は、校外実習の実施方法（実施時期、時間数（1日当たりの時間数及び年間時間数）、実施場所の名称（美容所にあっては管理美容師の氏名を含む。））及び評価方法を当該指定養成施設所在地の都道府県知事に届け出なければならないこと。また、これらを変更する場合も同様とすること。
(8)　設立者は、毎年7月31日までに、前年度の収支決算の細目及び当年度の収支予算の細目を当該指定養成施設所在地の都道府県知事に届け出なければならないこと。
(9)　養成課程又は美容師養成施設の新設（生徒の定員の増加に伴う変更を含む。）の広告又は生徒の募集行為（募集要項の配布及び入学試験等の実施）は、当該養成施設に入所を希望する者に不利益が生じないよう、適切に行わなければならないこと。

　（別表1）

1	普通教室（1教室につき）	（数量）
	生徒用椅子及び机	同時に授業を行う生徒の数と同数以上
2	実習室	
	美容用椅子（美容実習を行う1実習室につき）	同時に授業を行う生徒の数の2分の1以上
	実験器具（別表2）	一式
	視聴覚機器（別表2）	一式
	顕微鏡	1台以上
	人体模型	1台以上

（備考）
　　指定規則第3条第2項に基づき、指定基準を定めた聴覚障害者である生徒に対する教育を主として行う特別支援学校及び矯正施設の養成施設は、次のとおりとする。
　　1　聴覚障害者である生徒に対する教育を主として行う特別支援学校の養成施設については「2実習室」欄の「美容用椅子」の数量を、「同時に授業を行う生徒の3分の1以上」とする。

第2編　理容師・美容師

　　2　矯正施設の養成施設については「2実習室」欄の「美容用椅子」の数量を、「8以上」とする。

(別表2)

Ⅰ　標準とする器具	（具体的器具等の例）
1　香粧品化学、美容技術理論関係用	
(1)　電気関係実験器具	テスター、積算電力計、小型発動機、小型電動機、可変変圧器、可変抵抗器、蓄電池及び充電器、電気抵抗発熱試験器具、磁石と磁針、ヘアドライヤー（実験用）、ヘアスチーマー（実験用）
(2)　化学関係実験器具	pHメーター、pH指示薬、リトマス試験紙、比重計、ブンゼンバーナー、実験用各種スタンド類、蒸留水製造器一式（ガラス製冷却器、フラスコ、冷却水循環ポンプ、ガラス管、ゴム管、ゴム栓等）、原子・分子構造模型、電池・電気分解実験器具
(3)　その他実験器具	色彩表
2　保健、衛生管理、皮膚科学、消毒関係用	
(1)　消毒関係実験器具	消毒薬一式、リットル枡、メスシリンダー、フラスコ、コルベン、ビュレット、ピペット、試薬ビン、ロート、シャーレ、試験管、理学的消毒器
(2)　皮膚関係実験器具	皮膚・毛髪組織の模型、皮膚・毛髪顕微鏡用プレパラート、主要な皮膚・毛髪疾患の模型
(3)　環境その他の実験器具	温度計、湿度計、気圧計、照度計、室内用風力計、空気成分試験器

Ⅱ　標準とする視聴覚機器	（具体的器具等の例）
視聴覚機材	視聴覚機材、映写スクリーン、教材用映像

Ⅲ　標準とする図書	（具体的器具等の例）
図書	教育上必要な専門図書及び学術雑誌

【様式第1】

平成　年　月　日

（都道府県知事名）　　殿

(設立者の住所)　｜法人の印｜

(設立者の氏名)　｜代表者の公印｜

美容師養成施設指定申請書

　このたび（美容師養成施設名）を美容師法第4条第3項に規定する美容師養成施設としての指定を受けたいので美容師養成施設指定規則第2条の規定により関係書類を添えて申請いたします。

1　美容師養成施設の名称、所在地及び設立予定年月日
2　設立者の住所及び氏名（法人又は団体にあっては、その名称、主たる事務所の所在地並びに代表者の住所及び氏名）
3　美容師養成施設の長の氏名
4　養成課程の別
5　同時授業の有無
6　教員の氏名及び担当課目並びに専任又は兼任の別
7　生徒の定員及び学級数
8　入所資格
9　入所の時期
10　修業期間
11　教科課程及び教科課目ごとの実習を含む総単位数（単位により行うことが困難な美容師養成施設にあっては、総授業時間数。通信課程にあっては、各教科課目ごとの添削指導の回数及び面接授業の総単位数（単位により行うことが困難な美容師養成施設にあっては、総授業時間数））
12　卒業認定の基準
13　入学料、授業料及び実習費の額
14　美容実習のモデルとなる者の選定その他美容実習の実施方法
15　校舎の各室の用途及び面積並びに建物の配置図及び平面図
16　設備の状況
17　設立者の資産の状況及び美容師養成施設の経営方法
18　指定後2年間の財政計画及びこれに伴う収支予算

（通信課程に関する補足事項）
1　通信養成を行う地域

第2編　理容師・美容師

　　2　授業の方法
　　3　課程修了の認定方法

〔添付書類〕
　1　設立者の履歴書（法人にあっては、定款、寄付行為等）
　2　美容師養成施設の長の履歴書
　3　専任教員の履歴書
　4　兼任教員の履歴書
　5　土地建物等の登記事項証明書の写し
　6　建物建築請負契約書及び物品購入契約書の写し
　7　教授用及び実験用の機械器具、標本、模型及び図書の目録
　8　法人の設立認可書の写し
　9　同時授業を行う理容師養成施設における過去2か年の入所者数（養成課程別）
　10　学則
　11　通信課程にあっては、通信養成に使用する教材

〔申請事項記載例〕
　1　美容師養成施設の名称、所在地及び設立予定年月日
　　(1)　美容師養成施設の名称　　○○美容師学校
　　(2)　美容師養成施設の所在地
　　　　　東京都千代田区霞が関1丁目2番2号
　　(3)　美容師養成施設の設立年月日
　　　　　平成　　年　　月　　日
　2　美容師養成施設の住所及び氏名（法人又は団体にあっては、その名称、主たる事務所の所在地並びに代表者の住所及び氏名）
　　(1)　設立者の住所
　　　　　東京都千代田区霞が関1丁目2番2号
　　(2)　設立者の氏名　　学校法人　○○学園
　　(3)　代表者の住所
　　　　　東京都千代田区霞が関1丁目2番2号
　　(4)　代表者の氏名　　理事長　○○○○
　3　美容師養成施設の長の住所及び氏名
　　(1)　施設長の住所
　　　　　東京都千代田区霞が関1丁目2番2号
　　(2)　施設長の氏名　　○○○○
　4　養成課程の別
　　　　昼間課程、夜間課程、通信課程
　5　同時授業の有無

美容師養成施設の指導要領について

　　有（昼間課程、夜間課程、通信課程）
(1)　生徒の定員及び学級数

区　分		理　容		美　容		同時授業		同時授業を行う生徒の数（学級数）
		入学定員	定員	入学定員	定員	入学定員	定員	
昼間	通　常	名	名	名	名	名	名	名（　学級）
	修得者	名	名	名	名	名	名	名（　学級）
夜間	通　常	名	名	名	名	名	名	名（　学級）
	修得者	名	名	名	名	名	名	名（　学級）
通信	通　常	名	名	名	名	名	名	名（　学級）
	修得者	名	名	名	名	名	名	名（　学級）
合　計		名	名	名	名	名	名	名（　学級）

(2)　過去2か年の入所者状況

区　分		○年度			○年度			当該年度の受験者数		
		理容	美容	計	理容	美容	計	理容	美容	計
昼間	通　常	名	名	名	名	名	名	名	名	名
	修得者	名	名	名	名	名	名	名	名	名
夜間	通　常	名	名	名	名	名	名	名	名	名
	修得者	名	名	名	名	名	名	名	名	名
通信	通　常	名	名	名	名	名	名	名	名	名
	修得者	名	名	名	名	名	名	名	名	名

6　教員の氏名及び担当課目並びに専任又は兼任の別
(1)　専任教員の氏名及び担当教科課目（○○課程）

第2編　理容師・美容師

整理番号	氏　名	担当教科課目		資　格	同時授業	備　考
(必修課目)						
1	○○○○	関係法規・制度		○○大学法学博士	有	夜間（専任教員）
2	○○	衛生管理		医師	有	通信（兼任教員）
3						
4						
7						
8						
(選択課目)						
9						
10						

（記入上の注意）
1　この表は、養成課程ごとに作成すること。
2　同時授業を行う教員は、同時授業欄に記載すること。
3　他の課程の専任教員又は兼任教員を兼ねる場合には、備考欄に記載すること。

(2)　兼任教員の氏名及び担当教科課目（○○課程）

整理番号	氏　名	担当教科課目		資　格	同時授業	備　考
(必修課目)						
1	○○○○	関係法規・制度		○○大学法学博士		
2	○○○○	衛生管理		医師		
3						
4						
7						
8						
(選択課目)						
9						
10						

（記入上の注意）
1　この表は、養成課程ごとに作成すること。
2　同時授業を行う教員は、同時授業欄に記載すること。
3　他の課程の専任教員又は兼任教員を兼ねる場合には、備考欄に記載すること。

(3) 教員担当課目一覧

		昼間課程										夜間課程										通信課程									
		通常課程								理容修得者課程			通常課程								理容修得者課程			通常課程							理容修得者課程		
氏名	資格	関係法規・制度	衛生管理	保健	香粧品化学	文化論	美容技術理論	運営管理	美容実習	(選択課目の課目名)	美容技術理論	美容実習	(選択課目の課目名)	関係法規・制度	衛生管理	保健	香粧品化学	文化論	美容技術理論	運営管理	美容実習	(選択課目の課目名)	美容技術理論	美容実習	(選択課目の課目名)	関係法規・制度	衛生管理	保健	香粧品化学	文化論	美容技術理論	運営管理	美容実習	(選択課目の課目名)	美容技術理論	美容実習	(選択課目の課目名)
専任教員 ○○○○	○○大学法学博士																																				
兼任教員 ○○○○	医師																																				

(記入上の注意)
1 担当する教科課目に○印を付すこと。
2 専任教員が他の課程の兼任教員を兼ねる場合には、専任教員欄ではなく、兼任教員欄の担当教科課目に△印を付すこと。

第2編 理容師・美容師

7 生徒の定員及び学級数

<table>
<tr><th colspan="2">区　分</th><th>入学定員</th><th>定　員</th><th>同時に授業を行う生徒の数（学級数）</th></tr>
<tr><td rowspan="2">昼間</td><td>通　常</td><td>名</td><td>名</td><td>名（　学級）</td></tr>
<tr><td>理容修得者</td><td>名</td><td>名</td><td>名（　学級）</td></tr>
<tr><td rowspan="2">夜間</td><td>通　常</td><td>名</td><td>名</td><td>名（　学級）</td></tr>
<tr><td>理容修得者</td><td>名</td><td>名</td><td>名（　学級）</td></tr>
<tr><td rowspan="2">通信</td><td>通　常</td><td>名</td><td>名</td><td>名（　学級）</td></tr>
<tr><td>理容修得者</td><td>名</td><td>名</td><td>名（　学級）</td></tr>
<tr><td colspan="2">合　計</td><td>名</td><td>名</td><td>名（　学級）</td></tr>
</table>

8 入所資格
 (1) 学校教育法第90条に規定する者（これらの者と同等以上の学力があると認められる者を含む。）
 (2) 学校教育法第57条に規定する者（これらの者と同等以上の学力があると認められる者を含む。）であって、入所試験に合格したもの。

9 入所の時期　　昼間課程（通常）　　　　毎年　○月
　　　　　　　　昼間課程（理容修得者）　毎年　○月
　　　　　　　　夜間課程（通常）　　　　毎年　○月
　　　　　　　　夜間課程（理容修得者）　毎年　○月
　　　　　　　　通信課程（通常）　　　　毎年　○月
　　　　　　　　通信課程（理容修得者）　毎年　○月

10　修業期間　　昼間課程（通常）　　　　　　2年
　　　　　　　　昼間課程（理容修得者）　　　1年
　　　　　　　　夜間課程（通常）　　　　　　2年
　　　　　　　　夜間課程（理容修得者）　　　1年
　　　　　　　　通信課程（通常）　　　　　　3年
　　　　　　　　通信課程（理容修得者）　　　1年6月

11 教科課程及び教科課目ごとの実習を含む総授業時間数
〈昼間課程〉

<table>
<tr><th rowspan="2">教科課目</th><th rowspan="2">同時授業</th><th>総単位数（総授業時間数）</th></tr>
<tr><th></th></tr>
<tr><td>（必修課目）</td><td></td><td>単位（時間）</td></tr>
<tr><td>関係法規・制度</td><td>有</td><td></td></tr>
<tr><td>衛生管理</td><td></td><td></td></tr>
<tr><td>保健</td><td></td><td></td></tr>
</table>

美容師養成施設の指導要領について

香粧品化学		
文化論	—	
美容技術理論	—	
運営管理	—	
美容実習	—	
小計		単位（時間）
（選択課目）		単位（時間）
○○○○	有	
○○○○		
小計		単位（時間）
合計 （1週間当たり平均授業時間）		単位（時間） （　　　　時間）

（記入上の注意）
1　夜間課程についても同様に作成すること。
2　単位により行うことが困難な美容師養成施設にあっては授業時間数を記入すること。
3　同時授業を実施する教科課目は、同時授業欄に記載すること。

〈通信課程〉

教科課目	同時授業	添削指導の回数	面接授業の単位数（時間数）	第1回添削指導（○月～○月）	第1回面接授業（○月○日間）	第2回添削指導（○月～○月）	第2回面接授業（○月○日間）	第3回添削指導（○月～○月）	
（必修課目）									
関係法規・制度	有	回	単位（時間）	回	単位（時間）	回	単位（時間）	回	
衛生管理									
保　健									
香粧品化学									
文化論									

589

美容技術理論									
運営管理									
美容実習									
小　計									
(選択課目)									
○　○	有								
○　○									
小　計									
合　計									

（記入上の注意）
1　面接授業について、単位数により行うことが困難な美容師養成施設にあっては、授業時間数を記入すること。
2　この表は、理容修得者・美容所に常勤で従事している者である生徒・それ以外の生徒別に別葉として作成すること。
3　同時授業を実施する教科課目は、同時授業欄に記載すること。

12　卒業認定の基準
(1)　学則で定める必要な単位数を履修していること。
(2)　教科課目の区分ごとに、その教科課目の出席状況が著しく不良でないこと。
(3)　○○試験が必修課目○○点以上、選択課目○○点以上であること。

13　入学料、授業料及び実習費の額

区　分		入学料	授業料（月額）	実習費（月額）
昼間	通　常	円	円	円
	理容修得者	円	円	円
夜間	通　常	円	円	円
	理容修得者	円	円	円

通信	通　　常	円	円	円
	理容修得者	円	円	円

14　美容実習のモデルとなる者の選定その他美容実習の実施方法
　(1)　美容実習（実務実習を除く。）のモデルとなる者の選定方法
　　　ア　対象
　　　イ　モデルを使用して行う実習の時期、場所、及び単位数（単位により行うことが困難な美容師養成施設にあっては、時間数）
　(2)　実務実習の実施方法
　　　ア　実施時期及び年間時間数
　　　イ　場所（美容所名）及び管理美容師名
　　　ウ　評価方法
15　校舎の各室の用途及び面積並びに建物の配置図及び平面図
　(1)　校地の総面積　　　〇〇平方メートル
　　　　内訳　校舎　　　〇〇平方メートル
　　　　　　　その他　　〇〇平方メートル（グランド、〇〇等）
　(2)　附近の見取図及び建物配置図
　(3)　建物の構造　鉄筋〇階建
　(4)　施設の各室の用途及び面積

　　　1階

室　　　名	用　　途	面　積(㎡)	収容人員	備　　考
事務室				
教員室				
医務室				
更衣室（男女別）	生徒用			
図書室				
普通教室(1)	講義用			
〃　　(2)				同時授業使用
実習室(1)	実習用			
ホール				
倉庫				
〇〇室				
その他				

　　（記入上の注意）

1 校舎、各階別に施設の内容を記載すること。
2 同時授業で使用する教室は、備考欄に記載すること。
(5) 各室の平面図
16 設備の状況
(1) 普通教室

品　　名	数　　量	備　　考
生徒用机 　　椅子		1人用

(2) 実習室

品　　名	数　　量	備　　考
美容用椅子 プロジェクター設備 映像設備 人体模型 実験器具 顕微鏡 　・ 　・ 　・		

(3) 夜間課程にあっては、普通教室及び実習室の照明設備並びに教室の机上及び黒板面の照度（ルクス）

17 設立者の資産状況及び美容師養成施設の経営方法
(1) 設立者の資産状況
　　貸借対照表

資　産　の　部		金　　額	負債及び基金の部		金　額
流動資産		千円	流動負債	千円	千円
現金	○○○		短期借入金		
有価証券	○○○		未払金		
短期貸付金			前受金		
立替金			○○		
○○			流動負債　計		
流動資産　計		○○○	固定負債		
固定資産			長期借入金		
土地			○○		
建物			固定負債　計		

構築物			引当金	
教育用設備備品			減価償却引当金	
○○			○○	
○○			引当金 計	
固定資産 計			基本金	
欠損金			○○積立金	
繰越欠損金			余剰金	
当期欠損金				
欠損金 計			基本金 計	
合　　　　　計		○○○	合　　　　　計	

(2) 美容師養成施設の経営方法
　ア　内部運営組織の状況
　イ　経理方式
　　・新設、増設等に要した資金の財源内訳

年度	事業区分	数量	事業費	財　源　内　訳				備考
				自己資金	寄付金	借入金	その他	
○○年度	土地購入費	㎡						
○○年度	校舎建設費	㎡						
	備品費							

　　・支出経費に対する維持方法（収支に欠損を生じた場合の補填方法）
18　指定後2年間の財政計画及びこれに伴う収支予算
　(1)　財政計画
　　　　○年度　歳入予算　　　　円
　　　　　　　　歳出予算　　　　円
　　　　○年度　歳入予算　　　　円
　　　　　　　　歳出予算　　　　円
　(2)　収支予算

収　　　　入			支　　　　出		
区　分	○年度	○年度	区　分	○年度	○年度
1　学生生徒納付金収入			1　人件費 (1)　教員人件費		

(1) 授業料			(2) 事務職員人件費			
(2) 入学金						
(3) 実習費			(3) その他			
(4) 証明手数料			2 管理費			
(5) ○○費			(1) 消耗品費			
2 基本財産収入			(2) 光熱水費			
(1) 積立金利子			(3) 通信運搬費			
(2) その他の収入			3 教育研究費			
3 運用財産収入			(1) 研修費			
4 寄付金収入			(2) 研究費			
5 収益事業収入			(3) 外部講師謝金			
6 その他の収入			(4) 旅費交通費			
			(5) 実習経費			
			(6) 教材費			
			(7) 図書費			
			4 その他			
合　　　計			合　　　計			

（通信課程に関する補足事項）
1　通信養成を行う地域　　　○○県全域
2　授業の方法
　(1)　通信授業及び添削指導
　　　ア　教育計画

月	配本教材	教材の内容	添削指導の回数
4	関係法規・制度Ⅰ	・衛生行政	1回
	衛生管理Ⅰ	・公衆衛生　概説 ・感染症	2回
5			

　　　イ　添削指導のための組織等
　　　　・教育相談窓口を設置し、随時質問・相談を受け付ける。
　　　　・通信授業及び添削指導に係る事務の一部を公益社団法人日本理容美容教育センターに委託する。（委託業務の内容：教本の配本）
　(2)　面接授業
　　　ア　教育計画

課　目	総単位数 （総授業 時間数）	第1回 （　月　日間）		第2回 （　月　日間）	
		内　　容	単　位　数 （時間数）	内　　容	単　位　数 （時間数）
関係法規 ・制度	2単位	衛生行政	単位	美容師法	単位
合　計	120単位	―		―	

（記入上の注意）

　単位により行うことが困難な美容師養成施設にあっては授業時間数を記入すること。

　イ　場所

　　・本校校舎

　　・その他　　〇〇〇中学校校舎（施設の概況）

　　　　　　　（対象：〇〇郡在住者、理由：　　　　　　　　　　）

3　課程修了の認定方法

【様式第2】

平成　年　月　日

（都道府県知事名）　殿

（設立者の住所）　法人の印

（設立者の氏名）　代表者の公印

（変更事項）変更承認申請書

　このたび（美容師養成施設名）における（変更事項）を変更したいので美容師養成施設指定規則第5条第1項の規定により関係書類を添えて申請いたします。
1　美容師養成施設の名称及び所在地
2　変更の理由
3　変更の予定年月日
4　生徒の定員を増加する場合にあっては、変更前及び変更後の生徒の定員、同時に授業を行う生徒の数及び学級数
5　生徒の定員を増加する場合にあっては、変更前及び変更後の入所の時期
6　生徒の定員を増加する場合にあっては、変更前及び変更後の教員の数、氏名及び担当課目並びに専任又は兼任の別
7　変更前及び変更後の施設の各室の用途及び面積並びに建物の配置図及び平面図
8　変更前及び変更後の設備の状況
9　変更後2年間の財政計画及びこれに伴う収支予算
10　通信課程に係る生徒の定員を増加する場合にあっては、変更前及び変更後の通信養成を行う地域及び授業方法

（添付書類）
1　過去3年間における生徒の募集状況
2　設立者の履歴書（法人にあっては、定款、寄付行為等）
3　新たな教員の履歴書
4　設立者の資産状況
5　建物建築請負契約書及び物品購入契約書の写し
6　学則

（申請事項記載例）
　指定申請書の記載例を参考とすること。

【様式第3】

平成　年　月　日

（都道府県知事名）　殿

（設立者の住所）　[法人の印]

（設立者の氏名）　[代表者の公印]

○○課程設置承認申請書

このたび（美容師養成施設名）に○○課程を設置したいので美容師養成施設指定規則第5条第2項の規定により関係書類を添えて申請いたします。
1　美容師養成施設の名称及び所在地
2　新設の理由
3　新設の予定年月日
4　新設養成施設課程の教員の氏名及び担当課目並びに専任又は兼任の別
5　新設養成課程の生徒の定員及び学級数
6　新設養成課程の入所資格
7　新設養成課程の入所の時期
8　新設養成課程の修業期間
9　新設養成課程の教科課程及び教科課目ごとの実習を含む総単位数（単位により行うことが困難な美容師養成施設にあっては、総授業時間数。通信課程にあっては、各教科課目ごとの添削指導の回数及び面接授業の総単位数（単位により行うことが困難な美容師養成施設にあっては、総授業時間数。））
10　新設養成課程の入学料、授業料及び実習費の額
11　新設前及び新設後の美容実習のモデルとなる者の選定その他美容実習の実施方法
12　新設前及び新設後の各室の用途及び面積並びに建物の配置図及び平面図
13　新設養成課程の設備の状況
14　設立者の資産状況及び美容師養成施設の経営方法
15　設立後2年間の財政計画及びこれに伴う収支予算
16　通信課程の新設にあっては、通信養成を行う地域、授業の方法、課程修了の認定方法

（添付書類）
1　設立者の履歴書（法人にあっては、定款、寄付行為等）
2　新設養成課程の教員の履歴書
3　建物建築請負契約書及び物品購入契約書の写し
4　教授用及び実習用の機械器具、標本、模型及び図書の目録
5　学則
6　通信課程にあっては、通信養成に使用する教材

（申請事項記載例）
　指定申請書の記載例を参考とすること。

第2編　理容師・美容師

【様式第4】

平成　年　月　日

（都道府県知事名）　　殿

（設立者の住所）　|法人の印|

（設立者の氏名）　|代表者の公印|

同時授業実施承認申請書

　このたび（美容師養成施設名）において同時授業を実施したいので美容師養成施設指定規則第5条第2項の規定により関係書類を添えて申請いたします。
1　美容師養成施設の名称及び所在地
2　実施理由
3　実施予定年月日
4　同時授業を行う教科課目名
5　変更前及び変更後の教員の氏名及び担当課目並びに専任又は兼任の別
6　同時授業を行う養成課程の生徒の定員及び学級数
7　変更前及び変更後の施設の各室の用途、面積並びに建物の配置図及び平面図
8　通信課程の実施にあっては、通信養成を行う地域、授業の方法
（添付書類）
1　過去2年間における生徒の入所状況
2　同時授業を行う養成課程の新たな教員の履歴書
3　学則
※　大幅に施設の用途変更を行う場合は、上記のほか「イ　校舎の各室の用途及び面積並びに建物の配置図及び平面図の変更」の（オ）から（ケ）を追加すること。
（申請事項記載例）
　　指定申請書の記載例を参考とすること。

【様式第5】

平成　年　月　日

（都道府県知事名）　殿

（設立者の住所）　[法人の印]

（設立者の氏名）　[代表者の公印]

○○課程廃止承認申請書

このたび（美容師養成施設名）における○○課程を廃止したいので美容師養成施設指定規則第5条第3項の規定により申請いたします。
1　美容師養成施設の名称及び所在地
2　廃止の理由
3　廃止の予定年月日
4　廃止課程に入所中の生徒の処置方法
5　廃止後2年間の財政計画及びこれに伴う収支予算

（申請事項記載例）
　指定申請書の記載例を参考とすること。

【様式第6】

平成　年　月　日

（都道府県知事名）　殿

（設立者の住所）　[法人の印]

（設立者の氏名）　[代表者の公印]

美容師養成施設の廃止承認申請書

このたび平成○年○月○日○○○○○号をもって指定された（美容師養成施設名）を廃止したいので美容師養成施設指定規則第5条第3項の規定により申請いたします。
1　美容師養成施設の名称及び所在地
2　廃止の理由
3　廃止の予定年月日
4　入所中の生徒の処置方法
5　美容師養成施設を廃止しようとする場合には、学籍簿等を保存する者の住所及び氏名（法人又は団体にあっては、その名称、主たる事務所の所在地並びに代表者の住所及び氏名）並びに学籍簿等の承継の予定年月日

【様式第7】

平成　年　月　日

（都道府県知事名）　殿

（設立者の住所）　　法人の印

（設立者の氏名）　　代表者の公印

（変更事項）変更届出書

　このたび（美容師養成施設名）における（変更事項）を次のとおり変更いたしましたので美容師養成施設指定規則第7条第1項の規定によりお届けいたします。
1　美容師養成施設の名称及び所在地
2　変更の理由
3　変更の年月日
4　変更の内容
　　　（旧）
　　　（新）

（添付書類）
1　養成施設の長の変更の場合には、新たに長となった者の履歴書
2　教員の新たな使用に係る変更の場合には、その者の履歴書
3　美容師養成施設の名称又は所在地、学級数、入所資格、入所の時期、修業期間、教科課程、卒業認定の基準若しくは通信課程における通信養成を行う地域の変更の場合には、学則
4　入学料等の額又は施設の構造設備の変更の場合には、変更後2年間の財政計画及びこれに伴う収支予算並びに学則
5　通信教材の内容変更の場合には、当該通信教材

【様式第8】

平成　年　月　日

(都道府県知事名)　殿

(設立者の住所)　|法人の印|

(設立者の氏名)　|代表者の公印|

生徒の定員変更届出書

　このたび（美容師養成施設名）における生徒の定員を次のとおり変更いたしますので、美容師養成施設指定規則第7条第2項の規定により、あらかじめ、お届けいたします。
 1　美容師養成施設の名称及び所在地
 2　変更の理由
 3　変更の予定年月日
 4　変更前及び変更後の生徒の定員、同時に授業を行う生徒の数及び学級数
 5　変更前及び変更後の入所の時期
 6　変更前及び変更後の教員の数、氏名及び担当教科課目並びに専任又は兼任の別
 7　変更前及び変更後の設備の状況
 8　変更後2年間の財政計画及びこれに伴う収支予算
 9　通信課程に係る変更にあっては、変更前及び変更後の通信養成を行う地域及び授業の方法
（添付書類）
 1　過去3年間における生徒の募集状況
 2　設立者の資産状況
 3　学則

【様式第9】

平成　年　月　日

(都道府県知事名)　殿

(設立者の住所)　法人の印

(設立者の氏名)　代表者の公印

同時授業終了届出書

　このたび(美容師養成施設名)における同時授業を次のとおり終了いたしますので、美容師養成施設指定規則第7条第2項の規定により、あらかじめ、お届けいたします。
　1　美容師養成施設の名称及び所在地
　2　終了理由
　3　終了予定年月日
　4　終了する養成課程
(添付書類)
　1　過去2年間における生徒の入所状況
　2　学則

美容師養成施設の指導要領について

【別紙様式10】

表

学　籍　簿	美　　容		クラス		番号	
	昼・昼(理)	夜・夜(理)				

生徒	ふりがな			性別	男 女	本籍地	(都道府県名)	(写真)
	氏　名							
	生年月日	昭・平　年　月　日生			TEL			
	現住所	入学時	〒					

入学前の	学歴	昭・平　年　月			学校卒業	入　　学	平成　年　月　日
		昭・平　年　月				卒　　業	平成　年　月　日
	経歴	昭・平　年　月				編転入・退学	平成　年　月　日

保護者	氏名		年　月　日生	住所	〒　　TEL（　―　―　）	続柄	
保証人	氏名		年　月　日生	住所	〒　　TEL（　―　―　）	続柄	

出　欠　の　記　録

	必　修　課　目							選　択　課　目					合計
	関係法規・制度	衛生管理	保健	香粧品化学	文化論	美容技術理論	運営管理	美容実習	計				計	
担当教員														
法定単位（時間）数														
欠時	欠課時数													
	遅刻回数													
	早退回数													
補講回数														
履修単位（時間）数														
検印	担任													
	校長													

603

裏

学 習 の 記 録

担当教員	区分／教科課目	成績			学習の所見	行動の所見	その他
		評定	検印 担任	印 校長			
	関係法規・制度						
	衛生管理						
	保健						
	香粧品化学						
	文化論						
	美容技術理論						
	運営管理						
	美容実習						

○「地域の自主性及び自立性を高めるための改革の推進を図るための関係法律の整備に関する法律」の施行に当たっての留意事項について

［平成27年3月31日　健衛発0331第1号
各都道府県衛生主管部(局)長宛　厚生労働省健康局生
活衛生課長通知］

　地域の自主性及び自立性を高めるための改革の推進を図るための関係法律の整備に関する法律（平成26年法律第51号）が平成26年6月4日に、地域の自主性及び自立性を高めるための改革の推進を図るための関係法律の整備に関する法律の施行に伴う厚生労働省関係政令等の整備等に関する政令（平成27年政令第128号）及び地域の自主性及び自立性を高めるための改革の推進を図るための関係法律の整備に関する法律の施行に伴う厚生労働省関係省令の整備に関する省令（平成27年厚生労働省令第55号）が平成27年3月31日に公布され、一部を除いて平成27年4月1日から施行されることとなった。

　これに伴い、理容師法（昭和22年法律第234号）及び理容師養成施設指定規則（平成10年厚生省令第5号）の一部が改正され、理容師養成施設の指定及び指導等に係る事務については、都道府県知事が行うこととなったが、その運用に関して、理容師養成施設における中学校卒業者等に対する講習の基準等の運用について（平成27年3月31日健発0331第13号厚生労働省健康局長通知）、理容師養成施設の通信課程における授業方法等の基準の運用について（平成27年3月31日健発0331第15号厚生労働省健康局長通知）、理容師養成施設の教科課程の基準の運用について（平成27年3月31日健発0331第17号厚生労働省健康局長通知）、理容師養成施設の指導要領について（平成27年3月31日健発0331第19号厚生労働省健康局長通知）、美容師養成施設における中学校卒業者等に対する講習の基準等の運用について（平成27年3月31日健発0331第14号厚生労働省健康局長通知）、美容師養成施設の通信課程における授業方法等の基準の運用について（平成27年3月31日健発0331第16号厚生労働省健康局長通知）、美容師養成施設の教科課程の基準の運用について（平成27年3月31日健発0331第18号厚生労働省健康局長通知）及び美容師養成施設の指導要領について（平成27年3月31日健発0331第20号厚生労働省健康局長通知）により通知したところであるが、貴職におかれては、このほか下記の事項について御留意の上、貴管下の各養成施設に対する指導を行われるようお願いしたい。

記

1　教員に関すること

　理容師養成施設指定規則（平成10年厚生省令第5号。以下「理容指定規則」という。）第4条第1項第1号ヘ及びに美容師養成施設指定規則（平成10年厚生省令第8号。以下「美容指定規則」という。）第3条第1項第1号ヘに規定する「専任の教員」は、必ずしも当該理容師養成施設又は美容師養成施設（以下「養成施設」という。）の「常勤職員」でなければならない必要はないが、専任教員としての位置付けにかんがみ、生徒に対する適切な教授及び相談指導を継続して確実に実施できるよう、適切に配

置すること。
　なお、学校教育法等関係法令等において、教員に関する規定が定められているときは、当該規定に従うこと。
2　生徒に関すること
　理容指定規則第4条第1項第1号ハ及び別表第1並びに美容指定規則第3条第1項第1号ハ及び別表第1に規定するとおり、教科課程を単位制としているが、専修学校制度においては、通信課程は附帯授業として行われており正規の課程に位置付けられていないことから、通信課程の履修をもって昼間課程又は夜間課程へ転入することはできないので、あらかじめ十分留意すること。
3　授業に関すること
(1)　養成施設が当該校舎において理容実習及び美容実習を行う場合について、次に留意した上で行わなければならないこと。
　　ア　一般営業と厳に区別するためにその対象範囲を、理容師養成施設の指導要領について（平成27年3月31日健発0331第19号厚生労働省健康局長通知。以下「理容指導要領」という。）5(5)及び美容師養成施設の指導要領について（平成27年3月31日健発0331第20号厚生労働省健康局長通知。以下「美容指導要領」という。）5(5)において、原則として社会福祉法第2条第2項及び第3項に規定する社会福祉事業の対象となる生計困難者等及び生徒間の相モデルに限定することとされたが、仮に拡大する場合であっても、当該養成施設の教員並びに生徒の家族、親戚及び親類にとどめるべきであり、不特定多数の者をモデルとする実習を行わないようにすること。
　　イ　外部の者をモデルとして取り扱う時間等は、養成施設の規模にも差異がある等のため一律には定め難いことから、養成施設の教育目標及び教育計画等を踏まえ、各養成施設において、取り扱う時間あるいは取り扱う日等を規定すること。
　　ウ　外部のものをモデルとする場合は、当該モデルから料金を徴収しないこと。
(2)　理容実習又は美容実習で行うことができる実務実習において、理容所又は美容所が、実務実習を行う生徒が一部の理容行為又は美容行為を行うことを理由にして、料金の全部を無料とする又は料金を不当に低額にすることのないようにすること。
(3)　通信課程における面接授業を実施する場合において、理容指導要領5(7)及び美容指導要領5(7)の規定により、他の養成施設で面接授業を実施する場合は、当該養成施設が他の養成施設の場所を借りて自ら授業を行うものであり、当該養成施設の生徒を他の養成施設に委託して面接授業を行うことは認められないこと。
(4)　理容指定規則第4条の2第1項第5号に規定する「同時授業を行うことが可能な課目」とは、実習、技術理論等の技術に関する課目を除く課目であること。
4　施設及び設備に関すること
(1)　養成施設の校舎は、理容指導要領6(2)及び美容指導要領6(2)の規定により、原則として同一構内にあることとされているが、生徒の定員の増加による施設の増設等を行う場合にあって、法令の規定により同一敷地内への増設が制限又は禁止される場合等、やむを得ない明確な理由がある場合に限り、別の敷地に設置することも差し支え

ないこと。
　　　この場合において、別の敷地に設置する校舎は、同規定に基づき、学習上、保健衛生上及び管理上適切なものとするとともに、当該校舎の場所は、教員及び生徒の移動を考慮して教育上及び学習上支障がない距離とし、併せて、生徒に過度の負担がかからないようにするための適切な措置を講じなければならないこと。
(2)　教室又は実習室の面積は、理容指定規則第4条第1項第1号ル及びヲ並びに美容指定規則第3条第1項第1号ル及びヲの規定により、生徒1人当たり1.65㎡以上とされているところであり、同時に授業を行う1学級の生徒の数が、例えば40人の教室又は実習室の場合は、校舎の壁（あらかじめ施設の一体として備え付けられた設備等を含む。）の内法で66㎡以上を確保しなければならないこと。
(3)　同時授業を行う場合においても1学級の生徒の数は40人以下が望ましいが、同時授業を行うことにより40人を超える場合においても生徒1人当たり1.65㎡を確保しなければならないこと。
(4)　同時授業を行う校舎の場所は、教員及び生徒の移動を考慮して教育上及び学習上支障がない距離とし、併せて、生徒の教科課目の履修に過度な負担を生じさせることのないよう適切に配慮することが必要であること。
5　申請等に関すること
(1)　理容指定規則第8条第1項及び美容指定規則第7条第1項の規定に基づく設立者の氏名（法人又は団体にあっては、その名称）の変更にあっては、養子縁組等による設立者の氏名を改める場合、理容師法（昭和22年法律第234号）第14条の2の規定に基づく理容師の会又は美容師法（昭和32年法律第163号）第16条の規定に基づく美容師の会等が、その役員を発起人とする法人立に改める場合等設立者の同一性が確保できる場合をいい、譲渡等の設立者の同一性を失うような「設立者の変更」は、理容指定規則第3条第1項及び美容指定規則第2条第1項の規定に基づき、新たな指定の申請手続を必要とするものであること。
(2)　理容指定規則第13条及び美容指定規則第12条の規定に基づく指定の取消しに、定員を超えて生徒を入所させているときとの要件を追加したが、再三にわたり改善指導を行ったにもかかわらず、養成課程において定員を大幅に超えて生徒を入所させていた場合等定員を遵守していない養成施設に対しては、同条に基づき、厳正な措置を検討すること。
(3)　理容指定規則第3条第1項若しくは美容指定規則第2条第1項の規定に基づき養成施設の指定の申請を行った養成施設が、新設等の広告及び生徒の募集を行う際は、次のとおり行わなければならないこと。
　　ア　新設等の広告は、適正な情報を入所希望者へ提供する観点から、当該養成施設の所在地を管轄する地方厚生（支）局が、理容指導要領及び美容指導要領に基づく計画書を受理した後、次の条件を満たした場合に限り、当該養成施設の指定等の前に広告を行って差し支えないこととすること。
　　　㋐　学校教育法等の他の関係法令において新設等の広告に関する時期又は方法等が

定められているときは、当該要件に従うこと。
　(イ)　広告は、申請者の責任において行うこと。
　(ウ)　申請中（申請書提出前にあっては、計画中）であることを大きく明示すること。
　(エ)　指定が確定したと誤解される表現は避けること。
　(オ)　教員、教科課程、入所資格、定員、生徒の募集時期又は入所試験の方法等を公表する場合は、必ず「予定」であることを明示すること。
イ　生徒の募集行為（募集要領の配布、入所試験の方法等）は、当該指定養成施設所在地の都道府県知事が申請書を受理した後、次の条件を満たした場合に限り、当該養成施設の指定等の前に行って差し支えないこととすること。
　(ア)　学校教育法等の他の関係法令において生徒の募集行為に関する時期又は方法等が定められているときは、当該要件に従うこと。
　(イ)　申請者の責任において行うこと。
　(ウ)　指定申請中であることを大きく明示すること。
　(エ)　指定が確定したと誤解される表現は避けること。
　(オ)　教員、教科課程、入所資格、定員等を公表する場合には、必ず「予定」であることを明示すること。
ウ　理容指定規則第6条第1項若しくは美容指定規則第5条第1項の規定に基づく生徒を増加させるための申請、又は理容指定規則第6条第2項若しくは美容指定規則第5条第2項の規定に基づく養成課程の新設の申請を行った養成施設が広告及び生徒の募集行為を行う際は、上記に準じて行うこと。ただし、既に指定を受けている定員分に係る広告及び生徒の募集行為については、この限りでないこと。

(4)　養成施設が同時授業を実施するものである場合には、以下の事項に留意すること。
ア　同時授業を実施できるのは、理容師養成施設において同時授業を開始しようとする年の前年及び前々年の入所者数が、いずれも15人未満の場合であることから、新設する理容師養成施設は対象とはならないこと。
イ　同時授業を実施できるのは、養成課程の別ごとに、理容指定規則第3条第1項第8号に規定する入所の時期における入所者数により判断することとしており、年度途中の生徒数の増減は考慮しないこととする。
　なお、年度途中に学生数が多くなった場合は、同時授業を行う本来の趣旨から逸脱することとなることから、同時授業の終了について養成施設に対し指導を行うこと。
ウ　理容指定規則第6条第2項及び第8条第2項並びに美容指定規則第5条第2項及び第7条第2項に基づき、同時授業を行う場合又は終了する際の手続きは、理容師養成施設及び美容師養成施設それぞれにおいて手続きを行う必要があること。
エ　当該年度の入所者数が15人以上となった場合又は翌年度以降同時授業を行わないこととした場合は、遅くとも年度末までに終了届を提出するよう指導すること。

(5)　当該年度の入所者数が多く、1学級の生徒の数が40人を大幅に超過する場合又は生徒1人当たりの面積基準を超過する場合が考えられることから、入所者数の報告に基

づき、必要に応じて適正な運営を確保するよう養成施設に対し指導を行うこと。
6　その他
(1)　今般の改正等に当たり、以下の通知を廃止すること。
　　○理容師養成施設指定規則及び美容師養成施設指定規則の一部を改正する省令等の施行に当たっての留意事項について（平成20年3月25日健衛発第0325001号健康局生活衛生課長通知）
　　○理容師養成施設指定規則及び美容師養成施設指定規則の一部を改正する省令の施行に伴う届出書の引継ぎについて（平成20年3月25日健衛発第0325002号健康局生活衛生課長通知）
　　○理容師養成施設及び美容師養成施設における指導調査要領について（平成20年6月26日健衛発第0626001号健康局生活衛生課長通知）
　　○理容師養成施設指定規則及び美容師養成施設指定規則の一部を改正する省令等の施行に当たっての留意事項について（平成22年2月24日健衛発0224第4号健康局生活衛生課長通知）

○理容師養成施設及び美容師養成施設における養成課程の標準的なカリキュラムについて

```
平成29年7月10日　生食発0710第13号
各都道府県知事宛　厚生労働省医薬・生活衛生局生活
衛生・食品安全部長通知
```

　平成27年6月30日に閣議決定された「規制改革実施計画」において、理容師・美容師関係の規制改革事項として、「理容師又は美容師のいずれか一方の資格を持った者が他方の資格を取得しやすくするため、専門家による検討の場を設けて検討を行い、結論を得た上で所要の措置を講ずる」こと及び「国家試験及び養成施設の教育内容について、現場のニーズにより即した理容師・美容師を養成する観点から、経営者、従事者、専門学校など、広く関係者の意見を聴取する場を設置して検討を行い、結論を得た上で所要の措置を講ずる」こととされた。
　これを受け、厚生労働省では有識者による「理容師・美容師の養成のあり方に関する検討会」を開催して検討を進め、昨年12月に検討結果をまとめた報告書を公表したところである。
　当該報告書において、養成課程の内容等に関する意見とともに、各養成施設における年次ごとの履修内容の取り扱いに関し、実態を把握し、標準的なガイドラインを示すよう求められたところである。
　ついては、今般の理容師法施行規則（平成10年厚生省令第4号）及び美容師法施行規則（平成10年厚生省令第7号）等の改正に合わせ、各養成課程における標準的なカリキュラムについて、各課目の年次ごとの標準的な単位数（時間数）を別添のとおりとしたので通知する。
　貴職におかれては、各養成施設への周知等についてお取り計らい願いたい。

(別添)

昼夜間課程標準カリキュラム

理容師養成施設

課　目	単位数等		標準的な時間数		
	単位	時間	1年	2年	合計
関係法規・制度	1	30	20	10	30
衛生管理	3	90	50	40	90
保健	3	90	50	40	90
香粧品化学	2	60	40	20	60
文化論	2	60	40	20	60
理容技術理論	5	150	90	60	150
運営管理	1	30	20	10	30
理容実習	30	900	390	510	900
必修課目計	47	1,410	700	710	1,410
選択課目	20	600	250	350	600
合　計	67	2,010	950	1,060	2,010

美容師養成施設

課　目	単位数等		標準的な時間数		
	単位	時間	1年	2年	合計
関係法規・制度	1	30	20	10	30
衛生管理	3	90	50	40	90
保健	3	90	50	40	90
香粧品化学	2	60	40	20	60
文化論	2	60	40	20	60
美容技術理論	5	150	90	60	150
運営管理	1	30	20	10	30
美容実習	30	900	390	510	900
必修課目計	47	1,410	700	710	1,410
選択課目	20	600	250	350	600
合　計	67	2,010	950	1,060	2,010

理容師及び美容師養成施設における養成課程の標準的なカリキュラムについて

通信課程（面接授業）標準カリキュラム

理容師養成施設

課　目	単位数等		標準的な時間数			
	単位	時間	1年	2年	3年	合計
関係法規・制度	2	10	5	5	0	10
衛生管理	6	30	10	10	10	30
保健	5	25	10	10	5	25
香粧品化学	6	30	10	10	10	30
文化論	2	10	5	5	0	10
理容技術理論	5	25	10	10	5	25
運営管理	2	10	5	5	0	10
理容実習	90	450	150	150	150	450
必修課目計	118	590	205	205	180	590
選択課目	2	10	5	5	0	10
合　計	120	600	210	210	180	600

美容師養成施設

課　目	単位数等		標準的な時間数			
	単位	時間	1年	2年	3年	合計
関係法規・制度	2	10	5	5	0	10
衛生管理	6	30	10	10	10	30
保健	5	25	10	10	5	25
香粧品化学	6	30	10	10	10	30
文化論	2	10	5	5	0	10
美容技術理論	5	25	10	10	5	25
運営管理	2	10	5	5	0	10
美容実習	90	450	150	150	150	450
必修課目計	118	590	205	205	180	590
選択課目	2	10	5	5	0	10
合　計	120	600	210	210	180	600

第2編　理容師・美容師

理容師養成施設（理容所に常勤で従事している者）

課　目	単位数等		標準的な時間数			
	単位	時間	1年	2年	3年	合計
関係法規・制度	2	10	5	5	0	10
衛生管理	6	30	10	10	10	30
保健	5	25	10	10	5	25
香粧品化学	6	30	10	10	10	30
文化論	2	10	5	5	0	10
理容技術理論	2	10	5	5	0	10
運営管理	1	5	5	0	0	5
理容実習	35	175	50	60	65	175
必修課目計	59	295	100	105	90	295
選択課目	1	5	5	0	0	5
合　計	60	300	105	105	90	300

美容師養成施設（美容所に常勤で従事している者）

課　目	単位数等		標準的な時間数			
	単位	時間	1年	2年	3年	合計
関係法規・制度	2	10	5	5	0	10
衛生管理	6	30	10	10	10	30
保健	5	25	10	10	5	25
香粧品化学	6	30	10	10	10	30
文化論	2	10	5	5	0	10
美容技術理論	2	10	5	5	0	10
運営管理	1	5	5	0	0	5
美容実習	35	175	50	60	65	175
必修課目計	59	295	100	105	90	295
選択課目	1	5	5	0	0	5
合　計	60	300	105	105	90	300

理容師及び美容師養成施設における養成課程の標準的なカリキュラムについて

美容修得者課程及び理容修得者課程における通信課程（面接授業）標準カリキュラム

理容師養成施設（美容修得者課程）

課　　目	単位数等		標準的な時間数		
	単位	時間	1年目	2年目	合計
理容技術理論	2	10	7	3	10
理容実習	45	225	150	75	225
必修課目計	47	235	157	78	235
選択課目	1	5	5	0	5
合　　計	48	240	162	78	240

美容師養成施設（理容修得者課程）

課　　目	単位数等		標準的な時間数		
	単位	時間	1年目	2年目	合計
美容技術理論	2	10	7	3	10
美容実習	45	225	150	75	225
必修課目計	47	235	157	78	235
選択課目	1	5	5	0	5
合　　計	48	240	162	78	240

◯理容師養成施設及び美容師養成施設における修得者課程の設置に関する留意事項について

平成30年3月19日　生食発0319第4号
各都道府県知事宛　厚生労働省大臣官房生活衛生・食品安全審議官通知

　標記については、平成29年3月31日に公布された「理容師法施行規則等の一部を改正する省令」等に基づき改正した「理容師養成施設の指導要領について」（平成29年7月10日付生食発0710第11号厚生労働省医薬・生活衛生局生活衛生・食品安全部長通知）（以下「指導要領」という。）等において、理容師養成施設及び美容師養成施設に対する指導等を依頼しているところであるが、理容師養成施設及び美容師養成施設における修得者課程の設置に関する留意事項を下記のとおりまとめたので、養成施設の指導等に遺漏なきよう取り計らい願います。

記

1　修得者課程の設置について
　美容修得者課程及び理容修得者課程の履修対象者については、「理容師法施行規則等の一部を改正する省令等の施行について」（平成29年3月31日付生食発0331第8号厚生労働省医薬・生活衛生局生活衛生・食品安全部長通知）により示しているところであるが、資格養成施設における運用においては修得者課程の趣旨を踏まえた教科課目の履修を実施する必要があることから、修得者課程の設置申請の審査等に当たり、次の項目について十分に確認等を行うこと。
(1)　カリキュラム等について
　　修得者課程における教科課目や単位数が減免されている趣旨は、修得者課程の履修は通常課程の教科課目全ての履修完了が前提となっていることを踏まえ、「他方の資格養成施設において履修中の者」の入所を想定している場合は、修得者課程における「理容（美容）技術理論」及び「理容（美容）実習」の履修スケジュール等について、通常課程の教科課目の進捗状況を勘案し計画される必要がある。そのため、修得者課程の教科課目を履修するために必要と考えられる範囲の学習を終える前に、その知識を前提とする修得者課程の教科課目の履修を進めることがないよう確認する必要がある。
　　審査時における具体的な確認方法としては、指導要領に基づく申請事項である修業期間及び教科課程及び教科課目ごとの実習を含む総単位数の補足資料として、修得者課程の課目の履修スケジュールを徴収し、「理容（美容）技術理論」及び「理容（美容）実習」を履修させる時期や内容と他方の資格養成施設における通常課程の履修時期等との関係を確認し、適切であると判断できることが必要であり、資格養成施設からの聞き取り等も活用しつつ慎重に確認すること。
(2)　入学金、授業料及び実習費の取扱い等に関する入所希望者への説明について

「他方の資格養成施設において履修中の者」に該当することとなる者については、履修中の通常課程の履修を完了（卒業）していなければ修得者課程の履修の完了（卒業）が認められていないため、通常課程の履修中断等により、履修完了（卒業）の認定が行えないことが想定される。

こうした場合に生じるトラブルを回避するため、資格養成施設においても十分な対応がとられることが求められるため、入所希望者に対して、次の事項に関する説明が行われるよう指導するとともに、その実施方法等を確認すること。

　ア　修得者課程の卒業認定（修得者課程の履修のみでは同課程の卒業認定を得られないこと）

　イ　入学金、授業料及び実習費の取扱い（通常課程の履修完了（卒業）が認められない場合であっても、それを理由に返還されないこと等）

なお、具体的な確認方法としては、指導要領に基づく申請事項である卒業認定の基準及び入学料、授業料及び実習費の額の補足として、これらの考え方に関する資料を徴収するなどにより確認し、適切な指導等を行うこと。

2　定員管理について

理容師養成施設及び美容師養成施設の定員については、養成課程（昼間・夜間・通信）単位において管理するものであり、養成課程単位において定員の増減がない場合は定員変更の承認申請等は不要である。

なお、指導要領において修得者課程の人数を記載することとしているが、修得者課程の人数を変更する場合であっても、養成課程（昼間・夜間・通信）ごとの定員に変更が生じない場合は変更申請等は要しないこと。

○理容師養成施設及び美容師養成施設における養成課程の定員管理について

［平成30年4月27日　薬生衛発0427第1号
各都道府県衛生主管部(局)長宛　厚生労働省医薬・生
活衛生局生活衛生課長通知］

標記については、「理容師養成施設及び美容師養成施設における修得者課程の設置に関する留意事項について」（平成30年3月19日付生食発0319第4号厚生労働省大臣官房生活衛生・食品安全審議官通知）において、養成課程（昼間・夜間・通信）単位で管理するよう通知しているところであるが、資格養成施設において新たに養成課程又は教科課程（以下、「養成課程等」という。）を設ける際の都道府県知事の承認書の記載事項については、定員管理の趣旨に鑑み、教科課程別の定員内訳は不要であることから、今後、養成課程等の設置に関する承認等において、遺漏なきよう取り計らい願います。

なお、承認書に養成課程等の総定員を記載する場合は、養成課程単位の総定員数のみ記載するようお願いします。

○美容師養成の改善について

［令和4年8月29日　生食発0829第1号
各都道府県知事宛　厚生労働省大臣官房生活衛生・食
品安全審議官通知］

　美容師の養成の在り方については、規制改革推進会議投資等ワーキング・グループの「国家試験（実技試験）」や「養成段階の知識技能の取得」等の議論を踏まえ、「美容師の養成のあり方に関する検討会」（以下「検討会」という。）を設け、検討を行ったところです。

　今般、令和4年3月30日第3回検討会において了承された「美容師養成の改善に関する当面の方針」に基づき、美容師の養成の改善に関して、別紙の事項について、美容師養成施設（以下「養成施設」という。）において徹底が図られるよう改めて周知を行うこととしました。

　貴職におかれましては、その趣旨及び内容を十分ご了知の上、貴管下の養成施設に対して周知いただきますようよろしくお願いいたします。

（別　紙）
　　　　美容師養成の改善について
1　養成施設における美容実習について
⑴　美容実習全体について
　　美容実習については、「美容師養成施設の教科課程の基準の運用について」（平成27年3月31日健発0331第18号厚生労働省健康局長通知。以下「健康局長通知」という。）の別添第1の8⑴の実施方針において、「美容の業務を安全かつ効果的に実施する技術を習得するため、基本的操作を確実に身に付けさせるとともに、これらの基本的操作を適宜組み合わせて完成させる技術を習得させること」、「美容所における衛生管理の重要性を認識させ、器具の消毒などの適切な実施方法を身に付けさせること」、「個々の客の要望に応じた美容技術を確実に提供できるよう総合的な技術の基礎を身に付けさせること」とされていること等を踏まえ、美容師国家試験の課題に偏らず、健康局長通知の別添第1の8⑵の各項目の内容を網羅的に教育するとともに、就職先のニーズも踏まえた内容となるよう、養成施設において徹底を図られるようお願いする。
⑵　オールウェーブセッティングの意義や将来の活用場面等の教育について
　　オールウェーブセッティングについては、検討会において、美容に必要な技術であり、授業の中でしっかり教えるべきであることが確認されたことを踏まえ、学生がオールウェーブセッティングを学習する際、単に知識・技術の習得や実技試験に向けた対応だけでなく、その意義や将来の活用場面なども含めて教育が行われるよう、養成施設において徹底を図られるようお願いする。
⑶　まつ毛エクステンションの美容実習における実施について

まつ毛エクステンションについては、美容師法の美容に該当するものであり、的確な知識と技術に基づく施術が必要な美容行為である。検討会の中で示された、「美容師養成のあり方に関する意識調査」（以下「調査」という。）の結果から、現場ニーズの高さがうかがえる。

まつ毛エクステンションは、健康局長通知の別添第1において、養成施設の教科課程における必修課目の美容実習の項目として位置付けられているが、調査によれば、必修課目の美容実習の項目として教えている養成施設は、全養成施設の半数程度にとどまっており、安心・安全な施術実施のため、必修課目の美容実習でまつ毛エクステンションを含めた基本的な知識・技術を確実に身に付けさせるよう、養成施設において徹底を図られるようお願いする。

(4) 美容所における実務実習について

美容所における実務実習については、検討会での議論や調査の結果によれば、管理美容師を配置する美容所において、一定の美容行為を行わせている養成施設がある一方、「美容実習で美容行為は禁止されている」との認識等から、受付業務や店内掃除等、客に触れない範囲の業務を行わせている養成施設がある状況である。

美容所における実務実習については、健康局長通知の別添第1の8(3)カにおいて、「管理美容師を配置する美容所において、当該美容所に従事する美容師の適切な指導監督の下、美容行為及びその附随する作業（以下「実務実習」という。）を行うことが望ましいこと」とされており、健康局長通知に示す一定の条件の下で美容行為を行うことは可能であることについて、養成施設において認識いただくようお願いする。

2　公益社団法人日本理容美容教育センターとの協力・連携について

「美容師養成の改善に関する当面の方針」においては、厚生労働省において、公益社団法人日本理容美容教育センター（以下「教育センター」という。）をはじめとする関係者の協力を得ながら、美容師養成の改善に取り組むこととしているため、必要に応じて、教育センターと協力・連携して対応いただくようお願いする。

第2編 理容師・美容師

第5章 理容師試験・美容師試験

○理容師美容師試験について

[昭和32年1月7日　衛環発第1号]
[各都道府県知事宛　厚生省環境衛生部長通知]

　理容師美容師試験については、先に制定された理容師美容師法施行規則の一部を改正する省令（昭和31年厚生省令第48号）によって、学科試験に合格したものでなければ実地試験を受けることができない（理容師美容師法施行規則第19条第3項）こととなったが、これが具体的取扱いは、下記によられたく通知する。

記

　今回の改正省令中第19条第3項の規定によって、理容師美容師試験の学科試験と実地試験の受験の前後関係及び実地試験を受けることができるものの範囲に定められたことにより、学科試験には合格し実地試験に不合格となった者に対し、更に改めて実地試験の再試験を行うことは差し支えないこととしたから、都道府県においては、次回の実地試験のときに、併せて、実地試験のみの不合格者を対象とする再試験を施行する等の方途を講じ、受験者の便宜を図ることを考慮されたいこと。
　なお、本来本条項の規定は、当該都道府県における当該理容師美容師試験の場合にのみ適用されるものであって、例えば学科試験のみの合格者が他の都道府県の試験を受けるに際し、学科試験を免除されることとならないのは、もちろん、当該都道府県においても次回以降の試験に際し、学科試験を免除される取扱いとはならないのが建前であるから、前段のような措置を講ずることは、ゆるされる範囲内における便宜的措置であり、従って、かかる方途によって再試験を行うときは、同一対象者について次回の試験の際、1回限りの措置とするよう配意願いたいこと。

○ろう学校における理容師、美容師養成施設での学科修了者の理容師、美容師学科試験受験資格について

[平成3年9月5日　衛指第180号]
[各都道府県衛生主管部（局）長宛　厚生省生活衛生局指導課長通知]

　標記については、昭和25年5月23日付衛発第427号公衆衛生局長通知により基準が定められているところであるが、理容師、美容師試験の実施が（財）理容師、美容師試験センターに委任されたことに伴い、その運用について下記のとおりとするので管下養成施設の指導方よろしくお願いする。

記

　養成施設における教科課目の授業時間数を修了した者は、学科試験を受験する資格を有

するものであるが、当該者にかかる受験願書には別に示す修了証明書（例）を添付すること。

　　　　　　　　（美容師）
　　　　　　　　理容師養成施設学科修了証明書（例）

　　　　　　　　　　　氏　　　名
　　　　　　　　　　　本　　　籍
　　　　　　　　　　　現　住　所
　　　　　　　　　　　生年月日

　　　　　　　　　　　　　　　　　　　（美容師法第4条第4項）
　上記の者は、本校養成施設において下記の期間、理容師法第3条第4項に定める学科を修了したことを証明します。

　修業期間　　年　　月　　日　～　　年　　月　　日（　　年）

　　　　　　　　　　　　　　　平成　　年　　月　　日

　　　　　　　　　　　　　　　〇〇〇〇学校校長　　　　　　　印

〇理容師試験及び美容師試験の合格者名簿等の引継ぎについて

　　　　　　　　［平成12年3月27日　衛指第27号
　　　　　　　　　各都道府県衛生主管部(局)長宛　厚生省生活衛生局指
　　　　　　　　　導課長通知］

　理容師法及び美容師法の一部を改正する法律（平成7年法律第109号）により平成12年4月から理容師法第2条及び美容師法第3条の規定により理容師試験及び美容師試験が都道府県知事から厚生大臣に移行することとなりますが、理容師試験及び美容師試験の合格者名簿等の引継ぎについて、下記のとおり実施するので、特段の御配慮をよろしくお願いします。

　　　　　　　　　　　　　　　記

1　引継ぎ要領
(1)　各都道府県において現在保管している理容師試験合格者名簿及び美容師試験合格者名簿は、厚生大臣が指定する者（以下「指定試験機関」という。財団法人理容師美容師試験研修センターを平成12年4月3日に指定予定）に引き継ぐものとすること。
(2)　引継ぎ対象は、理容師試験合格者名簿及び美容師試験合格者名簿（以下「名簿」という。）とすること。
(3)　引継ぎは、指定試験機関指定後1か月以内に行うものとすること。
(4)　引継ぎを明確にするため、別紙様式1により「引継ぎ書」を作成すること。

第2編　理容師・美容師

　　なお、指定試験機関においては、名簿の確認後、各都道府県に対し「受領書」を交付すること。
2　引継ぎに当たっての留意事項
(1)　各都道府県は、引継ぎまでに名簿の点検を行い、交付年月日の記載漏れ等の不備がある場合は、その補正を行うこと。
(2)　引渡しの際は、名簿の紛失、き損及び漏洩等がないよう十分留意すること。
3　その他
　　引継ぎの際は、各都道府県が作成した索引簿等の参考資料についても引き継ぐよう御協力願いたいこと。

(様式1の1)

理容師試験合格者名簿引継ぎ書

下記のとおり引継ぎます。

(都道府県名)

	区　分	数　量	備　考
名簿	学科試験名簿 実地試験名簿 ○○○○○○	冊 冊 冊	内訳別添のとおり
その他資料	学科試験索引簿 実地試験索引簿 ○○○○簿 ○○○○	冊 冊 冊 冊	

平成　　年　　月　　日
都道府県衛生主管部(局)長　印

理容師指定試験機関代表者　殿

(様式1の2)

理容師試験合格者名簿受領書

下記のとおり受領しました。

（都道府県名）

	区　　分	数　　量	備　　考
名簿	学科試験名簿 実地試験名簿 〇〇〇〇〇〇	冊 冊 冊	内訳別添のとおり
その他資料	学科試験索引簿 実地試験索引簿 〇〇〇〇簿 〇〇〇〇	冊 冊 冊 冊	

平成　　年　　月　　日
理容師指定試験機関代表者　印

都道府県衛生主管部（局）長　殿

(様式1の3)

美容師試験合格者名簿引継ぎ書

下記のとおり引継ぎます。

（都道府県名）

	区　　分	数　　量	備　　考
名簿	学科試験名簿 実地試験名簿 ○○○○○○	冊 冊 冊	内訳別添のとおり
その他資料	学科試験索引簿 実地試験索引簿 ○○○○簿 ○○○○	冊 冊 冊 冊	

平成　　年　　月　　日
都道府県衛生主管部(局)長　印

美容師指定試験機関代表者　殿

第2編 理容師・美容師

(様式1の4)

美容師試験合格者名簿受領書

下記のとおり受領しました。

(都道府県名)

	区　分	数　量	備　考
名簿	学科試験名簿 実地試験名簿 ○○○○○○	冊 冊 冊	内訳別添のとおり
その他資料	学科試験索引簿 実地試験索引簿 ○○○○簿 ○○○○	冊 冊 冊 冊	

平成　　年　　月　　日
美容師指定試験機関代表者　印

都道府県衛生主管部(局)長　殿

理容師試験及び美容師試験の合格者名簿等の引継ぎについて

(別添内訳)　記載例

理容師引継ぎ名簿内訳

(都道府県名)

昭和○○年○○月から昭和○○年○○月まで分	名　簿（B5）	○○冊
	○○簿（B5）	○○冊
昭和○○年○○月から昭和○○年○○月まで分	名　簿（B4）	○○冊
	○○簿（B5）	○○冊
昭和○○年○○月から昭和○○年○○月まで分	名　簿（カード）	○○冊
	○○簿（B5）	○○冊
昭和○○年○○月から平成○○年○○月まで分	名　簿（A4）	○○冊
	○○簿（A4）	○○冊

○高等学校卒業程度認定試験の創設と理容師試験、美容師試験の受験資格等の取扱いについて

> 平成17年4月20日　健衛発第0420001号
> ㈳日本理容美容教育センター理事長・㈶理容師美容師試験研修センター理事長・全国理容生活衛生同業組合連合会理事長・全日本美容業生活衛生同業組合連合会理事長宛　厚生労働省健康局生活衛生課長通知

　理容師試験及び美容師試験並びに理容師養成施設及び美容師養成施設においては、学校教育法（昭和22年法律第26号）第56条に規定する者であることを、それぞれ受験資格又は入所資格としているところですが、同条第1項においては、高等学校を卒業した者等とともに、「文部科学大臣の定めるところにより、これと同等以上の学力があると認められた者」も規定されており、この中には、大学入学資格検定に合格した者も含まれているところです。

　今般、「高等学校卒業程度認定試験規則」が平成17年1月31日文部科学省令第1号をもって公布（同年4月1日から施行）され、同令により、大学入学資格検定制度が廃止されるとともに、平成17年度から新たに「高等学校卒業程度認定試験」が実施されることとなり、この試験に合格した者も同法第56条に規定する者に含むこととされました。

　このため、高等学校卒業程度認定試験に合格した者についても、上記の受験資格又は入所資格の「学校教育法第56条に規定する者」という要件を満たすこととなりますので、御了知の上、貴管下関係者への周知方よろしくお願いいたします。

第6章 理容所・美容所

○理容所及び美容所における衛生管理要領について

> 昭和56年6月1日　環指第95号
> 各都道府県知事・各政令市市長・各特別区区長宛　厚生省環境衛生局長通知

〔改正経過〕

第1次改正　〔昭和63年10月4日衛指第209号〕
第2次改正　〔平成12年8月15日生衛発第1,279号〕
第3次改正　〔平成14年3月29日健発第0329012号〕
第4次改正　〔平成22年9月15日健発0915第5号〕

　環境衛生関係営業施設の監視指導については、日頃より種々ご配慮を煩わしているところであるが、近年科学技術の進歩、国民生活水準の向上、利用者の態様の変化等に伴い、これら営業の形態、内容も変貌してきており、関連する衛生上の問題も少なくない。
　このような状況において環境衛生関係営業の衛生水準の改善向上を図るため、今般理容所及び美容所について、「理容所及び美容所における衛生管理要領」（別添）を定めたので、御了知の上理容業及び美容業の開設者等に対し、本要領の周知徹底を図るとともに衛生管理の指導に当たっての指針として活用することとされたい。

〔別　添〕

理容所及び美容所における衛生管理要領

第1　目的

　この要領は、理容所及び美容所における施設、設備、器具等の衛生的管理及び消毒並びに従業者の健康管理等の措置により理容、美容に関する衛生の向上及び確保を図ることを目的とする。

第2　施設及び設備

1　施設は、隔壁等により外部と完全に区分されていること。
2　施設は、ねずみ及び昆虫の侵入を防止できる構造であること。
3　施設には、理容又は美容の作業を行う作業場及び客の待合所を設けること。
4　施設には、従業者の数に応じた適当な広さの更衣等を行う休憩室を設けることが望ましいこと。
5　作業場と待合所は、明確に区分されていること。
6　作業場は、作業及び衛生保持に支障を来たさない程度の十分な広さを有し、居住室、休憩室等作業に直接関係ない場所から隔壁等により完全に区分されていること。
7　作業場には、適当な広さの器具等を消毒する場所を設けること（消毒室を設けることが望ましい。）。

第2編　理容師・美容師

8　作業場の床及び腰張りは、コンクリート、タイル、リノリウム、板等の不浸透性材料を使用し、清掃が容易に行える構造であること。
9　作業場内に従業者専用の手洗い設備を設けること。
10　便所は、隔壁によって作業場と区分され、専用の手洗設備を有すること。
11　作業場内の採光、照明、換気が十分行える構造設備であること。
　(1)　換気には、機械的換気設備を設けることが望ましいが、自然換気の場合は、換気に有効な開口部を他の排気の影響を受けない位置に設置すること。
　(2)　石油、ガスを使用した燃焼による暖房器具又は給湯設備は、密閉型又は半密閉型のものであることが望ましいこと。
12　洗場は、流水装置とし、給湯設備を設けること。
13　作業に伴って出る汚物、廃棄物を入れるふた付きの汚物箱又は毛髪箱等を備えること。
14　皮膚に接する器具類を、消毒済みのものと未消毒のものを区別するために必要な収納ケース等を備えること。
15　器具類、布片類及びタオル等を消毒する設備又は器材を備えること。
16　器具類及び布片類は、十分な量を備えること。

第3　管理
1　施設、設備及び器具の管理
　(1)　施設は、必要に応じ補修を行い、1日1回以上清掃し、衛生上支障のないようにすること。
　(2)　排水溝は、排水がよく行われるように毛髪等廃棄物の流出を防ぎ、必要により補修を行い、1日1回以上清掃を行うこと。
　(3)　作業場内には、不必要な物品等を置かないこと。
　(4)　作業場内の壁、天井、床は、常に清潔に保つこと。
　(5)　施設内には、みだりに犬（身体障害者補助犬を除く。）、猫等の動物を入れないこと。
　(6)　作業場内をねずみ及び昆虫が生息しない状態に保つこと。
　(7)　器具類、布片類、その他の用具類の保管場所は、少なくとも1週間に1回以上清掃を行い、常に清潔に保つこと。
　(8)　照明器具は、少なくとも1年に2回以上清掃するとともに、常に適正な照度維持に努めること。
　(9)　換気装置は、定期的に点検・清掃を行うこと。
　(10)　手洗い設備には、手洗いに必要な石ケン、消毒液等を備え、清潔に保持し、常に使用できる状態にしておくこと。
　(11)　洗い場は、常に清潔に保持し、毛髪等の汚物が蓄積し、又は、悪臭等により客に不快感を与えることのないようにすること。
　(12)　器材・器具類は、常に点検し、故障、破損等がある場合は、速やかに補修し、常

に適正に使用できるように整備しておくこと。
　(13)　紫外線消毒器は、適宜紫外線灯の清掃を行い、常に85μW/cm²以上の紫外線照射が得られるように管理すること（紫外線灯は、3000時間以上使用すると、その出力が低下することがあるので、適宜取り替えることが望ましい。）。
　(14)　洗浄及び消毒済みの器具類は、使用済みのものと区別して、収納ケース等に保管すること。
　(15)　清掃用具は、専用の場所に保管すること。
　(16)　便所は、常に清潔に保持し、定期的に殺虫及び消毒すること。
　(17)　使用する薬品類は、所定の場所に保管し、その取扱いに十分注意すること。
2　従業者の管理
　(1)　開設者及び管理理容師又は管理美容師は、常に従業者の健康管理に注意し、従業者が以下に掲げる感染症にかかったときは、開設者はこの旨を保健所に届け出るとともに、当該従業者を作業に従事させないこととし、当該疾患が治癒した場合も同様に届け出ること。
　　ア　結核
　　イ　感染性の皮膚疾患（伝染性膿痂疹（トビヒ）、単純性疱疹、頭部白癬（シラクモ）、疥癬等）
　(2)　開設者は、従業者又はその同居者がエボラ出血熱、クリミア・コンゴ出血熱、マールブルグ病、ラッサ熱、ジフテリア若しくはペストの患者又はその疑いのある者である場合は、従業者当人が感染していないことが判明するまでは、作業に従事させないこと。
　(3)　管理理容師又は管理美容師は、理容又は美容が衛生的に行われるように、常に従業者の衛生教育に努めること。
　(4)　補助業務従事者（通信教育中の者を含む。）の業務範囲は、清掃、タオル絞り、道具整理等は認められるが、理容又は美容の本質的作業に独立して従事することは認められないこと。
第4　衛生的取扱い等
1　管理理容師又は管理美容師は、毎日、従業者が感染症にかかっていないかどうかを確認すること。
2　管理理容師又は管理美容師は、毎日、理容所又は美容所の施設、設備、器具等の衛生全般について点検管理すること。
3　作業室には、施術中の客以外の者をみだりに出入りさせないこと。
4　作業場内の採光、照明及び換気を十分にすること。
　(1)　作業中の作業面の照度が300Lux以上であることが望ましいこと。
　　※　理容師法施行規則及び美容師法施行規則では100Lux以上としている。
　(2)　作業場内の炭酸ガス濃度が5000ppm以下であること（炭酸ガス濃度1000ppm以下、一酸化炭素濃度10ppm以下であることが望ましいこと。）。

開放型の燃焼器具を使用する場合は、十分な換気量を確保するとともに、正常な燃焼を妨げないように留意すること。
(3) 作業場内の浮遊粉じんが0.15mg／m³以下であることが望ましいこと。
5 作業中の作業場内は、適温、適湿に保持すること（温度は17〜28℃（冷房時には外気温との差が7℃以内）、相対湿度は、40〜70％であることが望ましいこと。）。
6 作業中、従業者は、清潔な外衣（白色又はこれに近い色で汚れが目立ちやすいもの）を着用し、顔面作業時には、清潔なマスクを使用すること。
7 従業者は、常につめを短く切り、客1人ごとの作業前及び作業後には手指の洗浄を行い、必要に応じて消毒を行うこと。
8 従業者は、常に身体及び頭髪を清潔に保ち、客に不潔感、不快感を与えることのないようにすること。
9 従業者は、作業場においては所定の場所以外で着替え、喫煙及び食事をしないこと。
10 皮膚に接する器具類は、客1人ごとに消毒した清潔なものを使用すること。
11 皮膚に接する器具類は、使用後に洗浄し、消毒すること。
12 皮膚に接する布片類は、清潔なものを使用し、客1人ごとに取り替えること。
13 使用後の布片類は、洗剤等を使用して温湯で洗浄することが望ましいこと。
14 蒸しタオルは、消毒済みのものを使用すること。
15 客用の被布は、使用目的に応じて区別し、清潔なものを使用すること（白色又はこれに近い色で汚れが目立ちやすい被布を使用することが望ましい。）。
16 従業者専用の手洗い設備には、消毒液を常備し、清潔に保つこと。
17 器具類を消毒する消毒液は、適正な濃度のものを調製し、清潔に保つこと。
18 調製した消毒液は、使用しやすい適正な場所に置くこと。
19 外傷に対する救急処置に必要な薬品及び衛生材料を常備し、用いる時には、適正に使用すること。
20 便所の手洗い設備は、流水式とし、適当な手洗い用石ケンを備えること。
21 作業に伴って生ずる毛髪等の廃棄物は、客1人ごとに清掃すること。
22 毛髪等の廃棄物は、ふた付きの専用容器に入れ、適正に処理すること。
23 皮膚に接しない器具であっても汚れやすいものは、客1人ごとに取り替え又は洗浄し、常に清潔にすること。
24 洗髪器は、1日数回洗浄剤を用いて清掃し、清潔を保つものとすること。
25 感染症の患者若しくはその疑いのある者又は皮膚疾患のある者を扱ったときは、作業終了後、従業者の手指及び使用した器具等の消毒を特に厳重に行うこと。
26 理容又は美容の作業に電気及びガス器具を使用するときは、使用前に十分にその安全性について点検し、使用中も注意を怠らないこと。
27 パーマネントウエーブ用剤、染毛剤等の使用に当たっては、医薬部外品及び化粧品として、薬事法による承認を受けたものを適正に使用し、その安全衛生に十分留意すること。また、使用によってアンモニア等のガスが発生する場合には、特に排気に留

意すること。
第5 消毒
1 かみそり（頭髪のカットのみの用途（レーザーカット）に使用するかみそりを除く。以下同じ。）及びかみそり以外の器具で、血液の付着しているもの又はその疑いのあるものの消毒の手順
(1) 消毒する前に家庭用洗剤をつけたスポンジ等を用いて、器具の表面をこすり、十分な流水（10秒間以上、1リットル以上）で洗浄する。
　（注）1　器具は、使用直後に流水で洗浄することが望ましい。この際流水が飛散しないように注意することが必要である。
　　　　2　消毒液に浸す前に水気を取ること。
(2) 消毒は次のいずれかの方法により行う。
　（注）消毒薬は、医薬品を使用すること（以下同じ。）。
　ア　煮沸消毒器による消毒
　　沸騰してから2分間以上煮沸すること。
　　（注）1　陶磁器、金属及び繊維製の器具の消毒に適するが、くし類等合成樹脂製のものの一部には加熱により変形するものがある。
　　　　　2　水量を適量に維持する必要がある。
　　　　　3　さび止めの目的で、亜硝酸ナトリウム等を加えることができる。
　イ　エタノールによる消毒
　　76.9v/v%～81.4v/v%エタノール液（消毒用エタノール）中に10分間以上浸すこと。
　　（注）1　消毒液は、蒸発、汚れの程度等により、7日以内に取り替えること。
　　　　　2　消毒用エタノールを希釈せず使用することが望ましいが、無水エタノール又はエタノールを使用する場合は、消毒用エタノールと同等の濃度に希釈して使用すること（以下同じ。）。
　ウ　次亜塩素酸ナトリウムによる消毒
　　0.1%次亜塩素酸ナトリウム液（有効塩素濃度1000ppm）中に10分間浸すこと。
　　（注）1　金属器具及び動物性繊維製品は、腐食するので使用する場合は、必要以上に長時間浸さないなど取扱いに注意すること。
　　　　　2　消毒液は、毎日取り替えること。
　　　　　3　消毒薬を取り扱う際には、ゴム手袋を着用する等、直接皮膚に触れないようにすること。
　　　　　4　製剤は保管中に塩素濃度の低下がみられるので、消毒液の有効塩素濃度を確認することが望ましい。
(3) 消毒後流水で洗浄し、よくふく。
　（注）1　クリッパーは刃を外して消毒すること。
　　　　2　替え刃式カミソリは、ホルダーの刃を挟む内部が汚れやすいので、刃を外してろ紙等を用いて清掃すること。

3 洗浄に使用したスポンジ等は使用後、流水で十分洗浄し、汚れのひどい場合は、エタノール又は次亜塩素酸ナトリウムで消毒すること。
2 かみそり以外の器具で血液が付着している疑いのないものの消毒の手順
(1) 消毒する前によく洗浄する。
(2) 消毒は前記1の方法又は次のいずれかの方法により行う。
　ア　紫外線照射による消毒
　　紫外線消毒器内の紫外線灯より85μw/cm²以上の紫外線を連続して20分間以上照射すること。
　　(注)1　器具の汚れ具合、収納状況等により効果が期待できないことがあるため、器具の汚れを十分に除去した後、直接紫外線が照射されるような状態に収納した後、照射する。
　　　　2　構造が複雑で、直接紫外線の照射を受けにくい形状の器具類の消毒には適さない。
　　　　3　定期的に紫外線灯及び反射板を清掃することが必要である。
　　　　4　2000～3000時間の照射で出力が低下するので、紫外線灯の取替えが必要である。
　イ　蒸し器等による蒸気消毒
　　器内が80℃を超えてから10分間以上湿熱に触れさせること（温度計により器内の最上部の温度を確認すること。）。
　　(注)1　ガラス、陶磁器、金属及び繊維製の器具等の消毒に適するが、くし類等合成樹脂製のものの一部には加熱により変形するものがある。
　　　　2　タオル等布片類を器内に積み重ねて消毒する場合、最上部のタオル等が湿熱に充分触れないことがある。
　　　　3　器内底の水量を適量に維持する必要がある。
　ウ　エタノールによる消毒
　　76.9v/v％～81.4v/v％エタノール液（消毒用エタノール）を含ませた綿若しくはガーゼで器具表面をふくこと。
　エ　次亜塩素酸ナトリウムによる消毒
　　0.01％～0.1％次亜塩素酸ナトリウム液（有効塩素濃度100～1000ppm）中に10分間以上浸すこと。
　オ　逆性石ケン液による消毒
　　0.1％～0.2％逆性石ケン液（塩化ベンザルコニウム又は塩化ベンゼトニウム）中に10分間以上浸すこと。
　　(注)1　石ケン、洗剤を用いて洗浄したものを消毒するときは、十分水洗いしてから使用すること。
　　　　2　消毒液は、毎日取り替えること。
　カ　グルコン酸クロルヘキシジンによる消毒
　　0.05％グルコン酸クロルヘキシジン液中に10分間以上浸すこと。

（注）　消毒液は、毎日取り替えること。
　　キ　両性界面活性剤による消毒
　　　　0.1%～0.2%両性界面活性剤液（塩酸アルキルポリアミノエチルグリシン又は塩酸アルキルジアミノエチルグリシン）中に10分間以上浸すこと。
　　　（注）　消毒液は、毎日取り替えること。
3　消毒に必要な器材
　ア　液量計　100ml用及び1000ml用
　イ　消毒容器　消毒用バット（ふた付きのものが望ましい。）、洗面器、その他消毒に必要な容器
　ウ　卓上噴霧器
4　タオル、布片類の消毒
　(1)　加熱による場合は、使用したタオル及び布片類を洗剤で洗浄した後、蒸し器等の蒸気消毒器に入れ、器内が80℃を超えてから10分間以上保持させること。この場合、器内の最上部のタオル等の中心温度が80℃を超えていないことがあるので、蒸気が均等に浸透するように十分注意すること。
　(2)　消毒液による場合は、使用したタオル、布片類を次亜塩素酸ナトリウム液に浸し、消毒すること。
　　　消毒終了後は、洗濯し、必要に応じて乾燥して保管するか又は蒸し器に入れること。
　(3)　血液が付着したタオル、布片類は、廃棄するか又は血液が付着している器具と同様の洗浄及び消毒を行うこと。
5　手指の消毒
　客1人ごとに手指の消毒を行うこと。消毒方法は次の方法によること。
　ア　血液、体液等に触れ、目に見える汚れがある場合、あるいは、速乾性擦式消毒薬が使用できない場合は、流水と石けんを用いて少なくとも手指を15秒間洗浄すること。
　イ　上記以外の場合は、速乾性擦式消毒薬を乾燥するまで擦り込んで消毒すること。
6　その他の消毒
　(1)　シェービングカップ等の間接的に皮膚に接する器具類についても、その材質に応じ、前記に掲げた消毒方法のいずれかの方法により消毒をすること。
　(2)　理容所・美容所内の施設、毛髪箱、汚物箱等の設備については、適宜、消毒すること。
第6　自主的管理体制
1　開設者は、施設及び取扱い等に係る具体的な衛生管理要領を作成し、従業者に周知徹底すること。
2　大規模な理容所又は美容所の開設者は、理容師法及び美容師法の規定に基づく管理理容師又は管理美容師のほか、その規模に応じた数の衛生責任者を定めておくことが望ましいこと。
3　管理理容師、管理美容師及び衛生責任者は、開設者の指示に従い責任をもって衛生

第2編　理容師・美容師

　　管理に努めること。
　　　附　則（第2次改正）
1　この改正は、平成12年9月1日から施行する。
2　この改正の施行の際現に日本薬局方クレゾール石ケン液を保有する理容所又は美容所にあっては、改正後の第5の2に規定する器具の消毒は、改正後の第5の2の(2)の規定にかかわらず、当該日本薬局方クレゾール石ケン液の在庫がなくなるまで又は使用期限が終了するまでの間、当該日本薬局方クレゾール石ケン液の1％水溶液中に10分間以上浸す方法により行っても差し支えないこととする。

○エイズ問題総合対策大綱の実施について

　　　　　　　［昭和62年3月31日　衛指第78号
　　　　　　　　各都道府県・各政令市・各特別区衛生部（局）長宛　厚
　　　　　　　　生省生活衛生局指導課長通知］

　「エイズ問題総合対策大綱」については、昭和62年2月24日健医発第179号厚生省保健医療局長通知により周知方等をお願いし、貴職におかれてもエイズについての正しい知識の普及等を推進されているところであるが、環境衛生関係営業の関係者に対し、下記事項について一層の指導方お願いする。
　　　　　　　　　　　　　　　　記
1　エイズに関する正しい知識の普及について
　　現段階におけるエイズ対策の基本は、国民がエイズに関する正しい知識を持ち、感染の危険を回避することであるが、特にエイズの感染経路に関する無用の不安や誤解を解消するとともに営業者等に対する啓発を行うため、環境衛生関係営業の営業者等に対する正しい知識の普及を図られたいこと。
　　なお、エイズに関する啓発資料（別添）を作成したので、啓発活動に当たっての参考とされたいこと。
2　理容所等の衛生管理の徹底について
　　理容所及び美容所において、エイズに感染したとする報告例はなく、その可能性は極めて小さいものといわれている。また、仮に、かみそり等に血液が付着した場合であっても、流水で丹念に洗浄することにより、エイズウイルスの感染を防ぐことができるものとされている。
　　従って、皮膚に接する器具については、客1人ごとに使用後流水で丹念に洗浄することを徹底させるとともに、他の伝染性の疾病についても一層の感染防止を図るため、洗浄後は法令（理容師法第8条、同法施行規則第21条及び第22条並びに美容師法第8条、同法施行規則第22条及び第23条）に定めている消毒を徹底させることにつき、関係営業者等に対し指導されたいこと。
　　なお、全国理容環境衛生同業組合連合会及び全日本美容業環境衛生同業組合連合会に対し、都道府県等の衛生部局と連絡を密にして消毒等の一層の徹底について周知するよう通知しているので申し添える。

エイズ問題総合対策大綱の実施について

(別 添)
　　　エイズ
　エイズとは、後天性免疫不全症候群といい、昭和56年6月、アメリカ厚生省の疾病管理センターの週報に掲載された「男性同性愛者のカリニ肺炎」に端を発しています。
　エイズ患者は、現在までに米国で3万1834人（昭和62年3月2日現在）、ヨーロッパ（27か国）で4542人（昭和62年2月20日現在）、日本で36人（昭和62年3月24日現在）が報告されています。
　日本では表のような監視体制をつくるとともに、専門機関で研究がすすめられています。

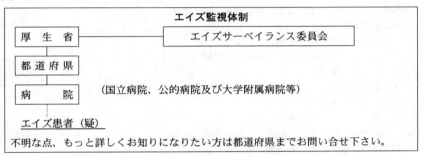

不明な点、もっと詳しくお知りになりたい方は都道府県までお問い合せ下さい。

〔エイズの原因〕
　昭和58年にエイズの原因となるウイルスが発見され、ＨＩＶと名づけられました。日本では、このウイルスをヒト免疫不全ウイルスまたはエイズウイルスと呼んでいます。
　エイズは、このウイルスによる感染症であり、血液、精液等による伝播が考えられています。このウイルスは、感染力の弱いものですが、ウイルスを持っている人と性的接触をしたり、このような人の血液が付いている注射器や注射針を使ったりするとエイズがうつることがあります。

日本でのエイズ患者（36人）

男性同性愛者	11人（そのうち　6人死亡）
血友病	22人（そのうち　15人死亡）
異性間性的接触	2人（そのうち　2人死亡）
不明	1人（そのうち　1人死亡）

　欧米では、男性同性愛者と静注薬物濫用者が大部分です。
　米国では、昭和62年3月2日現在エイズ患者（13歳以上の成人）3万1381人のうちホモ又はバイセクシャル及び静注薬物濫用者は91％を占めています。
　薬物濫用者にエイズが多いのは、注射器、注射針の共用のためといわれています。
〔エイズウイルスが体の中に入ったらどうなるか〕
　ウイルスが体の中に入っても、すぐ発症するわけではありません。数か月から5年位、

無症状でウイルスを持っているだけの期間（潜伏期間）があります。
　ウイルスが体の中に入っているかどうかは、感染後、約8週間たてば血液検査（抗体検査）で判定可能です。
　ウイルスが体の中に入った人のうち、1～3割の人は数年のうちに、体の免疫力が極端に低下したことによる症状がでてきます。
　〔エイズの症状〕
　① 発熱をくりかえす、急に体重が減る、リンパ腺が腫れる、下痢が続く。
　② 病気が進むと、カリニ肺炎、カポジ肉腫などのいろいろな病気をおこします。
　〔治療法〕
　今のところ、原因療法はなく、対症療法が中心です。
　〔一般的予防方法〕
　① 次の人との性的接触を避けましょう。
　　ア　エイズ患者その他エイズウイルスに感染した人
　　イ　男性同性愛者
　　ウ　薬物濫用者
　　エ　売春行為をしている人
　　オ　以上の人と性的接触がある人
　② 性的接触に際しては、次のことにも注意しましよう。
　　ア　多数の相手との性的接触を避けましよう。
　　イ　コンドームの使用は、エイズの予防に有効です。
　　ウ　肛門性交は、男女ともにエイズが感染する可能性が高いとされています。
　③ エイズが心配な場合には、保健所や医療機関で相談しましよう。
　〔エイズは、普通の生活のなかではうつりません〕
　　ア　咳やくしゃみなど、空気を介してうつることはありません。
　　イ　おしゃべりや握手など、日常的なおつきあいでうつることはありません。
　　ウ　おふろやトイレ、プールでもうつることはありません。
　　エ　食器や食べ物、飲物を介してもうつることはありません。
　　オ　つり革や手すり、お金などでうつることはありません。
　　カ　職場や学校などの集団生活でも心配いりません。
　　キ　理容店や美容店でも心配いりません。
　〔理容店、美容店の方へ〕
　理容店や美容店では、エイズに感染したとする報告はありませんので心配はありません。
　しかし、多くの感染性の疾病を防ぐためにも、カミソリなどの皮膚に接する器具については、次の点を守ってください。
　① カミソリなどについて、1客ごとに使用後、流水で丹念にスポンジ等で汚れを洗い落としてください。
　② その次に、法令で定められた消毒方法のうち、器具の材質等に見合った方法により

消毒を徹底してください。
〔ホテル、旅館、公衆浴場の方へ〕
浴場でエイズに感染する心配はありません。
なお、使用済みのカミソリを浴場などに放置させないように注意してください。
〔クリーニング店の方へ〕
衣服にふれることによってエイズに感染する心配はありません。
なお、消毒を要する洗濯物については、衛生管理要領による消毒を徹底してください。

○環境衛生関係営業施設における自主管理点検表の制定について（抄）

> 昭和63年10月18日　衛指第215号
> 各都道府県・各政令市・各特別区衛生主管部（局）長宛
> 厚生省生活衛生局指導課長通知

〔改正経過〕

第1次改正　〔平成3年8月15日衛指第163号〕

　理容師法、美容師法、クリーニング業法、興行場法、旅館業法及び公衆浴場法に規定する環境衛生関係営業施設の衛生水準の維持向上を図るため、従前より各業種毎に衛生等管理要領を定めてきたところである。これら衛生等管理要領の営業者に対する周知徹底等、監視指導における有効な活用については、常日頃より格別の御配慮をお願いしているところであるが、今後の監視指導のあり方として、営業者自身による自主的管理の強化が指摘されていることから、有効かつ簡便に営業者自身が自主的管理を実施できるよう、別添のとおり各業種ごとの自主管理点検表を作成したので御了知のうえ、監視指導業務の効率的実施を図るため、十分に活用されるようお願いする。
　なお、換気、照明等の項目に（　）書きで物理的数値を記入しているが、これは、必ずしも営業者が測定用具を備えて自ら測定することを意図したものではなく、環境衛生監視員が当該施設に立ち入った際に施設内環境を実際に測定し、営業者に教示する等の方法により、営業者が客観的に照度等を認識できるよう付記したものである。

別　添

理・美容所の自主管理点検表

施設	1	施設内は、毎日清掃し、清潔で、整理整頓しているか。
	2	照明器具、換気設備は、定期的に清掃しているか。
	3	明るさは、十分か。（作業面の明るさは300ルクス以上が望ましい）
	4	換気は、十分か。開放型の暖房器具、蒸し器等を使用している場合は、定期的に換気しているか。（炭酸ガス濃度は1000ppm以下、一酸化炭素濃度は10ppm以下が望ましい）
	5	温度・湿度は、適切か。（温度は17〜28℃、相対湿度は40〜70％が望まし

第2編　理容師・美容師

一般		い）
	6	洗髪器は、常に清潔にしているか。
	7	床などの毛髪は、1客ごとに清掃し、ふた付きの容器に集めているか。
	8	便所は、毎日清掃し、臭気がなく、清潔に保っているか。
	9	施設内にみだりに犬、猫等の動物を入れていないか。（盲導犬を除く）
	10	ねずみ、昆虫はいないか。
器具・布片	11	カミソリ、ハサミ、クシ、ヘアーブラシ、蒸しタオルなどは、1客ごとに洗浄し、適正に消毒されたものを使用しているか。
	12	タオル、ネックペーパー等は、清潔なものを使用し、1客ごとに取り替えているか。
	13	洗浄・消毒済みの器具類、布片類は、使用済みのものと区別して清潔に保管しているか。
	14	器具類、布片類の保管場所は、週に1回以上清掃し、清潔に保っているか。
消毒	15	紫外線消毒器の器内、紫外線灯、反射板は、定期的に清掃し、清潔に保たれ、十分な照射量が得られているか。
	16	紫外線消毒器内の被消毒物は、適切に配置し、20分間以上照射されているか。
	17	蒸し器内の被消毒物は、80℃以上の温度で10分間以上処理しているか。
	18	消毒液は、汚れの程度に応じ適切に取り替えているか。
	19	消毒液の原液は、適切な場所に保管されているか。
	20	消毒液は、適切な濃度に調整され、適切な消毒時間が守られているか。
従業者	21	理（美）容師は、清潔な作業衣を着用し、顔面作業の際は清潔なマスクを使用しているか。
	22	理（美）容師は、1客ごとの作業の前後に、手指を洗浄し、皮膚疾患のある客を扱ったときは、作業後、手指を消毒しているか。
	23	従業者は、定期的に健康診断を受けているか。
	24	結核、伝染するおそれのある皮膚疾患にかかっている者が業務に従事していないか。
その他	25	パーマ液、染毛剤は、安全性に留意し、正しく使用しているか。
	26	作業に使用する電気器具は、使用前に安全点検がなされているか。
	27	定められた保健所等への届出は、きちんと行っているか。

○管理理容師資格認定講習会及び管理美容師資格認定講習会の指定について

> 平成元年5月16日　衛指第89号
> 各都道府県衛生主管部(局)長宛　厚生省生活衛生局指導課長通知

　管理理容師資格認定講習会及び管理美容師資格認定講習会の指定については、昭和44年6月25日付環衛第9,082号厚生省環境衛生局長通知により実施されているところであるが、今後、当該講習会について広く関係者に周知徹底を図り、多くの受講希望者の参加が得られるようにするため、講習会の主催者及び住所、講習日程、受講料等について告示されるようお願いしたいので、手続きについてよろしくお取り計らい願いたい。

　なお、講習会の主催者等を告示することにより、当該講習会の受講料は消費税が非課税となるので申し添える。

○理容所・美容所における衛生管理の徹底について

> 平成18年8月31日　健衛発第0831002号
> 各都道府県・各政令市・各特別区衛生主管部(局)長宛
> 厚生労働省健康局生活衛生課長通知

　今般、徳島県内の理容店で働く理容師が肺結核を発病し、同僚理容師十数人にも結核菌が感染していた事例が発生したところであり、これについて徳島県では、理容所・美容所開設者に対し衛生管理の徹底に係る通知を発出するとともに、当該理容師が勤務していた理容所を利用したことのある顧客を対象に無料の結核検診を行うなど所要の措置を講じているところである。

　理容業・美容業は、不特定多数の者の身体の安全及び衛生に直接関わる営業であり、その衛生水準の維持・向上を確保することは必要不可欠であることから、上記のような事例を防止するため、都道府県（政令市及び特別区を含む。）においては、理容所・美容所における衛生管理の徹底の周知を図るほか、その地域における結核の発生状況等を勘案して特に必要があると判断した場合には、関係団体等の意見も踏まえた上で、理容師法（昭和22年法律第234号）第9条第3号又は美容師法（昭和32年法律第163号）第8条第3号の規定に基づき、理容業・美容業の衛生水準の維持・向上を図る観点から、関係条例を制定し、理容師・美容師に対する結核に係る検診を行うことも可能である。

　貴職におかれては、上記のような事例を防止し、理容業・美容業における衛生水準の維持・向上を図る観点から、引き続き、理容所・美容所における衛生管理の徹底について指導・監督方よろしくお願いする。

　なお、本通知は、地方自治法（昭和22年法律第67号）第245条の4第1項に規定する技術的助言であることを申し添える。

○出張理容・出張美容に関する衛生管理要領について

〔平成19年10月4日　健発第1004002号
各都道府県知事・各政令市市長・各特別区区長宛　厚生労働省健康局長通知〕

　近年の高齢化の進展により、介護老人福祉施設など理容所又は美容所以外の場所に理容師又は美容師が出向いて行う理容又は美容（以下「出張理容・出張美容」という。）に対する社会的なニーズが高まっており、これまで以上に出張理容・出張美容に係る衛生の確保が求められているところであるが、出張理容・出張美容の衛生の確保について必ずしも全国的に十分な指導等がなされているとは言えない実情にある。

　ついては、今般、出張理容・出張美容の衛生を確保するため、別添のとおり「出張理容・出張美容に関する衛生管理要領」を定めたので、下記事項にも留意の上、関係者に対して周知を図るとともに、衛生管理の指導に当たっての指針として活用されたい。

　なお、この通知は、地方自治法（昭和22年法律第67号）第245条の4第1項に規定する技術的な助言に当たるものである。

記

1　出張理容・出張美容を行う者に対して衛生の確保のための指導等を行うに当たっては、必要に応じて条例又は要綱等を制定するなどにより行われたいこと。

2　出張理容・出張美容について、理容師法（昭和23年法律第234号）第11条第1項又は美容師法（昭和32年法律第163号）第11条第1項に基づき理容所又は美容所の開設の届出をし、理容師法第11条の2又は美容師法第12条の規定に基づき都道府県知事等の検査を受け、使用することができることとされている理容所又は美容所の開設者（当該理容所又は美容所に所属する理容師又は美容師を含む。）であれば、所要の指導等を行うことができる枠組みが存在していることから、その実施主体としてふさわしいと考えられる。しかし、各都道府県、政令市又は特別区がそれぞれ実情を考慮し、出張理容・出張美容の主体を理容所又は美容所の開設者に限定しない場合には、これらの者以外の出張理容・出張美容を行う者が、本要領に基づく衛生措置を確保するよう、ホームページその他の媒体を通じて出張理容・出張美容において講ずべき衛生措置や衛生上の問題が生じた場合の相談先の周知を図るとともに、営業者の名称、営業区域、従業員等について把握等ができる条例又は要綱等を制定するなどにより、特にその指導に遺漏なきを期されたいこと。

（別　添）

　　　出張理容・出張美容に関する衛生管理要領

第1　目的

　この要領は、出張理容・出張美容に関する作業環境、携行品等の衛生的管理及び消毒並びに従業者の健康管理等の措置により出張理容・出張美容に関する衛生の確保及び向上を図ることを目的とする。

第2　作業環境

出張理容・出張美容に関する衛生管理要領について

1　不特定多数が利用する施設等において出張理容・出張美容を行う場合には、作業及び衛生保持に支障を来さないよう、不特定多数が出入りする場所から区分された専用の作業室などにおいて行うことが望ましいこと。
2　作業場の床及び腰張りは、コンクリート、タイル、リノリウム、板等の不浸透性材料を使用した構造が望ましいこと。これによらない場合は、ビニールなど不浸透性材料のシートの上で作業を行うこと。
3　作業場内は、不必要な物品等が近くにないところが望ましいこと。
4　作業場内の採光、照明及び換気を十分にすること。

第3　携行品等
出張理容・出張美容を行う際には、次の器具等を携行すること。
1　洗浄及び消毒済みのはさみ等の理容器具・美容器具と、これらを衛生的かつ安全に収納できるもの
2　使用済みのはさみ等の理容器具・美容器具を、安全に収納できるもの
3　消毒された布片類・タオルと、これらを衛生的に収納できるもの
4　外傷に対する救急処置に必要な薬品及び衛生材料
5　手洗いに必要な石ケン、消毒液等

第4　管理
1　作業環境の管理
(1)　作業場内には、みだりに犬（身体障害者補助犬を除く。）、猫等の動物を入れないこと。
(2)　作業終了後は、作業場の清掃を十分行い、清潔にすること。
2　携行品等の管理
(1)　洗浄及び消毒済みの器具類等は、使用済みのものと区別して、収納ケース等に保管すること。
(2)　使用済みのかみそり（頭髪のカットのみの用途（レーザーカット）に使用するかみそりを除く。以下同じ。）及びかみそり以外の器具で、血液の付着しているもの又はその疑いのあるものは、それ以外の使用済みの器具と区別して、丈夫な容器に保管し、適切な処置を行うこと。取扱いの際は、器具の突き刺し事故に注意すること。
3　従業者の管理
営業者は、常に従業者の健康管理に注意し、従業者が感染症、感染性の皮膚疾患にかかったときは、当該従業者を作業に従事させないこと。

第5　衛生的取扱い等
1　作業室には、施術中の客及び介助者以外の者をみだりに出入りさせないこと。
2　作業中、従業者は清潔な外衣（白色又はこれに近い色で汚れが目立ちやすいもの）を着用し、顔面作業時には清潔なマスクを着用すること。
3　従業者は、常につめを短く切り、客1人ごとの作業前及び作業後には手指の洗浄を行い、必要に応じて消毒を行うこと。

4 作業場においては、喫煙及び食事をしないこと。
5 皮膚に接する器具類は、客1人ごとに消毒した清潔なものを使用すること。
6 皮膚に接する器具類は、使用後に洗浄し、消毒すること。
7 皮膚に接する布片類は、清潔なものを使用し、客1人ごとに取り替えること。
8 使用後の布片類は、他のものと区別して収納すること。帰宅後、洗剤等を使用して温湯で洗浄することが望ましいこと。
9 蒸しタオルは消毒済みのものを使用すること。
10 客用の被布は、使用目的に応じて区別し、清潔なものを使用すること。
11 作業に伴って生ずる毛髪等の廃棄物は、客1人ごとに清掃すること。
12 毛髪等の廃棄物は、ふた付きの専用容器や丈夫な袋などに入れ、適正に処理すること。
13 皮膚に接しない器具であっても汚れやすいものは、客1人ごとに取り替え又は洗浄し、常に清潔にすること。
14 感染症、感染性の皮膚疾患の患者又はその疑いのある者を扱う場合には、マスク、手袋等予め防護措置をとること。また、このような者を扱ったときは、作業終了後、従業者の手指及び使用した器具等の消毒を特に厳重に行うこと。器具等の消毒については、感染症法に基づく消毒・滅菌の手引き（平成16年1月30日健感発第0130001号厚生労働省健康局結核感染症課長通知）等を参考にすること。
15 パーマネントウエーブ用剤、染毛剤等の使用に当たっては、医薬部外品及び化粧品として、薬事法による承認を受けたものを適正に使用し、その安全衛生に十分留意すること。また、使用によってアンモニア等のガスが発生する場合には、特に排気に留意すること。

第6 消毒
　理容所及び美容所における衛生管理要領（昭和56年6月1日付け環指第95号厚生省環境衛生局長通知）に準じること。

第7 自主管理体制
1 衛生管理責任者の設置
　理容師法第11条の4第1項又は美容師法第12条の3第1項の規定に該当しない営業者が出張理容・出張美容を行う場合において、常時2人以上の理容師又は美容師を出張理容・出張美容に従事させる場合には、事務所等の設備、器具等の衛生の点検管理、従業員の感染症罹患の有無の確認、従業員の衛生教育等を行う衛生管理責任者として、理容師法第11条の4第2項の規定に基づく管理理容師又は美容師法第12条の3第2項の規定に基づく管理美容師の資格を有する者を置くことが適当であること。
2 衛生管理要領の作成及び周知
　営業者又は衛生管理責任者は、出張理容・出張美容に係る作業環境や取扱い等に係る具体的な衛生管理要領を作成し、従業員に周知徹底すること。

○出張理容・出張美容に関する衛生管理要領について

> 平成19年10月4日　健衛発第1004001号
> 各都道府県・各政令市・各特別区衛生主管部(局)長宛
> 厚生労働省健康局生活衛生課長通知

　標記については、平成19年10月4日健発第1004002号厚生労働省健康局長通知をもって通知されたところであるが、この「出張理容・出張美容に関する衛生管理要領」は、出張理容・出張美容の衛生を確保するために定められたものであるので、下記事項に留意し、その実施に遺漏のないようお願いする。

記

1　出張理容・出張美容に関する条例又は要綱等を制定する場合には、既存の営業者が円滑に対応できるよう、必要に応じて周知期間を設けるなどの配慮をすること。
2　営業者が複数の都道府県等にまたがって出張理容・出張美容を行おうとする場合には、それぞれの地域において適切に指導監督を行う必要があること。
3　従来、昭和26年10月1日付け環衛第113号・東京都衛生局公衆衛生課長宛、厚生省公衆衛生局環境衛生部環境衛生課長回答に見られるように、国として、出張理容・出張美容については、理容所、美容所の所属如何を問わず、理容師、美容師であれば差し支えないとの考え方に立っていたが、今般の局長通知により、出張理容・出張美容については、指導の枠組みを含め、所要の衛生措置が確保されている理容師・美容師に限るとの考え方に変更されているので、留意されたいこと。

○興行場等における衛生環境の維持管理について

> 平成20年3月25日　健衛発第0325004号
> 各都道府県・各政令市・各特別区衛生主管部(局)長宛
> 厚生労働省健康局生活衛生課長通知

　興行場、クリーニング所、公衆浴場、旅館、理容所及び美容所における衛生管理についてはそれぞれ、「興行場法第2条、第3条に係る構造設備等の準則について」(昭和59年4月24日環指第42号厚生省環境衛生局長通知)、「クリーニング所における衛生管理要領について」(昭和57年3月31日環指第48号厚生省環境衛生局長通知)、「公衆浴場における衛生等管理要領等について」(平成12年12月15日生衛発第1,181号厚生省生活衛生局長通知)、「理容所及び美容所における衛生管理要領について」(昭和56年6月1日環指第95号厚生省環境衛生局長通知)を、地方自治法(昭和22年法律第67号)第245条の4第1項の規定に基づく技術的助言として示しているところであるが、当該通知によるねずみ及び衛生害虫等の防除(駆除)並びに施設内の壁、床、建具、物品等の消毒の実施に当たっては、人や環境に対する影響を可能な限り少なくするよう配慮する必要があることから、下記に留意のうえ適切に実施されるよう、貴管下営業者に対する周知方及び適切な指導方よろしく

第2編　理容師・美容師

お願いする。
記
1　ねずみ及び衛生害虫等の防除（駆除）について
　　ねずみ及び衛生害虫等の防除（駆除）は、事前の生息調査（点検）により生息が確認された場合に、確実にその目的が達成できるよう適切な頻度及び方法をもって実施すること。
　　なお、具体的な生息調査及び防除（駆除）の手順については「建築物における衛生的環境の維持について」（平成20年1月25日健発第0125001号厚生労働省健康局長通知）第6及び「建築物における維持管理マニュアル」（平成20年1月25日健衛発第0125001号厚生労働省健康局生活衛生課課長通知）第6章を参照されたい。
2　消毒について
　　施設内の壁、床、建具、物品等の衛生管理は清掃が基本であり、消毒は当該施設の状況に応じて効果が確実な方法により実施すること。
　　なお、一律広範囲にわたる施設内の消毒を目的とした消毒薬の噴霧、散布、薫蒸等は、作業者への危険性もあることから、これらの方法については漫然と実施しないこと。

○管理理容師資格認定講習会及び管理美容師資格認定講習会の指定基準の運用について

〔平成21年1月28日　健発第0128008号〕
〔各都道府県知事宛　厚生労働省健康局長通知〕

　理容師法（昭和22年法律第234号）第11条の4第2項及び美容師法（昭和32年法律第163号）第12条の3第2項の規定に基づき、各都道府県知事が指定する講習会に関する指定基準については、理容師法施行規則及び美容師法施行規則の一部を改正する省令（平成21年厚生労働省令第6号）によりその基準を定めたところであるが、講習会の指定に当たっては、特に下記事項に御留意のうえ事務処理に遺憾のないようにされたい。
　なお、「管理理容師資格認定講習会及び管理美容師資格認定講習会の指定について」（昭和44年6月25日付環衛第9,082号厚生省環境衛生局長通知）は廃止する。
記
1　管理理容師資格認定講習会及び管理美容師資格認定講習会の指定について
　　管理理容師資格認定講習会及び管理美容師資格認定講習会（以下「講習会」という。）の指定にあたっては、講習会の主催者から次の事項を記載した講習会指定申請書を提出させるものとすること。
　(1)　講習会の主催者の名称及び住所
　(2)　講習日程及び講習科目
　(3)　講習会場の所在地
　(4)　講師の氏名及び略歴

(5)　受講予定人員
　(6)　受講料
2　受講料について
　　講習会の受講料は、実費を勘案し適切な額とすること。
3　講習会の実施について
　　講習会の実施に当たっては、理容師法施行規則（平成10年厚生省令第4号）第23条又は美容師法施行規則（平成10年厚生省令第7号）第23条の規定に基づくほか、別紙講習会実施要領により適正に運営されるよう、講習会の主催者を指導されたいこと。
4　講習の開催方法等の留意事項
　　講習会は、受講希望者の受講機会を確保する観点から、少なくとも毎年1回は開催するよう努めること。
　　当該年度の受講希望者が少数と予想される等により単独で開催することが困難な場合にあっては、次の(1)から(3)の方法又はこれらを併用した開催方法により積極的な開催に努めること。
　　また、(1)から(3)の方法によっても開催が困難な場合は、(4)の方法により、受講希望者に対する受講機会の確保が図れるよう配慮すること。
　　なお、これらの方法により、受講希望者の受講機会を確保する場合にあたっては、関係都道府県及び関係機関等との十分な協力連携により実施するよう留意するとともに、開催日程等の周知についても関係都道府県及び関係機関等において十分に行うこと。
　(1)　近隣都道府県との合同開催
　　　近隣都道府県と合同で開催する場合は、合同開催に伴う関係都道府県知事の指定を受けること。
　(2)　管理理容師資格認定講習会及び管理美容師資格認定講習会の合同開催
　　　講習会については、合同開催による講習を行うことができることとすること。
　　　ただし、理容師法及び美容師法の趣旨を踏まえ、理容業及び美容業それぞれの特性について適切に教示できるものであること。
　(3)　他の都道府県の受講希望者の受け入れ
　　　受講定員に余裕がある場合には、他の都道府県の受講希望者の受け入れを積極的に推進すること。
　(4)　近隣都道府県開催の講習会への受講希望者の斡旋
　　　当該年度に講習会を開催できない場合にあっては、近隣都道府県との協力連携により、受講希望者に対する他の都道府県開催の講習会への受講斡旋ができること。
（別　紙）
　　　　　講習会実施要領
1　受講資格の認定について
　　受講資格は理容師又は美容師の免許を受けた後3年以上理容の業又は美容の業に従事した者とし、理容師法第2条又は美容師法第3条に規定する免許の写し及び3年以上業務に従事したことを証する書面（雇用主等の証明書等）を受講申込書に添付させる等に

より、主催者においてその資格の有無を確認すること。
2 講習科目
　講習科目の内容は下記を標準としたものであること。
 (1) 管理理容師資格認定講習会で行う講習科目の内容
　　ア　公衆衛生
　　　(ア) 公衆衛生と衛生行政
　　　(イ) 感染症
　　イ　理容所の衛生管理
　　　(ア) 衛生管理総論
　　　(イ) 店舗の構造設備
　　　(ウ) 店舗の衛生管理
　　　(エ) 従業者の健康管理
　　　(オ) 消毒法とその用途
　　　(カ) 理容業務に使用する医薬部外品等
　　　(キ) 事故等の対応
　　　(ク) 衛生管理計画と自主点検
　　　(ケ) 自主点検による問題点と改善策
　　　(コ) 理容業に関わる各種の届出・申請
　　　(サ) 衛生水準向上のための支援策
 (2) 管理美容師資格認定講習会で行う講習科目の内容
　　ア　公衆衛生
　　　(ア) 公衆衛生と衛生行政
　　　(イ) 感染症
　　イ　美容所の衛生管理
　　　(ア) 衛生管理総論
　　　(イ) 店舗の構造設備
　　　(ウ) 店舗の衛生管理
　　　(エ) 従業者の健康管理
　　　(オ) 消毒法とその用途
　　　(カ) 美容業務に使用する医薬部外品等
　　　(キ) 事故等の対応
　　　(ク) 衛生管理計画と自主点検
　　　(ケ) 自主点検による問題点と改善策
　　　(コ) 美容業に関わる各種の届出・申請
　　　(サ) 衛生水準向上のための支援策
3 講師
　講師は、理容師法施行規則第23条第2号又は美容師法施行規則第23条第2号に定める者とすることとし、同号ホに規定する「同等の知識及び経験を有すると認められる者」

とは、講習科目の内容について専門的な知識又は技術を有し、講習内容を講義する能力を十分に有していると認められる者をいうこと。
4 講習の期間
　講習は、なるべく連続して行うことが望ましいが、受講者の利便等を考慮し、分けて行う等2か月以内の期間において実施して差し支えないこと。
5 受講者数
　1講師あたり同時に講習を受ける受講者の数は200人を限度とすること。
6 修了の認定及び修了証書の交付等
(1) 講習会の受講修了の認定は、理容師法施行規則第23条第3号又は美容師法施行規則第23条第3号の規定に基づき適切に行うこととし、同号に規定する「その他の方法」とは、受講者より課題を提出させ、講習の効果を確認することをいうこと。
　なお、出席状況並びに試験又は課題の成績の著しく不良な者等については修了を認めないものとすること。
　また、講習会の受講を修了した者には必ず修了証書を交付するものとすること。
(2) 正当な事由により一部の講習科目の内容の受講をしなかったために修了を認められなかった受講者については、受講した講習会に引き続いて行われる次回の講習会に限り（次回の講習会を受講しなかったことについてやむを得ない理由があるときは、この限りでない。）、受講した講習科目の内容と同じものについては、受講したものとみなすことができること。
7 実施状況の報告
　講習会が終了したときは、すみやかに次の事項を記載した講習会実施状況報告書を都道府県知事に提出すること。
(1) 受講人員
(2) 修了証書を交付した受講者の氏名
8 各簿の保存
　所定の名簿に修了証書を交付した受講者の氏名及び証書番号を記録し、当該名簿を永久に保存すること。

○理容所及び美容所において使用する器具類の衛生管理の徹底について

[平成21年6月18日　健衛発第0618001号
各都道府県・各政令市・各特別区衛生主管部(局)長宛
厚生労働省健康局生活衛生課長通知]

　理容所及び美容所における衛生管理については、「理容所及び美容所における衛生管理要領について」（昭和56年6月1日環指第95号厚生省環境衛生局長通知。以下「衛生管理要領」という。）を、地方自治法（昭和22年法律第67号）第245条の4第1項の規定に基づく技術的助言として示しているところであるが、理容所及び美容所において使用する器具類の衛生管理が不適切な事例が見受けられることから、下記に留意のうえ適切に器具類を使用するよう、貴管下営業者に対する周知及び適切な指導方よろしくお願いする。

記

　理容師法及び美容師法では、感染症の予防という観点から、皮膚に接する器具類は必要な消毒を求めており、また、衛生管理要領では、間接的に皮膚に接する器具類を介して消毒した器具にウイルス等を付着させてしまう可能性があることから、間接的に皮膚に接する器具類に対しても消毒を求めているところである。については、シェービングブラシ、はさみ等皮膚に接する器具類及びシェービングカップ等間接的に皮膚に接する器具類については、その種類に応じ、衛生管理要領に掲げる消毒方法で確実に消毒するよう徹底すること。

　特に、施術中に腰やベルトなどに下げてはさみ等器具を収納する革製等のケース（以下、「シザーケース」という。）は間接的に皮膚に接するため消毒する必要があるが、器具を収納する部分は細い筒状であり、また、使用されている革の裏側（床面）は細かな繊維の集合体であることから、器具を収納する部分の確実な消毒が難しいものと考えられる。このため、施術中に器具を消毒せずにシザーケースに収納し、又はシザーケースから取り出した器具を消毒せずに使用すると、シザーケースを介しウイルス等の感染のおそれがある。したがって、シザーケースの使用については、その材質及び構造等を踏まえ十分な衛生措置を講ずるよう徹底すること。

　なお、衛生措置を講じた使用方法としては、施術中、使用している器具を消毒した後にシザーケースに収納し器具を消毒してから使用する、又は、使用している器具はそのままシザーケースに収納せずに専用台等に置き、施術終了後に消毒を行った上でシザーケースに収納するといった方法が考えられること。

◯出張理容・出張美容に関する衛生管理の徹底について

[平成25年12月25日　健衛発1225第2号
各都道府県・各政令市・各特別区衛生主管部(局)長宛
厚生労働省健康局生活衛生課長通知]

　標記については、「出張理容・出張美容に関する衛生管理要領」等に基づき、衛生管理の指導に当たっていただいていますが、今般、厚生労働省老健局高齢者支援課長及び振興課長から別添のとおり各都道府県等の福祉担当部（局）長あて通知されましたので、御了知願います。

（別　添）

　　出張理容・出張美容に関する衛生管理の徹底について

[平成25年12月25日　老高発1225第2号・老振発1225第1号
各都道府県・各指定都市・各中核市福祉担当部(局)長宛　厚生労働省老健局高齢者支援・振興課長連名通知]

　介護保険制度の円滑な推進につきましては、平素から格別のご尽力を賜り、厚く御礼申し上げます。

　今後、高齢化の進展に伴い、理容師又は美容師が在宅や老人福祉施設に赴き、高齢者に対して理容又は美容を行う機会が増大していくことが予想されますが、高齢者の心身の状況を踏まえ、衛生管理に特段の留意が求められることから、今般、当省健康局生活衛生課より、別添のとおり依頼があったところです。

　特に、入所者の重度化が進む介護老人福祉施設においては、入所者に対し、整容等の介護を適切に行うことが求められます。

　つきましては、老人福祉施設での出張理容・出張美容に関し、下記事項について御了知の上、管内市町村（特別区を含む。以下同じ。）をはじめ、関係者、関係団体等に対して周知いただきますようお願いいたします。

　また、在宅で介護を行う高齢者に係る出張理容・出張美容についても、あわせて、下記事項の2について御了知の上、管内市町村に対して周知いただきますようお願いいたします。

記

1　老人福祉施設において出張理容、出張美容を行う場合には、理容師又は美容師の施術や衛生保持の上で適切な場所を確保願いたいこと。また、その際、洗髪のための設備等施術環境にも十分配慮願いたいこと。
2　出張理容・出張美容を行う実施主体については、理容所又は美容所の開設者がふさわしいことから、事業者の選定に当たり、このことを十分に考慮願いたいこと。

別添　略

○平成23年（2011年）東日本大震災の発生により被災した理容師及び美容師による仮設住宅における訪問理容・訪問美容について

> 平成27年4月20日　健衛発0420第1号
> 各都道府県・各政令市・各特別区衛生主管部（局）長宛
> 厚生労働省健康局生活衛生課長通知

　標記については、「平成23年（2011年）東日本大震災の発生により被災した理容師及び美容師による避難所又は仮設住宅における訪問理容・訪問美容について」（平成23年4月22日付け健衛発0422第1号厚生労働省健康局生活衛生課長通知及び平成25年3月12日付け健衛発0312第1号）に基づく対応をお願いしているところであるが、本年4月23日以降の取扱いについては、下記のとおり取り扱うこととしたので、引き続き、適切な対応を行われたい。

　また、本通知は、地方自治法（昭和22年法律第67号）第245条の4第1項に規定する技術的助言であることを申し添えます。

記

1　訪問理容・訪問美容について

　　仮設住宅で生活する東日本大震災の被災者であって、被災により理容所又は美容所に来ることができないものに対し、被災した理容師又は美容師が、理容所及び美容所以外の場所で理容又は美容を行う場合は、理容師法施行令（昭和28年政令第232号）第4条第1号の「その他の理由により、理容所に来ることができない者に対して理容を行う場合」又は美容師法施行令（昭和32年政令第277号）第4条第1号の「その他の理由により、美容所に来ることができない者に対して美容を行う場合」に該当するものとして、仮設住宅を訪問して理容又は美容を行うこと（以下「訪問理容・訪問美容」という。）として差し支えない。

2　訪問理容・訪問美容の対象者について

　　1において、「仮設住宅で生活する東日本大震災の被災者」とは、東日本大震災について災害救助法の適用により指定を受けた市町村（以下「指定市町村」という。）で被災し、仮設住宅で生活している者とし、「被災により理容所又は美容所に来ることができないもの」には、健康状態など本人の事情を理由とするものだけでなく、理容所又は美容所までの適切な交通手段がないこと、近隣の理容所又は美容所が損壊していることなどを理由とするものが含まれるものとする。

3　訪問理容・訪問美容を提供できる者について

　　1において、「被災した理容師又は美容師」とは、次の(1)又は(2)に掲げる理容師又は美容師とする。

(1)　指定市町村で被災し、営業する理容所又は美容所が損壊して営業が困難となった理容師又は美容師（仮設店舗で営業する場合は、仮設住宅に隣接している場合に限る。なお、当該仮設店舗は理容所又は美容所に来ることができない被災者に対して訪問理

容・訪問美容を行う限りにあっては、理容所又は美容所として届出を必要としないものである。)
(2) 指定市町村で被災し、仮設住宅で生活している理容師又は美容師
　なお、訪問理容・訪問美容を行える理容師又は美容師を「被災した理容師又は美容師」としているのは、理容業及び美容業が地域に密着した住民に身近な営業であることに鑑み、被災した理容師又は美容師が他の被災者を支援することを通じ、地域の再生を図る趣旨である。
　ただし、訪問理容・訪問美容を行える被災した理容師又は美容師がいない場合又はその数が十分ではない場合は、全国理容生活衛生同業組合連合会又は全日本美容業生活衛生同業組合連合会からの要請に基づき、(1)及び(2)に該当しない理容師又は美容師が訪問理容・訪問美容を行っても差し支えない。
4　訪問理容・訪問美容の衛生管理について
　訪問理容・訪問美容を行う場合は、「出張理容・出張美容に関する衛生管理要領について」(平成19年10月4日健発第1004002号健康局長通知)の別添「出張理容・出張美容に関する衛生管理要領」に基づき、適切に対応されたい。
　リンク先:http://www.mhlw.go.jp/bunya/kenkou/seikatsu-eisei20/pdf/01.pdf

第2編　理容師・美容師

○規制改革実施計画への対応について

［平成27年7月1日　事務連絡
各都道府県・各政令市・各特別区生活衛生担当課宛
厚生労働省健康局生活衛生課］

　平成27年6月30日に閣議決定された規制改革実施計画において、投資促進等分野や地域活性化分野への対応として、理容師法、美容師法及び旅館業法に関する規制の見直しについての対応が盛り込まれていますので、別添のとおり情報提供いたします。
　今後、それぞれの内容に応じ、必要な法令改正や通知改正等行う予定としていますが、取り急ぎ、下記の点については、管下関係機関等への周知及び適切な対応につき御配慮願います。
　なお、出張理美容の対象範囲等についての検討材料とするため、別紙による調査に御協力をお願いいたします。

記

1　出張理美容が認められる「疾病その他の理由により、理容所、美容所に来ることができない者」の中には、骨折した者や認知症の者が、そのことにより理容所、美容所に来ることができない場合も含まれること。
2　イベント開催時の旅館業法上の取扱いについては、「反復継続」に当たる場合には、旅館業法施行規則第5条第1項第3号による特例の対象として取り扱うこととなるが、年1回（2〜3日程度）のイベント開催時であって、宿泊施設の不足が見込まれることにより、開催地の自治体の要請等により自宅を提供するような公共性の高いものについては、「反復継続」するものではなく、「業」に当たらない。
　なお、自治体の要請等に基づき、公共性が高いことを要件とする考え方であることから、開催地周辺の宿泊施設が不足することの確認や反復継続して行われていないことが確認ができるよう、自宅提供者の把握を行うことなどが求められる。

別添・別紙　略

○毛染めによる皮膚障害の周知等について

［平成27年10月23日　生食衛発1023第1号
各都道府県・各政令市・各特別区衛生主管部(局)長宛
厚生労働省医薬・生活衛生局生活衛生・食品安全部生活衛生課長通知］

　今般、消費者安全調査委員会が毛染めによる皮膚障害に係る調査報告書をとりまとめ、毛染めによる皮膚障害の重篤化を防ぐための取り組みについて、消費者安全調査委員会委員長から厚生労働大臣に対し意見が提出されました。
　理容業及び美容業の開設者等に対する衛生水準の確保や安全性の確保のための指導に当

毛染めによる皮膚障害の周知等について

たっては、従来から「理容所及び美容所における衛生管理要領」を指針として活用するなど、適切な指導をお願いしているところですが、貴職におかれては、理容所及び美容所における毛染めによる皮膚障害の重篤化を防ぐため、別添の調査報告書を参考にするとともに、特に下記の点について、管下の理容所及び美容所に対する継続的な周知をお願いいたします。また、これらに係る教育が適切に実施されるよう、理容師養成施設及び美容師養成施設への指導・監督も併せてお願いいたします。

記

1 理容師及び美容師は、＜参考＞に示した酸化染毛剤やアレルギーの特性、対応策等について確実に知識として身に付けること。
2 理容師及び美容師は、毛染めの施術に際して、次のことを行うこと。
・コミュニケーションを通じて、酸化染毛剤やアレルギーの特性、対応策等について顧客への情報提供を行う。
・顧客が過去に毛染めで異常を感じた経験の有無や、施術当日の顧客の肌の健康状態等、酸化染毛剤の使用に適することを確認する。
・酸化染毛剤を用いた施術が適さない顧客に対しては、リスクを丁寧に説明するとともに、酸化染毛剤以外のヘアカラーリング剤（例えば染毛料等）を用いた施術等の代替案を提案すること等により、酸化染毛剤を使用しない。

＜参考＞
「消費者安全法第23条第1項の規定に基づく事故等原因調査報告書　毛染めによる皮膚障害」より抜粋

［平成27年10月23日公表資料
　消費者安全調査委員会］

http://www.caa.go.jp/csic/action/index5.html
（酸化染毛剤やアレルギーの特性）
○ヘアカラーリング剤の中では酸化染毛剤が最も広く使用されているが、主成分として酸化染料を含むため、染毛料等の他のカラーリング剤と比べてアレルギーを引き起こしやすい。
○治療に30日以上を要する症例が見られるなど、人によっては、アレルギー性接触皮膚炎が日常生活に支障を来すほど重篤化することがある。
○これまでに毛染めで異常を感じたことのない人であっても、継続的に毛染めを行ううちにアレルギー性接触皮膚炎になることがある。
○アレルギーの場合、一旦症状が治まっても、再度使用すれば発症し、次第に症状が重くなり、全身症状を呈することもある。
○低年齢のうちに酸化染毛剤で毛染めを行い、酸化染料との接触回数が増加すると、アレルギーになるリスクが高まる可能性があると考えられる。
（対応策等）
○消費者は、セルフテストを実施する際、以下の点に留意すべき。
・テスト液を塗った直後から30分程度の間及び48時間後の観察が必要（アレルギー性接触皮膚炎の場合、翌日以降に反応が現れる可能性が高いため、48時間後の観察も

必要)。
・絆創膏等で覆ってはならない(感作を促したり過度のアレルギー反応を引き起こしたりするおそれがあるため)。
○酸化染毛剤を使用して、かゆみ、赤み、痛み等の異常を感じた場合は、アレルギー性接触皮膚炎の可能性があるため、消費者は、アレルゲンと考えられる酸化染毛剤の使用をやめる、医療機関を受診する等の適切な対応をとるべき。

別添　略

○理容師法施行令第4条第1号及び美容師法施行令第4条第1号に基づく出張理容・出張美容の対象について

> 平成28年3月24日　生食衛発0324第1号
> 各都道府県・各政令市・各特別区衛生主管部(局)長宛
> 厚生労働省医薬・生活衛生局生活衛生・食品安全部生活衛生課長通知

　理容所又は美容所以外の場所で理容又は美容の業務を行うこと(以下「出張理容・出張美容」という。)については、規制改革実施計画(平成27年6月30日閣議決定)において、「現行の「疾病その他の理由により、理容所・美容所に来ることができない者」の判断基準を明確化し、該当事例も含めて地方公共団体に周知徹底する。」とともに、「「疾病その他の理由により、理容所、美容所に来ることができない者」の対象範囲の拡大について、利用者ニーズ等を踏まえ検討を行い、結論を得た上で所要の措置を講ずる。」とされたところです。

　今般、同計画を踏まえ、出張理容・出張美容を行うことができる場合として、理容師法施行令(昭和28年政令第232号)第4条第1号及び美容師法施行令(昭和32年政令第277号)第4条第1号に規定する「疾病その他の理由により、理容所(美容所)に来ることができない者」に該当すると考えられる者について、下記のとおり整理しましたので、下記内容を十分御了知の上、適切な運用を図っていただくとともに、貴管下事業者等に対する周知及び指導等に遺漏なきようお願いいたします。

記

1　理容師法施行令第4条第1号及び美容師法施行令第4条第1号には次のような者が該当すると考えられること。
　(1)　疾病の状態にある場合のほか、骨折、認知症、障害、寝たきり等の要介護状態にある等の状態にある者であって、その状態の程度や生活環境に鑑み、社会通念上、理容所又は美容所に来ることが困難であると認められるもの
　(2)　自宅等において、常時、家族である乳幼児の育児又は重度の要介護状態にある高齢者等の介護を行っている者であって、その他の家族の援助や行政等による育児又は介護サービスを利用することが困難であり、仮に、自宅等に育児又は介護を受けている

理容師法施行令第4条第1号等に基づく出張理容・出張美容の対象について

家族を残して理容所又は美容所に行った場合には、当該家族の安全性を確保することが困難になると認められるもの

なお、理容師法施行令第4条第3号及び美容師法施行令第4条第3号においては、出張理容・出張美容を行うことができる場合として、「都道府県等が条例で定める場合」を規定しており、当該規定に基づき、地域の実情等に応じて、上記以外の場合を対象にすることを妨げるものではないが、理容又は美容の業を行う場合、理容師法（昭和22年法律第234号）第6条の2及び美容師法（昭和32年法律第163号）第7条に基づき、原則として理容所又は美容所で行わなければならないとされている趣旨を十分に踏まえること。

2 出張理容・出張美容の実施に当たっては、以下の点に留意すること。
 (1) 出張理容・出張美容の実施に当たっては、出張理容・出張美容の衛生を確保するため、「出張理容・出張美容に関する衛生管理要領」（平成19年10月4日付け健発第1004002号厚生労働省健康局長通知の別添）を衛生管理の指導に当たっての指針として活用し、必要に応じて条例又は要綱等を制定するなどにより、引き続き、その適切な運用に努めること。
 (2) 出張理容・出張美容の対象とならない者に対して、出張理容・出張美容を行うことは、理容師法又は美容師法違反となるものであり、そのような行為が行われることのないよう、出張理容・出張美容の実施状況等について把握に努め、仮に法律違反の行為を把握した場合には、厳正に対処すること。
 (3) 1(2)に示した者に対し、出張理容・出張美容を行う場合にあっては、施術を受ける者の監護下にある者に事故等が生じないよう留意すること。

○理容師法施行令第4条第1号及び美容師法施行令第4条第1号に基づく出張理容・出張美容の対象について

［平成28年3月24日　事務連絡
各都道府県・各政令市・各特別区生活衛生担当課宛
厚生労働省医薬・生活衛生局生活衛生・食品安全部生
活衛生課］

標記については、本日付け生食衛発0324第1号において考え方を示したところですが、同通知に基づく出張理容・出張美容の対象範囲の拡大に係る運用を適切に行っていただくため、別紙のとおりＱ＆Ａを取りまとめたので、内容を御了知の上、適切な運用を図っていただくとともに、貴管下事業者等に対する周知及び指導等に遺漏なきようお願いいたします。

第2編 理容師・美容師

別　紙

	通知該当部分	問	答
1	1、柱書き	「次のような者が該当すると考えられること」とあるが、今回の通知の対象に含まれない場合は、条例で定めない限り、出張理容・出張美容の対象にならないと理解してよいか。	そのとおり。
2	1(1)	「要介護状態にある等」の「等」は何を指すのか。	例えば、入所施設にいる場合などが考えられる。
3	1(1)	「その状態の程度や生活環境に鑑み」とあるが、具体的にどのようなことを想定しているのか。例えば、片足骨折の状態であるが松葉杖を使用して歩くことができ、近距離のタクシーを利用して理容所・美容所に来ることができる場合や、両足骨折の状態であるが同居している家族が運転する自動車により理容所・美容所に来ることができる場合は、出張理容・出張美容は認められないのか。	「その状態の程度」とは、例えば、骨折の場合であれば骨折の程度のことであり、「生活環境」とは、例えば、家族等からの援助の得やすさや移動手段の確保のしやすさ等のことである。 出張理容・出張美容が認められるか否かについては、「その状態の程度」や「生活環境」を総合的に勘案し、個別具体的な事情に照らして判断されたい。 なお、一般的には、骨折の状態であっても、タクシー等により日常的に外出しており、その行動範囲の中に通常利用している理容所又は美容所がある場合は、理容所又は美容所に来ることが困難であるとは認められないと考えられる。 両足骨折の場合については、一般的には、自ら外出することは困難であり、仮に、家族の助けを借りたとしても理容所又は美容所に来ることは容易ではないと考えられることから、理容所又は美容所

理容師法施行令第4条第1号等に基づく出張理容・出張美容の対象について

			に来ることが困難であると考えられるが、同居している家族が運転する自動車により理容所・美容所に来ることができ、それが困難であるとは認められない場合には、出張理容・出張美容は認められない。
4	1(2)	「自宅等」の「等」は何を指すのか。	自宅以外であっても、生活の本拠であると認められる場所を指すものである。
5	1(2)	「家族である乳幼児の育児又は重度の要介護状態にある高齢者等の介護を行っている者」とあるが、この場合の「家族」とはどの範囲までをいうのか。	個別具体的な事情に照らして判断すべきものであるが、一般には乳幼児の育児や高齢者の介護を担っている同居の家族は該当する。
6	1(2)	「乳幼児」とあるが、保育園や幼稚園の年長児も含まれるのか。他方、小学生は含まれないのか。	乳幼児は一般に保護者等による保護の必要性が高いと考えられるが、発達の個人差も大きいと考えられることから、保育園や幼稚園の年長児の場合、その発達状況に応じて判断することが必要である。ただし、幼稚園の就園児については、通常、登園中には理容所・美容所に来ることが可能と考えられる。 他方、小学生については、一般に常時保護者の監護下におく必要性はないと考えられるが、重度の障害を有する等により「重度の要介護状態にある高齢者等」に該当すると考えられる場合には、対象となり得る。
7	1(2)	「重度の要介護状態」とあるが、これは介護保険制度における要介護状態のことを指すのか	「要介護状態」とは、介護保険制度における認定を受けている場合に限定したものではない。ま

		否か。また、「重度」とはどの程度のことをいうのか。	た、「重度」については、「当該家族の安全性を確保することが困難になると認められる」かどうかも考慮して判断されるものである。
8	1(2)	「高齢者等」の「等」は何を指すのか。	障害者等の常時介護が必要となる者が考えられる。
9	1(2)	「その他の家族の援助や行政等による育児又は介護サービスを利用する」というのは、例えば、現状において訪問介護サービス等の契約を行っていないが、契約を締結すればサービスを利用できる状態にある場合も含むのか。	該当するかどうかは、「サービスを利用することが困難」と認められるかどうかであり、訪問介護サービス等のサービスを利用することが困難と認められるかどうかについて、利用可能なサービスの有無や経済的な事情なども含め、個別具体的な事情に照らして判断されるべきものである。
10	1(2)	「当該家族の安全性を確保することが困難」とは、具体的にはどういう状態を想定しているのか。	育児中の乳幼児又は介護を受けている高齢者等を一人で家に残した場合に、当該乳幼児・高齢者等の生命、身体の安全性を確保することが困難となるような場合を想定している。 したがって、例えば要介護の状態であっても心身の状態が安定しており、数時間であれば一人で過ごせるような場合は、これには当たらない。
11	1(2)	「出張理容・出張美容に関する衛生管理要領」の第5の1で「作業室には、施術中の客及び介助者以外の者をみだりに出入りさせないこと」とされていることとの関係はどのように考えれば良いか。	本通知1(2)に該当するとして出張理容・出張美容を行う場合においても、衛生の確保という衛生管理要領の趣旨から、育児等の対象者が施術室に出入りすることは適切ではない。 ただし、施術環境として適切な衛生措置が講じられた上で、柵付きのベッド等により乳幼児自らが

			柵の外に出られない等の安全上の措置が講じられた場合は、この限りではない。

○自動車を使用した理容所・美容所の取扱いについて

> 平成28年12月26日　生食衛発1226第1号
> 各都道府県・各政令市・各特別区衛生主管部(局)長宛
> 厚生労働省医薬・生活衛生局生活衛生・食品安全部生活衛生課長通知

　平成28年6月2日に閣議決定された「規制改革実施計画」において、「超高齢社会を迎えた我が国における消費者の多様なニーズへの対応と、適切な衛生水準の確保を図る観点から、理美容業における移動理美容車の位置付けを公表する。また移動理美容車の取扱いが地方自治体により異なることについて、現状の調査を行い、地方自治体の定めている基準に衛生上必要な措置として合理性があるかを検証の上、移動理美容車の基準の在り方について検討し、結論を得る。」とされた。

　今般、同計画を踏まえ、各地方公共団体における自動車を使用した理容所・美容所(以下「移動理美容所」という。)に関する取扱いについて調査を行ったところ、「理容所及び美容所における衛生管理要領」(昭和56年6月1日環指第95号、厚生省環境衛生局長通知「理容所及び美容所における衛生管理要領について」の別添)で示しているもの以外にも移動理美容所の特性に応じた構造設備等の基準を定めている例があったことから、移動理美容所の衛生管理等に必要な事項を下記のとおり取りまとめたので、今後の指導等に当たっての参考とされたい。

記

1　移動理美容所について

　移動理美容所の開設届出があった場合の取扱いについては、「移動理容所について」(昭和39年12月3日環衛第35号、山梨県厚生労働部長宛、厚生省環境衛生局環境衛生課長回答)により考え方を示しているとおり取り扱って差し支えない。

　なお、この場合、理容師法施行規則(平成10年厚生省令第4号)第19条第1項第1号の「理容所の所在地」及び美容師法施行規則(平成10年厚生省令第7号)第19条第1項第1号の「美容所の所在地」は、移動理美容所の属する主たる固定施設の理容所又は美容所(又はこれらに代わる当該移動理美容所を管理する事務所)の所在地となる。

　開設届出に当たっては、上記所在地を記入させるほか当該移動理美容所によって営業を行う場合における①移動経路、②営業場所、③営業時間、④車輌の保管場所及び⑤自動車登録番号又は車両番号を記入させるとともに、その内容を変更する場合は、変更内容を、その都度報告させること等により営業実態を適切に把握すること。

なお、開設届出を行った都道府県等の範囲を超えて無届けで営業を行うことのないよう適切に指導すること。
2　移動理美容所の構造設備等について
(1)　構造設備の基準
　○作業場に係る基準
　　・作業及び衛生の保持に支障のない面積を有すること
　　・営業場所、周囲及び構造設備の状況等を考慮して、公衆衛生上支障がない場合は基準を緩和できること
　　・作業場と運転席は隔壁等により区分されていること
　　・待合室を設ける場合は、隔壁等により作業場と区分すること
　○換気に関する基準
　　・換気扇を設けるなど十分な換気が行えること
　　・営業中にエンジンからの排気ガスが作業場等に流入しない構造とすること
　○給排水に関する基準
　　・営業場所で給水を適切にできる場合を除き、施術、消毒及び手洗い等に必要な容量の給排水設備を有すること
　○車両の固定に関する基準
　　・固定装置を具備すること
　○待合所及び便所の基準
　　・営業の都度適切な場所を確保できる場合を除き、待合所及び便所を確保すること
(2)　衛生管理の基準
　○給排水に関する基準
　　・給水に使用する水は毎日取り替えること
　　・排水処理は適切な場所において行うこと
　○施術等に使用する水質に関する基準
　　・水道水と同等であること
　○車両の固定に関する基準
　　・作業中は作業場が水平となるよう、車両の水平を確保すること
　　・営業中は車両を固定すること
　　・走行中に施術しないこと
　○その他
　　・施術に必要な電力を確保すること
　　・廃棄物の処理を適切に行うこと
　　・営業場所の選定に当たっては、各種法令を遵守するとともに、利用者の安全を十分確保すること
(3)　営業者に求められる措置等
　　移動理美容所については、利用者の権利擁護の観点から、苦情の申し出先として店舗の名称、電話番号、開設届出の際に届け出た所在地等を利用者に提示することや都

道府県知事等の検査確認済証等を利用者が確認できるよう掲示することなどにより、利用者からの苦情等に適切に対応できるようにすること。

○在宅の高齢者に対する理容・美容サービスの積極的な活用について

> 平成29年3月13日　生食衛発0313第1号
> 各都道府県・各政令市・各特別区衛生主管部(局)長宛
> 厚生労働省医薬・生活衛生局生活衛生・食品安全部生活衛生課長通知

高齢社会が進行する中で、在宅の高齢者が理容・美容のサービスを受けることは、心身をリフレッシュさせるなど生活の質（QOL）の維持、改善に資する面があります。

こうした中、外出の困難な高齢者に対する理容・美容サービスの活用の選択肢について下記のとおりまとめたので、管下市町村に周知を図るとともに、管内の理容業生活衛生同業組合、美容業生活衛生同業組合と連携いただき、健やかな高齢社会、地域住民が支え合う地域共生社会の推進に向けて積極的な参加・貢献を促進するようお願いします。

記

1　理容師法及び美容師法に基づく出張理容・出張美容の対象について

　「理容師法施行令第4条第1号及び美容師法施行令第4条第1号に基づく出張理容・出張美容の対象について」（平成28年3月24日生食衛発0324第1号当職通知）にて明らかにしているので、よろしくお願いします。

2　介護保険法に基づく訪問介護サービスの「身体整容」としての理容・美容サービスについて

　介護保険の訪問介護サービスでは、サービス行為のひとつとして示されている、日常的な行為の「身体整容」として、訪問介護員（ホームヘルパー）が目にかかる髪を整えるなど、髪の手入れ等を行うことが可能です。したがって、訪問介護員の資格を有する理容師、美容師が、指定訪問介護事業所の訪問介護員として、「身体整容」の範囲内で理容又は美容を行うことが可能です。

　なお、この場合は、訪問介護（ホームヘルプ）としての介護報酬を受けるため、出張理容又は出張美容にかかる費用を別途徴収することはできないことに留意の程お願いします。

3　介護保険法に基づく訪問介護サービスの前後に介護保険外のサービスを実施する理容・美容サービスについて

　訪問介護サービスとは明確に区分を行い、訪問介護の前後に、介護保険とは別のサービスとして出張理容・出張美容を行うことは可能です。

　この場合は、訪問介護サービスを行う者が、理容師又は美容師の免許を有することが前提であり、出張理容又は出張美容にかかる料金を介護保険サービスと別に受け取るものであることに留意の程お願いします。

第2編　理容師・美容師

4　介護保険法に基づく市町村特別給付事業として実施する理容・美容サービスについて
　　介護保険法には、介護保険料を財源として、市町村の判断により行われる市町村特別給付の仕組みがあります。出張理容・出張美容について、市町村特別給付として実施されている例もあり、現在、市町村で実施されている例については、対象者範囲や実施方式等について別紙にまとめたので、参考とされるようお願いします。

5　市町村の独自事業による理容・美容サービスについて
　　上記の他、市町村が独自事業として在宅の高齢者に対する理容・美容サービスの提供事業を実施している事例もあると承知しています。必要に応じ地域の高齢者、理容・美容サービスの事業者に情報提供が行われるようご配慮をお願いします。

　本件について、全国理容生活衛生同業組合連合会及び全日本美容業生活衛生同業組合連合会に対しては、高齢化する地域社会での役割として、在宅の高齢者に対する理容・美容サービスへ積極的に取り組むことについて依頼していますので、御了知下さい。

　また、本通知の内容について、介護保険事業を担当する厚生労働省老健局の関係各課とは調整済みであることを申し添えます。

別紙　略

◯理容所等の許可申請等に関する手続きについて

　　　　　　［平成31年2月12日　事務連絡
　　　　　　　各都道府県・各保健所設置市・各特別区生活衛生担当
　　　　　　　課宛　厚生労働省医薬・生活衛生局生活衛生課］

　生活衛生関係営業への取組につきましては、平素より、ご高配を賜り厚く御礼申し上げます。

　「日本再興戦略2016（平成28年6月2日閣議決定）」では、「ＧＤＰ600兆円経済」の実現に向け、事業者の生産性向上を徹底的に後押しすることとされました。これを踏まえ、「規制改革実施計画（平成29年6月9日閣議決定）」においては、行政手続コスト（行政手続に要する事業者の作業時間）を平成32年（2020年）までに20％削減することとされました。また、その際、行政手続簡素化の3原則（「行政手続の電子化の徹底」、「同じ情報は一度だけの原則」及び「書式・様式の統一」）を踏まえることとされました。

　これを受け、厚生労働省においても、「『行政手続コスト』削減のための基本計画」（以下「基本計画」という。）を平成29年6月に策定し、平成32年（2020年）までに更なる取組の推進を図る観点から、平成30年3月末に基本計画の改定を行いました。

　基本計画では、理容所、美容所、興行場、旅館、公衆浴場、クリーニング所、墓地、納骨堂等（以下「理容所等」という。）の開設等に関する手続についても、行政手続コストの削減に努めることとしております。

　貴自治体におかれては、理容所等の開設に係る許可等の申請、許可・開設後の変更届、廃止届、地位承継の申請等（以下「許可申請等」という。）の各種手続きについて、以下の見直しを行うこと等により、許可申請等に係る作業時間の削減を図っていただくよう、お願いいたします。

① 　許可申請等にあたっては、過剰な資料提出を求めないようにすることや、「その他必要な書類」といった曖昧な記載の見直しを行うことで、添付書類の簡素化・明確化を行うこと。
② 　電子メール又は郵送等による申請を可能とすること。
③ 　許可申請等の様式については、記載に迷うような曖昧な表現を見直し、記載事項の明確化を図ることにより、事業者の負担軽減を図り、貴自治体の窓口において記載事項の確認・修正事項が減ることによる処理期間の短縮を図ること。
④ 　審査基準の公表、標準処理期間の設定・公表を図ること。

　なお、許可申請等の様式については、簡素化された標準様式として、別添のとおり理容所等の開設に係る許可等の申請書をお示しします。貴自治体におかれては、様式策定に当たり、参考にしていただくよう、お願いいたします。

第2編　理容師・美容師

〔別　添〕

公衆浴場営業許可申請書（ひな形）

年　月　日

○○県・市・区　保健所長　殿

申請者住所：
氏名：
生年月日：

　　　　　（法人の場合は、主たる事務所の所在地及び名称並びに代表者の氏名
　　　　　　　　　　　　　　　※定款又は寄付行為の写しを添付）

公衆浴場法第2条第1項の規定に基づき下記の通り申請します。

① 公衆浴場の名称：
② 公衆浴場の所在地：
③ 公衆浴場の種類：

※ 構造設備の概要を添付すること。
※ 温泉の含有物質又は医薬品等を原料とした薬湯を使用する公衆浴場にあっては、その物質又は医薬品等の名称、成分、用法、用量及び効能を付記すること。

理容所等の許可申請等に関する手続きについて

旅館業営業許可申請書（ひな形）

年　　月　　日

○○県・市・区　保健所長　様

　　　　　　　申請者　住所（法人の場合は主たる事務所の所在地）
　　　　　　　　　　　_____

　　　　　　　　　　　氏名（法人の場合はその名称及び代表者の氏名。
　　　　　　　　　　　※定款又は寄付行為の写しを添付すること。）
　　　　　　　　　　　_____

　　　　　　　　　　　生年月日（法人の場合は不要）
　　　　　　　　　　　_____

　旅館業法第3条第1項の規定に基づき、旅館業の営業を許可されるよう申請します。

① 営業施設の所在地：_____
② 営業施設の名称：_____
③ 営業種別：旅館・ホテル／簡易宿所／下宿
④ 旅館業法施行規則第5条第1項に該当するときはその旨：_____
⑤ 施設の構造設備
　ア　1客室の床面積：_____
　イ　1客室の定員：_____
　ウ　寝台の有無：_____
　エ　玄関帳場その他玄関帳場代替措置の有無
　　　　：_____
　オ　玄関帳場代替措置を設置している場合はその内容
　　　　：_____
　カ　換気、採光、照明、防湿及び排水設備の有無
　　　　：_____
　キ　入浴設備の有無：_____
　ク　洗面設備の有無：_____
　ケ　便所の数：_____
⑥ 旅館業法第3条第1項ただし書に該当するときはその旨：_____
⑦ 旅館業法第3条第2項各号に該当することの有無及び該当するときはその内容
　　　　：_____

※　営業施設の構造設備を明らかにする図面を添付すること。

第2編　理容師・美容師

理容所開設届（ひな形）

年　　月　　日

○○県・市・区　保健所長　様

届出者　住所（法人の場合は所在地）

氏名（法人の場合はその名称及び代表者の氏名）

　次のとおり理容所を開設したいので、理容師法第11条第1項の規定に基づき、関係書類を添えて届け出ます。

理容所	名　　称			
	所　在　地			
	開設予定年月日			
	構造及び設備の概要	※添付書類1参照		
管理理容師	住　　　所			
	氏　　　名			
理容師	氏　　　名	登　録　番　号		厚生労働大臣が指定する伝染性疾病の有無
		大臣・都・道・府・県第　　号		
		大臣・都・道・府・県第　　号		
		大臣・都・道・府・県第　　号		
		大臣・都・道・府・県第　　号		
		大臣・都・道・府・県第　　号		
上記以外の従業者	氏　　名		氏　　名	
同一の場所で開設する美容所がある場合	名　　称		開設予定の場合は、その年月日	

（添付書類）　1　構造及び設備の概要がわかる書類（施設の平面図等）
　　　　　　2　理容師の結核、皮膚疾患等の有無に関する医師の診断書
　　　　　　3　管理理容師を置く場合は、それを証する書類（理容師免許取得後3年以上理容業務に従事し、都道府県知事指定の講習会修了者であること）
　　　　　　4　届出者が外国人の場合は、住民票の写し（住民基本台帳法第30条の45に規定する国籍等を記載したものに限る。）

理容所等の許可申請等に関する手続きについて

美容所開設届（ひな形）

年　月　日

〇〇県・市・区　保健所長　様

届出者　住所（法人の場合は所在地）

氏名（法人の場合はその名称及び代表者の氏名）

次のとおり美容所を開設したいので、美容師法第11条第1項の規定に基づき、関係書類を添えて届け出ます。

美容所	名　　　　称			
	所　在　地				
	開設予定年月日				
	構造及び設備の概要	※添付書類1参照		
管理美容師	住　　　　所				
	氏　　　　名				
美容師	氏　名	登　録　番　号		厚生労働大臣が指定する伝染性疾病の有無
		大臣・都・道・府・県第　　号		
		大臣・都・道・府・県第　　号		
		大臣・都・道・府・県第　　号		
		大臣・都・道・府・県第　　号		
		大臣・都・道・府・県第　　号		
上記以外の従業者	氏　　名			氏　　名	
同一の場所で開設する理容所がある場合	名　　　　称		開設予定の場合は、その年月日	

（添付書類）
1　構造及び設備の概要がわかる書類（施設の平面図等）
2　美容師の結核、皮膚疾患等の有無に関する医師の診断書
3　管理美容師を置く場合は、それを証する書類（美容師免許取得後3年以上美容業務に従事し、都道府県知事指定の講習会修了者であること）
4　届出者が外国人の場合は、住民票の写し（住民基本台帳法第30条の45に規定する国籍等を記載したものに限る。）

第2編 理容師・美容師

クリーニング所開設届（ひな形）

年　月　日

○○県・市・区　保健所長　様

　　　　　　　　届出者　住所（法人の場合は所在地）

　　　　　　　　　　　　氏名（法人の場合はその名称及び代表者の氏名）

　　　　　　　　　　　　本籍

　　　　　　　　　　　　生年月日

　下記のとおり開設したいので、クリーニング業法第5条第1項の規定に基づき、届け出ます。

クリーニング所	名　　　称	
	所　在　地	
	開設予定年月日	
	構造及び設備の概要	※
	営業種別	リネンサプライ／取次業／その他
管理人（置いた場合）	氏　　　名	
	本　　　籍	
	生　年　月　日	
	住　　　所	
クリーニング師（ある場合）	氏　　　名	
	本　　　籍	
	住　　　所	
	登　録　番　号	都・道・府・県第　　号
従　事　者　数		名
法第3条第3項第5号に規定する洗たく物	取り扱う／取り扱わない	

※　クリーニング所の構造設備の概要書を添付すること。

墓地経営許可申請書（ひな形）

年　　月　　日

〇〇県知事
　又は
〇〇市・区長　様

　　　　　　　　　　申請者　住所（法人の場合は主たる事務所の所在地）
　　　　　　　　　　　　　　＿＿＿＿＿＿＿＿＿＿＿＿＿＿＿＿＿＿
　　　　　　　　　　　　　　氏名（法人の場合はその名称及び代表者の氏名。）
　　　　　　　　　　　　　　＿＿＿＿＿＿＿＿＿＿＿＿＿＿＿＿＿＿

　墓地、埋葬等に関する法律第10条第１項の規定に基づき、墓地の経営の許可を受けたいので、以下のとおり申請します。

① 墓　地　の　所　在　地　：＿＿＿＿＿＿＿＿＿＿＿＿＿＿
② 墓　地　の　名　称　：＿＿＿＿＿＿＿＿＿＿＿＿＿＿
③ 墓地の敷地の面積　：＿＿＿＿＿＿＿＿＿＿＿＿＿＿
④ 墳墓の種類（埋葬・埋蔵）及び数
　　　　　　　　　　：＿＿＿＿＿＿＿＿＿＿＿＿＿＿
⑤ 墓地の管理者の住所及び氏名
　　住　　　　所　：＿＿＿＿＿＿＿＿＿＿＿＿＿＿
　　氏　　　　名　：＿＿＿＿＿＿＿＿＿＿＿＿＿＿

第２編　理容師・美容師

納骨堂経営許可申請書（ひな形）

年　月　日

○○県知事
　又は
○○市・区長　様

　　　　　　　　　　申請者　住所（法人の場合は主たる事務所の所在地）
　　　　　　　　　　　　　　_____
　　　　　　　　　　　　　　氏名（法人の場合はその名称及び代表者の氏名。）
　　　　　　　　　　　　　　_____

　墓地、埋葬等に関する法律第10条第１項の規定に基づき、納骨堂の経営の許可を受けたいので、以下のとおり申請します。

① 納骨堂の所在地　：_____
② 納骨堂の名称　　：_____
③ 納骨堂の建築面積及び延床面積
　　建築面積　：_____
　　延床面積　：_____
④ 納骨基数　　　　：_____
⑤ 納骨堂の管理者の住所及び氏名
　　住　　所　：_____
　　氏　　名　：_____

○出張理容・出張美容に関する衛生管理要領について（再周知）

〔令和元年10月16日　薬生衛発1016第1号
各都道府県・各保健所設置市・各特別区衛生主管部(局)
長宛　厚生労働省医薬・生活衛生局生活衛生課長通知〕

　標記については、出張理容・出張美容の衛生を確保等するため、「出張理容・出張美容に関する衛生管理要領について」（平成19年10月4日付け健発第1004002号厚生労働省健康局長通知）（以下「要領」という。）において、お示ししているところです。

　日本の高齢化率の上昇が続いていることから、今後とも、出張理容・出張美容に対する需要の増加が見込まれます。

　つきましては、出張理容・出張美容の衛生を確保するため、出張理容・出張美容の実施主体に対し要領について改めて周知徹底いただくとともに、下記事項についても引き続きご対応いただきますようお願いします。

　また、理容所又は美容所の開設者（当該理容所又は美容所に所属する理容師又は美容師を含む。）であれば、都道府県等が理容師法（昭和23年法律第234号）又は美容師法（昭和32年法律第163号）に基づき、所要の指導等を行うことができる枠組みが存在していることから、出張理容・出張美容の実施主体としてふさわしいと考えられる旨申し添えます。

記

1　出張理容・出張美容を行う者に対して衛生の確保のための指導等を行うに当たっては、必要に応じて条例や要綱等を制定するなどにより、行われたいこと。

2　出張理容・出張美容の実施主体を理容所又は美容所の開設者に限定しない場合には、これらの者以外が出張理容・出張美容を行う場合において、要領に基づく衛生措置が確保されるよう、ホームページ等により出張理容・出張美容において講ずべき衛生措置や衛生上の問題が生じた場合の相談先の周知を図るとともに、必要に応じて営業者の名称、営業区域、従業員等について把握等ができる条例や要綱等を制定するなどにより、衛生の確保のための指導に遺漏なきを期されたいこと。

第7章　振興

○特定地域中小企業対策臨時措置法における環境衛生関係営業の取扱いについて

［昭和62年2月12日　衛指第25号
各都道府県知事宛　厚生省生活衛生局長通知］

　最近における内外の経済的事情の著しい変化により、特定の地域において中小企業者の事業活動に著しい支障が生じている状況にかんがみ、これらの中小企業者について新たな経済的環境への適応を円滑にするための措置を講ずること等により、これらの地域における経済の安定等に寄与することを目的として、昭和61年12月5日より、特定地域中小企業対策臨時措置法（昭和61年法律第97号。以下「法」という。）及び特定地域中小企業対策臨時措置法施行令（昭和61年政令第365号。以下「施行令」という。）が施行され、実施に必要な特定地域中小企業対策臨時措置法実施要領（昭和61年12月5日61企庁第1,921号中小企業庁長官通知。以下「実施要領」という。）が貴職あて通知されたところである。
　貴職におかれては、これら法、施行令及び実施要領の内容の周知徹底を図られるとともに、環境衛生関係営業に係る適応措置の取扱いについて、下記の事項に御留意のうえ、その運用に遺憾なきを期されたい。

記

1　適応措置に関する計画の作成主体について
　(1)　法第3条第1項第1号に規定する特定中小企業者に該当する環境衛生関係営業者は、自らのために実施する適応措置に関する計画を作成することができるものであること。
　(2)　環境衛生同業組合は、法第2条第1項第6号及び施行令第1条第2項第5号によって法に規定する「中小企業者」とされており、法第3条第1項第2号に基づき、自らが特定中小企業者に該当するときは、自らのために実施する適応措置に関する計画又は組合員である特定中小企業者のために実施する適応措置に関する計画を作成することができるものであること。
　(3)　環境衛生同業組合は、また、法第3条第1項第3号に基づき、組合員の3分の2以上が特定中小企業者に該当するものであるときは、組合員である特定中小企業者のために実施する適応措置に関する計画を作成することができるものであること。
2　環境衛生関係営業への事業の転換を内容とする適応措置に関する計画の承認について
　(1)　環境衛生関係営業は、経営規模が零細であり、かつ、一般的に過当競争の状況におかれていることにかんがみ、環境衛生関係営業への事業の転換を内容とする適応措置に関する計画の承認に当たっては、当該転換が他の営業者の健全な経営を阻害することのないよう十分配慮されたいこと。
　(2)　実施要領第1の7(1)②において、適応措置に関する計画が、公序良俗に反する事業分野に進出しようとするものであるとき、又は法に基づく安定事業、合理化事業その

特定地域中小企業対策臨時措置法における環境衛生関係営業の取扱いについて

　他これに準じた事業として別表第2に掲げるものが実施されている分野に進出しようとする場合であって、当該事業の実施の妨げとなるものであるときは、承認しないこととされたこと。

　この場合において、別表第2には環境衛生関係営業の運営の適正化に関する法律（昭和32年法律第164号）第8条第1項第1号から第3号までに掲げる事業（適正化規程に基づく事業等）が掲げられているものであること。従って、環境衛生同業組合がこれらの事業を実施している場合においては、当該環境衛生関係営業への事業の転換を内容とする適応措置に関する計画の承認に当たっては、必要に応じて事前に本職あて連絡願いたいこと。

Ⅲ 解釈通知編

第1章 理容業・美容業の定義

○理容師、美容師の出張業務について

> 昭和26年9月5日　衛公発第2,019号
> 厚生省公衆衛生局環境衛生部環境衛生課長宛　東京都
> 衛生局公衆衛生課長照会

　理容師、美容師法第6条の2但書の規定により出張業務ができるものは理容所、美容所に所属している理容師、美容師に限るものであるかどうか何分の御回答方相煩わしたい。

> 昭和26年10月1日　衛環第113号
> 東京都衛生局公衆衛生課長宛　厚生省公衆衛生局環境
> 衛生部環境衛生課長回答

　昭和26年9月5日衛公発第2,019号で照会された右のことについては、下記のとおり回答する。

記

　理容師美容師法第6条の2但書の規定による出張業務は、理容所美容所の所属如何を問わず、理容師、美容師であれば差し支えないものと承知せられたい。

○理容師美容師法施行に伴う疑義について

> 昭和26年7月23日　衛発第574号
> 法務府法制意見第1局長宛　厚生省公衆衛生局長照会

〔照会〕
　第10国会において理容師法の一部が法律第251号で改正せられ、その施行に伴い、下記の点に疑義があるので、何分の御回答を煩らわしたい。

記

1　法第6条の2の規定により、理容師又は美容師は、省令で定める特別の事情のない限り、理容所又は美容所以外の場所でその業を行う事が出来なくなったのであるが、この場合、本法改正の趣旨を考慮し、理容師又は美容師の免許を有する者が、理容所又は美容所で全々業を行うことなく、専ら特別の事情ある場合にのみ業を行って廻ることは認められないものと解して差し支えないか如何。
2　法附則第2項の規定による「従前の規定により理髪師及び美容師の免許を受けることができる。」者が免許を受けようとするとき、その手続上改正後の理容師美容師法によって削除された改正前の法律第5条第2項の登録手数料300円を国庫に納入することは不必要であると解することはできないか如何。

理容師美容師法施行に伴う疑義について

〔意見〕
〔昭和26年12月19日　法務府法意1発第116号〕
〔厚生省公衆衛生局長宛　法務府法制意見第1局長発〕

　7月23日附衞発第574号をもって照会にかかる標記の件について、左のとおり意見を回答する。
1　問題
　(1)　理容師美容師法第6条の2の規定に基く厚生省令において、理容師又は美容師が理容所又は美容所以外の場所で、もっぱらその業を営むことを得べき旨規定することができるか。
　(2)　理容師美容師法の一部を改正する法律（昭和26年6月30日法律第251号）（以下「改正法」という。）附則第2項の規定に基いて従前の規定により理髪師又は美容師の免許を受ける者は、免許の登録について、改正前の理容師法（昭和22年法律第234号）（以下「旧法」という。）第5条第2項の規定による手数料を納めなければならないか。
2　意見
　(1)　お尋ねの点は積極に解する。
　(2)　お尋ねの点は消極に解する。
3　理由
　(1)　理容師美容師法第6条の2は「理容師又は美容師は、理容所又は美容所以外においてその業をしてはならない。但し、省令で定めるところにより、特別の事情がある場合には理容所又は美容所以外の場所においてその業を行うことができる。」と規定しているが、右の規定によって明らかなように、理容師又は美容師がその業を行うには、理容所又は美容所においてなすことを原則とし、それ以外の場所で業を行うことができるのは、省令の定める特別の事情ある場合に限られている。（以下便宜上主として理容師について論ずることとする。）そこで、理容師が理容所によることなく、もっぱらそれ以外の場所でその業を行うことは、右の原則を全く没却することになり、本条の容認しないところではあるまいかとの疑が生ずるわけであろう。
　　しかしながら、本条が理容師に対して理容所以外の場所における営業を禁止しているのはあくまでも原則であって、但書の規定により、理容師が理容所以外の場所においてその業を行うことを適当と認められる事情について、省令がこれを本条による「特別の事情」として掲げることは、もとより可能である。とすれば、このような特別の事情の存する限り、省令において、理容師に対して理容所以外の場所でもっぱらその業を行うことを認める旨規定することもまた可能であると解すべきであろう。
　(2)　改正法附則第2項は、同項所定の者が昭和28年6月30日までは、なお旧法の規定によって理髪師又は美容師の免許を受け得ることとしているが、これは改正法が理容師又は美容師の免許を受ける資格について、旧法よりも更に厳格な要件を定めているので、右の者に限っては、その旧法施行当時よりの地位を尊重して、一定期間なお旧法の規定によって免許を受け得べき旨を定めたものである。ところで、改正法によって

第2編　理容師・美容師

　削除された旧法第5条第2項の規定によれば、理髪師又は美容師の免許に関する事項の登録について、免許の申請者が手数料（300円）を国庫に納めるべきこととされているので、改正法附則第2項の規定に基いて旧法の規定によって免許を受けるべき者は、従来どおり、右の登録手数料を納入すべきではないかとの疑が一応生ずる。
　しかしながら、改正法附則第2項の主眼とするのは、先に述べたように、同項所定の者に対して、その従前の地位を尊重する立前から、改正法第2条又は第3条の規定にかかわらず、なお旧法の規定によって免許を受ける資格を有するとした点にあるものというべきである。従って、右の附則第2項は、右の者の免許について、登録手数料のように免許そのものの処分に伴うものではなく、その附随的な手続たる免許事項の登録に伴う給付に関して、改正法の規定によって特に削除された旧法第5条第2項の規定をなお適用するとの趣旨をも含むものではないと解するのが妥当であろう。

〔要旨〕
　　　　理容師美容師法の解釈について
1　理容師美容師法第6条の2に基く厚生省令において、理容師又は美容師が理容所又は美容所以外の場所でもっぱらその業を営むことができる旨を規定しても、差し支えない。
2　同法附則第2項に基いて従前の規定により理髪師又は、美容師の免許を受ける者は、旧理容師法第5条第2項による免許登録手数料を納める必要はない。

○美容業務の疑義について

〔昭和28年10月10日　28公第10,405号
　厚生省公衆衛生局環境衛生部長宛　福岡県衛生部長照会〕

　最近化粧品販売店において、下記の施設をなし、美顔術機を用いて肌の手当（美顔術）を行い、化粧品の宣伝をしている者があるが、右の行為は有料無料を問わず、不特定多数人に対し理容師美容師法第1条第1項の「化粧等の方法により」を反覆継続して行っているが、美容業務と解するかどうか至急何分のお回示煩わしたく照会する。なお、右行為については東京資生堂本店より厚生省には交渉了解済みなる旨申し立てているので、念のため申し添える。

　　　　　　　　　　　　　　記
　化粧品販売店舗の一角に2平方メートルの化粧室を設け、これに鏡1台、椅子2脚、美顔術機1台を備え、無免許従業員2名を使用、不特定多数人に対し美顔術（マッサージ、赤外線及びオゾン美肌法）を施している。

〔昭和28年12月14日　衛環第74号
　福岡県衛生部長宛　厚生省公衆衛生局環境衛生部環境衛生課長回答〕

10月10日28公第10,405号で照会のあった標記については、下記のとおり回答する。

記

　百貨店又は路上等でいわゆるマネキンによる化粧品の販売宣伝をする如き場合は、その目的があくまでも化粧品の販売にあり、その行為が社会通念上「美容を業とする」とみることができないので、理容師美容師法を適用する必要はないが、おたずねの場合は、(イ)その目的が化粧品の販売にあり、且つ、特定の化粧品の使用方法を実際に取り扱うことによって顧客に美容のやり方を教えているものであるか、(ロ)多数人に対し化粧等の方法により容姿を美しくすることを目的として行っているものであるか、即ちその目的の主体がどちらにあるのか判明しないので具体的な行為の内容についてお知らせ願いたい。
　なお、(ロ)の場合であれば法の適用を受くべきものと思われるので念のため申し添える。

○理容師美容師法に伴う疑義について

> 昭和31年3月29日　31衛第500号
> 厚生省公衆衛生局環境衛生部長宛　岩手県厚生部長照会

　右について下記のとおり疑義があるので、至急何分の御回示を願いたくお願いする。
記
　小中学校で学校活動として、理髪部を設け、父兄から理髪用器具の寄贈を受け、生徒間で理髪の刈込（将来は顔そりも行う予定）を行っているが、この様な理髪行為は法の適用を受けるか。

> 昭和31年8月13日　衛環第68号
> 岩手県厚生部長宛　厚生省公衆衛生局環境衛生部環境衛生課長回答

　昭和31年3月29日衛第500号をもって照会のあった標記のことについて、下記のとおり回答する。
記
　おたずねの件は、いわゆる「学校活動」の範囲及び程度により実体的に判断すべきであるが、頭髪を刈る等の行為が生徒相互間においてのみ行われるものであれば、その限りにおいては一般的には社会性を有するとは認め難いので、理容を業とする場合には該当しない。

○美容業務の疑義について

> 昭和32年8月5日　環衛第1,239号
> 厚生省公衆衛生局環境衛生部環境衛生課長宛　新潟県衛生部長照会

　最近本県において、コールドパーマ液を販売する行商で地元の婦人組織に呼びかけ、家庭パーマ普及の名目の講習会を設定させ、その会場において出席者の中から1

～2名の本人の申出によるモデルを選び、販売せんとするコールドパーマ液を使用して、コールドパーマをかけてみせ、希望者に対し会場において該液を販売し、各地（主に農村）を廻り歩く者が生じ、理容師美容師法でいう業に該当するか、否か疑義を生じておりますので左記のことについて至急貴意を得たく照会いたします。

なお右の者は、モデルに対しコールドパーマ液使用料として1名あて150円を徴収しております。

記

このことについて、当県としては、本人は化粧品を売ることを目的とし、家庭パーマ普及のための講習会と称してこれを行っているが、①モデルをその都度一般大衆の中から選ぶこと、②名目は別としても現実に美容行為としての根幹である毛髪に対するウエーブ装着の実施という技術を施し、これを行う者が毎日同一人で場所はその都度変るが相当期間継続されることから、不特定人を対象として反覆継続する理容師美容師法でいう美容営業と解し、本人が美容師免許をうけていなければ理容師美容師法第6条違反としてこれを取締る所在であるが如何。

[昭和32年8月29日　環衛発第38号
　新潟県衛生部長宛　厚生省公衆衛生局環境衛生部長回
　答]

昭和32年8月5日環衛第1,239号をもって照会のあった標記については、下記により回答する。

記

化粧品を販売する手段としてその品の使用上の知識を与えるためたまたま他人に美容行為を行う程度であれば、一般的に業とはならないが、お尋ねのような場合は、当然理容師美容師法第6条第2項の規定による業となるものと解せられる。なお理容師美容師法第6条の2の規定に違反する行為となる場合もあるので、念のため申し添える。

○美容師法上の業について

[昭和41年9月6日　青環第774号
　厚生省環境衛生局環境衛生課長宛　青森県衛生部長照
　会]

最近一般家庭の主婦等が、家庭においてパーマをかけたり、セットをしたりする頻度が多くなってきているが、これに関連して下記事例の場合、美容師法上の「業」の該当有無についてご教示願います。

記

1　美容師の免許を有する家庭の主婦（過去において美容所に勤務したことのある家庭主婦）が、現在同人が住んでいる団地内の住宅（同人の近くの住宅）で、殆んど毎日のように団地内の主婦達を集め、主婦達の中からモデルを選び（1日数人のモデルをこなし、モデルからは低料金を徴する。）パーマのかけ方やセットの仕方を実演し、モデル並びに美容術を教えた主婦達へコールド液を販売する場合。

2　美容師の免許を持っていないけれども、美容の心得のあるコールド液販売者（コールド液を販売することを内職とする者）が、農村の特定の家に毎日曜出かけていって、婦人美容教室と称し、部落の婦人達を集め、1日数人をモデルにしてパーマをかけたり髪を結ってやったりしながら、施術したモデルからは料金を徴し、あわせて携行したコールド液を受講者に販売する場合。

［昭和41年9月29日　環衛第5,110号
　青森県衛生部長宛　厚生省環境衛生局環境衛生課長回
　答］

昭和41年9月6日付け青環第774号をもって照会のあった標記について、下記のとおり回答する。

記

御照会の1及び2のいずれの場合においても、行為の態様よりみて不特定又は多数の者に反覆継続して美容行為を行なっていると認められる。なお、化粧品の販売を目的として、特定のモデル等を使用し、化粧品の使用方法を教示することは美容を業とするものとは認められないが、御照会の事例についてはそのような目的の範囲内の行為とは認められない。

○美容師法の疑義について

［昭和41年9月30日　41衛公環発第382号
　厚生省環境衛生局環境衛生課長宛　東京都衛生局公衆
　衛生部長照会］

このことについて、従来、本都としては美容師法第2条の定義中、容姿とは主として首から上部、マニキュアおよびペディキュアと限定して解釈し法を運用してきたが、最近全身美容と称し一般の美容室に附属する全身美容室を設け、或いは全身美容のみを専門として営業する者が多数であるので、上記定義を全身を含むものとして解釈してよろしいかどうか至急ご回答をお願いします。

なお、全身美容の営業内容は化粧品等を使用して全身に対する作業を行い、或いはむし風呂、白湯、牛乳、レモン風呂等入浴施設を設け、美顔術と併用して全身のマッサージ等を行うものである。

［昭和42年2月16日　環衛第7,030号
　東京都衛生局公衆衛生部長宛　厚生省環境衛生局環境
　衛生課長回答］

昭和41年9月30日付け41衛公環発第382号をもって照会のあった標記について下記のとおり回答する。

記

美容師法第2条第1項に規定する「美容」は、「パーマネントウェーブ、結髪、化粧等の方法」によるものに限られており、この「等」に含まれる方法も例示の趣旨に照らして、当然に一定の限界があると解すべきである。すなわち、例示の方法は通常首から上の

容姿を美しくするために用いられるものであり、それが多少拡張される場合にもマニキュア、ペディキュア程度にとどまるものと解すべきである。したがって、御照会のようないわゆる全身美容を目的とする行為はその方法または対象が前記とは著しく異なるものであって、現行の美容師法における「美容」には該当しないと解する。

なお、全身美容の目的をもって入浴施設を備え多数人を反覆継続して入浴させるときは当該営業について公衆浴場法の適用があることを申し添える。

○トルコ・サウナぶろ施設内で理容行為等を行なうことについて

［昭和43年2月2日　神衛公衆第684号
　厚生省環境衛生局長宛　神戸市衛生局長照会］

標記のことについて、疑義が生じましたので、下記の点につき至急ご回答たまわりたく照会申しあげます。

記

1　トルコ又はサウナぶろ利用客に対して、客の要請のあった場合のみ、顔そり、洗髪、ドライ器具等による整髪を行なう行為は、理容師法にいう理容に該当すると思われるが、ご貴見を承わりたい。
2　客の要請のあった場合に、整髪のみを行なう場合は如何。
3　理容師がトルコ又はサウナの従業員として雇用され、浴場業の附随サービス行為として、無料で整髪のみを行なう場合、又は若干の料金徴収をする場合は如何。

［昭和43年5月6日　環衛第8,074号
　神戸市衛生局長宛　厚生省環境衛生局環境衛生課長回答］

昭和43年2月2日付け神衛公衆第684号をもって照会のあった標記については、次のとおり回答する。

記

1　御照会の1、2及び3に係る行為については、いずれも理容師法第1条第1項に規定する理容に該当するものと解する。

○美容師法の運用について

［昭和49年5月14日　49環第189号
　厚生省環境衛生局長宛　愛知県知事照会］

このことについて、下記のとおり疑義がありますので至急御回答を願いたく照会いたします。

記

1　美容師法第2条第1項に規定する「美容」とは「パーマネントウェーブ、結髪、

化粧等の方法」によるものと規定されているがこの「等」には頭髪の毛染行為は含まれると解されるがいかがか。
2 上記1で含まれるとした場合、化粧品店で染毛剤の販売に付随して毛染行為を反復継続（昭和47年3月〜昭和48年3月約100人に対して延約300回）して行った場合、美容師法上の「業」に該当すると思われるがいかがか。

〔昭和49年6月12日　環指第18号〕
〔愛知県衛生部長宛　厚生省環境衛生局指導課長回答〕

昭和49年5月14日付け49環第189号をもって照会のあった標記について、下記のとおり回答する。

記

1及び2について
　貴見のとおりである。

○理容師法及び美容師法の運用について

〔昭和55年12月9日　衛第297号〕
〔厚生省環境衛生局長宛　千葉県衛生部長照会〕

　理容師法第1条第1項に規定する理容の行為及び美容師法第2条第1項に規定する美容の行為の範囲については、昭和53年12月5日付け環指第149号により通知されているところでありますが、このたび理容所内に「美顔コーナー」を設置し、理容師が客の性別、頭髪の刈込、顔そり等の施術に関係なく料金2000円を徴して、美顔器具を用い美顔の施術（マッサージ等別添資料）を行いたい旨の照会があった。本行為は、美容師法第2条第1項に規定する範囲に含まれ、理容師法第1条第1項に規定する範囲に含まれないと解釈しておりますが、下記事項につき回答くださるようお願いいたします。

記

1　「美顔施術」は、理容師法の範囲に含まれるか。
2　「美顔施術」は、美容師法の範囲に含まれるか。
3　「美顔施術」が、理、美容師法のいずれかの範囲に含まれる場合は、その判断はどのようにするか。

〔昭和56年4月25日　環指第77号〕
〔千葉県衛生部長宛　厚生省環境衛生局指導課長回答〕

昭和55年12月9日付け衛第297号をもって照会のあった標記について次のとおり回答する。

記

　いわゆる美顔施術（医療行為又は医療類似行為である場合を除く。）については、当該施術が容姿を整え、又は美しくするために化粧品又は医薬部外品を用いる等業を行うに当たって公衆衛生上一定の知識を必要とするような場合には、理容師法又は美容師法の対象

第2編 理容師・美容師

となる。個々の施術が、理容に当たるか美容に当たるかは、その行為の目的、形態等に照らして判断すべきものである。

なお、いわゆる美顔施術であっても、当該施術が簡易なマッサージ、膚の汚れ落し程度のものである場合には、理容師法及び美容師法のいずれの対象ともならない。

○美容所における医薬部外品の目的外使用による事故発生事例について

美容所で医薬部外品であるパーマネントウエーブ用剤を目的外に使用した事例について

〔昭和57年5月6日 食環第220号
厚生省環境衛生局長宛 埼玉県衛生部長照会〕

このことについて、別添のような事例があり、他の美容所でも同様な行為が見受けられました。このようなことが、全国的に行われていることも推測されますので、かかる事例に対する指導方について御教示をお願いします。

〔別 添〕

事 例

全国的な某美容技術グループに加入している県下のB美容室に、髪にパーマネントウエーブをかけるために来所した主婦Nに対し、B美容室の従業員であるMは、手足のトリートメントと称して、Nの手に医薬部外品である下記のパーマネントウエーブ用剤の第1剤（還元剤）を脱脂綿に含ませ塗布し、約1分くらい放置した後、酸性リンス（酒石酸1500倍液、pH3.0調整）で洗い、第2剤（酸化剤）を循環機（パーマネントウエーブに使用する機械）を利用し手に塗布して、料金を取った。2日後Nは腕に発疹ができたため、B美容室に相談に行ったところ、同様の行為をなされた。Nはその後、全身に発疹ができたため、医師の診断を受けたところ、急性薬物性皮膚炎と診断された。

記

1 品 名　ベル・ジュパンスオランジュ4
2 製造者　東京都世田谷区等々力7―13―6
　　　　　㈲ウエルフェア研究所
3 効 能　「毛髪にウエーブをもたせる」

〔昭和57年5月25日 環指第68号
埼玉県衛生部長宛 厚生省環境衛生局指導課長回答〕

昭和57年5月6日付食環第220号をもって照会のあった標記について、下記のとおり回答する。

記

照会に係る事例は、本来パーマネントウエーブ用剤として製造された医薬部外品を使用して、美容師が顧客の手に「トリートメント」を行った結果、全身に発疹が広がり、医師の診察を受けたところ「急性薬物性皮膚炎」と診断されたというものである。
　医薬部外品は、その品質、有効性及び安全性を確保する観点から、薬事法により使用目的、使用方法等を定めて製造、販売が認められているものであり、認められた使用目的、使用方法に従い、正しく使用されて始めてその安全、有効な効果が期待できるものである。これを美容師が顧客に対し目的外使用し、その結果として何らかの事故を生ぜしめるなどは、国民の日常生活に欠くことのできない美容行為について専門的知識、技術を有する者として、顧客の信頼を受けて業を行う美容師の社会的責務にも背くもので、厳に慎まねばならないものである。
　また、今回の事例においては、美容師によって手の「トリートメント」が行われたとのことであるが、このような行為も、その態様によっては医師法第17条の「医師でない者の医業の禁止」規定に抵触するおそれがあることに十分配慮すべきである。
　いずれにしても、今回のような事故発生は誠に遺憾というべきものであり、貴職におかれては、管下の美容所において今後このような事故の生ずることのないよう、美容所への立入検査、巡回指導等を行う際には上記の薬事法、医師法との関連を含め営業者等を十分に指導する等により美容所における美容業務の適正な実施の確保を図られたい。
　なお、本回答については、医務局及び薬務局と協議済みであるので念のため申し添える。

○美容師法運用上の疑義について

［平成2年3月2日　環衛第131号
　厚生省生活衛生局指導課長宛　栃木県衛生環境部長照会］

　本県において次のような行為をする者があり、これらに対して、行政指導の必要がありますので、ご回答願います。
（問）
　　近年県内の一部の地域において、美容師の資格を有しない「着付士」と称する者が、婚礼の着付け等に伴い化粧結髪等を行っている事例が見受けられる。
　　婚礼の着付け等に伴う化粧結髪等人体に直接影響のある美容行為については、美容師法第6条に基づき、美容師以外の者が業として行うことは禁じられており、このような無資格者による美容行為は認められないものと解されるが如何。

［平成2年4月23日　衛指第70号
　栃木県衛生環境部長宛　厚生省生活衛生局指導課長回答］

　平成2年3月2日付け環衛第131号をもって照会のあった標記について、下記のとおり回答する。

記
お尋ねの件については、貴見のとおりである。

○美容師法の疑義について

［平成7年10月24日　7生衛営第207号
　厚生省生活衛生局指導課長宛　福岡県保健環境部長照会］

　環境衛生営業業務の推進につきましては、日ごろから御配慮いただきまして厚くお礼申しあげます。
　さて、当県内において、写真スタジオで下記の内容の美容行為を行っている事例があり、この営業の形態が美容師法の適用を受けるか否か、疑義が生じましたので、御多忙中とは存じますが、至急ご教示くださいますようお願い致します。

記

1　業務内容
　　主として子供が対象であり、スタジオに備え付けの様々な衣装の中から好みの物を選択し、ヘアーメークを行った後、写真撮影を行うものである。
　　業者の説明によると、全国にチェーン展開中であり、現在10数店舗が営業中であるが、別会社による同様の形態での営業も行われているとのことである。
2　地元保健所による実態調査の内容
　　写真撮影の直前に、美容師の資格を持たない者が結髪、化粧を行うものであるが、頭髪の刈込み、顔そり、パーマネントは行わない。器具類はヘアブラシ、櫛、カーラー、ヘアピン、化粧品、口紅等を使用している。
　　料金については、衣装、着付け、セット、メイクは無料であるが、写真代として、3000～7000円程度を受取っている。
　　なお、参考資料としてチラシを添付します。
3　美容師法上の疑義
　　当該写真スタジオは美容所としての届出はなされておらず、また、美容師の資格を持たない者が結髪、化粧を行っている。この事は当該美容行為を写真撮影の付随行為としてとらえたとしても美容師法第6条および第7条違反になるか。

参考資料　略

［平成8年2月2日　衛指第8号
　福岡県保健環境部長宛　厚生省生活衛生局指導課長回答］

　平成7年10月24日7生衛営第207号をもって照会のあった標記について、下記のとおり回答する。

記

　「写真スタジオ」における写真撮影の直前に行う結髪、化粧等の美容行為については、

その行為が、社会通念上、「美容を業とする」と判断できるような場合には、美容師法の適用を受けるものである。

ご照会のような営業形態については、美容を業とする場合に該当することも十分考えられ、美容師法第6条（無免許営業の禁止）、第7条（美容所以外の場所における営業の禁止）の規定に違反するおそれがあるので、十分調査の上適切な指導をお願いしたい。

○美容師法の疑義について

> 平成15年7月30日　大健福第1,922号
> 厚生労働省健康局生活衛生課長宛　大阪市健康福祉局健康推進部長照会

　本市内におきまして、客に対して人毛等の付け毛（通称「エクステンション」という。）を付けるなどの美容行為と考えられる営業を行う施設が増えてきております。

　これらの施設におきましては、櫛等を使用し、下記の1から3のいずれかの行為を不特定又は多数の者に反復継続して行為を行っており、いずれの場合においても、エクステンションの料金に施術料を含めて徴収しております。

　これらの行為は、社会通念上「美容を業とする」とみることができ、かつ、不特定又は多数の者に反復継続して行為を行っているため、美容師法第11条第1項に規定する届出が必要である。また、1及び2の行為については、客に対してはさみを使用しないため、「結髪」の範疇に該当し、3の行為については、客に対してはさみを使用するため結髪に該当せず、「化粧等」の範疇と解釈してよいか疑義が生じましたので、至急ご回答賜りたく照会申しあげます。

記

1　人毛（又は人工）の付け毛を客の髪の毛にゴムで止める（又は巻きつける）行為
2　人毛（又は人工）の付け毛をカット（客の髪の毛はカットしない）した後、客の髪の毛にゴムで止める（又は巻きつける）行為
3　人毛（又は人工）の付け毛を客の髪の毛にゴムで止め（又は巻きつけ）、整えるために付け毛をカット（客の髪の毛はカットしない）する行為

> 平成15年10月2日　健衛発第1002001号
> 大阪市健康福祉局健康推進部長宛　厚生労働省健康局生活衛生課長回答

　平成15年7月30日付け大健福第1,922号をもって照会のあった標記について、下記のとおり回答する。

記

　「美容」は、美容師法（昭和32年法律第163号）第2条第1項において、「パーマネントウェーブ、結髪、化粧等の方法により、容姿を美しくすること」と定義されており、昭和42年2月16日付け環衛第7,030号東京都衛生局公衆衛生部長宛当職通知に示されているとおり、この「等」については例示の趣旨に照らし、通常首から上の容姿を美しくするため

に用いられるものであり、それが多少拡張される場合でもマニキュア、ペディキュア程度にとどまるものと解される。

ここでいう「首から上の容姿を美しくするために用いられる方法」は、美容技術の進歩や利用者のし好により様々に変化するため、個々の営業方法や施術の実態に照らして、それに該当するものか否かを判断すべきであり、本件の「付け毛」の施術については、美容師法のいう「美容」に該当するものと考える。

ただし、本件が単に「付け毛」の販売を目的として行われ、その使用方法を教授するための行為である場合はこの限りではない。

○理容師法及び美容師法の解釈について

理容師法及び美容師法の解釈についての照会内容

> 平成19年8月29日
> 全国理容生活衛生同業組合連合会理事長・全日本美容業生活衛生同業組合連合会理事長・社団法人日本理容美容教育センター理事長照会

理容師法に基づく理容の業及び美容師法に基づく美容の業における美顔施術の内容やエステティック業との関係については、かねて、地方自治体からの疑義照会に対する回答の形で見解が示されているところであります。

他方、昨今のエステティック業の実情を踏まえると、フェイシャルエステと呼称するいわゆる美顔施術等に関し、理容師法に基づく理容の業及び美容師法に基づく美容の業との関係があいまいになっているようにも見受けられます。

つきましては、理容師法及び美容師法を遵守する立場として、理容師法に基づく理容の業及び美容師法に基づく美容の業における美顔施術の内容やエステティック業との関係について、現時点における解釈を文書によりご教示願いたい。

> 平成19年10月2日　健衛発第1002001号
> 全国理容生活衛生同業組合連合会理事長・全日本美容業生活衛生同業組合連合会理事長・社団法人日本理容美容教育センター理事長宛　厚生労働省健康局生活衛生課長回答

本年8月29日付けで照会のありました標記について、下記のとおり回答します。

記

美顔施術（医療行為又は医療類似行為である場合を除く。）については、当該施術が容姿を整え、又は美しくするために化粧品又は医薬部外品を用いる等を行うに当たって公衆衛生上一定の知識を必要とするような場合には、理容師法又は美容師法の対象となる。

なお、理容師法に基づく理容の業、美容師法に基づく美容の業における美顔施術の内容や全身美容との関係について触れた、従来の地方自治体からの疑義照会に対する回答としては、「美容師法の疑義について」（昭和42年2月16日付け環衛第7,030号東京都衛生局公

衆衛生部長宛厚生省環境衛生局環境衛生課長回答）及び「理容師法及び美容師法の運用について」（昭和56年4月25日付け環指第77号千葉県衛生部長宛厚生省環境衛生局指導課長回答）があるが、これらの見解は、現時点においても変わっていないことを申し添える。

○理容師法及び美容師法の疑義について

〔平成31年3月25日　30北健生第3,991号
厚生労働省医薬・生活衛生局生活衛生・食品安全部生
活衛生課長宛　東京都北区保健所長照会〕

　日頃から、本区の環境衛生行政の推進に御指導を賜り、御礼申し上げます。
　今般、本区において、下記のとおり、客の頭髪の白髪のみを器具を用いて抜く行為を行っている施設があり、理容師法及び美容師法の適用について疑義が生じましたので回答賜りたく照会致します。なお、ご多用中とは存じますが、至急ご教示下さいますようお願い申し上げます。

記

1　業務内容
　(1)　営業者は、主として固定店舗を設け、客の頭髪の白髪のみを毛抜き器具等を用いて抜く行為を、反復継続して行っている。対価は時間単位（30分4000円程度）で徴取しており、出張業務も行っている。
　(2)　施設は10㎡程度で、待合いの奥に作業場があり、客席1席と鏡が設けられている。施設内は音楽が流れているが、それ以上のサービスは特段見受けられない。
　(3)　業務を行うのは営業者1名のみで、理容師及び美容師いずれの免許も持っていない。
　(4)　行為は頭髪の白髪を抜くのみであり、スタイリングやシャンプー等はしていない。ホームページでは、「国家資格を必要としないココロとカミのリラクゼーションを目的として運営しております。医療や治癒行為は一切行っておりません。」と謳っている。

2　照会事項
　上記行為は、昭和42年2月16日付環衛第7,030号及び昭和56年4月25日付環指第77号にお示しのとおり、社会通念上、首から上の容姿を整え、又は美しくするための行為であり、いわゆる美顔施術とは異なるものと考えられる。使用している毛抜き器具については、理容師法施行規則第24条、又は美容師法施行規則第24条に規定する器具に該当し、理容師法若しくは美容師法の適用対象と解するがいかがか。
　また、器具を使用しない場合においても、頭髪を抜く行為自体が理容師法及び美容師法に該当すると考えられるがいかがか。

第2編　理容師・美容師

〔令和元年9月6日　薬生衛発0906第1号
東京都北区保健所長宛　厚生労働省医薬・生活衛生局
生活衛生課長回答〕

　平成31年3月25日付け30北健生第3,991号をもって照会のあった標記について、下記のとおり回答します。

記

　当該業務内容について、貴見のとおりと解して差し支えない。

第2章　免許・登録

○理容師、美容師の免許取消処分の取扱について

[昭和26年8月7日　26環第2,205号
厚生省公衆衛生局長宛　北海道知事照会]

　理容師美容師法第10条の免許の取消権は、左のように取消処分の原因の発生地（主として、現に業務に従事している地）を管轄する都道府県知事の専管の権限と考えられるが、同法施行規則第7条の規定によると、登録地都道府県知事の権限となっており、しかも、取消処分原因発生地（現に業務に従事している地）都道府県知事の意見は単に登録地都道府県知事の取消処分の参考に過ぎないようにも考えられるが、実際の取り扱いとして、登録地都道府県知事は、取消処分原因発生地（現に業務に従事している地）都道府県知事の意見により処分して差し支えないか、若しくは独自の立場において調査の上その必要を認めた場合にだけ処分すべきものであるかどうか何分の御指示願います。

[昭和26年9月13日　衛発第707号
北海道知事宛　厚生省公衆衛生局長回答]

8月7日26環第2,205号で照会された右のことについては、下記のとおり回答する。

記

　登録地の都道府県知事は、取消処分原因発生地の都道府県知事の意見により処分することになるのであるが、例えば法第8条又は法第9条違反による取消の場合において必要があると認める場合には調査して決定することが適当と考えられる。

○理容師、美容師法施行規則第4条の運用について

[昭和26年12月6日　公第1,552号
厚生省公衆衛生局環境衛生部環境衛生課長宛　高知県衛生部長照会]

　右のことについては平素細心の留意を払っていますが、下記事例について、法令上の取扱方に疑義を生じましたので、折り返し御教示下さるようお願いします。

記

　規則第4条第3項の規定により、免許証を書換交付する場合は、別紙登録事項の変更部分のみを書換交付するのが当然と解するが、この場合日付と知事名は如何にするか。（登録事項変更の日付及び知事名とする場合、免許証の裏面への免許年月日及び書換事由等の事項を記載することにしてよいでしょうか。）

[昭和26年12月19日　衛環第142号
高知県衛生部長宛　厚生省公衆衛生局環境衛生部環境衛生係長回答]

12月6日26公第1,552号で照会のあった右のことについては、下記のとおり回答する。
記
　規則第4条第3項の規定により、同条第1項の免許証を書換交付する場合には、変更部分のみを書き換え他は従前通りとして交付するのであるが、事務処理の関係上、年月日及び知事名は書換交付した時のものとし、旧年月日及び知事名は裏書する事が適当と思われる。

○理容師又は美容師の免許について

> ［昭和27年3月13日　7衛環第1,604号
> 　厚生省公衆衛生局長宛　京都府知事照会］
> 　理容師美容師法第21条の規定による試験を2か所以上の都道府県において合格したものが、それぞれその合格地の都道府県において免許登録を行った場合の措置について何分の御指示を仰ぎたく右お伺いします。

> ［昭和27年4月26日　衛発第396号
> 　京都府知事宛　厚生省公衆衛生局長回答］

3月13日7衛環第1,604号で照会の標記の件について、下記のとおり回答する。
記
　免許は、一般的禁止行為を特定の者に解除して、これを適法に行わしめるものであって、一度免許を受けた者は、その免許が取り消されない限り、適法にこれを行うことができるものであるから、同一行為について重ねて免許を受ける必要はなく、又重ねて免許を取得した場合においては、後の免許は、その前提たる一般的禁止がすでに解除されており、したがって、内容を欠いた行政処分として当然無効と解すべきものである。
　よって、この場合は、前の免許が有効に存在しているか否かを確認した上で、後の免許登録を取消すことが適当と考えられる。

○理容師、美容師の免許資格について

> ［昭和27年10月28日　公衛第706号
> 　厚生省公衆衛生局環境衛生部環境衛生課長宛　静岡県衛生部長照会］

　昭和23年7月26日付貴省衛庶発第2号庶務課長内翰の理容師の免許資格に関する件通知によれば、昭和23年6月18日文部省告示第58号により青年学校本科第1学年修了者も有資格者に該当するとのことであるが、下記の点に疑義を生じたのでお尋ね致します。なお、本県では11月9、10、11日に試験を実施するので、恐縮ながら至急御回示を得たくお願い致します。
記
1　青年学校は、公、私立何れの青年学校にても差し支えなきや。

2　右学校の本科第1学年修了の証は、学校長の修卒業証書（又は証明書）以外に文部省の中等教育課長の証明を必要とするや。
（右は本県教育委員会より文部省に電話照会（10月25日、土）した結果得たる回答につき念のため）

〔昭和27年10月30日　衛環第93号
　静岡県衛生部長宛　厚生省公衆衛生局環境衛生部環境
　衛生課長回答〕

10月28日公衛第706号で照会された右のことについては下記のとおり回答する。
記
青年学校令（昭和14年勅令第254号）による青年学校であれば、文部省の証明又は、公、私立を問わず受付けて差し支えない。

○外国における美容師免許資格取得者の取扱について

〔昭和30年3月10日　兵公第750号
　厚生省公衆衛生局長宛　兵庫県知事照会〕

　国籍は日本国で昨年6月帰国した者が、渡米中に於て当該官庁の美容師としての免許資格を取得し、今般内地の美容師免許申請の提出がありましたが、これ等の者の取り扱いについては、理容師美容師関係法規に別段の規定がなく取扱上困難を感じておりますが、右は米国で取得した資格を認め美容師の免許を与えてよろしいものか、或は理容師美容師法により新たに試験を受けさせるべきものか。聊か疑義がありますので、至急何分の御教示願いたく別紙写及び訳文を添えて照会します。
（写及び訳文略）

〔昭和30年4月26日　衛発第265号
　兵庫県知事宛　厚生省公衆衛生局長回答〕

昭和30年3月10日兵公第750号で照会のあった標記の件下記のとおり回答する。
記
現在のところ、御照会のような者に対し理容師美容師法の資格を付与することはできないものと解される。

○琉球政府施行の理容師美容師試験と行政処分の効力について

〔昭和30年9月12日　30公第385号
　厚生省公衆衛生局環境衛生部環境衛生課長宛　鹿児島
　県衛生部長照会〕

右のことに関し下記の点に疑義がありますので、何分の御回答を願います。

第2編　理容師・美容師

　　　　　　　　　　　　　　　記
1　奄美大島復帰前において、1953年12月施行又は之に類する琉球政府行政主席名による理容師（又は美容師）の試験の合格証を有し又は免許証を有する者は、理容師美容師法第2条又は第3条による理容師又は美容師となることができると解してさしつかえないか。
2　前掲の例を積極的に解した場合
　(1)　被免許者（合格証所持者）が特別法施行時、理容（美容）の業に従事していたか否か、或は又現在において従事しているか否かは問題とすべきではなく、（試験又は免許の性格からして）試験合格証を或は免許証を掲示して業を営む場合は之を違反行為として取締る根拠はないものと解してよいか。
　(2)　試験合格者が合格証の写を添付してなお所定の手続を了えて免許の申請をなした場合は、之を拒むことができず、従って、知事の免許証を交付すべきものと解して差し支えないか。
　(3)　現在奄美群島の前例のような者が相当数沖縄に出稼ぎ中であり、近く帰島するもようであるが、この切替時期等は法の性質から時期の制限がなく、又立法にあたってもこのようなことは予測されなかったものと思われる。従って、奄美大島に帰島後免許の申請をした場合は、之を拒む理由がないと思われるが如何。

　　　　　　　　　　　　　　　　〔昭和30年11月24日　衛環第88号
　　　　　　　　　　　　　　　　　鹿児島県衛生部長宛　厚生省公衆衛生局環境衛生部環
　　　　　　　　　　　　　　　　　境衛生課長回答〕

　昭和30年9月12日30公第385号をもって照会のあった標記の件について下記のとおり回答する。

　　　　　　　　　　　　　　　　記
1　貴見のとおり。
2　(1)　おたずねの場合の免許は、奄美群島の復帰に伴う厚生省関係法律の適用の経過措置に関する政令第29条（許可、認可等に関する経過措置）の規定により、理容師美容師法に基いて与えられた免許とみなされるものであるから違法でない。しかしながら、免許証については理容師名簿又は美容師名簿の整備と関連して、理容師美容師法に基く免許証に切りかえるように措置されたい。
　　　なお、試験合格証については、更に免許下附申請をなし、免許を受けなければならないものであるから、そのように措置されたい。
　(2)　理容師美容師法による試験に合格した者と同様に取り扱われたい。
　(3)　貴見のとおり。

○理容師美容師法の疑義について

　　　　　　　　　　　　　〔昭和31年7月2日　31医第2,515号
　　　　　　　　　　　　　　厚生省公衆衛生局環境衛生部環境衛生課長宛　大阪府
　　　　　　　　　　　　　　衛生部長照会〕

right のことについて下記の点に疑義がありますので、貴省の御見解を至急御回示願います。

記

1　理容師美容師法施行令第6条第2項に規定する「指定養成施設の指定取消事由の有無の調査に関する事務」とは、指定取消事由が発生したと認められる場合のみに限るべきものと解すべきか、又は随時養成施設に立ち入り設備及び教育方法等の全般に渉り監督指導並びに帳簿類の検査等を行うことができるものと解すべきか。
2　美容所の被傭者が経営者の出資により美容師の資格を得たため、経営者は、被傭者に一定期間の勤務を要求し、期間満了までを条件として被傭者の免許証を保管していたが、被傭者が事情のためその美容所を退所することとなったところ、経営者は期間未満了を理由にして免許証を留置し被傭者に返戻しないので、当府より経営者に対し免許証の性質から、その留置の不可なるを説き、再三その返戻方を指示せるもこれに応じないため、理容師美容師法施行規則第5条第1項を広義に解釈適用して、既交付の免許証を無効として被傭者に新たに免許証を再交付してよろしいか。
3　指定養成施設の設立者が個人の資格において（学校法人の場合は学校法人において）理容所又は美容所を開設することは差し支えないか。

〔昭和31年9月21日　衛環第95号
大阪府衛生部長宛　厚生省公衆衛生局環境衛生部環境
衛生課長回答〕

昭和31年7月2日31医第2,515号をもって照会にかかる標記の件については、別記のとおり回答する。

記

1　設問1の場合については、理容師美容師法施行令第3条（指定の取消）及び第6条第2項（事務の委任）の規定により、指定養成施設に関する指定取消事由の有無となる指定の基準（理容師美容師法施行規則第11条）に適合しているか否か、また施行令第2条の規定に違反しているか否かについては、随時必要に応じて調査し得るものと解せられる。
　　注　1に関する部分は、平成20年3月25日健衛発第0325001号により平成20年4月1日以後適用されない。
2　設問2の場合については、免許証は、本人の一身上に帰属されるべきものであって、本人の意思に反して経営者が保管することは、許されない行為であり、強力にその旨経営者等に指導願いたい。
　なお設問の事例のごとく事情の明白なときは、理容師美容師法施行規則第5条第1項に規定する「亡失」と解することはできない。
3　設問3の場合はお見込のとおりである。（以下略）

第2編　理容師・美容師

○免許申請手続の簡素化について

［昭和31年12月6日　31医第4,795号
　厚生省公衆衛生局環境衛生課長宛　大阪府衛生部長照会］

　理容師美容師法施行規則第1条には免許申請時に添付すべき関係書類が示されているが本関係書類中一養成施設の卒業証書の写又は卒業証明書二実地修了証書の写又は修了証明書三戸籍の謄本又は抄本の三件については各都道府県の国家試験施行時に当然添付すべき書類として提出せしめているので、過日の行政管理庁による厚生省所管許可認可等行政手続事務の運営状況監察結果に基く申入もあるので、都道府県の関係細則により受験願書に添付すべきことを規定しているところにおいては手続簡素化の意味あいから、右三書類の添付を省略せしめてよろしいか伺います。

［昭和31年12月20日　衛環第126号
　大阪府衛生部長宛　厚生省公衆衛生局環境衛生課長回答］

　昭和31年12月6日31医第4,795号をもって照会にかかる標記の件については、下記のとおり回答する。

記

　理容師美容師法施行規則第1条の各号に規定する提出書類は、理容師美容師法第2条第1項又は第3条第1項に規定する免許取得の資格審査並びに免許証に記載すべき事項の氏名、生年月日及び本籍を確認する上に、是非とも必要とされるものであって、制度上は、お尋ねのような場合にあってもこれらの書類の提出を省略させることは考えられないものである。
　しかしながら、右の審査及び確認を理容師美容師試験施行の際に行う目的であらかじめ受験出願時に提出を求めている場合には、これらをもって規則第1条の規定により提出すべき書類をみなす取扱とすることは、行政事務の簡素化の見地からも適当なことと思料される。

○美容師法の疑義について

［昭和33年1月17日　33環第652号
　厚生省公衆衛生局環境衛生部長宛　北海道衛生部長照会］

　このことについて下記のとおり疑義を生じましたので、至急御教示願いたく照会いたします。

記

1　美容師法第6条違反者について
　美容師法第6条に違反した者については、法第3条第3項の規定により都道府県知事はその免許を与えないことができるが

美容師法の疑義について

(1) 他府県において違反した場合調査を行う事が困難と考えられるので、免許申請書に申請者が違反していない旨記載してあれば免許を与えてよろしいか。
(2) 第6条違反者であっても美容師試験を受ける事ができるが、都道府県知事が免許を与えないとする場合、養成施設入所から受験するまでの措置について何等かの制限を付することができるかどうか。

2 美容師法施行規則第17条及び第18条について
(1) 規則第17条に「実地習練を行おうとする者」とあるが、改正前の規則では、「実地習練を行う理容所美容所の開設者」と明示されており、改正後の字句に若干疑義があるが実地習練生と解してよろしいか。
(2) 規則第18条に美容所の開設者が実地習練を受けた者から求められて交付する証明書に記載する終了年月日には、中途で退所した年月日も含まれるか。
(3) 改正前の規則では、実地習練所の開設者が実地習練を修了したと認定できたが、改正後はどこで修了を認めるか。
(4) 何回も実地習練所を変更して規則第17条の届出をしない者、又は他府県の開設者が交付した規則第18条の証明書を数か月分ずつ何枚か添附して届出あった場合は、実地習練実施中指導監視等その状況を把握することができないが、規則第18条の証明書が添付されてあり、かつ、それが数枚にわたる場合は通算してその期間が1年以上であるときは法第4条に規定する1年以上の実地習練を経た者と認めて試験を受けさせることは差支えないか。

［昭和33年2月15日　衛環発第14号
　北海道衛生部長宛　厚生省公衆衛生局環境衛生部長回
　答］

昭和33年1月17日33環第652号をもって照会のあった標記について次のとおり回答する。

記

1　1の(1)について
　　貴見のとおりで差し支えない。
　1の(2)について
　　美容師法（以下「法」という。）第6条の規定に違反した者であっても、法第3条第3項の規定により、免許を与えることもできうるので、養成施設入所、実地習練又は美容師試験の過程において制限を設けることはできない。
2　2の(1)及び(2)について
　　貴見のとおりである。
　2の(3)について
　　実地習練の修了の認定については、美容師法施行規則（以下「規則」という。）第18条の規定により美容所の開設者は、実地習練生から実地習練の修了年月日その他について証明を求められたときは、その旨を証する書面を交付しなければならないこととされているので、都道府県知事において美容師試験を行う際、これが書面の提出を

695

第2編　理容師・美容師

求める方途を講じて実地習練修了の認定を行うこととされたい。
2の(4)について
　貴見のとおり取り扱って差し支えないが、このような場合の指導を徹底させるために平素規則第17条の規定に基く届出を励行させて、実地習練生の所在を明らかにしておく必要がある。

○理容師美容師名簿訂正・免許証書換え交付申請書等の取り扱いについて

　　　　［令和3年3月23日　理美試免発第71号
　　　　　厚生労働省医薬・生活衛生局生活衛生課長宛　公益財
　　　　　団法人理容師美容師試験研修センター理事長照会］

　今般、4月1日付にてクリーニング業法施行規則等の一部を改正する省令が施行されますが、標記手数料等を下記のとおり取り扱うこととしてよろしいか照会いたします。

記

1　名簿登録事項ではない旧姓又は通称名のみを免許証に付記し又は変更したい方の申請
　①　現に所持している免許証がある場合、名簿訂正・書換え交付申請書により、書換え交付を行う。(手数料3750円)
　②　免許証を紛失している場合、再交付申請書により、再交付を行う。(手数料4150円)
2　名簿登録事項である本籍(都道府県)、氏名等を変更したい方の申請
　①　現に所持している免許証がある場合、名簿訂正・書換え交付申請書により、名簿訂正と免許証書換え交付を行う。(登録免許税1000円、手数料3750円)
　②　免許証を紛失している場合、名簿訂正・書換え交付申請書により名簿訂正を行うとともに、再交付申請書により訂正後の名簿に基づく再交付を行う。(登録免許税1000円、手数料4150円)

　　　　［令和3年3月26日　薬生衛発0326第2号
　　　　　公益財団法人理容師美容師試験研修センター理事長宛
　　　　　厚生労働省医薬・生活衛生局生活衛生課長回答］

　令和3年3月23日付け理美試免発第71号をもって照会のあった標記について、下記のとおり回答します。

記

ご照会の1及び2について、貴見のとおりと解して差し支えない。

第3章　理容師養成施設・美容師養成施設

○理容師法に規定する学校教育法第47条の規定の解釈に関する件

〔昭和25年12月13日　環第5,268号〕
〔厚生省公衆衛生局長宛　北海道知事照会〕

　管下函館市所在の函館理容学校（昭和25年3月厚生大臣指定）（各種学校認定済）において旧制高等小学校を卒業した者を、校長の認定で学校教育法第47条に規定する者であるとして入学させているが、適法かどうかと、業者からの申出があり、学校では左のような見解で適法の処置であるといっているが、下記の点に関して至急何分の御指示下さい。
　なお、このことについては、別紙のように同校長からも照会があるので至急何分の御指示下さるようお願いします。

記

1　厚生大臣指定の理容師養成施設が学校教育法施行規則第63条第3号に規定する高等学校と同一の認定権があるかどうか。
2　前号の認定権があるとき、理容師法第21条に規定する学校教育法第47条に規定する者との関係はどうなるか。

理　由

1　理容師養成施設は、厚生大臣の指定を受けただけでは高等学校ということはできない。従って高等学校でないから学校教育法施行規則第63条第3号の認定権はないと考えられる。又保健婦、助産婦、看護婦学校養成所指定規則第5条第1号を同第18条の関係からも否定的に考えるべきと思う。

学校側の主張

1　理容師法第2条、第3条及び理容師法施行規則第10条の規定を通観すると、規則第10条第1号の入所資格を学校教育法第47条に規定する者としており、指定理容師養成施設の入所資格は高等学校入学資格と同様であって、指定養成施設に入所することに関しては、高等学校と同様な取扱を認める趣旨と考えられる。従って、学校として認められている函館理容学校（各種学校の認定を受けている。）の場合によって学校教育法第47条を解釈すると、

2　学校教育法第47条の規定は「高等学校に入学することのできる者は、中学校若しくはこれに準ずる学校を卒業した者、又は監督官庁の定めるところにより、これと同等以上の学力があると認められた者とする。」とあって、これを理容師法第2条、第3条の規定にあてはめると、「理容師養成施設で1年以上理容師たる必要な知識及び技能を習得することができる者は、中学校若しくはこれに準ずる学校を卒業した者、又は監督官庁の定めるところにより、これと同等以上の学力があると認

第2編　理容師・美容師

　　められた者とする。」となる。
　3　学校教育法施行規則第63条の規定は「学校教育法第47条の規定により、高等学校入学に関し中学校を卒業した者と同等以上の学力があると認められる者は、左の各号の一に該当する者とする。」とあり、その第3号に「その他高等学校において中学校を卒業した者と同等以上の学力があると認めた者」とあって、これを理容師法第2条及び第3条の規定にあてはめると「学校教育法第47条の規定により理容師養成施設で1年以上知識及び技能を習得できる者に関し、中学校を卒業した者と同等以上の学力があると認められる者は、左の各号の一に該当する者とする。」となって、その第3号の規定は「その他理容師養成施設において、中学校を卒業した者と同等以上の学力があると認めた者」となる。
　4　故に、理容師養成施設は、その養成施設において1年以上知識及び技能を習得できる者であるかどうかを、決定することができるのである。
　5　このことについては、北海道教育委員会の解釈も学校側の主張と同一である。

〔昭和26年5月21日　衛発第377号〕
〔北海道知事宛　厚生省公衆衛生局長回答〕

　標記の件に関しては左の通り回答する。

記

　理容師養成施設は厚生大臣の指定を受けただけでは、学校教育法にいう高等学校ということはできない。従って同法施行規則第63条第3号の認定権はない。又各種学校の認可を受けているものについても同様である。
　なお学校教育法施行規則第63条第3号に規定する「高等学校において、中学校を卒業した者と同等以上の学力があると認めた者」を養成施設に入学させることは差し支えないから念の為申し添える。

○理容所又は美容所の開設及び実地習練等の取扱について

〔昭和30年12月3日　秋発公第417号〕
〔厚生省公衆衛生局長宛　秋田県知事照会〕

　標記の取扱について次の諸点に疑義があるので、ご指示願いたい。

記

一　省令第20条第1項第2号（　）の規定について
　1　開設者が無資格者（理容師又は美容師でないもの）の場合は、有資格者の管理人を置くことを義務付けたものであるか、もし義務づけたものとすれば、その法律上の根拠について御教示願いたい。
　2　開設者が有資格者の時でも自ら管理しないときは、有資格者の管理人を置くことを義務付けたものであるか、もし義務付けたものとすればその法律上の根拠に

> について御教示願いたい。
> 3　有資格者の管理人を置くことを義務付けたものであるとしたとき、法第12条第4項の規定による、衛生上必要な措置に関する県規則でその管理人に制約（経験3年等）を加えることが出来るか。
> 4　開設者、管理人、ともに無資格者である場合、この開設届の確認を拒み得るか。
> 一　省令第11条第1項㈠の規定について
> 　学校の生徒をモデルとして使用する場合、その者から徴収する料金が実費程度であれば、生計困難者等とみなし、モデルとして使用することが出来るか。
> 一　施行令第4条の規定について
> 　実地習練所の運営について
> 1　実地習練を行う有資格者に制限を付することは施行令第4条第2項に規定する知事の行う指導に含まれると解して宜しいか。
> 　　（例、免許取得後3年以上の経験等）
> 2　実地習練を行う有資格者1人について担任する習練生の数を制限することは前項と同様に解して宜しいか。
> 　　（例、師1人につき習練生2人等）

〔昭和30年12月26日　衛環発第49号
秋田県知事宛　厚生省公衆衛生局環境衛生部長回答〕

　本年12月3日秋発公第417号をもって公衆衛生局長あて照会のあった標記の件について、下記のとおり回答する。

記

1　省令第20条第1項第2号括弧書の規定は、理容所美容所を開設した後、その施設の管理を法の期待する衛生上の措置を確保して行わせようとする法の趣旨に基くものであり、法律的には法第11条の規定の「厚生省令の定めるところにより」によって委任された事項を現わしたものである。従って、お尋ねの
(1) 開設者が無資格者であって、有資格者の管理人を置く旨の記載のない届
(2) 開設者が有資格者で自ら管理しないとき、有資格者の管理人を置く旨の記載のない届
は何れも省令第20条に規定する届出の様式を欠くものであって、有効な届出として成立しないというべきである。
2　省令第20条第1項第2号の規定は、右によって、実体的に有資格者が自ら管理するか又は有資格者を管理人としておくべきことを明示したものであるが、その管理人は理容師又は美容師の資格を有すれば足ると解すべきである。ただ、行政指導上の問題としては、最も適切な管理を期するという意味で、昭和30年10月3日厚生省発衛第324号厚生省公衆衛生局長通達1(5)の趣旨で指導されたい。従って、お尋ねの管理人の資格を県規則により制約することは、法第12条第4項の委任の範囲を逸脱するものであると解すべきである。

3 省令第11条第1号ヘの規定による生活困難者等は、前記局長通達4、(3)の趣旨により解されたく、単に他の学校の生徒（例えば高等学校等）をモデルとすることはその範囲に含まれない。
4 実地習練所の開設は、すべての理容所又は美容所に認められ、又実地習練生に対する指導監督も当該営業所の有資格者のすべてに認められるのが法の趣旨である。従って、かかる有資格者にさらに県規則をもって一定の枠を設けることはできず、又、担任する実地習練生の数を規定することもできないと解せられる。

注 4に関する部分は、平成20年3月25日健発第0325012号により平成20年4月1日以後適用されない。

○理容師美容師法施行規則第11条第1号のニの取扱について

> 昭和32年4月13日　公衆第700号
> 厚生省公衆衛生局環境衛生部長宛　和歌山県衛生部長
> 照会

理容師、美容師法施行規則第11条第1号のニによる理容師美容師養成施設の長の資格について次の事項につきいささか解釈に苦しむ点がありますので、至急御教示下さい。

記

1 「養成施設の長は、もっぱら養成施設の管理の任に当てることのできる者であって云々」の「もっぱら」とは具体的にどういうことか。
2 養成施設の長は例えば県議会議員および市町村議会議員のように地方公共団体における議員は省令第11条第1号のニの長として適当と認め承認せられるか。

> 昭和32年5月13日　衛環第33号
> 和歌山県衛生部長宛　厚生省公衆衛生局環境衛生部環境衛生課長回答

昭和32年4月13日公衛第700号をもって照会のあった標記については、下記により回答する。

記

1 お尋ねの件については、「理容師美容師法施行規則の一部を改正する省令の施行について（昭和31年10月8日厚生省衛発第675号各都道府県知事あて厚生省公衆衛生局長通達）」中の2指定の基準に関する事項の(2)に示されたごとく、官公署、民間の事業所等をとわず他に常勤として勤務を要する職務を有しない場合がもっぱら養成施設の管理の任に当ることのできる者に該当するものである。したがって、例えば地方公務員法に基き、一般職に属する常勤を要する地方公務員や、会社工場等において、日々勤務を要し、かつ、その勤務時間中は、職務上の注意力のすべてをその職責遂行のために用いることを建前とする者等は、養成施設の長と兼職できないこととなる。
2 地方公共団体の議会の議員は、常勤を要しないので、1により、一般的には、もっぱら養成施設の管理の任に当ることのできる者と解して差し支えない。

○美容師養成施設の生徒の転入学について

> ［昭和33年6月28日　33公第5,320号
> 厚生省公衆衛生局環境衛生部環境衛生課長宛　福岡県衛生部長照会］

右について、次の事項に疑義がありますので、御教示を得たく照会します。
1　通信生の転入学については、本県ではその例がないが、A校からB校に転入したい者が31年後期生及び32年前期生である。
2　このB校は32年7月通信課程設置の承認をうけ、本年4月第1回の通信生の募集をした。
　右の場合、B校に31年後期生、32年前期生等を転入させることに疑義があるが、差し支えないものかどうか至急御教示を賜りたく御願いします。

> ［昭和33年9月5日　衛環発第68号
> 福岡県衛生部長宛　厚生省環境衛生部長回答］

昭和33年6月28日33公第5,320号をもって照会のあった標記については、次のとおり回答する。

記

　美容師養成施設の通信課程に在籍する生徒であっても美容師養成施設を転校することは差し支えない。なお、この場合において、当該生徒が新旧の両美容師養成施設を通じ必要な全教科課程を修了したと認められるときでなければ美容師養成施設を卒業したこととならないことは当然である。

○通信課程入所生の転換措置について

> ［昭和33年8月11日　青医第1,991号
> 厚生省環境衛生課長宛　青森県衛生民生労働部長照会］

　このことについて、理容師法（美容師法）に基く通信教育養成施設に入所した生徒のうち、本人の希望により理容科から美容科に転入したい旨の申出に関し、これが措置について聊か疑義がありますから御指示を願います。

記

1　本年4月入所した通信課程、理容科入所生のうち、入所後4か月を経過するも第1回の配本が未だ配布になっていない状況である場合一部入所生の希望により理容科から美容科に各々転入させることが差し支がないか。
2　第1回配本を受け修学中のものでありましても、その日数が短時間であるときは一部入所生の希望により各々転入せしめても本人の同教育の各単位を取得するに支障がなければ転入せしめることが差し支がないか。

> ［昭和33年9月5日　衛環発第73号
> 　青森県衛生民生労働部長宛　厚生省環境衛生部長回答］

昭和33年8月11日付青医第1,991号をもって照会の標記について、下記のとおり回答する。

記

理容師養成施設及び美容師養成施設は、教科課程に同一の部分があるにせよ、それぞれ別個のものであり、新規入学ならば格別、両者間での転学は考えられない。

○美容師養成施設における夜間課程の授業時間帯について

> ［令和2年11月27日　2生衛第912号
> 　厚生労働省医薬・生活衛生局生活衛生課長宛　愛知県
> 　保健医療局長照会］

美容師養成施設について、下記のとおり疑義がありますので、御回答願います。

記

本県内において、昼間課程及び夜間課程を設ける美容師養成施設から、夜間課程の授業時間帯を昼間課程と同一としたいとの申し出がありました。

美容師養成施設は、美容師法第4条第4項に基づき、昼間課程、夜間課程及び通信課程の全部又は一部を設けるものとされています。美容師法令上、授業を実施する時間帯について定めはありませんが、美容師法において昼間課程と夜間課程とは別々に規定されており、美容師養成施設指定規則に定める指定の基準が異なっています。

また、夜間課程は、一般に、夜間において授業を行う課程であり、昼間課程に通学する事が困難な生徒等のために設けられるものと解されます。

つきましては、美容師養成施設における授業時間帯について、以下のとおりと考えてよろしいか。

1　昼間課程及び夜間課程の授業時間帯を同一とすることは適切ではなく、それぞれの課程の授業時間帯は、「昼間」又は「夜間」の常識的な時間内とすること。
2　昼間課程及び夜間課程の授業時間帯は、重ならないことが望ましいこと。

> ［令和2年12月1日　薬生衛発1201第1号
> 　愛知県保健医療局長宛　厚生労働省医薬・生活衛生局
> 　生活衛生課長回答］

令和2年11月27日付け2生衛第912号をもって照会のあった標記について、下記のとおり回答します。

記

ご照会の1及び2について、貴見のとおりと解して差し支えない。

第4章 理容師試験・美容師試験

○外国人の美容師試験の受験について

〔昭和27年2月26日　27環第561号
　厚生省公衆衛生局長宛　北海道衛生部長照会〕

　当庁管内遠軽保健所所轄内紋別郡下湧村在住の下記朝鮮人が法第21条の規定による美容師試験を受験致したいとの趣きであるが、外国人として登録している者の受験願が今回が最初でありその取扱に疑義があるので受験させてよいかどうか何分の御指示願いたい。

　なお、本件は差し当り事案があることであるから至急御願い致します。

〔昭和27年3月5日　衛環第15号
　北海道衛生部長宛　厚生省公衆衛生局環境衛生部環境
　衛生課長回答〕

2月26日27環第561号で照会された右のことについては、下記のとおり回答する。

記

　外国人で日本に存在する者は原則として日本の法秩序に服するものであるから、これらの者が美容の業を行おうとする場合には、当然理容師美容師法の適用を受けるものである。従ってこれらの者から美容師試験の受験願が提出された場合には、当該出願者が同法第3条又は第21条の資格を有する限りこれを受理し、受験させることができる。

第5章　理容所・美容所

○理容所、美容所の採光について

> ［昭和26年11月10日　公第7,060号
> 　厚生省公衆衛生局長宛　福岡県知事照会］
>
> 　近時高層建築に伴いこれが地下室の一部を理容所又は美容所に充当する傾向があるが、これ等地下室は自然の採光を採ることは全く不可能の状態にあり公衆衛生上適当の場所とは認められないも理容師美容師法第12条第3号の規定による採光については人工採光にても可なるや至急何分の御回示願いたく照会する。
> 　追って建築基準法による採光は人工採光を認めていないよう見受けられるので念のため申し添える。

> ［昭和26年12月17日　衛環第141号
> 　福岡県衛生部長宛　厚生省環境衛生課長回答］

11月10日26公第7,060号で貴県知事より公衆衛生局長宛照会された右のことについては下記のとおり回答する。

記

　照会の如く地下室に理容所美容所を設けて業を行う場合の採光は自然採光を希望することが不可能の場合もあるが人工採光による場合照明及び換気を充分にすれば利用者の公衆衛生上重大な支障を来すことはないと考えられるのでやむを得ぬ場合は人工採光を認めて差支えない。
　追って建築基準法においても第28条の但し書によって地下工作物内に設ける事務所店舗その他これに類するものについては除外しているので念のため申し添える。

○理容器具の紫外線殺菌消毒について

> ［昭和27年12月16日　公衛第2,098号
> 　厚生省環境衛生課長宛　愛媛県衛生部長照会］
>
> 　最近理容所において標記消毒器を使用している向があるが理容又は美容器具が完全に消毒出来れば使用は簡単であり、且つ、短時間に効果を挙げられるため便利であると思考されるが下記について至急御意見を承りたい。
> 記
> 1　一般に普及使用せしめて差支えないか。
> 2　使用せしめるとすれば省令第23条との関係もあり如何に処置すべきか。
> 参考　略

> ［昭和27年12月20日　衛環第113号
> 　愛媛県衛生部長宛　厚生省環境衛生課長回答］

12月16日公衛第2,098号で照会された右のことについては下記のとおり回答する。

記

　理容師美容師法施行規則第23条に規定する消毒以外の消毒を行うことは適法でない。但し、右規則第23条の消毒を行った後、更に別途の消毒を行うことは差し支えない。
　なおこの方法による消毒は、消毒せんとする物の内部に消毒力が浸透しないので、目下のところ適当でないと考えている。

○理容所開設届の疑義について

> 昭和32年4月16日　32公号外
> 厚生省公衆衛生局環境衛生部環境衛生課長宛　福島県
> 厚生部長照会

　右について、理容師美容師法第11条及び第11条の2に疑義が生じたので、下記について御教示下さい。

記

　理容所開設者であるAがB、Cを従業者として使用しているという型にて、法律上の手続をし、業を行っていたが、事実上は、A所有の営業所をAはBに対して一定期間、その営業所（用度類を含む）を賃貸しておったが、賃貸時期が経過した最近に至り、Bからその施設を対象として開設届の提出があった。
1　Bから提出された開設届は、法令に基いて書類上欠陥がなければ、拒むことが出来ないと考えられるが、その開設の対象となる施設がAの所有であり、更にAはこの施設により現に営業を営んでおるとの理由で開設届の受理を拒み得るか。
2　届出を受理すれば、法第11条の2により知事は、この施設について、検査確認をしなければならぬが、この場合、施設の所有であるAは、この施設は既に開設済みであるとの理由で、知事の検査を拒み得るか。
3　食品衛生法による営業許可取扱上の疑義についての照会に対し、厚生省公衆衛生局長からの都道府県知事あて通知（昭和29年8月27日）によれば営業の許可は、公衆衛生上の支障の有無のみによって許否の決定をなすべきで、私法上の所有権により許否の顧慮すべきでないとされているが、理容師美容師法による理容所の開設についても、私法上の問題を別として、開設届を受理して、この施設を法第11条の2の規定による検査確認をすることが出来るのではないか。

> 昭和32年5月13日　衛環第32号
> 福島県厚生部長宛　厚生省公衆衛生局環境衛生部環境
> 衛生課長回答

　昭和32年4月16日32公号外をもって御照会のあった標記については、下記により回答する。

記

1　理容師美容師法第11条及び第11条の2の規定は、理容所、美容所について公衆衛生上の見地からのみ、使用に当って支障の有無について規制するものであるから、開設の届

出者が直にその理容所又は美容所の占有又は使用権を有しているか否かについての私法上の問題まで実質的に審査すべきではなく、従って、Bから提出された開設届は、Bがその施設について、明らかに占有又は使用を権有していないと認められる場合を除いては、受理すべきである。
2　届出が受理された場合、検査を拒むことはできない。
3　貴見の通りである。

○移動理容所について

〔昭和39年8月29日　公第8―172号
　厚生省環境衛生局長宛　山梨県厚生労働部長照会〕

　理容所の開設については理容師法第11条及び省令第20条により届出事項が規定されているがこの理容所は固定したものであると解釈されるが自動車を改造し理容所を設けこれを移動し業を行なうことは差支ないか疑義があるので御教示下さい。

〔昭和39年12月3日　環衛第35号
　山梨県厚生労働部長宛　厚生省環境衛生局環境衛生課長回答〕

　昭和39年8月29日公第8―172号をもって環境衛生局長あて照会のあった標記について下記のとおり回答する。

記

　理容師法（昭和22年法律第234号）は、同法第11条等の規定からみて、理容所を固定施設に限定しているとは解されないので、おたずねの移動理容所にあっても一般の固定施設による理容所と同様に取扱って差しつかえない。
　なお、理容師法施行規則（昭和23年厚生省令第41号）第20条第1号の「理容所の所在地」には、移動理容所の属する主たる固定施設の理容所またはこれに代る当該移動理容所を管理する事務所の所在地を記入するほか当該移動理容所によって営業を行なう場合における当該移動理容所の移動経路、営業場所および営業時間を記入させるよう指導されたい。

○理容師法及び美容師法の運用について

〔昭和54年8月6日　54公営第316号
　厚生省環境衛生局長宛　福岡県衛生部長照会〕

　標記のことについて、下記事項について疑義がありますので、ご教示願いたく照会します。

記

問　理容師法第12条第1号（美容師法第13条第1号）の規定による「清潔保持」に関しては、理容師法施行規則第23条第1号（美容師法施行規則第24条第1号）に「床

> 及び腰板には、コンクリート、タイル、リノリューム又は板等不浸透性材料を使用すること」と規定されておりますが、待合所（室）又は通路の床にカーペット等敷物を敷くことについては支障ないか、ご教示願います。

[昭和54年8月14日　環指第109号
 福岡県衛生部長宛　厚生省環境衛生局指導課長回答]

　昭和54年8月6日付け54公営第316号をもって照会のあった標記については、下記のとおり回答する。

記

　理容所又は美容所のうち、主として待合室及び通路として明確に区分されており、常に清潔が保持されると認められる場合は、コンクリート、タイル、リノリューム又は板等不浸透性材料の上にカーペット等の敷物を使用することは差し支えないものと考える。

○洗場に係る疑義について

[平成16年11月24日　生衛第1,559号
 厚生労働省健康局生活衛生課長宛　茨城県保健福祉部長照会]

　このことについて、理容師法（昭和22年法律第234号）第12条第1号の規定を受けて規定された理容師法施行規則（平成10年厚生省令第4号）第25条第2号において、「洗場は、流水装置とすること。」と規定されているところです。
　この規定は、「理容所の開設者は、洗場を理容所内に必ず設けなければならないもの。」と解してよろしいか御教示願います。

[平成16年12月7日　健衛発第1207001号
 茨城県保健福祉部長宛　厚生労働省健康局生活衛生課長回答]

　平成16年11月24日付け生衛第1,559号をもって照会のあった標記について下記のとおり回答する

記

　貴見のとおりである。

○理容師養成施設及び美容師養成施設の通信課程における授業方法等の基準についての疑義の照会

[令和2年12月15日　日理美教発第2―171号
 厚生労働省医薬・生活衛生局生活衛生課長宛　公益社団法人日本理容美容教育センター理事長照会]

　「理容師養成施設の通信課程における授業方法等の基準」（平成20年2月29日厚生労働省告示第42号）及び「美容師養成施設の通信課程における授業方法等の基準」

（平成20年2月29日厚生労働省告示第47号）の「第1　総則　一　理容師（美容師）養成施設の通信課程における授業は、教材を送付又は指定し、主としてこれにより学習させる授業（以下「通信授業」という。）及び理容師（美容師）養成施設の校舎における講義、演習、実験又は実技による授業（以下「面接授業」という。）の併用により行うものとする。」と規定されています。

日本理容美容教育センターにおいては、通信課程の添削について、現在の紙による送付と同等の内容でe―Learningの配信による通信授業の実施を検討しており、それに向け今後、システム開発を行うことを予定しております。

ついては、e―Learningの配信による通信授業の方法は、第1　総則　一の「教材を送付又は指定」の範囲内と解してよろしいか疑義が生じましたので御教示願います。

添付書類
1　公益社団法人　日本理容美容教育センター通信教育実施規程　略
2　通信教育　報告課題添削事業の流れ（現行）　略
3　通信教育　報告課題添削事業の流れ（e―Learning）　略
4　e―Learning利用率と事業内容　略

〔令和2年12月22日　薬生衛発1222第1号
公益社団法人日本理容美容教育センター理事長宛　厚
生労働省医薬・生活衛生局生活衛生課長回答〕

令和2年12月15日付け日理美教発第2―171号をもって照会のあった標記について、下記のとおり回答します。

記

通信授業の方法について、貴見のとおりと解して差し支えない。

○理容師養成施設及び美容師養成施設との通信業務委託契約についての疑義の照会

〔令和4年6月21日　日理美教発第4―088号
厚生労働省医薬・生活衛生局生活衛生課長宛　公益社
団法人日本理容美容教育センター理事長照会〕

公益社団法人日本理容美容教育センター（以下、「教育センター」という。）においては、「理容師養成施設の通信課程における授業方法等の基準の運用について」（平成27年3月31日健発0331第15号厚生労働省健康局長通知）別紙3及び「美容師養成施設の通信課程における授業方法等の基準の運用について」（平成27年3月31日健発0331第16号厚生労働省健康局長通知）別紙3に基づき、厚生労働大臣又は都道府県知事が指定した理容師養成施設及び美容師養成施設（以下、「養成施設」という。）より通信授業及び添削指導に係る事務を受託しています。受託の際は、通信授業業務委託契約書を交わし、契約書に基づき実施することとしております。

理容師養成施設及び美容師養成施設との通信業務委託契約についての疑義の照会

　養成施設から新規に通信業務委託契約の申し入れがあった場合、下記理由に基づき契約を断っても差し支えないか、ご教示願います。

記

　当教育センターは、定款第5条に基づき、養成施設の代表者を社員とし、それをもって構成される社団法人であり、社員の入社にあたっては、入社申込をした者の代表する養成施設の運営が適正であることについて、厳正に審査を行っています。同様に、通信教育の業務委託契約においても、上記通知に「当該養成施設及び受託機関は、相互に連携を図り、生徒の学習に支障のないようにすること」とあることから、適正に運営されている養成施設と契約を結ぶべきであると考えております。

　また、上記通知に「理（美）容師養成施設は、通信授業及び添削指導に係る事務の一部を適当な機関に委託することができること。」とあるように、当教育センターに業務委託せずに通信授業を行うことも可能で、独自に実施している養成施設もあります。

　以上の理由から、当教育センターとしては、通信業務委託契約については原則として社員校を対象としており、現在契約を結んでいるのは社員校のみとなっております。なお、非社員校であっても、公立校、矯正施設等公的な養成施設については例外的に契約を結ぶこともあります。

　昨今、都道府県より新たに指定を受け、教育センターの社員校としての手続きを行っていない養成施設より、昼間課程の入学者がいない状況で、通信課程（10月入学予定）の業務委託契約の申し入れがあったことから、至急ご回答賜りたく、照会申し上げます。

〔令和4年7月13日　薬生衛発0713第1号
公益社団法人日本理容美容教育センター理事長宛　厚
生労働省医薬・生活衛生局生活衛生課長回答〕

　令和4年6月21日付け日理美教発第4—088号「理容師養成施設及び美容師養成施設との通信業務委託契約についての疑義の照会」にて疑義照会のあった件については、理容師養成施設指定規則等に照らし、特段支障のない旨回答する。

　なお、審査に当たっては、貴センターの定款等に照らして適正な処理を図られるよう、併せてお願いする。

○管理理容師・管理美容師資格認定講習会における受講資格の認定について

> 令和4年6月9日　理美試講発第39号
> 厚生労働省医薬・生活衛生局生活衛生課長宛　（公財）
> 法人理容師美容師試験研修センター理事長照会

　標記について、下記のとおり、その取扱いに疑義が生じたため、御教示いただきたく、お願いいたします。

記

　管理理容師・管理美容師資格認定講習会における受講資格の認定については、厚生労働省健康局長通知「管理理容師資格認定講習会及び管理美容師資格認定講習会の指定基準の運用について（平成21年1月28日　健発第0128008号）」の別紙「講習会実施要領」の1により、「受講資格は理容師又は美容師の免許を受けた後3年以上理容の業又は美容の業に従事した者とし、理容師法第2条又は美容師法第3条に規定する免許の写し及び3年以上業務に従事したことを証する書面（雇用主等の証明書）を受講申込書に添付させる等により、主催者においてその資格の有無を確認すること。」とされている。

　しかし、近年、店舗を所有せず、福祉目的の出張理容・出張美容を業とする者が見受けられ、3年以上業務に従事したことを証する雇用主等の証明書における証明者が受講者本人となるとともに、店舗の様に保健所への届け出（自治体によって届出の要・不要の取り扱いが異なる）もされていないため、保健所への確認もできない事例が生じている。

　この様な事例において、免許の写し及び証明者が受講者本人である証明書のみをもって受講資格を認定することとして取り扱っても差し支えないか。

> 令和4年8月16日　薬生衛発0816第1号
> 公益財団法人理容師美容師試験研修センター理事長宛
> 厚生労働省医薬・生活衛生局生活衛生課長回答

　令和4年6月9日付け理美試講発第39号で照会のありました標記について、下記のとおり回答いたします。

記

　管理理容師・管理美容師資格認定講習会における受講資格の確認については、「管理理容師資格認定講習会及び管理美容師資格認定講習会の指定基準の運用について（平成21年1月28日付健発第0128008号厚生労働省健康局長通知）」において、3年以上業務に従事したことを証する書面（雇用主等の証明書等）の添付を求めているところ、出張理容・出張美容に3年以上従事した等の理由により、被雇用者の立場になく、雇用主等の証明書等が発行できない場合には、保健所への届出の有無等や、受講者本人の出張理容・出張美容従事期間を第三者が証明した書類等により、確認することとする。

　なお、いずれの確認も困難な場合に、証明者が受講者本人である証明書のみで従事期間を確認することは、客観性に欠け、適切ではないと考える。

第3編

クリーニング業

I 法令編

●クリーニング業法

〔昭和25年5月27日〕
〔法律第207号〕

〔一部改正経過〕

第1次	〔昭和28年8月15日法律第213号「地方自治法の一部を改正する法律の施行に伴う関係法令の整理に関する法律」第38条による改正〕
第2次	〔昭和30年8月10日法律第154号「クリーニング業法の一部を改正する法律」による改正〕
第3次	〔昭和35年1月4日法律第1号「クリーニング業法の一部を改正する法律」による改正〕
第4次	〔昭和37年9月15日法律第161号「行政不服審査法の施行に伴う関係法律の整理等に関する法律」第87条による改正〕
第5次	〔昭和39年6月30日法律第119号「クリーニング業法の一部を改正する法律」による改正〕
第6次	〔昭和51年6月2日法律第48号「クリーニング業法の一部を改正する法律」による改正〕
第7次	〔昭和53年5月23日法律第54号「許可、認可等の整理に関する法律」第19条による改正〕
第8次	〔昭和58年12月10日法律第83号「行政事務の簡素合理化及び整理に関する法律」第17条による改正〕
第9次	〔昭和60年7月12日法律第90号「地方公共団体の事務に係る国の関与等の整理、合理化等に関する法律」第18条による改正〕
第10次	〔昭和63年5月31日法律第73号「クリーニング業法の一部を改正する法律」による改正〕
第11次	〔平成6年7月1日法律第84号「地域保健対策強化のための関係法律の整備に関する法律」第31条・附則第28条による改正〕
第12次	〔平成5年11月12日法律第89号「行政手続法の施行に伴う関係法律の整備に関する法律」第104条による改正〕
第13次	〔平成8年6月26日法律第107号「民間活動に係る規制の改善及び行政事務の合理化のための厚生省関係法律の一部を改正する法律」第4条による改正〕
第14次	〔平成11年7月16日法律第87号「地方分権の推進を図るための関係法律の整備等に関する法律」第172条による改正〕
第15次	〔平成11年12月8日法律第151号「民法の一部を改正する法律の施行に伴う関係法律の整備等に関する法律」第53条による改正〕
第16次	〔平成11年12月22日法律第160号「中央省庁等改革関係法施行法」第619・642条による改正〕
第17次	〔平成12年5月31日法律第91号「商法等の一部を改正する法律の施行に伴う関係法律の整備に関する法律」第35条による改正〕
第18次	〔平成14年3月30日法律第4号「地方自治法等の一部を改正する法律」第5条による改正〕
第19次	〔平成16年4月16日法律第33号「クリーニング業法の一部を改正する法律」による改正〕
第20次	〔平成18年6月7日法律第53号「地方自治法の一部を改正する法律」附則第21条による改正〕
第21次	〔平成19年6月27日法律第96号「学校教育法等の一部を改正する法律」附則第6・23条による改正〕
第22次	〔平成18年6月2日法律第50号「一般社団法人及び一般財団法人に関する法律及び公益社団法人及び公益財団法人の認定等に関する法律の施行に伴う関係法律の整備等に関する法律」第280条（平成18年12月法律第114号により一部改正）による改正〕
第23次	〔平成23年6月24日法律第74号「情報処理の高度化等に対処するための刑法等の一部を改正する法律」附則第35条（平成29年6月法律第67号により一部改正）による改正〕
第24次	〔平成23年8月30日法律第105号「地域の自主性及び自立性を高めるための改革の推進を図るための関係法律の整備に関する法律」第32条（平成23年6月法律第70号・同年12月法律第122号により一部改正）による改正〕
第25次	〔平成25年6月14日法律第44号「地域の自主性及び自立性を高めるための改革の推進を図るための関係法律の整備に関する法律」第26条による改正〕
第26次	〔平成26年6月13日法律第69号「行政不服審査法の施行に伴う関係法律の整備等に関する法律」第131条による改正〕
第27次	〔令和5年6月14日法律第52号「生活衛生関係営業等の事業活動の継続に資する環境の整備を図るための旅館業法等の一部を改正する法律」第6条による改正〕

注　令和4年6月17日法律第68号「刑法等の一部を改正する法律の施行に伴う関係法律の整理等に関する法律」第221条（令和5年5月法律第28号により一部改正）による改正は未施行につき〔参考〕として818頁に収載（令和7年6月1日施行）

第3編　クリーニング業

クリーニング業法
（目的）
第1条　この法律は、クリーニング業に対して、公衆衛生等の見地から必要な指導及び取締りを行い、もつてその経営を公共の福祉に適合させるとともに、利用者の利益の擁護を図ることを目的とする。
〔改正〕
　　一部改正（第3・19次改正）
（定義）
第2条　この法律で「クリーニング業」とは、溶剤又は洗剤を使用して、衣類その他の繊維製品又は皮革製品を原型のまま洗たくすること（繊維製品を使用させるために貸与し、その使用済み後はこれを回収して洗たくし、さらにこれを貸与することを繰り返して行なうことを含む。）を営業とすることをいう。
2　この法律で「営業者」とはクリーニング業を営む者（洗たくをしないで洗たく物の受取及び引渡しをすることを営業とする者を含む。）をいう。
3　この法律で「クリーニング師」とは、第6条に規定する免許を受けた者をいう。
4　この法律で「クリーニング所」とは、洗たく物の処理又は受取及び引渡しのための営業者の施設をいう。
〔改正〕
　　一部改正（第2・5次改正）
（営業者の衛生措置等）
第3条　営業者は、クリーニング所以外において、営業として洗たく物の処理を行い、又は行わせてはならない。
2　営業者は、洗たく物の洗たくをするクリーニング所に、業務用の機械として、洗たく機及び脱水機をそれぞれ少くとも1台備えなければならない。ただし、脱水機の効用をも有する洗たく機を備える場合は、脱水機は、備えなくてもよい。
3　営業者は、前項に規定する措置のほか、次に掲げる措置を講じなければならない。
　一　クリーニング所及び業務用の車両（営業者がその業務のために使用する車両（軽車両を除く。）をいう。以下同じ。）並びに業務用の機械及び器具を清潔に保つこと
　二　洗濯物を洗濯又は仕上げを終わつたものと終わらないものに区分しておくこと
　三　洗濯物をその用途に応じ区分して処理すること
　四　洗場については、床が、不浸透性材料（コンクリート、タイル等汚水が浸透しないものをいう。）で築造され、これに適当な勾配と排水口が設けられていること
　五　伝染性の疾病の病原体による汚染のおそれのあるものとして厚生労働省令で指定する洗濯物を取り扱う場合においては、その洗濯物は他の洗濯物と区分しておき、これを洗濯するときは、その前に消毒すること。ただし、洗濯が消毒の効果を有する方法によつてなされる場合においては、消毒しなくてもよい。
　六　その他都道府県（地域保健法（昭和22年法律第101号）第5条第1項の規定に基づく政令で定める市（以下「保健所を設置する市」という。）又は特別区については、

市又は特別区）が条例で定める必要な措置
　〔改正〕
　　　一部改正（第2・3・5・16・18・19・24次改正）
　〔委任〕
　　　第3項　第5号の「厚生労働省令」＝規則1
（利用者に対する説明義務等）
第3条の2　営業者は、洗濯物の受取及び引渡しをしようとするときは、あらかじめ、利用者に対し、洗濯物の処理方法等について説明するよう努めなければならない。
2　営業者は、洗濯物の受取及び引渡しをするに際しては、厚生労働省令で定めるところにより、利用者に対し、苦情の申出先を明示しなければならない。
　〔改正〕
　　　追加（第19次改正）
　〔委任〕
　　　第2項　「厚生労働省令」＝規則1の2
（クリーニング師の設置）
第4条　営業者は、クリーニング所（洗たく物の受取及び引渡のみを行うものを除く。）ごとに、1人以上のクリーニング師を置かなければならない。ただし、営業者がクリーニング師であつて、自ら、主として一のクリーニング所においてその業務に従事するときは、当該クリーニング所については、この限りでない。
　〔改正〕
　　　全部改正（第2次改正）、一部改正（第3次改正）
（営業者の届出）
第5条　クリーニング所を開設しようとする者は、厚生労働省令の定めるところにより、クリーニング所の位置、構造設備及び従事者数並びにクリーニング師の氏名その他必要な事項をあらかじめ都道府県知事に届け出なければならない。
2　クリーニング所を開設しないで洗濯物の受取及び引渡しをすることを営業としようとする者は、厚生労働省令の定めるところにより、営業方法、従事者数その他必要な事項をあらかじめ都道府県知事に届け出なければならない。
3　前2項の規定により届け出た事項に変更を生じたとき、又はクリーニング所若しくは前項の営業を廃止したときは、営業者は、厚生労働省令の定めるところにより、速やかに都道府県知事に届け出なければならない。
　〔改正〕
　　　一部改正（第2・3・5・16・19次改正）
　〔委任〕
　　　第1項　「厚生労働省令」＝規則1の3Ⅰ・2
　　　第2項　「厚生労働省令」＝規則1の3Ⅱ
　　　第3項　「厚生労働省令」＝規則1の3Ⅲ
　〔**参照条文**〕
　　　罰則＝法15一・17

第3編　クリーニング業

（クリーニング所の使用）
第5条の2　営業者は、そのクリーニング所の構造設備について都道府県知事の検査を受け、その構造設備が第3条第2項又は第3項の規定に適合する旨の確認を受けた後でなければ、当該クリーニング所を使用してはならない。
　〔改正〕
　　　追加（第5次改正）
　〔参照条文〕
　　　罰則＝法15二・17

（地位の承継）
第5条の3　第5条第1項又は第2項の届出をした営業者が当該営業を譲渡し、又は当該届出をした営業者について相続、合併若しくは分割（当該営業を承継させるものに限る。）があつたときは、当該営業を譲り受けた者又は相続人（相続人が2人以上ある場合において、その全員の同意により当該営業を承継すべき相続人を選定したときは、その者）、合併後存続する法人若しくは合併により設立された法人若しくは分割により当該営業を承継した法人は、当該届出をした営業者の地位を承継する。
2　前項の規定により営業者の地位を承継した者は、遅滞なく、その事実を証する書面を添えて、その旨を都道府県知事に届け出なければならない。
　〔改正〕
　　　追加（第13次改正）、一部改正（第17・19・27次改正）
　〔参照条文〕
　　　第2項　「地位の承継」の届出＝規則2の2～の5

（クリーニング師の免許）
第6条　クリーニング師の免許は、都道府県知事がクリーニング師試験に合格した者に与える。
　〔改正〕
　　　一部改正（第2次改正）
　〔参照条文〕
　　　「免許」証＝令1、規則5・6　　「免許」申請手続＝規則4　　「免許」証の訂正等＝規則8

（試験）
第7条　クリーニング師の試験は、次の各号に掲げる科目について、都道府県知事が行う。
　一　衛生法規に関する知識
　二　公衆衛生に関する知識
　三　洗たく物の処理に関する知識及び技能
2　都道府県知事は、少くとも毎年1回以上前項の試験を行わなければならない。
3　第1項の試験を受けることができる者は、学校教育法（昭和22年法律第26号）第57条に規定する者とする。
　〔改正〕
　　　一部改正（第2・5・21次改正）

〔参照条文〕
　　　受験手続＝規則3
（指定試験機関の指定及び試験事務の委任）
第7条の2　都道府県知事は、厚生労働大臣の指定する者（以下「指定試験機関」という。）に、クリーニング師の試験の実施に関する事務（以下「試験事務」という。）の全部又は一部を行わせることができる。
2　前項の規定による指定は、試験事務を行おうとする者の申請により行う。
3　都道府県知事は、第1項の規定により指定試験機関に試験事務の全部又は一部を行わせることとしたときは、当該試験事務の全部又は一部を行わないものとする。
〔改正〕
　　　追加（第9次改正）、一部改正（第16次改正）
〔参照条文〕
　　　第2項　「指定」の申請＝規則3の2
（指定の基準）
第7条の3　厚生労働大臣は、前条第2項の規定による申請が次の要件を満たしていると認めるときでなければ、同条第1項の規定による指定をしてはならない。
　一　職員、設備、試験事務の実施の方法その他の事項についての試験事務の実施に関する計画が試験事務の適正かつ確実な実施のために適切なものであること。
　二　前号の試験事務の実施に関する計画の適正かつ確実な実施に必要な経理的及び技術的な基礎を有するものであること。
　三　申請者が、試験事務以外の業務を行つている場合には、その業務を行うことによつて試験事務が不公正になるおそれがないこと。
2　厚生労働大臣は、前条第2項の規定による申請をした者が、次のいずれかに該当するときは、同条第1項の規定による指定をしてはならない。
　一　一般社団法人又は一般財団法人以外の者であること。
　二　第7条の15第1項又は第2項の規定により指定を取り消され、その取消しの日から起算して2年を経過しない者であること。
　三　その役員のうちに、次のいずれかに該当する者があること。
　　イ　この法律に違反して、刑に処せられ、その執行を終わり、又は執行を受けることがなくなつた日から起算して2年を経過しない者
　　ロ　第7条の6第2項の規定による命令により解任され、その解任の日から起算して2年を経過しない者
〔改正〕
　　　追加（第9次改正）、一部改正（第16・22次改正）
（指定の公示等）
第7条の4　厚生労働大臣は、第7条の2第1項の規定による指定をしたときは、指定試験機関の名称及び主たる事務所の所在地並びに当該指定をした日を公示しなければならない。
2　指定試験機関は、その名称又は主たる事務所の所在地を変更しようとするときは、変

第3編　クリーニング業

更しようとする日の2週間前までに、その旨を厚生労働大臣に届け出なければならない。
3　厚生労働大臣は、前項の規定による届出があつたときは、その旨を公示しなければならない。
　〔改正〕
　　　　追加（第9次改正）、一部改正（第16次改正）
　〔参照条文〕
　　　　第2項　「名称」等の変更の届出＝規則3の3
第7条の5　第7条の2第1項の規定により指定試験機関にその試験事務を行わせることとした都道府県知事（以下「委任都道府県知事」という。）は、当該指定試験機関の名称、主たる事務所の所在地及び当該試験事務を取り扱う事務所の所在地並びに当該指定試験機関に行わせることとした試験事務及び当該試験事務を行わせることとした日を公示しなければならない。
2　指定試験機関は、その名称、主たる事務所の所在地又は試験事務を取り扱う事務所の所在地を変更しようとするときは、委任都道府県知事（試験事務を取り扱う事務所の所在地については、関係委任都道府県知事）に、変更しようとする日の2週間前までに、その旨を届け出なければならない。
3　委任都道府県知事は、前項の規定による届出があつたときは、その旨を公示しなければならない。
　〔改正〕
　　　　追加（第9次改正）、一部改正（第16・25次改正）
　（役員の選任及び解任）
第7条の6　指定試験機関の役員の選任及び解任は、厚生労働大臣の認可を受けなければ、その効力を生じない。
2　厚生労働大臣は、指定試験機関の役員が、この法律（これに基づく命令又は処分を含む。）若しくは第7条の9第1項に規定する試験事務規程に違反する行為をしたとき、又は試験事務に関し著しく不適当な行為をしたときは、指定試験機関に対し、当該役員を解任すべきことを命ずることができる。
　〔改正〕
　　　　追加（第9次改正）、一部改正（第16次改正）
　〔参照条文〕
　　　　第1項　役員の選任又は解任の認可の申請＝規則3の4
　　　　第2項　本項の試験委員の解任への準用＝法7の7Ⅳ
　（試験委員）
第7条の7　指定試験機関は、試験事務のうち、クリーニング師として必要な知識及び技能を有するかどうかの判定に関する事務を行う場合には、試験委員にその事務を行わせなければならない。
2　指定試験機関は、試験委員を選任しようとするときは、厚生労働省令で定める要件を備える者のうちから選任しなければならない。

3　指定試験機関は、試験委員を選任したときは、厚生労働省令で定めるところにより、遅滞なく、その旨を厚生労働大臣に届け出なければならない。試験委員に変更があつたときも、同様とする。
4　前条第2項の規定は、試験委員の解任について準用する。
　　〔改正〕
　　　　追加（第9次改正）、一部改正（第16次改正）
　　〔委任〕
　　　　第2項　「厚生労働省令」＝規則3の5
　　　　第3項　「厚生労働省令」＝規則3の6
（秘密保持義務等）
第7条の8　指定試験機関の役員若しくは職員（試験委員を含む。次項において同じ。）又はこれらの職にあつた者は、試験事務に関して知り得た秘密を漏らしてはならない。
2　試験事務に従事する指定試験機関の役員又は職員は、刑法（明治40年法律第45号）その他の罰則の適用については、法令により公務に従事する職員とみなす。
　　〔改正〕
　　　　追加（第9次改正）
　　〔参照条文〕
　　　　第1項　罰則＝法14の3
（試験事務規程）
第7条の9　指定試験機関は、試験事務の開始前に、試験事務の実施に関する規程（以下「試験事務規程」という。）を定め、厚生労働大臣の認可を受けなければならない。これを変更しようとするときも、同様とする。
2　指定試験機関は、前項後段の規定により試験事務規程を変更しようとするときは、委任都道府県知事の意見を聴かなければならない。
3　試験事務規程で定めるべき事項は、厚生労働省令で定める。
4　厚生労働大臣は、第1項の規定により認可をした試験事務規程が試験事務の適正かつ確実な実施上不適当となつたと認めるときは、指定試験機関に対し、これを変更すべきことを命ずることができる。
　　〔改正〕
　　　　追加（第9次改正）、一部改正（第16次改正）
　　〔委任〕
　　　　第3項　「厚生労働省令」＝規則3の8
　　〔参照条文〕
　　　　第1項　「認可」の申請＝規則3の7
（事業計画の認可等）
第7条の10　指定試験機関は、毎事業年度、事業計画及び収支予算を作成し、当該事業年度の開始前に（第7条の2第1項の規定による指定を受けた日の属する事業年度にあつては、その指定を受けた後遅滞なく）、厚生労働大臣の認可を受けなければならない。これを変更しようとするときも、同様とする。

第3編　クリーニング業

2　指定試験機関は、事業計画及び収支予算を作成し、又は変更しようとするときは、委任都道府県知事の意見を聴かなければならない。
3　指定試験機関は、毎事業年度、事業報告書及び収支決算書を作成し、当該事業年度の終了後3月以内に、厚生労働大臣及び委任都道府県知事に提出しなければならない。
〔改正〕
　　　追加（第9次改正）、一部改正（第16次改正）
〔参照条文〕
　　　第1項　「認可」の申請＝規則3の9

(帳簿の備付け)
第7条の11　指定試験機関は、厚生労働省令で定めるところにより、試験事務に関する事項で厚生労働省令で定めるものを記載した帳簿を備え、これを保存しなければならない。
〔改正〕
　　　追加（第9次改正）、一部改正（第16次改正）
〔委任〕
　　　「厚生労働省令」＝規則3の10
〔参照条文〕
　　　罰則＝法14の5一

(監督命令等)
第7条の12　厚生労働大臣は、試験事務の適正な実施を確保するため必要があると認めるときは、指定試験機関に対し、試験事務に関し監督上必要な命令をすることができる。
2　委任都道府県知事は、その行わせることとした試験事務の適正な実施を確保するため必要があると認めるときは、指定試験機関に対し、当該試験事務の適正な実施のために必要な措置をとるべきことを指示することができる。
〔改正〕
　　　追加（第9次改正）、一部改正（第16次改正）

(報告、検査等)
第7条の13　厚生労働大臣は、試験事務の適正な実施を確保するため必要があると認めるときは、指定試験機関に対し、試験事務の状況に関し必要な報告を求め、又はその職員に、指定試験機関の事務所に立ち入り、試験事務の状況若しくは設備、帳簿、書類その他の物件を検査させることができる。
2　委任都道府県知事は、その行わせることとした試験事務の適正な実施を確保するため必要があると認めるときは、指定試験機関に対し、当該試験事務の状況に関し必要な報告を求め、又はその職員に、当該試験事務を取り扱う指定試験機関の事務所に立ち入り、当該試験事務の状況若しくは設備、帳簿、書類その他の物件を検査させることができる。
3　前2項の規定により立入検査を行う職員は、その身分を示す証明書を携帯し、関係者の請求があつたときは、これを提示しなければならない。
4　第1項又は第2項の規定による権限は、犯罪捜査のために認められたものと解しては

ならない。
〔改正〕
　　　追加（第9次改正）、一部改正（第16次改正）
〔参照条文〕
　　　第1・2項　罰則＝法14の5二
　　　第3項　本項のクリーニング所への立入検査への準用＝法10
（試験事務の休廃止）
第7条の14　指定試験機関は、厚生労働大臣の許可を受けなければ、試験事務の全部又は一部を休止し、又は廃止してはならない。
2　厚生労働大臣は、指定試験機関の試験事務の全部又は一部の休止又は廃止により試験事務の適正かつ確実な実施が損なわれるおそれがないと認めるときでなければ、前項の規定による許可をしてはならない。
3　厚生労働大臣は、第1項の規定による許可をしようとするときは、関係委任都道府県知事の意見を聴かなければならない。
4　厚生労働大臣は、第1項の規定による許可をしたときは、その旨を、関係委任都道府県知事に通知するとともに、公示しなければならない。
〔改正〕
　　　追加（第9次改正）、一部改正（第16次改正）
〔参照条文〕
　　　第1項　罰則＝法14の5三
（指定の取消し等）
第7条の15　厚生労働大臣は、指定試験機関が第7条の3第2項第1号又は第3号に該当するに至つたときは、その指定を取り消さなければならない。
2　厚生労働大臣は、指定試験機関が次のいずれかに該当するときは、その指定を取り消し、又は期間を定めて試験事務の全部若しくは一部の停止を命ずることができる。
　一　第7条の3第1項各号の要件を満たさなくなつたと認められるとき。
　二　第7条の6第2項（第7条の7第4項において準用する場合を含む。）、第7条の9第4項又は第7条の12第1項の規定による命令に違反したとき。
　三　第7条の7第1項、第7条の10第1項若しくは第3項、第7条の11又は前条第1項の規定に違反したとき。
　四　第7条の9第1項の規定により認可を受けた試験事務規程によらないで試験事務を行つたとき。
　五　不正な手段により第7条の2第1項の規定による指定を受けたとき。
3　厚生労働大臣は、前2項の規定により指定を取り消し、又は前項の規定により試験事務の全部若しくは一部の停止を命じたときは、その旨を、関係委任都道府県知事に通知するとともに、公示しなければならない。
〔改正〕
　　　追加（第9次改正）、一部改正（第12・16次改正）
〔参照条文〕

第3編　クリーニング業

第2項　罰則＝法14の4
（試験事務の委任の解除）
第7条の16　委任都道府県知事は、指定試験機関に試験事務を行わせないこととするときは、その6月前までに、その旨を指定試験機関に通知しなければならない。
2　委任都道府県知事は、指定試験機関に試験事務を行わせないこととしたときは、その旨を、公示しなければならない。
〔改正〕
追加（第9次改正）、一部改正（第16・25次改正）
（委任都道府県知事による試験事務の実施）
第7条の17　委任都道府県知事は、指定試験機関が第7条の14第1項の規定による厚生労働大臣の許可を受けて試験事務の全部若しくは一部を休止したとき、第7条の15第2項の規定により厚生労働大臣が指定試験機関に対し試験事務の全部若しくは一部の停止を命じたとき、又は指定試験機関が天災その他の事由により試験事務の全部若しくは一部を実施することが困難となつた場合において厚生労働大臣が必要があると認めるときは、当該試験事務の全部又は一部を行うものとする。
2　厚生労働大臣は、委任都道府県知事が前項の規定により試験事務を行うこととなるとき、又は委任都道府県知事が同項の規定により試験事務を行うこととなる事由がなくなつたときは、速やかにその旨を当該委任都道府県知事に通知しなければならない。
3　委任都道府県知事は、前項の規定による通知を受けたときは、その旨を公示しなければならない。
〔改正〕
追加（第9次改正）、一部改正（第16次改正）
〔参照条文〕
第1項　「試験事務」の引継ぎ等＝規則3の13
（手数料）
第7条の18　都道府県は、地方自治法（昭和22年法律第67号）第227条の規定に基づきクリーニング師の試験に係る手数料を徴収する場合においては、第7条の2第1項の規定により指定試験機関が行うクリーニング師の試験を受けようとする者に、条例で定めるところにより、当該手数料を当該指定試験機関へ納めさせ、その収入とすることができる。
〔改正〕
追加（第9次改正）、一部改正（第14次改正）
（厚生労働省令への委任）
第7条の19　この法律に規定するもののほか、指定試験機関及びその行う試験事務並びに試験事務の引継ぎに関し必要な事項は、厚生労働省令で定める。
〔改正〕
追加（第9次改正）、一部改正（第16次改正）
〔委任〕
「厚生労働省令」＝規則3の2～の13

(登録)
第8条 都道府県に原簿を備え、クリーニング師の免許に関する事項を登録する。
2 この法律に定めるものの外、クリーニング師の免許、試験及び登録に関して必要な事項は、政令で定める。

〔改正〕
　　一部改正（第1・2次改正）

〔委任〕
　　第2項　「政令」＝昭和28年8月政令第233号「クリーニング業法施行令」

〔参照条文〕
　　第1項　「登録」事項＝規則7　「登録」の抹消＝規則10

(クリーニング師の研修)
第8条の2 クリーニング所の業務に従事するクリーニング師は、厚生労働省令で定めるところにより、都道府県知事が厚生労働大臣の定める基準に従い指定したクリーニング師の資質の向上を図るための研修を受けなければならない。
2 営業者は、そのクリーニング所の業務に従事するクリーニング師に対し、前項に規定する研修を受ける機会を与えなければならない。

〔改正〕
　　追加（第10次改正）、一部改正（第16次改正）

〔委任〕
　　第1項　「厚生労働省令」＝規則10の2

(業務従事者に対する講習)
第8条の3 営業者は、厚生労働省令で定めるところにより、その業務に従事する者に対し、都道府県知事が厚生労働大臣の定める基準に従い指定した当該業務に関する知識の修得及び技能の向上を図るための講習を受けさせなければならない。

〔改正〕
　　追加（第10次改正）、一部改正（第16・19次改正）

〔委任〕
　　「厚生労働省令」＝規則10の3

(業務従事者の業務停止)
第9条 都道府県知事は、営業者又はその使用人で、洗濯物の処理又は受取及び引渡しの業務に従事するものが伝染性の疾病にかかり、その就業が公衆衛生上不適当と認めるときは、期間を定めてその業務を停止することができる。

〔改正〕
　　全部改正（第8次改正）

〔参照条文〕
　　罰則＝法15三・17

(立入検査)
第10条 都道府県知事は、必要があると認めるときは、当該職員に、クリーニング所又は業務用の車両に立ち入り、第3条、第3条の2第2項及び第4条に規定する措置の実施

状況を検査させることができる。
2　第7条の13第3項及び第4項の規定は、前項の規定による立入検査について準用する。
　〔改正〕
　　　一部改正（第9・19・20次改正）
　〔参照条文〕
　　　第1項　「当該職員」＝規則11　罰則＝法16・17
（措置命令）
第10条の2　都道府県知事は、営業者が第3条、第3条の2第2項又は第4条の規定に違反していると認めるときは、当該営業者に対し、期間を定めて、これらの規定を守らせるために必要な措置をとるべき旨を命じなければならない。
　〔改正〕
　　　追加（第2次改正）、一部改正（第19次改正）
（営業停止処分等）
第11条　都道府県知事は、営業者が前条の規定による命令に従わないときは、期間を定めてその営業の停止又はクリーニング所の閉鎖若しくは業務用の車両のその営業のための使用の停止を命ずることができる。
　〔改正〕
　　　一部改正（第2・19次改正）
　〔参照条文〕
　　　罰則＝法15四・17
（免許取消）
第12条　都道府県知事は、クリーニング師がクリーニング業に関し犯罪を犯して罰金以上の刑に処せられたときは、その免許を取り消すことができる。
　〔改正〕
　　　一部改正（第2次改正）
　〔参照条文〕
　　　「免許」証の返納＝規則9
（聴聞等の方法の特例）
第13条　前2条の規定による処分に係る行政手続法（平成5年法律第88号）第15条第1項又は第30条の通知は、聴聞の期日又は弁明を記載した書面の提出期限（口頭による弁明の機会の付与を行う場合には、その日時）の1週間前までにしなければならない。
2　第11条の規定による閉鎖の処分又は前条の規定による免許の取消しに係る聴聞の期日における審理は、公開により行わなければならない。
　〔改正〕
　　　全部改正（第12次改正）
（権限の行使）
第14条　第5条、第5条の2、第5条の3第2項及び第9条から第13条までの規定中都道府県知事の権限に属する事項（ただし、第12条及び第13条については、免許の取消しの

場合を除く。）は、保健所を設置する市又は特別区については、市長又は区長がこれを行うものとする。
2　この法律の規定に基づく都道府県知事、市長又は区長の権限の行使については、その所属の衛生主管部局長及びその所属の職員がこれを補助するものとする。
〔改正〕
　　一部改正（第5・11・13・24次改正）
（権限の委任）
第14条の2　この法律に規定する厚生労働大臣の権限は、厚生労働省令で定めるところにより、地方厚生局長に委任することができる。
2　前項の規定により地方厚生局長に委任された権限は、厚生労働省令で定めるところにより、地方厚生支局長に委任することができる。
〔改正〕
　　追加（第16次改正）
〔委任〕
　　第1項　「厚生労働省令」＝規則12Ⅰ
　　第2項　「厚生労働省令」＝規則12Ⅱ
（審査請求）
第14条の2の2　指定試験機関が行う試験事務に係る処分又はその不作為については、厚生労働大臣に対し、審査請求をすることができる。この場合において、厚生労働大臣は、行政不服審査法（平成26年法律第68号）第25条第2項及び第3項、第46条第1項及び第2項、第47条並びに第49条第3項の規定の適用については、指定試験機関の上級行政庁とみなす。
〔改正〕
　　旧第14条の2として追加（第4次改正）、一部改正（第9・11・14・16・26次改正）、本条に繰下（第16次改正）
（罰則）
第14条の3　第7条の8第1項の規定に違反した者は、1年以下の懲役又は30万円以下の罰金に処する。
〔改正〕
　　追加（第9次改正）
第14条の4　第7条の15第2項の規定による試験事務の停止の命令に違反したときは、その違反行為をした指定試験機関の役員又は職員は、1年以下の懲役又は30万円以下の罰金に処する。
〔改正〕
　　追加（第9次改正）
第14条の5　次の各号の一に該当するときは、その違反行為をした指定試験機関の役員又は職員は、10万円以下の罰金に処する。
　一　第7条の11の規定に違反して帳簿を備えず、帳簿に記載せず、若しくは帳簿に虚偽の記載をし、又は帳簿を保存しなかつたとき。
　二　第7条の13第1項又は第2項の規定による報告を求められて、報告をせず、若しく

は虚偽の報告をし、又はこれらの規定による立入り若しくは検査を拒み、妨げ、若しくは忌避したとき。
三　第7条の14第1項の規定による許可を受けないで、試験事務の全部を廃止したとき。

〔改正〕
　　追加（第9次改正）

第15条　次の各号の一に該当する者は、5000円以下の罰金に処する。
一　第5条の規定による届出をせず、又は虚偽の届出をした者
二　第5条の2の規定に違反してクリーニング所を使用した者
三　第9条の規定による業務停止の処分に違反した者
四　第11条の規定による営業停止又はクリーニング所閉鎖若しくは業務用の車両のその営業のための使用停止の処分に違反した者

〔改正〕
　　一部改正（第5・8・9・19次改正）

第16条　第10条第1項の規定による当該職員の検査を拒み、妨げ、又は忌避した者は、2000円以下の罰金に処する。

〔改正〕
　　一部改正（第3・20次改正）

第17条　法人の代表者又は法人若しくは人の代理人、使用人その他の従業者が、その法人又は人の業務に関して、前2条の違反行為をしたときは、行為者を罰するほか、その法人又は人に対しても各本条の刑を科する。

〔改正〕
　　一部改正（第5・15次改正）

　　　附　則

この法律は、昭和25年7月1日から施行する。ただし、第4条の規定は、昭和27年6月30日までは適用しない。

〔改正〕
　　一部改正（第5次改正）

　　　附　則（第2次改正）抄

1　この法律は、公布の日〔昭和30年8月10日〕から施行する。
5　旧国民学校令（昭和16年勅令第148号）による国民学校の高等科を修了した者、旧中等学校令（昭和18年勅令第36号）による中等学校の2年の課程を終わつた者又は厚生労働省令で定めるところによりこれらの者と同等以上の学力があると認められる者は、当分の間、クリーニング業法第7条第3項の規定の適用については、学校教育法第57条に規定する者とみなす。

〔改正〕
　　一部改正（第16・21次改正）

〔委任〕

「厚生省令」＝第２次改正規則附則Ⅱ

　　　附　　則（第27次改正）抄
（施行期日）
第１条　この法律は、公布の日から起算して６月を超えない範囲内において政令で定める日〔令和５年12月13日〕から施行する。ただし、附則第12条の規定は、公布の日〔令和５年６月14日〕から施行する。
〔委任〕
「政令」＝令和５年11月政令第329号「生活衛生関係営業等の事業活動の継続に資する環境の整備を図るための旅館業法等の一部を改正する法律の施行期日を定める政令」

（検討）
第２条　政府は、第１条の規定による改正後の旅館業法（以下この条及び次条において「新旅館業法」という。）第４条の２第１項の規定による協力の求め（同項第３号に掲げる者にあっては、当該者の体温その他の健康状態その他同号の厚生労働省令で定める事項の確認に係るものに限る。）を受けた者が正当な理由なくこれに応じないときの対応の在り方について、旅館業（旅館業法第２条第１項に規定する旅館業をいう。次項及び次条第３項において同じ。）の施設における特定感染症（新旅館業法第２条第６項に規定する特定感染症をいう。）のまん延防止を図る観点から検討を加え、必要があると認めるときは、その結果に基づいて所要の措置を講ずるものとする。
２　政府は、過去に旅館業の施設において第１条の規定による改正前の旅館業法第５条の規定の運用に関しハンセン病の患者であった者等に対して不当な差別的取扱いがされたことを踏まえつつ、新旅館業法第５条第１項の規定の施行の状況について検討を加え、必要があると認めるときは、その結果に基づいて所要の措置を講ずるものとする。
３　前２項に定めるもののほか、政府は、この法律の施行後３年を経過した場合において、この法律による改正後のそれぞれの法律の規定の施行の状況を勘案し、必要があると認めるときは、当該規定について検討を加え、その結果に基づいて所要の措置を講ずるものとする。

（クリーニング業法の一部改正に伴う経過措置）
第８条　第６条の規定による改正後のクリーニング業法（次項において「新クリーニング業法」という。）第５条の３の規定は、施行日前に営業の譲渡があった場合における当該営業を譲り受けた者については、適用しない。
２　都道府県知事は、当分の間、新クリーニング業法第５条の３第１項の規定により営業者の地位を承継した者（営業の譲渡により当該地位を承継した者に限る。）の業務の状況について、当該地位が承継された日から起算して６月を経過するまでの間において、少なくとも１回調査しなければならない。

（政令への委任）
第12条　附則第３条から前条までに定めるもののほか、この法律の施行に関し必要な経過措置（罰則に関する経過措置を含む。）は、政令で定める。

〔参 考〕
● 刑法等の一部を改正する法律の施行に伴う関係法律の整理等に関する法律（抄）

〔令和4年6月17日 法律第68号〕

注　令和5年5月17日法律第28号「刑事訴訟法等の一部を改正する法律」附則第36条により一部改正

第1編　関係法律の一部改正
第11章　厚生労働省関係
（船員保険法等の一部改正）

第221条　次に掲げる法律の規定中「懲役」を「拘禁刑」に改める。

十四　クリーニング業法（昭和25年法律第207号）第14条の3及び第14条の4

第2編　経過措置
第1章　通則
（罰則の適用等に関する経過措置）

第441条　刑法等の一部を改正する法律（令和4年法律第67号。以下「刑法等一部改正法」という。）及びこの法律（以下「刑法等一部改正法等」という。）の施行前にした行為の処罰については、次章に別段の定めがあるもののほか、なお従前の例による。

2　刑法等一部改正法等の施行後にした行為に対して、他の法律の規定によりなお従前の例によることとされ、なお効力を有することとされ又は改正前若しくは廃止前の法律の規定の例によることとされる罰則を適用する場合において、当該罰則に定める刑（刑法施行法第19条第1項の規定又は第82条の規定による改正後の沖縄の復帰に伴う特別措置に関する法律第25条第4項の規定の適用後のものを含む。）に刑法等一部改正法第2条の規定による改正前の刑法（明治40年法律第45号。以下この項において「旧刑法」という。）第12条に規定する懲役（以下「懲役」という。）、旧刑法第13条に規定する禁錮（以下「禁錮」という。）又は旧刑法第16条に規定する拘留（以下「旧拘留」という。）が含まれるときは、当該刑のうち無期の懲役又は禁錮はそれぞれ無期拘禁刑と、有期の懲役又は禁錮はそれぞれその刑と長期及び短期（刑法施行法第20条の規定の適用後のものを含む。）を同じくする有期拘禁刑と、旧拘留は長期及び短期（刑法施行法第20条の規定の適用後のものを含む。）を同じくする拘留とする。

（裁判の効力とその執行に関する経過措置）

第442条　懲役、禁錮及び旧拘留の確定裁判の効力並びにその執行については、次章に別段の定めがあるもののほか、なお従前の例による。

第4章　その他
（経過措置の政令への委任）

第509条　この編に定めるもののほか、刑法等一部改正法等の施行に伴い必要な経過措置は、政令で定める。

附　則　抄
（施行期日）

1　この法律は、刑法等一部改正法施行日〔令和7年6月1日〕から施行する。ただし、次の各号に掲げる規定は、当該各号に定める日から施行する。

一　第509条の規定　公布の日

●クリーニング業法施行令

〔昭和28年8月31日〕
〔政 令 第 233 号〕

〔一部改正経過〕
第1次　〔昭和30年9月7日政令第229号「クリーニング業法施行令の一部を改正する政令」による改正
第2次　〔昭和59年3月16日政令第31号「理容師法施行令等の一部を改正する政令」第2条による改正
第3次　〔昭和60年11月12日政令第296号「理容師法施行令等の一部を改正する政令」第2条による改正
第4次　〔平成11年12月8日政令第393号「地方分権の推進を図るための関係法律の整備等に関する法律の施行に伴う厚生省関係政令の整備等に関する政令」第20条による改正
第5次　〔平成12年6月7日政令第309号「中央省庁等改革のための厚生労働省関係政令等の整備に関する政令」第27条による改正

クリーニング業法施行令

内閣は、クリーニング業法（昭和25年法律第207号）第8条第2項の規定に基き、この政令を制定する。

（免許証）
第1条 都道府県知事は、クリーニング業法第6条の規定によるクリーニング師の免許を与えたときは、厚生労働省令で定める様式によるクリーニング師免許証を免許を受けた者に交付しなければならない。
2 都道府県知事は、免許証の記載事項に変更を生じたクリーニング師から免許証の訂正の申請があつたときは、免許証を訂正して交付しなければならない。
3 都道府県知事は、免許証を亡失し、又はき損したクリーニング師から免許証の再交付の申請があつたときは、免許証を交付しなければならない。

〔改正〕
一部改正（第1・3～5次改正）、旧第1条を旧第2条に繰下（第3次改正）、旧第1条を削り、本条に繰上（第4次改正）

〔委任〕
第1項　「厚生労働省令」＝規則5

（免許の取消しに関する通知）
第2条 都道府県知事は、他の都道府県知事の免許を受けたクリーニング師について、免許の取消しを適当と認めるときは、理由を付して、免許を与えた都道府県知事に、その旨を通知しなければならない。

〔改正〕
旧第2条の全部改正（第2次改正）、一部改正（第4次改正）、旧第3条に繰下（第3次改正）、本条に繰上（第4次改正）

（省令への委任）
第3条 この政令に定めるもののほか、クリーニング師の免許、試験及び登録に関して必要な事項は、厚生労働省令で定める。

〔改正〕
一部改正（第1・5次改正）、旧第3条を削り、旧第4条を旧第3条に繰上（第2次改正）、旧第4条に繰下（第3次改正）、本条に繰上（第4次改正）

〔委任〕

「厚生労働省令」＝規則3～10、13～16

附　則

（施行期日）

この政令は、昭和28年9月1日から施行する。

●クリーニング業法施行規則

〔昭和25年7月1日〕
〔厚生省令第35号〕

〔一部改正経過〕

第1次	〔昭和28年11月5日厚生省令第62号「クリーニング業法施行規則の一部を改正する省令」による改正
第2次	〔昭和30年9月21日厚生省令第21号「クリーニング業法施行規則の一部を改正する省令」による改正
第3次	〔昭和39年7月20日厚生省令第35号「クリーニング業法施行規則の一部を改正する省令」による改正
第4次	〔昭和52年1月18日厚生省令第1号「環境衛生監視員証を定める省令」附則第9項による改正
第5次	〔昭和53年5月23日厚生省令第27号「理容師法施行規則等の一部を改正する省令」第2条による改正
第6次	〔昭和58年12月23日厚生省令第45号「墓地、埋葬等に関する法律施行規則の一部を改正する省令」第3条による改正
第7次	〔昭和59年3月27日厚生省令第16号「理容師法施行規則等の一部を改正する省令」第2条による改正
第8次	〔昭和60年11月19日厚生省令第42号「理容師法施行規則等の一部を改正する省令」第2条による改正
第9次	〔昭和61年8月9日厚生省令第42号「理容師法施行規則等の一部を改正する省令」第2条による改正
第10次	〔平成元年3月24日厚生省令第10号「人口動態調査令施行細則等の一部を改正する省令」第34条による改正
第11次	〔平成元年3月27日厚生省令第12号「クリーニング業法施行規則の一部を改正する省令」による改正
第12次	〔平成6年7月1日厚生省令第47号「保健所法施行規則等の一部を改正する省令」第15条による改正
第13次	〔平成8年6月26日厚生省令第39号「理容師法施行規則等の一部を改正する省令」第2条による改正
第14次	〔平成8年11月20日厚生省令第62号「地域保健法施行規則等の一部を改正する省令」第13条による改正
第15次	〔平成12年3月30日厚生省令第56号「クリーニング業法施行規則等の一部を改正する省令」第1条による改正
第16次	〔平成12年3月30日厚生省令第57号「食品衛生法施行規則等の一部を改正する省令」第2条による改正
第17次	〔平成12年10月20日厚生省令第127号「中央省庁等改革のための健康保険法施行規則等の一部を改正する等の省令」第20・46条による改正
第18次	〔平成13年3月27日厚生労働省令第40号「公衆浴場法施行規則等の一部を改正する省令」第3条による改正
第19次	〔平成16年8月17日厚生労働省令第120号「クリーニング業法施行規則の一部を改正する省令」による改正
第20次	〔平成17年3月7日厚生労働省令第25号「健康保険法施行規則等の一部を改正する省令」第2条による改正
第21次	〔平成17年4月1日厚生労働省令第75号「厚生労働省組織規則の一部を改正する省令」附則第5・6条による改正
第22次	〔平成19年3月30日厚生労働省令第43号「学校教育法の一部を改正する法律等の施行に伴う厚生労働省関係省令の整備等に関する省令」第3条による改正
第23次	〔平成20年11月28日厚生労働省令第163号「一般社団法人及び一般財団法人に関する法律等の施行に伴う厚生労働省関係省令の整備に関する省令」第4条による改正
第24次	〔平成30年3月30日厚生労働省令第47号「クリーニング業法施行規則の一部を改正する省令」による改正
第25次	〔令和元年5月7日厚生労働省令第1号「元号の表記の整理のための厚生労働省関係省令の一部を改正する省令」第8条による改正
第26次	〔令和元年6月28日厚生労働省令第20号「不正競争防止法等の一部を改正する法律の施行に伴う厚生労働省関係省令の整備に関する省令」第10条による改正
第27次	〔令和元年11月27日厚生労働省令第75号「クリーニング業法施行規則の一部を改正する省令」による改正
第28次	〔令和2年7月14日厚生労働省令第140号「食品衛生法施行規則等の一部を改正する省令」第4条による改正
第29次	〔令和2年12月8日厚生労働省令第196号「クリーニング業法施行規則等の一部を改正する省令」第1条による改正
第30次	〔令和5年8月3日厚生労働省令第101号「旅館業法施行規則等の一部を改正する省令」第4条による改正
第31次	〔令和5年12月26日厚生労働省令第161号「デジタル社会の形成を図るための規制改革を推進するための厚生労働省関係省令の一部を改正する省令」第5条による改正
第32次	〔令和5年12月27日厚生労働省令第165号「デジタル社会の形成を図るための規制改革を推進するための厚生労働省関係省令の一部を改正する省令」第4条による改正

　クリーニング業法（昭和25年法律第207号）を実施するため、クリーニング業法施行規則を次のように定める。

第3編 クリーニング業

クリーニング業法施行規則

（消毒を要する洗たく物）

第1条 クリーニング業法（昭和25年法律第207号。以下「法」という。）第3条第3項第5号に規定する厚生労働省令で定める洗たく物は、次に掲げる洗たく物で営業者に引き渡される前に消毒されていないものとする。
　一　伝染性の疾病にかかつている者が使用した物として引き渡されたもの
　二　伝染性の疾病にかかつている者に接した者が使用した物で伝染性の疾病の病原体による汚染のおそれのあるものとして引き渡されたもの
　三　おむつ、パンツその他これらに類するもの
　四　手ぬぐい、タオルその他これらに類するもの
　五　病院又は診療所において療養のために使用された寝具その他これに類するもの
〔改正〕
　　追加（第3次改正）、一部改正（第7・17次改正）

（苦情の申出先の明示）

第1条の2　法第3条の2第2項の規定による苦情の申出先の明示については、次に掲げる方法によるものとする。
　一　クリーニング所においては、苦情の申出先となるクリーニング所の名称、所在地及び電話番号を店頭に掲示しておくとともに、洗たく物の受取及び引渡しをしようとする際に、当該掲示事項を記載した書面を配布する。
　二　クリーニング所を開設しないで洗たく物の受取及び引渡しをすることを営業としようとする車両を用いた店舗（以下「無店舗取次店」という。）においては、苦情の申出先となるクリーニング所又は無店舗取次店の名称、クリーニング所の所在地又は車両の保管場所並びに電話番号を記載した書面を配布する。
〔改正〕
　　追加（第19次改正）

（営業者の届出）

第1条の3　法第5条第1項の規定による開設の届出は、次の事項を記載した届出書を開設地を管轄する都道府県知事（地域保健法（昭和22年法律第101号）第5条第1項の規定に基づく政令で定める市又は特別区にあつては市長又は区長。次項及び第2条の2から第2条の5までにおいて同じ。）に提出することによつて行うものとする。
　一　クリーニング所の名称
　二　クリーニング所の所在地
　三　クリーニング所開設の予定年月日
　四　クリーニング所の構造及び設備の概要
　五　営業者（管理人を置いたときは、その管理人を含む。）の氏名、本籍及び生年月日又は名称並びに住所
　六　従事者中にクリーニング師のある場合には、その本籍、住所、氏名及び生年月日並びに登録番号

七　従事者数
八　洗たく物の受取及び引渡しのみを行うクリーニング所にあつては、その旨
九　法第3条第3項第5号に規定する洗たく物を取り扱わないクリーニング所にあつては、その旨
2　法第5条第2項の規定による営業の届出は、次の事項を記載した届出書を営業しようとする区域ごとに当該区域を管轄する都道府県知事に提出することによつて行うものとする。
一　無店舗取次店の名称
二　業務用車両の自動車登録番号又は車両番号及び車両の保管場所
三　営業区域
四　営業開始の予定年月日
五　業務用車両の構造の概要
六　営業者の氏名、本籍、生年月日、住所及び電話番号又は名称、住所及び電話番号
七　従事者中にクリーニング師のある場合には、その本籍、住所、氏名及び生年月日並びに登録番号
八　従事者数
九　法第3条第3項第5号に規定する洗たく物を取り扱わない無店舗取次店にあつては、その旨
3　法第5条第3項の規定による変更及び廃止の届出は、その旨を前2項の規定に準じて行うものとする。

〔改正〕
　　一部改正（第2・3・11〜14・16・18・19・28・30次改正）、旧第1条を旧第1条の2に繰下（第3次改正）、本条に繰下（第19次改正）

（添付文書）
第2条　前条第1項及び第2項の届出をする営業者が他にクリーニング所を開設し、又は無店舗取次店を営んでいるときは、同条第1項及び第2項の届出に、当該クリーニング所又は無店舗取次店ごとの次に掲げる事項を記載した書類を添付するものとする。
一　クリーニング所又は無店舗取次店の名称
二　クリーニング所の所在地又は無店舗取次店の業務用車両の保管場所及び自動車登録番号若しくは車両番号
三　従事者数
四　従事者中にクリーニング師のある場合は、その氏名

〔改正〕
　　全部改正（第19次改正）、一部改正（第21次改正）

（地位の承継の届出）
第2条の2　法第5条の3第2項の規定により譲渡による営業者の地位の承継の届出をしようとする者は、次に掲げる事項を記載した届出書をクリーニング所の開設地又は無店舗取次店を営業しようとする区域を管轄する都道府県知事に提出しなければならない。

第3編　クリーニング業

　一　届出者の住所、氏名及び生年月日（法人にあつては、その名称、主たる事務所の所在地及び代表者の氏名）
　二　営業を譲渡した者の住所及び氏名（法人にあつては、その名称、主たる事務所の所在地及び代表者の氏名）
　三　譲渡の年月日
　四　クリーニング所又は無店舗取次店の名称
　五　クリーニング所の所在地又は無店舗取次店の業務用車両の保管場所及び自動車登録番号若しくは車両番号
2　前項の届出書には、営業の譲渡が行われたことを証する書類を添付しなければならない。
3　前条の規定は、第1項の規定による届出について準用する。この場合において、同条中「前条第1項及び第2項」とあるのは「次条第1項」と、「同条第1項及び第2項」とあるのは「同項」と読み替えるものとする。
　〔改正〕
　　　追加（第30次改正）
第2条の3　法第5条の3第2項の規定により相続による営業者の地位の承継の届出をしようとする者は、次に掲げる事項を記載した届出書をクリーニング所の開設地又は無店舗取次店を営業しようとする区域を管轄する都道府県知事に提出しなければならない。
　一　届出者の住所、氏名及び生年月日並びに被相続人との続柄
　二　被相続人の氏名及び住所
　三　相続開始の年月日
　四　クリーニング所又は無店舗取次店の名称
　五　クリーニング所の所在地又は無店舗取次店の業務用車両の保管場所及び自動車登録番号若しくは車両番号
2　前項の届出書には、次に掲げる書類を添付しなければならない。
　一　戸籍謄本又は不動産登記規則（平成17年法務省令第18号）第247条第5項の規定により交付を受けた同条第1項に規定する法定相続情報一覧図の写し
　二　相続人が2人以上ある場合において、その全員の同意により営業者の地位を承継すべき相続人として選定された者にあつては、その全員の同意書
3　第2条の規定は、第1項の規定による届出について準用する。この場合において、同条中「前条第1項及び第2項」とあるのは「第2条の3第1項」と、「同条第1項及び第2項」とあるのは「同項」と読み替えるものとする。
　〔改正〕
　　　旧第2条の2として追加（第13次改正）、一部改正（第16・19・28・30次改正）、本条に繰下（第30次改正）
第2条の4　法第5条の3第2項の規定により合併による営業者の地位の承継の届出をしようとする者は、次に掲げる事項を記載した届出書をクリーニング所の開設地又は無店舗取次店を営業しようとする区域を管轄する都道府県知事に提出しなければならない。
　一　届出者の名称、主たる事務所の所在地及び代表者の氏名

二　合併により消滅した法人の名称、主たる事務所の所在地及び代表者の氏名
三　合併の年月日
四　クリーニング所又は無店舗取次店の名称
五　クリーニング所の所在地又は無店舗取次店の業務用車両の保管場所及び自動車登録番号若しくは車両番号
2　前項の届出書には、合併後存続する法人又は合併により設立された法人の登記事項証明書を添付しなければならない。
3　第2条の規定は、第1項の規定による届出について準用する。この場合において、同条中「前条第1項及び第2項」とあるのは「第2条の4第1項」と、「同条第1項及び第2項」とあるのは「同項」と読み替えるものとする。
　〔改正〕
　　　　旧第2条の3として追加（第13次改正）、一部改正（第16・19・20・30次改正）、本条に繰下（第30次改正）

第2条の5　法第5条の3第2項の規定により分割による営業者の地位の承継の届出をしようとする者は、次に掲げる事項を記載した届出書をクリーニング所の開設地又は無店舗取次店を営業しようとする区域を管轄する都道府県知事に提出しなければならない。
一　届出者の名称、主たる事務所の所在地及び代表者の氏名
二　分割前の法人の名称、主たる事務所の所在地及び代表者の氏名
三　分割の年月日
四　クリーニング所又は無店舗取次店の名称
五　クリーニング所の所在地又は無店舗取次店の業務用車両の保管場所及び自動車登録番号若しくは車両番号
2　前項の届出書には、分割により営業を承継した法人の登記事項証明書を添付しなければならない。
3　第2条の規定は、第1項の規定による届出について準用する。この場合において、同条中「前条第1項及び第2項」とあるのは「第2条の5第1項」と、「同条第1項及び第2項」とあるのは「同項」と読み替えるものとする。
　〔改正〕
　　　　旧第2条の4として追加（第18次改正）、一部改正（第19・20・30次改正）、本条に繰下（第30次改正）

（試験）
第3条　クリーニング師試験を受けようとする者は、受験願書に次に掲げる書類を添え、都道府県知事（法第7条の2第1項の規定により地方厚生局長又は地方厚生支局長（以下「地方厚生局長等」という。）の指定を受けた者（以下「指定試験機関」という。）が当該クリーニング師試験に係る受験手続に関する事務を行う場合にあつては、指定試験機関）に提出しなければならない。
一　履歴書
二　写真（手札形とし、出願前6月以内に脱帽して正面から撮影した縦4.5センチメートル横3.5センチメートルのもので、その裏面には撮影年月日及び氏名を記載すること。）

〔改正〕
　　　全部改正（第2次改正）、一部改正（第9・17・21・27次改正）
（指定試験機関の指定の申請）
第3条の2　法第7条の2第2項の規定による申請は、次に掲げる事項を記載した申請書によつて行わなければならない。
　一　名称及び主たる事務所の所在地
　二　クリーニング師試験の実施に関する事務（以下「試験事務」という。）のうち、行おうとするものの範囲
　三　指定を受けようとする年月日
2　前項の申請書には、次に掲げる書類を添付しなければならない。
　一　定款及び登記事項証明書
　二　申請の日を含む事業年度の直前の事業年度における財産目録及び貸借対照表（申請の日を含む事業年度に設立された法人にあつては、その設立時における財産目録）
　三　申請の日を含む事業年度の事業計画書及び収支予算書
　四　申請に係る意思の決定を証する書類
　五　役員の氏名及び略歴を記載した書類
　六　現に行つている業務の概要を記載した書類
　七　試験事務を取り扱う事務所の名称及び所在地を記載した書類
　八　試験事務の実施に関する計画を記載した書類
　九　その他参考となる事項を記載した書類
〔改正〕
　　　追加（第9次改正）、一部改正（第20・23次改正）
（指定試験機関の名称等の変更の届出）
第3条の3　法第7条の4第2項の規定による指定試験機関の名称又は主たる事務所の所在地の変更の届出は、次に掲げる事項を記載した届書によつて行わなければならない。
　一　変更後の指定試験機関の名称又は主たる事務所の所在地
　二　変更しようとする年月日
　三　変更の理由
2　前項の規定は、法第7条の5第2項の規定による指定試験機関の名称、主たる事務所の所在地又は試験事務を取り扱う事務所の所在地の変更の届出について準用する。この場合において、前項第1号中「又は主たる事務所の所在地」とあるのは、「、主たる事務所の所在地又は試験事務を取り扱う事務所の所在地」と読み替えるものとする。
〔改正〕
　　　追加（第9次改正）
（役員の選任又は解任の認可の申請）
第3条の4　指定試験機関は、法第7条の6第1項の規定により役員の選任又は解任の認可を受けようとするときは、次に掲げる事項を記載した申請書を地方厚生局長等に提出しなければならない。

一　役員として選任しようとする者の氏名、住所及び略歴又は解任しようとする役員の氏名
二　選任し、又は解任しようとする年月日
三　選任又は解任の理由
〔改正〕
追加（第9次改正）、一部改正（第17・21次改正）

(試験委員の要件)
第3条の5　法第7条の7第2項の厚生労働省令で定める要件は、次の各号のいずれかに該当する者であることとする。
一　学校教育法（昭和22年法律第26号）に基づく大学において法学若しくは公衆衛生学に関する科目を担当する教授若しくは准教授の職にあり、又はあつた者
二　学校教育法に基づく大学において理科系統の正規の課程を修めて卒業した者で、その後10年以上国、地方公共団体、一般社団法人又は一般財団法人その他これらに準ずるものの研究機関において公衆衛生学又はクリーニング技術に関する研究の業務に従事した経験を有するもの
三　国又は地方公共団体の職員又は職員であつた者で、衛生法規、公衆衛生学又はクリーニング技術について専門的な知識を有するもの
四　クリーニング師の免許を受けた後、15年以上実務に従事した経験を有する者
〔改正〕
追加（第9次改正）、一部改正（第17・22・23次改正）

(試験委員の選任又は変更の届出)
第3条の6　法第7条の7第3項の規定による試験委員の選任又は変更の届出は、次に掲げる事項を記載した届書によつて行わなければならない。
一　選任した試験委員の氏名及び略歴又は変更した試験委員の氏名
二　選任し、又は変更した年月日
三　選任又は変更の理由
〔改正〕
追加（第9次改正）

(試験事務規程の認可の申請)
第3条の7　指定試験機関は、法第7条の9第1項前段の規定により試験事務規程の認可を受けようとするときは、その旨を記載した申請書に当該試験事務規程を添えて、これを地方厚生局長等に提出しなければならない。
2　指定試験機関は、法第7条の9第1項後段の規定により試験事務規程の変更の認可を受けようとするときは、次に掲げる事項を記載した申請書を地方厚生局長等に提出しなければならない。
一　変更の内容
二　変更しようとする年月日
三　変更の理由

四 法第7条の2第1項の規定により指定試験機関にその試験事務を行わせることとした都道府県知事（以下「委任都道府県知事」という。）の法第7条の9第2項の規定に基づく意見の概要
〔改正〕
　　　追加（第9次改正）、一部改正（第17・21次改正）
（試験事務規程の記載事項）
第3条の8　法第7条の9第3項の試験事務規程で定めるべき事項は、次のとおりとする。
一　試験事務の実施の方法に関する事項
二　受験手数料の収納の方法に関する事項
三　試験事務に関して知り得た秘密の保持に関する事項
四　試験事務に関する帳簿及び書類の保存に関する事項
五　その他試験事務の実施に関し必要な事項
〔改正〕
　　　追加（第9次改正）
（事業計画及び収支予算の認可の申請）
第3条の9　指定試験機関は、法第7条の10第1項前段の規定により事業計画及び収支予算の認可を受けようとするときは、その旨及び同条第2項の規定による委任都道府県知事の意見の概要を記載した申請書に事業計画書及び収支予算書を添えて、これを地方厚生局長等に提出しなければならない。
2　第3条の7第2項の規定は、法第7条の10第1項後段の規定による事業計画及び収支予算の変更の認可について準用する。この場合において、第3条の7第2項第4号中「第7条の9第2項」とあるのは、「第7条の10第2項」と読み替えるものとする。
〔改正〕
　　　追加（第9次改正）、一部改正（第17・21次改正）
（帳簿）
第3条の10　法第7条の11の厚生労働省令で定める事項は、次のとおりとする。
一　委任都道府県知事
二　クリーニング師試験を施行した日
三　試験地
四　受験者の受験番号、氏名、住所、生年月日及び合否の別
2　法第7条の11に規定する帳簿は、委任都道府県知事ごとに備え、試験事務を廃止するまで保存しなければならない。
〔改正〕
　　　追加（第9次改正）、一部改正（第17次改正）
（試験結果の報告）
第3条の11　指定試験機関は、クリーニング師試験を実施したときは、遅滞なく、次に掲げる事項を記載した報告書を委任都道府県知事に提出しなければならない。

一　クリーニング師試験を施行した日
二　試験地
三　受験申込者数
四　受験者数
五　合格者数
2　前項の報告書には、合格した者の受験番号、氏名、住所及び生年月日を記載した合格者一覧表を添付しなければならない。
〔改正〕
　　　追加（第9次改正）
（試験事務の休止又は廃止の許可の申請）
第3条の12　指定試験機関は、法第7条の14第1項の規定により試験事務の休止又は廃止の許可を受けようとするときは、次に掲げる事項を記載した申請書を地方厚生局長等に提出しなければならない。
一　休止し、又は廃止しようとする試験事務の範囲
二　休止しようとする年月日及びその期間又は廃止しようとする年月日
三　休止又は廃止の理由
〔改正〕
　　　追加（第9次改正）、一部改正（第17・21次改正）
（試験事務の引継ぎ等）
第3条の13　法第7条の17第1項の規定により委任都道府県知事が試験事務を行うこととなつた場合、地方厚生局長等が法第7条の14第1項の規定により試験事務の廃止を許可し、若しくは法第7条の15第1項若しくは第2項の規定により指定を取り消した場合又は委任都道府県知事が指定試験機関に試験事務を行わせないこととした場合における試験事務の引継ぎに関して必要な事項は次のとおりとする。
一　試験事務を委任都道府県知事に引き継ぐこと。
二　試験事務に関する帳簿及び書類を委任都道府県知事に引き渡すこと。
三　その他地方厚生局長又は委任都道府県知事が必要と認める事項を行うこと。
〔改正〕
　　　追加（第9次改正）、一部改正（第17・21次改正）
（免許申請手続）
第4条　法第6条に規定するクリーニング師の免許を受けようとする者は、本籍、住所、氏名及び生年月日を書いた申請書に次の書類を添えて、クリーニング師試験合格地の都道府県知事（法第7条の2第1項に規定する指定試験機関の行つたクリーニング師試験を受けた者にあつては、当該試験事務を当該指定試験機関に行わせることとした都道府県知事）に申請しなければならない。
一　戸籍謄本、戸籍抄本又は本籍の記載のある住民票の写し（クリーニング師試験の申請時から氏名又は本籍に変更があつた者については、戸籍謄本又は戸籍抄本）
二　業務を行おうとする場所を記載した書類

第3編　クリーニング業

〔改正〕
　　一部改正（第1・2・7・9・24次改正）

（免許証）
第5条　クリーニング業法施行令（昭和28年政令第233号）第1条第1項の規定によりクリーニング師に交付する免許証は、別記様式による。

〔改正〕
　　全部改正（第1次改正）、一部改正（第2・7・8・16次改正）

（免許証の再交付）
第6条　クリーニング師が免許証を破り、汚し、又は失つたときは、その旨を書き、破り、又は汚した場合においてはその免許証を添え、1月以内に免許を与えた都道府県知事に再交付の申請をしなければならない。
2　前項の規定によつて、免許証の再交付を申請した後、失つた免許証を発見したときは、5日以内に免許を与えた都道府県知事に提出しなければならない。

〔改正〕
　　一部改正（第1・2・7次改正）

（登録事項）
第7条　法第8条に規定する原簿には、次の事項を登録しなければならない。
　一　登録番号及び登録年月日
　二　本籍
　三　氏名及び生年月日
　四　登録抹消の年月日及びその事由
　五　免許証再交付の年月日及びその事由

〔改正〕
　　一部改正（第2・7・9次改正）

（免許証の訂正の申請等）
第8条　クリーニング師は、その本籍又は氏名を変更したときは、10日以内に、免許証の訂正の申請を免許を与えた都道府県知事にしなければならない。

〔改正〕
　　全部改正（第1次改正）、一部改正（第2・7次改正）

（免許取消）
第9条　法第12条の規定により免許の取消処分を受けた者は、5日以内に免許証を免許を与えた都道府県知事に返納しなければならない。

〔改正〕
　　一部改正（第7次改正）、旧第9条を削り、旧第10条を本条に繰上（第6次改正）

（登録の抹消）
第10条　クリーニング師は、免許証を免許を与えた都道府県知事に返納することによつて登録の抹消を申請することができる。
2　クリーニング師が死亡し、又は失そうの宣告を受けたときは、戸籍法（昭和22年法律

第224号）に規定する届出義務者は、1月以内に免許証を免許を与えた都道府県知事に返納しなければならない。
〔改正〕
　　　一部改正（第1・2・6・7次改正）、旧第11条を本条に繰上（第6次改正）
（クリーニング師の研修）
第10条の2　クリーニング所の業務に従事するクリーニング師は、業務に従事した後1年以内に法第8条の2の規定による研修（以下「研修」という。）を受けるものとする。
2　クリーニング所の業務に従事するクリーニング師は、前項の研修を受けた後は、3年を超えない期間ごとに研修を受けるものとする。
〔改正〕
　　　追加（第11次改正）
（業務従事者に対する講習）
第10条の3　営業者は、クリーニング所の開設の日又は無店舗取次店の営業開始の日から1年以内に、当該クリーニング所又は無店舗取次店のクリーニング業務に関する衛生管理を行う者として、その従事者の中からその従事者の数に5分の1を乗じて得た数（その数が1に満たないときは1とし、その数に1に満たない端数を生じたときは、その端数を1として計算する。）の者を選び、その者に対し法第8条の3の規定による講習（以下「講習」という。）を受けさせるものとする。
2　営業者は、前項の講習を受けさせた後は、3年を超えない期間ごとに前項と同様の方法で選んだ者に対し講習を受けさせるものとする。
3　前2項の場合において、前条の規定により研修を受けたクリーニング師は、講習を受けた者とみなす。
〔改正〕
　　　追加（第11次改正）、一部改正（第19次改正）
（環境衛生監視員）
第11条　法第10条第1項の職権を行う者を環境衛生監視員と称し、同条第2項において準用する法第7条の13第3項の規定により携帯すべき証明書は別に定める。
〔改正〕
　　　一部改正（第4・8次改正）、旧第12条を削り、旧第13条を旧第12条に繰上（第1次改正）、本条に繰上（第6次改正）
〔委任〕
　　　「別に定める」＝昭和52年1月厚令第1号「環境衛生監視員証を定める省令」
（権限の委任）
第12条　法第14条の2第1項の規定により、次に掲げる厚生労働大臣の権限は、地方厚生局長に委任する。
　一　法第7条の2第1項に規定する権限
　二　法第7条の4第2項に規定する権限
　三　法第7条の5第1項に規定する権限

第3編　クリーニング業

　　四　法第7条の6（法第7条の7第4項において準用する場合を含む。）に規定する権限
　　五　法第7条の7第3項に規定する権限
　　六　法第7条の9第1項及び第4項に規定する権限
　　七　法第7条の10第1項及び第3項に規定する権限
　　八　法第7条の12第1項に規定する権限
　　九　法第7条の13第1項に規定する権限
　　十　法第7条の14第1項及び第3項に規定する権限
　　十一　法第7条の15第1項及び第2項に規定する権限
　　十二　法第7条の16第2項に規定する権限
　　十三　法第7条の17第1項に規定する権限
　　十四　法第14条の2の2に規定する権限
　2　法第14条の2第2項の規定により、前項各号に掲げる権限は、地方厚生支局長に委任する。ただし、地方厚生局長が当該権限を自ら行うことを妨げない。
　　〔改正〕
　　　　追加（第17次改正）、一部改正（第21次改正）

（電磁的記録媒体による手続）
第13条　次の各号に掲げる書類の提出については、これらの書類に記載すべき事項を記録した電磁的記録媒体（電磁的記録（電子的方式、磁気的方式その他人の知覚によつては認識することができない方式で作られる記録であつて、電子計算機による情報処理の用に供されるものをいう。）に係る記録媒体をいう。）並びに申請者又は届出者の名称及び主たる事務所の所在地並びに申請又は届出の趣旨及びその年月日を記載した書類を提出することによつて行うことができる。
　　一　第3条の2第1項に規定する申請書
　　二　第3条の3第1項に規定する届書
　　三　第3条の4に規定する申請書
　　四　第3条の6に規定する届書
　　五　第3条の7第1項に規定する申請書
　　六　第3条の7第2項に規定する申請書
　　七　第3条の9第1項に規定する申請書
　　八　第3条の12に規定する申請書
　　〔改正〕
　　　　旧第12条として追加（第15次改正）、一部改正（第31次改正）、本条に繰下（第17次改正）

　　　　附　則
　この省令は、公布の日〔昭和25年7月1日〕から施行する。但し、第1条第1項第6号及び同条第3項の規定は、昭和27年6月30日までは適用しない。
　　　　附　則（第2次改正）
　（施行期日）

1 この省令は、公布の日〔昭和30年9月21日〕から施行する。
　（国民学校高等科を修了した者等と同等以上の学力のあると認められる者）
2 クリーニング業法の一部を改正する法律（昭和30年法律第154号）附則第5項の規定により旧国民学校令（昭和16年勅令第148号）による国民学校の高等科を修了した者又は旧中等学校令（昭和18年勅令第36号）による中等学校の2年の課程を終わつた者と同等以上の学力があると認められる者は、次の通りとする。
　一　旧師範教育令（昭和18年勅令第109号）による附属中学校及び附属高等女学校の第2学年を修了した者
　二　旧盲学校及聾唖学校令（大正12年勅令第375号）によるろうあ学校の中等部第2学年を修了した者
　三　旧高等学校令（大正7年勅令第389号）による高等学校尋常科の第2学年を修了した者
　四　旧青年学校令（昭和14年勅令第254号）による普通科の課程を修了した者
　五　内地以外ノ地域ニ於ケル学校ノ生徒、児童卒業者ノ他ノ学校へ入学及転学ニ関スル規程（昭和18年文部省令第63号）第1条から第3条まで、第5条及び第7条の規定により国民学校の高等科を卒業した者、中等学校の2年の課程を終わつた者又は第3号に掲げる者と同一の取扱を受ける者
　六　前各号に掲げる者のほか、地方厚生局長又は地方厚生支局長において国民学校の高等科を修了した者又は中等学校の2年の課程を終わつた者とおおむね同等の学力を有すると認めることができると認定した者
　〔改正〕
　　　一部改正（第17・21次改正）

第3編　クリーニング業

別記様式

```
                クリーニング師免許証

      本籍地（都道府県名）

              （氏　名）

                  年　月　日生

  昭和二十五年法律第二百七号クリーニング業法によりクリーニング師の免許を与える。
  よつてこの証を交付する。

      令和　年　月　日

              都　道　府　県　知　事　㊞

  （都道府県登録第　　号）
```

（備考）免許の申請時等に旧姓又は通称名の併記の希望があった場合には、氏名と併せて記載する。

〔改正〕
　　全部改正（第29次改正）

●クリーニング業の振興指針

〔平成31年3月7日〕
〔厚生労働省告示第59号〕

〔一部改正経過〕
　　第1次　〔令和3年3月18日厚労告第79号〕

　生活衛生関係営業の運営の適正化及び振興に関する法律（昭和32年法律第164号）第56条の2第1項の規定に基づき、クリーニング業の振興指針（平成26年厚生労働省告示第75号）の全部を次のように改正し、平成31年4月1日から適用する。
　　クリーニング業の振興指針
　クリーニング業の営業者が、クリーニング業法（昭和25年法律第207号）等の衛生規制に的確に対応しつつ、現下の諸課題にも適切に対応し、経営の安定及び改善を図ることは、国民生活の向上に資するものである。
　このため、生活衛生関係営業の運営の適正化及び振興に関する法律（昭和32年法律第164号。以下「生衛法」という。）第56条の2第1項に基づき、クリーニング業の振興指針を定めてきたところであるが、今般、営業者、生活衛生同業組合（生活衛生同業小組合を含む。以下「組合」という。）等の事業の実施状況等を踏まえ、営業者、組合等の具体的活用に資するよう、実践的かつ戦略的な指針として改正を行った。
　今後、営業者、組合等において本指針が十分に活用されることを期待するとともに、新たな衛生上の課題や経済社会情勢の変化、営業者及び消費者等のニーズを反映して、適時かつ適切に本指針を改定するものとする。
第一　クリーニング業を取り巻く状況
　一　クリーニング業の事業者の動向
　　　クリーニング業は、国民の衛生的で快適な衣料及び住環境を確保するとともに、家事労働の代替サービスを提供することにより、国民生活の向上に大いに寄与してきたところである。しかし、近年、家庭用洗濯機及び洗剤の進歩、コインランドリーの普及、形態安定素材を使用した衣料の普及、大規模企業による取次チェーン店の展開や無店舗型取次サービス、さらにはインターネット宅配型サービスといった新しい営業形態を採る企業との競争の激化など、クリーニング業を取り巻く経営環境は大きく変化している。
　　　クリーニング業の施設数は97,776施設（平成28年度末）であり、10年前と比較して45,923施設の減となっている。従業クリーニング師数は43,560人であり、10年前と比較して17,985人の減となっている（厚生労働省『衛生行政報告例』による）。従業者数5人未満の事業者が84.8％で（総務省『平成26年経済センサス基礎調査』による）、平成27年度において経営者の年齢については、60歳から69歳の者の割合が26.9％（平成22年度は38.0％）、70歳以上の者の割合が47.0％（平成22年度は35.4％）となっており、経営者の高齢化が着実に進んでいる（厚生労働省『平成27年度生活衛生

関係営業経営実態調査』による)。

経営上の課題としては(複数回答)、「客数の減少」を最も多くあげており、次に多い問題点としては、「原材料費の上昇」、「燃料費の上昇」、「水道・光熱費の上昇」等となっている(厚生労働省『平成27年度生活衛生関係営業経営実態調査』による)。

また、日本政策金融公庫(以下「日本公庫」という。)が行った『生活衛生関係営業の景気動向等調査(平成30年7〜9月期)』において、クリーニング業の経営上の問題点は、多い順に「顧客数の減少」(59.6％)、「仕入価格・人件費等の上昇を価格に転嫁困難」(38.8％)、「客単価の低下」(28.8％)となっている。

仕入価格・販売価格の動向としては、仕入価格が「上昇した」営業者が72.3％となっている一方で、仕入価格上昇分を販売価格へ「転嫁できていない」営業者が69.1％と約7割を占めている(日本公庫『生活衛生関係営業の景気動向等調査特別調査(平成30年7〜9月期)』による)。

また、令和元年12月に確認された新型コロナウイルス(COVID—19)(以下「新型コロナウイルス感染症」という。)の感染拡大は社会経済に大きな影響を与え、我が国のクリーニング業も多大な影響を受けたところである。

新型コロナウイルス感染症の感染拡大に伴う事業への影響について、クリーニング業の営業者で、売上が減少したと回答した者は90.3％で、その売上の減少幅(令和2年2〜5月の対前年比)は、「20％未満」が29.0％、「20％以上50％未満」が57.3％、「50％以上80％未満」が12.5％、「80％以上」が1.3％となっている(日本公庫『生活衛生関係営業の景気動向等調査(令和2年4〜6月期)特別調査』による)。

二 消費動向

平成28年の1世帯(2人以上の世帯)当たりの洗濯代の平均支出額は6,615円で前年比14円の増で、平成18年の支出額を100とした場合、平成28年の支出額は73.4となっている(総務省『家計調査報告』による)。

三 営業者の考える今後の経営方針

営業者の考える今後の経営方針としては(複数回答)、「廃業」30.5％、「接客サービスの充実」28.3％、「価格の見直し」21.1％、「広告・宣伝等の強化」12.5％となっており、全体の3割が廃業を見据えている(厚生労働省『平成27年度生活衛生関係営業経営実態調査』による)。

また、クリーニング業を営む者が、新型コロナウイルス感染症収束後に予定している取組としては、「広報活動の強化」が31.3％、次いで「新たな販売方法の開拓」が25.5％、「新商品、新メニューの開発」が13.1％となっている一方、「特にない」が51.7％となっている(日本公庫『生活衛生関係営業の景気動向等調査(令和2年4〜6月期)特別調査』による)。

第二 前期の振興計画の実施状況

都道府県別に設立されたクリーニング業の組合(平成30年12月末現在で47都道府県で設立)においては、前期のクリーニング業の振興指針(平成26年厚生労働省告示第75号)を踏まえ、振興計画を策定、実施しているところであるが、当該振興計画につ

いて、全5ヵ年のうち4ヵ年終了時である平成29年度末に実施した自己評価は次表のとおりである。

表　振興計画の実施状況についての各組合による自己評価

	事業名	達成	概ね達成	主な事業
1	衛生に関する知識及び意識の向上に関する事業	22%	47%	・衛生管理等に関する講習会の開催 ・衛生管理マニュアルの作成・配布 ・ドライチェッカーの普及
2	施設及び設備の改善に関する事業	4%	27%	・店舗特性を踏まえた改装や設備の導入投資
3	消費者利益の増進に関する事業	9%	68%	・講習会の開催 ・ホームページの開設 ・苦情相談窓口の開設 ・標準営業約款の登録促進 ・ギフト券の普及促進
4	経営マネジメントの合理化及び効率化に関する事業	24%	46%	・経営講習会、各種研修会の開催 ・IT機器、POSレジ導入の普及
5	営業者及び従業員の技能の向上に関する事業	34%	45%	・技術講習会の開催 ・ワイシャツ仕上げ競技大会の開催 ・洗濯絵表示改正講習会の開催
6	事業の共同化及び協業化に関する事業	33%	20%	・共同購入の実施 ・共同宣伝の実施 ・マシーンリングの検討
7	取引関係の改善に関する事業	25%	25%	・関係業界等との情報交換会の開催
8	従業員の福祉の充実に関する事業	9%	33%	・共済制度の加入促進 ・定期健康診断実施の促進 ・熱中症予防対策講習会の実施
9	事業の承継及び後継者支援に関する事業	24%	57%	・後継者育成支援のための研修会等の開催 ・青年部の育成
10	環境の保全及び省エネルギーの強化、リサイクル対策の推進に関する事業	9%	41%	・講習会の開催 ・VOC対策の実施 ・ハンガーリサイクルの推進

11	少子・高齢化社会等への対応に関する事業	15%	29%	・高齢者住宅向け訪問サービスの推進 ・店舗バリアフリー化の推進
12	地域との共生に関する事業	20%	34%	・地域イベントへの参加 ・各種ボランティア事業への協力
13	東日本大震災への対応に関する事業	12%	39%	・融資相談 ・災害時緊急連絡訓練の実施

(注)組合からの実施状況報告を基に作成。

　なお、国庫補助金としての予算措置(以下「予算措置」という。)については、平成23年度より、外部評価の導入を通じた効果測定の検証やPDCAサイクル(事業を継続的に改善するため、Plan(計画)―Do(実施)―Check(評価)―Act(改善)の段階を繰り返すことをいう。)の確立を目的として、「生活衛生関係営業の振興に関する検討会」の下に設けられた「生活衛生関係営業対策事業費補助金審査・評価会」において、補助対象となる事業の審査から評価までを一貫して行う等、必要な見直し措置を講じている。

　このため、組合及び生活衛生同業組合連合会(以下「連合会」という。)等においても、振興計画に基づき事業を実施する際は、事業目標及び成果目標を可能な限り明確化した上で、達成状況についても評価を行う必要がある。

　当該振興計画等の実施に向けて、組合、連合会等においては、本指針及び振興計画の内容について広報を行い、組合未加入の営業者への加入勧誘を図ることが期待されている。

　組合への加入、非加入は営業者の任意であるが、生衛法の趣旨、組合の活動内容等を詳しく知らない新規開設者等の営業者がいることも考えられるため、都道府県、保健所設置市又は特別区(以下「都道府県等」という。)は、営業者による営業の許可申請又は届出等の際に、営業者に対して、生衛法の趣旨並びに関係する組合の活動内容、所在地、連絡先等について情報提供を行う等の取組の実施が求められる。

第三　クリーニング業の振興の目標に関する事項
一　営業者の直面する課題と地域社会から期待される役割

　クリーニング業は、国民の衛生的で快適な衣料及び住環境を確保するとともに、家事労働の代替サービスを提供することにより、国民生活の向上に大いに寄与してきた。こうした重要な役割をクリーニング業が引き続き担い、国民生活の向上に貢献できるよう、経営環境や国民のニーズ、衛生課題に適切に対応しつつ、各々の営業者の経営戦略に基づき、その特性を活かし、事業の安定と活力ある発展を図ることが求められる。

　また、異なる素材を組み合わせる等、繊維製品の多様化により、クリーニング事故等が生じているため、事故等の防止の取組を推進し、利用者の信頼を得る営業を目指すことが必要である。

さらに、環境保全についての国民の関心は一層高くなっており、ドライクリーニング溶剤等の化学物質を使用する機会が多いクリーニング業にとっては、ドライクリーニング溶剤等の化学物質に対する環境規制の強化も踏まえ、臭気、騒音等のクリーニング所の環境面での配慮、環境保全対策に積極的に取り組んでいくことが重要である。また、住居地域等において引火性溶剤を用いるクリーニング所については建築基準法（昭和25年法律第201号）への対応が求められている。

また、高齢者や障害者等のニーズに的確に即応することで、クリーニング業の営業者の地域住民が日常生活を送るために必要なセーフティーネットとしての役割や地域における重要な構成員としての位置づけが強化され、生活者の安心を支える役割を担うことが期待される。社会全体の少子高齢化の中で、営業者自身の高齢化による後継者問題に加え、深刻な労働力不足、従業員等への育児支援等も課題となっている。併せて、障害を理由とする差別の解消の推進に関する法律（平成25年法律第65号。以下「障害者差別解消法」という。）の施行を踏まえ、全ての消費者が店舗を円滑に利用できるよう、ソフト、ハード両面におけるバリアフリー化及びユニバーサルデザイン化の取組が求められる。

ＩＳＯへの整合化を図るための繊維製品の取扱いに関するＪＩＳ表示の切替が行われたことから、新旧の表示記号に適切に対応していく必要がある。

各営業者は、これらを十分に認識し、衛生水準の向上、技術及びサービスの向上、クリーニング事故の防止及び利用者への情報提供、環境保全の推進等、各般の安全安心対策に積極的に取り組むことにより、クリーニング業に対する消費者の理解と信頼の向上を図ることを目標とすべきである。

また、新型コロナウイルス感染症の感染拡大に伴う売上減や経営維持、雇用確保等に対応するため、日本公庫の融資や国・自治体の補助金・助成制度を積極的に活用して早期に業績回復を図る必要がある。

二　今後５年間における営業の振興の目標

１　衛生問題への対応

クリーニング業は、人体の分泌物、ほこり、微生物等により汚染された衣料等を処理する営業であり、病原微生物に汚染されたおそれのある衣料等を洗濯することによる公衆衛生上の危害の発生を防止するため、その取扱い及び処理を衛生的かつ適正に行うことは、営業者の責務である。

また、新型コロナウイルス感染症の感染拡大に伴い、我が国でも３つの「密」（密閉・密集・密接）の回避、人と人との距離を空ける、消毒や換気の徹底、業種別の感染拡大予防ガイドラインの遵守・徹底など、感染症対策に関する「新しい生活様式」に向けて徹底した衛生対策が求められている。

また、石油系溶剤等の残留による健康被害が生じないように留意することが必要である。衛生課題は、営業者の地道な取組が中心となる課題と、新型インフルエンザへの対応のように、営業者にとどまらず、保健所等衛生関係機関や都道府県生活衛生営業指導センター（以下「都道府県指導センター」という。）等との連携を密

にして対応すべき課題とに大別される。衛生問題は、営業者が一定水準の衛生管理を行っている場合、通常、発生するものではないため、発生防止に必要な費用及び手間について判断しにくい特質がある。しかし、一旦、衛生上の問題が発生した場合には、多くの消費者に被害が及ぶことはもとより、営業自体の存続が困難になる可能性があることから、日頃からの地道な衛生管理の取組が重要である。また、こうした衛生問題は、個々の営業者の問題にとどまらず、業界全体に対する信頼を損ねることにもつながることから、組合及び連合会には、組合員、非組合員双方の営業者が自覚と責任感を持ち、衛生水準の向上が図られるよう、継続的に知識及び意識向上に資する普及啓発や適切な指導及び支援に努めることが求められる。

とりわけ、零細な営業者は重要な公衆衛生情報の把握が困難となる場合が考えられるため、これら営業者に対する組合加入の促進や公衆衛生情報の提供が円滑に行われることが期待される。

さらに、クリーニング師研修については、営業者のニーズを踏まえ、研修内容の充実や受講しやすい環境の整備を図りながら、受講率の向上に向けた取組をさらに進めていく必要がある。

2 経営方針の決定と消費者及び地域社会への貢献

家庭用洗濯機及び洗剤の進歩、コインランドリーの普及、形態安定素材を使用した衣料の普及等により消費者の家計支出に占めるクリーニングに関する支出も減少している。また、大規模企業による取次チェーン店の展開や無店舗型取次サービス、さらにはインターネット宅配型サービスといった新しい営業形態を採る企業の参入等による過当競争の激化が見られるとともに、原材料価格が高騰するなど、営業者を取り巻く経営環境は厳しいものとなっている。

こうした中で、営業者は、消費者のニーズや世帯動向等を的確に把握し、専門性や地域密着、対面販売等の特性を活かし、競争軸となる強みを見出し、独自性を十分に発揮し、経営展開を行っていくことが求められる。

(1) 消費者ニーズの把握と創意工夫による経営展開

消費者のニーズも高度化する中で、専門性や技術力を活かして、消費者の立場に立って付加価値を高めるとともに、仕上げ等のサービスの質やこれに対応した価格に関する認知度を高め、サービスの違いを明確に打ち出すことによって、差別化を図り、顧客を増やしていくことが重要である。

また、衣類の素材が多様化する中で、衣類等の保全に係る総合的なサービス業として、地域の衣類に関する情報ステーションとしての役割を担い、衣類以外の洗濯物の取扱いや保管サービスなどサービスの多様化を図ることも重要である。

安定した経営のためには、組合等が推進する共同事業やマシーンリング方式の活用による経営の効率化に努めることも重要である。

さらに、利用者の苦情や事故を防ぐために、受付を行う従業員の知識や説明の水準の向上、事故が生じた後の苦情処理の適正化、責任賠償保険への加入促進に業界をあげて取り組んでいくことが期待される。

(2) 高齢者、障害者及び子育て世帯等への配慮

　人口減少、少子高齢化及び過疎化の進展は、営業者の経営環境を厳しくする一方、買い物の場所や移動手段など日常生活に不可欠な生活インフラそのものを弱体化させる側面があることから、高齢者や障害者、子育て・共働き世帯等が身近な買い物に不便・不安を感じる、いわゆる「買い物弱者」の問題を顕在化させる。地域に身近な営業者の存在は、買い物弱者になりがちな高齢者等から頼られる位置づけを確立し、中長期的な経営基盤の強化につながることが期待される。

　特に、高齢化が進展する中で、来店することが困難な高齢者が増加していくことが予想されることから、これらの者に対する集配サービスを推進していくことが期待される。こうしたシニア層向けのサービスの提供は、単に売上げを伸ばすだけでなく、地域社会が抱える問題の課題解決や地域経済の活性化にも貢献するものであり、これら取組を通じた経営基盤の強化により、大手資本によるチェーン店との差別化にもつながるものと期待できる。

　また、障害者差別解消法において、民間事業者は、障害者に対し合理的な配慮を行うよう努めなければならないとされていることから、ソフト、ハード両面におけるバリアフリー化及びユニバーサルデザイン化の取組を進める必要がある。

(3) 省エネルギーへの対応

　節電などの省エネルギーによる経営の合理化、コスト削減、環境保全に資するため、不要時の消灯や照明ランプの間引き、ＬＥＤ照明装置やエネルギー効率の高い空調設備等の導入等を推進することが期待される。

(4) 訪日・在留外国人への配慮

　政府においては、東京オリンピック・パラリンピックが開催される2020年度までに訪日外国人旅行者4,000万人、2030年度までに6,000万人を目標に掲げ、「観光先進国」への新たな国づくりに向けて取組を進めている。また、訪日外国人旅行者の急増に加え、外国人労働者や在留外国人も増加していることから、営業者においても、外国語表記の充実や外国人とのコミュニケーション能力の向上、キャッシュレス決済等の導入を図るなど、外国人が入りやすい店づくりが求められる。

(5) 受動喫煙防止対策への対応

　受動喫煙（他人のたばこの煙にさらされること）については、健康に悪影響を与えることが科学的に明らかにされており、受動喫煙による健康への悪影響をなくし、国民・労働者の健康の増進を図る観点から、健康増進法（平成14年法律第103号）及び労働安全衛生法（昭和47年法律第57号）により、多数の者が利用する施設の管理者や事業者は受動喫煙を防止するための措置を講ずることとされている。国際的に見ても、「たばこの規制に関する世界保健機関枠組条約」の締結国として、国民の健康を保護するために受動喫煙防止対策を推進することが求められている。これらのことから、クリーニング業においても、受動喫煙防止対策の強化を図り、その実効性を高めることが求められる。

第3編　クリーニング業

　　3　税制及び融資の支援措置

　　　クリーニング業の組合又は組合員には、生活衛生関係営業の一つとして、税制優遇措置及び日本公庫を通した低利融資を受ける仕組みがある。

　　　税制優遇措置については、組合が共同利用施設を取得した場合の特別償却制度が設けられており、組合において各種クリーニング機器の購入時や共同工場の建設、組合の会館を建て替える際などに活用することができる。

　　　融資については、対象設備及び運転資金について、振興計画を策定している組合の組合員である営業者が借りた場合は、組合員でない営業者が借りる場合よりも低利の融資を受けることができる。また、各都道府県の組合が作成した振興計画に基づき、一定の会計書類を備えている営業者が所定の事業計画を作成して設備資金及び運転資金を借りた場合には、さらに低利の融資を受けることができる振興事業促進支援融資制度が設けられており、特に設備投資を検討する営業者には、積極的な活用が期待される。

　　　加えて、組合の経営指導を受けている小規模事業者においては、低利かつ無担保・無保証で融資を受けることができる生活衛生関係営業経営改善資金特別貸付が設けられており、積極的な活用が期待される。

　三　関係機関に期待される役割

　　1　組合及び連合会に期待される役割

　　　組合は、公衆衛生の向上及び消費者の利益の増進に資する目的で、組合員たる営業者の営業の振興を図るための振興計画を策定することができる。組合には、地域の実情に応じ、適切な振興計画を策定することが求められる。

　　　組合及び連合会には、予算措置や独自の財源を活用して、営業者の直面する衛生問題及び経営課題に対する適切な支援事業を実施することが期待される。

　　　事業の実施に際しては、有効性及び効率性（費用対効果）の観点から、計画期間に得られる成果目標を明確にしながら事業の企画立案及び実施を行い、得られた成果については適切に効果測定する等、事業の適切かつ効果的な実施に努めることが求められる。

　　　また、事業効果を最大限発揮し事業成果を広く国民や社会に還元できるよう、都道府県指導センター、保健所等衛生関係行政機関、日本公庫支店等との連携及び調整を行うことが期待される。

　　2　都道府県等、都道府県指導センター及び日本公庫に期待される役割

　　　営業許可申請等各種申請や届出、研修会、融資相談などの様々な機会を捉え、新規営業者をはじめとする組合未加入の事業者に対し、組合に関する情報提供や組合活動の活性化のための取組等を積極的に行うことが期待される。

　　　また、多くの営業者が経営基盤が脆弱な中小零細事業者であることに鑑み、都道府県指導センター及び日本公庫において、組合と連携しつつ、営業者へのきめ細かな相談、指導その他必要な支援等を行い、予算措置、融資による金融措置（以下「金融措置」という。）、税制優遇措置等の有効的な活用を図ることが期待される。

とりわけ、金融措置については、審査及び決定を行う日本公庫において営業者が利用しやすい融資の実施、生活衛生関係営業に係る経済金融事情等の把握及び分析に努め、関係団体に情報提供するとともに、日本公庫と都道府県指導センターが協力して、融資手続や事業計画の作成に不慣れな営業者への支援の観点から、融資に係るきめ細かな相談及び融資手続の簡素化を行うことが期待される。低利融資制度については、各々の営業者の事業計画作成が前提とされることから、本指針の内容を踏まえ、営業者の戦略性を引き出す形での指導を行うことが求められる。

加えて、都道府県指導センターにおいて、組合が行う生活衛生関係営業経営改善資金特別貸付に係る審査を代行するなど、金融措置の利用の促進を図ることが期待される。

3 国及び公益財団法人全国生活衛生営業指導センターに期待される役割

国及び公益財団法人全国生活衛生営業指導センター（以下「全国指導センター」という。）は、公衆衛生の向上及び営業の健全な振興を図る観点から、都道府県等及び連合会と適切に連携を図り、信頼性の高い情報の発信、的確な政策ニーズの把握等を行う必要がある。また、予算措置、金融措置、税制優遇措置を中心とする政策支援措置については、営業者の衛生水準の確保及び経営の安定に最大限の効果が発揮できるよう、安定的に所要の措置を講ずるとともに、制度の活性化に向けた不断の改革の取組が必要である。

国は都道府県等に対し、営業許可申請等各種申請や届出等の機会に組合未加入の営業者への組合に関する情報提供や組合活動の活性化のための取組等を求めるものとする。また、全国指導センターにおいては、地域で孤立する中小規模の営業者のほか、大規模チェーン店に対しても、組合加入の働きかけや公衆衛生情報の提供機能の強化を行うため、関係の組合及び連合会との連携を促すための取組が求められる。

第四 クリーニング業の振興の目標を達成するために必要な事項

クリーニング業の目標を達成するために必要な事項としては、次に掲げるように多岐にわたるが、営業者においては、衛生水準の向上等のために必須で取り組むべき事項と、戦略的経営を推進するために選択的に取り組むべき事項の区別を行うことで、課題解決と継続的な成長を可能にし、国民生活の向上に貢献することが期待される。

また、組合及び連合会においては、組合員である営業者等に対する指導及び支援並びに消費者のクリーニング業への信頼向上に資する事業の計画的な推進が求められる。

このために必要となる具体的取組としては、次に掲げるとおりである。

一 営業者の取組
 1 衛生水準の向上に関する事項
  (1) 日常の衛生管理に関する事項
   近年のセレウス菌、ノロウィルス等の感染症の発生状況を踏まえ、クリーニング業においても、公衆衛生の見地から感染症対策の充実を図ることが要請されて

いる。このため、クリーニング所における衛生管理要領を遵守し、洗濯前の衣料と洗濯後の衣料の適切な区分け、消毒等の処理、施設及び設備の清潔保持、引火性溶剤の適切な取扱い及び従業員への衛生教育の徹底や健康管理を行うべきである。また、石油系溶剤の残留による化学やけどの防止のため、ドライチェッカー(石油系溶剤残留測定機)による溶剤の乾燥状態の確認の励行にも取り組むべきである。

また、新型コロナウイルス感染症の感染拡大に伴い、我が国でも3つの「密」(密閉・密集・密接)の回避、人と人との距離を空ける、消毒や換気の徹底、業種別の感染拡大予防ガイドラインの遵守・徹底など、感染症対策に関する「新しい生活様式」に向けて徹底した衛生対策を行う必要がある。

(2) 衛生面における施設及び設備の改善に関する事項

営業者は、店舗の内外装を美しく、かつ、衛生的にすることが基本であり、取次所や洗濯物の集配車を含めて、洗濯前の衣料と洗濯後の衣料を区分するなど、一定の衛生水準を保つ構造設備にするよう留意するとともに、石油系溶剤の残留による健康被害が生じないような設備の点検及び整備に努めるものとする。

2 経営課題への対処に関する事項

個別の経営課題への対処については、営業者の自立的な取組が前提であるが、多様な消費者の要望に対応する良質なサービスを提供し、国民生活の向上に貢献する観点から、営業者においては、次に掲げる事項を念頭に置き、経営改革に積極的に取り組むことが期待される。特に、家族経営等の小規模店は、営業者や従業員が変わることはほとんどないため、経営手法が固定的になりやすい面があるが、経営意識の改革を図り、以下の事項に選択的に取り組んでいくことが期待される。

(1) 経営方針の明確化及び独自性の発揮に関する事項

現在置かれている経営環境や市場を十分に把握、分析し、専門性や技術力、立地条件等の特性を踏まえ、強みを見出し、経営方針を明確化し、自店の付加価値や独自性を高めていくとともに、経営管理の合理化及び効率化を図ることが必要である。

ア 自店の立地条件、顧客層、資本力、経営能力、技術力等の経営上の特質の把握
イ 周辺競合店に関する情報収集と比較
ウ ターゲットとする顧客層の特定
エ 重点サービスの明確化
オ 店舗のコンセプト及び経営戦略の明確化
カ 経営手法、熟練技能、専門的知識の習得・伝承や後継者の育成
キ 若手人材の活用による経営手法の開拓
ク 共同仕入れ等の共同事業の推進
ケ 都道府県指導センター等の経営指導機関による経営診断の積極的活用

(2) サービスの見直し及び向上に関する事項

多様化する消費者のニーズやライフスタイル、世帯構造の変化等に適確に対応し、消費者が安心して利用できるよう、サービス及び店づくりの充実や情報提供の推進に努め、利用者の満足度を向上させることが重要であることから、以下の事項に選択的に取り組むことが期待される。
　ア　「技術」と「こだわり」による独自サービスの提供
　イ　仕上がりの違いの体験のためのお試しサービス
　ウ　特殊なシミ抜き、丁寧な仕上げ等のサービスの見直し
　エ　抗菌・UV加工等付加価値加工
　オ　和服のクリーニング
　カ　布団、靴、鞄等衣類以外のクリーニングサービスの提供
　キ　季節外衣料の有料保管の実施
　ク　リフォーム
　ケ　集配サービス
　コ　衣料の特徴に合った洗濯・保管に関する知識の消費者への情報提供
　サ　マニュアルを超えた「おもてなしの心（気配り・目配り・心配り）」による温もりのあるサービスの提供
　シ　顧客との信頼関係の構築
　ス　立地条件及び経営方針に照らした営業日及び営業時間の見直し
(3)　店舗及び設備の改善並びに業務改善等に関する事項
　　営業者は、店舗及び設備の改善並びに業務の効率化等のため、以下の事項に取り組むことが期待される。
　ア　安全で衛生的な店舗とするための定期的な内外装の改装
　イ　各店舗の特性を踏まえた清潔な雰囲気の醸成
　ウ　高齢者、障害者等に配慮したバリアフリー対策の実施
　エ　サービスの高付加価値化、生産性の向上
　オ　従業員の安全衛生の確保、労働条件の改善
　カ　環境保全の推進
　キ　節電・省エネルギーの推進
　ク　建築基準法への対応
　ケ　作業手順の標準化・見える化やコンピュータ・情報システムの導入等による業務の合理化及び効率化
　コ　都道府県指導センターなどが開催する生産性向上等を図るためのセミナー等への参加及び業務改善助成金等各種制度の活用
　サ　賠償責任保険への加入
(4)　情報通信技術を利用した新規顧客の獲得及び顧客の確保に関する事項
　　営業者は、情報セキュリティの管理に留意しつつ、インターネット等の情報通信技術を効果的に活用する等、以下の事項に選択的に取り組むことが期待される。

　　　　ア　インターネット等の活用によるサービスの提供、異業種との提携
　　　　イ　ホームページの開設等、積極的な情報発信によるプロモーションの促進
　　　　ウ　ＰＯＳレジの導入やデータベース化等による顧客情報の適正管理及び預かり品管理
　　　　エ　ダイレクトメールの郵送や広報チラシの配布
　　　　オ　クレジットカード決済、電子決済、クリーニングギフト券の導入・普及
　　　　カ　スマートフォンアプリ等を介したサービスの提供
　(5)　表示の適正化と苦情の適切な処理に関する事項
　　　営業者は、店外を始めとして、消費者の見やすい場所にサービスの項目及び料金並びに苦情の申出先を明示するものとする。
　　　また、営業者は、全国指導センターが定めるサービスの内容並びに施設及び設備の表示の適正化に関する事項等を内容とするクリーニング業の標準営業約款に従って営業を行う旨の登録をし、標識及び当該登録に係る約款の要旨を掲示するよう努めるものとする。
　　　さらに、クリーニング師研修及び業務従事者講習の修了の店頭表示に努めるものとする。
　　　クリーニング業は、受託した衣料の破損、仕上がりへの不満等事故や苦情が生じやすい業態である。このため、洗濯物の受取及び引渡しの際に衣料の破損等の相互確認を徹底するとともに、処理方法等について利用者に対する十分な説明に努めなければならない。そのため、新たな衣料に関する知識の取得等により、事故の未然防止に努めるとともに、事故が生じた場合には、適切かつ誠実な苦情処理と賠償責任保険等を活用した損害の補填により、利用者との信頼関係の維持向上に努めるものとする。
　　　加えて、利用者が長期にわたり洗濯物を引き取りに来ないことを防ぐため、各営業者が仕上がり予定日から処分までの日数を定め、洗濯物の受取時に契約内容を説明し、期間経過後は洗濯物を処分する可能性のあることを利用者に提示するよう努めるものとする。
　(6)　人材育成及び自己啓発の推進に関する事項
　　　クリーニング業の新たな発展を期するためには、技術力、情報収集力、人的能力等の質的な経営資源を充実し、経営力の強化を図る必要があるが、特に人材の育成は、経営上の重要な点である。
　　　したがって、営業者は、従業員の資質の向上に関する情報を収集し、繊維製品に関する知識を習得するなど、進んで自己研さんに努め、従業員が衣料の受取時に利用者に対して行う素材、色、デザイン、仕上がりに関する事前説明を徹底するなど、職場内指導を充実するとともに、自治体、都道府県指導センター、組合等の実施するクリーニング師研修会への積極的参加や講習会等あらゆる機会を活用して従業員の資質の向上を図り、その能力を効果的に発揮できるよう努めるとともに、安全衛生履行の観点も含め、従業員に対する適正な労働条件の確保に努

めるものとする。
二　営業者に対する支援に関する事項
　1　組合及び連合会による営業者の支援
　　　組合及び連合会においては、営業者の自立的な経営改革を支援する都道府県指導センター等の関係機関との連携を密にし、次に掲げる事項を中心に積極的な支援に努めることが期待される。また、支援に当たっては、関係機関等が作成する、営業者の経営改善に役立つ手引や好事例集等を効果的に活用すること、及び関係機関が開催する生産性向上等を推進するためのセミナー等に関して組合員に対する参加の促進等必要な協力を行うことが期待される。
　　(1)　衛生に関する知識及び意識の向上に関する事項
　　　　営業者に対して衛生管理を徹底するための研修会及び講習会の開催、営業者及びクリーニング師の衛生管理の手引の作成等による普及啓発、基礎的技術の改善、感染症、化学やけど等の新たな健康被害に関する研究の推進及び新技術の研究開発並びに衛生管理体制の整備充実に努めることが期待される。
　　(2)　サービス、店舗及び設備の改善並びに業務の効率化に関する事項
　　　　衛生水準の向上、経営マネジメントの合理化及び効率化、消費者の利益の増進、建築基準法への対応等のため、サービス、店舗及び設備の改善並びに業務の効率化に関する指導、助言、情報提供、ＩＣＴの活用に係るサポート等、必要な支援に努めることが期待される。
　　(3)　消費者利益の増進に関する事項
　　　　サービスの適正表示や苦情処理の対応に関するマニュアルの作成による普及啓発、クリーニング物の誤配防止のための取組の推進に努めることが期待される。
　　　　また、時代の変化を踏まえた「クリーニング事故賠償基準」の見直しを適宜行うとともに、クリーニング製品の安全・安心に係る危機管理マニュアルの作成、賠償責任保険への加入促進、利用者の意見等に関する情報の収集及び提供並びに消費者教育支援センター等との連携による利用者のクリーニング業に対する正しい知識の啓発普及に努めることが期待される。
　　(4)　経営マネジメントの合理化及び効率化に関する事項
　　　　先駆的な経営事例等経営管理の合理化及び効率化に必要な情報、立地条件等経営環境に関する情報並びにクリーニング業界の将来の展望に関する情報の収集及び整理並びに営業者に対するこれらの情報提供に努めるものとする。さらに、関係機関との連携の下での、創業や事業承継における助言・相談の取組の推進が期待される。
　　(5)　経営課題に即した相談支援に関する事項
　　　　営業者が直面する様々な経営課題に対して、経営特別相談員による経営指導事業の周知に努めるとともに、これを金融面から補完する生活衛生関係営業経営改善資金特別貸付制度の趣旨や活用方法の周知が期待される。
　　(6)　営業者及び従業員の技能の向上に関する事項

クリーニング師等の資質の改善向上を図るための研修会、講習会及び技能コンテストの開催等教育研修制度の充実強化に努めるものとする。また、自治体が主催するクリーニング師研修会の受講の支援及び受講促進に努めることが期待される。
(7) 事業の共同化及び協業化に関する事項
事業の共同化及び協業化の企画立案並びに実施に係る指導に努めることが期待される。特に、経営環境の悪化や住宅密集地域におけるクリーニング所の立地の困難化及び営業者の高齢化が進む中で、組合や経営方針を同じくする営業者間でクリーニング工場の共同化、自店では特定の分野の商品の処理に特化し、それ以外の商品は各々の分野に特化した他の営業者へ依頼を行う方式(マシーンリング方式)についての指導に努めることが期待される。また、公害防止用設備及び付帯設備の導入においても、営業者間での協業化の推進及び指導に努めることが期待される。
(8) 取引関係の改善に関する事項
共同購入等取引面の共同化の推進、クリーニング機械業界、資材業界等の関連業界の協力を得ながらの取引条件の合理的改善及び組合員等の経済的地位の向上に努めることが期待される。
また、関連業界と連携を深め、情報の収集及び交換の機会の確保に努めることが期待される。
(9) 従業員の福利の充実に関する事項
従業員の労働条件整備及び労働関係法令の遵守に関する助言、作業環境の改善及び健康管理充実(定期健康診断の実施等を含む。)のための支援、医療保険、年金保険及び労働保険の加入等に係る啓発、組合員等の大多数の利用に資する福利厚生の充実並びに共済等制度(退職金、生命保険等をいう。)の整備及び強化に努めるものとする。
また、男女共同参画社会の推進及び少子高齢化社会の進展を踏まえ、従業員の福利の充実に努めることが期待される。
(10) 事業の承継及び後継者育成支援に関する事項
営業者の高齢化が急激に進んでいることから、事業の円滑な承継に関するケーススタディ及び成功事例等の経営知識や各地域にある事業承継に関する相談機関及び最新の関連税制についての情報提供並びに後継者育成支援の促進を図るために必要な支援体制の整備に努めることが期待される。
2 行政施策及び政策金融による営業者の支援及び消費者の信頼の向上
(1) 都道府県指導センター
組合との連携を密にして、以下に掲げる事項を中心に積極的な取組に努めることが期待される。
ア 関係機関等が作成する手引や好事例集等を効果的に活用した、営業者に対する経営改善の具体的指導、助言等の支援

　　　　イ　消費者からの苦情及び要望の営業者への伝達
　　　　ウ　消費者の信頼の向上に向けた積極的な取組
　　　　エ　都道府県等（保健所）と連携した組合加入促進に向けた取組
　　　　オ　生産性向上や業務改善を推進するためのセミナー等の開催
　　(2)　全国指導センター
　　　　都道府県指導センターの取組を推進するため、以下に掲げる事項を中心に積極的な取組に努めることが期待される。
　　　　ア　関係機関等が作成する手引や好事例集等、営業者の経営改革の取組に役立つ情報の収集、整理及び情報提供
　　　　イ　危機管理マニュアルの作成
　　　　ウ　苦情処理マニュアルの作成
　　　　エ　標準営業約款の登録の促進
　　　　オ　クリーニング師研修及び従事者講習の充実、受講しやすい環境の整備
　　　　カ　効果測定の支援及び政策提言機能の強化
　　　　キ　公衆衛生情報の提供機能の強化
　　(3)　国及び都道府県等
　　　　クリーニング業に対する消費者の信頼の向上及び営業の健全な振興を図る観点から、以下に掲げる事項を中心に積極的な取組に努める。
　　　　ア　クリーニング業法等関係法令の施行業務等を通じたクリーニング師研修及び従事者講習の実施、研修内容の充実、受講しやすい環境の整備、指導監督
　　　　イ　安全衛生に関する情報提供その他必要な支援
　　　　ウ　災害又は事故等における適時、適切な風評被害防止策の実施
　　　　エ　営業者の経営改善に役立つ手引や好事例集等の作成・更新及び周知
　　(4)　日本公庫
　　　　営業者の円滑な事業実施に資するため、以下に掲げる事項を中心に積極的な取組に努めることが期待される。
　　　　ア　営業者が利用しやすい融資の実施
　　　　イ　生活衛生関係営業に係る経済金融事情等の把握、分析及び情報提供
　　　　ウ　組合等と連携した経営課題の解決に資するセミナーの開催及び各種印刷物の発行による情報提供
　　　　エ　災害時等における速やかな相談窓口の設置
　　　　オ　事業承継の相談窓口に関する情報提供
第五　営業の振興に際し配慮すべき事項
　　クリーニング業においては、他の生活衛生関係営業と同様に、衛生水準の確保と経営の安定のみならず、営業者の社会的責任として環境の保全や省エネルギーの強化、リサイクル対策の推進に努めるとともに、時代の要請である少子高齢化社会等への対応、地域との共生、禁煙等に関する対策、災害への対応及び従業員の賃金引上げに向けた対応、働き方・休み方改革への対応といった課題に応えていくことが要請され

る。こうした課題への対応は、個々の営業者が中心となって関係者の支援の下で行われることが必要である。こうした課題に適切に対応することを通じて、地域社会に確固たる位置づけを確保することが期待される。
一　環境の保全及び省エネルギーの強化、リサイクル対策の推進
　1　営業者に期待される役割
　　(1)　公害防止用設備の導入、産業廃棄物の適正処理
　　(2)　省エネルギー対応のボイラー機器、空調設備、太陽光発電設備、低公害（ハイブリッド）車、電気自動車等の導入
　　(3)　節電に資する人感センサー、ＬＥＤ照明、蓄電設備等の導入
　　(4)　温室効果ガス排出の抑制
　　(5)　エコバッグ利用の推奨
　　(6)　ハンガー、ポリ包装資材等の3R（廃棄物の発生抑制、再使用及び再資源化）の推進
　2　組合及び連合会に期待される役割
　　(1)　公害防止、省エネルギー、リサイクルの各取組方法の構築・普及啓発
　　(2)　エコバッグ利用の推奨
　　(3)　業種を超えた組合間の相互協力
　3　日本公庫に期待される役割
　　省エネルギー設備導入時に、振興事業貸付等が積極的に活用されるよう、引き続き制度の周知を図る。
二　少子高齢化社会等への対応
　1　営業者に期待される役割
　　営業者は、高齢者、障害者及び一人暮らしの者並びに子育て世帯、共働き世帯等が住み慣れた地域社会で安心かつ充実した日常生活を営むことができるよう、以下に掲げる事項を中心に積極的な取組に努めることが期待される。
　　(1)　高齢者、障害者、妊産婦及び子ども連れの顧客等に配慮した店舗のバリアフリー対策
　　(2)　集荷・配達サービスの実施
　　(3)　障害者差別解消法の規定に基づく障害者への合理的配慮
　　(4)　従業員に対する教育及び研修の充実・強化
　　(5)　子育て世帯、共働き世帯等が働きやすい職場環境の整備
　　(6)　地域社会とのつながりを強化する観点も含めた地域の高齢者、障害者等の積極的雇用の推進
　2　組合及び連合会に期待される役割
　　高齢者、障害者、妊産婦及び子ども連れの顧客等の利便性を考慮した店舗設計やサービス提供に係る研究を実施する。
　3　日本公庫に期待される役割
　　高齢者、障害者、妊産婦及び子ども連れの顧客等の利用の円滑化を図るために必

要な設備(バリアフリー化等)導入時に、振興事業貸付等が積極的に活用されるよう、引き続き制度の周知等を図る。
三 地域との共生(地域コミュニティの再生及び強化(商店街の活性化))
　1　営業者に期待される役割
　　営業者は、地域住民に対してクリーニング業の存在、提供する商品及びサービスの内容並びに営業の社会的役割及び意義をアピールするとともに、地域で増加する「買い物弱者」の新たなニーズに対応し、地域のセーフティーネットとしての役割や地域コミュニティの基盤である商店街における重要な構成員としての位置付けが強化されるよう、以下に掲げる事項を中心に積極的に取り組むことで、地域コミュニティの再生及び強化や商店街の活性化につなげることが期待される。
　　(1)　地域の街づくりへの積極的な参加
　　　ア　祭りや商店街による手作りイベント等共同事業の立案及び参加
　　　イ　商店街の活性化を通じた地域生活者の「ふれあい」、「憩い」、「賑わい」の創出
　　(2)　「賑わい」や「つながり」を通じた豊かな人間関係(ソーシャル・キャピタル)の形成
　　(3)　商店街の空き店舗の有効的活用(子育て支援施設、高齢者交流サロン、地域ブランド品販売等へ利用)
　　(4)　共同ポイントサービス事業及びスタンプ事業の実施
　　(5)　地域の防犯、消防、防災、交通安全及び環境保護活動の推進に対する協力
　　(6)　暴力団排除等への対応
　2　組合及び連合会に期待される役割
　　(1)　地域の自治体等と連携し、社会活動の企画、指導及び援助ができる指導者を育成
　　(2)　業種を超えた相互協力の推進
　　(3)　地域における特色ある取組の支援
　　(4)　自治会、町内会、地区協議会、NPO、大学等との連携活動の推進
　　(5)　商店街役員へのクリーニング業の若手経営者の登用
　　(6)　地域における事業承継の推進(承継マッチング支援)
　　(7)　地域、商店街活性化に資する組合活動事例の周知
　3　日本公庫に期待される役割
　　きめ細かな相談、指導、融資の実施等により営業者及び新規開業希望者を支援する。
四　禁煙等に関する対策
　1　営業者に求められる役割
　　店舗や工場内の禁煙の徹底及び喫煙専用室等の設置により受動喫煙を防止する。
　2　組合及び連合会に期待される役割
　　効果的な受動喫煙防止対策に関する情報提供を行い、併せて制度周知を図る。

3 国及び都道府県等の役割

受動喫煙防止に関する制度周知や受動喫煙防止対策に有効な予算措置、金融措置等に関する情報提供を行う。

4 日本公庫に期待される役割

受動喫煙防止設備の導入時に、振興事業貸付等が積極的に活用されるよう、引き続き制度の周知等を図る。

五 災害への対応と節電行動の徹底

我が国は、その位置、地形、地質、気象等の自然的条件から、台風、豪雨、豪雪、洪水、土砂災害、地震、津波、火山噴火等による災害が発生しやすい国土となっており、継続的な防災対策及び災害時の地域支援を含めた対応並びに節電行動への取組が期待される。

1 営業者に期待される役割（災害時は営業者自身の安全を確保した上で対応する）
 (1) 災害発生前段階における防災対策の実施及び災害対応能力の維持向上
 (2) 地域における防災訓練への参加及び自店舗等での防災訓練の実施
 (3) 近隣住民等の安否確認や被災状況の把握及び自治体等への情報提供
 (4) 地震等の大規模災害が発生した場合における、地域住民への支援
 (5) 災害発生時における、被災営業者のみならず営業者全体による相互扶助と連携の下での役割発揮
 (6) 災害発生時における、被災営業者の営業再開を通じた被災者へのサービスの確保・充実や地域コミュニティの復元
 (7) 従業員及び顧客に対する節電啓発
 (8) 中長期の節電に資する省エネルギー対応の設備の導入
 (9) 節電を通じた経営の合理化
 (10) 電力制約下における新たな需要（ビジネス機会）の取り込み

2 組合及び連合会に期待される役割
 (1) 営業者及び地域並びに災害種別を想定した防災対策への支援
 (2) 同業者による支え合い（太い「絆」で再強化）
 (3) 災害発生時の被災者の避難誘導などを通じた帰宅困難者防止等への取組
 (4) 節電啓発や節電行動に対する支援
 (5) 節電に資する共同利用施設（共同蓄電設備等）の設置

3 国及び都道府県等の役割

過去の災害を教訓とした防災対策や情報収集、広報の実施等、以下に掲げる事項を中心に積極的な取組に努める。
 (1) 過去の災害を教訓とした緊急に実施する必要性が高く、即効性の高い防災、減災等の施策
 (2) 節電啓発や節電行動の取組に対する支援

4 日本公庫に期待される役割

災害発生時には、被災した営業者に対し低利融資を実施し、きめ細やかな相談及

び支援を行う。
六　最低賃金の引上げを踏まえた対応（生産性向上を除く）
　　最低賃金については、政府の目標として「年率3％程度を目途として、名目ＧＤＰ成長率にも配慮しつつ引き上げ、全国加重平均が1000円となることを目指す」ことが示されていることから、以下に掲げる事項を中心に積極的な取組に努めることが必要である。
　1　営業者に求められる役割
　　(1)　最低賃金の遵守
　　(2)　業務改善助成金及びキャリアアップ助成金等各種制度の必要に応じた活用
　　(3)　関係機関が開催する最低賃金に関するセミナー等への参加を通じた最低賃金制度の理解
　2　組合及び連合会に期待される役割
　　(1)　最低賃金の制度周知
　　(2)　助成金の利用促進
　　　　助成金等各種制度や関係機関が開催する最低賃金に関するセミナー等の周知を図る。
　3　都道府県指導センターに期待される役割
　　(1)　最低賃金の周知
　　　　従業員等の最低賃金違反に関する相談窓口（労働基準監督署等）の周知を図る。
　　(2)　助成金の利用促進に向けた体制の整備
　　　　助成金等の申請に係る支援の周知や相談体制の整備を図る。
　　(3)　関係機関との連携によるセミナー等の開催
　　　　労働局等との連携により経営相談事業等を実施するほか、関係機関との連携により最低賃金に関するセミナー等を開催する。
　4　国及び都道府県等の役割
　　(1)　営業許可等を行っている自治体における事業者向け講習会等の機会を利用した周知
　　(2)　営業許可等の際における窓口での個別周知
　　(3)　研修会等を通じた助成金制度の周知
　5　日本公庫に期待される役割
　　　従業員の賃金引上げや人材確保に必要な融資に、振興事業貸付等が積極的に活用されるよう、引き続き制度の周知等を図る。
七　働き方・休み方改革に向けた対応
　　従業員がそれぞれの事情に応じた多様な働き方を選択できる職場環境をつくることで人材の確保に繋がり、ひいては生産性の向上が図られるよう、営業者には長時間労働の是正や、公正な待遇の確保等のための措置が求められる。
　1　営業者に求められる役割

(1) 時間外労働の上限規制及び月60時間超の時間外割増賃金率の引き上げへの対応による長時間労働の是正
   (2) 年5日の年次有給休暇の確実な取得
   (3) 雇用形態又は就業形態に関わらない公正な待遇の確保
   (4) 従業員に対する待遇に関する説明
  2 組合及び連合会に期待される役割
    相談窓口及び関係機関が開催するセミナー等の周知を図る。
  3 都道府県指導センターに期待される役割
    相談窓口及び関係機関が開催するセミナー等の周知を図る。
  4 国及び都道府県等の役割
   (1) 営業許可等を行っている自治体における事業者向け講習会等の機会を利用した制度周知
   (2) 営業許可等の際における窓口での制度周知
   (3) 研修会等を通じた制度周知
  5 日本公庫に期待される役割
    従業員の長時間労働の是正や非正規雇用の処遇改善に取り組むために必要な融資に、振興事業貸付等が積極的に活用されるよう、引き続き制度の周知等を図る。

●クリーニング業に関する標準営業約款

〔昭和58年3月26日〕
〔厚生省告示第68号〕

〔一部改正経過〕
　　第1次　〔平成元年3月22日厚告第50号〕
　　第2次　〔平成13年3月30日厚労告第147号〕

　環境衛生関係営業の運営の適正化に関する法律（昭和32年法律第164号）第57条の12第1項の規定に基づき、クリーニング業に関する標準営業約款を認可したので、同条第3項の規定に基づき告示する。
　　　クリーニング業に関する標準営業約款
　（目的）
第1条　クリーニング業に関する標準営業約款（以下単に「約款」という。）は、生活衛生関係営業の運営の適正化及び振興に関する法律（昭和32年法律第164号。以下「法」という。）第57条の12第1項の規定に基づき、クリーニング業について役務の内容及び施設又は設備の表示の適正化並びに損害賠償の実施の確保に関する事項を定めることにより、利用者の選択の利便を図り、併せて公衆衛生の向上に資することを目的とする。
　〔改正〕
　　　　一部改正（第2次改正）
　（定義）
第2条　この約款で「営業者」とは、クリーニング業法（昭和25年法律第207号）第2条第1項に規定するクリーニング業を営む者で、この約款に従い営業を行う者として都道府県生活衛生営業指導センター（以下「都道府県指導センター」という。）の登録を受けた者をいう。
2　この約款で「クリーニング所」とは、洗濯物の処理（これと併せて行われる受取り及び引渡しを含む。）のための施設をいう。
3　この約款で「取次所」とは、洗濯物の受取り及び引渡しのみのための施設をいう。
4　この約款で「営業施設」とは、営業者の登録に係るクリーニング所及び取次所をいう。
5　この約款で「表示」とは、提供する役務の内容等を利用者に周知させることを目的として営業施設の店頭又は店内に掲げる表示板、ポスター等による広告及びビラ、パンフレット、看板等による広告をいう。
　〔改正〕
　　　　一部改正（第2次改正）
　（役務の内容の表示の適正化に関する事項）
第3条　営業者及び営業者の登録に係る取次所を営む者（以下「営業者等」という。）は、提供する役務の内容（取次所にあつては、クリーニング所において行われる役務の内容を含む。）について、次の各号に定めるところに従い表示するものとする。

第3編　クリーニング業

　(1) 提供する役務の種別
　　　提供する役務の種別を、次の区分により表示するものとする。
　　ア　ランドリー（仕上方法を含む。）
　　イ　ドライクリーニング（仕上方法を含む。）
　　ウ　ウエットクリーニング（仕上方法を含む。）
　　エ　特殊クリーニング
　(2) 従事者の氏名
　　　次に掲げる従事者の氏名を、アについては必ず表示し、イ及びウについては該当する者がいる場合は表示することができるものとする。
　　ア　クリーニング師
　　イ　クリーニング業法による研修及び講習修了者
　　ウ　その他全国生活衛生営業指導センター（以下「全国指導センター」という。）が別途定める要件を備えた者
2　営業者等は、前項第1号に掲げる役務を提供するに当たつては、全国指導センターが別途定めるクリーニング処理基準に従うものとする。
3　営業者等は、その他役務の内容の表示を行うに当たつては、「最高」、「完ぺき」その他最高級の又は絶対的な意味を表わす用語を用いてはならない。
　〔改正〕
　　　一部改正（第1・2次改正）
　（施設又は設備の表示の適正化に関する事項）
第4条　営業者等は、営業施設について、クリーニング所又は取次所の区別を表示するものとする。
2　営業者等は、全国指導センターが別途定めるクリーニング営業施設の管理基準に従い、営業施設の構造・設備を維持し、及びその管理を行うものとする。
3　施設又は設備の表示については、前条第3項の規定を準用する。
　（損害賠償の実施の確保に関する事項）
第5条　営業者等は、役務を提供するに当たつては、次の各号に掲げる事項を記載した預り証を発行するものとする。
　(1) 受付日
　(2) 引渡日
　(3) 品名、数量及び料金
　(4) 処理方法（第3条第1項第1号の役務の種別による。）
　(5) 特殊なしみ抜き又は特殊加工の必要の有無
　(6) 顧客との確認事項（賠償特約等）
　(7) 取扱責任者名
2　営業者等は、自ら受取りを行つた洗濯物について、利用者に対する役務の提供に起因して事故が発生した場合は、全国指導センターが別途定めるクリーニング事故賠償基準に基づき、利用者に対してその賠償を速やかに行うものとする。

3　営業者等は、前項の損害賠償の確実な実施を図るため、全国指導センターが別途定める損害賠償保険に加入しなければならない。
4　営業者等は、洗濯物の事故に関し迅速かつ円滑な解決を図るため、利用者の利便に配慮してその苦情処理に努めるものとする。
　（標識等の掲示）
第6条　営業者等は、全国指導センターが法第57条の13第2項の規定に基づき定める様式の標識を、営業施設ごとに、店頭又は店内の利用者の見やすい場所に掲示するものとする。
2　前項の標識の有効期間は、登録の有効期間と同一とする。
3　営業者等は、この約款に従つて営業を行う旨、第3条第1項及び第4条第1項に規定する事項、前条の損害賠償の実施の確保に関する事項その他の提供する役務に関する事項の要旨（以下「役務の要旨」という。）を、営業施設ごとに、店頭又は店内の利用者の見やすい場所に掲示するものとする。
4　営業者が営業を廃止する旨の届出を行つたとき（取次所について営業を廃止する旨の変更の届出を行つた場合を含む。）若しくは登録を取り消されたとき又は登録の有効期間が経過したときは、営業者等は、当該営業施設について、速やかに、第1項の標識及び前項の役務の要旨を取り外さなければならない。

〔改正〕
　　一部改正（第2次改正）

第3編 クリーニング業

●クリーニング営業者に係るテトラクロロエチレン又は化学物質の審査及び製造等の規制に関する法律施行令第9条に定める洗浄剤でテトラクロロエチレンが使用されているものの環境汚染防止措置に関し公表する技術上の指針

〔平成 22 年 7 月 15 日
厚生労働・経済産業・環境省告示第15号〕

〔一部改正経過〕
第1次 〔平成30年3月30日厚経環告第4号〕

　化学物質の審査及び製造等の規制に関する法律の一部を改正する法律（平成21年法律第39号）の一部の施行に伴い、及び化学物質の審査及び製造等の規制に関する法律（昭和48年法律第117号）第36条第1項の規定に基づき、クリーニング営業者に係るテトラクロロエチレン又は化学物質の審査及び製造等の規制に関する法律施行令第11条に定める洗浄剤でテトラクロロエチレンが使用されているものの環境汚染防止措置に関し公表する技術上の指針を次のように定めたので、同項の規定に基づき公表し、平成23年4月1日から適用し、クリーニング営業者に係るテトラクロロエチレン又は化学物質の審査及び製造等の規制に関する法律施行令第5条に定める洗浄剤でテトラクロロエチレンが使用されているものの環境汚染防止措置に関し公表する技術上の指針（平成22年経済産業省告示第5号）　厚生労働省　環境省　は、平成23年3月31日限り廃止する。

　　　クリーニング営業者に係るテトラクロロエチレン又は化学物質の審査及び製造等の規制に関する法律施行令第9条に定める洗浄剤でテトラクロロエチレンが使用されているものの環境汚染防止措置に関し公表する技術上の指針

　本指針は、第二種特定化学物質であるテトラクロロエチレンによる環境の汚染を防止するため、テトラクロロエチレン又は化学物質の審査及び製造等の規制に関する法律施行令第9条に定める洗浄剤でテトラクロロエチレンが使用されているもの（以下「溶剤」という。）をクリーニング営業者が使用する際に遵守すべき事項を定めたものであり、本指針に従いテトラクロロエチレンの環境放出の抑制を図ることによって、環境の汚染の防止に資することを目的とするものである。

　なお、関係する労働者の安全衛生については、労働安全衛生法及び有機溶剤中毒防止規則等関係規則によることとする。

1．溶剤を取り扱う施設・場所について
　1．1　施設・場所の構造について
　　　溶剤を取り扱う施設・場所の構造については、次の事項に留意すること。

1．1．1　各施設・場所に共通する事項について
　(1)　床面は、溶剤の地下浸透を適切に防止できるコンクリート、タイル等不浸透性材料とし、そのひび割れ等が心配される場合には、床面を耐溶剤性の合成樹脂で被覆する等浸透防止処理を行うこと。
　(2)　必要な場合には、施設・場所の周囲に溶剤が広がらないように防液堤、側溝、ためます等を設置すること。
1．1．2　溶剤を貯蔵する施設・場所の構造について
　(1)　貯蔵用のタンク等は、密閉でき、かつ、耐溶剤性の金属製又は合成樹脂製とし、地上に設置すること。
　(2)　貯蔵場所を屋外とする場合には、屋根を付けること。屋根を付けることが困難な場合には、容器にカバーをかける等の対策を講じて直射日光及び雨水を防止すること。
　(3)　貯蔵場所を屋内とする場合には、換気できる冷暗所で保管すること。
1．1．3　作業場所の構造について
　　必要な場合には、作業及び設備に対応して、1．1．1(2)の措置を講ずることのほか、装置の下に受皿（材質としてはステンレス鋼が適当である。）を設置すること。
　　（参考）
　　溶剤を取り扱う作業場所には、原則として、局所排気装置を設置すること。
（廃棄物の処理に関する事項及び労働者の安全と健康の確保に関する主な事項は、「(参考)」として記載した。以下同じ。）
1．2　施設・場所の点検管理について
　　溶剤を取り扱う施設・場所の点検管理に当たっては、次の事項に留意して点検管理要領を策定するとともに日常点検及び定期点検を行うこと。異常が認められた場合には、速やかに補修その他の措置を講ずること。
1．2．1　溶剤を貯蔵する施設・場所の点検管理について
　(1)　貯蔵場所については、床面のひび割れ、防液堤の損傷、側溝、ためます等への溶剤の漏出の有無に留意すること。
　(2)　タンク、ドラム缶等の容器については、容器の腐食、損傷、漏出の有無、栓のゆるみ等に留意すること。
　(3)　溶剤をタンクローリー等から受け入れる場合には、溶剤が飛散又は流出しないよう留意すること。
　(4)　溶剤が漏出した場合には、2．4に準じて適切に処理すること。
1．2．2　作業場所の点検管理について
　　作業場所の点検管理は、床面のひび割れ、受皿、側溝、ためます等への溶剤の漏出（テトラクロロエチレンは水より比重が大きいため、水がたまっている場合、床面に沈み発見しにくいので注意すること。）に留意すること。
　　（参考）
　　局所排気装置又は全体換気装置が正常に作動することを点検すること。
2．ドライクリーニング機械について

2.1 ドライクリーニング機械の構造について

溶剤を使用するドライクリーニング機械(以下「ドライ機」という。)は、次の構造とすること。

(1) 脱臭工程におけるテトラクロロエチレンの蒸気の排出時以外は、密閉状態を保てる構造であること。
(2) できる限りテトラクロロエチレンの蒸気の排出を抑制できる構造であること。
(3) 溶剤を含む排液等を適正に処理するための排液処理装置を設けた構造であること。

2.2 ドライ機の点検管理について

溶剤を使用するドライ機の点検管理については、次の事項に留意して点検管理要領を策定するとともに日常点検及び定期点検を行うこと。異常が認められた場合には、速やかに補修その他の措置を講ずること。

(1) ドライ機のファン及び脱臭装置が正常に作動していることを点検すること。
(2) タンク、ポンプ(軸部等)、フィルター、蒸留器、ボタントラップ、回収器、配管(継ぎ手や弁)、ガラスと金属の接合部(ゲージグラス、サイトグラス等)、内胴軸等の各部及び各接続部における溶剤の漏出の有無を点検すること。
　なお、加熱されたテトラクロロエチレンは、揮発しやすく、漏出した場合発見しにくいため注意すること。
(3) ドア、ボタントラップのふた、リントフィルターのふた、蒸留器の掃除口、カートリッジフィルターのふた、ダンパーの押さえ面、ダクトの継ぎ目等における密閉の状況を点検し、シール及びパッキングを必要に応じ取り替えること。
(4) リントフィルター、ヒーター及びクーラーのごみによる詰まりの有無を点検すること。
(5) 水分離器については、管の詰まりの有無及び水の流出状態を点検すること。特に、溶剤の流れる管が詰まった場合には、水分離器の上部又は排水管から溶剤が流出するため注意すること。

2.3 ドライ機の取扱いについて

ドライ機の取扱いについては、次の事項に留意して作業要領を策定するとともに作業を行うこと。

2.3.1 溶剤のドライ機への充填について

溶剤のドライ機への充填は、その漏出を防止するため次のことに留意して適切に操作すること。

(1) ドライ機が作動中の場合には、決して充填を行わないこと。
(2) 充填には、塩素系有機溶剤用の手動ポンプ又は自動ポンプを使用すること。
(3) ポンプを使用しない場合には、サイホンを使用すること。
(4) 充填は、溶剤を飛散又は流出させないように行うこと。
(5) 液面に注意してあふれないようにすること。
(6) 必要に応じて受皿等を使用して漏出を防止すること。

(7) 充填作業後、直ちにドライ機の給液口及び貯蔵容器の栓を密閉すること。また、ドラム缶等の栓は締め具により開閉すること。

(参考)
(1) 充填(てん)は、作業場所内の局所排気装置又は全体換気装置を作動してから行うこと。
(2) ホースを使用して溶剤を口で吸い上げないこと。

2．3．2　ドライ機の操作について

ドライ機は、点検表又は取扱説明書に従って始業点検を行うとともに、次の事項に留意して適切に操作すること。点検は、作業中にも随時行い、作業終了後の点検に際しては、装置の密閉等に特に留意すること。

(1) 冷却水の流量及び温度を点検し、水温はできる限り低くすること。
(2) ドア、ボタントラップのふた、リントフィルターのふた、蒸留器の掃除口、カートリッジフィルターのふた、ダンパーの押さえ面等常に操作又は作動する箇所については、密閉の状況に常に注意して操作すること。

(参考)
ドライ機は、作業場所内の全体換気装置を点検し、それを作動させてから操作すること。

2．3．3　フィルターの操作について

フィルターは、次のことに留意して適切に操作すること。

(1) パウダーフィルターについては、圧力が上昇しフィルターの能力低下が認められる場合、そのパウダーを蒸留装置内に入れ蒸留すること。
(2) ペーパーフィルターのみを使用しているカートリッジフィルターを取り替える場合には、フィルター内のテトラクロロエチレンを、1時間以上かけて十分に排出してから行うこと。
(3) 吸着剤を使用しているカートリッジフィルターを取り替える場合には、カートリッジ内のテトラクロロエチレンを、12時間以上かけて十分に排出してから行うこと。
(4) (2)及び(3)で処理したものは、取り出してから直ちに内胴に入れ、熱風循環（内胴の回転を停止してから行うこと。）により十分に乾燥すること。なお、この場合、専用のテトラクロロエチレンの回収装置を用いてもよいこと。

2．3．4　蒸留装置の操作について

蒸留装置は、テトラクロロエチレンを十分に回収するよう、次のことに留意して適切に操作すること。

(1) 突沸（液量が多すぎる場合、蒸留温度が高過ぎる場合、残留液の粘度が上がった場合等に発生し、汚れやドライソープの一部がテトラクロロエチレンと共に蒸発し、蒸留液中に混入すること。）を避けるため、蒸留器に液が充満しないよう液量を適正に保ち、温度の管理や蒸留残さ物の取り出しを適切に行うこと。
(2) テトラクロロエチレンの蒸留は、130〜140℃の範囲で温度を適正に保持して行

第3編　クリーニング業

うこと。なお、蒸気式の場合には、140℃以下に保つため、1 cm²当たり3〜4 kgの範囲で蒸気圧力を適正に保持して行うこと。
(3) 蒸留残さ物は、テトラクロロエチレンを十分に回収するため、2〜5分間蒸気を吹き込むか、又は水を注入し、更に数分間の間隔をおいて、同様の処理を繰り返してから取り出すこと。ただし、吹き込み蒸気の量が多すぎると突沸を起こしやすいので注意すること。なお、専用のテトラクロロエチレンの回収装置を用いてもよいこと。
(4) 蒸留残さ物を取り出す場合には、蒸留直後は温度が高くテトラクロロエチレンの蒸気が噴出するので、低温になってから行うこと。

2．4　溶剤漏出時の処置について
ドライ機からテトラクロロエチレン又はテトラクロロエチレンを含んだ液が漏出した場合の処置については、次の事項に留意して溶剤漏出処理要領を策定するとともに、あらかじめ作業者に周知しておくこと。
(1) 直ちに充填作業をやめるか又はドライ機を停止すること。
(2) 漏出物は、ポンプ等により回収するとともに、密閉容器に入れて1．1．1、1．1．2及び1．2．1に準じて適正に保管すること。回収した溶剤は、再利用することが望ましいこと。
(3) 漏出残分については、活性炭による吸着又はウエス、紙タオル等によるふき取りを行うこと。
（参考）
(1) 漏出処置に際しては、作業場所を十分に換気し、テトラクロロエチレンの蒸気にさらされないように注意して行うこと。
(2) 溶剤が大量に流出した場合又は加熱された溶剤が流出した場合の処置に際しては、次の保護具を着用すること。
① 空気呼吸器、送気マスク（ホースマスク、エアラインマスク）又は有機ガス用防毒マスク
② 保護眼鏡
③ 耐溶剤性の保護手袋、保護長靴、保護服等

2．5　テトラクロロエチレンの蒸気の回収等について
脱臭時におけるテトラクロロエチレンの蒸気は、活性炭吸着等によりできる限り回収し、再利用すること。
2．5．1　回収処理について
(1) 活性炭吸着回収装置は、溶剤で活性炭が飽和状態になる前に吸着を停止し、再生又は交換を行うこと。
(2) 溶剤の吸着を停止した装置の活性炭に水蒸気を送り込んで溶剤を脱着、テトラクロロエチレンを回収し、活性炭の乾燥を充分に行うこと。
2．5．2　テトラクロロエチレンの蒸気の濃度管理について
テトラクロロエチレンの蒸気の濃度は、次のことに留意して測定を行い、異常が

認められた場合には、活性炭吸着回収装置等の構造、点検管理及び取扱作業について見直しを行うことにより、その原因を究明し改善措置を講ずること。
(1) 測定は、未回収のテトラクロロエチレンの蒸気の濃度を適切に管理するため、必要かつ十分な間隔で実施すること。
(2) 営業者が自ら測定を行えない場合には、適切な測定能力を持った外部の業者等に委託すること。

2．6　ドライ機の排液処理装置について
　2．6．1　排液処理装置の構造について
　　ドライ機の排液処理装置は、次の(1)及び(2)の構造を有すること。
　(1) 第2段階の水分離器が設けられていること。
　(2) (1)の水分離器の後に次のいずれかの装置が設けられていること。
　　a　2段階に分けられた活性炭吸着式処理装置
　　b　曝気式処理装置及びこれと連続した活性炭吸着式処理装置。なお、最終段階の活性炭吸着式処理装置の設置は、その前処理段階においてテトラクロロエチレンを適正に除去できる場合には、この限りでない。
　2．6．2　処理装置の点検管理について
　　排液処理装置は、排液中のテトラクロロエチレンが適切に除去されるよう次のことに留意して管理すること。
　(1) 水分離器内の排液が高温にならないよう適正に保持すること。また、ごみ等により、水分離器の配管が目詰まりしないようにすること。
　(2) 水分離器（第2段階）の排液中のテトラクロロエチレンの濃度は、200mg／l以下を目標として適正に管理すること。
　(3) 活性炭吸着式処理装置の場合には、処理装置出口の水中のテトラクロロエチレンの濃度を定期的に測定し、適切に活性炭を交換すること。
　(4) 曝気式処理装置の場合には、排液量、曝気空気量、曝気用空気中のテトラクロロエチレンの濃度、曝気時間等を適切に管理すること。
　2．6．3　排液中の濃度管理について
　　排液中のテトラクロロエチレンの濃度は、次のことに留意して測定を行い、異常が認められた場合には、活性炭吸着装置等の構造、点検管理及び取扱作業について見直しを行うことにより、その原因を究明し、改善措置を講ずること。
　(1) 測定は、排液中に含まれるテトラクロロエチレンの濃度を適切に管理するため必要かつ十分な間隔で実施すること。
　(2) 営業者が自ら測定を行えない場合には、適切な測定能力を持った外部の業者等に委託すること。

3．洗濯物の処理について
　3．1　前処理及びしみ抜きについて
　　テトラクロロエチレンを含む処理液による前処理（ささら掛け、ブラッシング、プリスポッティング等）及びしみ抜きは、極力行わないこと。

なお、やむを得ず前処理等を行う場合には、速やかに行い、処理した洗濯物は直ちにドライ機に入れる等適切に処理すること。
　　（参考）
　　　やむを得ず前処理等を行う場合には、原則として、局所排気装置のある場所で行うこと。
　3．2　洗濯物の分類について
　　洗濯は、洗濯物を乾燥が速いもの（薄手のもの等）と乾燥が遅いもの（厚手のもの等）に分けて行うこと。
　3．3　乾燥について
　　洗濯物の乾燥は、乾燥機において溶剤臭がしなくなるまで十分に行うこと。
　3．4　負荷量について
　　洗濯及び乾燥は、適正な負荷量（洗濯物の量）で行うこと。
4．使用済みのテトラクロロエチレンを含む汚染物の取扱いについて
　使用済みの蒸留残さ物、カートリッジフィルター、活性炭等のテトラクロロエチレンを含む汚染物については、できる限りテトラクロロエチレンの回収・再利用に努めるものとし、汚染物の貯蔵に当たっては、密閉でき、かつ、耐溶剤性の金属製又は合成樹脂製の専用の容器に入れ、1．1．1、1．1．2及び1．2．1に準じて適正に取り扱うこと。
　　（参考）
　　　テトラクロロエチレンを含む汚染物を廃棄物として処理する場合には、「廃棄物の処理及び清掃に関する法律」を遵守すること。

〔参考〕

●化学物質の審査及び製造等の規制に関する法律（抄）

〔昭和48年10月16日〕
〔法 律 第 117 号〕

注　令和5年12月13日法律第84号「大麻取締法及び麻薬及び向精神薬取締法の一部を改正する法律」附則第16条による改正現在

（技術上の指針の公表等）

第36条　主務大臣は、第二種特定化学物質ごとに、第二種特定化学物質の製造の事業を営む者、業として第二種特定化学物質又は政令で定める製品で第二種特定化学物質が使用されているもの（以下「第二種特定化学物質等」という。）を使用する者その他の業として第二種特定化学物質等を取り扱う者（以下「第二種特定化学物質等取扱事業者」という。）がその取扱いに係る当該第二種特定化学物質による環境の汚染を防止するためにとるべき措置に関する技術上の指針を公表するものとする。

2　主務大臣は、前項の規定により技術上の指針を公表した場合において必要があると認めるときは、当該第二種特定化学物質に係る第二種特定化学物質等取扱事業者に対し、その技術上の指針を勘案して、当該第二種特定化学物質による環境の汚染を防止するためにとるべき措置について必要な勧告をすることができる。

〔委任〕

第1項　「技術上の指針」＝平成22年7月厚労・経産・環告第15号「クリーニング営業者に係るテトラクロロエチレン又は化学物質の審査及び製造等の規制に関する法律施行令第9条に定める洗浄剤でテトラクロロエチレンが使用されているものの環境汚染防止措置に関し公表する技術上の指針」等

II 基本通知編

第1章 共通事項

○クリーニング業法施行に関する件

［昭和25年6月29日　衛発第515号
各都道府県知事宛　厚生省公衆衛生局長通知］

クリーニング業法（昭和25年法律第207号）は5月27日をもって公布せられる事になったのであるが、その施行に際しては特に下記事項御留意の上運用に遺憾なきを期せられたい。

記

1 立法の趣旨

　従来クリーニング業に対しては、国及び都道府県を通じて何等の取締規定も存在しなかったが、終戦後数年を経て衣料事情も著しく好転し、クリーニングの利用者も又逐年増加の一途を辿って来たので、最近に至り、公衆衛生の面からするクリーニング業に対する指導、取締の必要が各方面から指摘されていたが、この要望に応えて、第7国会において議員提案によりクリーニング業法案が提出せられ原案通り可決成立した。

　法の内容はクリーニング所の経営者に対しクリーニング所に関する届出及び清潔保持の義務を負わせると共に、一定の規模以上のドライクリーニング業者には都道府県知事の行う試験に合格したドライクリーニング師を選任する義務を規定し、クリーニング所に対し環境衛生監視員が随時その実施状況を立入検査出来ることとし、又クリーニング業に従事する者にはすべて定期の健康診断を受けさせることにより伝染病予防の措置を講じている等、洗濯物の衛生的処理及びクリーニング所並びにその従事者の衛生面の取締を主としたものである。

2 運営上の注意

㈠ この法律でいうクリーニング業は法第2条第2項に規定するように洗たくの対象物を原型のまま洗たくすることを営業とするものであるので、「洗張り業」はこれに含まれない。

㈡及び㈢　略

㈣ 試験委員については試験科目として洗たく物の処理方法もあるので関係吏員のみを任命することなく業界等の識見技倆の優れた者をも委嘱すること。

㈤　略

㈥ 第10条の立入検査については、営業関係の他の法令による場合と同様に立入の時間は原則として営業時間中に限り且つ、みだりに営業者の正当な業務を妨害せぬよう注意すること。

㈦　略

㈧ クリーニング所の取締の便宜上届出済のものに対しては届出済証を交付し、その入

口に貼付せしめるような措置をとられたいこと。
(リ)　本法制定の主旨を徹底し、且つ、その運営の円滑を期するため能う限り協議会、講習会等を開催せられたいこと。

○クリーニング業法の一部を改正する法律の施行に関する件

［昭和30年10月3日　厚生省発衛第325号］
［各都道府県知事宛　厚生事務次官通知］

　クリーニング業法の運用に関しては、種々御配意を煩わしているところであるが、このたび、第22回国会において、クリーニング業法の一部を改正する法律（昭和30年法律第154号）が制定せられ、また、これに伴いクリーニング業法施行令の一部を改正する政令（昭和30年政令第229号）及びクリーニング業法施行規則の一部を改正する省令（昭和30年厚生省令第21号）が制定せられて、それぞれ公布の日から施行されることとなった。

　今次の改正は、本法施行後5年間におけるクリーニング業の発展に則し、その実態に応じた公衆衛生上の措置を講じてクリーニング業の適正な経営を期するため行われたものであって、これが運用にあたっては、特に下記事項に御留意の上、この改正法令の所期の目的を達成するよう格段の努力をいたされたく、命によって通知する。

記

第1　改正の主要事項
　　今回行われた改正の主要事項は、次のとおりであること。
　1　従来のドライクリーニング師の制度を廃止して、あらたにクリーニング師の制度を設けたこと。
　2　免許資格者を選任すべき対象となるクリーニング所を常時5人以上の従業者を使用する営業所に拡大したこと。
　3　営業者がクリーニング所について講ずべき衛生上の措置について、都道府県知事が地方の実情にそいうるような必要な事項を定めうるようにしたこと。
　4　営業者の違反行為に対し、営業停止又は閉鎖処分を行う前に、都道府県知事は営業者に対して必要な措置命令を行いうるようにしたこと。
　5　クリーニング師の試験につき、試験科目に、洗たくものの処理に関する技能を加えるとともに、受験資格を定めたこと。
第2　運用上留意すべき事項
　1　従前のクリーニング業法は、主としてドライクリーニング師制度を中心としてその技術の水準の保持及び衛生上の措置を図っていたのであるが、今次の改正によりクリーニング師制度が採られた結果、一般のクリーニング営業のすべてにわたり、法律の規制が行われるようになったので、営業者に対する指導及び監督にあたっては、特にこの趣旨に留意するとともに、これが普及徹底につとめられたいこと。
　2　今次の改正によりあらたに営業者の講ずべき措置として加えられた事項について

は、都道府県知事において地方の実情を十分考慮の上、必要以上に営業者に過重な負担を強いることのないような範囲について現行貴都道府県規則を改正せられたいこと。
3　クリーニング師試験の施行については、あらたに技能試験が加えられたのであるが、これにより従来のドライクリーニング師試験の場合よりも広範囲の運用が予想せられるので、特に従前の試験状況をも再検討の上、試験の内容、回数、試験委員の詮衡等にわたり十分な考慮を払われたいこと。
4　クリーニング営業者に対する行政処分について今回あらたに必要な措置命令を加えたのは、クリーニング営業が日常生活の公益性保持の上に極めて重要な役割を果すものであって、かつ営業者に必要な衛生措置を実体に応じて行わせようとする趣旨によるものであるから、営業者に対して自主的にこれらの措置が行われるよう指導することは勿論、措置命令を発する場合にあっては、この趣旨を没却しないところの最も実情に即した措置の内容を適確に指示するよう留意せられたいこと。

○クリーニング業法の一部を改正する法律等の施行について

〔昭和30年10月3日　厚生省発衛第325号　各都道府県知事宛　厚生省公衆衛生局長通知〕

標記については、別途次官通知により通達されたところであるがなお、下記事項に御留意の上、その実施に遺憾ないようにされたい。

記

1　定義に関する事項
(1)　従来「クリーニング業」を区分して「ドライクリーニング営業」と「その他の洗たく業」としていたが、今次の改正により、この区分を廃止しすべて「クリーニング業」と称することとなったので、石油質溶剤の使用如何を区別することなく、すべて同様に「クリーニング業」として規制せられるものであること。ただし、改正後の法第4条のクリーニング師の選任についてのみ、昭和31年8月9日までの間従前通り「ドライクリーニング営業」が存在することとなるのでこの点留意されたいこと。
(2)　「ドライクリーニング師」が廃止せられ、あらたに「クリーニング師」として資格を附与せられるものであること。従って、(1)のただし書に関する「ドライクリーニング営業」にあっても、選任される資格者は「クリーニング師」たるものであること。
2　クリーニング所の衛生措置に関する事項
(1)　改正後の法第3条第2項第4号としてあらたに加えられた「その他都道府県知事が定める必要な措置」については、それぞれの地方の業者の実体を把握して適切な範囲にとどめるよう留意し、洗たく機、脱水機のような機械設備の設置を、実情を

無視して義務づけることのないようせられたいこと。
(2) 右の衛生上必要な措置は、例えば、施設についての住居と作業室の区分、作業室の広さの基準、洗たくした物の整理に要する戸棚等の整備等について考慮するようにすること。
3 クリーニング師の選任に関する事項
(1) 今次の改正により、クリーニング業の責任技術者の制度を広く採用し、常時5人以上の従事者を使用するクリーニング所にあっては必ず1人以上のクリーニング師を設置することとした。ただし、この規定が全面的に適用せられるのは昭和31年8月10日からであり、それまでの間は従来のドライクリーニング営業のうち従事者10人以上を使用するクリーニング所についてのみ適用せられるので、この間に十分趣旨徹底につとめられたいこと。
(2) 改正後の法第4条の「クリーニング所ごとに」とは、各営業施設単位を意味し、従って、同一人が2以上の施設を有する場合にあっては、それぞれの施設ごとに適用を受けるものであること。
(3) 改正後の法第4条ただし書の規定の適用については、届出にかかるクリーニング所が届出をした営業者が現に自ら管理するものであるかどうかについて、改正後の施行規則第1条及び第2条に掲げる書類に基き、検討を加えられたいこと。
4 営業者の届出に関する事項
(1) 従来、営業届の変更に関する届出は、クリーニング所の名称、クリーニング所の構造及び設備、営業者の本籍、住所等及びドライクリーニング師の本籍、住所等に限定されていたが、今次の改正により営業届に記載したすべての事項にわたり変更のあった場合に適用せられるものであること。
(2) 従来営業の廃止については、何等届出を要せず実体把握上極めて不便であったが、爾後廃止についても届出を要することとされたので、この点特に指導されたいこと。
(3) 営業届の変更及び廃止の届出は、営業届と同様に、開設地を管轄する保健所長を経由して都道府県知事（政令市にあっては、市長）に提出するものとし、その期間はできる限りすみやかであるようせられたいこと。
(4) 改正後の施行規則第2条に規定する添附書類は、他の都道府県に他のクリーニング所を開設している場合は勿論、同一都道府県内に他のクリーニング所を開設している場合にも提出を要すること。
5 クリーニング師の免許、試験に関する事項
(1) 従前のドライクリーニング師の免許は、改正法附則第3項の規定によって、クリーニング師の免許とみなされるが、この場合にあっては、改正後の施行令第1条第2項の規定による免許証の訂正の手続を要しないものであること。
(2) クリーニング師試験の科目のうち、洗たく物の処理については、あらたにその技能を明示したので、試験の施行にあたっては、技能面の学識経験を有する適切な試験委員を委嘱し、遺憾のないようせられたいこと。

(3) クリーニング師試験は、少くとも毎年1回以上実施することを要するが、昭和31年8月10日からは常時5人以上の従事者を使用するクリーニング所に1人以上クリーニング師を設置することが義務づけられ、従来より範囲が拡大せられるので、地方におけるクリーニング師の実情を把握して新規定適用後その運用に支障のないよう試験の回数を考慮せられたいこと。

(4) 今次の改正によりあらたに受験資格が設けられ、改正法附則第5項及び改正省令附則第2項の規定による資格を必要とするが、この場合改正省令附則第2項第6号の運用については、厚生大臣において個々に認定を行うから、該当者は履歴書その他必要な書類を附して申請するように指導されたいこと。

(5) ドライクリーニング師試験手数料、ドライクリーニング師免許手数料等手数料についてはそれぞれクリーニング師試験手数料、クリーニング師免許手数料等と変更せられるが、これに関する地方公共団体手数料令及び地方公共団体手数料規則の改正については、目下自治庁において手続中であること。

6 行政処分に関する事項

(1) 今次の改正により営業者の第3条、第4条違反に対する行政処分としては、直ちに営業停止又は閉鎖処分を命ずることなく必ず第3条又は第4条の規定を守らせるために必要な措置を命ずることとなったので、この点特に御留意ありたいこと。

(2) 右の必要な措置命令は、主として施設に対する改善措置、クリーニング師の選任措置を内容とするものと思料せられるが、何れの場合にあっても実体に即応して適切な措置を行わせるようにすること。

○クリーニング業法の一部を改正する法律の施行について

［昭和35年2月22日　厚生省発衛第30号
各都道府県知事・各指定都市市長宛　厚生事務次官通知］

さる第34回臨時国会において、クリーニング業法の一部を改正する法律が制定され、昭和35年法律第1号をもって公布、2月4日から施行されることとなった。

今回の改正は、近時におけるクリーニング業のめざましい発展に相応して、クリーニング業における公衆衛生の一層の向上発展を図るとともに、該業界の合理化、近代化を促進することを目的として行われたものであるので、各都道府県（指定都市）においてはこれが趣旨の普及徹底を図るはもちろん、運用に当っては、特に次の事項に御留意のうえ、改正法の目的の達成に努められたく、通知する。

記

第1 改正の要旨

1 従来、クリーニング所には、洗たく機及び脱水機を備えず、原始的な手洗いの方法により洗たく物の洗たくをすることも認められていたため、公衆衛生上の見地からはもとより、洗たくの効果、洗たく物の処理の能率化等の見地からも必ずしも十分な成

果を期待することができなかったため、今回の改正により、洗たく物の洗たくをするクリーニング所には、業務用の機械として洗たく機及び脱水機をそれぞれ少くとも1台備えなければならないこととされたこと。
2　クリーニング所における公衆衛生の充実、向上を図るため、クリーニング営業者が遵守すべき衛生措置の一として、クリーニング所の洗場の床は不浸透性材料で築造され、かつ、これに適当なこう配と排水口を設けなければならないこととされたこと。
3　従来、常時5人以上の従事者を使用するクリーニング所のみがクリーニング師をおかなければならないこととされていたが、最近における繊維製品の複雑化、高度化等の事情に対処し洗たくの技術の向上を図る必要から、洗たく物の受取及び引渡のみを行うクリーニング所を除き、すべてのクリーニング所にクリーニング師をおかなければならないこととされたこと。

第2　運用上留意すべき事項
1　改正前のクリーニング業法は、公衆衛生の見地から必要な指導及び取締を行うことを目的としていたが、今回の改正により公衆衛生の見地のほか、クリーニング業における機械化を促進し、その経営の合理化、近代化を図ることとなったので、営業者に対する指導及び監督にあたっては、特にこの趣旨に留意するとともにこれが普及徹底に努められたいこと。
2　今回の改正により、営業者に対し、洗たく機及び脱水機の設置並びに洗場の床の不浸透性材料による築造の義務が課されることとなったが、これらの義務の履行には相当額の資金的裏付けが必要と考えられるので、このための金融措置が円滑に行われるよう努められたいこと。
3　今回の改正により、クリーニング所には原則としてクリーニング師をおかなければならないこととなったのであるが、これが施行の円滑を期するため、クリーニング師の資格の取得等について営業者等に対し適切な指導を行なわれたいこと。

○クリーニング業法の一部を改正する法律の施行について

［昭和35年2月22日　衛発第154号
各都道府県知事・各指定都市市長宛　厚生省公衆衛生
局長通知］

標記については、別途事務次官通知により通達されたところであるが、なお次の事項に御留意のうえ、その実施に遺憾のないようされたい。

記

1　洗たく機及び脱水機の設置に関する事項
(1)　今回の改正により洗たく機及び脱水機を備えなければならないこととしたのは、手洗の方法により洗たく物の洗たくをすることをなくすとともに、クリーニング業の機械化を促進するところにその趣旨が存することにかんがみ、需注量の多いクリーニン

グ所ではその需注量を処理するために必要な台数を備えることによりすべて洗たく物の洗たくは洗たく機及び脱水機により行なうよう指導すること。
 (2) 洗たく機及び脱水機は業務用の機械として備えなければならないこととされているため、たとえ洗たく機及び脱水機を備えていても当該クリーニング所の営業の用に供するためでなく、単に家庭用その他当該営業に関連のない目的のために備えられたものであるかぎり、業務用の機械として備えられたこととならないことに留意すること。
 (3) 洗たく物の洗たくをするクリーニング所とはランドリー（水洗）及びドライクリーニングの如何を問わず、洗たくの工程のうち洗滌及び脱水を行うこととされているクリーニング所をいい、従って洗たく物の仕上又は受取及び引渡のみを行なうクリーニング所は含まれないものであること。
 (4) 洗たく機及び脱水機を備え付けるには相当額の費用を必要とするため、この法律の施行の際現に開設されている洗たく物の洗たくをするクリーニング所については猶予期間を設け、この法律の施行の日から起算して2年間は、これらの機械を備えなくてもよいことに留意すること。
2 洗場の床の構造に関する事項
　洗場の床を不浸透性材料で築造すること等には相当の日時と費用とを必要とするため、この法律の施行の際現に開設されている洗たく物の洗たくをするクリーニング所の洗場については、猶予期間を設け、この法律の施行の日から起算して1年間はこれを適用しないものとすること。
3 クリーニング師に関する事項
 (1) 今回の改正により、洗たく物の受取及び引渡のみを行なうクリーニング所を除き、すべてのクリーニング所に1人以上のクリーニング師をおくこととしたのは、洗たくの技術の向上を図る趣旨に基づくものであることにかんがみ、大規模のクリーニング所には少くとも各作業部門ごとにクリーニング師を設置するよう指導すること。
 (2) クリーニング師の設置義務の課されない洗たく物の受取及び引渡のみを行なうクリーニング所とは、洗たく物の洗滌、脱水及び仕上等洗たく物の受取及び引渡以外の作業を全く行なわない施設をいうが、クリーニング業法第2条第2項に規定する営業者に該当しない者の施設は、同条第4項の規定によりクリーニング所に当らないものであることに留意すること。
 (3) クリーニング師の資格を取得するには、相当の日時を必要とするので、クリーニング師の設置に猶予期間を設け、この法律の施行の日から起算して2年間は、これを適用しないものとすること。
4 その他の事項
 (1) 今回の改正により洗たく物の洗たくをするクリーニング所に対し洗場の床の構造に関する規制並びに洗たく機及び脱水機の設置の規制が行なわれることとなったことに伴い、従来から既に都道府県規則によりこれと同趣旨の規制を行なってきた都道府県においては、速かに都道府県規則における相当規定を削除する等必要な整理を行われ

たいこと。
(2) 従前のクリーニング所についても、クリーニング師を設置しなければならないこととなったため、新たにクリーニング師の資格を取得しようとする者のうちには、学歴が低い者が多いと思われるので、これらの者に対しては、厚生大臣が学力の認定する予定であるので、都道府県においても必要に応じ講習会を考慮されたいこと。なおこれについては別途通知の予定であること。

クリーニング業法の一部を改正する法律案に対する附帯決議

(衆議院及び参議院)

政府は、本改正法の円滑なる実施を図るため、次の事項について、すみやかに適正なる措置を講ずべきである。
1 洗たく機、脱水機その他本法改正に伴う施設の整備を行うことになる場合、当該業者の必要なる資金につき、金融措置等ができるだけ円滑に行われるよう配慮すること。
2 新たにクリーニング師の資格を取得せんとする既存業者に対しては、講習その他適切なる指導を行い廃業等のやむなきに至る者の生じないよう配慮すること。

○クリーニング業法の施行について

〔昭和36年12月7日　環発第249号
　各都道府県知事宛　厚生省環境衛生局長通知〕

クリーニング業法(昭和25年法律第207号。以下「法」という。)の施行については、かねてから格別の御配意を頂いているところであるが、いよいよクリーニング業法の一部を改正する法律(昭和35年法律第1号。以下「改正法」という。)附則第2項及び第4項の規定による経過期間が、明年2月3日をもって満了をみることとなった。

すでに貴職におかれても、改正法の実施を円滑ならしめるため、鋭意万全の対策を講ぜられているところであるが、本年8月8日環発第99号をもって各都道府県に対して依頼したクリーニング所におけるクリーニング師等の配置状況の調査の結果を、このほどとりまとめたところその調査時点において、未だクリーニング師を置いていないクリーニング所、クリーニング師試験の受験資格を有する従業者のいないクリーニング所及び業務用の洗濯機及び脱水機を有しないクリーニング所が、各都道府県を通じてなお相当数存することが判明するにいたった。

これらのクリーニング所については、衆議院及び参議院の「クリーニング業法の一部を改正する法律案に対する附帯決議」の趣旨にかんがみ、及ぶかぎり廃止のやむなきにいたらしめないよう次の諸点に御留意の上、諸般の対策を一層強化推進されたい。

なお、経過期間の延長については、当省としては考慮していないことを念のため申し添える。

記

1 改正法附則第2項及び第4項の規定による経過期間の満了により、その経営するクリーニング所につき新たに業務用の機械としての洗濯機及び脱水機又はクリーニング師の

設置義務を課せられることとなる営業者に対しては、「クリーニング業法の一部を改正する法律の施行について（昭和35年2月22日厚生省発衛第30号、各都道府県知事・各指定都市市長宛、厚生事務次官通知）」及び「クリーニング業法に基づくクリーニング師試験の受験資格について（昭和35年8月1日衛発第698号、各都道府県知事宛、厚生省公衆衛生局長通知）」等の趣旨に沿って引き続き、極力資金の斡旋、クリーニング師試験受験資格認定講習会（以下、単に「講習会」という。）の開催、クリーニング師試験の実施等の措置を講ぜられたいこと。特に講習会をすでに実施した都道府県であっても、なお、講習会の受講を必要とする者があると認められる場合には、すみやかに講習会の開催又は近隣都道府県の開催する講習会の受講斡旋等の措置を講ぜられたいこと。

なお、前記通知には昭和36年12月末日までに実施される講習会に対してのみ指定を行なう予定である旨述べられているが、事情やむを得ないと認められるときは、同日以後に実施される講習会についても、とくにこれを指定することとしたので速かに申請されたいこと。

2　改正法附則第2項及び第4項の規定による経過期間満了後においても、なお法第3条第2項及び第4条に規定する措置を実施しない営業者に対しては、遅滞なく法第10条の2の規定による措置命令の発動等、所要の行政措置を行ない、法の執行の厳正を期すること。なおこの場合において、措置命令に付すべき猶予期間内に、営業者が当該命令に係る措置を講ずることを得るよう十分な御指導と御配慮を願いたいこと。

○クリーニング業法の一部を改正する法律の施行について

［昭和39年8月12日　環発第306号
各都道府県知事・各指定都市市長宛　厚生省環境衛生局長通知］

第46回通常国会において標記法律（以下「改正法」という。）が議員提案され、本年6月25日成立し、6月30日に法律第119号として公布され、7月20日から施行された。これに伴い、クリーニング所検査手数料に関する規定を設けるため地方公共団体手数料令の一部を改正する政令（昭和39年政令第257号）が7月18日に公布され、またクリーニング業法施行規則の一部を改正する省令（昭和39年厚生省令第35号）が7月20日に公布されいずれも7月20日から施行された。今回の法令の改正は、近時クリーニング業法（以下「法」という。）第2条第1項にいう「クリーニング業」に類似するいわゆるリネンサプライ業及び洗たく物取次専門業が増加する傾向があることにかんがみ、これらについてもクリーニング業と同様の規制を行なう必要が生じたこと、病院においてその業務に伴って生ずる洗たく物を病院外の業者に行なわせるようになったこと等により従来のクリーニング業に対する規制を強化すべきであるとの趣意にもとづき行なわれたものである。従って今回の改正内容の適正な運営は、公衆衛生の向上及び改善に資するところが大であると存ずるので、次の事項に御留意のうえ、関係者に対しその趣旨等の普及徹底をはかり、改正法の目

的の達成に遺憾のないよう御配意願いたい。

第1 法令改正の要旨
1 いわゆるリネンサプライ業をクリーニング業に含めることとしたこと。
2 洗たく物の受取及び引渡しを行なうことを営業とする者を法第2条第2項にいう営業者に含めることとしたこと。
3 伝染性の疾病の病原体による汚染のおそれのあるものとして厚生省令で指定する洗たく物については、他の洗たく物と区別して取り扱い、かつ、洗たくする前に消毒しなければならないこととしたこと。ただし、消毒の効果を有する洗たく方法によっている場合には消毒しなくてもよいこと。
4 クリーニング所は、開設前に届出を行ない、その使用は、その構造設備について都道府県知事(保健所を設置する市にあっては市長)の検査を受け、その構造設備が第3条第2項または第3項の規定に適合する旨の確認を受けた後でなければ、できないこととされたこと。
5 行政庁の確認を受けないで、クリーニング所を使用したものは5000円以下の罰金に処することとするとともに、クリーニング所に係る虚偽の届出をした者に対しても同様の罰金を課することとしたこと。
6 クリーニング業の従事者のうち、洗たく物の処理または受取及び引渡しの業務に従事しない者については健康診断を受ける義務を免除することとしたこと。
7 クリーニング所は、使用前に届出を要することとなったことに伴ない、届出に関するクリーニング業法施行規則の規定を改めたこと。

第2 運用上の注意事項
1 いわゆるリネンサプライ業に関する事項
 (1) いわゆるリネンサプライ業は、法第2条第1項の改正によりクリーニング業に含まれることになったが、貸おむつ、貸タオル業はもちろん、その取扱の品目が何であるかをとわず、「繊維製品を使用させるために貸与し、その使用済み後はこれを回収して洗たくし、さらにこれを貸与することを繰り返して行なう営業」はすべて該当するものであること。
 (2) いわゆるリネンサプライ業者が、この法律の施行の際に、すなわち昭和39年7月20日午前零時において現に開設しているクリーニング所については、改正法附則第5項の規定により、昭和39年10月19日までに届出をすべきこととされているので、該当業者に対するその旨の周知徹底に努められたいこと。
 (3) いわゆるリネンサプライ業者のクリーニング所については附則第4項の規定により昭和40年7月19日まではクリーニング所における衛生措置に関する規定の適用はないが、それまでの間についても同項ただし書に規定するようにその趣旨に沿った措置がとられるよう充分指導されたいこと。
 (4) いわゆるリネンサプライ業は、クリーニング業に包含されるので、この業者は、クリーニング業環境衛生同業組合の組合員たる資格をも有することとなったものであること。

第3編　クリーニング業

2　いわゆる洗たく物取次業に関する事項
(1)　洗たくをしないで洗たく物の受取及び引渡しをする施設（以下「取次店」という。）については、従来営業者の施設のみクリーニング所として取り扱われていたのであるが、今般すべてクリーニング所に含まれることになり、改正法附則第5項の規定により、昭和39年10月19日までに届出をすべきこととなったので、該当者に対してその旨の周知徹底を図られたいこと。
(2)　取次店における衛生措置についてはクリーニング業法には法第3条第3項第2号及び第5号以外に具体的規定がないが、取次所における衛生措置のいかんがクリーニング業法による公衆衛生の向上に重要な影響を持つものと思われるので同項第6号による都道府県規則において必要な事項について明定されたいこと。なお、この規則についても改正法附則第4項の猶予規定の適用があるが猶予期間中にもできる限り必要な衛生措置が行われるよう指導されたいこと。
(3)　最近取次店は増加の傾向にあるが、中には食品を取り扱う営業その他相互に汚染の可能性がある営業と兼業している例が見受けられ、公衆衛生上好ましくない事態の発生も予想されるので、そのような兼業はなるべく避けるように指導されるとともに、現に兼業している施設に対しては衛生上必要な措置が充分行なわれるよう指導されたいこと。
(4)　洗たくをしないで洗たく物の受取り及び引渡しをする営業は、「クリーニング業」には含まれないので、クリーニング環境衛生同業組合の組合員たる資格は有しないものであること。
3　消毒を要する洗たく物に関する事項
　　他の洗たく物と区別して取り扱い、かつ、洗たくする前に消毒すべき洗たく物として改正後のクリーニング業法施行規則第1条が定められたがその解釈運用は次のとおりであること。なお、消毒の具体的な方法及び消毒の効果を有する方法とは具体的に何をいうかについては別途通知する予定であること。
(1)　同条第1号及び第2号に該当する洗たくものは、「伝染性の疾病にかかっている者が使用した物」又は「伝染性の疾病にかかっている者に接した者が使用した物で伝染性の疾病の病原体による汚染のおそれのあるもの」であることを客から示されて引渡されたものに限られる趣旨であるが、これは客からそのように示されない限りクリーニング業者としては判別が困難であろうということを考慮して規定されたものであること。しかしながら、クリーニング業者に対しては病院、診療所から洗たく物を受け取るときは、必ずこれらのものに該当するか否かをたずねるように指導されたいこと。
(2)　同条第3号及び第4号中「これらに類するもの」とは、おむつ、パンツ、手ぬぐい、タオルと同様な用途に使用されることが通例であるものをいうものであること。従って、直接身体にふれる衣類であっても上半身に着用するシャツは含まないものであること。
(3)　既存業者に対するこの規定の適用については、昭和40年7月19日（洗たく物の受

取及び引渡しのみを行なう施設については、昭和39年10月19日）までは改正法附則第3項及び第4項の規定によりその適用を猶予されるが、それまでの間においてもできる限りこの規定に沿うよう指導されたいこと。
4 届書に関する事項
 (1) 改正後のクリーニング業法施行規則第1条の2第8号及び第9号の規定は、クリーニング所の使用前の確認の際確認すべき事項を明らかにしておくために設けられたものであること。
 (2) 同条第5号の規定の改正は、営業者が法人である場合には、「氏名、本籍及び生年月日」にかえて法人の名称を記載すべきことを明らかにしたものであること。
5 使用前の確認に関する事項
 (1) この改正は、従来、クリーニング所は開設後に届け出れば足りることとされていたのであるが、開設後環境衛生監視員が指導するまでの間において衛生措置等が充分行なわれないおそれがあること及びクリーニング所の使用を開始してから構造設備の改善を命ずるよりも事前に指導しておく方が業者に対する負担を少なくすることができるとの趣旨にもとづくものであること。
 (2) 確認は、その構造設備が法第3条第2項又は第3項の規定に適合するか否かについて行なうものであるが、同条第3項第2号のように行為に関する規定については、これらの行為を行なうのに適する構造設備であるか否かを確認することをいうものであること。
 (3) 確認の遅速は、営業者の利害に影響するところが大であるので、届出を受けた場合には届書に記載されている開設の予定年月日を考慮してなるべくすみやかに行なうようにされたいこと。
 (4) この法律施行の際現に開設され、かつ、その届出がなされているクリーニング所については、確認は要しないが（改正法附則第2項）、開設されていても届出がなされていないクリーニング所（改正法によりクリーニング所に含まれることとなったものを除く。）については確認を得なければ使用してはならないものであること。
 (5) 法改正により、新たに営業者に該当することとなった者が、この法律施行の際開設していたクリーニング所については、昭和39年10月19日までに届出をすれば、確認は必要としないものであること。

○クリーニング業法の一部を改正する法律の施行について

［昭和51年6月30日　環指第63号
　各都道府県知事宛　厚生省環境衛生局長通知］

　さる第77回国会において成立したクリーニング業法の一部を改正する法律は、昭和51年法律第48号をもって6月2日公布され、9月2日より施行されることとなったが、これが

施行に当たっては、次の事項に御留意の上、改正法の目的達成に遺憾なきを期されたい。
第1　改正法の目的及び内容
　　クリーニング所における清潔の保持、洗たく物の区分け等クリーニング業法（以下「法」という。）第3条第3項に規定する衛生上の諸措置の確保については、従来より御配意願っているところであるが、今回の改正は、近年におけるクリーニング所で取り扱う洗たく物の量の増大、営業形態の多様化等の実態にかんがみ、特に必要があると認めるときは、都道府県は、条例でクリーニング所の業務に従事する者の業務に関する知識の修得及び技能の向上を図るために必要な事項について定めることができるものとし、もってクリーニング所につき法が要請する衛生水準の確保に資することを目的としたものであること。
第2　改正法施行上留意すべき事項
　　都道府県が、「クリーニング所について第3条第3項に規定する措置を確保するため特に必要があると認めるとき」とは、管内のクリーニング所につき、法第3条第3項の違反が相当程度生じ又は生ずるおそれがあると認められる場合であって、当該クリーニング所の業務に従事する者の業務に関する知識の修得及び技能の向上を図ることによってその状況を是正する必要がある場合をいうものであること。
　　また、「営業者が当該クリーニング所の業務に従事する者の当該業務に関する知識の修得及び技能の向上につき講ずべき措置」としては、都道府県が条例で定めるところの講習会等を受講させることが考えられること。
　　また、都道府県が条例で「必要な事項を定める」に当たっては、管内のクリーニング所の業務の態様、環境衛生監視員による検査結果等を参酌することを要し、必要と認める限度を超えることのないよう留意されたいこと。

○クリーニング業法の一部を改正する法律等の施行について

［平成元年3月27日　衛指第45号
　各都道府県知事宛　厚生省生活衛生局長通知］

　クリーニング業法の一部を改正する法律（以下「改正法」という。）は昭和63年5月31日法律第73号をもって、また、クリーニング業法施行規則の一部を改正する省令（以下「改正規則」という。）は平成元年3月27日厚生省令第12号をもってそれぞれ別紙1及び別紙2のとおり公布され、いずれも平成元年4月1日から施行されることとなった。
　今回の改正は、近年の繊維製品の素材の多様化、クリーニング技術の高度化等に伴い、クリーニング所の業務に従事するクリーニング師及び業務従事者に、より高度の知識及び技能が要求されていることから、クリーニング所の業務に従事するクリーニング師等の資質の向上、知識の修得及び技能の向上を図ることを目的として、これらの者に対する研修及び講習が制度化されたものである。
　改正法は、国民の公衆衛生の改善向上のみならず、質の高いクリーニングサービスの提

供により国民の生活水準の向上に資するところが大きいので、下記の事項に留意の上、関係者に対し改正法等の周知徹底を図るとともに、その運用に遺憾のないようにされたい。

記

第1 改正の要旨
 1 クリーニング師の研修（改正法第8条の2及び改正規則第10条の2関係）
  (1) クリーニング所の業務に従事するクリーニング師は、業務に従事した後1年以内に都道府県知事が指定したクリーニング師の資質の向上を図るための研修を受け、その後は3年を超えない期間ごとに当該研修を受けなければならないこととされたこと。
  (2) 営業者は、そのクリーニング所の業務に従事するクリーニング師に対し、研修を受ける機会を与えなければならないこととされたこと。
 2 業務従事者に対する講習（改正法第8条の3及び改正規則第10条の3関係）
  (1) 営業者は、クリーニング所の開設後1年以内に、当該クリーニング所のクリーニング業務に関する衛生管理を行う者として、従事者数の5分の1（端数を生ずる場合はその端数を切り上げた数）の者を選び、都道府県知事が指定したクリーニング所の業務に関する知識の修得及び技能の向上を図るための講習を受けさせ、その後は3年を超えない期間ごとに同様の方法で選んだ者に対し当該講習を受けさせなければならないこととされたこと。
  (2) クリーニング師であって、改正規則第10条の2の規定により研修を受けた者は講習を受けたものとみなされること。
 3 研修又は講習を修了した者の届出（改正規則第10条の4関係）
  営業者は、クリーニング所の業務に従事する者が都道府県知事の指定する研修又は講習を修了したときは、速やかに当該クリーニング所を管轄する保健所長を経由して都道府県知事に、これらの者が従事するクリーニング所の名称及び所在地、これらの者の氏名、住所その他所定の事項を届け出ることとされたこと。
 4 その他
  (1) 経過措置
   ア 改正規則の施行の際、現にクリーニング所の業務に従事しているクリーニング師は、改正規則施行後3年以内に研修を受け、その後は3年を超えない期間ごとに研修を受けなければならないこととされたこと。
   イ 改正規則の施行の際、現にクリーニング所を開設している営業者は、改正規則施行後3年以内に5分の1の業務従事者に講習を受けさせ、その後は3年を超えない期間ごとに講習を受けさせなければならないこととされたこと。
  (2) 条例に基づく業務従事者に関する措置の廃止
   改正法第8条の2及び第8条の3の新設に伴い、改正前のクリーニング業法（以下「法」という。）第4条の2に規定する条例に基づく業務従事者に関する措置は廃止されたこと。

第2 運用上の留意事項

第3編　クリーニング業

1　研修又は講習の受講者
(1)　今回の改正により、クリーニング所の業務に従事するクリーニング師は都道府県知事の指定する研修を受け、クリーニング所の営業者は業務従事者について都道府県知事の指定する講習を受けさせなければならないこととされたが、改正法及び改正規則における「クリーニング所の業務に従事する」とは、本改正の趣旨に鑑み、直接洗たく物の処理又は受取及び引渡しに関する業務に従事することであること。
　したがって、クリーニング所において専ら事務的業務に従事する者等は研修及び講習の対象から除外されること。
(2)　クリーニング所の開設届に記載するクリーニング業法施行規則（以下「規則」という。）第1条の2第1項第7号に規定する「従事者数」については、同様の趣旨から、クリーニング所において直接洗たく物の処理又は受取及び引渡しに関する業務に従事する者の総数とし、この場合において常時雇用、臨時雇用、季節雇用等の雇用形態又は勤務形態の違いは問わないこと。
　これに伴い、改正法の施行の際、現にクリーニング所を営業している者については、平成元年9月末日までに当該クリーニング所の従事者数を法第5条第2項の規定により保健所長を経由して都道府県知事に届け出るよう指導すること。
　については、昭和30年12月26日衛環第96号三重県衛生部長あて環境衛生課長回答「クリーニング業法について」は廃止すること。
(3)　講習を受けさせるべき業務従事者の算出の基礎となる従事者数は、受講を予定している講習の開催日の属する年度の4月1日現在において規則第1条の2の規定に基づき営業者から提出されている届出における従事者数とすること。
　なお、従事者数に係る変更の届出は、適正に提出させるものとし、特に毎年4月1日現在の従事者数は正確に把握できるよう指導すること。
(4)　営業者は、講習を受けさせるべき者を業務従事者のうちから選任する場合は、原則として常勤者であって当該クリーニング所において衛生管理者的な地位にある者を選任すること。
2　研修又は講習の受講方法
　改正規則第10条の2及び第10条の3の規定により、クリーニング師の研修及び業務従事者に対する講習は、最初は1年以内に、その後は3年を超えない期間ごとに繰り返し受けることとされているが、多数の受講者が予定されるクリーニング所においては、一時にまとめて受けさせるか、当該期間内に適当に按分して受けさせるかいずれを選択するかは原則として営業者の判断によること。
3　研修又は講習を修了した者の異動の取扱い
(1)　クリーニング所の業務に従事する者が現に従事するクリーニング所と異なるクリーニング所の業務に従事するときに受けた研修又は講習については、現に従事するクリーニング所において受けたものとみなして差し支えないこと。
(2)　クリーニング所の業務に従事する者が退職、転勤等により異動し、その結果、研修又は講習を受けた者がいなくなった場合は、当該クリーニング所の営業者は速や

かに他の者に研修又は講習を受けさせるよう指導すること。
　4　研修又は講習への参加の指導
　　　今回の改正によるクリーニング師の研修及び業務従事者に対する講習は、あくまでも法律に基づく制度であることから、できる限りクリーニング所の業務に従事する多数の者を研修及び講習に参加させることが重要であり、このため規則第1条の2の規定に基づく営業者の届出、改正規則第10条の4の規定に基づく研修及び講習を修了した者の届出等によりクリーニング所ごとの受講予定者数、受講状況等の把握に努めるとともに、クリーニング所への立入検査等の機会を活用し、クリーニング師及び営業者に対し研修及び講習への参加を強く指導すること。
第3　その他
　1　研修及び講習の指定基準等
　　　研修及び講習の指定基準、指定手続等は、別途通知するものであること。
　2　クリーニング所における衛生管理要領の改正
　　　昭和57年3月31日環指第48号環境衛生局長通知「クリーニング所における衛生管理要領について」の別添「クリーニング所における衛生管理要領」の一部を次のように改正する。
　　　　次のよう　略
　3　病院寝具類の受託クリーニング所に関する衛生基準の改正
　　　昭和59年4月6日環指第32号環境衛生局指導課長通知「クリーニング所における病院寝具類の取扱いについて」の別紙1「病院寝具類の受託クリーニング所に関する衛生基準」の一部を次のように改正する。
　　　　次のよう　略
別紙1・2　略

第3編　クリーニング業

○成年後見制度の創設に伴う厚生省関係法令の改正等について（抄）

> 平成12年3月27日　障第193号・健政発第321号・健医発第520号・生衛発第463号・医薬発第307号・社援第688号・老発第255号・児発第194号・保発第44号・年発第207号・庁保発第9号
> 各都道府県知事・各指定都市市長・各中核市市長宛
> 厚生省大臣官房障害保健福祉部長・健康政策・保健医療・生活衛生・医薬安全・社会・援護・老人保健福祉・児童家庭・保険・年金局長・社会保険庁運営部長連名通知

注　平成17年6月29日老発第0629005号による改正現在

　高齢社会への対応及び障害者福祉の充実の観点から、認知症高齢者、精神障害者、知的障害者等の判断能力の不十分な者の保護を図るため、民法の一部を改正する法律（平成11年法律第149号）、任意後見契約に関する法律（平成11年法律第150号）及び民法の一部を改正する法律の施行に伴う関係法律の整備等に関する法律（平成11年法律第151号。以下「整備法」という。）により、後見・保佐・補助制度の導入等による禁治産・準禁治産制度の改正及び任意後見制度の創設等が行われたところである。また、これに伴い、後見登記等に関する法律（平成11年法律第152号）により、禁治産及び準禁治産の宣告を戸籍に記載する公示方法に代わる新たな登記制度の創設等が行われた。なお、これらの法律は平成11年12月8日に公布され、平成12年4月1日に施行されるところである。

　厚生省の所管する法律については、整備法において、高齢者、障害者等の福祉に資するため、関係法律の整備を行うとともに、今回の民法の一部改正により後見人等の用語の改正が行われたことに伴う用語の整備等を行った。

　また、前記整備法の成立を受けて、民法の一部を改正する法律及び民法の一部を改正する法律の施行に伴う関係法律の整備等に関する法律の施行に伴う関係政令の整備等に関する政令（平成12年政令第37号。以下「整備政令」という。）が平成12年2月16日に公布され、厚生省の所管する政令についても、民法の一部改正に伴う用語の整備を行った。

　さらに、厚生省令については、前記整備法等を受けて、平成12年3月27日に民法の一部を改正する法律等の施行に伴う厚生省関係省令の整備に関する省令（平成12年厚生省令第39号。以下「整備省令」という。）が公布され、同様に民法の一部改正に伴う用語の整備を行うとともに、各種申請書への登記事項証明書の添付等、所要の見直しを行ったところである。

　今回の改正における厚生省関係法令の改正の趣旨及び内容を下記のとおり通知するので、本件についてご理解いただくとともに、管内市町村にご周知いただき、成年後見制度が適切かつ十分に活用されるようご配意いただきたい。

記

第1　老人福祉法、精神保健及び精神障害者福祉に関する法律及び知的障害者福祉法の一部改正　略
第2　その他の関係法令の改正

成年後見制度の創設に伴う厚生省関係法令の改正等について（抄）

1 法律上の用語の整備等
 (1) 次の各法について、「禁治産者」を「成年被後見人」に、「準禁治産者」を「被保佐人」に改める。
  ○ 水道法（昭和32年法律第177号）（整備法第8条第10号）
 (3) 次の各法について、「禁治産者」を「成年被後見人」に、「準禁治産者」を「被保佐人」に改めるほか、所要の整備を行う。
  ○ 廃棄物の処理及び清掃に関する法律（昭和45年法律第137号）（整備法第98条）
 (5) 次の各法について、「禁治産者」を「成年被後見人」に改めるほか、所要の整備を行う。
  ○ 化学物質の審査及び製造等の規制に関する法律（昭和48年法律第117号）（整備法第99条）
 (7) 次の各法について、所要の整備を行う。
  ○ クリーニング業法（昭和25年法律第207号）（整備法第53条）
2 関係政令、省令及び告示上の用語の整備等
 (1) 政令
  次の各政令について、「禁治産者若しくは準禁治産者」を「成年被後見人若しくは被保佐人」に改める。
  ○ 容器包装に係る分別収集及び再商品化の促進等に関する法律施行令（平成7年政令第411号）（整備令第14条第1号）
  ○ 特定家庭用機器再商品化法施行令（平成10年政令第378号）（整備令第14条第2号）

第3編　クリーニング業

○クリーニング業法の一部を改正する法律の施行について（施行通知）

> 平成16年4月16日　健発第0416001号
> 各都道府県知事・各政令市市長・各特別区区長宛　厚生労働省健康局長通知

　クリーニング業法の一部を改正する法律（以下「改正法」という。）が、衆議院厚生労働委員長から議員提案され、平成16年4月16日法律第33号として公布された。改正法の施行日は、附則第3条の規定が公布の日から施行されることを除き、公布の日から起算して6か月を超えない範囲内において政令で定める日から施行されることとなっている。当該施行日については、別途政令で定めることとしているが、改正法の施行に当たっては事前の準備等が必要であるため、貴職におかれては、下記の内容を十分御了知の上、関係機関等への周知徹底を図るとともに、その実施に遺漏なきを期されたい。

記

第1　改正の趣旨

　近年におけるクリーニング業を営む者に対する苦情の状況及びクリーニング所を開設しないで行う新しい形態のクリーニングに係る取次業の出現を踏まえ、利用者の利益の擁護を図り、クリーニング業における適正な衛生水準を確保する等のため、営業者に利用者の利益を擁護するために必要な措置を講じさせるとともに、クリーニング所を開設しないで行うクリーニングに係る取次業を営む者についても一定の衛生措置を講じさせる等の所要の改正を行うものである。

第2　改正の概要

1　クリーニング業法関係

(1)　目的に関する事項

　　目的に、利用者の利益の擁護を図ることを加えることとされた。（第1条関係）

(2)　営業者の衛生措置

　　営業者は、業務用の車両（営業者がその業務のために使用する車両（軽車両を除く。）をいう。）について必要な衛生措置を講じなければならないこととされた。（第3条第3項関係）

(3)　利用者に対する説明義務等

　ア　営業者は、洗濯物の受取及び引渡しをしようとするときは、あらかじめ、利用者に対し、洗濯物の処理方法等について説明するよう努めなければならないこととされた。（第3条の2第1項関係）

　イ　営業者は、洗濯物の受取及び引渡しをするに際しては、厚生労働省令で定めるところにより、利用者に対し、苦情の申出先を明示しなければならないこととされた。（第3条の2第2項関係）

(4)　営業者の届出

　　クリーニング所を開設しないで洗濯物の受取及び引渡しをすることを営業とし

ようとする者は、厚生労働省令の定めるところにより、営業方法、従事者数その他必要な事項をあらかじめ都道府県知事に届け出なければならないこととされた。（第5条第2項関係）
(5) 罰則等
　ア　(2)及び(3)イに係る立入検査、措置命令、営業停止処分等及び罰則に関する規定の整備が行われた。（第10条第1項、第10条の2、第11条及び第15条第4号関係）
　イ　(4)による届出をせず、又は虚偽の届出をした者にあっては、法第15条第1号の罰則の適用を受けるものとされた。
　ウ　その他所要の規定の整備が行われた。（第5条の3第1項及び第8条の3関係）
(6) 施行期日
　改正法は、後記2(1)の規定を除き、公布の日から起算して6か月を超えない範囲内において政令で定める日から施行するものとされた。（附則第1条関係）
(7) 経過措置等
　ア　改正法の施行の際現にクリーニング所を開設しないで洗濯物の受取及び引渡しをすることを営業としている者については、(6)の政令で定める日から3か月以内に都道府県知事に対し(4)に係る届出をしなければならないこととされた。（附則第2条関係）
　イ　(3)イ及び(4)において厚生労働省令で定めることとされている事項については、追って定めるものとすること。

2　生活衛生関係営業の運営の適正化及び振興に関する法律関係
(1) 営業を営む者の特例について
　改正法の公布の際現にクリーニング業法に規定するクリーニング業を営む者が当該規定の施行の日以後においてクリーニング業法第2条第2項に規定する洗たくをしないで洗たく物の受取及び引渡しをすることを営業とする者となった場合における当該営業とする者（同法第5条の3第1項の規定によりその地位を承継した者を含む。）は、当分の間、第2条第1項第7号に掲げる営業を営む者とすることとされた。これにより、当該改正規定の施行の日において一般クリーニング所を営んでいた者は、取次業へ業態転換を図った場合においても、引き続き生活衛生同業組合員資格を維持できることとなった。（附則第3条関係）
(2) 施行期日
　(1)の規定については、改正法の公布の日（平成16年4月16日）から施行することとされた。（附則第1条ただし書関係）

○クリーニング業法の一部を改正する法律の施行期日を定める政令及びクリーニング業法施行規則の一部を改正する省令について

[平成16年8月24日　健発第0824002号
各都道府県知事・各政令市市長・各特別区区長宛　厚生労働省健康局長通知]

　クリーニング業法の一部を改正する法律（平成16年4月16日法律第33号。以下「改正法」という。）の施行については、既に平成16年4月16日健発第0416001号により通知したところであるが、その施行期日を定める政令（以下「施行日政令」という。）が、平成16年7月2日政令第223号をもって公布され、改正法は平成16年10月1日より施行されることとされた。

　また、改正法に伴い、クリーニング業法施行規則の一部を改正する省令（以下「改正省令」という。）が平成16年8月17日厚生労働省令第120号をもって公布され、同じく10月1日より施行されることとされたところである。

　貴職におかれては、下記の内容を十分御了知の上、関係機関等への周知を図るとともに、その実施に遺漏なきを期されたい。

記

第1　施行日政令関係
　改正法の施行期日を平成16年10月1日とすることとした。
第2　改正省令関係
　1　改正の趣旨
　　改正法により、営業者は、利用者に対し、苦情の申出先を明示しなければならないこととされたこと、クリーニング所を開設しないで洗濯物の受取及び引渡しをすることを営業としようとする者は営業方法等をあらかじめ都道府県知事に届け出なければならないこととされたこと等に伴い、クリーニング業法施行規則について所要の改正を行うものである。（以下、改正省令による改正後のクリーニング業法施行規則を「規則」という。）
　2　改正の概要
　　(1)　苦情の申出先の明示
　　　改正法による改正後のクリーニング業法（以下「法」という。）第3条の2第2項の規定による苦情の申出先の明示については、次に掲げる方法によるものとされた。
　　　ア　クリーニング所においては、苦情の申出先となるクリーニング所の名称、所在地及び電話番号を店頭に掲示しておくとともに、洗濯物の受取及び引渡しをしようとする際に、当該掲示事項を記載した書面を配布する。（規則第1条の2第1項関係）
　　　イ　クリーニング所を開設しないで洗濯物の受取及び引渡しをすることを営業と

しようとする車両を用いた店舗(以下「無店舗取次店」という。)においては、苦情の申出先となるクリーニング所又は無店舗取次店の名称、クリーニング所の所在地又は車両の保管場所並びに電話番号を記載した書面を配布する。(規則第1条の2第2項関係)
(2) 営業者の届出
　法第5条第2項の規定による営業の届出は、次の事項を記載した届出書を営業しようとする区域ごとに当該区域を管轄する都道府県知事に提出することによって行うものとされた。(規則第1条の3第2項関係)
一　無店舗取次店の名称
二　業務用車両の自動車登録番号又は車両番号及び車両の保管場所
三　営業区域
四　営業開始の予定年月日
五　業務用車両の構造の概要
六　営業者の氏名、本籍、生年月日、住所及び電話番号又は名称、住所及び電話番号
七　従事者中にクリーニング師のある場合には、その本籍、住所、氏名及び生年月日並びに登録番号
八　従事者数
九　法第3条第3項第5号に規定する洗濯物を取り扱わない無店舗取次店にあっては、その旨
(3) その他
　その他所要の規定の整備が行われた。(規則第1条の3第1項及び第3項、第2条、第2条の2、第2条の3、第2条の4、第10条の3関係)

○クリーニング業法施行規則の一部を改正する省令の施行について

> 平成30年3月30日　生食発0330第14号
> 各都道府県知事宛　厚生労働省大臣官房生活衛生・食品安全審議官通知

　本日公布されたクリーニング業法施行規則の一部を改正する省令（平成30年厚生労働省令第47号。以下「改正規則」という。）により、クリーニング業法施行規則（昭和25年厚生省令第35号。以下「規則」という。）が改正され、本日施行されることとなったところである。その改正の趣旨、内容、留意事項等は下記のとおりである。

　ついては、これらの内容について十分御了知の上、クリーニング師の免許申請者に対する周知徹底、指導等について、遺漏ないよう適切な対応を願いたい。

記

第1　改正の趣旨

　クリーニング師免許申請時には、規則第4条に基づき、本籍、住所、氏名及び生年月日を記載した申請書に、戸籍謄本又は戸籍抄本（以下「戸籍謄本等」という。）を添えて申請しなければならないとされており、申請書に記載された「氏名」、「生年月日」及び「本籍地」の三情報（以下「三情報」という。）と、戸籍謄本等に記載された三情報を照合することにより本人確認を行うとともに、クリーニング師試験申込時からクリーニング師免許申請時までに婚姻等により氏名を変更した者や本籍地を変更した者については、戸籍謄本等によって旧姓と現在の姓の連続性や本籍地の変更事実を確認しているところである。

　これに対し、「申請手続等の見直しに関する調査－戸籍謄本等の提出が必要とされる手続を中心として－結果に基づく勧告」（平成29年3月総務省）（以下「勧告」という。）において、三情報は住民票の写しにも記載されているため、申請者の負担軽減を図る観点から、クリーニング師試験申込時から氏名又は本籍に変更がない申請者については、「法令を改正するなどして、「氏名」等の変更がある者のみ戸籍謄本等を求め、変更がない者については、本籍記載のある住民票の写し又は身分証明書で本人確認等を行うこと」とされた。

　これを受け、クリーニング師試験申込時からクリーニング師免許申請時までの間で氏名又は本籍に変更がない申請者は、戸籍謄本等ではなく、本籍記載のある住民票の写しの提出でも可能とする改正を行うものである。

第2　改正の内容

1　これまで、クリーニング師免許申請時には、本籍、住所、氏名及び生年月日を記載した申請書に、戸籍謄本等を添えて申請しなければならないとされていたが、クリーニング師試験申込時から氏名及び本籍に変更がない申請者については、戸籍謄本等ではなく、本籍記載のある住民票の写しの提出でも可能とすること（改正規則による改正後の規則第4条第1項第1号）。

2 その他所要の改正を行うこと（改正規則による改正後の規則第4条第1項第2号）。
第3 運用上の留意事項等について
　今般、勧告を踏まえ、クリーニング師試験申込時から氏名又は本籍に変更がない申請者は、戸籍謄本等ではなく、本籍記載のある住民票の写しの提出でも可能としたところであるが、試験申込時から氏名又は本籍に変更がない申請者が従来どおり戸籍謄本等の提出をする場合でも、手続上支障はないこと。

○クリーニング業法施行規則の一部を改正する省令の施行について

　　　令和元年11月27日　生食発1127第1号
　　　各都道府県知事宛　厚生労働省大臣官房生活衛生・食
　　　品安全審議官通知

　クリーニング業法施行規則の一部を改正する省令（令和元年厚生労働省令第75号。以下「改正省令」という。）が本日別添のとおり公布され、令和2年4月1日より施行されることとなった。
　改正省令の趣旨、概要等は下記のとおりであるので、これらについて御了知の上、その実施に遺漏のないよう適切な対応をお願いしたい。

記

第1　改正の趣旨
　今般、令和元年地方分権改革に関する提案募集において、地方公共団体から、クリーニング師試験の受験願書に添える写真の大きさについて、手札形ではなく、一般に流通する大きさに変更するべきとの提案があったことを踏まえ、改正を行うものである。
第2　改正の概要
　クリーニング業法施行規則第3条第2号を改正し、クリーニング師試験を受けようとする者が受験願書に添える写真について、出願前6月以内に脱帽して正面から撮影した縦4.5cm×横3.5cmのもので、その裏面には撮影年月日及び氏名を記載することとする。
第3　施行期日
　令和2年4月1日
別添　略

第2章　適用範囲

○医療機関における消毒・滅菌業務の委託に係る
　クリーニング業法の適用について

〔平成2年8月30日　衛指第146号
　各都道府県・各政令市・各特別区衛生主管部（局）長宛
　厚生省生活衛生局指導課長通知〕

　医療機関における消毒・滅菌業務の委託については、本年8月13日付け指第39号（別添）により、健康政策局指導課長から既に通知されたところであるが、このうち、手術衣、手術用布片等のリネン類の消毒・滅菌業務の委託を受ける施設にあっては、クリーニング業法の適用を受けるものであるので、当該施設に対する指導監督については、下記に留意の上、よろしくお取り計らい願いたい。

記

1　手術衣、手術用布片等のリネン類の消毒・滅菌業務を受託した施設において、これらを洗濯・消毒する行為は、クリーニング業法にいうクリーニング業としての行為であり、クリーニング所でなければできないこと。
　　したがって、これらの行為を行う施設（以下「受託クリーニング所」という。）であってクリーニング所の届け出を行っていないところについては、遅滞なくクリーニング所の届け出を行わせる必要があること。
　　また、受託クリーニング所に設置されるクリーニング師は、当該クリーニング所の衛生管理を行う上での実質的責任者となるものであること。
2　受託クリーニング所の施設、設備及び管理等については、当分の間、「病院寝具類の受託クリーニング所に関する衛生基準」（昭和59年4月6日環指第32号）の規定に準じて指導されたいこと。

別添　略

○ボランティアが行う有償洗濯事業についてのクリーニング業法上の取扱いについて

平成17年2月9日　健衛発第0209002号
各都道府県・各政令市・各特別区衛生主管部(局)長宛
厚生労働省健康局生活衛生課長通知

　構造改革特別区域第5次提案において徳島県勝浦郡上勝町から、高齢化の進んだ過疎地において、NPO又は社会福祉法人等が有償ボランティアによる洗濯サービスを行う場合に、クリーニング業法の適用を除外することを内容とする提案がされたところ、今般、徳島県保健福祉部長に対して別添のとおり通知(平成17年2月9日付け健衛発第0209001号当職通知)したので、貴管内において同様の事案についての相談があった場合における、クリーニング業法第2条にいう「営業」に該当するか否かについての判断に際して、参考とされたい。

〔別　添〕

　　　徳島県勝浦郡上勝町におけるボランティアが行う有償洗濯事業についてのクリーニング業法上の取扱いについて

平成17年2月9日　健衛発第0209001号
徳島県保健福祉部長宛　厚生労働省健康局生活衛生課長通知

　構造改革特別区域第5次提案において徳島県勝浦郡上勝町から、高齢化の進んだ過疎地において、NPO又は社会福祉法人等が有償ボランティアによる洗濯サービスを行う場合に、クリーニング業法の適用を除外することを内容とする提案がされた。
　ついては、ボランティアが行う有償洗濯事業に関して、クリーニング業法第2条にいう「営業」に該当するか否かについて判断するための考え方は下記のとおりであるので、この取扱いについて御配慮願いたい。

記

　自ら洗濯を行うことができない者を対象としてボランティアが行う有償の洗濯援助事業については、1及び2の要件を満たすものと認められる場合、これをクリーニング業法第2条に規定する「営業」に該当しないこととして取り扱って差し支えないこと。
1　当該事業の対象区域が、交通条件に恵まれない離島、山間地等であって、当該区域内にクリーニング所が存在せず、かつ、当該区域を営業区域とする無店舗取次店が存在しない場合、又はその他これと同等の事情があると認められる場合
2　次に掲げる特性を満たすものと認められる場合
　① 非専門性
　　当該事業における洗濯行為が、一般家庭で使用される洗濯機又はコインオペレーションクリーニング営業施設に設置された洗濯機において、一般家庭で日常的に使用されている洗剤を用いたものであること。
　② 非社会性
　　当該事業における洗濯行為が、1世帯ごとの洗濯物を個別に洗濯するものであっ

て、異なる世帯の洗濯物が混同しないものであること。
③　非営利性
　当該事業の事業主体が、社会福祉法人・ＮＰＯ法人等の営利を目的としない法人であり、ボランティアによって当該事業が行われるものであること。
　また、当該洗濯行為が有償である場合であっても、その内容は洗剤、水道、電力に係る経費及びコインオペレーションクリーニング営業施設の使用料等必要経費のみを徴収するものであること。

○工場等における油のふき取り作業に使用された布の洗浄等を行う事業についてのクリーニング業法の適用について

平成18年3月1日　健衛発第0301001号
各都道府県・各政令市・各特別区衛生主管部（局）長宛
厚生労働省健康局生活衛生課長通知

　構造改革特別区域第7次提案において、工場等における油ふき取り作業に使用された布を回収して洗浄し、販売又は貸与することを繰り返して行う営業形態について、クリーニング業法の適用を除外することを内容とする提案がされたところ、専ら工場等の一般国民が出入りしない限定された場所において、主に機器等の油をふき取るといった室内環境に影響しない用途に使用された布のみを回収して洗浄し、これを販売又は貸与することを反復継続して行う営業形態については、国民生活に与える影響や公衆衛生上好ましくない事態が発生する可能性等を総合的に勘案すると、主として公衆衛生の見地から必要な指導及び取締を行うことを目的とするクリーニング業法の適用はないと考えられるので、御了知願いたい。

第3章　クリーニング所

○クリーニング所における消毒方法等について

> 昭和39年9月12日　環発第349号
> 各都道府県知事・各指定都市市長宛　厚生省環境衛生
> 局長通知

〔改正経過〕
　第1次改正　〔令和4年9月21日生食発0921第1号〕

　クリーニング業法の一部を改正する法律の施行については昭和39年8月12日環発第306号をもって通知したところであるが、伝染性の疾病の病原体による汚染のおそれのあるものとして厚生省令で指定する洗たく物の消毒方法及び消毒したと同等の効果を有する洗たく方法については下記により取り扱うこととしたので関係者に対しその趣旨の徹底を図り遺憾のないよう御配慮願いたい。

記

第1　消毒方法及び消毒の効果を有する洗たく方法について
　1　法第3条第3項第5号の規定による消毒方法は、他の法令に定めがあるものを除き、次の各号の一によること。ただし、石炭酸水、クレゾール水又はホルマリン水を使用する消毒に関しては伝染病予防法施行令第3条第2項に規定する医薬品を使用してもさしつかえないこと。

　　なお、伝染病予防法第1条第1項又は第2項に規定する伝染病の患者のせんたく物を委託することは、同法第10条の規定により、一般的には禁止されているものであること。

　(1)　蒸気消毒（10分間以上、摂氏100度をこえる湿熱に触れさせるものをいう。）
　(2)　熱湯消毒（10分間以上、摂氏80度をこえる熱湯に浸すものをいう。）
　(3)　ホルムアルデヒドガス消毒（あらかじめ真空にした装置に容積1立方メートルにつきホルムアルデヒド6g以上を発生せしめ、同時に水40g以上を蒸発させ、密閉したまま摂氏60度以上で1時間以上触れさせるものをいう。）
　(4)　酸化エチレンガス消毒（あらかじめ真空にした装置に酸化エチレンガスとこれを不活化する炭酸ガス等を1対9の割合に混じたものを同時に注入し、常圧にもどすか又は加圧した後、摂氏50度以上で1時間以上触れさせるものをいう。）
　(5)　石炭酸水消毒（石炭酸水（日本薬局方フェノール2分、水98分）中に摂氏30度以上で10分間以上浸すものをいう。）
　(6)　クレゾール水消毒（クレゾール水（日本薬局方クレゾール石けん液1分、水99分）中に摂氏30度以上で10分間以上浸すものをいう。）
　(7)　ホルマリン水消毒（ホルマリン水（日本薬局方ホルマリン1分、水99分）中に摂氏30度以上で10分間以上浸すものをいう。）

(8) 過酢酸消毒（過酢酸濃度150ppm以上の水溶液中に摂氏60度以上で10分間以上浸すもの又は過酢酸濃度250ppm以上の水溶液中に摂氏50度以上で10分間以上浸すものをいう。）
2　1の各号に示した消毒方法に代えて行なうことができる消毒の効果を有する洗たく方法とは次の各号の一を指すものであること。
(1) 摂氏80度以上の熱湯で10分間以上洗たくする方法
(2) サラシ粉、次亜塩素酸ナトリウム等を使用し、その遊離塩素濃度が250ppm以上の液に摂氏30度以上で5分間以上浸し、終末濃度が100ppm以上になるような方法で漂白することをその工程の中に含む洗たく方法
(3) 四塩化エチレンに5分間以上浸し洗たくした後、四塩化エチレンを含む状態で摂氏50度以上に保たせ10分間以上乾燥させるという方法による洗たく方法
(4) 過酢酸濃度150ppm以上かつ摂氏60度以上の水溶液で10分間以上洗たくする方法又は過酢酸濃度250ppm以上かつ摂氏50度以上の水溶液で10分間以上洗たくする方法
3　消毒の効果を有する洗たく方法については前記以外の方法によってもこれらと同等以上の消毒の効果を有するものもあると考えられるので、当局で検討のうえ必要に応じ順次追加する予定であること。
第2　運用上留意すべき事項
1　第1に示した消毒方法は、一般的消毒方法を示したものであり、特別の事情のある場合に必要に応じ行政庁、医師等がより高度の消毒方法を指定したときは、これによるよう指導すること。
2　伝染性の疾病の病原体による汚染のおそれのあるものとして厚生省で指定した洗たく物は、消毒が完了するまで又は消毒の効果を有する洗たくが完了するまでは専用の棚又は容器に収めるなど他のせんたく物と接触することのないよう区分を確実にしておくよう指導すること。
3　洗たくの方法は施設設備の構造、機能等により、また洗たく物の種類により種々異なるものと思われるので消毒方法についても1種類に限ることなく、それぞれに適した効果のある方法を採用するよう指導すること。
4　おむつなどし尿による汚染の甚だしい洗たく物については、消毒又は消毒の効果を有する洗たくを行なう場合は消毒液や漂白剤を頻繁に取り代えるなど汚物による消毒の効果を減少させないよう注意すること。また、おむつなどに附着しているし尿を放流する場合は、終末処理場のある下水道に放流する場合を除き、必ずし尿を浄化することができる装置を設けるよう指導すること。

○クリーニング取次所の衛生措置について

〔昭和41年12月27日　環衛第5,153号・環食第5,367号
各都道府県衛生主管部長宛　厚生省環境衛生局環境衛
生・食品衛生課長連名通知〕

　標記についてはすでに昭和39年8月12日環発第306号をもって通知したところであるが、なお、その徹底を欠く面もみられるので下記に留意のうえその運用に遺憾なきを期せられたい。

記

　洗たく物の処理に関して公衆衛生上の危害が発生しないよう、食品の販売又は調理等を行なう営業施設その他相互に汚染の可能性がある営業施設と同一の施設内に洗たく物の受取及び引渡しのための施設を設ける場合には、当該施設の境界に障壁等を設ける等汚染された洗たく物と食品が直接接触することのないようクリーニング業法第3条第3項第6号の都道府県知事の定める必要な措置とするとともに、当該施設において従業者のうち食品と洗たく物とをあわせて取扱うものは洗たく物の取扱を行なった場合には手指の消毒その他清潔のための措置に充分留意することとすること。

○四塩化エチレン中毒の防止について

〔昭和43年4月30日　環衛第8,071号
各都道府県知事宛　厚生省環境衛生局長通知〕

　最近、四塩化エチレン（テトラクロルエチレン、パークロルエチレン）を使用してドライクリーニングを行なうクリーニング所において、四塩化エチレン中毒事故が相次いで発生しているが、現在、溶剤として四塩化エチレンを使用するドライクリーニング装置を設置しているクリーニング所は、全国に約1万2000か所あると推定されるほか、四塩化エチレンをしみ抜き等に使用しているクリーニング所も少なくないので、今後この種の事故が続発することも予想される。

　クリーニング所における四塩化エチレン中毒事故は、除害装置の不備、取扱いの誤り等による場合が多いので、次の点に十分留意の上、危害防止に遺憾のないよう取計らわれたい。

　なお、労働基準法の適用事業所については、有機溶剤中毒予防規則（昭和35年労働省令第24号）により、使用者に予防措置が義務づけられているが、クリーニング所の過半数が労働基準法の適用外事業所であり、中毒事故の発生もこれらのクリーニング所に多いので、特に労働基準法適用外クリーニング所に重点を置いて指導されたい。

記

1　四塩化エチレンを使用するクリーニング所の把握

　　クリーニング業法第5条第1項に基づき、営業者がクリーニング所を開設する際、ドライクリーニング装置を設置している場合は、その概要を届出ることとされているの

で、今後、使用する溶剤の種類別の届出をも励行するよう指導されたい。また、既に設置されているものについては、クリーニング環境衛生同業組合等の協力を得て、四塩化エチレン使用状況の実情把握に努めること。
2 危害防止設備の設置

有機溶剤中毒予防規則の規制に準じて、次に掲げる事項を、クリーニング業法第3条第3項第6号の規定に基づき、営業者がクリーニング所において講ずべき措置として定める等の方法により、四塩化エチレンに起因する危害の防除を促進するよう努めること。

(1) 局所排出装置を設置すること。

局所排出装置としては、四塩化エチレンの排気をドライクリーニング装置から直接屋外に排出させるための排気管を設置すること、及びしみ抜き等に四塩化エチレンを使用する場合は、フード、排風機等を備えた適切な局所排出装置を設置することが必要であること。

(2) 必要な性能を有する全体換気装置を設置すること。

3 従事者の健康診断

関係業務の従事者に対し、クリーニング業法第9条の規定に基づく健康診断を受ける際等を利用して、四塩化エチレン中毒の有無につき健康診断を受けるよう指導すること。また、保健所においては、このための便宜供与に努めること。

4 その他

(1) 関係者に対して、四塩化エチレンの有害性、健康診断の必要性等について啓蒙を図るとともに、クリーニング師試験の際、四塩化エチレンをクリーニングに使用する場合の注意事項について試問する等の方法により、個々のクリーニング師に対する周知の方途を講ずるよう特に配慮すること。

(2) 四塩化エチレンの取扱いに当たっては、特に次の点に留意するよう指導すること。

ア ドライクリーニング装置内での四塩化エチレンの除去（乾燥）を十分に行なうこと。

イ 装置から取り出した洗たく物の乾燥は、全体換気装置の設置された部屋で行なうこと。

ウ 四塩化エチレンの取扱場所、保管場所を営業者、従業者等の居住室と区画するか、作業終了後発散源の密閉、蒸気の排出を完全に行なう等の方法により、四塩化エチレンの蒸気の存在する場所に居住しないようにすること。

○四塩化(パークロル)エチレン中毒の防止について

> 昭和53年9月27日　環指第127号
> 各都道府県・各政令市・各特別区衛生主管部(局)長宛
> 厚生省環境衛生局指導課長通知

　四塩化エチレン中毒の防止については、昭和43年4月30日環衛第8,071号により、指導方通知したところであるが、労働安全衛生法施行令の一部を改正する政令(昭和53年政令第226号)、及び有機溶剤中毒予防規則等の一部を改正する省令(昭和53年労働省令第32号)が、それぞれ昭和53年9月1日から(一部の規定は、同年12月1日から)施行され、四塩化エチレン中毒の予防措置の強化が図られたので、更に次の点に十分留意の上、労働安全衛生法の適用外クリーニング事業所を含め四塩化エチレンを使用してドライクリーニングを行うクリーニング所に対し、危害防止に遺憾のないよう指導されたい。

記

1　有機溶剤作業主任者技能講習について
　　今回の改正により、作業主任者を選任すべき作業として、屋内作業場等で有機溶剤を取り扱うものが追加され有機溶剤作業主任者は、有機溶剤作業主任者技能講習を修了した者のうちから選任しなければならないこととなったが、労働安全衛生法の適用外のクリーニング所に従事する者にあっても、四塩化エチレンの有害性等の啓発、危害防止の点から受講が望ましいこと。
2　健康診断について
　　今回の改正により、健康診断の項目が整備され、有機溶剤を取り扱う業務の従事者に対しては、健康診断の結果、健康に異常の疑いがあり、医師が必要と認める者については、第2次健康診断を行わなければならないこととされたが、クリーニング業に従事する者に対しては、四塩化エチレン中毒の有無につき健康診断を受けるようクリーニング業法第9条の規定に基づく健康診断を受ける際等を利用して指導すること。
3　改正内容の詳細については、別添の「労働安全衛生法施行令の一部を改正する政令及び有機溶剤中毒予防規則等の一部を改正する省令の施行について」(昭和53年8月31日基発第479号都道府県労働基準局長宛　労働省労働基準局長通知)を参照されたい。

〔別　添〕

　　　　労働安全衛生法施行令の一部を改正する政令及び有機溶剤中毒予防規
　　　　則等の一部を改正する省令の施行について

> 昭和53年8月31日　基発第479号
> 各都道府県労働基準局長宛　労働省労働基準局長通知

　労働安全衛生法施行令の一部を改正する政令(昭和53年政令第226号。以下「改正政令」という。)は、昭和53年6月5日、有機溶剤中毒予防規則等の一部を改正する省令(昭和53年労働省令第32号。以下「改正規則」という。)は、同年8月7日公布され、そ

れぞれ同年9月1日から（一部の規定は、同年12月1日から）施行されることとなった。

今回の改正は、産業の発展、工業技術の進歩に伴い、有機溶剤の大量消費と新しい有機溶剤の利用開発が進められていること及びいまだに毎年多数の有機溶剤中毒が発生していること等にかんがみ、これらに対処するため、有機溶剤関係規制の整備充実を図ったものである。

ついては、今回の改正の趣旨を十分理解し、関係者への周知徹底を図るとともに、特に下記の事項に留意して、その運用に遺憾のないようにされたい。

なお、改正規則の施行に伴い、昭和35年11月24日付け基発第993号通達、昭和36年6月13日付け基発第539号通達及び昭和52年8月4日付け基発第445号通達を廃止し、昭和35年10月31日付け基発第929号通達の記の第1の2、第2の1の(1)及び(11)、第2の2の(2)及び(4)、第5の1及び4の(1)、第7の1及び2並びに第8、昭和38年4月12日付け基発第420号通達の記の1、2の(1)のなお書きの部分、2の(2)のまた書きの部分、3の(3)のなお書きの部分及び4を削除する。

おって、設備及び保護具関係の規定については、引き続き改正を行うこととしているので念のため申し添える。

改正政令により、有機溶剤として追加された3物質の名称及び構造式、沸点等について「追加有機溶剤一覧表」を添付したので業務の参考とされたい。

記

第1　今回の改正の要点

　Ⅰ　労働安全衛生法施行令関係

　　1　作業主任者を選任すべき作業として「屋内作業場その他一定の場所において別表第6の2に掲げる有機溶剤を製造し、又は取り扱う業務のうち、一定のものに係る作業」を追加したこと（第6条関係）。

　　2　名称等を表示すべき有害物として、アセトン等19の有機溶剤を追加したこと（第18条関係）。

　　3　特別の項目についての健康診断を行うべき有害な業務のうち有機溶剤に係るものの範囲を業務を行う場所及び対象となる有機溶剤について拡大したこと（第22条関係）。

　　4　有機溶剤として、N，N―ジメチルホルムアミド、スチレン及びテトラヒドロフランを追加し、別表第8を別表第6の2としたこと（別表第6の2関係）。

　　5　改正政令の施行期日は、昭和53年9月1日としたこと。

　Ⅱ　有機溶剤中毒予防規則関係

　　1　有機溶剤及び有機溶剤等を定義し、有機溶剤作業主任者及び健康診断に係る場所を定めたこと（第1条関係）。

　　2　有機溶剤等の許容消費量の算式を改め、算式に用いる作業場の気積の値に上限を設けたこと（第2条及び第3条関係）。

　　3　有機溶剤作業主任者を選任すべき作業に係る業務及び有機溶剤作業主任者の資

格を定めたこと（第19条関係）。
4 有機溶剤作業主任者の職務を定めたこと（第19条の2関係）。
5 作業環境測定を行うべき有機溶剤として、オルトージクロルベンゼン等11物質を追加し、測定は6月以内ごとに1回、定期に行わなければならないこととしたこと（第28条関係）。
6 健康診断の項目を整備し、一定の有機溶剤等を製造し、又は取り扱う業務に従事する労働者については、健康診断の結果に応じて第2次健康診断を行わなければならないこととしたこと（第29条関係）。
7 健康診断の結果を所定の様式により事業場の所在地を管轄する労働基準監督署長（以下「所轄労働基準監督署長」という。）に報告しなければならないこととしたこと（第30条の2関係）。
8 労働者が有機溶剤により著しく汚染され、又はこれを多量に吸入したときは、医師による診察又は処置を受けさせなければならないこととしたこと（第30条の3関係）。
9 有機溶剤作業主任者技能講習の講習科目等を定め、その他講習に必要な事項は労働大臣が定めることとしたこと（第36条の2関係）。
10 改正規則の施行期日は、昭和53年9月1日としたこと。
　　ただし、健康診断に関する改正規定（第29条第2項、同条第3項、第30条、第30条の2、第31条、別表第2、様式第3号及び様式第3号の2の改正規定）及びこれらの改正に伴う条文整備の規定（第16条第1項及び別表第1の改正規定）は、同年12月1日から施行することとしたこと。

Ⅲ 労働安全衛生規則関係
1 名称等を表示すべき有害物のうち人体に及ぼす作用を表示すべきものとしてオルトージクロルベンゼン等6の有機溶剤を追加したこと（第32条関係）。
2 名称等を表示すべき製剤その他の物を追加したこと（別表第2関係）。
3 改正規則の施行期日は、昭和53年9月1日としたこと。

第2 細部事項
Ⅰ 労働安全衛生法施行令関係
1 第18条関係
　　今回の改正により本条に追加した有機溶剤は、作業環境測定を行うべきもの、第2次健康診断を行うべきもの又は経皮侵入により健康障害を生ずるおそれのあるものであること。
2 別表第6の2関係
(1) 今回の改正により有機溶剤としてN、N―ジメチルホルムアミド、スチレン及びテトラヒドロフランを追加した趣旨は、これらを取り扱う業務に従事する労働者がその蒸気に暴露される可能性が高いものであり、かつ、次の条件に該当するものであるからであること。
　イ 有害性が高いこと。

ロ 健康障害が多発するおそれがあること。
ハ 健康障害の発生事例があること。
(2) 本表では、単一物質である有機溶剤（改正政令による改正前の労働安全衛生法施行令（以下「旧政令」という。）の第1種有機溶剤及び第2種有機溶剤がこれに該当する。）を先に、多数の炭化水素の混合物である有機溶剤（ノルマルヘキサンを除く旧政令の第3種有機溶剤がこれに該当する。）を後に、それぞれ50音順に掲げたものであること。

なお、今回の改正により、本表において有機溶剤の区分をなくしたのは、旧政令の第3種有機溶剤についても健康診断を義務付け、有機溶剤のすべてを健康診断の対象としたことから、本政令においては区分を必要としなくなったためであること。

Ⅱ 有機溶剤中毒予防規則関係
 1 第1条関係
  (1) 第1項関係
   イ 第3号の「第1種有機溶剤等」とは、改正規則による改正前の有機溶剤中毒予防規則（以下「旧規則」という。）の第1種有機溶剤及び第1種有機溶剤含有物にトリクロルエチレン及びこれを含有する物を追加したものをいうこと。
   ロ 第4号の「第2種有機溶剤等」とは、旧規則の第2種有機溶剤及び第2種有機溶剤含有物からトリクロルエチレン及びこれを含有する物を除いたものに、N,N—ジメチルホルムアミド、スチレン、テトラヒドロフラン及びノルマルヘキサン並びにこれらを含有する物を追加したものをいうこと。
   ハ 第5号の「第3種有機溶剤等」とは、旧規則の第3種有機溶剤及び第3種有機溶剤含有物からノルマルヘキサン及びこれを含有する物を除いたものをいうこと。
  (2) 第2項関係
   イ 第1号の「船舶の内部」には、船倉の内部のほかに、ボイラー室、機関室、船員室、客室、ブリッジ等の内部又はこれらを結ぶ通路等が含まれること。
   ロ 第1号の「船舶」、第2号の「車両」及び第3号の「タンク」には、建造中のもので、その主要構造部分が建造されており、船舶、車両又はタンクとしての外見が形づくられているものも含まれること。
   なお、これらの建造中のものには、前記に該当しない場合であっても、第11号に該当する場合があること。
   ハ 第3号の「タンク」とは、槽類、塔類、サイロ、ガス溜め、レシーバー等をいい、次に掲げるようなものがあること。
    (イ) 貯槽類………原料槽、中間物槽及び製品槽等
    (ロ) 処理槽類……沈澱槽、回収槽、計量槽及びろ過槽等

(ハ)　塔　類………合成塔、精製塔、反応塔、蒸留塔、分離塔、洗浄塔、給水塔及び再生塔等
　　　(ニ)　その他………各種ガス溜め、圧力容器、サイロ及び各種レシーバー等
　　ニ　第8号の「箱桁(けた)」とは、周囲が鉄板、コンクリート等で囲まれた桁(けた)をいい、橋梁、天井クレーン等に用いられるものがあること。
　　ホ　第9号の「ダクト」とは、換気等のための空気輸送管路等をいうものであること。
　　ヘ　第11号の「通風が不十分な場所」には、航空機の内部、コンテナーの内部、蒸気管の内部、煙道の内部、ダムの内部、船体ブロックの内部等が含まれること。
２　第２条関係
　(1)　第１項第１号の「屋内作業場等」とは、本規則の適用対象となる場所のすべてをいうものであること。
　(2)　第１項第１号の「タンク等の内部」とは、屋内作業場等のうち、通風が不十分な場所をいうものであること。
　(3)　第１項第１号の「屋内作業場等のうちタンク等の内部以外の場所」とは、具体的には、屋内作業場又は船舶若しくは車両の内部のうち通風が不十分ではない場所をいうものであること。
　(4)　第１項第１号中「通風が不十分な屋内作業場」とは、天井、床及び周壁の総面積に対する直接外気に向って開放されている窓その他の開口部の面積の比率（開口率）が３％以下の屋内作業場をいうものであること。また、「通風が不十分な船舶の内部」及び「通風が不十分な車両の内部」についても同様に取り扱うこと。
　　　なお、屋内作業場が第13条第１項第１号に該当し、所轄労働基準監督署長の許可を受けている場合は、当該屋内作業場の空気を外気とみなして差し支えないこと。
　(5)　今回、作業場の気積の値に上限を定めたのは、気積の大きな作業場では、それに比例して許容消費量の値も大きくなるが、実際には有機溶剤が作業場全体に拡散せず、当該有機溶剤の空気中の濃度が局所的に高濃度になるおそれがあるためであること。
３　第19条関係
　(1)　第１項の「第１条第１項第６号ルに掲げる業務」（有機溶剤等を用いて行う試験又は研究の業務）は、一般に取り扱う有機溶剤等の量が少ないこと、有機溶剤についての知識を有する者によって取り扱われていること等のため、作業主任者を選任すべき作業から除外したものであること。
　　　なお、「試験の業務」には、作業環境測定及び分析作業（計量のため日常的に行うものを含む。）が含まれること。
　(2)　有機溶剤作業主任者は、労働安全衛生法第14条の規定に基づき、作業の区分

に応じて選任が必要であるが、具体的には、各作業場ごと（必ずしも単位作業室ごとに選任を要するものでなく、次条に掲げる事項の遂行が可能な範囲ごと）に選任することが必要であること。
(3) 第2項の「選任」に当たっては、その者が次条各号に掲げる事項を常時遂行することができる立場にある者を選任することが必要であること。
4 第19条の2関係
(1) 第1号の「作業の方法」は、専ら労働者の健康障害の予防に必要な事項に限るものであり、局所排気装置、全体換気装置等の起動、停止、監視、調整等の要領、有機溶剤等の送給、取出し、サンプリング等の方法、有機溶剤等の汚染除去及び廃棄処理の方法、その他作業相互間の連絡、合図の方法等が含まれること。
(2) 第2号の「点検する」とは、局所排気装置又は全体換気装置について、第2章及び第3章に規定する障害予防の措置に係る事項を中心に点検することをいい、その主な内容としては、装置の主要部分の損傷、脱落、腐食、異常音等の異常の有無、装置の効果の確認等があること。
(3) 第4号は、旧規則第26条第1号に定められていたことと同様のものであること。
5 第25条関係
有機溶剤等の区分の表示は、当該区分に応じた色の地に、当該区分を文字で記載することが望ましいものであること。
6 第28条関係
(1) 今回の改正により測定対象有機溶剤として追加したオルト－ジクロルベンゼン等11物質は、第2次健康診断の対象有機溶剤でもあること。
(2) 作業環境測定の頻度を「6月以内ごとに1回」としたのは、旧有機溶剤中毒予防規則（昭和35年労働省令第24号）の施行当時と比較して、
イ 局所排気装置等の性能が強化され、さらにこれらの設備についての定期自主検査、作業主任者の行う定期点検等により、その性能確保が図られるようになったこと。
ロ 作業環境測定法（昭和50年法律第28号）の施行により、作業環境測定士が作業環境測定基準に従って測定を行うこととなり、精度の高い測定結果が得られるようになったこと。
等により、「6月以内ごとに1回」測定を行えば、作業環境の状態をおおむねは把握しうるようになったためであること。
7 第29条関係
(1) 第2項第1号の「業務の経歴」は雇い入れの際又は配置替えの際の健康診断を行うときに詳細に聴取すべきものであること。
(2) 第2項第2号の「既往歴」については、雇い入れの際又は配置替えの際の健康診断にあっては、その時までの症状又は疾病を、定期の健康診断にあっては

前回の健康診断以降の症状又は疾病を調査すべきものであること。
(3) 第2項第2号の「既往歴の有無の検査」及び同項第3号の「自覚症状の有無の検査」を実施するに当たっては、適宜問診表等を用いて行っても差し支えないものであること。
(4) 第3項の「前項の健康診断の結果」により第2次健康診断の対象者を選定するにあたっては、生体の機能が絶えず変動していることなどにより一過性に症状又は徴候が出現する場合があり、一時点での検査結果のみでは必ずしも対象有機溶剤による身体影響のおそれの有無を判定しえない場合もあるので、医師が必要と認めるときは、第1次健康診断の検査のすべて又は一部について繰り返して行い、総合的に判断する必要があるものであること。

8 第30条の2関係
本条の「遅滞なく」とは、健康診断完了後（第2次健康診断を行った場合は、その完了後）おおむね1月以内をいうこと。

9 別表第2関係
(1) 表の左欄に掲げる有機溶剤は、肝臓障害、腎臓障害、神経障害等の健康障害を生ずるおそれのあるものであること。
(2) 表の右欄に掲げる「作業条件の調査」には受診者の有機溶剤への暴露状況を推測することができる事項、たとえば有機溶剤の取扱い方法、作業時間、使用していた労働衛生保護具の種別及び装着状況、作業環境測定が行われている場合にあってはその結果等の調査があること。

10 様式第3号の2関係
「産業医」の欄を設けた趣旨及び留意事項については、昭和53年8月28日付け基発第472号「労働安全衛生規則等の一部を改正する省令の施行について」を参照すること。

11 附則第2条関係
(1) 第1項関係
有機溶剤中毒予防規則第1条の改正により、旧規則においては第2種有機溶剤等であったトリクロルエチレン及びこれを含有する物を第1種有機溶剤等に、第3種有機溶剤等であったノルマルヘキサン及びこれを含有する物を第2種有機溶剤等に改めたこと、N，N―ジメチルホルムアミド、スチレン及びテトラヒドロフラン並びにこれらを含有する物を第2種有機溶剤等に追加したことに伴い、屋内作業場等においてこれらの物に係る有機溶剤業務を行う場合は、有機溶剤の蒸気の発散源を密閉する設備又は局所排気装置を設置しなければならないこととなるが、設備の設置には一定の期間が必要となるので、昭和54年2月28日までの間は、第2章及び第3章の規定は適用しないこととし、設備の設置を要しないこととしたものであること。また、第7章（保護具）の規定もこれらの物に係る有機溶剤業務を行う場合には、同日までの間は、適用しないこととしたものであること。

第3編　クリーニング業

　　　ただし、第37条（計画の届出）の規定は適用されるので、これらの物に係る有機溶剤の蒸気の発散源を密閉する設備又は局所排気装置を設置し、移転し、又は変更しようとする事業者は、計画の届出の義務を有することに留意すること。
(2)　第3項関係
　　　有機溶剤中毒予防規則第2条及び第3条の改正により、設備及び保護具の規定についての適用除外の範囲が狭くなるので、第1項の場合と同様に、昭和54年2月28日までの間は当該規定を適用しないこととしたものであること。

四塩化(パークロル)エチレン中毒の防止について

別添
追加有機溶剤一覧表

名称と構造式	沸点 [℃]	蒸気圧 [mmHg] (25℃における値)	許容濃度 [ppm] (1)ACGIH(1977) (2)日本産業衛生学会(昭和52年)	※ 症状又は障害	主な用途	生産量
N,N−ジメチルホルムアミド (略称DMF) $H-C\overset{O}{\underset{N(CH_3)_2}{\|}}$	153.0	37	(1) 10	中枢神経系刺激症状、皮膚障害、気道前眼部障害、肝障害、胃腸障害	ウレタン系合成皮革製造用溶剤、アクリル繊維・ウレタン弾性繊維の紡糸用リマー溶剤、アクリロニトリル型ブタジエンエチレン・プロピレン・硫化水素などのガス吸収剤、溶解アセチレン用溶剤、有機合成化学用特殊インキ用溶剤	約 22,000 t (51年)
スチレン $CH_2=CH$ $HC\overset{CH}{\underset{H}{\|}}CH$	145.1	6.3	(1) 100 (2) 50	中枢神経系刺激症状、皮膚障害、気道前眼部障害、視覚障害、上気道障害、多発性末梢神経障害	ポリスチレン樹脂、合成ゴム(SBR)、ABS樹脂、スチレン・イオン交換樹脂製造原料、合成樹脂塗料	約 1,000,000 t (51年)
テトラヒドロフラン (略称THF) $H_2C\overset{CH_2}{\underset{O}{\|}}CH_2$ $H_2C\overset{}{\underset{}{\|}}CH_2$	66.0	176	(1) 200	中枢神経系刺激症状、皮膚障害	塩化ビニル・塩化ビニリデン系樹脂によるコーティング保護膜の製造用溶剤、接着剤、フィルム加工、表面処理剤、合成皮革表原料、有機合成中間体原料	約 5,000 t (51年)

※「症状又は障害」欄は「労働基準法施行規則(昭和22年厚生省令第23号)別表第1の2第4号にづき労働大臣が指定する単体たる化学物質及び化合物並びに労働大臣が定める疾病を定める告示」(昭和53年3月労働省告示第36号)による。

第3編　クリーニング業

○クリーニング所における衛生管理要領について

　　　　［昭和57年3月31日　環指第48号
　　　　　各都道府県知事・各政令市市長・各特別区区長宛　厚
　　　　　生省環境衛生局長通知］

〔改正経過〕
　第1次改正　〔平成元年3月27日衛指第45号〕
　第2次改正　〔平成12年8月15日生衛発第1,280号〕
　第3次改正　〔平成22年11月12日健発1112第5号〕
　第4次改正　〔令和4年9月21日生食発0921第1号〕
　第5次改正　〔令和5年7月3日生食発0703第10号〕
　第6次改正　〔令和5年8月31日生食発0831第23号〕

　環境衛生関係営業施設の監視指導については、日頃より種々御配慮を煩わしているところであるが、かねてよりこれが施設の衛生管理を徹底させ、環境衛生関係営業の衛生水準の向上を図るため、種々検討を行い、昨年6月に「理容所・美容所における衛生管理要領」を定めたところである。
　更に、今般これに引き続いて「クリーニング所における衛生管理要領」を別添のとおり定めたので、御了知の上クリーニング所の営業者等に対し、本要領の周知徹底を図るとともに、衛生管理の指導に当たっての指針として活用されたい。

別　添
　　　　　クリーニング所における衛生管理要領
第1　目的
　　この要領は、クリーニング所における施設、設備、器具、溶剤等の衛生的管理、洗濯物の適正な処理及び衛生的取扱い、従業者の健康管理等の措置により、クリーニングに関する衛生の向上及び確保を図ることを目的とする。
第2　施設及び設備等
　1　クリーニング所は、隔壁等により外部と完全に区分されていること。
　2　クリーニング所は、居室、台所、便所等の施設及び他の営業施設と隔壁等により区分されていること。
　3　クリーニング所における洗濯物の受取り及び引渡し場（以下「受渡し場」という。）、洗濯場（選別場、洗い場、乾燥場等）及び仕上場は、洗濯物の処理及び衛生保持に支障を来さない程度の広さ及び構造であって、それぞれが区分されていること。
　4　洗濯場は、受渡し場及び仕上場と隔壁等により区分されていることが望ましいこと。
　5　クリーニング所内の採光、照明及び換気が十分行える構造設備であること。
　6　洗濯場の床及び腰張りは、コンクリート、タイル等の不浸透性材料を使用し、清掃が容易に行える構造であること。
　7　水洗いによる洗濯物の処理（以下「ランドリー処理」という。）を行うクリーニング所の床面は、容易に排水ができるよう適当なこう配を有し、排水口が設けられてい

ること。排水設備には、阻集器（トラップ）を設けることが望ましいこと。
8 クリーニング所の周囲は、排水が良く、清掃しやすい構造であること。
9 有機溶剤を使用しての洗濯物の処理（以下「ドライクリーニング処理」という。）を行うクリーニング所には、局所排気装置等の換気設備を適正な位置に設けるなど有機溶剤使用に伴い生じる悪臭等による周辺への影響についても十分に配慮すること。
　また、気化溶剤の回収を行うための有機溶剤回収装置を備えることが望ましいこと。
10 洗濯物の処理のために洗剤、有機溶剤、しみ抜き薬剤、消毒剤等を使用するクリーニング所には、専用の保管庫又は戸棚等を設けること。
11 洗濯物の処理を行うクリーニング所には、洗濯物を適正に処理できる業務用設備として、洗濯機及び脱水機（又は洗濯脱水機）等を備え、また、乾燥機、プレス機及び給湯設備等を備えることが望ましいこと。
12 仕上場には、洗濯物の仕上げを行うための専用の作業台を設けること。
13 洗濯物の処理を行うクリーニング所の作業場内には、しみ抜きを行う場所を設け、適当な位置に機械的換気設備を設けることが望ましいこと。
14 感染症を起こす病原体により汚染し、又は汚染のおそれのあるものとして、クリーニング業法施行規則第１条に規定する洗濯物（以下「指定洗濯物」という。）を取り扱うクリーニング所には、次の物を備えること。
　(1) 未消毒の指定洗濯物を置く専用の場所又は容器
　(2) 消毒設備（ただし、消毒の効果を有する洗濯方法により処理される場合は、この限りでない。）
15 クリーニング所には、未洗濯のものと洗濯済みのものと区分して入れる設備又は容器を備えること。
16 し尿の付着している洗濯物（おむつ等）を洗濯するクリーニング所には、し尿を洗濯前に処理するための場所又は設備を設け、当該処理排水の浄化設備を設けること。
　ただし、排水が適正に処理される場合は、この限りではない。
17 ドライクリーニング処理を行うクリーニング所には、有機溶剤の清浄化に伴って生じるスラッジ等の廃棄物を入れるふた付の容器を備えること。
18 洗濯物を運搬する車には、未洗濯のものと仕上げの終ったものを区分して入れる専用の容器等を備えること。
19 繊維製品を使用させるために貸与し、その使用済み後は、これを回収して洗濯し、更にこれを貸与することを繰り返して行うクリーニング所又はこれに類する行為を行うクリーニング所（以下「リネンサプライ等クリーニング所」という。）には、回収した洗濯物の選別及び前処理を行う場所又は設備を設け、洗濯物の種類及び汚れの程度に応じて区分して入れる容器等を備えること。
20 受渡し場には、取扱い数量に応じた適当な広さの受渡し台を備えること。
21 仕上げの終った洗濯物の格納設備は、汚染のおそれのない場所に設けること。
第３ 管理

第3編　クリーニング業

1　クリーニング師の役割
(1)　クリーニング業法に基づき、洗濯物の処理を行うクリーニング所に必ず設置することとされているクリーニング師は、衛生法規に関する知識、公衆衛生に関する知識並びに洗濯物の処理に関する専門知識及び技能等を有する者であり、当該クリーニング所の衛生管理を行う上での実質的な責任者として、以下の業務を担う役割となるものであること。
　ア　衛生法規及び公衆衛生
　　(ア)　クリーニング師は、前記の趣旨を十分認識し、施設、設備等の衛生管理、有機溶剤等の適正な使用管理、衛生的で安全な従事環境の確保等について、当該クリーニング所の他の従業者に指導的立場から関与すること。
　　(イ)　クリーニング師は、当該クリーニング所において、洗濯機、脱水機、プレス機等の安全・衛生管理、洗剤、有機溶剤等の管理、指定洗濯物の適切な消毒など、クリーニングに関する衛生の確保、改善及び向上に努めること。
　　(ウ)　クリーニング師は、利用者利益の擁護を図るため、クリーニング事故の発生防止に努めるとともに、万が一事故が生じた際の対応責任者として原因究明を行い、利用者が不当に不利益を被る事態となることがないように努めること。
　　(エ)　クリーニング師は、感染症や災害が発生した場合の事業継続計画（BCP）の策定等に積極的に関与し、感染症や災害が発生した際には、当該クリーニング所において、適切な感染防止対策や災害被害の軽減・復旧等に取り組むこと。
　　(オ)　クリーニング師は、当該クリーニング所における近隣環境への安全配慮や環境保全対策等に向けた取組を推進すること。
　イ　洗濯物の処理
　　(ア)　クリーニング師は、洗濯物の適正処理について、当該クリーニング所の他の従業者の教育・指導を行うこと。
　　(イ)　クリーニング師は、当該クリーニング所において、洗濯物の処理に関する品質管理の実質的な責任者として、衛生的で質の高いクリーニングサービスの提供に努めること。
(2)　クリーニング師は、3年を超えない期間ごと（業務に従事した際は1年以内）にクリーニング師研修を受講することにより、知識及び技能の向上を図ること。
(3)　営業者は、クリーニング業法第4条により、クリーニング所（洗濯物の受取及び引渡のみを行うものを除く。）ごとに1人以上のクリーニング師を置かなければならないこととされているが、(1)のアの(ア)、(ウ)及び(オ)並びにイの(ア)の業務は、デジタル技術等を活用して適切に業務を行うことができる場合は、当該業務についてオンライン実施・兼任により対応できるものであること。

2　施設、設備及び器具の管理
(1)　施設内は、毎日清掃し、その清潔保持に努め、必要に応じ補修を行い、衛生上支障のないようにすること。

(2) 施設内外は、常に排水が良く行われるように保持すること。
(3) 施設内は、ねずみ、昆虫等が生息しない状態に保つこと。
(4) 施設内には、業務上不必要な物品を置かないこと。
(5) 施設内は、採光・照明を十分にすること。特に、受渡し場、しみ抜き場及び仕上場の作業面の照度は、300Lux以上であることが望ましいこと。
(6) 照明器具は、少なくとも1年に2回以上清掃するとともに、常に適正な照度維持に努めること。
(7) 施設内、特に引火性溶剤の保管場所、作業所は、換気を十分にすること。特に、ドライクリーニング処理を行うクリーニング所については、大気汚染防止法等に留意し、環境汚染防止に努め、気化した有機溶剤の排気又は回収に配慮すること。
(8) 局所排気装置等の換気設備及び有機溶剤回収装置は、定期的に点検、清掃を行うこと。
(9) 洗濯機、脱水機、プレス機等の機械及び器具類は、常に保守点検を行い、適正に使用できるように整備しておくこと。
(10) 洗濯機、脱水機等の機械、作業台、運搬・集配容器等の洗濯物が接触する部分(仕上げの終った洗濯物の格納設備又は容器を除く。)は、毎日業務終了後に洗浄又は清掃し、仕上げの終った洗濯物の格納設備又は容器は、少なくとも1週間に1回以上清掃を行い、常に清潔に保つこと。
(11) 洗濯機、脱水機、仕上げ専用の作業台、洗濯物の格納設備又は容器及び運搬・集配容器は、適宜消毒することが望ましいこと。
(12) ドライクリーニング用の洗濯機等は、有機溶剤の漏出がないよう常に点検し、使用中もその漏出の有無について十分留意すること。
(13) プレス機、馬(アイロン仕上げに用いる下ごて)等の被布は、清潔な白布を使用し適宜取り替えること。
(14) 作業に伴って生じる繊維くず等の廃棄物は、専用容器に入れ、適正に処理すること。
(15) 清掃用具は、専用の場所に保管すること。
(16) 特に営業者(管理人を含む。以下同じ。)又はクリーニング師は、毎日クリーニング所の施設、設備及び器具の衛生全般について点検管理すること。
(17) 洗濯機及び乾燥機にアースを設置すること。

3 洗濯物の管理及び処理
(1) 洗濯物の集配、保管等は、未洗濯のもの、洗濯済みのもの及び仕上げの終ったものに区分して衛生的に取り扱うこと。
(2) クリーニング業法第3条の2の規定に基づき、営業者は、洗濯物の受取及び引渡しをしようとするときは、あらかじめ、利用者に対し、洗濯物の処理方法等について説明するよう努めること。また、営業者は、洗濯物の受取及び引渡しをするに際しては、利用者に対し、苦情の申出先を明示すること。
 また、クリーニング業法施行規則第1条の2に規定する苦情の申出先について

は、店頭掲示や書面配布により明示すること。なお、営業者の判断により、紙での店頭掲示や書面配布に加えて、デジタル技術等を活用した方法により、苦情の申出先を明示することも可能であること。

(3) クリーニング所で洗濯物を受け取る場合、まず営業者は洗濯物を点検し、利用者との間で洗濯物の状況を相互に確認した上で、クリーニングを行うに当たり、洗濯物の処理方法等について特に説明を要する場合や、洗濯物に異常が確認された場合は、利用者にその旨を伝えること。

(4) 配送による洗濯物の受付を行う場合は、営業者は受取後速やかに洗濯物を点検し、クリーニングを行うに当たり、洗濯物の処理方法等について特に説明を要する場合や、洗濯物に異常が確認された場合は、利用者にその旨を伝えること。

なお、洗濯物の受取時期、洗濯物の点数等により、受け取り後に一定の期間が経過してからクリーニングを実施する場合など、クリーニングを行うにあたり特に説明を要する場合については、利用者に対してその旨を説明し了解を得るとともに、適切な衛生環境下で保管すること。

(5) リネンサプライ等クリーニング所は、回収した洗濯物の種類及び汚れの程度に応じた選別を行い、別々に区分して処理すること。

(6) 受け取った洗濯物については、指定洗濯物を別に区分して取り扱うこと。

(7) 指定洗濯物については、その他の洗濯物と区別して消毒するか、又は消毒の効果を有する洗濯方法により処理し、これが終了するまでは専用の容器等に納め、その他の洗濯物と接触しないよう区分すること。特に、乾燥又は加熱プレスをしないで仕上げを行う指定洗濯物(おしぼり等)については、十分な消毒効果の確認に努めること。

(8) 洗濯物の選別又は除じん等の作業は、洗濯済みのものを汚染することのないように行うこと。

(9) し尿等の汚物が付着している洗濯物(おむつ等)の前処理は、本洗の前に所定の場所で行うこと。

(10) 洗濯物の処理は、その種類及び汚れの程度に応じ適正な洗濯方法により行うこと。

　ア　ランドリー処理する場合には、適当な洗剤及び薬剤(漂白剤、酵素剤、助剤等)を選定して適量を使用し、処理工程、及び処理時間を適正に調整して行うこと。

　イ　ドライクリーニング処理する場合には、選定した有機溶剤に水、洗剤等を適量に混合したものを使用し、処理時間、温度等を適正に調整して行うこと。

(11) ランドリー処理の本洗には、60℃以上の温水を使用することが望ましいこと。

(12) ランドリー処理のすすぎには、清浄な水を使用して少なくとも3回以上行うこと。また、この場合、工程中に強制脱水を行うことが望ましいこと。

(13) ドライクリーニング処理による洗濯物の乾燥は、乾燥機等の装置内で、使用した有機溶剤の種類等に応じて適正温度で行うこと。

クリーニング所における衛生管理要領について

(14) ランドリー処理による洗濯物の乾燥を自然乾燥により行う場合は、所定の乾燥場で行うこと。
(15) 洗濯物の処理に使用した洗剤、有機溶剤及びしみ抜き薬剤が仕上げの終った洗濯物に残留することのないようにすること。
(16) 洗濯物のしみ抜き作業を行う場合は、繊維の種類、しみの種類・程度等に応じた適当な薬剤を選定し、しみ抜き場等所定の場所で行うこと。
(17) 洗濯物を防虫・防水等のため薬剤又は樹脂により特殊加工を施す場合は、その量及び濃度を適正にして使用し、余剰の薬剤等を十分に除去すること。
(18) 仕上作業は、手指を清潔にし、清潔な作業衣等を着用して衛生的に行うこと。
(19) アイロン仕上げのための霧吹きを行う場合は、噴霧器を使用すること。
(20) 仕上げの終った洗濯物については、処理が適正に行われたかどうか確認を行うこと。特に、おしぼり、おむつ等の指定洗濯物については、適宜細菌検査等を行い、消毒及び処理の結果を確認すること。
(21) 仕上げの終った洗濯物の保管は、包装するか、又は格納設備に収納し、汚染することのないよう衛生的に取り扱うこと。
(22) 特に営業者又はクリーニング師は、クリーニング所における洗濯物の処理及び取扱いが衛生上適正に行われているかどうかを常に確認し、その衛生確保に努めること。

4 洗剤及び溶剤等の管理
(1) 洗剤、有機溶剤、しみ抜き薬剤及び消毒剤等は、それぞれ分類して表示し、所定の保管庫又は戸棚等に保管すること。
(2) ランドリー処理に使用する水は、清浄なものであること(水道法に基づく水質基準に適合する水であることが望ましい。)。
(3) ドライクリーニング処理に使用する有機溶剤は、清浄なものであること。
(4) 有機溶剤の清浄化のために使用されているフィルター等は、反覆使用により溶剤中に溶出又は分散した汚れ、細菌等の吸着・除去能力が低下するので、適宜新しいものに交換し、常に清浄な溶剤が得られるようにすること。
(5) 使用中又は使用後の有機溶剤は、溶剤中に分散された汚れを除去するため常に清浄化を行うこと。この場合、ろ過又は吸着により有機溶剤の清浄化を行っても清浄にならないものは、蒸留するか又は新しい溶剤に交換すること。
(6) ドライクリーニング処理を行う場合は、溶剤中の洗剤濃度を常に点検し、適正な濃度の維持に努めること。
(7) 有機溶剤の清浄化のために使用したフィルター等を廃棄する場合は、専用のふた付容器に納め、適正に処理すること(専門の処理業者に処理委託することが望ましい。)。
(8) 有機溶剤を含有するしみ抜き薬剤は、密閉できる容器に入れて使用し、それ以外のしみ抜き薬剤は、適正濃度に調整して使用すること。
(9) 特に営業者又はクリーニング師は、各種の洗剤、有機溶剤等の特性及び適正な使

用方法について従業者に十分理解させ、その保管及び取扱いを適正にすること。
5 従業者の管理
(1) 営業者は、常に従業者の健康管理に注意し、従業者が以下に掲げる感染症にかかったときは、営業者はこの旨を保健所に届け出るとともに、当該従業者を作業に従事させないこととし、当該疾患が治癒した場合も同様に届け出ること。
　ア　結核
　イ　感染性の皮膚疾患(伝染性膿痂疹(トビヒ)、単純性疱疹、頭部白癬(シラクモ)、疥癬等)
(2) 営業者は、従業者又はその同居者が感染症の予防及び感染症の患者に対する医療に関する法律(平成10年法律第114号)により就業が制限される感染症にかかっている者又はその疑いのある者は、当該感染症をまん延させるおそれがなくなるまでの期間業務に従事させないこと。
(3) 営業者又はクリーニング師は、施設、設備及び器具の衛生管理、洗濯物の適正な処理及び衛生的な取扱い並びに洗剤、有機溶剤等の適正な使用等について常に従業者の教育、指導に努めること。
(4) 営業者は、従業者の資質の向上、知識の修得及び技能の向上を図るため、クリーニング業法に基づく研修又は講習のほか、関連する研修又は講習に参加させ、又は参加する機会を与えるよう努めなければならない。

第4　消毒
1　指定洗濯物の一般的な消毒方法及び消毒効果を有する洗濯方法の概要
(1) 消毒方法
　ア　理学的方法
　　(ア)　蒸気による消毒
　　　　蒸気がま等を使用し、100℃以上の湿熱に10分間以上触れさせること(温度計により器内の温度を確認すること。)。
　　(注)1　大量の洗濯物を同時に消毒する場合は、すべての洗濯物が湿熱に十分触れないことがある。
　　　　2　器内底の水量を適量に維持する必要がある。
　　(イ)　熱湯による消毒
　　　　80℃以上の熱湯に10分間以上浸すこと(温度計により温度の確認をすること。)。
　　(注)　熱湯に大量の洗濯物を浸す場合は、湯の温度が低下することがある。
　イ　化学的方法
　　(ア)　塩素剤による消毒
　　　　さらし粉、次亜塩素酸ナトリウム等を使用し、その遊離塩素250ppm以上の水溶液中に30℃以上で5分間以上浸すこと(この場合終末遊離塩素が100ppmを下らないこと。)。
　　(注)　汚れの程度の著しい洗濯物の場合には、終末遊離塩素濃度が極端に低下

することがある。
　(イ)　界面活性剤による消毒
　　　逆性石ケン液、両性界面活性剤等の殺菌効果のある界面活性剤を使用し、その適正希釈水溶液中に30℃以上で30分間以上浸すこと。
　　(注)　洗濯したものを消毒する場合は、十分すすぎを行ってからでないと消毒効果がないことがある。
　(ウ)　ホルムアルデヒドガスによる消毒
　　　あらかじめ真空にした装置に容積1㎥につきホルムアルデヒド6g以上及び水40g以上を同時に蒸発させ、密閉したまま60℃以上で1時間以上触れさせること。
　(エ)　酸化エチレンガスによる消毒
　　　あらかじめ真空にした装置に酸化エチレンガス及び炭酸ガスを1対9に混合したものを注入し、大気圧に戻し50℃以上で2時間以上触れさせるか、又は1kg／㎠まで加圧し50℃以上で1時間以上触れさせること。
　(オ)　過酢酸による消毒
　　　過酢酸濃度150ppm以上の水溶液中に60℃以上で10分間以上浸すこと又は過酢酸濃度250ppm以上の水溶液中に50℃以上で10分間以上浸すこと。
　　(注)　過酢酸の原液は強い刺激臭や腐食性があるため、使用する際は注意すること。
(2)　消毒効果を有する洗濯方法
　　洗濯物の処理工程の中に次のいずれかの工程を含むものは、消毒効果を有する洗濯方法である。
　ア　洗濯物を80℃以上の熱湯で10分間以上処理する工程を含むもの。
　イ　さらし粉、次亜塩素酸ナトリウム等を使用し、その遊離塩素が250ppm以上の液に30℃以上で5分間以上浸し、終末遊離塩素100ppm以上になるような方法で漂白する工程を含むもの。
　ウ　四塩化（パークロル）エチレンに5分間以上浸し洗濯した後、四塩化エチレンを含む状態で50℃以上に保たせ、10分間以上乾燥させる工程を含むもの。
　エ　洗濯物を過酢酸濃度150ppm以上かつ60℃以上の水溶液で10分間以上処理する工程を含むもの又は過酢酸濃度250ppm以上かつ50℃以上の水溶液で10分間以上処理する工程を含むもの。
　　(注)　(1)イ(オ)の（注）に留意すること。
2　設備及び容器等の消毒方法の概要
(1)　ランドリー処理用の洗濯機及び脱水機は、槽内及び投入取出口等を塩素剤又は界面活性剤等の水溶液を満たして稼動するか、又はこれら消毒液を用いて清拭することにより消毒することが望ましいこと。
(2)　洗濯物の格納設備又は容器及び運搬・集配容器は、塩素剤又は界面活性剤等の水溶液を用いて浸漬又は清拭等により消毒するか、又はホルムアルデヒドガスにより

消毒することが望ましいこと。
(3) その他消毒する器具等についても、その材質に応じ加熱（蒸気、熱湯）又は消毒液（塩素剤又は界面活性剤等の水溶液）による消毒のいずれかにより消毒することが望ましいこと。

第5 自主管理体制
1 営業者は、施設、設備及び洗濯物等の管理及び取扱いに係る具体的な衛生管理要領を作成し、従業者に周知徹底すること。
2 営業者は、営業施設ごとに施設、設備及び洗濯物等を衛生的に管理し、洗濯物の処理及び取扱いを適正に行うための自主管理体制を整備し、クリーニング師及びその他適当な者にこれら衛生管理を行わせること。
3 クリーニング師等は、営業者の指示に従い、責任をもって衛生管理に努めること。

第6 引火性溶剤の取扱い
引火性溶剤は、容易に蒸発しやすく、また引火しやすい性質をもっているので、安全衛生に留意し、引火性溶剤を使用するクリーニング所においては、さらに、以下の対策を講ずることが重要である。
1 溶剤の保管等
(1) できるだけ引火点が高い溶剤を選択すること。
(2) 溶剤の保管時に温度管理に留意すること。
(3) 洗濯機や乾燥機等からできるだけ隔離して保管すること。
(4) 保管容器は密閉すること。
(5) 保管量は、できる限り抑制すること。
(6) 溶剤の保管容器をゴムマット等不導体の上に設置しないこと。
2 洗濯工程
(1) 洗濯の頻度に応じ、適時に洗剤の濃度測定を行うこと。
(2) 静電気を抑えるため、洗濯の頻度及び洗剤の濃度測定に応じ、洗剤を投入すること。
(3) 溶剤に適した洗剤を用いること。
(4) 洗濯機のボタントラップ、フィルター等について定期的に清掃すること。
(5) 洗濯物を乾燥機に移し替える際は、静電気の発生を抑えるため、布製の容器を利用し、素早く移し替えること。
3 乾燥工程
(1) リントフィルターを定期的に清掃すること。
(2) 回収乾燥機により回収した溶剤は、回収容器、回収量及び作業に留意し、速やかに機械等に注入すること。なお、回収容器はできる限り溶剤が蒸散しない容器を用いること。
(3) 乾燥後は、速やかに洗濯物を乾燥機から取り出し十分に放冷すること。
(4) 乾燥後の洗濯物を乾燥機のそばに置かないこと。
4 その他

(1) クリーニング作業前に洗濯物中のライター、金属等異物を除去すること。
(2) 床等の清掃により、蒸散量を低下し、かつ安全性を向上させること。
(3) 作業所からライター等の火気を排除すること。
(4) 自然乾燥を行う際には、十分に換気し、機械から隔離すること。
(5) 洗濯物及び仕上げ品を機械から隔離すること。
(6) 放電プレートや静電気対策が施された服等により、作業者の帯電を防ぐこと。
(7) 作業所、保管場所等に予想される火災原因に応じた消火器等消火設備を備えること。

○クリーニング所における衛生管理要領について

> 昭和57年3月31日　環指第48号
> 各都道府県・各政令市・各特別区衛生主管部(局)長宛
> 厚生省環境衛生局指導課長通知

　標記については、昭和57年3月31日環指第48号環境衛生局長通知をもって通知されたところであるが、「クリーニング所における衛生管理要領」(以下「本要領」という。)は、クリーニング所の衛生水準の改善向上を図るため、これら営業者等が遵守すべき衛生管理の要領であるとともに、環境衛生監視指導のための指導要領としても活用を図るため定められたものであるので、下記事項に留意の上これが取扱いについて遺憾のないようお願いいたしたい。
　なお、本要領の周知方について、全国環境衛生営業指導センター及び全国クリーニング環境衛生同業組合連合会に対し依頼したので申し添える。

記

1　本要領は、営業者等が自主的に行うべき衛生管理のための要領であり、かつ、行政指導に際しての指針として活用されたいこと。
　　また、本要領の実施に当たっては、衛生管理責任者としてのクリーニング師が一層活用されるよう配慮されたいこと。
2　各都道府県知事がクリーニング業法に基づく衛生措置基準の改正を行う場合には、本要領の内容を参考とされたいこと。
3　既存の施設においては、直ちに本要領に基づく衛生管理の実施が困難な場合もあることを考慮し、逐次その改善が図られるよう指導されたいこと。

○貸おしぼりの衛生確保について

> 昭和57年11月16日　環指第157号
> 各都道府県知事・各政令市市長・各特別区区長宛　厚生省環境衛生局長通知

　環境衛生関係営業の監視指導については、日頃より種々御配慮を煩わしているところであるが、近年飲食店等において客へのサービスとしておしぼりが提供されることが一般化している。

　しかし、これらおしぼりの中には、不潔感、不快感を呈するものもあり、その衛生上の不安が指摘されている。

　このため、今般、おしぼりの衛生を確保するため、おしぼりを使用させるために貸与し、その使用済み後はこれを回収して洗濯し、さらに貸与することを繰り返して行うクリーニング業者（以下「貸おしぼり業者」という。）に対する指導基準として別添「おしぼりの衛生的処理等に関する指導基準」を定めたので、この旨御了知の上、貴管下関係団体等に周知徹底させるとともに、貸おしぼり業者に対する監視指導方よろしくお願いする。

　なお、飲食店等において貸与を受けたおしぼりを客に提供する場合についても、公衆衛生の見地からその取扱いが適正に行われる必要があるので、これら営業者に対しても併せて指導方よろしくお願いする。

別　添

おしぼりの衛生的処理等に関する指導基準

第1　目的

　この指導基準は、おしぼりを使用させるために貸与し、その使用済み後はこれを回収して洗濯し、さらにこれを貸与することを繰り返して行うクリーニング業の営業者におしぼりの適正な処理等を行わせるために定めたものであること。

第2　処理基準等

　おしぼりの処理等の基準は、次のとおりとすること。

1　貸与したおしぼりは、少なくとも4日以内に回収して処理すること。

2　おしぼりの処理に当たっては、汚れの程度の著しいもの等とそれ以外のものとを分別すること。

3　汚れの程度が著しいもの等として分別したもの以外のおしぼりは、次のいずれかの方法により処理することとし、洗濯に当たっては、洗濯機の最大負荷量を超えないようにすること。

　(1)　洗濯工程中に消毒効果のある塩素剤を使用する方法

　　ア　洗濯は、適量の洗剤を使用して、60℃以上の温湯中で10分間以上本洗を行い、脱水後、すすぎ及び塩素剤添加による消毒を行うこと。

　　イ　すすぎは、清浄な水（水道法に基づく水質基準に適合する水であることが望

ましいこと。以下同じ。）により4回以上（各回3分間以上）行い、各回ごとに脱水すること。
　ウ　塩素剤添加による消毒は、さらし粉又は次亜塩素酸ナトリウムを使用し、すすぎの2回目以降に添加し、遊離塩素250ppm以上となるようにして行うこと。
(2) 熱湯又は蒸気による消毒後洗濯する方法
　ア　消毒は、80℃以上の熱湯に10分間以上浸すか、又は100℃以上の蒸気に10分間以上触れさせて行い、その後洗濯を行うこと。
　イ　洗濯は、適量の洗剤を使用して、60℃以上の温湯中で10分間以上本洗を行い、脱水後、すすぎは、清浄な水により4回以上（各回3分間以上）行い、各回ごとに脱水すること。
4　汚れの程度の著しいもの等として分別したおしぼりを洗濯して再貸与する場合は、次のいずれかの方法により処理することとし、洗濯に当たっては、洗濯機の最大負荷量を超えないようにすること。
(1) 重複洗浄を行う方法
　ア　洗濯は、適量の洗剤を使用して、60℃以上の温湯中で15分間以上本洗を行い、脱水後、更に同様の本洗を行った後、すすぎ及び塩素剤添加による消毒を行うこと。
　イ　すすぎ及び塩素剤添加による消毒は、上記3―(1)のイ及びウにより行うこと。
(2) 酵素剤による前処理を行う方法
　ア　前処理は、適量のたん白分解酵素配合洗剤を加えた60℃以上の温湯中に40分間以上浸して行い、脱水後、洗濯を行うこと。
　イ　洗濯は、前記3―(1)のアからウにより行うこと。
5　前記3又は4の処理に際して、漂白効果を高めるため、適量の次亜塩素酸ナトリウム等の漂白剤を本洗時又は前処理時に添加することは、差し支えないこと。
6　洗濯終了後の仕上げ（伸展、折畳み、巻き等）及び包装を行う場合は、手指を清潔にして行い、洗濯等の処理が適正に行われたかどうか確認すること。
　この場合、処理が適正でないと判断されるものを選別し、再処理するか、又は廃棄すること。
7　仕上げ済みの製品は、その衛生保持に十分留意し、速やかに貸与のための配送をすること。
　なお、速やかに配送できない場合には、4℃以下で保管すること。
8　おしぼりを処理するために使用する機械器具及び製品を運搬する容器等については、塩素剤又は界面活性剤等の水溶液を用いて清拭等により適宜消毒すること。
第3　衛生基準及び検査法
　製品として貸与されるおしぼりの衛生基準及び検査法は、次のとおりとすること。
1　衛生基準
(1) 変色及び異臭がないこと。

(2) 大腸菌群が検出されないこと。
(3) 黄色ブドウ球菌が検出されないこと。
(4) 一般細菌数は、1枚当たり10万個を超えないことが望ましいこと。

2 検査法
(1) 官能検査
　検体（おしぼり）を広げ、不潔な変色及び塩素臭以外の不快な臭気の有無を官能的に調べる。
(2) 細菌検査
　ア　試料の調整
　　検体1枚を次のいずれかの方法により処理し、その抽出液を試料とする。
　　(ア)　ストマッカー法
　　　ストマッカー用滅菌ポリ袋に検体1枚及び滅菌生理食塩水100mlを入れ、ストマッカーで3分間程度処理して抽出液を得る。
　　(イ)　手振法
　　　約500ml容量の広口ビンに生理食塩水を100ml入れて高圧滅菌したものに検体1枚を入れ、3分間程度振って抽出液を得る。
　イ　一般細菌
　　試料1mlを採り、滅菌生理食塩水を用いて、4～5段階まで10倍段階希釈を行い、その各希釈液1mlを滅菌ペトリー皿各2枚に入れ、これにあらかじめ溶解して約45℃に保った標準寒天培地約15mlを加え、静かに回転混合して冷却凝固させ、更に前記標準寒天培地約5mlを重層して静置する。
　　凝固後、これを倒置して、37℃で約48時間培養した後、発生した集落を数え、計算により検体の細菌数を算定する。
　ウ　大腸菌群
　　試料各1mlを2本のBGLB発酵管に入れ、37℃で培養し、48時間まで観察してガスが発生した場合には、その発酵管からEMB平板培地に画線塗抹し、37℃で24時間分離培養を行い、平板培地上に定型的な大腸菌群の集落を認めたときは、陽性とする。
　エ　黄色ブドウ球菌
　　試料各0.2mlを2枚の卵黄加マニット食塩寒天平板培地上にコンラージ棒で塗抹し、37℃で48時間培養する。
　　平板培地上にマニット分解及び卵黄凝固集能が認められる集落が発生した場合は、その集落について塗抹グラム染色及びコアグラーゼ試験を行い、ブドウ状グラム陽性球菌を確認し、かつ、血漿凝固又はフィブリンの析出を認めたときは、陽性とする。

○貸おしぼりの衛生確保について

［昭和57年11月16日　環指第157号
各都道府県・各政令市・各特別区衛生主管部(局)長宛
厚生省環境衛生局指導課長通知］

　標記については、昭和57年11月16日環指第157号環境衛生局長通知をもって通知されたところであるが、この「おしぼりの衛生的処理等に関する指導基準」（以下「本指導基準」という。）は、おしぼりを使用させるために貸与し、その使用済み後はこれを回収して洗濯し、さらにこれを貸与することを繰り返して行うクリーニング業者（以下「貸おしぼり業者」という。）に、おしぼりの適正な処理及び取扱いをさせるための指導基準として定められたものであるので、環境衛生監視指導に当たっては、下記事項に留意の上、これが実施について遺憾のないようお願いいたしたい。

　なお、本指導基準の周知方について、全国環境衛生営業指導センター及び全国クリーニング環境衛生同業組合連合会に対し依頼したので、申し添える。

記

1　おしぼりの衛生を確保するためには、その処理及び取扱いが適正に行われることが最も重要であるので、環境衛生監視指導に当たっては、本指導基準によられたいこと。

2　本指導基準中の第3の1衛生基準は、第2処理基準等によりおしぼりが適正に処理されたかどうかを判定する目安として定められたものであること。
　　したがって、飲食店等に貸与するために処理された製品が衛生基準に適合しない場合には、その処理を適正に行うよう指導されたいこと。

3　既存のおしぼり業者であって、直ちに本指導基準に基づく処理等が困難なものについても、逐次その改善が図られるよう指導されたいこと。

4　各都道府県知事において、クリーニング業法に基づく衛生措置基準の改正を行う場合には、本指導基準によられたいこと。

5　貸おしぼり業者の指導に当たっては、その製品（おしぼり）を貸与する飲食店等の営業者に対して、当該製品の適正な使用及び衛生保持に必要な次の事項について周知し、その遵守について協力要請を行うよう指導されたいこと。
　(1)　貸与後4日を過ぎた製品は、客に提供しないこと。
　(2)　手指及び顔面等の清拭のために貸与するものであること。
　(3)　未使用の製品は、客に提供する前に加温する場合を除き、4℃以下に保存することが望ましいこと。
　(4)　使用済みの製品は、ふた付の容器等に入れておくこと。
　(5)　その他製品の適正な取扱いに関して必要な事項

○コインオペレーションクリーニング営業施設の衛生措置等指導要綱について

> 昭和58年3月29日　環指第39号
> 各都道府県知事・各政令市市長・各特別区区長宛　厚生省環境衛生局長通知

〔改正経過〕
　　第1次改正　〔令和4年12月27日生食発1227第8号〕

　近年、いわゆるコインランドリーで代表されるコインオペレーションクリーニング営業施設が、大都市を中心に多数存在するが、これら施設は、公衆が洗濯するために利用する施設であるため、その衛生確保が強く望まれているところである。
　このため、これら営業施設の衛生水準の維持向上を図るために必要な措置についてかねてより検討を行ってきたところであるが、今般、別添の「コインオペレーションクリーニング営業施設の衛生措置等指導要綱」（以下「指導要綱」という。）を定めたので、御了知の上、貴管内における当該営業施設の把握に一層努めるとともに、必要に応じ条例又は要綱等の制定を行う等の措置を採られるよう特段の御配意を煩わしたい。
　なお、ドライクリーニング用洗濯機を設置し、直接公衆に利用させることは、これに使用される有機溶剤の人体に与える影響の問題があることにかんがみ、極力その設置を控えるよう指導するとともに、既に設置されているもの等止むを得ない事情があるものについては、指導要綱の関係規定を遵守させることにより、公衆衛生上遺憾のないようお願いする。

　別　添
　　　　　コインオペレーションクリーニング営業施設の衛生措置等指導要綱
第1　目的
　　この要綱は、コインオペレーションクリーニング営業について、施設の構造設備等及び衛生管理並びにその適正な利用方法等の周知に関し営業者が遵守すべき措置を定めることにより、コインオペレーションクリーニング営業に起因する衛生上の障害の発生を防止し、もって公衆衛生の維持及び向上に資することを目的とする。
第2　定義
　1　この要綱において「コインオペレーションクリーニング営業」とは、洗濯機、乾燥機等の洗濯に必要な設備（共同洗濯設備として、病院、寄宿舎等の施設内に設置されているものを除く。）を設け、これを公衆に利用させる営業をいう。
　2　この要綱において「営業者」とは、コインオペレーションクリーニング営業を営む者をいう。
　3　この要綱において「営業施設」とは、営業者がコインオペレーションクリーニング営業を営むために設ける施設をいう。
第3　構造設備等

コインオペレーションクリーニング営業施設の衛生措置等指導要綱について

営業施設の構造設備等は、次に掲げる各事項に適合するものでなければならない。
1 施設は、隔壁等により外部と区分され、かつ、外部から見通しの容易な構造であり、他の営業施設及び居住施設等と区隔されていること。
2 施設は、設置する洗濯機及び乾燥機の台数並びにこれらに応じた利用者数及び付帯設備を勘案して、利用者の作業等に支障のない広さを有していること。
 この場合、施設の床面積（Q）は、設置する洗濯機及び乾燥機の台数（n）に応じ、次式により算出した面積（㎡）以上であることが望ましいこと。

$$Q (㎡) = 5.5 + 1.2n$$

3 施設は、採光、照明及び換気が十分行える構造であること。
4 乾燥機、給湯設備等による燃焼ガス等を戸外に排出できる構造であること。
5 施設内の床面及び腰張りは、不浸透性材料を使用したものであること。
 また、床面は排水のための適当なこう配及び排水口を有し、清掃が容易に行える構造であること。
6 施設内には、流水式手洗設備を備えること。
7 水洗いにより洗濯する機械（以下「ランドリー用洗濯機」という。）を設置する施設には、60℃以上の温湯が得られる設備を備えることが望ましいこと。
8 有機溶剤を用いて洗濯する機械（以下「ドライクリーニング用洗濯機」という。）を設置する施設は、次によること。
 (1) ドライクリーニング用洗濯機は、密閉式のものであること。
 (2) 当設機械に気化溶剤の冷却回収装置が付属されている場合を除き、有機溶剤回収装置を付設すること。
 (3) 施設内の適正な位置に、全体換気設備又は局所排気設備を備えること。
  この場合、周辺に及ぼす影響についても十分配慮すること。
9 施設内に便所を設ける場合は、洗濯を行う場所と隔壁等により区隔されていること。
10 施設内に食品の自動販売機等直接洗濯に関係のない機器等を備える場合は、利用者の洗濯作業に支障のない場所に設けること。
11 施設内には、廃棄物等を入れる専用の容器を備えること。

第4 管理
 営業者は、次に定めるところにより、営業施設を衛生的に管理させるため、衛生管理責任者等を定めるとともに、衛生上必要な措置を講じなければならない。
1 衛生管理責任者等の選任
 (1) 施設及び設備を衛生的に管理させるため、各施設ごとに衛生管理責任者を定めること。
 (2) 衛生管理責任者は、当該施設に常駐し、又は近隣に所在し、必要があれば、直ちに当該施設及び設備の管理の業務を行うことができる者であること。ただし、デジタル技術等を活用し、必要があれば、直ちに当該施設及び設備の管理の業務を行うことができる場合は、この限りでない。

(3) 衛生管理責任者は、施設及び設備の衛生確保に必要な措置を講ずるとともに、利用者に対し、第5の1及び2に掲げる事項に関し、適切な指導助言を行うこと。
(4) ドライクリーニング用洗濯機を設置する施設については、有機溶剤の性質及び取扱い等に関する知識技能を有する者を有機溶剤管理責任者（衛生管理責任者がこれを兼ねることは差し支えない。）として定め、洗濯機中の溶剤の調整、気化溶剤の漏出防止の点検等有機溶剤の管理及び施設環境の適正な維持の業務を行わせること。
(5) 衛生管理責任者の氏名及び連絡先を施設内の見やすい場所に掲示し、利用者の要請に速やかに対応できる体制を整えておくこと。

2　講ずべき措置
(1) 施設内は、毎日清掃し、その清潔保持に努め、必要に応じ、施設、又は設備の補修を行う等衛生上支障のないようにすること。
(2) 施設内外は、常に排水が良好に行われるように保持すること。
(3) 施設内外は、ねずみ、昆虫等が生息しない状態に保持すること。
(4) 営業中の施設は、採光・照明を十分にし、常に適正な照度維持に努めること。
　　この場合、各作業面の照度は、300Lux以上であることが望ましいこと。
(5) 営業中の施設内は、換気を十分にすること。
　　この場合、CO_2濃度が1000ppm以下で、かつ、CO濃度が10ppm以下であることが望ましいこと。
(6) 換気設備は、適宜点検及び清掃を行うこと。
(7) 洗濯機、乾燥機等の機械設備は、常に保守点検を行い、正常に作動するよう整備しておくこと。
(8) 洗濯機、乾燥機、容器等の洗濯物が接触する部分及び洗濯機、乾燥機等のふた、扉のとっ手等の利用者が常に接触する部分は、毎日洗浄又は清掃を行い、適宜、塩素剤、界面活性剤等の消毒液を使用して消毒を行うこと。
(9) 洗濯機の回転翼、乾燥機内のフィルター等は、適宜取り外して、糸くず、汚物等の除去及び洗浄を行うこと。
(10) 清掃用具及び消毒薬品は、専用の場所又は容器に保管すること。
(11) 乾燥機の乾燥温度を常に点検し、所定の温度維持に努め、事故防止に留意すること（適正な乾燥温度は、衣類等の種類、及び素材によって異なるが、一般的には60℃以上であることが望ましい。）。
(12) 手洗い設備及びランドリー用洗濯機の用水は、清浄なものであること（水道法に基づく水質基準に適合する水であることが望ましい。）。
(13) ドライクリーニング用洗濯機を設置する施設については、次の措置を講じること。
　　ア　ドライクリーニング用の溶剤は、清浄な有機溶剤を使用し、洗浄効果を保持するため、常に洗剤濃度等を適正に調整すること。
　　イ　溶剤の清浄化のために使用されているフィルター等は、反復使用により、溶剤

中に溶出又は分散した汚れ、細菌等の吸着・除去能力が低下するので、適宜新しいものに交換し、常に清浄な溶剤が得られるようにすること。
ウ　使用済みのフィルター等有機溶剤を含有するものを廃棄する場合は、専用のふた付き容器に納め、適正に処理すること。
エ　ドライクリーニング用洗濯機から有機溶剤が漏出することがないよう、常に点検整備すること。
　　特に、洗濯物の出入れ口の扉のパッキング部分からの漏出について、十分留意すること。
オ　営業中の施設内については、気化した有機溶剤の戸外への排出又は回収に努めること。
カ　有機溶剤は、必ず密閉容器に入れた上で、専用の保管庫に保管し、施錠しておくとともに、その保管及び取扱いに当たっては、安全衛生に十分留意すること。

第5　利用方法等の周知
　営業者は、営業施設の利用方法等について、次に掲げる事項を施設内の見やすい場所に掲示して、利用者に周知させるよう努めなければならない。
1　利用上必要な事項
　(1)　洗濯機、乾燥機、給湯設備等の使用方法等に関すること。
　(2)　衣料等被洗物の種類及び素材に応じた洗濯又は乾燥の可否及び洗濯又は乾燥に当たっての留意等に関すること。
　(3)　ドライクリーニング用洗濯機を設置する施設にあっては、使用有機溶剤の種類、当該有機溶剤の人体に及ぼす作用その他ドライクリーニング用洗濯機の取扱い上の留意等に関すること。
2　施設及び設備の汚損防止等に関する事項
　(1)　洗濯前後の手指の洗浄等に関すること。
　(2)　施設及び設備の汚損防止に関すること。
　(3)　伝染性の疾病にり患した者又はこれに接触した者が着用した衣類の洗濯の禁止に関すること。
　(4)　し尿の付着したおむつ、運動靴、動物の敷物等の洗濯の禁止に関すること（これらを専用に洗濯するための洗濯機を設置している場合を除く。この場合は、その旨を記載すること。）。
　(5)　その他施設の衛生保持及び安全確保のために利用者に協力要請すべき事項に関すること。

第3編　クリーニング業

○コインオペレーションクリーニング営業施設の衛生措置等指導要綱について

[昭和58年3月29日　環指第39号
各都道府県・各政令市・各特別区衛生主管部(局)長宛
厚生省環境衛生局指導課長通知]

　標記については、昭和58年3月29日環指第39号環境衛生局長通知をもって通知されたところであるが、この「コインオペレーションクリーニング営業施設の衛生措置等指導要綱」（以下「本指導要綱」という。）は、コインオペレーションクリーニング営業施設の施設環境を適正に維持するために営業者が遵守すべき措置を定めることにより、その衛生水準の改善向上及び公衆衛生の確保を図るために定められたものであるので、これが推進については、下記事項に留意し、遺憾のないようお願いいたしたい。

記

1　コインオペレーションクリーニング営業施設の指導等を行うに当たっては、各都道府県、政令市、特別区における当該営業の実態を考慮し、必要に応じて条例又は要綱等を制定する等により行われたいこと。
2　条例又は要綱等を制定する場合には、本指導要綱の内容を参考とされたいこと。
　　なお、本指導要綱は、公衆衛生確保の観点から必要な事項を定めたものであるので、当該都道府県の実情に応じ、その他の利用者保護に必要な事項を追加することは差し支えないものであること。
3　管下のコインオペレーションクリーニング営業施設の把握に一層努められたいこと。
4　既存の営業施設であって、直ちに本指導要綱の内容に従うことが困難なものについては、逐次その改善が図られるよう配慮されたいこと。
5　ドライクリーニング用洗濯機を設置する営業施設については、利用者がこれに使用されている有機溶剤の気化ガスにばく露されることによる危害の発生のおそれがあるので、設置することについて止むを得ない事情があるものについては、十分な管理体制の下に指導要綱の規定を遵守するよう指導の徹底を図られたいこと。
6　コインオペレーションクリーニング営業施設において、し尿の付着したおむつ、運動靴、動物の敷物等が洗濯されることは、公衆衛生上好ましくないことから、専用の洗濯機を設置する場合を除き、当該被洗物の洗濯に使用されることのないよう利用方法等の掲示及び衛生管理責任者による利用者に対する指導が十分に行われるよう配慮されたいこと。

○ドライクリーニングにおけるテトラクロロエチレン等の適正な使用管理及び処理の徹底について

［昭和62年6月16日　衛指第127号
各都道府県・各政令市・各特別区衛生主管部（局）長宛
厚生省生活衛生局指導課長通知］

　クリーニング所に対する指導については、かねてより特段の御配慮を願っているところであるが、近年のテトラクロロエチレン等による地下水汚染問題の重要性に鑑み、ドライクリーニングにおけるこれら溶剤の使用管理及び処理の一層の適正化を図るため、左記事項に十分留意のうえ、関係者に対する指導につき、格段の御配慮をお願いする。

　なお、全国クリーニング環境衛生同業組合連合会、全日本染洗機械業連合会、全日本クリーニング機材商協議会等に対し、別添写のとおり通知しているので、申し添える。

　また、水道環境部産業廃棄物対策室長から、産業廃棄物行政主管担当部（局）長あて別添写のとおり通知しているので、念のため申し添える。

記

1・2　略

3　テトラクロロエチレン等を含む蒸溜残さ物、使用済みのフィルターパウダー、カートリッジフィルター及び活性炭（以下「蒸溜残さ物等」という。）は、産業廃棄物に該当することから、産業廃棄物の所管課と連携し、廃棄物の処理及び清掃に関する法律に基づいて、蒸溜残さ物等の収集運搬・処分体制を整備するよう指導されたい。

　なお、蒸溜残さ物等の収集運搬については、小規模のクリーニング所の場合、機材商がその一端を担う方式が効率的な方法と思料されるので、収集運搬体制を整備するうえで特段の御配慮をお願いしたい。

4　前記の指導を効果的にすすめるため、産業廃棄物の所管課と連携をとりつつ、テトラクロロエチレン等をドライクリーニングの溶剤として使用するクリーニング所の営業者、機材商等を対象として、講習会を開催する等、特段の御配慮を煩わしたい。

　なお、講習会の開催は、可能であれば保健所単位で実施し、貴管下関係業者全てが受講するよう配慮されたい。

5　略

別添　略

○環境衛生関係営業施設における自主管理点検表の制定について(抄)

```
昭和63年10月18日　衛指第215号
各都道府県・各政令市・各特別区衛生主管部(局)長宛
厚生省生活衛生局指導課長通知
```

〔改正経過〕

　第1次改正　〔平成3年8月15日衛指第163号〕

　理容師法、美容師法、クリーニング業法、興行場法、旅館業法及び公衆浴場法に規定する環境衛生関係営業施設の衛生水準の維持向上を図るため、従前より各業種毎に衛生等管理要領を定めてきたところである。これら衛生等管理要領の営業者に対する周知徹底等、監視指導における有効な活用については、常日頃より格別の御配慮をお願いしているところであるが、今後の監視指導のあり方として、営業者自身による自主的管理の強化が指摘されていることから、有効かつ簡便に営業者自身が自主的管理を実施できるよう、別添のとおり各業種ごとの自主管理点検表を作成したので御了知のうえ、監視指導業務の効率的実施を図るため、十分に活用されるようお願いする。

　なお、換気、照明等の項目に( )書きで物理的数値を記入しているが、これは、必ずしも営業者が測定用具を備えて自ら測定することを意図したものではなく、環境衛生監視員が当該施設に立ち入った際に施設内環境を実際に測定し、営業者に教示する等の方法により、営業者が客観的に照度等を認識できるよう付記したものである。

別　添

クリーニング所の自主管理点検表

〔一般クリーニング所〕

施設	1	施設内は、毎日清掃し、清潔で、整理整頓しているか。
	2	照明器具、換気設備は、定期的に清掃しているか。
	3	明るさは十分か。(受け渡し、しみ抜き、仕上げの作業面は300ルクス以上が望ましい)
	4	換気は、十分か。
	5	受け渡し・しみ抜き・仕上げの作業台、洗濯物の収納容器・運搬容器、洗濯機、脱水機、乾燥機、プレス機などの洗濯物が触れる部分は、毎日清掃又は洗浄し、清潔にしているか。
一般	6	未洗濯物と仕上げの終わった洗濯物は、区別して運搬・保管しているか。
	7	仕上げの終わった洗濯物は、ほこりなどで汚染されないように保管しているか。
	8	洗剤、消毒剤、有機溶剤を含むしみ抜き剤等の薬剤は適切に保管しているか。
	9	ねずみ、昆虫はいないか。
	10	未洗濯物で消毒を要するものは、その他の洗濯物と区別して収納・保管

環境衛生関係営業施設における自主管理点検表の制定について（抄）

消毒を要する洗濯物		し、正しく消毒しているか。
	11	回収した洗濯物の種類及び汚れの程度に応じて選別し、別々に処理しているか。
	12	おむつ等、し尿の付着している洗濯物の前処理は本洗の前に所定の場所又は設備で行っているか。
	13	前処理排水は適切に処理しているか。
ランドリー	14	清浄な水を使用しているか（水道法に基づく水質基準に適合する水であることが望ましい）
	15	洗剤濃度及びすすぎの回数は適切か。
	16	洗濯機・乾燥機の処理時間、温度は適切か。
	17	自然乾燥は所定の乾燥場で行っているか。
ドライクリーニング	18	ドライ機・乾燥機の処理時間、温度は適切か。
	19	ドライ機内の溶剤は、汚れていないか。また、溶剤中の洗剤濃度、溶剤相対湿度は、適切か。（溶剤相対湿度は、75％前後が望ましい）
	20	仕上げの終わった洗濯物に溶剤が残留していないか。
	21	局所排気装置などの換気設備で十分に換気しているか。
	22	ドライ機への溶剤充てん時に漏れはなかったか。
	23	ドライ機の機械各部の継ぎ目から溶剤が漏れていないか。
	24	溶剤回収装置は、正しく作動しているか。
	25	排液処理装置は、正しく作動しているか。
	26	溶剤は、密閉容器に入れ、日光の当たらない場所に保管しているか。
	27	使用済みのカートリッジフィルター、ペーパーフィルター、蒸留残さ物は溶剤を十分に除去し、臭気、溶剤が漏れないように保管しているか。
	28	蒸留残さ物等は適切に処理しているか。
従業者	29	従業者は、定期的に健康診断を受けているか。
	30	結核、伝染するおそれある皮膚疾患にかかっている者が業務に従事していないか。
	31	従業者は、手指を清潔にし、清潔な作業衣を着用しているか。
その他の	32	定められた保健所等への届出は、きちんと行っているか。

〔取次所〕

施設一般	1	施設内は、毎日清掃し、清潔で、整理整頓しているか。
	2	照明器具、換気設備は、定期的に清掃しているか。
	3	明るさは十分か。（作業面は300ルクス以上が望ましい）
	4	換気は、十分か。
	5	受け渡し台、洗濯物の収納容器などは毎日清掃又は洗浄しているか。
	6	未洗濯物と仕上げの終わった洗濯物は、区別して運搬・保管しているか。
	7	未洗濯物で消毒を要するものは、その他のものと区別して収納・保管し

		ているか。
	8	仕上げの終わった洗濯物は、ほこりなどで汚染されないように保管しているか。
	9	ねずみ、昆虫はいないか。
従業者	10	従業者は、定期的に健康診断を受けているか。
	11	結核、伝染するおそれのある皮膚疾患にかかっている者が業務に従事していないか。
	12	従業者は、手指を清潔にし、清潔な作業衣を着用しているか。
その他	13	定められた保健所等への届出は、きちんと行っているか。

○ドライクリーニングにおけるテトラクロロエチレン等の使用管理について

> 平成元年7月10日　衛指第114号
> 各都道府県知事・各政令市市長・各特別区区長宛　厚生省生活衛生局長通知

〔改正経過〕
　第1次改正　〔平成5年4月9日衛指第74号〕

　ドライクリーニングの溶剤として使用されるテトラクロロエチレン及び1,1,1―トリクロロエタン（以下「テトラクロロエチレン等」という。）の使用管理については、「ドライクリーニングにおけるテトラクロロエチレン等の使用に係る暫定的措置等について」（昭和59年8月23日衛指第20号厚生省生活衛生局指導課長通知、以下「昭和59年通知」という。）等に基づき、その適正化につきクリーニング営業者等に対する指導方をお願いしてきたところであるが、今般、「化学物質の審査及び製造等の規制に関する法律施行令の一部を改正する政令（平成元年3月29日政令第75号）」（別添1）に基づき、テトラクロロエチレンが、化学物質の審査及び製造等の規制に関する法律（以下「化審法」という。）第2条第3項に規定する第2種特定化学物質に指定され、これに伴い同法第27条第1項の規定に基づき「クリーニング営業者に係るテトラクロロエチレンの環境汚染防止措置に関する技術上の指針（平成元年7月7日厚生省・通商産業省告示第6号、以下「指針」という。）」が別添2のとおり公表された。

　今後、貴職におかれては、左記事項に留意の上、指針につき貴管下関係者に対する周知徹底を図るとともに、1,1,1―トリクロロエタンも含め、その使用管理の適正化について、関係行政部局とも十分連絡をとり、指針及び本通知に基づき指導に遺憾のないようされたい。

記

1　趣旨
　(1)　テトラクロロエチレンは、低蓄積性であるが、難分解性の性状及び長期毒性を有す

ドライクリーニングにおけるテトラクロロエチレン等の使用管理について

ることから今般、化学物質の審査及び製造等の規制に関する法律施行令の一部を改正する政令により、化審法第2条第3項に規定する第2種特定化学物質に指定されたこと。

第2種特定化学物質については、化審法に基づき、製造業者に対する製造予定数量の届出、環境の汚染を防止するためにとるべき措置に関する技術上の指針の公表、第2種特定化学物質が使用されている容器の表示、製造若しくは輸入又は使用の制限に関する勧告、取扱いの方法に関する指導及び助言等の規定により、それぞれ所要の措置が図られることになったこと。

なお、同法第27条第1項の規定による技術上の指針の公表、同条第2項又は同法第29条の規定による勧告、同法第30条の規定による指導及び助言等については、同法第39条第1項の規定により、同法を所管する厚生大臣及び通商産業大臣のほかこれらの対象となる者の行う事業を所管する大臣も、主務大臣とされていることに留意すること。

(2) 化審法第27条の規定に基づき、取扱事業者の取扱いに係る当該第2種特定化学物質による環境の汚染を防止するためにとるべき措置に関する技術上の指針を公表することとされているが、テトラクロロエチレンの取扱事業者のうち、クリーニング営業者については、ドライクリーニング溶剤として使用するテトラクロロエチレンの使用形態が、金属洗浄等における使用形態と異なることから、テトラクロロエチレンを使用するクリーニング営業者を適確に指導し、テトラクロロエチレンによる環境汚染を防止するためには、ドライクリーニング業におけるテトラクロロエチレンの使用形態に即した技術上の指針が必要となり、他のテトラクロロエチレンの取扱業種とは別に、昭和59年通知で示した暫定的措置等を踏まえて、当該指針が制定、公表されることとなったこと。

なお、これに伴い昭和59年通知は廃止するものであること。

2 運用上の留意事項
(1) クリーニング所におけるテトラクロロエチレンの取扱い作業における労働者の安全衛生に係る規制は、労働安全衛生法及び有機溶剤中毒予防規則等関係規則に基づいて行われるものであるが、指針中にも労働者の安全衛生に関する主な事項は参考までに記載されていること。
(2) クリーニング営業者に対しては、指針の適切な実施を期するため、指針1．2及び指針2．2の点検管理要領、指針2．3の作業要領及び指針2．4の溶剤漏出処置要領を策定させるとともに、保守管理点検表を作成させ、日常の使用管理に当たらせること。
(3) 溶剤蒸気の回収処理及びドライ機の排液処理に当たっては、指針2．5及び指針2．6によるほか、次の事項に留意して適切な管理を行わせること。
 ア 溶剤蒸気の回収処理について
  (ア) テトラクロロエチレンを使用するドライクリーニング機械の処理能力の合計が、30kg以上のクリーニング所については、脱臭時に排出するテトラクロロエ

チレンを回収するための活性炭吸着回収装置等を設置すること。ただし、活性炭吸着回収装置を内蔵する密閉内部脱臭方式のドライクリーニング機械にあってはこの限りでないこと。
　(イ)　テトラクロロエチレンを使用するドライクリーニング機械の処理能力の合計が、30kg未満のクリーニング所についても、脱臭時に排出するテトラクロロエチレンを回収するための活性炭吸着回収装置を設置することが望ましいこと。ただし、活性炭吸着回収装置を内蔵する密閉内部脱臭方式のドライクリーニング機械にあってはこの限りでないこと。
　(ウ)　活性炭吸着回収装置の活性炭は、活性炭の吸着作用が効果的に持続する期間の範囲内で適切に交換すること。
　(エ)　水分離器から分離された排液は、排液処理装置に接続し適切に処理すること。
イ　ドライクリーニング機械の排液処理について
　(ア)　ドライクリーニング機械の排液処理装置から排出されるテトラクロロエチレンの排液の管理基準濃度は、0.1mg／L以下とすること。これは、水質汚濁防止法及び下水道法の規定に基づき、事業場から公共水域、公共下水道又は流域下水道に排出される排水中のテトラクロロエチレンについての基準が0.1mg／L以下と定められ、本年10月１日から施行されることによること。
　(イ)　突沸等により高濃度の排液が活性炭吸着装置又は曝気式処理装置に流入することを防止するため、第１段階及び第２段階の水分離器は十分な内容積の容器とし、底部より随時溶剤を回収できる構造が望ましいこと。
　(ウ)　空気吹込式等曝気装置にあっては、常に新鮮な空気を使用して曝気するよう注意すること。なお、曝気式処理装置には、必要に応じて、排気中の溶剤を除去するための装置を設けること。
ウ　テトラクロロエチレンの検定方法について
　　溶剤蒸気及び排液中のテトラクロロエチレンの検定方法は、日本工業規格K0125の５に該当する方法によること。
　　ただし、この方法は装置が高価で操作手順も煩雑であり、高度の分析技術を要するため一般のクリーニング営業者が自ら測定することは困難であることから、適切な測定能力をもった外部の分析機関に分析を委託することが認められること。
　　なお、外部の分析機関に測定を委託する場合であっても、ガス検知管等の簡易測定法を用い営業者自らが排液等の適正管理に努めるよう指導されたいこと。
３　施行細則の制定等
　　ドライクリーニング機械の排液処理装置の設置等を推進し、クリーニング所におけるテトラクロロエチレンの使用管理の一層の適正化を図るためには、排液処理装置の設置等について、クリーニング業法第３条第３項第６号「その他都道府県知事が定める必要な措置」に基づく措置として、クリーニング業法施行細則等で定めることが適

当である。このため、テトラクロロエチレンの貯蔵、排液処理装置の設置、溶剤蒸気回収装置の設置及び蒸留残渣物等の保管について指針の該当部分を参考にしてクリーニング業法施行細則等の制定、一部改正等所要の規定の整備を速やかに図られたいこと。

4　水質汚濁防止法施行令等の一部改正

　テトラクロロエチレンは、「水質汚濁防止法施行令の一部を改正する政令（平成元年3月29日政令第76号）」、「廃棄物の処理及び清掃に関する法律施行令及び海洋汚染及び海上災害の防止に関する法律施行令の一部を改正する政令（平成元年4月4日政令第103号）」及び「下水道法施行令の一部を改正する政令（平成元年4月12日政令第114号）」等（別添3）により、本年10月1日からは、水質汚濁防止法、下水道法、廃棄物の処理及び清掃に関する法律等の法令においても、規制されることとなるのでクリーニング営業者の指導監督に当たっては、これら法令を所管する行政担当部局と、十分連絡を取りながら行うこと。

　なお、水質汚濁防止法施行令の一部を改正する政令等の施行については、既に環境庁水質保全局長から別添4のとおり通知されているので、了知の上、クリーニング営業者の指導監督に当たられたいこと。

5　1，1，1―トリクロロエタンの取扱い

　1，1，1―トリクロロエタンについては、第2種特定化学物質に指定される等の法令に基づく規制は行われていないが、ドライクリーニング溶剤として使用され、59年通知に規定する管理目標値の超過が未だ報告されること等から、今後も引き続き使用管理の適正化を指導する必要があるので、次の事項に留意して指針を準用し、クリーニング営業者を指導されたいこと。

(1)　指針2.3.4の(2)中「130～140℃」とあるのは「100～120℃」と、「140℃以下」とあるのは「120℃以下」と、「3～4kg」とあるのは「1～2kg」と読み替え、同(3)中「蒸気を吹き込むか、又は水を注入し、」とあるのは「圧縮空気を吹き込み、」と読み替え、「ただし、吹き込み蒸気の量が多すぎると突沸を起こしやすいので注意すること。」を削り、指針2.6.2の(2)中「200mg／L以下」とあるのは「1,200mg／L以下」と読み替えるものとすること。

(2)　脱臭時に排出する1，1，1―トリクロロエタンの蒸気を回収するための処理装置は、冷却式で差し支えないこと。

(3)　ドライクリーニング機械の排液処理装置から排出される1，1，1―トリクロロエタンの排液の管理基準濃度は3mg／L以下とすること。

(4)　前記2の(3)（2の(3)のアの(イ)を除く。）については、1，1，1―トリクロロエタンに準用すること。ただし、2の(3)のアの(ア)中「30kg以上」とあるのは「20kg以上」と読み替えること。

別添1～3　略

第3編　クリーニング業

別添4

　　　水質汚濁防止法施行令の一部を改正する政令等の施行について

> 平成元年4月3日　環水管第52号・環水規第64号
> 各都道府県知事・各政令市市長宛　環境庁水質保全局
> 長通知

　水質汚濁防止法施行令の一部を改正する政令（平成元年政令第76号）が、平成元年3月29日に公布され、また、排水基準を定める総理府令の一部を改正する総理府令（平成元年総理府令第19号）及び排水基準に係る検定方法を定める等の件の一部を改正する件（平成元年4月環境庁告示第18号）が本日公布された。

　これらの政令等の改正は、トリクロロエチレン及びテトラクロロエチレンによる水質の汚濁を防止するための排水規制に関するものであり、その実施に当たっては、「水質汚濁防止法の施行について（昭和46年7月31日付け環水管第12号環境事務次官通達）」によるほか、下記の事項に留意のうえ、水質汚濁防止法の円滑かつ適切な運用を図られたい。

記

1　水質汚濁防止法施行令等の改正の趣旨

　　トリクロロエチレン及びテトラクロロエチレンについては、水環境の汚染を通じ、人の健康に影響を及ぼすおそれがあることから、国民の健康保護の観点に立ち、両物質を水質汚濁防止法（昭和45年法律第138号。以下「法」という。）の有害物質に指定し、排水基準を設定するものである。

2　水質環境目標の設定

　　トリクロロエチレン及びテトラクロロエチレンの環境基準の設定については、平成元年3月18日付けの中央公害対策審議会から環境庁長官あての答申（「水質汚濁に関する環境基準等の項目追加等について（答申）」）において、「発がん性が問題となる物質に関する環境基準の設定については、引続き検討を行っていく必要がある。」とされたところである。

　　しかしながら、水質汚濁防止法に基づく排水規制を実施するに際して、その目標を設定する必要があることから、公共用水域において当面維持することが適当な水質のレベルとして、世界保健機関（WHO）の飲料水暫定ガイドライン及び我が国の水道水の暫定水質基準を勘案し、次の値を水質環境目標として設定することとする。

　　　トリクロロエチレン　　　0.03ミリグラム／リットル以下
　　　テトラクロロエチレン　　0.01ミリグラム／リットル以下

3　水質汚濁防止法施行令等の改正内容

(1)　水質汚濁防止法施行令の改正

　　　法第2条第2項第1号の「人の健康に係る被害を生ずるおそれがある物質」（有害物質）として、トリクロロエチレン及びテトラクロロエチレンを加える。

(2)　排水基準を定める総理府令の改正

　　　トリクロロエチレン及びテトラクロロエチレンの排水基準については、水質環境

目標を勘案するとともに、これまでの行政指導の経緯を踏まえ、次の値とする。
　　　トリクロロエチレン　　　0.3ミリグラム／リットル
　　　テトラクロロエチレン　0.1ミリグラム／リットル
　(3)　排水基準に係る検定方法を定める件の改正
　　　トリクロロエチレン及びテトラクロロエチレンの測定方法については、日本工業規格「用水・排水中の低分子量ハロゲン化炭化水素試験方法ＪＩＳ　K0125」の5とする。
4　水質汚濁防止法施行令の一部を改正する政令等の施行日
　　水質汚濁防止法施行令の一部を改正する政令、排水基準を定める総理府令の一部を改正する総理府令及び排水基準に係る検定方法を定める等の件の一部を改正する件の施行日は、いずれも平成元年10月1日とされた。
　　これは、関係事業者に対して政令等の改正の趣旨、内容を十分に周知徹底し、排水処理施設の整備等を指導するための準備期間を見込み、トリクロロエチレン及びテトラクロロエチレンの排水規制の円滑な実施を図ろうとするものである。
5　その他の留意事項
　(1)　上乗せ排水基準の設定
　　　トリクロロエチレン及びテトラクロロエチレンの排水基準については、他の有害物質と同様、上乗せ排水基準を設定できるが、水質汚濁防止法施行令（昭和46年政令第188号）第4条の趣旨を踏まえ、水質環境目標が維持されるため必要かつ十分な程度の許容限度を定めるものとする。
　(2)　届出事務
　　　法第5条等の届出がなされる場合には、トリクロロエチレン及びテトラクロロエチレンが有害物質に指定されたことに伴い、排出水の汚染状態等の届出事項としてトリクロロエチレン及びテトラクロロエチレンに係る事項が必要となる。
　　　なお、排水規制の実施前において受理された届出に係る事業場については、法第22条の報告聴取等を行うことにより、これらの物質に係る排出水の汚染状態の把握に努められたい。
　(3)　排水処理における留意事項
　　　排水処理において、曝気処理によりトリクロロエチレン及びテトラクロロエチレンの大気中への相当量の放出が想定される場合には、吸着処理等の他の手法を用いるか、他の手法により前処理を行った後に曝気処理を用いるなど大気環境への影響に配慮を行うものとする。
　(4)　測定方法における留意事項
　　　トリクロロエチレン及びテトラクロロエチレンの測定に当たっては、次の点に十分留意する必要がある。
　　ア　溶媒抽出・ガスクロマトグラフ法及びヘッドスペース・ガスクロマトグラフ法の各々の特徴に十分留意して、試料に応じた方法を用いること。
　　イ　トリクロロエチレン及びテトラクロロエチレンは揮発性が極めて高いので、操

作中の揮散に十分留意するとともに、分析室内汚染、器具汚染等に十分注意を払うこと。

◯テトラクロロエチレン等の取扱いに係る点検管理要領等の作成について

[平成元年9月14日　衛指第153号
各都道府県・各政令市・各特別区衛生主管部(局)長宛
厚生省生活衛生局指導課長通知]

　クリーニング業で使用されるテトラクロロエチレン及び1,1,1－トリクロロエタンについては、「ドライクリーニングにおけるテトラクロロエチレン等の使用管理について」（平成元年7月10日衛指第114号厚生省生活衛生局長通知、以下「局長通知」という。）により、使用管理の適正化につきクリーニング営業者の指導方をお願いしたところであるが、局長通知の記の2の(2)において、クリーニング営業者に対しては、「クリーニング営業者に係るテトラクロロエチレンの環境汚染防止措置に関する技術上の指針」（平成元年7月7日厚生省・通商産業省告示第6号、以下「指針」という。）1.2及び指針2.2の点検管理要領、指針2.3の作業要領並びに指針2.4の溶剤漏出処置要領を策定させるとともに、保守管理点検表を作成させ、日常の使用管理に当たらせることとされている。今般、別添のとおり標準的な点検管理要領等を作成したので下記事項に留意の上、講習会を開催すること等により、指針の内容等を含め、貴管下の営業者に周知徹底を図るとともに、点検管理要領等の作成及び日常の使用管理に当たらせるよう指導されたい。

記

1　別添の指針1.2及び指針2.2の点検管理要領、指針2.3の作業要領及び指針2.4の溶剤漏出処理要領（以下「点検管理要領等」という。）並びに保守管理点検表に記載した項目は、指針及び局長通知で定められた項目を規定したものであるが、ドライクリーニング機械の機種、クリーニング所における作業の実態等に応じ適宜テトラクロロエチレン等の使用管理の適正化を図る上で必要な項目を追加すること。
2　点検管理要領等は、常時、溶剤の貯蔵場所、ドライクリーニング機械等作業者の目に付き易い場所に掲示し、必要な点検管理等を行わせること。
3　保守管理点検表は、指針、局長通知及び点検管理要領等に基づき実施する保守管理の結果をクリーニング業者自らが記録するものであり、その利便を考慮して点検項目を毎日点検、毎週点検、随時点検に分類し、1箇月分をひとつの表にまとめたものである。なお、クリーニング営業者に対しては、保守管理点検表をクリーニング所に備え、記入するよう指導するとともに、記入済みの保守管理点検表は、3年間保存するよう指導されたいこと。

（別　添）
I　点検管理要領（施設・場所）

テトラクロロエチレン等の取扱いに係る点検管理要領等の作成について

溶剤を取り扱う施設・場所の点検管理に当たっては、次の事項に留意して日常点検及び定期点検を行うこと。異常が認められた場合には、速やかに補修その他の措置を講ずること。

1 溶剤を貯蔵する施設・場所の点検管理
 (1) 貯蔵場所については、床面のひび割れ、防液堤の損傷、側溝やためます等への溶剤の漏出の有無に留意すること。また、直射日光や雨水の防止状況及び換気や冷暗所の維持状況に留意すること。
 (2) タンク、ドラム缶等の容器については、容器の腐食、損傷、漏出の有無、栓のゆるみ等に留意すること。
 (3) 溶剤をタンクローリー等から受け入れる場合には、溶剤が飛散又は流出しないよう留意すること。
 (4) 溶剤が漏出した場合には、溶剤漏出処置要領により適切に処理すること。
2 作業場所の点検管理
 (1) 床面のひび割れや受皿、側溝、ためます等への溶剤の漏出（溶剤は水より比重が大きいため、水がたまっている場合、底に沈み発見しにくいので注意すること。）に留意すること。
 (2) 局所排気装置又は全体換気装置が正常に作動することを点検すること。

Ⅱ 点検管理要領（ドライ機）

ドライ機の点検管理については、次の事項に留意して日常点検及び定期点検を行うこと。異常が認められた場合には、速やかに補修その他の措置を講ずること。
 (1) ドライ機のファン及び脱臭装置が正常に作動していることを点検すること。
 (2) タンク、ポンプ（軸部等）、フィルター、蒸留器、ボタントラップ、回収器、配管（継ぎ手や弁）、ガラスと金属の接合部（ゲージグラス、サイトグラス等）、内胴軸等の各部及び各接続部における溶剤の漏出の有無を点検すること。
  なお、加熱された溶剤は、揮発しやすく、漏出した場合発見しにくいため注意すること。
 (3) ドア、ボタントラップの蓋、リントフィルターの蓋、蒸留器の掃除口、カートリッジフィルターの蓋、ダンパーの押え面、ダクトの継ぎ目等における密閉の状況を点検し、シール及びパッキングを必要に応じ取り替えること。
 (4) リントフィルター、ヒーター及びクーラーのごみによる詰まりの有無を点検すること。
 (5) 水分離器については、管の詰まりの有無及び水の流出状態を点検すること。特に溶剤の流れる管が詰まった場合には、水分離器の上部又は排水管から溶剤が流出するため注意すること。

Ⅲ 作業要領（ドライ機）

ドライ機の取扱いについては、次の事項に留意して作業を行うこと。
 1 溶剤のドライ機への充填
  溶剤のドライ機への充填は、その漏出を防止するため次のことに留意して適切に操

作すること。
(1) 充填は、作業場所内の局所排気装置又は全体換気装置を作動してから行うこと。
(2) ドライ機が作動中の場合には、決して充填を行わないこと。
(3) 充填には、塩素系有機溶剤用の手動ポンプ又は自動ポンプを使用すること。
(4) ポンプを使用しない場合には、サイホンを使用（口で吸い上げないこと。）すること。
(5) 充填は、溶剤を飛散又は流出させないように行うこと。
(6) 液面に注意してあふれないようにすること。
(7) 必要に応じて受皿等を使用して漏出を防止すること。
(8) 充填作業後、直ちにドライ機の給液口及び貯蔵容器の栓を密閉すること。また、ドラム缶等の栓は締め具により開閉すること。

2 ドライ機の操作

ドライ機は、点検表又は取扱説明書に従って始業点検を行うとともに、次の事項に留意して適切に操作すること。点検は、作業中にも随時行い、作業終了後の点検に際しては、装置の密閉等に特に留意すること。
(1) ドライ機は、作業場所内の全体換気装置を点検し、それを作動させてから操作すること。
(2) 冷却水の流量及び温度を点検し、水温はできる限り低くすること。
(3) ドア、ボタントラップの蓋、リントフィルターの蓋、蒸留器の掃除口、カートリッジフィルターの蓋、ダンパーの押え面等常に操作又は作動する箇所については、密閉の状況に常に注意して操作すること。

3 フィルターの操作

フィルターは、次のことに留意して適切に操作すること。
(1) パウダーフィルターについては、圧力が上昇しフィルターの能力低下が認められる場合、そのパウダーを蒸留装置内に入れ蒸留すること。
(2) ペーパーフィルターのみを使用しているカートリッジフィルターを取り替える場合には、フィルター内の溶剤を、1時間以上かけて十分に排出してから行うこと。
(3) 吸着剤を使用しているカートリッジフィルターを取り替える場合には、カートリッジ内の溶剤を、12時間以上かけて十分に排出してから行うこと。
(4) (2)及び(3)で処理したものは、取り出してから直ちに内胴に入れ、熱風循環（内胴の回転を停止してから行うこと。）により十分に乾燥すること。なお、この場合、専用の溶剤回収装置を用いてもよいこと。

4 蒸留装置の操作

蒸留装置は、溶剤を十分に回収するよう、次のことに留意して適切に操作すること。
(1) 突沸（液量が多すぎる場合、蒸留温度が高過ぎる場合、残留液の粘度が上がった場合等に発生し、汚れやドライソープの一部が溶剤と共に蒸発し、蒸留液中に混入すること。）を避けるため、蒸留器に液が充満しないよう液量を適正に保ち、温度

の管理や蒸留残渣物の取り出しを適切に行うこと。
(2) 溶剤の蒸留は、130～140℃（100～120℃）の範囲で温度を適正に保持して行うこと。なお、蒸気式の場合には、140℃以下（120℃以下）に保つため、1cm²当たり3～4kg（1～2kg）の範囲で蒸気圧力を適正に保持して行うこと。
　注：（　）は1，1，1―トリクロロエタンの場合
(3) テトラクロロエチレンの蒸留残渣物については、溶剤を十分に回収するため、2～5分間蒸気を吹き込むか又は水を注入し、さらに数分間の間隔をおいて、同様の処理を繰り返してから取り出すこと。ただし、吹き込み蒸気の量が多過ぎると突沸を起こしやすいので注意すること。また、1，1，1―トリクロロエタンの蒸留残渣物については、溶剤を十分に回収するため、2～5分間圧縮空気を吹き込み、さらに数分間の間隔をおいて、同様の処理を繰り返してから取り出すこと。なお、これらの操作に代えて専用の溶剤回収装置を用いてもよいこと。
(4) 蒸留残渣物を取り出す場合には、蒸留直後は温度が高く溶剤の蒸気が噴出するので、低温になってから行うこと。

Ⅳ　溶剤漏出処理要領
　ドライ機から溶剤又は溶剤を含んだ液が漏出した場合は、次の事項に留意して処置すること。
(1) 直ちに充填作業を止めるか又はドライ機を停止すること。
(2) 漏出処理に際しては、作業場所を十分に換気し、溶剤の蒸気にさらされないように注意して行うこと。
(3) 漏出物は、ポンプ等により回収するとともに、密閉容器に入れて適正に保管すること（指針1.1.1、1.1.2及び1.2.1を参照すること。）。回収した溶剤は、再利用することが望ましいこと。
(4) 漏出残分については、活性炭による吸着又はウエス、紙タオル等による拭き取りを行うこと。
(5) 溶剤が大量に流出した場合又は加熱された溶剤が流出した場合の処置に際しては、次の保護具を着用すること。
　① 空気呼吸器、送気マスク（ホースマスク、エアラインマスク）又は有機ガス用防毒マスク
　② 保護眼鏡
　③ 耐溶剤性の保護手袋、保護長靴、保護服等

第3編 クリーニング業

溶剤の使用に係る保守管理点検表
(1) 毎日点検

点検項目		年月(年 月)																															備考
	(日)	1	2	3	4	5	6	7	8	9	10	11	12	13	14	15	16	17	18	19	20	21	22	23	24	25	26	27	28	29	30	31	
	(曜)																																	
施設・場所	(1) 床の割れ、受皿・側溝・ためます等への漏出がないか																																
	(2) 貯蔵所は直射日光・雨水の防止、換気・冷暗所の維持がよく、容器の腐食・損傷・栓のゆるみがないか																																
洗濯物の処理	(1) 前処理には溶剤を使用しないようにしているか																																
	(2) 乾燥が速いものと遅いものに分け、適正な負荷量で行っているか																																
	(3) 乾燥は機械内で溶剤臭がしなくなるまで行っているか																																
ドライ機の操作	(1) 換気装置・ファン・脱臭装置の作動は正常か																																
	(2) 密閉状況がよく、各部の溶剤もれがないか																																
	(3) リントフィルター・ヒーター・クーラーのごみによるつまりがなく、冷却水の温度・量はよいか																																
	(4) 水分離器の管につまりがなく、流出状態はよいか																																
	(1) 突沸させないよう液量を適正に保ち、温度管理や蒸留残渣物の取り出しを適切に行っているか																																

テトラクロロエチレン等の取扱いに係る点検管理要領等の作成について

									合計	回

蒸留器の操作				ガス回収装置			排液処理装置		廃の棄処物理		
(2) 蒸留の温度保持は適正か。バーナークは130～140℃（蒸気圧3～4 kg/cm²）、エタンは100～120℃（1～2 kg/cm²）	(3) 蒸留残渣物は、蒸気又は水（エタンの場合は空気）を吹き込み、よく乾燥させてから取り出しているか（吹き込み蒸気が多すぎると突沸するので注意する）	(4) 蒸留残渣物は、冷えてから取り出しているか	(1) 活性炭式装置は、脱着による回収・乾燥を行っているか	(2) 冷却式装置は、冷却効果が十分で正常に作動しているか	(3) 水分離器の管につまりがなく、流出状態はよいか	(1) 排液の高温化や配管のつまりがないか	(2) 曝気式は排液量、曝気空気量、曝気用空気中の溶剤濃度、曝気時間等を適切に管理しているか	(1) 汚染物は密閉できる専用容器に入れて、専用の貯蔵場所に保管しているか	ワッシャー数　　　　　　　　（回）	フィルター圧（最終洗浄時）（kg/cm²）

第3編 クリーニング業

(Ⅱ) 毎週点検

	点検項目	第1回 日	第2回 日	第3回 日	第4回 日	第5回 日	備考
	ファン及び脱臭装置の作動						
溶剤もれ・シール・パッキン機	①タンク						
	②ポンプ（軸部等）						
	③フィルター（本体・蓋）						
	④蒸留器（本体・掃除口）						
	⑤ボタントラップ（本体・蓋）						
	⑥回収器（ファン・ヒーター・クーラー・ダンパー）						
	⑦配管の継手や弁						
	⑧ゲージグラス・サイトグラス等						
	⑨内胴軸						
	⑩ドア						
	⑪リントフィルターの蓋						
	⑫ダクトの継ぎ目						
	乾燥回収器部のごみ詰まりの有無						
	水分離器の詰まり・水の流出状態						

排液処理装置	排水濃度測定値（mg/L）	測定箇所（第2水分離器出口）	第1回 日	第2回 日	第3回 日	第4回 日	第5回 日	備考
		排 出 水						（パーク）200mg/L以下 （エタン）1200mg/L以下 （パーク）0.1mg/L以下 （エタン）3mg/L以下

吸収装置回収	排気濃度測定値（ppm）	第1回 日	第2回 日	第3回 日	第4回 日	第5回 日	備考
							安定していれば月1回程度の測定でもよい。

テトラクロロエチレン等の取扱いに係る点検管理要領等の作成について

(Ⅲ) 随時点検

溶剤の充填作業	補給量及び作業点検		第1回 日	第2回 日	第3回 日	第4回 日	第5回 日	備考
	溶剤補給量 (L)							合計 L
	(1) 換気しているか							
	(2) ドライ機を停止し、こぼさないように行っているか							溶剤をこぼした場合は、日時及び処理に関する記録を付けること。
	(3) 作業後直ちにドライ機及び容器を密閉したか							

フィルター	カートリッジフィルター等の処理	第1回 日	第2回 日	第3回 日	第4回 日	第5回 日	備考
	(1) 溶剤をよく排出してから取り出しているか						
	(2) 十分に乾燥させているか						

廃棄物の処理	廃棄物の種類	交換日	委託処理の記録		
			委託日	委託量 (kg)	委託先
	①フィルターパウダー及び蒸留残渣				
	②カートリッジフィルター				
	③活性炭等				

○石油系溶剤を用いたドライクリーニングにおける衣類への溶剤残留防止について

［平成3年7月1日　衛指第110号
各都道府県・各政令市・各特別区衛生主管部（局）長宛
厚生省生活衛生局指導課長通知］

　最近、石油系溶剤によりドライクリーニング処理した衣類について乾燥が不十分で溶剤の残留した衣類を納品したため、この衣類を着用した消費者が皮膚障害を起こすという事故が発生している。

　このような事故は、衣類の十分な乾燥、溶剤の残留していないことの確認の励行により防止しうるものである。

　ついては、貴管下クリーニング業者に対し、石油系溶剤によるドライクリーニング処理後には乾燥を十分行うこと、また、特に乾燥しにくい材質の衣類については石油系溶剤残留判定器（ドライチェッカー）を使用し、乾燥していることを確認すること等の対策を講じ、残留溶剤によるかかる事故の発生のないよう指導方お願いする。

○テトラクロロエチレンを使用するコインオペレーションクリーニング営業施設に対する指導について

［平成3年9月9日　衛指第181号
各都道府県・各政令市・各特別区衛生主管部（局）長宛
厚生省生活衛生局指導課長通知］

　コインオペレーションクリーニング営業施設における衛生措置については、「コインオペレーションクリーニング営業施設の衛生措置等指導要綱について」（昭和58年3月29日付環指第39号）により、その指導をお願いしているところであるが、今般、水質汚濁防止法施行令が別添のとおり改正され、テトラクロロエチレンを使用するコインオペレーションクリーニング営業施設が特定施設（テトラクロロエチレンによる洗浄施設）に追加されることとなった。（10月1日施行）

　ついては、当該営業施設に対し、テトラクロロエチレンの適正な取り扱い及び水質汚濁防止法に基づく届出等について指導方お願いする。

　なお、条例又は要綱等を制定している都道府県にあっては、「テトラクロロエチレンを使用する洗濯機には、洗濯機から排出する排液中のテトラクロロエチレンを適切に除去することができる排液処理装置を設置する。」旨の追加等所要の規定の整備を行われたい。

別添　略

○病院等からの寝具類の洗濯業務のクリーニング所に対する委託について

平成5年2月15日　衛指第24号
各都道府県・各政令市・各特別区衛生主管部（局）長宛
厚生省生活衛生局指導課長通知

　標記については、昭和59年4月6日環指第32号当職通知により取り扱ってきたところであるが、今般、医療法の一部を改正する法律（平成4年法律第89号）により、病院等の業務委託に関する規定（医療法第15条の2）の新設が行われ、当該規定について医療法の一部を改正する法律の一部の施行期日を定める政令（平成5年政令第6号）により本年4月1日から施行されることとされたことから、病院等からの寝具類の洗濯業務の委託についても、同日から法律に基づき規制されることとなった。

　これに伴い、関係政省令が整備されるとともに、その施行に当たり、「医療法の一部を改正する法律の一部の施行について」（平成5年2月15日健政発第98号厚生省健康政策局長通知）、「医療法の一部を改正する法律の一部の施行に伴う関係通知の整理について」（平成5年2月15日総第7号厚生省健康政策局総務課長通知）及び「病院、診療所等の業務委託について」（平成5年2月15日指第14号厚生省健康政策局指導課長通知）が通知された。

　改正後の医療法関係法令及びこれに伴う関係通知のうち、病院等からの繊維製品の滅菌消毒業務及び寝具類の洗濯業務の委託に関する部分については、別添のとおりであるので、下記事項に留意の上、クリーニング業の関係者に対し、周知するとともに指導監督に遺憾のないようにされたい。

　なお、「クリーニング所における病院寝具類の取扱いについて」（昭和59年4月6日環指第32号当職通知）は、平成5年3月31日をもって廃止する。

記

1　医療用具又は医学的処置若しくは手術の用に供する衣類その他の繊維製品の滅菌又は消毒の業務の委託について（医療法施行令第4条の6第2号、医療法施行規則第9条の9関係）

　医学的処置又は手術の用に供する衣類その他の繊維製品の滅菌又は消毒の業務のうちクリーニング業法（昭和25年法律第207号）第3条第3項第5号の規定により行う消毒（洗濯の前処理として行う消毒）の業務及びそれに引き続き行う洗濯の業務を委託する場合の受託者の基準は、同法第5条第1項の規定により都道府県知事にクリーニング所の開設の届出を行っている者であることのみとされたこと。

2　患者、妊婦、産婦又はじょく婦の寝具又はこれらの者に貸与する衣類の洗濯の業務の委託について（医療法施行令第4条の6第7号、医療法施行規則第9条の14関係）

　診療所及び助産所が寝具類の洗濯業務を委託する場合の受託者の基準は、クリーニング業法第5条第1項の規定により都道府県知事にクリーニング所の開設の届出を行っている者であることのみとされたこと。

3 その他
　クリーニング業法施行規則（昭和25年厚生省令第35号）第1条第5号に規定する寝具その他これに類するもののうち、診療所に係るものについては、平成5年2月15日指第14号厚生省健康政策局指導課長通知における消毒に関する所要の規定を踏まえ、その消毒の徹底を図ることとすること。また、これら寝具その他これに類するもの以外の白衣等についてもこれら寝具その他これに類するものに準じた消毒等の取扱いを図るよう衛生面の確保向上に努めるよう指導されたいこと。
別添　略

○ドライクリーニングにおけるテトラクロロエチレンの使用管理の徹底について

［平成5年4月9日　衛指第74号
　各都道府県知事・各政令市市長・各特別区区長宛　厚生省生活衛生局長通知］

　ドライクリーニングにおけるテトラクロロエチレンの使用管理については、「クリーニング営業者に係るテトラクロロエチレンの環境汚染防止措置に関する技術上の指針」（平成元年7月7日厚生省・通商産業省告示第6号）及び「ドライクリーニングにおけるテトラクロロエチレン等の使用管理について」（平成元年7月10日衛指第114号本職通知。以下「第114号通知」という。）により指導をお願いしているところであるが、今般、環境庁より、別添のとおり、平成5年4月9日環大企第193号・環大規第56号（以下「環境庁通知」という。）をもってトリクロロエチレン及びテトラクロロエチレンによる大気汚染防止について協力の依頼があり、また、ドライクリーニングにおけるテトラクロロエチレンの使用管理の徹底を図るため、第114号通知を下記のとおり改正した。
　今後、貴職におかれては、貴管下関係者に対してこの旨周知徹底を図るとともに、テトラクロロエチレンを使用するドライクリーニング機械を有するクリーニング所であってその処理能力の合計が30kg未満のものについても、活性炭吸着回収装置の設置が必要に応じ計画的に行われるよう一層の指導をお願いする。
記　略
〔別　添〕
　　　　トリクロロエチレン及びテトラクロロエチレンによる大気汚染の防止について

［平成5年4月9日　環大企第193号・環大規第56号
　各都道府県知事宛　環境庁大気保全局長通知］

　トリクロロエチレン及びテトラクロロエチレンについては、我が国の大気において低濃度ながら広い範囲で検出されているほか、環境庁が行った「未規制大気汚染物質規制基準検討調査」等によると、その発生源の周辺では、局所的ではあるものの比較的高い濃度が検出される事例があることが判明している。
　環境庁では平成2年3月に「有機塩素化合物対策検討会」を設置し、トリクロロエチレ

ドライクリーニングにおけるテトラクロロエチレンの使用管理の徹底について

ン及びテトラクロロエチレンによる大気汚染の防止について検討してきたが、このたび、この結果がとりまとめられたところである。

 この結果に基づき、トリクロロエチレン及びテトラクロロエチレンについて、人の健康を保護するうえで維持されることが望ましい指針として、別表のとおり、大気環境指針(暫定値)を定め、また、別紙のとおり、「トリクロロエチレン及びテトラクロロエチレンの大気中への排出に係る暫定対策ガイドライン」についてとりまとめた。

 ついては、おって示す報告様式により、当面、下記のとおり実態の把握に当たられたい。

 なお、大気汚染防止法第31条の規定に基づく政令市の長、その他関係部局との連絡を密にする等により円滑な実態把握の実施に十分配慮されたい。

記

① 貴都道府県内のトリクロロエチレン又はテトラクロロエチレンを大気中に排出すると考えられる工場及び事業場について、関係部局間の連絡を密にする等により、その所在等について、5年度中に把握すること。
② 把握した所在等の実態に基づき、発生源の種類や規模、その他一般公衆が通常生活している地域又は場所か否か等を考慮し、別紙の事項を参考とし、適宜、周辺環境における濃度測定を実施し、また、事業者の協力を得たうえで大気への排出口における濃度測定を実施すること。
③ 濃度の測定結果に合わせ、周辺環境への影響、排出実態や規模等の発生源の特性及び技術水準等を考慮し、大気環境指針が確保されるうえで必要と認められる場合は、当該工場又は事業場に対して、別紙の事項を参考とし、大気中への排出の抑制を計画的に進めるよう協力を求めること。

別表 大気環境指針(暫定値)

トリクロロエチレン	年平均値として250μg/m³以下 (注1)
テトラクロロエチレン (別名パークロロエチレン)	年平均値として230μg/m³以下 (注2)

   備考1 この指針は、人の健康を保護するうえで維持されることが望ましい指針として定めたものであり、指針が確保されない状況があっても、直ちに疾病又はそれにつながる影響が現れるものではない。
    2 この大気環境指針は、大気への排出口、工場・事業場の敷地境界内、その他一般公衆が通常生活していない地域又は場所については、適用しない。
 注1 温度25℃、圧力1気圧のもとでは47ppbに相当する。
 注2 温度25℃、圧力1気圧のもとでは34ppbに相当する。
〔別紙〕
   トリクロロエチレン及びテトラクロロエチレンの大気中への排出に係る暫定対策ガイドライン

第3編　クリーニング業

1　濃度の測定

　トリクロロエチレン等の濃度の測定に当たっては、別表に示した測定方法等を参考にして行うこと。

　周辺環境の測定を行う場合には、施設の稼動状況や気象条件も十分考慮して、当該工場又は事業場の敷地境界外で、かつ、一般公衆が通常生活している地域又は場所において測定することを基本とし、日平均値が大気環境指針値を超過すると考えられる場合には、試料の捕集時間をなるべく長くする等の工夫をしたうえでさらに測定を実施するものとする。なお、濃度は施設の稼動状況や気象条件により大きく変動することが考えられるため、年平均値の算出に当たって、客観的に年間を通じて平均的な濃度値を算出することができるよう、必要に応じてこれらの諸条件が異なる状況のもとでできるだけ多くの回数にわたり測定を行うこと。

　また、大気への排出口等における測定を行う場合には、各施設の排出特性を考慮し、その工程を適切に代表するような期間において実施することとし、採取時間等を考慮して試料を複数回、捕集するものとする。採取場所は、ダクトの屈曲部分や断面形状の急激に変化する部分等を避けておこなうものとする。なお、小規模の発生源については、検知管法等の簡易測定法もスクリーニングの手法として有効である。

2　大気中への排出抑制対策

　トリクロロエチレン等の濃度の測定結果に合わせ、周辺環境への影響、排出実態や規模等の発生源の特性及び技術水準等を考慮し、大気環境指針が確保されるうえで必要と認められる場合は、当該工場又は事業場において、大気中への排出の抑制を計画的に進めることが重要である。具体的には、以下の事項が考えられる。

① 　トリクロロエチレン等を製造している工場にあっては、塩素化反応施設、蒸留塔、貯留タンク及び充填所等の各施設からの排出特性に応じた、凝縮、吸着、洗浄及び熱分解等の各種抑制対策の適切な実施。

② 　洗浄用途に使用している各種工場については、洗浄槽について密閉化など設備・構造面からの排出抑制対策の強化。また、排出ガスについては、ダクトの適切な設置、及び必要に応じて処理に際しての活性炭吸着処理設備等の適切な設置及び維持管理。

③ 　クリーニング所にあっては必要に応じ活性炭吸着処理設備等の適切な設置及び維持管理。

　なお、活性炭吸着処理設備等の適切な設置及び維持管理が行われれば、一般的には大気環境指針（暫定値）が確保されるものと考えられる。

　また、活性炭吸着処理設備を設置し、維持管理を行う場合の目標については、現在、検討中であることを申し添える。

別表　標準的な濃度測定方法
1) 大気への排出口等における濃度の測定

試 料 の 捕 集 方 法	分 析 方 法
次のいずれかの方法により、捕集を行う。 　なお、試料の捕集に際しては、チューブ等への吸着等による試料の損失に注意する必要がある。 ① 　真空瓶による方法 　0.1～1L／分程度の試料採取速度で、1分程度かけて試料の捕集を行う。 ② 　テドラーバッグによる方法 　0.1～1L／分程度の試料採取速度で、数分～十数分かけて試料の捕集を行う。 ③ 　常温吸着による方法 　活性炭などの吸着剤をステンレス製又はガラス製の捕集管に充填し、0.1～1L／分程度の試料採取速度で、予想される濃度に応じて数分～数時間かけて試料を捕集する。捕集後の吸着剤からトルエン、ヘキサンなどの溶媒によって対象成分を抽出する。 　なお、捕集後は早期に分析することとし、その間は吸着剤を冷暗所に密閉して保存すること。	ガスクロマトグラフを用い、次に定めるところにより分析を行う。 ① 　水素炎イオン化検出器（FID）を用いた方法 　この分析方法は、約1mg／m^3以上の排出口等における濃度の測定に適用できる。 ② 　電子捕獲型検出器（ECD）を用いた方法 　この分析方法は、約1μg／m^3以上の排出口等における濃度の測定に適用できる。 ③ 　ガスクロマトグラフィー質量分析法（GC—MS） 　この分析方法は、排出ガス中に多数の共存物質が含まれるおそれがある場合には特に適しており、約1μg／m^3以上の排出口等における濃度の測定に適用できる。

2) 周辺環境濃度の測定

試料の捕集方法	分析方法
次のいずれかの吸着剤を用いた常温吸着による方法により捕集を行う。 　なお、試料の捕集に際しては、チューブ等への吸着等による試料の損失に注意する必要がある。 　また、捕集後は早期に分析することとし、その間は吸着剤を冷暗所に密閉して保存すること。 ① ポーラスポリマービーズなどを利用する方法 　吸着剤をステンレス製又はガラス製の捕集管に充塡し、0.1～1L／分程度の試料採取速度で数十分～1時間程度かけて試料を捕集する。捕集後の吸着剤を加熱し、対象成分を気化させる。 　この捕集方法は、比較的濃度が低い場合に適する。 ② 活性炭などを利用する方法 　吸着剤をステンレス製又はガラス製の捕集管に充塡し、0.1～1L／分程度の試料採取速度で、予想される濃度に応じて数十分～24時間程度かけて試料を捕集する。捕集後の吸着剤からトルエン、ヘキサンなどの溶媒によって対象成分を抽出する。 　この捕集方法は、濃度が低い場合から比較的高い場合まで適用できる。	ガスクロマトグラフを用い、次に定めるところにより分析を行う。 ① 電子捕獲型検出器（ECD）を用いた方法 　吸着剤を加熱脱離して得られた試料空気、又は溶媒により抽出した試料液を適当に希釈して注入し、対象成分の定性及び定量を行う。 　この分析方法は、約0.1～1μg／㎥以上の周辺環境濃度の測定に適用できる。 ② ガスクロマトグラフィー質量分析法（GC－MS） 　吸着剤を加熱脱離して得られた試料空気、又は溶媒により抽出した試料液を適当に希釈して注入し、対象成分の定性及び定量を行う。 　この分析方法は、排出ガス中に多数の共存物質が含まれるおそれがある場合には特に適しており、約0.1～1μg／㎥以上の周辺環境濃度の測定に適用できる。

○ドライクリーニングにおけるテトラクロロエチレンの使用管理の徹底について

[平成5年4月9日　衛指第77号
各都道府県・各政令市・各特別区衛生主管部（局）長宛
厚生省生活衛生局指導課長通知]

標記については、平成5年4月9日衛指第74号をもって厚生省生活衛生局長から各都道府県知事、政令市長及び特別区長宛通知されたところであるが、その運用に当たっては下記の事項に留意の上、指導に遺憾のなきよう期せられたい。

記

第1　平成元年7月10日衛指第114号厚生省生活衛生局長通知の改正について

1　テトラクロロエチレンを使用するドライクリーニング機械を有するクリーニング所においては、これまで、その処理能力の合計が30kg以上のクリーニング所に限り、テトラクロロエチレンを回収するための活性炭吸着回収装置を設置することとされてきたが、テトラクロロエチレンによる大気汚染の防止及び使用管理の徹底を図る観点から、処理能力の合計が30kg未満のクリーニング所においても、当該装置を設置することが望ましく、その設置を、当該ドライクリーニング機械の規模、使用年数等を考慮した上で、必要に応じ計画的に行うよう指導することとされたこと。

2　最近のドライクリーニング機械における技術開発の状況を踏まえ、活性炭吸着回収装置を内蔵する密閉内部脱臭方式のドライクリーニング機械にあっては、別途活性炭吸着回収装置を設置する必要はないことが明確にされたこと。

3　活性炭吸着回収装置（密閉内部脱臭方式のドライクリーニング機械に内蔵された活性炭吸着回収装置を含む。）の設置を行っているクリーニング所における当該装置の維持管理については、平成元年7月10日衛指第114号厚生省生活衛生局長通知の記の2の(3)により適切に行わせるとともに、平成元年9月14日衛指第153号当職通知「テトラクロロエチレン等の取扱いに係る点検管理要領等の作成について」により点検管理を徹底するよう指導すること。

第2　平成5年4月9日環大企第193号・環大規第56号環境庁大気保全局長通知について

1　大気環境指針（暫定値）は、人の健康を保護するうえで維持されることが望ましい指針として定められたものであり、指針が確保されない状況があっても、直ちに疾病又はそれにつながる影響が現れるものではないとされていること。

2　第1、1の活性炭吸着回収装置の設置を指導するに当たっては、「トリクロロエチレン及びテトラクロロエチレンの大気中への排出に係る暫定対策ガイドライン」において、テトラクロロエチレンの濃度の測定結果に合わせ、周辺環境への影響、排出実態や規模等の発生源の特性及び技術水準等を考慮し、大気環境指針が確保されるうえで必要と認められる場合は、当該工場又は事業場において、大気中への排出の抑制を計画的に進めることが重要であるとされていることを勘案するとともに、同ガイドラインにおいて、活性炭吸着処理設備等の適切な設置及び維持管理が行われれば、一般

的には大気環境指針（暫定値）が確保されるものと考えられるとされていることに配慮すること。

○貸おむつの衛生確保について

　　　　　　　　　［平成5年11月25日　衛指第224号
　　　　　　　　　　各都道府県・各政令市・各特別区衛生主管部（局）長宛
　　　　　　　　　　厚生省生活衛生局指導課長通知］

　環境衛生関係営業の監視指導については、日頃より種々御配慮を煩わしているところであるが、近年、老人介護や医療関連サービス等の分野において貸おむつが用いられることが一般化している。

　しかし、これら貸おむつの処理等に関する取扱いは、営業者によりまちまちであることから、その統一されたものが策定されることが望まれていたところである。

　このため、今般、貸おむつの衛生を確保するため、おむつを使用させるために貸与し、その使用済み後はこれを回収して洗濯し、さらに貸与することを繰り返して行うクリーニング業者（以下「貸おむつ業者」という。）が達成すべきガイドラインとして別添のとおり「貸おむつの衛生的処理等に関するガイドライン」及び「貸おむつの洗濯を行うクリーニング所の施設、設備及びそれらの管理に関するガイドライン」（以下「ガイドライン」という。）を定めたので、下記事項に留意の上、貴管下関係団体等に周知徹底させるとともに、貸おむつ業者に対する監視指導方よろしくお願いする。

　なお、ガイドラインの周知方について、財団法人全国環境衛生営業指導センター、全国クリーニング環境衛生同業組合連合会及び社団法人日本ダイアパー事業振興会に対し依頼したので、申し添える。

　　　　　　　　　　　　　　　　　　記

1　貸おむつの衛生を確保するためには、その処理や取扱い等が適正に行われることが最も重要であるので、貸おむつ業者に対する環境衛生監視指導に当たっては、クリーニング業法の規定に基づき営業者が講ずべき措置等に係る事項によるほか、ガイドラインによられたいこと。

2　貸おむつの衛生的処理等に関するガイドラインの第3の1　衛生基準は、第2　処理等の規定により貸おむつについて適正に処理等が行われたかどうかを判定するための工程管理における目安として定められたものであること。

　　したがって、工程管理において、製品が衛生基準に適合しない場合には、貸おむつの処理等を適正に行うよう指導されたいこと。

3　既存の貸おむつ業者であって、直ちにガイドラインに基づく処理等並びに施設、設備及びそれらの管理（既にクリーニング業法の規定に基づき営業者が講ずべき措置等に係る事項とされているものを除く。）が困難なものについても、逐次その改善が図られるよう指導されたいこと。

貸おむつの衛生確保について

別　添

〔1〕　貸おむつの衛生的処理等に関するガイドライン

第1　目的

　このガイドラインは、貸おむつの洗濯を行う事業者が遵守すべき貸おむつの処理等及び衛生基準等に関する事項を定め、もって貸おむつの衛生の確保及び向上を図ることを目的とする。

第2　処理等

　貸おむつの処理等は、次のとおりとすること。

1　貸与したおむつは、使用後少なくとも3日以内に回収して処理すること。

2　おむつは、次のいずれかの方法により処理することとし、洗濯に当たっては、洗濯機の最大負荷量を超えないようにすること。

⑴　バッチ式による洗濯

　ア　洗濯工程中に消毒効果のある塩素剤を使用する方法

　　㈦　洗濯は、適量の洗剤を使用して、60℃以上の温湯中で10分間以上本洗を行い、換水後、更に同様の本洗を行った後、すすぎ及び塩素剤添加による消毒を行うこと。

　　㈵　すすぎは清浄な水（水道法に基づく水質基準に適合する水であることが望ましいこと。以下同じ。）により4回以上（各回3分間以上）行い、各回ごとに換水すること。

　　㈭　塩素剤添加による消毒は、次亜塩素酸ナトリウム、さらし粉等を使用し、すすぎの2回目以降に遊離残留塩素が250mg／L以上となるように添加して行うこと。

　イ　熱湯又は蒸気による消毒後洗濯する方法

　　㈦　消毒は、80℃以上の熱湯に10分間以上浸すか、又は100℃以上の蒸気に10分間以上触れさせて行い、その後洗濯を行うこと。

　　㈵　洗濯は、適量の洗剤を使用して、60℃以上の温湯中で10分間以上本洗を行い、換水後、更に同様の本洗を行った後、すすぎは清浄な水により4回以上（各回3分間以上）行い、各回ごとに換水すること。なお、80℃以上の熱湯を用いて本洗を行う場合は、㈦の消毒工程を省略することができる。

⑵　連続式洗濯機による洗濯

　ア　洗濯工程中に消毒効果のある塩素剤を使用する方法

　　㈦　予洗は、適量の清浄な水又はすすぎ水を使用して4分間以上本洗を行うこと。

　　㈵　洗濯は、適量の洗剤を使用して、60℃以上の適量の温湯中で10分間以上本洗を行うこと。

　　㈭　すすぎは、適量の清浄な水を使用して、8分間以上（原則として4槽以上）行うこと。

　　㈮　塩素剤添加による消毒は、次亜塩素酸ナトリウム、さらし粉等を使用し、すすぎの前半又は洗濯の後半の工程において、遊離残留塩素が250mg／L以上と

951

第3編　クリーニング業

なるように添加して行うこと。
　　イ　熱湯を使用する方法
　　　(ア)　消毒及び洗濯は、適量の洗剤を使用して、80℃以上の適量の温湯中で10分間以上行うこと。
　　　(イ)　予洗及びすすぎは、それぞれ前記のアの(ア)及び(ウ)により行うこと。
3　洗濯終了後の仕上げ（伸展、折畳み等）及び包装を行う作業者は、常に専用の作業衣及び履物を着用し、手指を消毒又は洗浄して清潔を保って作業するとともに、洗濯等の処理が適正に行われたかどうか確認すること。
　この場合、処理が適正でないと判断されるものを選別し、再処理するか、又は廃棄すること。
4　仕上げ済みの製品は、その衛生保持に十分留意し、速やかに配送すること。
5　おむつを処理するために使用する機械器具及び製品を運搬する容器等については、塩素剤又は界面活性剤等の消毒液を用いて清拭等により適宜消毒すること。

第3　衛生基準及び検査方法
　製品としてのおむつの衛生基準及び検査方法は、次のとおりとすること。
1　衛生基準
　(1)　変色及び異臭がないこと。
　(2)　大腸菌群が検出されないこと。
　(3)　黄色ブドウ球菌が検出されないこと。
　(4)　一般細菌数は1枚当たり5×10^4個以下であること。
2　検査方法
　(1)　官能検査
　　おむつを広げ、不潔な変色及び不快な臭気の有無を官能的に調べる。
　(2)　細菌検査
　　ア　試料の調製
　　　検体1枚を次のいずれかの方法により処理し、その抽出液を試料原液とする。
　　　(ア)　ストマッカー法
　　　　ストマッカー用滅菌ポリ袋に検体1枚及び滅菌生理食塩水500mlを入れ、ストマッカーで3分間程度処理して抽出液を得る。
　　　(イ)　手振法
　　　　1000ml容器の広口ビンに生理食塩水を500ml入れて高圧蒸気滅菌したものに検体1枚を入れ、3分間程度振って抽出液を得る。
　　イ　一般細菌
　　　試料原液1mlを採り、滅菌生理食塩水を用いて、4〜5段階まで10倍希釈を行い、その試料原液及び各希釈液1mlを滅菌ペトリ皿各2枚にそれぞれ正確に分注し、これにあらかじめ加温溶解して50℃以下の温度に保持させた滅菌標準寒天培地15mlを加え、静かに回転混合して冷却凝固させ、更に前記標準寒天培地5mlを重層して静置する。

凝固後、これを倒置して、35〜37℃で48時間（±3時間）培養した後、発生した集落を数え、計算により検体1枚当たりの細菌数を算定する。
　ウ　大腸菌群
　　試料原液1mlを2本のダーラム管入りBGLB培地（10ml）発酵管に入れ、37℃で培養し、48時間まで観察してガスが発生した場合には、その発酵管からEMB平板培地に画線塗抹し、37℃で24時間分離培養を行い、平板培地上に定型的な大腸菌群の集落を認めたときは、陽性とする。
　エ　黄色ブドウ球菌
　　試料原液1mlを2本のSCD培地（Soybean‐Casein Digest Broth）10mlに入れ、35〜37℃、24〜48時間増菌培養した菌液から分離培養する。
　　増菌培養液の一白金耳を卵黄加マンニット食塩寒天培地上に塗抹し、37℃で48時間（±4時間）培養する。
　　平板培地上にマンニット分解及び集落周囲に明瞭な混濁帯（卵黄反応）が認められた場合は、その集落についてグラム染色及びコアグラーゼ試験を行い、ぶどうの房状の配列又は不規則な菌塊やフィブリンの析出を認めたときは、陽性とする。

(2) 貸おむつの洗濯を行うクリーニング所の施設、設備及びそれらの管理に関するガイドライン

第1　目的
　このガイドラインは、貸おむつの洗濯を行う事業者が遵守すべき貸おむつの洗濯を行うクリーニング所の施設、設備及びそれらの管理に関する事項を定め、もって貸おむつの衛生の確保及び向上を図ることを目的とする。

第2　施設及び設備
1　クリーニング所は、隔壁等により外部と区分されていること。
2　クリーニング所は、隔壁等により居宅、台所、便所等の施設及び他の営業施設と区別されていること。
3　クリーニング所は、原則として貸おむつ及び医療関連洗濯物を取扱う専門施設とすること。
4　貸おむつの受取場、洗濯場、仕上げ場及び引渡し場は、洗濯物の処理及び衛生保持に支障を来さない程度の広さ及び構造であって、それぞれが区別されていること。
5　クリーニング所は、採光、照明及び換気が十分行える構造であること。
6　洗濯場の床及び腰張りは、コンクリート、タイル等の不浸透性材料を使用し、清掃が容易に行える構造であること。
7　クリーニング所には、貸おむつを適正に処理できる設備として、必要に応じ消毒、洗濯、脱水、乾燥、給湯に係わる機械又は器具類が備えられていること。
8　クリーニング所には、貸おむつの処理のために使用する消毒剤、しみ抜き薬剤等を専用に保管する保管庫又は戸棚等が設けられていること。
9　貸おむつを運搬する車は、未洗濯物と仕上げの終わったものを区分できる機能を有

10 貸おむつの受取場所及び引渡し場所には、それぞれ取扱い数に応じた適当な広さの受取台及び引渡し台が備えられていること。
11 クリーニング所には、汚染のおそれのない場所に仕上げの終わった貸おむつの格納施設が設けられていること。

第3 管理
1 クリーニング師の役割
(1) クリーニング業法に基づき必ず設置することとされているクリーニング師は、公衆衛生及び貸おむつの洗濯処理に関する専門知識等を有するものであり、クリーニング所の衛生管理を行う上での実質的な責任者となるものであること。
(2) クリーニング師は、(1)の趣旨を十分確認し、2に掲げる施設、設備及び器具の衛生管理、貸おむつの消毒、洗濯等の適正な処理等について常に指導的な立場からこれに関与し、クリーニングに関する衛生の確保、改善及び向上に努めること。
2 施設、設備及び器具の管理
(1) クリーニング所内は、毎日清掃し、その清潔保持に努め、必要に応じ補修を行い、衛生上支障のないようにすること。
(2) クリーニング所内は、汚染程度により次の区域に分類し、従業員が各区域を認識し得るようにすること。
① 汚染作業区域（受取場、選別場、消毒場）
② 準汚染作業区域（洗い場、乾燥場）
③ 清潔作業区域（仕上げ場、引渡し場等）
(3) クリーニング所内は、ねずみ、昆虫等が生息しないようにすること。
(4) クリーニング所内は、採光及び照明を十分にすること。
(5) クリーニング所内は、換気を十分にすること。
(6) クリーニング所内外は、常に排水が良く行われるようにすること。
(7) 消毒、洗濯、脱水、乾燥、給湯に係わる機械又は器具類は、常に保守点検を行い、適正に使用できるように整備しておくこと。
(8) 消毒、洗濯、脱水、乾燥、たたみ等に係わる機械又は器具類、作業台、運搬、集配容器等で、貸おむつが接触する部分については毎日業務終了後に洗浄又は清掃し、仕上げの終わった貸おむつの格納設備又は容器については少なくとも1週間に1回以上清掃すること。また、これらについては適宜消毒を行うこと。
(9) 作業に伴って生じる繊維、くず等の廃棄物は専用の容器に入れ、適正に処理すること。
(10) 清掃用具は、専用場所に保管すること。
(11) 営業者（管理者を含む。）又はクリーニング師は、毎月クリーニング所の施設、設備及び器具の衛生全般について点検管理すること。
3 クリーニング所が天災等により、一時的にその業務の継続が困難となった場合において、その業務の代行について、あらかじめ必要な方策が講じられていること。

○テトラクロロエチレン等を使用するコインオペレーションクリーニング営業施設に対する指導の徹底について

> 平成7年2月24日　衛指第41号
> 各都道府県・各政令市・各特別区衛生主管部(局)長宛
> 厚生省生活衛生局指導課長通知

　標記施設における衛生措置については、「コインオペレーションクリーニング営業施設の衛生措置等指導要綱について」（昭和58年3月29日付環指第39号。以下「指導要綱」という。）及び「テトラクロロエチレンを使用するコインオペレーションクリーニング営業施設に対する指導について」（平成3年9月9日付衛指第181号）によって、その指導をお願いしているところであるが、最近、その設置数が急増し、適切な衛生管理がなされなければ公衆衛生上の危害を生じるおそれがある。

　ついては、当該施設に対し、テトラクロロエチレン及び石油系溶剤（以下「テトラクロロエチレン等」という。）の適正な取扱い等について、下記の事項に留意して一層の指導の徹底をお願いしたい。

記

1　テトラクロロエチレン等を使用する施設については、利用者がその気化ガスに暴露されることによって危害の発生するおそれがあることから、十分な管理体制のもとに衛生管理を行うよう指導要綱の周知徹底を図ること。
2　有機溶剤の性質及び取扱い等に関する知識技能を有する管理責任者を選任して有機溶剤の管理等の業務を行わせるとともに、その氏名及び連絡先を施設内の見やすい場所に掲示して、利用者の要請に速やかに対応できる体制を整えておくこと。
3　施設内の換気を十分にし、換気設備は、適宜点検及び清掃を行うこと。
4　乾燥機の乾燥温度を常に点検し、所定の温度維持に努め、事故防止に留意すること。
5　洗濯又は乾燥に当たっての留意、有機溶剤の種類、当該有機溶剤の人体に及ぼす作用その他有機溶剤の取扱い上の留意等の事項を施設内の見やすい場所に掲示して、利用者に周知させること。
6　水質汚濁防止法に基づく特定施設の設置の届出など関係法令の遵守に努めること。

　　　テトラクロロエチレン等を使用するコインオペレーションクリーニング
　　営業施設に対する指導の徹底について（解説）

> 平成7年2月24日
> 厚生省生活衛生局指導課

1　コインランドリー等のコインオペレーションクリーニング営業施設の衛生管理については、昭和58年に、「コインオペレーションクリーニング営業施設の衛生措置等指導要綱」（以下「指導要綱」という。）を定め、当該営業施設の把握に努めるとともに、必要に応じ条例又は要綱等（以下「要綱等」という。）の制定を行う等の措置をとるようお願いしているところである。

2 指導要綱では、テトラクロロエチレン等を使用するドライクリーニング洗濯機について、有機溶剤の人体に与える影響の問題があることにかんがみ、極力その設置を控えるよう指導するとともに、設置する場合には、指導要綱の関係規定を遵守させ、公衆衛生上遺憾のないようにすることとされている。
3 最近の新聞報道等によれば、西日本を中心にドライクリーニング洗濯機を設置した大型コインランドリーが増加し、今後、さらにその設置数が拡大することが予想されている。
4 昨年12月に総務庁関東管区行政監察局が実施した地方監察では、東京都内のテトラクロロエチレンを使用するコインドライ施設において、溶剤管理者の未設置など衛生管理上の不備が指摘されている。
5 テトラクロロエチレンは化学物質の審査及び製造等の規制に関する法律(化審法)で第2種特定化学物質に指定されるなど、その取扱いに際しては人体及び環境に影響を及ぼすことのないように十分な措置を講じることが必要である。
6 そこで、要綱等を未制定の自治体にあっては、管内における当該営業施設の設置状況を把握して、制定の必要性について再度検討するとともに、要綱等を実施している自治体にあっては、今回の通知の趣旨を踏まえ、水質汚濁防止法など関連法令の担当部局と十分な連携をとりつつ、一層の指導の徹底を図るようお願いするものである。
7 なお、今後、コインオペレーションクリーニング営業施設の衛生実態等について調査を実施する予定であるので、その際には、特段の御配慮をお願いいたしたい。

○テトラクロロエチレン等を含む廃油等を生ずるコインオペレーションクリーニング営業施設に対する指導の徹底について

平成7年12月27日 衛指第281号
各都道府県・各政令市・各特別区衛生主管部(局)長宛
厚生省生活衛生局指導課長通知

コインオペレーションクリーニング営業施設において生ずるテトラクロロエチレン又はトリクロロエチレンを含む廃油(廃溶剤に限る。)、汚泥、廃酸、廃アルカリ又はこれらを処分するために処理したもの(以下「テトラクロロエチレン等を含む廃油等」という。)の取扱いについては、その衛生措置等の指導徹底について、強く求められているところであるが、今般、廃棄物の処理及び清掃に関する法律施行令等の一部を改正する政令(平成7年政令第290号。以下「改正政令」という。)及び廃棄物の処理及び清掃に関する法律施行規則の一部を改正する省令(平成7年厚生省令第63号。以下「改正省令」という。)が、それぞれ平成7年7月14日及び平成7年12月27日に公布され、改正省令の一部を除き平成8年1月1日から施行されることとなったことに伴い、テトラクロロエチレン等を含む廃油等を生ずる施設(以下「当該営業施設」という。)が、特別管理産業廃棄物を生ずる施設として追加されたところである。

クリーニング営業施設の衛生実態に関する調査（平成8年度）の結果等について

　これに伴い、当該営業施設においては、改正政令及び改正省令の施行後、廃棄物の処理及び清掃に関する法律施行規則第8条の17に規定する資格を有する特別管理産業廃棄物管理責任者を設置することとなるので、その取扱いについて、下記事項にご留意の上、当該営業施設に対し指導の徹底をお願い致したい。

記

1　当該営業施設においては、改正政令及び改正省令の施行後、廃棄物の処理及び清掃に関する法律施行規則第8条の17に規定する資格を有する特別管理産業廃棄物管理責任者を設置する必要があること。
2　改正政令及び改正省令の施行の際、現に設置されている当該営業施設に関しては、平成7年12月27日衛産第120号厚生省生活衛生局水道環境部環境整備課長通知の第2の2(1)を留意されたいこと。

> 環境整備課長通知の第2の2(1)
> 　改正令の施行の際に現に設置されている当該特別施設に関しては、従来から当該施設において生ずるトリクロロエチレン又はテトラクロロエチレンを含む廃油（廃溶剤に限る。）、汚泥、廃酸、廃アルカリ又はこれらを処分するために処理したものの処理に関する業務に責任を有している者を特別管理産業廃棄物管理責任者に充てる場合には、当該者の特別管理産業廃棄物管理責任者の資格の取得を平成8年12月31日まで猶予するものとする。この場合、当該施設を設置する事業者から、当該者に特別管理産業廃棄物管理責任者に係る資格を平成8年12月31日までに取得させる旨の誓約書の提出を求めることとされたい。

3　改正政令及び改正省令の施行後に設置される当該営業施設に関しては、設置の時点から特別管理産業廃棄物責任者を置く必要があること。

○コインオペレーションクリーニング営業施設の衛生実態に関する調査（平成8年度）の結果及び営業施設に対する衛生措置等の指導の徹底について

[平成9年9月29日　衛指第179号
各都道府県・各政令市・各特別区衛生主管部（局）長宛
厚生省生活衛生局指導課長通知]

　標記調査については、平成7年度に引き続き、平成8年度においても、平成8年9月27日衛指第157号当職通知「コインオペレーションクリーニング営業施設の衛生実態調査について」をもってお願いしたところであるが、今般、別添のとおり取りまとめたので送付する。

第3編　クリーニング業

　コインオペレーションクリーニング営業施設（以下「営業施設」という。）に対する指導については、昭和58年3月29日付環指第39号厚生省環境衛生局長通知「コインオペレーションクリーニング営業施設の衛生措置等指導要綱について」（以下「要綱」という。）により、営業施設における衛生水準の維持向上を図るための必要な措置を定めているところである。

　さらにテトラクロロエチレン等の有機溶剤を使用するドライクリーニング洗濯機（以下「ドライ機」という。）設置の営業施設については、平成3年9月9日衛指第181号当職通知「テトラクロロエチレンを使用するコインオペレーションクリーニング営業施設に対する指導について」により水質汚濁防止法（以下「水濁法」という。）に基づく特定施設の届出及び排液処理装置を、平成7年2月24日衛指第41号当職通知「テトラクロロエチレン等を使用するコインオペレーションクリーニング営業施設に対する指導の徹底について」により衛生措置等指導要綱に基づく指導の徹底をまた、平成7年12月27日衛指第281号当職通知「テトラクロロエチレン等を含む廃油等を生ずるコインオペレーションクリーニング営業施設に対する指導の徹底について」により廃棄物の処理及び清掃に関する法律（以下「廃掃法」という。）に基づく特別管理産業廃棄物管理責任者の設置等の指導をお願いしてきたところである。

　今回の調査結果の概要（別紙参照）をみると、当該営業施設は依然として高率の増加傾向を示しており、とくにドライ機設置施設の増加が著しいにも係らず、要綱または廃掃法等の規定が遵守されていない傾向が伺われる。これらの営業施設、とくにテトラクロロエチレン等を使用する施設については、適切な措置がなされなければ公衆衛生上の危害が生じるおそれがあることから、下記事項に留意の上、関係法令及び通知等の遵守に関し一層の指導をお願い致したい。

　なお、当課としては、今後も継続して調査を実施し、当該営業施設の管理指導等の実態把握を行うこととしているので、調査の趣旨をご理解の上、今後ともご協力方お願い致したい。

記

1　営業施設に対する指導の要綱について、条例等未制定の自治体にあっては、制定の必要性について再度検討すること。
2　テトラクロロエチレン等を使用するドライ機設置施設については、水濁法の担当部局と十分な連携をとりつつ、特定施設としての届出について一層の徹底を図ること。
3　営業施設に対し、要綱等に規定されている次の事項について指導の徹底を図ること。
　(1)　衛生管理責任者を設置し、その氏名及び連絡先を施設内の見やすい場所に掲示すること。
　(2)　営業施設の利用方法等について、必要な事項を施設内の見やすい場所に掲示すること。
　(3)　ドライ機設置施設については、有機溶剤管理責任者を設置し、その氏名及び連絡先を施設内の見やすい場所に掲示すること。
　(4)　有機溶剤は、必ず密閉容器に入れた上で、専用の保管庫に保管し、施錠しておくこ

と。
(5) ドライ機から排出する排液中のテトラクロロエチレンを適切に除去することができる排液処理装置を設置すること。
4 テトラクロロエチレン等を使用するドライ機設置施設に対し、関係法令等に規定する次の事項について一層の徹底を図ること。
(1) 廃掃法に定める特別管理産業廃棄物管理責任者を設置するとともに、その廃棄については廃掃法に従い適切に行うこと。
(2) ドライ機の処理能力が1回当たり30kg以上のものを新たに設置する場合は、大気汚染防止法に基づき活性炭吸着回収装置等を設置すること(既設置の場合は平成10年4月1日までに設置すること)。また、処理能力が1回当たり30kg未満のものについても、設置について必要に応じ計画的に行うこと。

別紙　略

○石油系溶剤を用いたドライクリーニングにおける衣類への溶剤残留防止について

[平成10年11月4日　衛指第119号
各都道府県・各政令市・各特別区衛生主管部(局)長宛
厚生省生活衛生局指導課長通知]

　標記については、平成3年7月1日付衛指第110号当職通知「石油系溶剤を用いたドライクリーニングにおける衣類への溶剤残留防止について」により、その指導方お願いしているところであるが、合成皮革製品等について乾燥が十分に行われていなかったため、受取後すぐに着用した消費者がやけどを起こすという事例が依然として発生している。

　また、東京都消費生活総合センターが行った試験によると、石油系溶剤によるドライクリーニングの場合、合成皮革製品特にズボンについては、一般繊維製品の乾燥時間である20分程度の乾燥では十分ではないことが示されている（別添1）。

　これらの状況を鑑みれば、石油系溶剤の残留防止については、特に合成皮革製品及び天然皮革製品（以下「皮革製品」という。）の乾燥に留意する必要があるものと思われる。

　このため、貴管下営業者に対し、下記事項等の対策を講じ残留溶剤によるかかる事故の発生防止に努めるよう、一層の指導方お願いする。

　なお、衣類への石油系溶剤の残留については、全国クリーニング環境衛生同業組合連合会が行った研究報告があるのでその概要も併せて参考にされたい（別添2）。

記

1　石油系溶剤によるドライクリーニング処理後には、乾燥を十分に行うこと。
2　乾燥しにくい材質や形態の衣類、特に皮革製品については、十分に乾燥していることを石油系溶剤残留判定器（ドライチェッカー）等により確認すること。
3　乾燥しにくい材質や形態の衣類、特に皮革製品を消費者に引き渡す際は、持ち帰った後は念のため袋から出して風通しのよい日陰で干し、時間をおいてから着用するよう消費者に伝えること。

別添1

　　　　クリーニングに出したズボンをはいたらやけどを発症
　　　　――ドライクリーニング溶剤の残留による皮膚障害――
　　　　　　（商品事故追跡テストの結果）

〔平成10年10月22日　生活文化局〕

　東京都消費生活総合センターでは、消費生活相談のなかで、事故があった商品について、事故の再発防止の観点から、当該事故品以外にも調査対象を拡げて事故原因の究明を行う「商品事故追跡テスト」を実施しています。

　ドライクリーニングをした衣料品を着用して、皮膚にやけどのような炎症を起こしたという相談が、毎年秋から春にかけて寄せられています。原因は、乾燥が不十分であったために石油系ドライクリーニング溶剤が衣料品に残留していたことによるもので、「化学やけど」といわれる症状です。特に、製品の性質上、溶剤が揮散しにくいポリウレタン樹脂

石油系溶剤を用いたドライクリーニングにおける衣類への溶剤残留防止について

をコーティングした合成皮革ズボンに発生するケースがほとんどです。

そこで、合成皮革ズボンを石油系ドライクリーニング溶剤で洗った後の溶剤残留量の経時変化等についてテストを行いました。

このたび、結果がまとまりましたので、下記のとおりお知らせいたします。

記

1 テスト品
　合成皮革ズボン　4銘柄
　（紳士用、ドライクリーニングの取扱い表示は石油系指定）

2 テスト方法
　(1) ドライクリーニング
　　洗浄5分、脱液10分の処理を行った。使用機器等を以下に示す。
　　① 石油系ドライクリーナー：三洋電機㈱　ＳＣＬ―2090
　　② 乾燥機：三洋電機㈱　ＳＣＤ―371
　　③ 石油系溶剤：日鉱石油化学㈱　ニッコーホワイトＮ―10
　　※ 当課で所有していたもので、この溶剤について苦情が寄せられているわけではない。

　(2) 溶剤残留量の測定
　　ドライクリーニング後の溶剤残留量の測定は、ドライクリーニング溶剤の乾燥判定機として用いられているドライチェッカー（㈱ジャパンエナジー製、カクタスドライチェッカー　ＤＣ―001）で行った。残留量は12段階の表示ランプによって表され、表示ランプの点灯数が1個のときを乾燥終了とした。

　(3) 乾燥方法の違いによる溶剤残留量の経時変化
　　ドライクリーニング後の乾燥は、表―1に示す4方法（①～④）で行った。また、溶剤残留量の測定部位は、ウエスト部（背中側の中心部分）、右臀部、右前ポケット内部、右大腿部、右膝部及び右裾部の計6か所のそれぞれ合成皮革ズボンの裏側（基布面）について行った。

表―1　乾燥方法

○：測定実施、―：測定せず

テスト品No	自然乾燥（室内で吊り干し）		乾燥機処理（約55～60℃）		
	①通常の方法	②裏返し	③通常の方法	④裏返し	
1	○	○	―	―	No1～3は下げ札「自然乾燥」との注意表示があるため、乾燥機での処理は不可。
2	○	○	―	―	
3	○	○	―	―	

4	○	○	○	○
備考	・1日1回測定 ・温度21～26℃ ・湿度50～60%	・1日1回測定 ・コーティング加工面も測定 ・温度22～26℃ ・湿度50～60%	・10分毎に測定	・10分毎に測定 ・コーティング加工面も測定

3　テスト結果のまとめ
(1)　合成皮革ズボンは、一般繊維製品よりも乾燥しにくく、吊り干しで自然乾燥した場合には、全部位が完全に乾燥するまでに3日間を要した。特に、大腿部から膝部にかけて最も乾燥しにくいことがわかった。
(2)　合成皮革ズボンを自然乾燥する場合には、裏返して吊り干しすると2日間で乾燥し、通常の吊り干しの3日間よりも乾燥時間が短縮された。これは、コーティング加工面（ズボンの表側）よりも基布面（裏側）に溶剤が残留しやすく、ズボンを裏返して基布面を表にした方が乾燥しやすいためと考えられる。
(3)　合成皮革ズボンを乾燥機処理した場合、一般繊維製品で通常行われている20分程度では不十分で、全部位が完全に乾燥するまでに70分を要した。
　　また、裏返して乾燥機処理した場合は、ウエスト部を除けば通常の処理よりも完全に乾燥するまでの時間はわずかに短縮できたが、ウエスト部が完全に乾燥するまでに70分を要したため、時間的メリットはなかった。
(4)　現在、石油系ドライクリーニング溶剤は様々な組成のものが使われているが、溶剤が残留すれば、皮膚の弱い人やアレルギー体質とは関係なく、「化学やけど」を発症する危険性は誰にでもある。

4　結果に基づく措置
(1)　区市町村の消費生活センター等、関係機関にテスト結果について情報提供する。
(2)　衣料品業界に対し、ドライクリーニング溶剤の残留しやすい衣料品について、溶剤を完全に除去するよう注意表示を行うこと、を要望する。
　　また、クリーニング業界に対し、溶剤が残留しやすいものは急ぎの受け付けをしないこと、乾燥を十分に行うこと、持ち帰った後は念のため袋から出して風通しのよい日陰で干し、時間をおいてから着用するよう消費者に伝えること、を要望する。

5　消費者へのアドバイス
(1)　合成皮革ズボンは乾燥に時間を要するため、クリーニング店に依頼してから受け取るまでに時間がかかる。スピードクリーニングなどでは、乾燥に十分な時間がとれないこともあり注意が必要である。
(2)　クリーニング店から受け取った後は、すぐに着用せずに、袋から出して風通しのよい日陰の屋外に出し、1～2日程度時間をおくようにする。特に、合成皮革ズボンは

石油系溶剤を用いたドライクリーニングにおける衣類への溶剤残留防止について

裏返して行うと効果的である。しばらく着用しない場合も、同様に空気にさらしてからタンス等に収納した方がよい。
(3) 合成皮革ズボンの他にも、スキーウェア、ダウン、セーター、他の合成皮革・人工皮革製品、肩パッド入りの衣料品など構造上乾きにくいものや厚地のものは、石油系溶剤が残留しやすいため注意が必要である。
(4) クリーニング店から受け取った後、溶剤のにおいが強く感じられたら、クリーニング店に乾燥を十分行うよう申し出る。
(5) クリーニングから戻った服を着用して、「かゆみ」や「痛み」など皮膚に異常を感じたら、着用をやめ、皮膚科を受診する。
(6) 石油系ドライクリーニング溶剤は、従来から一般的に使用されているものであり、ドライクリーニング後の乾燥さえ十分に行われれば、「化学やけど」は避けることができる。

★ テスト品は、10月23日より都消費生活総合センター及び都多摩消費生活センターで展示しています。

【参考】
1 「化学やけど」の相談件数
　当センターに寄せられた「化学やけど」の相談件数は、平成5年から今年の7月まで20件が寄せられている。（　）の数値は、このうちズボンによるもので17件を占める。

「化学やけど」の相談件数

平成5年	2件（2）	平成8年	6件（6）
6年	1件（0）	9年	7件（7）
7年	2件（1）	10年（7月末現在）	2件（1）

2 相談事例
★事例1
　クリーニング店から受け取った合成皮革の婦人ズボンに刺激臭がしたが、そのまま着用したところ足が痛くなり、右足の股から、もも、ひざにかけてかぶれた。すぐに皮膚科を受診し治療を続けているが、医師には皮膚に黒い跡が残るかもしれないと言われた。

★事例2
　綿の基布にポリウレタン樹脂をコーティングしたズボンを、クリーニング店に出して受け取った2日後に着用し、車の運転をしていたら1時間程して両足が熱湯をかけたように痛くなり、その翌日には水ぶくれができた。

★事例3
　ズボンを1日でできるというクリーニング店に出し、受け取ってすぐ着用したら、2～3時間でチクチクしはじめ、ウエストから足全体にかけてやけどのように真っ赤にはれた。できあがってきたときに、ガソリンのような防虫剤のような強い匂いがしたが、寒かったのでストッキング2枚を履いた上に着用した。医師の往診で、化学物質による

963

かぶれとわかった。
別添2
全国クリーニング環境衛生同業組合連合会の研究報告の概要

最近、石油系溶剤を用いドライクリーニング処理した衣類を着用し、接触性皮膚炎等の皮膚障害を起こす事例がいくつか報告されている。

そこで、石油系溶剤によるクリーニング後の衣服残留溶剤濃度を客観的に判定できる測定器（ドライチェッカー）を用いて、各種のドライクリーニング条件で洗浄した被洗物について、乾燥方法と乾燥時間別の残留濃度を測定した。その結果、人工皮革、天然皮革等の厚手の衣類は、加熱乾燥及びプレス仕上げ後自然乾燥のいずれにおいても、石油系溶剤の残留量が多く、加熱乾燥においても完全に消失するのに5時間以上を要した。

健康被害防止上の観点から、仕上げ後、一般的な衣類では7～8時間、厚手の衣類では1日間、皮革製品については2日間を置き、消費者に渡すことが適切であるものと考えられる。

また、乾燥していることの確認は、最近の石油系溶剤は芳香族成分の含有量が少ないため臭いがほとんどないことから、臭いでの確認は困難であり、客観的に判断できる測定器（ドライチェッカー）による測定が普及することが望まれる。

文献
1 髙田勗、相澤好治等：ドライクリーニング後の衣類残留石油系溶剤濃度、クリーニングと公衆衛生に関する研究報告書昭和63年度 34—40、1989
2 髙田勗、相澤好治等：ドライクリーニング後の衣類残留石油系溶剤濃度（第2報）、クリーニングと公衆衛生に関する研究報告書平成元年度 22—35、1990

※ なお、この研究報告に関する問合せについては、全国クリーニング環境衛生同業組合連合会事務局（〒160—0011 東京都新宿区若葉1—5 全国クリーニング会館 TEL 03—5362—7201）宛されたい。

○石油系溶剤を用いたドライクリーニングにおける衣類への溶剤残留防止の徹底について

> 平成11年5月11日 衛指第47号
> 各都道府県・各政令市・各特別区衛生主管部（局）長宛
> 厚生省生活衛生局指導課長通知

石油系溶剤を用いたドライクリーニングにおける衣類への溶剤残留防止については、平成3年7月1日付衛指第110号当職通知「石油系溶剤を用いたドライクリーニングにおける衣類への溶剤残留防止について」及び平成10年11月4日付衛指第119号当職通知「石油系溶剤を用いたドライクリーニングにおける衣類への溶剤残留防止について」により、その指導をお願いしてきたところであるが、合成皮革製品等について乾燥が十分に行われていなかったため、石油系溶剤で皮膚障害を起こすという事故が依然として発生している。

これは、乾燥しにくい材質や形態の衣類、特に皮革製品については、十分に乾燥していることを石油系溶剤残留判定器（ドライチェッカー）等により確認することが、十分に行われていないことにあると思われる。
　ついては、石油系溶剤残留判定器（ドライチェッカー）の導入状況について把握の上、貴管下営業者に対し一層の指導方お願いする。
　なお、ドライクリーニング溶剤の使用管理状況等に関する調査を毎年依頼しているが、本年度調査において石油系溶剤残留判定器（ドライチェッカー）の導入の状況についても調査する予定であるので申し添える。

○豪雨災害等により滅失・毀損したクリーニングの預かり品の損害賠償等に関する法的取扱いについて

［平成12年9月13日　　衛指第99号
各都道府県・各政令市・各特別区衛生主管部(局)長宛
厚生省生活衛生局指導課長通知　　　　　　　　　］

　今般の豪雨災害等により、全国各地で被害が相次いで発生しているところですが、豪雨災害等クリーニング所の責めに帰すことのできない事由により、利用者から預かっていた洗たく物が滅失・毀損した場合の法的取扱いについて、阪神・淡路大震災の際の取扱例にならって、別添のとおり取りまとめたので、御参考の上、貴管下関係団体等に対して指導方よろしくお取り計らい願います。

（別　添）
　　　　豪雨災害等により滅失・毀損したクリーニングの預かり品の損害賠償等
　　　　に関する法的取扱いについて
1　クリーニング業務の法的性格
　　クリーニング業は、利用者から洗たく物を預かり、これを洗たくして利用者に返却し、クリーニングサービスに対する料金を受け取ることを業務としていること。
　　したがって、クリーニング業務は、クリーニング処理を行う請負契約と、洗たく物を預かり、利用者に返却する寄託契約の混合契約と考えられること。
2　預かり品の損害賠償について
　　豪雨災害等、クリーニング所の責めに帰すことのできない事由により、預かり品が滅失・毀損し、洗たく物を利用者に返すことができなくなった場合、民法に基づき、クリーニング所は預かり品の損害を賠償する必要はないこと。
　　ただし、保険等により、滅失・毀損した洗たく物につきクリーニング所が補償を得ているときは、利用者はその代償の譲渡を請求することができること。
3　クリーニング料金の取扱いについて
　(1)　通常の場合

第3編　クリーニング業

　　　クリーニング所は洗たく物の返還債務を免れるが、この場合、返還債務を免れたクリーニング所は、反対給付（クリーニング料金）を受ける権利を失うこと。
　　　また、既に料金を受領しているときは、返還しなければならないこと。
(2)　引取りを催告したにもかかわらず利用者が受取りに来なかった洗たく物が滅失・毀損した場合
　　　クリーニング所は、預かり品が滅失した場合は全く債務の履行義務を免れ、毀損した場合は毀損した物を返還すれば足りること。
　　　一方、利用者は、クリーニング料金を支払う必要があること。
4　その他
　　利用者の感情等に配慮し、円満に解決するよう心がけることが重要であること。

○アルキルフェノール類による環境汚染防止について

［平成13年9月18日　健衛発第99号
各都道府県・各政令市・各特別区衛生主管部（局）長宛
厚生労働省健康局生活衛生課長通知］

　今般、環境省の内分泌かく乱化学物質検討会（環境省総合環境政策局環境保健部長の有識者検討会）において、ノニルフェノールが魚類への内分泌かく乱作用を通じて生態系に影響を及ぼしている可能性があると評価されたことを受けて、環境省から、環境中で分解して、ノニルフェノール等のアルキルフェノール類を発生するアルキルフェノールエーテル（アルキルフェノールエーテルは界面活性剤としてドライクリーニング用洗剤等に含まれています。）による環境汚染防止について、関係者への周知方の要請がありましたので、お知らせします。
　ついては、貴都道府県等の環境主管部局から協力要請があった場合には、必要な協力を行うよう配慮願います。
　（参考資料）
　　ノニルフェノールが魚類に与える内分泌攪乱作用の試験結果について　　略

○クリーニング所等における苦情の申出先の明示に関する取扱いについて

> 平成16年8月24日　健衛発第0824002号
> 各都道府県・各政令市・各特別区衛生主管部(局)長宛
> 厚生労働省健康局生活衛生課長通知

　クリーニング所及びクリーニング所を開設しないで洗濯物の受取及び引渡しをすることを営業としようとする車両を用いた店舗(以下「無店舗取次店」といい、クリーニング所及び無店舗取次店を総称して「クリーニング所等」という。)における苦情の申出先については、先般、改正が行われたクリーニング業法(以下「法」という。)第3条の2第2項に基づき、クリーニング業法施行規則(以下「規則」という。)第1条の2において、営業者による苦情の申出先の明示方法が規定されたところであるが、この明示方法に関する留意事項は下記のとおりであるので、御了知の上、関係機関等に対する周知、指導方よろしくお願いする。

記

　法第3条の2第2項及び規則第1条の2の規定に基づき、クリーニング所等において苦情の申出先を明示するに際しては、営業者は、利用者からの苦情に対して適切な対応を行うことができるクリーニング所等を苦情の申出先とし、以下に例示するように、クリーニング所等の利用中及び利用後において、利用者が洗濯物に係る苦情の申出先を容易に認識できるような書面の配布を行うこととする。

(クリーニング所等における苦情の申出先を明示した書面の例)
- 洗濯物の受取の際に「クリーニング所の名称、所在地及び電話番号」又は「無店舗取次店の名称、車両の保管場所及び電話番号」を明示した領収証を配布する。
- 洗濯物の受取の際に「クリーニング所の名称、所在地及び電話番号」又は「無店舗取次店の名称、車両の保管場所及び電話番号」を明示した預かり証を配布し、引渡しの際に、預かり証とは別に同様の記載事項を明示した書面を配布する。
- 洗濯物の受取の際に、営業者が適宜作成した「クリーニング所の名称、所在地及び電話番号」又は「無店舗取次店の名称、車両の保管場所及び電話番号」を明示した書面を配布する。

○クリーニング業法第3条の2に規定する利用者に対する説明義務等の徹底について

> 平成18年8月4日　健衛発第0804001号
> 各都道府県・各政令市・各特別区衛生主管部(局)長宛
> 厚生労働省健康局生活衛生課長通知

　標記の説明義務等については、クリーニング業法の一部を改正する法律（平成16年法律第33号）により新たにクリーニング業法（昭和25年法律第207号）に規定されたところであり、「クリーニング業法の一部を改正する法律の施行について（施行通知）」（平成16年4月16日付け健発第0416001号厚生労働省健康局長通知）等関係通知により、改正内容の関係機関等への周知徹底とその実施をお願いしているところである。

　今般、独立行政法人国民生活センターの実施したクリーニングサービスについての消費者に対するアンケート調査の結果、クリーニング業法第3条の2の規定に基づき、クリーニング業を営む者（以下「営業者」という。）に義務付けられている利用者に対する洗濯物の処理方法等の説明や洗濯物の受取及び引渡しの際の利用者に対する苦情の申出先の明示が、行われていない事例が見られ、同センターから営業者の団体に対してこれらを遵守するよう要望されたところである。

　貴職におかれては、上記の改正内容について、既に関係機関等に周知、指導していただいているところではあるが、今般の国民生活センターからの調査結果を踏まえ、改めてその周知徹底を図るよう特段の配慮をお願いする。

（別添）　（独）国民生活センター報告書　略

○クリーニングにおける消費者保護の徹底について

[平成26年7月24日　健衛発0724第1号
各都道府県・各政令市・各特別区衛生主管部局(局)長
宛　厚生労働省健康局生活衛生課長通知]

クリーニングについては、近年、インターネットやロッカー等を利用する形態が見られ、これらは利用者の利便性を高めることを企図するものと思われるが、一方で、これらのサービスを利用した者が事業者に苦情を申し出ようとしても連絡がとれないといった相談や、苦情に対して十分な説明が受けられないといった相談が国民生活センターに対して寄せられるなど、消費者保護上の問題があると思われる事例が見受けられる。

クリーニングについては、「クリーニングサービスのトラブル防止のために」（平成18年8月国民生活センター）でも指摘されているように、他のほとんどのサービスと異なり、消費者の目の前で行われないサービスであるため、トラブルが起きても原因の特定が難しく、解決困難な場合が多いという特性がある。このため、平成16年にクリーニング業法（昭和25年法律第207号。以下「法」という。）が改正され、法の目的に利用者の擁護が追加されることとなり、営業者に対して利用者に対する説明の努力義務や苦情の申出先の明示義務が課せられたところである。

また、上記のようなクリーニングの特性を踏まえ、クリーニング業における標準営業約款や全国クリーニング生活衛生同業組合連合会においては、クリーニング事故賠償基準が定められており、その中で、洗濯物について事故が発生した場合は、クリーニング業者が専ら他の者の過失により事故が発生したことを証明したときを除き、その原因がクリーニング業務にあるかどうかを問わず、クリーニング業者が被害者に対して補償するという過失推定が採用されている。こうした事故賠償基準は、国民生活センターにおける相談において用いられるなど、これまでも多くのクリーニング業者における商慣行として定着してきたところである。

しかしながら、インターネットやロッカー等を利用し、利用者とクリーニング事業者が洗濯物の受取や引渡し時に相対で確認しないケースでは、仮に洗濯物の処理に不満が生じた場合、通常のクリーニングの場合と比べても、さらに原因の特定が困難となる。

また、インターネット等を利用する事業者の中には、事故発生時の賠償において、過失推定を採用せず、事業者に責任がある場合のみ賠償を行うという取扱いを定めているものもみられる。

このため、インターネット等を利用するクリーニングのサービスの利用に際しては、消費者行政担当部局とも連携の上、苦情対応や事故賠償等の取扱いに関して十分に確認することが重要である旨、消費者に対して注意喚起されたい。

また、インターネット等を利用する事業者については、消費者との間で、洗濯物のクリ

第3編　クリーニング業

ーニングに責任を有する事業者を明確化し、法第3条の2に基づき、苦情の申出先となるクリーニング所の名称、所在地及び連絡先を明示するとともに、消費者からの苦情等に対し適切な対応（インターネット等を利用するクリーニングサービスが特定商取引に関する法律（昭和51年法律第57号）における通信販売に該当する場合には、同法第11条に規定する表示義務等の遵守）に努めるよう指導を徹底されたい。

第4章　免許・試験

○クリーニング業法に基くクリーニング師試験の受験資格について

［昭和31年10月5日　衛発第672号
各都道府県知事宛　厚生省公衆衛生局長通知］

　クリーニング業法（昭和25年法律第207号）第7条第1項の規定によるクリーニング師の試験に関してはかねてより配意を願っているところであるが、今般クリーニング師の現況に鑑み臨時的措置として下記要領に基いて、受験資格認定の申請を行ったものはクリーニング業法施行規則の一部を改正する省令（昭和30年厚生省令第21号）附則第2項第6号の規定に該当する者として、厚生大臣において受験資格を有する旨の認定を行い得ることとしたからこれが周知徹底を図るとともにその取扱に遺憾なきを期するよう格段の配意を煩わしたい。

記

　　クリーニング業法施行規則の一部を改正する省令附則第2項第6号の規
　　定によるクリーニング師受験資格認定に関する臨時措置要領
1　クリーニング師受験資格に関する事項
　　左の各号の要件に該当するものは、クリーニング業法施行規則の一部を改正する省令附則第2項第6号の規定により、厚生大臣においてクリーニング師の受験資格を有する旨の認定を行い得るものであること。
　(1)　旧国民学校令（昭和16年勅令第148号）による国民学校の初等科を修了していること。
　(2)　クリーニング所において、クリーニングの業務に3年以上従事した経験を有する者であること。
　(3)　厚生省において指定した講習会の講習課程を修了したこと。
2　厚生省指定講習会に関する事項
　　1の(3)にいう厚生省において指定する講習会とは概ね次のような内容を有するものであること。
　(1)　都道府県が講習会の実施に当るものであること。この場合都道府県が他の適当な団体等と協同して講習会の実施に当ることは差支えないこと。
　(2)　受講対象者がクリーニング師受験資格附与希望者のみであること。
　(3)　講習会の講習科目は少くとも次の科目を含むものであること。
　　イ　衛生法規の概要に関すること
　　ロ　公衆衛生の概要に関すること
　　ハ　物理及び化学の概要に関すること（洗たく物の処理に関する知識を中心としたものであること。）
　　ニ　繊維の種類、性質等についての一般知識に関すること

ホ 一般教養
(4) 講師は、中学校の教員となる資格を有する者等、本講習会の講習を行うに適した者であること。
(5) 講習時間は原則として25時間以上のものであること。
(6) 講習に要する実費を受講生から徴収することは差支えないが、本講習会の性格にかんがみ、その費用は、低廉なものであること。
(7) 都道府県が講習会を開催しようとするときは、その15日前までに到達するよう厚生省公衆衛生局長宛別紙に掲げる申請事項を記載した書類を提出し、厚生省の適格である旨の指定を受けること。
　なお、本措置はあくまで臨時的措置であることにかんがみ、当省においては、昭和32年12月末日までに実施される講習会に対してのみ指定を行う予定である。
3 受験資格認定申請に関する事項
　1の各号の要件に該当する者は、厚生大臣において個々に認定を行うから申請者は、別記様式による申請書に左の書類を添えて、都道府県経由の上、提出させるようにすること。この場合において、申請書は、なるべく都道府県において一括とりまとめ、個々に提出されることがないよう配意願いたいこと。
(1) 履歴書
(2) 最終学校卒業（修了）証明書又はこれを証するにたる書類
(3) 業務に3年以上従事した経験を有する旨の証明書又はこれを証するにたる書類
　　（所轄保健所長の発行するもの、クリーニング業の営業者の発行するもの、その他これに準ずるもの）
(4) 厚生省指定講習会の講習課程終了証明書（都道府県知事の発行するもの）
別　紙
　　　　クリーニング師受験資格に関する講習会指定申請事項
1　講習会の実施者
2　講習の名称
3　実施の場所
4　講習期間及び日程
5　受講者の予定人員
6　講習科目及びその時間数
7　講師の氏名、職業及び担当科目
8　受講生から徴収する費用
9　講習会に要する経費の収支予算
10　その他参考となる資料
別記様式
　　　　クリーニング師受験資格認定申請書
　今般クリーニング業法施行規則の一部を改正する省令（昭和30年厚生省令第21号）附則第2項第6号の規定によりクリーニング師試験を受ける資格を有する旨の認定を願いた

く、関係書類(履歴書、最終学校卒業証明書、業務に3年以上従事した経験を有する者である証明書、指定講習会修了証明書)を添えて申請致します。

　　昭和　　年　　月　　日

申請者住所
氏名　　　　㊞

厚生大臣　　殿

○クリーニング業法に基づくクリーニング師試験の受験資格について

[昭和35年8月1日　衛発第698号
各都道府県知事宛　厚生省公衆衛生局長通知]

　クリーニング業法(昭和25年法律第207号)第7条第1項の規定によるクリーニング師の試験に関しては、かねてより配意を願っているところであるが、クリーニング業法の一部を改正する法律(昭和35年法律第1号)の施行に伴い、洗たく物の受取及び引渡のみを行なうクリーニング所を除き、すべてのクリーニング所にクリーニング師をおかなければならないこととなったことに鑑み、今般臨時的措置として次の要領に基づいて、受験資格認定の申請を行った者は、クリーニング業法施行規則の一部を改正する省令(昭和30年厚生省令第21号)附則第2項第6号の規定に該当する者として、厚生大臣において受験資格を有する旨の認定を行ない得ることとしたから、これが周知徹底を図るとともに、その取扱に遺憾なきを期するよう格段の配意を煩わしたい。

記

　　　クリーニング業法施行規則の一部を改正する省令附則第2項第6号の規
　　　定によるクリーニング師受験資格認定に関する臨時措置要領

1　クリーニング師受験資格に関する事項

　厚生省において指定した講習会の講習課程を終了した者は、クリーニング業法施行規則の一部を改正する省令(昭和30年厚生省令第21号)附則第2項第6号の規定により、厚生大臣においてクリーニング師の受験資格を有する旨の認定を行ない得るものであること。

2　厚生省指定講習会に関する事項

　1にいう厚生省において指定する講習会とはおおむね次のような内容を有するものであること。

(1)　都道府県が講習会の実施に当るものであること。この場合都道府県が他の都道府県又は他の団体等と協同して講習会の実施に当ることはさしつかえないこと。

(2)　受講生がクリーニング師受験資格附与希望者で次の各号の要件に該当する者であること。

　　イ　原則として旧国民学校令(昭和16年勅令第148号)による国民学校の初等科を修了した者であること。

ロ　クリーニング所において、クリーニング業に３年以上従事した経験を有する者であること。
　(3)　講習会の講習科目は、少くとも次の全科目を含むものであること。
　　イ　衛生法規の概要に関すること
　　ロ　公衆衛生の概要に関すること
　　ハ　洗たく物の処理についての知識に関すること（繊維の性質、洗剤の用法等に関する知識を中心としたものであること。）
　　ニ　一般教養
　(4)　講師は、中学校の教員となる資格を有する者等、本講習会の講習を行なうに適した者であること。
　(5)　講習時間は原則として25時間以上のものであること。
　(6)　講習に要する経費を受講生から徴収することは差し支えないが、本講習会の性格にかんがみ、その費用は、実費程度のものであること。
　(7)　都道府県が講習会を開催しようとするときは、その15日前までに到着するよう厚生省公衆衛生局長あて別紙に掲げる申請事項を記載した書類を提出し、厚生省の適格である旨の指定を受けること。
　　　なお、本措置は、あくまで臨時的措置であることにかんがみ、当省においては、昭和36年12月末日までに実施される講習会に対してのみ指定を行なう予定である。
３　受験資格認定申請に関する事項
　　１の要件に該当する者は、厚生大臣において個々に認定を行なうから申請者は、別記様式による申請書に次の書類を添えて、都道府県経由の上、提出するよう指導すること。この場合において、申請書は、なるべく都道府県において一括とりまとめ、個々に提出されることがないよう配意願いたいこと。
　(1)　履歴書
　(2)　厚生省指定講習会の講習課程終了証明書（都道府県知事の発行するもの）

別　紙
　　　　　クリーニング師受験資格に関する講習会指定申請事項
１　講習会の実施者
２　実施の場所
３　講習期間及び日程
４　受講者の予定人員
５　講習科目及びその時間数
６　講師の氏名・職業及び担当科目
７　受講者から徴収する費用
８　講習会に要する経費の収支予算
９　その他参考となる資料

別記様式
　　　　　クリーニング師受験資格認定申請書

クリーニング業法に基づくクリーニング師試験の受験資格について

　このたびクリーニング業法施行規則の一部を改正する省令（昭和30年厚生省令第21号）附則第2項第6号の規定によるクリーニング師試験を受ける資格を有する旨の認定を願いたく、関係書類を添えて申請します。
　　　昭和　　　年　　月　　日
　　　　　　　　　　　　　　　　申請者住所
　　　　　　　　　　　　　　　　　　　氏　名　　　　　　　㊞
　厚生大臣　　　　殿

第3編　クリーニング業

○クリーニング業法に基づくクリーニング師試験の実績等について

　　　　　　平成11年8月12日　事務連絡
　　　　　　各都道府県クリーニング業法担当者宛　厚生省生活衛
　　　　　　生局指導課指導係

　クリーニング師試験の実施に当たっては、日頃より格段のご配慮を賜り厚く御礼申し上げます。

　さて、各資格制度については、「規制緩和推進3か年計画（改定）」（平成11年3月30日閣議決定）に基づき、在り方を見直し、計画期間内に所要の措置を講じることとされているところであります。

　今般、行政改革推進本部規制改革委員会事務室より、クリーニング師試験についての調査依頼があったことから、下記の事項について、お忙しいところ恐縮ですが、8月18日（水）までにＦＡＸにて当係あてご報告（様式自由）いただけますよう、よろしくお願いいたします。

記

1　試験科目名
　それぞれの科目名を記載し、科目ごとに筆記試験又は実技試験の別を記載して下さい。

2　合否判定基準及びその理由
　(1)　判定基準の内容
　　「各科目○○点以上」、「○○点満点中○○点以上で、かつ、○○点未満の科目のない者を合格とする」等、合否判定基準の具体的内容を記載して下さい。
　　また、合否判定基準が、条例、規則、通知等で定められている場合は、その旨を記載するとともに、その条文の写しを添付して下さい。
　(2)　判定基準の決定方法
　　上記(1)の合否判定基準を決定している機関名等（「条例で決定」、「試験委員会で決定」等）を記載して下さい。
　(3)　合否判定基準の公表の有無
　　合否判定基準の公表の有無を記載して下さい。
　　また、公表している場合は、平成10年度の写しを添付して下さい。
　(4)　試験委員の構成等
　　ア　試験委員数
　　　平成10年度試験において組織した試験委員数を記載して下さい。
　　　また、筆記試験及び実技試験を分けて、それぞれ試験委員会を構成している場合は、それぞれの数を記載してください。
　　イ　委員の構成
　　　「行政○○人、学識経験者○○人」等、試験委員会の構成を記載して下さい。

また、筆記試験及び実技試験を分けて、それぞれ試験委員会を構成している場合は、それぞれ記載してください。
3　過去の受験者数及び合格者数等
　平成８年度から平成11年度に実施した試験の受験者数、合格者数及び、合格率をそれぞれ記載して下さい。
　また、筆記試験及び実技試験を分けて実施している場合は、それぞれ受験者数、合格者数及び合格率を記載してください。
　なお、平成11年度については、既に試験を実施した場合のみ記載して下さい。
4　登録者数
　平成８年度から平成11年度に登録した者の数をそれぞれ記載して下さい。
　また、平成10年度末現在の既登録者数を記載して下さい。
5　試験の実施回数、実施時期、実施場所等
　(1)　実施回数
　　平成10年度に実施した回数を記載して下さい。
　(2)　実施時期等
　　平成10年度に実施した試験の日時及び期間並びに合格発表時期を記載して下さい。
　　なお、筆記試験及び実技試験を別の日時で実施している場合は、それぞれ記載して下さい。
　(3)　場所
　　平成10年度に実施した場所を記載して下さい。
　　なお、筆記試験及び実技試験を別の場所で実施している場合は、それぞれ記載して下さい。
　(4)　試験の周知方法
　　平成10年度試験における一般の者に対する周知方法を具体的に記載して下さい。
　　なお、周知した資料を添付して下さい。
　　また、周知することについて、条例、規則、通知等で定められている場合は、その旨を記載するとともに、その条文の写しを添付して下さい。

第5章　研修・講習

○クリーニング師の研修及び業務従事者に対する
　講習の指定について

［平成元年3月27日　衛指第46号］
［各都道府県知事宛　厚生省生活衛生局長通知］

〔改正経過〕
　第1次改正　〔平成4年3月19日衛指第42号〕
　第2次改正　〔平成13年3月15日健発第245号〕

　クリーニング業法第8条の2の規定に基づき都道府県知事が指定するクリーニング師の研修及び同法第8条の3の規定に基づき都道府県知事が指定する業務従事者に対する講習に関する指定基準について、別添のとおり定められたので、研修及び講習の指定に当たっては、特に下記事項に留意の上、事務処理に遺憾のないようにされたい。

記

第1　第1型研修及び講習について
　1　指定手続きについて
　　　クリーニング師の研修及び業務従事者に対する講習（以下「研修等」という。）であって、クリーニング師又は業務従事者が出席して受講するもの（以下「第1型研修等」という。）の指定は原則として年度ごとに行うこととし、指定に当たっては、第1型研修等の主催者から次の事項を記載した研修等指定申請書を、都道府県知事に提出させるものとすること。
　　(1)　研修等の主催者の名称及び所在地
　　(2)　研修等の種類及び開催年月日
　　(3)　第1型研修等の科目及び時間数
　　(4)　第1型研修等の会場の名称及び所在地
　　(5)　講師の氏名及び略歴
　　(6)　受講予定人員
　　(7)　受講料
　2　第1型研修等の運営について
　　　研修等の適正な運営を図るため、次の事項について第1型研修等の主催者を指導すること。
　　(1)　受講料
　　　　第1型研修等の受講料は、別途定める額を超えない額とすること。
　　(2)　受講者
　　　　受講者は、原則として都道府県内に所在するクリーニング所に勤務するクリーニング師及び業務従事者とすること。

なお、受講定員に余裕のある場合には、他の都道府県の受講希望者を受け入れて実施することは差し支えない。
(3) 受講者数

1講師当たり同時に第1型研修等を受けることのできる受講者数は、200人を限度とすること。ただし、開催の日時、会場の関係等でやむを得ない場合はこの限りでない。
(4) 開催の時期及び場所

第1型研修等の開催の時期及び場所については、研修等の受講を希望するクリーニング師及び業務従事者の受講の機会を確保するための配慮がなされていること。
(5) 開催の周知及び広報

第1型研修等の開催に当たっては、事前に営業者、クリーニング師、業務従事者等の関係者に十分周知させ、また周知のための広報活動を行うこと。
(6) レポートの提出

第1型研修等を受講後、必要に応じ、受講者よりレポートを提出させ、研修等の成果を確認すること。
(7) 修了証書の交付

第1型研修等の受講を修了した者には、主催者において必ず修了証書を交付するものとすること。

なお、レポートの成績の著しく不良な者等については主催者において修了を認めない措置を講ずるものとすること。
(8) 実施状況の報告

第1型研修等が修了したときは、主催者においてその都度速やかに前記1の(1)～(5)の事項のほか次の事項を記載した研修等実施状況報告書を作成し、当該受講者が従事するクリーニング所の所在地の都道府県知事に提出すること。

ア 受講人員

イ 修了証書を交付した受講者の氏名及び住所、当該受講者の勤務するクリーニング所の名称及び所在地
(9) 名簿の保存

所定の名簿に、修了証書を交付した受講者の氏名及び証書番号を記録し、10年間保存すること。

第2 第2型研修及び講習について

1 指定手続きについて

通信制で行う研修等（以下「第2型研修等」という。）の指定は原則として年度ごとに行うこととし、指定に当たっては、第2型研修等の主催者から次の事項を記載した研修等指定申請書を、都道府県知事に提出させるものとすること。
(1) 第2型研修等の主催者の名称及び所在地
(2) 研修等の種類
(3) 受講申込手続き及び受付期間

第3編　クリーニング業

　(4)　第2型研修等の科目及びレポートの課題
　(5)　受講対象者
　(6)　受講料
2　第2型研修等の運営について
　　研修等の適正な運営を図るため、次の事項について第2型研修等の主催者を指導すること。
　(1)　受講料
　　　第2型研修等の受講料は、第1、2(1)に基づき定める額を超えない額とすること。
　(2)　受講者
　　　受講者は、都道府県内に所在するクリーニング所に勤務するクリーニング師及び業務従事者であって、へき地離島に居住する者、身体障害者その他都道府県知事が適当と認める者とすること。
　(3)　開催の周知及び広報
　　　第2型研修等の開催に当たっては、事前に営業者、クリーニング師、業務従事者等の関係者に十分周知させ、また周知のための広報活動を行うこと。
　(4)　レポートの提出
　　　第2型研修等を受講後、受講科目ごとに受講者よりレポートを提出させ、研修等の成果を確認すること。
　(5)　修了証書の交付
　　　第2型研修等の受講を修了した者には、主催者において必ず修了証書を交付するものとすること。
　　　なお、レポートの成績の著しく不良な者等については主催者において修了を認めない措置を講ずるものとすること。
　(6)　実施状況の報告
　　　第2型研修等が修了したときは、主催者においてその都度速やかに前記1の(1)〜(4)の事項のほか次の事項を記載した研修等実施状況報告書を作成し、都道府県知事に提出すること。
　　ア　受講人員
　　イ　修了証書を交付した受講者の氏名及び住所、当該受講者の勤務するクリーニング所の名称及び所在地
　(7)　名簿の保存
　　　所定の名簿に、修了証書を交付した受講者の氏名及び証書番号を記録し、10年間保存すること。
第3　指定の公示等
　　都道府県知事は、研修等の指定を行ったときは、研修等の主催者及びその種類、開催年月日、受講料等を告示するほか、各種広報を利用して研修等の開催を広く営業者、クリーニング師、業務従事者等の関係者に周知させるよう努めること。

クリーニング師の研修及び業務従事者に対する講習の指定について

前　文（第２次改正）抄
〔前略〕平成13年４月１日から適用する。
〔別　添〕
　　　　　クリーニング師の研修及び業務従事者に対する講習の指定基準
　クリーニング師の研修及び業務従事者に対する講習は、受講者が研修又は講習に出席し、研修又は講習の科目を受講する（以下「第１型研修及び講習」という。）、又は、受講者にテキストを送付し、自宅学習の後、研修又は講習の科目ごとに受講者よりレポートを提出させ、研修又は講習の成果を確認する（以下「第２型研修及び講習」という。）ことにより実施する。

Ⅰ　第１型研修及び講習の指定基準
　１　第１型研修及び講習の科目及び時間数は、別表第１に掲げるとおりであること。
　　なお、必要に応じ、研修又は講習の修了後、受講者より、レポートを提出させ、研修又は講習の成果を確認すること。
　２　別表第２上欄に掲げる科目を担当する講師は、それぞれ同表下欄に掲げる者であること。
　３　第１型研修及び講習の主催者は、民法第34条に規定する公益法人であって研修及び講習を適正かつ確実に行うことができると認められるものであること。
　４　運営の方法が適正であること。

Ⅱ　第２型研修及び講習の指定基準
　１　第２型研修及び講習の科目は、別表第１上欄に掲げるとおりであること。
　２　使用するテキスト及び提出させるレポートの課題は、効果的な研修又は講習の実施に適当なものであること。
　３　第２型研修及び講習の主催者は、民法第34条に規定する公益法人であって研修及び講習を適正かつ確実に行うことができると認められるものであること。
　４　運営の方法が適正であること。

別表第１

科　目	時　間　数
衛生法規及び公衆衛生 　１　クリーニング業法の解説 　２　衛生法規の概要 　３　公衆衛生の概要 　４　クリーニング業と公衆衛生	１時間以上
洗たく物の受取、保管及び引渡し 　１　受取、保管及び引渡し 　２　品質表示と取扱い 　３　消費者への説明及び苦情	１時間以上
洗たく物の処理	１時間以上

第3編　クリーニング業

1　ドライクリーニング 2　ランドリー 3　特殊クリーニング 4　溶剤と洗剤 5　洗たく物の消毒	
繊維及び繊維製品 　1　繊維の種類 　2　繊維の鑑別 　3　繊維製品の製法	1時間以上

別表第2

科　　　　　　　目	講　　　　　　　師
衛生法規及び公衆衛生	医師、歯科医師、薬剤師、獣医師又は衛生行政3年以上の経験を有する者
洗たく物の受取、保管及び引渡し 洗たく物の処理 繊維及び繊維製品	これら科目に関して高度の知識及び技術を有する者

○クリーニング師の研修及び業務従事者に対する講習の指定基準の改正について

> 平成4年3月19日　衛指第43号
> 各都道府県衛生主管部(局)長宛　厚生省生活衛生局指導課長通知

　標記については、平成4年3月19日衛指第42号をもって生活衛生局長より通知されたところであるが、同通知によるほか、下記に留意の上、その運用に遺憾のないようにされたい。

記

1　第1型研修・講習の実施について
(1)　今回、必要に応じ、研修・講習の受講後にレポートを提出させることとされたが、時間数が6時間未満として指定される研修・講習の実施にあたっては、レポート提出を必須とされたいこと。
(2)　全国環境衛生営業指導センターの開催する研修・講習で、受講対象者が専ら企業等の職域に属する者に対するものであっても、指定基準に適合するものであれば指定して差し支えないこと。
　　ただし、この場合にあっては、衛生法規及び公衆衛生を担当する講師は衛生行政経験3年以上の者とすること。

2 第2型研修・講習の実施について
  (1) 受講対象者の範囲は、受講促進の観点から都道府県の実態を考慮して広く定めて差支えないこと。
    また、実施にあたり、対象者を十分把握されたいこと。
  (2) 指定にあたっては、その効率的な実施のため、営業者の繁忙期等を考慮し、年2回程度開催とすることが好ましいこと。
    なお、平成4年度については、この限りでないこと。
  (例)第1回　受付締切7月末　　レポート提出締切9月末
     第2回　受付締切12月末　　レポート提出締切翌年2月末

○クリーニング師の研修及び業務従事者に対する講習の実施について

[平成4年3月19日　衛指第45号
 各都道府県衛生主管部(局)長宛　厚生省生活衛生局指導課長通知]

　クリーニング師等に対する研修・講習の受講の促進については、累次お願いしているところではありますが、クリーニング師研修及び業務従事者講習制度施行の際、現にクリーニング所の業務に従事していたクリーニング師及びクリーニング所を開設していた営業者に対する経過措置は平成4年3月31日で終了し、平成4年4月1日以降に開催される研修・講習については、2度目の受講となる者も対象となります。
　ついては、研修・講習の受講の促進には、貴職をはじめ保健所の協力が不可欠となっておりますので引き続き協力方お願い申し上げます。
　なお、経過措置期間中に受講できなかった者に対しては、平成4年度当初に開催する研修・講習の実施に当たって、優先的に受講させる等、十分な配慮方お願いするとともに、都道府県環境衛生営業指導センターに対する指導方よろしくお願い申し上げます。

○クリーニング師の研修及び業務従事者に対する講習について

[平成9年12月24日　衛指第217号
 各都道府県衛生主管部(局)長宛　厚生省生活衛生局指導課長通知]

　標記については、平成4年3月19日衛指第42号（厚生省生活衛生局長通知）及び平成4年3月19日衛指第43号（厚生省生活衛生局指導課長通知）により取り扱われているところであるが、今般、この研修・講習の受講者のうち一定の要件を満たすものにあっては、下記のとおりとすることとしたので、その運用に遺憾のないようにされたい。
　なお、この取り扱いについては平成10年度の研修・講習から適用するものとする。

第3編　クリーニング業

また、クリーニング師等に対する研修・講習の受講促進については、従来より貴職をはじめ管下保健所の御配意を頂いているところであるが、今後も引き続き特段の協力方よろしくお願いする。

記

1　第一型研修及び講習の実施について
　(1)　研修・講習を前回受講より3年以内に受講する者については、当該受講者の申請により研修・講習の総時間数をその3分の1を超えない範囲で省略できることとする。
　　　なお、各科目の時間数にあっては、その2分の1を超えない範囲で省略できることとする。
　(2)　研修・講習の主催者は、(1)の受講者が受講申請をする際、前回の研修・講習の修了証書の写しを添付させる等により、要件に該当する旨の確認を行うこととする。
　(3)　初回受講者及び前回受講から3年を経過した者の研修・講習については、従前どおりの取り扱いとする。
　(4)　研修・講習の時間数について、(1)を適用する場合にあっては、研修・講習の主催者は受講者の業務の特質、社会環境等を踏まえ、研修・講習の内容に関して重点的な事項、項目を設定し、効果的な研修・講習を行うこととする。
2　第二型研修及び講習の実施について
　(1)　研修・講習を前回受講より3年以内に受講する者については、当該受講者の申請により研修・講習の内容を1の(1)の対象者と同様とすることができることとする。
　　　なお、当該受講者に提出させるレポートの課題は1の(4)に準じたものに設定することとする。
　(2)　(1)の受講者の確認については、1の(2)と同様の取り扱いとする。

○クリーニング師の研修及び業務従事者に対する講習の実施について

［平成13年3月30日　健衛発第33号
　各都道府県衛生主管部(局)長宛　厚生労働省健康局生
　活衛生課長通知］

クリーニング業法（昭和25年法律第207号）第8条の2の規定に基づくクリーニング師の研修及び同法第8条の3の規定に基づく業務従事者に対する講習については、平成元年3月27日付け衛指第46号厚生省生活衛生局長通知「クリーニング師の研修及び業務従事者に対する講習の指定について」により取り扱われているところですが、実施に当たっては、下記について御了知願うとともに、関係機関等に対する周知、指導方よろしくお願いします。

なお、平成元年11月15日付け衛指第184号及び平成5年3月30日付け衛指第55号厚生省生活衛生局指導課長通知は廃止します。

記

1 受講料の上限額
　平成元年3月27日付け衛指第46号厚生省生活衛生局長通知「クリーニング師の研修及び業務従事者に対する講習の指定について」の記の第1の2の(1)により別途定める額は次のとおりとする。
(1) クリーニング師の研修　　　　　　　　　　　　　　　　　　　　　　5,000円
　ただし、クリーニング師が、廃棄物の処理及び清掃に関する法律に基づく特別管理産業廃棄物管理責任者の資格を得るために、次に掲げる研修課程に合致する研修（以下「特管物研修」という。）を受講する場合　　　　　　　　　　　　　　　8,000円
　① 衛生法規及び公衆衛生　　　　　　　　　　　　　　　　　　　　　3時間以上
　　ア　クリーニング業法の解説
　　イ　衛生法規の概要
　　ウ　公衆衛生の概要
　　エ　クリーニング業と公衆衛生
　　　ただし、次の科目及び時間を含むものとする。
　　　　廃棄物の処理　　　　　　　　　　　　　　　　　　　　　　　2時間以上
　　　(ｱ)　廃棄物の概要
　　　(ｲ)　廃棄物処理法の概要
　　　(ｳ)　廃棄物の取扱い
　　　(ｴ)　ドライクリーニングの溶剤と機械
　② 洗濯物の受取、保管及び引渡し　　　　　　　　　　　　　　　　　1時間以上
　　ア　受取、保管及び引渡し
　　イ　品質表示と取扱い
　　ウ　消費者への説明及び苦情
　③ 洗濯物の処理　　　　　　　　　　　　　　　　　　　　　　　　　1時間以上
　　ア　ドライクリーニング
　　イ　ランドリー
　　ウ　特殊クリーニング
　　エ　溶剤と洗剤
　　オ　洗濯物の消毒
　④ 繊維及び繊維製品　　　　　　　　　　　　　　　　　　　　　　　1時間以上
　　ア　繊維の種類
　　イ　繊維の鑑別
　　ウ　繊維製品の製法
(2) 衛生法規及び公衆科目のうち、クリーニング業における廃棄物の処理に関する事項に係る部分のみを受講する場合　　　　　　　　　　　　　　　　　　　3,000円
(3) 業務従事者に対する講習　　　　　　　　　　　　　　　　　　　　　4,500円
2 協力体制
　研修及び講習の適切な実施を図るためには、行政機関の協力を得ることが是非とも必

要である。このため、貴職におかれましては、研修及び講習を実施する主催者（以下「研修主催者」という。）が研修及び講習の開催を都道府県公報紙等に掲載することに便宜を図る等の措置を講じていただくとともに、保健所等からの、クリーニング師の氏名及び業務従事者数等に係る資料の提供、研修及び講習の開催案内における保健所長及び研修主催者との連名記載等につき御協力願います。

3 特管物研修の実施に関する事項
 (1) 特管物研修の手続きについて
   都道府県知事は、特管物研修を実施しようとする者に対し、まず、1の(1)ただし書の研修課程に合致していることを確認した後、クリーニング業法第8条の2第1項の規定による都道府県知事の指定（以下「指定」という。）を行うこと。
   なお、対象となる研修は、クリーニング師が出席して受講する研修（第一型研修）に限られるものであること。
 (2) 特管物研修の運営について
   特管物研修の主催者は、特管物研修の受講を修了した者に対して、研修を修了したことを証する書類を交付するとともに、所定の名簿に、当該書類を交付した受講者の氏名及び証書番号を記録し、永久保存すること。
 (3) 特管物研修の公示等について
   都道府県知事は、特管物研修を含む研修を行う場合、当該研修がクリーニング業法第8条の2の規定によるクリーニング師の研修であるとともに、同研修の修了者は特別管理産業廃棄物管理責任者の資格を取得する旨の公示等を行うものとすること。

4 特別管理産業廃棄物管理責任者に関する事項
 (1) 石油系溶剤を含有する廃油又はテトラクロロエチレンを含有する廃油、汚泥等であって特別管理産業廃棄物に該当するものを生ずるクリーニング所の営業者は、廃棄物の処理及び清掃に関する法律第12条の2第5項の規定に基づき、当該廃棄物を生ずるクリーニング所ごとに、当該クリーニング所に係る特別管理産業廃棄物に関する業務を適切に行わせるため、特別管理産業廃棄物管理責任者を置く（営業者が自ら特別管理産業廃棄物管理責任者となる場合を含む。）必要があること。
 (2) 特管物研修の修了者が取得する特別管理産業廃棄物管理責任者の資格は、廃棄物の処理及び清掃に関する法律施行規則第8条の17第2号リに基づくものであること。
 (3) 特管物研修の修了者は、特別管理産業廃棄物を生ずるクリーニング所においてのみ特別管理産業廃棄物管理責任者になり得るものであって、クリーニング所以外の施設については、特管物研修の修了をもって特別管理産業廃棄物責任者となるものではないこと。

○クリーニング師の研修及び業務従事者に対する講習の受講促進について

[平成31年2月28日　薬生衛0228第1号
各都道府県衛生主管部(局)長宛　厚生労働省医薬・生活衛生局生活衛生課長通知]

　クリーニング師の研修及び業務従事者に対する講習（以下「クリーニング師研修等」という。）は、クリーニング業法（昭和25年法律第207号）の規定に基づき、公益財団法人全国生活衛生営業指導センター（以下「全国指導センター」という。）が主催者として都道府県知事の指定を受け、公益財団法人都道府県生活衛生営業指導センター（以下「都道府県指導センター」という。）に委託し実施しているところである。

　クリーニング師研修等の実施については、貴職をはじめ管下保健所に受講勧奨等のご尽力をいただいているところであるが、依然として受講率の低下が課題であり、クリーニング業における衛生水準の確保等が懸念されつつある。

　クリーニング師研修等は法令に基づき3年を超えない期間ごとの受講が義務とされており、対象となる者を適切に受講させるためには、研修受講予定者名簿の精緻化を図り、全国指導センター及び都道府県指導センターと連携して的確かつ効果的に受講勧奨を進めていく必要がある。

　また、近年の受講者の高齢化等も踏まえ、会場に来ることが困難である者に対する第2型研修及び講習の活用も積極的に進めていく必要がある。

　そのため、都道府県におかれては、
(1)　クリーニング師に関する正確な情報の把握・台帳の整備（免許証返納の確実な反映等）
(2)　都道府県指導センターへの情報提供（登録番号、氏名、住所等）
(3)　第2型研修及び講習も含めた受講勧奨

等について実施いただくよう、特段の御配慮をお願いする。

　なお、(2)の情報提供については氏名等の個人情報が含まれるものではあるが、個人情報の関係条例等の適用にあたっては本事業の趣旨、目的並びに情報を管理する法人等の特性について十分斟酌の上、特段の御配意をお願いする。

第3編　クリーニング業

○クリーニング師の研修及び業務従事者に対する講習の受講促進について

［令和5年5月31日　薬生衛発0531第1号
　各都道府県衛生主管部(局)長宛　厚生労働省医薬・生活衛生局生活衛生課長通知］

　クリーニング師の研修及び業務従事者に対する講習（以下「クリーニング師研修等」という。）は、クリーニング業法（昭和25年法律第207号）の規定に基づき、公益財団法人全国生活衛生営業指導センター（以下「全国指導センター」という。）が主催者として都道府県知事の指定を受け、公益財団法人都道府県生活衛生営業指導センター（以下「都道府県指導センター」という。）に委託し実施しているところである。

　クリーニング師研修等の実施については、貴職をはじめ管内保健所に受講勧奨等のご尽力をいただいているところであるが、依然として受講率の低下が課題であり、「クリーニング師の研修及び業務従事者に対する講習の受講促進について」（平成31年2月28日付け薬生衛0228第1号厚生労働省医薬・生活衛生局生活衛生課長通知）により、クリーニング師に関する正確な情報の把握・台帳の整備、都道府県指導センターへの情報提供、第2型研修及び講習も含めた受講勧奨等の対応をお願いしている。

　クリーニング師研修等は法令に基づき3年を超えない期間ごとの受講が義務とされており、対象となる者を適切に受講させるためには、研修受講予定者名簿の精緻化を図り、全国指導センター及び都道府県指導センターと連携して的確かつ効果的に受講勧奨を進めていく必要がある。

　そのため、都道府県におかれては、管内保健所と連携するなど、引き続き、

(1)　クリーニング師に関する正確な情報の把握・台帳の整備（免許証返納の確実な反映等）
(2)　都道府県指導センターへの情報提供（登録番号、氏名、住所等）
(3)　第2型（通信制）研修及び講習も含めた未受講者等への受講勧奨

等について実施いただくよう、特段の御配慮をお願いする。

　なお、(2)の情報提供については、氏名等の個人情報が含まれるものではあるが、個人情報の保護に関する法律（平成15年法律第57号）及び関係条例等の適用に当たっては、本事業の趣旨、目的及び情報を管理する法人等の特性について十分斟酌の上、特段の御配意をお願いする。

第6章 振興

○特定中小企業者事業転換対策等臨時措置法における環境衛生関係営業の取扱いについて

〔昭和61年3月20日　衛指第36号　　　　　　　　　　　　　　　　〕
〔各都道府県知事宛　厚生省生活衛生局長通知〕

　近年における中小企業をめぐる経営環境の変化に対応し、中小企業者が自主的に事業の転換を行おうとする場合、金融、税制、雇用等の面での助成措置を講ずることにより事業転換の円滑化を図るため、昭和61年2月25日付けをもって特定中小企業者事業転換対策等臨時措置法（昭和61年法律第4号。以下「法」という。）、特定中小企業者事業転換対策等臨時措置法施行令（昭和61年政令第15号。以下「施行令」という。）及び特定中小企業者事業転換対策等臨時措置法施行規則（昭和61年総理府、大蔵省、厚生省、農林水産省、通商産業省、運輸省、労働省、建設省令第1号。以下「施行規則」という。）が施行されたところである。これに伴い法第2条第2項第1号に基づき事業転換の対象となる業種として公衆浴場業が指定（昭和61年厚生省告示第26号。以下「告示」という。）されたほか、法運用の一環として特定中小企業者事業転換対策等臨時措置法実施要領（昭和61年2月25日警察庁、大蔵省、厚生省、農林水産省、通商産業省、運輸省、労働省、建設省各事務次官等の連名通知。以下「実施要領」という。）が定められ、その旨貴職あて通知されたところである。
　貴職におかれては、これら法、施行令、施行規則及び実施要領の内容の周知徹底を図るとともに、環境衛生関係営業に係る事業転換の取扱いについて下記の基本的事項に御留意のうえ、法の運用に遺憾なきを期されたい。
　なお、昭和52年4月30日付け環指第45号「中小企業事業転換対策臨時措置法における環境衛生関係営業の取扱いについて（通知）」は、廃止する。

記

1　環境衛生関係営業を転換先とする転換計画の認定について
　(1)　環境衛生関係営業は経営規模が零細であり、かつ、一般的に過当競争の状況におかれていることにかんがみ、環境衛生関係営業を転換先業種とする転換計画の認定に当たっては、当該転換が他の営業者の健全な経営を阻害することのないよう十分配慮されたいこと。
　(2)　実施要領第3の4において、転換先が公序良俗に反するおそれのある事業など事業転換を円滑にすることが特に必要であると認められない事業である場合は、承認しないこととされたこと。
　　　また、実施要領第3の5においては、転換先の業種において、法律に基づく安定事業若しくは合理化事業その他これらに準じた事業を実施している場合、国若しくは地

第3編　クリーニング業

方公共団体が行う特別の振興事業等を実施している場合又は法第2条第2項に基づき指定された業種が転換先となっている場合等においては、当該事業転換が安定事業、特別の振興事業、事業転換対策事業等の実施の妨げとなるものであるときは、承認しないこととされたこと。

この場合において「法律に基づく安定事業若しくは合理化事業その他これらに準じた事業」には、環衛法第8条第1項第1号から第3号までに規定するいわゆる調整事業（適正化規程に基づく事業等。適正化規程は、113の環境衛生同業組合が実施している。）が含まれること。従って、環境衛生同業組合がこれらの事業を実施している場合においては、当該環境衛生関係営業が転換先業種となる転換計画の認定に当たっては、必要に応じて事前に本職あて連絡願いたいこと。

また、「国若しくは地方公共団体が行う特別の振興事業」には、公衆浴場に対する確保施策が含まれること。

2　公衆浴場業に係る転換計画の承認について

(1)　公衆浴場業（物価統制令（昭和21年勅令第118号）第4条の規定に基づき都道府県知事が入浴料金を定める公衆浴場を経営する事業に限る。）は、近年家庭風呂の浴槽及び附帯設備がこれらの製品に係る新技術の企業化等に伴い著しい普及を見せたことにより、これと競争関係にあるため需要が減少しており、施行令第2条第1項第2号（その業種に属する事業の目的物たる物品又はその業種に属する事業の目的たる役務に対する需要が、これらと競争関係にある他の物品又は役務に係る新技術の企業化その他の物品の生産又は役務の提供の方式の著しい改善による当該他の物品又は役務の供給の増加により減少し、又は減少する見通しがあること。）に該当するものとして、法第2条第2項第1号に基づき告示により指定されたものであること。

(2)　今回、公衆浴場業の転換を認める趣旨は、これまでの「中小企業事業転換対策臨時措置法」により公衆浴場業に関する事業転換を認めていたと同様の趣旨であり、前記(1)の事由に基づき、利用者数に比して施設数が過剰である地域において一部の営業者について事業の転換を認めることによって確保対策を実質的に担保しようとするものであること。従って、法に基づく事業転換の取扱いについては、当該公衆浴場の利用者数、立地条件等につき十分調査を行い、当該施設が地域において果たしている役割を十分勘案のうえ、事業の転換の必要性、妥当性を総合的に検討し、安易な転換を認めることのないよう配慮すること。

3　その他の業種に係る転換計画の承認について

法第2条第2項第3号及び第3条の規定に基づく知事の承認は、主務大臣による指定がされていない業種について指定業種と同様の事情があるものにつき行われるものであること。

例えば、公害規制等に係る基準の著しい強化により相当数の旅館業者又はクリーニング業者が役務を提供することが困難となった場合等にあっては、当該業種に属する事業の転換計画の承認を施行令第2条第2項第4号（その事業の目的たる役務の供給が環境の保全に係る規制の著しい強化により困難となり、又は困難となる見通しがあるこ

と。)に該当することを理由として行って差し支えないこと。
4　緊急経営安定対策に係る知事の認定について
　法第9条第1項第3号の規定に基づく知事の個別認定は、主務大臣による指定がされていない業種について指定業種と同様の事情があるものにつき行われるものであること。
　例えば、アメリカ軍基地において、ドル建の表示で対価を得ているクリーニング業、理容業等が著しい円高により、その収入が減り、役務を提供することが困難となった場合等にあっては、施行令第8条第1号に該当することを理由として法第9条第1項第3号の認定を行って差し支えないこと。
5　その他
　実施要領第19の5に基づき都道府県事業転換対策協議会が設置される場合には、同協議会の構成員として衛生主管部局の職員及び環境衛生同業組合の代表者が加わることが望ましく、また、必要に応じ、同協議会に環境衛生営業部会を設けるよう関係部局に働きかけることが望ましいこと。
　その他転換対策の実施に伴う助成措置については別添資料を参照のうえ、これが円滑な実施を図るため、本職との連絡を密にするよう願いたいこと。

(参　考)

1　情報提供及び調査
　中小企業者が事業転換を行うに際して必要な情報、資料の収集及び各種の調査を実施し、その結果を需要者に対して提供する。
　例えば、転換を行おうとする事業の将来の見通し、転換先分野として想定される業種の動向、技術水準、流通組織の実態等について中小企業振興事業団、中小企業情報センターが情報を収集し、都道府県の総合指導所等を通じて、適切に提供等出来る体制を整備する。
2　指導、助成
　転換を円滑化ならしめるよう個々の中小企業者あるいは、特定の産地業者を対象に経営及び技術に関するきめ細かい指導、診断を行うとともに、相談、指導、診断にあたる者に対して研修を行う。
3　金融
(1)　事業転換特別貸付

	金　利	限　　度	期　　間
中小企業金融公庫 （構造改善等貸付）	5.5％	3.5億円 （運転資金2.5億円）	15年（据置　2年）
国民金融公庫（設備資金）	5.5％	3.5億円	15年（据置　2年）

(2)　中小企業事業団高度化資金貸付

第3編　クリーニング業

	金　利	融資比率	期　　間
イ　事業転換合同事業（共同出資形態）	2.7%	70%	16年（据置4年）
ロ　共同転換事業（共同化形態）	2.7%	70%	16年（据置4年）
ハ　設備共同廃棄事業	無利子	90%	

4　中小企業信用保険の特例

　　付保限度　通常と同額を別枠―｛特別小口　　300万円／無　担　保　1000万円／普　　通　　7000万円｝

　　てん補率　普通保険について80%
　　保険料率　一般の3分の2程度

5　税制
① 承認事業転換円滑化計画に係る試験研究に必要な費用に充てるための負担金についての特別償却等。
② 認定特定中小企業者について欠損金が生じた場合における法人税の欠損金の繰戻しによる還付の措置の適用。

第7章 その他

○環境衛生関係営業における座席ベルトの装着義務の免除について

　　　　［昭和62年5月13日　衛指第98号
　　　　　各都道府県・各政令市・各特別区衛生部（局）長宛　厚
　　　　　生省生活衛生局指導課長通知　　　　　　　　　　　　］

　道路交通法においては、自動車の運転者は、原則として座席ベルトを装着しないで自動車を運転してはならず、又は座席ベルトを装着しない者を助手席に乗車させて自動車を運転してはならないこととされている。

　この座席ベルトの装着義務に違反した場合は、従来、高速自動車国道又は自動車専用道路（以下「高速道路等」という。）における違反行為に限って行政処分点数が付されていたが、昨年11月1日以降、高速道路等以外の一般道路における違反行為に対しても行政処分点数が付されることとされたところである。

　しかし、頻繁に自動車を乗降することが必要である一定の業務については、座席ベルトの装着義務が免除されており、環境衛生関係営業における取扱いについては、下記1のとおりとされているので、下記2（留意事項）に留意の上、貴管下関係者に対し、これらの趣旨・内容の周知、徹底を図られたい。

　なお、全国環境衛生営業指導センター及び全国環境衛生同業組合中央会に対し、別添写のとおり通知しているので、申し添える。

記

1　環境衛生関係営業における座席ベルト装着義務の免除の取扱いについて
　(1)　クリーニング業
　　　クリーニング業については、座席ベルトの装着義務の免除に係る業務を定める規則（昭和60年8月5日国家公安委員会規則第12号、以下「規則」という。）第3号に基づき、戸別に洗濯物の受取又は引渡しを行う業務につき、座席ベルト装着義務が免除されているものであること。この場合において、規則第3号における「クリーニング業」には、いわゆるダストコントロール業（事務所、飲食店又は一般家庭等に、モップ等の清掃用品、玄関用マット、タオル等を配達し、又はこれらを回収する業務）が含まれるものであること。
　(2)　食肉販売業、氷雪販売業
　　　食肉販売業（食鳥肉販売業を含む。）及び氷雪販売業については、規則第3号又は第4号に基づき、物品の小売業又は飲食料品の製造業若しくは卸売業として、戸別に配達を行う業務等につき、座席ベルト装着義務が免除されているものであること。
　(3)　飲食店営業
　　　飲食店営業については、規則に基づき座席ベルト装着義務が免除されている飲食料品小売業等との均衡を考慮して、すし、そば、うどん、中華料理等のいわゆる「出

第3編　クリーニング業

前」及び「出前下げ」を行う業務につき、5軒以上連続して出前又は出前下げを行う場合には、規則第3号に掲げられている業務と同様の取扱いを受けることとされているものであること。
2　留意事項
(1)　1に掲げる業務であっても座席ベルトの装着義務が免除されるのは、「当該業務につき頻繁に自動車に乗降することを必要とする区間」に限られているので、特に次の事項に留意すること。
　①　高速道路等においては、これら業務につき頻繁に乗降する区間はないと考えられるので、装着義務は免除されない。
　②　配達地域への往復区間等は、当該業務につき頻繁に自動車に乗降することを必要とする区間に当たらないので、装着義務は免除されない。
(2)　座席ベルトの装着は、業務従事者本人の安全のための措置であることにかんがみ、装着義務が免除される業務に従事する場合においても、極力座席ベルトの装着を励行することが望ましいこと。
(3)　各都道府県環境衛生営業指導センター等を通じて、業界と各道府県警察本部等との連絡を密にする等、関係者の一致した協力のもとで安全で適正な営業が行われるよう、配慮されたいこと。
別添写　略

Ⅲ　解釈通知編

第1章　クリーニング業の定義

○クリーニング業法の疑義に関する件（抄）

［昭和25年7月17日　公第2,241号
厚生省公衆衛生局長宛　山口県知事照会］

クリーニング業法に関して下記事項疑義あるにつき何分の御回示煩わしたい。

記

1　クリーニング業法第2条第2項中「原型のまま」について
　染色業は洗たくをして後に染色をする営業であるが「原型のまま」の解釈が色彩を含まないで形だけのものであればクリーニング業法の対象となるものと解され、色彩を含むものであれば対象外と解されるが「原型のまま」と色彩との関係を明示されたい。

［昭和26年4月13日　衛発第264号
山口県衛生部長宛　厚生省公衆衛生局長回答］

標記の件に関しては下記の通り回答する。

記

1　染色業は通常原型解体の上、洗濯染色の工程をとっているものであってクリーニング業法の対象中には含んでいない。なお色彩は原型と何等関係ない。

○クリーニング業法の疑義について

［昭和29年4月23日　29公第4,562号
厚生省環境衛生部長宛　福岡県衛生部長照会］

下記事案について疑義があるので至急何分のお回示を願います。

記

　某クリーニング業者が正規の手続を経てAクリーニング所を開設し、現在営業中であるが、こんど他の地区にB支店を設けそのB支店では、洗たく物の集荷、配達並びにAクリーニング所で水洗乾燥した洗たく物のアイロン仕上を行う場合、もちろん洗たく物の集荷、配達は、法適用外なるもアイロン仕上を行うB支店は、クリーニング業法（昭和25年法律第207号）第2条第5号のクリーニング所として同法を適用すべきかどうか又同法第3条の洗たく物の処理に含まれるかどうか。
　（参照）条文略

［昭和29年5月7日　衛環第35号
福岡県衛生部長宛　厚生省環境衛生課長回答］

第3編　クリーニング業

4月23日29公第4,562号で照会の標記について、下記のとおり回答する。
記
一　洗たく物のアイロン仕上は、法第3条にいう洗たく物の処理に含まれ、したがって照会のような場合もクリーニング所として法の適用を受けるものである。

○クリーニング業法の疑義について

〔昭和29年7月1日　公第7―1号
　厚生省公衆衛生局長宛　山梨県衛生民生部長照会〕

クリーニング業法に関して下記の通り疑義を生じたので至急御回答願います。
記
昭和24年10月17日衛発第1,048号通牒（公衆衛生局長から各都道府県知事宛）の公衆浴場法等の営業関係法律中の「業として」の解釈については業としてある行為をするという場合その業の本来の意味は、その行為を反覆継続して行うということであり、ある行為を反覆継続して行う場合にはその行為を業として行うということになる。従って相手方が不特定多数であること、対価を受けること等は本来の業の概念上必要ではないとしてあるが本県にある、キャンプマクネヤー（元北富士演習場）に就労の労務者が毎日、駐屯米軍将兵の制服その他の洗たく物を持帰り、又は家族がキャンプより柳行李を自転車につけて運搬し自家（約32軒）において家族達が洗たくを継続反覆しているが、この行為はクリーニング業法第2条に規定するその他の洗たく業とみなしてよろしきや。

〔昭和29年9月25日　衛環第91号
　山梨県衛生民生部長宛　厚生省環境衛生課長回答〕

昭和29年7月1日公第7―1号をもって照会にかかる標記の件について、下記の通り回答する。
記
昭和24年10月17日衛発第1,048号通知による「業」の解釈は、反覆継続してある行為を行うこと、社会性をもって行うことの2要件を充足すれば足りると考えられるが、お尋ねのような場合において、社会通念上その態様が所謂内職の規模をこえるものについては、「クリーニング業」に該当し、従って当該洗濯を行う場所はクリーニング営業所として法の適用を受けさせる必要があると解せられる。

○児童福祉施設のクリーニング所開設疑義について

〔昭和31年10月29日　発衛第406号
　厚生省公衆衛生局長宛　鳥取県衛生部長照会〕

クリーニング業法の疑義について

　本県における精神薄弱児施設が、収容児童に対し、当該児童が将来社会復帰の準備として、独立自活に必要な知識と技能を授けるため、教育施設として、クリーニング所に必要な設備を設けたのであるが、将来たとえ業を行う目的で、クリーニング所開設届がなされても、法第2条第3項の規定にいう営業者および第4項の規定にいうクリーニング所とは認め難いと思いますが、いささか疑義が生じましたので、至急何分の御教示願います。

　　　　　　　　〔昭和31年11月27日　衛環第116号
　　　　　　　　　鳥取県衛生部長宛　厚生省公衆衛生局環境衛生部環境
　　　　　　　　　衛生課長回答　　　　　　　　　　　　　　　　　　〕

　昭和31年10月29日発衛第406号をもって照会にかかる標記については、下記により回答する。

記

　精神薄弱児施設の収容児童に対し、教育施設としていわゆるクリーニング行為に必要な設備を設け、その施設において社会復帰のために独立自活に必要な知識と技能を授けるため、クリーニング行為を習わせる程度であれば、精神薄弱児童という特殊事情からもお見込みの通りクリーニング業法第2条第1項のクリーニング業とは解せられない。ただし、もっぱら業として、すなわち、反覆継続して、かつ社会性をもって行われるに至ったときは、クリーニング業法の規制を受けることとなる。従って、業を行う意思目的をもって、かつ、客観的にも業と認められるような形態において開設届がなされれば、当然同法第2条第2項の営業者及び同法同条第4項のクリーニング所としてクリーニング業法の規制を受けるものである。
　なお、本件に関しては、児童局養護課とも連絡ずみであるから、念のため申し添える。

○クリーニング業法の疑義について

　　　　　　　　〔昭和32年10月28日　薬第1,073号
　　　　　　　　　厚生省公衆衛生局環境衛生部環境衛生課長宛　三重県
　　　　　　　　　衛生部長照会　　　　　　　　　　　　　　　　　〕

　クリーニング業法の適用について、次のとおり疑義を生じたので、至急御回答下さるようお願いします。

記

1　ある商店が第2条に規定する洗たくを行わず、仕上げのみをもって営業とし、洗たく等は他のクリーニング所において行っている場合、第2条第4項の「クリーニング所」として取扱うべきか。
2　第4項の「洗たく物を処理する」の解釈については、選別、洗たく、乾燥、仕上げの一切の全工程を終えることをもって「洗たく物の処理」と解すべきかあるいはその一部例えば洗たく又は選別のみでも法第2条第4項に該当するかどうか。

第3編　クリーニング業

　　　　［昭和32年11月6日　　衛環発第63号
　　　　　三重県衛生部長宛　厚生省公衆衛生局環境衛生部長回
　　　　　答　　　　　　　　　　　　　　　　　　　　　　　］

　昭和32年10月28日薬第1,073号をもって照会のあった標記について、次のとおり回答する。

記

1　洗たく物の仕上はクリーニング業法（以下「法」という）第2条第4項にいう洗たく物の処理に含まれ、従って、設問のような施設は「クリーニング所」として法の適用を受けるべきものである。
2　洗たく物の処理は、選別、洗たく、乾燥、仕上等の全部又は一部の工程にわたるから、たとえその一部である洗たくのみを行うものであっても法第2条第4項にいう「洗たく物の処理」に該当するものと解されたい。

○クリーニング業法の疑義について（コイン・オペレーション・クリーニング機）

　　　　［昭和39年12月21日　　39環第2,234号
　　　　　厚生省環境衛生局長宛　大阪府衛生部長照会　　　　］

　最近「コイン・オペレーション・クリーニング」機を使用する特殊な営業形態の出現が見られるが、このことについてクリーニング業法施行上疑義を生じたので下記について何分の回答をお願いします。

記

1　街頭に「コイン・オペ・クリーニング」機を1台設置し、セルフサービスによりこの機械を利用させる場合、このことはクリーニング業法第2条第4項に定める「クリーニング所」に該当するか。（営業者は別途存在するものとする。）
2　「コイン・オペ・クリーニング」機を1台果物販売店の店頭に備えこれをセルフサービスで利用させる場合、次のA、Bは同項に定める「クリーニング所」に該当するか。
　　A　営業者が果物店主の場合
　　B　営業者が別途存在し委託販売形式をとる場合
3　「コイン・オペ・クリーニング」機を同一建物内に多数備えコイン・オペ・セルフサービス・クリーニング店を開設する場合この施設は同項に定める「クリーニング所」に該当するか。（営業者は別途存在するものとする。）
4　クリーニング業法第2条第4項に規定する営業者の施設とは具体的にどの程度のものを示すか。

　　　　［昭和40年6月18日　　環衛第5,069号
　　　　　大阪府衛生部長宛　厚生省環境衛生課長回答　　　　］

　クリーニング業法第2条第4項にいうクリーニング所とは洗たく物の処理又は受取及び

引渡しのための営業者の施設を指し、また、営業者とは顧客のために顧客にかわって洗たく物の処理等を業として行なう者をいう。したがっておたずねのコイン・オペレーション・クリーニング機のように、機能的に洗たく物を処理する施設であっても、セルフ・サービスにより、顧客が直接に洗たく物の処理等を行なう場合は、クリーニング所であるということはできない。

○クリーニング業法の疑義について

〔昭和41年12月8日　41環第1,788号
厚生省環境衛生課長宛　埼玉県衛生部長照会〕

　最近セルフサービスクリーニング等の名称を用い自動複合ドライ機をマーケット等に設置し、機械の使用料として洗たく料金を徴収する営業形態が遂次増加の傾向にあるが、下記の方法によって料金を徴収する場合、クリーニング業法との関係について疑義があるので何分のご回答をお願いいたします。

記

1　客が自ら洗たく物を機械に投入し、終了まで機械の所有者（又はその使用人、委託人等）の援助をうけず、自ら洗たく物を処理し、機械の使用料のみを支払う場合には法第2条第1項、第2項及び第4項の何れにも該当しない（昭和40年6月18日環衛第5,069号「厚生省環境衛生局環境衛生課長」回答による。）ものとして放置しておくべきかどうか。

2　客が洗たく物を持参し、機械の操作方法の不明か又は他の用事（例えば買物等）のため客自ら洗たく物を機械に出し入れせず、営業者（又はその使用人、委託人等）が客の依頼によりその処理を行なう場合は、法第2条第4項に定める「クリーニング所」として取扱うべきものと解するが如何。

3　前項の「クリーニング所」として取扱う場合、法第3条各項の規定どおり適用すべきかどうか。

4　本県においては、法第3条第3項第6号の規定に基づき、「クリーニング所」の措置基準を次のとおり定めているが、コイン式クリーニング所の措置基準を別に定める必要があるかどうか。必要があるとせばその基準等をご教示願いたい。

（措置）

1　洗たく物の受取、処理及び引渡しを行なうクリーニング所の構造
　(1)　仕上場
　　ア　面積は、おおむね10平方メートル以上とすること。
　　イ　床は、板又はコンクリート、タイル等の不侵透性材料を使用し、清掃しやすい構造とすること。
　(2)　洗場
　　ア　面積は、おおむね10平方メートル以上とすること。
　　イ　側壁は、床面からおおむね1メートルまでをコンクリート、タイル等の不侵

第3編　クリーニング業

透性材料を使用し、清掃しやすい構造とすること。
　(3)　受取及び引渡場
　　　床は、板又はコンクリート、タイル等の不侵透性材料を使用し、清掃しやすい構造とすること。
2　洗たく物の受取及び引渡しのみを行なうクリーニング所の構造
　(1)　面積は、おおむね6.6平方メートル以上とすること。
　(2)　床は、板又はコンクリート、タイル等の不浸透性材料を使用し、清掃しやすい構造とすること。
3　その他
　(1)　クリーニング所は、住居等と区画し、専用とすること。
　(2)　クリーニング所と食品を取扱う施設とを同一施設内に設ける場合は、これらの施設の境界に障壁を設けること。
　(3)　クリーニング業法施行規則（昭和25年厚生省令第35号）第1条各号に掲げる洗たく物の消毒場を別に設ける場合は、取り扱い数量に応じた適当な設備とすること。
　(4)　し尿の附着している物を洗たくした水を放流する場合は、し尿浄化装置を設けること。
　　　ただし、終末処理場のある下水道に放流する場合は、この限りでない。
　(5)　(4)に定めるもののほか、洗たくに使用した水は、公衆衛生上支障のないように処理すること。
　(6)　洗たく又は仕上げの終った物と終らない物を入れる容器又は設備を区別して設け、かつ、これにその旨標示しておくこと。
　(7)　洗たくの終らない物を仕上場に置かないこと。
　　　ただし、その物を入れる容器にふたをした場合は、この限りでない。
　(8)　採光、換気及び照明を十分にすること。
　(9)　洗たくに使用する薬品等は、安全な場所に保管すること。
　(10)　消毒及びそ族、昆虫等の駆除を適宜行なうこと。
　(11)　従業員に、身体及び衣服を清潔に保たせること。

```
昭和41年12月26日　環衛第5,152号
埼玉県衛生部長宛　厚生省環境衛生局環境衛生課長回答
```

　昭和41年12月8日付け41環第1,788号をもって照会のあった標記について下記のとおり回答する。

記

1　照会の1について
　　御照会のような顧客に機械を貸与して洗たくさせる営業をクリーニング業法（以下「法」という。）の適用対象とする必要があるかどうかについては目下調査検討中であるが、現行法においては厚生省環境衛生課長回答（昭和40年6月18日環衛第5,069号）

によられたい。
2 照会2については貴見のとおりである。
3 照会3について
　法第3条第3項第4号のように条理上適用のないと考えるべき規定を除いて同条の適用がある。
4 照会の4について
　例示された貴県の措置基準のうち、1の(1)、(2)等については、コインオペレーション式洗濯機のみを使用するクリーニング所にそのまま適用することが適当でないと考えられるので、貴県における実情に応じて必要な基準を定めることが望ましい。

○「出張クリーニング業」のクリーニング業法等の適用の可否について

> 昭和43年3月21日　発衛第99号
> 厚生省環境衛生局環境衛生課長宛　鳥取県厚生部長照会

　貴管内において、下記により出張クリーニングを業として営業している事実がありますが、この営業の形態についてクリーニング業法の適用および関連について疑義がありますので、至急なにぶんのご教示をお願いします。
記
1　出張クリーニング営業の実態
　洗たく機
　　「フォンシュレーダ洗浄機」と呼称する自動クリーニング機で一見家庭で使用する電気掃除器を大型改良したごときもので、これを旅館、事務所等に持ち込みもっぱらジュータン、布張りいす、ソファー等を出張クリーニングする。
　洗剤
　　石けん、揮発性を含有しない特殊洗剤「パウダー」と称するものを使用し、ジュータン等は裏面までぬらすことなく洗浄しすべて短時間で乾燥さす。
　料金
　　洗たく物の大きさ、汚れの程度によって異なり通常係員が事前に見積り、その結果取引き（営業）している。
2　クリーニング業法との関係
(1)　前記の営業行為の基本となる「洗たく行為」はクリーニング業法第2条第1項に規定する「クリーニング業」と考えられる。また、第2項に規定する「営業者」でもあると考えられる。
(2)　しかしながら、法第2条第4項に規定するクリーニング所の定義とする「洗たく物の処理または受取および引渡しのための営業施設」は、出張クリーニングで

第3編　クリーニング業

　　　ある関係上すべて相手方（取引先）の該洗たく物のある位置で洗たくするため、必然的に「クリーニング所」は必要とせず、いわゆる事務所的な営業所（出張所）が設けられている。
　(3)　したがって、法第3条第3項第4号に規定する「洗場」についての適用もこの場合事実上あり得ないと解釈される。
　以上、出張クリーニングの営業の実態ならびにクリーニング業法との関係を考察するとき、次のいずれに該当するものであるか御教示願いたい。
1　クリーニング業法適用業態とする場合
　　法第2条第4項に規定する「クリーニング所」第3条第1項に規定するクリーニング所以外でクリーニングを行なうこと等の禁止規定、同条第3項第4号に規定する洗場の設備基準等の見解と適用をいかにすればよいか。
2　クリーニング業法適用業態としない場合
　　クリーニング業法に「出張クリーニング」について規定されていない。
　(1)　本業務は、「ビルクリーナー」等のいわゆる清掃業とクリーニング業の中間的業種と解され、現行クリーニング業法の制定当時においてかかる出張クリーニング業をも想定して規定されたものでない。
　(2)　したがって、該出張クリーニング業について、一部には適用または該当する事項はあるとしてもこれを全面的に適用することは、事実上困難で、かつ、必ずしも適当でない。

〔昭和43年4月30日　環衛第8,070号
　鳥取県厚生部長宛　厚生省環境衛生局環境衛生課長回答〕

　昭和43年3月21日付け発衛第99号をもって照会のあった標記の件については、「2　クリーニング業法適用業態としない場合」に示されている貴見のとおりである。

○ロッカー等による洗濯物の受取りの取扱いについて

〔昭和61年11月20日　61公営398号
　厚生省生活衛生局指導課長宛　福岡県衛生部長照会〕

　クリーニング業法の適用について、下記のとおり疑義が生じたので、何分のご教示をお願いします。

記

　当県においては、下記事例のごとく、ロッカー等により洗濯物を受け取る営業形態が生じているが、ロッカー等は必ずしもクリーニング所の店頭に設置されるものばかりではなく、中にはほとんど監督の及ばない所に設置されているものもある。また、ロッカー等の利用の際に洗濯物をビニール袋等に収納しているところは少なく、消毒

を要する物と要しない物の区別もされていない上、ロッカー等の内部の消毒もほとんど行われていない。
　ついては、このようなロッカー等による洗濯物の受取りについて、クリーニング業法が適用されるか否か、また、ロッカー等について、如何なる衛生措置を講ずるべきか、ご教示願いたい。

〈事例〉
　　食料品店、ガソリンスタンド、米穀販売店等が店頭、又は店舗から離れた場所にロッカーを設置する。利用客は洗濯物をロッカー内に収納し、施錠する。クリーニング所の従業員がロッカー内の洗濯物を集荷し、洗濯済みの物を食料品店等に運搬する。これを受け取った食料品店等は店頭で直接利用客に洗濯物を引き渡す。
　　前記事例のうち、ロッカーの設置者については、取次所又は一般クリーニング所の場合もある。また、ロッカーについては、クリーニングポストと称される収納口が1か所の収納庫の事例もある。クリーニングポストの事例は、利用客にあらかじめ鍵（又は磁気カード）、洗濯物の収納袋及び注文伝票（2枚複写）を配布し、利用客は鍵等で収納口を開け、収納袋に入れた洗濯物及び注文伝票のうちの1枚を収納口から入れ、施錠するものである。

　　　［昭和61年12月5日　　衛指第227号　　　　　　　　　］
　　　［福岡県衛生部長宛　厚生省生活衛生局指導課長回答］

　昭和61年11月20日付け61公営398号をもって照会のあった標記については、下記のとおり回答する。

記

1　洗濯物の受取及び引渡し行為に該当するか否かは、店舗の内外及び対面の有無を問わず、実質的に洗濯物の受取及び引渡しがあるとみなし得るか否かにより判断すべきものである。
　照会の事例は、食料品店等又は取次所等が、店頭又は店舗から離れた所にロッカー等を設置し、当該ロッカー等により洗濯物を受け取り、洗濯済みのものを当該店舗において引き渡す営業形態であるが、これは、食料品店等又は取次所等において、対面ではないが、ロッカー等を媒介として実質的には洗濯物の受取が行われているものと解される。
　従って、ロッカー等を設置又は管理し、かつ、洗濯物の引渡しを行っている食料品店等又は取次所等が、クリーニング所に該当し、ロッカー等は当該クリーニング所の施設の一部とみるべきである。
　なお、ロッカー等の設置場所については、当該クリーニング所の主たる部分と一体となった状態で当該ロッカー等が設置されることを要するものであり、衛生管理及び保管管理に支障をきたさないため、当該クリーニング所の店頭等、当該クリーニング所に併設されるよう指導されたい。
2　洗濯物の受取に用いられるロッカー等は、クリーニング所の施設の一部であることか

ら、営業者は、当該ロッカー等についてクリーニング業法（以下、「法」という。）第3条第3項に規定する措置（同項第6号に基づき都道府県知事が定める必要な措置を含む。）を講じなければならないことは当然であるが、特に、法第3条第3項第5号に規定する洗濯物（消毒を要する洗濯物）については、ロッカー等において取り扱わないものとすること。

また、ロッカー等は、通常、屋外に設置されるものであることから、その内部が雨、ほこり等により外部から汚染されない構造であること、ロッカー等を定期的に清掃・消毒すること、ロッカー等と洗濯物との相互汚染を防止するため、洗濯物をビニール袋等に入れてロッカー等に収納すること等の措置を講じ、常に十分な衛生が確保されるよう指導されたい。

さらに、洗濯物の保管管理の観点から、ロッカー等は施錠できるよう、また、クリーニング所及び利用者の両者がロッカー等に収納した洗濯物の品名、数量等を把握することができるよう指導することが望ましい。

○クリーニング業法の疑義について

〔昭和61年12月17日　衛公第734号〕
〔厚生省生活衛生局指導課長宛　横浜市衛生局長照会〕

本市において、次の事例による疑義が生じたので、至急御回答賜りたく照会します。

1　営業形態

当管内に布団等の寝具を原形のまま洗浄、すすぎ、脱水、乾燥し、当該寝具類を取り扱うクリーニング所（以下「甲」という。）が、業務拡大を図るため米穀販売店、寝具店及び運送店等（以下「乙」という。）と取次業務の代理店契約を結び、一部の洗濯物の取次及び引き渡しを委託している。

乙は、次の営業形態に別れる。

(1)　乙（米穀販売店を除く。）は、顧客からの注文を受けると自動車で各家庭を回り、処理前の洗濯物を受け取るとそのまま甲に運搬し加工依頼する。

また、処理後の洗濯物は、甲からの連絡により乙が甲に洗濯物を取りに行き、洗濯物を受け取るとそのまま自動車で各家庭を回り、顧客に引き渡す。

(2)　乙（米穀販売店に限る。）は、顧客からの注文を受けると自動車で各家庭を回り、処理前の洗濯物を受け取ると食糧販売企業組合（米穀販売店の組合組織、以下「丙」という。）の倉庫に運搬し、丙で一時保管された後、丙が一括して甲に加工依頼する。

また、処理後の洗濯物は、甲から丙に一括して運搬し、丙で一時保管された後、丙からの連絡により乙は丙に洗濯物を取りに行き、そのまま自動車で各家庭を回り、顧客に引き渡す。

2　洗濯物の流れ図

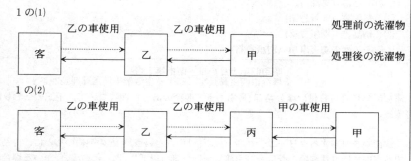

3 洗濯物の責任の所在
(1) 1の(1)の形態については、甲が乙より処理前の洗濯物を受け取り、処理後の洗濯物を乙に引き渡すまでの間に発生した事故は、甲が責任をもって処理し、乙が顧客より処理前の洗濯物を受け取り、甲に引き渡すまでの間並びに乙が甲より処理後の洗濯物を受け取り、顧客に引き渡すまでの間に発生した事故は、乙が責任をもって処理する。
(2) 1の(2)の形態については、甲が丙より洗濯物を受け取り、処理後の洗濯物を丙に引き渡すまでの間に発生した事故は、甲が責任をもって処理し、丙に一時保管している間に発生した事故は、丙が責任をもって処理する。
　また、乙が顧客より処理前の洗濯物を受け取り、丙に引き渡すまでの間並びに乙が丙より処理後の洗濯物を受け取り、顧客に引き渡すまでの間に生じた事故は、乙が責任をもって処理する。
4 疑義
(1) 1の(1)の場合、乙を甲の営業の一部と解釈すべきか、あるいは独立した営業（取次店）と解釈すべきか。
　また、独立した営業と解釈した場合、乙の事務所（米穀販売店及び寝具店等）にクリーニング所としての構造及び設備等を具備すべきか。
　なお、洗濯物と米穀類等を同一の店又は自動車により処理することは、相互に汚染される可能性があると考えられることから、公衆衛生上の措置が必要と思われるがいかがか。
(2) 丙の倉庫を独立した取次店と解釈すべきか。
5 参考
(1) 宣伝方法等
　顧客に対する宣伝方法は、甲の作成したチラシ（別紙省略）の空欄部分に乙の営業所の住所及び名称を記入し使用する場合と、乙が独自でチラシ（別紙省略）を作成し使用する場合とがある。
　また、店頭における寝具類の洗濯物取扱店等の掲示については、各店の営業方

第3編　クリーニング業

　　　針等により異なる。
(2)　契約書（別紙省略）
(3)　納品書（別紙省略）
(4)　その他の調査事項（別紙省略）

〔昭和62年1月6日　　　衛指第1号
　横浜市衛生局長宛　厚生省生活衛生局指導課長回答〕

　昭和61年12月17日付け衛公第734号をもって照会のあった件について、下記のとおり回答する。

記

1　洗濯物を処理するクリーニング所（以下、「甲」という。）との契約のもとに、自動車で各家庭を回り洗濯物の受取及び引渡しを行う者（以下、「乙」という。）がいる場合、その受取及び引渡し行為は、甲の営業の一部とみることが適当な場合と、独立した営業者の業務とみることが適当な場合とが考えられる。

　前者の場合、乙は甲の従事者として取り扱われるものであり、取次所としての届出は不要である。後者の場合、乙は甲とは別個の取次所の営業者とみることができ、当該営業者の事務所について、クリーニング所（取次所）としての届出を要するものである。

　受取及び引渡し行為がいずれに該当するかは、営業形態、甲・乙間の契約内容等を総合的に勘案して判断すべきであるが、洗濯物が乙にある間の事故の責任が乙にある場合、チラシ、掲示等により、乙が洗濯物の受取等を行うことが明らかな場合、乙において一時的にも洗濯物を保管することがある場合等は、通常、乙は独立した営業者とみることができる。

2　照会の4の(1)については、乙は、その営業形態等からみて、独立した営業者と解され、取次所としての届出を要するものである。

　この場合、クリーニング業法施行規則第1条の2に規定する届出事項のうち、「クリーニング所の所在地」については、洗濯物の運搬等に用いる自動車を管理する、洗濯物を保管する等のクリーニングに関する業務を行っている乙の事務所（米穀販売店、寝具店等）の所在地を記入することとされたい。

　また、乙は、クリーニング業法第3条第3項に規定する措置を講じなければならないのは当然であるが、乙が他の営業と兼業している場合にあっては、洗濯物と他の運搬物との間の汚染の可能性が考えられるので、洗濯物専用の自動車により運搬するか、又は、紙、ビニール等で洗濯物を覆い、運搬の都度車内を十分に清掃し、常に清潔に保つ等、公衆衛生上支障のないよう指導されたい。

3　照会の4の(2)については、丙は、自らの責任において洗濯物を保管し、洗濯物の受取及び引渡しを行っており、独立した取次所と解される。

○クリーニング業法の疑義について

> 平成4年7月14日　4生衛営第169号
> 厚生省生活衛生局指導課長宛　福岡県保健環境部長照会

　環境衛生営業業務の推進にあたりましては、色々御配慮いただきまして厚くお礼申し上げます。

　当管内において、絨毯（カーペット）のクリーニングを業として営業している事実がありますが、この営業の形態についてクリーニング業法の適用および関連について、下記のとおり疑義が生じましたので御多忙中恐縮とは存じますが、至急御教示下さいますようお願いします。

記

1　絨毯クリーニングの営業の形態

　家庭内で使用している絨毯（カーペット）を、ビルクリーニングの際に使用するのと同型の機材であるバキュームクリーナー、ポリッシャー、パイルブラシ等を用いてクリーニングしている。

　絨毯のクリーニング工程

① 　工場内の板張りの上に絨毯を敷き、裏面までぬらすことなく中性洗剤と一緒にポリッシャーで洗浄する。
② 　濡れた絨毯を室内で干して十分乾燥する。
③ 　再度、板張りの上に絨毯を敷き、パイルブラシ等によりパイルを起毛する。
④ 　バキュームクリーナーで吸塵する。
⑤ 　最後に絨毯を折り畳んだ後、ビニール袋に入れ作業を終了する。
⑥ 　依頼先に配達する。

2　クリーニング業法に伴う疑義

(1)　クリーニング業において、洗たく物の対象となる物は衣類その他の繊維製品又は皮革製品（法第2条第1項）等となるが、絨毯についてはその他の繊維製品に該当する。

　絨毯は家庭用と事務所用に大別することができるが、家庭用絨毯は直接肌に接触することもあるので、衛生上の規制が必要なものと解される。但し、事務所等で使用されている絨毯（カーペット）については、直接肌に接触することもなく、格別衛生上問題になるものではないので、法の対象とならない。従って、家庭用の絨毯をクリーニング業として営業している行為は、法の対象となり、法第5条第1項に基づく届け出を行わなければならないと解釈してよろしいか。

　なお、出張し現場において家庭用・事務所絨毯のクリーニングを行う行為は、その対象にならないと思慮されるがどうか。

(2)　法第3条第2項において「営業者は、洗たく物の洗たくをするクリーニング所に、業務用の機械として、洗たく機及び脱水機をそれぞれ少なくとも1台備えな

けらばならない。ただし、脱水機の効用を有する洗たく機を備える場合は、脱水機を備えなくてもよい。」と規定されているが、バキュームクリーナー、ポリッシャー等を脱水機の効用を有する洗たく機と同程度の物と解釈してよろしいか。
(3) 法第4条において「営業者は、クリーニング所ごとに、1人以上のクリーニング師を置かなければならない。」と規定されているが、前記の形態の場合、職業訓練法に基づくビルクリーニングに関する技能検定に合格した者、又は、技能審査認定規定に基づくビルクリーニングに関する技能審査に合格した者をもってクリーニング師として代えることはできるか。

> 平成4年8月10日　衛指第156号
> 福岡県保健環境部長宛　厚生省生活衛生局指導課長回答

平成4年7月14日付4生衛営第169号をもって照会のあった標記について、下記のとおり回答する。

記

1　(1)について
　繊維製品である絨毯（カーペット）を原型のまま洗濯することを営業とすることはクリーニング業法にいうクリーニング業に該当し、その処理を行う場所についてはクリーニング業法に基づく届出が必要である。
　ただし、現場において洗濯する場合については、昭和43年4月30日環衛第8,070号厚生省環境衛生局環境衛生課長通知により取り扱われたい。
2　(2)について
　貴見のとおりで差し支えないものと解する。
3　(3)について
　できないものと解する。

○自動車によるカーテンの出張クリーニングに関する疑義について

自動車によるカーテンの出張クリーニングについて
> 平成19年1月16日　18静保生第3,241号
> 厚生労働省健康局生活衛生課長宛　静岡市保健所長照会

当管内において、下記のとおり洗濯機等を備えた自動車によるカーテンの出張クリーニングを業として営業している事例があり、この営業形態に対するクリーニング業法の適用等について判断に苦慮していますので、御多忙中恐縮とは存じますが、至急御教示下さいますようお願いします。

記

1　営業形態

(1) 営業者は、内装業者で主にカーテンの製作販売やリース及びメンテナンスを行っている。
(2) 病院や福祉施設、学校等に洗濯機及び乾燥機を設置した自動車で訪問し、施設内のカーテンを取り外して当該車内へ持ち込んでクリーニングを行う。
(3) カーテンの取り外しから取り付けまでを行い、カーテンレールの補修や欠落部品の補充等も行う。
(4) 使用水については、各施設の水道設備及び排水設備を利用し、重曹及び過炭酸ソーダを添加して洗浄を行う。
2 クリーニング業法との関係
(1) クリーニング業法第2条第1項に「クリーニング業とは、溶剤又は洗剤を使用して、衣類その他の繊維製品又は皮革製品を原型のまま洗濯すること」と規定されており、カーテンは「その他の繊維製品」であり、カーテンクリーニングはクリーニング業法に規定されたクリーニング業に該当すると思われる。
しかし、「現場において洗濯する場合」については、昭和43年4月30日付環衛第8,070号鳥取県厚生部長あて及び平成4年8月10日付衛指第156号福岡県保健環境部長あて回答により、クリーニング業法適用業態とすることは必ずしも適当でないとされている。
したがって、本件についても同様に、クリーニング業法適用業態としないこととしてよいか。
(2) クリーニング業法適用業態とした場合、当該車両を法第2条第4項に規定する「クリーニング所」の施設として認めてよいか。

平成19年10月4日　健衛発第1004002号
静岡市保健所長宛　厚生労働省健康局生活衛生課長回答

平成19年1月16日付け18静保生第3,241号をもって照会のあった標記について下記のとおり回答します。

記

1 2の(1)について
営業者が、カーテンのクリーニングを依頼された施設に洗濯機等を設置した自動車で訪問し、その車内にカーテンを持ち込んで洗濯する場合は、洗濯物を車内まで移動させているため、「現場において洗濯する場合」には該当しない。
2 2(2)について
貴見のとおりである。
なお、クリーニング業法施行規則（昭和25年7月1日厚生省令第35号）第1条の3第2号の「クリーニング所の所在地」については、業務用車両の自動車登録番号又は車両番号及び車両の保管場所並びに営業区域を記入されるよう指導されたい。

第3編　クリーニング業

○クリーニング業法の運用について

> ［平成19年12月27日　19杉並第64,310号
> 　厚生労働省健康局生活衛生課長宛　杉並区杉並保健所
> 　長照会］
>
> 　当区内において、宅配業者と荷物配送の契約を結び、全国の宅配業者の受付窓口を利用し、顧客から洗濯物の配送による受付を行うクリーニング業者があり、顧客への、洗濯仕上品の渡しは、顧客宅へ直接配送しております。当該クリーニング業者の洗濯物の受付行為について、下記事項につき回答くださるようお願いいたします。
> 　　　　　　　　　　　　　記
> 1　宅配業者の受付窓口における受付行為は、開封することなく荷物として受付けられているが、当該窓口はクリーニング業法第2条第4項に規定するクリーニング所に該当するものと解してよろしいか。
> 2　同クリーニング業者から、宅配便により下着等の消毒を要する洗濯物の受付を行いたい旨相談を受けているが、衛生的観点から消毒を要する洗濯物として、受付窓口において一般の洗濯物と区別して取扱う必要があるものと解してよろしいか。

> ［平成20年2月14日　健衛発第0214001号
> 　杉並区杉並保健所長宛　厚生労働省健康局生活衛生課
> 　長回答］

　平成19年12月27日付け19杉並第64,310号をもって照会のあった標記について下記のとおり回答します。
　　　　　　　　　　　　　記
1　1について
　クリーニング業者と宅配業者等との間において、あらかじめ洗濯物の配送に係る料金、配送方法等について特定の契約を締結するなどし、宅配業者等の受付窓口において、顧客の荷物の内容を確認し又は特定の梱包用資材を用いるなどの方法により荷物を開封せずともその内容物を特定のクリーニング業者に係る洗濯物として認識した上で、継続反復的に一般の荷物とは異なる取扱いを行う場合等については、洗濯物の受取及び引渡しを行うための営業者の施設に該当することから、当該受付行為を行う施設はクリーニング業法第2条第4項に規定するクリーニング所に該当すると解する。
2　2について
　貴見のとおり。

○着物展示販売会における洗たく物の受取行為について

> ［平成20年6月30日　FNo.5・5・1
> 　厚生労働省健康局生活衛生課長宛　相模原市長照会］

着物展示販売会における洗たく物の受取行為について

本市において、次のとおり着物の展示販売会において洗たく物の受取を行う行為の事例があり、この営業形態に対するクリーニング業法の適用等について疑義が生じましたので、至急御回答を賜りたく照会いたします。

記

1 営業形態
(1) 営業者は着物の販売業者で、全国各地において各3日間会場を設けて着物の展示販売を行っている。なお、会場は設置期間終了後、完全に撤去される。
(2) 当該営業者は展示会場にて顧客が持参した着物の受取をし、その状態を当該営業者が確認した上で一時保管を行う。受取には当該営業者以外から購入した着物も含まれる。
(3) 受取した着物は洗たく方法等に応じて、当該営業者が契約している複数の洗たく業者から一社を選定し、選定された洗たく業者へ引渡される。
(4) 洗たく業者が見積もりを行い、当該営業者が顧客に通知し、顧客の了承が得られれば、洗たく業者で洗たくを行う。
(5) 洗たく仕上品は、洗たく業者から当該営業者が引取り宅配便で顧客へ配送される。
(6) 洗たく料金は代引宅急便着払いによって、当該営業者が一元的に預かるが、料金には当該営業者の手数料は含まれてなく、全額洗たく業者へ渡される。
(7) 本行為中に行われる洗たくには「洗張り」のみならず、洗たくの対象物を原型のまま洗たくする行為も含まれている。
(8) 当該営業者は本行為について、展示販売の宣伝と併せてチラシにより宣伝を行っている。
(9) (4)～(6)の行為は、今後洗たく業者と顧客の間で直接行うよう切り替える。

2 照会事項
当該営業者は、本行為により利益を得ることはないが、洗たく物の受取行為を、場所はその都度変わるものの、反復継続の意思をもって不特定多数のものに対し行っていることから、法第2条第2項に規定するクリーニング業を営む者に該当し、また、洗たく物の受取が行われる展示会の会場は、設置期間の日数に関わらず、法第2条第4項に規定するクリーニング所に該当するものと解してよろしいか。

［平成20年7月24日　健衛発第0724001号
相模原市長宛　厚生労働省健康局生活衛生課長回答］

平成20年6月30日付けFNo．5・5・1をもって照会のあった標記について下記のとおり回答します。

記

貴見のとおりである。
なお、展示販売会終了後は、クリーニング業法第5条第3項の規定に基づき速やかに営業の廃止の届出を行うよう指導されたい。

○ロッカー等による洗濯物の受取りの取扱いに関する通知について

〔令和3年3月26日　薬生衛発0326第1号
各都道府県・各保健所設置市・各特別区衛生主管部（局）
長宛　厚生労働省医薬・生活衛生局生活衛生課長通知〕

　「ロッカー等による洗濯物の受取りの取扱いについて」（昭和61年12月5日付け衛指第227号厚生省生活衛生局指導課長通知）でお示ししている事項については、「地方分権の推進を図るための関係法律の整備等に関する法律等の施行について」（平成12年3月30日付け生衛発第569号厚生省生活衛生局長通知）でも通知のとおり、地方自治法（昭和22年法律第67号）第245条の4第1項の規定に基づく技術的助言であり、その具体的な運用については、クリーニング業法（昭和25年法律第207号）に定める公衆衛生や利用者の利益の擁護の観点を踏まえつつ、都道府県知事（保健所を設置する市又は特別区については、市長又は区長）の責任の下、判断すべきものであるので、その旨改めて周知致します。

第2章　クリーニング所

○クリーニング業法（第5条の2）に関する疑義
　について

> 昭和39年8月11日　39衛第749号
> 厚生省環境衛生局環境衛生課長宛　横浜市衛生局長照会

　クリーニング業法の施行に関し、次のような疑義を生じたので、何分のご教示を願います。

記

1　略
2　洗たく物の受取及び引渡しのみを行なうクリーニング所を、洗たく物を洗たくすることのできる施設に改装した場合は、クリーニング業法第5条の2の規定の新設の趣旨等からして、新たな開設として届出をなさしめ検査、確認を受けさせるべきであると思われるがどうか。
　また、洗たく物を洗たくするクリーニング所をこれを行なわないクリーニング所に改装した場合も同様に取扱うべきと思うがどうか。

> 昭和39年10月28日　環衛第28号
> 横浜市衛生局長宛　厚生省環境衛生局環境衛生課長回答

　昭和39年8月11日39衛第749号をもって照会のあった標記について下記のとおり回答する。
1　略
2　洗たく物の受取り及び引渡しのみを行なうクリーニング所を洗たく物を処理するクリーニング所に改装する場合には、改装後もクリーニング所として同一性を失わない限りにおいては、新たな開設の届出としてではなく、届出の変更として取扱うべきであり、その場合でも法第5条の2の規定により、法第3条第2項の規定に適合する旨の検査、確認を要するものである。
　また、洗たく物を処理するクリーニング所が洗たく物の受取り及び引渡しのみを行なうクリーニング所に改装する場合には、届出については、前例と同様に取り扱うべきであるが、既に法第3条第3項の検査、確認を受けているときは、施設設備の主要な部分について変更が行なわれない限り、改めて法第5条の2の規定による検査、確認は要しないものである。

第3編　クリーニング業

○吸収合併に伴うクリーニング業法の届出の取扱いについて

> 平成4年5月27日　4生衛営第90号
> 厚生省生活衛生局指導課長宛　福岡県保健環境部長照会

　環境衛生営業業務の推進にあたりましては、色々御配慮いただきまして厚くお礼申し上げます。
　このことについて、法人の吸収合併に伴う営業届出の効力の承継について疑義を生じましたので御多忙中恐縮とは存じますが、至急御教示下さいますようお願いします。

記

　福岡県及び福岡市においてクリーニング業法第5条の規定に基づきクリーニング業を営んでいる有限会社（甲）が同種営業を行っている系列会社の株式会社（乙）に吸収合併された場合、国民の負担軽減及び行政事務の簡素化等の観点から、消滅法人である甲の持つ営業届出の効力を存続法人である乙に承継させ変更届により処理してよいかお尋ねします。
　なお、別紙資料のとおり株式会社に有限会社を合併する件については、平成4年2月8日福岡地方裁判所において認可されている。
　また、甲及び乙は系列会社のため代表取締役については同一人物であり、施設等についても変更はない。

別紙　略

> 平成4年7月20日　衛指第139号
> 福岡県保健環境部長宛　厚生省生活衛生局指導課長回答

　平成4年5月27日付4生衛営第90号をもって照会のあった標記について、下記のとおり回答する。

記

　標記の件については、変更届けによることなく、新たに届出をさせることとされたい。

第3章　免許・試験

○クリーニング業法に基くクリーニング師試験の受験資格について

　　　　　　　〔昭和31年11月2日　31環第117号〕
　　　　　　　〔厚生省公衆衛生局長宛　神奈川県衛生部長照会〕

　このたび、昭和31年10月5日付衛発第672号をもってクリーニング業法第7条第3項の規定に該当しない者に対する臨時措置要領の内容に関して通牒に接しましたので、受験資格認定講習会を開催すべく検討しましたところ、受験資格認定申請に必要とする関係書類中「最終学校卒業（修了）証明書又はこれを証するにたる書類」の提出については、旧国民学校令に基く国民学校又は旧中等学校令に基く中等学校等の卒業（修了）者の中には戦災その他の理由により卒業（修了）証書を亡失した者が少くなく、証明機関である当該学校も現行学校教育法に基く学校に改変された為、証明書の発行が不能であり、又当該教育委員会においても関係書類が保管されていない等から証明不能の場合等があって、かかる書類の提出は、困難な場合が多いと思考されますが、これらの取扱いに対して如何措置いたすべきや至急貴意を得たくお願いします。

　　　　　〔昭和31年11月30日　衛環第122号〕
　　　　　〔神奈川県衛生部長宛　厚生省公衆衛生局環境衛生部環〕
　　　　　〔境衛生課長回答〕

　昭和31年11月2日31環第117号をもって照会にかかる標記の件については、下記により回答する。

　　　　　　　　　　　　　　　記

　「クリーニング業法に基くクリーニング師試験の受験資格について（昭和31年10月5日衛発第672号、各都道府県知事宛、厚生省公衆衛生局長通知）」中「クリーニング業法施行規則の一部を改正する省令附則第2項第6号の規定によるクリーニング師受験資格認定に関する臨時措置要領」の「最終学校卒業（修了）証明書又はこれを証するにたる書類」については、本来当該学校の発行する最終学校卒業（修了）証明書がもっとも望ましいところである。しかしながら制度の変遷その他の理由から、その証明書の交付ができ難いときは、その卒業（修了）を証するにたる書類で差し支えないものであるが、この場合における卒業（修了）を証するにたる書類としては、原則として左の各号に掲げるものの一とするので、この旨あらかじめ市町村等関係機関に連絡を図っておくとともに、受験資格認定申請者に対しても、これが周知徹底方の御配意願いたい。

1　最終学校を卒業（修了）した旨を証するにたる本人の所持する学業成績書又はこれに類するもの
2　学校が所在していた（又は本人が居住する）市町村長の証明書類
3　学校が所在していた（又は本人が居住する）市町村教育委員会の証明書類

第3編　クリーニング業

なお、1の書類を提出された場合は、当省において審査した後は、都道府県を通じて本人に返送する予定である。

○クリーニング師免許証訂正について

> 昭和33年2月14日　衛第1,900号
> 厚生省公衆衛生局環境衛生部長宛　島根県厚生部長照会

クリーニング業法施行規則第8条第1項について下記の疑義が生じたので、至急御教示方お願いします。

記

1　規則第8条第1項の規定によれば、免許証の訂正の申請は住所地の都道府県知事にしなければならないとされているが、本県内に住所を有する他都道府県交付の免許証を有する者から婚姻等により訂正申請がなされた場合、当県の免許証に書換えて交付すべきか該免許証交付の都道府県に転送すべきか。
2　前者の場合には登録地が変ることになると思うが、前登録地の都道府県に対しいかなる手続が必要か。

> 昭和33年2月26日　衛環発第20号
> 島根県厚生部長宛　厚生省公衆衛生局環境衛生部長回答

昭和33年2月14日付衛第1,900号をもって照会のあった標記の件について次のとおり回答する。

記

1　クリーニング業法施行規則（以下「規則」という。）第8条第1項の規定に基き免許証の訂正の申請があった場合において、当該申請者が旧住所地の都道府県知事の免許を受けた者であるときは、申請を受けた新住所地の都道府県知事において、クリーニング業法施行令（以下「令」という。）第3条第2項の規定によってさきに旧住所地の都道府県知事から送付された原簿の写と対照のうえ、免許証を書替交付する取扱とされたい。
2　登録の変更は、クリーニング師から規則第8条第2項の規定によりなされた住所変更の届出に基き令第3条の規定により旧住所地の都道府県知事にその旨を通知し、当該都道府県知事より当該クリーニング師に関する部分の写の送付を受けているべきものであるから、免許証の訂正交付のときには、あらためて前登録地の都道府県知事に通知する必要はない。

○クリーニング師免許証の交付について

> ［昭和44年12月9日　環第2,004号
> 厚生省環境衛生課長宛　福井県厚生部長照会］
>
> みだしのことについて、下記事項に疑義がありますので御教示下さい。
>
> 記
>
> クリーニング師の免許申請をするにあたって、クリーニング業法施行規則第4条第1項第3号により、その添付書類として業務を行おうとする場所を記載するように規定されているが、クリーニング師試験に合格した者が具体的に業務を行なう場所が未定の場合、（例えば現在高等学校などに在学している場合等）その者に対する免許証の交付取扱いについて

［昭和45年2月16日　環衛第21号
福井県厚生部長宛　厚生省環境衛生課長回答］

　昭和44年12月9日付環第2,004号をもって照会のあった標記の件について下記のとおり回答する。

記

　クリーニング師免許の申請の時点において業務を行なおうとする場所が未定であっても他の要件を満たしていれば免許を与えてさしつかえない。

　なお、当該申請者に対しては業務を行なおうとする場所が決定しだい所要の書類を提出させることとされたい。

第4編

興 行 場

I 法令編

●興 行 場 法

〔昭和23年7月12日〕
〔法 律 第 137 号〕

〔一部改正経過〕

第1次	〔昭和25年3月28日法律第26号「性病予防法等の一部を改正する法律」第7条による改正
第2次	〔昭和31年6月12日法律第148号「地方自治法の一部を改正する法律の施行に伴う関係法律の整理に関する法律」第13条による改正
第3次	〔昭和37年9月15日法律第161号「行政不服審査法の施行に伴う関係法律の整理等に関する法律」第83条による改正
第4次	〔昭和54年12月25日法律第70号「許可、認可等の整理に関する法律」第1条による改正
第5次	〔昭和58年12月10日法律第83号「行政事務の簡素合理化及び整理に関する法律」第16条による改正
第6次	〔昭和60年12月24日法律第102号「許可、認可等民間活動に係る規制の整理及び合理化に関する法律」第7条による改正
第7次	〔平成6年7月1日法律第84号「地域保健対策強化のための関係法律の整備に関する法律」第25条による改正
第8次	〔平成5年11月12日法律第89号「行政手続法の施行に伴う関係法律の整備に関する法律」第90条による改正
第9次	〔平成6年6月29日法律第49号「地方自治法の一部を改正する法律の施行に伴う関係法律の整備に関する法律」第6条による改正
第10次	〔平成11年7月16日法律第87号「地方分権の推進を図るための関係法律の整備等に関する法律」第156条による改正
第11次	〔平成12年5月31日法律第91号「商法等の一部を改正する法律の施行に伴う関係法律の整備に関する法律」第16条による改正
第12次	〔平成18年6月7日法律第53号「地方自治法の一部を改正する法律」附則第21条による改正
第13次	〔平成23年8月30日法律第105号「地域の自主性及び自立性を高めるための改革の推進を図るための関係法律の整備に関する法律」第25条（平成23年6月法律第70号・同年12月法律第122号により一部改正）による改正
第14次	〔令和5年6月14日法律第52号「生活衛生関係営業等の事業活動の継続に資する環境の整備を図るための旅館業法等の一部を改正する法律」第4条による改正
注	令和4年6月17日法律第68号「刑法等の一部を改正する法律の施行に伴う関係法律の整理等に関する法律」第228条（令和5年5月法律第28号により一部改正）による改正は未施行につき〔参考〕として1057頁以降に収載（令和7年6月1日施行）

興行場法

〔定義〕

第1条 この法律で「興行場」とは、映画、演劇、音楽、スポーツ、演芸又は観せ物を、公衆に見せ、又は聞かせる施設をいう。

2 この法律で「興行場営業」とは、都道府県知事（保健所を設置する市又は特別区にあつては、市長又は区長。以下同じ。）の許可を受けて、業として興行場を経営することをいう。

〔**改正**〕

一部改正（第4・7・13次改正）

第4編　興行場

〔営業の許可〕
第2条　業として興行場を経営しようとする者は、都道府県知事の許可を受けなければならない。
2　都道府県知事は、興行場の設置の場所又はその構造設備が都道府県（保健所を設置する市又は特別区にあつては、市又は特別区。以下同じ。）の条例で定める公衆衛生上必要な基準に適合しないと認めるときは、前項の許可を与えないことができる。ただし、この場合においては、都道府県知事は、理由を付した書面をもつて、その旨を通知しなければならない。

〔改正〕
　　一部改正（第5・13次改正）

〔**参照条文**〕
　　第1項　罰則＝法8一・11

〔営業者の地位の承継〕
第2条の2　興行場営業を営む者（以下「営業者」という。）が当該興行場営業を譲渡し、又は営業者について相続、合併若しくは分割（当該興行場営業を承継させるものに限る。）があつたときは、当該興行場営業を譲り受けた者又は相続人（相続人が2人以上ある場合において、その全員の同意により当該興行場営業を承継すべき相続人を選定したときは、その者）、合併後存続する法人若しくは合併により設立した法人若しくは分割により当該興行場営業を承継した法人は、営業者の地位を承継する。
2　前項の規定により営業者の地位を承継した者は、遅滞なく、その事実を証する書面を添えて、その旨を都道府県知事に届け出なければならない。

〔改正〕
　　追加（第6次改正）、一部改正（第11・14次改正）

〔営業者の講ずべき衛生措置〕
第3条　営業者は、興行場について、換気、照明、防湿及び清潔その他入場者の衛生に必要な措置を講じなければならない。
2　前項の措置の基準については、都道府県が条例で、これを定める。

〔改正〕
　　一部改正（第6次改正）

〔公衆衛生に害を及ぼす行為の禁止等〕
第4条　入場者は、興行場において、場内を著しく不潔にし、その他公衆衛生に害を及ぼす虞のある行為をしてはならない。
2　営業者又は興行場の管理者は、前項の行為をする者に対して、その行為を制止しなければならない。

〔**参照条文**〕
　　罰則＝法10・11

〔報告徴収、立入検査〕
第5条　都道府県知事は、必要があると認めるときは、営業者その他の関係者から必要な

報告を求め、又は当該職員に、興行場に立ち入り、第3条第1項の規定による措置の実施の状況を検査させることができる。
2　当該職員が、前項の規定により立入検査をする場合においては、その身分を示す証票を携帯し、且つ、関係人の請求があるときは、これを呈示しなければならない。

〔改正〕
　　一部改正（第1・4・12次改正）

〔参照条文〕
　　第1項　「当該職員」＝昭和23年7月厚令第29号「興行場法施行規則」　罰則＝法9・11
　　第2項　「身分を示す証票」＝昭和23年7月厚令第29号「興行場法施行規則」、昭和52年1月厚令第1号「環境衛生監視員証を定める省令」

〔営業の許可取消又は停止〕
第6条　都道府県知事は、興行場の構造設備が第2条第2項の規定に基づく条例で定める基準に適合しなくなつたとき、又は営業者が第3条第1項の規定に違反したときは、第2条第1項の許可を取り消し、又は期間を定めて営業の停止を命ずることができる。

〔改正〕
　　一部改正（第5次改正）

〔参照条文〕
　　罰則＝法8二・11

〔聴聞等〕
第7条　前条の規定による処分に係る行政手続法（平成5年法律第88号）第15条第1項又は第30条の通知は、聴聞の期日又は弁明を記載した書面の提出期限（口頭による弁明の機会の付与を行う場合には、その日時）の1週間前までにしなければならない。
2　前条の規定による許可の取消しに係る聴聞の期日における審理は、公開により行わなければならない。

〔改正〕
　　全部改正（第8次改正）

〔罰則〕
第8条　左の各号の一に該当する者は、これを6月以下の懲役又は5000円以下の罰金に処する。
　一　第2条第1項の規定に違反した者
　二　第6条の規定による命令に違反した者
第9条　第5条第1項の規定による報告をせず、若しくは虚偽の報告をし、又は当該職員の検査を拒み、妨げ、若しくは忌避した者は、これを1000円以下の罰金に処する。

〔改正〕
　　一部改正（第12次改正）

第10条　第4条第1項又は第2項の規定に違反した者は、これを拘留又は科料に処する。
〔両罰規定〕
第11条　法人の代表者又は法人若しくは人の代理人、使用人その他の従業者が、その法人又は人の業務に関して、前3条の違反行為をしたときは、行為者を罰する外、その法人

第4編　興行場

又は人に対しても各本条の罰金又は科料を科する。

附　則

〔施行期日〕

第12条　この法律は、昭和23年7月15日から、これを施行する。

〔従前の命令による営業許可等の効力〕

第13条　この法律施行の際、現に従前の命令の規定により営業の許可を受け、又は営業の届出をして、興行場営業を営んでいる者は、第2条第1項の規定による許可を受けたものとみなす。

〔届出による営業の継続〕

第14条　昭和23年1月1日から、この法律施行の日までに、新たに興行場営業を営み、この法律施行の際現に興行場営業を営んでいる者は、この法律施行の日から2月間は、第2条第1項の規定にかかわらず、引き続き興行場営業を営むことができる。

2　前項の規定に該当する者は、この法律施行後2月以内に、都道府県知事にその旨を届け出なければならない。

3　前項の届出をした者は、第2条第1項の許可を受けたものとみなす。

　　　附　則（第14次改正）抄

（施行期日）

第1条　この法律は、公布の日から起算して6月を超えない範囲内において政令で定める日〔令和5年12月13日〕から施行する。ただし、附則第12条の規定は、公布の日〔令和5年6月14日〕から施行する。

〔委任〕

　「政令」＝令和5年11月政令第329号「生活衛生関係営業等の事業活動の継続に資する環境の整備を図るための旅館業法等の一部を改正する法律の施行期日を定める政令」

（検討）

第2条　政府は、第1条の規定による改正後の旅館業法（以下この条及び次条において「新旅館業法」という。）第4条の2第1項の規定による協力の求め（同項第3号に掲げる者にあっては、当該者の体温その他の健康状態その他同号の厚生労働省令で定める事項の確認に係るものに限る。）を受けた者が正当な理由なくこれに応じないときの対応の在り方について、旅館業（旅館業法第2条第1項に規定する旅館業をいう。次項及び次条第3項において同じ。）の施設における特定感染症（新旅館業法第2条第6項に規定する特定感染症をいう。）のまん延防止を図る観点から検討を加え、必要があると認めるときは、その結果に基づいて所要の措置を講ずるものとする。

2　政府は、過去に旅館業の施設において第1条の規定による改正前の旅館業法第5条の規定の運用に関しハンセン病の患者であった者等に対して不当な差別的取扱いがされたことを踏まえつつ、新旅館業法第5条第1項の規定の施行の状況について検討を加え、必要があると認めるときは、その結果に基づいて所要の措置を講ずるものとする。

3　前2項に定めるもののほか、政府は、この法律の施行後3年を経過した場合において、この法律による改正後のそれぞれの法律の規定の施行の状況を勘案し、必要があると認めるときは、当該規定について検討を加え、その結果に基づいて所要の措置を講ず

るものとする。
　（興行場法の一部改正に伴う経過措置）
第6条　第4条の規定による改正後の興行場法（次項において「新興行場法」という。）第2条の2の規定は、施行日前に興行場法第1条第2項に規定する興行場営業（次項において単に「興行場営業」という。）の譲渡があった場合における当該興行場営業を譲り受けた者については、適用しない。
2　都道府県知事は、当分の間、新興行場法第2条の2第1項の規定により営業者の地位を承継した者（興行場営業の譲渡により当該地位を承継した者に限る。）の業務の状況について、当該地位が承継された日から起算して6月を経過するまでの間において、少なくとも1回調査しなければならない。
　（政令への委任）
第12条　附則第3条から前条までに定めるもののほか、この法律の施行に関し必要な経過措置（罰則に関する経過措置を含む。）は、政令で定める。

〔**参　考**〕
　　●刑法等の一部を改正する法律の施行に伴う関係法律の整理等に関する法律（抄）

〔令和4年6月17日〕
〔法　律　第　68　号〕

注　令和5年5月17日法律第28号「刑事訴訟法等の一部を改正する法律」附則第36条により一部改正
　第1編　関係法律の一部改正
　　第11章　厚生労働省関係
　（興行場法の一部改正）
第228条　興行場法（昭和23年法律第137号）の一部を次のように改正する。
　　第8条中「左の各号の一」を「次の各号のいずれか」に改め、「これを」を削り、「懲役又は5000円」を「拘禁刑又は2万円」に改める。
　　第9条中「これを1000円」を「2万円」に改める。
　第2編　経過措置
　　第1章　通則
　（罰則の適用等に関する経過措置）
第441条　刑法等の一部を改正する法律（令和4年法律第67号。以下「刑法等一部改正法」という。）及びこの法律（以下「刑法等一部改正法等」という。）の施行前にした行為の処罰については、次章に別段の定めがあるもののほか、なお従前の例による。
2　刑法等一部改正法等の施行後にした行為に対して、他の法律の規定によりなお従前の例によることとされ、なお効力を有することとされ又は改正前若しくは廃止前の法律の規定の例によることとされる罰則を適用する場合において、当該罰則に定める刑（刑法施行法第19条第1項の規定又は第82条の規定による改正後の沖縄の復帰に伴う特別措置に関する法律第25条第4項の規定の適用後のものを含む。）に刑法等一部改正法第2条

の規定による改正前の刑法（明治40年法律第45号。以下この項において「旧刑法」という。）第12条に規定する懲役（以下「懲役」という。）、旧刑法第13条に規定する禁錮（以下「禁錮」という。）又は旧刑法第16条に規定する拘留（以下「旧拘留」という。）が含まれるときは、当該刑のうち無期の懲役又は禁錮はそれぞれ無期拘禁刑と、有期の懲役又は禁錮はそれぞれその刑と長期及び短期（刑法施行法第20条の規定の適用後のものを含む。）を同じくする有期拘禁刑と、旧拘留は長期及び短期（刑法施行法第20条の規定の適用後のものを含む。）を同じくする拘留とする。

（裁判の効力とその執行に関する経過措置）

第442条 懲役、禁錮及び旧拘留の確定裁判の効力並びにその執行については、次章に別段の定めがあるもののほか、なお従前の例による。

第4章 その他

（経過措置の政令への委任）

第509条 この編に定めるもののほか、刑法等一部改正法等の施行に伴い必要な経過措置は、政令で定める。

附　則　抄

（施行期日）

1　この法律は、刑法等一部改正法施行日〔令和7年6月1日〕から施行する。ただし、次の各号に掲げる規定は、当該各号に定める日から施行する。

一　第509条の規定　公布の日

●興行場法施行規則

〔昭和23年7月24日〕
〔厚生省令第29号〕

〔一部改正経過〕
- 第1次 〔昭和25年4月1日厚生省令第13号「性病予防法施行規則等の一部を改正する省令」第7条による改正
- 第2次 〔昭和25年8月11日厚生省令第44号（旅館業法施行規則等の規定に基く環境衛生監視員の身分を示す証票等を定める省令を改正する件）附則第2項による改正
- 第3次 〔昭和31年9月22日厚生省令第42号「興行場法施行規則の一部を改正する省令」による改正
- 第4次 〔昭和52年1月18日厚生省令第1号「環境衛生監視員証を定める省令」附則第6項による改正
- 第5次 〔昭和55年5月1日厚生省令第16号「興行場法施行規則等の一部を改正する省令」第1条による改正
- 第6次 〔昭和59年9月5日厚生省令第42号「興行場法施行規則等の一部を改正する省令」第1条による改正

興行場法施行規則を次のように定める。

興行場法施行規則

興行場法（昭和23年法律第137号）第5条第1項の職権を行う者を環境衛生監視員と称し、同条第2項に規定する証票については、別に定める。

〔改正〕
　　一部改正（第1・3・4・6次改正）、旧第1・2条を削り、旧第3条を本文に変更（第6次改正）

〔委任〕
　　「別に定める」＝昭和52年1月厚令第1号「環境衛生監視員証を定める省令」

　　　附　則
この省令は、公布の日〔昭和23年7月24日〕から、これを施行する。

第4編　興行場

●興行場営業の振興指針

〔令和2年3月5日　厚生労働省告示第51号〕

〔一部改正経過〕
　第1次　〔令和3年3月18日厚労告第79号〕

　生活衛生関係営業の運営の適正化及び振興に関する法律（昭和32年法律第164号）第56条の2第1項の規定に基づき、興行場営業の振興指針（平成26年厚生労働省告示第76号）の全部を次のように改正し、令和2年4月1日から適用する。

興行場営業の振興指針

　興行場営業の営業者（以下「営業者」という。）が、興行場法（昭和23年法律第137号）等の衛生規制に的確に対応しつつ、現下の諸課題にも適切に対応し、経営の安定及び改善を図ることは、国民生活の向上に資するものである。

　このため、生活衛生関係営業の運営の適正化及び振興に関する法律（昭和32年法律第164号。以下「生衛法」という。）第56条の2第1項に基づき、興行場営業の振興指針を定めてきたところであるが、今般、営業者、生活衛生同業組合（生活衛生同業小組合を含む。以下「組合」という。）等の事業の実施状況等を踏まえ、営業者、組合等の具体的活用に資するよう、実践的かつ戦略的な指針として改正を行った。

　今後、営業者、組合等において本指針が十分に活用されることを期待するとともに、新たな衛生上の課題や経済社会情勢の変化、営業者及び利用者等のニーズを反映して、適時かつ適切に指針を改定するものとする。

　なお、現時点においては、興行場の多くを映画館が占めているため、今回の指針では特に映画館を例に記述することとする。

第一　興行場営業を取り巻く状況
　一　興行場営業の営業者の動向
　　　興行場営業は、国民生活における身近な娯楽を提供するものとして、その地位を保ってきたところである。その施設数及び入場者数は、昭和30年代半ばのピーク時から平成7、8年頃にかけて、娯楽の多様化、テレビ、家庭用ビデオ、パーソナルコンピュータ、家庭用ゲーム機、衛星放送等の普及により、長期間減少傾向にあったが、近年、邦画を中心とした話題作の増加、郊外地域を中心とした複数のスクリーンを有する映画館（以下「シネマコンプレックス」という。）の増加等により、スクリーン数は、平成20年末の3,359スクリーンから平成30年末には3,561スクリーンと増加傾向にある。スクリーン数の増加は、シネマコンプレックスの増加によるところが大きく、5スクリーン以上を有するシネマコンプレックスのスクリーン数は10年前と比較して491スクリーンの増となっており、全スクリーン数の88％を占めるまでに至っている（一般社団法人日本映画製作者連盟の統計による。）。他方、興行場（映画館）の許可を受けた施設数は、1,475施設（平成29年度末）であり、10年前と比較して286施設の

減となっている（厚生労働省『衛生行政報告例』による）。

経営上の課題としては（複数回答）、「人件費の上昇」が49.8％（前回振興指針では記述なし）と最も多くあげており、次いで、「人手不足・求人難」が44.9％（前回振興指針では記述なし）、「施設・設備の老朽化」が35.2％（前回振興改正では34.1％）、「光熱費の上昇」が30.0％（前回振興指針では27.2％）、「他経費の上昇」が26.8％（前回振興指針では記述なし）となっている（厚生労働省『生活衛生関係営業経営実態調査』による。）。

また、日本政策金融公庫（以下「日本公庫」という。）が行った『生活衛生関係営業の景気動向等調査（令和元年7～9月期）』において、興行場営業の経営上の問題点は、多い順に「店舗施設の狭隘・老朽化」（54.5％）、「従業員の確保難（36.4％）」、「顧客数の減少（30.9％）」となっている。

従業員の過不足感としては、「適正」が54.0％となっている一方で、「不足」が44.0％と約4割を占めている（日本公庫『生活衛生関係営業の景気動向等調査特別調査（平成30年10～12月期）』による。）。

また、令和元年12月に確認された新型コロナウイルス感染症（COVID—19）（以下「新型コロナウイルス感染症」という。）の感染拡大は社会経済に大きな影響を与え、我が国の興行場営業も多大な影響を受けたところである。

新型コロナウイルス感染症の感染拡大に伴う事業への影響について、興行場営業（映画館）の営業者で、売上が減少したと回答した者は98.2％で、その売上の減少幅（令和2年2～5月の対前年比）は、「20％未満」が0.0％、「20％以上50％未満」が8.9％、「50％以上80％未満」が39.3％、「80％以上」が51.8％となっている（日本公庫『生活衛生関係営業の景気動向等調査（令和2年4～6月期）特別調査』による。）。

二　消費動向

1世帯あたり（2人以上の世帯）の映画・演劇等入場料の支出（平成29年）は6,447円で、10年前と比較して204円の増となっている（総務省『家計調査年報』による。）。

映画館入場者数（平成30年）は169,210千人で、10年前と比較して8,719千人の増となっている（一般社団法人日本映画製作者連盟の統計による。）。

また、総務省『平成28年社会生活基本調査』によれば、映画館以外での映画鑑賞をしている者は男性が52.6％、女性が51.6％、映画館での映画鑑賞をしている者は男性が36.8％、女性が42.2％となっている。

三　営業者の考える今後の経営方針

営業者の考える今後の経営方針としては（複数回答）、「接客サービスの充実」が58.9％（前回振興指針では47.2％）、「広告・宣伝等の強化」が48.8％（前回振興指針では32.1％）、「施設・設備の改装」が47.7％（前回振興指針では35.4％）、「飲食メニューの工夫」が46.7％（前回振興指針では27.6％）、「新しい映像技術の導入」が28.6％（前回振興指針では52.8％）、「営業時間の変更」が27.2％（前回振興指針では11.4

%)、「感謝デー等の行事の開催」が13.2%（前回振興指針では15.0%）となっている（厚生労働省『生活衛生関係営業経営実態調査』による。）。

また、興行場営業（映画館）を営む者が、新型コロナウイルス感染症収束後に予定している取組としては、「広報活動の強化」が57.9%、次いで「新たな販売方法の開拓」が36.8%、「新商品、新メニューの開発」が24.6%となっている一方、「特にない」が12.3%となっている（日本公庫『生活衛生関係営業の景気動向等調査（令和2年4～6月期）特別調査』による。）。

第二　前期の振興計画の実施状況

都道府県別に設立された興行場営業の組合（令和元年12月末現在で45都道府県で設立）においては、前期の興行場営業の振興指針（平成26年厚生労働省告示第76号）を踏まえ、振興計画を策定、実施しているところであるが、当該振興計画について、平成30年度末に実施した自己評価は次表のとおりである。

表　振興計画の実施状況についての各組合による自己評価

（単位：%）

	事業名	達成	概ね達成	主な事業
1	衛生に関する知識及び意識の向上に関する事業	36%	46%	・衛生管理等に関する講習会の開催 ・衛生管理マニュアル作成・配布
2	施設及び設備並びにサービスの改善に関する事業	35%	48%	・改装やデジタル化対応の設備の導入投資
3	利用者利益の増進に関する事業	83%	17%	・各種マニュアルの作成 ・中高生等の映画教室の開催 ・映画サービスデーの実施
4	経営マネジメントの合理化及び効率化に関する事業	33%	52%	・経営管理講習会、経営相談会の開催 ・映画盗撮防止セミナーの開催
5	営業者及び従業員の技能の向上に関する事業	32%	43%	・講習会の開催 ・接客マニュアルの作成・配布
6	配給会社等との良好な関係の構築に関する事業	64%	25%	・関係業界との情報交換会の開催
7	事業の共同化及び協業化に関する事業	38%	42%	・共同購入・共同広報の実施
8	従業員の福祉の充実に関する事業	50%	32%	・永年勤続者・優良従業員の表彰 ・定期健康診断の実施
9	事業の承継及び後継者支援に関する事業	37%	41%	・後継者育成支援のための研修会等の開催

				・青年部員の活動支援
10	環境の保全及び省エネルギー強化に関する事業	36%	50%	・省エネ機器の導入
11	少子高齢化社会への対応に関する事業	59%	24%	・シニア料金制度の実施指導
12	地域との共生に関する事業	56%	22%	・地域イベントへの参加 ・出張上映会の実施
13	東日本大震災への対応と節電行動の徹底に関する事業	29%	36%	・被災地域での映画上映会の実施 ・不要時の消灯等、節電の啓発

(注) 組合からの実施状況報告を基に作成。

　なお、国庫補助金としての予算措置（以下「予算措置」という。）については、平成23年度より、外部評価の導入を通じた効果測定の検証やPDCAサイクル（事業を継続的に改善するため、Plan（計画）―Do（実施）―Check（評価）―Act（改善）の段階を繰り返すことをいう。）の確立を目的として、「生活衛生関係営業の指針に関する検討会」の下に設けられた「生活衛生関係営業対策事業費補助金審査・評価会」において、補助対象となる事業の審査から評価まで一貫して行う等、必要な見直し措置を講じている。

　このため、組合及び生活衛生同業組合連合会（以下「連合会」という。）等においても、振興計画に基づき事業を実施する際は、事業目標及び成果目標を可能な限り明確化した上で、達成状況についても評価を行う必要がある。

　当該振興計画等の実現に向けて、組合、連合会等においては、本指針及び振興計画の内容について広報を行い、組合未加入営業者への加入勧誘及び組合未結成地域の営業者への組合結成の支援を図ることが期待されている。

　組合への加入、非加入は営業者の任意であるが、生衛法の趣旨及び組合の活動内容等を詳しく知らない新規開設者等の営業者がいることも考えられるため、都道府県、保健所設置市又は特別区（以下「都道府県等」という。）は、営業者による営業の許可申請又は届出等の際に、営業者に対して、生衛法の趣旨並びに関係する組合の活動内容、所在地、連絡先等について情報提供を行う取組の実施が求められる。

第三　興行場営業の振興の目標に関する事項
　一　営業者の直面する課題と地域社会から期待される役割

　　興行場営業は、娯楽・文化の身近な担い手として、国民生活を豊かにする上で欠かせない役割を果たしてきた。映画は、鑑る者に楽しさはもとより、感動や安らぎ、興味、関心を喚起し、学習の機会を提供するなど、人生に潤いをもたらし、豊かにさせるものといえる。こうした重要な役割を興行場営業が引き続き担い、国民生活の豊かさの向上に貢献できるよう、経営環境や国民のニーズ、衛生課題に適切に対応しつつ、各々の営業者の経営戦略に基づき、事業の安定と活力ある発展を図ることが求められる。

第4編　興行場

　特に、娯楽の多様化、家庭用ＤＶＤ・ブルーレイ、パーソナルコンピュータ、スマートフォン、タブレット端末、家庭用ゲーム機、衛星放送、都市型ケーブルテレビ等が普及する中で、他の娯楽との競争に打ち克ち、映画を発展させるためには、業界を挙げた対応が求められる。

　また、少子高齢化が進む中で、地域で身近で手軽な娯楽サービスとして年齢や障害の有無に関わらず、全ての国民が楽しめる拠点としての機能を積極的に担っていくことが期待される。特に、単独館の多くは中心市街地に立地しており、中心市街地の娯楽機能や賑わいの維持の観点からもその活性化が重要であり、地域のニーズを踏まえ独自性を発揮するなどの対応が期待される。

　また、新型コロナウイルス感染症の感染拡大に伴う売上減や経営維持、雇用確保等に対応するため、日本公庫の融資や国・自治体の補助金・助成制度を積極的に活用して早期に業績回復を図る必要がある。

二　今後5年間における営業の振興の目標
　1　衛生問題への対応
　　興行場営業は、一時に不特定多数の利用者を密閉性の高い施設に長時間収容して行うという営業形態上の特殊性を有している。利用者の安全衛生を確保するために、適切な空調設備の整備保全、清掃の励行や洗面所等汚染されやすい区画の消毒等清潔で安全な環境の維持に努めることは、営業者の責務である。

　　また、新型コロナウイルス感染症の感染拡大に伴い、我が国でも3つの「密」（密閉・密集・密接）の回避、人と人との距離を空ける、消毒や換気の徹底、業種別の感染拡大予防ガイドラインの遵守・徹底など、感染症対策に関する「新しい生活様式」に向けて徹底した衛生対策が求められている。

　　また、病原性が高い新型インフルエンザや同様に危険性のある新感染症が発生した場合に、国民生活・経済への影響を最小化する観点から、新型インフルエンザ等対策特別措置法（平成24年法律第31号）に基づく使用制限等の要請に適切かつ迅速に対応することが求められる。

　　また、施設によってはホットドッグ等の食品を取り扱う施設もあることから、食中毒の発生防止策を適切に講じるとともに、食をとりまく環境の変化等に対応し食品の安全を確保するため食品衛生法（昭和22年法律第233号）が改正され（平成30年法律第46号）、ＨＡＣＣＰの考え方を取り入れた営業者による衛生管理、広域的な食中毒事案の発生や拡大防止等に必要な措置等が盛り込まれており、その確実な実施が求められる。

　　衛生課題は、営業者の地道な取組が中心となる課題と、新型インフルエンザへの対応のように、営業者にとどまらず、保健所等衛生関係機関や都道府県生活衛生営業指導センター（以下「都道府県指導センター」という。）等との連携を密にして対応すべき課題とに大別される。

　　衛生問題は、営業者が一定水準の衛生管理を行っている場合、通常、頻繁に発生するものではないため、発生防止に必要な費用及び手間について判断しにくい特質

がある。しかし、一旦、衛生上の問題が発生した場合には、多くの利用者に被害が及ぶことはもとより、営業自体の継続が困難になる可能性があることから、日頃からの地道な衛生管理の取組が重要である。

また、こうした衛生問題は、個々の営業者の問題にとどまらず、業界全体に対する信頼の失墜、国民の健康被害やこれに伴う社会的影響をもたらすことにもつながることから、組合及び連合会には、組合員、非組合員双方の営業者が自覚と責任感を持ち、衛生水準の向上が図られるよう、継続的に知識及び意識向上に資する普及啓発や適切な指導及び支援に努めることが求められる。

とりわけ、零細な営業者は重要な公衆衛生情報の把握が困難となる場合が考えられるため、これら営業者に対する組合加入の促進や公衆衛生情報の提供が円滑に行われることが期待される。

2　経営方針の決定と利用者及び地域社会への貢献

映画は古くから国民の間に定着した代表的な娯楽であるが、家庭でも楽しめる娯楽が増加するなど、娯楽の多様化が進んでいる。映画の入場者数は、ヒット作品の有無など映画作品に大きく左右されるが、営業者としても、利用者のニーズを的確に把握し、利用者が望む映画を快適な環境で鑑賞できるような魅力的な施設づくりを進める必要がある。

(1)　消費者ニーズの把握と創意工夫による経営展開

映画人口の底上げを図るため、家庭では体験できない映画館ならではの大画面・高音質・臨場感を他の観客と同時に共有できるといった映画館の魅力を消費者に訴求していくことが業界の課題といえる。

このため、年齢、日時、対象者に応じた戦略的な割引制度や会員カードの発行、各種イベントの実施などを通じて、映画館の魅力を伝える機会を創出することが重要である。特に、今後、高齢化の進展により、シニア層向けのサービス需要の拡がりが期待されることから、シニア層のニーズに応じたサービスの展開が重要となる。また、若い世代を取り込むための工夫や、子育て世帯など新たな顧客層の開拓を進めていくことも必要である。さらに、映画紹介、独自の上映企画の企画、上映リクエストの多い映画の上映など、創意工夫を活かし、地域の映画ファンを増やしていくような取組も期待される。

さらに、収益源の多様化の観点から、ＯＤＳ（アザー・デジタル・スタッフ）と呼ばれるスポーツや演劇、コンサートのライブ中継など映画作品以外のコンテンツ上映を拡大していくことも考えられる。また、結婚披露宴などイベント事業に映画館を有効に活用することも、地域の人々に映画館の魅力を伝える機会にもつながるものと期待される。

こうした新たなサービスの構築は、映画館の営業はもとより、映画鑑賞前後の消費や地域の賑わいにつながるなど、地域の活性化にも貢献することが期待される。

また、映画館におけるデジタル化への設備投資は進んでおり、現在、概ね9割

の映画館でデジタル化が行われている。デジタル化は経営の合理化に資することはもとより、映画館の機能の多様化の面でも有効であり、更なる推進が重要である。

さらに、建築物の耐震改修の促進に関する法律（平成7年法律第123号）の一部改正（平成17年法律第120号）により、興行場をはじめ不特定多数の者が利用する建築物について耐震化の対応が求められている。

また、映画の盗撮の防止に関する法律（平成19年法律第65号）（以下「映画盗撮防止法」という。）により、映画館における録音・録画行為は著作権の侵害となり違法であることについて、利用者へ周知を図っていく必要がある。

(2) 高齢者、障害者及び子育て世帯等への配慮

高齢化が進展する中で、シニア層向けのサービスの提供は、単に売上げを伸ばすだけでなく、地域社会が抱える問題の課題解決や地域経済の活性化にも貢献するものである。

また、障害を理由とする差別の解消の推進に関する法律（平成25年法律第65号。以下「障害者差別解消法」という。）において、障害者の社会参加の推進がますます求められていることを踏まえ、専門性や独自のこだわり等の特性を活かしつつ、高齢者や障害者等が利用しやすい設備の整備など、これらのニーズにきめ細かに応じたサービスの提供を積極的に行っていくことが求められているとともに、同法において、民間事業者は、障害者に対し合理的な配慮を行うよう努めなければならない、とされていることから、ソフト、ハード両面におけるバリアフリー化及びユニバーサルデザイン化の取組を進める必要がある。

また、子育て世帯が安心・安全にサービスを利用できるための配慮も合わせて求められる。

(3) 省エネルギーへの対応

節電などの省エネルギーによる経営の合理化、コスト削減、環境保全に資するため、不要時の消灯や照明ランプの間引き、LED照明装置やエネルギー効率の高い空調設備等の導入等を推進することが期待される。

(4) 訪日・在留外国人への配慮

訪日外国人旅行者の急増に加え、外国人労働者や在留外国人も増加していることから、興行場営業においても、外国語表記の充実や外国人とのコミュニケーション能力の向上、キャッシュレス決済等の導入を図ることが求められる。

(5) 受動喫煙防止への対応

受動喫煙（人が他人の喫煙によりたばこから発生した煙にさらされること）については、健康に悪影響を与えることが科学的に明らかにされており、国際的に見ても、「たばこの規制に関する世界保健機関枠組条約」の締結国として、国民の健康を保護するために受動喫煙防止を推進することが求められている。

そのため、受動喫煙による健康への悪影響をなくし、国民・労働者の健康の増進を図る観点から、健康増進法（平成14年法律第103号）の一部改正（平成30年

法律第78号）及び労働安全衛生法（昭和47年法律第57号）により、望まない受動喫煙が生じないよう、多数の者が利用する施設の管理者や営業者は受動喫煙を防止するための措置を講じることとされており、興行場営業においても、受動喫煙防止の強化を図り、その実効性を高めることが求められる。

3 税制及び融資の支援措置

組合又は組合員は、生活衛生関係営業の支援等の一つとして、税制優遇措置及び日本公庫を通した低利融資を受ける仕組みがある。

税制優遇措置については、組合が共同利用施設を取得した場合の特別償却制度が設けられており、組合において共同研修施設の建設、共同蓄電設備等の購入時や組合の会館を建て替える際などに活用することができる。

融資については、対象設備及び運転資金について、振興計画を策定している組合の組合員である営業者が借りた場合は、組合員でない営業者が借りる場合よりも低利の融資を受けることができる。また、各都道府県の組合が作成した振興計画に基づき、一定の会計書類を備えている営業者が所定の事業計画を作成して設備資金及び運転資金を借りた場合には、さらに低利の融資を受けることができる振興事業促進支援融資制度が設けられており、特に設備投資を検討する営業者には、積極的な活用が期待される。

加えて、組合の経営指導を受けている小規模事業者においては、低利かつ無担保・無保証で融資を受けることができる生活衛生関係営業経営改善資金特別貸付制度が設けられており、積極的な活用が期待される。

三 関係機関に期待される役割

1 組合及び連合会に期待される役割

組合は、公衆衛生の向上及び利用者の利益の増進に資する目的で、組合員たる営業者の営業の振興を図るための振興計画を策定することができる。組合には、地域の実情に応じ、適切な振興計画を策定することが求められる。

組合及び連合会には、予算措置や独自の財源を活用して、営業者の直面する衛生問題及び経営課題に対する適切な支援事業を実施することが期待される。

事業の実施に際しては、有効性及び効率性（費用対効果）の観点から、計画期間に得られる成果目標を明確にしながら事業の企画立案及び実施を行い、得られた成果については適切に効果測定する等、事業の適切かつ効果的な実施に努めることが求められる。

また、事業効果を最大限発揮し事業成果を広く国民や社会に還元できるよう、都道府県指導センター、保健所等衛生関係行政機関、日本公庫支店等との連携及び調整を行うことが期待される。

2 都道府県等、都道府県指導センター及び日本公庫に期待される役割

営業許可申請等各種申請や届出、研修会、融資相談などの様々な機会を捉え、新規営業者をはじめとする組合未加入の事業者に対し、組合に関する情報提供を行うとともに組合活動の活性化のための取組等を積極的に行うことが期待される。

また、多くの営業者が経営基盤が脆弱な中小零細営業者であることに鑑み、都道府県指導センター及び日本公庫において、組合と連携しつつ、営業者へのきめ細かな相談、指導その他必要な支援等を行い、予算措置、融資による金融措置（以下「金融措置」という。）及び税制優遇措置等の有効的な活用を図ることが期待される。

とりわけ、金融措置については、審査及び決定を行う日本公庫において営業者が利用しやすい融資の実施、生活衛生関係営業に係る経済金融事情等の把握及び分析に努め、関係団体に情報提供するとともに、日本公庫と都道府県指導センターが協力して、融資手続や事業計画の作成に不慣れな営業者への支援の観点から、融資に係るきめ細かな相談及び融資手続の簡素化を行うことが期待される。低利融資制度については、各々の営業者の事業計画作成が前提とされることから、本指針の内容を踏まえ、営業者の戦略性を引き出す形での指導を行うことが求められる。

加えて、都道府県指導センターにおいて、組合が行う生活衛生関係営業経営改善資金特別貸付に係る審査を代行するなど、金融措置の利用の促進を図ることが期待される。

3　国及び公益財団法人全国生活衛生営業指導センターに期待される役割

国及び公益財団法人全国生活衛生営業指導センター（以下「全国指導センター」という。）は、公衆衛生の向上及び営業の健全な振興を図る観点から、都道府県等及び連合会と適切に連携を図り、信頼性の高い情報の発信及び的確な政策ニーズの把握等を行う必要がある。また、予算措置、金融措置及び税制優遇措置を中心とする政策支援措置については、営業者の衛生水準の確保及び経営の安定に最大限の効果が発揮できるよう、安定的に所要の措置を講じるとともに、制度の活性化に向けた不断の改革の取組が必要である。

国は都道府県等に対し、営業許可申請等各種申請や届出等の機会に組合未加入の営業者への組合に関する情報提供ならびに組合活動の活性化のための取組等を求めるものとする。

第四　興行場営業の振興の目標を達成するために必要な事項

興行場営業の目標を達成するために必要な事項としては、次に掲げるように多岐にわたるが、営業者においては、衛生水準の向上等のために必須で取り組むべき事項と、戦略的経営を推進するために選択的に取り組むべき事項の区別を行うことで、課題解決と継続的な成長を可能にし、国民生活の向上に貢献することが期待される。

また、組合及び連合会においては、組合員である営業者等に対する指導及び支援並びに利用者の興行場営業への信頼向上に資する事業の計画的な推進が求められる。

このために必要となる具体的取組としては、次に掲げるとおりである。

一　営業者の取組

1　衛生水準の向上に関する事項

営業者は、シックハウス等室内の化学物質による健康への影響についての関心の高まりや新たな感染症の発生状況等に配慮しつつ、公衆衛生の見地からの対策を講

じることを要請されている。このため、自館の営業形態、施設及び設備等に応じた、快適な温度及び空気環境の確保、トイレ等の清掃の徹底、衛生教育の充実による従業員の資質の向上等衛生水準の維持向上のためのサービスの充実・強化を図り、利用者が清潔かつ衛生的な環境で快適に映画を楽しめるよう衛生管理に努めるものとする。特に最近、新型インフルエンザの発生が危惧されていることから、営業者自らが、従業員に対し衛生管理に関する模範を示すとともに、従業員の健康管理に十分留意し、従業員に対する衛生教育及び監督指導に当たることが必要である。

また、新型コロナウイルス感染症の感染拡大に伴い、我が国でも3つの「密」(密閉・密集・密接)の回避、人と人との距離を空ける、消毒や換気の徹底、業種別の感染拡大予防ガイドラインの遵守・徹底など、感染症対策に関する「新しい生活様式」に向けて徹底した衛生対策を行う必要がある。

また、営業者は、利用者が信頼し、安心できる商品を提供するため、店舗の衛生管理、従業員の清潔な着衣の使用、手洗いの励行等により食中毒等食品衛生上の問題が発生しないよう努めるとともに、HACCPに沿った衛生管理を行う必要がある。

さらに、営業者は、消防法（昭和23年法律第186号）等の関係法令を踏まえた非常口表示等の措置を講じ、従業員の安全教育の徹底を図るとともに、地域との連携を密にした防災・避難対策や上映前の入場者に対する適切な情報提供を行うことが必要である。

2 経営課題への対処に関する事項

個別の経営課題への対処については、営業者の自立的な取組が前提であるが、営業を通じて娯楽を提供し、国民生活の向上に貢献する観点から、営業者においては、次に掲げる事項を念頭に置き、経営改革に積極的に取り組むことが期待される。

特に、地方都市の単独館では、営業者が変わることはほとんどないため、経営手法が固定的になりやすい面があるが、シネマコンプレックスとの間で広域的な競争のもと厳しい競争にあることから、以下の事項も積極的に採り入れ、地域の実情に応じた方策を検討することが期待される。

(1) 経営方針の明確化及び独自性の発揮に関する事項

現在置かれている経営環境や市場を十分に把握、分析し、自館や地域の特性を踏まえ、強みを見出し、経営方針を明確化し、自館の付加価値や独自性を高めていくとともに、経営管理の合理化及び効率化を図ることが必要である。

ア 自館の立地条件、顧客層、資本力、経営能力等の経営上の特質の把握
イ 周辺競合館に関する情報収集と比較
ウ ターゲットとする顧客層の特定
エ 自館のコンセプト及び経営戦略の明確化
オ 多様な顧客層の開拓・周知のための企画

カ　飲食等の附帯的サービスの強化
キ　自館の有効活用による収益源の多様化
ク　地域の飲食店等との提携
ケ　若手人材の活用による経営手法の開拓
コ　顧客や地域のニーズに沿った上映時間の見直し
サ　都道府県指導センター等の経営指導機関による経営診断の積極的活用
(2)　サービスの見直し及び向上に関する事項
　　利用者のニーズやライフスタイルの変化に的確に対応し、利用者が安心して利用できるよう、自館の魅力を増し、顧客の満足度を向上させるとともに、新たな顧客を獲得することが重要であることから、以下の事項を選択的に取り組むことが期待される。
ア　映画紹介イベントや交流会の開催など映画ファンの拡大
イ　年齢、日時、対象者に応じた割引制度の実施
ウ　会員カードの発行
エ　スポーツや演劇、コンサートのライブ中継など映画作品以外のコンテンツの上映
オ　結婚披露宴などイベント事業の展開
カ　上映リクエストの多い映画の上映
キ　関連書籍、DVD、ブルーレイ、キャラクターグッズ等の関連物品の販売
ク　喫茶、売店コーナー等附帯事業の充実
ケ　子育て世帯など新たな顧客層の開拓のための独自サービスの実施
コ　地域の飲食店等と提携したサービスの提供
サ　利用者のアンケート箱の設置などによる利用者の要望の調査
シ　優秀な人材の獲得、若手従業員の育成・指導、資質向上
ス　魅力ある職場づくり（人と人の心のチームワーク）
セ　ホームページの開設等情報通信技術を活用した積極的な情報発信
ソ　地域のケーブルテレビ等を活用した広告宣伝
タ　クレジットカード決済、電子決済の導入・普及
(3)　施設及び設備の改善並びに業務改善等に関する事項
　　営業者は、利用者が清潔かつ衛生的な環境で快適に映画を楽しめるよう衛生管理に努めるとともに、近年の省エネルギー及び節電の要請やバリアフリーの視点を踏まえた施設及び設備の改善並びに業務改善等を図るため、以下の事項に取り組むことが期待される。
ア　清潔で魅力的な施設に向けた定期的な内外装の改装
イ　快適な椅子の設置
ウ　映像・音響設備の改善
エ　デジタル化への対応
オ　3D（立体映画）上映対応

カ　施設の耐震化
キ　高齢者、障害者等に配慮したバリアフリー対策の実施
ク　バリアフリー映画への対応
ケ　利用者の安全衛生及び従業者の労働安全衛生の観点から施設の整備・改善
コ　節電・省エネルギーの推進
サ　経営の合理化・効率化のための改善
シ　都道府県指導センターなどが開催する生産性向上等を図るためのセミナー等への参加及び業務改善助成金等各種制度の活用
(4)　人材育成及び自己啓発の推進に関する事項
　　従業員の企画、顧客管理、接客等の技術の向上、映写技師の確保等を図るため、組合等の研修会、講習会等も活用しつつ、その資質の向上を図るとともに、適切な労働条件や健康管理を図る必要がある。
二　営業者に対する支援に関する事項
　1　組合及び連合会による営業者の支援
　　　組合及び連合会においては、営業者の自立的な経営改革を支援する都道府県指導センター等の関係機関との連携を密にし、次に掲げる事項を中心に積極的な支援に努めることが期待される。
　　　また、支援に当たっては、関係機関が作成する、営業者の経営改善に役立つ手引や好事例集等を効果的に活用すること、及び関係機関が開催する生産性向上等を推進するためのセミナー等に関して組合員に対する参加の促進等必要な協力を行うことが期待される。
　(1)　衛生に関する知識及び意識の向上に関する事項
　　　営業者に対して衛生管理を徹底するための研修会及び講習会の開催、衛生管理に関するパンフレット及びHACCPの考え方を取り入れた衛生管理を推進するための手引書の作成等に係る指導及び助言に努めることが期待される。
　(2)　サービス、施設及び設備の改善並びに業務の効率化に関する事項
　　　衛生水準の向上、経営マネジメントの合理化及び効率化、消費者の利益の増進等のため、サービス、施設及び設備の改善並びに業務の効率化に関する指導、助言、情報提供、ICTの活用に係るサポート等、必要な支援に努めることが期待される。
　　　また、高齢者、障害者等の利便性を考慮した施設の設計やサービスの提供等について研究を行い、その成果の普及に努めることが期待される。
　(3)　利用者利益の増進及び商品の提供方法に関する事項
　　　利用者のニーズの多様化に応えるために必要な新技術の研究、催事の開催等利用者に対する映画館営業に関する啓発活動、共通利用ができる映画鑑賞券の発行の検討並びに利用者の動向や意識を把握するための市場調査及び映画制作会社、映画配給会社等関連業界に対する当該情報の提供に努めるとともに、国民に対して映画館における映画鑑賞の魅力を宣伝することに努めることが期待される。

(4) 経営マネジメントの合理化及び効率化に関する事項

先駆的な経営事例等経営管理の合理化及び効率化に必要な情報、地域的な経営環境条件に関する情報及び業界の将来の展望に関する情報の収集及び整理並びに営業者に対するこれらの情報提供に努めるものとする。さらに、関係機関との連携の下で、創業や事業承継における助言・相談の取組の推進が期待される。

また、映画盗撮防止法の施行により映画館における録音・録画行為は著作権の侵害となり禁止されたことに伴う利用者への周知方法等について営業者に情報提供するとともに、国民に対し映画盗撮防止法の趣旨の伝達に努めるものとする。

さらに、映画産業のデジタル化に伴うデジタルシネマへの移行について、情報提供等による支援に努めることが期待される。

(5) 経営課題に即した相談支援に関する事項

営業者が直面する様々な経営課題に対して、経営特別相談員による経営指導事業の周知に努めるとともに、これを金融面から補完する生活衛生関係営業経営改善資金特別貸付制度の趣旨や活用方法の周知が期待される。

(6) 営業者及び従業員の技能の向上に関する事項

営業者の特質に応じて作成する接客マニュアルの作成の指導助言に努めることが期待される。

(7) 事業の共同化及び協業化に関する事項

事業の共同化及び協業化の企画立案並びに実施に係る指導に努めることが期待される。

(8) 配給会社等取引関係との良好な関係の構築に関する事項

単独館が、配給制度、割引制度等について、配給会社等との間で良好な関係を築くために行う情報収集及び連絡調整の支援に努めることが期待される。

(9) 従業員の福利の充実に関する事項

従業員の労働条件整備及び労働関係法令の遵守に関する助言、作業環境の改善及び健康管理充実（定期健康診断の実施等を含む。）のための支援、医療保険、年金保険及び労働保険の加入等に係る啓発、組合員等の大多数の利用に資する福利厚生の充実並びに共済等制度（退職金、生命保険等をいう。）の整備及び強化に努めるものとする。

さらに、男女共同参画社会の推進及び少子高齢化社会の進展を踏まえ、従業員の福利の充実に努めることが期待される。

(10) 事業の承継及び後継者育成支援に関する事項

営業者の高齢化が急激に進んでいることから、事業の円滑な承継に関するケーススタディ及び成功事例等の経営知識や各地域にある事業承継に関する相談機関及び最新の関連税制についての情報提供並びに後継者育成支援の促進を図るために必要な支援体制の整備に努めることが期待される。

2 行政施策及び政策金融による営業者の支援及び消費者の信頼の向上

(1) 都道府県指導センター

組合との連携を密にして、以下に掲げる事項を中心に積極的な取組に努めることが期待される。
 ア 関係機関等が作成する手引や好事例集等を効果的に活用した、営業者に対する経営改善の具体的指導、助言等の支援
 イ 利用者からの苦情及び要望の営業者への伝達
 ウ 利用者の信頼の向上に向けた積極的な取組
 エ 都道府県等と連携した組合加入促進に向けた取組
 オ 連合会及び都道府県等と連携した振興計画を未策定の組合に対する指導・支援
 カ 生産性向上や業務改善を推進するためのセミナー等の開催

(2) 全国指導センター
  都道府県指導センターの取組を推進するため、以下に掲げる事項を中心に積極的な取組に努めることが期待される。
 ア 関係機関等が作成する手引や好事例集等、営業者の経営改革の取組に役立つ情報の収集、整理及び情報提供
 イ 危機管理マニュアルの作成
 ウ 苦情処理マニュアルの作成
 エ 効果測定の支援及び政策提言機能の強化
 オ 公衆衛生情報の提供機能の強化

(3) 国及び都道府県等
  興行場営業に対する利用者の信頼の向上及び営業の健全な振興を図る観点から、以下に掲げる事項を中心に積極的な取組に努める。
 ア 興行場に関する指導監督
 イ 興行場に関する情報提供その他必要な支援
 ウ 災害又は事故、新型インフルエンザ発生時等における適時、適切な対策、風評被害防止策の実施
 エ 営業者の経営改善に役立つ手引や好事例集等の作成・更新及び各種支援策の周知

(4) 日本公庫
  営業者の円滑な事業実施に資するため、以下に掲げる事項を中心に積極的な取組に努めることが期待される。
 ア 営業者が利用しやすい融資の実施
 イ 生活衛生関係営業に係る経済金融事情等の把握、分析及び情報提供
 ウ 組合等と連携した経営課題の解決に資するセミナーの開催及び各種印刷物の発行による情報提供
 エ 災害時等における速やかな相談窓口の設置
 オ 事業承継の円滑化に資する情報提供

第五 営業の振興に際し配慮すべき事項

第4編　興行場

　　興行場営業においては、他の生活衛生関係営業と同様に、衛生水準の確保と経営の安定のみならず、営業者の社会的責任として環境の保全や省エネルギーの強化に努めるとともに、時代の要請である少子高齢化社会等への対応、禁煙等に関する対策、地域との共生、災害への対応及び従業員の賃金引上げに向けた対応、働き方・休み方改革への対応といった課題に応えていくことが要請される。こうした課題への対応は、個々の営業者が中心となって関係者の支援の下で行われることが必要であり、かつ適切に対応することを通じて、地域社会に確固たる位置付けを確保することが期待される。

一　少子高齢化社会等への対応
　1　営業者に期待される役割
　　　営業者は、高齢者、障害者、一人暮らしの者、妊産婦、子育て世帯及び共働き世帯等が住み慣れた地域社会で安心かつ充実した日常生活を営むことができるよう、以下に掲げる事項を中心に積極的な取組に努めることが期待される。
　　(1)　高齢者、障害者、妊産婦及び子ども連れの利用者等に配慮した積極的なバリアフリー対策の実施
　　(2)　車椅子用の鑑賞スペースの確保
　　(3)　バリアフリー映画の普及に向けた取組
　　(4)　託児施設との連携
　　(5)　授乳室やベビーチェアの設置
　　(6)　障害者差別解消法の規定に基づく障害者への合理的配慮
　　(7)　従業員に対する教育及び研修の充実・強化
　　(8)　子育て世帯、共働き世帯等が働きやすい職場環境の整備
　　(9)　地域社会とのつながりを強化する観点も含めた地域の高齢者・障害者等の積極的雇用の推進
　　(10)　受動喫煙防止への対応
　　(11)　高齢者、障害者、妊産婦等への優しい環境の実現
　2　組合及び連合会に期待される役割
　　　高齢者、障害者、妊産婦及び子ども連れの利用者等の利便性を考慮した施設設計やサービス提供に係る研究を実施する。
　3　日本公庫に期待される役割
　　　高齢者、障害者、妊産婦及び子ども連れの利用者等の利用の円滑化を図るために必要な設備（バリアフリー化等）導入時に、振興事業貸付等が積極的に活用されるよう、引き続き制度の周知等を図る。
二　地域との共生（地域コミュニティの再生及び強化（商店街の活性化））
　1　営業者に期待される役割
　　　営業者は、地域住民に対して興行場営業の存在、提供する商品及びサービスの内容並びに営業の社会的役割及び意義をアピールするとともに、新たなニーズに対応し、地域のセーフティーネットとしての役割や地域コミュニティの基盤である商店

街における重要な構成員としての位置付けが強化されるよう、以下に掲げる事項を中心に積極的に取り組むことで、地域コミュニティの再生及び強化や商店街の活性化につなげることが期待される。
(1) 地域の街づくりへの積極的な参加
　ア　祭りや商店街による手作りイベント等共同事業の立案及び参加
　イ　地域・商店街の活性化を通じた地域生活者の「ふれあい」、「憩い」、「賑わい」の創出
(2) 地域、地方公共団体、関係機関との連携による災害時の帰宅困難者への支援
(3) 福祉施設等での移動映画の上映
(4) 共同ポイントサービス事業及びスタンプ事業の実施
(5) 地域の防犯、消防、防災、交通安全及び環境保護活動の推進に対する協力
(6) 青少年に対する風紀面の配慮
(7) 暴力団排除等への対応
(8) 災害対応能力及び危機管理能力の維持向上
2　組合及び連合会に期待される役割
(1) 地域の自治体等と連携し、社会活動の企画、指導及び援助ができる指導者を育成
(2) 業種を超えた相互協力の推進
(3) 地域における特色ある取組の支援
(4) 自治会、町内会、地区協議会、ＮＰＯ、大学等との連携活動の推進
(5) 地域・商店街役員への興行場営業の若手経営者の登用
(6) 地域における事業承継の推進（承継マッチング支援）
(7) 地域、商店街活性化に資する組合活動事例の周知
3　日本公庫に期待される役割
　きめ細かな相談、融資の実施等により営業者及び新規開業希望者を支援する。
三　環境の保全及び省エネルギーの強化
1　営業者に期待される役割
(1) 省エネルギー対応の空調設備、太陽光発電設備等の導入
(2) 節電に資する人感センサー、ＬＥＤ照明、蓄電設備等の導入
(3) 廃棄物の最小化、分別回収の実施
(4) 温室効果ガス排出の抑制につながる施策及び省エネルギーへの啓発
2　組合及び連合会に期待される役割
(1) 廃棄物の最小化、分別回収の普及啓発
(2) 業種を超えた組合間の相互協力
3　日本公庫に期待される役割
　省エネルギー設備導入時に、振興事業貸付等が積極的に活用されるよう、引き続き制度の周知を図る。
四　禁煙等に関する対策

第4編　興行場

1　営業者に求められる役割
望まない受動喫煙の防止を図るため、以下の措置を講じることが求められる。
(1)　施設内の禁煙の徹底及び喫煙専用室等の設置
(2)　受動喫煙による健康影響が大きい子どもなど20歳未満の者、患者等への配慮
(3)　従業員に対する受動喫煙防止対策
2　組合及び連合会に期待される役割
効果的な受動喫煙防止対策に関する情報提供を行い、併せて制度周知を図る。
3　国及び都道府県等の役割
受動喫煙防止に関する制度周知や受動喫煙防止対策に有効な予算措置、金融措置等に関する情報提供を行う。
4　日本公庫に期待される役割
受動喫煙防止設備の導入時に、振興事業貸付等が積極的に活用されるよう、引き続き制度の周知等を図る。

五　災害への対応と節電行動の徹底
我が国は、その位置、地形、地質、気象等の自然的条件から、台風、豪雨、豪雪、洪水、土砂災害、地震、津波、火山噴火等による災害が発生しやすい国土となっており、継続的な防災対策及び災害時の地域支援を含めた対応並びに節電行動への取組が期待される。

1　営業者に期待される役割（災害時は営業者自身の安全を確保した上で対応する。）
(1)　災害発生前段階における防災対策の実施及び災害対応能力の維持向上
(2)　地域における防災訓練への参加及び自店舗等での防災訓練の実施
(3)　近隣住民等の安否確認や被災状況の把握及び自治体等への情報提供
(4)　地震等の大規模災害が発生した場合における、地域住民への支援
(5)　被災した営業者のみならず営業者全体による相互扶助と連携の下での役割発揮
(6)　災害発生時における、被災営業者の営業再開を通じた被災者への支援及び地域コミュニティの復元
(7)　従業員及び利用者に対する節電啓発
(8)　中長期の節電に資する省エネルギー対応の設備の導入
(9)　節電を通じた経営の合理化
(10)　電力制約下における新たな需要（ビジネス機会）の取り込み

2　組合及び連合会に期待される役割
(1)　営業者及び地域並びに災害種別を想定した防災対策への支援
(2)　同業者による支え合い（太い「絆」で再強化）
(3)　災害発生時の被災者の避難誘導などを通じた帰宅困難者防止等への取組
(4)　被災した地域住民へのボランティアに関する呼びかけ
(5)　節電に資する共同利用施設（共同蓄電設備等）の設置
(6)　節電啓発や節電行動に対する支援

3　国及び都道府県等の役割

過去の災害を教訓とした防災対策や情報収集、広報の実施等、以下に掲げる事項を中心に積極的な取組に努める。
　(1)　過去の災害を教訓とした緊急に実施する必要性が高く、即効性の高い防災、減災等の施策
　(2)　節電啓発や節電行動の取組に対する支援
4　日本公庫に期待される役割
　災害発生時には、被災した営業者に対し低利融資を実施し、きめ細やかな相談及び支援を行う。

六　最低賃金の引上げを踏まえた対応（生産性向上を除く。）
　最低賃金については、政府の目標として「年率3％程度を目途として、名目GDP成長率にも配慮しつつ引き上げ、全国加重平均が1,000円となることを目指す」ことが示されていることから、以下に掲げる事項を中心に積極的な取組に努める必要がある。
1　営業者に求められる役割
　(1)　最低賃金の遵守
　(2)　業務改善助成金及びキャリアアップ助成金等各種制度の必要に応じた活用
　(3)　関係機関が開催する最低賃金に関するセミナー等への参加を通じた最低賃金制度の理解
2　組合及び連合会に期待される役割
　(1)　最低賃金の制度周知
　(2)　助成金の利用促進
　　助成金等各種制度や関係機関が開催する最低賃金に関するセミナー等の周知を図る。
3　都道府県指導センターに期待される役割
　(1)　最低賃金の周知
　　従業員等の最低賃金違反に関する相談窓口（労働基準監督署等）の周知を図る。
　(2)　助成金の利用促進に向けた体制の整備
　　助成金等の申請に係る支援の周知や相談体制の整備を図る。
　(3)　関係機関との連携によるセミナー等の開催
　　労働局等との連携により経営相談事業等を実施するほか、関係機関との連携により最低賃金に関するセミナー等を開催する。
4　国及び都道府県等の役割
　(1)　営業許可等を行っている自治体における事業者向け講習会等の機会を利用した周知
　(2)　営業許可等の際における窓口での個別周知
　(3)　研修会等を通じた助成金制度の周知
5　日本公庫に期待される役割

従業員の賃金引上げや人材確保に必要な融資に、振興事業貸付等が積極的に活用されるよう、引き続き制度の周知等を図る。
七　働き方・休み方改革に向けた対応
　従業員がそれぞれの事情に応じた多様な働き方を選択できる職場環境を作ることで人材の確保や生産性の向上が図られるよう、営業者には長時間労働の是正や雇用形態に関わらない公正な待遇の確保、また、職場のハラスメント対策に必要な措置を図ることが求められる。
1　営業者に求められる役割
　(1)　時間外労働の上限規制及び月60時間超の時間外割増賃金率の引上げへの対応による長時間労働の是正
　(2)　年5日の年次有給休暇の確実な取得
　(3)　雇用形態や就業形態に関わらない公正な待遇の確保
　(4)　従業員に対する待遇に関する説明義務
　(5)　セクシュアルハラスメントやパワーハラスメント等職場のハラスメント対策
2　組合及び連合会に期待される役割
　相談窓口及び関係機関が開催するセミナー等の周知を図る。
3　都道府県指導センターに期待される役割
　相談窓口及び関係機関が開催するセミナー等の周知を図る。
4　国及び都道府県等の役割
　(1)　営業許可等を行っている自治体における事業者向け講習会等の機会を利用した制度周知
　(2)　営業許可等の際における窓口での制度周知
　(3)　研修会等を通じた制度周知
5　日本公庫に期待される役割
　従業員の長時間労働の是正や非正規雇用の処遇改善に取り組むために必要な融資に、振興事業貸付等が積極的に活用されるよう、引き続き制度の周知等を図る。

Ⅱ 基本通知編

第1章 共通事項

○許可、認可等の整理に関する法律の公布について（抄）

> 昭和54年12月28日　環企第183号
> 各都道府県知事・各政令市市長・各特別区区長宛　厚生省環境衛生局長通知

　許可、認可等の整理に関する法律は、別添のとおり、昭和54年12月25日法律第70号をもって公布されたところであるが、これによって興行場法（昭和23年法律第137号）、旅館業法（昭和23年法律第138号）、公衆浴場法（昭和23年法律第139号）、へい獣処理場等に関する法律（昭和23年法律第140号）及び狂犬病予防法（昭和25年法律第247号）の一部がそれぞれ改正されたので、下記に十分留意の上その取扱いに遺憾のないようにされたい。

記

第１　改正の趣旨
　　行政の簡素化及び合理化を促進するため、規制の方法又は手続きを簡素化することが適当と認められるものについては規制を緩和し、また、下部機関等において処理することが能率的であり、かつ、実情に即応すると認められるものについては処分権限の委譲を行ったものであること。

第２　改正の内容及び運用上の注意
　１　興行場法、旅館業法及び公衆浴場法関係
　　　興行場、旅館業及び公衆浴場の営業許可等の事務は、保健所を設置する市にあっては市長が行うものとしたこと。
　２　へい獣処理場等に関する法律関係　略
　３　狂犬病予防法関係　略

第３　施行期日
　　各都道府県及び保健所を設置する市の事務処理規程、手数料徴収規則の制定改廃、事務の引継ぎ等行政機関内部の事務処理体制の整備に時間を要することを考慮し、興行場法、旅館業法、公衆浴場法及びへい獣処理場等に関する法律の一部改正については、公布の日から起算して６か月を超えない範囲内において政令で定める日より、狂犬病予防法の一部改正については、公布の日から起算して３か月を超えない範囲内において政令で定める日より施行するものとしたこと。

第４　その他
　　旅館業法の改正により旅館業の営業許可等の事務は、保健所を設置する市にあっては市長が行うこととされたことに伴い、飲食店営業でホテル又は旅館を兼ねるものの営業

第4編　興行場

　許可等に関する食品衛生法施行令第8条の規定も改正する予定であること。
別添　略

○許可、認可等の整理に関する法律の一部の施行期日を定める政令等の公布について（抄）

> 昭和55年5月9日　環指第82号
> 各都道府県知事・各政令市市長・各特別区区長宛　厚
> 生省環境衛生局長通知

　許可、認可等の整理に関する法律の一部の施行期日を定める政令、へい獣処理場等に関する法律施行令の一部を改正する政令及び興行場法施行規則等の一部を改正する省令が別添のとおり、昭和55年5月1日政令第118号、政令第120号及び厚生省令第16号をもってそれぞれ公布されたので、下記事項に留意の上、その取扱いに遺憾のないようにされたい。

記

1　許可、認可等の整理に関する法律の一部の施行期日を定める政令関係
　　昭和54年12月25日法律第70号をもって公布された許可、認可等の整理に関する法律の興行場法、旅館業法、公衆浴場法及びへい獣処理場等に関する法律の一部改正に係る規定の施行期日は、昭和55年6月1日としたこと。
2　へい獣処理場等に関する法律施行令の一部を改正する政令関係　略
3　興行場法施行規則等の一部を改正する省令関係
　(1)　興行場法施行規則、旅館業法施行規則及び公衆浴場法施行規則関係
　　　営業の許可等の事務が保健所を設置する市の市長に委譲されることに伴い、許可申請等の規定について、所要の整備を行ったこと。
　(2)　へい獣処理場等に関する法律施行規則関係　略
　(3)　環境衛生監視員証を定める省令関係
　　　興行場法等が改正されたことに伴い、環境衛生監視員証の関係条文の抜すい中の字句を整備したこと。
　(4)　施行期日
　　　許可、認可等の整理に関する法律の一部の施行の日（昭和55年6月1日）から施行すること。
別添　略

○興行場法施行規則等の一部を改正する省令の施行について（抄）

> 昭和59年9月20日　衛企第104号・衛指第40号・衛乳第9号
> 各都道府県・各政令市・各特別区衛生主管部(局)長宛
> 厚生省生活衛生局企画・指導・乳肉衛生課長連名通知

　興行場法施行規則等の一部を改正する省令が昭和59年9月5日厚生省令第42号をもって公布され、興行場法施行規則（昭和23年厚生省令第29号）、へい獣処理場等に関する法律施行規則（昭和23年厚生省令第30号）、建築物における衛生的環境の確保に関する法律施行規則（昭和46年厚生省令第2号）及び環境衛生監視員証を定める省令（昭和52年厚生省令第1号）の一部がそれぞれ改正され、10月1日より施行されることとなった。

　今回の改正の趣旨及び内容等は、下記のとおりであるので了知のうえ、その運用に遺憾のないようにされたい。

記

第1　改正の趣旨

　行政事務の簡素合理化及び整理に関する法律（昭和58年法律第83号）により、興行場法（昭和23年法律第137号）、へい獣処理場等に関する法律（昭和23年法律第140号）及び建築物における衛生的環境の確保に関する法律（昭和45年法律第20号）の一部が改正されたことに伴い、興行場法施行規則等について、所要の規定の整備を行ったものであること。

第2　改正の内容及び運用上留意すべき事項

　1　興行場法施行規則関係

　　(1)　改正の内容

　　　興行場法第2条に定める営業の許可に係る事務が、機関委任事務から団体委任事務とされたことに伴い、興行場法施行規則第1条及び第2条を削除し、許可の申請等の手続の制定等に関しては都道府県等に委ねることとしたこと。

　　(2)　運用上留意すべき事項

　　　ア　興行場の営業の許可の申請手続等興行場法施行に必要な事項については、各都道府県、政令市及び特別区において所要の規定の整備を図られたいこと。

　　　イ　この省令の施行前に改正前の興行場法施行規則第2条に規定する営業の変更等を行った者については、改正前の同条は、この省令の施行後も、なおその効力を有するものであること。

　2　へい獣処理場等に関する法律施行規則関係　略

　3　建築物における衛生的環境の確保に関する法律施行規則関係

　　(1)　改正の内容

　　　建築物における衛生的環境の確保に関する法律が改正され、条文番号等が変更されたこと等に伴い、同法施行規則について所要の規定の整備を行ったものであるこ

第4編　興行場

と。
　(2)　運用上留意すべき事項
　　　建築物環境衛生管理技術者の試験の実施に関する事務の民間委譲に係る規定の整備は、後日行うものであること。
　4　環境衛生監視員証を定める省令関係
　(1)　改正の内容
　　　1、2の改正等に伴う所要の規定の整備を行ったものであること。
　(2)　運用上留意すべき事項
　　　この省令の施行の際現に環境衛生監視員が携帯する証票又は証明書は、この省令による改正後の様式による証票又は証明書とみなすものとすること。

○許可、認可等民間活動に係る規制の整理及び合理化に関する法律等による興行場法等の一部改正の施行について

［昭和60年12月24日　衛指第270号
各都道府県知事・各政令市市長・各特別区区長宛　厚
生省生活衛生局長通知］

　許可、認可等民間活動に係る規制の整理及び合理化に関する法律、公衆浴場法施行規則等の一部を改正する省令が、それぞれ、昭和60年12月24日法律第102号、昭和60年12月24日厚生省令第47号をもって公布されたことにより、興行場法（昭和23年法律第137号）、旅館業法（昭和23年法律第138号）、公衆浴場法（昭和23年法律第139号）、公衆浴場法施行規則（昭和23年厚生省令第27号）、旅館業法施行規則（昭和23年厚生省令第28号）及び環境衛生監視員証を定める省令（昭和52年厚生省令第1号）の一部がそれぞれ改正された。その改正の趣旨及び内容等は、下記のとおりであるので了知のうえその運用に遺憾のないようにされたい。

記

第1　改正の趣旨
　　興行場法、旅館業法及び公衆浴場法の改正は、臨時行政改革推進審議会の「行政改革の推進方策に関する答申」（昭和60年7月22日）の指摘等に基づき、国民の負担軽減及び行政事務の簡素化等の観点から、興行場等の営業許可制度について、保有する施設設備が同一であるにもかかわらず、再度許可の手続を必要とすることが事業者、行政庁の双方にとって負担となっていることにかんがみ、相続又は合併による営業承継の場合には新規の許可を不要とするものであること。
第2　営業承継に関する事項
　1　興行場営業及び浴場業関係
　(1)　興行場又は公衆浴場の営業者に相続又は合併があったときは、相続人又は合併後存続する法人若しくは合併により設立された法人は、当該営業者の地位を承継

規制の整理及び合理化に関する法律等による興行場法等の一部改正の施行について

こと。

この場合において、その営業者の地位を承継した者は、遅滞なく、その事実を証明する書面を添えて、その旨を都道府県知事又は保健所設置市長（以下「都道府県知事等」という。）に届け出なければならないこと。

(2) これに伴い、浴場業については、改正後の公衆浴場法施行規則第2条及び第3条に定める所定の事項を都道府県知事等に届け出ることとしたこと。

なお、興行場営業については、その許可の事務が団体委任事務であるので、各都道府県等におかれては、公衆浴場法施行規則を参考にして、所要の規定の整備を図られたい。

2 旅館業関係

(1)① 旅館業を営む法人が合併する場合、合併後存続することが予定されている法人又は合併により設立される予定の法人が旅館業を営むにつき、あらかじめ、改正後の旅館業法施行規則第2条に規定する申請書を都道府県知事等に提出して、その承認を受けなければならないこと。

都道府県知事等は、この承認に当たっては、
ア その法人が旅館業法第3条第2項各号に該当するか否か
イ 当該施設の設置が同条第3項の要件に抵触するか否か
を審査して、承認するかどうか判断すること。その際、承認を与える場合には、同条第4項に規定する者の意見を求めなければならず、また、承認を与えない場合には、同条第5項に則り理由を通知しなければならないこと。

なお、この承認は、合併そのものを対象とするものではなく、合併後存続する法人又は合併により設立される法人が旅館業を営むことを対象としてなされるものである。

② 法人合併の場合の承認は、合併の登記を停止条件としてその効力が生じるとし、それを承認の条件とすることが望ましい。

③ なお、承認申請の時期は、合併当事者の合併の意思と合併の内容が確定した後でなければならないことはいうまでもないから、例えば、株式会社どうしの合併であれば、少なくとも合併契約の締結後でなければならず、それが発効する合併契約書を承認する総会の承認の後が望ましい。

④ 申請書に添付することとされる定款等は、定款の一部変更等の手続を経た正式のものでなければならない。このため、合併について官庁の認可が必要な場合にあってはその認可後のものでなければならない。

⑤ 合併登記後に承認申請がなされた場合は、新規の許可を要することとなり、今回の改正により導入された承認制度は適用されない。

(2) 旅館業を営む者が死亡した場合、その相続人が引き続き旅館業を営もうとするときは、改正後の旅館業法施行規則第3条に規定する申請書を都道府県知事等に提出して、その承認を受けなければならないこと。

都道府県知事等は、この承認に当たっては、

第4編　興行場

　　　ア　当該相続人が旅館業法第3条第2項第1号又は第2号に該当するか否か
　　　イ　当該施設の設置が同条第3項の要件に抵触するか否か
　　を審査して、承認するかどうか判断すること。その際、承認を与える場合には、同条第4項に規定する者の意見を求めなければならず、また、承認を与えない場合には、同条第5項に則り理由を通知しなければならないこと。
　(3)　承認の際の旅館業法第3条第3項の要件の審査に当たっては、承認申請に係る施設において従前より旅館業が行われてきたのであるから、従前の営業の状況を十分に考慮されたいこと。
　(4)　旅館業営業承継承認書の様式は、別添様式1及び2を参考にされたい。
　(5)　承認手数料については、地方公共団体手数料令の改正により、別途定められる予定であること。
3　その他営業承継につき留意すべき事項
　(1)　旅館業法第3条の2第1項の括弧書に「営業者たる法人と営業者でない法人が合併して営業者たる法人が存続する場合を除く。」とあるが、これは、従来から前記の場合にあっては新たな許可は要しないと解されてきたが、旅館業の場合は承認の制度を採用したため、確認的に明文をもって規定することとしたものであり、興行場営業又は浴場業の場合も法文上明記されてはいないが、従前どおりの取扱いとされたい。
　(2)　合併の（予定）年月日というのは、商法上用いられている合併期日のことではなく、合併が登記された、ないし、登記される予定の日を指す。これは、承認又は届出の手続が実質的な意味での当事者の合体に着目しているのではなく、形式的な意味での法人格に着目しているためである。
　(3)　相続人が多数ある場合には、特定の者が営業者の地位を承継すべき相続人として選定されない限り、全員が営業者の地位を当然に承継することとなる。しかし、実際上の便宜からも、できる限り、一人が承継するように指導することが望ましい。
　　（別添様式3参照）
4　許可申請書の簡素化に関する事項
　　旅館業及び浴場業の営業許可に係る申請書の記載事項について、法人の代表者の住所及び生年月日の記載を廃止したこと。
5　その他
　　旅館業及び浴場業の許可申請書については、前記のような簡素化を図ったところであるが、あわせて都道府県等においても興行場営業、旅館業及び浴場業の許可申請書の添付書類の簡素化を図られたい。

規制の整理及び合理化に関する法律等による興行場法等の一部改正の施行について

様式 1
旅館業営業承継承認書（合併の場合）

```
                                              第        号

                  旅 館 業 営 業 承 継 承 認 書

　昭和　年　月　日付で申請のあった旅館業の営業の承継については、旅館業法第
3条の2の規定により下記のとおり承認する。
　昭和　年　月　日
                                          都道府県知事　　印
                                          （保健所設置市長）

                          記

1　営業施設の名称
2　営業施設の所在地
3　条　　件　　本承認の効力は、合併の登記を停止条件として生じる。
```

様式 2
旅館業営業承継承認書（相続の場合）

```
                                              第        号

                  旅 館 業 営 業 承 継 承 認 書

　昭和　年　月　日付で申請のあった旅館業の営業の承継については、旅館業法第
3条の3の規定により下記のとおり承認する。
　昭和　年　月　日
                                          都道府県知事　　印
                                          （保健所設置市長）

                          記

1　営業施設の名称
2　営業施設の所在地
3　条　　件
```

第4編　興行場

様式3
　相続同意書

<table>
<tr><td colspan="2" align="center">興　行　場
旅　館　業営業者相続同意証明書
公衆浴場</td></tr>
</table>

　　　　　　　　　　　　　　　　　　　　　　　　　　×整理番号

　　　　　　　　　　　　　　　　　　　　　　　　　　×受理年月日

　　　　　　　　　　　　　　　　　　　　　　　　　　　年　　月　　日

　都道府県知事　　殿
（保健所設置市長）

　　　　　　　　　　　　　　　　　　　　　　証明者氏名　　　　　　印

　　　　　　　興　行　場
　次のとおり旅　館　業の営業者について相続がありましたことを証明します。
　　　　　　　公衆浴場

1　被相続人の氏名及び住所

　　　　　　興　行　場
2　旅　館　業の営業者の地位を承継すべき相続人として選定された者の氏名及び住
　　　　　　公衆浴場
　所

（備考）　1　×印の部分は記載しないこと。
　　　　　2　証明者氏名の部分は、旅館業の営業者の地位を承継すべき相続人として選
　　　　　　定された者以外の相続人全員が記名捺印すること。

第2章　適用範囲

○集会場及び各種会館その他の施設を興行場として使用する場合の法の運用について

［昭和25年5月8日　衛発第29号
各都道府県知事宛　厚生省公衆衛生・建設省住宅・文部省社会教育局長連名通知］

最近集会場及び各種会館その他の施設を興行場として利用する場合が非常に増加して来たようであるが、これについては興行場法及び臨時建築制限規則の施行上下記のように取り扱われたい。

記

1　集会場及び各種会館その他の施設を興行のため使用する場合月4日間位であれば興行場法の許可を受けさせなくても差し支えない。
2　臨時建築制限規則では集会場及び各種会館等を興行のため使用してもその用途違反と看做されない期間は毎月の使用日数が約10日間以内の場合である。
　　従って毎月5日間ないし10日間使用する場合、その施設が現状のままで興行場法に基く興行場としての基準に合致しているものに限り臨時建築制限規則による用途変更の許可を受けていなくても興行場法による許可を与えて差し支えないが、その際は申請者に対し特に期間（月10日間以内）を厳守するよう指示されたい。
3　前号により許可を受けても月10日間以上使用する場合は臨時建築制限規則により興行場としての用途変更の許可を受けなければならない。
4　施設が現状のままで興行場としての基準に合致していない時には興行場法による許可を与えることはできないし、5日間程度以上興行のため使用することもできない。
5　なお公民館においても、月およそ5日間以上興行場において行う興行に準ずるような方法、内容で行事を行うものについては興行場法を適用する。但し、適用に際しては都道府県教育委員と連絡すること。

○いわゆる「ヌードスタジオ」に対する興行場法の適用について

［昭和38年5月24日　環発第211号
各都道府県知事・各指定都市市長宛　厚生省環境衛生局長通知］

いわゆる「ヌードスタジオ」に対する興行場法の適用状況については、先に昭和38年3月18日環衛第2号により調査を依頼したところであるが、その結果の概要は別紙1のとおりである。この調査の結果によると「ヌードスタジオ」と称しているもので興行法にいう興行場に該当するものでありながら、同法による許可を受けないで営業を行なっているも

第4編　興行場

のが見受けられる。これらの施設の営業者に対しては、下記の事項に御留意の上、要すれば興行場として公衆衛生上必要な構造設備となるよう施設の整備を行なった上、興行場法による許可の申請をするよう指導し、昭和36年6月20日付厚生省環衛第1号厚生省環境衛生課長通知「環境衛生関係営業法令に関する疑義応答について」問2に対する答に示されている基準から判断して興行場に該当するものが興行場法による許可を得ないで営業を行なうことのないように格段の努力を払われたい。

おって、**警察庁保安局長に対しては別紙2のとおり要望した**ので御了知ありたい。

記

1　構造設備に関する許可基準については、公衆衛生上必要とされる範囲を超えないようにする。
2　興行場において善良な風俗を保持するために必要な措置については、**警察当局において行なうので、その要請に応じ必要な協力をされたいこと。**

別紙1

いわゆる「ヌードスタジオ」に対する興行場法の適用状況調（38.4）

	施設数	許可件数	許可又は不許可としている理由
北　海　道	0	0	
青　　　森	0	0	
岩　　　手	0	0	
宮　　　城	4	4	ストリップショウを演じている。
秋　　　田	0	0	
山　　　形	7	0	研究中
福　　　島			
茨　　　城	0	0	
栃　　　木	4	0	モデルはポーズのみであるが検討中
群　　　馬	0	0	
埼　　　玉	0	0	
千　　　葉	0	0	
東　　　京	13	0	施設の形態が写場を数室設けてあり、利用者の入場状況もその範囲をこえていない。
神　奈　川			
新　　　潟			
富　　　山			
石　　　川	13	11	ストリップショウを演じている。
福　　　井	2	0	他県との均衡を考慮し行政指導している。
山　　　梨	1	0	
長　　　野	2	1	1はストリップショウを演じている。

いわゆる「ヌードスタジオ」に対する興行場法の適用について

岐　阜		32	0	研究中
静　岡				
愛　知		0	0	
三　重				
滋　賀		0	0	
京　都				
大　阪		0	0	
兵　庫		23	0	風紀上の取締の要はあるが、衛生上の取締の要を認めない。
奈　良				
和歌山		0	0	
鳥　取		18	0	環境衛生上の取締の要は認めない。
島　根		10	10	いわゆる「観せ物」に該当する。
岡　山		8	0	興行場に該当するものかどうか確認ができていない。
広　島				
山　口		4	0	公衆衛生上取締の要は認めない。
徳　島		0	0	
香　川		6	5	（説明なし）
愛　媛				
高　知		0	0	
福　岡		0	0	
佐　賀		3	3	モデルが静止せず音楽にあわせて動作し、公衆に見せている。
長　崎		2	0	検討中
熊　本		0	0	
大　分		5	0	実態がバーと兼業であり特に環境衛生の取締の要は認めない。
宮　崎		1	0	保留検討中
鹿児島		1	0	芸術研究を目的としている。
横　浜		0	0	
名古屋		0	0	
京　都		0	0	
大　阪		11	0	施設が小規模で、利用者は芸術を目的としている。
神　戸		6	0	風紀上の取締の要はあるが環境衛生上取締の要は認められない。
合　計		176	34	

別紙2
　　　いわゆる「ヌードスタジオ」に対する興行場法の適用について
　　　　　　　　　　〔昭和38年5月24日　環発第211号
　　　　　　　　　　　警察庁保安局長宛　厚生省環境衛生局長通知〕
　標記については、別紙のとおり各都道府県知事及び指定都市市長あて通知したので御了知ありたい。
　なお、いわゆる「ヌードスタジオ」等の興行場における風紀上の規制については、貴庁において処理されることが適当であると考えているので、これに必要な措置を講ぜられ、興行場法に規定する興行場において善良な風俗を害し、又は害するおそれのある行為が行なわれることのないよう御配意願いたい。

第3章 営業の許可等

○興行場法第２条、第３条に係る構造設備等の準則について

> 昭和59年４月24日　環指第42号
> 各都道府県知事・各指定都市市長宛　厚生省環境衛生局長通知

〔改正経過〕

　第１次改正　〔平成２年10月22日衛指第177号〕
　第２次改正　〔平成27年７月31日健発0731第４号〕

　興行場法（昭和23年法律第137号。以下「法」という。）については、行政事務の簡素合理化及び整理に関する法律（昭和58年法律第83号）第16条をもって改正され、その運用について昭和58年12月23日付け環企第128号の通知で示したところであるが、法第２条第２項に基づく興行場の設置の場所又は構造設備についての公衆衛生上必要な基準及び法第３条第２項に基づく入場者の衛生に必要な措置の基準の各条例準則については、別紙のとおり定めたので、これを参照し、条例及び規則の設定若しくは一部改正等所要の規定の整備を速やかに図り、昭和59年10月１日から円滑に許可業務が実施されるよう配慮されたい。

別　紙
　　　興行場法第２条、第３条関係基準条例準則
Ⅰ　興行場の設置の場所又は構造設備についての公衆衛生上必要な基準条例準則（法第２条第２項関係）
　興行場（以下「施設」という。）の設置の場所又は構造設備については、次の基準によらなければならない。
（設置場所）
１　設置場所は、次の各号によること。
　(1)　施設は、排水が極めて悪い等入場者の衛生に支障をきたす場所には設置しないこと。ただし、その周囲が耐水性の材料による排水溝を設けるなど排水が容易に行え、かつ清掃が容易にできる構造であり、及び施設の床面が、コンクリートその他の不浸透性材料で覆われ、又は床が地盤面から45cm以上の高さにある等防湿上有効な措置が講じられている場所にあってはこの限りでないこと。
　(2)　施設の周囲には、採光、換気に支障のないよう空地等適当な空間を設けること。ただし、施設の採光、換気に係る構造設備により公衆衛生上支障がない場合はこの限りでないこと。
（施設全般の構造設備）
２　施設全般の構造設備は、次の各号によること。
　(1)　施設は、ねずみ、こん虫の侵入を防止するため、外部に開放されている窓、給気

第4編　興行場

　　口、排気口等に金網等を設けること。
- (2) 施設は、十分な耐久性を有する材料で築造し、喫煙できる場所の床面は、不燃材料又は難燃性を有する材料で築造するなど適当に不燃措置を講じること。
- (3) 施設は、清掃及び排水が容易に行える構造であること。
- (4) 施設のうち、興行を見せ又は聞かせるため入場者が利用する場所（以下「観覧室」という。）は、舞台等の興行に直接関係する場所を除き、食堂、ロビー、便所及び売店等とは、隔壁等により区画すること。
- (5) 観覧室、ロビー及び食堂等の入場者が利用する場所（以下「場内」という。）には、入場者の利用に応ずる便所を設けること。
- (6) 食堂、売店又は食品販売設備は、便所の付近その他の不潔な場所に設けてはならないこと。ただし、便所に次室を設けた水洗便所であって衛生上支障がない場合は、この限りでないこと。
- (7) 場内には、各階の観覧室、廊下等に温度計及び湿度計を入場者に見えるよう適当な位置に設けること。
- (8) 場内は、入場者が容易に移動及び避難ができるよう適当な広さを有し、また事故時に容易に避難できるように適当な数の出入口を有すること。
- (9) 場内の天井は、興行目的に応じ十分な高さを有していること。
- (10) 観客のサービスの用に供する座布団等を使用する場合には、施設に清潔で衛生的に保管できる設備を適当な場所に設けること。
- (11) 施設には、適当な数の清掃用具及び必要に応じ散水用具を備えること。また、清掃用具等を清潔で衛生的に保管できる専用の設備を適当な場所に設けること。
- (12) 場内には、不浸透性の材料で造られ、かつ、汚液（汚水を含む。）、ゴミ等が飛散流出しない構造の適当な数のゴミ箱を置くこと。
- (13) 観覧室の床面積が400㎡以上の大規模な施設にあっては、ゴミを置く集積場を適当なところに設けること。
- (14) 観覧室に土足ではいるところにあっては、場内の入口に靴等に付着する泥土を除去するためのマット（敷物）等を置くこと。

（観覧室の構造設備）
3　観覧室は、入場者が、容易に移動、着席及び出入りができることのほか入場者の衛生及び観覧に支障が生じないよう清掃及び消毒が容易にできる構造設備であって、十分な広さ及び高さを有し、かつ適当な数及び広さの出入口並びに適当な数及び広さの観覧席（興行を見聞きするための入場者のいす席、座席、立見席をいう。）を備えること。

（喫煙室の構造設備）
4　喫煙室を設ける場合は、施設の出入口から極力離して設けることとし、たばこの煙が喫煙室の外に流れ出ない構造であること。

（空気環境に係る構造設備）
5　空気環境に係る構造設備は、次の各号によること。

興行場法第2条、第3条に係る構造設備等の準則について

(1) 施設には、内部の汚染空気の排除、温度・湿度の調整等衛生的空気環境を確保するため、適正な機械換気設備（空気を浄化し、その流通を調節して供給（排出を含む。）をすることができる設備をいう。）又は空気調和設備（空気を浄化し、その温度、湿度及び流量を調節して供給（排出を含む。）をすることができる設備をいう。）を設けること。
(2) 場内の機械換気設備（空気調和設備を含む。以下同じ。）は、次の各号により設けること。なお、機械換気設備は、換気方式により、次の各号に区分する。
　① 第1種　給気用送風機と排気用送風機との併用によるものをいう。
　② 第2種　給気用送風機と自然排気口との組合せによるものをいい、次のようにさらに区別する。
　　　甲　排気を直接施設外に排出するもの。
　　　乙　排気を廊下その他の部屋を通して、間接に施設外に排出するもの。
　③ 第3種　排気用送風機と自然給気口との組合せによるものをいい、次のようにさらに区分する。
　　　甲　給気を直接施設外から導入するもの。
　　　乙　給気を廊下その他の部屋を通して、間接に施設外から導入するもの。
　ア　換気能力は、床面積1㎡当たり毎時75㎥以上のもので、清浄な外気を常時給気又は排気できる機能があること。
　イ　場内に設けられた次の各室に係る機械換気設備は、それぞれ専用（独立系統）であり、他の系統と区別されていること。
　　　㈠　観覧室　㈡　調理室　㈢　喫煙室　㈣　便所　㈤　食堂
　　　また、調理室、喫煙室にあっては、汚染空気を直接施設外に排出できるよう局所排気装置を設けること。
　ウ　機械換気設備は、次の構造であること。
　　㈠　外気取入口は、汚染された空気を取り入れることがないように適当な位置に設けること。
　　㈡　外気の清浄度が不十分なときは、空気を浄化する適当な設備を設けること。
　　㈢　給気口は、内部に取り入れられた空気の分布を均等にし、かつ、局部的に空気の流れが停滞しないよう良好な気流分布を得るため適当な吹出機能のものを、また排気口は排気を効果的にできる適当な吸引機能のものを、適当な位置に設けること。
　　㈣　送風機（給気用・排気用）は、風道その他の抵抗及び外風圧に対して、安定した所定の風量が得られる機能を有すること。
　　㈤　風道は、漏れが少ない気密性の高い構造であること。
　　㈥　風道の材料は、容易に劣化し、又は給気を汚染するおそれのないものであること。
　　㈦　送風機、風道の要所、給気口、排気口その他機械換気設備の重要な部分は、保守点検、整備が容易にできる構造であること。

第4編　興行場

　　エ　観覧室における機械換気設備は、次の各号により設けること。
　　　(ア)　観覧室の床面積が400㎡を超えるもの又は地下に観覧室があるものについては、空気調和設備若しくは第1種機械換気設備を設けること。
　　　(イ)　地上に施設がある場合、観覧室の床面積が150㎡を超え、かつ、400㎡以下のものについては、空気調和設備、又は第1種若しくは第2種（甲）機械換気設備を設けること。
　　　　　　ただし、排気口からの排気が施設外に排出できる場合及び給気口からの外気が不足するおそれがない場合には、第2種（乙）又は、第3種（乙）の機械換気設備を設けることができること。
（施設の照明設備）
6　施設は、入場者の衛生及び興行に支障がないよう特に定める場合を除き床面から80cmの高さの全ての所で照度100ルクス以上になるよう適当な照度機能を有する照明設備を設けること。
　　ただし、窓等から採光する構造の場合、自然光線で所要の照度を十分に達成できるときは、この限りでないこと。
7　場内その他特に定める所は、次の照度機能を有する照明設備を設けること。
　(1)　観覧室、ロビー、休憩室、廊下、階段、便所及びその他の入場者が利用する場所並びに電気・機械室には、床面において150～300ルクスの照度を満たす機能を有する照明設備を設けること。
　(2)　観覧室、ロビー、休憩室、階段、出入口、非常口、便所及びその他の入場者が利用する場所には、床面において30～70ルクスの照度を満たす機能を有する電源の異なる補助照明設備を設けること。
　(3)　映画の映写等のため観覧室の消灯を行う場合にあっては、電圧昇降器等による漸減式照明方法ができる照明設備を設けること。
　(4)　映写室、モニター室には、床面から40cmの高さ（座業高）の全ての所において70～150ルクスの照度を満たす機能を有する照明設備を設けること。
　(5)　観覧席には、映写中又は演技中であっても客席の床面の全ての所において0.2ルクス以上の照度を満たす機能を有する照明設備を設けること。
　(6)　映写室、モニター室には、映写中又は演技中等の場合においても、床面から40cmの高さにおいて常に3～30ルクスの照度を満たす機能を有する照明設備を設けること。
　(7)　舞台には、演技等に必要な照度を充たす機能を有する照明設備を設けていること。
　(8)　出入口、売店、楽屋、入場券売場にあっては、床面から80cmの高さの全ての所において、200～700ルクスの照度を満たす機能を有する照明設備を設けること。
　　　　ただし、入場券売場にあっては、局部照明を併用しても差し支えないこと。
（便所の構造設備）
8　便所は、次の構造設備であること。

(1) 便所の設置場所は場内とすること。ただし、他の用途を主とする建築物の一隅に設置された小規模施設等であって、当該施設に近接して入場者の需要を満たすことができる適当な規模を有する便所が利用できる場合は、この限りでないこと。
(2) 少なくとも男性用大便所及び女性用便所を1か所以上設けること。
(3) 観覧室が複数階に及ぶ場合にあっては、各階ごとに男性用及び女性用に区画して設け、入場者にその旨を明らかに分かるように表示してあること。
　　ただし、上下階から等距離にある中間階に設置する等、入場者の利便を損なわないと認められる場合は、各階ごとに設置しなくてもよいこと。
(4) 便所の出入口は、直接観覧室に開口しない構造であること。
　　ただし、次室を設けた水洗便所であって衛生上支障がない場合は、この限りではないこと。
(5) 床面及び内壁（腰張りを含む床面から1m以上の所まで）は、不浸透性の材料を用いて築造され、清掃が容易に行える構造であること。
(6) 便器は、陶磁器製等の不浸透性の材料で造られているものを使用すること。
(7) 場内の各階における便所（(3)項ただし書きで認められる場合を含む。）の便器の数は、次の各号により適正に設けること。
　ア　男性用便器と女性用便器の数は、通常女性の方が長い時間が必要となる事実や興行場の業種、規模及び用途並びに男女別の利用者数等を考慮し、それらを適切に反映したものとすること。特に混雑が予想される施設においては、できる限り待ち時間の男女均等化が図られるよう努めること。
　イ　男性用大便器は、少なくとも、小便器5個以内ごとに1個を設けること。
　　　ただし、座便式便器等、小便器と兼用できる便器の場合は、その割合を適宜変えることができること。
　ウ　男性用便器及び女性用便器の合計は原則として各階の観覧室の床面積に応じ次の表の左欄に掲げる床面積の区分に対応する右欄の便器数であること。
　　　ただし、(3)項ただし書きで認められる場合の床面積は、主として当該便所を利用する入場者に対応する階の観覧室の床面積の合計とすること。

床　　面　　積	床面積別の最少便器数
300㎡以下	15㎡ごとに1個
300㎡を超え600㎡以下	20個＋（床面積－300㎡）につき20㎡ごとに1個
600㎡を超え900㎡以下	35個＋（床面積－600㎡）につき30㎡ごとに1個
900㎡を超えるとき	45個＋（床面積－900㎡）につき60㎡ごとに1個

(8) 便所は、窓又は換気設備を設けた水洗式便所とすること。ただし、当該興行場が公共下水道処理区域以外の地域にあって、浄化槽放流水の排水先がない場合又は放

流水を排水することにより排水先に衛生上支障を生ずる場合に限り改良便槽とすることができること。改良便槽とする場合は、便所の窓その他の開口部には、こん虫の侵入を防止するための設備を設けること。
　(9)　適当な数の清浄な水を供給できる流水式手洗い設備を設けること。
（基準の緩和等）
9　知事は、興行場の設置の場所又はその構造設備につき許可を与える場合、当該興行場の特性に応じ、衛生上支障がないと認められる範囲で、法の趣旨・目的に沿った必要最小限の規制となるようこの基準の一部を緩和し、若しくは適用しないことができること。
Ⅱ　入場者の衛生に必要な措置基準条例準則（法第3条第2項関係）
　営業者は、興行場について、換気、照明、防湿及び清潔その他入場者の衛生に必要な措置を次の基準（以下「措置基準」という。）により講じなければならない。
（施設の周囲）
1　施設の周囲は、必要に応じ補修を行い、毎日清掃し、衛生上支障のないようにすること。
（施設全般の管理）
2　施設全般の管理は、次の各号によること。
　(1)　施設設備は、必要に応じ補修を行い、特に定める場合を除き、毎日清掃し、衛生上支障のないようにすること。
　(2)　施設におけるねずみ、こん虫を駆除するため定期的に巡回点検及び駆除作業を実施すること。また、駆除の実施記録は2年以上保存すること。
　(3)　入場者が利用する場所は、定期的に消毒を行うこと。また、その実施記録は2年以上保存すること。
　(4)　壁、天井は、常に清潔に保つこと。
　(5)　設備及び器具は、特に定める場合を除き定期的に保守点検を行い、常に適正に使用できるよう整備すること。
　(6)　食堂、売店又は食品販売設備は、常に清潔で衛生的に保つこと。
　(7)　場内の温度計及び湿度計は、入場者が常に容易に見えるよう適正に管理すること。
　(8)　清掃用具その他の用具類は、専用の場所に保管し、当該場所は適正に清掃を行い、常に衛生的に保つこと。
　(9)　座布団等の保管場所は、適切に清掃を行い、常に清潔で衛生的に保つこと。
　　また、入場者の用に供する座布団等は、常に清潔で衛生的に保たなければならない。
　(10)　ゴミその他の廃棄物は、適切に搬出し、施設内に放置しないこと。また、ゴミ箱は、廃棄物、汚液、汚臭等が飛散流出しないように管理するとともに、適切に清掃を行い、常に清潔を保たなければならない。
　(11)　便所は、次の各号により適切に管理すること。

ア　臭気を著しく発散させてはならないこと。
　　イ　毎日清掃し、常に清潔に保つこと。
　　ウ　定期的に殺虫及び消毒を実施すること。
（機械換気設備の管理及び空気環境の基準）
3　機械換気設備の管理及び空気環境の基準は、次の各号によること。
　(1)　機械換気設備は、次の各号により適正に管理すること。
　　ア　定期的に保守点検し、故障、破損等がある場合は、速やかに補修し、常に機能を設計どおりに保持し、かつ、使用できるように整備すること。
　　イ　適切に清掃し、常に清潔で衛生的に保つこと。
　(2)　空気環境の基準は、次の各号であること。
　　ア　炭酸ガス濃度は、1500ppm以下であること。
　　イ　観覧室にあっては、浮遊粉じん量は1㎥当たり0.2mg以下であること。
　　ウ　空中落下細菌（生菌）数（5分間開放の平板培養法）は、
　　　(ｱ)　観覧室は、上映（演）直後（開始から10分以内に測定）において、座面で30個以内であること。
　　　(ｲ)　場内は、営業中において座面で50個以内であること。
　(3)　空気調和設備による空気環境の基準は、前項に加え、次の各号であること。
　　ア　温度は、17～28℃の範囲に保つこと。なお、冷房する場合、外気との温度差は、7℃以内とすること。
　　イ　相対湿度は、30～80％を常に保つこと。
　　ウ　観覧室を除く場内にあっては、浮遊粉じん量は1㎥当たり0.2mg以下であること。
　　エ　気流は、毎秒0.5m以下であること。
　(4)　前記基準に係る測定は、必要に応じ実施し、その実施記録は2年以上保存すること。
（照明設備の管理）
4　照明設備は、次の各号により適正に管理すること。
　(1)　定期的に保守点検し、照度不足、故障等が生じた場合は、速やかに取り替え、又は補修すること。
　(2)　施設内の照度は、照明設備の機能どおりに適正に保持し、低下をきたさないよう適正に清掃し、常に清潔に保つこと。
　(3)　照度は、定期的に測定すること。
（興行時間の制限）
5　屋内の興行場の場合、環境を保健上良好な状態に保持するため映写、演劇、演芸、音楽演奏、観せ物、競技にあっては、1回の興行時間を2時間30分以上連続して行うときは、おおむね2時間30分を超えない時間ごとに約10分間以上の休憩時間を設け、換気を十分に行うこと。
　　ただし、次の各号に該当する場合にあっては、この限りでないこと。

第4編　興行場

　(1)　映画の場合、2時間30分を超えるフィルムを映写するときは、そのフィルム1回の映写の前後に十分な換気を行う場合
　(2)　換気を十分に行い衛生上支障がない場合
（閉場の時刻）
6　興行時間は、清掃等衛生上必要な措置を確保するなど公衆衛生を確保するため深夜に及ばないようにし、閉場時限を原則として午後10時とすること。
（環境衛生サービス等の表示）
7　環境衛生サービスとして衛生管理の措置状況及び営業許可証については、場内の入場者の容易に見える所に掲示すること。
　(1)　場内の消毒、ねずみ、こん虫の駆除の実施状況については、その方法と年月日
　(2)　場内の空気環境の測定結果については、測定年月日と測定値
（入場者の注意事項等）
8　入場者の衛生を保持するため、次の各号により、必要な案内を行うとともに、所要の注意事項については、場内の適当な所に掲示すること。
　(1)　所要の喫煙場所以外での喫煙を禁止すること。
　(2)　喫煙場所以外で喫煙している者については、それを制止し、適切に案内すること。
　(3)　禁煙及び喫煙室である旨の表示は、場内の適当な所に掲示し、常に容易に見えるよう適正に管理すること。
　(4)　表示は、日本語のほか必要に応じ英語等の外国語による表示を行うこと。
　(5)　喫煙室には、喫煙に支障ないよう適当な数の灰皿等喫煙設備を置くこと。
　(6)　ゴミ等場内を不潔にするおそれのあるものは、ゴミ箱以外のところに投棄しない旨の表示を適切な場所に掲示し、常に容易に見えるよう適正に管理すること。
（入場者の事故の対応措置）
9　入場者に事故等が発生した場合は、その状況を的確に把握し、次の各号により迅速、かつ、適切に措置すること。
　(1)　救急医療品及び衛生材料を適切に備えておくこと。
　(2)　必要に応じ、医療機関等に通報しその指示を受ける等入場者の救護について迅速、かつ、適切に対応できる体制を確立して置くこと。
（従業者の管理）
10　従業者に係る衛生管理は、次の各号によること。
　(1)　衣服は、常に清潔を保つこと。
　(2)　伝染のおそれのある疾病にかかっている者又はその疑いがある者は、業務に従事しないこと。
　　　ただし、医師の診断により支障がない場合にあっては、この限りでないこと。
　(3)　施設又はその部門ごとに、当該従業者のうちから公衆衛生に関する責任者（以下「衛生責任者」という。）を定めて置くこと。
　(4)　衛生責任者は、営業者の指示に従い、衛生管理に当たるものとすること。

(従業者の衛生教育)
11　営業者又は衛生責任者は、施設の管理が衛生的に行われるよう従業者の衛生教育に努めなければならないこと。
(入場定員)
12　入場定員については、その旨を入場者が容易に見えるような位置に掲示し、定員以上の入場者を入場させないこと。
(営業中止の連絡)
13　営業を中止し、又はその一部を中止したときは、直ちに知事にその旨を連絡すること。
(基準の緩和等)
14　知事は、屋外に面した観覧席等特殊な理由がある場合には興行場の特性に応じ、衛生上支障がないと認められる範囲で、この基準の一部を緩和し、若しくは適用しないことができること。

○興行場法第2条、第3条関係基準条例準則の改正について

　　　平成2年10月22日　衛指第177号
　　　各都道府県知事・各政令市市長・各特別区区長宛　厚生省生活衛生局長通知

　興行場法第2条、第3条に係る構造設備等の条例準則については、昭和59年4月24日環指第42号をもって通知しているところであるが、最近、ミニシアター、ビデオシアター等の小規模映画館のショッピングセンター等への併設、シネマコンプレックス(複数映画館の同一建物内への設置)等本準則の制定当時存在しなかった新形態の興行場が見られるようになってきている。
　ついては、これら新形態の興行場の出現に対応するため、興行場の設置の場所又は構造設備についての公衆衛生上必要な基準の見直しを行い、下記のとおり、興行場法第2条、第3条関係基準条例準則を改正することとしたので、これを参照し、条例及び規則の改正等所定の整備を図られたい。
記　略

○興行場法第2条、第3条関係基準条例準則の改正について

平成27年7月31日　健発0731第4号
各都道府県知事・各政令市市長・各特別区区長宛　厚生労働省健康局長通知

　本年6月26日に「すべての女性が輝く社会づくり本部」において「女性活躍加速のための重点方針2015」が取りまとめられるとともに、「すべての女性が輝く社会づくり本部幹事会」において、「女性活躍加速のための重点方針2015の「4．暮らしの質の向上のための取組」について」の申合せが行われた（別紙参照）。

　当該申合せ等を踏まえ、昭和59年4月24日環指第42号厚生省環境衛生局長通知の別紙「興行場法第2条、第3条関係基準条例準則」の一部を別添のとおり改正することとしたので通知する。

　ついては、これを参照し、条例及び規則の改正等所要の整備を行うとともに、貴管下の事業者に対する周知等に遺漏なきよう願いたい。

別紙　略

第4章　衛生措置等

○映画興行の健全化について（依命通達）

〔昭和30年1月20日　厚生省発衛第5号〕
〔各都道府県知事宛　厚生事務次官通知〕

　本年1月18日、政府は標記について別紙のとおり閣議了解を行い、これにしたがい積極的な推進を図ることとなった。
　その趣旨とするところは、近時映画上映の長時間化の傾向に伴い、国民保健その他の種種悪影響を与えつつある現状にかんがみ、すみやかに映画興行の健全化を図り、もって国民生活の改善合理化に資せんとするものであるから、各都道府県においては、この趣旨の普及徹底につとめることは勿論、特に下記事項に留意してこの了解事項の所期する実効が十分に挙げられるようつとめられたく、命によって通知する。

記

1　この了解事項は、国民の日常生活において映画興行が重要性を増しつつある現状にかんがみ、特に映画館における環境を国民保健上良好な状態に維持することを主目的とし、ひいては輸出産業として重要性を加えつつある邦画の質的向上を図ること等をも期するものであるから、この趣旨を十分理解して実施にあたること。
2　この了解事項の実施については、映画興行者、映画配給者、映画製作者、国民等に対してあらかじめ事前の指導及び趣旨の徹底する必要があるので、その実施はおそくも本年4月1日までに行うことを目標とし、それまでの間は準備期間として十分な措置を講ずるようにすること。
3　この了解事項の実施にあたっては、主として興行場法その他の関係法令の適正な運用を基本とするものであることは勿論であるが、円滑かつ確実な実施効果を期するためには映画興行関係者の自主的組織を通じ推進するものとし、つとめて行政当局の一方的指導によることを避けること。
4　この了解事項の実施に当っては、映画興行が公衆衛生のほか、密接な関連を有する分野が多いので、関係官公庁とつねに緊密に連絡し、映画製作者、映画配給者、興行者等関係各団体をも加えてこれら関係者間の連絡協議会を設ける等の方法により実施方法、実施状況等について相互に検討を加えるよう措置すること。
5　この了解事項の円滑な実施のためには、国民の十分な理解を得ることが極めて肝要なことであるので、報道機関、文化団体等による一般の広報活動につとめるは勿論、できる限りP・T・A、婦人団体、青年団体等にも積極参加を求めて趣旨の普及徹底を図ること。
6　この了解事項により、1回の興行時間はおおむね2時間半を原則とするよう定められたが、これは諸外国の例、衛生上の諸成績、従来の慣習等を考慮したうえで映画館内の保健上適正な興行時間の基準としたものであるので、これが励行については長尺映画の上映等特別の場合を除いては、各映画館において等しく遵守されるよう指導すること。

7　今回の措置は、以上の如く映画興行関係者の自主的措置を主たる推進基盤とするものであって、さしあたり、あらたに単独法の制定乃至興行場法の改正等の法律的措置を講ずることを考慮しないものであること。
8　その他映画館における衛生施設の改善、衛生上必要な措置については従前の指導をさらに検討し、その推進につとめること。

〔別　紙〕
　　映画興行の健全化について

(昭和30年1月18日)
(閣　議　了　解)

1　趣旨
　　近時映画の上映が長時間化する傾向にありこれをこのまま放置しておくときは、国民特に青少年層の心身の健康に悪影響を与え、かたがた我が国の輸出産業として重要性を加えつつある邦画の製作のうえにも暗影を投じるおそれがあるので、興行の健全化を図る措置を講じ、もって国民生活の改善合理化に資せんとするものである。
2　対策
　　次の措置を積極的に推進するものとする。
(1)　三本立等によって長時間続映することを避け、1回の興行時間はおおむね2時間半を原則とすること。
(2)　定員の励行につとめるとともに、常に換気、清掃等衛生上必要な措置を図ること。
(3)　換気装置その他の衛生施設の改善整備を図ること。
(4)　禁煙等館内における公衆道徳の昂揚を図ること。
3　実施方法
　　次の方法によりその円滑な実施を図るものとする。
(1)　映画製作者、映画配給者、興行者等の協力を求めるとともに広く国民の理解を得て実施すること。
(2)　文教当局、消防当局等関係官公庁の積極的協力を求めること。
(3)　報道機関、文化団体等の積極的参画を求めること。
(4)　映画製作者、映画配給者、興行者等の自主的組織を通じ衛生当局の指導を徹底すること。

○映画興行の健全化について

〔昭和30年1月24日　衛発第34号〕
〔各都道府県知事宛　厚生省公衆衛生局長通知〕

標記については、1月20日厚生省発第5号厚生事務次官通知によりその実施の大綱を明示されたところであるが、なお、下記事項に御留意のうえ、その実施に遺憾のないようにされたい。
　おって、この措置は諸興行のうち映画興行について講ぜられるものであるが、その他の

興行についても、この機会にその衛生施設衛生措置について検討を加え改善整備につとめられたい。

記

1　この措置は、諸興行のうち映画興行について講じられるものであるから、興行場のうち映画館が対象となり、演劇、演芸その他の興行については、対象とされないものであること。
2　この措置は、映画の長時間上映の是正によって館内の衛生状況を良好ならしめるばかりでなく、その他の衛生措置をもあわせ行おうとするものであるから、映画館全般にわたってこの措置の趣旨の徹底をはかること。
3　興行場法、同法施行規則及び同法に基く条例によって映画館に対する衛生上の指導監督を行うことは従前と同様であるが、更に消防法及び同法に基く条例（例えば火災予防条例）、建築基準法及び同法に基く条例（例えば建築安全条例）等においてはそれぞれ消防又は建築の見地から映画館の定員その他について必要な措置を講じているので、これら他法令との関連をも十分考慮し、その一体的運用をはかること。
4　興行場法に基く県規則及び県条例においては、映画館の換気、採光、照明その他衛生上必要な措置について規定しているところではあるが、この措置に伴い、特に換気措置に関する規定、休憩時間に関する規定、その他衛生施設、衛生措置に関する規定等にわたり再検討を加え、この措置の実効が期せられるようにすること。
5　右の措置を講ずる場合においては、それぞれの地方的特殊事情を考慮するとともに興行者側の意向を十分尊重して、その実効性を確保するようにつとめること。
6　映画館における1回の興行時間はおおむね2時間半を原則とするが、1回の興行時間後におおむね10分以上の休憩時間を設けることを必要とするものであること。なお、映画上映と合せ行う実演等のアトラクション又はこれに類するものを原則として1回の興行時間に含まれるものであること。
7　右の1回の興行時間は原則であるが、特別に優良映画等の長尺物であって、2時間半以内において上映することができないものについては、適宜休憩時間を設ける等によりつとめて衛生上支障を生じないようにすること。
8　定員の励行については、直ちにこれを厳守せしめることは困難であるが、消防当局とも協議の上興行者側の協力により漸次その励行をはかるようにすること。
9　換気装置その他の衛生施設の改善設備については、特に興行者側の理解と協力を求め、場合によっては今後融資その他資金の斡旋の便宜を与えることをも考慮し、また興行場法による適正な指導を適宜実施するようにすること。
10　関係官公庁、関係諸団体等との間においては、おおむね次のような方法により実施するものとすること。
　(1)　当省においては、文部省、国家消防庁、警察庁、建設省、通産省、総理府等の関係官庁のほか日本興行組合連合会、日本映画連合会等映画興行関係者と協議を行うこととするので、各都道府県においてもこれらの地方機関ならびに地方組織と協議を行い、要すれば連絡協議会の設置等の措置を行うものとする。

(2) 右の場合において、組合に加入していない興行者の意見も十分聴取しうるよう考慮するものとする。
(3) 婦人団体、青年団体、P・T・A等民間諸団体と密接に連絡し、一般報道機関等の協力を得て、趣旨の普及徹底をはかるものとする。
11 この措置は主として映画興行関係者の自主的措置に期待するものであるが、これら関係者によって「映画興行の健全化について」の自主的管理組織が結成される等の場合においては、つとめて積極的に援助すること。
12 優良な映画館の表彰、この問題に関する講習会の開催及び強調週間の設定等適宜施策の滲透の方途を講ずるものとすること。
13 この措置の実施については、おそくとも本年4月1日を目標とすることに定められているが、それ以前に準備を完了しうる地方にあっては、成る可く早く実施しうるよう措置すること。
14 その他この措置の実施については、別添参考資料を参照して検討を加え、円滑かつ有効な施行にあたること。

○映画興行の健全化について

〔昭和30年1月29日　衛環第5号
各都道府県衛生部長宛　厚生省環境衛生課長通知〕

標記については、本年1月18日の閣議了解に基き1月20日厚生省発衛第5号厚生事務次官通達及び1月24日衛発第34号厚生省公衆衛生局長通知をもってその実施要綱を明示し、これに従い各都道府県においても諸種の準備を進められているところと思料するが、この問題は殊に興行者側の自主的推進を中心とするものであって興行者側の理解と積極的協力を必要とすることは言うを俟たない。

当省においてもこれら映画興行関係者との協議をあらゆる機会において行うこととしているが、その一環とし1月28日日本興行組合連合会全国代表者会議において実施に関する諸般の状況を厚生省側を含めて検討し、その結果下記の如き申し合せを行い、各代表者はこれに従いそれぞれ地方組織にはかり円滑に実施することとなったので、右御了知の上これが実施につき積極的に御指導願いたい。

記

1 来る3月第1週から所謂3本立興行を全国的一切中止することにする。
2 その後更に映画製作者側、映画配給者等の諸準備と併行して、できるだけ早く1回の上映時間2時間半の原則を実施するよう努力するものとする。

○環境衛生関係営業施設における自主管理点検表の制定について(抄)

```
昭和63年10月18日　衛指第215号
各都道府県・各政令市・各特別区衛生主管部(局)長宛
厚生省生活衛生局指導課長通知
```

〔改正経過〕

第1次改正　〔平成3年8月15日衛指第163号〕

　理容師法、美容師法、クリーニング業法、興行場法、旅館業法及び公衆浴場法に規定する環境衛生関係営業施設の衛生水準の維持向上を図るため、従前より各業種毎に衛生等管理要領を定めてきたところである。これら衛生等管理要領の営業者に対する周知徹底等、監視指導における有効な活用については、常日頃より格別の御配慮をお願いしているところであるが、今後の監視指導のあり方として、営業者自身による自主的管理の強化が指摘されていることから、有効かつ簡便に営業者自身が自主的管理を実施できるよう、別添のとおり各業種ごとの自主管理点検表を作成したので御了知のうえ、監視指導業務の効率的実施を図るため、十分に活用されるようお願いする。

　なお、換気、照明等の項目に（）書きで物理的数値を記入しているが、これは、必ずしも営業者が測定用具を備えて自ら測定することを意図したものではなく、環境衛生監視員が当該施設に立ち入った際に施設内環境を実際に測定し、営業者に教示する等の方法により、営業者が客観的に照度等を認識できるよう付記したものである。

別　添

興行場の自主管理点検表

施　設　一　般	1	施設内は毎日清掃し、清潔に保っているか。
	2	設備機器は定期的に保守点検、清掃及び補修を行っているか。
	3	採光、照明は十分か。(照明設備による場合の照度は、ロビー、廊下、便所等において150～300ルックス、出入口、売店、入場券売場等は200～700ルックス)
	4	換気は十分か、また、空気環境基準に適合しているか。
	(1)	機械換気設備による場合は、炭酸ガス濃度1500ppm以下、浮遊粉じん量0.2mg／m³以下（観覧室）、空中落下細菌数50箇以内（場内、ただし上映直後の観覧室は30箇以内）であること。
	(2)	空気調和設備による場合は、機械換気設備による基準項目の外、温度17～28℃（冷房時は、外気温との差が7℃以内）、相対湿度30～80％、気流0.5m／s以下であること。なお、場内の浮遊粉じん量は0.2mg／m³以下であること。
	5	ねずみ、昆虫の発生、生息について、定期的に点検し、適正な駆除措置を講じているか。
	6	場内は定期的に消毒しているか。
	7	便所は毎日清掃し、定期的に消毒し、防臭に努めているか。
	8	入場者に貸与する座布団等は、清潔で衛生的に保たれているか。

衛生管理の措置	9	施設内に設置するごみ入れは、適切に清掃を行い清潔に保たれているか。
	10	場内の消毒、ねずみ、昆虫の防除の実施状況及び場内の空気環境の測定結果を場内に表示しているか。
	11	興行の時間及び閉場時間は適正か。
	12	場内には、禁煙及び喫煙室である旨の表示があるか。
	13	施設は、救急医療品及び衛生材料を常備し、かつ、救護について医療機関と受入れ体制が確立しているか。
従業者	14	清潔な衣服を着用しているか。
	15	従業者は定期的に健康診断を受けているか。
	16	伝染病にかかっている者、又は、疑いがある者が業務に従事していないか。
	17	営業者等は、従業者に衛生教育をしているか。
その他	18	場内には、入場定員を掲示してあるか。
	19	場内には、定員を超える入場者を入場させていないか。
	20	非常口の表示は適正か。
	21	定められた保健所等への届出は、きちんと行っているか。

○興行場の興行時間、閉場時刻等に関する規制について

[平成9年3月31日　衛指第56号
各都道府県・各指定都市・各中核市衛生主管部(局)長　宛
厚生省生活衛生局指導課長通知]

　興行場法に基づく条例による衛生規制のうち、興行時間、閉場時刻については、興行場の運営形態等の変化に伴い、過剰な規制となっているところがある旨の関係団体からの指摘等を踏まえ、「規制緩和推進計画の改定について」(平成8年3月29日閣議決定)において、都道府県に対し当該規制の見直しを促すこととされている。

　また、映画館のトイレ数に関する規制についても、別途関係団体から公衆衛生上必要以上のトイレ数の設置が強いられているとして規制緩和の要望が提出されているところである。

　これらの興行場法に基づく条例による規制は、興行場の設置の場所又は構造設備についての公衆衛生上必要な基準及び入場者の衛生に必要な措置の基準として設けられるものであるので、興行場の実態を踏まえつつ、法律の趣旨・目的に沿った必要最小限の規制となるよう必要に応じて見直しを図られたい。

Ⅲ 解釈通知編

第1章 興行場の定義

（「業として」の解釈）

○営業三法の取扱に関する件

> ［昭和23年10月5日　公保発第509号
> 　厚生省公衆衛生局長宛　山形県知事照会］
>
> 曩に公布施行せられた興行場法、公衆浴場法、旅館業法の営業三法に関し之の施行細則並びに県条例制定について必要があるので下記事項につき至急何分の御回答を煩わしたい。
>
> 記
> 1　興行場法について
> 　法第1条第3項に規定する興行場営業で特定の興行場を所有しない興行師が東京其の他の地区より、俳優等を伴なって来て芝居、演芸等の興行を料金を徴収して一時的に学校の講堂、農業会の集会所などを使用して行う場合が応々ありこれは8月13日附厚生省発衛第10号による次官通牒の「季節的又は一時的に仮設して営業を行う興行場の取扱云々」に該当し知事の許可を必要との見解を有するが、このような仮設的営業の取扱に関し本省の御意見を伺いたい。（本県では劇場がなく芝居、演芸などは屢々興行師が学校等の講堂を一時的借り受けて興行を行う実情にある）
> 2　公衆浴場法について
> 　法第2条第2項の公衆浴場設置の場所については公衆衛生上不適当であると認められない以上許可を与えなければならないと解釈されるが、曩に仙台市に於けるブロック会議の際の質疑応答によれば本法の施行細則を県で制定する場合、既設営業者よりの距離の制限を設けることができる様指示があったがその法的根拠につき疑義がありますので御指示を得たい。
> 3　営業三法の施行規則第1条第2号の所在地の変更については夫々同第2条の規定により届出義務ばかりであるが所在地を変更するは場所的に新たに許可を必要とするものと解せられ本件に関してもブロック会議の折質問しその際は帰省後至急回答する旨の指示なるが未だ回答なく至急何分の御回報を煩わしたい。

　　　　　　　　　　　　　　　　　　　　　　　［昭和23年11月2日　衛発第278号
　　　　　　　　　　　　　　　　　　　　　　　　各都道府県知事宛　厚生省公衆衛生局長回答］
　標記の件に関し10月5日山形県知事より別紙の如き照会あり、下記の通り回答したから念の為御通知する。

第4編　興行場

記
1　興行場法について
　興行場法は、興行場に対する監督、取締を目的とするものであって、興行を対象とするものでない。学校の附属施設又は集会場等が一時的に興行に使用されることがあっても、これ等の施設は業として興行場を経営するものでなく従って仮設の興行場として取り扱うことは適当でない。但し、これ等の施設が実際上興行場として常時使用されている場合には、興行場として法の適用を受けさせる必要がある。
2　公衆浴場法について
　法第2条第2項に規定されている公衆浴場の設置の場所の内容としては、公衆浴場のみについては公衆衛生の見地から浴場の適正配置を図るという趣旨に基き距離制限の意味が含まれているのであって必要な場合には、県の施行規則に「土地の状況、人口の密度その他公衆衛生の見地から距離の制限をすることが出来る」等の距離制限の規定を設けて差し支えない。又この公衆衛生上の距離制限がもし、科学的に人口数或いはメートル等で表現出来る場合には「人口何千につき1軒」とか「何メートル以上離さなければならない」と規定しても差し支えない。
3　営業三法の施行規則について
　興行場法、旅館業法、公衆浴場法の三法の施行規則第2条による記載事項の変更の届出に関して
(1)　氏名の変更とは、許可を受けた者が改姓或いは改名をしたときの氏名の変更を云うのであって、営業の譲渡、相続の場合には、新たな許可を受けるものである。
(2)　所在地の変更とは、境界変更、廃置分合等による所在地の名称の変更を意味するものであって、新らしい場所に変更した場合には新たな許可を受けることが必要である。

○興行場法の疑義について

　　昭和33年5月31日　33環発第232号
　　厚生省公衆衛生局環境衛生部長宛　茨城県衛生部長照会

　興行場の取り扱いについて、疑義を生じており、下記事項について至急何分の御教示をお願いします。

記
1　興行師が巡回して業を行うとき、公会堂、集合所等の既設建物を私用（月4回以内）するときは、建物自体が興行のために建てられたものでない理由から仮設興行場としての許可は必要でない。（昭23・12・3衛庶発第78号通達2、別記）
　興行師が自ら一定の施設を設けて巡回する場合は、仮設興行場の許可を必要とする。（昭23・12・3衛庶発第78号通達5、別記）
　この両者の場合、興行の反覆継続という行為は同一性を有するものと解し、前者

等の既設建物を臨時興行場（仮称）として仮設興行場の取扱をして県規則に規定することは、適当な措置であるか。
2　一時的な施設であっても、興行師が巡回して自ら一定の施設を設けて行う場合は、仮設興行場として法の適用を受ける。（昭23・12・3衛庶発第78号通達5、別記）
　　青年団等が祝祭時等に一時的に行うときは、法の適用を受けない。（昭23・12・3衛庶発第78号通達4の1、別記）
　　　この両者の場合、施設そのものはいずれも一時的なものであるが、前者と後者とは、その興行の行為が反覆継続であるか否かによって、法の適否を決定づけたものと解されるが、興行場の許可の対象は、あくまでその施設とすれば矛盾するようにも思われるがどうか。
3　官庁、学校、報道関係団体、社会事業団体等が、一時的に施設を設け、または既設建物を利用して、教育的と称して行う興行について反覆継続して（月4回以上）行うときは、仮設興行として取扱うべきかどうか。
4　反覆継続に①その行為を反覆継続する場合、たとえば、興行師が、巡回して興行を行うような場合と、②場所（施設）そのものが、反覆継続して利用される場合同一人でない者が同一場所（施設）を利用する場合との2つの場合が思料されるが、そのいずれも許可を受ける必要があるかどうか。
5　興行場を許可する場合、その設置場所について、官公署、学校等からの距離を県規則をもって制限を設けることは、違法（不適当）な措置であるかどうか。
6　法第2条第2項の規定による公衆衛生上不適当な場所とは、具体的にいかなる場所であるか例示願いたい。

（別　記）
　　　　昭和23年12月3日付衛庶発第78号通達（抜すい）
2　学校の付属施設、公民館、集会所等が一時的に興行に使用されても、これ等の施設は、本来興行のために建てられたものではないから、法第1条による業として興行場を経営するものとは言えない。
3　しかしながら、前記のごとき施設が頻繁に、かつ、反覆的に興行に使用され、実際上は興行場と同一視される場合には、明らかに興行場として本法の適用を受けるものである。この場合に興行場営業の許可を受くべき者は、当該施設の所有者または経営者であって施設を利用する興行師ではない。
4の1　村の青年団等が祝祭のため、一定の施設を設け興行を行う如き場合は、有料であっても反覆継続的な意思をもって行うものでないから、これらの施設は本法による興行場でない。
5　興行師が巡回して興行を行うに当って既存の施設を利用する場合は、3に記したごとく当該興行師が興行場経営者として許可を受けるものではない。
　　興行師が、自ら一定の施設を設けて巡回する場合には、仮設興行場として本法の興行場と同様に取り扱われ、その場合は、仮設興行場の経営者として許可を受けなければならない。

第4編　興行場

> 昭和33年9月5日　衛環発第74号
> 茨城県衛生部長宛　厚生省公衆衛生局環境衛生部長回答

　昭和33年5月31日33環発第232号を以て照会のあった標記については、次のとおり回答する。

記

1　興行場法は、興行ではなく興行の行われる施設たる興行場を対象として監督、取締を行うものであり、同法に基く許可は、その施設について、当該施設が反覆継続して興行場として使用経営される場合に行われるものである。
　　この意味において、お尋ねの後者の昭和23年12月3日付衛庶発第78号通知別記5は一定の施設が反覆継続して使用されていると解されるから許可を要するものとし、前者の同通知別記2は施設自体の性格から一般的には、その利用が反覆継続して行われるとは考えられないのが原則であるので許可を受けさせるべきでないとしたのであって、反覆継続して使用されている特定の公会堂を興行場として許可を受けさせるならばともかく、一般的には反覆継続して使用されるとは考えられないこれらの施設について県規則で規制することは適当でない。
2　1の趣旨から前者については、一定の施設が反覆継続して興行場として使用される場合であるから許可を要するものとし、後者については興行場としては、一時的の使用にすぎないから許可を要しないものとしたのであって、両者の間には何ら矛盾は認められない。
3　1の趣旨から一定の施設が興行場として反覆継続して使用される場合（おおむね月4回程度以上）には許可を要するものとして取り扱うべきである。この場合興行者興行内容等興行それ自体とは全く関係がない。
4　1の趣旨から②の場合の如く施設が興行場として反覆継続して使用される場合に許可を必要とするのであって、①の場合のごとく興行が反覆継続して行われることは直接には興行場法の許可とは関係ない。
5　興行場営業を許可に係らしめたのは、当該興行場の施設について公衆衛生上の観点から規制するためであって、許可に当り考慮すべき「設置の場所」も公衆衛生上の見地より判断すべきであり、お尋ねのごとく県規則をもって一律に設置場所の距離制限を行うことは、特に法の委任に基かない限りできないと解すべきで、この旨を規定した県規則は明らかに違法である。
6　公衆衛生上不適当な場所とは、興行場法第3条第1項に規定する入場者の衛生に必要な措置を講ずることができ難いことが明らかに予見できる場所をいうものである。

○興行場法の運用について

> 昭和34年1月26日　青医第173号
> 厚生省公衆衛生局環境衛生課長宛　青森県衛生民生労働部長照会

興行場法の運用にあたって、下記事項について疑義がありますのでご見解を至急ご回示願います。
記
　本県の山間へき地等交通の利便に恵まれない地域において既設の建築物等（主として倉庫、集会所）を利用し、週1～2回位巡回映画など定期的な興行に使用している事例があり、この場合、
1　月5日位であっても、定期的に反覆継続して使用しているところから、業としての解釈により既設の建物の主たる使用目的にかかわらず興行場法の適用をうけさせるべきが妥当であるか。
2　「昭和25年5月8日衛発第29号公衆衛生局長通達による月4日間位であれば興行場法の許可をうけさせなくとも差し支えない」の指示に基き、定期的継続の性格を有していても、その通算日数が月4日位であれば許可を必要としないと解すべきか。
3　許可を必要とすれば、この場合常設興行場、仮設興行場のいずれをもって取扱うべきか。
4　これら既設建築物に対して常設興行場の基準を適用することは既設建築物の本来の性格から構造上の相違及び経営的な面から、実際において相当困難な点がある。
　このことから常設興行場の現行基準を多少緩和した臨時的興行場（仮称）として現実の状況に即した基準をあらたに条例に加えて規制することは差し支えないか。

```
昭和34年5月8日　　衛環発第29号
青森県衛生民生労働部長宛　厚生省公衆衛生局環境衛
生部長回答
```

　昭和34年1月26日青医第173号をもって照会のあった標記については、次のとおり回答する。
記
1　お尋ねの施設は、興行場として反覆継続の意思をもって使用され、かつ、その行為が社会性を有するものと認められるので、興行場法の適用を受けるものと解する。
2　興行場としての使用が、月4日間位であれば、反覆継続しているとは認められないので、原則として興行場の経営の許可を要しない。
3　お尋ねの施設は、臨時的に経営されるものであるという特殊性にかんがみ、いわゆる仮設興行場として特例的に取り扱うことは差し支えない。
4　右の場合のように臨時の興行場について認められる特例の一般的基準を定めることは差し支えないが、その適用にあたっては個々の興行場の具体的な実情に応じ適正を期せられたい。

○興行場法の疑義について

```
昭和33年7月14日　　33環発第292号
厚生省環境衛生部長宛　茨城県衛生部長照会
```

次のことについて、疑義を生じましたから至急何分の御教示をお願いいたします。
記
　県が所有し管理する会館は、公会堂として一般県民に開放され、随時希望者に対し、使用料（条例）を徴してその使用を許可し、当該申請者による展示、講演、映画、演芸等の行事が催されているが、映画、演芸等の興行を業とする興行者による興行の回数は、月平均5回以上に及んでいる。
　以上、当該会館は、その性格からすれば前記のように公会堂としての県の造営物に属し、その使用関係は公法上の許可関係に立ち、県が申請者から徴する使用料は地方自治法第220条を根拠とするものであるが、該会館は、その使用状況からすれば結果的に興行場法第1条に定める施設としての機能ないし役割を併有するものと認めざるを得ないと考えられる。しかしながら、その使用関係からすればただちに県を同法第2条第1項にいう「業とする」者と判断することには疑問を存するが、これらの点について貴職の御見解をいただきたい。
　なお、該会館の使用料は、申請者の利用目的によっては区分されず、使用室の数及び大小並びに使用期間、設備の利用度等によりあらかじめ一定額が定められている。
　前記事項に類似した県、市町村長等の地方公共団体が行う、業としての興行場を経営しようとする者の解釈について、福島県総務部長からの照会に対し自治庁行政課長の回答を参考のため次に掲げます。
（昭和31年3月26日自治庁行発第12号）
問1　興行場法第2条第1項にいう「業として興行場を経営しようとする者」の解釈は、国、都道府県及び市町村もこれに該当するかどうか。若し該当するとすれば都道府県の場合自らが手数料を納めて自らが許可を与えるという不条理が生ずると思うがどうか。
　2　当市の所有する公会堂、市営プール、野球場、テニスコート及び公民館等は、一般市民に開放して、随時希望者に使用することを認め、スポーツや演芸等の行事が催されているが、これ等の施設は、市が維持管理するのみであって、自ら業として興行場を経営するものではないから当市の場合、興行場法第2条第1項には該当しないと思うがどうか。
答1　国又は地方公共団体が業として興行場を経営する場合には、興行場法第2条の適用はあるものと解される。
　2　当該施設が業として興行場を経営するものでなければお見込のとおり。

〔昭和34年8月31日　衛環発第35号
　茨城県衛生部長宛　厚生省環境衛生部長回答〕

　昭和33年7月14日33環発第292号をもって照会のあった標記については、次のとおり回答する。
記

興行場法の立法趣旨からみて、反覆継続性及び社会性をもって興行の用に供する施設を経営しようとする場合は、都道府県が営業者となる場合であっても、興行場法第2条第1項の許可を受けなければならないものと解すべきであって、お尋ねの事例にあっては、県は自らその施設について法定の施設基準に合致するか否かを判断して、合致する場合においては、許可を与えることとすべきである。

（展覧会・博覧会）

○興行場法に関する疑義について

> ［昭和25年3月2日　衛公発第510号
> 厚生省公衆衛生局長宛　東京都衛生局長照会］
> 標記の件左記事項に疑義がありますので至急御指示賜り度く御願い致します。
> 1　興行場法第1条に演芸、又は観せ物を公衆に見せ云々とあり、昭和23年8月13日厚生省発衛第10号厚生次官通牒旅館業法施行に関する件の第4の1に、各種展覧会云々は興行場法の適用外であるとありますが、名称は展覧会であっても実態は観せ物と認められるものもあり、又名称は観せ物となっていても実態は展覧会と認められる場合もありその見解について疑義がありますので展覧会と観せ物の区別について、御指示相成りたく稟議いたします。

［昭和25年4月22日　衛発第336号
東京都衛生局長宛　厚生省公衆衛生局長回答］

昭和25年3月2日衛公発第510号及び同月15日衛公発第643号で照会の標記の件下記の通り回答する。
1　展覧会とは、主たる目的が知識を普及会得せしめることになり、観せ物とは主たる目的が娯楽にあると解される。
2　博覧会は、興行場法の適用外であるが、その会場内に施設を設け演劇、演芸を行う施設については、興行場の適用を受けるものである。

（斗鶏場）

○常設興行場に対する疑義について

> ［昭和27年3月3日　公第155号
> 厚生省公衆衛生局長　千葉県衛生部長照会］
> 今回千葉県日本鶏保存会長から軍鶏保存の普及昇揚のため斗鶏場を開設し入場料を

第4編　興行場

徴し一般大衆に観覧せしめたいので、常設興行場として許可されたいとの申出があったが、斗鶏については、従来社会的通念上から顧慮すれば、トバク行為が兎角附随し勝であるので、これを興行場法に云う単なる観世物として許可することは、本件の本質上一考を要するものと思われるが御意見御伺いいたしたい。

〔昭和27年3月18日　衛環第20号
千葉県衛生部長宛　厚生省公衆衛生局環境衛生部長回答〕

興行場法の対象は興行場の施設であって、興行の内容ではない。従って御照会の如き場合斗鶏が社会通念上問題であっても、これは興行場法によって考慮すべき事項でなく施設が基準に合致するか否によって決定すべきである。

（鯛網興行）

○鯛網営業が興行場法による興行であるか否かについて

〔昭和28年7月1日　広公第253号
厚生省環境衛生部長宛　広島県衛生部長照会〕

トリックを使って鯛網を毎日曜日に観せ物として入場料をとり公衆の観覧に供しているが、これが興行場法による興行であるか否かについて、至急御回答を煩わしたく御願い致します。

なお、鯛網の現況については下記のとおりであります。

記

鯛網の現況

附図(1)の赤線の区域において附図(2)の如き2艘の魚船により網を張り、順次網をせばめて行き、時機を見てあらかじめ本格的鯛網によって取った鯛を見物人に判らないように網の中に放し、恰も本格的鯛網の操作によって魚獲したように見物人に観覧せしめるものである。

2艘の引舟及び魚群追い込み用の数隻の舟は、大漁の旗その他によって賑かに飾り、鯛網の場所は見物人の便と網を傷めないため海底の砂地を選んだものである。

以上のようにして網をしぼって最後に舟に網を引き上げるのであるが、網の中にはトリックによらない少数の本物の鯛や、多数のサワラ、イカ等の魚もおり、それを現場で即売しているような状況であります。

鯛網営業が興行場法による興行であるか否かについて

備考

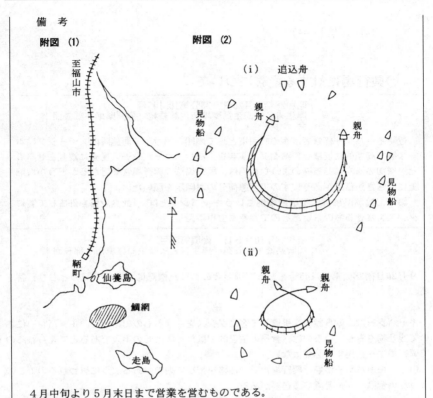

4月中旬より5月末日まで営業を営むものである。
実施団体以外のものが別船を仕立てて見物のために現場にて観覧する場合も観覧料を徴収している。

［昭和28年8月19日　衛環発第25号
広島県衛生部長宛　厚生省環境衛生部長回答］

　おたずねの鯛網営業は、興行場法による興行とみなすことはできない。即ち、興行場法による営業許可は、当該興行に供する施設に対し公衆衛生上の見地より必要な指導取締りを行うことを目的とするのであって、興行自体の取締りを目的とするものではない。したがって、本件の場合は興行する場所を興行場法による「施設」とみなすことは不可能であるので、興行場法を適用することは不適当である。

第4編　興行場

（キャバレー）

○興行場に対する疑義について

> 昭和28年9月26日　28公第10,145号
> 厚生省公衆衛生局環境衛生課長宛　福岡県衛生部長照会

　近時キャバレー経営者が客の吸引策として劇団を招致して同施設内ステージ又はホール等で周期的に反覆して演劇又は演芸を上演し、キャバレー入場者に観覧させることが増加の傾向にある斯のような行為は、興行場法の興行場営業となるかどうか取締上にいささか疑義がありますので至急何分のお回示を願いたい。
　おって福岡県風俗営業取締条例にいうキャバレーとは、「飲食設備を併置して客にダンスをさせるもの」とあるので参考まで申添える。

> 昭和28年10月5日　衛環第55号
> 福岡県衛生部長宛　厚生省公衆衛生局環境衛生部長回答

　9月26日附28公第10,145号をもって御照会のあった標記について下記のとおり回答する。

記

　キャバレーは、飲食設備を併置して客にダンスをさせるものであって、キャバレーにおいて観せ物をみせているのは、営業の主目的ではなく客よせの手段であると考えられるので興行場法を適用する必要はない。
　但し、キャバレーが最近興行場営業の性格を帯びて来つつあるように思われるのでこのような場合は、別途考慮する必要がある。

（自動車による映画の上映等）

○環境衛生関係法規の運用及び疑義について

> 昭和29年3月26日　公保第117号
> 厚生省環境衛生部環境衛生課長宛　長野県衛生部長照会

　理容師美容師法、興行場法及び墓地埋葬等に関する法律について下記事項至急御回答を賜りたくお願いいたします。

記

1　映写機を自動車に積載して巡回し運動場等の広場において観覧者から対価を受け

> 映写を行う（1か所につき1回とし順次移動する）場合、興行場法の適用を受けるか。

> ［昭和29年6月14日　衛環第52号
> 　長野県衛生部長宛　厚生省環境衛生部環境衛生課長回答］

3月26日公保第117号で照会の標記について下記のとおり回答する。

記

1　興行場法は、興行場に対する監督取締を目的とするもので興行を対象とするものではない。従って照会のような場合は、その業者は法の対象となるものでなく、むしろ場所として提供される運動場等が常時これらの興行に使用されている実情であれば法の対象として考慮する必要があるがその場合でもその使用が一時的なものであって業として行っていると認められないものであれば法の適用を受けさせる必要はない。

○興行場法の適用について

> 興行場法適用上の疑義照会について
> ［昭和30年4月1日　30医第105号
> 　厚生省公衆衛生局長宛　福島県知事照会］

興行場法第1条に規定する「興行場」の定義について下記の疑義が生じたので御多忙中恐縮ですが折返し御教示願います。

記

1　競輪・競馬場は、その行為が社会性をもち反覆継続している事実から興行場（仮設又は臨時）と認定され許可の対象となると思料されるが如何。
2　同旨の理由でキャバレー、温泉旅館で定期的に行われるショー、演芸も許可の対象となると思料されるが如何。
3　近時各所の飲食店、旅館などに設置された客寄せのための大型テレビの取扱如何。

> 興行場法の適用について
> ［昭和30年8月19日　衛環発第29号
> 　福島県知事宛　厚生省公衆衛生局環境衛生部長回答］

昭和30年4月1日30医第105号で福島県知事から公衆衛生局長あて照会のあった標記の件につき、下記の通り回答する。

記

1　貴見の通り競馬場及び競輪場の経営は、法第2条による許可の対象となる。
2　キャバレー、温泉旅館等の施設内で行われるショー、演芸が、本来の業務に附随するサービス程度のものであれば勿論興行場法の対象とはならない。
　しかしながら、その頻度、規模、観客の範囲等が明らかに本来の業務の範囲を超えも

第4編　興行場

っぱら興行として施設を供する場合は、興行場法の対象となる。
3　飲食店、旅館などに設置された客寄せのためのテレビについても、前項と同様に考えられる。

○興行場法適用の疑義について

> 昭和32年3月29日　32環第2,723号
> 厚生省環境衛生部環境衛生課長宛　北海道衛生部長照会

今回、北海道画劇協会から下記要旨により、移動バスを利用して、紙芝居、スライド等を観覧せしめたいが、興行場営業許可の可否について問合せがありましたので、その取扱について、至急何分の御指示願います。

記

実施地域　札幌市一円巡回実施（但し市外に出て巡回実施の場合もある。）
　経営者　北海道画劇協会
　営業種別　紙芝居、スライド等
　実施場所の構造設備
　　　　　　バス又は大型バスの乗客席椅子を取除き、立見席とする。収容能力は大型バスの場合最高約250名、普通バスの場合最高70名～80名である。
　実施要領　1回金10円の料金を徴し、入場者全員に飴菓子を配布した後、40分～1時間停車のまま紙芝居又はスライド等を実施し、終ればバスを移動し他の場所に於て同様、実施する。（飴菓子の原価1円～2円程度）
　営業対象　学童及び幼児を主とし、紙芝居、スライドの内容は、一般に実施されている紙芝居の内容と同様である。

> 昭和32年4月26日　衛環第31号
> 北海道衛生部長宛　厚生省環境衛生部環境衛生課長回答

昭和32年3月29日32環第2,723号をもって照会のあった標記について次のとおり回答する。

記

おたずねのような施設は、観せ物を公衆に見せる施設であり、興行場法にいう興行場に該当するものと解されるので、業としてこれを経営しようとするときは興行場法に基く許可を要するものと思料される。

○興行場法運営上の疑義について

> 昭和32年9月30日　32衛第1,551号
> 厚生省公衆衛生局環境衛生部長宛　岩手県厚生部長照会

下記の点疑義があるので至急御教示を煩したく御願いします。
記
1　大型バスを改造し、その車内に映写機及び観覧者用椅子を備え巡回（映写時は停車する）して映画興行する場合、その車体が興行場として法の適用を受けるか。
　なお、主として子供を対象とし、場合によっては運動場等の広場を利用することもある。

> 昭和32年10月21日　衛環発第55号
> 岩手県厚生部長宛　厚生省公衆衛生局環境衛生部長回答

昭和32年9月30日付32衛第1,551号をもって照会のあった標記について、下記のとおり回答する。
記
興行場法において興行場とは、「映画、演劇、音楽、スポーツ、演芸又は観せ物を、公衆に見せ聞かせる施設」をいい、その施設の固定的たると移動的たるとを問わないものであるから、設問の場合、業として行うものである限り、当然に同法第2条第1項の規定により当該都道府県知事の許可を受けなければならないものである。

おって、当該営業者が興行場法第3条第1項の規定により、当該施設について講ずべき換気、照明、防湿及び清潔その他入場者の衛生に必要な措置については、いわゆる仮設興行場に準じた取扱により、必要な措置を講ずることが適当と思料される。

（競輪場・競馬場）

○競輪場及び競馬場に対する興行場法の適用について

> 昭和32年3月6日　衛環第18号
> 各都道府県衛生主管部（局）長・各指定都市市長宛　厚生省公衆衛生局環境衛生課長通知

標記の件に関し、大分県厚生部長から別添1により照会があったので別添2により回答したから御了知ありたい。

> 別添1
>
> > 昭和32年2月22日　公保第1,088号
> > 厚生省公衆衛生局環境衛生部長宛　大分県厚生部長照会
>
> 興行場法第1条には、「興行場」とは、映画、演劇、音楽、スポーツ、演芸又は観世物を、「公衆に見せ又は聞かせる施設をいう。」と定義づけられているが、競輪又は競馬は一種のスポーツ或は観世物とみなされ、しかも不特定多数人を対象に反覆継続し社会性をおびている施設と考えられるから、したがって興行場法の適用も、しかる

第4編　興行場

> べきものと思料されるが、その見解について至急御教示下さい。

別添2

> 昭和32年3月6日　衛環第18号
> 大分県厚生部長宛　厚生省公衆衛生局環境衛生課長回答

　昭和32年2月22日公保第1,088号をもって照会のあった標記の件について次のとおり回答する。

記

　競輪場及び競馬場は、貴見のとおり興行場として興行場法の適用を受けるべきである。

（飲食店等のテレビ）

○テレビジョンによる興行の疑義について

> 昭和30年11月14日　30環第4,412号
> 厚生省公衆衛生局環境衛生部環境衛生課長宛　大阪府衛生部長照会

　首題のことについて取扱上疑義があるので下記事項について御回答願います。

記

1　商店街の繁栄策としてその商店街の業者が協同して既設の建物を利用し客席を設けて継続的に顧客（一般大衆）に無料にてテレビジョンを聴視せしめる場合興行場法の許可を必要としないと思うが如何か。
2　集会場の適用をうけていない建築物或は集会場を利用して客席を設けてテレビジョンを設備し2、30円程度の入場料を徴し一般大衆に聴視せしめる場合は興行場として許可を受けさせる必要があると思うが如何か。
3　右のように入場料としては徴せず会員制度として毎月会費を徴収して反覆継続して会員のみに聴視せしめる場合も右と同様に取扱うべきと思うが如何か。

> 昭和30年12月9日　衛環第91号
> 大阪府衛生部長宛　厚生省公衆衛生局環境衛生部環境衛生課長回答

　昭和30年11月14日30環第4,412号をもって照会のあった標記の件について、下記のとおり回答する。

記

1　おたずねの場合、反覆継続して、社会性をもってテレビジョンを聴視せしめる施設であれば、対価を受けないものであっても、業として興行場を経営する場合に該当する。ただし、飲食店その他の商店などで客寄せのためにテレビジョンを設置している場合には、その行為が本来の業務の範囲を越えてもっぱら興行として施設を提供していない限

り、興行場法の対象とならない。
　従って、設問にかかる施設の独立性、規模等より判断して多数人の集合する施設として興行場法を適用する必要があるかないかを決定されたい。
2、3　貴見のとおり。

○興行場法の適用について

〔昭和31年5月19日　公第970号
厚生省環境衛生部長宛　徳島県衛生部長照会〕

　公民館等を使用し、入場料をとり、テレビを反覆継続して見せている例がありますが、このような場合に法の第1条第1項「映画、演劇、音楽、スポーツ、演芸又は見せ物」のうちに含まれ、法の適用をすべきか。何分のご教示願います。

〔昭和31年5月29日　衛環第49号
徳島県衛生部長宛　厚生省環境衛生部環境衛生課長回答〕

　「テレビ上映の施設について」
　昭和31年5月19日公第970号をもって照会のあった標記の件について下記のとおり回答する。

記

　照会の件、毎月4～5日以上反覆継続して、社会性をもってテレビを聴視させるような実態を具備している場合には、対価を受けないものであっても業として興行場を経営する場合に該当し、興行場法の適用をうけるものと思料する。
　但し、飲食店その他の商店で、客寄せの目的でテレビを設置している場合は、その行為が、本来の業務の範囲を越えない限り、一般的には興行場法の対象とはならないから念のため、申し添える。

○興行場法の運営上の疑義について

〔昭和31年11月10日　薬第1,074号
厚生省公衆衛生局環境衛生部環境衛生課長宛　三重県衛生部長照会〕

　最近テレビジョンの普及に伴い、既設の建物或は集合場等を利用して客席を設けてテレビジョンを設備して10円から20円程度の入場料を徴し一般大衆に反覆継続して視聴せしめるものがあり、これらの施設は興行場法の適用を受けるものと思料しますが、著作権法（明治32年法律第39号）の規定には「活動写真術又はこれと類似の方法」とあってテレビジョンも含み著作者の興行権が認められて居ると解せられ、次の点に疑義を生じましたので至急何分の御回示を賜わりたく照会いたします。

記

第4編　興行場

> 1　著作権法の規定によれば文芸、学術、美術の著作物の興行をテレビジョン等で「業として」行うときはその著作者と契約しなければならないが、興行場法により右の興行を行う施設は許可を必要とするこの場合、著作者と興行者との契約は実際上不可能な状態であり、テレビジョン興行をする者が興行場の許可を得て営業すれば著作権により損害賠償を要求せられることになるが、興行場の許可処分に際しこの点考慮する余地はないか。
> 2　喫茶店その他商店等でサービス行為としてテレビジョンを聴視せしめるときその規模等はどの程度のものまでを限界とすべきか。
> 3　他府県においてテレビジョン興行によって著作権法に基き損害賠償等の措置をとられた興行場の事例があるかどうか。

〔昭和31年12月21日　衛環第128号
　三重県衛生部長宛　厚生省公衆衛生局環境衛生部長回答〕

　昭和31年11月10日薬第1,074号をもって照会にかかる標記の件については、下記により回答する。

記

1　一般大衆に反覆継続して、テレビジョンを聴視させることを本来の業務とする施設であれば、対価を受けると否とにかかわらず、興行場法第2条第1項にいう「業として興行場を経営する」施設に該当することは当然のことであるが、この場合、興行場法の許可処分は、興行場営業に関して、公衆衛生を維持確保しようとする行政上の目的に基くものであって、著作権法とは、無関係に取り扱って差し支えない。
2　サービス行為あるいは客寄せのためにテレビジョンを聴視させる場合、すなわち、社会通念上テレビジョンを聴視させること自体に業の目的があるのではない場合であれば、通例興行場法の対象とはならないものであるが、その行為が本来の業務の範囲をこえて、専らテレビジョンを聴視させるために施設を提供するような形態になれば興行場法の適用を受けることとなるものである。
3　現在のところ事例がないので、今後発生したときは、連絡をする。

○興行場法の疑義について

> 平成31年1月25日　30福保健環第1,348号
> 厚生労働省医薬・生活衛生局生活衛生・食品安全部生
> 活衛生課長宛　東京都福祉保健局健康安全部長照会

　日頃から、本都の環境衛生行政の推進に御指導を賜り、御礼申し上げます。
　今般、本都において、飲食店の営業時間中に客席で下記のような形態で映画を上映している施設があり、興行場法の適用について疑義が生じましたので回答賜りたく照会致します。

記

1　施設の概要
　本施設は3階建て施設であり、1階部分は興行場法営業許可施設（映画館）、2階及び3階部分は飲食店営業の許可を受け、飲食店として営業している。各階はそれぞれ独立しているが、共用廊下に設置された階段を使用し行き来できるようになっている。

2　事例
(1)　本施設2階において、毎日、カフェスペースと称し、飲食を提供しているほか、一日数回映画を上映している。当該施設を利用するためには、利用料金（800円）と一杯分の飲料代金でチケットを購入する。当日中は出入り自由となっている（別料金で追加飲食も可）。
　2階には映写機、スクリーン及び音響設備が設置されている。客席部分には、図のようにテーブル及び椅子があるが、テーブル及び椅子は、客や従業者が自由に向きを変えることも可能となっている。
　映画上映中は従業者が窓の暗幕カーテンを閉め照明の照度を低く設定（最高で50Lux程度）するとともに、客席の椅子の一部をスクリーンに正対して配置し、客の会話に影響を与える程度に音響を大きくするなどし、映画を鑑賞しやすい状態を作り出している。なお、スクリーンに正対していない客席からもスクリーンが充分に観覧できるようになっている。

(2)　さらに、平成30年10月には、「映画祭」と称し、本施設2階において、同一月に10日の間、客席の椅子を全てスクリーンに正対して配置し、窓の暗幕カーテンを閉め照度を低く設定するとともに、客の会話に影響を与える程度に音響を大きくして、1日に2～5作品程度の映画を上映していた。
　なお、鑑賞料金として、一般1,500円、学生・シニア1,100円、3～12歳まで1,000円を受け、当該料金には、ドリンク1杯分のチケット及びノベルティとして缶バッチのプレゼントが含まれている。

3　照会事項
　上記2(1)及び(2)は、昭和38年12月25日付環衛第25号のとおり、構造設備、照明、映画上映による音響の客の会話に与える影響、継続反復的性格等の営業実態から、

第4編　興行場

飲食店のための客寄せの手段の程度を超え、もっぱら映画を視聴させるために施設を供する形態と判断できることから、興行場法の適用対象と解するがいかがか。

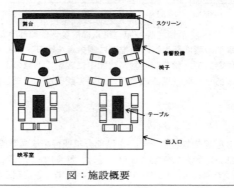

図：施設概要

[平成31年3月27日　薬生衛発0327第1号
東京都福祉保健局健康安全部長宛　厚生労働省医薬・
生活衛生局生活衛生課長回答]

　平成31年1月25日付け30福保健環第1,348号をもって照会のあった標記について下記のとおり回答します。

記

　当該営業については、貴見のとおり、興行場法の適用対象と解して差し支えない。

（写真透視器）

○回転立体写真透視器（ミュート・スコープ）利用の営業状況について

[昭和30年7月7日　防保風第581号
厚生省公衆衛生局環境衛生課長宛　警視庁防犯部保安
課長照会]

　最近都内に回転立体写真透視器（ミュート・スコープ）と称し遊技場等の店内改装をして専用場所とし本器を列べ1器毎に硬貨投入口より10円硬貨を投入し覗眼鏡を覗きながらハンドルを操作することによって内部に装置された立体写真（裸体モデル写真）を観せる業者が出現したが、
　右営業は興行場法第1条の
　　観せ物を公衆に見せる施設
　に該当するものと思われるが

回転立体写真透視器（ミュート・スコープ）利用の営業状況について

　　興行場法適用の有無
　　其の他参考事項
について御回報願度く照会する。
　尚本器使用の施設については他の府県においても同様の状況があって照会をうけているものにつき至急御回報願い度く念の為

　　　　　　　　回転立体写真透視器（ミュート・スコープ）

　　　　　〔昭和30年8月19日　衛環第58号
　　　　　　警視庁防犯部保安課長宛　厚生省環境衛生部環境衛生
　　　　　　課長回答〕

　昭和30年7月7日防保風第581号をもって照会のあった標記の件について、下記のとおり回答する。

　　　　　　　　　　　　　記

　お尋ねのごとき回転立体写真透視器により、写真等を業として見せる施設は、興行場法の適用があるものと解される。

第4編　興行場

（市営プール・公民館）

○興行場法の疑義について

> ［昭和30年9月13日　会総第1,608号
> 　厚生大臣宛　会津若松市長照会］

標記について、事務処理上聊か疑義がありますので下記により折返し御教示賜りたく御照会申上げます。

記

1　興行場法第2条第1項のいう「業として興行場を経営しようとする者」の解釈は、国、都道府県及び市町村もこれに該当するかどうか。若し該当するとすれば、都道府県の場合、自らが手数料を納めて自らが許可を与えるという不条理が生ずると思うがどうか。
2　当市の所有する公会堂、市営プール、野球場、テニスコート及び公民館等は、一般市民に開放して、随時希望者に使用することを認め、スポーツや演芸等の行事が催されているが、これ等の施設は市が維持管理するのみであって、自ら業として興行場を経営するものではないから当市の場合、興行場法第2条第1項には該当しないと思うがどうか。

> ［昭和30年12月26日　衛環第97号
> 　福島県厚生部長宛　厚生省公衆衛生局環境衛生部環境
> 　衛生課長回答］

昭和30年9月13日会総第1,608号をもって会津若松市長より厚生大臣あて照会のあった標記の件について、下記のとおり回答するから、この旨会津若松市長あて御指導願いたい。

記

1　国、都道府県、市町村等公共団体であっても、一般私人と同様に営業者に該当する場合もありうる。
　　都道府県が営業者である場合にも、手数料の納入は会計上何等不条理というべき点はなく、法定の施設基準に合致するか否かを判断して自己に許可を与えることも法律上何等不合理でない。
2　設問に係る施設の使用形態が、常時反覆して不特定多数人を対象とし、社会性をもつか否かの程度によって、業となるか否かが判断されるので、その実体に即して考慮すべきものである。
　　次に、興行場法にいう興行場経営者とは、当該興行場施設を維持管理し、経営する者を意味し、当該施設内において行う興行者をさすものではないので、「当市が自ら業として興行場を経営するものでない」か否かの判断については、この点を特に考慮されたい。

(公設グランド)

○公設グランド等の興行場の許可手続きの疑義について

> 昭和31年3月6日　市保公第67号
> 厚生省公衆衛生局環境衛生部長宛　熊本市立熊本保健所長照会

　標記については当市、市営の公設野球場、陸上競技場の使用にあたり次の事項に疑義がありますので御指示方をお願い致します。

記

1　公設グランドについては常設興行場としての許可の手続を必要としますか（当市市営競輪場は月4回以上行う為、常設興行の許可をうけています。）。
2　公設興行場の許可を受けていない公設野球場において中学校、高等学校及びプロ野球等の試合（但し有料）がある場合月4日以内であっても仮設興行の手続を必要としますか。
3　同じく陸上競技場についてはどうですか。
4　集会場及び各種会館その他の施設を興行場として使用する場合の法の運用について（昭和25年5月8日衛発第29号通牒）の第1項にその他の施設とあるが、公設グランドはこれに該当しますか、又、その他の施設とはどの程度の範囲のものでありますか。

> 昭和31年7月18日　衛環第62号
> 熊本県衛生部長宛　厚生省公衆衛生局環境衛生部環境衛生課長回答

　標記の件につき、別紙写のとおり貴管下熊本保健所長から照会があったので、下記により貴職から回答方お取り計らい願いたい。

記

1　一般に運動競技場はスポーツを業として公衆に見せる施設であるから興行場法第1条に定める興行場に該当し、月平均4日以上使用するときには法の定めるところにより許可を受けなければならない。ただし、例えばもっぱら公衆自身がスポーツに参加する目的のみに利用されている施設については法の適用を受けないものと解される。
2　野球場において野球の試合を業として公衆に見せる場合は、明らかに興行であるが使用日数が月平均4日以下であれば興行場としての許可を必要としない。
3　1により判断されたい。
4　1の趣旨によって、公設グランドが通ちょうにいうその他の施設に該当する場合もありうる。

第4編　興行場

（水族館）

○水族館に対する興行場法の適用について

> 昭和32年5月13日　32環第1,071号
> 厚生省公衆衛生局環境衛生部環境衛生課長宛　神奈川県衛生部長照会

　標記のことについて下記の点に疑義が生じたので何分の御教示を煩したくお願い致します。

記

　興行場法第1条には興行場とは映画、演劇、音楽、スポーツ、演芸又は観せ物を、公衆に見せ、又は聞かせる施設をいうと定義づけられているが、水族館は一種の観せ物とみなされ、しかも不特定多数人を対象に反覆継続し、社会性をおびている施設と考えられるが、これを興行場法による観せ物と解し、興行場法の適用を行うべきか、なおこれとは別に鯨を遊泳させ或は「イルカ」に芸をさせて一般大衆に観覧させるような施設を設けた場合、興行場法の適用を行うべきか。

> 昭和32年6月21日　衛環発第23号
> 神奈川県衛生部長宛　厚生省公衆衛生局環境衛生部長回答

　昭和32年5月13日32環第1,071号をもって照会にかかる標記について次のとおり回答する。

記

　お尋ねの件は、不特定多数人を対象として、反覆継続して観せ物をみせる施設である点においては、一応興行場とも思料されるが、水族館はむしろ一般的には、教育的配慮の下に公衆の利用に供することを主たる目的とするものと解されるので、博物館法（昭和26年法律第285号）第2条に規定する博物館として登録された施設又は同法第29条に規定する博物館に相当する施設として指定された施設については、興行場法の適用外として取り扱われたい。

（ヌード喫茶等）

○興行場法に関する疑義について

> 昭和33年5月7日　医第1,630号
> 厚生省環境衛生部長宛　福井県厚生部長照会

　最近本県（温泉地）において「ヌード喫茶」と称して次のような比較的小規模の営

業をしようとする者があり、これらの業種の行政指導上急を要しますので折返し御回報下さるようお願いします。
設　問
　　別紙図面の構造設備において次の営業形態をとる場合は、興行場法第1条の規定に該当するものとして、同法第2条にいう「業として興行場を経営する」と解してよいか。
事　例
　㈲　営業の主体
　　　営業の主体は、和洋食類、酒類、コーヒー等の食品を客に提供するとともに、適当な時期に舞台においてストリップショー等のショー（1回の所要時間は約30分）を1日数回演技する。
　㈹　料金
　　　客から特に、ショー等のための観覧料は、徴収しないが、飲食費にこの観覧料金を含めて徴収する。
　㈻　客の接待
　　　サービスガールが客席（観覧席）の通路等で客に対して飲食の接待をする。
　㈲　客席（観覧席）
　　　客席（観覧席）には、図面のようにいすおよびテーブルを置き、床は、ショーが充分観覧できるような船底型とする。
　㈹　舞台および演技者
　　　興行場のような舞台、楽団室、支度部屋のほか演技に必要な照明設備を設け、演技者（ストリッパー等）は、毎月または月のうち何回かの交代制とする。
別紙　略

［昭和33年6月11日　衛環発第51号
　福井県厚生部長宛　厚生省環境衛生部長回答］

昭和33年5月7日付医第1,630号をもって照会の標記の件について、下記のとおり回答する。

記

　御照会の事例については、単に喫茶店営業等のための客寄せの手段の程度をこえていわゆるショー自体をも公衆に見せる施設としてこれを反覆継続する意思をもって社会性を有する形態において営まれているものとみられるので、業として興行場を経営するものであり、当然興行場法の規定による許可を要するものと解する。

第4編　興行場

○環境衛生関係営業法令に関する疑義応答について

> 昭和36年6月20日　厚生省環衛第1号
> 各都道府県・各指定都市衛生主管部(局)長宛　厚生省
> 環境衛生課長通知

　今般、環境衛生関係営業法令に関する疑義応答を別添のとおりまとめたので、送付するから、事務執行上の参考に供されたい。
(問1)　相当広い土地に、便所・炊事場・バンガロー又は天幕がそれぞれ散在して設置される場合、経営者別に1団地1件として申請させるべきか、或いは、バンガロー又は天幕の個々の施設ごとに申請させるべきか。（青森県照会）
(答)　旅館業法の適用にあたっては、当該対象施設について一体性を認め得るならば、必ずしも、個々の施設ごとに、これを一営業単位として取り扱うことを要しないものであって、お尋ねの事例のように、山岳地、海岸等の季節的行楽地において、バンガロー、天幕その他これに類する宿泊施設及びその附帯施設が、一定地域内に相互に比較的接近して2個以上設置される場合にあっては、この種の施設の性質にかんがみ、個々のバンガロー、天幕等の施設を、それぞれ通常の宿泊施設における客室、その他の設備に相当するものとみなし、これらの施設によって複合的に構成される営業施設の存在を認め、これを一営業単位として取り扱うことは許されるものとみてさしつかえないが、なお、具体的事例に即して、施設の構造設備、配置及び管理の状況等をも勘案の上、遺憾のないよう処せられたい。
(問2)　ヌードスタジオに関し、次のような解釈をとってよろしいか。
①　ヌードスタジオとは、通常会員制でヌードモデルの姿態を写真撮影又はデッサンさせる等いわゆる芸術研究を目的としたものであるから「観せ物」とは解せられない。
②　興行場法にいう「観せ物」とは、動植物、人形、模型などの展示、幻燈その他これに類するものであり、人体のモデルは該当しないものと解される。
③　ヌードモデルが静止せず、又は、動作を伴なうときは善良な風俗を害する行為であって、他の法律によって取り締るべきと解される。
　　以上の見解によって、ヌードスタジオは興行場法第1条第1項の施設ではないと解される。

　　　　（和歌山県照会　　石川県　愛媛県　類似照会）
　　　　　　　　　　　　　三重県　福島県

(答)　ヌードスタジオ又はこれに類似の名称をもって、全裸の婦人のモデルの姿態及びその動作を観覧させる施設（以下「ヌードスタジオ」という。）に対する興行場法の適用の当否は、(1)当該ヌードスタジオにおけるいわゆる「モデル」の姿態及びその動作について、これを同法第1条第1項に掲げる「映画、演劇、音楽、スポーツ、演芸又は観せ物」のうちいずれかの種別に該当するものとすることができるか否か、(2)当該ヌードスタジオは、「モデル」の姿態及びその動作を「公衆に対して見せる」ものであるか否か、及び(3)当該ヌードスタジオの経営者は、かかる施設を「業として」経営するものであるか否かの3点から判断されなければならないのであって、当該ヌード

スタジオが、以上の3つの要件のすべてを積極的に満す場合においては、当然興行場法の適用範囲内にあるものとすべきである。

しかるに、御設問の趣旨は、ヌードスタジオに対しては、一律に同法を適用すべきものであるかどうかというものであるが、現実におけるこの種の営業の形態が極めて多種多様であるため、その定義づけすらも困難とされる現在、御設問において要求されているような画一的な判断を行なうことは、法理上許されないのであって、それぞれの具体的事例に応じ、貴職において、適宜御判断の上、処理されたい。

なお、参考までに付記すれば、ヌードスタジオにおけるモデルの姿態及びその動作が「映画、………、観せ物」のうちのいずれかの範ちゅうに属するものとみなし得るか否かは、当該施設の状態、すなわち、その営業方法、モデル及び客の態度等を総合的に勘案の上社会通念によって、判断すべきものであって、経営者及びモデル等の意思又は主張、会員制度をとるか否か、モデルがある種の動作を行なうか否か等の事実は、いずれも、これが判断を行なうにあたっての決定的なメルクマールとなるものではないことに留意されたい。また、「観せ物」とは、民法第85条に規定する「物」に限られないのであって、人体であっても、それが公衆に見せるために陳列された状態にあれば、これを観せ物として取り扱うべきである。

さらに、興行場法は、もっぱら対象施設について、公衆衛生の見地から必要な規制を行なおうとするものであって、その興行内容についての風俗的見地からする規制は、本法の目的外であるから、お見込みのとおり、本法の適用にあたっては、当該興行場における興行の内容が公序良俗に反するか否かを顧慮すべきではないが、警察当局等と必要な情報の交換等を行なうことは、当該事務処理の円滑化に資するものと考えられ、なんらさしつかえないところである。

(問3) 旅館業者が国民金融公庫に対して融資の申込をする際には、その申請書に所轄保健所長の証明書を添付すべきこととされている。ところで、旅館業者が旅館業法第8条各号に規定する罪を犯したことはあるが、その後一定期間を経過した者、あるいは改悛の情が顕著の者であって、今後の営業が十分堅実に行なわれることが明らかに見通される場合で、保健所長が適当と認める者については、証明書を交付して差し支えないか。

もし差し支えないとすれば、証明書の様式中この事項については「………………罪を犯したことはあるがその後改悛の情が顕著で、今後は堅実な経営を営むことが確実であると認める。」等記載して差し支えないか。（北海道照会）

(答) 旅館業者が国民金融公庫に対して融資の申込をする際に、その申請書に所轄保健所長の証明書を添付すべきこととしたのは、風俗見地から好ましくない営業者を融資対象より除外したいためであって、しかも当該証明書の様式を、昭和35年6月24日衛環発第18号各都道府県指定都市衛生主管部(局)長あて通知別記様式のごとく定めたのは、保健所長の把握しうる範囲を考えて、それ以上詳細な部分にわたる証明を行なわせることは困難であるとみたからであるので、お尋ねの場合のように、保健所長が、旅館業法第8条各号に規定する罪を犯した営業者について、その後一定期間を経過したか、あるいは改悛の情が顕著であるかにより、今後の営業が十分に堅実に行なわれ

ることが明らかに見通すことができるから、証明書を交付するに適当であると認めたような場合には、お示しのような文言を証明書に記載して、それを当該営業者に交付することは差し支えない。

ただ、改悛の情が顕著であるというような認定を行なうことはそう容易ではないと考えられるので、そのような営業者に証明書を交付する場合にあたっては、十分に調査の上、真に適当と認められる者に対してのみ、証明書を交付するように配慮されたい。

(問4) 次のような態様の浴場施設に対して、公衆浴場法を適用すべきか。
① 住宅の一部を改造し「ラヂウム温泉の素」と称する看板を掲げ、男女別に家族風呂式の浴槽を設け、主として病人を対象に会員制（会員には会員券を発行する。現在30名ほどいる会員は主として病人であるから病気が治癒すれば会員ではなくなる。すなわち、会員は固定したものではなく、たえず増減をきたす。）により入浴させている。
② 料金は浴場の諸経費を会員が負担することとし、1会員月額で1500円、日額ならば入浴の都度50円を納入する規約となっている。
③ 普通浴場と同じく反覆継続して営業している。
④ 2メートル四方の浴場内に1メートル四方の浴槽を設け、浴槽の底に50センチメートル四方のラヂウム鉱石と称するものを入れている。（石川県照会）
(答) お尋ねの施設は、公衆浴場法第1条第1項に規定する公衆浴場に該当することはもちろん、反覆継続の意思をもち、かつ、社会性をもって経営されているものと認めざるを得ないので、公衆浴場法の適用を受けるべきものである。

すなわち、お尋ねの施設について、公衆浴場法の適用を除外すべき事由の有無を検討してみるに、貴職から提示された資料によって判断する限り、当該施設に関しては、その利用者を特定人（この場合は病人）に限定するといういわゆる会員制度をとり、もっぱら会員の病気の療養のために使用されるものであるという経営形態及び利用形態における特殊性が認められるほかは、一般の公衆浴場との間になんらの差異をも見出し得ないのである。しかしてこの経営形態及び利用形態における特殊性も、次に掲げる理由によって当該施設を公衆浴場法の適用外とすべき事由としては認めがたいところである。
1 当該施設が会員制度をとることは、その営業の社会性を否定する事由とはならないこと。このことは、昭和24年10月17日付け、衛発第1,048号各都道府県知事あて公衆衛生局長通知「公衆浴場法等の営業関係法律中の「業として」の解釈について」によって御承知のとおりであること。
2 公衆衛生法規たる公衆浴場法の本質にかんがみ、同法は、対象施設の経営者の経営目的及び利用者の利用目的のいかんを問うことなく、ひとしく適用さるべきものであるから、当該施設が会員の病気療養を目的として、設置・経営・利用されることは、当該施設に対する同法の適用の当否の問題とは無関係であること。
(問5) 売春防止法違反により罰金刑に処せられた旅館営業者が同人を代表者とする法人に経営者名儀を変更した場合（本件は、行政処分を脱がれるための作為が多分に疑わ

れる。）は、先の旅館営業者の違反事実につき、後の法人に対し旅館業法第８条により行政処分を行なうことはできないものと解してよろしいか。（福島県照会）
（答）旅館業法（以下「法」という。）第８条後段の規定に基づいて行政処分を行なうことができるのは、旅館業の営業者（営業者が法人である場合におけるその代表者を含む。）又はその代理人、使用人その他の従業者が当該営業に関し同条各号に掲げる罪を犯したときであり、当該犯罪行為と当該営業との間に相当の因果関係が存する場合に限られるが、お尋ねの場合においては、当該旅館営業者はその経営者名儀を法人に変更しており、この法人は新たな営業許可を受けたことによって先の旅館営業者とは営業が別個のものとなっておるのであるから、したがって、先の旅館営業者の犯した売春防止法違法の行為と後の法人の行なう営業との間には、相当の因果関係は存しないと解すべきであるので、この法人に対して法第８条に基づく行政処分を行なうことはできない。

なお、法第８条においては、行政処分を行なうことができる要件として、営業者が法人である場合におけるその代表者…………が当該営業に関し同条各号に掲げる罪を犯したときと規定しているが、これはいうまでもなく、営業が許可された後に前記の罪が犯されたときに行政処分を行なうことが許されるという趣旨であって、いったん法人に対し許可を与えておいて、その後に、許可前に当該法人の代表者が犯した売春防止法違反の行為を理由に、当該法人に対し行政処分を行なうことはできないと解さざるを得ない。

（問６）旅館業法第９条に基づく運用上、左記事項に疑義がある。
１　旅館業法第３条第１項の許可を受けた営業者（以下「Ａ」という。）が売春防止法第２章に規定する罪を犯したが、旅館業法第８条に基づく行政処分前にその営業を譲渡し、現在、当該旅館において従業員として勤務（同居）している場合、Ａに対して旅館業法第９条第１項に基づく聴問を行ない、行政処分できるか。
２　旅館業法第３条第１項の許可を受けた営業者（以下「Ｂ」という。）が売春防止法第２章に規定する罪を犯したが、旅館業法第８条に基づく行政処分前にその営業を廃止し、再度、Ｂが当該施設でもって旅館営業許可申請をした場合許可すべきか。
３　２において許可すべき場合、Ｂに対して旅館業法第９条第１項に基づく聴問を行ない、行政処分できるか。（岐阜県照会）
（答）
１　旅館業法（以下「法」という。）第８条後段の規定に基づく行政処分は、同条各号に掲げる罪を犯した旅館営業者に対しその営業について行なうことができるのであるが、お尋ねの場合においては、すでにＡはその営業を譲渡しており現在は営業を行なっていないので、これに対して法に基づく聴問ならびに行政処分を行なうということは考えられない。
２　都道府県知事は、法第３条第２項各号の規定のいずれかに該当する申請者から旅館営業の許可の申請があった場合においては許可を与えないことができるが、法第８条各号に掲げる罪を犯したということを理由に、申請者に対し許可を与えないことはで

第4編　興行場

きない。
3　いったん営業者に対し許可を与えておいて、その後に、許可前に当該営業者が犯した売春防止法違反の行為を理由に、当該営業者に対し、法第9条第1項に基づく聴聞を行ない、行政処分を行なうことはできないと解される。

(問7) 公衆浴場法の運用上、左記事項に疑義がある。
1　当県内観光地Aに、地元甲市が国民宿舎を新設し、その敷地内に温泉を引いた露天の岩風呂を新設し、広くAに遊ぶ人々を対象として無料で自由に利用させる計画をたてておるが、このような施設に対し、公衆浴場法を適用すべきか。
2　適用されるとした場合公衆浴場法第2条第3項により県が制定した条例で規定した設置場所の配置の基準の適用外としてよいか。また風紀等に必要な措置として少なくとも次の措置を講ずる必要があると考えるがどうか。
　A　浴槽は男女別とすること。
　B　男女双方見透しがきかないこと。
　C　外部から見えないこと。
　D　鍵のかかる衣類箱及び下足箱を相当数設けること。
　E　脱衣場を設けること。（島根県照会）

(答)
1　浴場施設に対する公衆浴場法の適用の当否は、(1)当該浴場が公衆浴場法第1条第1項に規定されている「公衆浴場」に該当するか否か、(2)「業として」当該浴場を経営するのか否か、(3)当該浴場を「経営」するのか否かの3点から判断されなければならないのであって、当該浴場が以上の3つの要件のすべてを積極的に満足する場合においては、当然公衆浴場法の適用範囲内にあるものとすべきである。
　さて、お尋ねの施設は、温泉を使用して公衆を入浴させる施設であり、かつその利用は反覆継続して社会性をもって行なわれているものと判断されるから、前記の第1点及び第2点は積極的に満足していると解される。
　結局、お尋ねの施設について主として問題となるのは第3点の「経営」についてであるが、これは、公衆浴場の場合についていえば、当該施設を存続させる意思をもって、その維持管理に関する最少限度必要なる行為を継続的に行なうことをひろく含めてよいものと考えられるので、お尋ねの施設についても、このような様態が認められるかぎり「経営する」に該当するものと解して公衆浴場法を適用して差し支えない。
2　お尋ねの施設は一般の公衆浴場と異なった営業形態をとるものではなく、したがって、一般の公衆浴場と競争関係を生じないものではないから、貴県の条例で定めた配置の基準の適用外とすることはできないと解される。
　また、貴県の条例で定めた入浴者の衛生及び風紀に必要な措置を講ずべきことは極めて当然のことである。この場合において、貴県条例中、特殊の事情がある場合に、当該措置の基準の全部又は一部についてその適用の特例を設ける規定がある場合には、その範囲内において、当該規定を活用することができることはいうまでもないところである。

○興行場法に関する疑義について

［昭和57年1月6日　広衛公第7号　
厚生省環境衛生局指導課長宛　広島市衛生局長照会］

　最近本市において「アトリエ又は画廊」と称して次のような営業をしようとする者があり、これらの業種の行政指導上急を要しますので、折返し御回報くださるようお願いします。

設問

　下記事例のごとく興行類似行為を行う施設は、興行場法第1条の定義に該当するものと解してよいか。

事例1
(1) 営業形態

　営業者は、「アトリエ又は画廊」と称して水着姿の女性をスケッチさせるとのべているが、その実態は、不特定多数の客から料金を徴し、客に鉛筆・スケッチブックを手渡し、個室に入場させ、個室壁面のマジックミラーを通して個室に囲まれた中央部のステージ様設備で女性が演ずる日常生活シーン（衣服の着換え、入浴等）を見せる。なお、1回の所要時間は20分から30分で、反復継続する。

(2) 料金

　有料

(3) 構造設備

　主体は、別紙図面のように、個室と個室に囲まれた中央部のステージ様設備からなり、中央部に面する個室壁面の一部にマジックミラーが取付けられ、個室の内側からは中央部を見通せるが、逆は見通せない構造となっている。

事例2
(1) 営業形態

　事例1と異なる点は、入口付近で絵画・画材を陳列・販売すること及び女性がヌードで固定ポーズをとることの2点で、その他は事例1と同様の形態である。

(2)
(3) ｝事例1と同様である。

別紙　略

［昭和57年1月14日　環指第3号
広島市衛生局長宛　厚生省環境衛生局指導課長回答］

　昭和57年1月6日広衛公第7号をもって照会のあった標記の件については、次のとおり回答する。

記

　昭和36年6月20日環衛第1号厚生省環境衛生課長通知に照らし、2事例とも興行場に該当するものと解される。

第4編　興行場

（ヘルスセンター・総合娯楽施設）

○興行場法適用の疑義について

［昭和34年4月21日　衛第1,212号
厚生省環境衛生部長宛　石川県厚生部長照会］

今般当県内に下記の如き施設が設けられ、これが興行場としての取扱い上疑義があるので至急何分の御回示願いたい。

記

1　概　　要
(1)　昨年11月金沢市内に金沢ヘルスセンターと称し鉄筋、鉄骨コンクリート造り3階建（地階付）総面積3,110.0平方米で同内部には宿泊、浴場、映画、演芸、動物園、食堂等の設備を有する娯楽施設が設けられた。
(2)　同センターは入園料として大人120円、小人80円を徴しているが旅館部、食堂部以外の利用は一切無料である。
(3)　映画は同施設内2階の一部舞台付大広間（畳敷）において行うもので収容人員は約280名程度で映写室を有し、映写時間は約1時間であり毎日午前及午後の2回上映するものでその他の時間は同室は入場者が随意、休憩、飲食等に利用する。
　　なお映画は市中一般に広告せず同施設入口及び内部に広告ポスターを掲げる程度である。
2　興行場法の適用についての解釈
(1)　右施設内における映画については、昭和24年10月17日衛発第1,048号厚生省公衆衛生局長通ちょう及び昭和25年4月22日衛発第336号博覧会における興行場法適用に関する東京都衛生局長宛回答の趣旨から見れば興行場法の適用を受けるものと解されるが、如何

［昭和34年9月11日　衛環発第40号
石川県厚生部長宛　厚生省環境衛生部長回答］

昭和34年4月21日衛第1,212号をもって照会のあった標記については、次のとおり回答する。

記

お尋ねの施設は、興行場として反覆継続の意志をもって使用され、かつ、その行為が社会性を有するものと認められるので、興行場法の適用を受けるものと解する。

(映画喫茶)

○興行場法の疑義について

> 昭和38年8月31日　公第1,224号
> 厚生省環境衛生局環境衛生課長宛　愛媛県衛生部長照会

　最近松山市の市街地の中心部で「映画喫茶」と称し喫茶店において下記のとおり営業時間中、反覆してニュース映画(内、外国もの)をサービスとして上映をしようと企画しておりますが、別紙見取図のとおり客席もスクリーンの方向に一方的に列されており、入場料金は徴しないがサービスの範囲をこえる疑もあり興行場法の適用をうけると考えられますので、この点につき御教示方承り度くお願い申上げます。

記

1　営業時間　午前10時～午後11時まで
2　映画の種類　短編ニュース　1回約40分16mm(劇映画は上映しない)
　　1日3～4回使用　喫茶店営業中反覆上映
3　入場料　無料　映画はサービス
4　椅子は2人用ソファー、テーブルを使用　全部スクリーンの方に向っている。
5　映画上映中の室内の照明は1、2階共テーブルの上で17ルックス以上
6　喫茶店営業の許可は受けている。
7　道路に面した入口上部に「映画喫茶」と店名を標示している。
8　客席での会話は格別制限はしない。

別紙見取図　略

> 昭和38年12月25日　環衛第25号
> 愛媛県衛生部長宛　厚生省環境衛生局環境衛生課長回答

　昭和38年8月31日付公第1,224号をもって照会のあった標題について次のとおり回答する。

記

　当該営業については、**構造設備、照明、映画上映による音響の客の会話に与える影響、継続反覆的性格等の営業実態**から判断して、興行場法の適用対象と解してさしつかえない。

第4編　興行場

（ボーリング場・スケート場・水泳場）

○興行場法適用上の疑義について

> ［昭和41年5月30日　衛庶第843号
> 　厚生省環境衛生局環境衛生課長宛　熊本県衛生部長照会］
>
> 　興行場法第1条に規定する「興行場」の定義について、次のとおり疑義がありますので、ご多忙中恐縮ですが折返しご教示方お願いします。
> 　　　　　　　　　　　　　記
> 　ボーリング場、スケート場並びに水泳場（対価をとって一般に解放しているもの）は、その行為が社会性をもち、反覆継続している事実から興行場と認定され、許可の対象となると思料されますが、その取扱いについて。

> ［昭和41年6月15日　環衛第5,063号
> 　熊本県衛生部長宛　厚生省環境衛生局環境衛生課長回答］

　昭和41年5月30日付け衛庶第843号をもって照会のあった標記について次のとおり回答する。
　ボーリング場、スケート場及び水泳場は、スポーツを「公衆に見せ又は聞かせる」に該当しないから興行場法第1条第1項に規定する興行場に該当しない。

（レストランシアター）

○旅館内において催し物が行なわれる施設に対する興行場法の適用について

> ［昭和46年6月16日　環衛第218号
> 　厚生省環境衛生局長宛　栃木県衛生民生部長照会］
>
> 　旅館内において演芸、ショー等の催し物が行なわれる施設に対する興行場法の適用について疑義が生じたので、次の事例の場合いかにすべきか至急ご指示をお願いします。
> 　事例1　大ホール、レストランシアター型式における場合
> 　　(1)　旅館主催であるが旅館が業者と契約している場合が多い。
> 　　　例①　業者との月契約で8万円～15万円
> 　　　　②　ビクターと45.11～46.7まで契約4か月間で600万円
> 　　(2)　舞台等の設備がないところもある。

旅館内において催し物が行なわれる施設に対する興行場法の適用について

　　(3)　原則として1日1回30分間開演する。
　　　　（レストランシアター型式の場合は午後6時から7時30分頃まで客は夕
　　　　　食をとりながら観覧する。）
　　(4)　入場料なし
　　(5)　観客は宿泊客を対象としているが一部の施設には宿泊客以外のものも入場
　　　　しているところがある。
事例2　宴会場における場合
　　(1)　宿泊客からの要望により旅館が業者を斡旋している。
　　(2)　簡単な舞台のあるところが多い。
　　(3)　シーズン中はほとんど連日開演されている。
　　(4)　出演料は1回当り6000～2万円程度である。
　　(5)　観客は宿泊者のみである。
　　(6)　出演料の支払いは次の2方法がとられている。
　　　　A　宿泊客は宿泊料とともに翌日旅館へ支払う、旅館は手数料として、1000
　　　　　円（又は出演料の10％）及び税金600円（又は出演料の10％）を差引いた
　　　　　残金を業者に支払う。
　　　　B　宿泊客が直接業者に支払い業者は出演料のうちから手数料及び税金を旅
　　　　　館に支払っている。
事例3　客室における場合
　　　　事例2宴会場における場合の(2)の舞台がないほか事例2とほとんど同様であ
　　　　る。
　なお、事例1～3については旅館が発行する料金表、チラシ等に登載されている。
　また、旅館の従業員が勧誘（例えば「ストリップショー」があるけどよびますか
等）している。
参考資料
1　旅館における開催状況
2　照会書
3　料金表

　　　　　　　　　　　　　　　　　　〔昭和46年9月8日　環衛第162号　　　　　　　〕
　　　　　　　　　　　　　　　　　　　栃木県衛生民生部長宛　厚生省環境衛生課長回答

　昭和46年6月16日付環衛第218号をもって照会のあった標記について、次のとおり回答
する。
　　　　　　　　　　　　　　　　　　記
　お尋ねに係る施設が、音楽、観せ物等を公衆に見せ、又は聞かせるための施設というよ
りも飲食、宴会等に供することを本来の用途とし、そこにおいて行なわれる興行行為が、
飲食、宴会等に興を添えるためのものである限りは、当該施設は興行場法にいう興行場に
該当しないものと思料される。
　しかしながら、業として宿泊者以外の者をも入場観覧させている施設である場合とか、

第4編　興行場

レストランシアターと称される実際上劇場中心の機能を果す施設である場合には、当該施設は興行場法にいう興行場に該当してくることとなるので念のため申し添える。

（シネマキャビン）

○興行場法上に関する疑義について

［平成3年2月8日　東大阪保環第71号
厚生省生活衛生局指導課長宛　東大阪市長照会］

　最近、本市において「シネマキャビン」と称して左記事例のような営業をしている者がおり、このような業種に対する興行場法の適用について疑義が生じましたので、至急ご回答賜りたく照会します。

記

1　事例
　(1)　営業形態
　　　本施設は、個別に車を駐車するためのガレージ付個室（15区画）を設けて、その内部にはスクリーン及び映写装置が具備されており、映画等のビデオ、テレビ放送等を利用者の好みに応じて選択し、室内のインターホンにて申し込み、営業者が提供することにより、楽しむことができるものである。
　　　但し、利用者がビデオソフト等を持ち込んでも利用できる。
　　　なお、受付は、フロントで免許証を提示し、利用後、フロントにて料金を精算するシステムになっており、24時間営業を行っている。
　(2)　料金
　　　基本時間　1時間30分　1名　3000円
　　　1名増えるごとに、500円追加
　　　時間延長は、30分につき1000円追加
　(3)　参考資料
　　　別紙のとおり　略
2　質問点
　(1)　前記のような施設について、興行場法第1条の定義に該当すると解し、興行場の許可を要すると考えてよいか。
　(2)　当該施設が、建築基準法第48条による用途地域の違反建築物であっても、興行場法上何等支障もなく、また、公衆衛生上問題のない場合は、昭和28年9月8日衛発第706号通知に基づき、取り扱ってよいか。

［平成3年2月20日　衛指第24号
東大阪市保健衛生部長宛　厚生省生活衛生局指導課長
回答］

臨時興行場の疑義について

平成3年2月8日付け東大阪保環第71号をもって照会のあった標記について、下記のとおり回答する。

記

お尋ねの件については、貴見のとおりである。

（臨時興行場・仮設興行場）

○臨時興行場の疑義について

[昭和27年11月24日　公第3,782号
厚生省環境衛生課長宛　福井県衛生部長照会]

集会場及び各種会館その他の施設を興行場として使用する場合の法の運用については昭和25年5月8日衛発第29号をもって毎月平均4日間位であれば興行場法の許可を受けなくても差支えない旨通達されているが本件について左記事項の疑義があるので至急御回答下されたくお願いします。

[昭和27年11月29日　衛環第104号
福井県衛生部長宛　厚生省環境衛生課長回答]

11月24日公第3,782号をもって照会のあった標記について下記のとおり回答する。

記

1　お尋ねの場合、1日、2日を単位として興行した場合であってもその行為が反覆継続（毎月平均4日間位を除外しているのは、この程度以内の開催を除外した意味である。）して行われ実質上興行場として経営していると認められたときは興行場法を適用する必要がある。但し、その場合、超過した1日のみについて許可をあたえるものでなく実施期間を通じて許可すべきである。

○営業三法に関する疑義について

[昭和30年2月14日　公第165号
厚生省環境衛生課長宛　宮城県知事照会]

営業三法に関する下記事項について疑義がありますので至急御回示を賜りたく照会いたします。

記

1　旅館興行場公衆浴場を許可するにあたり換気、採光、照明、防湿及び清潔その他衛生上の措置が年数を経過するに従い許可当時の条件を保持することができない程度に低下すると認められる場合、知事は有効期間を附して許可することができると解されるが如何。

2　集会場民家又は倉庫等の一部を利用して10日乃至15日間だけ興行に使用され且つ

第4編　興行場

>　当該施設が衛生上、安全上、火災予防上支障ないと認められる場合興行場法により期間を定めて仮設興行場として許可を与えることができるか。
>　又この場合建築基準法による用途違反と看做されない期間は何日位か。
> 3　興行場の所有権者甲と同興行場に対し占有権を有することの権利関係の争訟がある場合の営業許可については昭和26年7月31日法務府法意1発第46号「賃貸借権係争中の施設についての営業許可の可否について」により甲乙何れに対する許可も拒むことはできないと解して占有権者の営業許可申請に対して許可したところ業者側から県規則に次の事項を加えるように強い要望があるがこれを県規則に定めることは違法と解されるが如何。
> 記
> 興行場法施行規則第1条に規定する申請書には所定の事項を記載した左の書面（施設の所有権又は占有権を証する書面の写）を添えなければならない。
> 4　たとえ前項の記の内容の如く県規則で定められた場合においても甲乙両者の営業許可申請に対する許可の可否については右条項が何等の拘束力を有しないと解されるが如何。

〔昭和30年2月25日　衛環発第4号〕
〔宮城県知事宛　厚生省環境衛生部長回答〕

昭和30年2月14日公第165号をもって照会のあった標記のことにつき、下記の通り回答する。

記

1　旅館、興行場及び公衆浴場（以下「営業施設」という。）の衛生保持については、旅館業法、興行場法、公衆浴場法に基いてそれぞれ許可、衛生措置基準の維持、衛生措置違反に対する行政処分をなしうる建前である（旅館業法第3条、第4条、第7条、第8条、興行場法第3条、第4条、第5条、第6条、公衆浴場法第2条、第3条、第6条、第7条）。
　従って許可した営業施設に対する監督はもっぱらそれぞれの法の相当規定に基いて行うをもって足り、あらかじめ許可にあたって条件として、営業許可期限を附し許可の効力を限定することは、法の趣旨とするところでないと解せられる。
2　一般的に常設興行場に対する仮設興行場とは、興行場施設としての営業概念に属するものであって、しかも一定の期間を限ってその行為を行う場合の施設をいい、所謂営業に属しないものについてはたとえ一定期間を行っても興行場施設の適用を受けないと解せられる。お尋ねの場合がこの何れに属するかは具体的事案に則して判断することを要するが、もし当該施設が営業としての興行を一定期間以上行うことのみを目的とするものであるならば、適用されることもありうる。この場合建築基準法第87条に規定する用途変更の手続をとったか否かは、建築基準法上の問題にとどまるものである。
3　興行場等営業施設の経営に関する権利と営業許可との関係については、昭和26年8月17日衛環第85号通知のとおりである。この場合県規則にお尋ねのような「施設の所有権又は占有権を証する書類」を許可申請の要件として明記することはできない。

第2章　営業の許可等

（興行経営者・興行場経営者）

○興行場経営者について

> 昭和29年8月19日　29公第7,035号
> 厚生省公衆衛生局環境衛生部長宛　福岡県衛生部長照会

　福岡市においては、市内下の橋平和台体育総合グランド内に野球場を設けているが、西日本鉄道株式会社においては同野球場を同会社所属の職業野球団試合計画に基いて、毎月5日から9日位別紙使用条例に基いて賃貸して、同野球場で職業野球の試合を行い、料金を徴して一般に観覧させている。これは観覧を主体としたもので、現在興行場法を適用し、施設の改善を勧告中であるが、そのような場合興行場法にいう興行場経営者は、施設を所有する福岡市当局であるか又はこれを賃貸して野球試合を行い料金を徴して一般に観覧させる西日本鉄道株式会社であるか、いささか疑義があるので至急何分のお回示をお願いする。

> 昭和29年9月29日　衛環第94号
> 福岡県衛生部長宛　厚生省公衆衛生局環境衛生部環境衛生課長回答

8月19日29公第7,035号で照会の標記について下記のとおり回答する。
記
　興行場法にいう興行場経営者とは、当該興行場施設を維持管理し、経営する者を意味し、当該施設内において行う興行の経営者をささない。従って、お尋ねのような場合は、福岡市が当該野球場を維持管理している経営者に該当し、西日本鉄道株式会社は条例による許可を受けて当該営造物を普通使用するにすぎず、当該施設を興行場として経営しているものではない。

○興行場法運用上の疑義について

> 昭和31年1月4日　公第4,593号
> 厚生省環境衛生課長宛　福井県衛生部長照会

　興行場法運用上「興行場を経営する者」と「興行場を営む者」に関し、下記事例について疑義を生じましたので、折返し御回答方をお願いします。
記
事例(1)
　法第1条第2項による「興行場を経営する者」個人乙が、その施設を甲株式会社に

第4編　興行場

対し、下記のような歩合契約で貸与した形式で事実上、甲株式会社が「興行場を営んだ」場合は、いずれが許可を受けるべきか。

記

　　　契　約　書
　　　　　　甲　　○○株式会社
　　　　　　乙　　○　○　○　○

右当事者間において映画興行場の賃貸借について左の通り契約を締結する。

第1条　甲は、映画興行を営む目的を以て乙の所有に係る左記表示の物件を乙より賃借し、乙はこれを甲に賃貸することを約諾する。

　　　　　物件の表示
　　　　　○○市○○町○○番地
　　　　　家屋番号　　第○○番地
　1　木造鉄網コンクリート造　　2階建劇場　　1棟
　　　外2階　　　　　　　　○○○坪
　　　右附属の映写機その他営業用諸施設一切現状のまま

第2条　当該物件の賃貸借期間は、昭和30年○月○日より昭和33年○月○日迄の満3年間とする。
　　　但し、甲乙両者協議の上、この期間を延長する事ができる。

第3条　当該物件の賃貸借料は、当該興行場における1ヶ月の興行収入総額より入場税を控除した残額○百万円までの金額については10／100、○百万円を超える金額については、12／100、○百万円を超える金額については、14／100の割合を以て計算の上、翌月5日迄にこれを甲より乙に支払うものとする。

第4条　甲は、本契約締結と同時に保証金として金○○万円也を無利息にて乙に預託し、乙はこれを受領した。

第5条　当該物件に課せられる租税公課及び建物の保存上必要な諸経費は乙の負担とし、甲の専用に係る電灯、電話、電力、瓦斯及び水道の使用料、其の他営業上必要な費用は、甲の負担とする。

　　右契約の成立を証するため本書2通を作成し甲乙各その1通を保有する。
　　　　　昭和　　　年　　　月　　　日
　　　　　　　　　　　　　　　　　　○○都○○区○○町○○番地
　　　　　　　　　　　　　　　　　　　　　　○○株式会社
　　　　　　　　　　　　　　　　　　　　　取締役社長○○○○印
　　　　　　　　　　　　　　　　　　○○市○○町○○番地
　　　　　　　　　　　　　　　　　　　　　　　　　○○○○印

追って甲株式会社は他府県でこの様にして営業したとき、甲が許可を受けるべきだと指示されて甲が許可を受けたと言っているので申し添えます。

事例(2)
　A株式会社が所在している施設（土地、建物）を、B組合が借用して「興行場を営

んだ」場合、いづれが許可を受けるべきか。

　追って本例は、他の法令にかかる係争問題となり、裁判の結果、B町長〇〇〇〇名義で興行場を営むことは誤りで、B組合管理者名義でなすべきであるとされたものであるので申し添えます。

事例(3)
　「興行場を経営する者」と「興行場を営む者」の相違又はこの定義はどうか。

〔昭和31年1月17日　衛環第2号　　　　　　　　　　　　　〕
〔福井県衛生部長宛　厚生省環境衛生課長回答〕

　昭和31年1月4日公第4,593号をもって照会のあった標記の件について下記のとおり回答する。

記

　興行場法において「営業者」とは、法第3条第1項に規定する「興行場営業を営む者」を指し、この「営業」を第1条第2項において「業として興行場を経営すること」といったのである。従って、いわゆる「興行場を経営する者」も「興行場を営む者」も実質上何れも「営業者」を意味するものである。なお、法第2条において、特に「業として興行場を経営しようとする者」と規定したのは、未だ営業の許可を受けていない者に対する規制であるので、表現を異にしたにすぎない。

　次に興行場営業者とは、当該興行場施設を維持管理し経営する者を意味するものであって、必ずしも所有者と一致するものではない。従って、設問にかかる事例(1)については甲株式会社が、事例(2)についてはB組合が興行場営業者となるものと解される。

〇仮設興行場の営業許可について

〔昭和31年8月7日　公衛第1,015号　　　　　　　　　　　　　　　　　　〕
〔厚生省公衆衛生局環境衛生部環境衛生課長宛　愛媛県〕
〔衛生部長照会〕

　本県における興行場法施行細則（昭和25年5月30日愛媛県規則第27号）は第2条に仮設興行場の定義を「一時限りの建物又は施設を設け、又は一時他の建物を代用して興行を営むもの」と定めております。よって、短時日間、会堂、倉庫等を使用して演劇、映画等を業として臨時に行うものに対しても、仮設興行場営業許可を申請せしめておりますが、山間僻地等においては、これが手続きをなさずして営業終了次第、他地に移動し、所在を確かめることのできない巡回業態をとる者も多く、これが対策に腐心しておりますので、下記の点を御回報ありたく照会いたします。

記

　法第2条第1項の許可手続は、施設を借り受けた興行者がすることが原則であるが、その者が手続を行わないことが過去にあった施設の所有者には、その施設を貸与すれば興行に使用される場合は、所有者が許可手続をすべきであることとして差し支えないように思料されるが、此の点貴見をお伺いいたしたい。

附記
1　常設興行場としては不適格の建物を所有する者が興行に使用することを知りながら、これを短期間宛他人に貸与するが許可手続は借受興行者がすべきであるとして関知しようとしない。
2　借受興行者は許可手続をしないで、1日又は2日の短期間興行を行ってそのまま他所に移動し、興行を行った事実を探知したときは既に所在を確かめることができないものである。

〔昭和31年11月13日　衛環発第55号
　愛媛県衛生部長宛　厚生省公衆衛生局環境衛生部長回答〕

昭和31年8月7日公衛第1,015号をもって照会にかかる標記の件については、下記のとおり回答する。

記

興行場法の対象はあくまでも興行場の施設であって、興行内容ではないから、同法第2条第1項の規定による興行場経営者とは、当該興行場を維持管理し、経営する者を意味し、当該施設内において行う興行の経営者を指すものではない。従って、設問のような場合、その施設で業として興行が行われる限りは、当該興行場と解されるので当該施設の所有者が経営者に該当し、いわゆる借受興行者は、単に当該施設を利用するにすぎないもので興行場として経営しているものではないから、貴見の通り所有者が許可の手続をすべきものである。

○興行場営業許可申請等の取扱いについて

〔昭和42年4月5日　医第803号
　厚生省環境衛生課長宛　大阪府衛生部長照会〕

営業位置	堺市大町東○丁○○
住　　所	大阪市浪速区霞町○丁目○
名　　称	Ｓ　ホ　ー　ル
前営業者	Ａ
営業位置	上記に同じ
住　　所	前営業者に同じ
名　　称	Ｓ　ホ　ー　ル
新規申請者	Ｂ

上記の前営業者Ａは別添行政処分決定書写のとおり、公然わいせつの行為をしたことにより風俗営業等取締法第4条の5の規定に基づき大阪府公安委員会から2月28日づけをもって90日間の営業停止処分をうけたものでありますが、同人は同月28日づけ廃業届を提出、同時に同居中の内縁の夫、Ｂから新らたに営業許可の申請がなされたので大阪府公安委員会の意見を求めたところ、別添写のとおり、許可を抑制すること

ができないので興行場法にのっとり措置されても止むを得ない旨回答がありました。
　然しながら、この見解に従えば行政処分の効果を中断する結果となり、今後同様事件が発生した場合、名義を変更しさえすれば行政処分を免れるという悪例を残すことになるので本件許可については慎重を要すると考えますが、この取扱いについてご回答をお願いします。
別添行政処分決定書写　略
別添写　略

〔昭和42年5月12日　環衛第7,057号
大阪府衛生部長宛　厚生省環境衛生課長回答〕

　昭和42年4月5日付け医第803号をもって照会のあった標記について次のとおり回答する。
　興行場法に基づく許可については、公衆衛生の見地からのみなされるものであるので、照会に係る本件については許可を行なってさしつかえない。

○臨時興行場等の営業許可の取扱について

〔昭和48年1月31日　環衛第1,493号
厚生省環境衛生課長宛　大阪府衛生部長照会〕

　標記について下記のとおり疑義があるのでよろしくご教示を賜わりたく照会します。

記

1　本府における興行界の商慣習として単に施設を借り受け興行のみを行なう興行営業者と、自らはその維持管理のみに専念し、他に貸与若しくは提供することを業とする興行場営業者とがある。この両者を同時に行なうものはもちろんその維持管理主体が何れであるかは約定内容にもよるが、興行場法に規定する興行場営業者とはおおむね後者であると解されるかどうか。
2　公民館等を使用して短期間反復して、例えば毎月ある週間またはある期間を定めて反復継続して当該施設を使用して興行を行なう場合法的要件を充たしている限り、当該公民館等に興行場として恒常的許可を与えても支障ないかどうか。

以上

〔昭和48年8月10日　環衛第152号
大阪府衛生部長宛　厚生省環境衛生局環境衛生課長回答〕

　昭和48年1月31日付け環衛第1,493号をもって照会のあった標記について、次のとおり回答する。

記

1について
　後者であると解する。

第4編　興行場

2について
　支障ないと解する。

（営業許可の同一性）

○営業三法施行規則（省令）第1条の記載事項の
　変更について

> 昭和26年10月29日　　青医第1,202号
> 厚生省公衆衛生局環境衛生部環境衛生課長宛　青森県
> 衛生部長照会

　右について昭和23年11月2日付衛発第278号によって第1号及び第2号については明らかであるが、旅館業法施行規則、公衆浴場法施行規則第1条第4号及び興行場法施行規則第3号における営業施設の構造設備について記載事項の変更について下記の点について御意見を伺いたい。

記

　以前に営業許可をとっていてその営業施設が著しく変更になった場合（大模様替、改造、改築、増築で建築基準法により建築主事の確認を必要とする場合）当然新たな営業許可を必要だと考えられるが、営業三法の施行規則第2条によって第1条の記載事項中の営業施設の構造設備が変更になったいかなる場合でも届出のみでよいものか、それによって立入検査した後において、営業三法それぞれに適合しない場合行政処分するのが妥当かお伺いする。

> 昭和26年11月30日　　衛環第135号
> 青森県衛生部長宛　厚生省公衆衛生局環境衛生部環境
> 衛生課長回答

　標記について本年10月29日附青医第1,202号を以て御照会がありましたので、下記の通り回答致します。

記

1　既に営業許可した施設の構造設備を著しく変更した場合は、実情調査し、その結果、その構造設備が同一性を失っていると認められる場合は、新たな許可を受けさせる必要がある。従って、同一性を失なわない程度のものは届出のみでよい。
2　それによって立入検査し、その施設が法の基準に合致しない場合は、その不十分なところについて改修その他公衆衛生上必要な措置を講ずるよう指導すべきである。

○営業三法施行規則(省令)第1条記載事項の変更について

> 昭和27年11月28日　青医第1,608号
> 厚生省公衆衛生局環境衛生課長宛　青森県衛生部長照会

右について昭和26年11月30日付衛環第135号により回答をされたが、下記の場合について同回答中の第1号中、構造設備が同一性を失う(営業施設の有機的機能が綜合的に変更になった場合と解されるか)場合かどうか具体的に御教示をお願いする。

記

1　公衆浴場の場合について
　A　施設を改築して建坪が変更されず、脱衣室、浴室、便所等の位置が変更された場合
　B　Aの場合に10パーセント又は20パーセント増築された場合
　C　脱衣室、浴室、便所等が位置が変更されず増築が50パーセント又は70パーセント以上行われた場合
2　旅館の場合について
　A　既設の施設が30坪のものに更に50坪以上を増築した場合(この場合客室、便所、調理室、帳場、浴場、階段、洗面所等の位置を変更されない場合)
　B　Aの場合で客室、便所、調理室、帳場、洗面所、浴室、階段等の位置を変更された場合
　C　施設を改築して施設の建坪が変らず客室、便所、洗面所、浴室、階段等変更した場合
　D　施設が200坪のものに客室等を単に20坪客室を増築した場合
　E　既設の施設が30坪のものに単に100坪増築した場合
3　興行場について
　A　観覧席、喫煙室、便所等を単に増築した場合
　B　Aの場合改築して単に位置を変更した場合
　C　Aの場合で100坪の施設に30坪を増築した場合と200坪を増築した場合

> 昭和27年12月22日　衛環第114号
> 青森県衛生部長宛　厚生省公衆衛生局環境衛生課長回答

　公衆浴場法、旅館業法、興行場法等営業関係法規は、当該施設の経営が公衆衛生上支障なく行われることを目的としているので、その施設の一部が変更された場合は、増築又は改築された構造設備が公衆衛生上支障があるかどうかを審査するため届出の義務を規定したのである。しかしながら昭和26年11月30日衛環第135号をもって回答した如く当該施設が許可した当時に比較してその有機的機能が綜合的に変更された場合法の本来の主旨にそって新に許可を受けさせる方針としたのであるがその具体的な判断及び措置について表現

することはあらゆる場合について綜合的に判断しなければ不可能であって実地にあたった場合に実情を十分に調査の上決定すべき性質のものであると考えられる。

（名義変更）

○法人の合併に伴う許可の取扱いについて

〔昭和39年10月31日　39衛公環発第642号〕
〔厚生省環境衛生局長宛　東京都公衆衛生部長照会〕

　旅館営業、興行場営業、公衆浴場営業において、すでに許可をうけて営業を行ってきた法人（甲）が解散し同種営業許可をうけていない法人（乙）と合併（吸収合併、新設合併を含む）した場合、事務能率促進のため新たに許可申請手続を行わせることなく甲法人のすでに得た許可の効果を乙法人に承継させ営業許可事項変更届として処理したい。なお、旅館業においては、旅館業法第3条第2項の規定を審査できる書類を提出させ審査のうえ、上記の如く処理したい。

（理由）

　行政庁の行う許可処分の要素には物的要素と人的要素とがあり、上記営業三法（旅館業は別）は特に物的要素に重点をおき人的要素の占める割合は少ない。物的要素においては相続、譲渡、合併等が行われても構造設備等が急激に変化するものとは思われず、物的面における許可の効果を消滅させる原因とは考えられない（本都では永久許可制）。人的要素については相続、譲渡の場合は(1)、経営主体の法的地位が移転するので新規許可申請の手続が必要であるが、会社等における清算を伴わない吸収合併、新設合併の場合は甲法人、乙法人のいずれが消滅会社、存続会社であろうとも商法上の法人格の性質、許可の本質等を勘案すれば合併等が行われることにより不許可にする新らたな積極的理由が付加されたとは思われないので解散登記、変更登記、或は新設登記等を証する書類を提出させて許可事項変更届をもって処理したいのである。なお、旅館業においては旅館業法第3条第2項に規定されたるごとく、経営者に対する人的要件をみたすか否かの審査を行う必要があるので、これを証する書類を提出させ、審査のうえ、許可事項変更届として処理したい。

　註(1)

　昭和23年11月2日衛発第278号「興行場法、旅館業法、公衆浴場法の3法の施行規則第2条による記載事項の変更の届出について」により「……営業の譲渡相続の場合には新たな許可を受けるものである……」とされている。

〔昭和40年1月12日　公衆衛第34号〕
〔厚生省環境衛生局長宛　山口県衛生部長照会〕

　営業の譲渡相続の場合には、新たな許可を受けるものであることについては、昭和23年11月2日衛発第278号厚生省公衆衛生局長から各都道府県知事あてに通知されて

いますが、このたび旅館業の許可を受けてA健康保険組合がA′保養所を経営していたところ、B健康保険組合に吸収合併され、B健康保険組合が同保養所を引き続き経営することになりましたが、A健康保険組合に対する許可処分は合併法人には承継されるものではないとして新たな許可を要すべきか。

昭和40年3月11日　環衛第5,032号
東京都・山口県各衛生部長宛　厚生省環境衛生課長回答

　法人の合併に伴う興行場法、公衆浴場法及び旅館業法上の営業の許可の取扱いについては下記によられたい。なお、本件については昭和23年11月2日衛発第278号公衆衛生局長通達中記3(1)を参照されたい。

記

　許可を受けていた法人が吸収合併により存続する場合には、各施行規則の変更の届出に関する規定による改名の届出で差し支えないが、許可を受けていた法人が吸収合併により消滅する場合及び新設合併の場合には、いずれも新たな許可を要する。

○興行場法、旅館業法及び公衆浴場法の一部改正に関する質疑応答について

昭和61年1月30日　事務連絡
各都道府県・各政令市・各特別区衛生主管部(局)環境衛生営業指導担当課宛　厚生省生活衛生局指導課

　許可、認可等民間活動に係る規制の整理及び合理化に関する法律（昭和60年12月24日法律第102号）による興行場法、旅館業法及び公衆浴場法の一部改正については、「許可、認可等民間活動に係る規制の整理及び合理化に関する法律による興行場法等の一部改正の施行について」（生活衛生局長通知昭和60年12月24日衛指第270号。以下「通知」という。）をもって通知したところであるが、これまでに質疑を受け回答した事項を別添のとおりとりまとめ、送付するので、事務執行上の参考に供されたい。

（三法共通事項）
1　許可の条件は承継されるのか。
　　許可に際して付される条件は、当該許可の内容の一部となるものである。許可を受けた者の「地位を承継する」とは、許可の基本となる法律に関して許可を受けた者と同一の権利義務関係に立つということであるから、承継の前後で許可の内容が変更されることは原則としてない。したがって許可の条件は承継されるのが原則である。
2　構造設備が不適合でも承継させてよいか。
　　よい。むしろ、改善措置などの行政処分で対処すべき問題である。
3　承継した者は、諸手続でどう取り扱うのか。
　　「営業者の地位を承継」した者は、許可を受けた者と同一の取り扱いをする。

したがって、許可の台帳においては、営業者として記入することとなる。

また、承継した者の氏名の変更等があった場合は、営業者の氏名の変更等となり、変更の届出をしなければならない。（一部に、承継した者について、氏名の変更等があった場合、承継の届出等の内容の一部変更となるのではないかとの誤解があるが、承継の届出等は、相続人が承継したということ及びそれによって営業者となったということを届出るものであり、爾後の氏名の変更等は、営業者の氏名の変更等として取り扱うこととなる。）

(興行場法、公衆浴場法関係事項)

4　興行場法第2条の2第2項「遅滞なく、……届け出なければならない。」とあるが、旅館業法の場合のように、60日と限定して、条例、細則等で定めてよいか。

法令上、「遅滞なく」とは、一般に即時性を要求する場合に用いるが、その場合でも正当な又は合理的な理由による遅滞は、許容されるものと解されている。したがって、条例、細則等において、一律に〇〇日以内と規定することは、明文の委任がない以上、望ましくない。法律と同様に「遅滞なく届出」と規定すべきである。ただし、運用で60日程度の届出を要求することは可能である。

5　相続人間で、誰が営業を承継するかについて争いのある場合は、どう取り扱ったらよいか。

相続人は、すべて許可を受けた者の地位を承継するので、誰が営業を承継するかについて相続人間で協議が整っていない場合には、相続人全員が営業者の地位を承継する。この場合、各相続人は、おたがいに共同経営者の立場に立つこととなる。

しかしながら、その後、いずれかの相続人が当該営業を行う者となるということで協議が整うことになろうから、その時点で、営業者の変更の届出をさせるべきである。この場合は、従前の複数の共同経営者のうちの1人が営業者として残ることとなるので新規許可とはならず、変更の届出で足りるものである。

なお、相続の時点で、相続人の一部が承継の届出をなした場合においては、他の相続人がそれらの相続人の承継に関し異議のないことを確認するため、他の相続人の行方が知れない等同意を求めることができない事情が存する場合を除いては、他の相続人の同意書の添付を求めるべきである。

(旅館業法関係事項)

6　旅館業法第3条の2第1項のかっこ書きに関して、合併の場合の承認はどのような場合に行われるか。

具体的な場合は、次のように分類される。

① 　甲法人……A旅館経営。
　　　乙法人……営業者でない。
　ア　甲と乙の合併で、甲が残る場合、
　　　特段の手続は不要。ただし、代表者の変更があれば変更の届出。
　イ　甲と乙の合併で、乙が残る場合、
　　　Aについて承認申請。

ウ　甲と乙の合併で、新法人を設立する場合、
　　　Aについて承認申請。
②　甲法人……A旅館経営。
　　乙法人……B旅館経営。
　　ア　甲と乙の合併で、甲（乙）が残る場合、
　　　A（B）については、特段の手続は不要。ただし、代表者の変更があれば変更の届出。
　　　B（A）について承認申請。
　　イ　甲と乙の合併で新法人を設立する場合、
　　　A、Bについて承認申請。
　なお、存続する法人がある場合は、当然のことながら、吸収合併の場合のみである。
　また旅館業法にのみ、かっこ書の中の規定があるのは、他の2法については、異なった扱いをするという意味ではなく、旅館業法については許可に類する承認制をとっているので、合併があった場合でも従前に旅館業を経営していた法人が存続する場合には承認は必要でないということを、特に確認しておく必要があったからである。
7　合併前に承認申請手続を行うのは誰か。
　合併する両会社の連名で行われても、あるいは合併後の会社名であっても構わない。
　後者の場合、法的に存在していないから申請はできないのではないかとの疑問もあるが、人格なき社団、設立中の会社のように、一定の法主体性が認められる例もあることから、申請することができると考えられる。
8　通知の記2（1）②は、どういう意味か。
　今回の承認制度は、そもそも合併登記以前の承認を想定していることから、承認をした場合、新規法人などの場合にあっては、旅館業の許可を承継する法人は承認の時点では存在していない。
　このため、存在しない者に対する処分の有効性等の問題を回避する必要性等から「合併の登記をもって、この承認は発効する」との条件を付すことが望ましいとしたものである。
9　承認申請は、合併の登記との関係で、いつすべきか。
　承認申請は、合併の登記後においては行えない。登記によって従前の営業者たる法人が消滅し、許可対象者の消滅により、従前の許可も存在しなくなり、許可の承継ということもありえないこととなるからである。したがって、承認申請は登記前になされなければならない。
　承認そのものについては、営業を承継して営むことができるよう、承認は登記前又は少なくとも登記と同時であることが望ましい。しかしながら承認の審査にあたっては、学校長等の意見を求めなければならない場合があり、審査日数が長くかかる事態もありえ、登記時に審査が終了しておらず、承認がなされていない場合に営業を行えば、無許可営業となるので、その旨をよろしく御指導されたい。
　また、登記の期限が法定されていること、他方で、合併登記前のどのくらい前までに

第4編　興行場

申請すべきかが法定されていないことから、その点に配慮されて迅速な審査に努められたい。
（施行に伴う事項）
10　法施行前の死亡者については、承継制度の適用はないのか。
　　法施行後の死亡者についてのみ、承継制度が適用される。
11　法律施行日当日に合併登記のなされる場合の審査はどうするか。
　　施行前に事実上審査することで処理することとなろう。

（条件）

○興行場法質疑事項に関する件

> ［昭和26年2月8日　26医第52号
> 　厚生省公衆衛生局長宛　福島県衛生部長照会］

　興行場法の適用について下記事項について疑義を生じたので何分の御指示を願います。

記

　本県においては仮設興行場の規定を条例に「季節的又は一時的に仮設して営業を行うものにあっては、知事の許可を受けて第1項の基準（常設館）によらないことができる。」とし、その許可期間を労働安全衛生規則第57条の「移動興行場その他の仮設建物又は設備で14日以内に廃止するものについて」の規定を適用し、丸太、天幕、よしず類使用の仮設建物をその期間内のみ許可して来たが、建築基準法施行により同法第85条第4項、第5項の規定により仮設興行場は、その設備如何により1月又は1月をこえ6月以内の期間許可されることになったが、興行場法運用については、現在、厚生施設的な文化会館、公民館等使用においても毎月5日位以上興行することにより興行場の許可を必要とする点から建築基準法による仮設興行場が毎月反覆継続（但し6か月以内）して業を行うような場合、建築許可と興行物許可については、いかに措置すべきか。又6か月以内の期間許可を与えるような場合従前の指導面もあるので、その期間14日間以内を労働安全衛生規則第57条の規定を適用し、更新継続許可（手数料14日間ごとに更新）し差し支えなきや、又建築許可の期間内とするが妥当なるや。

> ［昭和26年4月17日　衛環第38号
> 　福島県衛生部長宛　厚生省公衆衛生局環境衛生課長回答］

　標記の件に関しては下記の通り回答する。

記

　仮設興行場営業の許可に当たって、公衆衛生上の必要性があるとすれば、許可期間を条

件として付することは差し支えないが、一律に条例で規定することは、あらゆる場合に、公衆衛生上の必要性から期間を限定する必要があるということになり、適当ではない。又期間を付することにしても、労働基準法又は建築基準法とは無関係に公衆衛生上の見地からなすべきである。

　他の法令と期間がくい違う場合は、その時から事実上営業を行い得なくなるに過ぎず、興行場法による許可は、かかる事実上の問題から離れて、あくまでも公衆衛生上の見地からのみなされて差し支えないものである。

○興行場法第2条及び第3条の解釈について

> 昭和33年6月18日　公保第3,297号
> 厚生省公衆衛生局環境衛生部長宛　大分県厚生部長照会

　標記について、下記のとおり疑義がありますから、御回答をお願いします。

記

1　興行場法第2条によって営業を許可する場合の構造設備の条件と、同法第3条により各県の条例によって定めるようになっている衛生措置の基準とは区別されているものと解してよいか。
2　この場合、許可に必要な構造設備の基準については、その立法形式が何等規定されてないが、営業許可は機関委任事務であるから県規則で規定してもよろしいか。

> 昭和33年8月20日　衛環発第60号
> 大分県厚生部長宛　厚生省公衆衛生局環境衛生部長回答

　昭和33年6月18日公保第3,297号をもって照会のあった標記については、次のとおり回答する。

記

1　興行場法第2条第2項の規定は、興行場の構造設備に関するものであり、また同法第3条第2項の規定による基準は、営業者の講ずべき措置についての基準であって、貴見のとおり、両者は区別されるべきものである。
2　興行場の構造設備が、公衆衛生上適当であるか否かは、都道府県知事の判断によって決定すべきものであるが、この都道府県知事の判断についての基準をあらかじめ定めておく意味において、かかる公衆衛生上適当であるか否かの解釈を内容とした県規則を制定することはできるものと解される。

第4編　興行場

（許可手数料）

○営業三法の疑義について

　　　　　　　［昭和25年12月26日　公衛第4,280号　　　　　　　　　　］
　　　　　　　［厚生省公衆衛生局長宛　福井県衛生部長照会］

下記のとおり標記について照会しますから至急御回答を願います。

記

1　興行場法第2条および公衆浴場法第2条において「業として興行場（公衆浴場）を経営しようとする者は、政令の定める手数料を納めて都道府県知事の許可を受けなければならない」とあり又旅館業法第3条において「人を宿泊させる営業を営もうとする者は、……」とあり、いづれも許可を受けようとする場合は許可を受ける前に手数料を納めなければならない旨を規定してあるが公共団体手数料令には興行場営業（公衆浴場営業、旅館業営業）許可手数料として一定の料金を定めてあり明らかに許可に対する手数料を規定したものと思料せられ不許可処分その他の事案（許可申請取下等）による場合は、当然納めた手数料は申請者に返戻する必要があると認められるも前記営業三法の各条文に相反すると思われるのでこれに対する御見解を承りたい。

2　前項の場合、不許可処分その他の事案による場合には納めた手数料を返戻するとせば純然たる許可に対する手数料となり、従って手数料については許可を与えて後納額告知書を受許可者に発行すれば足ると思うが、前項に記載した如く営業三法に基く各条文により許可前に手数料を納めさせるとするにおいては、徒らに事務の繁雑（不許可の場合の払戻手続）を来す結果となるがこれに対する御見解を承りたい。

　　　　　　　［昭和26年1月9日　衛環第1号　　　　　　　　　　　　］
　　　　　　　［福井県衛生部長宛　厚生省環境衛生課長回答］

　営業三法関係の許可手数料は、許可審査手数料と解される。従って不許可の場合も返還する必要はない。

○興行場、旅館業、公衆浴場等営業許可事務取扱の疑義について

　　　　　　　［昭和29年11月4日　29衛環第637号　　　　　　　　　　］
　　　　　　　［厚生省環境衛生部長宛　長崎県衛生部長照会］

　興行場、旅館業、公衆浴場等営業許可の事務取扱について、下記のとおり疑義を生じたので、至急何分の御指示を賜わりたくお願いします。

記
一　興行場、旅館業、公衆浴場の営業をなしている者が、許可を受けて営業を続行中許可証を亡失し又はき損した場合、営業者から許可証の再交付申請があっても、法令規則に別段の定めがないので、これを再交付しなくてもよろしいか。
二　営業者から営業所の名称又は住所の変更届があった場合許可証を訂正して交付しなくてもよろしいか。
　　右の処置について、いかに取扱えばよろしいか。
三　許可証の再交付、又は訂正交付ができるとすれば、その手数料を徴収してもよいと考えられるが、地方公共団体手数料令並びに地方公共団体手数料規則には規定されていないが、県条例で定めてよろしいか、お伺いいたします。

〔昭和30年3月22日　衛環第18号
　長崎県衛生部長宛　厚生省環境衛生課長回答〕

昭和29年11月4日29衛環第637号をもって照会のあった標記のことにつき、下記のとおり回答する。
記
一　興行場、旅館業、公衆浴場の営業許可に際しては免許申請に対する免許証交付のごとく、一定の許可証の交付を必要な要件としない。事実上県が許可申請者に対して行う許可通知書は単なる行政処分通知行為を文書をもって行ったものにすぎず、交付手続による一定形式の証書ではない。従ってお尋ねの場合は「再交付」ということ自体がありえないと、解するべきである。ただ行政運用の面において事実上許可を与えた営業者に許可通知書を保管させておく必要がある場合、当該通知書を亡失又はき損した営業者からその旨の申し出があったようなときは、当該通知書の写を送付すればよいといいうる。
二　一の趣旨から県の台帳の訂正等をもって足り、許可通知書を訂正再交付の必要はない。
三　右によっても明らかなとおり、手数料を伴う行政事務ではない。

(期間)

○興行場法による興行場営業許可について

〔昭和31年11月29日　衛公環発第796号
　厚生省公衆衛生局環境衛生部長宛　東京都衛生局公衆
　衛生部長照会〕

下記のとおり疑義があるので何分のご回示を煩したい。
記
都規則中に所謂仮設興行場に対し、有効期間を付して許可を与える旨の規定を設けておくことができるか。

第4編　興行場

(1) 常設興行場も所謂仮設興行場もともに興行場法による興行場であるならば、当然に許可の条件として、同法第2条および第3条の規定する事項に支障がないものでなければならない。

　従って、同条に規定する条件に支障ある場合は、当然に不許可としなければならないが、実際問題として所謂仮設興行場に対して、常設興行場と同一の条件を付させることは困難であるため、都条例では法第3条第2項の規定により、これら施設に対して若干しんしゃくできる旨の規定をして従来これによって許可を与えてきた。

　然しながら、これらは、何れも常設興行場とは異り、季節的また一時的に興行場を営むものではあるが、興行場法による興行場という見地からすれば、その許可に期限を付すべき理由もない。若し仮りに当該施設が所謂仮設興行場という性格からして、前述のしんしゃくによって許可された場合であっても、当該施設が興行場営業中において支障を来した場合は、同法第6条の規定によって処分すれば足るのである。従って、かかる見地に立った場合は、有効期間の必要性はないことになる。然しながら、今一方その考え方を次の場合について考慮するとき、次のごとき問題が生ずる。即ち、その許可に有効期間を付さない場合は、常設興行場もまた仮設興行場も何等の区別もないのみならず、季節的、一時的に経営する意味もなくなってしまう。何故ならば、その許可が永久的であれば、申請当初は、所謂仮設興行場として一時的または季節的に経営する意図であっても、その経営が意外に振った場合は、申請当初の意に反し、そのまま引続いて営業を継続することになり、結局常設興行場とその実体において何等変りがないことになる。こうなれば所謂仮設興行場の存在もないことになる。

　また、実際問題としては、仮設興行場に常設興行場と同一の条件を付することは困難であるため、本都条例では前述のしんしゃく規定を設けているが、申請者が申請当初と同様に一時的または季節的に営業を行い、その目的期間を満了し、良心的にその営業を廃止すれば問題はないが、前記のように引続いて行う場合に問題があるのでこの点について。

〔昭和31年12月19日　衛環第125号
東京都衛生局公衆衛生部長宛　厚生省公衆衛生局環境
衛生部環境衛生課長回答〕

　昭和31年11月29日衛公環発第796号をもって御照会にかかる標記の件については、下記により回答する。

記

　本来興行場は、常設と季節的又は一時的に設置されるものとの別なく、興行場法第2条第2項及び第3条に規定する事項に支障がない場合に、許可されるべきものである。しかしながら、現実の問題としては、一定の季節に限り、また短期間に限り経営される所謂仮設興行場は、臨時的な興行場の経営であるという意味において原則的な基準には適合していなくても、公衆衛生上支障がない場合に限り、都道府県知事のしんしゃく、認定である

自由裁量行為によって特例的に許可される性格のものである。従って、仮設興行場の許可に当っては、一率に有効期限を附することはできないが、個々の施設の実態に応じ有効期限を附することは、差し支えないものである。

（営業許可と私法関係）

○興行場営業許可に関する疑義について

〔昭和33年4月14日　3公第461号〕
〔厚生省環境衛生部長宛　京都府衛生部長照会〕

　本府において下記のような事例があり、すでに営業の許可を受けている施設に対し、興行場法第2条による営業許可申請があった場合（申請書類に手続上の不備がなく、又施設が知事の定める施設基準に合致している）の取り扱いについて御回答を煩わしたく照会いたします。

記

　甲の所有にかかる施設を期限付で乙が借り受け、乙の名義で興行場法第2条による許可を昭和25年5月1日に受け、営業中であったが、施設借受の期限が過ぎたにもかかわらず、明け渡さないため甲は、乙を相手方として京都地方裁判所へ明け渡し請求の訴訟を行ったが、昭和30年4月3日京都地方裁判所舞鶴支所において、昭和33年2月28日迄賃貸契約期間を延長することの和解が成立したのであるが、乙は期限が来ても明け渡さないため、甲は強制執行をし、椅子その他乙の所有に関する物件を持ち出し、施設を整え、知事の定める基準に合致させて申請書を提出したのである。興行場法によれば、興行場の設置の場所又は、その構造設備が公衆衛生上不適当であると認める場合以外は、許可を与えないことができないが（法第2条第2項による）、この場合、乙はすでに許可を受けており廃業の意思もないのである。
　甲の申請に対して許可をあたえるべきであるか。

〔昭和33年4月28日　衛環第43号〕
〔京都府衛生部長宛　厚生省環境衛生部長回答〕

昭和33年4月14日3公第461号をもって照会のあった標記について次のとおり回答する。

記

お尋ねの場合においては、甲の申請に対しても許可を与えるべきである。

○興行場法の疑義について

〔昭和33年12月22日　公衛第4,829号〕
〔厚生省環境衛生課長宛　和歌山県衛生部長照会〕

第4編　興行場

　　現に興行場法によるＡＢ両人名義で営業許可を受けて営業している興行場施設につ
　いてＢ名義人が単独で廃業届を提した場合についての疑義を生じ、その取扱上支障を
　来している差しせまった事例があるので、文書をもって至急御回示を煩わしたい。
　　　　　　　　　　　　　　　　　記
　両名義人が連名で営業許可を受けた概要は、次のとおりである。
　　　土地所有者Ａ、建物所有者Ｂが共同経営をなすべく、昭和32年和歌山市において
　　Ａ、Ｂ両名義で興行場営業の許可を得、最近まで営業を存続したのであるが、本年
　　12月に至りＢが単独で廃業届を提出した。
　1　この場合について、Ｂの廃業届を受理出来るか否か、出来るとすれば、Ａのみ
　　の営業権がなお有効であるか。
　2　Ａ、Ｂ連名で廃業届を出さなければならないとすれば、一方が行方不明の場合
　　の措置如何。
　説明　Ｂが自己所有の建物を第三者に譲渡し、現在行方不明であり、その際廃業届
　　　を提出しており、本県としては両名になした営業許可は無効として、Ａに新
　　　たに許可申請書を提出さすべきとの見解をとっておりますが、御高説賜りた
　　　い。

〔昭和34年3月4日　衛環発第21号〕
〔和歌山県衛生部長宛　厚生省環境衛生部長回答〕

昭和33年公衛第4,829号をもって照会の標記について下記のとおり回答する。
　　　　　　　　　　　　　　　記
　Ａ及びＢの連名をもっては1つの法律上の人格とは考えられないので、Ａ及びＢの連名
に対し1つの興行場営業の許可を与えたこと自体について疑義が存するが、既に営業許可
処分を行った以上は、当該許可が対物的性格を有する処分であることにかんがみ、Ａ及び
Ｂのそれぞれに対して別個の許可を与えたものとみなすべきであろう。従って、Ｂのみの
名義による廃業届であってもこれを受理すべく、また、Ａに対する許可処分はなお有効に
存続すると解すべきであろう。

○興行場営業許可の疑義について

〔昭和41年9月9日　環衛第2,460号〕
〔厚生省環境衛生局長宛　和歌山県衛生部長照会〕

　このことについて、別記のような疑義が生じたので、至急御回答下さるようお願い
します。
1　情況
　(1)　概況
　　　昭和31年5月7日付けでＡ氏に演劇場として許可した△△座という施設があ
　　る。（土地建物は当時も、また、現在もＡ氏所有である。）
　　　同施設を、昭和31年9月29日からＡ氏はＢ氏に賃貸借契約書によって、土地建

物一切を貸して興行を行なわせている。（契約は昭和40年7月1日に一度更新され、昭和43年6月3日までとなっており、興行のすべてをまかせて、施設の変更を禁止し、他人への譲渡を禁止している。）

ところが、B氏も、昭和32年8月15日からC氏にすべてをまかせて興行されている。（契約書は無く、共同経営であるとC氏は自称している。）

このときから、C氏は××劇場と称してストリップを上演しており、興行主がXプロ、Yプロとかわり現在はZプロダクションとなり同じくストリップを上演している。

今回8月10日と15日の2回、警察署が公然わいせつ事件で検挙してはじめて上記の情況が判明した。（別紙通報写および図解参照のこと。）

(2) 警察の見解
　ア　名称を△△座から××劇場に変更していること。
　イ　C氏が設備を著しく変更していること。
　ウ　実際の運営がC氏によって行われていること。
　調査結果から以上3点を指摘して、C氏は無許可営業であるとして書類送検している。
　県に対しても、無許可として措置および指導方を要請してきている。

(3) 和歌山市（政令市）中央保健所および県の過去における見解
　保健所は、A氏に対して劇場変更届を出すよう再三指導してきたが届出されなかった。
　（現在の時点においてもA氏にはその意思はない。）
　しかし、これは届出事項であると解してきた。
　一方、和歌山県環境衛生同業組合興行協会へは、昭和33年4月11日にA氏の名前で組合員に入会しており、C氏は、その支配人として出席し、その後員外者として理事に就任し、昭和39年2月5日に理事長となり現在に至っている。
　以上の経過から判断して、△△座のA氏に対する許可は有効と解して来た。

(4) C氏とA氏の主張
　ア　C氏の主張
　　警察署での取調べの際は、直接関係のないA氏に罪の及ぶのをおそれ、経営は自分が行い、したがって、全責任は自分にあると主張して来たが、後日になってそれは誤解であったと訂正を申し出ている。
　　県に対しても、経営者はA氏であり自分は支配人であると主張し、8年前も現在も同様であると主張している。（経営者と支配人の関係を裏づける事実が見当らない。）
　イ　A氏の主張
　　○○○○に勤務しており、次のように主張している。
　　(ｱ)　土地建物は、B氏には貸しているが、他の人には貸さない。
　　(ｲ)　興行場として貸しているが、他の業には貸さない。

第4編　興行場

　　　(ウ)　昭和43年6月3日賃貸契約満了後は廃業届をしてもよいが、それまでは届を出さない。
　　　(エ)　現在でも、名称変更届をする意思はない。
　　　(オ)　許可を受けている以上自分は経営者である。したがって、経営者に対する責めは受ける。
　(5)　従来の県の指導方針
　　　1施設に対して2以上の許可申請が競合しないよう終始一貫して指導してきている。
　　　今まで、他業種についても、このような争いはなかった。
2　疑義照会事項
　(1)　以上の事実に基づいて、両人の主張のみをとりあげ、今までのように、今後も許可有効と解して、今後も興行場営業を認めることができるか。
　(2)　興行のすべてと土地建物について賃貸借契約のなされた時点で、△△座のA氏に対する許可は失効したものと解されるか。
　(3)　経営者と支配人との関係は本人の申し立てがあれば裏付け事実がなくてもよろしいか。　　　　　　　　　　　　　　　　　　　　　（調査の要あり。）
　(4)　C氏を無許可と解された場合、県および保健所（政令市）の行政指導はどのようにすべきか。　　　　　　　　　　　　　　（告発、許可をとらせるように）
　(5)　C氏を無許可経営者として、新規申請させて許可を与えるべきか。
　(6)　県または保健所は、平素経営の実態まで把握しなければならないか。
　(7)　平素経営の実態を把握する必要があるとするならば、どのようにして把握すればよいか。
　(8)　この事実とは直接関係はないが、無許可興行場を発見した場合、立入権は認められるか、また、それは保健所（政令市）にあるのか県にあるのか。（興行場法第5条は、第1条第2項と第3条第1項を受けて許可した者と解されるかどうか。）
　(9)　県と政令市の分野について、地方自治法第148条と興行場法第5条（現行第7条の2）から、次の点についてはどのように解されるか。
　　　ア　政令市にある興行場に対しては、県には立入権はないものと解されるか。
　　　イ　名称変更の指導および経営の実態調査等は許可に関する事務として県が行なうべきものか。
　　　ウ　その他一般の行政指導も県で行なうべきものか。
別紙通報写、図解　略

〔昭和41年10月13日　環衛第5,114号〕
〔和歌山県衛生部長宛　厚生省環境衛生課長回答〕

　昭和41年9月9日付け環衛第2,460号をもって照会のあった標記について下記のとおり回答する。

記

1　照会(1)及び(2)について
　　昭和31年5月7日付けAに対する興行場経営許可処分は、許可にかかる施設が許可処分時と構造設備上の同一性を保持しているかぎり、当然に失効していると解することはできない。
　　しかしながら、現在の経営の実態よりみて同氏が当該施設を経営しているものでないと判断されるならば、同氏に対して廃業届を提出するよう指導し、それに従がわない場合には当該許可を取り消す処分を行なって差し支えない。
2　照会(3)について
　　興行場経営許可処分又は許可取消処分を行なうに際しては、当該興行場の実質的な経営主体を客観的資料によって明らかにし、許可の本旨に合致するよう努めるべきである。したがって本件に関しては、関係者の申立てのみによることなく、警察当局指摘の事実を中心に実質的判断を行うべきである。
3　照会(4)及び(5)について
　　実態よりみてC氏が興行場を無許可で経営していると判断されるのであれば、その無許可状態の改善を図るため違反事由を告発し又は同氏より許可申請を提出させる必要がある。
4　照会(6)及び(7)について
　　必要に応じて報告を求め、又は立入検査を行なうことにより、興行場の経営者が誰であるかについても把握しておくよう努められたい。
5　照会(8)について
　　貴見のとおりである。当該吏員として立入検査を行なわしめる権限はいわゆる政令市にあっては市長にあるものと解される。
6　照会(9)について
　　ア　貴見のとおりである。
　　イ　貴見のとおりである。その際営業者その他の関係者から必要な報告を求め、当該吏員に立入検査をさせることは、保健所法第1条の規定に基づく政令で定める市の市長を通じてなされるべきものである。
　　ウ　興行場法第5条（現行第7条の2）の規定により、政令市の市長の行なうこととされている事務以外の興行場法施行上の事務は都道府県又は都道府県知事に属するものである。

（効力）

○興行場営業許可に関する疑義について

　　　　　　　　　　　　　　　　　昭和42年5月10日　環衛第193号
　　　　　　　　　　　　　　　　　厚生省環境衛生局長宛　栃木県衛生民生部長照会

1163

第4編　興行場

　　このことについて、別紙写のとおり栃木県警察本部長より照会がありましたので、次の事項につき至急御指示を賜わりたくお願いします。
記
1　許可の効力の発生の日について
　(1)　許可の効力は行政機関の意思決定（許可通知書）が相手方に到着した日をもって許可が発生したものと解すべきか。
　(2)　許可通知書は単なる行政処分通知行為を文書をもって行なう（昭33.3.22環衛第18号厚生省環境衛生課長回答参照）ものにすぎないので、許可処分の日を電話等で相手方に連絡した場合であっても、その日を許可効力が発生したものと解してよいか。
2　許可の効力について
　(1)　㈲関口商店は定款の目的に建具製造販売、これに付帯する一切の業務となっているが、興行場経営は目的以外の業務と解すべきかどうか、また行政処分は法人の定款内容によって決定すべきものかどうか。
　(2)　許可が無効であるとすれば、法人の代表者等の違反行為に関連して興行場法第11条を㈲関口商店に対して適用できるかどうか。
別紙写　略

> 昭和42年6月28日　環衛第7,073号
> 栃木県衛生民生部長宛　厚生省環境衛生局環境衛生課長回答

　昭和42年5月10日付け環衛第193号をもって照会のあった標記について下記のとおり回答する。
記
1　興行場法第2条の許可は行政機関の意思決定のあったときにおいてその効力が発生するものと解する。
2　会社は定款記載の目的によってその能力が制限されるとしても、定款に掲げられた目的を害せず、かつ、法人の存続に資する事項はすべて目的の範囲内であって、それらの事項について能力を有するとするのが一般的見解である。従って㈲関口商店が興行場経営を行なうことはさしつかえなく、興行場法第2条に基づく許可も有効である。

（公開による聴聞）

○公開による聴聞について

> 公開による聴聞について禀伺
> 昭和23年10月7日　衛公発第1,749号
> 厚生省公衆衛生局長宛　東京都衛生局長照会

公開による聴聞について

　興行場法第7条、旅館業法第9条、公衆浴場法第7条及び温泉法第21条に規定する公開による聴聞を知事が行う場合に関して下記事項につき何分の御指示を得たい。

記

1　構成要員は、当事者（右各条の規定による当該営業者又はその代理人と、都道府県当該関係吏員）の外、いかなる要員（例えば関係業者組合の代表又は都道府県会議員等）を何名位参加せしむべきか。
2　明らかに不当なる弁明に対し、参会者の多数が同意したる場合（当該営業者が一般参会者と意志を通じて行う懸念あり）に於いて行政処分の決定は如何になすべきか。
3　期日、場所、聴聞に付すべき違反行為の事項等は期日の1週間前までに当該営業者に通知する外、開催日前何日位に公告式により告示すべきか、又は告示の要なきか、要なしとせばこれが周知の方法如何。
4　その他如何なる事項を必要とするか。

〔昭和23年11月24日　衛発第336号
　各都道府県知事宛　厚生省公衆衛生局長回答〕

　標記の件に関し、東京都衛生局長より前記の如き照会があり下記の通り回答したから通知する。

記

1　公開による聴聞を行う場合には、当該営業者又はその代理人と、都道府県当該関係吏員の出席があれば足りるのであって、特に関係業者組合の代表者、都道府県会議員又は一般人等の参加を必要としない。但し、これ等の者の参加の申し出があったときには、これを拒むことはできない。又証人を立てることも拒むことはできない。営業三法に基づく公開による聴聞とは、行政処分を適法、かつ、公正に行うための1つの手段であって、一般にいわゆる公聴会の如き性質のものではない。
2　公開による聴聞の前記の如き性質に鑑み、当該営業者に十分な弁明の機会を与え、かつ、行政処分をなさんとする趣旨を十分了解せしめることが必要であるが、公開の聴聞とは、行政処分の可否に対する決定機関ではないのであるから、明らかに不当な弁明に対しては、それに何等拘束されることなく所要の行政処分を行って差し支えないものである。
3　処分の原因と認められる違反行為並びに聴聞の期日及び場所は、期日の1週間前まで当該営業者に通知（直接持参するか又は書留便をもって送付することによる）すればたりるのであって、特に告示等による公告の必要はない。
4　聴聞は、速記にとり、これを保存するものとする。速記は要点速記でも差し支えない。
5　聴聞を行う者は、その判定及び営業者側の弁明に関して知事の決裁を仰ぐために、知事に報告書を提出する。知事は報告書により、その判定及び弁明を十分検討した後、その判定を採択するか又は変更するか、若しくは却下するかして最後的判定を下すものとする。
6　知事のなした営業の許可処分に対して不服のある者は、厚生大臣に訴願することがで

（許可事項の変更届）

○許可事項変更の無届者の処置に関する件

> ［昭和26年3月8日　26公第1,315号
> 　厚生省公衆衛生局長宛　福岡県知事照会］
>
> 　旅館業法等所謂営業三法の旅館業、興行場、公衆浴場等の許可を受けたる後、業者がその営業施設の構造、設備を変更した場合同法施行規則第2条の規定により10日以内に届出をなすよう規定せられているが、業者において故意にその届出をなさない場合処分規定を欠くやに思料せられるが、斯くの如き事案に対しては如何に処罰すべきものなるや何分の御回示願いたい。

［昭和26年4月13日　衛発第263号
　福岡県知事宛　厚生省公衆衛生局長回答］

標記の件に関しては下記の通り回答する。

記

　現在届出をしない時の処分規定がないのでこれを処罰することはできない。但し、法第5条により変更につき必要な報告を求めこれに対して報告せず又は虚偽の報告をしたときは法第9条で処罰できる。

（他法との関係）

○旅館業におけるサービスの範囲並びに興行場法の適用について

> ［昭和45年7月18日　公衛第311号
> 　厚生省環境衛生局長宛　岐阜県衛生部長照会］
>
> 　当県内下呂温泉の旅館において次のような実態により旅館宿泊客を対象に映画上映を実施していますが、①これが行為は旅館業のサービスの範囲なるや否や、②興行場法の適用となるや否や、③興行場法の適用となれば旅館の附帯施設としての構造設備は認められるや否や、④旅館業におけるサービスの範囲とは具体的にどの程度であればよいのか以上4点当面の指導に苦慮しているので、お忙しいところ恐縮ですが大至急ご教示煩わしたい。追って当県の考え方、並びに映画のみならず演芸、ショーなどのサービスの範囲についても合せてご指導賜りたくお願いします。

旅館業におけるサービスの範囲並びに興行場法の適用について

記

（実態について）

　昭和44年3月頃より当県内下呂温泉の旅館において、旅館宿泊客を対象として、本年5月地元保健所の調査時点まで映画上映を実施していた。

　当初は頻度も少なく料金も徴収せず、コーラ等を1本300円で販売し娯楽代と称して映画観覧を実施していたが昨年12月より地元税務署発行の券に切りかえ入場税を納入している。本年4月までの各旅館の上映回数等は次の表のとおりである。

旅館	開始年月日	上映頻度	利用人員	上映場所	料金	備考
A館	44年3月	週1-2回	週10-40人	旅館部小会議室（36帖）	300円〔各室又は会計わたし〕	料理兼業
B館	44年3月	年間300回	月平均1,300人	旅館部大広間（35帖）	300円〔広間入口で販売〕	料理兼業
C館	44年4月	週1-2回〔土、日のみ〕	月平均250人	旅館部娯楽室（30帖）	300円	椅子席料理兼業
D館	44年3月	年200回	年間3,000人	旅館部会議室（56帖）	300円〔売店で券を販売〕	料理兼業
E館	44年4月（45.2中止）	月1-2回	月平均300人	料理部大広間（55帖）	300円〔広間入口で販売〕	料理兼業
F館	44年3月	月7-8回	1回平均15人〔10人以下は中止〕	旅館部中広間（36帖）	250-300円〔フロントにて販売〕	料理兼業
G館	45年3月	月5-10回	1回平均25人	旅館部ホール（30帖）	200円〔各室で販売〕	椅子席料理兼業

　映画の内容は16mmトーキの成人向映画が主で夏、正月等家族客の多いときは子供向の「マンガ」「喜劇」等に切かえているところもあり、夏、正月などの満員のときは外出が多いとのことで行わないところもある。

　フィルムの提供は三重県津市の会社が月契約3万円で提供している。上映時間は45～60分で、映写機は各館の備品であり取扱者は旅館従業員である。

　又スクリーンは巻上げ式のもので固定はされていない。配給会社の言によれば和歌山県白浜温泉の旅館にも2-3契約しているとのことである。

（県としての考え方）

第4編　興行場

　以上の実態より県としては次のように考えた。
　昭和30年8月19日環衛発第29号福島県知事宛厚生省環境衛生部長回答「興行場法の適用について」より、下呂温泉の旅館における映画上映は旅館業のサービスの範囲を超えるものがあるやに思料される。
　即ち上映回数はかなりの頻度であり、利用者、利用の場所、上映時間、料金徴収（入場税含む）等の実態より総合判断するにサービス行為以上のものがあると考えられる。そこでサービスの範囲とは、具体的に明示し難いが一応次のように考えました。
1　上映回数は月4回以内（臨時興行場の回数より）
2　料金徴収はサービスである以上無料であることが望ましい。
3　会場は旅館内の会議室、娯楽室程度で行なうこと。
4　映画の内容は旅館のサービスの範囲ならば、旅館業法の趣旨にのっとり、善良の風俗が害されることのないよう健全なサービス提供に努めるべきである。
5　旅館業本来の業務の範囲を超えないこと。

　　　　　　　　　　　［昭和46年9月4日　　環衛第158号　　　　　］
　　　　　　　　　　　［岐阜県衛生部長宛　厚生省環境衛生課長回答］

　昭和45年7月18日付公衛第311号をもって照会のあった標記の件については、次のとおり回答する。

　　　　　　　　　　　　　　　　　記

　旅館業の施設内において映画、演芸等を施設利用者に観覧させていることが、興行場法の対象になるかどうかについては、興行の時間、頻度、興行の用に供する場所の状況、観客の人数、範囲等から総合的に判断すべきであるが、お示しの事例の限りにおいては、E館を除き、興行場法に基づく興行場の許可を要するものと考えられる。
　なお、興行場法を適用する場合、旅館業法等の法令に違反しない限り、当該興行の施設が旅館業の施設の付属施設であってもさしつかえない。

第3章　立地制限

（周辺環境と営業許可）

○興行場法運用上の疑義について

> ［昭和28年7月6日　28公第3,696号
> 厚生省公衆衛生局長宛　神奈川県知事照会］
>
> 　興行場の営業許可申請に対する許否処分については、同法第2条第2項に、その裁量基準が規定されてあり、設置の場所が公衆衛生上不適当であると認めるときは、不許可処分にすることができることになっているが、下記の場合には如何なる処分を適当とするか、至急御指示を願いたく御照会いたします。
> 　　　　　　　　　　　記
> 　県内の病院に隣接して興行場営業の許可申請が行われたが、病院側からは、興行に伴う騒音により収容患者の医療上に支障を及ぼす虞ありとの理由をもって設置反対の陳情を行っている。
> 　このような場合、「患者の医療上に支障を及ぼす虞あり」との理由をもって、「公衆衛生上不適当であると認めるとき」に該当するものとして不許可処分にできるかどうか。
> 　なお、出願者からは、騒音防止に対する設備を確約して許可処分を強く要求している。

> ［昭和28年8月31日　衛発第689号
> 神奈川県知事宛　厚生省公衆衛生局長回答］

7月6日、28公第3,696号で照会のあった標記について下記の通り回答する。
　　　　　　　　　　　記
　興行場法第2条第2項の「設置の場所が………公衆衛生上不適当である」とは、設置の場所が、排水がきわめて悪いとか、その他入場者の衛生に害を及ぼすような場合をいうものであって、単に隣接病院の入院患者に医療上支障を及ぼすおそれがあるという理由から当該興行場営業許可申請に対してこれを許さないことはできないものと解される。

○興行場法運営上の疑義について

> ［昭和33年7月26日　広公第288号
> 厚生省公衆衛生局環境衛生部長宛　広島県衛生部長照会］
>
> 　最近広島県において、学校の正門に隣接して興行場営業許可申請が提出されている

が、学校側及びP・T・A側から学校教育環境をみだすのみならず、公衆衛生上も支障があるとの理由をもって、設置反対の陳情を受けております。

このことに関しては、昭和28年7月6日神奈川県知事から照会があり、同年8月21日衛発第689号をもって回答されたところによりますと、「設置の場所が公衆衛生上不適当である」とは、施設及び入場者の衛生に関するところで、第三者に及ぼす影響については何等考慮する必要のないところであるとの御見解であったが、昨年旅館業法が改正された際には、最近の社会情勢の変化からして旅館業営業の許可に当っては、一般環境条件のみならず、風俗規制も之に織り込まれたところであるが、興行場の営業の許可にあたっても、最近特に青少年不良化防止上、映画の影響が重要視されているときでもあり、右のような設置の場所が周囲の公衆衛生に支障をあたえる場合も考慮すべきであると思料致しますが、このことについての御見解を承りたくお願申上げます。

[昭和33年9月5日　衛環発第69号
広島県衛生部長宛　厚生省公衆衛生局環境衛生部長回答]

昭和33年7月26日広公第288号をもって照会のあった標記については、次のとおり回答する。

記

興行場法第2条第2項に規定する「設置の場所が公衆衛生上不適当である」とは、当該施設及び入場者の公衆衛生の維持が阻害される場合をいうのであり、同条には、教育環境その他周囲の環境に支障を与える場合は含まれない。

なお、旅館業法にあっては、第1条に規定する同法の目的において公衆衛生の見地から必要な取締を行うほか、旅館業によって善良の風俗が害されることがないように、これに必要な規制を加えることも目的とするとし、これをうけて第3条第2項の許可の基準の規定においても、施設の設置場所が公衆衛生上不適当であると認めるときという規定のほかに、学校の清純な教育環境が著しく害されるおそれがあると認めるときにおいても許可を与えないことができる旨の明文の規定がおかれているのであって、現行の興行場法の規定をこれと同一に論ずることはできない。

○興行場の営業許可に関する疑義について

[昭和40年8月23日　40保指第1,718号
厚生省環境衛生局長宛　神奈川県衛生部長照会]

興行場の営業許可申請にかかわる処分につきましては、興行場法第2条第2項の規定により設置の場所が公衆衛生上不適当であると認めるときは、許可を与えないことができることになっており、「設置の場所が公衆衛生上不適当である」ことの解釈については、昭和28年8月31日づけ衛発第689号をもって「設置の場所が排水がきわめて悪いとか、その他入場者の衛生に害を及ぼすような場合をいう」ものであるとの御

教示を得ているところでありますが、次のごとき場合は、いかなる処分を適当とするか至急御回報願います。
記
　県内の住宅地の小学校に隣接（130m）してストリップ劇場が建設されるということから当地区のＰ・Ｔ・Ａ、自治会はもちろんのこと全市をあげて設置反対陳情を行っているが、反対理由は、そのストリップ劇場の興行に伴い、小学校生徒はいうに及ばず地区青少年及び一般市民に与える精神的影響は大きく特に、隣接小学校の清純な教育環境を著しく阻害し、非行少年の出現を助長することにもなり、これらのものをして健全な精神状態におくことが極めて困難であり精神衛生上ひいては公衆衛生上ゆるがせにできないというにある。
1　このような場合興行場法第2条第2項の規定にいう「設置の場所が公衆衛生上不適当である」として不許可処分にすることができるか。
2　略

〔昭和40年9月6日　環衛第5,100号
　神奈川県衛生部長宛　厚生省環境衛生課長回答〕

1　おたずねの1のような場合には公衆衛生上不適当であると判断することは出来ない。
2　略

（距離制限）

○興行場法運営上の疑義について

〔昭和30年7月23日　公第814号
　厚生省公衆衛生局長発　宮城県知事照会〕

興行場の設置場所について下記事項を御回示賜わりたく照会いたします。
記
1　略
2　興行場と学校、寺院、教会及び病院等の距離が近い場合教育、宗教的感情、治療的見地からみて支障があると認められる場合、距離制限を行うことが出来るか、出来るとすれば興行場法施行条例で規定すべきか、単独条例で規定すべきか。

〔昭和30年12月9日　衛発第92号
　宮城県衛生部長宛　厚生省公衆衛生局環境衛生部環境
　衛生課長回答〕

昭和30年7月23日公第814号をもって宮城県知事より公衆衛生局長あて照会のあった標記の件について、下記のとおり回答する。
記
1　略

第4編　興行場

2　興行場営業を許可に係らしめたのは、当該興行場入場者に対する衛生措置を確保するためであって、興行場法第2条第2項の規定により許可を与えないことができる場合も、この趣旨に従って解すべきものがある。従って貴県条例中におたずねのごとき設置場所の距離制限を規定することはできない。

第4章　衛生に関する構造基準

（無窓映画館）

○興行場（無窓映画館）経営許可申請の取扱について

> ［昭和28年12月18日　28環第4,656号
> 厚生省公衆衛生局長宛　北海道衛生部長照会］
>
> このことについて管内札幌市に無窓映画館の設置が決定されましたが本道としては最初の施設でありますのでこれが許可処分並びに以後の取締等に疑義を生じておりますからこの取扱について御教示を願います。

> ［昭和29年1月22日　衛発第38号
> 北海道知事宛　厚生省公衆衛生局長回答］
>
> 客年12月18日28環第4,656号で照会の標記について下記の通り回答する。
>
> 記
>
> いわゆる無窓映画館であっても、その設置の場所及び換気その他の構造設備が公衆衛生上不適当であると認めるときの外は許可をしなければならないものと解されたい。

（定員規制）

○興行場法第3条の規定による入場者の衛生に必要な措置基準について

> ［昭和31年1月30日　1公第141号
> 厚生省公衆衛生局環境衛生部長宛　京都府衛生部長照会］
>
> 興行場法第3条第2項の規定による京都府条例中に次の条文を入場者の衛生に必要な措置の基準として規定したいと思いますが、法的にいささか疑問がありますので、これを規定することができるかどうかについて何分の御回示をお願いします。
>
> 記
>
> 1　興行場内には、定員以上の観覧者を入場させてはならない。

> ［昭和31年2月20日　衛環発第8号
> 京都府衛生部長宛　厚生省公衆衛生局環境衛生部長回答］

昭和31年1月30日1公第141号をもって照会のあった標記の件について下記のとおり回答する。

記

興行場法施行条例において設問のごとく規定することは差し支えない。この場合「定員」とは、興行場入場者の衛生措置として定められるべきものであるので、この点留意されたい。

（観覧席での飲食物販売）

○興行場法施行条例について

> 昭和31年11月20日　31環第8,756号
> 厚生省公衆衛生局環境衛生課長宛　北海道衛生部長照会

興行場法第3条第2項の規定により、営業者が講じなければならない入場者の衛生に必要な措置の基準を、都道府県が条例を以て定めているところでありますが、本道においては右条例（別紙添附）で、観覧席において飲食物等を販売させないことに規定（第6条第2号）して居りますが、このことに関し下記事項について折返し御教示下されたくお願いいたします。

記

道条例で前記規制をしていることは妥当と認められるかどうか又これが条項を削除致したく考えているがこれの適否についての貴見。

別紙　略

> 昭和31年12月13日　衛環第123号
> 北海道衛生部長宛　厚生省公衆衛生局環境衛生課長回答

昭和31年11月20日31環第8,756号をもって照会にかかる標記については、下記により回答する。

記

興行場の衛生措置の一として、興行場内においては、売店以外の場所で飲食物その他の物品を販売させない旨の規定を、条例中に設けることは違法ではないが、実際問題として、売店以外における販売行為を禁止してみても、売店で購入した物品の客席への持込み、あるいは家庭からの持参等があり、衛生措置の実効も上らないから、お尋ねのような規制をしておくことはその意義に乏しいと思料される。

なお、入場者に、興行場法第4条第1項に規定する以上の義務を条例で課することは、できないことでもあり、従って、かような条項を削除することは、適当な措置と考えられる。

第5編

旅 館 業

Ⅰ 法令編

●旅館業法

〔昭和23年7月12日　法律第138号〕

〔一部改正経過〕

第1次	〔昭和25年3月28日法律第26号「性病予防法等の一部を改正する法律」第6条による改正
第2次	〔昭和31年6月12日法律第148号「地方自治法の一部を改正する法律の施行に伴う関係法律の整理に関する法律」第14条による改正
第3次	〔昭和32年6月15日法律第176号「旅館業法の一部を改正する法律」による改正
第4次	〔昭和33年3月31日法律第25号「旅館業法の一部を改正する法律」による改正
第5次	〔昭和34年2月10日法律第2号「風俗営業取締法の一部を改正する法律」附則第4項による改正
第6次	〔昭和36年6月17日法律第145号「学校教育法の一部を改正する法律の施行に伴う関係法律の整理に関する法律」第7条による改正
第7次	〔昭和37年9月15日法律第161号「行政不服審査法の施行に伴う関係法律の整理等に関する法律」第84条による改正
第8次	〔昭和43年6月10日法律第94号「許可、認可等の整理に関する法律」第2条による改正
第9次	〔昭和45年5月18日法律第65号「旅館業法の一部を改正する法律」による改正
第10次	〔昭和54年12月25日法律第70号「許可、認可等の整理に関する法律」第2条による改正
第11次	〔昭和59年8月14日法律第76号「風俗営業等取締法の一部を改正する法律」附則第9条による改正
第12次	〔昭和60年12月24日法律第102号「許可、認可等民間活動に係る規制の整理及び合理化に関する法律」第8条による改正
第13次	〔平成6年7月1日法律第84号「地域保健対策強化のための関係法律の整備に関する法律」第26条による改正
第14次	〔平成5年11月12日法律第89号「行政手続法の施行に伴う関係法律の整備に関する法律」第91条による改正
第15次	〔平成6年6月29日法律第49号「地方自治法の一部を改正する法律の施行に伴う関係法律の整備に関する法律」第7条による改正
第16次	〔平成8年6月21日法律第91号「旅館業法の一部を改正する法律」による改正
第17次	〔平成10年5月8日法律第55号「風俗営業等の規制及び業務の適正化等に関する法律の一部を改正する法律」附則第9条による改正
第18次	〔平成11年5月26日法律第52号「児童買春、児童ポルノに係る行為等の処罰及び児童の保護等に関する法律」附則第4条による改正
第19次	〔平成11年7月16日法律第87号「地方分権の推進を図るための関係法律の整備等に関する法律」第157条による改正
第20次	〔平成12年5月31日法律第91号「商法等の一部を改正する法律の施行に伴う関係法律の整備に関する法律」第17条による改正
第21次	〔平成15年7月16日法律第117号「国立大学法人法等の施行に伴う関係法律の整備等に関する法律」第5条による改正
第22次	〔平成17年11月7日法律第123号「障害者自立支援法」附則第93条（平成22年12月法律第71号により一部改正）による改正
第23次	〔平成18年6月7日法律第53号「地方自治法の一部を改正する法律」附則第24条による改正
第24次	〔平成23年8月30日法律第105号「地域の自主性及び自立性を高めるための改革の推進を図るための関係法律の整備に関する法律」第26条（平成23年6月法律第70号・同年12月法律第122号により一部改正）による改正
第25次	〔平成26年6月25日法律第79号「児童買春、児童ポルノに係る行為等の処罰及び児童の保護等に関する法律の一部を改正する法律」附則第5条による改正
第26次	〔平成26年8月22日法律第67号「子ども・子育て支援法及び就学前の子どもに関する教育、保育等の総合的な提供の推進に関する法律の一部を改正する法律の施行に伴う関係法律の整備等に関する法律」第11条（平成25年5月法律第28号・同年6月法律第54号・同年12月法律第112号により一部改正）による改正
第27次	〔平成27年6月24日法律第45号「風俗営業等の規制及び業務の適正化等に関する法律の一部を改正する法律」附則第6条による改正
第28次	〔平成28年5月20日法律第47号「地域の自主性及び自立性を高めるための改革の推進を図るための関係法律の整備に関する法律」附則第12条による改正
第29次	〔平成29年12月15日法律第84号「旅館業法の一部を改正する法律」による改正
第30次	〔令和元年6月14日法律第37号「成年被後見人等の権利の制限に係る措置の適正化等を図るための関係法律の整備に関する法律」第77条による改正
第31次	〔令和5年6月23日法律第66号「刑法及び刑事訴訟法の一部を改正する法律」附則第7条による改正

第5編　旅館業

第32次　〔令和5年6月23日法律第67号「性的な姿態を撮影する行為等の処罰及び押収物に記録された性的な姿態の影像に係る電磁的記録の消去等に関する法律」附則第9条による改正〕
第33次　〔令和5年6月14日法律第52号「生活衛生関係営業等の事業活動の継続に資する環境の整備を図るための旅館業法等の一部を改正する法律」第1条による改正〕
注　令和4年6月17日法律第68号「刑法等の一部を改正する法律の施行に伴う関係法律の整理等に関する法律」第229条（令和5年5月法律第28号により一部改正）による改正は未施行につき〔参考〕として1215頁以降に収載（令和7年6月1日施行）

旅館業法

〔目的〕

第1条　この法律は、旅館業の業務の適正な運営を確保すること等により、旅館業の健全な発達を図るとともに、旅館業の分野における利用者の需要の高度化及び多様化に対応したサービスの提供を促進し、もつて公衆衛生及び国民生活の向上に寄与することを目的とする。

〔改正〕

　　　全部改正（第16次改正）

〔用語の定義〕

第2条　この法律で「旅館業」とは、旅館・ホテル営業、簡易宿所営業及び下宿営業をいう。

2　この法律で「旅館・ホテル営業」とは、施設を設け、宿泊料を受けて、人を宿泊させる営業で、簡易宿所営業及び下宿営業以外のものをいう。

3　この法律で「簡易宿所営業」とは、宿泊する場所を多数人で共用する構造及び設備を主とする施設を設け、宿泊料を受けて、人を宿泊させる営業で、下宿営業以外のものをいう。

4　この法律で「下宿営業」とは、施設を設け、1月以上の期間を単位とする宿泊料を受けて、人を宿泊させる営業をいう。

5　この法律で「宿泊」とは、寝具を使用して前各項の施設を利用することをいう。

6　この法律で「特定感染症」とは、次に掲げる感染症をいう。

一　感染症の予防及び感染症の患者に対する医療に関する法律（平成10年法律第114号。以下「感染症法」という。）第6条第2項に規定する1類感染症（第4条の2第1項第2号及び第2項第1号において単に「1類感染症」という。）

二　感染症法第6条第3項に規定する2類感染症（第4条の2第1項第2号及び第2項第1号において単に「2類感染症」という。）

三　感染症法第6条第7項に規定する新型インフルエンザ等感染症（第4条の2第1項第2号及び第2項第2号において単に「新型インフルエンザ等感染症」という。）

四　感染症法第6条第8項に規定する指定感染症であつて、感染症法第44条の9第1項の規定に基づく政令によつて感染症法第19条若しくは第20条又は第44条の3第2項の規定を準用するもの（第4条の2第1項第2号及び第2項第3号において単に「指定感染症」という。）

五　感染症法第6条第9項に規定する新感染症（第4条の2第1項第2号及び第2項第2号において単に「新感染症」という。）

〔改正〕
　　全部改正（第3次改正）、一部改正（第29・33次改正）
〔営業の許可〕
第3条　旅館業を営もうとする者は、都道府県知事（保健所を設置する市又は特別区にあつては、市長又は区長。第4項を除き、以下同じ。）の許可を受けなければならない。ただし、旅館・ホテル営業又は簡易宿所営業の許可を受けた者が、当該施設において下宿営業を営もうとする場合は、この限りでない。

2　都道府県知事は、前項の許可の申請があつた場合において、その申請に係る施設の構造設備が政令で定める基準に適合しないと認めるとき、当該施設の設置場所が公衆衛生上不適当であると認めるとき、又は申請者が次の各号のいずれかに該当するときは、同項の許可を与えないことができる。
　一　心身の故障により旅館業を適正に行うことができない者として厚生労働省令で定めるもの
　二　破産手続開始の決定を受けて復権を得ない者
　三　禁錮以上の刑に処せられ、又はこの法律若しくはこの法律に基づく処分に違反して罰金以下の刑に処せられ、その執行を終わり、又は執行を受けることがなくなつた日から起算して3年を経過していない者
　四　第8条の規定により許可を取り消され、取消しの日から起算して3年を経過していない者
　五　暴力団員による不当な行為の防止等に関する法律（平成3年法律第77号）第2条第6号に規定する暴力団員又は同号に規定する暴力団員でなくなつた日から起算して5年を経過しない者（第8号において「暴力団員等」という。）
　六　営業に関し成年者と同一の行為能力を有しない未成年者でその法定代理人（法定代理人が法人である場合においては、その役員を含む。）が前各号のいずれかに該当するもの
　七　法人であつて、その業務を行う役員のうち第1号から第5号までのいずれかに該当する者があるもの
　八　暴力団員等がその事業活動を支配する者

3　第1項の許可の申請に係る施設の設置場所が、次に掲げる施設の敷地（これらの用に供するものと決定した土地を含む。以下同じ。）の周囲おおむね100メートルの区域内にある場合において、その設置によつて当該施設の清純な施設環境が著しく害されるおそれがあると認めるときも、前項と同様とする。
　一　学校教育法（昭和22年法律第26号）第1条に規定する学校（大学を除くものとし、次項において「第1条学校」という。）及び就学前の子どもに関する教育、保育等の総合的な提供の推進に関する法律（平成18年法律第77号）第2条第7項に規定する幼保連携型認定こども園（以下この条において「幼保連携型認定こども園」という。）
　二　児童福祉法（昭和22年法律第164号）第7条第1項に規定する児童福祉施設（幼保連携型認定こども園を除くものとし、以下単に「児童福祉施設」という。）

三　社会教育法（昭和24年法律第207号）第2条に規定する社会教育に関する施設その他の施設で、前2号に掲げる施設に類するものとして都道府県（保健所を設置する市又は特別区にあつては、市又は特別区。以下同じ。）の条例で定めるもの
4　都道府県知事（保健所を設置する市又は特別区にあつては、市長又は区長）は、前項各号に掲げる施設の敷地の周囲おおむね100メートルの区域内の施設につき第1項の許可を与える場合には、あらかじめ、その施設の設置によつて前項各号に掲げる施設の清純な施設環境が著しく害されるおそれがないかどうかについて、学校（第1条学校及び幼保連携型認定こども園をいう。以下この項において同じ。）については、当該学校が大学附置の国立学校（国（国立大学法人法（平成15年法律第112号）第2条第1項に規定する国立大学法人を含む。以下この項において同じ。）が設置する学校をいう。）又は地方独立行政法人法（平成15年法律第118号）第68条第1項に規定する公立大学法人（以下この項において「公立大学法人」という。）が設置する学校であるときは当該大学の学長、高等専門学校であるときは当該高等専門学校の校長、高等専門学校以外の公立学校であるときは当該学校を設置する地方公共団体の教育委員会（幼保連携型認定こども園であるときは、地方公共団体の長）、高等専門学校及び幼保連携型認定こども園以外の私立学校であるときは学校教育法に定めるその所管庁、国及び地方公共団体（公立大学法人を含む。）以外の者が設置する幼保連携型認定こども園であるときは都道府県知事（地方自治法（昭和22年法律第67号）第252条の19第1項の指定都市（以下この項において「指定都市」という。）及び同法第252条の22第1項の中核市（以下この項において「中核市」という。）においては、当該指定都市又は中核市の長）の意見を、児童福祉施設については、児童福祉法第46条に規定する行政庁の意見を、前項第3号の規定により都道府県の条例で定める施設については、当該条例で定める者の意見を求めなければならない。
5　第2項又は第3項の規定により、第1項の許可を与えない場合には、都道府県知事は、理由を附した書面をもつて、その旨を申請者に通知しなければならない。
6　第1項の許可には、公衆衛生上又は善良の風俗の保持上必要な条件を附することができる。
〔改正〕
　　一部改正（第3・6・8～10・13・19・21・22・24・26・28～30次改正）
〔委任〕
　　第2項　本文の「政令」＝令1・2　　第1号の「厚生労働省令」＝規則1の2
〔参照条文〕
　　第1項　「許可」の申請手続＝規則1　　罰則＝法10一・13
〔譲渡〕
第3条の2　前条第1項の許可を受けて旅館業を営む者（以下「営業者」という。）が当該旅館業を譲渡する場合において、譲渡人及び譲受人がその譲渡及び譲受けについて都道府県知事の承認を受けたときは、譲受人は、営業者の地位を承継する。

2　前条第2項（申請者に係る部分に限る。）及び第3項から第6項までの規定は、前項の承認について準用する。この場合において、同条第2項中「申請者」とあるのは、「譲受人」と読み替えるものとする。
　　〔改正〕
　　　　追加（第33次改正）
　　〔参照条文〕
　　　　第1項　「譲渡」の承認申請＝規則1の3
　〔営業者の地位の承継〕
第3条の3　営業者たる法人の合併の場合（営業者たる法人と営業者でない法人が合併して営業者たる法人が存続する場合を除く。）又は分割の場合（当該旅館業を承継させる場合に限る。）において当該合併又は分割について都道府県知事の承認を受けたときは、合併後存続する法人若しくは合併により設立された法人又は分割により当該旅館業を承継した法人は、営業者の地位を承継する。
2　第3条第2項（申請者に係る部分に限る。）及び第3項から第6項までの規定は、前項の承認について準用する。この場合において、同条第2項中「申請者」とあるのは、「合併後存続する法人若しくは合併により設立される法人又は分割により当該旅館業を承継する法人」と読み替えるものとする。
　　〔改正〕
　　　　旧第3条の2として追加（第12次改正）、一部改正（第20・33次改正）、本条に繰下（第33次改正）
　　〔参照条文〕
　　　　「承認」申請手続＝規則2
　〔相続人の承認〕
第3条の4　営業者が死亡した場合において、相続人（相続人が2人以上ある場合において、その全員の同意により当該旅館業を承継すべき相続人を選定したときは、その者。以下同じ。）が被相続人の営んでいた旅館業を引き続き営もうとするときは、その相続人は、被相続人の死亡後60日以内に都道府県知事に申請して、その承認を受けなければならない。
2　相続人が前項の承認の申請をした場合においては、被相続人の死亡の日からその承認を受ける日又は承認をしない旨の通知を受ける日までは、被相続人に対してした第3条第1項の許可は、その相続人に対してしたものとみなす。
3　第3条第2項（申請者に係る部分に限る。）及び第3項から第6項までの規定は、第1項の承認について準用する。
4　第1項の承認を受けた相続人は、被相続人に係る営業者の地位を承継する。
　　〔改正〕
　　　　旧第3条の3として追加（第12次改正）、本条に繰下（第33次改正）
　　〔参照条文〕
　　　　「承認」申請手続＝規則3

第5編　旅館業

〔営業者の責務〕

第3条の5　営業者は、旅館業が国民生活において果たしている役割の重要性に鑑み、旅館業の施設及び宿泊に関するサービスについて安全及び衛生の水準の維持及び向上に努めるとともに、旅館業の分野における利用者の需要が高度化し、かつ、多様化している状況に対応できるよう、旅館業の施設の整備及び宿泊に関するサービスの向上に努めなければならない。

2　営業者は、旅館業の施設において特定感染症のまん延の防止に必要な対策を適切に講じ、及び高齢者、障害者その他の特に配慮を要する宿泊者に対してその特性に応じた適切な宿泊に関するサービスを提供するため、その従業者に対して必要な研修の機会を与えるよう努めなければならない。

〔改正〕

旧第3条の4として追加（第16次改正）、一部改正（第29・33次改正）、本条に繰下（第33次改正）

〔営業者の講ずべき衛生措置〕

第4条　営業者は、旅館業の施設について、換気、採光、照明、防湿及び清潔その他宿泊者の衛生に必要な措置を講じなければならない。

2　前項の措置の基準については、都道府県が条例で、これを定める。

3　第1項に規定する事項を除くほか、営業者は、旅館業の施設を利用させるについては、政令で定める基準によらなければならない。

〔改正〕

一部改正（第3・12・29次改正）

〔委任〕

第3項　「政令」＝令3

〔特定感染症のまん延の防止への協力の求め〕

第4条の2　営業者は、宿泊しようとする者に対し、旅館業の施設における特定感染症のまん延の防止に必要な限度において、特定感染症国内発生期間に限り、次の各号に掲げる者の区分に応じ、当該各号に定める協力を求めることができる。

一　特定感染症の症状を呈している者その他の政令で定める者　次に掲げる協力

イ　当該者が次条第1項第1号に該当するかどうかが明らかでない場合において、医師の診断の結果その他の当該者が同号に該当するかどうかを確認するために必要な事項として厚生労働省令で定めるものを厚生労働省令で定めるところにより営業者に報告すること。

ロ　当該旅館業の施設においてみだりに客室その他の当該営業者の指定する場所から出ないことその他の旅館業の施設における当該特定感染症の感染の防止に必要な協力として政令で定めるもの

二　特定感染症の患者等（特定感染症（新感染症を除く。）の患者、感染症法第8条（感染症法第44条の9第1項の規定に基づく政令によつて準用する場合を含む。）の規定により1類感染症、2類感染症、新型インフルエンザ等感染症又は指定感染症の

患者とみなされる者及び新感染症の所見がある者をいい、宿泊することにより旅館業の施設において特定感染症をまん延させるおそれがほとんどないものとして厚生労働省令で定める者を除く。次条第１項第１号において同じ。）　前号ロに掲げる協力
　三　前２号に掲げる者以外の者　当該者の体温その他の健康状態その他厚生労働省令で定める事項の確認の求めに応じることその他の旅館業の施設における当該特定感染症の感染の防止に必要な協力として政令で定めるもの
２　前項の特定感染症国内発生期間は、次の各号に掲げる特定感染症の区分に応じ、当該各号に定める期間（特定感染症のうち国内に常在すると認められる感染症として政令で定めるものにあつては、政令で定める期間）とする。
　一　１類感染症及び２類感染症　感染症法第16条第１項の規定により当該感染症が国内で発生した旨の公表が行われたときから、同項の規定により国内での発生がなくなつた旨の公表が行われるまでの間
　二　新型インフルエンザ等感染症及び新感染症　感染症法第44条の２第１項又は第44条の10第１項の規定により当該感染症が国内で発生した旨の公表が行われたときから、感染症法第44条の２第３項の規定による公表又は感染症法第53条第１項の政令の廃止が行われるまでの間
　三　指定感染症　感染症法第44条の７第１項の規定により当該感染症が国内で発生した旨の公表が行われ、かつ、当該感染症について感染症法第44条の９第１項の規定に基づく政令によつて感染症法第19条若しくは第20条又は第44条の３第２項の規定が準用されたときから、感染症法第44条の７第３項の規定による公表が行われ、又は当該感染症について感染症法第44条の９第１項の規定に基づく政令によつて感染症法第19条及び第20条並びに第44条の３第２項の規定が準用されなくなるときまでの間
３　厚生労働大臣は、第１項第１号ロ及び第３号の政令の制定又は改廃の立案をしようとするときは、あらかじめ、感染症に関する専門的な知識を有する者並びに旅館業の業務に関し専門的な知識及び経験を有する者の意見を聴かなければならない。
４　宿泊しようとする者は、営業者から第１項の規定による協力の求めがあつたときは、正当な理由がない限り、その求めに応じなければならない。

　〔改正〕
　　　追加（第33次改正）
　〔委任〕
　　　第１項　第１号本文の「政令」＝令４　イの「厚生労働省令で定めるもの」＝規則５の２Ⅰ　「厚生労働省令で定めるところ」＝規則５の２Ⅱ　ロの「政令」＝令５　第２号の「厚生労働省令」＝規則５の４　第３号の「厚生労働省令」＝規則５の５　「政令」＝令６
　　　第２項　本文の「政令で定めるもの」・「政令で定める期間」＝令７

　〔宿泊拒否の制限〕
第５条　営業者は、次の各号のいずれかに該当する場合を除いては、宿泊を拒んではならない。
　一　宿泊しようとする者が特定感染症の患者等であるとき。
　二　宿泊しようとする者が賭博その他の違法行為又は風紀を乱す行為をするおそれがあ

第5編　旅館業

ると認められるとき。
　三　宿泊しようとする者が、営業者に対し、その実施に伴う負担が過重であつて他の宿泊者に対する宿泊に関するサービスの提供を著しく阻害するおそれのある要求として厚生労働省令で定めるものを繰り返したとき。
　四　宿泊施設に余裕がないときその他都道府県が条例で定める事由があるとき。
2　営業者は、旅館業の公共性を踏まえ、かつ、宿泊しようとする者の状況等に配慮して、みだりに宿泊を拒むことがないようにするとともに、宿泊を拒む場合には、前項各号のいずれかに該当するかどうかを客観的な事実に基づいて判断し、及び宿泊しようとする者からの求めに応じてその理由を丁寧に説明することができるようにするものとする。
　〔改正〕
　　　一部改正（第33次改正）
　〔委任〕
　　　第1項　第3号の「厚生労働省令」＝規則5の6
　〔参照条文〕
　　　第1項　罰則＝法11一・13
　〔指針〕
第5条の2　厚生労働大臣は、前2条に定める事項に関し、営業者が適切に対処するために必要な指針（以下この条において単に「指針」という。）を定めるものとする。
2　厚生労働大臣は、指針を定める場合には、あらかじめ、感染症に関する専門的な知識を有する者、旅館業の業務に関し専門的な知識及び経験を有する者並びに旅館業の施設の利用者の意見を聴かなければならない。
3　厚生労働大臣は、指針を定めたときは、遅滞なく、これを公表しなければならない。
4　前2項の規定は、指針の変更について準用する。
　〔改正〕
　　　追加（第33次改正）
　〔委任〕
　　　第1項　「指針」＝令和5年11月厚生労働大臣決定「旅館業の施設において特定感染症の感染防止に必要な協力の求めを行う場合の留意事項並びに宿泊拒否制限及び差別防止に関する指針」
　〔宿泊者名簿〕
第6条　営業者は、厚生労働省令で定めるところにより旅館業の施設その他の厚生労働省令で定める場所に宿泊者名簿を備え、これに宿泊者の氏名、住所、連絡先その他の厚生労働省令で定める事項を記載し、都道府県知事の要求があつたときは、これを提出しなければならない。
2　宿泊者は、営業者から請求があつたときは、前項に規定する事項を告げなければならない。
　〔改正〕
　　　一部改正（第23・29・33次改正）

旅館業法

〔委任〕
　　第1項　「厚生労働省令で定めるところ」＝規則4の2Ⅰ　「厚生労働省令で定める場所」＝規則4の2Ⅱ
　　　　　「厚生労働省令で定める事項」＝規則4の2Ⅲ
〔参照条文〕
　　第1項　罰則＝法11一・13
　　第2項　罰則＝法12

〔報告徴収、立入検査等〕
第7条　都道府県知事は、この法律の施行に必要な限度において、営業者その他の関係者から必要な報告を求め、又は当該職員に、旅館業の施設に立ち入り、その構造設備若しくはこれに関する書類を検査させ、若しくは関係者に質問させることができる。
2　都道府県知事は、旅館業が営まれている施設において次条第3項の規定による命令をすべきか否かを調査する必要があると認めるときは、当該旅館業を営む者（営業者を除く。）その他の関係者から必要な報告を求め、又は当該職員に、旅館業の施設に立ち入り、その構造設備若しくはこれに関する書類を検査させ、若しくは関係者に質問させることができる。
3　当該職員が、前2項の規定により立入検査をする場合においては、その身分を示す証票を携帯し、かつ、関係者の請求があるときは、これを提示しなければならない。
4　第1項及び第2項の規定による立入検査の権限は、犯罪捜査のために認められたものと解してはならない。

〔改正〕
　　一部改正（第1・3・10・23・29次改正）
〔参照条文〕
　　第1項　「当該職員」＝規則6　罰則＝法11二・13
　　第2項　罰則＝法11二・13
　　第3項　「身分を示す証票」＝規則6、昭和52年1月厚令第1号「環境衛生監視員証を定める省令」

〔改善命令〕
第7条の2　都道府県知事は、旅館業の施設の構造設備が第3条第2項の政令で定める基準に適合しなくなつたと認めるときは、当該営業者に対し、相当の期間を定めて、当該施設の構造設備をその基準に適合させるために必要な措置をとるべきことを命ずることができる。
2　都道府県知事は、旅館業による公衆衛生上の危害の発生若しくは拡大又は善良の風俗を害する行為の助長若しくは誘発を防止するため必要があると認めるときは、当該営業者に対し、公衆衛生上又は善良の風俗の保持上必要な措置をとるべきことを命ずることができる。
3　都道府県知事は、この法律の規定に違反して旅館業が営まれている場合であつて、当該旅館業が営まれることによる公衆衛生上の重大な危害の発生若しくは拡大又は著しく善良の風俗を害する行為の助長若しくは誘発を防止するため緊急に措置をとる必要があると認めるときは、当該旅館業を営む者（営業者を除く。）に対し、当該旅館業の停止その他公衆衛生上又は善良の風俗の保持上必要な措置をとるべきことを命ずることがで

きる。
〔改正〕
　　追加（第3次改正）、一部改正（第29次改正）
〔参照条文〕
　　第2・3項　罰則＝法11三・13
〔営業の許可の取消又は営業の停止〕
第8条　都道府県知事は、営業者が、この法律若しくはこの法律に基づく命令の規定若しくはこの法律に基づく処分に違反したとき、又は第3条第2項各号（第4号を除く。）に該当するに至つたときは、同条第1項の許可を取り消し、又は1年以内の期間を定めて旅館業の全部若しくは一部の停止を命ずることができる。営業者（営業者が法人である場合におけるその代表者を含む。）又はその代理人、使用人その他の従業者が、当該旅館業に関し次に掲げる罪を犯したときも、同様とする。
一　刑法（明治40年法律第45号）第174条、第175条、第182条又は第183条の罪
二　風俗営業等の規制及び業務の適正化等に関する法律（昭和23年法律第122号）に規定する罪（同法第2条第4項の接待飲食等営業及び同条第11項の特定遊興飲食店営業に関するものに限る。）
三　売春防止法（昭和31年法律第118号）第2章に規定する罪
四　児童買春、児童ポルノに係る行為等の規制及び処罰並びに児童の保護等に関する法律（平成11年法律第52号）第2章に規定する罪
五　性的な姿態を撮影する行為等の処罰及び押収物に記録された性的な姿態の影像に係る電磁的記録の消去等に関する法律（令和5年法律第67号）第2章に規定する罪
〔改正〕
　　一部改正（第3～5・11・17・18・25・27・29・31・32次改正）
〔参照条文〕
　　罰則＝法10二・13
〔意見の具申〕
第8条の2　国立大学の学長その他第3条第4項に規定する者は、同条第3項各号に掲げる施設の敷地の周囲おおむね100メートルの区域内にある旅館業の施設の構造設備が同条第2項の政令で定める基準に適合しなくなつた場合又は営業者が同条第3項各号に掲げる施設の敷地の周囲おおむね100メートルの区域内において第4条第3項の規定に違反した場合において、当該施設の清純な施設環境が著しく害されていると認めるときは、第7条の2（第3項を除く。）又は前条に規定する処分について都道府県知事に意見を述べることができる。
〔改正〕
　　追加（第3次改正）、一部改正（第8・9・29次改正）
〔参照条文〕
　　「政令で定める基準」＝令1・2

〔聴聞等〕
第9条 第8条の規定による処分に係る行政手続法（平成5年法律第88号）第15条第1項又は第30条の通知は、聴聞の期日又は弁明を記載した書面の提出期限（口頭による弁明の機会の付与を行う場合には、その日時）の1週間前までにしなければならない。
2 第8条の規定による許可の取消しに係る聴聞の期日における審理は、公開により行わなければならない。
〔改正〕
全部改正（第14次改正）

〔国及び地方公共団体の支援〕
第9条の2 国及び地方公共団体は、営業者に対し、旅館業の健全な発達を図り、並びに旅館業の分野における利用者の需要の高度化及び多様化に対応したサービスの提供を促進するため、必要な資金の確保、助言、情報の提供その他の措置を講ずるよう努めるものとする。
〔改正〕
旧第9条の4として追加（第16次改正）、旧第9条の3を削り、旧第9条の3に繰上（第19次改正）、旧第9条の2を削り、本条に繰上（第24次改正）

〔罰則〕
第10条 次の各号のいずれかに該当する者は、これを6月以下の懲役若しくは100万円以下の罰金に処し、又はこれを併科する。
一 第3条第1項の規定に違反して同項の規定による許可を受けないで旅館業を営んだ者
二 第8条の規定による命令に違反した者
〔改正〕
一部改正（第3・29次改正）

第11条 次の各号のいずれかに該当する者は、これを50万円以下の罰金に処する。
一 第5条第1項又は第6条第1項の規定に違反した者
二 第7条第1項又は第2項の規定による報告をせず、若しくは虚偽の報告をし、又は当該職員の検査を拒み、妨げ、若しくは忌避し、若しくは質問に対し答弁をせず、若しくは虚偽の答弁をした者
三 第7条の2第2項又は第3項の規定による命令に違反した者
〔改正〕
一部改正（第3・23・29・33次改正）

第12条 第6条第2項の規定に違反して同条第1項の事項を偽つて告げた者は、これを拘留又は科料に処する。

〔両罰規定〕
第13条 法人の代表者又は法人若しくは人の代理人、使用人その他の従業者が、その法人又は人の業務に関して、第10条又は第11条の違反行為をしたときは、行為者を罰する外、その法人又は人に対しても、各本条の罰金刑を科する。

第5編　旅館業

　　　附　則
　　〔施行期日〕
第14条　この法律は、昭和23年7月15日から、これを施行する。
　　〔従前の命令による営業許可の効力〕
第15条　この法律施行の際、現に従前の命令の規定により営業の許可を受けて旅館業を営んでいる者は、それぞれ第3条第1項の規定による許可を受けたものとみなす。
　　〔届出による営業の継続〕
第16条　昭和23年1月1日から、この法律施行の日までに、新たに旅館業を営み、この法律施行の際現にこれを営んでいる者は、この法律施行の日から2月間は、第3条第1項の規定にかかわらず、引き続きこれを営むことができる。
2　前項の規定に該当する者は、この法律施行後2月以内に、都道府県知事にその旨を届け出なければならない。
3　前項の届出をした者は、それぞれ第3条第1項の許可を受けたものとみなす。
　　　附　則（第33次改正）抄
　　（施行期日）
第1条　この法律は、公布の日から起算して6月を超えない範囲内において政令で定める日〔令和5年12月13日〕から施行する。ただし、附則第12条の規定は、公布の日〔令和5年6月14日〕から施行する。
　　〔**委任**〕
　　「政令」＝令和5年11月政令第329号「生活衛生関係営業等の事業活動の継続に資する環境の整備を図るための旅館業法等の一部を改正する法律の施行期日を定める政令」
　　（検討）
第2条　政府は、第1条の規定による改正後の旅館業法（以下この条及び次条において「新旅館業法」という。）第4条の2第1項の規定による協力の求め（同項第3号に掲げる者にあっては、当該者の体温その他の健康状態その他同号の厚生労働省令で定める事項の確認に係るものに限る。）を受けた者が正当な理由なくこれに応じないときの対応の在り方について、旅館業（旅館業法第2条第1項に規定する旅館業をいう。次項及び次条第3項において同じ。）の施設における特定感染症（新旅館業法第2条第6項に規定する特定感染症をいう。）のまん延防止を図る観点から検討を加え、必要があると認めるときは、その結果に基づいて所要の措置を講ずるものとする。
2　政府は、過去に旅館業の施設において第1条の規定による改正前の旅館業法第5条の規定の運用に関しハンセン病の患者であった者等に対して不当な差別的取扱いがされたことを踏まえつつ、新旅館業法第5条第1項の規定の施行の状況について検討を加え、必要があると認めるときは、その結果に基づいて所要の措置を講ずるものとする。
3　前2項に定めるもののほか、政府は、この法律の施行後3年を経過した場合において、この法律による改正後のそれぞれの法律の規定の施行の状況を勘案し、必要があると認めるときは、当該規定について検討を加え、その結果に基づいて所要の措置を講ずるものとする。

（旅館業法の一部改正に伴う経過措置）
第3条　都道府県知事（保健所を設置する市又は特別区にあっては、市長又は区長。以下同じ。）は、当分の間、新旅館業法第3条の2第1項の規定により営業者の地位を承継した者の業務の状況について、当該地位が承継された日から起算して6月を経過するまでの間において、少なくとも1回調査しなければならない。
2　営業者（新旅館業法第3条の2第1項に規定する営業者をいう。）は、当分の間、新旅館業法第5条第1項第1号又は第3号のいずれかに該当することを理由に宿泊（旅館業法第2条第5項に規定する宿泊をいう。次項において同じ。）を拒んだときは、厚生労働省令で定める方法により、その理由等を記録しておくものとする。
3　新旅館業法第6条の規定は、この法律の施行の日（以下「施行日」という。）以後に旅館業の施設に宿泊を開始した者について適用し、施行日前に旅館業の施設に宿泊した者（施行日以後も引き続き同一の旅館業の施設に宿泊している者を含む。）については、なお従前の例による。
　（罰則に関する経過措置）
第11条　この法律の施行前にした行為及び附則第3条第3項の規定によりなお従前の例によることとされる場合におけるこの法律の施行後にした行為に対する罰則の適用については、なお従前の例による。
　（政令への委任）
第12条　附則第3条から前条までに定めるもののほか、この法律の施行に関し必要な経過措置（罰則に関する経過措置を含む。）は、政令で定める。
　〔委任〕
　　「政令」＝令和5年7月政令第247号「生活衛生関係営業等の事業活動の継続に資する環境の整備を図るための旅館業法等の一部を改正する法律の施行に伴う経過措置に関する政令」

〔参　考〕
　　●刑法等の一部を改正する法律の施行に伴う関係法律の整理等に関する法律（抄）

〔令和4年6月17日〕
〔法　律　第　68　号〕

注　令和5年5月17日法律第28号「刑事訴訟法等の一部を改正する法律」附則第36条により一部改正

　第1編　関係法律の一部改正
　　第11章　厚生労働省関係
　（旅館業法の一部改正）
第229条　旅館業法（昭和23年法律第138号）の一部を次のように改正する。
　　第3条第2項第3号中「禁錮」を「拘禁刑」に改め、同条第5項中「附した」を「付した」に改め、同条第6項中「附する」を「付する」に改める。
　　第10条中「これを6月以下の懲役」を「6月以下の拘禁刑」に改める。
　第2編　経過措置

第5編　旅館業

第1章　通則

（罰則の適用等に関する経過措置）

第441条　刑法等の一部を改正する法律（令和4年法律第67号。以下「刑法等一部改正法」という。）及びこの法律（以下「刑法等一部改正法等」という。）の施行前にした行為の処罰については、次章に別段の定めがあるもののほか、なお従前の例による。

2　刑法等一部改正法等の施行後にした行為に対して、他の法律の規定によりなお従前の例によることとされ、なお効力を有することとされ又は改正前若しくは廃止前の法律の規定の例によることとされる罰則を適用する場合において、当該罰則に定める刑（刑法施行法第19条第1項の規定又は第82条の規定による改正後の沖縄の復帰に伴う特別措置に関する法律第25条第4項の規定の適用後のものを含む。）に刑法等一部改正法第2条の規定による改正前の刑法（明治40年法律第45号。以下この項において「旧刑法」という。）第12条に規定する懲役（以下「懲役」という。）、旧刑法第13条に規定する禁錮（以下「禁錮」という。）又は旧刑法第16条に規定する拘留（以下「旧拘留」という。）が含まれるときは、当該刑のうち無期の懲役又は禁錮はそれぞれ無期拘禁刑と、有期の懲役又は禁錮はそれぞれその刑と長期及び短期（刑法施行法第20条の規定の適用後のものを含む。）を同じくする有期拘禁刑と、旧拘留は長期及び短期（刑法施行法第20条の規定の適用後のものを含む。）を同じくする拘留とする。

（裁判の効力とその執行に関する経過措置）

第442条　懲役、禁錮及び旧拘留の確定裁判の効力並びにその執行については、次章に別段の定めがあるもののほか、なお従前の例による。

（人の資格に関する経過措置）

第443条　懲役、禁錮又は旧拘留に処せられた者に係る人の資格に関する法令の規定の適用については、無期の懲役又は禁錮に処せられた者はそれぞれ無期拘禁刑に処せられた者と、有期の懲役又は禁錮に処せられた者はそれぞれ刑期を同じくする有期拘禁刑に処せられた者と、旧拘留に処せられた者は拘留に処せられた者とみなす。

2　拘禁刑又は拘留に処せられた者に係る他の法律の規定によりなお従前の例によることとされ、なお効力を有することとされ又は改正前若しくは廃止前の法律の規定の例によることとされる人の資格に関する法令の規定の適用については、無期拘禁刑に処せられた者は無期禁錮に処せられた者と、有期拘禁刑に処せられた者は刑期を同じくする有期禁錮に処せられた者と、拘留に処せられた者は刑期を同じくする旧拘留に処せられた者とみなす。

第4章　その他

（経過措置の政令への委任）

第509条　この編に定めるもののほか、刑法等一部改正法等の施行に伴い必要な経過措置は、政令で定める。

附　則　抄

（施行期日）

1 この法律は、刑法等一部改正法施行日〔令和7年6月1日〕から施行する。ただし、次の各号に掲げる規定は、当該各号に定める日から施行する。
  一 第509条の規定 公布の日

第5編　旅館業

●旅館業法施行令

〔昭和32年6月21日〕
〔政　令　第１５２号〕

〔一部改正経過〕

　第１次　〔昭和45年7月6日政令第213号「旅館業法施行令の一部を改正する政令」による改正
　第２次　〔平成12年6月7日政令第309号「中央省庁等改革のための厚生労働省関係政令等の整備に関する政令」第46条による改正
　第３次　〔平成14年11月7日政令第329号「地方分権の推進のための条例に委任する事項の整理に関する政令」第5条による改正
　第４次　〔平成23年12月21日政令第407号「地域の自主性及び自立性を高めるための改革の推進を図るための関係法律の整備に関する法律の一部の施行に伴う厚生労働省関係政令等の整備等に関する政令」第6条による改正
　第５次　〔平成26年12月24日政令第412号「子ども・子育て支援法等の施行に伴う関係政令の整備に関する政令」第8条による改正
　第６次　〔平成27年6月24日政令第253号「風俗営業等の規制及び業務の適正化等に関する法律施行令の一部を改正する政令」附則第3項による改正
　第７次　〔平成28年3月30日政令第98号「旅館業法施行令の一部を改正する政令」による改正
　第８次　〔平成27年11月13日政令第382号「風俗営業等の規制及び業務の適正化等に関する法律の一部を改正する法律の施行に伴う関係政令の整備に関する政令」第3条による改正
　第９次　〔平成30年1月31日政令第21号「旅館業法の一部を改正する法律の施行に伴う関係政令の整備に関する政令」第1条による改正
　第10次　〔令和5年11月15日政令第330号「旅館業法施行令等の一部を改正する政令」第1条による改正

　　旅館業法施行令

　内閣は、旅館業法（昭和23年法律第138号）第3条第2項及び第4条第3項の規定に基き、この政令を制定する。
　（構造設備の基準）
第１条　旅館業法（以下「法」という。）第3条第2項の規定による旅館・ホテル営業の施設の構造設備の基準は、次のとおりとする。
　一　1客室の床面積は、7平方メートル（寝台を置く客室にあつては、9平方メートル）以上であること。
　二　宿泊しようとする者との面接に適する玄関帳場その他当該者の確認を適切に行うための設備として厚生労働省令で定める基準に適合するものを有すること。
　三　適当な換気、採光、照明、防湿及び排水の設備を有すること。
　四　当該施設に近接して公衆浴場がある等入浴に支障を来さないと認められる場合を除き、宿泊者の需要を満たすことができる適当な規模の入浴設備を有すること。
　五　宿泊者の需要を満たすことができる適当な規模の洗面設備を有すること。
　六　適当な数の便所を有すること。
　七　その設置場所が法第3条第3項各号に掲げる施設の敷地（これらの用に供するものと決定した土地を含む。）の周囲おおむね100メートルの区域内にある場合には、当該施設から客室又は客の接待をして客に遊興若しくは飲食をさせるホール若しくは客に射幸心をそそるおそれがある遊技をさせるホールその他の設備の内部を見通すことを遮ることができる設備を有すること。
　八　その他都道府県が（保健所を設置する市又は特別区にあつては、市又は特別区。以下この条において同じ。）条例で定める構造設備の基準に適合すること。

2　法第3条第2項の規定による簡易宿所営業の施設の構造設備の基準は、次のとおりとする。
　一　客室の延床面積は、33平方メートル（法第3条第1項の許可の申請に当たつて宿泊者の数を10人未満とする場合には、3.3平方メートルに当該宿泊者の数を乗じて得た面積）以上であること。
　二　階層式寝台を有する場合には、上段と下段の間隔は、おおむね1メートル以上であること。
　三　適当な換気、採光、照明、防湿及び排水の設備を有すること。
　四　当該施設に近接して公衆浴場がある等入浴に支障をきたさないと認められる場合を除き、宿泊者の需要を満たすことができる規模の入浴設備を有すること。
　五　宿泊者の需要を満たすことができる適当な規模の洗面設備を有すること。
　六　適当な数の便所を有すること。
　七　その他都道府県が条例で定める構造設備の基準に適合すること。
3　法第3条第2項の規定による下宿営業の施設の構造設備の基準は、次のとおりとする。
　一　適当な換気、採光、照明、防湿及び排水の設備を有すること。
　二　当該施設に近接して公衆浴場がある等入浴に支障をきたさないと認められる場合を除き、宿泊者の需要を満たすことができる規模の入浴設備を有すること。
　三　宿泊者の需要を満たすことができる適当な規模の洗面設備を有すること。
　四　適当な数の便所を有すること。
　五　その他都道府県が条例で定める構造設備の基準に適合すること。
　〔改正〕
　　　一部改正（第1・3～9次改正）
　〔委任〕
　　　第1項第2号の「厚生労働省令」＝令4の3

（構造設備の基準の特例）
第2条　旅館・ホテル営業又は簡易宿所営業の施設のうち、季節的に利用されるもの、交通が著しく不便な地域にあるものその他特別の事情があるものであつて、厚生労働省令で定めるものについては、前条第1項又は第2項に定める基準に関して、厚生労働省令で必要な特例を定めることができる。
　〔改正〕
　　　一部改正（第2・9次改正）
　〔委任〕
　　　「厚生労働省令」＝規則5

（利用基準）
第3条　営業者は、旅館業の施設を利用させるについては、次の基準によらなければならない。
　一　善良の風俗が害されるような文書、図画その他の物件を旅館業の施設に掲示し、又

は備え付けないこと。
　二　善良の風俗が害されるような広告物を掲示しないこと。
〔改正〕
　　　一部改正（第9次改正）
（法第4条の2第1項第1号の政令で定める者）
第4条　法第4条の2第1項第1号の政令で定める者は、次に掲げる者とする。
　一　特定感染症の症状を呈している者
　二　特定感染症にかかつていると疑うに足りる正当な理由のある者（前号に掲げる者を除く。）
〔改正〕
　　　追加（第10次改正）
（法第4条の2第1項第1号ロの協力）
第5条　法第4条の2第1項第1号ロの政令で定める協力は、次のとおりとする。
　一　旅館業の施設においてみだりに客室その他の営業者の指定する場所から出ないこと。
　二　体温その他の健康状態その他厚生労働省令で定める事項の確認の求めに応じること。
　三　前2号に掲げるもののほか、感染症の予防及び感染症の患者に対する医療に関する法律（平成10年法律第114号。以下「感染症法」という。）第16条第1項その他の感染症法の規定に基づいて厚生労働大臣が特定感染症の予防若しくはそのまん延の防止に必要なものとして公表した内容又は特定感染症に係る新型インフルエンザ等対策特別措置法（平成24年法律第31号）第18条第1項に規定する基本的対処方針において同法第2条第1号に規定する新型インフルエンザ等のまん延の防止に関する措置として定められた内容（次条第2号において「特定感染症に係る公表又は基本的対処方針の内容」という。）に即して、法第4条の2第1項第1号ロの協力として法第5条の2第1項に規定する指針で定めるもの
〔改正〕
　　　追加（第10次改正）
〔委任〕
　　　第2号の「厚生労働省令」＝規則5の3
（法第4条の2第1項第3号の協力）
第6条　法第4条の2第1項第3号の政令で定める協力は、次のとおりとする。
　一　体温その他の健康状態その他法第4条の2第1項第3号の厚生労働省令で定める事項の確認の求めに応じること。
　二　前号に掲げるもののほか、特定感染症に係る公表又は基本的対処方針の内容に即して、法第4条の2第1項第3号の協力として法第5条の2第1項に規定する指針で定めるもの
〔改正〕

追加(第10次改正)

(法第4条の2第2項の政令で定める感染症及びその特定感染症国内発生期間)

第7条 法第4条の2第2項の政令で定める感染症は、結核とし、その特定感染症国内発生期間は、第1号に掲げる日から第2号に掲げる日までの間とする。
　一　厚生労働大臣が、感染症法第16条第1項の規定により公表した結核の発生の状況、動向及び原因に関する情報並びに結核の予防に必要な情報を踏まえ、営業者が宿泊しようとする者に対して法第4条の2第1項の規定に基づく協力を求めなければ旅館業の施設における結核のまん延のおそれがあると認め、その旨を告示した日
　二　厚生労働大臣が、前号に規定するおそれがなくなつたと認め、その旨を告示した日

〔改正〕

追加(第10次改正)

　　附　則　抄

(施行期日)

1　この政令は、公布の日〔昭和32年6月21日〕から施行する。

　　附　則(第9次改正)

(施行期日)

1　この政令は、旅館業法の一部を改正する法律の施行の日(平成30年6月15日)から施行する。

(経過措置)

2　この政令の施行の際現に旅館業法の一部を改正する法律による改正前の旅館業法(以下「旧旅館業法」という。)第3条第1項の規定による許可を受けて旧旅館業法第2条第3項に規定する旅館営業を営んでいる者がその営業の用に供している施設については、平成30年12月15日までは、引き続き第1条の規定による改正前の旅館業法施行令第1条第2項に規定する旅館営業の施設の構造設備の基準に適合する限り、第1条の規定による改正後の旅館業法施行令第1条第1項に規定する旅館・ホテル営業の施設の構造設備の基準に適合するものとみなす。

第5編　旅館業

●生活衛生関係営業等の事業活動の継続に資する環境の整備を図るための旅館業法等の一部を改正する法律の施行に伴う経過措置に関する政令

〔令和5年7月21日〕
〔政　令　第　247　号〕

〔一部改正経過〕
　　第1次　〔令和5年11月15日政令第330号「旅館業法施行令等の一部を改正する政令」第3条による改正〕

　　　生活衛生関係営業等の事業活動の継続に資する環境の整備を図るための旅館業法等の一部を改正する法律の施行に伴う経過措置に関する政令
　内閣は、生活衛生関係営業等の事業活動の継続に資する環境の整備を図るための旅館業法等の一部を改正する法律（令和5年法律第52号）附則第12条の規定に基づき、この政令を制定する。
　　（特定感染症国内発生期間の始期に関する経過措置）
第1条　生活衛生関係営業等の事業活動の継続に資する環境の整備を図るための旅館業法等の一部を改正する法律（以下この項において「改正法」という。）の施行の日（以下「施行日」という。）前に感染症の予防及び感染症の患者に対する医療に関する法律（平成10年法律第114号。以下「感染症法」という。）第16条第1項の規定により1類感染症又は2類感染症が国内で発生した旨の公表が行われた場合であって、施行日までに同項の規定により国内での発生がなくなった旨の公表が行われていないときは、施行日において同項の規定により当該感染症が国内で発生した旨の公表が行われたものとみなして、改正法第1条の規定による改正後の旅館業法（昭和23年法律第138号。以下「新旅館業法」という。）第4条の2第2項第1号の規定を適用する。
2　施行日前に感染症法第44条の2第1項又は第44条の10第1項の規定により新型インフルエンザ等感染症又は新感染症が国内で発生した旨の公表が行われた場合であって、施行日までに感染症法第44条の2第3項の規定による公表又は感染症法第53条第1項の政令の廃止が行われていないときは、施行日において感染症法第44条の2第1項又は第44条の10第1項の規定により当該感染症が国内で発生した旨の公表が行われたものとみなして、新旅館業法第4条の2第2項第2号の規定を適用する。
3　施行日前に感染症法第44条の7第1項の規定により指定感染症が国内で発生した旨の公表が行われ、かつ、当該感染症について感染症法第44条の9第1項の規定に基づく政令によって感染症法第19条若しくは第20条又は第44条の3第2項の規定が準用された場合であって、施行日までに感染症法第44条の7第3項の規定による公表が行われておらず、かつ、施行日において感染症法第44条の9第1項の規定に基づく政令によって感染症法第19条若しくは第20条又は第44条の3第2項の規定が準用されているときは、施行日において感染症法第44条の7第1項の規定により当該感染症が国内で発生した旨の公表が行われ、かつ、当該感染症について感染症法第44条の9第1項の規定に基づく政令

によって感染症法第19条若しくは第20条又は第44条の3第2項の規定が準用されたものとみなして、新旅館業法第4条の2第2項第3号の規定を適用する。
〔改正〕
> 追加（第1次改正）

(感染症に関する専門的な知識を有する者等の意見の聴取に関する経過措置)
第2条 厚生労働大臣は、新旅館業法第4条の2第1項第1号ロ及び第3号の政令の制定又は改廃の立案をしようとするときは、施行日前においても、感染症に関する専門的な知識を有する者並びに旅館業の業務に関し専門的な知識及び経験を有する者の意見を聴くことができる。
〔改正〕
> 旧第1条を一部改正し、本条に繰下（第1次改正）

(指針の策定等に関する経過措置)
第3条 厚生労働大臣は、施行日前においても、新旅館業法第5条の2の規定の例により、指針（同条第1項に規定する指針をいう。次項において同じ。）を定め、又は変更し、これを公表することができる。
2　前項の規定により公表された指針は、施行日において新旅館業法第5条の2第1項の規定により定められ、同条第3項の規定により公表されたものとみなす。
〔改正〕
> 旧第2条を本条に繰下（第1次改正）

　　　附　則
この政令は、公布の日〔令和5年7月21日〕から施行する。

第5編　旅館業

●旅館業法施行規則

〔昭和23年7月24日〕
〔厚生省令第28号〕

〔一部改正経過〕

第1次	〔昭和25年4月1日厚生省令第13号「性病予防法施行規則等の一部を改正する省令」第6条による改正
第2次	〔昭和31年9月22日厚生省令第43号「旅館業法施行規則の一部を改正する省令」による改正
第3次	〔昭和32年8月1日厚生省令第34号「旅館業法施行規則の一部を改正する省令」による改正
第4次	〔昭和43年6月10日厚生省令第17号「旅館業法施行規則の一部を改正する省令」による改正
第5次	〔昭和45年7月6日厚生省令第38号「旅館業法施行規則の一部を改正する省令」による改正
第6次	〔昭和52年1月18日厚生省令第1号「環境衛生監視員証を定める省令」附則第5項による改正
第7次	〔昭和55年5月1日厚生省令第16号「興行場法施行規則等の一部を改正する省令」第2条による改正
第8次	〔昭和58年5月20日厚生省令第25号「旅館業法施行規則の一部を改正する省令」による改正
第9次	〔昭和60年12月24日厚生省令第47号「公衆浴場法施行規則等の一部を改正する省令」第2条による改正
第10次	〔昭和63年12月20日厚生省令第66号「公衆浴場法施行規則等の一部を改正する省令」第2条による改正
第11次	〔平成6年7月1日厚生省令第47号「保健所法施行規則等の一部を改正する省令」第12条による改正
第12次	〔平成13年3月27日厚生労働省令第40号「公衆浴場法施行規則等の一部を改正する省令」第2条による改正
第13次	〔平成15年3月25日厚生労働省令第48号「旅館業法施行規則の一部を改正する省令」による改正
第14次	〔平成17年1月24日厚生労働省令第7号「旅館業法施行規則の一部を改正する省令」による改正
第15次	〔平成24年3月30日厚生労働省令第64号「旅館業法施行規則の一部を改正する省令」による改正
第16次	〔平成28年3月31日厚生労働省令第68号「旅館業法施行規則の一部を改正する省令」による改正
第17次	〔平成30年1月24日厚生労働省令第8号「旅館業法施行規則の一部を改正する省令」による改正
第18次	〔平成30年1月31日厚生労働省令第9号「旅館業法施行規則及び環境衛生監視員証を定める省令の一部を改正する省令」第1条による改正
第19次	〔令和元年9月13日厚生労働省令第46号「成年被後見人等の権利の制限に係る措置の適正化等を図るための関係法律の整備に関する法律の施行に伴う厚生労働省関係省令の整備等に関する省令」第4条による改正
第20次	〔令和2年7月14日厚生労働省令第140号「食品衛生法施行規則等の一部を改正する省令」第3条による改正
第21次	〔令和5年8月3日厚生労働省令第101号「旅館業法施行規則等の一部を改正する省令」第1条による改正
第22次	〔令和5年11月15日厚生労働省令第140号「旅館業法施行規則及び厚生労働省関係国家戦略特別区域法施行規則の一部を改正する省令」第1条による改正

旅館業法施行規則を次のように定める。
　　　旅館業法施行規則
　〔営業許可の申請〕
第1条　旅館業法（昭和23年法律第138号。以下「法」という。）第3条第1項の規定により許可を受けようとする者は、次に掲げる事項を記載した申請書を、その営業施設所在地を管轄する都道府県知事（保健所を設置する市又は特別区にあつては、市長又は区長。以下同じ。）に提出しなければならない。
　一　申請者の住所、氏名及び生年月日（法人にあつては、その名称、事務所所在地、代表者の氏名及び定款又は寄附行為の写し）
　二　営業施設の名称及び所在地

三　営業の種別
四　営業施設が第5条第1項に該当するときは、その旨
五　営業施設の構造設備の概要
六　法第3条第2項各号に該当することの有無及び該当するときは、その内容
2　前項の申請書には、営業施設の構造設備を明らかにする図面を添付しなければならない。
〔改正〕
　　　一部改正（第2・3・7・9・11・18・20・21次改正）
〔法第3条第2項第1号の厚生労働省令で定める者〕
第1条の2　法第3条第2項第1号の厚生労働省令で定める者は、精神の機能の障害により、旅館業を適正に行うに当たつて必要な認知、判断及び意思疎通を適切に行うことができない者とする。
〔改正〕
　　　追加（第19次改正）
〔譲渡の承認申請〕
第1条の3　法第3条の2第1項の規定により承認を受けようとする者は、次に掲げる事項を記載した申請書を、その営業施設所在地を管轄する都道府県知事に提出しなければならない。
一　譲受人の住所、氏名及び生年月日（法人にあつては、その名称、事務所所在地及び代表者の氏名）
二　譲渡人の住所及び氏名（法人にあつては、その名称、事務所所在地及び代表者の氏名）
三　譲渡の予定年月日
四　営業施設の名称及び所在地
五　法第3条第2項各号に該当することの有無及び該当するときは、その内容
2　前項の申請書には、次に掲げる書類を添付しなければならない。
一　旅館業の譲渡を証する書類
二　譲受人が法人の場合にあつては、譲受人の定款又は寄附行為の写し
〔改正〕
　　　追加（第21次改正）
〔営業者の地位の承継の承認申請〕
第2条　法第3条の3第1項の規定により承認を受けようとする者は、次に掲げる事項を記載した申請書を、その営業施設所在地を管轄する都道府県知事に提出しなければならない。
一　合併により消滅する法人又は分割前の法人及び合併後存続する法人若しくは合併により設立される法人又は分割により旅館業を承継する法人の名称、事務所所在地及び代表者の氏名
二　合併又は分割の予定年月日

第5編　旅館業

　　三　営業施設の名称及び所在地
　　四　法第3条第2項各号に該当することの有無及び該当するときは、その内容
　2　前項の申請書には、合併後存続する法人若しくは合併により設立される法人又は分割により旅館業を承継する法人の定款又は寄附行為の写しを添付しなければならない。
　　〔改正〕
　　　　追加（第9次改正）、一部改正（第12・21次改正）
　〔相続人の承認申請〕
第3条　法第3条の4第1項の規定により承認を受けようとする者は、次に掲げる事項を記載した申請書を、その営業施設所在地を管轄する都道府県知事に提出しなければならない。
　　一　申請者の住所、氏名及び生年月日並びに被相続人との続柄
　　二　被相続人の氏名及び住所
　　三　相続開始の年月日
　　四　営業施設の名称及び所在地
　　五　法第3条第2項各号（第7号を除く。）に該当することの有無及び該当するときは、その内容
　2　前項の申請書には、次に掲げる書類を添付しなければならない。
　　一　戸籍謄本又は不動産登記規則（平成17年法務省令第18号）第247条第5項の規定により交付を受けた同条第1項に規定する法定相続情報一覧図の写し
　　二　相続人が2人以上ある場合において、その全員の同意により法第3条第1項の許可を受けて旅館業を営む者（以下「営業者」という。）の地位を承継すべき相続人として選定された者にあつては、その全員の同意書
　　〔改正〕
　　　　追加（第9次改正）、一部改正（第18・20・21次改正）
　〔営業者の届出〕
第4条　旅館業を営む者は、第1条及び第1条の3から前条までの申請書に記載した事項（営業の種別を除く。）に変更があつたとき又は営業の全部若しくは一部を停止し若しくは廃止したときは、10日以内に、その営業施設所在地を管轄する都道府県知事にその旨を届け出なければならない。
　　〔改正〕
　　　　一部改正（第3・9・19・21次改正）、旧第2条を本条に繰下（第9次改正）
　〔宿泊者名簿〕
第4条の2　法第6条第1項の宿泊者名簿（以下「宿泊者名簿」という。）は、当該宿泊者名簿の正確な記載を確保するための措置を講じた上で作成し、その作成の日から3年間保存するものとする。
　2　法第6条第1項の厚生労働省令で定める場所は、次に掲げる場所とする。
　　一　旅館業の施設
　　二　営業者の事務所

3　法第6条第1項の厚生労働省令で定める事項は、宿泊者の氏名、住所及び連絡先のほか、次に掲げる事項とする。
　一　宿泊者が日本国内に住所を有しない外国人であるときは、その国籍及び旅券番号
　二　その他都道府県知事が必要と認める事項
　〔改正〕
　　　　全部改正（第18次改正）、一部改正（第21次改正）
〔令第1条第1項第2号の基準〕
第4条の3　旅館業法施行令（昭和32年政令第152号。以下「令」という。）第1条第1項第2号の基準は、次の各号のいずれにも該当することとする。
　一　事故が発生したときその他の緊急時における迅速な対応を可能とする設備を備えていること。
　二　宿泊者名簿の正確な記載、宿泊者との間の客室の鍵の適切な受渡し及び宿泊者以外の出入りの状況の確認を可能とする設備を備えていること。
　〔改正〕
　　　　追加（第18次改正）
〔構造設備の基準の特例〕
第5条　令第2条に規定する施設は、次のとおりとする。
　一　キャンプ場、スキー場、海水浴場等において特定の季節に限り営業する施設
　二　交通が著しく不便な地域にある施設であつて、利用度の低いもの
　三　体育会、博覧会等のために一時的に営業する施設
　四　農山漁村滞在型余暇活動のための基盤整備の促進に関する法律（平成6年法律第46号）第2条第5項に規定する農林漁業体験民宿業に係る施設
2　次の表の上欄に掲げる施設については、同表の下欄に掲げる基準は、適用しない。

前項第1号から第3号までに掲げる施設	令第1条第1項第1号及び第2号並びに第2項第1号の基準
前項第4号に掲げる施設	令第1条第2項第1号の基準

3　第1項第1号から第3号までに掲げる施設については、季節的状況、地理的状況等によつて令第1条第1項第4号及び第2項第4号の基準による必要がない場合又はこれらの基準によることができない場合であつて、かつ、公衆衛生の維持に支障がないときは、これらの基準によらないことができるものとする。
　〔改正〕
　　　　旧第3条の全部改正（第三次改正）、一部改正（第5・13・15～18次改正）、本条に繰下（第9次改正）
〔法第4条の2第1項第1号イの厚生労働省令で定めるもの〕
第5条の2　法第4条の2第1項第1号イの厚生労働省令で定めるものは、次の各号のいずれかに掲げるものとする。
　一　医師の診断の結果
　二　特定感染症の症状を呈している者にあつては、当該症状が特定感染症以外によるも

のであることの根拠となる事項
2　法第4条の2第1項第1号イの報告は、書面又は電子情報処理組織を使用する方法により行うものとする。ただし、やむを得ない事情があると認められる場合は、口頭でこれをすることができる。
　〔改正〕
　　　追加（第22次改正）
　〔令第5条第2号の厚生労働省令で定める事項〕
第5条の3　令第5条第2号の厚生労働省令で定める事項は、次に掲げる事項とする。
一　当該特定感染症が現に発生している外国の地域における滞在の有無
二　当該特定感染症のうち感染症の予防及び感染症の患者に対する医療に関する法律施行令（平成10年政令第420号）第5条各号に掲げる感染症にあつては、当該各号に定める動物との接触の有無
三　法第4条の2第1項第2号に規定する特定感染症の患者等との接触の有無
四　特定感染症の症状を呈している者にあつては、当該者が特定感染症にかかつていると疑うに足りる正当な理由のある者に該当するかどうか
　〔改正〕
　　　追加（第22次改正）
　〔法第4条の2第1項第2号の厚生労働省令で定める者〕
第5条の4　法第4条の2第1項第2号の厚生労働省令で定める者は、同号に規定する特定感染症を人に感染させるおそれがほとんどないと医師が診断した者とする。
　〔改正〕
　　　追加（第22次改正）
　〔法第4条の2第1項第3号の厚生労働省令で定める事項〕
第5条の5　法第4条の2第1項第3号の厚生労働省令で定める事項は、当該者が令第4条第2号に掲げる者に該当するかどうかとする。
　〔改正〕
　　　追加（第22次改正）
　〔法第5条第1項第3号の厚生労働省令で定めるもの〕
第5条の6　法第5条第1項第3号の厚生労働省令で定めるものは、次の各号のいずれかに該当するものであつて、他の宿泊者に対する宿泊に関するサービスの提供を著しく阻害するおそれのあるものとする。
一　宿泊料の減額その他のその内容の実現が容易でない事項の要求（宿泊に関して障害を理由とする差別の解消の推進に関する法律（平成25年法律第65号）第2条第2号に規定する社会的障壁の除去を求める場合を除く。）
二　粗野又は乱暴な言動その他の従業者の心身に負担を与える言動（営業者が宿泊しようとする者に対して障害を理由とする差別の解消の推進に関する法律第8条第1項の不当な差別的取扱いを行つたことに起因するものその他これに準ずる合理的な理由があるものを除く。）を交えた要求であつて、当該要求をした者の接遇に通常必要とさ

れる以上の労力を要することとなるもの
〔改正〕
　　　追加（第22次改正）
〔環境衛生監視員〕
第6条　法第7条第1項又は第2項の職権を行う者を環境衛生監視員と称し、同条第3項の規定によりその携帯する証票については、別に定める。
〔改正〕
　　　一部改正（第1・2・6・18次改正）、旧第4条を本条に繰下（第9次改正）
〔委任〕
　　　「別に定める」＝昭和52年1月厚令第1号「環境衛生監視員証を定める省令」
〔届出期限の特例〕
第7条　第4条に規定する届出の期限が地方自治法（昭和22年法律第67号）第4条の2第1項に規定する地方公共団体の休日に当たるときは、地方公共団体の休日の翌日をもってその期限とみなす。
〔改正〕
　　　追加（第10次改正）

　　　附　　則
この省令は、公布の日〔昭和23年7月24日〕から、これを施行する。
　　　附　　則（第22次改正）
（施行期日）
1　この省令は、生活衛生関係営業等の事業活動の継続に資する環境の整備を図るための旅館業法等の一部を改正する法律（次項において「改正法」という。）の施行の日（令和5年12月13日）から施行する。
（宿泊を拒んだときの理由等の記録及び保存の方法）
2　改正法附則第3条第2項の方法は、旅館業法第5条第1項第1号又は第3号に掲げる場合ごとに、宿泊を拒んだ理由等に関する記録を書面、当該営業者の使用に係る電子計算機に備えられたファイル又は電磁的記録媒体（電子的方式、磁気的方式その他人の知覚によっては認識することができない方式で作られる記録であって、電子計算機による情報処理の用に供されるものに係る記録媒体をいう。）をもって調製するファイルにより作成し、その作成の日から3年間保存するものとする。

第5編　旅館業

●旅館業の振興指針

〔令和2年3月5日　厚生労働省告示第52号〕

〔一部改正経過〕
第1次　〔令和3年3月18日厚労告第79号〕

　生活衛生関係営業の運営の適正化及び振興に関する法律（昭和32年法律第164号）第56条の2第1項の規定に基づき、旅館業の振興指針（平成27年厚生労働省告示第24号）の全部を次のように改正し、令和2年4月1日から適用する。

旅館業の振興指針

　旅館業の営業者（以下「営業者」という。）が、旅館業法（昭和23年法律第138号）等の衛生規制に的確に対応しつつ、現下の諸課題にも適切に対応し、経営の安定及び改善を図ることは、国民生活の向上に資するものである。

　このため、生活衛生関係営業の運営の適正化及び振興に関する法律（昭和32年法律第164号。以下「生衛法」という。）第56条の2第1項に基づき、旅館業の振興指針を定めてきたところであるが、今般、営業者及び生活衛生同業組合（生活衛生同業小組合を含む。以下「組合」という。）等の事業の実施状況等を踏まえ、営業者及び組合等の具体的活用に資するよう、実践的かつ戦略的な指針として改正を行った。

　今後、営業者及び組合等において本指針が十分に活用されることを期待するとともに、新たな衛生上の課題や経済社会情勢の変化、営業者及び利用者等のニーズを反映して、適時かつ適切に本指針を改定するものとする。

第1　旅館業を取り巻く状況
一　旅館業の営業者の動向

　　旅館業は、国民に健全で、衛生的かつ快適な宿泊サービスを提供することにより、国民生活の充実に大いに貢献するとともに、近年の訪日外国人旅行者の増加を踏まえ、外国人宿泊者についても積極的に受け入れてきたところである。旅館業は、大きく分けて和風様式の旅館営業と洋風様式のホテル営業の二つに分類できる。それぞれの施設数は、旅館は、平成25年度の43,363軒から平成29年度は38,622軒に減少する一方で、ホテルは同時期で9,809軒から10,402軒に増加している。客室数は、旅館は同時期で735,271室から688,342室に減少する一方で、ホテルは827,211室から907,500室に増加している。1軒当たりの客室数は、同時期で、旅館は約17.0室から約17.8室に増加し、ホテルは約84.3室から約87.2室に増加している（厚生労働省『衛生行政報告例』による。）。以上のことから、この5年間の状況として、旅館営業においては規模の小さな旅館の廃業が、ホテルにおいては規模の大きなホテルの開業が、それぞれ多い傾向にあったと考えられる。

　　経営上の問題としては、「店舗施設の狭隘・老朽化」（49.2％）が最も多く、次い

で、「従業員の確保難（36.4％）」、「顧客数の減少」（36.2％）となっている（日本政策金融公庫（以下「日本公庫」という。）『生活衛生関係営業の景気動向等調査（令和元年7～9月期）』による。）。

　従業員の過不足感としては、「適正」が37.3％となっている一方で、「不足」が62.1％と約6割を占めている（日本公庫『生活衛生関係営業の景気動向等調査特別調査（平成30年10～12月期）』による。）。

　また、外国人観光客の利用の有無については、「利用がある」が83.1％、「利用は全くない」が16.9％となっており、外国人観光客に対する今後の受け入れ方針としては、「積極的に受け入れていきたい」が36.1％、「受け入れてもよい」が42.6％となっている（日本公庫『生活衛生関係営業の景気動向等調査特別調査（令和元年4～6月期）』による。）。

　また、令和元年12月に確認された新型コロナウイルス感染症（ＣＯＶＩＤ―19）（以下「新型コロナウイルス感染症」という。）の感染拡大は社会経済に大きな影響を与え、我が国の旅館業も多大な影響を受けたところである。

　新型コロナウイルス感染症の感染拡大に伴う事業への影響について、ホテル・旅館業の営業者で、売上が減少したと回答した者は97.9％で、その売上の減少幅（令和2年2～5月の対前年比）は、「20％未満」が1.5％、「20％以上50％未満」が8.7％、「50％以上80％未満」が35.0％、「80％以上」が54.6％となっている（日本公庫『生活衛生関係営業の景気動向等調査（令和2年4～6月期）特別調査』による。）。

二　消費動向

　平成30年の1世帯あたり（2人以上の世帯）の宿泊料支出は23,927円で、前年比670円増であった。また、「国内パック旅行費」については、28,726円で、前年比2,315円減であった。（総務省『家計調査報告』による。）。

　また、平成30年の延べ宿泊者数は約5億3,800万人泊で、対前年度比5.6％の高い伸びを示しており、そのうち、外国人延べ宿泊者数は約9,428万人泊で、対前年度比18.3％と大幅な伸びを示している。国籍（出身地）別では、第1位は中国、第2位が台湾、第3位が韓国となっている（観光庁『宿泊旅行統計調査』による。）。

三　営業者の考える今後の経営方針

　営業者の考える今後の経営方針としては（複数回答）、「接客サービスの充実」58.9％（前回振興指針では42.4％）、「広告・宣伝等の強化」48.6％（前回振興指針では記述なし）、「施設・設備の改装」47.7％（前回の振興指針では38.1％）、「食事メニューの工夫」46.7％（前回指針では31.4％）となっている（厚生労働省『生活衛生関係営業経営実態調査』による。）。

　また、ホテル・旅館業を営む者が、新型コロナウイルス感染症収束後に予定している取組としては、「広報活動の強化」が53.5％、次いで「新たな販売方法の開拓」が50.8％、「新商品、新メニューの開発」が44.9％となっている一方、「特にない」が20.9％となっている（日本公庫『生活衛生関係営業の景気動向等調査（令和2年4～6月期）特別調査』による。）。

第5編　旅館業

第2　前期の振興計画の実施状況

　都道府県別に設立された旅館業の組合（令和元年12月末現在47都道府県で設立されている組合）においては、前期の旅館業の振興指針（平成27年厚生労働省告示第24号）を踏まえ、生衛法第56条の3に基づき、振興計画を策定及び実施しているところであるが、当該振興計画について、全5か年のうち4か年終了時である平成30年度末に実施した自己評価は次表のとおりである。

表　振興計画の実施状況についての各組合による自己評価

(単位：％)

	事業名	達成	概ね達成	主な事業
1	衛生に関する知識及び意識の向上に関する事業	49％	38％	・衛生管理講習会の開催 ・衛生マニュアルの作成及び配布
2	施設及び設備並びにサービスの改善に関する事業	22％	51％	・施設特性を踏まえた改装や設備の導入投資
3	利用者の利益の増進に関する事業	40％	40％	・講習会の開催 ・ネット事業サービスの充実化 ・パンフレット等の配布 ・シルバースター登録施設への加入促進
4	経営マネジメントの合理化及び効率化に関する事業	27％	61％	・経営講習会又は各種研修会の開催 ・経営に関する相談及び指導
5	営業者及び従業員の技能の向上に関する事業	26％	55％	・技術講習会の開催
6	事業の共同化及び協業化に関する事業	38％	48％	・共同購入の実施
7	取引関係の改善に関する事業	40％	43％	・関係業界等との情報交換会の開催
8	従業員の福祉の充実に関する事業	34％	34％	・共済制度等の加入促進 ・定期健康診断の実施
9	事業の承継及び後継者支援に関する事業	30％	52％	・後継者育成支援のための研修会等の開催 ・青年部の活動支援
10	環境の保全及び食品循環資源の再生利用の促進に関する事業	11％	49％	・省エネルギー機器の導入 ・公害防止の遵守と設備改善の推進 ・食品循環資源の再利用に関す

				・る情報提供
11	少子高齢化社会等への対応に関する事業	12%	44%	・子ども又は高齢者向けメニューの作成 ・施設のバリアフリー化への促進 ・人に優しい地域の宿づくりの推進
12	食の安全への関心の高まりや健康志向等に関する事項	20%	63%	・保健所等と連携した講習会の開催
13	禁煙等に関する対策に関する事項	28%	54%	・分煙設備の整備 ・施設内消臭対応の推進
14	地域との共生に関する事業	32%	59%	・地域イベントへの参加 ・福祉施設への慰問 ・ポスター等の作成及び配布
15	東日本大震災への対応と節電行動の徹底に関する事業	31%	47%	・災害時に避難所とするための受け入れの推進 ・節電への意識向上、啓発

(注) 組合からの実施状況報告を基に作成。

　なお、国庫補助金としての予算措置（以下「予算措置」という。）については、平成23年度より、外部評価の導入を通じた効果測定の検証やPDCAサイクル（事業を継続的に改善するため、Plan（計画）―Do（実施）―Check（評価）―Act（改善）の段階を繰り返すことをいう。）の確立を目的として、「生活衛生関係営業の振興に関する検討会」の下に設けられた「生活衛生関係営業対策事業費補助金審査・評価会」において、補助対象となる事業の審査から評価までを一貫して行う等、必要な見直し措置を講じている。

　このため、組合及び生活衛生同業組合連合会（以下「連合会」という。）等においても、振興計画に基づき事業を実施する際は、事業目標及び成果目標を可能な限り明確化した上で、達成状況についても評価を行う必要がある。

　当該振興計画等の実施に向けて、組合、連合会等においては、本指針及び振興計画の内容について広報を行い、組合未加入の営業者への加入勧誘を図ることが期待される。

　組合への加入、非加入は営業者の任意であるが、生衛法の趣旨及び組合の活動内容等を詳しく知らない新規開設者等の営業者がいることも考えられるため、都道府県、保健所設置市又は特別区（以下「都道府県等」という。）は、営業者による営業の許可申請又は届出等の際に、営業者に対して、生衛法の趣旨並びに関係する組合の活動内容、所在地及び連絡先等について情報提供を行う等の取組の実施が求められる。

第3　旅館業の振興の目標に関する事項

第5編　旅館業

一　営業者の直面する課題と地域社会から期待される役割

　旅館業は、国民に健全で、衛生的かつ快適な宿泊サービスを提供することにより、国民生活の充実に大いに貢献するとともに、近年の訪日外国人旅行者の増加を踏まえ、外国人宿泊者についても積極的に受け入れてきたところである。こうした重要な役割を旅館業が引き続き担い、衛生課題に適切に対応しつつ、国民生活の向上に貢献するとともに、国際化に対応し、増加する訪日外国人旅行者に対し、思い出に残る適切なサービスを提供できるよう、経営環境や利用者のニーズなど、各々の営業者の経営戦略に基づき、その特性を活かし、事業の安定と活力ある発展を図ることが求められる。

　また、旅館業は、食品を取り扱う施設であることから、ノロウイルス等に起因する食中毒の発生防止対策を適切に講じるとともに、食をとりまく環境の変化等に対応し食品の安全を確保するため食品衛生法（昭和22年法律第233号）が改正され（平成30年法律第46号）、ＨＡＣＣＰの考え方を取り入れた営業者による衛生管理、広域的な食中毒事案の発生や拡大防止等のために必要な対応等が盛り込まれていることから、その確実な実施が求められる。

　また、空調設備や入浴設備等におけるレジオネラ症の防止対策やトコジラミ等の衛生害虫の駆除対策など施設内の衛生的な環境の維持に引き続き取り組む必要があるとともに、ヒトやモノの国際的な往来が活発になってきていることから、感染症対策についても、行政機関と連携した対応がこれまで以上に求められる。

　国内旅行の主流は、団体旅行から個人旅行や少人数のグループ旅行に移るとともに、ニューツーリズム等の新しい旅行形態の出現など、宿泊に対する旅行者のニーズも多様化していることから、このようなニーズに的確に対応することが必要である。

　社会全体の少子高齢化の進展や障害を理由とする差別の解消の推進に関する法律（平成25年法律第65号。以下「障害者差別解消法」という。）の施行を踏まえ、全ての利用者が施設を円滑に利用できるよう、ソフト、ハード両面におけるバリアフリー化及びユニバーサルデザイン化の取組が求められる。

　増加する訪日外国人旅行者への対応としては、宿泊施設においても、インターネットによる宿泊サービスの予約、公衆無線ＬＡＮ環境の整備等の外国人宿泊者の受入れ体制を整備することが必要である。

　ホテル、旅館及びレストランにおける食品表示の不正事案が大きな社会問題となったところであり、不当景品類及び不当表示防止法（昭和37年法律第134号。以下「景品表示法」という。）等の関係法令を遵守し、表示の適正化を推進し、消費者に対して納得と安心感を提供していくことが求められる。

　建築物の耐震改修の促進に関する法律の一部を改正する法律（平成25年法律第20号。以下「改正耐震改修促進法」という。）の施行を踏まえ、建築物の耐震診断を着実に実施するとともに、耐震改修を推進することが求められる。また、東日本大震災の際に見られたように、災害が発生した場合の被災者の受入れ等にも積極的に取り組むことが期待される。

高騰するエネルギー価格の問題に的確に対応するため、省エネルギー関係設備の導入等を推進する必要がある。
　そのほか、受動喫煙防止対策や生活習慣病予防対策への積極的な取組が期待される。
　各々の営業者は、これらを十分に認識し、各般の対策に積極的に取り組むことにより、旅館業に対する利用者の理解と信頼の向上を図ることを目標とすべきである。
　また、新型コロナウイルス感染症の感染拡大に伴う売上減や経営維持、雇用確保等に対応するため、日本公庫の融資や国・自治体の補助金・助成制度を積極的に活用して早期に業績回復を図る必要がある。
二　今後５年間における営業の振興の目標
　１　衛生問題への対応
　　食中毒の防止やＨＡＣＣＰに沿った衛生管理等食品衛生上の問題、レジオネラ症の防止対策、衛生害虫の問題、感染症の流行対策及び食品の不当表示への対応等、営業者の地道な取組にとどまらず、保健所等衛生関係行政機関及び都道府県生活衛生営業指導センター（以下「都道府県指導センター」という。）等との連携を密にして対応することが求められる。
　　また、新型コロナウイルス感染症の感染拡大に伴い、我が国でも３つの「密」（密閉・密集・密接）の回避、人と人との距離を空ける、消毒や換気の徹底、業種別の感染拡大予防ガイドラインの遵守・徹底など、感染症対策に関する「新しい生活様式」に向けて徹底した衛生対策が求められている。
　　衛生問題は、営業者が一定水準の衛生管理を行っている場合、通常、頻繁に発生するものではないため、発生防止に必要な費用及び手間について判断しにくい特質がある。しかし、一旦、調理及び調製並びに流通の過程において細菌等の汚染により食中毒等食品衛生上の問題が生じた場合や、空調設備や入浴設備等の設備又はその周辺が発生源となる感染症が発生した場合には、一旦、衛生上の問題が発生した場合には、多くの利用者に被害が及ぶことはもとより、営業自体の存続が困難になる可能性があることから、日頃からの地道な衛生管理の取組が重要である。
　　さらに、食の安全性及び信頼性に対する国民の関心が高まる中、産地及び種類等品質に関する情報を、消費者に対し正確に提供し、消費者の納得感や安心感を得ていく必要がある。
　　また、こうした衛生問題は、個々の営業者の問題にとどまらず、業界全体に対する信頼を損ねることにもつながることから、組合及び連合会には、組合員、非組合員双方の営業者が食品の安全性の確保及び感染症対策に関する自覚と責任感を持ち、衛生水準の向上が図られるよう、継続的に知識及び意識向上に資する普及啓発並びに適切な指導及び支援に努めることが求められる。
　　とりわけ、中小規模の営業者は重要な公衆衛生情報の把握が困難となる場合が考えられ、また、大規模チェーン店では経費節減を目的として衛生確保が損なわれないよう注意が必要であるため、これら営業者に対する組合加入の促進や公衆衛生情

報の提供が円滑に行われることが期待される。
2 経営方針の決定と利用者及び地域社会への貢献

旅館業は、訪日外国人旅行者の増加や時間に比較的余裕のある高齢者の増加により今後の市場拡大が見込まれる反面、大手外国資本の我が国への進出や既存施設を利用した新たな宿泊形態の出現による競争の激化、宿泊に対する利用者のニーズの多様化への対応などの課題があり、営業者を取り巻く経営環境は厳しい。

こうした中で、営業者は、利用者のニーズや世帯動向を的確に把握し、専門性や地域密着、対面接客等の特性を活かし、競争軸となる強みを見いだし、独自性を十分に発揮し、以下の点に留意しつつ、拡大する市場の中で経営展開を行っていくことが求められる。

(1) 消費者ニーズの把握と創意工夫による経営展開

多様化する宿泊に対する利用者のニーズに的確に対応するため、旅館ごとの独自の経営方針の下、他の旅館との「違い」をアピールし、利用者のリピート率を高める必要がある。また、これまで観光資源としては気付かれていなかったような地域固有の資源を新たに活用し、エコツーリズム、グリーンツーリズム、ヘルスツーリズム及び産業観光等の取組を進めるとともに、地域の飲食店等と連携した取組を行うなど、地域活性化につながる新しい旅行の仕組みに対応することが望まれる。

(2) 高齢者、障害者及び子育て世帯等への配慮

高齢化が進展する中で、シニア層向けのサービスの提供は、単に売上げを伸ばすだけでなく、地域社会が抱える問題の課題解決や地域経済の活性化にも貢献するものである。

また、障害者差別解消法において、障害者の社会参加の推進がますます求められていることを踏まえ、専門性や独自のこだわり等の特性を活かしつつ、高齢者や障害者等が利用しやすい設備の整備など、これらのニーズにきめ細かに応じたサービスの提供を積極的に行っていくことが求められるとともに、同法において、民間事業者は、障害者に対し合理的な配慮を行うよう努めなければならない、とされていることから、ソフト、ハード両面におけるバリアフリー化及びユニバーサルデザイン化の取組が求められる。

また、子育て世帯が安心・安全にサービスを利用できるための配慮も合わせて求められる。

(3) 省エネルギーへの対応

節電などの省エネルギーによる経営の合理化、コスト削減、地球環境の保全に資するため高騰するエネルギー価格の問題に的確に対応するため、不要時の消灯や照明ランプの間引き、ＬＥＤ照明装置やエネルギー効率の高い空調設備等の導入等を推進することが期待される。

(4) 訪日・在留外国人への配慮

平成30年度の訪日外国人旅行者数は、史上初めて3,000万人を突破し、5年前

と比較して3倍程度に増加しており、今後も訪日外国人旅行者数の更なる増加が見込まれる（日本政府観光局（ＪＮＴＯ）「訪日外客数」による。）。

政府においては、東京オリンピック・パラリンピックが開催される2020年度までに訪日外国人旅行者4,000万人、2030年度までに6,000万人を目標に掲げ、「観光先進国」への新たな国づくりに向けた取組を進め、ビザ要件の緩和やいわゆるＬＣＣ（ローコストキャリア）の参入促進による航空ネットワークの充実等の取組を進めている。

また、訪日外国人旅行者の急増に加え、外国人労働者や在留外国人も増加していることから、旅館業においても、外国語表記の充実や外国人とのコミュニケーション能力の向上、キャッシュレス決済等の導入、宗教上の理由により特定の食材を忌避する必要のあるケースに配慮するなど、外国人が入りやすい店づくりが求められる。さらに、インターネット経由での観光情報の入手を容易にし、外国人客の利便性を向上させるため、公衆無線ＬＡＮの環境整備が期待される。

(5) 受動喫煙防止への対応及び健康増進活動の推進

受動喫煙（人が他人の喫煙によりたばこから発生した煙にさらされること）については、健康に悪影響を与えることが科学的に明らかにされており、国際的に見ても、「たばこの規制に関する世界保健機関枠組条約」の締結国として、国民の健康を保護するために受動喫煙防止を推進することが求められている。

そのため、受動喫煙による健康への悪影響をなくし、国民・労働者の健康の増進を図る観点から、健康増進法（平成14年法律第103号）の一部改正（平成30年法律第78号）及び労働安全衛生法（昭和47年法律第57号）により、望まない受動喫煙が生じないよう、多数の者が利用する施設の管理者や営業者は受動喫煙を防止するための措置を講じることとされており、旅館業においても、受動喫煙防止の強化を図り、その実効性を高めることが求められる。

また、生活習慣病予防等を目的とした宿泊型の保健指導プログラムの活用について、医療保険者等と連携して、積極的に協力することが期待される。

(6) メニュー表示等の食品表示に関する対応

平成26年に、景品表示法が二度にわたり改正され、表示に対する監視指導体制の強化や事業者の表示管理体制の強化に加え、不当な表示を行った事業者に対する課徴金の制度が設けられた。このため、事業者においても、これまで以上に表示の重要性を認識し、コンプライアンスの強化を図ることが求められる。

また、アレルギー疾患対策基本法（平成26年法律第98号）の制定により、国としてアレルギー疾患対策を総合的かつ計画的に推進することとされたことから、営業者においても、食物アレルゲン情報の自主的な情報提供の促進に向けた対応が望まれる。

(7) インターネットの活用の推進

個人旅行及び少人数のグループ旅行においては、旅行者が自ら宿泊施設を予約するケースが多いことから、旅館自らホームページ等の開設や宿ネット等の宿泊

予約サイトの活用がこれまで以上に求められる。

また、インターネットの活用は外国人宿泊者の獲得にも有効であり、訪日外国人旅行者の無断キャンセルに対応するためのギャランティ・リザベーション制度（クレジットカード会社（以下「カード会社」という。）が間に入って宿泊予約をすることで、予約者に対しては宿泊部屋の確保を保証する制度であり、予約者が不泊となった場合でも、旅館に対しカード会社を通じてキャンセル料の支払が行われるものをいう。以下同じ。）の導入は、旅館業の経営を安定させる観点からも有効である。

さらに、公衆無線ＬＡＮの環境整備により、インターネット経由で情報にアクセスしやすくすることで、観光情報の入手のみならず、災害時における情報の受発信も容易となることから、その推進が求められる。

(8) 耐震改修の促進と災害時の被災者の受入れ等

改正耐震改修促進法の施行を踏まえ、一定規模以上の建築物について耐震診断の実施が義務付けられるとともに、耐震化の円滑な促進のための措置が講じられることとなったことから、対象建築物の耐震診断の着実な実施と耐震改修の促進を図ることが求められる。

また、被災者にとって、長期の避難所生活は心身の負担が大きいことから、東日本大震災時に積極的な取組がなされたように、プライバシーが確保され、心身の疲労を癒やせる施設の提供にも積極的に取り組むことが期待される。

3 税制及び融資の支援措置

組合又は組合員は、生活衛生関係営業の支援等の一つとして、税制優遇措置及び日本公庫を通して低利融資を受ける仕組みがある。

税制優遇措置については、組合が共同利用施設を取得した場合の特別償却制度が設けられており、組合において共同配送用車輌及び共同蓄電設備の購入時や組合の会館を建て替える際などに活用することができる。

融資については、対象設備及び運転資金について、振興計画を策定している組合の組合員である営業者が借りた場合は、組合員でない営業者が借りる場合よりも低利の融資を受けることができる。また、各都道府県の組合が作成した振興計画に基づき、一定の会計書類を備えている営業者が所定の事業計画を作成して設備資金及び運転資金を借りた場合には、さらに低利の融資を受けることができる振興事業促進支援融資制度が設けられており、特に設備投資を検討する営業者には、積極的な活用が期待される。

加えて、組合の経営指導を受けている小規模事業者においては、低利かつ無担保・無保証で融資を受けることができる生活衛生関係営業経営改善資金特別貸付制度が設けられており、積極的な活用が期待される。

三 関係機関に期待される役割

1 組合及び連合会に期待される役割

組合は、公衆衛生の向上及び利用者の利益の増進に資する目的で、組合員たる営

業者の営業の振興を図るための振興計画を策定することができる。組合には、地域の実情に応じ、適切な振興計画を策定することが求められる。

　組合及び連合会には、予算措置や独自の財源を活用して、営業者の直面する衛生問題及び経営課題に対する適切な支援事業を実施することが期待される。

　事業の実施に際しては、有効性及び効率性（費用対効果）の観点から、計画期間に得られる成果目標を明確にしながら事業の企画立案及び実施を行い、得られた成果については適切に効果測定する等、事業の適切かつ効果的な実施に努めることが求められる。

　加えて、組合及び連合会には、振興指針及び振興計画の内容について広く広報を図り、組合未加入の営業者への加入勧誘を図ることが期待される。広報を行う際には、組合活動への参画のイメージを分かりやすく提示するなど、営業者の目線に立った情報提供を行うことが求められる。

　また、事業効果を最大限発揮し事業成果を広く国民や社会に還元できるよう、都道府県指導センター、保健所等衛生関係行政機関及び日本公庫支店等との連携及び調整を行うことが期待される。

2　都道府県等、都道府県指導センター及び日本公庫に期待される役割

　営業許可申請等各種申請や届出、研修会、融資相談などの様々な機会を捉え、新規営業者をはじめとする組合未加入の営業者に対し、組合に関する情報提供を行うとともに組合活動の活性化のための取組等を積極的に行うことが期待される。

　また、多くの営業者が経営基盤の脆弱な中小規模の営業者であることに鑑み、都道府県指導センター及び日本公庫において、組合と連携しつつ、営業者へのきめ細かな相談、指導その他必要な支援等を行い、予算措置、融資による金融措置（以下「金融措置」という。）及び税制措置等の有効的な活用を図ることが期待される。

　とりわけ、金融措置については、審査及び決定を行う日本公庫において営業者が利用しやすい融資の実施、生活衛生関係営業に係る経済金融事情等の把握及び分析に努め、関係団体に情報提供するとともに、日本公庫と都道府県指導センターが協力して、融資手続や事業計画の作成不慣れな営業者への支援の観点から、融資に係るきめ細かな相談及び融資手続の簡素化を行うことが期待される。低利融資制度については、各々の営業者の事業計画作成が前提とされることから、本指針の内容を踏まえ、営業者の戦略性を引き出す形での指導を行うことが求められる。

　加えて、都道府県指導センターにおいて、組合が行う生活衛生関係営業経営改善資金特別貸付に係る審査を代行するなど、金融措置の利用の促進を図ることが期待される。

3　国及び公益財団法人全国生活衛生営業指導センターに期待される役割

　国及び公益財団法人全国生活衛生営業指導センター（以下「全国指導センター」という。）は、公衆衛生の向上及び営業の健全な振興を図る観点から、都道府県等及び連合会と連携を図り、信頼性の高い情報の発信及び的確な政策ニーズの把握等を行う必要がある。また、予算措置、金融措置及び税制措置を中心とする政策支援

第5編　旅館業

　措置については、営業者の衛生水準の確保及び経営の安定に最大限の効果が発揮できるよう、安定的に所要の措置を講じるとともに、制度の活性化に向けた不断の改革の取組が必要である。
　また、全国指導センターにおいては、地域で孤立する中小規模の営業者のほか、大規模チェーン店に対しても、組合加入の働きかけや公衆衛生情報の提供機能の強化を行うため、関係の組合及び連合会との連携を促すための取組が求められる。

第4　旅館業の振興の目標を達成するために必要な事項

　旅館業の目標を達成するために必要な事項としては、次に掲げるように多岐にわたるが、営業者においては、衛生水準の向上等のために必須で取り組むべき事項と、戦略的経営を推進するために選択的に取り組むべき事項の区別を行うことで、課題解決と継続的な成長を可能にし、国民生活の向上に貢献することが期待される。
　また、組合及び連合会においては、組合員である営業者等に対する指導及び支援並びに利用者の旅館業への信頼向上に資する事業の計画的な推進が求められる。
　このために必要となる具体的取組としては、次に掲げるとおりである。

一　営業者の取組

　1　衛生水準の向上に関する事項
　　(1)　日常の衛生管理に関する事項
　　　旅館業は、食品に加え、寝具、空調設備及び入浴設備等の的確な衛生管理が求められる営業である。このため、営業者は、食品衛生法や旅館業法等の関係法令を遵守することは当然であり、加えて衛生水準の一層の向上を図るため、食品衛生や感染症の予防に関する専門的な知識を深めるとともに、施設の衛生管理及び従業員の健康管理にも十分留意し、調理器具、寝具、空調設備及び入浴設備等の衛生管理の改善に取り組むことが必要である。
　　　また、新型コロナウイルス感染症の感染拡大に伴い、我が国でも3つの「密」（密閉・密集・密接）の回避、人と人との距離を空ける、消毒や換気の徹底、業種別の感染拡大予防ガイドラインの遵守・徹底など、感染症対策に関する「新しい生活様式」に向けて徹底した衛生対策を行う必要がある。
　　　また、食品取扱施設でのノロウイルス等に起因する食中毒の発生や二次感染を防止するため、手洗いの徹底、調理器具の消毒、従業員の健康管理及び施設の衛生管理上の自主点検を行い、食中毒等食品衛生上の問題が発生しないようにすること、ノロウイルスの感染を拡大させないよう、おう吐物等の処理や寝具等の消毒に関して適切に対応しなければならない。特に、食材を保管する冷蔵設備の温度管理については、毎日定期的に実施するとともに、これらの工程管理を徹底し、ＨＡＣＣＰに沿った衛生管理を行う必要がある。
　　　空調設備や入浴設備の衛生管理においては、レジオネラ症の発生を防止するために、自主管理手引書及び点検表を作成し、営業者又は従業員の中から日常の衛生管理に係る責任者を定める等の対策の充実を図ることが必要である。
　　　加えて、トコジラミ等の衛生害虫の駆除対策として、トコジラミ等に関する正

しい知識を持ち、適切な防除法を選択して対応することが必要である。

また、営業者は、従業員に対し、衛生管理を徹底するための研修会及び講習会を受講させ、衛生管理の手引の作成等による普及啓発を行うとともに、施設内における感染症の予防のため、発熱等の感染症が疑われる症状のある従業員に適切な対応を行うなど従業員の健康管理に十分留意するとともに、感染症が疑われる利用者への対応も含めた危機管理体制を整備することが必要である。

また、衛生管理上の自主点検を行い、その結果を施設内に表示するなど、衛生管理のために自施設が講じている措置について、利用者に対し積極的に周知することが必要である。また、従業員の清潔な着衣の使用、手洗いの励行及び施設の清掃等により、利用者に不快感を与えない配慮が必要である。

(2) 衛生面における施設及び設備の改善に関する事項

営業者は、日常の衛生的管理の取組に加えて、定期的かつ適切に施設及び設備の衛生面の改善に取り組むことが必要である。特に、食事を提供するための調理器具、容器及び食器等の衛生管理の改善に取り組むことや、清潔で快適な入浴設備を整備するために、換気、防湿、衛生害虫等の駆除並びに脱衣室及びトイレ等の清掃を行うほか、足拭きマット等の設備についても衛生の保持を図り、利用者が衛生的な環境で快適な入浴が行えるよう衛生管理に努めることが必要である。

また、営業者は、消防法（昭和23年法律第186号）等の関係法令に基づき、非常口表示等の防火安全対策を講じ、従業員の安全教育の徹底を図るとともに、利用者に対して安全対策に関する適切な情報提供を行う必要がある。

2 経営課題への対処に関する事項

個別の経営課題への対処については、営業者の自立的な取組が前提であるが、多様な利用者の要望に対応する良質なサービスを提供し、国民生活の向上に貢献する観点から、営業者においては、次に掲げる事項を念頭に置き、経営改革に積極的に取り組むことが期待される。

特に、家族経営等の場合、営業者や従業員が変わることはほとんどないため、経営手法が固定的になりやすく、経営改革に取り組むことが重要であることから、以下の事項に選択的に取り組むことが期待される。

(1) 経営方針の明確化及び独自性の発揮に関する事項

現在置かれている経営環境や市場を十分に把握、分析し、自施設や地域の特性を踏まえ、強みを見いだし、経営方針を明確化し、自施設の付加価値や独自性を高めていくとともに、経営管理の合理化及び効率化を図ることが必要である。

ア 自施設の立地条件、利用者層、資本力及び経営能力等の経営上の特質の把握
イ 周辺競合施設に関する情報収集と比較
ウ ターゲットとする利用者層の特定
エ 重点サービスの明確化
オ 施設のコンセプト及び経営戦略の明確化
カ 売上状況の把握とそれを踏まえた仕入れの管理

キ　経営手法、熟練技能及び専門的知識の習得及び伝承並びに後継者の育成
ク　施設の有効活用による収益源の多様化
ケ　若手人材の活用による経営手法の開拓
コ　都道府県指導センター等の経営指導機関による経営診断の積極的活用
(2) サービスの見直し及び向上に関する事項
　　利用者のニーズやライフスタイルの変化に的確に対応し、利用者が安心して利用できるよう、自施設の魅力を増し、利用者の満足度を向上させるとともに、新たな利用者を獲得することが重要であることから、以下の事項に選択的に取り組むことが期待される。
ア　サービスの充実
　① 従業員等の教育及び研修の徹底
　② 「手間」と「こだわり」による独自サービスの提供
　③ マニュアルを超えた「おもてなしの心（気配り・目配り・心配り）」による温もりのあるサービスの提供
　④ 飲食等の附帯的サービスの充実
　⑤ 高齢者及び障害者への対応
　⑥ 子育て世帯への対応
　⑦ 若者の一人旅への対応
　⑧ 利用者との信頼関係の構築
　⑨ 専門性を高めた高付加価値の提供
　⑩ 看板サービスへのこだわり
　⑪ 優秀な人材の獲得並びに若手従業員の育成、指導及び資質向上
　⑫ 魅力ある職場作り（人と人の心のチームワーク）
　⑬ 経営手法・熟練技能の効率的な伝承
　⑭ 外国語表示の推進
イ　食の安全への関心の高まりや食を通じた健康づくりなどの健康志向への対応
　① 安全な食材を使用し健康志向に対応したメニューの提供
　② 食材の原産地表示等への積極的な取組
　③ 食物アレルギー物質の有無の表示
　④ 総カロリー表示及び塩分量表示等の推進
　⑤ 生活習慣病を予防する取組への参画
ウ　利用者のニーズやライフスタイルの変化等に対応した施設作り
　① 清潔で入りやすく、誰もがくつろぎやすい施設の雰囲気作り
　② インターネット等による予約等の実施
　③ 地産地消の食材を使用したメニューの提供
　④ 四季折々の食材を使用したメニューの提供
エ　訪日外国人旅行者の受入れ対応
　① 訪日外国人旅行者とのコミュニケーション能力の向上

　　　　② 外国語表示の推進
　　　　③ 施設等における公衆無線ＬＡＮ環境の整備
　　　　④ インターネット等による予約等の実施
　　　　⑤ 旅行ガイドブックへの掲載
　　　　⑥ 外国語エリアマップの提供
　　　　⑦ 我が国の伝統行事等に触れる機会の創出
　　　　⑧ 訪日外国人旅行者の習慣への対応
　　　　⑨ クレジットカード決済及び電子決済の導入及び普及
　　　　⑩ ギャランティ・リザベーション制度の導入
　(3) 施設及び設備の改善並びに業務改善等に関する事項
　　　営業者は、施設及び設備並びに業務改善等のため、以下の事項に取り組むことが期待される。
　　ア　安全で衛生的な施設となるような定期的な内外装の改装
　　イ　各施設の特性に合致するような伝統を重んじた清潔な雰囲気の醸成（個人旅行や少人数のグループ旅行への対応のための施設の改修を含む。）
　　ウ　高齢者及び障害者等に配慮したバリアフリー対策の実施
　　エ　省エネルギー対応の冷凍冷蔵設備、空調設備、太陽光発電設備等の導入
　　オ　節電に資する人感センサー、ＬＥＤ照明、蓄電池設備等の導入
　　カ　作業手順の標準化・見える化やコンピュータ・情報システムの導入等による合理化・効率化
　　キ　都道府県指導センターなどが開催する生産性向上等を図るためのセミナー等への参加及び業務改善助成金等各種制度の活用
　　ク　受動喫煙の防止
　　ケ　耐震改修の推進
　(4) 情報通信技術を利用した新規利用者の獲得及び利用者の確保に関する事項
　　　営業者は、情報セキュリティの管理に留意しつつ、インターネット等の情報通信技術を効果的に活用する等、以下の事項に選択的に取り組むことが期待される。
　　ア　ホームページの開設等による積極的な情報発信
　　イ　利用者情報のデータベース化等による適切な管理
　　ウ　季節の行事に応じたダイレクトメールの郵送や広報チラシの配布
　　エ　インターネット等による予約等の実施
　　オ　クレジットカード決済及び電子決済の導入及び普及
　　カ　施設等における公衆無線ＬＡＮ環境の整備
　　キ　コンピュータ及び情報システムを利用した業務の合理化及び効率化
　(5) 表示の適正化と苦情の適切な処理に関する事項
　　　営業者は、景品表示法等の関係法令を遵守し、提供するサービス内容及び料金について表示の適正化を図り、適切な情報提供を行い、利用者に納得と安心感を

与えるとともに、利用者からの苦情に誠実に対応し、問題の早急かつ円滑な解決に努めることが重要であることから、以下の事項に取り組むことが期待される。
　ア　関係法規等を遵守した適切な食材の原産地表示等への積極的な取組
　イ　食物アレルギー患者を中心とした健康被害防止を目的とした表示
　ウ　源泉の温泉成分、浴槽の循環ろ過や加水等の有無の表示
　エ　分かりやすい価格表示
　オ　利用者の疑問や苦情への的確な対応（苦情処理マニュアルの作成等）
　カ　従業員に対する危機管理教育の徹底
　キ　賠償責任保険等の活用
　ク　訪日外国人旅行者等の習慣に配慮した取組
(6)　人材育成及び自己啓発の推進に関する事項
　　旅館業は、対人サービスであり、従業員の資質がサービスの質を左右することから、優秀な人材の確保及び育成を図ることが極めて重要な課題である。特に、若手従業員の育成及び指導を図るとともに、若者に魅力ある職場作りに努めることが必要である。
　　したがって、営業者は、従業員の資質の向上に関する情報を収集し、接客技術や調理技術に関する知識の習得を目指した職場内指導を充実するとともに、都道府県指導センターや組合等の実施する研修会及び講習会への積極的参加等、あらゆる機会を活用して従業員の資質の向上を図り、その能力を効果的に発揮できるよう努めるとともに、適正な労働条件の確保に努めるものとする。
　　特に、今後増加する外国人宿泊者への対応能力の向上は重要な課題であり、先進的な取組事例等も参考にしつつ、外国人宿泊者とのコミュニケーション能力の向上を図る。
(7)　シルバースター登録制度の推進に関する事項
　　シルバースター登録制度とは、高齢者等が快適に過ごせる利用しやすい宿泊施設の整備を図る必要から、設備、サービス及び料理面で一定の基準を充足する旅館を対象に、連合会が認定登録する制度である。
　　営業者は、高齢者等が安心して利用できる施設整備等の重要性を認識し、利用者の利便を図るため、シルバースターの認定登録を受けるよう努めるものとする。
二　営業者に対する支援に関する事項
　1　組合及び連合会による営業者の支援
　　組合及び連合会においては、営業者の自立的な経営改革を支援する都道府県指導センター等の関係機関との連携を密にし、次に掲げる事項を中心に積極的な支援に努めることが期待される。
　　また、支援に当たっては、関係機関等が作成する、営業者の経営改善に役立つ手引や好事例集等を効果的に活用すること、及び関係機関が開催する生産性向上等を推進するためのセミナー等に関して組合員に対する参加の促進等必要な協力を行う

ことが期待される。
(1) 衛生に関する知識及び意識の向上に関する事項
　　営業者に対して衛生管理を徹底するための研修会及び講習会の開催、衛生管理に関するマニュアル等の普及、衛生管理に関するパンフレット及びHACCPの考え方を取り入れた衛生管理を推進するための手引書の作成等に係る指導及び助言に努めることが期待される。
(2) サービス、店舗及び設備並びに業務の効率化に関する事項
　　衛生水準の向上、経営マネジメントの合理化及び効率化、利用者の利益の増進等、高齢者、障害者及び外国人宿泊者等への対応並びに省エネルギーへの対応等に資するための施設及び設備の改善並びに業務の効率化に関する指導、助言、情報提供、ＩＣＴの活用に係るサポート等必要な支援に努めることが期待される。
　　また、高齢者、障害者等の利便性を考慮した施設の設計やサービスの提供等について研究を行い、その成果の普及に努めることが期待される。
(3) 利用者利益の増進及び商品の提供方法に関する事項
　　サービス内容の適正表示や営業者における接客手引及び作業手引の基本となるマニュアルの作成、苦情相談窓口の開設や苦情処理の対応に関するマニュアルの作成に努めることが期待される。
　　また、連合会が運営する宿ネットの充実、共通利用券の発行、旅行案内所の設置及び施設便覧等の作成に努めるとともに、国際化に伴う訪日外国人旅行者の受入れ促進のため、外国人宿泊者に対するコミュニケーション能力向上に関する研修の充実に努めることが期待される。
　　さらに、連合会が実施している還暦等を旅館で祝うキャンペーンの推進、シルバースター登録制度の普及及び人に優しい地域の宿づくり賞等の顕彰制度の推進に努めることが期待される。
(4) 経営マネジメントの合理化及び効率化に関する事項
　　先駆的な経営事例等経営管理の合理化及び効率化に必要な情報、地域的な経営環境条件に関する情報及び旅館業の将来の展望に関する情報の収集及び整理並びに営業者に対するこれらの情報提供に努めることが期待される。
　　また、事業再生を進める観点から、そのための調査及び研究並びに経営オペレーター（事業再生を行うために、経営の専門的な支援に携わる者をいう。）の養成の推進に努めることが期待される。
　　さらに、関係機関との連携の下での、創業や事業承継における助言・相談の取組の推進が期待される。
(5) 経営課題に即した相談支援に関する事項
　　営業者が直面する様々な経営課題に対して、経営特別相談員による経営指導事業の周知に努めるとともに、これを金融面から補完する生活衛生関係営業経営改善資金特別貸付制度の趣旨や活用方法の周知が期待される。
(6) 営業者及び従業員の技能の改善向上に関する事項

接客及び調理等の基礎的な技術の向上並びに効果的な入浴方法の指導に資するための研修会及び講習会の開催並びに技能コンテストの開催等の教育制度の充実強化に努めることが期待される。
(7) 事業の共同化及び協業化に関する事項
事業の共同化及び協業化の企画立案及び実施に係る指導に努めることが期待される。
(8) 取引関係の改善に関する事項
共同購入等取引面の共同化を推進するとともに、食品業界や宿泊施設関係設備業界等関係業界の協力を得ながら、取引条件の合理的改善及び組合員等の経済的地位の向上に努めることが期待される。

また、旅行業等の関連業界と連携し、情報の収集及び交換の機会の確保に努めるとともに、誘客宣伝事業の推進に努めることが期待される。
(9) 従業員の福利の充実に関する事項
従業員の労働条件整備及び労働関係法令の遵守に関する助言、作業環境の改善及び健康管理充実（定期健康診断の実施等を含む。）のための支援、医療保険、年金保険及び労働保険の加入等に係る啓発、組合員等の大多数の利用に資する福利厚生の充実並びに共済等制度（退職金及び生命保険等をいう。）の整備及び強化に努めること。

さらに、男女共同参画社会の推進及び少子高齢化社会の進展を踏まえ、従業員の福利の充実に努めることが期待される。
(10) 事業の承継及び後継者育成支援に関する事項
営業者の高齢化が急激に進んでいることから、事業の円滑な承継に関するケーススタディ及び成功事例等の経営知識や各地域にある事業承継に関する相談機関及び最新の関連税制についての情報提供並びに後継者育成支援の促進を図るために必要な支援体制の整備に努めることが期待される。
(11) 食品関連情報の提供や行政施策の推進に関する事項
国内外における食に関する最新の情報や行政施策の動向等について、行政機関との連携等を通じ、組合員等への適切な情報提供を図るとともに、行政施策に基づく指導及び支援に努めることが期待される。
2 行政施策及び政策金融による営業者の支援及び利用者の信頼の向上
(1) 都道府県指導センター
組合との連携を密にして、以下に掲げる事項を中心に積極的な取組に努めることが期待される。
ア 関係機関等が作成する手引や好事例集等を効果的に活用した、営業者に対する経営改善の具体的指導及び助言等の支援
イ 利用者からの苦情及び要望の営業者への伝達
ウ 利用者の信頼の向上に向けた積極的な取組
エ 都道府県等と連携した組合加入促進に向けた取組

オ　連合会及び都道府県等と連携した組合の振興計画の策定に対する指導及び支援
カ　生産性向上や業務改善を推進するためのセミナー等の開催
(2)　全国指導センター
都道府県指導センターの取組を推進するため、以下に掲げる事項を中心に積極的な取組に努めることが期待される。
ア　関係機関等が作成する手引や好事例集等、営業者の経営改革の取組に役立つ情報の収集、整理及び情報提供
イ　危機管理マニュアルの作成
ウ　苦情処理マニュアルの作成
エ　効果測定の支援及び政策提言機能の強化
オ　公衆衛生情報の提供機能の強化
(3)　国及び都道府県等
旅館業に対する利用者の信頼の向上及び営業の健全な振興を図る観点から、以下に掲げる事項を中心に積極的な取組に努めること。
ア　旅館に関する指導監督
イ　旅館に関する情報提供その他必要な支援
ウ　災害又は事故等の発生時における適時、適切な風評被害防止策の実施
エ　営業者の経営改善に役立つ手引や好事例集等の作成・更新及び各種支援策の周知
(4)　日本公庫
営業者の円滑な事業実施に資するため、以下に掲げる事項を中心に積極的な取組に努めることが期待される。
ア　営業者が利用しやすい融資の実施
イ　生活衛生関係営業に係る経済金融事情等の把握、分析及び情報提供
ウ　組合等と連携した経営課題の解決に資するセミナーの開催及び各種印刷物の発行による情報提供
エ　災害時等における速やかな相談窓口の設置
オ　事業承継の円滑化に資する情報提供

第5　営業の振興に際し配慮すべき事項
旅館業においては、他の生活衛生関係営業と同様に、衛生水準の確保と経営の安定のみならず、営業者の社会的責任として環境の保全や省エネルギーの強化、食品循環資源の再生利用等の推進に努めるとともに、時代の要請である少子高齢化社会等への対応、禁煙等に関する対策、地域との共生、災害への対応及び従業員の賃金引上げに向けた対応、働き方・休み方改革への対応といった課題に応えていくことが要請される。
こうした課題への対応は、個々の営業者が中心となって関係者の支援の下で行われるとともに、適切に対応することを通じて、地域社会に確固たる位置付けを確保する

ことが期待される。
一　食育、食の安全への関心の高まり及び健康志向等への対応
　　営業者は、食の安全への関心の高まりや健康志向等について、下に掲げる事項を中心に積極的な取組に努めることが期待される。
　1　営業者に期待される役割
　　(1)　食品の安全性に関する知識の普及の支援
　　(2)　食物アレルギー物質の有無の表示
　　(3)　健康増進への取組
　　(4)　訪日外国人旅行者への対応
　2　組合及び連合会に期待される役割
　　食の安全への関心の高まりや健康志向等へ効果的に対応する方法についての研究を実施する。
　3　日本公庫に期待される役割
　　融資の実施等により営業者を支援する。
二　少子高齢化社会等への対応
　1　営業者に期待される役割
　　営業者は、高齢者、障害者及び一人暮らしの者並びに子育て世帯及び共働き世帯等が住み慣れた地域社会で安心かつ充実した日常生活を営むことができるよう、以下に掲げる事項を中心に積極的な取組に努めることが期待される。
　　(1)　高齢者に配慮したメニューや少量メニューの提供
　　(2)　高齢者、障害者、妊産婦や子ども連れの顧客等に配慮した店舗のバリアフリー対策
　　(3)　障害者差別解消法の規定に基づく障害者への合理的配慮
　　(4)　受動喫煙の防止
　　(5)　従業員に対する教育及び研修の充実及び強化
　　(6)　子育て世帯、共働き世帯等が働きやすい職場環境の整備
　　(7)　地域社会とのつながりを強化する観点も含めた地域の高齢者、障害者及び女性等の積極的雇用の推進
　2　組合及び連合会に期待される役割
　　高齢者、障害者、妊産婦及び子ども連れの顧客等の利便性を考慮した店舗設計やサービス提供に係る研究を実施する。
　3　日本公庫に期待される役割
　　高齢者、障害者、妊産婦及び子供連れの顧客等の利用の円滑化を図るために必要な設備（バリアフリー化等）導入時に、振興事業貸付等が積極的に活用されるよう、引き続き制度の周知等を図る。
三　地域との共生（地域コミュニティの再生及び強化（商店街の活性化））
　1　営業者に期待される役割
　　(1)　地域の街づくりへの積極的な参加及び地域の営業者と連携したサービスの提供

(2)　「賑わい」や「つながり」を通じた豊かな人間関係（ソーシャル・キャピタル）の形成
　　(3)　共同ポイントサービス事業及びスタンプ事業の実施
　　(4)　地域の防犯、消防、防災、交通安全及び環境保護活動の推進に対する協力
　　(5)　暴力団排除等への対応
　　(6)　災害対応能力及び危機管理能力の維持向上
　　(7)　地震等の大規模災害が発生した場合における、地域住民への支援
　2　組合及び連合会に期待される役割
　　(1)　地域の自治体等と連携し、社会活動の企画、指導及び援助ができる指導者の育成
　　(2)　業種を超えた相互協力の推進
　　(3)　地域における特色ある取組の支援
　　(4)　自治会、町内会、地区協議会、ＮＰＯ及び大学等との連携活動の推進
　　(5)　地域・商店街役員への旅館業の若手経営者の登用
　　(6)　地域における事業承継の推進（承継マッチング支援）及び新規開業希望者の育成
　　(7)　地域、商店街活性化に資する組合活動事例の周知
　3　日本公庫に期待される役割
　　きめ細かな相談、融資の実施等により営業者及び新規開業希望者を支援する。
四　環境の保全、省エネルギー強化及び食品循環資源の再生利用等の推進
　1　営業者に期待される役割
　　(1)　省エネルギー対応の空調設備及び太陽光発電設備等の導入
　　(2)　節電に資する人感センサー、ＬＥＤ照明装置及び蓄電設備等の導入
　　(3)　廃棄物の最小化及び分別回収の実施
　　(4)　温室効果ガス排出の抑制につながる施策及び省エネルギーへの啓発
　　(5)　食品循環資源の再生利用並びに食品廃棄物等の発生の抑制及び減量
　　(6)　食品循環資源の再生利用等実施率の向上
　2　組合及び連合会に期待される役割
　　(1)　食品循環資源の再生利用の仕組みの構築
　　(2)　業種を超えた組合間の相互協力
　　(3)　食品循環資源の再生利用に向けた組合員以外の営業者への参加促進及び普及啓発
　3　日本公庫に期待される役割
　　省エネルギー設備導入時に、振興事業貸付等が積極的に活用されるよう、引き続き制度の周知を図る。
五　禁煙等に関する対策
　1　営業者に求められる役割
　　営業者は、顧客層、経営方針、施設の規模等を考慮した上で、以下に掲げる事項

を中心に必要な対応を図ることが求められる。
　(1)　望まない受動喫煙の防止
　　　ア　施設内の禁煙の徹底及び喫煙専用室等の設置
　　　イ　受動喫煙による健康影響が大きい子どもなど20歳未満の者、患者等への配慮
　　　ウ　従業員に対する受動喫煙防止対策
　(2)　アルコール類の提供
　　　飲酒運転根絶に向けた必要な措置及びアルコール健康障害を発生させるような不適切飲酒の誘引防止
　2　組合及び連合会に期待される役割
　　効果的な受動喫煙防止対策及び飲酒運転根絶等に関する情報提供を行い、併せて制度周知を図る。
　3　国及び都道府県等の役割
　　受動喫煙防止に関する制度周知や受動喫煙防止対策に有効な予算措置、金融措置等に関する情報提供を行う。
　4　日本公庫に期待される役割
　　融資の実施等により営業者を支援する。
六　災害への対応と節電行動の徹底
　我が国は、その位置、地形、地質、気象等の自然的条件から、台風、豪雨、豪雪、洪水、土砂災害、地震、津波、火山噴火等による災害が発生しやすい国土となっており、継続的な防災対策及び災害時の地域支援を含めた対応並びに節電行動への取組が期待される。
　1　営業者に期待される役割（災害時は営業者自身の安全を確保した上で対応する。）
　(1)　災害発生前段階における防災対策の実施及び災害対応能力の維持向上
　(2)　地域における防災訓練への参加及び自店舗等での防災訓練の実施
　(3)　近隣住民等の安否確認や被災状況の把握及び自治体等への情報提供
　(4)　地震等の大規模災害が発生した場合における、地域住民への支援
　(5)　被災した営業者のみならず営業者全体による相互扶助と連携の下での役割発揮
　(6)　災害発生時における、被災営業者の営業再開を通じた被災者への支援及び地域コミュニティの復元
　(7)　災害時等に対応した非常用電源設備の整備
　(8)　従業員及び利用者に対する節電啓発
　(9)　中長期の節電に資する省エネルギー対応の設備の導入
　(10)　節電を通じた経営の合理化
　(11)　電力制約下における新たな需要（ビジネス機会）の取り込み
　2　組合及び連合会に期待される役割
　(1)　営業者及び地域並びに災害種別を想定した防災対策への支援
　(2)　同業者による支え合い（太い「絆」で再強化）

(3) 災害発生時の被災者の避難誘導などを通じた帰宅困難者防止等への取組
　(4) 被災した地域住民へのボランティアに関する呼びかけ
　(5) 節電啓発や節電行動に対する支援
　(6) 節電に資する共同利用施設（共同蓄電設備等）の設置
 3　国及び都道府県等の役割
　　過去の災害を教訓とした防災対策や情報収集、広報の実施等、以下に掲げる事項を中心に積極的な取組に努める。
　(1) 過去の災害を教訓とした緊急に実施する必要性が高く、即効性の高い防災、減災等の施策
　(2) 節電啓発や節電行動の取組に対する支援
 4　日本公庫に期待される役割
　　災害発生時には、被災した営業者に対し低利融資を実施し、きめ細やかな相談及び支援を行う。

七　最低賃金の引上げを踏まえた対応（生産性向上を除く。）
　　最低賃金については、政府の目標として「年率３％程度を目途として、名目ＧＤＰ成長率にも配慮しつつ引き上げ、全国加重平均が1,000円となることを目指す」ことが示されていることから、以下に掲げる事項を中心に積極的な取組に努める必要がある。
 1　営業者に求められる役割
　(1) 最低賃金の遵守
　(2) 業務改善助成金及びキャリアアップ助成金等各種制度の必要に応じた活用
　(3) 関係機関が開催する最低賃金に関するセミナー等への参加を通じた最低賃金制度の理解
 2　組合及び連合会に期待される役割
　(1) 最低賃金の制度周知
　(2) 助成金の利用促進
　　　助成金等各種制度や関係機関が開催する最低賃金に関するセミナー等の周知を図る。
 3　都道府県指導センターに期待される役割
　(1) 最低賃金の周知
　　　従業員等の最低賃金違反に関する相談窓口（労働基準監督署等）の周知を図る。
　(2) 助成金の利用促進に向けた体制の整備
　　　助成金等の申請に係る支援の周知や相談体制の整備を図る。
　(3) 関係機関との連携によるセミナー等の開催
　　　労働局等との連携により経営相談事業等を実施するほか、関係機関との連携により最低賃金に関するセミナー等を開催する。
 4　国及び都道府県等の役割

第5編　旅館業

  (1)　営業許可等を行っている自治体における事業者向け講習会等の機会を利用した周知
  (2)　営業許可等の際における窓口での個別周知
  (3)　研修会等を通じた助成金制度の周知
 5　日本公庫に期待される役割
　　従業員の賃金引上げや人材確保に必要な融資に、振興事業貸付等が積極的に活用されるよう、引き続き制度の周知等を図る。
八　働き方・休み方改革に向けた対応
　　従業員がそれぞれの事情に応じた多様な働き方を選択できる職場環境を作ることで人材の確保や生産性の向上が図られるよう、営業者には長時間労働の是正や雇用形態に関わらない公正な待遇の確保、また、職場のハラスメント対策に必要な措置を図ることが求められる。
 1　営業者に求められる役割
  (1)　時間外労働の上限規制及び月60時間超の時間外割増賃金率の引上げへの対応による長時間労働の是正
  (2)　年5日の年次有給休暇の確実な取得
  (3)　雇用形態や就業形態に関わらない公正な待遇の確保
  (4)　従業員に対する待遇に関する説明義務
  (5)　セクシュアルハラスメントやパワーハラスメント等職場のハラスメント対策
 2　組合及び連合会に期待される役割
　　相談窓口及び関係機関が開催するセミナー等の周知を図る。
 3　都道府県指導センターに期待される役割
　　相談窓口及び関係機関が開催するセミナー等の周知を図る。
 4　国及び都道府県等の役割
  (1)　営業許可等を行っている自治体における事業者向け講習会等の機会を利用した制度周知
  (2)　営業許可等の際における窓口での制度周知
  (3)　研修会等を通じた制度周知
 5　日本公庫に期待される役割
　　従業員の長時間労働の是正や非正規雇用の処遇改善に取り組むために必要な融資に、振興事業貸付等が積極的に活用されるよう、引き続き制度の周知等を図る。

○旅館業の施設において特定感染症の感染防止に
　必要な協力の求めを行う場合の留意事項並びに
　宿泊拒否制限及び差別防止に関する指針

〔令和5年11月15日　厚生労働大臣決定〕

目次　　　　　　　　　　　　　　　　　　　　　　　　　　　　　　　　　　頁
1　はじめに……………………………………………………………………………1254
2　特定感染症の感染防止に必要な協力の求め等
　(1)　特定感染症の定義と趣旨（法第2条第6項関係）………………………1257
　(2)　感染防止対策への協力の求め（法第4条の2関係）……………………1258
　　①　協力の求めの対象者………………………………………………………1261
　　②　協力の求めの内容…………………………………………………………1263
　　③　協力の求めができる期間（特定感染症国内発生期間）………………1270
　　④　協力の求めに応じない正当な理由等……………………………………1272
3　宿泊拒否制限
　(1)　特定感染症の患者等であるとき（法第5条第1項第1号関係）………1274
　(2)　実施に伴う負担が過重であって他の宿泊者に対する宿泊に関するサ
　　ービスの提供を著しく阻害するおそれのある要求として厚生労働省令
　　で定めるものを繰り返したとき（法第5条第1項第3号関係）……………1275
　　①　規定趣旨等…………………………………………………………………1276
　　②　特定要求行為の具体例……………………………………………………1281
　　③　特定要求行為に該当しないものの例……………………………………1282
　(3)　宿泊拒否に関するその他の留意事項
　　①　みだりな宿泊拒否の禁止等（法第5条第2項関係）…………………1283
　　②　宿泊拒否の理由等の記録（改正法附則第3条第2項関係）…………1284
　　③　法第5条に関する基本的事項等…………………………………………1285
4　差別防止の更なる徹底等
　(1)　従業者への研修機会の付与に関する努力義務（法第3条の5第2項
　　関係）……………………………………………………………………………1288
　(2)　従業者に研修機会を付与するに当たっての留意点
　　①　旅館業の施設における特定感染症のまん延の防止に必要な対策……1289
　　②　宿泊者の特性に応じた適切な宿泊に関するサービスの提供…………1289
　(3)　その他
　　①　障害者差別解消法との関係での留意点…………………………………1290
　　②　施設面等の環境整備等……………………………………………………1292
5　その他
　(1)　報告徴収等（法第7条第1項等関係）……………………………………1293

第 5 編　旅館業

　　(2)　法以外の事項 …………………………………………………………………… 1294
　　(3)　相談窓口等 ……………………………………………………………………… 1295
※　特定感染症は感染症ごとに症状や症例定義、対策等が異なるため、特定感染症の国内発生時（又はその可能性が相当程度高まった時点）に、発生した特定感染症やそのフェーズに応じて、具体的な基準等を速やかに示すこととし、本指針においては、特定感染症に共通する内容を記載している。ただし、この内容についても、発生した特定感染症の状況に応じて変更があり得ることに留意されたい。

1　はじめに
　○　旅館業法（昭和23年法律第138号。以下「法」という。）は、その第1条に規定しているとおり、旅館業（旅館・ホテル営業、簡易宿所営業及び下宿営業をいう。以下同じ。）の業務の適正な運営を確保すること等により、旅館業の健全な発達を図るとともに、旅館業の分野における利用者の需要の高度化及び多様化に対応したサービスの提供を促進し、もって公衆衛生及び国民生活の向上に寄与することを目的としている。
　○　旅館業の営業者（以下「営業者」という。）と宿泊者は、民対民の関係であり、本来、営業者には営業の自由があり、契約自由の原則が適用されるが、法においては、公衆衛生と、旅行者等の利便性といった国民生活の向上等の観点から、一定の規制を設けている。
　　　具体的には、法第5条では、営業者は、伝染性の疾病にかかっていると明らかに認められるとき等の宿泊拒否事由に該当する場合を除き、宿泊しようとする者の宿泊を拒んではならないとしてきた。
　○　こうした中、新型コロナウイルス感染症（病原体がベータコロナウイルス属のコロナウイルス（令和2年1月に、中華人民共和国から世界保健機関に対して、人に伝染する能力を有することが新たに報告されたものに限る。）であるものに限る。以下同じ。）の流行期に、宿泊者に対して感染防止対策への実効的な協力の求めを行うことができず、旅館業の施設の適切な運営に支障が生じることがあったほか、いわゆる迷惑客について、営業者が無制限に対応を強いられた場合には、感染防止対策をはじめ、旅館業の施設において本来提供すべきサービスが提供できず、法律上求められる業務の遂行に支障を来すおそれがあった等の意見が寄せられた。
　　※　全国旅館ホテル生活衛生同業組合連合会が令和4年8月に調査した結果によれば、
　　　・　宿泊者が感染拡大防止の協力の求めに応じずに対応に苦慮した事例や改正前の法の下で感染症に関連して宿泊を拒否するか対応に苦慮した事例があったと回答した施設が23.4％であった。
　　　・　いわゆる迷惑客等、過重な負担であって対応困難なものを繰り返し求められて対応に苦慮した事例があったと回答した施設が46.4％であった。
　　　このように、旅館業の施設における感染防止対策に係る課題が顕在化し、また、旅館業等の事業環境は厳しさを増した。こうした情勢の変化に対応して、旅館業等の事

業活動の継続に資する環境の整備を図ることが必要とされた。

このため、旅館業の施設において適時に有効な感染防止対策等を講ずることができるようにするとともに、旅館業等の営業者が必要に応じ円滑かつ簡便に事業譲渡を行えるようにすることを目的として、生活衛生関係営業等の事業活動の継続に資する環境の整備を図るための旅館業法等の一部を改正する法律（令和5年法律第52号。以下「改正法」という。）が、政府案を一部修正の上、令和5年6月7日に成立し、同月14日に公布されたところである。

〇 改正法の施行に当たっては、旅館業の施設において、改正法による改正後の法が適切に運用されることが極めて重要である。特に、過去のハンセン病元患者の宿泊拒否事案等を踏まえれば、改正法の施行後も、旅館業の施設において特定感染症の患者等や障害者に対する不当な差別的取扱いが行われないよう、営業者、国、都道府県等（都道府県、保健所を設置する市及び特別区をいう。以下同じ。）は十分に注意しなければならない。法の規定が遵守されることはもとより、感染症の予防及び感染症の患者に対する医療に関する法律（平成10年法律第114号。以下「感染症法」という。）制定までの歴史的経緯や社会的背景及び感染症法第4条、障害者基本法（昭和45年法律第84号）、障害を理由とする差別の解消の推進に関する法律（平成25年法律第65号。以下「障害者差別解消法」という。）等を踏まえ、患者等や障害者等に対する差別防止が徹底されることが必要である。

※ 感染症法
　前文
　（略）
　　一方、我が国においては、過去にハンセン病、後天性免疫不全症候群等の感染症の患者等に対するいわれのない差別や偏見が存在したという事実を重く受け止め、これを教訓として今後に生かすことが必要である。
　（国民の責務）
　第4条　国民は、感染症に関する正しい知識を持ち、その予防に必要な注意を払うよう努めるとともに、感染症の患者等の人権が損なわれることがないようにしなければならない。

※ 障害者基本法
　（差別の禁止）
　第4条　何人も、障害者に対して、障害を理由として、差別することその他の権利利益を侵害する行為をしてはならない。
　2　社会的障壁の除去は、それを必要としている障害者が現に存し、かつ、その実施に伴う負担が過重でないときは、それを怠ることによって前項の規定に違反することとならないよう、その実施について必要かつ合理的な配慮がされなければならない。

※ 障害者差別解消法
　（事業者における障害を理由とする差別の禁止）

第8条　事業者は、その事業を行うに当たり、障害を理由として障害者でない者と不当な差別的取扱いをすることにより、障害者の権利利益を侵害してはならない。

2　事業者は、その事業を行うに当たり、障害者から現に社会的障壁の除去を必要としている旨の意思の表明があった場合において、その実施に伴う負担が過重でないときは、障害者の権利利益を侵害することとならないよう、当該障害者の性別、年齢及び障害の状態に応じて、社会的障壁の除去の実施について必要かつ合理的な配慮をするように努めなければならない。

（注）　令和6年4月1日からは、「合理的な配慮をしなければならない。」となる。

○　また、法第4条の2及び第5条の規定は、宿泊しようとする者の人権に重大な関係を有するものであるから、営業者においては、宿泊しようとする者の自己決定権、プライバシー権、宿泊の自由、平等原則等の基本的人権を最大限尊重し、旅館業が国民生活において果たしている重要な役割に鑑みてこれらの規定を必要な最小限度においてのみ適用すべきであって、これを拡張して解釈するようなことがあってはならない。

○　このような前提の下、宿泊者や従業者の安全確保も含めて、適切な施設運営が行えるようにする観点から、法第3条の5第2項、第4条の2、第5条等に関して、令和5年7月から、「改正旅館業法の円滑な施行に向けた検討会」において、旅館業法施行令（昭和32年政令第152号。以下「令」という。）及び旅館業法施行規則（昭和23年厚生省令第28号。以下「則」という。）とともに、法第5条の2に規定する指針の策定に向けて、患者等団体、障害者団体及び高齢者等関係団体から意見をお伺いし、検討を重ねてきたところであり、今般、これらの議論を踏まえ、営業者が適切に対処するための指針（以下「本指針」という。）を策定するものである。

○　なお、旅館業の施設における感染症のまん延防止対策については、特定感染症（法第2条第6項に規定する「特定感染症」をいう。以下同じ。）は、感染症ごとに症状や症例定義、対策等が異なるため、特定感染症の国内発生時（又はその可能性が相当程度高まった時点）に、発生した特定感染症やそのフェーズに応じて、具体的な基準等を速やかに示すこととし、本指針においては、特定感染症に共通する内容を記載している。ただし、この内容についても、発生した特定感染症の状況に応じて変更があり得ることに留意されたい。

○　また、法においては、「宿泊しようとする者」は、
ア　これから1泊目の宿泊をしようとする者
イ　既に1泊以上宿泊していて2泊目以降の宿泊をしようとする者
のいずれも含むものである。

○　本指針において「障害者」とは、障害者差別解消法第2条第1号に規定する障害者、すなわち、身体障害、知的障害、精神障害（発達障害及び高次脳機能障害を含む。）その他の心身の機能の障害（難病等に起因する障害を含む。）（以下「障害」と

総称する。）がある者であって、障害及び社会的障壁により継続的に日常生活又は社会生活に相当な制限を受ける状態にあるものをいう。これは、障害者基本法第2条第1号に規定する障害者の定義と同様であり、いわゆる「社会モデル」の考え方（障害者が日常生活又は社会生活において受ける制限は、障害のみに起因するものではなく、社会における様々な障壁と相対することによって生ずるものとする考え方）を踏まえている。したがって、法が対象とする障害者の該当性は、当該者の状況等に応じて個別に判断されることとなり、いわゆる障害者手帳の所持者に限られない。

2 特定感染症の感染防止に必要な協力の求め等
(1) 特定感染症の定義と趣旨（法第2条第6項関係）

> 法第2条　（略）
> 2～5　（略）
> 6　この法律で「特定感染症」とは、次に掲げる感染症をいう。
> 　一　感染症の予防及び感染症の患者に対する医療に関する法律（平成10年法律第114号。以下「感染症法」という。）第6条第2項に規定する一類感染症（第4条の2第1項第2号及び第2項第1号において単に「一類感染症」という。）
> 　二　感染症法第6条第3項に規定する2類感染症（第4条の2第1項第2号及び第2項第1号において単に「二類感染症」という。）
> 　三　感染症法第6条第7項に規定する新型インフルエンザ等感染症（第4条の2第1項第2号及び第2項第2号において単に「新型インフルエンザ等感染症」という。）
> 　四　感染症法第6条第8項に規定する指定感染症であって、感染症法第44条の9第1項の規定に基づく政令によって感染症法第19条若しくは第20条又は第44条の3第2項の規定を準用するもの（第4条の2第1項第2号及び第2項第3号において単に「指定感染症」という。）
> 　五　感染症法第6条第9項に規定する新感染症（第4条の2第1項第2号及び第2項第2号において単に「新感染症」という。）

○ 営業者が感染防止対策の協力の求めや宿泊を拒むことができる事由の対象となる感染症については、特定感染症として定義を明確化し、感染症法における一類感染症、二類感染症、新型インフルエンザ等感染症、新感染症及び指定感染症（入院等の規定を準用するものに限る。）としている。
○ これらの感染症を法において特定感染症と位置づけている趣旨は、感染症法において特定感染症に当たるものの患者等は、感染力及び罹患した場合の重篤性等に鑑みて、入院、宿泊療養等の対象となり、原則、都道府県等の確保する医療機関や宿泊療養施設等において必要な治療を受け、又は療養すべきとされるものであり、
　・ 旅館業の施設内で感染者が発生した場合に、不特定多数の者が長時間同一の空間を共有して宿泊する際に他の宿泊客や従業者に感染がまん延し、感染した場合の症状が重篤となるおそれがあること

第5編　旅館業

- ・　感染拡大防止のために必要な業務が、通常提供する宿泊に関するサービスの範囲を大きく超え、営業者や従業者に過大な負荷がかかると想定されることを踏まえたものである。
- ○　これにより、改正法による改正前の法（以下「旧法」という。）第5条において、宿泊を拒むことができる事由のうち「伝染性の疾病にかかっていると明らかに認められるとき」の対象に含まれるかどうかが条文のみでは不明確だったハンセン病元患者、HIV／エイズ等の感染者や患者等が改正法による改正後の法においては法第5条第1項第1号の対象に含まれないことが明確化された。

(2)　感染防止対策への協力の求め（法第4条の2関係）

> 法第4条の2　営業者は、宿泊しようとする者に対し、旅館業の施設における特定感染症のまん延の防止に必要な限度において、特定感染症国内発生期間に限り、次の各号に掲げる者の区分に応じ、当該各号に定める協力を求めることができる。
> 　一　特定感染症の症状を呈している者その他の政令で定める者　次に掲げる協力
> 　　イ　当該者が次条第1項第1号に該当するかどうかが明らかでない場合において、医師の診断の結果その他の当該者が同号に該当するかどうかを確認するために必要な事項として厚生労働省令で定めるものを厚生労働省令で定めるところにより営業者に報告すること。
> 　　ロ　当該旅館業の施設においてみだりに客室その他の当該営業者の指定する場所から出ないことその他の旅館業の施設における当該特定感染症の感染の防止に必要な協力として政令で定めるもの
> 　二　特定感染症の患者等（特定感染症（新感染症を除く。）の患者、感染症法第8条（感染症法第44条の9第1項の規定に基づく政令によって準用する場合を含む。）の規定により一類感染症、二類感染症、新型インフルエンザ等感染症又は指定感染症の患者とみなされる者及び新感染症の所見がある者をいい、宿泊することにより旅館業の施設において特定感染症をまん延させるおそれがほとんどないものとして厚生労働省令で定める者を除く。次条第1項第1号において同じ。）　前号ロに掲げる協力
> 　三　前2号に掲げる者以外の者　当該者の体温その他の健康状態その他厚生労働省令で定める事項の確認の求めに応じることその他の旅館業の施設における当該特定感染症の感染の防止に必要な協力として政令で定めるもの
> 2　前項の特定感染症国内発生期間は、次の各号に掲げる特定感染症の区分に応じ、当該各号に定める期間（特定感染症のうち国内に常在すると認められる感染症として政令で定めるものにあっては、政令で定める期間）とする。
> 　一　一類感染症及び二類感染症　感染症法第16条第1項の規定により当該感染症が国内で発生した旨の公表が行われたときから、同項の規定により国内での発生がなくなった旨の公表が行われるまでの間
> 　二　新型インフルエンザ等感染症及び新感染症　感染症法第44条の2第1項又は

第44条の10第１項の規定により当該感染症が国内で発生した旨の公表が行われたときから、感染症法第44条の２第３項の規定による公表又は感染症法第53条第１項の政令の廃止が行われるまでの間
　三　指定感染症　感染症法第44条の７第１項の規定により当該感染症が国内で発生した旨の公表が行われ、かつ、当該感染症について感染症法第44条の９第１項の規定に基づく政令によって感染症法第19条若しくは第20条又は第44条の３第２項の規定が準用されたときから、感染症法第44条の７第３項の規定による公表が行われ、又は当該感染症について感染症法第44条の９第１項の規定に基づく政令によって感染症法第19条及び第20条並びに第44条の３第２項の規定が準用されなくなるときまでの間
３　厚生労働大臣は、第１項第１号ロ及び第３号の政令の制定又は改廃の立案をしようとするときは、あらかじめ、感染症に関する専門的な知識を有する者並びに旅館業の業務に関し専門的な知識及び経験を有する者の意見を聴かなければならない。
４　宿泊しようとする者は、営業者から第１項の規定による協力の求めがあったときは、正当な理由がない限り、その求めに応じなければならない。
（法第４条の２第１項第１号の政令で定める者）
令第４条　法第４条の２第１項第１号の政令で定める者は、次に掲げる者とする。
　一　特定感染症の症状を呈している者
　二　特定感染症にかかっていると疑うに足りる正当な理由のある者（前号に掲げる者を除く。）
（法第４条の２第１項第１号ロの協力）
令第５条　法第４条の２第１項第１号ロの政令で定める協力は、次のとおりとする。
　一　旅館業の施設においてみだりに客室その他の営業者の指定する場所から出ないこと。
　二　体温その他の健康状態その他厚生労働省令で定める事項の確認の求めに応じること。
　三　前２号に掲げるもののほか、感染症の予防及び感染症の患者に対する医療に関する法律（平成10年法律第114号。以下「感染症法」という。）第16条第１項その他の感染症法の規定に基づいて厚生労働大臣が特定感染症の予防若しくはそのまん延の防止に必要なものとして公表した内容又は特定感染症に係る新型インフルエンザ等対策特別措置法（平成24年法律第31号）第18条第１項に規定する基本的対処方針において同法第２条第１号に規定する新型インフルエンザ等のまん延の防止に関する措置として定められた内容（次条第２号において「特定感染症に係る公表又は基本的対処方針の内容」という。）に即して、法第４条の２第１項第１号ロの協力として法第５条の２第１項に規定する指針で定めるもの

第5編　旅館業

（法第4条の2第1項第3号の協力）
令第6条　法第4条の2第1項第3号の政令で定める協力は、次のとおりとする。
　一　体温その他の健康状態その他法第4条の2第1項第3号の厚生労働省令で定める事項の確認の求めに応じること。
　二　前号に掲げるもののほか、特定感染症に係る公表又は基本的対処方針の内容に即して、法第4条の2第1項第3号の協力として法第5条の2第1項に規定する指針で定めるもの

（法第4条の2第2項の政令で定める感染症及びその特定感染症国内発生期間）
令第7条　法第4条の2第2項の政令で定める感染症は、結核とし、その特定感染症国内発生期間は、第1号に掲げる日から第2号に掲げる日までの間とする。
　一　厚生労働大臣が、感染症法第16条第1項の規定により公表した結核の発生の状況、動向及び原因に関する情報並びに結核の予防に必要な情報を踏まえ、営業者が宿泊しようとする者に対して法第4条の2第1項の規定に基づく協力を求めなければ旅館業の施設における結核のまん延のおそれがあると認め、その旨を告示した日
　二　厚生労働大臣が、前号に規定するおそれがなくなったと認め、その旨を告示した日

則第5条の2　法第4条の2第1項第1号イの厚生労働省令で定めるものは、次の各号のいずれかに掲げるものとする。
　一　医師の診断の結果
　二　特定感染症の症状を呈している者にあっては、当該症状が特定感染症以外によるものであることの根拠となる事項
2　法第4条の2第1項第1号イの報告は、書面又は電子情報処理組織を使用する方法により行うものとする。ただし、やむを得ない事情があると認められる場合は、口頭でこれをすることができる。

則第5条の3　令第5条第2号の厚生労働省令で定める事項は、次に掲げる事項とする。
　一　当該特定感染症が現に発生している外国の地域における滞在の有無
　二　当該特定感染症のうち感染症の予防及び感染症の患者に対する医療に関する法律施行令（平成10年政令第420号）第5条各号に掲げる感染症にあっては、当該各号に定める動物との接触の有無
　三　法第4条の2第1項第2号に規定する特定感染症の患者等との接触の有無
　四　特定感染症の症状を呈している者にあっては、当該者が特定感染症にかかっていると疑うに足りる正当な理由のある者に該当するかどうか

則第5条の4　法第4条の2第1項第2号の厚生労働省令で定める者は、同号に規定する特定感染症を人に感染させるおそれがほとんどないと医師が診断した者とする。

則第5条の5　法第4条の2第1項第3号の厚生労働省令で定める事項は、当該者

が令第４条第２号に掲げる者に該当するかどうかとする。

○ 旧法においては、営業者が感染防止対策の協力を求める法律上の根拠がなかった。

○ このため、旅館業の現場から、新型コロナウイルス感染症の流行期には宿泊者に対して実効性を伴った協力の求めを行うことができず、宿泊者の安全確保も含めて旅館業の業務の適正な運営を確保することが困難であったとの声があった。

○ 改正後の法では、旅館業の施設における特定感染症のまん延を防止し、宿泊者や従業者の健康・安全を確保するため、当該施設において適時に有効な感染防止対策を講じられるよう、営業者は、宿泊者に対し、基本的人権を最大限尊重しつつ、特定感染症のまん延防止に必要な限度において、協力を求めることができることとしている。なお、新型コロナウイルス感染症は、令和５年５月８日をもって五類感染症に移行し、旅館業法における特定感染症には該当しないものとなった。

○ 以下①～④に記載する内容は、あくまで、特定感染症国内発生期間において、営業者が法第４条の２の規定に基づいて協力の求めを行う場合の留意点等を示したものである。この点を踏まえた上で、以下①～④の内容に共通して、
・ 特定感染症国内発生期間中であっても、営業者は、法第４条の２の規定に基づいて協力の求めを行うことも行わないこともできること
・ 営業者は、法第４条の２の規定に基づく協力の求めについては、宿泊しようとする者の置かれている状況等を十分に踏まえた上で、協力の必要性及び内容を判断する必要があること
・ 営業者は、医師の診断の結果の報告や客室等待機をはじめ、協力の求めについて、事実上の強制にわたるような求めや威圧的な求めをすべきではないこと
・ 協力の求めの趣旨等について理解を得られるように丁寧に説明をした上で、協力の求めに応じることについて同意を得ることが考えられること
について、十分な留意が必要である。

① 協力の求めの対象者

○ 特定感染症国内発生期間においては、営業者は、必要な限度において、全ての宿泊しようとする者に感染防止対策への協力の求めを行うことができる。ただし、特定感染症の症状の有無等で次のとおり対象者を区分し、その区分ごとに営業者が求めることができる感染防止対策への協力の求めの内容が定められている（法第４条の２第１項、令第４条）。協力の求めの内容は②に後述する。

　(A) 特定感染症の症状を呈している者（以下「(A)有症状者」という。）
　(B) 特定感染症にかかっていると疑うに足りる正当な理由のある者（以下「(B)特定接触者」という。）
　(C) 特定感染症の患者等（以下「２　特定感染症の感染防止に必要な協力の求め等」において「(C)患者等」という。）
　(D) その他の者

○ (B)特定接触者については、対象となる特定感染症の性質に照らし、都道府県等（主に保健所が想定される。）が「特定感染症にかかっていると疑うに足りる正当な理由のある者」と判断した者（感染症法第15条や第44条の３第１項等の規定に基づく措置が必要であると判断した者をいう。）であり、(C)患者等の同行者又は同室者であること等をもって営業者が判断できるものではない。
　※　新型コロナウイルス感染症の流行期において「濃厚接触者」と称していたものは、(B)特定接触者に当たる。
○ (C)患者等とは、次のいずれかに該当する者をいい、医師が他人にその感染症を感染させるおそれがほとんどないと診断したもの（退院基準を満たした結核患者が現時点で想定される。）を除く（法第４条の２第１項第２号、則第５条の４）。
　・　特定感染症（新感染症を除く。）の患者
　　※　特定感染症の患者は、医師の確定診断のあった者をいい、医師の診断の結果を申告すれば、診断書の提示までなくとも、特定感染症の患者とする。
　・　感染症法第８条（感染症法第44条の９第１項の規定に基づく政令によって準用する場合を含む。）の規定により一類感染症、二類感染症、新型インフルエンザ等感染症又は指定感染症（入院等の規定を準用するものに限る。）の患者とみなされる者
　　※　感染症の患者とみなして、感染症法に基づく入院等の対象とされており、原則として、医療機関等において必要な治療を受けるべき者であり、具体的には、感染症法上の疑似症患者（感染症法第６条第10項）や無症状病原体保有者である。
　　　感染症法においては、同法第12条の規定に基づいて医師が診断の上、都道府県知事等に患者の届出を行うことになっており、ある者を感染症法上の措置が必要な感染症の患者等かどうかを判断することができる者は医師となっていることから、法における(C)患者等に該当するかどうかについても、こうした感染症法における考え方に従って、原則として、医師の診断に基づいて判断されることとなる。
　　　なお、こうした疑似症患者や無症状病原体保有者に当たるかどうかについては、感染症ごとに異なるものであり、科学的知見や専門家の意見等に基づいて判断されることとなる。
　・　新感染症の所見がある者
　　※　感染症法における考え方に従って、原則として、医師の診断に基づいて判断されることとなる。
○ なお、営業者は、宿泊しようとする者が(A)有症状者、(B)特定接触者又は(C)患者等に該当すると明らかに認められる場合を除き、当該者を(D)その他の者に該当するものとして取り扱うものとし、特定感染症の症状を呈している者であっ

旅館業の施設において特定感染症の感染防止を行う場合の留意事項等

ても、(C)患者等に該当すると明らかに認められる場合を除き、(A)有症状者に該当するものとして取り扱うこととする。
○ 特定感染症は感染症ごとに症状や症例定義、対策等が異なるため、特定感染症の国内発生時（又はその可能性が相当程度高まった時点）に、発生した特定感染症やフェーズに応じて、(A)有症状者、(B)特定接触者、(C)患者等について、具体的な基準等を速やかに示す。なお、当該基準等は諸般の状況を踏まえて変更し得る。
② 協力の求めの内容
②—1 概要
○ 改正後の法第4条の2第1項の規定により、営業者は、特定感染症国内発生期間中に、施設における特定感染症のまん延の防止に必要な限度において、
- (A)有症状者又は(B)特定接触者（以下「有症状者等」という。）に対して、以下ⅰ～ⅳの感染防止対策への協力の求めを行うことができる
- (C)患者等に対して、以下ⅱ～ⅳの感染防止対策への協力の求めを行うことができる
- (D)その他の者に対して、以下ⅲ及びⅳの感染防止対策への協力の求めを行うことができる

こととしている。ⅰ～ⅳの詳細は（②—2）に後述する。
○ 法第4条の2第1項の規定に基づいて次のⅰ及びⅱの協力を求めたときは、当該協力の求めを行った日時や対象者の氏名、求めた内容等を記録しておくことが考えられる。

ⅰ 報告（法第4条の2第1項第1号イ、則第5条の2）
宿泊しようとする者が(C)患者等であるかどうかが明らかでない場合において、当該者が(C)患者等であるかどうかを確認するため、次のいずれかを、原則として書面又は電子情報処理組織を使用する方法（タブレット型端末等にて報告に関する様式を示し、必要事項を記入させることをいう。以下「2 特定感染症の感染防止に必要な協力の求め等」において同じ。）によって報告すること。
㋑ 医師の診断の結果
㋺ 特定感染症の症状を呈している者にあっては、当該症状が特定感染症以外によるものであることの根拠となる事項

ⅱ 客室等待機（法第4条の2第1項第1号ロ、同項第2号、令第5条第1号）
当該旅館業の施設においてみだりに客室その他の当該営業者の指定する場所から出ないこと。

ⅲ 健康状態等の確認（法第4条の2第1項第1号ロ、同項第2号、同項第3号、令第5条第2号、令第6条第1号、則第5条の3、則第5条の5）
(A)有症状者、(B)特定接触者、又は(C)患者等の場合は、体温その他の健康状

態、直近で滞在した国・地域（外国に限る。）、特定感染症の患者や媒介動物との接触歴、(A)有症状者にあっては(B)特定接触者に該当するかどうかに関する営業者からの確認の求めに応じること。(D)その他の者の場合は、体温その他の健康状態、(B)特定接触者に該当するかどうかに関する営業者からの確認の求めに応じること。

 iv その他の感染防止対策（法第4条の2第1項第1号ロ、同項第2号、同項第3号、令第5条第3号、令第6条第2号）

  宿泊しようとする者自らによる当該特定感染症の感染の防止に必要な措置であって、特定感染症国内発生期間において以下のいずれかに即するものとして本指針で定めるもの。

- 厚生労働大臣が感染症法の規定に基づいて特定感染症の予防又はそのまん延の防止に必要なものとして公表している内容
- 新型インフルエンザ等対策特別措置法（平成24年法律第31号。以下「特措法」という。）に基づく基本的対処方針において定められた内容（新型インフルエンザ等感染症、新感染症及び指定感染症の場合）

②―2 協力の求めの具体的な内容

②―2 i 報告（法第4条の2第1項第1号イ、則第5条の2）

 ○ 営業者は、(A)有症状者又は(B)特定接触者が、(C)患者等であるかどうかが明らかでない場合において、当該者が(C)患者等であるかどうかを確認するため、当該者から、次の事項について書面又は電子情報処理組織を使用する方法による報告を求めることができる。

  ㋑ 医師の診断の結果
  ㋺ 特定感染症の症状を呈している者にあっては、当該症状が特定感染症以外によるものであることの根拠となる事項

  障害を有している、又は幼少であること等により、宿泊者本人が記載できない場合は、同行者が代わりに記入しても差し支えない。その場合、代筆した者の氏名と続柄も記入させることが考えられる。

 ○ 旅館業の施設において集団感染が発生した際には、感染源及び感染経路の特定において発熱等の症状を呈していた時期及びその原因等の情報が正確であることが迅速かつ的確な感染拡大防止策につながるため、報告は、口頭ではなく、情報として明確に残る書面又は電子情報処理組織を使用する方法で報告を受けるものとする（則第5条の2第2項）。

  なお、
- 1回の宿泊について、診断書の受領等に係る負担をかけてまで、営業者が医師の診断及び疾患に関する詳細な情報を把握する必要性はないため、診断書の提出までは求められない。
- 当該書面又は電子情報処理組織を使用する方法の保存期間は特に定めていない。営業者において、後に虚偽の記載であることが判明したときの証

拠として用いることができるものとして、当該感染症の潜伏期間や感染力の持続期間に応じ適宜保存する。
・ 宿泊しようとする者が医療機関を受診した結果、特定感染症の患者であると診断され、入院することとなった場合、営業者はその報告を書面又は電子情報処理組織を使用する方法によって得ることが困難であることが想定される。また、当該者が何らかの障害を有する場合や子どもの場合にもその報告を書面又は電子情報処理組織を使用する方法によって得ることが困難であることが想定される。このような場合は「やむを得ない事情があると認められる場合」として、当該者や家族等から口頭で報告を受けることもできる。その際、営業者は、口頭で報告を受けた内容について書面を作成し又は電子情報処理組織を使用する方法によって保存しておくことも考えられる。

○ 報告内容が虚偽であると疑われ、営業者がその真偽を確かめることに対して、宿泊しようとする者が拒絶した場合において、後に報告内容が虚偽であることが確認された場合、宿泊しようとする者は報告の求めに応じていないこととなるため、法第4条の2第4項に反することとなる。営業者は、あらかじめこの旨を宿泊しようとする者にも周知することが望ましい。

○ なお、
・ 特定接触者にまで報告の求めを行うことが法第4条の2の「必要な限度」内と言えるかどうかは、特定感染症の国内発生時（又はその可能性が相当程度高まった時点）に、発生した特定感染症やフェーズに応じて、本指針の改定等を通じて示す。
・ 口頭で報告を求める場合は、他の宿泊客に個人情報が漏れ伝わらないよう、会話する場所等について配慮する必要がある。

②―2ⅰ→ 「医師の診断の結果」（則第5条の2第1項第1号）

○ ⅰ→「医師の診断の結果」の報告により、(C)患者等であることが確認されなかった場合は、何かしらの症状を呈していたとしても、それは特定感染症の症状ではないため、上記(D)その他の者として対応することになる。
　　ただし、(C)患者等であることが確認されなかった後の感染等の可能性も考えられることから、(C)患者等であることが確認されなかった後の状況に応じて、継続した症状とは別の症状が生じた場合、必要な限度において、ⅲ健康状態等の確認を行い、その結果に基づき、上記(A)有症状者として対応することもあり得る。

○ ⅰ→「医師の診断の結果」の報告により、(C)患者等であることが確認された場合は、入院、宿泊療養等の対象として、原則、都道府県等の確保する医療機関や宿泊療養施設等において必要な治療・療養を受けるものであり、(C)患者等への対応は、医療機関や都道府県等の指示に従うことになる。

○ 新たに受診を要するような医師の診断の結果の報告を求めることについては、宿泊しようとする者に諸々の負担がかかることを踏まえ、宿泊しようとする者の基本的人権を最大限尊重しつつ、必要な限度に留めるべきことに特に留意されたい。
　また、受診については、基本的に宿泊しようとする者が自ら行うものであるが、営業者は、宿泊しようとする者に対し、法第４条の２第１項第１号イに掲げる協力（医師の診断の結果の報告に係る部分に限る。）を求めるに当たっては、当該者に対し、適切な医療機関を知らせる等の支援を行うことが望ましい。
　また、営業者は、宿泊しようとする者に対し法第４条の２第１項第１号イに掲げる協力（医師の診断の結果の報告に係る部分に限る。）を求める場合に備えて都道府県等、医療機関その他の関係者との連携を確保することが望ましい。
○ また、診断結果が判明するまでに要する時間は、感染症ごとに症状や地域の感染状況、検査方法等によって異なることになるが、待機が必要となり、宿泊しようとする者の行き場がなくなるおそれがある場合であって、満室等でない限りは、営業者は、宿泊しようとする者に対して感染防止対策への協力の求めを行い、客室等で待機させることが求められる。
○ なお、法第４条の２第１項第１号イは、宿泊しようとする者が特定感染症の症状を呈しているものの(C)患者等に該当するかどうか明らかでない場合に、営業者の独自の判断ではなく、医師の診断の結果などの客観的な事実に基づいてその者の状態に応じた適当な措置を講じられるよう当該営業者が必要な報告を求められるようにする趣旨の規定であり、当該営業者に対して、宿泊しようとする者を医療機関に受診させる権利を直接的に規定したものではなく、営業者が宿泊しようとする者に対して医師の診断を受けることを強制できるものではない。
　来館前にあらかじめ症状を呈する要因が特定感染症によるものかどうかを医師に相談し、その診断の結果などが報告された場合は、その時点で宿泊しようとする者に対して改めて医療機関を受診するよう求めることとはせず、状況に応じて適切に医師の診断の結果の報告を求めることとすることに留意する必要がある。
○ 宿泊しようとする者が受診しようとした時間帯が医療機関の診療時間外等で受診をできない場合は、法第４条の２第４項の「正当な理由」がある場合に該当するが、営業者は、宿泊しようとする者に対して感染防止対策への協力の求めを行い、客室等での待機を求めることができる。
○ 宿泊しようとする者が(C)患者等であることを営業者が既に把握している場合は、法第４条の２第１項第１号イの宿泊しようとする者が(C)患者等に該当するかどうかが明らかでない場合には当たらない。

②―2ⅰ╕ 「特定感染症の症状を呈している者にあっては、当該症状が特定感染症以外によるものであることの根拠となる事項」（則第5条の2第1項第2号）
○ 特定感染症は感染症ごとに症状が異なるため、特定感染症の国内発生時（又はその可能性が相当程度高まった時点）に、発生した特定感染症やフェーズに応じて、「当該症状が特定感染症以外によるもの」として考えられる要因について、具体的な基準等を速やかに示す。なお、当該基準等は諸般の状況を踏まえて変更し得る。
○ ⅰ╕「当該症状が特定感染症以外によるものであることの根拠となる事項」の報告については、まずは宿泊しようとする者の自己申告によって把握することになるが、報告内容が虚偽と疑われる場合は、営業者から宿泊しようとする者に対し、確認のための手段としての資料の提示等を求めることもできる。
　　また、②―2ⅰのとおり、宿泊しようとする者が単に資料の提示等を拒絶しただけでは、宿泊を拒むことができる事由とはならないが、報告内容が後に虚偽の記載であることが確認された場合、宿泊者は報告の求めに応じていないこととなる。
○ ⅰ╕「当該症状が特定感染症以外によるものであることの根拠となる事項」の報告により、特定感染症以外によるものであることの根拠となる事項を確認した場合は、医師の診断結果の報告は求めないことになるが、引き続き、上記(A)有症状者として、営業者は、上記ⅱ～ⅳの感染防止対策への協力の求めを行うことができる。
　　ただし、報告の求めを受けた者が、当該症状が特定感染症以外により生じたものであることについて、医師の診断結果又はそれに準ずる客観的事実を示した場合には、法第4条の2第1項において「旅館業の施設における特定感染症のまん延の防止に必要な限度において」と規定されている趣旨を踏まえて、協力を求める内容を必要な限度に留める必要がある。
○ また、営業者は、特定感染症の症状を呈している者にあっては、当該症状が特定感染症以外によるものであることの根拠となる事項について報告を求めることができるが、報告を求めることができる範囲は、「特定感染症以外の疾病」や「予防接種の副反応」等の大まかな区分に限られ、具体的には発生した特定感染症やフェーズに応じて様式例を示すので、参照されたい。発熱を例にとっても、当然のことながら、感染症等の疾病以外にも発熱することがあるが、宿泊しようとする者が、症状は特定感染症以外によるがプライバシーの観点から上述のような区分のいずれに当てはまるかも伝えたくない旨報告することもあり得、それは後述②―2ⅲの確認の求めの場合にも同様の状況があり得る。この場合、宿泊しようとする者が明らかにしたくない情報を提供することや確認の求めに応じることを強制

することは当然できず、宿泊しようとする者の置かれている状況等を配慮し、以下の取扱いとすること。
- (A)(B)有症状者等が、症状が特定感染症以外により生じたものであると自己申告する場合は、仮に当該者が(C)患者等であった場合を想定し、他の宿泊者や従業者に感染させないように宿泊することへの協力を求めた上で、それ以上の報告や確認は求めずに宿泊を認めること。
- (D)その他の者についても、仮に当該者が(C)患者等であった場合を想定し、他の宿泊者や従業者に感染させないように宿泊することへの協力を求めた上で、それ以上の確認は求めずに宿泊を認めること。

②―2ⅱ 客室等待機（法第4条の2第1項第1号ロ、同項第2号、令第5条第1号）

○ 営業者は、(A)有症状者、(B)特定接触者や(C)患者等に対して、当該旅館業の施設においてみだりに客室その他の当該営業者の指定する場所から出ないことを求めることができる。

○ この場合、営業者は、客室等での待機を求めた宿泊者に対して、待機している客室等での食事とする、他の宿泊者と場所・時間をずらした食事とする等の対応を行うことが望ましい。
　また、営業者は、客室等での待機を求めた宿泊者に必要が生じた場合（例えば、トイレが客室内になく、トイレを使用する場合等）には、客室等から出ることを認める必要がある。その必要性については、当該者の置かれている状況等を十分に踏まえた上で適切に判断されることが必要である。

○ 客室等での待機は宿泊者の行動の自由に対する制限であることを踏まえ、営業者においては、その求めについて、宿泊しようとする者の基本的人権を最大限尊重しつつ、旅館業の施設における特定感染症のまん延の防止に必要な限度に留めるべきことに特に留意されたい。

○ なお、客室等での待機を求めた宿泊者が障害者である場合は、障害者差別解消法の規定も踏まえ、
- 聴覚障害者には遠隔でチャット等のコミュニケーションが可能となるように工夫すること
- 車椅子利用者が当初は一般客室で宿泊していたとしても、待機が長期にわたることとなった場合にはバリアフリールームへの変更を検討すること
- 障害者が待機対象となり、介護者が待機対象ではなかったとしても、介護者が当該障害者と同じ客室に待機することを妨げないこと

等、その障害の特性に応じた配慮を行うことが求められる。
　また、子どもが待機対象となり、保護者が待機対象ではなかったとしても、保護者が子どもと同じ客室に待機することを妨げないこと等の配慮を行うことが求められる。

②―2ⅲ 健康状態等の確認（法第4条の2第1項第1号ロ、同項第2号、同項

第3号、令第5条第2号、令第6条第1号、則第5条の3、則第5条の5）
○ 営業者は、以下を要請することができる。
- (A)有症状者、(B)特定接触者、又は(C)患者等に対しては、体温その他の健康状態、直近で特定感染症が発生している外国の地域への滞在歴、媒介動物や(C)患者等との接触歴、(A)有症状者にあっては(B)特定接触者に該当するかどうかに関する営業者からの確認の求めに応じること。
- (D)その他の者に対しては、体温その他の健康状態、(B)特定接触者に該当するかどうかに関する営業者からの確認の求めに応じること。
○ 特定感染症は感染症ごとに症状や症例定義が異なるため、特定感染症の国内発生時（又はその可能性が相当程度高まった時点）に、発生した特定感染症やフェーズに応じて、健康状態等の確認内容について、具体的な基準等を速やかに示す。なお、当該基準等は諸般の状況を踏まえて変更し得る。
○ 健康状態の確認については、非接触型体温計やサーモグラフィー等により体温を測定するとともに、健康に関するセルフチェックシート等でチェックイン時等に宿泊しようとする者に記入を求めることが考えられ、確認内容は、感染症の種類による。
○ 特定感染症の病原体ごとの潜伏期間等を踏まえた期間内において、宿泊しようとする者に当該特定感染症の発生地域（国外）の滞在歴があるか否かを確認することが想定される。
　　なお、
- 全国的に特定感染症の発生が確認されている場合に特定地域における滞在歴があるか否かを確認することは、法第4条の2第1項の「必要な限度」を超えている。本項目を確認することが「必要な限度」を超えるか否かは、発生した特定感染症の状況等に応じて、本指針の改定等をもって示す。
- 特定感染症が発生している国に滞在していたことのみをもって宿泊を拒否することはできないことに留意する必要がある。
○ 発生した特定感染症が感染症の予防及び感染症の患者に対する医療に関する法律施行令（平成10年政令第420号）第5条各号に掲げる感染症である場合には、同号に定める動物との接触の有無を確認することが想定される。
○ 「特定感染症にかかっていると疑うに足りる正当な理由のある者に該当するかどうか」については、本人が都道府県等から特定感染症に「かかっていると疑うに足りる正当な理由のある者」と判断されたかどうかを申告してもらうことが想定される。
○ 営業者が確認の求めをしたことに対し、宿泊しようとする者が明らかにしたくない情報がある場合の取扱いは、②―2 ⅰ㋺を参照されたい。
○ 口頭で健康状態等の確認を行う場合は、他の宿泊客に個人情報が漏れ伝わらないよう、会話する場所等について配慮する必要がある。

②―2 iv　その他の感染防止対策（法第４条の２第１項第１号ロ、同項第２号、同項第３号、令第５条第３号、令第６条第２号）
　　○　営業者は、(A)有症状者、(B)特定接触者、(C)患者等、(D)その他の者に対して、宿泊しようとする者自らによる当該特定感染症の感染の防止に必要な措置であって、特定感染症国内発生期間において以下のいずれかに即するものとして本指針で定めるものを要請することができる。
　　　・　厚生労働大臣が感染症法の規定に基づいて感染症の予防及びそのまん延の防止に必要なものとして公表している内容
　　　・　特措法に基づく基本的対処方針において定められた内容（新型インフルエンザ等感染症、新感染症及び指定感染症の場合）
　　○　本指針で定める内容については、感染症ごとに症状や症例定義、対策等が異なるため、特定感染症の国内発生時（又はその可能性が相当程度高まった時点）に、発生した特定感染症やフェーズに応じて、感染症法や特措法による措置の状況を踏まえ、本指針の改定等により速やかに示し、周知する予定である点、留意されたい。なお、当該内容は諸般の状況を踏まえて変更し得る。
　　○　その他の感染防止対策については、場面に応じた咳エチケット、手指消毒・手洗い、食事・入浴の場面で大声を控えること等が考えられるが、旅館業の施設内だけ過剰な協力の求めを行うことにならないよう、政府によって国民へ推奨されている感染防止対策と整合性を保つこととしている。
③　協力の求めができる期間（特定感染症国内発生期間）
　　○　国内における感染症の発生及びまん延の防止等の感染症対策を定める感染症法や特措法に基づく対策状況に合わせて対策を講じることにより、旅館業の施設において感染症のまん延防止対策が適切に講じられるよう、営業者が感染防止対策への協力の求めができる期間は、次のとおりの特定感染症国内発生期間としており（法第４条の２第２項）、これらの期間について、特定感染症が国内で発生した際に、厚生労働省から営業者や国民に対し、ホームページや通知等によって速やかに周知を行っていく。

	始期	終期
一類感染症・二類感染症（※１）	感染症法により、厚生労働大臣・都道府県知事が国内で発生した旨を公表したとき。	感染症法により、厚生労働大臣・都道府県知事が国内での発生がなくなった旨を公表したとき。
新型インフルエンザ等感染症（※２）	感染症法により、厚生労働大臣が国内で発生した旨を公表したとき。	感染症法により、厚生労働大臣が、その感染症が国民の大部分の免疫獲得等により新型インフルエンザ等感

		染症と認められなくなった旨を公表したとき。
指定感染症（感染症法の入院、宿泊療養又は自宅療養に係る規定が準用されるものに限る。）（※２）	感染症法により、 ① 厚生労働大臣が病状の程度が重篤であり、かつ、全国的かつ急速なまん延のおそれがあるものと認めて、国内で発生した旨を公表し、 かつ、 ② 政令によって、その感染症について感染症法の入院、宿泊療養又は自宅療養に係る規定が準用されたとき。 （※３）	感染症法により、 ① 厚生労働大臣が、その感染症について国民の大部分の免疫獲得等により全国的かつ急速なまん延のおそれがなくなった旨を公表したとき。 又は、 ② 政令によって、その感染症について感染症法の入院、宿泊療養及び自宅療養に係る規定がいずれも準用されなくなったとき。
新感染症 （※２）	感染症法により、厚生労働大臣が国内で発生した旨を公表したとき。	感染症法により、その感染症について感染症法の一類感染症に係る規定を適用する政令が廃止されたとき。

※１　結核は国内に常在すると認められる感染症である。そのため、その特定感染症国内発生期間は、厚生労働大臣が、感染症法第16条第１項の規定により公表した結核の発生の状況、動向及び原因に関する情報並びに結核の予防に必要な情報を踏まえ、営業者が宿泊しようとする者に対して法第４条の２第１項の規定に基づく協力を求めなければ旅館業の施設における結核のまん延のおそれがあると認め、その旨を告示した日から、当該おそれがなくなったと認め、その旨を告示した日までの間とされている（法第４条の２第２項柱書き、令第７条）。

　　本指針公表日時点では、結核については特定感染症国内発生期間ではない。結核の特定感染症国内発生期間ではない期間については、法第４条の２第１項柱書きにおいて「特定感染症国内発生期間に限り」と規定していることを踏まえ、結核の患者だったとしても、他の(C)患者等でない限り、法第４条の２第１項に基づいて協力の求めを行うことはできない。

　　仮に結核に関して特定感染症国内発生期間になったとしても、結核の患者のうち医師が他人にその感染症を感染させるおそれがほとんどないと診断した者は、宿泊することにより旅館業の施設において特定感染症をまん延させるおそれがほとんどないため、結核に関して(C)患者等から除かれることとな

る。(法第4条の2第1項第2号、則第5条の4)
※2 一類感染症・二類感染症を除き、特定感染症国内発生期間の始期の要件となる公表をした場合は、特措法に基づき、厚生労働大臣は総理大臣に報告し、これを基に政府対策本部が設置され、終期の要件となる公表をした場合は、特措法に基づき、政府対策本部が廃止される。
※3 例えば、新型コロナウイルス感染症の特定感染症国内発生期間の始期については、当時の感染症法の規定は今と異なっており、一概にはいえないが、国内で発生した旨の公表は令和2年1月16日、指定感染症に指定され入院等の規定が準用されたのは令和2年2月1日であり、同日時点で「病状の程度が重篤であり、かつ、全国的かつ急速なまん延のおそれがあるもの」と認められていた場合は、令和2年2月1日が始期に当たったと考えられる。また、令和5年5月7日が終期に当たったと考えられる。

④・協力の求めに応じない正当な理由等
○ 法第4条の2第4項において、宿泊しようとする者は、営業者から感染防止対策への協力の求めがあったときは、正当な理由がない限り、その求めに応じなければならないこととしている。
○ これは、営業者は、宿泊拒否制限がかかっている中であっても、法第4条第1項において、旅館業の施設について宿泊者の衛生に必要な措置を講じなければならない義務を課されており、当該義務を果たすためには相応の法令上の根拠をもって宿泊客に対して感染防止対策への協力の求めをできるようにする必要があるため、規定しているものである。
○ 法第5条の宿泊拒否事由に該当する場合を除き、法第4条の2第1項の協力の求めに正当な理由なく応じないことのみをもって、営業者が宿泊を拒むことは認められないほか、宿泊しようとする者に罰則が科されるものでもない。
○ 他方で、改正法により、
・ 営業者による宿泊者への感染防止対策の協力の求めは、法に基づくものとなるとともに、
・ 宿泊者は、正当な理由がない限り、感染防止対策への協力の求めに応じなければならないという規定が設けられたところであり、
営業者におかれては、宿泊しようとする者に対し、こうした点のほか、旅館業の施設において適時に有効な感染防止対策等を講ずるためには宿泊しようとする者の協力が必要であることを宿泊しようとする者に理解を得られるよう説明した上で、協力を求めることが考えられる。また、対応に苦慮する場合は、都道府県等(主に保健所が想定される。)に相談することが考えられる。
○ 特定感染症は、感染症ごとに症状や症例定義、対策等が異なるため、特定感染症の国内発生時(又はその可能性が相当程度高まった時点)に、発生した特定感染症やフェーズに応じて、協力の求めに応じない「正当な理由」の内容を速やかに本指針の改定等により示すが、「正当な理由」の内容としては、基本

旅館業の施設において特定感染症の感染防止を行う場合の留意事項等

的には個人により左右できない理由により感染対策への協力が困難である場合が想定され、例えば以下のような内容が考えられる。
 i 医師によって(C)患者等と診断されたかの報告を求められたが、
  ① 医療機関が診療時間外であることや遠方であること等により医師の診察が受けられないこと。
  ② 既往歴等の関係で特定の医療機関以外の受診を避ける必要があるとの申出があること。
  ③ 呈している症状等により、医師の診察を受けに行くことが困難であること。
  ④ 「症状が特定感染症以外によるものであることの根拠となる事項」の報告により、営業者に対し、特定感染症以外によるものであることの根拠となる事項を確認させたこと。
 ii マスク着用を求められたが、年齢の低い子どもである、障害・疾患がある等によりマスク着用が困難であること。
 iii 手指消毒を求められたが、消毒用アルコールへのアレルギーがあり、又は足踏み式の消毒のために車椅子使用者では対応できない等の事情により、手指消毒が困難であること。
 iv 認知症により認知機能が低下し、協力の求めに応じることが困難であること。
 v 協力の求めに応じるに当たり必要となる情報や器具等に関して、営業者からサポートがないこと（体温の確認にあたり営業者から検温器の貸し出しがない、アクセス可能な医療機関を知らせない（車椅子利用者に対してバリアフリーの医療機関を知らせないことを含む。）等）。

○ i ②や③、ii～ivに関し、既往歴があることや障害があること等については、申告で足りることとし、他の宿泊者等が聞こえない場所で申告を受けるよう配慮するとともに、iiはその障害の詳細を聴取するのではなく、障害があることのみをもって申告内容として足りるものとする。

○ なお、上記のiに該当する場合は、営業者は、(A)有症状者に対して、みだりに客室その他の当該営業者の指定する場所から出ないことを求めることができることになる。客室等で待機させる場合には、②－2 iiに記載した点に留意すること。

○ また、上記のiiに該当する場合に関して、営業者は、宿泊しようとする者に対して来館前に施設に相談するよう周知し、相談があった場合には、協力の求めを行っている感染対策以外の感染対策の選択肢を提示することが考えられる。ただし、フェイスシールド等についても、障害や疾患によっては着用が困難な場合があるが、そうした場合には一定の距離を離れることを依頼すること等が考えられる。

○ 上記のiiiに該当する場合は、営業者は、手指消毒に代わる選択肢として、手

1273

第5編　旅館業

　　　　　洗いを求めることができる。
　　　○　営業者は、全ての利用者に対して、以下URLに記載の内容を周知する等して、「感染症対策がしづらい人がいること」への理解を促していくことが重要である。
　　　　（マスク等の着用が困難な状態にある方への理解について）
　　　　https://www.mhlw.go.jp/stf/newpage_14297.html
　　　○　法第4条の2第4項に規定する「正当な理由」については、上記ⅰ～ⅴで網羅されるものではなく、宿泊しようとする者の置かれている状況等を十分に踏まえた上で、協力の必要性の有無及び協力の内容について適正性・公平性が図られるよう、柔軟に幅広く解釈・運用することに留意されたい。
　　　○　当然のことながら、協力の求めの内容が法令に規定されていないものや必要な限度を超えたものである場合には、法第4条の2第4項の「第1項の規定による協力の求め」ではないため、正当な理由の有無にかかわらず、同項の規定の対象外である。
3　宿泊拒否制限
(1)　特定感染症の患者等であるとき（法第5条第1項第1号関係）

> 法第5条　営業者は、次の各号のいずれかに該当する場合を除いては、宿泊を拒んではならない。
> 一　宿泊しようとする者が特定感染症の患者等であるとき。
> 二～四　（略）
> 2　（略）

　　○　旧法第5条第1号の「伝染性の疾病にかかっていると明らかに認められるとき」は、確定診断等により明らかに伝染性の疾病であると認めるときを指すものとして運用してきたが、伝染性の疾病の具体的な範囲が明確でなかったことから、改正法により、宿泊を拒むことができる事由の対象となる感染症について、特定感染症として定義を明確化し、感染症法における一類感染症・二類感染症・新型インフルエンザ等感染症・新感染症及び指定感染症（入院等の規定を準用するものに限る。）としている。
　　○　法第5条第1項第1号により、営業者は、宿泊しようとする者が特定感染症の患者等であるときは、宿泊を拒むことができる。
　　　ただし、法第5条第2項の規定を踏まえる必要がある。
　　　例えば、障害者は代わりの宿泊場所を見つけることが困難であることに留意されたい。
　　○　特定感染症の患者等については、感染症法に基づく措置の対象となる。また、営業者は医療の専門的知識があるわけではなく、また、新型インフルエンザ等感染症、新感染症及び指定感染症（入院等の規定を準用するものに限る。）についていえば、全ての旅館業の施設が感染症法第44条の3第2項の厚生労働省令で定める基

準（新型インフルエンザ等感染症の患者が療養を行う宿泊施設の基準）を必ずしも満たしているものではない。このため、原則、都道府県等の確保する医療機関や宿泊療養施設等において必要な治療を受け、又は療養するべきものである。
　他方、宿泊しようとする者が特定感染症の患者等に該当した場合であっても、医療機関等が逼迫しており、都道府県等の関係者が尽力してもなお入院調整等に時間を要し、その旅館業の施設の周辺で入院や宿泊療養、自宅療養ができない例外的な状況が生じ得る。こうした状況下では、法第５条第２項において「旅館業の公共性を踏まえ、かつ宿泊しようとする者の状況等に配慮して、みだりに宿泊を拒むことがないようにする」とされ、無思慮に宿泊を拒めば、「みだりに宿泊を拒む」に該当し得ることに留意し、都道府県等からの要請等を踏まえつつ、宿泊を拒むことによって特定感染症の患者等である宿泊しようとする者の行き場がなくなることがないよう、営業者は、宿泊拒否ではなく、感染防止対策への協力の求めを行い、客室等で待機させる必要性が大きく、また、客室等で待機させることが望ましい。なお、客室等で待機させる場合には、2(2)②—2ⅱに記載した点に留意すること。
〇　また、宿泊しようとする者が特定感染症の患者等に該当する場合に地域において適切に対応することができるよう、平時から、都道府県等が構築する連携及び協力の体制の下で、関係者間の役割を確認しておくことが望ましい。
(2)　実施に伴う負担が過重であって他の宿泊者に対する宿泊に関するサービスの提供を著しく阻害するおそれのある要求として厚生労働省令で定めるものを繰り返したとき
（法第５条第１項第３号関係）

> 法第５条　営業者は、次の各号のいずれかに該当する場合を除いては、宿泊を拒んではならない。
> 　一・二　（略）
> 　三　宿泊しようとする者が、営業者に対し、その実施に伴う負担が過重であって他の宿泊者に対する宿泊に関するサービスの提供を著しく阻害するおそれのある要求として厚生労働省令で定めるものを繰り返したとき。
> 　四　（略）
> ２　（略）
> 則第５条の６　法第５条第１項第３号の厚生労働省令で定めるものは、次の各号のいずれかに該当するものであって、他の宿泊者に対する宿泊に関するサービスの提供を著しく阻害するおそれのあるものとする。
> 　一　宿泊料の減額その他のその内容の実現が容易でない事項の要求（宿泊に関して障害を理由とする差別の解消の推進に関する法律（平成25年法律第65号）第２条第２号に規定する社会的障壁の除去を求める場合を除く。）
> 　二　粗野又は乱暴な言動その他の従業者の心身に負担を与える言動（営業者が宿泊しようとする者に対して障害を理由とする差別の解消の推進に関する法律第８条第１項の不当な差別的取扱いを行ったことに起因するものその他これに準ずる合理的な理由があるものを除く。）を交えた要求であって、当該要求をした

> 者の接遇に通常必要とされる以上の労力を要することとなるもの

① 規定趣旨等
　○　法第５条第１項第３号により、営業者は、宿泊しようとする者が、営業者に対し、その実施に伴う負担が過重であって他の宿泊者に対する宿泊に関するサービスの提供を著しく阻害するおそれのある要求として則第５条の６で定めるものを繰り返したときは、宿泊を拒むことができる。
　○　実施に伴う負担が過重であって他の宿泊者に対する宿泊に関するサービスの提供を著しく阻害するおそれのある要求として則第５条の６で定めるものを繰り返す行為（以下「特定要求行為」という。）については、営業者が無制限に対応を強いられた場合には、宿泊者の衛生に必要な措置をはじめ、旅館業の施設において本来提供すべきサービスが提供できず、法律上求められる業務の遂行に支障を来すおそれがあるため、宿泊を拒むことができる事由として規定しているものである。
　○　法第５条第１項第３号の「負担が過重」という文言は、障害者差別解消法第８条の文言の用い方も参考にしつつ、法第５条第１項第３号において、実施に伴う負担が過重でない要求についてまで宿泊拒否の対象とするものでないことを明らかにするため、負担が過重という文言を使用している。
　　過重な負担については、営業者において、個別の事案ごとに、以下の要素等を考慮し、具体的場面や状況に応じて総合的・客観的に判断することが必要である。
　　・事務・事業への影響の程度（事務・事業の目的・内容・機能を損なうか否か）
　　・実現可能性の程度（物理的・技術的制約、人的・体制上の制約）
　　・費用・負担の程度
　　・事務・事業規模
　　・財政・財務状況
　○　また、「他の宿泊者に対する宿泊に関するサービスの提供を著しく阻害するおそれのある」との要件については、旅館業の施設が提供するサービスのうち宿泊サービスについてのみ法第５条の規定により拒否制限がかかることを踏まえ、当該要件を明記することにより、法第５条第１項第３号の適用範囲を限定的にするものである。
　○　「繰り返し」の要件については、
　　・　旅館業における宿泊サービスは、一般的に長時間にわたって提供するため、営業者の注意喚起により事態が改善することを期待する余地が考えられること
　　・　法第５条により旅行者等への宿泊場所の提供という公共の福祉に資する対応が求められていること
　　を踏まえ、法第５条第１項第３号の適用範囲を更に限定するものである。
　　なお、後述のとおり、宿泊に関して障害者差別解消法第２条第２号の社会的障壁の除去を求める場合については、法第５条第１項第３号に該当しないため、建

設的対話を通じて社会的障壁の除去を繰り返し求めたとしても、当然に法第５条第１項第３号に該当しない。
○ 「厚生労働省令で定めるもの」として省令で規定することとしたのは、営業者による恣意的な運用がなされないよう明確かつ限定的な内容とする趣旨である。改正障害者差別解消法が令和６年４月から施行される中、その円滑な施行の妨げにならないことにも留意している。
○ 営業者が、宿泊しようとする者から、則第５条の６に該当する要求を求められ、当該要求に応じられない場合は、まずは、「そうした要求には応じられないが、宿泊自体は受け入れること」を説明し、当該説明を行ってもなお、当該要求を求められる場合は、宿泊を拒むことができる。
○ ただし、障害者差別解消法との関係では、
・ 法第５条では宿泊を拒むことができる事由として障害があることが規定されていないため、営業者は、障害があることを理由として宿泊を拒むことは当然できない。例えば、「当ホテルは障害のある方のご宿泊をお断りしています」等と断ることは認められない。
・ 旅館・ホテルの実施に伴う負担が過重でない要求は宿泊拒否事由に当たらない。
・ 宿泊に関して障害者差別解消法第２条第２号の社会的障壁の除去を求める場合（障害者差別解消法第７条第２項又は第８条第２項に基づく合理的配慮の提供を求める場合を含む。以下同じ。）については、障害者差別解消法の枠組みで対応が検討されるべきものであり、法第５条第１項第３号に該当せず、同項の他の各号に該当する場合を除き宿泊を拒否することはできない。
※ 障害者差別解消法
（定義）
第２条　この法律において、次の各号に掲げる用語の意義は、それぞれ当該各号に定めるところによる。
　　一　（略）
　　二　社会的障壁　障害がある者にとって日常生活又は社会生活を営む上で障壁となるような社会における事物、制度、慣行、観念その他一切のものをいう。
　　三～七　（略）
※ 障害者基本法
（差別の禁止）
第４条　何人も、障害者に対して、障害を理由として、差別することその他の権利利益を侵害する行為をしてはならない。
　２　社会的障壁の除去は、それを必要としている障害者が現に存し、かつ、その実施に伴う負担が過重でないときは、それを怠ることによって前項の規定に違反することとならないよう、その実施について必要かつ合理的な配慮が

されなければならない。
3　（略）
※　社会的障壁の例（リーフレット「令和6年4月1日から合理的配慮の提供が義務化されます！」より抜粋）
・社会における事物：通行・利用しにくい施設、設備など
・制度：利用しにくい制度など
・慣行：障害のある方の存在を意識していない慣習、文化など
・観念：障害のある方への偏見など
※　障害を理由とする差別の解消の推進に関する基本方針（平成27年2月24日閣議決定）
3　合理的配慮
(1)　合理的配慮の基本的な考え方
　　　（前略）合理的配慮は、（中略）障害者が個々の場面において必要としている社会的障壁を除去するための必要かつ合理的な取組であり、その実施に伴う負担が過重でないものである。

	社会的障壁の除去の求め	それ以外の求め
要求内容が過重でない負担	法第5条第1項第3号の対象外（※） ○障害者差別解消法第8条に基づく合理的配慮の提供の求めに当たる。 「合理的配慮」：個々の場面において、障害者から現に社会的障壁の除去を必要としている旨の意思の表明があった場合において、その実施に伴う負担が過重でないときは、障害者の権利利益を侵害することとならないよう、社会的障壁の除去の実施について、必要かつ合理的な配慮 例）下肢障害者に対し出入口付近の駐車スペースを確保した	法第5条第1項第3号の対象外（※） 例）モーニングコールやアメニティの交換など、通常のサービスで対応が可能と想定されるもの
	法第5条第1項第3号の対象外（※） ○省令で適用対象外であることを明確化。	法第5条第1項第3号の対象 ○省令で適用対象外としない。 　（「繰り返し」等のその他

旅館業の施設において特定感染症の感染防止を行う場合の留意事項等

要求内容が過重な負担	例）深夜で業者に連絡がつかない中で社会的障壁の除去を繰り返し求める場合など	の要件を満たす場合は第5条第1項第3号に該当） 例）従業員に対し、宿泊料の不当な割引や不当な部屋のアップグレード等、他の宿泊者に対するサービスと比較して過剰なサービスを行うよう繰り返し求める場合

(※) これらにおいても、方法が粗野又は乱暴な言動その他の従業者の心身に負担を与える言動（営業者が宿泊しようとする者に対して障害を理由とする差別の解消の推進に関する法律第8条第1項の不当な差別的取扱いを行ったことに起因するものその他これに準ずる合理的な理由があるものを除く。）を交えた要求であり、かつ、当該要求をした者の接遇に通常必要とされる以上の労力を要することとなるものであって、他の宿泊者に対する宿泊に関するサービスの提供を著しく阻害するおそれのあるものの場合は、法第5条第1項第3号に該当し得る。

○ 改正後も、営業者は、障害者基本法や障害者差別解消法を遵守する必要があることは当然であり、障害者に対し、障害を理由とする不当な差別的取扱いをしてはならず、「具体的場面や状況に応じた検討を行うことなく、障害があることを理由として一律に宿泊拒否を行うこと」は、障害者差別解消法第7条第1項又は第8条第1項にも反するものと解される。

合理的配慮の提供と建設的対話は基本的に一体不可分であり、建設的対話を通じて必要かつ合理的な範囲で柔軟に社会的障壁の除去を行うことが求められることに留意すること。

※ 障害者差別解消法
（行政機関等における障害を理由とする差別の禁止）
第7条　行政機関等は、その事務又は事業を行うに当たり、障害を理由として障害者でない者と不当な差別的取扱いをすることにより、障害者の権利利益を侵害してはならない。
2　行政機関等は、その事務又は事業を行うに当たり、障害者から現に社会的障壁の除去を必要としている旨の意思の表明があった場合において、その実施に伴う負担が過重でないときは、障害者の権利利益を侵害することとならないよう、当該障害者の性別、年齢及び障害の状態に応じて、社会的障壁の除去の実施について必要かつ合理的な配慮をしなければならない。
（事業者における障害を理由とする差別の禁止）
第8条　事業者は、その事業を行うに当たり、障害を理由として障害者でない者と不当な差別的取扱いをすることにより、障害者の権利利益を侵害してはならない。

第5編　旅館業

　　　2　事業者は、その事業を行うに当たり、障害者から現に社会的障壁の除去を必要としている旨の意思の表明があった場合において、その実施に伴う負担が過重でないときは、障害者の権利利益を侵害することとならないよう、当該障害者の性別、年齢及び障害の状態に応じて、社会的障壁の除去の実施について必要かつ合理的な配慮をするように努めなければならない。
　　（注）　障害者差別解消法第8条第2項については、障害を理由とする差別の解消の推進に関する法律の一部を改正する法律（令和3年法律第56号。施行日は令和6年4月1日。）により、努力義務規定から義務規定に改正されている。
○　また、「身体障害者補助犬の同伴拒否」も身体障害者補助犬法第9条第1項及び障害者差別解消法第7条第1項又は第8条第1項に反するものと解される。
※　身体障害者補助犬法（平成14年法律第49号）
　　（不特定かつ多数の者が利用する施設における身体障害者補助犬の同伴）
　　第9条　前2条に定めるもののほか、<u>不特定かつ多数の者が利用する施設を管理する者は、当該施設を身体障害者が利用する場合において身体障害者補助犬を同伴することを拒んではならない。</u>ただし、身体障害者補助犬の同伴により当該施設に著しい損害が発生し、又は当該施設を利用する者が著しい損害を受けるおそれがある場合その他のやむを得ない理由がある場合は、この限りでない。
※　障害を理由とする差別の解消の推進に関する基本方針（令和5年3月14日閣議決定）
　　　「車椅子、補助犬その他の支援機器等の利用や介助者の付添い等の社会的障壁を解消するための手段の利用等を理由として行われる不当な差別的取扱いも、障害を理由とする不当な差別的取扱いに該当する。」
○　また、法第5条第1項第3号に該当することが、障害を理由とする差別の解消の推進に関する基本方針（令和5年3月14日閣議決定）に規定する「正当な理由」には該当しないことに留意すること。
※　障害を理由とする差別の解消の推進に関する基本方針
　　2　不当な差別的取扱い
　　(1)　不当な差別的取扱いの基本的な考え方　　（略）不当な差別的取扱いとは、正当な理由なく、障害者を、問題となる事務・事業について本質的に関係する諸事情が同じ障害者でない者より不利に扱うことである点に留意する必要がある。
　　(2)　正当な理由の判断の視点
　　　　正当な理由に相当するのは、障害者に対して、障害を理由として、財・サービスや各種機会の提供を拒否するなどの取扱いが客観的に見て正当な目的の下に行われたものであり、その目的に照らしてやむを得ないと言える場合である。行政機関等及び事業者においては、正当な理由に相当する

か否かについて、個別の事案ごとに、障害者、事業者、第三者の権利利益（例：安全の確保、財産の保全、事業の目的・内容・機能の維持、損害発生の防止等）及び行政機関等の事務・事業の目的・内容・機能の維持等の観点に鑑み、具体的場面や状況に応じて総合的・客観的に判断することが必要である。

（略）行政機関等及び事業者は、正当な理由があると判断した場合には、障害者にその理由を説明するものとし、理解を得るよう努めることが望ましい。

② 特定要求行為の具体例
○ 特定要求行為に該当すると考えられるものとしては、例えば、以下が考えられる。
- 宿泊しようとする者が、宿泊サービスに従事する従業者に対し、宿泊料の不当な割引や不当な慰謝料、不当な部屋のアップグレード、不当なレイトチェックアウト、不当なアーリーチェックイン、契約にない送迎等、他の宿泊者に対するサービスと比較して過剰なサービスを行うよう繰り返し求める行為
- 宿泊しようとする者が、宿泊サービスに従事する従業者に対し、自身の泊まる部屋の上下左右の部屋に宿泊客を入れないことを繰り返し求める行為
- 宿泊しようとする者が、宿泊サービスに従事する従業者に対し、特定の者にのみ自身の応対をさせること又は特定の者を出勤させないことを繰り返し求める行為
- 宿泊しようとする者が、宿泊サービスに従事する従業者に対し、土下座等の社会的相当性を欠く方法による謝罪を繰り返し求める行為
- 泥酔し、他の宿泊者に迷惑を及ぼすおそれがある宿泊者が、宿泊サービスに従事する従業者に対し、長時間にわたる介抱を繰り返し求める行為
- 宿泊しようとする者が、宿泊サービスに従事する従業者に対し、対面や電話、メール等により、長時間にわたって、又は叱責しながら、不当な要求を繰り返し行う行為
- 要求の内容の妥当性（※1。以下同じ。）に照らして、当該要求を実現するための手段・態様（※2。以下同じ。）が不相当な言動を交えての要求を繰り返し行う行為

※1 「宿泊しようとする者の要求の内容が妥当性を欠く場合」の例
○当該旅館・ホテルの提供するサービスに瑕疵・過失が認められない場合
○要求の内容が、当該旅館・ホテルの提供するサービスの内容とは関係がない場合

※2 「要求を実現するための手段・態様が不相当な言動」の例
（要求内容の妥当性にかかわらず不相当とされる可能性が高いもの）
○身体的な攻撃（暴行、傷害）
○精神的な攻撃（脅迫、中傷、名誉毀損、侮辱、暴言）

第5編　旅館業

　　　　○土下座の要求
　　　　○継続的な（繰り返される）、執拗な（しつこい）言動
　　　　○拘束的な行動（不退去、居座り、監禁）
　　　　○差別的な言動
　　　　○性的な言動
　　　　○従業者個人への攻撃、要求
　　　　（要求内容の妥当性に照らして不相当とされる場合があるもの）
　　　　○商品交換の要求
　　　　○金銭補償の要求
　　　　○謝罪の要求（土下座を除く。）
　③　特定要求行為に該当しないものの例
　　○　例えば、以下については特定要求行為に該当しないと考えられる。
　　・　宿泊に関して障害者差別解消法第7条第2項又は第8条第2項の規定による社会的障壁の除去を求める場合。
　　　　例えば、特に合理的な配慮の求めに一般的に当たると考えられるものの例として、以下のものが挙げられる。
　　　―　聴覚障害者への緊急時の連絡方法としてスマートフォン（又はフードコート等で普及している「振動呼び出し機」）の利用やフロント近くの客室の用意を求めること。
　　　―　フロント等で筆談でのコミュニケーションを求めること。
　　　―　視覚障害者の部屋までの誘導を求めること。
　　　―　車椅子で部屋に入れるようにベッドやテーブルの位置を移動することを求めること。
　　　―　車椅子利用者がベッドに移動する際に介助を求めること。
　　　―　車椅子利用者が高いところの物を従業者に代わりに取ってもらうよう求めること。
　　　―　精神障害のある者がエレベーターや階段等の人の出入りがあるエリアから離れた静穏な環境の部屋の提供を求めること。
　　　―　発達障害のある者が待合スペースを含む空調や音響等についての通常設定の変更を求めること。
　　・　医療的な介助が必要な障害者、重度の障害者、オストメイト、車椅子利用者、人工呼吸器使用者の宿泊を求めること。
　　・　介護者や身体障害者補助犬の同伴を求めること。
　　・　障害者が障害を理由とした不当な差別的取扱いを受け、謝罪等を求めること。
　　・　当該行為が障害の特性によることが、当該障害者又はその障害者の同行者にその特性について聴取する等して把握できる場合
　　　※　障害によっては、一見すると障害があることが分からないものの、障害の

特性により、例えば、気になったところを何度も従業者に質問することや、場に応じた声の音量の調整ができないまま従業者に声をかけること等により、従業者との円滑なコミュニケーションができないことも想定され得るが、それらが障害の特性によることが把握できる場合であるにもかかわらず、営業者側が「他の宿泊者に迷惑がかかる」等の理由で、特定要求行為に該当するとして宿泊を拒むことはできない。

※ 後述4(3)①のとおり、営業者は、従業者が適切に把握・対応できるように、研修の中で障害の特性について従業者にしっかり習熟させることが重要。

・ 旅館業の施設側の故意又は過失により、宿泊しようとする者又はその家族等の関係者が損害を被り、何かしらの対応を求めること（ただし、要求の内容の妥当性に照らして、当該要求を実現するための手段・態様が不相当なものであれば、その行為は合理的な理由を欠くこととなり、特定要求行為に該当しうる。）。

(3) 宿泊拒否に関するその他の留意事項
① みだりな宿泊拒否の禁止等（法第5条第2項関係）

> 法第5条　（略）
> 2　営業者は、旅館業の公共性を踏まえ、かつ宿泊しようとする者の状況等に配慮して、みだりに宿泊を拒むことがないようにするとともに、宿泊を拒む場合には、前項各号のいずれかに該当するかどうかを客観的な事実に基づいて判断し、及び宿泊しようとする者からの求めに応じてその理由を丁寧に説明することができるようにするものとする。

○ 法第5条第2項により、営業者は、旅館業の公共性を踏まえ、かつ、宿泊しようとする者の状況等に配慮して、みだりに宿泊を拒むことがないようにするとともに、宿泊を拒む場合には、宿泊拒否事由のいずれかに該当するかどうかを客観的な事実に基づいて判断し、及び宿泊しようとする者からの求めに応じてその理由を丁寧に説明することができるようにするものとされている。

○ 法第5条第1項においては、「営業者は、次の各号のいずれかに該当する場合を除いては、宿泊を拒んではならない」とされており、同項各号のいずれかに該当する場合でも、実際に宿泊を拒むかどうかの判断は営業者に委ねられている。

同条第2項の「みだりに宿泊を拒むことがないようにする」は、法第5条第1項各号に該当する場合であっても、無思慮に宿泊を拒むことがないようにするという趣旨で規定されていると考えられるため、宿泊しようとする者の状況等への配慮が著しく欠けたまま宿泊を拒むような場合は、「みだりに宿泊を拒む」に該当し得る。

例えば、
・ 宿泊しようとする者が特定感染症の患者等に該当した場合であっても、医療

第5編　旅館業

　　　　機関等が逼迫しており、都道府県等の関係者が尽力してもなお入院調整等に時
　　　　間を要し、その旅館業の施設の周辺で入院や宿泊療養、自宅療養ができない例
　　　　外的な状況下で、無思慮に宿泊を拒めば、「みだりに宿泊を拒む」に該当し得
　　　　る。
　　・　障害を有する宿泊者が、外形上、法第5条第1項第2号に当たる行為を行っ
　　　　ていたとしても、当該行為が障害の特性によることが把握できる場合に宿泊を
　　　　拒めば、「みだりに宿泊を拒む」に該当し得る（障害者差別解消法上の差別的
　　　　取扱いにも該当し得る。）。
　○　また、「客観的な事実に基づく判断」の方法に関しては、営業者が主観的な判
　　断によって宿泊を拒むのではなく、例えば、
　　・　宿泊しようとする者が法第5条第1項第1号の特定感染症の患者等に該当す
　　　　るかどうかについて判断する際は、医師の診断の結果など、特定感染症の患者
　　　　等に該当するかどうかの報告内容等に基づいて判断すること、
　　・　また、宿泊しようとする者が法第5条第1項第3号の要求を繰り返したかど
　　　　うかについて判断する際は、営業者に対して実際に特定要求行為を行っている
　　　　という事実に基づいて判断すること
　　などが求められる。
　②　宿泊拒否の理由等の記録（改正法附則第3条第2項関係）

> 改正法附則
> 第3条　（略）
> 2　営業者（新旅館業法第3条の2第1項に規定する営業者をいう。）は、当分
> の間、新旅館業法第5条第1項第1号又は第3号のいずれかに該当すること
> を理由に宿泊（旅館業法第2条第5項に規定する宿泊をいう。次項において
> 同じ。）を拒んだときは、厚生労働省令で定める方法により、その理由等を記
> 録しておくものとする。
> 3　（略）
> 旅館業法施行規則及び厚生労働省関係国家戦略特別区域法施行規則の一部を改
> 正する省令（令和5年厚生労働省令第140号）　附則
> （宿泊を拒んだときの理由等の記録及び保存の方法）
> 第2項　改正法附則第3条第2項の方法は、旅館業法第5条第1項第1号又は
> 第3号に掲げる場合ごとに、宿泊を拒んだ理由等に関する記録を書面、当該
> 営業者の使用に係る電子計算機に備えられたファイル又は電磁的記録媒体
> （電子的方式、磁気的方式その他人の知覚によっては認識することができな
> い方式で作られる記録であって、電子計算機による情報処理の用に供される
> ものに係る記録媒体をいう。）をもって調製するファイルにより作成し、その
> 作成の日から3年間保存するものとする。

　○　改正法附則第3条第2項により、営業者は、当分の間、法第5条第1項第1号

又は第3号のいずれかに該当することを理由に宿泊を拒んだときは、同各号に掲げる場合ごとに、書面、電磁的記録等に宿泊を拒んだ理由等を記載し、当該書面又は電磁的記録を作成した日から3年間保存する方法により、宿泊を拒んだ理由のほか、その日時や拒否された者及びその対応に係る責任者の氏名、同項第3号に該当することを理由とする場合にあっては宿泊を拒むまでの経過の概要等を記録しておく必要がある。

○ 本規定は、宿泊拒否事由の規定の運用状況を都道府県等が適切に把握できるよう、営業者は、法第7条第1項又は第2項の規定に基づき都道府県等から報告を求められ、又は質問を受けることとなる場合に備えて、宿泊拒否の理由等を記録しておくべきとされたものと解される。

○ 法第5条第2項において、営業者は、宿泊を拒む場合には、宿泊しようとする者からの求めに応じてその理由を丁寧に説明することができるようにするものとする規定とも関連することに留意されたい。

③ 法第5条に関する基本的事項等

> 法第5条　営業者は、次の各号のいずれかに該当する場合を除いては、宿泊を拒んではならない。
> 　一　（略）
> 　二　宿泊しようとする者が賭博その他の違法行為又は風紀を乱す行為をするおそれがあると認められるとき。
> 　三　（略）
> 　四　宿泊施設に余裕がないときその他都道府県が条例で定める事由があるとき。
> 　2　（略）

○ 法第5条第1項にない宿泊拒否事由を宿泊約款に規定したとしても、無効であり、同項にない事由による宿泊拒否は、法違反となる。

○ 法改正後においても、「宿泊しようとする者が賭博その他の違法行為又は風紀を乱す行為をするおそれがあると認められるとき」に、宿泊を拒むことができることに変わりはない（法第5条第1項第2号）。

　従前の「旅館業における衛生等管理要領」（平成12年12月15日付け厚生省生活衛生局長通知）に記載してきた内容と基本的には同様に、例えば、宿泊しようとする者が次に掲げる場合には、法第5条第1項第2号に該当し得るものと解釈される。

1）　暴力団員等であるとき。
2）　他の宿泊者に著しい迷惑を及ぼす言動をしたとき。
3）　宿泊に関し暴力的要求行為が行われ、又は合理的な範囲を超える負担を求められたとき（法第5条第1項第3号に該当する場合や宿泊しようとする者が障害者差別解消法第7条第2項又は第8条第2項の規定による社会的障壁の除去

を求める場合は除く。)。

　なお、以下のような場合（いずれの場合も、宿泊しようとする者が酒に酔っている場合を含む。）は、暴行罪や威力業務妨害罪等に該当し得るため、警察に協力を依頼することが適切であると考えられるほか、法第5条第1項第2号に該当し得る。ただし、宿泊しようとする者が、障害の特性から、以下に該当し得る行為を行う可能性もあるため、同行者にその特性について聴取すること等により、その特性を踏まえた適切な対応を行うとともに、法第5条第2項の規定を踏まえ、宿泊しようとする者の状況等に配慮して、みだりに宿泊を拒むことがないようにするものとする。

- 宿泊しようとする者が、従業者や他の宿泊客に接近してことさらに咳(せき)を繰り返す、つばを吐きかけるなどした場合や、従業者や他の宿泊客につかみかかり又は突き飛ばした場合は、暴行罪が成立し得る。
- 宿泊しようとする者が、旅館・ホテルの業務を妨害する意図で、法第4条の2第1項に基づく協力を求めた従業者を大声で罵倒したり、協力に応じる必要がないなどと怒号したり、あるいは他の宿泊客がいる場で特定感染症に罹患(り)しているなどと吹聴して旅館・ホテル側にその対応をさせ、旅館・ホテルの業務を妨害した場合や、その他旅館・ホテルの業務を妨害する意図で、従業者を大声で罵倒する等して旅館・ホテル側にその対応をさせ、旅館・ホテルの業務を妨害した場合には、威力業務妨害罪が成立し得る。
- 宿泊しようとする者が、従業者や他の宿泊客に対し、その同意がなく又は同意がないことの表明が困難な状態にさせ又はその状態にあることに乗じて、わいせつな行為を行った場合には、不同意わいせつ罪が成立し得る。
- 宿泊しようとする者が、従業者や他の宿泊客に対し、公衆の目に触れるような場所で殊更に裸体を見せつける場合は、公然わいせつ罪や軽犯罪法違反が成立し得る。
- 宿泊しようとする者が、施設内の備品や設備を意図的に破壊又は汚損する場合は、器物損壊罪が成立し得る。
- 宿泊しようとする者が、従業者に対し、「SNSにこの旅館の悪評を載せるぞ」「このホテルに火をつけるぞ」と言うなど、生命、身体、自由、名誉又は財産に対し具体的な害悪を告知した場合は、脅迫罪が成立し得る。
- 宿泊しようとする者が、従業者に対し、「宿泊料をタダにしなければSNSにこの旅館の悪評を載せるぞ」等と脅す場合は、恐喝未遂罪が成立し得る。
- 宿泊しようとする者が、従業者に対し、生命、身体、自由、名誉若しくは財産に対し害を加える旨を告知して脅迫し、又は暴行を用いて土下座を行わせた場合は、強要罪が成立し得る。
- 宿泊しようとする者が、従業者に対し、不特定多数の者の前で「馬鹿」「ブス」等と侮辱する場合は、侮辱罪が成立し得る。
- 宿泊しようとする者が、他の宿泊者に対し、著しく粗野又は乱暴な言動で迷

感をかけた場合は、軽犯罪法違反が成立し得る。
・　宿泊しようとする者が、人数を偽って宿泊する場合や宿泊料を期日までに払わない場合は、詐欺罪が成立し得る。
○　改正法による改正後の法においても、「宿泊施設に余裕がないとき」に、宿泊を拒むことができることに変わりはない（法第５条第１項第４号）。
　　また、「旅館等の宿泊施設における新型コロナウイルス感染症への対応に関するＱ＆Ａ」（令和２年４月13日付け厚生労働省医薬・生活衛生局生活衛生課事務連絡）に記載しているとおり、「宿泊施設に余裕がないとき」とは、必ずしも満室の場合だけを指すものではなく、施設の営業休止や営業規模の縮小に伴い十分な宿泊サービスを提供できない場合も含まれると解される。
　　災害により、宿泊施設に物的被害が生じたり、従業者が出勤できなかったり、といった非常に深刻な場合には、「宿泊施設に余裕がないとき」に該当し、宿泊を拒むことは可能であると考えられる。
　　なお、営業休止や営業規模の縮小等により、宿泊を断らざるを得ない場合においても、トラブル防止のため、宿泊を断る事情について、丁寧に説明することが重要である。
　　宿泊しようとする者に対し、営業者が、満室ではないにもかかわらず満室であると偽ってその宿泊の求めに応じないことは、実質的に宿泊拒否事由に該当しないにもかかわらず宿泊を拒否した場合に該当し、法第５条第１項の規定に違反することに留意されたい。
○　また、改正法による改正後の法においても、都道府県等が地域の実情に応じた宿泊拒否事由を定めることができることに変わりはない（法第５条第１項第４号）。
　　これに関して、条例においていわゆる迷惑客等に関する宿泊を拒むことができる事由が定められている場合は、法第５条第１項第３号の事由に加えて、条例で定める事由も宿泊を拒むことができる事由となる。
　　他方、条例で「言動が著しく異常」や「挙動不審」等の宿泊拒否事由が規定されている場合においても、宿泊しようとする者が、その障害の特性から、当該宿泊拒否事由に該当し得る行為を行う可能性もあるが、同行者にその特性について聴取する等し、その特性を踏まえた適切な対応を行うとともに、法第５条第２項の規定を踏まえ、宿泊しようとする者の状況等に配慮して、みだりに宿泊を拒むことがないようにするものとする。
○　また、特定感染症国内発生期間のような状況下においても、医療機関や福祉施設の従業者であることのみをもって宿泊拒否できないことに留意されたい。
○　宿泊契約締結（予約成立）前に、まだ宿泊しようとする者からの宿泊の申込みがなされないままやりとりを終えたとき又は宿泊しようとする者からの宿泊の申込みが撤回されたときは、宿泊拒否にはあたらない。
○　宿泊施設を利用する客のうち、宿泊をせず、飲食店のみを利用する者は、宿泊

しようとする者ではないため、法第5条第1項各号の対象ではないことから、同項各号に該当しない場合であっても、飲食サービスの提供を拒否することは宿泊拒否制限に反するものではないが、障害者差別解消法等の他法令や契約に基づいて対応する必要がある。

4 差別防止の更なる徹底等
(1) 従業者への研修機会の付与に関する努力義務（法第3条の5第2項関係）

> 法第3条の5　　（略）
> 2　営業者は、旅館業の施設において特定感染症のまん延の防止に必要な対策を適切に講じ、及び高齢者、障害者その他の特に配慮を要する宿泊者に対してその特性に応じた適切な宿泊に関するサービスを提供するため、その従業者に対して必要な研修の機会を与えるよう努めなければならない。

○　法第3条の5第2項により、営業者は、旅館業の施設において特定感染症のまん延の防止に必要な対策を適切に講じ、及び高齢者、障害者その他の特に配慮を要する宿泊者に対してその特性に応じた適切な宿泊に関するサービスを提供するため、その従業者に対して必要な研修の機会を与えるよう努めなければならない。

○　衛生管理に関する研修や高齢者・障害者等への配慮については、これまでも旅館業の振興指針（令和2年厚生労働省告示第52号）において求めてきた。従業者への研修機会の付与に関する努力義務については、特定感染症のまん延防止対策を適切に講ずるとともに、過去のハンセン病元患者の宿泊拒否事例も踏まえ、改正が感染症患者や障害者等の不当な差別的取扱いにつながることのないようにし、高齢者、障害者その他の特に配慮を要する宿泊者に対してその特性に応じた適切なサービスを提供できるようにするため、旅館業の従業者に対して必要な研修を行うことにより、これらの趣旨を徹底し、適正な運用を確保していく趣旨で導入されたものである。研修に当たっては、こうした趣旨を踏まえるとともに、特定感染症のまん延防止対策については、協力が必要となる内容やその理由について説明する資料や連携する医療機関のリスト等をあらかじめ用意する等により、従業者が宿泊しようとする客に丁寧に説明できるように研修されたい。

○　研修に当たっては、厚生労働省において研修ツールを別途用意しているため、適宜活用されたい。従業者への研修の方法については、営業者が従業者に対して行う研修のほか、旅館業の団体が行う全国研修や都道府県研修等に従業者が参加することも想定される。なお、研修を担う人材の育成に関し、旅館ホテル生活衛生同業組合の組合員であれば当該組合に問い合わせれば、講師の紹介等の支援を受けることができる。

○　法第3条の5第2項の規定による研修は、従業者の就職時のみならず、就職後も定期的に実施することが求められていることに留意されたい。また、旅館業の施設内の飲食店等で働く者であって、営業者の従業者でない者に対しても、それぞれの飲食店等の営業者において、提供するサービスの性質等に応じて、必要な研修等が

行われることが望ましい。
○ なお、営業者の研修の実施の有無・内容等について、定期的に確認が行われる予定であるので、協力されたい。
(2) 従業者に研修機会を付与するに当たっての留意点
① 旅館業の施設における特定感染症のまん延の防止に必要な対策
○ 営業者は、旅館業の施設において特定感染症のまん延の防止に必要な対策を適切に講じることができるよう、従業者に対し、法や本指針等の内容のほか、感染症法や特措法について、研修を受講させるよう努める必要がある。
○ 研修の内容としては、特定感染症に関する基本的な知識や感染成立に関する知見等が考えられる。
○ 研修に当たっては、国において順次作成する研修ツールを活用するほか、旅館・ホテル関係団体等の研修に参加すること等が考えられる。
② 宿泊者の特性に応じた適切な宿泊に関するサービスの提供
○ 営業者は、差別防止の更なる徹底や配慮を要する宿泊者の特性に応じた適切なサービスの提供に向けて、従業者に対し、法や本指針の内容のほか、障害者基本法や障害者差別解消法等について、研修を受講させるよう努める必要がある。
○ 特に、障害者差別は、障害に関する知識・理解の不足、意識の偏りなどにより引き起こされることが大きいと考えられることから、障害の有無にかかわらず、相互に人格と個性を尊重する共生社会を目指すことの意義を従業者が理解することが重要である。
また、こうした理念が真に理解されることが、障害者差別や、障害者が時に感じる大人の障害者に対する子ども扱い、障害者に対する命令的、威圧的、強制的な発言などの解消にもつながるものと考えられる。
このため、営業者は、従業者の研修等を通じて、障害者差別解消法の趣旨の普及を図り、建設的対話を浸透させるとともに、施設の地域の取組のなかで近隣住民への理解も促していくことが重要である。
○ 研修の内容としては、
・ 感染症法前文の意味とその経緯
・ ハンセン病元患者やＨＩＶ患者等に対する宿泊拒否事件
・ 新型コロナウイルス感染症の流行初期における患者差別の実情と要因
・ 障害者差別解消法の合理的配慮と建設的対話
・ 障害の多様性や特性
・ 障害者や認知症患者とのコミュニケーション上の留意点
・ 障害者の発作やパニックに陥った場合の対応策や支援方法
・ ヘルプマークなど障害者に関係するマークを用いた障害理解
等について理解する内容が考えられる。
その際、誰でも感染症患者にはなり得るものという前提の理解を促すとともに、単に知識だけを伝達するのではなく、上記１点目に関連して言えば、「人は

第5編　旅館業

なぜ感染症の患者を差別するのか」、「どうすれば差別を防げるのか」、「感染症の患者にどのように接すればよいのか」等を主体的に考える機会も設け、人権感覚を涵養するものとすることが望ましい。
○　研修に当たっては、国において作成する研修ツールや障害者差別解消法に基づく衛生事業者向けガイドラインを活用するほか、
・　旅館・ホテル関係団体等の研修に参加すること
・　障害者団体や自治体の障害者部局と協力して、実際に障害者の話を聞くこと（どのような行為を差別と感じるかの質疑応答を含む。）
・　社会的障壁の除去の必要性を理解するための社会モデル研修を行うこと
・　患者団体等と協力して実際に感染症患者等の話を聞くこと
等が考えられる。
（障害者差別解消法　衛生事業者向けガイドライン）
　URL：https://www.mhlw.go.jp/seisakunitsuite/bunya/hukushi_kaigo/shougaishahukushi/sabetsu_kaisho/index.html

(3) その他
① 障害者差別解消法との関係での留意点
○　協力の求めや宿泊拒否事由の該当性の判断を含め、営業者は、障害の特性を踏まえて対応することが求められる場面が考えられるが、
・　そうした場面でも適切に対応できるように、研修の中で障害の特性について従業者にしっかり習熟させることが重要である。
・　宿泊予約の際に事前に障害について申告が必要とすることは障害を理由とした不当な差別的取扱いになり得ることが考えられる。
　　このとき、障害を理由とする差別の解消の推進に関する基本方針において、「合理的配慮を提供等するために必要な範囲で、プライバシーに配慮しつつ障害者に障害の状況等を確認することは、不当な差別的取扱いには当たらない」とされていることに留意されたい。
※　営業者において、障害者に対する必要な配慮を検討することを目的として、宿泊予約の際に事前に障害について申告することを求めることは不当な差別的取扱いに当たらないが、事前申告を行わなかった障害者が宿泊予定日に来訪した際、障害について事前申告しなかったことのみを理由として宿泊拒否をすることは、法第5条第1項に違反するほか、不当な差別的取扱いになる。
○　他方、障害を理由とする宿泊拒否は、少なからず発生しているとみられる（※1）ほか、旅館業の施設における合理的配慮の認知度や令和6年4月に施行される事業者による合理的配慮の提供の義務化の認知度、研修の実施率のデータ（※2）から、障害者として障害の状況等を営業者に伝達した場合、宿泊拒否を含む不当な差別的取扱いを受けるのではないかと懸念することも考えられる。
※1　認定NPO法人全国盲導犬施設連合会「盲導犬受け入れ全国調査」報告（2020年3月25日）（抜粋）

１年間で盲導犬の受入れ拒否を受けたことがあるのは52.3％であり、その拒否に遭った場所としては、飲食店が77.4％、宿泊施設が19.9％。
※２　全国旅館ホテル生活衛生同業組合連合会「障害者差別解消法に関するアンケート　Ｗｅｂアンケート集計結果」（2023年９月）（抜粋）
　　　　「合理的配慮」という言葉を知っていると答えた施設は42.6％、意味は分からないが聞いたことはある施設は27.3％、知らなかった（このアンケートで知った）と回答した施設は30.1％。
　　　　障害者差別解消法の改正により、令和６年４月から、障害者への「合理的配慮」が事業者も義務化されることについて、知っていると回答した施設は28.9％、聞いたことはあると回答した施設は32.1％、知らなかった（このアンケートで知った）と回答した施設は39.0％。
　　　　障害の特性や障害者差別解消法、合理的配慮、障害がある方に対するサポートや理解に関する研修について行っていると回答した施設は13％、未実施だが１年以内に行う予定と回答した施設は10％。
○　これを踏まえても、営業者は、障害者差別解消法に関する研修を行う等して、合理的配慮等に関する知識の浸透に努めるよう留意されたい。
○　また、例えば、営業者として、障害の特性に応じて、どのような合理的配慮の提供ができるかをホームページ上で明らかにした上で、宿泊予約のホームページ等において、「配慮が必要なことがありましたら、ご自由に記載ください」等と記載すること等が考えられる。また、障害によっては外見からはわからない場合もあることから、旅館業の施設に来訪された方で、困っている様子の方やヘルプマーク等を身につけている方、対応が必要と思われる方がいる場合は、まずは声をかけ、その特徴を把握し、どのような対応をすべきかを判断することが重要である。また、当該者が混乱しているような状況の場合は、「配慮が必要なことがありましたら、お申し付けください」等と伝えること等が考えられる。
○　安全配慮義務との関係では、「旅館業における衛生等管理要領」において、営業者に対して、
・　事故が発生したときその他の緊急時における迅速な対応のための体制を整備する等して、宿泊者の安全や利便性の確保ができていること
・　災害時の事故防止を図るため災害時の態勢を常に整えておくこと
を求めているところであり、緊急時の対応など安全上の懸念がある場合には、障害のある方に説明を尽くした上で、その方の障害の状況やそれに応じた提供し得る配慮があるかどうかなどを、建設的な対話を通じて検討し、代替案を提示すること等が重要である。
　　　　また、安全上の問題も障害者差別解消法上の正当な理由の一事由になり得ると考えられるが、それが本当に正当と言えるかどうかは慎重な判断が求められると考えられる。
　　　　障害の種類や程度、サービス提供の場面における本人や第三者の安全性などに

ついて考慮することなく、漠然とした安全上の問題を理由に宿泊を拒否することは、「宿泊施設に余裕がないとき」にも当たらないと考えられるほか、障害者差別解消法上の不当な差別的取扱いに該当すると考えられることに留意されたい。
② 施設面等の環境整備等
○ 障害者差別解消法第5条において、事業者は、社会的障壁の除去の実施についての必要かつ合理的な配慮を的確に行うため、関係職員に対する研修のほか、自ら設置する施設の構造の改善及び設備の整備その他の必要な環境の整備に努めなければならないとされている。
○ 高齢者、障害者等の移動等の円滑化の促進に関する法律（平成18年法律第91号）において、ホテルや旅館は特別特定建築物と位置付けられており、一定規模以上の特別特定建築物の建築等を行う場合には、建築物移動等円滑化基準への適合が義務づけられているほか、一定規模未満の特別特定建築物の建築等を行う場合や、既に建築されている特別特定建築物については、建築物移動等円滑化基準への適合に向けた措置が努力義務となっている。同法及び法第3条の5第1項を踏まえ、
・ 全国旅館ホテル生活衛生同業組合連合会におけるシルバースター登録制度
・ 国土交通省による宿泊施設バリアフリー促進事業
等の活用も検討しつつ、施設面での環境整備にも努めることが重要である。
○ また、障害者による情報の取得及び利用並びに意思疎通に係る施策の推進に関する法律（令和4年法律第50号）において、事業者は、その事業活動を行うに当たっては、障害者がその必要とする情報を十分に取得し及び利用し並びに円滑に意思疎通を図ることができるようにするよう努めるとともに、国又は地方公共団体が実施する障害者による情報の取得及び利用並びに意思疎通に係る施策に協力するよう努めなければならないとされている。
例えば、
・ 聴覚障害者が、従業者に問い合わせをできるよう、電話だけでなくメールでも問い合わせを行うことができるようにすることや、聞こえづらくとも使用できるよう、字幕表示の設定が可能なテレビ等の設備を備えること
・ 災害発生の時に、非常警報が分かるようパトライトなどの表示灯の設置をすること
・ 障害の特性から、列に並ぶ等の施設上のルールが自閉症等の障害者には理解しにくいことが考えられるため、足形やロープを張るといった構造化や「順番に並んでください」等の表示の視覚的支援を行うこと
等を検討することが重要である。
○ 営業者におかれては、こうした施設面等の環境を整備した際には、ホームページ等で情報を公開することが望ましい。
また、こうした施設面等の環境整備やその情報の公開は、前記(3)①において記載した障害の特性を踏まえた対応を行う上での前提となる重要な一部でもあるこ

とに留意されたい。
5 その他
(1) 報告徴収等（法第7条第1項等関係）

> 法第7条　都道府県知事は、この法律の施行に必要な限度において、営業者その他の関係者から必要な報告を求め、又は当該職員に、旅館業の施設に立ち入り、その構造設備若しくはこれに関する書類を検査させ、若しくは関係者に質問させることができる。
> 2～4　（略）
> 法第7条の2　都道府県知事は、旅館業の施設の構造設備が第3条第2項の政令で定める基準に適合しなくなったと認めるときは、当該営業者に対し、相当の期間を定めて、当該施設の構造設備をその基準に適合させるために必要な措置をとるべきことを命ずることができる。
> 2　都道府県知事は、旅館業による公衆衛生上の危害の発生若しくは拡大又は善良の風俗を害する行為の助長若しくは誘発を防止するため必要があると認めるときは、当該営業者に対し、公衆衛生上又は善良の風俗の保持上必要な措置をとるべきことを命ずることができる。
> 3　都道府県知事は、この法律の規定に違反して旅館業が営まれている場合であって、当該旅館業が営まれることによる公衆衛生上の重大な危害の発生若しくは拡大又は著しく善良の風俗を害する行為の助長若しくは誘発を防止するため緊急に措置をとる必要があると認めるときは、当該旅館業を営む者（営業者を除く。）に対し、当該旅館業の停止その他公衆衛生上又は善良の風俗の保持上必要な措置をとるべきことを命ずることができる。
> 法第8条　都道府県知事は、営業者が、この法律若しくはこの法律に基づく命令の規定若しくはこの法律に基づく処分に違反したとき、又は第3条第2項各号（第4号を除く。）に該当するに至ったときは、同条第1項の許可を取り消し、又は1年以内の期間を定めて旅館業の全部若しくは一部の停止を命ずることができる。
> （略）
> 法第11条　次の各号のいずれかに該当する者は、これを50万円以下の罰金に処する。
> 一　第5条又は第6条第1項の規定に違反した者
> 二　第7条第1項又は第2項の規定による報告をせず、若しくは虚偽の報告をし、又は当該職員の検査を拒み、妨げ、若しくは忌避し、若しくは質問に対し答弁をせず、若しくは虚偽の答弁をした者
> 三　第7条の2第2項又は第3項の規定による命令に違反した者

○　法第7条に基づき、都道府県等は、この法律の施行に必要な限度において、旅館業の営業者その他の関係者から、
・　法第4条の2第1項の規定に基づいて行った協力の求めの内容

第5編　旅館業

　　　・　法第5条第1項各号の規定に該当すると認め、宿泊しようとする者の宿泊を拒んだこと
　　等について、必要な報告を求めることができるとされている。
　○　営業者におかれては、以下の点に留意されたい。
　　　・　都道府県等は、営業者が不適切な宿泊拒否や感染防止対策への協力の求めを行っていることを把握した場合、営業者に対して、法第7条の報告徴収等を行い、必要な場合は法第8条の規定により営業の許可の取消しや営業の停止を行うことがあり得ること。
　　　・　営業者が法第5条第1項の宿泊拒否制限の規定に反して宿泊拒否をする場合や、法第7条の報告徴収等に応じない場合等は、法第11条の規定により罰則の対象となり得ること。
(2) 法以外の事項
　○　特定感染症国内発生期間中の旅館業の施設における体調不良の者への対応について、施設のホームページや入館時の案内等において、あらかじめ利用者に概要を周知することが望ましい。また、発熱や咳(せき)・のどの痛みなどの症状がある者に対しては、来館を控えるよう呼びかけることも考えられる。
　○　不特定多数の者が宿泊する旅館業の施設において、感染症の拡大防止の観点から、換気の徹底は重要な対策の一つであり、新たな感染症発生時に、科学的知見に基づいて換気を行えるよう、必要な対策を講じることが望ましい。
　※　建築物における衛生的環境の確保に関する法律（昭和45年法律第20号）第2条に基づく特定建築物（延べ床面積が3000㎡以上の旅館業の施設も特定建築物に該当する。）では、建築物環境衛生管理基準に従って当該建築物の維持管理を行うことが義務付けられており、二酸化炭素濃度を1000ppm以下とすることは当該基準の一つとして規定されている。なお、「感染拡大防止のための効果的な換気について（令和4年7月14日　新型コロナウイルス感染症対策分科会）」では、必要な換気量（1人当たり換気量30㎥／時を目安）を確保するため、二酸化炭素濃度を概ね1000ppm以下に維持とすることとされている。
　○　プライバシーの侵害とならないよう、営業者が、感染防止対策への協力の求めの際に、宿泊しようとする者から個人情報を取得する場合は、個人情報の保護に関する法律（平成15年法律第57号。以下「個人情報保護法」という。）等に基づき、
　　　・　個人情報の利用目的をできる限り特定した上で、当該利用目的の通知又は公表等を適切に行うこと（個人情報保護法第17条第1項・第21条第1項）
　　　・　要配慮個人情報（※）を取得する場合には、原則として、あらかじめ本人の同意を得ること（個人情報保護法第20条第2項）
　　　　※　「要配慮個人情報」とは、本人の人種、信条、社会的身分、病歴、犯罪の経歴、犯罪により害を被った事実その他本人に対する不当な差別、偏見その他の不利益が生じないようにその取扱いに特に配慮を要するものとして政令で定める記述等が含まれる個人情報をいう（個人情報保護法第2条第3項）。

- 関係機関等に対して個人データの第三者提供を行う場合には、原則として、あらかじめ本人の同意を得ること（個人情報保護法第27条第1項・同条第2項）
- 原則として、あらかじめ本人の同意を得ないで、上記で特定された利用目的の達成に必要な範囲を超えて、個人情報を取り扱わないこと（個人情報保護法第18条第1項）

等が徹底される必要がある。

特定感染症国内発生期間において、宿泊しようとする者のプライバシーに関わる情報の記録や保存、アクセス権限者の設定等、個人情報の管理について、最善の注意を払う必要がある。

営業者が個人情報を取り扱うに当たって、個人情報保護法に違反する場合は、個人情報保護委員会が勧告・命令を行うことができ、その命令に違反したときは罰則が適用され得る（個人情報保護法第178条）ほか、感染症法において、感染症の患者であるとの人の秘密を業務上知り得た者が、正当な理由なくその秘密を漏らしたときは罰則の対象となり得る（感染症法第74条第1項）。

○ 外国人に対しては、一般的な感染症対策（法の規定を含む。）について厚生労働省ホームページにおいて周知するので、これを適切に活用することが望ましい。

また、訪日外国人旅行者向けに、相談窓口や体調を崩した場合の医療機関の受診方法等について日本政府観光局のウェブサイトにおいて周知しているので、これらを活用することも考えられる。

URL：https://www.jnto.go.jp/emergency/eng/mi_guide.html

(3) 相談窓口等
  ○ 相談窓口（令和5年11月15日時点）
    ・自治体：
    https://www.mhlw.go.jp/stf/seisakunitsuite/bunya/0000188046_00007.html
    ・営業者向け：

団体名	連絡先	対応日時等
全国旅館ホテル生活衛生同業組合連合会（全旅連）	http://www.yadonet.ne.jp/info/eigyousya_soudan.html	
日本司法支援センター（法テラス）	TEL：0570-078374（おなやみなし）メールでのお問合せも受け付けています。https://www.houterasu.or.jp/index.html	平日 9：00～21：00 土曜日 9：00～17：00 （日曜日・祝日は除く）

人権相談は、こちら

第5編　旅館業

	連絡先	対応日時等
法務局	TEL：0570-003-110（みんなの人権１１０番） その他の人権相談の方法はこちら https://www.moj.go.jp/JINKEN/index_soudan.html 　（法務省ＨＰ（人権相談））	平日 8：30〜17：15

・利用者向け：
　契約トラブルについては、こちら

団体名	連絡先	対応日時等
消費生活センター等	TEL：188 消費者ホットライン１８８：消費生活センターや消費生活相談窓口を案内します。	各相談窓口による
日本司法支援センター（法テラス）	TEL：0570-078374（おなやみなし） メールでのお問合せも受け付けています。 https://www.houterasu.or.jp/index.html	平日 9：00〜21：00 土曜日 9：00〜17：00 （日曜日・祝日は除く）
公益社団法人全国消費生活相談員協会（週末電話相談室）	TEL：03-5614-0189（東京）	土曜日・日曜日 10：00〜12：00 13：00〜16：00 （年末年始を除く。）
	TEL：06-6203-7650（大阪）	日曜日 10：00〜12：00 13：00〜16：00 （年末年始を除く。）
	TEL：011-612-7518（北海道）	土曜日 13：00〜16：00 （年末年始を除く。）

公益社団法人日本消費生活アドバイザー・コンサルタント・相談員協会（ウィークエンド・テレホン）	TEL：03-6450-6631（東京）	日曜日 11：00〜16：00 （年末年始を除く。）
	TEL：06-4790-8110（大阪）	土曜日 10：00〜12：00 13：00〜16：00 （年末年始を除く。）

人権相談は、こちら

	連絡先	対応日時等
法務局	TEL：0570-003-110（みんなの人権１１０番） その他の人権相談の方法はこちら https://www.moj.go.jp/JINKEN/index_soudan.html 　（法務省ＨＰ（人権相談））	平日 8：30〜17：15

・訪日外国人観光客向け：
　契約トラブルについては、こちら

団体名	連絡先	対応日時等
訪日観光客消費者ホットライン	TEL：03-5449-0906 ※対応言語： 英語、中国語、韓国語、タイ語、ベトナム語、フランス語、日本語	平日 10：00〜16：00 （土日祝・12／29〜1／3は除く。）

○　厚生労働省ＨＰ：
https://www.mhlw.go.jp/kaiseiryokangyohou/
※　厚生労働省において、旅館業の施設内に掲示できる相談窓口一覧の資料を用意しているため、必要に応じて施設内に掲示することが考えられる。

第5編　旅館業

Ⅱ　基本通知編

第1章　共通事項

○旅館業法等施行に関する件

〔昭和23年8月18日　厚生省発衛第10号〕
〔各都道府県知事宛　厚生事務次官通知〕

〔改正経過〕
　　第1次改正　〔昭和32年8月発衛第371号〕

　従来旅館、ホテル、下宿、アパート等のいわゆる旅館業及び公衆浴場並びに映画館、演劇場その他の興行場に対する取締は、警察命令に基づき各都道府県が区々にこれを実施して来たところであるが、新憲法の趣旨にかんがみ、これ等は何れも法律をもって規定すべきこととなったので、今回、旅館業法、公衆浴場法及び興行場法が制定され7月15日からそれぞれ施行されることとなったのである。いうまでもなく、これ等多数人の集合出入する場所の衛生上の取締は、公衆衛生の見地からすこぶる重要な事項であり、かつその運営の適否は直接国民に影響を及ぼすものであるから、法の運営にあたっては、立法の趣旨及び下記各項に十分留意の上、その万全を期せられたく命によって通知する。

　　　　　　　　　　　　　　　　記

第1　一般事項
　1　立法の趣旨
　　　旅館業法、公衆浴場法及び興行場法は、旅館業、公衆浴場及び興行場の経営が公衆衛生の見地から支障なく行われることを目的とするものである。従来これ等の営業に対する取締は警察行政の一環として、衛生、風紀、保安等の見地から実施せられて来たものであるが、警察制度の改革及び新憲法の趣旨に則り、営業の取締は一に公衆衛生の見地からのみこれを実施するように改められたこと。但し警察、消防等の見地からする一定限度の行政権がこれ等の営業に対して、関与することは、軽犯罪法（昭和23年法律第39号）、警察官等職務執行法（昭和23年法律第135号）又は消防法（昭和23年法律第186号）等の規定するところであり、従って旅館業法、公衆浴場法及び興行場法の施行に当たっては、夫々関係当局とも密接に連絡協調の上その万全を期すること。
　2　運用上の注意
　　　本法の運用にあたっては、上記立法の趣旨に鑑み、いたずらに取締に偏することなく、営業者に対しては、取締を実施する反面、公衆衛生知識の普及向上を図り、もって営業の社会公共性を自覚せしめるようその指導育成に努めること及びこれ等営業の

許可処分、その他行政処分等の実施はその公正明朗なることを期するため要すれば、関係行政庁の官吏、吏員、学識経験者、営業各代表者等による各運営協議会等の組織をも考慮すること。
 3 略
 4 営業不許可の取扱
  従来営業不許可の場合は、許可出願者に対して別段の通知を必要としなかったのであるが、本法においては、とくにかかる場合は、必ず理由を附した書面をもって、その旨を通知することとしたこと。
 5 立入検査
  当該吏員が、営業施設に立入検査を行う場合は、必ず「環境衛生監視員の証」を携帯し、且つ、営業者、管理者、従業者等関係人の請求があるときは、これを呈示しなければならないこととなっているが、請求の有無にかかわらず、積極的に呈示するよう指導すること及び立入の時間は原則としてその営業時間（公開時間）中に限り且つ、みだりに営業者の正当な業務を妨害してはならないこと。
 6 公開による聴聞
  営業許可の取消、停止等の行政処分を行う場合は、公開による聴聞を行うこととなっているが、これは行政処分を適法かつ妥当ならしめようとする趣旨であるから、とくにこの点に留意し、その運用に万全を期すること。
 7 経過措置
  従来の警察命令は何れも昭和22年12月末日をもってその効力を失うこととなったので本法施行までの間に、新たに営業を開始し、本法施行当時これを営んでいるものが相当あるので、これらの者は、とくに本法施行後２月間は引き続きこれを営むことができることとし、更に、この期間内にその旨を届け出るときは所定の許可を受けた者とみなすこととなっている。
  併し乍らこの場合においても、公衆衛生上必要な措置は十分講ずる必要があるので、届出のあった際その施設を実地調査し、不十分のものについては改修その他の措置を講ずるよう指導すること。
第２ 旅館業に関する事項
 1 廃止
 2 宿泊者名簿
  従来宿泊者については、宿泊人名簿の外投宿届、宿泊人出発届、下宿転宿出発届等を作製提出することとされていたのであるが、これ等を全て廃止して宿泊者名簿のみに統一したのであって、更に又これは犯罪捜査等の参考に供せしめるものであり、従ってその様式を定めるに当たっては右趣旨を考慮の上これを実施すること。
第３ 浴場業に関する事項
 1 公衆浴場の適正配置
  公衆浴場は燃料事情窮迫の今日国民生活に及ぼす影響は至大なものがあるので、営業許可にあたっては利用者の人口、密度、距離の遠近等を考慮し公衆浴場の偏在を避

けて、利用者数に比例した適正配置を図るよう努めること。
2 法第3条に規定する風紀に必要な措置とは、主として男女混浴の禁止を意味するものであって、警察的風紀取締に非ざること。
3 法第4条規定の趣旨は患者と一般健康者との混浴による公衆衛生上の危害を防止することにあるので、厳正に実施するよう監督指導すると共に、特殊の業態に従事する者等のためには、その者等の利用のみに供し、逆に健康者の利用を禁止ないし制限するごとき公衆浴場の設置を図るよう指導すること。

第4 興行場営業に関する事項
 1 興行場の範囲
  本法第1条の興行場の範囲は、所謂映画館、劇場、音楽堂、野球場その他の運動競技場、演芸場及び観せ物場であり、各種展覧会、博覧会、公営の動物園、植物園、博物館等は本法の適用外であること。
 2 仮設興行場の取扱
  常設の施設でなく季節的又は一時的に仮設して営業を行う興行場の取扱は、常設のものと区別し従来簡易な手続を以って実施されて来たものであるが、本法施行後は別段の取扱をせず常設のものと同様に取り扱うこと。(但しその施設の構造設備の基準及び法第3条の措置の基準設定に当たり多少の考慮は差し支えない。)

○旅館業法の一部を改正する法律等の施行について(依命通達)

[昭和32年8月7日　厚生省発衛第371号
各都道府県知事・各指定都市市長宛　厚生事務次官通知]

旅館業法の一部を改正する法律(別紙1)は、昭和32年6月15日法律第176号をもって公布施行され、これに基き、旅館業法施行令(別紙2)が、昭和32年6月21日政令第152号をもって、また、旅館業法施行規則の一部を改正する省令(別紙3)が昭和32年8月1日厚生省令第34号をもって公布、それぞれ即日施行されたが、これが実施に当っては、その趣旨の普及徹底につとめるはもちろん、特に次の事項に御留意のうえ、その実施に遺憾のないようにされたく、命により通達する。

おって、この通達においては、改正後の旅館業法を「法」と、従前の旅館業法を「旧法」と、旅館業法施行令を「施行令」とそれぞれ略称する。

記

第1 改正の趣旨
 旅館業に対する規制は、従前は、単に施設面について、しかも公衆衛生上の見地からのみ、これを行ってきたところであるが、旅館業の本来の性格から考えた場合、その健全な発展を図るうえからは、必ずしも十分とはいい得ない面もあり、特に最近は、一部の地域において教育上からも種々批判を受けるような事例もあったことにかんがみ、新

たに風俗的見地をも加味した規制を行うこととし、また、営業の施設の水準の向上を期するため、その構造設備の基準を政令で定めることとしたものであること。

第2　運用に関する事項

(1)　この法律の目的の改正により、公衆衛生上の見地のほか、新たに旅館業によって善良の風俗が害されることがないようにこれに必要な規制を加えることが加えられたので、今後法を施行するに当っては、この面からの配意も十分に行われたいこと（法第1条）。

(2)　今回の改正により、旅館業の種別に新たに簡易宿所営業が加えられたが、これは、この種の営業が新たに旅館業法の適用を受けることとなったものではなく、一般的には、旧法第2条第3項の旅館として旧法の適用を受けていたものであるが、一般の旅館とは構造設備面を著しく異にするところから、今回更にこれを区分することにより、実情に即した指導取締を行い得るよう改められたものであること。

なお、改正法附則第2項の規定により、改正法施行の際、許可を受けて旅館業を経営している者は、それぞれの業態に応じてホテル営業、旅館営業、簡易宿所営業又は下宿営業の許可を受けたものとみなされることとなったこと（法第2条及び改正法附則第2項）。

(3)　1　構造設備の基準は施行令等において定められたが、この基準に適合しない施設については、申請者の資格要件の場合と異り、許可を与えないようにされたいこと。

また、改正法施行の際、現に許可を受けて旅館業を経営している者は、当該施設の構造設備が今回定められた基準に適合していなくても従来都道府県知事（指定都市にあっては、その市長。以下同じ。）が定めた基準に適合している限り、昭和35年6月14日までは、法第7条の2の規定による改善命令は発し得ないものであるが、できるだけ早急に今回定められた基準に適合させることが望ましいのはもとよりであり、特に、例えば、施行令第1条第1項第9号及び同条第2項第8号の如く風俗的見地からの基準については、可能な限りすみやかに改善措置が行われるよう適切な指導を行われたいこと。更に、構造設備の基準が政令で定められることとなったことにともない、都道府県及び指定都市の諸規程については、すみやかにこれが改廃を行うとともに、施行令で規定された基準は、一般的に全国に共通するものを定めたものであるから、各都道府県知事においては、その地方の実情に応じ施行令第1条に規定された事項以外の事項について、特に公衆衛生又は善良の風俗の維持上附加すべき事項の必要を認めたときは、その基準を定め、営業の施設の質的向上を図られたいこと（法第3条第2項前段並びに施行令第1条第1項第10号、第2項第9号、第3項第7号及び第4項第5号）。

2　営業者の人的資格要件が規定され、営業の適格者でなければ営業の許可は与えられないこととなったが、この場合は、構造設備の基準と異り、申請者が法第3条第2項の各号の一に該当するときであっても一律に不許可処分として取り扱うことなく、申請者個々につき十分審査を行い、改しゅんの情が顕著である等旅館業者として支障がないと認められるときは、許可を与えても差し支えないものであること

第5編　旅館業

　　　（法第3条第2項前段）。
　　3　営業の施設の設置場所が学校（大学を除く。以下同じ。）の敷地（その用に供するものと決定した土地を含む。以下同じ。）の周囲おおむね100メートルの区域内にある場合においては、その設置によって清純な教育環境が著しく害されるおそれがあると認めるときは、許可を与えないことができることとされたが、営業の自由の尊重と清純な教育環境保持との相互間の適切な調整に関する具体的方針及び都道府県の教育委員会等との行政上の連絡については、文部省とも協議のうえ、別途指示する予定であること（法第3条第2項後段及び第3項）。
(4)　旅館業の健全化を図るため、営業者が営業の施設を利用させるについて善良の風俗が害されないようにするための基準が施行令第3条で定められ、施行令施行の日から営業者のすべてに対し適用されることとなったが、この規定は、その性質上、単に行政上の取締のみによっては必ずしも十分実効を期し得るものではないから、監視指導に努める一方業界自体の自主的自粛を図るようその指導に当られたいこと（施行令第3条）。
(5)　いわゆる立入検査の規定が改正され、構造設備又はこれに関する書類についてのみ検査できることとなったが、これは、立入検査にあたって営業者の正当な業務をみだりに妨害することのないようにするための配慮に基くものであり、したがって旅館業法の目的に風俗上の規制が加えられたことにより、今後は特に、必要以上に利用者の静穏な宿泊行為を阻害することのないよう十分注意されたいこと（法第7条第1項）。
(6)　今回の改正によって営業者がこの法律又はこの法律に基く処分に違反した場合、即ち、法第3条第6項の条件違反、法第7条の2の改善命令違反、法第8条の営業停止命令違反、法第4条の違反等の場合のほか、当該営業に関し、刑法第182条（公然わいせつ罪）等風紀関係の法令に違反したときも、許可の取消又は営業停止の事由とすることができるようにしたことにより、従来ややもすれば起りがちであった営業の施設に関連して行われる風紀事犯を防止し、旅館業の健全な発達に資することとしたのであるが、特に旅館業法以外の法令違反に関するこの規定の適用については、関係行政機関との緊密な連絡のもとに客観的に明白な犯罪事実の存在を確めたうえ行うよう配意願いたいこと（法第8条）。

第3　その他の事項
(1)　今回の改正により、風俗的見地からの規制が加えられることとなったが、特にこの点については、その性質上、業界自体の自粛にまつことが大であり、従って、旅館業の運営については単に旅館業法に抵触しなければ事が足りるという態度でなく、業界自体の自覚によって不健全な経営方法が排除されて行くよう、業界及びその他の関係機関とも緊密な連絡をとり、もって所期の目的が達成されるよう格別の配慮を願いたいこと。
(2)　今回の改正により法第3条第1項の許可は、法第2条第1項に規定する営業の種別ごとになされることとされたが、従来、とかく営業者が当該営業の施設についての表

示、広告等を行う場合、営業の種別が混交して用いられたため、利用者に不便を生じさせていた事例のあったことにもかんがみ、今回の改正を機に、その表示、広告等を行う場合には、その種別を明瞭に示させるよう指導に努められたいこと。

なお、昭和23年8月18日厚生省発衛第10号各都道府県知事あて厚生事務次官通達「旅館業法等施行に関する件」中第2旅館業に関する事項の部分中1ホテル、旅館及び下宿の基準は廃止することとしたので、この点も併せて御了知ありたいこと。

別紙1～3 略

○旅館業法の一部を改正する法律等の施行について

[昭和32年8月3日　衛発第649号
各都道府県知事・各指定都市市長宛　厚生省公衆衛生局長通知]

標記については、別途厚生事務次官より通達されたところであるが、なお、次の事項につき御留意のうえ、その実施に遺憾のないようされたい。

記

第1　一般的事項について

(1) 改正後の旅館業法（以下「法」という。）第2条第1項の規定により旅館業の種別がホテル営業、旅館営業、簡易宿所営業及び下宿営業に区分され、今後は、法第3条第1項の許可は、この営業の種別ごとになさるべきものであること。従って、営業の許可を受けた者が当該営業の種別を変更しようとするときは、法第3条第1項ただし書の場合を除いて、すべて新たに許可を必要とするものであること。

なお、改正法施行の際従来の簡易旅館として許可を受けて営業している者については、改正法附則第2項の規定により、それぞれの業態に応じ、旅館営業又は簡易宿所営業の許可を受けたものとみなされることとなったこと（法第2条及び改正法附則第2項）。

(2) ホテル営業、旅館営業及び簡易宿所営業の区分は、それぞれその構造設備によって定められたが、このホテル営業の定義である洋式の構造及び設備を主とする施設とは、単に客室内調度及び寝具設備のみでなく、宿泊の態様が洋風であるような構造及び設備を主とする施設をいい、従って、例えば、客室以外のロビーその他客の共用に供し得る公室、食堂の設備等を具有することが洋式による構造及び設備の一環になるものであること。従って、客室に単に洋式の寝具設備のみが備えられているような場合は、簡易宿所営業に該当するものを除いては、旅館営業に該当するものであること（法第2条第2項、第3項及び第4項）。

(3) 法第2条第5項の規定により、下宿営業の定義が1月以上の期間を単位とする宿泊料を受けて人を宿泊させる営業に改められたので、1月未満の期間を単位とする宿泊料を受けて人を宿泊させることを営業として行う場合は、その施設の構造設備に応じ

第5編　旅館業

てホテル営業、旅館営業又は簡易宿所営業としての法の適用を受けるものであること（法第2条第5項）。

(4)　法第2条第6項で宿泊の定義が規定されたので、寝具を使用して施設を利用させるものはすべて法第2条第2項から第5項までに規定する施設の一に該当することとなり、従って、例えば、時間単位で利用させる施設であっても寝具を使用する限りは、法第3条第1項の許可を要するものであること。

なお、いわゆるアパート、間貸し等のように一時的又は比較的短期間の止宿のための施設と通常目されないものは、法第2条第5項の下宿には該当しないものであること（法第2条第6項）。

第2　構造設備等について

(1)　従来、都道府県（指定都市を含む。）において制定されている旅館業法施行に関する諸規定のうちで改廃の措置を必要とする部分は、旅館業法施行令（昭和32年政令第152号。以下「令」という。）第1条及び令第2条並びにこれに基いて改正旅館業法施行規則（以下「規則」という。）第3条の規定に抵触する規定であり、また、令第1条第1項第10号、第2項第9号、第3項第7号及び第4項第5号に基く附加すべき基準は、地方の実情に即してすみやかに規定されたいこと（令第1条及び第2条並びに規則第3条）。

(2)　令第1条第1項第2号イ、第2項第2号及び第3項第1号の床面積とは、宿泊者が利用し得る部分の面積であって、これには押入、床の間等は含まれないが、客室に附属する浴室、便所、板間等は含まれるものであること（令第1条）。

(3)　令第1条第1項第4号、第2項第4号、第3項第3号及び第4項第1号に規定する適当な換気、採光、照明、防湿及び排水の設備とは、少くとも法第4条第2項の規定に基いて制定された衛生措置の基準の条例に規定された事項を十分遵守し得るようなものでなければならないこと（令第1条）。

(4)　令第2条の規定に基いて定められた規則第3条の構造設備の基準の特例は、季節的又は臨時的に利用されるもの、交通が著しく不便な地域に設置されるもの等特殊の事情により一般的な構造設備の基準により難いものに対して適用されるものであるから、法第3条第6項の規定による条件を附する等の措置例えば、季節的営業の期間を明確にして申請させ、それを条件として許可し、或いはまた、一般の旅館業の許可に際しても、当該施設が季節的営業を行い、又はこれを廃止して従前の一般の旅館業を営む場合には、あらかじめその旨を届け出させることを条件とすることによって適確円滑な運用を図ることとし、いやしくも脱法的意図のもとに運用されることのないよう厳に営業者の指導監督に当られたいこと。従って、条件を附されたかかる施設が当該期間外等において営業する場合は、当然条件違反として法第8条に該当するものであること。

また、規則第3条第3項の規定により、同条第2項に規定する客室数、客室ごとの床面積以外に、季節的状況、地理的状況等によっては、令第1条の基準の特例を許可権者において認め得ることができることとされたが、これは、同条第2項の更に例外

規定であるから厳格に適用されなければならないものであるので、例えば、海水浴場において夏季に限り営業されるホテル営業の施設の場合における令第1条第1項第7号の基準の特例のごとく真に必要がなく、かつ、公衆衛生の維持に支障がないとき及び令第1条の一般的基準によることがきわめて困難な場合であって、かつ、公衆衛生の維持に支障がないときに限ってのみ、規則第3条第3項の規定によるべきであり、従って、個々の施設について十分検討のうえ慎重に処理されたい（令第2条及び規則第3条）。
(5) 法第3条第2項各号の人的資格要件は、旅館業法の一部を改正する法律の施行以後になされた行為についてのみ適用されるものであり、従って例えば、旧法当時許可の取消を受けたものは、該当しないものであること（法第3条第2項）。
(6) 法第3条第6項の規定により許可に際し、公衆衛生上の見地から必要な条件を附することができることとされたので、個々の営業の施設を許可するに当っては、その状況により必要かつ適宜な条件を附することによって、その施設の水準の維持向上に配意されたいこと（法第3条第6項）。

第3 営業上遵守すべき事項について
(1) 法第4条第3項の規定に基いて営業者が当該営業の施設を利用させるについて善良の風俗を害さないようにするための基準が令第3条で定められたが、この場合の善良の風俗が害されるかどうかは、刑法（明治40年法律第45号）第174条の公然わいせつ罪のごとく風紀上の法令に違反するときはもとより、社会通念上の良俗維持の観点から判断されるべきものであること。従って、例えば、成人に対しては特に考慮を払う必要がない文書、図画その他の物件であっても、修学旅行の児童、生徒が宿泊する場合には令第3条第1号の善良の風俗が害されるような文書、図画その他の物件に該当することもあるので、この点個々の営業の施設の実態に応じ、健全な旅館業の発展の見地から十分に指導されたいこと（法第4条第3項及び令第3条第1号）。
(2) 令第3条第2号の善良の風俗が害されるような広告物の掲示とは、広告物の個々の内容自体を採り出して判断すべきではなく、広告物全体に対する総合的判定の結果からして善良の風俗が害されると認められるようなものが、これに該当するものであり、特に近時社会風教上の見地から種々批判を醸し出すような広告物が散見されるので、この点十分趣旨の徹底につとめ、営業者の自粛を図られたいこと。
　なお、広告物の掲示は、他の都道府県等の区域にわたるような場合もあるので、これが相互連絡には、十分意を用いられたいこと（令第3条第2号）。
(3) 法第8条の規定により営業者をはじめその代理人、使用人その他の従業者において当該営業に関し、一定の風紀事犯のあったときは、営業許可の取消又は営業の停止を行い得ることとして、旅館業の健全な発達を期することとされたが、この規定は、刑法及び婦女に売淫をさせた者等の処罰に関する勅令に関しては、営業者等が主犯であるときはもとより、刑法第61条の教唆犯及び第62条の従犯のときも適用されることに注意されたいこと（法第8条）。

第4 その他の事項

営業の施設を利用させる場合の宿泊者の定員については、従来から格段の配意を願っているところであるが、ややもすれば施設の規模に比して遥かに過剰な人員を収容するような営業者も一部に存在するので、客室の広さに応じて遵守すべき定員を明確に規定する等の措置を講ずるとともに、これが指導の徹底を図り宿泊者の公衆衛生の保持に十分留意されたいこと。

○旅館業法の一部を改正する法律の施行について

［昭和33年4月1日　衛発第276号
各都道府県知事・各指定都市市長宛　厚生省公衆衛生
局長通知］

　旅館業法の一部を改正する法律は、別紙のとおり、昭和33年3月31日法律第25号をもって公布、同年4月1日から施行されたが、本改正は、婦女に売淫をさせた者等の処罰に関する勅令（昭和22年勅令第9号）が売春防止法（昭和31年法律第118号）附則第2項の規定により廃止されたことに伴い、旅館業の許可の取消及び営業停止に関する規定の整備を図らんとするものであって、これが実施の適否は、旅館業法の狙いとする快適静穏な宿泊を期するうえのみならず、売春防止法の完全な施行にも影響を及ぼすものであるから、万遺憾なきを期せられたく、通知する。

○旅館業法の一部を改正する法律の施行について

［昭和33年4月19日　衛環発第41号
各都道府県・各指定都市衛生主管部（局）長宛　厚生省
環境衛生部長通知］

　標記の件については、さきに昭和33年4月1日衛発第276号厚生省公衆衛生局長通達により示されたところであるが、このたび警察庁保安局防犯課長から別添写のとおり警視庁防犯部長等あて通知されたので、この旨了知のうえ、旅館業の許可取消等に関する取扱については昭和32年11月11日衛発第978号厚生省公衆衛生局長通達によって示されたところにより、今後とも一層都道府県警察との連絡を密にし、旅館業法施行の円滑適正化とこれが実効の確保に努められたい。

別　添

　　　旅館業法の一部を改正する法律の施行について

［昭和33年4月8日　警察庁丁防発第4号
警視庁防犯部長・道府県（方面）警察本部長・管区警察
局保安（公安）部長宛　警察庁保安局防犯課長通知］

　さきに第28回国会において成立した旅館業法の一部を改正する法律が、別紙のとおり昭和33年3月31日法律第25号をもって公布、同年4月1日から施行されたので、都道府県警察におかれては、この旨を了知の上、昭和32年11月11日付警察庁乙刑発第17号警察庁次長通達の趣旨に従い、運用上遺憾のないよう配意されたい。

別　紙

旅館業法の一部を改正する法律（昭和33年3月31日法律第25号）
旅館業法（昭和23年法律第138号）の一部を次のように改正する。
第8条第3号を次のように改める。
3　売春防止法（昭和31年法律第118号）第2章に規定する罪
　　　附　則
（施行期日）
1　この法律は、昭和33年4月1日から施行する。
（経過規定）
2　この法律の施行前に婦女に売淫をさせた者等の処罰に関する勅令（昭和22年勅令第9号）に規定する罪を犯したことを理由とする第3条第1項の許可の取消又は営業停止の処分については、なお従前の例による。

○旅館業法の一部を改正する法律の施行について

［昭和45年6月11日　環衛第83号
　各都道府県知事・各指定都市市長宛　厚生省環境衛生局長通知］

　旅館業法の一部を改正する法律（以下「改正法」という。）が昭和45年5月18日法律第65号をもって公布され、同日施行された。今回の改正は、近年都市近郊、主要幹線道路周辺等に多数設置されているいわゆるモーテルと称する旅館のなかに風紀上及び教育環境上好ましくない影響を与えるものがあり、一部地域においては社会的に批判を受けるような事例も見受けられることにかんがみ、これらモーテルに対する規制の強化を主たる目的として行なわれたものである。
　改正の要旨及び運用上留意すべき事項は下記のとおりであるので、これが運用に遺憾のないようにされたい。なお、近く関係政省令についても改正を行なう予定であるので申し添える。

　　　　　　　　　　　　　　記

第1　改正の要旨
　1　旅館業の営業施設の設置場所が、次に掲げる施設の敷地（その用に供するものと決定した土地を含む。以下同じ。）の周囲おおむね100メートルの区域内にある場合において、その設置によって当該施設の清純な施設環境が著しく害されるおそれがあるときは、営業の許可を与えないことができることとしたこと（第3条第3項）。
　　(1)　児童福祉施設
　　(2)　社会教育に関する施設その他の施設で、学校及び児童福祉施設に類するものとして都道府県の条例で定めるもの
　2　都道府県知事（指定都市にあっては、市長）は、1に掲げる施設の敷地の周囲おおむね100メートルの区域内の施設につき営業の許可を与える場合には、あらかじめ、その施設の設置によって1に掲げる施設の清純な施設環境が著しく害されるおそれが

ないかどうかについて、児童福祉施設については児童福祉法第46条に規定する行政庁の、都道府県の条例で定める施設については当該条例で定める者の意見を求めなければならないこととしたこと（第3条第4項）。
3 旅館業の営業の許可には、公衆衛生上必要な条件のみならず、善良の風俗の保持上必要な条件も附することができることとしたこと、この場合、改正法の施行前にした営業の許可についても、改正法の施行の日から2箇月以内に限り善良の風俗の保持上必要な条件を附することができることとしたこと（第3条第6項及び附則第2項）。

第2 運用上留意すべき事項
1 今回の改正は、いわゆるモーテルと称する旅館業のうち風紀上及び教育環境上好ましくない影響を与えるものについて規制を強化することを主たるねらいとするものであるので、この趣旨にそって個々具体的な事例につき実情に即した運用を図られたいこと。
2 「児童福祉施設」とは、具体的には助産施設、乳児院、母子寮、保育所、児童厚生施設、養護施設、精神薄弱児施設、精神薄弱児通園施設、盲ろうあ児施設、虚弱児施設、肢体不自由児施設、重症心身障害児施設、情緒障害児短期治療施設及び教護院をいうが、これら施設における児童の利用実態、清純な施設環境の保持の必要性等にはその施設の機能、種類によっておのずから程度の差があるので、清純な施設環境が害されるか否かの認定にあたっては、この点を十分勘案のうえ処理されたいこと。
3 「児童福祉法第46条に規定する行政庁」とは、設置者が国である児童福祉施設については厚生大臣、その他の施設については都道府県知事（指定都市の区域内の施設であって設置者が国又は都道府県である施設以外のものについては指定都市の市長）をいうこと。
　ついては、児童福祉施設の周辺の営業施設について許可を与える場合には事前に、旅館業法（以下「法」という。）を所管する部局と児童福祉施設を所管する部局との間で十分意見調整を行なうものとし、当該児童福祉施設の設置者が国であるときは、当該施設の長を経由して厚生大臣の意見を求めることとされたいこと。
4 改正後の法第3条第3項第3号及び同条第4項に基づく条例については、すみやかに制定の手続をとられたいこと。
　なお、条例の制定にあたっては、おおむね次の方針によられたいこと。
(1) 法第3条第3項第3号に基づく条例
　ア 学校及び児童福祉施設と同様、主として児童の利用に供されるもの又は多数の児童の利用に供されるものであって、当該施設の清純な施設環境を保持することが特に必要と認められる施設を十分調査検討のうえ指定すること。
　イ いかなる施設と指定するかは旅館業を営むことができるかどうかについての権利義務と直接関連するものであるので、当該施設が具体的かつ客観的に特定できる指定方法をとること。この場合条例ですべての施設を特定することは一般的には困難であると思料されるので、その場合は条例では対象施設を例示するにとどめ、具体的な施設は都道府県知事が告示等で個別に指定する方法をとること。

ウ　指定の対象となる具体的な施設としては、次に掲げる施設が考えられること。
　　　　図書館、博物館（美術館、動物園等を含む。）、公民館、青少年教育施設（児童文化センター等）、スポーツ施設等で主として児童の利用に供されるもの又は多数の児童の利用に供されるもの
　(2)　法第3条第4項に基づく条例
　　　原則として次の者の意見を求めることとすること。
　　ア　当該施設の設置者が国であるときは、当該施設の長と協議のうえ定めるものとするが、通例は当該施設の長
　　イ　当該施設の設置者が地方公共団体であるときは、当該施設を所管する教育委員会又は地方公共団体の長
　　ウ　ア及びイ以外の施設であって、当該施設について監督庁があるときは、当該監督庁
　　エ　その他の施設については、当該施設の存する市町村の長
5　営業の許可に際し善良の風俗の保持上必要な条件を附することができることとされたが、これについては、政令で定めることとされている構造設備の基準及び利用基準のように設置場所、営業形態のいかんを問わず一律に規制すべき内容のものを条件として附することは適当でなく、設置場所、営業形態等について当該施設に特有の事情が存する場合に条件を附さなければ善良の風俗の保持が困難であると認められる場合に限り附することができるものであるので、いやしくも法の趣旨目的を逸脱することのないよう配意されたいこと。
6　いわゆるモーテル等旅館業の健全化を図るためには、営業者による法の遵守の徹底を図るほか、営業者の自粛にまつべき点が多いので今後ともこの監視指導に特段の配慮をされたいこと。

○旅館業法施行令の一部を改正する政令等の施行について

［昭和45年7月16日　環衛第101号
各都道府県知事・各指定都市市長宛　厚生省環境衛生局長通知］

　旅館業法施行令の一部を改正する政令及び旅館業法施行規則を改正する省令が別添のとおり昭和45年7月6日政令第213号及び厚生省令第38号をもって公布され、同日施行された。今回の改正は、いわゆるモーテル等の旅館では、宿泊客が従業員と接触しないで利用できる形態のものが見受けられ、これらの旅館においては、風俗犯、その他の犯罪が発生しやすく、また法で定められている宿泊者名簿の記載が励行されていない等の問題を生ぜしめていることにかんがみ、これら不健全な営業形態に対する規制を強化するとともに、旅館等が児童福祉施設又は条例で定める社会教育施設等の周囲おおむね100メートルの区域内にある場合に、これらの施設の清純な施設環境が害されることのないように必要な規

第5編　旅館業

制を加えることを目的として行なわれたものである。

改正の要旨及び運用上留意すべき事項は下記のとおりであるので、昭和45年6月11日環衛第83号「旅館業法の一部を改正する法律の施行について」による通知と相俟って、これが運用に遺憾のないようにされたい。

なお、この通知においては、旅館業法を「法」、旅館業法施行令を「施行令」、旅館業法施行令の一部を改正する政令を「改正政令」、旅館業法施行規則を「施行規則」とそれぞれ略称する。

記

第1　改正の要旨
　1　施行令の改正
　　(1)　ホテル営業及び旅館営業の施設の構造設備の基準として、次のものを加えること。
　　　ア　宿泊しようとする者との面接に適する玄関帳場その他これに類する設備を有すること（第1条第1項第4号、同条第2項第4号）。
　　　イ　児童福祉施設又は条例で定める社会教育施設等の周囲おおむね100メートルの区域内にあるとき、これらの施設から客室又は客にダンス若しくは射幸心をそそるおそれがある遊技をさせるホールその他の設備の内部を見とおすことをさえぎることができる設備を有すること（第1条第1項第10号、同条第2項第9号）。
　　　　　なお、改正政令施行の際現に許可を受けてホテル営業又は旅館営業を経営している者が営業の用に供している施設については、昭和46年6月30日までは、上記の構造設備基準の改正にかかわらず、従前の例によることとされたこと（附則第2項）。
　　(2)　地方自治法施行令第174条の36第1項を改正し、法第3条第3項第3号に規定する条例（社会教育施設等を指定する条例）及び法第3条第4項に規定する条例（許可に際して意見を求める者を定める条例）は都道府県のみが定めることとしたこと（附則第3項）。
　2　施行規則の改正
　　(1)　ホテル営業又は旅館営業の施設であって、施行規則第3条第1項各号に掲げるものについては、玄関帳場等に関する施行令第1条第1項第4号又は同条第2項第4号の規準は適用しないこととしたこと（第3条第2項）。
　　(2)　その他法改正及び施行令改正に伴う条文の整理を行なったこと（第3条第2項及び第3項、第5条第1項）。
第2　運用上留意すべき事項
　1　「玄関帳場その他これに類する設備」について
　　(1)　「玄関帳場」とは、旅館の玄関に附設された会計帳簿、宿泊者名簿等を記載するための帳場（ホテルの場合は、フロントと称される。）をいうこと。
　　(2)　「宿泊しようとする者との面接に適する」の要件は次のとおりであること。
　　　ア　施設を利用しようとする者が、当該施設を利用しようとする場合に、必ず通過

する場所に面して設けられていること。
	イ　従業員が待機し、客と面接し、事務をとるのに適した広さと構造のものであること。従って、社会通念上適当な規模の広間であることを要し、また、客と従業員とが対面できる構造でなければならないこと。
(3)　一戸建の宿泊施設が多数あるようなモーテル等については、個々の棟に「玄関帳場」の設置を義務づけることは実際的ではないので、このような場合には、施設への入口、又は宿泊しようとする者が当該施設を利用しようとするときに必ず通過する通路に面して、その者との面接に適する規模と構造の設備（例えば管理棟）を設けることが必要であること。
(4)　従業員が常時待機し、来客の都度、玄関に出て客に応接する構造の部屋が玄関に附設されている場合には、これを「玄関帳場に類する設備」に当たるものと解して差し支えないこと。
2　宿泊者名簿の記載等について
　「玄関帳場」等の設置を義務づけた施行令改正の趣旨は、宿泊客が従業員と面接せずに利用できるなど不健全な営業形態の旅館を排除することにあるが、その実効を期するため、「玄関帳場」等において必ず客と面接したうえで施設を利用させるよう営業者に対して強く指導されたいこと。
　特に、宿泊者名簿については、これを「玄関帳場」等に備えつけさせることとし、客と面接のうえ、これが記載を励行するよう監視指導を強化されたいこと。
3　構造設備の改善について
　改正令施行の際、現に営業の用に供されている施設については、昭和46年7月1日以降、改正後の構造設備の基準が適用されることとなるが、それまでの間においてもできるだけ早く構造設備の改善をするよう営業者を指導されたいこと。

○ホテル営業及び旅館営業に係る玄関帳場等の設置について

［昭和46年6月22日　環衛第111号
各都道府県・各指定都市衛生主管部（局）長宛　厚生省
環境衛生課長通知］

昭和45年7月6日政令第213号（以下「改正令」という。）による旅館業法施行令の一部改正については、昭和45年7月16日環衛第101号厚生省環境衛生局長通知（以下「施行通知」という。）により通知されたところであるが、改正令附則第2項に規定された既設のホテル営業又は旅館営業の施設における玄関帳場等の設置についての猶予期限は、周知のとおり本月末日までとされているので、今後は、特にこれらの施設に対する監視指導を強化し、未だ玄関帳場等を設置してない施設については、7月1日以降旅館業法第7条の2の規定に基づく改善命令措置をとる等これが運用に遺憾なきを期せられたい。
　なお、玄関帳場等の構造等については、既設の営業施設であると、新設の営業施設であ

るとを問わず、すべて、施行通知の記の第2の1により、適正な運用を行なうべきものであるから、念のため申し添える。

○旅館業法施行規則の一部を改正する省令の施行について

> 昭和58年5月27日　環指第69号
> 各都道府県知事・各政令市市長・各特別区区長宛　厚生省環境衛生局長通知

　旅館業法施行規則の一部を改正する省令が、昭和58年5月20日厚生省令第25号(以下「改正省令」という。)をもって公布、即日施行された。その改正の要点等は、次のとおりであるので、了知の上その運用に遺憾のないようにされたい。

第1　改正の要点
　1　旅館業法(昭和23年法律第138号。以下「法」という。)第3条第4項に規定する意見聴取の手続を簡素化し、許可事務の迅速化を図るため、同項の規定により、都道府県知事が市町村(特別区を含む。以下同じ。)の教育委員会の意見を求めるときにおける都道府県の教育委員会の経由の手続を廃止したこと。また、同項の規定により意見を求められた市町村の教育委員会が都道府県知事に意見を述べるときにおいても同様としたこと。
　2　法第8条の2の規定により市町村の教育委員会が都道府県知事に意見を述べるときにおける都道府県の教育委員会の経由の手続を廃止したこと。

第2　運用上留意すべき事項
　1　改正省令の施行前に法第3条第4項の規定により、市町村の教育委員会に意見を求めた事例については、なお従前の例によられたいこと。
　2　改正省令については、事前に文部省に連絡を行っているが、各旅館業法主管部局におかれても、それぞれ教育委員会に改正の内容を連絡されたいこと。

○旅館業法の一部を改正する法律の施行について

> 平成8年6月21日　衛指第101号
> 各都道府県知事・各政令市市長・各特別区区長宛　厚生省生活衛生局長通知

　旅館業法の一部を改正する法律が、衆議院厚生委員長から議員提案され、平成8年6月21日法律第91号として公布施行された。その改正の趣旨及び内容等は、下記のとおりであるので了知の上その運用に遺憾のないようにされたい。

記

第1　改正の趣旨・目的
　　今回の改正は、旅館業を取り巻く社会経済状況が大きく変化したことを踏まえ、時代に適合した旅館業の位置づけを明確にし、旅館業の健全な発達を図るとともに、利用者

の需要に対応したサービスの提供を促進することを目的として行われたものであること。
第2　改正の内容
(1)　目的に関する事項
　　旅館業の健全な発達を図るとともに、利用者の需要の高度化及び多様化に対応したサービスの提供を促進し、もって公衆衛生及び国民生活の向上に寄与することに改めること。
(2)　営業者の責務に関する事項
　　旅館業が国民生活において果たしている役割の重要性にかんがみ、営業者は、利用者の需要に対応した営業の施設の整備及び宿泊に関するサービスの向上等に努めなければならないこととすること。
(3)　資金の確保等に関する事項
　　旅館業の健全な発達を図り、利用者の需要に対応したサービスの提供を促進するため、国及び地方公共団体は、営業者に対し、必要な資金の確保、助言、情報の提供等の措置を講ずるよう努めることとすること。
第3　その他
　　今回の改正は、公衆衛生上及び善良の風俗保持上の見地からの規制に変更を加えるものではないことから、法第3条に規定する営業の許可等に関しては、従来と同様に運用されたいこと。

○「旅館業法施行規則の一部を改正する省令」の施行について

［平成15年3月25日　健発第0325005号
　各都道府県知事・各政令市市長・各特別区区長宛　厚生労働省健康局長通知］

　旅館業法施行規則の一部を改正する省令が、平成15年3月25日厚生労働省令第48号をもって、別添のとおり公布されたところであるが、その趣旨及び内容は下記のとおりであるので、御了知の上、その実施に遺憾なきようお願いしたい。

記

第1　改正の趣旨
　　地域の特性に応じた経済活性化等の構造改革特区推進の理念にかんがみ、農林漁業者が農林漁業体験民宿業を行う場合について、簡易宿所営業の基準の適用に係る特例措置を設けるものであること。
第2　改正の内容
　　農林漁業者が農山漁村滞在型余暇活動のための基盤整備の促進に関する法律（平成6年法律第46号）第2条第5項に規定する農林漁業体験民宿業を営む施設については、旅館業法施行令第1条第3項第1号に定める簡易宿所営業の客室延床面積の基準を適用しないこととすること。

第5編　旅館業

第3　施行期日
　　平成15年4月1日
別添　略

○旅館業法施行規則の一部を改正する省令の施行について

　　　　　　　　　　　⎡平成17年2月9日　健発第0209001号　　　　　　　　　　　⎤
　　　　　　　　　　　│各都道府県知事・各政令市市長・各特別区区長宛　厚│
　　　　　　　　　　　⎣生労働省健康局長通知　　　　　　　　　　　　　　⎦

　旅館業法施行規則の一部を改正する省令（以下「改正規則」という。）が、平成17年1月24日厚生労働省令第7号をもって公布され、平成17年4月1日から施行されることとなった。
　貴職におかれては、下記の内容を十分御了知の上、貴管内の関係団体及び旅館業者等への周知を図るとともに、その実施に遺漏なきを期されたい。

記

1　改正の背景
　　旅館業法（昭和23年法律第138号）第6条に規定する宿泊者名簿については、感染症が発生し又は感染症患者が旅館等に宿泊した場合において、その感染経路を調査すること等を目的として、営業者に対して、宿泊者の氏名、住所、職業その他の事項を記載させることとしているところであるが、当該旅館等に外国人が宿泊していたような場合、当該外国人の身元を後日確認するためには、現在の旅館業法で規定されている事項のみでは特定が不十分となるおそれがあった。
　　また、近年の諸外国におけるテロ事案の発生を受けて、我が国内においてもテロ発生に対する脅威が高まってきており、不特定多数の者が利用する旅館等においてはその利用者の安全確保のための体制整備がますます重要となってきている。
　　なお、本改正による措置は、平成16年12月10日に政府の国際組織犯罪等・国際テロ対策推進本部において決定された「テロの未然防止に関する行動計画」において、その実施を求められたものである。

2　改正の内容
　(1)　営業者が備える宿泊者名簿に記載すべき事項として、宿泊者の氏名、住所及び職業に加え、当該宿泊者が日本国内に住所を有しない外国人である場合にはその者の国籍及び旅券番号を併せて記載することとされ、また、その他都道府県知事が必要と認める事項を記載することとされた（改正規則第4条の2）。
　(2)　経過措置として、施行日以前から宿泊を開始している宿泊者に係る宿泊者名簿の記載については、なお従前のとおりとすることとされた（改正規則附則）。

3　本改正により営業者が実施すべき事項
　(1)　宿泊者名簿に住所等を記載することについては、旅館業法第6条に基づき従来から

実施されてきたものであるが、改正規則施行後においては、宿泊者が自らの住所として国外の地名を告げた場合、営業者は、当該宿泊者の国籍及び旅券番号の申告も求めることとする。
(2) 氏名及び旅券番号等を宿泊者名簿に記載する際には正確を期する必要があるため、本改正により宿泊者名簿に国籍及び旅券番号の記載をすることとなる宿泊者に対しては、旅券の呈示を求めるとともに、旅券の写しを宿泊者名簿とともに保存することとする。これにより、当該宿泊者に関する宿泊者名簿の氏名、国籍及び旅券番号の記載に代替しても差し支えないものとする。

○風俗営業等の規制及び業務の適正化等に関する法律施行令の一部を改正する政令の施行について

［平成27年6月24日　健発0624第3号
各都道府県知事・各政令市市長・各特別区区長宛　厚生労働省健康局長通知］

風俗営業等の規制及び業務の適正化等に関する法律施行令の一部を改正する政令（平成27年政令第253号）は、本日、公布、施行され、旅館業法施行令（昭和32年政令第152号）第1条第1項第10号及び第2項第9号（以下「本規定」という。）が下記のとおり改正されたので、御了知願いたい。

記

第1　改正の趣旨
　本規定は、ホテル又は旅館が学校等の敷地の周囲おおむね100メートルの区域内にある場合において、風俗営業がホテル又は旅館の内部の施設で営まれるときは、当該内部を見通すことを遮ることができる設備を設けることとしているものであるが、風俗営業等の規制及び業務の適正化等に関する法律（昭和23年法律第122号）の改正により、客にダンスをさせる営業が風俗営業ではなくなることに合わせ、当該営業を行うための設備が本規定に含まれないようにすることとしたもの。

第2　改正の内容
　本規定の「当該第1条学校等から客室又は客にダンス若しくは射幸心をそそるおそれがある遊技をさせるホールその他の設備の内部を見通すことを遮ることができる設備を有すること」が「当該第1条学校等から客室又は客にダンスをさせ、かつ、客に飲食をさせるホール若しくは射幸心をそそるおそれがある遊技をさせるホールその他の設備の内部を見通すことを遮ることができる設備を有すること」と改正された。

第3　施行期日
　公布の日

第5編　旅館業

○風俗営業等の規制及び業務の適正化等に関する法律の一部を改正する法律及び風俗営業等の規制及び業務の適正化等に関する法律の一部を改正する法律の施行に伴う関係政令の整備に関する政令の施行に伴う旅館業法等の改正について

［平成27年11月13日　生食発1113第2号
各都道府県知事・各政令市市長・各特別区区長宛　厚生労働省医薬・生活衛生局生活衛生・食品安全部長通知］

　風俗営業等の規制及び業務の適正化等に関する法律の一部を改正する法律（平成27年法律第45号）及び本日公布された風俗営業等の規制及び業務の適正化等に関する法律の一部を改正する法律の施行に伴う関係政令の整備に関する政令（平成27年政令第382号）は、本日公布された風俗営業等の規制及び業務の適正化等に関する法律の一部を改正する法律の施行期日を定める政令（平成27年政令第381号）により、平成28年6月23日に施行されることとなり、これにより改正後の旅館業法（昭和23年法律第138号）及び旅館業法施行令（昭和32年政令第152号）が下記のとおり施行されるので、御了知願いたい。

記

第1　改正の趣旨
(1)　風俗営業等の規制及び業務の適正化等に関する法律の一部改正関係
　　旅館業法第8条第2号の規定（以下「本法規定」という。）は、風俗営業等の規制及び業務の適正化等に関する法律（昭和23年法律第122号。以下「風営法」という。）第2条第4項の接待飲食等営業に関する罪を犯した場合を旅館業の許可の取消し又は営業停止の事由としているものである。
　　今般の風営法の改正により、特定遊興飲食店営業（ナイトクラブその他設備を設けて客に遊興をさせ、かつ、客に飲食をさせる営業（客に酒類を提供して営むものに限る。）で、午前6時後翌日の午前0時前の時間においてのみ営むもの以外のもの（風俗営業に該当するものを除く。））が新たに位置付けられることに合わせ、当該営業に関する違反を、旅館業の許可の取消し又は営業停止の事由として追加するものである。
(2)　風俗営業等の規制及び業務の適正化等に関する法律の一部を改正する法律の施行に伴う関係政令の整備に関する政令関係
　　旅館業法施行令第1条第1項第10号及び第2項第9号の規定（以下「本令規定」という。）は、ホテル又は旅館が学校等の敷地の周囲おおむね100メートルの区域内にある場合において、風俗営業がホテル又は旅館の内部の施設で営まれるときは、当該内部を見通すことを遮ることができる設備を設けることとしているものである。
　　平成28年6月23日の改正後の風営法の施行により、客にダンスをさせ、かつ、客に飲食をさせる営業が風俗営業ではなくなることに併せ、当該営業を行うための設備が

本令規定に含まれないようにするとともに、本令規定に規定される「その他の設備」の例示として「客の接待をして客に遊興若しくは飲食をさせるホール」を規定するものである。

なお、特定遊興飲食店営業のための設備は、本令規定の「その他の設備」には含まれないものである。

第2　主な改正の内容
(1)　風俗営業等の規制及び業務の適正化等に関する法律の一部改正関係
本法規定の「接待飲食等営業」が「接待飲食等営業及び同条第11項の特定遊興飲食店営業」と改正された。
(2)　風俗営業等の規制及び業務の適正化等に関する法律の一部を改正する法律の施行に伴う関係政令の整備に関する政令関係
本令規定の「当該第1条学校等から客室又は客にダンスをさせ、かつ、客に飲食をさせるホール若しくは射幸心をそそるおそれがある遊技をさせるホールその他の設備の内部を見通すことを遮ることができる設備を有すること」が「当該第1条学校等から客室又は客の接待をして客に遊興若しくは飲食をさせるホール若しくは客に射幸心をそそるおそれがある遊技をさせるホールその他の設備の内部を見通すことを遮ることができる設備を有すること」と改正された。

第3　施行期日
平成28年6月23日

○旅館業法施行令の一部を改正する政令の施行等について

```
平成28年3月30日　生食発0330第5号
各都道府県知事・各政令市市長・各特別区区長宛　厚
生労働省医薬・生活衛生局生活衛生・食品安全部長通
知
```

本日公布された旅館業法施行令の一部を改正する政令（平成28年政令第98号。以下「改正令」という。）により、旅館業法施行令（昭和32年政令第152号。以下「令」という。）が改正され、平成28年4月1日から施行されることとなったところである。その改正の趣旨、内容等は下記第1のとおりである。

また、これに関連して、下記第2のとおり旅館業における衛生等管理要領（「公衆浴場における衛生等管理要領等について」（平成12年12月15日付け生衛発第1811号厚生省生活衛生局長通知）の一部を改正するとともに、これらの改正に関し、下記第3により運用上の留意事項等を示したので、これらの内容について十分御了知の上、貴管下営業者に対する周知徹底及び指導等について、遺漏なきよう適切な対応を願いたい。

記

第1　旅館業法施行令の一部改正について
　1　改正の趣旨

第5編　旅館業

　　　住宅（戸建住宅、共同住宅等）の全部又は一部を活用して宿泊サービスを提供するいわゆる「民泊サービス」（以下「民泊サービス」という。）については、様々なニーズに応えつつ、宿泊者の安全性の確保、近隣住民とのトラブル防止などが適切に図られるよう、適切なルールづくりが求められている。
　　　その一方、民泊サービスを反復継続して宿泊料とみなすことができる対価を得て行う場合、旅館業法（昭和23年法律第138号。以下「法」という。）に基づく許可が必要であるにもかかわらず、許可を得ずに実施されるものが広がっており、これに早急に対応することが求められている。
　　　こうした状況を踏まえ、令第1条第3項に規定する客室の延床面積の基準を衛生水準の確保が可能な範囲において緩和することにより、簡易宿所の枠組みを活用して法に基づく許可取得の促進を図るものである。
　2　改正の内容
　　　令第1条第3項に規定する簡易宿所営業の施設の構造設備基準のうち、同項第1号に規定する客室の延床面積について、「33平方メートル以上であること」を、「33平方メートル（法第3条第1項の許可の申請に当たって宿泊者の数を10人未満とする場合には、3.3平方メートルに当該宿泊者の数を乗じて得た面積）以上であること」に改める。
第2　旅館業における衛生等管理要領の一部改正について
　　　旅館業における衛生等管理要領（以下「要領」という。）に関して、上記第1の改正令と同様に、民泊サービスについて、簡易宿所の枠組みを活用して法に基づく許可取得の促進を図る観点から、別紙1新旧対照表のとおり改正し、平成28年4月1日から施行する。
第3　運用上の留意事項等について
　1　法第2条第4項においては、「簡易宿所営業」の施設について、「宿泊する場所を多数人で共用する構造及び設備を主とする施設」と定義されており、また、多数人とは、2人以上をいうものである旨これまでも示しているところであるが、今回の改正に伴い、この解釈を変更するものではないこと。すなわち、1施設で2人以上の宿泊が可能なものであること。
　2　簡易宿所営業の営業許可の申請手続については旅館業法施行規則（昭和23年厚生省令第28号）第1条に規定しているところであるが、申請に当たり、申請者に対し、同条第1項第5号の規定（営業施設の構造設備の概要）に基づき、施設に同時に宿泊する者の最大の数についても記載させること。
　　　また、客室の延床面積を33平方メートル未満とし、かつ、宿泊者の数を10人未満とした申請に対する営業許可に当たっては、法第3条第6項の規定に基づき、客室における宿泊者1人当たりの床面積を3.3平方メートル以上とすることを営業を行う条件として附すこと。当該条件を附すことにより、当該条件を満たさなくなった場合、法第8条の「この法律に基づく処分に違反したとき」として、営業許可の取消し又は営業の停止の対象となるものであること。

3 都道府県（保健所を設置する市及び特別区を含む。以下「都道府県等」という。）においては、令第1条第3項第7号の規定に基づく簡易宿所営業の施設の構造設備の基準、法第4条第2項の規定に基づく衛生措置の基準等を定める条例の規定について、今回の改正の趣旨や、今回の改正により簡易宿所営業として営業することが可能となる小規模な施設の特性を踏まえ点検し、必要に応じて条例の弾力運用や改正等を行っていただくようお願いする。

　なお、改正令及び要領の一部改正の施行日を平成28年4月1日としているところであるが、これは、都道府県等における必要な条例改正等を施行日前に行うことまでを求めるものではないこと。ただし、可能な限り早期に条例改正等の必要な対応を行っていただくようお願いする。

4 特に、上記第2（別紙1新旧対照表）のとおり、玄関帳場等の設置について、宿泊者の数を10人未満として申請がなされた施設であって、要領のⅡの第2の3(1)及び(2)に掲げる要件を満たしているときは、玄関帳場等の設備を設けることは要しないこととするところ、改正の趣旨を踏まえ、簡易宿所営業における玄関帳場等の設置について条例で規定している都道府県等においては、実態に応じた弾力的な運用や条例の改正等の必要な対応につき、特段の御配慮をお願いする。

　なお、この場合における当該要件の具体的な内容については、「旅館業法施行規則の一部を改正する省令の施行について」（平成24年4月1日付け健発0401第1号厚生労働省健康局長通知）の第2の4及び5に示した例などを参考としつつ、使用する施設の構造や管理体制等を踏まえ判断願いたい。

5 法の遵守の徹底については、これまでも「旅館業法の遵守の徹底について」（平成27年11月27日付け生食衛発1127第1号厚生労働省医薬・生活衛生局生活衛生・食品安全部生活衛生課長通知。以下「平成27年11月27日付け通知」という。）等により要請しているところである。法に基づく許可取得を促進するため、今回の改正内容のみならず、今回の改正を踏まえて、自宅の一部やマンションの空き室などを活用する場合においても、反復継続して宿泊料とみなすことができる対価を得て人を宿泊させるサービスを提供する場合には、国家戦略特別区域法（平成25年法律第107号）に規定する国家戦略特別区域外国人滞在施設経営事業として実施される場合を除き、法に基づく許可を取得することが必要である旨、併せて周知するとともに、事業者への指導徹底を図っていただくようお願いする。

6 平成27年11月27日付け通知において、法に基づく許可に当たり、管理規約等を踏まえた適正な使用権原の有無等についても留意した対応を要請したところである。民泊サービスで特に懸念される近隣住民等とのトラブルを防止する観点から、法に基づく許可に当たっては、関係法令だけでなく、賃貸借契約、管理規約（共同住宅の場合）に反していないことの確認に努めていただくようお願いする。

7 国内におけるテロ行為等の不法行為を未然に防止するためにも、不特定多数の者が利用する旅館等における安全確保のための体制整備は非常に重要であるが、今回の改正を踏まえ、警察庁から改めて別紙2のとおり依頼があった。宿泊者名簿の必要事項

第5編　旅館業

　　の記載の徹底については、これまでも繰り返し周知の徹底、指導をお願いしてきたところであるが、今回の改正により、小規模な施設が簡易宿所営業として営業することが可能となることから、営業者に対し、「旅館等における宿泊者名簿への記載等の徹底について」（平成26年12月19日付け健発1219第2号厚生労働省健康局生活衛生課長通知）に示す営業者が実施すべき措置の内容につき、改めて周知及び指導等の徹底をお願いする。

別紙1　略
別紙2

　　旅館業法施行規則の一部を改正する省令の施行に伴い旅館等の営業者が実施すべき事項及び留意事項の周知・指導の徹底に関する依頼について

〔平成28年3月30日　警察庁丁国テ発第191号・丁備企発第88号
厚生労働省医薬・生活衛生局生活衛生・食品安全部生活衛生課長宛　警察庁警備局外事情報部国際テロリズム対策・警備企画課長連名通知〕

　標記について下記のとおり依頼する。

記

　平成16年12月10日に決定された「テロの未然防止に関する行動計画」を受けて、旅館業法施行規則の一部を改正する省令（平成17年厚生労働省令第7号）が施行され、貴省から都道府県知事等に対し、「旅館業法施行規則の一部を改正する省令の施行について」（平成17年2月9日付け健発第0209001号）、「旅館業法施行規則の一部を改正する省令の施行に関する留意事項について」（同日付け健衛発第0209004号）、「旅館等における宿泊者名簿への記載等の徹底について」（平成26年12月19日付け健衛発1219第2号）等の通知が発出され、旅館等の営業者が実施すべき事項及び留意事項（以下「営業者が実施すべき事項等」という。）の周知・指導をされているものと承知している。

　厳しい国際テロ情勢の中、我が国では本年の伊勢志摩サミット、2020年東京オリンピック・パラリンピック競技大会等の開催が予定されているところ、テロリスト等が旅館等に潜伏するなど、これを悪用することのないよう、営業者が実施すべき事項等を徹底することの重要性が更に増しているところである。

　今般、旅館業法施行令の一部を改正する政令（平成28年政令第98号。以下「政令」という。）の施行により、従来よりも小規模な施設について簡易宿所の許可取得が可能となるが、以上のような情勢に鑑みると、これら新たに簡易宿所に位置付けられた施設により営業する旅館業者に対しても、営業者が実施すべき事項等について周知徹底することが重要である。

　そこで、都道府県知事等に対して、営業者が実施すべき事項等について、政令の施行により新たに簡易宿所に位置付けられた施設により営業する旅館業者に対しても周知・指導を徹底する旨の通知を発出するなどにより、営業者が実施すべき事項等の周知・指導の更なる徹底をお願いする。

○旅館業法施行規則の一部を改正する省令の施行について

> 平成28年3月31日　生食発0331第5号
> 各都道府県知事・各政令市市長・各特別区区長宛　厚生労働省医薬・生活衛生局生活衛生・食品安全部長通知

　本日公布された旅館業法施行規則の一部を改正する省令（平成28年厚生労働省令第68号。以下「改正規則」という。）により、旅館業法施行規則（昭和23年厚生省令第28号。以下「規則」という。）が改正され、平成28年4月1日から施行されることとなったところである。その改正の趣旨、内容、留意事項等は下記のとおりである。

　ついては、これらの内容について十分御了知の上、貴管下営業者に対する周知徹底、指導等について、遺漏なきよう適切な対応を願いたい。

記

第1　改正の趣旨

　現在、農林漁業者が農山漁村滞在型余暇活動のための基盤整備の促進に関する法律（平成6年法律第46号）第2条第5項に規定する農林漁業体験民宿業を営む施設は、旅館業法施行令（昭和32年政令第152号）第1条第3項第1号に定める簡易宿所営業の客室延床面積の基準を適用しないこととしている。

　「規制改革実施計画」（平成27年6月30日閣議決定）及び「平成27年の地方からの提案等に関する対応方針」（平成27年12月22日閣議決定）において、体験学習の更なる推進の観点から、農林漁業体験民宿の受け入れ先を増やすため、農林漁業者以外でも自宅の一部を活用して宿泊サービスを提供する場合には、簡易宿所営業の客室延床面積の基準を適用除外とするよう検討し、必要な措置を行うこととされた。

　これを受け、農林漁業者以外の者がその居宅において農林漁業体験民宿業を営む場合についても、当該基準を適用しないこととするものである。

第2　改正の内容

　これまで、農林漁業者が農林漁業体験民宿業を営む場合については、簡易宿所営業の客室延床面積基準を適用しないこととされていたが、農林漁業体験民宿業に係る施設であって、農林漁業者又は農林漁業者以外の者（個人に限る。）がその居宅において営む場合についても簡易宿所の客室延床面積基準を適用しないこととしたこと（改正規則による改正後の規則第5条第1項第4号）。

第3　運用上の留意事項等について

1　農林漁業者が農林漁業体験民宿業を営む場合については、「農林漁業者が農林漁業体験民宿業を営む施設について」（平成26年3月31日付け健衛発0331第3号厚生労働省健康局生活衛生課長通知）にて、法人経営を行う家族経営体（いわゆる一戸一法人）である農林漁業者が営むときも、規則第5条第1項第4号を適用するものである旨を示しているところであるが、農林漁業者以外の者が農林漁業体験民宿業を営む場合については、個人が営む施設に限り、改正規則による改正後の規則第5条第1項第

第5編　旅館業

4号を適用するものであること。
2　これまで農林漁業体験民宿業については、農林漁業体験民宿業を営む者の居宅において行うこととして運用してきたが、今般、その旨を条文上明確化したものであること。

○「旅館業法の一部を改正する法律」の公布について

［平成29年12月15日　生食発1215第1号
　各都道府県知事・各政令市市長・各特別区区長宛　厚
　生労働省大臣官房生活衛生・食品安全審議官通知］

「旅館業法の一部を改正する法律」（平成29年法律第84号。以下「改正法」という。）については、第195回国会（特別会）において、平成29年12月8日に可決成立し、本日公布されたところである。

改正法の趣旨及び主な内容は下記のとおりであるので、これらの内容について十分御了知の上、貴管下営業者に対する周知徹底、指導等について、遺漏なきよう適切な対応を願いたい。

なお、本法律改正に伴う政省令等の整備については、今後、順次行うこととしている。

記

第1　改正法の趣旨

旅館業の業務の適正な運営を確保すること等により、旅館業の健全な発達を図り、公衆衛生及び国民生活の向上に寄与するため、ホテル営業及び旅館営業の営業種別の統合、都道府県知事（保健所を設置する市又は特別区にあっては市長又は区長。以下同じ。）による無許可営業者に対する報告徴収及び立入検査並びに緊急命令の創設、無許可営業者その他旅館業法に違反した者に対する罰金の上限額の引上げ等の措置を講ずる。

第2　改正法の主な内容
1　ホテル営業及び旅館営業の営業種別の旅館・ホテル営業への統合
　ホテル営業及び旅館営業の営業種別を統合し、旅館・ホテル営業とすること。（第2条関係）
2　都道府県知事による無許可営業者に対する報告徴収及び立入検査並びに緊急命令の創設
　(1)　都道府県知事は、旅館業が営まれている施設において(2)による命令をすべきか否かを調査する必要があると認めるときは、無許可営業者その他の関係者から必要な報告を求め、又は当該職員に、旅館業の施設に立ち入り、その構造設備若しくはこれに関する書類を検査させ、若しくは関係者に質問させることができること。（第7条第2項関係）
　(2)　都道府県知事は、旅館業法に違反して旅館業が営まれている場合であって、当該

旅館業が営まれることによる公衆衛生上の重大な危害の発生若しくは拡大又は著しく善良の風俗を害する行為の助長若しくは誘発を防止するため緊急に措置をとる必要があると認めるときは、無許可営業者に対し、当該旅館業の停止その他公衆衛生上又は善良の風俗の保持上必要な措置をとるべきことを命ずることができること。
（第7条の2第3項関係）
3　無許可営業者その他旅館業法に違反した者に対する罰金の上限額の引上げ
　無許可営業者等に対する罰金の上限額を3万円から100万円に、その他旅館業法に違反した者に対する罰金の上限額を2万円から50万円に引き上げること。（第10条及び第11条関係）
4　その他所要の改正を行うこと。
第3　施行期日等
1　この法律は、公布の日から起算して1年を超えない範囲内において政令で定める日から施行すること。ただし、附則第5条、第9条及び第11条の規定は、公布の日から施行すること。（附則第1条関係）
2　政府は、この法律の施行後3年を目処として、この法律による改正後の規定の実施状況を勘案し、当該規定について検討を加え、必要があると認めるときは、その結果に基づいて所要の措置を講ずるものとすること。（附則第2条関係）
3　その他この法律の施行に関し、必要な経過措置等を定めるとともに、関係法律について所要の改正を行うこと。（附則第3条から第11条まで関係）

○旅館業法の一部を改正する法律の施行に伴う関係政令の整備に関する政令等の公布について

［平成30年1月31日　生食発0131第3号
各都道府県知事・各保健所設置市市長・各特別区区長宛　厚生労働省大臣官房生活衛生・食品安全審議官通知］

　旅館業法の一部を改正する法律の施行期日を定める政令（平成30年政令第20号）及び旅館業法の一部を改正する法律の施行に伴う関係政令の整備に関する政令（平成30年政令第21号。以下「改正令」という。）並びに旅館業法施行規則及び環境衛生監視員証を定める省令の一部を改正する省令（平成30年厚生労働省令第9号。以下「改正省令」という。）が本日別添のとおり公布された。
　改正令及び改正省令の内容等は下記のとおりであるので、これらについて十分御了知の上、貴管内営業者に対する周知徹底、指導等について、遺漏なきよう適切な対応を願いたい。
　なお、旅館業における衛生管理等の指導については、下記に加え、別途お示しする旅館業における衛生等管理要領の改正について（平成30年1月31日付け生食発0131第2号厚生労働省大臣官房生活衛生・食品安全審議官通知）についても、指針として活用されたい。
　また、改正令及び改正省令の公布に伴い、旅館業法施行規則の一部を改正する省令の施

第5編　旅館業

行について（平成24年4月1日付け健発0401第1号厚生労働省健康局長通知）は廃止する。

記

第1　改正令の内容
1　旅館業法施行令の一部改正（第1条関係）
　(1)　旅館業法の一部を改正する法律（平成29年法律第84号。以下「改正法」という。）の施行に伴い、ホテル営業及び旅館営業の営業種別が統合され、新たな営業種別として旅館・ホテル営業が設けられることから、旅館・ホテル営業の施設の構造設備の基準を設けること。
　　　具体的には、以下の基準とすること。
　　ア　1客室の床面積は、7㎡（寝台を置く客室は9㎡）以上であること。
　　イ　宿泊しようとする者との面接に適する玄関帳場その他宿泊しようとする者の確認を適切に行うための設備として厚生労働省令で定める基準に適合する設備を有すること。
　　ウ　適当な換気、採光、照明、防湿及び排水の設備を有すること。
　　エ　近接して公衆浴場がある等入浴に支障を来さないと認められる場合を除き、宿泊者の需要を満たすことができる適当な規模の入浴設備を有すること。
　　オ　宿泊者の需要を満たすことができる適当な規模の洗面設備を有すること。
　　カ　適当な数の便所を有すること。
　　キ　施設の設置場所が旅館業法（昭和23年法律第138号）第3条第3項各号に掲げる施設の敷地（これらの用に供するものと決定した土地を含む。）の周囲おおむね100メートルの区域内にある場合には、施設から客室又は客の接待をして客に遊興若しくは飲食をさせるホール若しくは客に射幸心をそそるおそれがある遊技をさせるホールその他の設備の内部を見通すことを遮ることができる設備を有すること。
　　ク　その他都道府県（保健所を設置する市又は特別区にあっては、市又は特別区。）が条例で定める構造設備の基準に適合すること。
　(2)　その他所要の改正を行うこと。
2　その他関係政令の改正（第2条、第3条及び第4条関係）
　　租税特別措置法施行令（昭和32年政令第43号）等について、所要の改正を行うこと。
3　施行期日等
　(1)　この政令は、改正法の施行の日（平成30年6月15日）から施行すること。（附則第1項関係）
　(2)　この政令の施行に関し必要な経過措置を定めること。（附則第2項関係）
第2　改正省令の内容
1　旅館業法施行規則の一部改正（第1条関係）
　(1)　宿泊者名簿について、正確な記載を確保するための措置を講じた上で作成し、保

存年限を3年とすること。
(2) 宿泊者名簿は、旅館業の施設又は営業者の事務所のいずれかの場所に備えることとすること。
(3) 旅館・ホテル営業の施設に係る玄関帳場等に代替する機能を有する設備の基準は以下のとおりとすること。
　ア　事故が発生したときその他の緊急時における迅速な対応を可能とする設備を備えていること。
　イ　宿泊者名簿の正確な記載、客室の鍵の宿泊者との適切な受渡し及び宿泊者以外の者の出入りの状況の確認を可能とする設備を備えていること。
(4) その他所要の改正を行うこと。
2　その他関係厚生労働省令の改正（第2条関係）
　環境衛生監視員証を定める省令（昭和52年厚生省令第1号）について、所要の改正を行うこと。
3　施行期日等
(1) この省令は、改正法の施行の日（平成30年6月15日）から施行すること。（附則第1項関係）
(2) この省令の施行に関し必要な経過措置を定めること。（附則第2項及び第3項関係）
別添　略

○生活衛生関係営業等の事業活動の継続に資する環境の整備を図るための旅館業法等の一部を改正する法律の公布について

> 令和5年6月14日　生食発0614第2号
> 各都道府県知事・各保健所設置市市長・各特別区区長　宛
> 厚生労働省大臣官房生活衛生・食品安全審議官通知

　生活衛生関係営業等の事業活動の継続に資する環境の整備を図るための旅館業法等の一部を改正する法律（令和5年法律第52号。以下「改正法」という。）については、第211回国会（通常国会）において、政府案を一部修正の上、令和5年6月7日に可決成立し、本日公布されたところである。
　改正法の趣旨及び主な内容は下記のとおりであるので、これらの内容について十分御了知の上、貴管下営業者に対する周知徹底及び指導等について、遺漏なきよう適切な対応を願いたい。
　必要な政省令等については、今後順次制定し、その内容については別途連絡する予定であるので、あらかじめ御承知おき願いたい。
　なお、本通知は、地方自治法（昭和22年法律第67号）第245条の4第1項の規定に基づく技術的助言であることを申し添える。

記

第1　改正法の趣旨
　生活衛生関係営業等の事業活動の継続に資する環境の整備を図るため、旅館業の営業者が新型インフルエンザ等感染症等の症状を呈している宿泊者等に対して感染防止対策への協力を求めることができる規定の創設、事業譲渡に係る手続の整備等の措置を講ずる。
第2　改正法の主な内容
1　旅館業法の一部改正関係
(1)　旅館業の施設における宿泊者に対する感染防止対策への協力の求めに関する事項
　ア　感染症の予防及び感染症の患者に対する医療に関する法律（平成10年法律第114号。以下「感染症法」という。）に規定する1類感染症、2類感染症、新型インフルエンザ等感染症、指定感染症（入院又は宿泊療養若しくは自宅療養に係る感染症法の規定が準用されるものに限る。以下同じ。）及び新感染症を「特定感染症」と定義することとしたこと。（旅館業法第2条第6項関係）
　イ　営業者は、宿泊しようとする者に対し、旅館業の施設における特定感染症のまん延の防止に必要な限度において、特定感染症国内発生期間に限り、次に掲げる者の区分に応じ、それぞれ次の協力を求めることができることとしたこと。（旅館業法第4条の2第1項関係）
　　(ア)　特定感染症の症状を呈している者その他の政令で定める者　次に掲げる協力
　　　①　当該者が特定感染症の患者等（特定感染症（新感染症を除く。）の患者、1類感染症、2類感染症、新型インフルエンザ等感染症又は指定感染症の患

者とみなされる者及び新感染症の所見がある者をいい、宿泊することにより旅館業の施設において特定感染症をまん延させるおそれがほとんどないものとして厚生労働省令で定める者を除く。以下同じ。）であるかどうかが明らかでない場合において、医師の診断の結果その他の当該者が特定感染症の患者等であるかどうかを確認するために必要な事項として厚生労働省令で定めるものを厚生労働省令で定めるところにより営業者に報告すること。
　　　　② 当該旅館業の施設においてみだりに客室その他の当該営業者の指定する場所から出ないことその他の旅館業の施設における当該特定感染症の感染の防止に必要な協力として政令で定めるもの
　　　(イ) 特定感染症の患者等　(ア)の②に掲げる協力
　　　(ウ) (ア)及び(イ)に掲げる者以外の者　当該者の体温その他の健康状態その他厚生労働省令で定める事項の確認の求めに応じることその他の旅館業の施設における当該特定感染症の感染の防止に必要な協力として政令で定めるもの
　　ウ　イの特定感染症国内発生期間は、次に掲げる特定感染症の区分に応じ、それぞれ次の期間（特定感染症のうち国内に常在すると認められる感染症として政令で定めるものにあっては、政令で定める期間）とすることとしたこと。（旅館業法第４条の２第２項関係）
　　　(ア) １類感染症及び２類感染症　当該感染症が国内で発生した旨の公表が行われたときから、国内での発生がなくなった旨の公表が行われるまでの間
　　　(イ) 新型インフルエンザ等感染症及び新感染症　当該感染症が国内で発生した旨の公表が行われたときから、当該感染症が新型インフルエンザ等感染症として認められなくなった旨の公表又は当該感染症について１類感染症に係る感染症法の規定を適用することを定める政令の廃止が行われるまでの間
　　　(ウ) 指定感染症　感染症法第44条の７第１項の規定により国内で発生した旨の公表が行われ、かつ、当該感染症について入院又は宿泊療養若しくは自宅療養に係る感染症法の規定が準用されたときから、当該感染症について全国的かつ急速なまん延のおそれがなくなった旨の公表が行われ、又は当該感染症について入院並びに宿泊療養及び自宅療養に係る感染症法の規定がいずれも準用されなくなるときまでの間
　　エ　厚生労働大臣は、イの(ア)の②及び(ウ)の政令の制定又は改廃の立案をしようとするときは、あらかじめ、感染症に関する専門的な知識を有する者並びに旅館業の業務に関し専門的な知識及び経験を有する者の意見を聴かなければならないこととしたこと。（旅館業法第４条の２第３項関係）
　　オ　宿泊しようとする者は、営業者からイの協力の求めがあったときは、正当な理由がない限り、その求めに応じなければならないこととしたこと。（旅館業法第４条の２第４項関係）
　(2) 旅館業の営業者が宿泊を拒むことができる事由の見直しに関する事項
　　ア　宿泊しようとする者が、伝染性の疾病にかかっていると明らかに認められるときに宿泊を拒むことができることとされていたところを、特定感染症の患者等であるときに宿泊を拒むことができることとしたこと。（旅館業法第５条第１項第

第5編　旅館業

　　　　1号関係)
　　　イ　宿泊しようとする者が、営業者に対し、その実施に伴う負担が過重であって他の宿泊者に対する宿泊に関するサービスの提供を著しく阻害するおそれのある要求として厚生労働省令で定めるものを繰り返したときは、宿泊を拒むことができることとしたこと。(旅館業法第5条第1項第3号関係)
　(3)　みだりに宿泊を拒むことの禁止等に関する事項
　　　営業者は、旅館業の公共性を踏まえ、かつ、宿泊しようとする者の状況等に配慮して、みだりに宿泊を拒むことがないようにするとともに、宿泊を拒む場合には、宿泊を拒むことができる事由のいずれかに該当するかどうかを客観的な事実に基づいて判断し、及び宿泊しようとする者からの求めに応じてその理由を丁寧に説明することができるようにすることとしたこと。(旅館業法第5条第2項関係)
　(4)　厚生労働大臣による指針の作成に関する事項
　　　ア　厚生労働大臣は、宿泊者に対する感染防止対策への協力の求めに関する事項及び宿泊を拒むことができる事由等に関する事項に関し、営業者が適切に対処するために必要な指針（以下この(4)において単に「指針」という。）を定めることとしたこと。(旅館業法第5条の2第1項関係)
　　　イ　厚生労働大臣は、指針を定める場合には、あらかじめ、感染症に関する専門的な知識を有する者、旅館業の業務に関し専門的な知識及び経験を有する者並びに旅館業の施設の利用者の意見を聴かなければならないこととしたこと。(旅館業法第5条の2第2項関係)
　　　ウ　厚生労働大臣は、指針を定めたときは、遅滞なく、これを公表しなければならないこととしたこと。(旅館業法第5条の2第3項関係)
　　　エ　イ及びウは、指針の変更について準用することとしたこと。(旅館業法第5条の2第4項関係)
　(5)　事業譲渡による旅館業の営業者の地位の承継に関する事項
　　　営業者が旅館業を譲渡する場合において、譲渡人及び譲受人がその譲渡及び譲受けについて都道府県知事（保健所を設置する市又は特別区にあっては、市長又は区長。以下同じ。）の承認を受けたときは、譲受人は、営業者の地位を承継することとしたこと。(旅館業法第3条の2関係)
　(6)　従業者に対する必要な研修の機会の付与に関する事項
　　　営業者は、旅館業の施設において特定感染症のまん延の防止に必要な対策を適切に講じ、及び高齢者、障害者その他の特に配慮を要する宿泊者に対してその特性に応じた適切な宿泊に関するサービスを提供するため、その従業者に対して必要な研修の機会を与えるよう努めなければならないこととしたこと。(旅館業法第3条の5第2項関係)
　(7)　宿泊者名簿の記載事項の見直しに関する事項
　　　営業者が旅館業の施設等に備え、都道府県知事の要求に応じて提出しなければならない宿泊者名簿の記載事項について、宿泊者の職業を削除し、宿泊者の連絡先を追加することとしたこと。(旅館業法第6条第1項関係)
　(8)　その他所要の改正を行うこと。

2　食品衛生法、理容師法、興行場法、公衆浴場法、クリーニング業法、美容師法及び食鳥処理の事業の規制及び食鳥検査に関する法律の一部改正関係
　　営業を譲渡する場合の営業者の地位の承継について、1の(5)に準じた改正を行うこととしたこと。（食品衛生法第56条、理容師法第11条の3、興行場法第2条の2、公衆浴場法第2条の2、クリーニング業法第5条の3、美容師法第12条の2及び食鳥処理の事業の規制及び食鳥検査に関する法律第7条関係）
第3　施行期日等
　1　施行期日
　　　この法律は、公布の日から起算して6月を超えない範囲内において政令で定める日から施行すること。ただし、附則第12条の規定は、公布の日から施行すること。（附則第1条関係）
　2　検討
　(1)　政府は、第2の1の(1)のイの協力の求め（第2の1の(1)のイの(ｳ)に掲げる者にあっては、当該者の体温その他の健康状態その他厚生労働省令で定める事項の確認に係るものに限る。）を受けた者が正当な理由なくこれに応じないときの対応の在り方について、旅館業の施設における特定感染症のまん延防止を図る観点から検討を加え、必要があると認めるときは、その結果に基づいて所要の措置を講ずることとしたこと。（附則第2条第1項関係）
　(2)　政府は、過去に旅館業の施設において宿泊を拒むことができる事由に関する規定の運用に関しハンセン病の患者であった者等に対して不当な差別的取扱いがされたことを踏まえつつ、第2の1の(2)の施行の状況について検討を加え、必要があると認めるときは、その結果に基づいて所要の措置を講ずることとしたこと。（附則第2条第2項関係）
　(3)　(1)及び(2)のほか、政府は、この法律の施行後3年を経過した場合において、この法律による改正後のそれぞれの法律の規定の施行の状況を勘案し、必要があると認めるときは、当該規定について検討を加え、その結果に基づいて所要の措置を講ずることとしたこと。（附則第2条第3項関係）
　3　経過措置
　(1)　都道府県知事は、当分の間、本改正により措置した規定により営業者の地位を承継した者（営業の譲渡により当該地位を承継したものに限る。）の業務の状況について、当該地位が承継された日から起算して6月を経過するまでの間において、少なくとも1回調査しなければならないこととしたこと。（附則第3条第1項、第4条第2項、第5条第2項、第6条第2項、第7条第2項、第8条第2項、第9条第2項及び第10条第2項関係）
　(2)　旅館業の営業者は、当分の間、第2の1の(2)のア又はイのいずれかに該当することを理由に宿泊を拒んだときは、厚生労働省令で定める方法により、その理由等を記録しておくこととしたこと。（附則第3条第2項関係）
　(3)　(1)及び(2)のほか、この法律の施行に関し必要な経過措置を定めること。（附則第3条第3項、第4条第1項、第5条第1項、第6条第1項、第7条第1項、第8条第1項、第9条第1項、第10条第1項、第11条及び第12条関係）

第5編　旅館業

○刑法及び刑事訴訟法の一部を改正する法律及び性的な姿態を撮影する行為等の処罰及び押収物に記録された性的な姿態の影像に係る電磁的記録の消去等に関する法律の施行に伴う旅館業法の改正について

［令和5年7月3日　生食発0703第2号
各都道府県知事・各保健所設置市市長・各特別区区長宛　厚生労働省大臣官房生活衛生・食品安全審議官通知］

　刑法及び刑事訴訟法の一部を改正する法律（令和5年法律第66号）及び性的な姿態を撮影する行為等の処罰及び押収物に記録された性的な姿態の影像に係る電磁的記録の消去等に関する法律（令和5年法律第67号）が令和5年6月23日に公布され、改正後の旅館業法（昭和23年法律第138号）が令和5年7月13日に下記のとおり施行されるため、御了知願いたい。

記

第1　改正の趣旨
(1)　刑法及び刑事訴訟法の一部改正関係
　　旅館業法第8条第1号の規定は、本改正前の刑法（明治40年法律第45号）第174条に規定する公然わいせつの罪、同法第175条に規定するわいせつ物頒布等の罪及び同法第182条に規定する淫行勧誘の罪を犯した場合を旅館業の許可の取消し又は営業停止の事由としているものである。
　　今般の刑法の改正により、16歳未満の者に対する面会要求等の罪が新設されることに合わせ、当該罪を犯した場合を、旅館業の許可の取消し又は営業停止の事由として追加するとともに、条ずれの手当てを行うものである。
(2)　性的な姿態を撮影する行為等の処罰及び押収物に記録された性的な姿態の影像に係る電磁的記録の消去等に関する法律関係
　　旅館業法第8条の規定は、同条各号の掲げる罪を犯した場合を旅館の許可の取消し又は営業停止の事由としているものである。
　　今般の性的な姿態を撮影する行為等の処罰及び押収物に記録された性的な姿態の影像に係る電磁的記録の消去等に関する法律の制定により、同法第2条に規定する性的姿態等撮影の罪、同法第3条に規定する性的影像記録提供等の罪、同法第4条に規定する性的影像記録保管の罪、同法第5条に規定する性的姿態等影像送信の罪及び第6条に規定する性的姿態等影像記録の罪が新設されることに合わせ、当該罪を犯した場合を、旅館業の許可の取消し又は営業停止の事由として追加するものである。
第2　主な改正の内容
(1)　刑法及び刑事訴訟法の一部改正関係
　　旅館業法第8条第1号の「第174条、第175条又は第182条の罪」が「第174条、第

175条、第182条又は第183条の罪」と改正された。
(2) 性的な姿態を撮影する行為等の処罰及び押収物に記録された性的な姿態の影像に係る電磁的記録の消去等に関する法律関係
　旅館業法第8条に第5号として「性的な姿態を撮影する行為等の処罰及び押収物に記録された性的な姿態の影像に係る電磁的記録の消去等に関する法律（令和5年法律第67号）第2章に規定する罪」が追加された。
第3　施行期日
　令和5年7月13日

以上

○旅館業法施行令等の一部を改正する政令等の公布等について

> 令和5年11月15日　健生発1115第4号・医政発1115第19号・感発1115第3号
> 各都道府県知事・各保健所設置市市長・各特別区区長宛　厚生労働省健康・生活衛生・医政局長・健康・生活衛生局感染症対策部長連名通知

　今般、旅館業法施行令等の一部を改正する政令（令和5年政令第330号。以下「改正政令」といいます。）、生活衛生関係営業等の事業活動の継続に資する環境の整備を図るための旅館業法等の一部を改正する法律の施行期日を定める政令（令和5年政令第329号。以下「施行期日令」といいます。）及び旅館業法施行規則及び厚生労働省関係国家戦略特別区域法施行規則の一部を改正する省令（令和5年厚生労働省令第140号。以下「改正省令」といいます。）が、本日別添1から3までのとおり公布されました。
　改正政令及び改正省令の趣旨及び内容は、それぞれ下記第1から第3までのとおりであるほか、生活衛生関係営業等の事業活動の継続に資する環境の整備を図るための旅館業法等の一部を改正する法律（令和5年法律第52号。以下「改正法」といいます。）による改正後の旅館業法（昭和23年法律第138号。以下「法」といいます。）、改正政令による改正後の旅館業法施行令（昭和32年政令第152号。以下「令」といいます。）及び改正省令による改正後の旅館業法施行規則（昭和23年厚生省令第28号。以下「規則」といいます。）の運用上の留意事項等は下記第4のとおりですので、これらについて十分御了知の上、適切な対応をお願いいたします。
　また、本日、別添4のとおり、法第4条の2及び第5条に定める事項に関し営業者が適切に対処するために必要な指針として、旅館業の施設において特定感染症の感染防止に必要な協力の求めを行う場合の留意事項並びに宿泊拒否制限及び差別防止に関する指針（令和5年11月15日厚生労働大臣決定）を策定しました。
　併せて、旅館業法担当部局におかれては、改正法の円滑な施行に向けて、感染症の予防及び感染症の患者に対する医療に関する法律（平成10年法律第114号。以下「感染症法」といいます。）の担当部局や障害を理由とする差別の解消の推進に関する法律（平成25年

第5編　旅館業

法律第65号。以下「障害者差別解消法」といいます。）の担当部局等、関係部局へも本通知を共有いただく等により関係部局間の連携を図り、適切に対応いただきますようお願いいたします。

　なお、本通知は、地方自治法（昭和22年法律第67号）第245条の4第1項に基づく技術的な助言であることを申し添えます。

記

第1　改正政令及び改正省令の趣旨

　改正政令及び改正省令は、改正法により、法第4条の2（感染防止対策への協力の求めに関する規定）の新設、第5条（宿泊拒否制限に関する規定）の規定を改める等の改正が行われることに伴い、令及び規則に関し、所要の規定の整備を行うものである。

第2　改正政令の内容

(1) 令の一部改正関係（改正政令第1条関係）

　① 法第4条の2第1項第1号の政令で定める者に関する事項（令第4条関係）

　　法第4条の2第1項第1号の特定感染症の症状を呈している者その他の政令で定める者は、(i)特定感染症の症状を呈している者及び(ii)特定感染症にかかっていると疑うに足りる正当な理由のある者とする。

　② 法第4条の2第1項第1号ロの協力に関する事項（令第5条関係）

　　法第4条の2第1項第1号ロの旅館業の施設における当該特定感染症の感染の防止に必要な協力として政令で定めるものは、(i)旅館業の施設においてみだりに客室その他の営業者（旅館業法第3条の2第1項に規定する営業者をいう。以下同じ。）の指定する場所から出ないこと、(ii)体温その他の健康状態その他厚生労働省令で定める事項の確認の求めに応じること、並びに(iii)(i)及び(ii)のほか、感染症法第16条第1項その他の感染症法の規定に基づいて厚生労働大臣が特定感染症の予防若しくはそのまん延の防止に必要なものとして公表した内容又は特定感染症に係る新型インフルエンザ等対策特別措置法（平成24年法律第31号。以下「特措法」という。）第18条第1項に規定する基本的対処方針において特措法第2条第1号に規定する新型インフルエンザ等のまん延の防止に関する措置として定められた内容（以下「特定感染症に係る公表又は基本的対処方針の内容」という。）に即して、法第4条の2第1項第1号ロの協力として法第5条の2第1項に規定する指針で定めるものとする。

　③ 法第4条の2第1項第3号の協力に関する事項（令第6条関係）

　　法第4条の2第1項第3号の政令で定める協力は、(i)体温その他の健康状態その他法第4条の2第1項第3号の厚生労働省令で定める事項の確認の求めに応じること、及び(ii)(i)のほか、特定感染症に係る公表又は基本的対処方針の内容に即して、法第4条の2第1項第3号の協力として法第5条の2第1項に規定する指針で定めるものとする。

　④ 法第4条の2第2項の政令で定める感染症及びその特定感染症国内発生期間に関する事項（令第7条関係）

　　　　法第４条の２第２項の国内に常在すると認められる特定感染症を結核とし、その特定感染症国内発生期間は、厚生労働大臣が、感染症法第16条第１項の規定により公表した結核の発生の状況、動向及び原因に関する情報並びに結核の予防に必要な情報を踏まえ、営業者が宿泊しようとする者に対して法第４条の２第１項の規定に基づく協力を求めなければ旅館業の施設における結核のまん延のおそれがあると認め、その旨を告示した日から、厚生労働大臣が、そのようなおそれがなくなったと認めその旨を告示した日までとする。
(2) 国家戦略特別区域法施行令（平成26年政令第99号）の一部改正関係（改正政令第２条関係）
　　　国家戦略特別区域法（平成25年法律第107号）第13条に基づく事業に係る政令で定める要件のうち、滞在者名簿の記載事項から職業を削除し、連絡先を追加するものとする。
(3) 生活衛生関係営業等の事業活動の継続に資する環境の整備を図るための旅館業法等の一部を改正する法律の施行に伴う経過措置に関する政令（令和５年政令第247号）の一部改正関係（改正政令第３条関係）
　　　改正法の施行の日前に特定感染症が発生した場合における特定感染症国内発生期間の始期に関する経過措置を定めるほか、所要の改正を行う。
第３　改正省令の内容
① 法第４条の２第１項第１号イの厚生労働省令で定めるものに関する事項（規則第５条の２関係）
　　　法第４条の２第１項第１号イの厚生労働省令で定めるものとして、(i)医師の診断の結果及び(ii)特定感染症の症状を呈している者にあっては、当該症状が特定感染症以外によるものであることの根拠となる事項とするとともに、その報告の方法として、書面又は電子情報処理組織を使用する方法によることとする。ただし、やむを得ない事情があると認められる場合は、口頭でこれをすることができることとする。
② 令第５条第２号の厚生労働省令で定める事項（規則第５条の３関係）
　　　令第５条第２号の厚生労働省令で定めるものは、(i)当該特定感染症が現に発生している外国の地域における滞在の有無、(ii)当該特定感染症のうち感染症の予防及び感染症の患者に対する医療に関する法律施行令（平成10年政令第420号。以下「感染症法施行令」という。）第５条各号に掲げる感染症にあっては、当該各号に定める動物との接触の有無及び(iii)法第４条の２第１項第２号に規定する特定感染症の患者等との接触の有無並びに(iv)特定感染症の症状を呈している者にあっては、当該者が特定感染症にかかっていると疑うに足りる正当な理由のある者に該当するかどうかとする。
③ 法第４条の２第１項第２号の厚生労働省令で定める者に関する事項（規則第５条の４関係）
　　　法第４条の２第１項第２号の厚生労働省令で定める者は、特定感染症を人に感染させるおそれがほとんどないと医師が診断した者とする。
④ 法第４条の２第１項第３号の厚生労働省令で定める事項（規則第５条の５関係）

法第4条の2第1項第3号の厚生労働省令で定める事項は、当該者が令第4条第2号に掲げる者に該当するかどうかとする。
⑤ 法第5条第1項第3号の厚生労働省令で定めるものに関する事項（規則第5条の6関係）

法第5条第1項第3号の厚生労働省令で定めるものは、以下のいずれかに該当するものであって、他の宿泊者に対する宿泊に関するサービスの提供を著しく阻害するおそれのあるものとする。
ア　宿泊料の減額その他のその内容の実現が容易でない事項の要求（宿泊に関して障害者差別解消法第2条第2号の社会的障壁の除去を求める場合を除く。）
イ　粗野又は乱暴な言動その他の従業者の心身に負担を与える言動（営業者が宿泊しようとする者に対して障害者差別解消法第8条第1項の不当な差別的取扱いを行ったことに起因するものその他これに準じる合理的な理由があるものを除く。）を交えた要求であって、当該要求をした者の接遇に通常必要とされる以上の労力を要することとなるもの
⑥ 厚生労働省関係国家戦略特別区域法施行規則（平成26年厚生労働省令第33号）の一部改正関係（改正省令第2条関係）

国家戦略特別区域法施行令第13条の厚生労働省令で定める事項について、所要の改正を行うこととする。
⑦ 宿泊を拒んだときの理由等の記録及び保存の方法（改正省令附則第2項関係）

改正法附則第3条第2項の方法は、法第5条第1項第1号又は第3号に掲げる場合ごとに、宿泊を拒んだ理由等に関する記録を書面、当該営業者の使用に係る電子計算機に備えられたファイル又は電磁的記録媒体（電子的方式、磁気的方式その他人の知覚によっては認識することができない方式で作られる記録であって、電子計算機による情報処理の用に供されるものに係る記録媒体をいう。）をもって調製するファイルにより作成し、その作成の日から3年間保存するものとする。

第4　運用上の留意事項
(1) 特定感染症に係る医療提供体制及び関係者間の連携について

改正法の附帯決議においては、「宿泊しようとする特定感染症の症状を呈している者が診察等に容易に応じることができるよう、地域における旅館業の施設と医療機関との連携を確保すること」とされている。

また同附帯決議においては、「旅館業の営業者が適切に対処するために必要な指針の策定に当たっては、宿泊しようとする者が特定感染症の患者等に該当した場合であっても医療機関等が逼迫しており入院調整等に時間を要するときは宿泊拒否ではなく感染防止対策への協力を求め個室等で待機させることが望ましいこと（中略）を明確にすること」とされている。

一方、その前提として、新たに特定感染症が発生した際に地域の医療提供体制や検査体制が逼迫することがないよう、これまで通知しているとおり、都道府県等（都道府県、保健所を設置する市及び特別区をいう。以下同じ。）のうち、感染症法所管部

局及び地域医療担当部局においては、引き続き、感染症の予防及び感染症の患者に対する医療に関する法律等の一部を改正する法律（令和4年法律第96号）の施行に向けた準備に尽力されたい。

また、都道府県等のうち旅館業法所管部局においては、特定感染症国内発生期間に宿泊者から特定感染症の患者等が発生した場合等であっても、地域の旅館業の営業者や医療機関、宿泊療養施設等が適切に対応することができるよう、地域における営業者その他の関係者に対し、

- 特定感染症国内発生期間に、営業者が相談できる都道府県等の窓口
- 特定感染症国内発生期間に、宿泊しようとする者が特定感染症の患者等に該当した場合に連絡できる保健所の連絡先

等を、平時から周知・確認しておくべきであるほか、特定感染症国内発生期間であって、全ての特定感染症の患者等を医療機関や宿泊療養施設等で即座に対応することが難しい例外的な状況下にある場合には、そうした状況下にあることについて、管下の旅館業の施設に対して情報共有すべきであり、関係者間の連携を図られたい。

(2) 条例に関する留意事項

改正法による改正後においても、都道府県等が、法第5条第1項第4号に基づき、地域の実情に応じた宿泊拒否の事由を定めることができることに変わりはないが、改正法との関係性において留意すべき事項は以下のとおりである。

① 法第5条第1項第1号との関係

条例において法に定める特定感染症以外の感染症の患者に該当する場合も宿泊拒否を行うことができることとすることは、

- 入院等の措置が適用されない感染症であっても宿泊拒否できることとするものであり、感染症法や特措法といった他の法令と比較して過度な行動制限となりうるほか、
- 感染状況等の一定の基準に基づく合理的な運用が全国的になされないことが懸念され、
- 更に、改正法における法第5条第1項第1号の改正趣旨が感染症に係る差別防止等の観点から改正前の同号の規定範囲を限定・明確化するものであることから、

法第5条第1項第1号の趣旨に沿わないと考えられる。

② 法第5条第1項第3号との関係

条例においていわゆる迷惑客等に関する宿泊を拒むことができる事由が定められている場合は、法第5条第1項第3号の事由に加えて、条例で定める事由も宿泊を拒むことができる事由となり、条例を改正する必要性は必ずしもないと考えられるが、法第5条第1項第3号と規定内容として重複がないように調整することが望ましい。

③ 感染防止対策への協力の求めに正当な理由なく応じない場合との関係

条例において感染防止対策への協力の求めに正当な理由なく応じない場合を宿泊

拒否事由として規定することについては、法第5条第1項において、宿泊を拒むことができる事由を限定的に規定している中で、不当な宿泊拒否が生じるおそれ等の懸念を踏まえて、衆議院の修正により、宿泊拒否事由から、感染防止対策への協力の求めを受けた者が正当な理由なく応じない場合が削除された経緯を踏まえると、法第5条の趣旨に沿わないと考えられる。
④ 法第5条第2項との関係
　改正法により新設された法第5条第2項の規定を踏まえ、既に条例で宿泊拒否事由を規定している都道府県等においては、当該宿泊拒否事由に関し、営業者が適切に対処するために必要な事項を整理して公表することや、必要に応じて条例の改正の要否を検討することが望ましい。
(3) 差別防止の徹底等について
　法第3条の5第2項において、営業者の従業者に対する研修の機会を付与する努力義務が設けられた。都道府県等においては、
・ 営業の許可や変更等、営業者と接点を持つ際に、厚生労働省で研修ツールを用意している旨周知し、活用するよう促すこと
https://www.mhlw.go.jp/stf/seisakunitsuite/bunya/0000188046_00006.html
・ 従業者のみならず、営業者も研修内容を理解することが重要であること
についても、管下の旅館業の施設の営業者に対し、指導いただきたい。
　また、都道府県等においては、管下の旅館業の施設の営業者に対し、法第3条の5第2項の研修内容の理解を促す講習会等を行うことが望ましい。
(4) 相談窓口の明確化について
　都道府県等においては、利用者側が営業者から不適切な感染防止対策への協力の求めや宿泊拒否がなされた場合や、営業者側が協力の求めや宿泊拒否に関して悩んだ場合の相談に対応する窓口を明確にした上で、利用者や営業者に対して当該相談窓口の役割と連絡先について、周知・広報を行われたい。
　また、宿泊しようとする者から不適切な感染防止対策への協力の求めや宿泊拒否がなされたとの申出があった場合は、必要に応じて、法第7条の規定に基づき、報告の徴収等を行うとともに、営業者側から協力要請や宿泊拒否に関して相談があった場合は、適切に助言することが求められる。
　さらに、当該相談窓口において障害者差別解消法にも関わる相談を受けた場合は、都道府県等における同法の担当部署と適切に連携することが求められる。一方で、障害者差別解消法に関わる相談については、障害者差別解消法の担当部署のみに相談が来る場合も想定されることから、旅館業法担当部局は、障害者差別解消法の担当部署宛てに、障害者の宿泊拒否に関する相談が来た場合には、情報を共有し連携して対応するよう依頼する等、障害者差別解消法の担当部署との間で連携体制を構築されたい。
　加えて、障害者による情報の取得及び利用並びに意思疎通に係る施策の推進に関する法律（令和4年法律第50号）を踏まえ、電話やＦＡＸだけでなく電話リレーサービ

スやメール等でも問い合わせを行うことができるように整備されたい。併せて、SNSでも問い合わせを行うことができるようにすることが望ましい。

都道府県等が相談窓口を周知する際は、以下の組織が設ける消費者向けの相談窓口等を併せて周知することも検討されたい。なお、以下の組織に対しては、本件について、相談されることがあり得ることや都道府県等に紹介することについて、了承を得ていることを申し添える。

・営業者向け相談窓口：

団体名	連絡先	対応日時等
全国旅館ホテル生活衛生同業組合連合会（全旅連）	http://www.yadonet.ne.jp/info/eigyousya_soudan.html	
日本司法支援センター（法テラス）	TEL：0570-078374（おなやみなし） メールでのお問合せも受け付けています。 https://www.houterasu.or.jp/index.html	平日 9：00～21：00 土曜日 9：00～17：00 （日曜日・祝日は除く。）

人権相談は、こちら

	連絡先	対応日時等
法務局	TEL：0570-003-110（みんなの人権110番） その他の人権相談の方法はこちら https://www.moj.go.jp/JINKEN/index_soudan.html （法務省HP（人権相談））	平日 8：30～17：15

・利用者向け：
契約トラブルについては、こちら

団体名	連絡先	対応日時等
消費生活センター等	TEL：188 消費者ホットライン188：消費生活センターや消費生活相談窓口が案内されます。	各相談窓口による
日本司法支援センター（法テラス）	TEL：0570-078374（おなやみなし） メールでのお問合せも受け付けていま	平日 9：00～21：00

第5編　旅館業

	す。 https://www.houterasu.or.jp/index.html	土曜日 9：00～17：00 （日曜日・祝日は除く。）
公益社団法人全国消費生活相談員協会（週末電話相談室）	TEL：03-5614-0189（東京）	土曜日・日曜日 10：00～12：00 13：00～16：00 （年末年始を除く。）
	TEL：06-6203-7650（大阪）	日曜日 10：00～12：00 13：00～16：00 （年末年始を除く。）
	TEL：011-612-7518（北海道）	土曜日 13：00～16：00 （年末年始を除く。）
公益社団法人日本消費生活アドバイザー・コンサルタント・相談員協会（ウィークエンド・テレホン）	TEL：03-6450-6631（東京）	日曜日 11：00～16：00 （年末年始を除く。）
	TEL：06-4790-8110（大阪）	土曜日 10：00～12：00 13：00～16：00 （年末年始を除く。）

人権相談は、こちら

	連絡先	対応日時等
法務局	TEL：0570-003-110（みんなの人権110番） その他の人権相談の方法はこちら https://www.moj.go.jp/JINKEN/index_soudan.html （法務省ＨＰ（人権相談））	平日 8：30～17：15

・訪日外国人観光客向け：
契約トラブルについては、こちら

団体名	連絡先	対応日時等
訪日観光客消費者ホットライン	TEL：03-5449-0906 ※対応言語： 英語、中国語、韓国語、タイ語、ベトナム語、フランス語、日本語	平日 10：00～16：00 （土日祝・12／29～1／3は除く。）

(5) 法施行状況に関する報告の徴収等について

　都道府県等は、営業者が不適切な感染防止対策への協力の求めや宿泊拒否を行っていることを把握した場合は、営業者に対して、法第7条の規定に基づき、報告の徴収等を行い、状況の把握に努めること。報告の徴収等を行った結果、必要な場合は、法第8条の規定による営業の許可の取消しや営業の停止を行うことも含めて検討されたい。

　また、都道府県等は、営業者による研修の実施の有無・内容等についても少なくとも3年に一度は確認されたい。

(6) 施行状況等の把握

　法の施行状況等について把握するため、今後、その施行状況、効果、事例等についてフォローアップを行う予定であることに留意されたい。

以上

別添1～4　略

第2章　適用範囲

○下宿営業の範囲について

> 昭和61年3月31日　衛指第44号
> 各都道府県・各政令市・各特別区衛生主管部（局）長宛
> 厚生省生活衛生局指導課長通知

　旅館業法（昭和23年法律第138号。以下「法」という。）第2条第5項に規定する「下宿営業」については、昭和32年8月3日衛発第649号公衆衛生局長通知第1(4)により、「なお、いわゆるアパート、間貸し等のように一時的又は比較的短期間の止宿のための施設と通常目されないものは法第2条第5項の下宿には該当しないものであること」として、下宿営業に該当するか否かの判断についての例示がなされている。しかしながら、これまでの運用において下宿営業と貸室業との区別が必ずしも十分ではなかったため、本来下宿営業の許可の対象とならない施設についても許可が求められている事例も見受けられるとの指摘がなされている。

　「下宿営業」とは、法第2条第5項に定義するとおり、「人を宿泊させる営業」であって、1月以上の期間を単位とする宿泊料を受けるものをいうが、「人を宿泊させる営業」という旅館業の営業の本質においては、他の旅館業の営業と相違はないものである。

　ここで、「人を宿泊させる営業」とは、アパート、間貸し等の貸室業との関連でみると、

　1　施設の管理・経営形態を総体的にみて、宿泊者のいる部屋を含め施設の衛生上の維持管理責任が営業者にあると社会通念上認められること
　2　施設を利用する宿泊者がその宿泊する部屋に生活の本拠を有さないことを原則として、営業しているものであること

の2点を条件として有するものであり、これは下宿営業についても同様である。このような観点からみると、例えば、いわゆる学生下宿は、部屋の管理が専ら学生に委ねられており、しかも、学生がそこに生活の本拠を置くことを予定していることから、営業の許可の対象とはならないものである。

　今後とも、以上の観点から、許可の要否につき判断されたい。
（付記）
1について

　法は、営業者がその営業施設の構造設備についてのみならず、施設の管理面についても責任を負うことを前提として必要な規制を行っている。このため、法第4条は、営業者に宿泊者の衛生に必要な措置を講じることを義務づけており、施設についての衛生上の維持管理は営業者において行うことを予定している。この点において、室内の管理が間借り人に全面的に委ねられている間貸し等と根本的に異なるのである。
2について

　旅館業においては、その営業施設が社会性を有する形で、一般大衆に利用されるもの

であるからこそ、公衆衛生又は善良の風俗の維持の観点から必要な規制を行うのである。従って、宿泊者に生活の本拠を与えることを予定したアパートのような形の営業形態は、個々人の生活の集積に過ぎず、少なくとも現行の旅館業法による規制は予定しないものである。

なお、いわゆる「ホテル住まい」として、他に生活の本拠を有さない者が、長期間ホテル等に滞在する場合等においては、その者は、そこに生活の本拠があると認められることもあろうが、営業全体としてはそうした形態を予定していない場合、当然、前記2に該当することとなる。

○マンション等の施設を使用する形態の旅館業について

> 平成12年12月13日　衛指第128号
> 各都道府県・各政令市・各特別区衛生主管部（局）長宛
> 厚生省生活衛生局指導課長通知

標記については、昭和56年7月31日付け環指第124号厚生省環境衛生局指導課長通知、昭和63年1月29日付け衛指第23号当職通知等により、旅館業法の適用の有無に関して見解を示しているところですが、近時、旅館業法第3条第1項の営業許可を受けていない業者が、ウィークリーマンション等と称して1日（1泊）から1週間程度の単位でマンション等の空室に客を宿泊させることにより、実態として貸室業ではなく旅館業と判断され得る営業を行っている事例が報告されています。

ついては、貴管内においてそのような情報に接した場合には、営業実態を調査し、旅館業法、前記通知等に照らして無許可営業と判断される事業者については、営業を中止するよう指導するほか、悪質な事例については、警察当局と連携をとって厳正な対応をお願いします。

○マンション等の施設を使用する形態の旅館業について

> 平成17年2月9日　健衛発第0209006号
> 各都道府県・各政令市・各特別区衛生主管部（局）長宛
> 厚生労働省健康局生活衛生課長通知

いわゆるウィークリーマンション等と称する施設については、昭和56年7月31日付け環指第124号厚生省環境衛生局指導課長通知、昭和63年1月29日付け衛指第23号厚生省生活衛生局指導課長通知及び平成12年12月13日付け衛指第128号厚生省生活衛生局指導課長通知等により、旅館業法の適用の有無についての見解を示し、指導をお願いしているところであるが、今後も、実態として旅館業を営んでいるにもかかわらず、旅館業法第3条第1

項の営業許可を受けていない事業者についての情報に接した場合には、営業実態を調査し、無許可営業と判断される事業者については、営業を中止するよう指導し、当該営業を続ける意思を有するのであれば、旅館業法に基づく営業許可申請を行うよう指導することとされたい。

また、悪質な事例については、警察当局とも連携をとった上での厳正な対応をお願いする。

○無償で宿泊させる場合の旅館業法の適用について

［平成23年2月24日　健衛発0224第1号
各都道府県・各政令市・各特別区衛生主管部(局)長宛
厚生労働省健康局生活衛生課長通知］

「新成長戦略実現に向けた三段構えの経済対策」(平成22年9月10日閣議決定)において、「農林漁家における『民宿』と『民泊』の区分の明確化」が盛り込まれ、「有償で不特定多数の他人を宿泊させる場合には民宿開業に伴う旅館業の許可が必要であるが、教育旅行など生活体験等を行い、無償で宿泊させる民泊の場合は、同法律の規定上適用除外であることを地方自治体に対して周知する。」とされたところである。

従来より、名称の如何をとわず客観的にみて宿泊料にあたるものを徴収しない場合は旅館業法の適用対象とはならないものとしているところであるが、改めて貴管内の関係団体へ周知を図るようお願いしたい。

○農林漁業者が農林漁業体験民宿業を営む施設について

［平成26年3月31日　健衛発0331第3号
各都道府県・各政令市・各特別区衛生主管部(局)長宛
厚生労働省健康局生活衛生課長通知］

農林漁業者が農山漁村滞在型余暇活動のための基盤整備の促進に関する法律(平成6年法律第46号)第2条第5項に規定する農林漁業体験民宿業を営む施設(以下「施設」という。)については、旅館業法施行規則(昭和23年厚生省令第28号。以下「規則」という。)第5条第1項及び第2項の規定に基づき、旅館業法施行令(昭和32年政令第152号)第1条第3項第1号の基準は適用しないこととされているが、今般、農林水産省に設置された「攻めの農林水産業推進本部」における取りまとめ(重点事項)(平成25年12月)を踏まえ、個人の農林漁業者が営む施設と同様に、法人経営を行う家族経営体(いわゆる一戸一法人)である農林漁業者が営む施設についても、規則第5条第1項及び第2項の規定を適用することとしたので、御了知の上、その運用に遺憾なきようお願いしたい。

なお、本通知については、農林水産省農村振興局と協議済みであることを申し添える。

○国立青少年教育施設に関する取扱いについて

> 平成27年4月7日　健衛発0407第1号
> 各都道府県・各政令市・各特別区衛生主管部(局)長宛
> 厚生労働省健康局生活衛生課長通知

　国立青少年教育施設については、これまでも独立行政法人国立青少年教育振興機構法に基づく研修施設として管理運営が行われてきたところですが、今般、文部科学省スポーツ・青少年局青少年課長から協議があり、別添のとおり国立青少年教育施設における衛生管理の徹底を図るための「国立青少年教育施設における衛生等管理要領」が定められることとなりました。

　ついては、国立青少年教育施設が独立行政法人国立青少年教育振興機構法に基づく研修施設であり、その運営管理が同管理要領に基づく独立行政法人国立青少年教育振興機構の業務方法書等により衛生管理が行われることとなったことから、今後、国立青少年教育施設については、旅館業法の適用を受けない施設として取り扱うこととしましたので、通知いたします。

　なお、今後も国立青少年教育施設から相談等があった場合については、御指導をお願いいたします。

別添　略

○移住希望者の空き家物件への短期居住等に係る旅館業法の運用について

> 平成28年3月31日　生食衛発0331第2号
> 各都道府県・各政令市・各特別区衛生主管部(局)長宛
> 厚生労働省医薬・生活衛生局生活衛生・食品安全部生活衛生課長通知

　地方分権改革については、これまでの成果を基盤とし、地方の発意に根差した新たな取組を推進することとして、平成26年から地方分権改革に関する「提案募集方式」が導入されたところです。

　平成27年における地方からの提案等に関する対応については、別添のとおり「平成27年の地方からの提案等に関する対応方針」(以下「対応方針」という。)が平成27年12月22日に閣議決定され、当該対応方針中「6　義務付け・枠付けの見直し等」(7)(i)及び(ii)のとおり、旅館業法(昭和23年法律第138号)の適用外となる場合について、平成27年度中に地方公共団体に通知することとされました。

　旅館業法の適用に当たっては、同法第2条及び第3条に基づき、「施設を設け、宿泊料を受けて、人を宿泊させる営業」に該当するものは、旅館業法の営業許可を受けなければならないこととされていますが、対応方針に基づき、旅館業法の適用外となり、旅館業法の営業許可を要しない場合について下記のとおり通知するので、貴職におかれては、適切な運用に努めていただきますようお願いいたします。

記

1　移住希望者に対して売買又は賃貸を目的とする空き家物件への短期居住が旅館業法の

適用外となる場合
　移住を希望する者に対する売買又は賃貸を前提としている空き家物件への短期居住であって、以下の(1)から(3)の措置が講じられている場合には、旅館業法の適用外となる。
(1)　空き家物件の利活用事業が空家等対策の推進に関する特別措置法（平成26年法律第127号）に基づく計画に位置付けられ、当該事業を行う地方公共団体が空き家物件を登録しているなど、地方公共団体において対象施設が特定されていること。
(2)　対象施設を購入又は賃借する者が真に当該施設を購入する意思又は長期賃借する意思を有していることを地方公共団体において確認する措置が執られていること。
(3)　(1)及び(2)に掲げる措置が講じられていることにより、実態として反復継続して不特定多数の者が利用することのないことが担保されていることを旅館業法担当部局において確認すること。
2　地方公共団体が設置する地域協議会等が実施主体となり、体験学習を伴う教育旅行等における宿泊体験が旅館業法の適用外となる場合
　地方公共団体から依頼を受けた地域協議会等が宿泊者から宿泊料に相当する対価を受けず、当該体験学習に係る指導の対価のみを受ける場合については、当該地域協議会等が体験学習を伴う教育旅行等における宿泊体験サービスを提供する農家等に支払う経費は宿泊料に該当せず、旅館業法の適用外となる。
別添　略

◯旅館業法の一部を改正する法律の施行に伴う関係政令の整備に関する政令等に係る疑義について

［平成30年1月31日　事務連絡
各都道府県・各保健所設置市・各特別区生活衛生担当
課宛　厚生労働省医薬・生活衛生局生活衛生課］

　本日、旅館業法の一部を改正する法律の施行に伴う関係政令の整備に関する政令（平成30年政令第20号。以下「改正政令」という。）及び旅館業法施行規則及び環境衛生監視員証を定める省令の一部を改正する省令（平成30年厚生労働省令第9号。以下「改正省令」という。）が公布され、また、旅館業における衛生等管理要領の改正について（平成30年1月31日付け生食発0131第2号厚生労働省大臣官房生活衛生・食品安全審議官通知。以下「改正通知」という。）をお示ししたところであるが、これらについて想定される照会事項への回答を下記のとおり取りまとめたのでお示しする。
　貴課におかれては、内容を御了知の上、観光担当部局等の関係部署及び都道府県におかれては併せて管内市町村等への周知等について御配慮願いたい。

記

> 問1　都道府県等の条例改正が、平成30年6月15日より遅れることが想定されるが、同日時点では改正政令、改正省令、改正通知が施行されていることに鑑み、都道府県等の条例改正手続きが終了していなくても、国の改正政令等で示された基準に従って、旅館業の許可を行うことは差し支えないか。

（答）　旅館業法第３条第２項では、「都道府県知事は、（中略）許可を与えないことができる」と規定しており、旅館業の営業許可の判断については、一定の裁量が、都道府県知事等に認められているものと解される。これに鑑みると、都道府県知事等に旅館業の許可の申請がされた施設の基準が、国の改正政令等の基準に適合する場合には、都道府県等の条例改正が終了していない場合でも、都道府県等の判断で許可を与えることは、条文解釈上は可能と考えている。

> 問２　平成29年12月15日付生食発1215第２号厚生労働省大臣官房生活衛生・食品安全審議官通知「旅館業における衛生等管理要領の改正について」において示された改正内容については、既に施行されていると承知しているが、当該改正内容についても、都道府県等の条例改正が終了していなくても、国の当該改正内容に従って、都道府県等の判断で旅館業の営業許可を行うことは差し支えないという理解でよいか。

（答）　お見込みのとおり。

> 問３　ホテル営業の入浴設備について、改正前の旅館業法施行令では「洋室浴室又はシャワー室」と規定されていたが、改正政令では、旅館・ホテル営業の入浴設備は、「宿泊者の需要を満たすことができる適当な規模の入浴設備を有すること」と規定されている。旅館・ホテル営業においては、改正前のホテル営業では認められていたシャワー室のみの設置ができなくなるのか。

（答）　旅館・ホテル営業においても、シャワー室のみの設置は可能である。
　　　今回の改正は、旅館・ホテル営業の入浴設備の基準については、規制の緩やかな旅館の水準に統一するとの趣旨であり、ホテル営業について規制強化することは想定していない。なお、簡易宿所営業、下宿営業についても、同様の取扱いとして差し支えない。

> 問４　改正省令において、旅館業法施行規則第５条が削除されたが、これに伴い、同条の伝統的建造物の玄関帳場等の代替する機能について示した「旅館業法施行規則の一部を改正する省令の施行について」（平成24年４月１日健発0401第１号）は廃止されるのか。

（答）　お見込みのとおり。
　　　改正政令・改正省令・改正通知では、旅館・ホテル営業について、玄関帳場に代わり、改正省令で定める基準に適合する設備があれば良いこととし、改正通知で当該基準の詳細を示している。改正前省令第５条に規定されていた伝統的建造物の玄関帳場等の取扱いについても、改正通知に示された考え方に従ってご判断いただきたい。

> 問５　旅館・ホテル営業について、玄関帳場等の代替する機能を有する設備を備えている場合には、玄関帳場等を設置しないことができると規定されたが、このような場合には、複数の旅館・ホテル営業等について、共同して玄関帳場を設けることも認められるという理解でよいか。

（答）　お見込みのとおり。
　　　ただし、旅館・ホテル営業については、玄関帳場等の機能をＩＣＴ設備により代替することとなる全ての施設について、ビデオカメラ等を設置し、宿泊者の本人確認のみならず、出入りの状況の確認を常時鮮明な画像により実施する必要がある点で、簡易宿所営業の取扱いとは異なる点に留意されたい。

第5編　旅館業

○「地方公共団体向け二地域居住等施策推進ガイドライン」（国土交通省）の改訂について（周知）

〔令和4年7月15日　事務連絡
各都道府県・各保健所設置市・各特別区衛生主管部
（局）宛　厚生労働省医薬・生活衛生局生活衛生課〕

　国土交通省において、「地方公共団体向け二地域居住等施策推進ガイドライン」を策定しており、今般、その改訂があったところです。

　同ガイドラインの21ページにも記載のとおり、「定額制住居サービス」（一つの建築物を複数の居住者が交代で利用）などについて、このようなサービスに利用される建築物は、保健所の判断により、旅館業法上の簡易宿所として取り扱われることがあります。

　貴管内においてこのようなサービスが行われる場合は、各施設の実情を踏まえ、簡易宿所に該当するか否か、適切に御判断いただきますようお願いします。

　（参考）ガイドラインP.21参照　略

第3章　営業の許可等

○旅館営業に対する指導監督の強化について

〔昭和32年3月8日　衛発第78号〕
〔東京都知事宛　厚生事務次官通知〕

　最近貴職管下の一部地区において不健全な営業を行う旅館の乱立が地区住民の生活環境に種々の悪影響を及ぼし、しかもこの種旅館がさらに増加する傾向にあって社会問題となりつつある現況にかんがみ、今後旅館の指導監督及びその許可処分にあたっては、特に次の点に留意し、旅館営業の健全化のために強力な措置を取られるよう格段の配意を願いたい。

記

1　現に旅館の営業許可申請中のもの及び今後許可の申請をしようとするものに対する措置

　個々の施設等につき具体的に十分調査し、生活環境に悪影響を及ぼすと認められるものについては、おおむねつぎの措置を講ずるものとする。

(1)　業界の自粛とその協力にまって自発的に許可の申請を取り下げるよう積極的に業界を指導すること。

(2)　現に設置されている営業関係の運営協議会に教育機関その他の関係行政機関、地区住民の代表者等を加える等、極力この組織を活用して許可処分の適正を期すること。

(3)　申請者に対しては個々にその設置場所の不適当なことを認識させ、設置を翻意するよう強く勧奨すること。

(4)　申請に係る施設についてその設置場所及び構造設備の許可基準をさらに一層厳正に適用し個々の事例につき慎重にその処分に当ること。

2　現に許可を受けて旅館営業を行っているものに対する措置

　法の趣旨を十分に理解徹底させ、いやしくもその精神を逸脱することのないよう指導するとともに差し当りつぎの措置を講ずるものとする。

(1)　衛生措置の実施状況、営業方法等につきさらに強力な監視指導を行い、業者の自粛と相まって旅館営業の健全化を期すること。

(2)　旅館業の公共性にかんがみ、業界自体の自粛を促すことにより、不健全な広告、表示、宣伝方法等を行わないよう関係機関及び業界と緊密に連絡し、その実行を期すること。

第5編　旅館業

○学校周辺の旅館業について

〔昭和32年8月5日　厚生省衛発第650号・文部省国施第45号
各都道府県知事・各指定都市市長・各都道府県教育委員会宛　厚生省公衆衛生局・文部省管理局長連名通知〕

　旅館業法の一部を改正する法律等の施行については、厚生事務次官通知及び厚生省公衆衛生局長通知をもって一般的には、指示したところであるが、なお、今回の改正によって最近一部の地域において、教育上の見地から種々批判されるような営業が行われる事例のあったことにかんがみ、学校周辺の旅館業に対し、特別の規制を加えることによって、当該学校の清純な教育環境を守ることとされたので、これが運用に当っては、特に次の事項に御留意のうえ、これが実施に遺憾ないようされたい。

記

1　旅館業法施行令（昭和32年政令第152号）第1条第1項第9号及び同条第2項第8号の規定により、学校周辺の旅館業のうち、ホテル営業及び旅館営業に係るものについては、その構造設備の基準として、客室又は客にダンス若しくは射幸心をそそるおそれがある遊技をさせるホール等の内部を学校から見とおすことをさえぎることができる設備を設けなければならないこととされたが、これは営業の施設の当該部分が学校から見とおせないようにするため設計上の工夫をこらし、又は一定の遮閉物を設ける必要があるものであること。この場合、換気、採光等の公衆衛生の基準の遵守についても十分配慮すべきものであることは、いうまでもないこと。なお、本基準は、公衆衛生上の見地からの構造設備の基準の場合とは異り、画一に適用されるべきものではなく、例えば、地形上学校から見とおすことができない位置に施設が所在するときは、その必要はないものであること。
2　改正旅館業法（以下「法」という。）第3条第2項後段の規定により、営業の施設の設置によって清純な教育環境が著しく害されるおそれがあると認められるときは、許可を与えないことができることとされたが、これは営業許可申請当時の状況において当該施設の構造設備、位置等からして清純な教育環境が著しく害されるおそれがあることが相当確実に認められる場合に限って、不許可処分とすることができるものであること。
3　法第3条第3項の規定により学校周辺の営業の施設について都道府県知事（指定都市にあっては、その市長。以下同じ。）が営業の許可を与える場合には、事前に、その学校が大学附属の国立学校であるときは当該大学の学長、その他の国立学校であるときは当該学校の校長、公立学校であるときは都道府県の教育委員会、私立学校であるときは、学校教育法（昭和22年法律第26号）に定める所管庁（以下単に「都道府県の教育委員会等」という。）に対し、清純な教育環境が著しく害されるおそれがあるかどうかについて意見を求めなければならないこととされたが、この場合、都道府県の教育委員会等が意見を述べるときは、実情を十分検討のうえ具体的な事由を附して行うべきものであること。なお、この際市町村の設置する学校について都道府県の教育委員会が意見を述べる場合には、事前に市町村の教育委員会の意見を求めたうえで行うべきものであること。
4　法第8条の2の規定により、学校周辺にある営業の施設に関して清純な教育環境が著

しく害されていると認めるときは、都道府県の教育委員会等は、都道府県知事に対して改善命令、許可の取消、営業の停止を行うについての意見を積極的に申し述べることができる途が開かれたこと。ただし、この場合においても営業の施設が構造設備の基準に適合しなくなったため又は営業者が法第４条第３項の基準に違反したために、教育環境が著しく害されていると認められるときに限られるものであるから、都道府県の教育委員会等は、事実を十分調査のうえ、具体的な意見を申し述べるべきものであること。なお、この際当該学校が市町村の設置する学校である場合には、市町村の教育委員会から都道府県の教育委員会に対し都道府県知事に意見を述べるべきことを申し出ることができるものとされたこと。
5　都道府県知事は、教育環境の保全の観点からも、常に営業者の啓発指導に努められたいこと。

○旅館業の構造設備基準に未適合の施設に対する取扱いについて

　　　昭和35年６月23日　衛発第566号
　　　各都道府県・各指定都市衛生主管部(局)長宛　厚生省
　　　公衆衛生局長通知

　昭和32年法律第176号による旅館業法の一部改正により、旅館業の構造設備の基準が同法施行令で規定すべき事項となるとともに、その基準の内容が従前のものより相当引き上げられたため、これに伴う経過措置として、同一部改正の施行後３年間は、従前の規定による基準に適合しているかぎり、同法施行令で定める構造設備基準に適合させるための措置命令は行なうことができないこととされたところである。しかしながら、この経過措置の期限は本年６月14日をもって打ち切られるにもかかわらず、諸般の事情により未だ基準に適合していない施設が若干残っているが、これらの施設については、当分の間、次により取り扱うこととしたから遺憾なきを期されたい。

　　　　　　　　　　　　　　　記
1　昭和35年６月15日以後においても旅館業法施行令に定める構造設備の基準（以下「設備基準」という。）に適合していない施設については、既に経過措置の期間が満了したので、従前より一層強力な指導を行なうべきことはもとよりであるが、設備基準に適合させるためには、高額の費用と長期の時日を要し、しかも立地条件から実施不可能な場合もあると考えられるので、これらの諸条件を十分考慮し、極力現状に即した指導を行なわれたいこと。すなわち、諸般の事情から考慮して、設備基準に適合させることが客観的に不可能と考えられる場合、設備基準に適合させるためにあらゆる努力をしながらも、現状では設備基準に適合させることが不可能な場合その他設備基準に適合していないことが真にやむを得ない事情によると認められる場合であって、当該施設についての営業が公衆衛生上及び風紀上特別の支障を与えないと認められるときは、直ちにこれらの施設に対し措置命令等の処分を行なうことは差し控えるべきであること。また、この場合の指導にあたっては、たとえ全面的に設備基準に適合しなくとも、可能なものから順次適合させていくことが妥当である場合には段階的な指導を行なうものとすること。

第5編　旅館業

2　1により積極的な指導を行い、しかも現実にそれが可能であるにもかかわらず、設備基準に適合させるための何らの努力も払わない業者に対しては、措置命令を出すことも止むを得ない場合があると考えられるが、この場合においても、当該命令に従って講ずべき措置の内容は、諸般の事情を考慮し、実施しうるものであるとともに、その期間も実施に必要と考えられるものを十分に見込んだものとすること。
3　設備基準に適合していない施設について相続又は譲渡があった場合には、当該施設を相続し、又はその譲渡を受けた者から新たに許可申請が行なわれることとなるが、当該施設が設備基準に適合していないことが真にやむを得ない事情によると認められる場合であって、当該施設についての営業が公衆衛生上及び風紀上特別の支障を与えないと認められるときには、許可を与えて差しつかえないこと。

○旅館業法における人的資格要件の調査について

［昭和40年7月2日　環衛第5,073号
各都道府県衛生主管部（局）長・各指定都市衛生局長宛
厚生省環境衛生局環境衛生課長通知］

標記の件につき次のとおり通知する。
1　旅館業法第3条第1項の許可をするにあたって、申請者の人的資格要件の調査のために住民票または戸籍抄本等の提出を義務づけることはできないが、関係行政機関に対し申請者が旅館業法第3条に規定する者に該当するか否かの照会をすることはさしつかえない。
2　昭和32年8月29日付け衛環第56号中問6及びその解答は削除する。

○学校周辺の旅館業の営業の許可に係る都道府県知事の意見聴取等について

［昭和43年6月24日　環衛第8,095号・文施指第100号
各都道府県知事・各指定都市市長・各都道府県教育委員会・各指定都市教育委員会宛　厚生省環境衛生・文部省管理局長連名通知］

許可、認可等の整理に関する法律（昭和43年法律第94号。別紙1）により、旅館業法（昭和23年法律第138号。以下法という。）の一部が改正され、またこれに伴い旅館業法施行規則の一部を改正する省令（昭和43年厚生省令第17号。別紙2）が定められ、それぞれ昭和43年6月10日から施行されたので、これらの取扱いについては、次の事項に留意のうえ、遺憾のないようにされたい。

なお、都道府県教育委員会にあっては、管下市町村関係機関に対しこのことを通知し、これらの改正法令の趣旨を徹底させるようお願いする。

記

1　改正の趣旨
　　今般の改正は、都道府県知事が大学、高等専門学校以外の市町村立の学校の周辺の旅館業について営業の許可を行なうにあたって教育委員会の意見を聴取する場合等におけ

る事務の迅速化及び簡素化を図ることを目的として行なわれたものであること。
2 改正の要点
(1) 学校周辺の旅館業の営業の許可に係る都道府県知事の意見の聴取について
　大学、高等専門学校以外の公立の学校の周辺の旅館業の営業につき都道府県知事が法第3条第1項の許可を与える場合において、従来都道府県の教育委員会に対して行なってきた意見の聴取については、これを当該学校を設置する地方公共団体の教育委員会に対し行なうこととしたこと。なお、この場合において、意見を聴取する相手方が市町村（指定都市を除く。以下同じ。）の教育委員会であるときは、都道府県の教育委員会を経由して意見を聴取し、意見を求められた当該市町村の教育委員会は都道府県の教育委員会を経由して意見を述べることとしたこと。
(2) 都道府県知事が行なう処分に係る意見の陳述について
　都道府県知事が行なう大学、高等専門学校以外の公立の学校に係る法第7条の2及び法第8条の処分に関して従来都道府県の教育委員会が意見を述べることができることとなっていたが、これを当該学校を設置する地方公共団体の教育委員会が行なうことができることとしたこと。なお、この場合において、意見の陳述を行なう地方公共団体の教育委員会が市町村の教育委員会であるときは、都道府県の教育委員会を経由して意見の陳述を行なうこととしたこと。
別紙1・2　略

○旅館営業に対する防火安全対策の強化について

　　　　昭和44年1月23日　環衛第9,011の2号
　　　　各都道府県衛生主管部（局）長宛　厚生省環境衛生課長
　　　　通知

　　注　平成15年10月2日健衛発第1002003号による改正現在

　有馬温泉火災事故にかんがみ、旅館営業について防火安全上とるべき措置について関係各省庁をもって発足させた旅館ホテル防火安全対策連絡協議会において協議した結果に基づき、標記のことについて下記の事項に御留意のうえ、事務の処理に遺憾のないようにされたい。
　なお、本件については、昭和44年2月1日から実施されたい。

記

1　旅館業の営業許可にあたっては、当該営業許可申請書を受理後すみやかに所轄消防機関に通報し、又は指導により営業許可申請者をして所轄消防機関に申請せしめ、当該消防機関から消防法令に義務づけられている消防用設備等の設置についての査察結果についての別記様式の通知書による通知を受けた後に処理するものとされたいこと。
　この場合において、消防用設備等が設備されていない旨の通知を受けたときは、消防用設備等の改善がなされるまでの間は、旅館業の営業許可はさし控えるものとされたいこと。
2　旅館営業に対する環境衛生金融公庫の融資については、消防機関の査察結果において不備が指摘された消防用設備等を重点的に行なうこととしたこと。この場合において

第5編　旅館業

は、消防機関から勧告書又は命令書を出されているので、融資申請書には当該勧告書又は命令書の写しを添付させることとしているので、融資の申請にあたっては、これを徹底させるよう指導されたいこと。

3　災害時の事故防止を図るため従業員の防火対策・火災時の措置等については、常時消防関係機関の指導を受ける等災害時の態勢を整えること等について、旅館業の営業者に対して強力に指導されるとともに、宿泊者名簿の作成を徹底させるよう指導されたいこと。この場合において、旅館業環境衛生同業組合の組織の活用を図って指導の実をあげるよう配慮されたいこと。

別記様式　略

○旅館業、興行場営業及び浴場業に対する防火安全対策の強化について

> 昭和44年5月21日　環衛第9,072号
> 各都道府県・各指定都市衛生主管部(局)長宛　厚生省
> 環境衛生課長通知

旅館業に対する防火安全対策の強化については、本年1月23日付環衛第9,011の1号及び2号をもって通知したところであるが、本年2月5日に発生した磐梯熱海温泉の火災事故をはじめ、最近ひん発した旅館、興行場、トルコ風呂等の火災事故にかんがみ、これら営業に対する防火安全対策をさらに強化徹底させるため、旅館ホテル防火安全対策連絡協議会において協議した結果に基づき、標記のことについて下記の事項にご留意のうえ、事務の処理に遺憾のないようにされたい。

なお、本件については、昭和44年6月1日から実施されたいが、当日前においても実施態勢が整備され次第、すみやかに実施されることは差し支えない。

記

1　旅館業の営業許可にあたっては、消防機関から消防用設備等が設置されている旨の通知書の送付を受けるまでの間は、旅館等の営業許可をさし控えることについてすでに本年1月23日付環衛第9,011の1号及び2号をもって通知したところであるが、この処理と併行して当該営業許可申請書を受理後すみやかに所轄建築行政機関にも通報し、当該建築行政機関から当該営業施設及びその敷地が建築基準関係法令に適合していることを証する建築基準法第7条第3項に規定する検査済証の写しの送付を受けた後に処理するものとし、検査済証の写しの送付を受けない間は、消防機関から当該通知書の送付を受けるまでの間と同様に旅館業の営業許可はさし控えるものとされたいこと。

2　前記通知では、旅館業の営業許可にあたって、消防機関が査察の結果、当該営業施設が消防法令に違反している場合には、違反している旨を記載した通知書が送付されることとなっていたが、今後は単にその旨の通報を受けるものとし、通知書の送付は受けないものとするよう前記通知による処理手続を改めることとしたので了知されたいこと。

したがって、前記通知様式（通知書）を別記様式のように改めることとしたので了知されたいこと。

3　興行場営業及びいわゆるトルコ風呂、サウナ風呂等蒸気又は熱気等を使用する浴場業の営業許可にあたっては、旅館業の営業許可の事務処理の例にならい、当該営業許可申

請書を受理後すみやかに所轄建築行政機関及び所轄消防機関に通報し、当該建築行政機関から検査済証の写しの送付を受けた後及び当該消防機関から消防法令に義務づけられている消防用設備等の設置についての査察の結果、当該営業施設が消防法令に適合する旨の別記様式による通知書の送付を受けた後に処理するものとし、検査済証の写し及び当該通知書の送付を受けない間は当該営業の営業許可はさし控えるものとされたいこと。

別記様式　略

○いわゆる「モーテル」の取扱いについて

〔昭和44年10月30日　環衛第9,151号
各都道府県・各指定都市衛生主管部(局)長宛　厚生省
環境衛生課長通知〕

　最近、都市及び高速道路の周辺等に多数設置されているいわゆる「モーテル」といわれるもののなかには、風紀上及び教育環境上必ずしも好ましくない影響を与えるものがあり、また、警察当局から、これら施設において各種犯罪が多発している事実も指摘されている。(別添　警察庁保安部長通知参照)（略）
　ついては、貴職におかれては、旅館業法（以下「法」という。）の規定およびその趣旨にのっとり、下記事項に留意のうえ、この種「モーテル」に対し適切な指導取締りに当たられるよう特段のご配慮をお願いする。

記

1　すでに昭和42年10月31日環衛第7,141号「環境衛生金融公庫融資について（通知）」をもって指示してあるとおり、営業の実態等からみて社会的批判を受けるおそれのある営業については、同公庫による融資は行なわないこととなっているので、都道府県知事のこの種「モーテル」にかかる融資の推せんについては、とくに慎重に取り扱われたいこと。
2　許可について申請あるいは協議のあった営業の施設がいわゆる「モーテル」に該当するおそれがあると思料される場合には、事前に健全な営業形態をとるよう強く指導に当たられたいこと。とくに、いわゆる「モーテル」が学校の敷地の周囲おおむね100メートルの区域内にある場合には、清純な教育環境が著しく害されるおそれがある場合も多いと思料されるので、営業許可の申請があったときは、学校の敷地（予定地を含む。）との距離を十分調査し、法第3条第3項の規定により求める教育委員会等の意見を十分尊重して、許可の適否の判断に当たられたいこと。
3　いわゆる「モーテル」には、とかく法第6条に定める宿泊者名簿を備え付けていないものが多いと指摘されているので、営業者に対し、その備え付け、および記載の励行について指導を強化されたいこと。
4　善良な風俗を害するおそれのある文書、図画、広告物等の掲示および備え付けについては、法第4条および同施行令第3条の規定によりこれを行なってはならないとされ、これに違反した場合においては、法第8条の規定によって行政処分の対象とされているので、営業者に対しその趣旨の周知徹底を図られたいこと。

5 営業者等が法第8条各号に掲げる風俗事犯を犯した場合における行政処分については、昭和32年11月11日衛発第978号「旅館業の許可取消等に関する取扱について」により取り扱われているところであるが、都道府県警察本部からこれら風俗事犯の事件送致の通報を受けた場合には、すみやかに事案の内容を審査し、適正かつ迅速に行政処分をするよう努められたいこと。
6 この種の営業の実態にかんがみ、現行の構造設備の基準のみでは法の趣旨にそった規制が十分行なうことができない場合には、法施行令第1条に基づき、必要に応じ都道府県知事において新たに基準を設ける等の措置を講ずることも配慮されたいこと。

○風俗営業等取締法の一部を改正する法律の施行に伴う旅館業法の取扱いについて

〔昭和47年8月8日　環衛第154号
各都道府県知事・各指定都市市長宛　厚生省環境衛生
局長通知〕

風俗営業等取締法の一部を改正する法律（昭和47年法律第116号。以下「風営改正法」という。）及びモーテル営業の施設を定める総理府令（昭和47年総理府令第53号。以下「総理府令」という。）が別添のとおり、それぞれ昭和47年7月5日公布され、同日施行された。

これは、清浄な風俗環境を保持する見地から、いわゆるモーテルのうち個室に自動車の車庫が個々に接続する施設であって、当該施設を利用する客及び利用する自動車について秘匿性のある構造設備をもつものを「モーテル営業」として取り上げ、その営業の場所につき規制を加えるとともに、これに違反する者に対しては、都道府県公安委員会において、当該営業の廃止を命ずることができることとしたものである。

モーテル業のほとんどは旅館業法に規定する「ホテル営業」または「旅館営業」であり、風営改正法による改正後の風俗営業等取締法（以下「風営法」という。）において立地制限を受けるような施設については、風営法に抵触し営業ができないこととなるので、許可にあたっては関係行政機関との連絡を密にし、下記事項に留意のうえ旅館業法の運用に遺憾のないようにされたい。

記

1 旅館業法による旅館業の施設として、「個室に自動車の車庫が個々に接続するもの」であって、①「個室に接続する車庫（2以上の側壁（カーテン、ついたて等を含む。）及び屋根を有するものに限る。以下同じ。）の出入口が、とびら等によってしゃへいできるもの」②「車庫の内部から個室に通ずる専用の出入口または階段若しくは昇降機が設けられているもの」または③「個室と車庫とが専用の通路によって接続しているものにあっては、当該通路の内部が外部から見えないもの」を設け、当該施設を異性を同伴する客の宿泊（休憩を含む。）に利用させる営業（以下「モーテル営業」という。）の営業許可にあたっては、次によりその設置場所及び設置形態が風営法の規制対象となるかどうかを十分確認のうえ、これに該当するものに対しては同法に抵触するような事態が起こらないよう適切な指導を行なわれたいこと。
(1) モーテル営業に該当すると思われる営業の許可申請書が提出されたときは、これを

審査する前に都道府県公安委員会に照会を行ない、当該施設が風営法第4条の6第1項に基づく条例に定める地域内にあるか否かを確認すること。
(2) モーテル営業に該当すると思われる営業の許可を申請する者に対して、当該施設が風営法に規定する「モーテル営業」の施設に該当するかどうかを確認できる構造設備の図面の添付を求めるとともに、都道府県公安委員会と十分な連絡をとること。
2 現にモーテル営業が行なわれている場所が、条例で定めるモーテル営業の禁止区域に含まれることとなったときはその含まれることとなった日から1年を経過するとモーテル営業が禁止されることとなるので、今後の取扱いについては都道府県公安委員会と十分な打合せを行なわれたいこと。
別添　略

○水質汚濁防止法施行令等の改正に関する件について

〔昭和50年2月6日　環指第6号
各都道府県衛生主管部(局)長宛　厚生省環境衛生局指導課長通知〕

　今般、水質汚濁防止法施行令及び廃棄物の処理及び清掃に関する法律施行令の一部を改正する政令（昭和49年政令第363号）等が公布、施行され、旅館業法（昭和23年法律第138号）第2条第1項に規定する旅館業（下宿営業を除く。以下同じ。）の用に供するちゅう房施設、洗たく施設及び入浴施設を水質汚濁防止法（昭和45年法律第138号）第2条第2項に規定する特定施設として追加する等の措置が講ぜられることとなった。
　ついては、貴職におかれても、別添環境庁通達を参照のうえ、公害担当部局と十分連絡をとり、相協力して、前記法令の施行につき遺憾のないよう指導方よろしくお願いする。
　また、旅館業において水質汚濁防止法の排水基準を遵守するため汚水等処理施設を設置する場合には、環境衛生金融公庫の特例貸付又は公害防止事業団の貸付の対象となるものであるので指導方よろしくお願いする。
　なお、公害防止事業団の貸付に関しては、環境庁とも協議済である。
　おって、本件については、全国旅館環境衛生同業組合連合会長あてにも通知しているので念のため申し添える。

（別添1）
　　　水質汚濁防止法施行令及び廃棄物の処理及び清掃に関する法律施行令の
　　　一部を改正する政令施行等について（抄）

〔昭和49年12月24日　環水規第235号
各都道府県知事・各権限委任市長宛　環境事務次官通知〕

　水質汚濁防止法施行令及び廃棄物の処理及び清掃に関する法律施行令の一部を改正する政令（昭和49年政令第363号。以下「改正令」という。）が、昭和49年11月12日に公布され12月1日から施行された。
　また、これに伴い、水質汚濁防止法施行規則の一部を改正する総理府令（昭和49年総理府令第69号。以下「改正府令第69号」という。）及び排水基準を定める総理府令の一部を

第5編　旅館業

改正する総理府令（昭和49年総理府令第70号。以下「改正府令第70号」という。）がともに昭和49年11月19日に公布され、改正令の施行の日と同日から施行された。
　ついては、下記の事項に留意され、改正令等の円滑かつ適正な運用を図られたい。
　なお、改正令等の施行に伴い、旅館業事業者、試験研究機関関係者等に対する指導が必要となるので、衛生相当部局その他の関係部局にも今回の改正の内容を十分周知徹底されたい。
　以上　命により通達する。

記

第1　水質汚濁防止法施行令の一部改正等について
　1　特定施設の追加
　　旅館、試験研究機関等からの排水による水質の汚濁の防止を図るため、改正令により水質汚濁防止法施行令（昭和46年政令第188号）別表第1及び第2の改正を行い、特定施設として次に掲げる施設を追加するとともに、改正令の施行の際現に(1)又は(2)に掲げる施設を設置している者（設置の工事をしている者を含む。）の当該施設を設置している工場又は事業場から排出される水について、改正令の施行の日から1年間は水質汚濁防止法（昭和45年法律第138号）第12条第1項及び第13条第1項の規定を適用しないこととした。
　(1)　旅館業の用に供するちゅう房施設、洗たく施設及び入浴施設
　2　排水規制の特例
　　改正令の施行の際現にゆう出している温泉を利用する旅館業に属する事業場に係る排出水については、温泉の特殊性にかんがみ、改正府令第70号による改正後の排水基準を定める総理府令（昭和46年総理府令第35号）別表第1の備考2及び別表第2の備考4の規定により砒素及びその化合物、水素イオン濃度、銅含有量、亜鉛含有量、溶解性鉄含有量、溶解性マンガン含有量クロム含有量及び弗素含有量についての排水基準は、当分の間、適用されないこととなった。
　　なお、排水基準を定める総理府令別表第2の備考2についても、留意されたい。
　3　その他
　　従来都道府県条例によって改正令の制定により新たに規制対象となった工場又は事業場につき排水規制していた場合であって、改正令の制定により水質汚濁防止法による排水規制に移行することによって規制が緩和される場合においては、早急に水質汚濁防止法に必要な上乗せ排水基準を設定することが望ましい。
　　また、既に設定されている上乗せ排水基準で、規制対象業種として「その他業種」という区分を設けている場合は、改正令の制定により新たに規制対象となった工場又は事業場に適用される排水基準の許容限度値が自動的に「その他の業種」の許容限度値となり、必ずしも適切ではない排水規制が行われることとなることもありうるので、このような場合には早急に上乗せ排水基準の見直しを行うことが望ましい。
　　なお、改正令等の制定による旅館業の排水規制は自然環境保全法又は自然公園法に基づき、それぞれ自然環境の保全、自然の風景地の保護等の観点から、必要な措置を講ずることを否定するものではないので、念のため申し添える。

第2 廃棄物の処理及び清掃に関する法律施行令の一部改正について
　旅館、試験研究機関等から排出される産業廃棄物に含有されている有害物質による環境汚染の防止を図るため改正令により廃棄物の処理及び清掃に関する法律施行令（昭和46年政令第300号）別表の改正を行い、改正令により水質汚濁防止法施行令別表第1に追加された特定施設等のうちで有害物質を含有している産業廃棄物を排出するおそれのある施設について、次のように定め、当該施設に係る産業廃棄物の最終処分及び処理施設について規制を及ぼすこととした。
　(1) ひ素又はその化合物を含有している産業廃棄物を排出するおそれのある施設として旅館業の用に供する入浴施設

（別添2）

水質汚濁防止法施行令及び廃棄物の処理及び清掃に関する法律施行令の
一部を改正する政令の施行等について（抄）

　　　　　　　　　　　　　　　　　　　昭和49年12月24日　環水規第236号
　　　　　　　　　　　　　　　　　　　各都道府県知事・各権限委任市長宛　環境庁水質保全
　　　　　　　　　　　　　　　　　　　局長通知

　水質汚濁防止法施行令及び廃棄物の処理及び清掃に関する法律施行令の一部を改正する政令（昭和49年政令第363号。以下「改正令」という。）、水質汚濁防止法施行規則の一部を改正する総理府令（昭和49年総理府令第69号。以下「改正府令第69号」という。）及び排水基準を定める総理府令の一部を改正する総理府令（昭和49年総理府令第70号。以下「改正府令第70号」という。）の施行については、昭和49年12月24日付け環水規第235号をもって環境事務次官名により通達したところであるが、その他詳細の事項については、下記により運用することとされたい。

　　　　　　　　　　　　　　　　　記

第1 特定施設の追加について
　1 旅館業関係
　　(1) 旅館業
　　　旅館業の範囲は、旅館業法（昭和23年法律第138号）第2条第1項に規定するもの（下宿営業を除く。）であり、施設を設け、宿泊料を受けて、人を宿泊させる営業がこれに該当する。
　　　行政管理庁統計基準局編集の日本標準産業分類（以下「産業分類」という。）によって規制の対象となるものの主要な例を掲げると下表のとおりである。

分類番号	業　種　名	主　　要　　例
751	旅　　　館	旅館、ホテル、観光ホテル、宿屋、温泉旅館、割ぽう旅館、国民宿舎、民宿、モーテル
752	簡易宿泊所	簡易宿泊所、ベッドハウス、山小屋、スキー小屋
759	その他の宿泊所	

| | 7591 | 会社団体の宿泊所 | 会員宿泊所、共済組合宿泊所、保養所（医師のいないもの）、ユースホステル、会社の宿泊所 |

(2) 旅館業に係る特定施設
イ ちゅう房施設
調理用の設備、器具が配置され、その施設内において調理が行われる施設をいう。
ロ 洗たく施設
洗たく機、脱水機等が配置され、その施設内において専ら洗たくが行われる施設をいう。
ハ 入浴施設
浴槽を設け、人を入浴させる施設をいう。

第2 排水規制の特例に係る温泉について
改正府令第70号による改正後の排水基準を定める総理府令（昭和46年総理府令第35号）別表第1の備考2及び別表第2の備考4の温泉の解釈については、次のとおりとする。
温泉とは、温泉法（昭和23年法律第125号）第2条第1項で規定している温泉であり、「現にゆう出している」とは、現に自然にゆう出しているか、現に動力を用いてくみあげている温泉をいう。

○旅館業に対する防火安全対策の徹底について

［昭和55年11月22日　環指第208号
各都道府県知事・各政令市市長・各特別区区長宛　厚生省環境衛生局長通知］

旅館業に対する防火安全対策については、かねてよりその指導方種々御配意を煩わしているところであるが、今般、栃木県川治温泉の火災事故において多数の死傷者の発生をみるに至ったことにもかんがみ、今後特に下記の事項に留意の上、指導の徹底を図られたい。

記

1 旅館業の営業許可に当たっては、昭和44年1月23日付環衛第9,011の2号及び同年5月21日付環衛第9,072号都道府県衛生主管部（局）長あて通知に基づき、所轄消防機関等との連絡の徹底を図るとともに、増改築の届出等の機会においても防火、避難設備の整備等について消防関係法令に即して万全の措置を講ずるよう指導すること。
2 災害時の事故防止を図るため、従業員に対する防災教育等について所轄消防機関等の協力を得つつ万全を期するよう営業者に対する一層の指導を行うこと。
3 旅館業における防火対策その他の災害時の態勢の整備状況については、旅館環境衛生同業組合の組織を活用し十分その実態をは握すること。

○旅館業に対する防火安全対策の徹底について

> 昭和56年1月30日　環指第14号
> 各都道府県・各政令市・各特別区衛生主管部(局)長宛
> 厚生省環境衛生局指導課長通知

　旅館業に対する防火安全対策の徹底については、昭和55年11月22日環指第208号厚生省環境衛生局長通知により通知されたところであるが、昭和56年1月24日関係省庁で構成する旅館ホテル防火安全対策連絡協議会において別紙のとおり了解事項が決定されたので、これが趣旨をふまえ、防火安全対策の一層の充実を図るため、今後は、従来からの運用に加えて次の事項に留意の上、その事務処理に遺憾なきを期せられたい。

記

1　旅館業法施行規則第2条に基づく営業施設の構造設備の概要等の変更の届出（以下「変更の届出」という。）を怠っている旅館、ホテル等が存在することのないよう旅館業の営業者（以下「旅館業者」という。）に対して変更の届出を厳守させること。
2　変更の届出又は当該変更に係る事前の協議等に際しては、防火安全の観点から旅館業者に対して消防法令及び建築法令を遵守し、十分な措置を講ずるよう指導すること。
　なお、その際許可台帳等に防火安全上の留意事項等についても記載し、指導に活用されたいこと。
3　旅館業法に基づく許可、届出、報告、検査等に際しては、必要に応じて他の関係行政機関に通知し、又は他の関係行政機関から意見等を求めることとすること。
4　旅館、ホテル防火安全対策を推進するため、各都道府県等において、関係行政機関の連絡調整の場を設ける場合には、積極的に参加、協力されたいこと。
5　旅館業者に対し、旅館環境衛生同業組合を通じ、所轄消防機関等の協力を得て次の措置を講ずるよう指導されたいこと。
(1)　防災設備等を整備すること。
(2)　防火管理者の選任、消防計画の作成及び旅館、ホテル従業員等に対する避難訓練等の防災教育を実施すること。
(3)　老人、身体不自由者等の宿泊に当たっては、非常時において安全、確実、迅速な誘導が可能となるよう十分配慮すること。
(4)　宿泊客の到着後直ちに宿泊客に対し避難口、避難方法等を周知させること。

〔別　紙〕
　　旅館ホテル防火安全対策連絡協議会における了解事項

> 昭和56年1月24日
> 消防庁・建設省・厚生省・運輸省・警察庁・労働省・文部省

　栃木県川治プリンスホテル火災にかんがみ、旅館、ホテルにおける防火安全上とるべき措置について、関係省庁で構成する旅館ホテル防火安全対策連絡協議会を開催し、昭和43年12月5日決定の「旅館ホテル防火安全対策連絡協議会における了解事項」の再検討を行った結果、新たに下記のとおりとすることで結論を得た。

第5編　旅館業

記

消防庁
1　旅館、ホテルの規模、構造及び収容人員等に応じた消防用設備等の適正な設置並びに定期点検の実施及びその報告の徹底を図るよう指導する。
2　旅館、ホテルに係る防火管理者の選任及び届出、実態に応じた消防計画の作成及び届出並びに定期的な避難訓練の実施及び消防機関に対する通報の徹底を図るよう指導する。
3　旅館、ホテルの防火、避難施設等の適正な維持、保全を図るため、防火査察の強化、充実を指導するとともに、必要があるときは関係行政機関と連絡をとりながら措置命令、改善命令、使用停止命令等を行うよう指導する。
4　旅館、ホテルにおける消防用設備等の設置状況、防火管理の状況等について旅行関係者からの照会に適切に対応するよう指導する。
5　旅館、ホテルの従業員に対する防災教育等の実施について協力するよう指導する。

建設省
1　旅館、ホテルの新築、増築等に伴う確認及び完了検査を迅速かつ厳正に行うよう指導するとともに、建築基準法第12条に基づく定期報告を励行するよう指導の強化を図る。
2　旅館、ホテルの防火、避難施設等の適正な維持、保全を図るため、防災査察の強化、充実を指導するとともに、必要があるときは関係行政機関と連絡をとりながら、改善命令、使用禁止命令等を行うよう指導する。
3　旅館、ホテルの防災上の状況について、旅行関係者からの照会に適切に対応するよう指導する。

厚生省
1　旅館業法に基づく営業の許可に際しては、建築物の検査済証の写し及び当該建築物が消防法令に適合している旨の所轄消防機関の通知書（以下「検査済証の写し等」という。）の送付を受けるまでの間は、営業許可を差し控える。
2　旅館、ホテルの増改築に伴う旅館業法に基づく構造設備の概要の変更の届出に際しては、防火安全の観点から旅館業者に対して消防法令及び建築法令を遵守し、十分な措置を講ずるよう指導する。
3　旅館業者に対し、所管宿泊業団体を通じ、関係行政機関の協力を得て次の措置を講ずるよう指導する。
(1)　防災設備等を整備すること。
(2)　防火管理者の選任、消防計画の作成及び旅館、ホテル従業員等に対する避難訓練等の防災教育を実施すること。
(3)　老人、身体不自由者等の宿泊にあたっては、非常時において安全、確実、迅速な誘導が可能となるよう十分配慮すること。
(4)　宿泊客の到着後直ちに宿泊客に対し避難口、避難方法等を周知させること。
4　旅館業者に対し、防災設備等の整備に対する環境衛生金融公庫の融資の活用を指導する。

5　旅館業者に対し、緊急時における宿泊客の確認のため、宿泊者名簿の作成を徹底するよう指導する。
　　　　運輸省
1　国際観光ホテル整備法（以下「整備法」という。）に基づく登録に際しては、検査済証の写し等を添付させる。なお、検査済証の写し等の添付がない場合は、当該建築物に係る検査済証の写し等の提出がなされるまでの間は、登録を差し控える。
2　旅館、ホテルの増改築については、整備法に基づく届出を厳守させるとともに、防火安全の観点から消防法令及び建築法令を遵守し、十分な措置を講ずるよう指導する。なお、当該届出に際しては、検査済証の写し等を添付させる。
3　旅館、ホテルが消防法令及び建築法令に違反し、関係行政機関の改善指導又は措置命令等に従わない場合は、所管宿泊業団体が自主的制裁措置をとるよう指導するとともに、当該旅館、ホテルの登録取消しを含む是正措置を講じる。
4　旅館業者に対し、所管宿泊業団体を通じ、次のことを指導する。
　(1)　防災設備等を整備すること。
　(2)　防火管理者の選任、消防計画の作成及び旅館、ホテル従業員等に対する避難訓練等の防災教育を実施すること。
　(3)　老人、身体不自由者等の宿泊にあたっては、非常時において安全、確実、迅速な誘導が可能となるよう十分配慮すること。
　(4)　宿泊客の到着後直ちに宿泊客に対し、避難口、避難方法等を周知させること。
5　旅行業者に対して、次のことを指導する。
　(1)　旅館、ホテルと継続的な送客契約を締結する際は、当該建築物の防火、避難施設等の状況について事前に調査すること。
　(2)　老人、身体不自由者等の団体旅行者については、事前にその旨を旅館業者に連絡すること。
　(3)　添乗員は、団体旅行者が旅館、ホテルに到着後、旅館業者が直ちに非常時における避難方法等を周知させているかどうか確認すること。
　(4)　団体旅行については、旅行者名、連絡先等を確実には握しておくこと。
　(5)　あらかじめ定められている事故処理体制の徹底、事故時における避難誘導措置等についての添乗員教育の充実を図ること。
　　　　警察庁
風俗営業等取締法に規定する風俗営業の営業用の家屋等が、旅館業の施設である場合の許可に際しては、検査済証の写し等の有無を確認することとする。
　　　　労働省
火災発生時等における応急措置及び避難に関する事項を含めた安全衛生に関する教育訓練の徹底を図る。特に従業員を雇い入れた時の教育訓練の実施方について旅館業者に対して強く指導する。
　　　　文部省
児童、生徒の修学旅行の実施にあたっては、旅館、ホテルの宿泊に伴う防火安全につい

第5編　旅館業

て配慮するよう指導する。
　　　各省庁共管
1　旅館業法、整備法、建築基準法、風俗営業等取締法及び消防法に基づく許可、登録、確認、届出、報告、検査等に際しては、当該事項について必要に応じて他の関係行政機関に通知するとともに、関係行政機関は、防火安全に関する不備事項について適切に対応する。
2　建築基準法及び消防法の規定に基づく立入検査の結果についての表示、公表の活用方法について検討する。
3　旅館、ホテル防火安全対策をさらに具体的、有効的に推進するため、各都道府県等において、関係行政機関の連絡調整の場を設ける。

○旅館業に対する防火安全対策の徹底について

　　　　　　　　　　　　［昭和57年2月13日　環指第21号
　　　　　　　　　　　　　各都道府県知事・各政令市市長・各特別区区長宛　厚
　　　　　　　　　　　　　生省環境衛生局長通知　　　　　　　　　　　　　　］

　標記については、昭和55年11月22日付け環指第208号本職通知及び昭和56年1月30日付け環指第14号環境衛生局指導課長通知等により、所轄消防機関等との連絡調整を密にする等その指導の徹底方について御配慮を煩わしているところであるが、今般発生した東京都千代田区のホテルニュージャパン火災事故において防災設備の不備等により多数の死傷者が発生したことにかんがみ、旅館業についてはなお一層の指導の徹底をお願いする。
　なお、その他の興行場等多数の人が集合する環境衛生関係営業施設についても、前記通知の趣旨に十分留意するとともに、防火避難施設、消防設備の設置改善が必要な場合には、環境衛生金融公庫の融資制度の活用を図るなどの指導を行う等により防火安全対策の徹底について遺憾なきを期せられたい。

○旅館業における善良風俗の保持について

　　　　　　　　　　　　［昭和59年8月27日　衛指第23号
　　　　　　　　　　　　　各都道府県知事・各政令市市長・各特別区区長宛　厚
　　　　　　　　　　　　　生省生活衛生局長通知　　　　　　　　　　　　　　］

　いわゆるラブホテル、モーテル類似施設といわれるものは、従来、商業地域等に立地することが多かったが、最近は住宅地域に立地することが多くなり、その特異な外観及び営業形態により、地域住民と建設をめぐり紛争を起こす事例が多発している。
　旅館業法（昭和23年法律第138号。以下「法」という。）においては、学校等からおおむね100メートル以内の地域に旅館が立地する場合には施設周囲の良好な環境保持のための調整を行う等旅館設置者に対し周囲の環境との調和に留意した建築物、営業形態となるよう調整を図ることを通じて紛争の事前防止に努めてきたところであるが、なお、解決困難な問題が多い実状にある。

旅館業における善良風俗の保持について

　ついては、今般、旅館業における善良の風俗の保持を図るため、法に基づき下記のとおりの措置を講ずることとしたので、御了知の上この趣旨に沿って遺憾のないよう図られたい。

記

第1　基準規則・条例準則について
　1　旅館業法施行令（昭和32年政令第152号。以下「令」という。）第1条第1項第11号、第2項第10号、第3項第7号及び第4項第5号の規定に基づく「その他都道府県知事が定める構造設備の基準」として、旅館業によって善良な風俗が害されることがないように、都道府県知事が必要があると判断する地域については、当該地域につき別記Ⅰの基準規則準則を参照して所要の事項を定めることができること。
　　なお、本準則に基づく規則等の適用に当たっては、既設の営業施設であって構造設備基準に直ちに適合させることが営業者にとって多大な負担を伴う場合に限り、その一部につき適用緩和する等の所要の経過措置等を設けることができるものであること。
　　この場合、当該施設については、営業者に対し、**構造設備基準に速やかに適合したものとなるよう計画的改善を行うよう指導する等により経過措置期間をおおむね3年をめどに長期にわたらないよう留意されたいこと。**
　　また、構造設備の改善に要する必要な資金については、環境衛生金融公庫の融資の活用について周知されたいこと。
　2　法第4条第2項の営業施設について講ずべき「措置の基準」を定めるに当たっては、別記Ⅱの基準条例準則を参照して、所要の事項を定められたいこと。
第2　許可の条件について
　法第3条第6項に規定する許可の条件として、善良の風俗の保持と関連を有する施設の構造設備について大規模又は主要な構造設備に係る変更（軽微な変更を除く。）が生ずる場合には、新たに法第3条第1項に規定する許可を要すること等の条件を付することができるものであること。
第3　利用基準及び宿泊者名簿について
　1　令第3条の利用基準の運用に当たっては、次のことに留意し、指導監督を強化すること。
　　(1)　第1号の規定にある「その他の物件」として人の性的好奇心をそそるおそれのある性具及び彫刻品等の装飾品が含まれるものであること。
　　(2)　第2号の善良の風俗が害されるような広告物として、けばけばしく色彩が著しく奇異なネオン、広告設備が含まれるものであること。
　2　営業者は、法第6条第1項に基づき宿泊者名簿を整備しなければならないものであるが、当該名簿を備えていない場合又は当該名簿に所要の記載を行っていない場合にあっては、その改善を行うよう指導監督を強化すること。
　　なお、団体で宿泊する場合等の宿泊者名簿の取扱いについては、昭和45年3月11日環衛第36号により更に周知徹底を図ること。

第5編　旅館業

第4　改善指導について
　善良風俗の保持のための監視指導については、定期的に一斉監視指導又は重点施設を定めて監視指導を行うなど従前にもまして強化を図り、営業者の営業活動によって地域の善良の風俗が害されることのないよう十分配慮されたいこと。
　また再三の改善指導に対して、正当な理由なく改善が行われない場合にあっては、施設の構造設備について、法第7条の2に規定する必要な措置をとるべきことを命ずることができるほか、当該措置命令違反その他の法違反については、法第8条に規定する営業の停止又は営業の許可の取消処分を含めて必要な措置を講ずることができるものであること。

別記 I
　　　　構造設備基準規則準則
　施設の構造設備は、善良の風俗が害されることがないよう次の各号に定めるところによること。
1　施設の外壁、屋根、広告物及び外観等は、立地場所における周囲の善良な風俗を害することがないよう意匠等が著しく奇異でなく、かつ、周囲の環境に調和する構造設備であること。
2　玄関帳場（フロント）には、宿泊者その他の利用者の出入りを容易に見ることができないような囲いを設けたり、また相対する宿泊者等に直接面接できないような構造等の措置を講じてはならないこと。
3　施設には、人の性的好奇心をそそるおそれのある鏡、寝具、器具、がん具その他これに類するものを備えつけてはならないこと。
4　浴室の内部が当該浴室の外から容易に見えるような人の性的好奇心をそそるおそれのある構造であってはならないこと。
5　施設の外部には、人の性的好奇心をそそるおそれのある休憩料金その他の表示を示す広告物を備え付けてはならないこと。

別記 II
　　　　営業施設の措置基準条例準則
1　営業者は、施設ごとに当該従事者のうちから公衆衛生及び善良風俗の保持に関する責任者（以下「宿泊衛生責任者」という。）を定めて置かなければならないこと。
　ただし、営業者が宿泊衛生責任者を兼任する場合は、この限りでないこと。
2　宿泊衛生責任者は、営業者の指示に従い、施設内の衛生及び善良風俗の管理に当たるものとすること。
3　営業者又は宿泊衛生責任者は、公衆衛生の保持に必要な措置を講ずることのほか善良な風俗の保持のため法第5条及び令第3条に定めることにつき従業者に対し衛生及び施設内の善良風俗の保持の教育に努めなければならないこと。

○旅館業法における善良風俗の保持について

〔昭和59年11月19日　衛指第75号
各都道府県・各政令市・各特別区衛生主管部（局）長宛
厚生省生活衛生局指導課長通知〕

　標記については、既に昭和59年8月27日付け衛指第23号をもって通知されたところであるが、同通知中の基準規則準則を定めることができる地域等の考え方は、下記のとおりであるので、御了知の上、この趣旨に沿って旅館業法の施行について遺憾のないようお願いする。

記

1　善良風俗の保持のため構造設備の基準規則準則を適用する地域の特定について
　(1)　前記通知中の記第1の1の「旅館業によって善良な風俗が害されることがないように、都道府県知事が必要があると判断する地域」の特定は、行政区画による表示、地名地番による表示又は特定の施設からの距離等によって行われるべきものであること。
　(2)　この地域の指定に当たっては、他法令との整合性を図るとともに温泉地等の地域特性を考慮し、建築担当部局及び都道府県公安委員会等の関係行政機関との調整や市町村及び関係団体の意見の聴取に努められたいこと。
2　前記通知中の記第2の「善良の風俗の保持と関連を有する施設の構造設備について大規模又は主要な構造設備に係る変更（軽微な変更を除く。）が生ずる場合」とは、おおむね次のような場合であること。
　(1)　前記通知中の別記Ⅰの各号に規定する構造設備の変更を行う場合。
　(2)　宿泊者が宿泊者名簿の記載、料金の支払い等宿泊のために必要な手続きを玄関帳場又はフロントにおいて従業者と面接して行わなくとも自動的にできる設備を設けるなど、玄関帳場又はフロントが客との面接を行う施設としての機能を果たさなくなるような構造設備の改造による変更を行う場合。
　(3)　中央管理方式の自動施錠装置を設ける等により宿泊者が客室のドアを自由に開閉することができないようにすること、廊下等に面して料金等の支払い等のための小窓を各客室に設けること等によって、客室の構造設備の改造による変更を行う場合。
　(4)　施設内に設けた車庫の改造による変更を行う場合又は客室若しくは車庫を設けるための玄関、ロビー、客室等の改造による変更を行う場合。

○旅館業法上の善良風俗の保持のための構造設備規制地域等と風俗営業等の規制及び業務の適正化等に関する法律による風俗関連営業の規制地域との関係等について

〔昭和59年11月19日　事務連絡
各都道府県・各政令市・各特別区衛生主管部（局）営業
指導担当係長宛　厚生省生活衛生局指導課指導係長〕

　先般、風俗営業等取締法が改正され、来年2月13日から施行されることとなっている

第5編　旅館業

が、標記についての考え方は、下記のとおりであるので、御了知のうえ遺漏のないよう図られたい。

記

1　旅館業法第3条第3項の施設と風俗営業等の規制及び業務の適正化等に関する法律（以下「風営法」という。）第28条第1項の施設との関係については、旅館業法により清純な施設環境が保持される対象施設の範囲が、風営法の上記条項の対象施設の範囲にできる限り含まれることが望ましい。
2　旅館業法施行令第1条第1項第11号、第2項第10号、第3項第7号及び第4項第5号の規定に基づき旅館業によって善良な風俗が害されることがないように構造設備を規制する地域と風営法第28条第1項及び第2項に基づき旅館業であって風俗関連営業に該当するものを営むことを禁止する地域との関係については、規制の趣旨がほぼ同様であるので、おおむね同一の地域であることが望ましい。
3　なお、善良の風俗に関係する指導要項等が作成（既存のもの）されている場合は参考のため御送付願いたい。

○旅館業における防火安全対策について

［昭和61年2月17日　衛指第21号
各都道府県知事・各政令市市長・各特別区区長宛　厚生省生活衛生局長通知］

旅館業に対する防火安全対策については、従来から、その指導の徹底方について御配慮を煩わしてきたところであるが、今般、静岡県賀茂郡東伊豆町の熱川温泉・ホテル大東館において発生した火災事故において多数の死者の発生をみるに至ったことは誠に遺憾である。

今後かかる事故の再発を防ぐため、特に下記の事項に留意のうえ、なお一層の防火安全対策の指導の徹底をお願いする。

記

1　防火安全の観点から旅館業者に対し、常に消防法令及び建築法令を遵守し、十分な措置を講ずるよう指導すること。
2　今回の事故が3階建ての木造旅館に発生したが、特に、このような構造の場合においては、日頃から消防機関等の協力を得て、消防設備、警報装置等十分な防火体制の整備を図るよう指導すること。
3　災害時の事故防止を図るため、従業員に対し、避難誘導方法、消火方法等の火災時の措置等についての訓練を徹底し、これらの措置に関し、常時消防機関の指導を受けるよう指導すること。
4　なお、防火避難施設、消防設備の設置、改善が必要な場合には、環境衛生金融公庫融資制度の活用を図る等の指導をすること。

○旅館業に対する防火安全対策の徹底について

> 平成15年10月2日　健衛発第1002003号
> 各都道府県・各政令市・各特別区衛生主管部(局)長宛
> 厚生労働省健康局生活衛生課長通知

　旅館業に対する防火安全対策の徹底については、昭和44年1月23日付け環衛第9,011の2号及び昭和56年1月30日付け環指第14号当職通知によりお願いしているところであるが、今般、別添写しのとおり消防庁防火安全室長通知が発せられ、前掲昭和44年当職通知の別記様式が変更されるなど昭和56年当職通知の別紙「旅館ホテル防火安全対策連絡協議会における了解事項」の運用が変更されたので、事務の処理に遺憾のないようにされたい。

〔別　添〕

　　暫定適マーク制度の導入に伴う「旅館ホテル防火安全対策連絡協議会
　における了解事項」の運用について

> 平成15年9月11日　消防安第174号
> 各都道府県消防主管部長宛　消防庁防火安全室長通知

　「旅館、ホテルに係る防火安全について」(昭和56年1月24日付け消防予第21号)で示された「旅館ホテル防火安全対策連絡協議会における了解事項」の運用については、「「旅館ホテル防火安全対策連絡協議会における了解事項」の運用について」(昭和56年2月10日付け消防予第35号)及び「「旅館ホテル防火安全対策連絡協議会における了解事項」の運用の一部改正について」(平成5年3月3日付け消防予第86号)により実施をお願いしてきたところですが、「改正消防法を踏まえた旅館ホテル等に係る防火安全対策の推進等について」(平成14年12月24日付け消防安第132号)により、防火基準適合表示制度(適マーク制度)が廃止され、暫定適マーク制度が導入されることなどを踏まえ、了解事項の運用に係る両通知を廃止し、下記のとおり運用することとしましたので通知します。

　貴職におかれましては、下記事項に十分留意されるとともに、貴都道府県内の市町村に対してもこの旨周知されるようよろしくお願いいたします。

記

1　消防法令に適合している旨の通知書の交付

　　旅館、ホテルに関する法令等に基づき許可、登録、指定、届出等を行う場合に添付される消防法令に適合している旨の通知書(以下「通知書」という。)の交付については、次により取り扱うものとする。

(1)　通知書の交付申請は別記様式第1で行うものとし、申請理由区分を次のア～カの選択肢から選択すること。

　　ア　旅館業法(昭和23年法律第138号)第3条の規定による営業の許可((旅館ホテル防火安全対策連絡協議会における了解事項(以下「了解事項」という。)厚生省1関係)

　　イ　旅館業法施行規則(昭和23年厚生省令第28号)第4条の規定による施設又は設備の変更届出(了解事項厚生省2関係)

　　ウ　国際観光ホテル整備法(昭和24年法律第279号)第3条又は第18条第1項の規定

第5編　旅館業

　　　　による登録（了解事項運輸省1関係）
　　エ　国際観光ホテル整備法（昭和24年法律第279号）第7条第1項又は第18条第2項において準用する第7条第1項の規定による施設に関する登録事項の変更の届出（了解事項運輸省2関係）
　　オ　風俗営業等の規制及び業務の適正化等に関する法律（昭和23年法律第122号）第3条規定による営業許可（了解事項警察庁関係）
　　カ　風俗営業等の規制及び業務の適正化等に関する法律（昭和23年法律第122号）第9条規定による構造又は設備の変更等の承認、届出（了解事項警察庁関係）
　(2)　通知書の交付申請があった場合には、消防機関は立入検査の実施等により、消防法令の適合状況について調査すること。
　(3)　(2)の結果に基づき、別記様式第2により通知書を交付すること。また、消防法令に適合していない場合には、通知書を交付できない旨及びその理由を当該申請書に回答すること。
2　旅行関係者からの照会に対する対応
　(1)　旅館、ホテルの防火安全に関し、旅行関係者（個人を除く）から照会があった場合（了解事項消防庁4関係）においては、別記様式第3により回答すること。
　(2)　暫定適マーク交付無については、その理由（表示基準に適合しない、表示を希望しない、暫定適マーク制度の対象外等）を記載すること。
　(3)　当該照会は文書によるよう指導すること。
　(4)　暫定適マーク制度については、消防機関が旅館ホテル等の管理権原者に表示マークを交付するものであるのに対し、防火対象物定期点検報告制度及び自主点検報告表示制度は、旅館ホテル等の管理権原者が自ら表示マークを付することができ、消防機関が交付するものでないことから、防火対象物定期点検報告制度及び自主点検報告表示制度に関する旅行関係者からの照会に対する回答は、情報公開条例、個人情報保護条例等を考慮し、消防機関が開示の可否を判断するものとする。
3　関係行政機関との連絡協調
　他の関係行政機関から消防機関に対し通知があつた場合（了解事項各省庁共管1関係）には、これに適切に対応するとともに、その対応結果を当該関係行政機関に対し通知するものとする。なお、消防機関が防火安全に関する不備事項を発見した場合には、これを他の関係行政機関に通知するものとする。
4　各都道府県等における関係行政機関の連絡調整
　各都道府県消防主管課においては、旅館、ホテルの防火安全に関し、都道府県における関係行政機関の連絡協議会を設け（各省庁共管3関係）、所要の連絡調整を図るものとする。
　なお、当該組織には、必要に応じ、所轄運輸支局の参加を求めるとともに、消防機関の代表を含めることが望ましい。
5　その他
　(1)　本通知に基づく措置は平成15年10月1日より実施するものとすること。
　(2)　別記様式第2及び別記様式第3の交付にあたっては、手数料等を徴収しないものとすること。

旅館業に対する防火安全対策の徹底について

別記様式第1

消防法令適合通知書交付申請書

年　月　日

（消防長又は消防署長）　殿

　　　　　　　　　　　　申請者
　　　　　　　　　　　　住　所
　　　　　　　　　　　　氏　名　　　　　　　　　印

　下記の旅館又はホテルについて、消防法令に係る消防法令適合通知書の交付を申請します。

記

1　名称（旅館又はホテルの名称）
2　所在地（旅館又はホテルの所在地）
3　申請理由区分
　ア　旅館業法（昭和23年法律第138号）第3条の規定による営業の許可
　イ　旅館業法施行規則（昭和23年厚生省令第28号）第4条の規定による施設又は設備の変更届出
　ウ　国際観光ホテル整備法（昭和24年法律第279号）第3条又は第18条第1項の規定による登録
　エ　国際観光ホテル整備法（昭和24年法律第279号）第7条第1項又は第18条第2項において準用する第7条第1項の規定による施設に関する登録事項の変更の届出
　オ　風俗営業等の規制及び業務の適正化等に関する法律（昭和23年法律第122号）第3条規定による営業許可
　カ　風俗営業等の規制及び業務の適正化等に関する法律（昭和23年法律第122号）第9条規定による構造又は設備の変更等の承認、届出

整　理　番　号		交　付　番　号	
受　理　年　月　日		交　付　年　月　日	

備考　この用紙の大きさは、日本工業規格A4とすること。

第5編　旅館業

別記様式第2

消防法令適合通知書

年　　月　　日

　　　　　　　殿

（消防長又は消防署長）　印

　　　　年　　月　　日付けで交付申請のあった下記の旅館又はホテルについては、消防法令に適合していると認め、通知します。

記

1　名称（旅館又はホテルの名称）
2　所在地（旅館又はホテルの所在地）
3　申請者
4　立入検査実施日　　年　　月　　日
5　申請理由区分
　ア　旅館業法（昭和23年法律第138号）第3条の規定による営業の許可
　イ　旅館業法施行規則（昭和23年厚生省令第28号）第4条の規定による施設又は設備の変更届出
　ウ　国際観光ホテル整備法（昭和24年法律第279号）第3条又は第18条第1項の規定による登録
　エ　国際観光ホテル整備法（昭和24年法律第279号）第7条第1項又は第18条第2項において準用する第7条第1項の規定による施設に関する登録事項の変更の届出
　オ　風俗営業等の規制及び業務の適正化等に関する法律（昭和23年法律第122号）第3条規定による営業許可
　カ　風俗営業等の規制及び業務の適正化等に関する法律（昭和23年法律第122号）第9条規定による構造又は設備の変更等の承認、届出
6　備考

備考　この用紙の大きさは、日本工業規格A4とすること。

別記様式第3

旅行関係者からの照会に対する回答書

年　　月　　日

　　　　　　　　　殿

（消防長又は消防署長）　　印

　　　　年　　月　　日付けで照会のあった下記旅館又はホテルの消防法令の適合状況について次のとおり回答します。

記

1　名称（旅館又はホテルの名称）

2　所在地（旅館又はホテルの所在地）

3　代表者氏名

4　消防法令適合状況

　　□　暫定適マーク交付済

　　　　交付期間　　　年　　月　　日

　　　　有効期間　　　年　　月　　日～　　　年　　月　　日

　　□　暫定適マーク不交付

5　備考

備考　1　この用紙の大きさは、日本工業規格Ａ4とすること。
　　　2　暫定適マークが工事等により一時的に返還されている場合は、「交付済」とし、備考欄にその旨を記載すること。

第5編　旅館業

○旅館業における関係法令の遵守について

〔平成18年2月23日　健衛発第0223001号
各都道府県・各指定都市・各中核市衛生主管部(局)長
宛　厚生労働省健康局生活衛生課長通知〕

　株式会社東横インが運営する多くのホテル（以下「東横イン」という。）において旅館業法はもとより、建築基準法、高齢者、身体障害者等が円滑に利用できる特定建築物の建築の促進に関する法律及び各自治体の条例に違反していることが明らかにされたところであり、このような事態が生じたことは誠に遺憾であります。
　つきましては、東横インに対し、関係部局等と連携の上、原状回復等を含めた指導を行う等、厳正かつ適切な対処方をお願いいたします。
　また、旅館業法施行令第1条に基づく構造設備基準に関する条例では、地域の実情に応じて、障害者用構造設備に関する基準を定めることも可能であることから、今般の事態にかんがみ、関係者の意見も踏まえた上で、障害者等の利便性に十分配慮した運営が図られるように当該条例を活用することについても併せて御配慮願います。
　今後、このような事態が生じないよう、昭和44年5月21日環衛第9,072号厚生省環境衛生課長通知及び昭和56年1月30日環指第14号厚生省環境衛生局指導課長通知に基づく上記の事項に改めて留意の上、関係部局等とも連携し、関係法令の遵守について、貴管内の旅館業の営業者への指導方をお願いいたします。

記

1　旅館業の営業許可にあたっては、当該営業許可申請書を受理後すみやかに建築関係部局等にも連絡し、当該建築関係部局等から当該営業施設及びその敷地が建築基準関係規定に適合していることを証する建築基準法第7条第5項に規定する検査済証の写しの送付を受けた後に処理するものとし、検査済証の写しの送付を受けるまでの間は、旅館業の営業許可は差し控えるものとされたいこと。
2　営業施設の増改築等に伴う旅館業法施行規則第4条に基づく構造設備の概要等の変更の届出（以下「変更の届出」という。）を怠っている旅館、ホテル等が存在することのないよう営業者に対して変更の届出を厳守させること。
3　変更の届出又は当該変更に係る事前の協議等に際しては、営業者に対して建築法令等を遵守し、十分な措置を講ずるよう指導すること。
4　旅館業法に基づく許可、届出、報告、検査等に際しては、必要に応じて関係部局等に連絡し、又は関係部局等から意見等を求めることとすること。

○いわゆる個室ビデオ店等に対する旅館業法の適用に関する指導の徹底等について

〔平成20年12月22日　健衛発第1222001号
各都道府県・各政令市・各特別区衛生主管部(局)長宛
厚生労働省健康局生活衛生課長通知〕

　10月1日未明に発生した大阪府大阪市のいわゆる個室ビデオ店の火災において死者16名、負傷者9名の犠牲が出たことは誠に遺憾である。
　いわゆる個室ビデオ店については、利用者が時間単位で料金を支払い、個室においてビデオ等を鑑賞すること等を営業としているものであるが、大阪市が実施した調査において、個室にベッドが設置されていたほか、倒すことによりフラットになる椅子の設置、「泊」、「休憩」又は「仮眠」等の表示、タオルケット又は毛布の貸し出しを行っているなどいわゆる宿泊ができる施設であると利用者が誤解を招くおそれがある店舗が認められたところである（別添）。
　ついては、いわゆる個室ビデオ店その他利用者がいわゆる宿泊ができる施設として認識している店舗について、関係機関との連携の上、速やかにその営業形態を把握し、旅館業法を適用する必要があると判断された場合は、その施設の衛生措置を適正に講じ国民の公衆衛生の確保を図る必要があることから、旅館業法第2条に規定する宿泊させることを中止するよう指導し、又は同条に規定する宿泊させる営業を続ける意思を有する場合は旅館業法第3条第1項の規定に基づく営業の許可申請を行うよう指導されたい。
　なお、旅館業法第2条に規定する「宿泊」に該当しない店舗であっても、旅館業法の趣旨等を説明の上、利用者が旅館業法に基づき衛生水準が確保された宿泊施設であると誤解を招くような表示等を行わないよう、営業者に対して要請し理解を求められたい。
　各都道府県等におかれては、これら店舗の把握及び指導等の状況について、別添を参考のうえ、今年度末までに当職あて報告されたい。
　また、旅館業に対する防火安全対策の徹底については、昭和56年1月30日付衛指第14号及び平成15年10月2日付健衛発第1002003号当職通知によりその徹底をお願いしているところであるが、より一層の防火安全対策を図る観点から、旅館業者に対して消防法令等を遵守し十分な措置を講じるよう指導を徹底するとともに、各都道府県等においては関係機関との十分な連携を図るなど、適切な対応を講じられたい。

（別　添）
　　個室ビデオ店立入状況（大阪市調査）

（平成20年10月下旬～11月中旬）

| 対象施設数　＊1 | 72施設 |
| 立入施設数 | 72施設 |

旅館業法に抵触する施設 ＊2	4施設（抵触する行為の中止などを指導）
宿泊と紛らわしい行為が認められた施設 ＊3	26施設（施設内に宿泊施設でない旨を表示するなどを要請）
特に問題なし	30施設
閉店	12施設

＊1　消防局からの情報による施設の他、調査中に新たに見つかった施設の合計
＊2　旅館業法に抵触する施設とは、ベッドを設置していた施設
＊3　宿泊と紛らわしい行為
　① 倒すことによりフラットになる椅子を設置
　② 泊、休憩、仮眠、モーニングコール、豪華ホテル並み等の表示
　③ タオルケット、毛布の貸し出し

○「産業活力の再生及び産業活動の革新に関する特別措置法」第39条の4第1項の特定許認可等に基づく地位の承継に対する旅館業許可に関する事務取扱について

> 平成21年6月12日　健衛発第0612004号
> 各都道府県・各政令市・各特別区衛生主管部（局）長宛
> 厚生労働省健康局生活衛生課長通知

　「産業活力の再生及び産業活動の革新に関する特別措置法」（平成11年法律第131号。以下「法」という。）では、財務状況が悪化している中小企業者の収益性のある事業を会社分割又は事業譲渡により他の事業者に承継させ、その再生を図ることを支援するため、新たに「中小企業承継事業再生計画」の認定制度を創設しています。
　本制度では、中小企業者が事業譲渡又は会社分割により、事業を他の事業者に承継する場合、当該中小企業者の許認可等に基づく地位が、事業の承継とともに他の事業者に承継される特例措置を設けています。具体的に、当該許認可等に基づく地位が旅館業許可に基づく地位の場合には、本制度の認定を受けた中小旅館業者が、旅館事業を他の事業者に承継する際に、当該中小旅館業者の旅館業許可に基づく地位が、事業の承継とともに他の事業者に承継されることとなります。
　今般、本制度における旅館業法第3条第1項の規定による許可に基づく地位の承継に関し、その具体的な手続関係等について、事務取扱として定めることとしましたので、都道府県、政令市、及び特別区（以下、「都道府県等」という。）におかれましては、本事務取扱に定めるものにて実施されるよう協力をお願いします。

地位の承継に対する旅館業許可に関する事務取扱について

　なお、手続に必要な書類や審査基準等に関しては、これまで都道府県等が、根拠となる旅館業法や関係法令等の規定の趣旨に基づき実施してきたものと同様であり、本制度の導入により審査基準等が新たに変更されるものではありません。ただし、実務上、新たな手続等が発生することから、今後、本制度における旅館業許可の事務取扱には、十分に注意していただきますようお願いいたします。また、あわせて、本制度の対象とはなっていない食品衛生法第52条に規定する営業許可についても、通常、旅館業許可とともに取得していることから、こちらの手続も本制度とあわせて進めていただくようご配慮をお願いいたします。
　以下は、本制度の許認可等の承継に関する特例措置を活用する旅館業者を想定し、その事務手続等に係る内容を記載したものである点につきご留意ください。

第1　中小企業承継事業再生計画の経済産業局への申請について
　　中小企業承継事業再生（※1）を行おうとする特定中小企業者（※2）及び承継事業者（※3）（承継事業者となる法人を設立しようとする者を含む。以下、「申請者」という。）は、共同で（特定中小企業者が承継事業者となる法人を設立しようとする者である場合においては、特定中小企業者は、単独で）、その実施しようとする中小企業承継事業再生計画（以下、「再生計画」という。）（※4）を作成し、
　① 再生計画の申請書及びその添付書類
　② 許認可等の審査に係る関係書類
を、特定中小企業者の所在地を管轄する経済産業局（沖縄にあっては内閣府沖縄総合事務局。以下同じ。）に提出する。
※1：中小企業承継事業再生（法第2条第22項）
　　　特定中小企業者（※2）が会社の分割又は事業の譲渡によりその事業の全部又は一部を他の事業者に承継させるとともに、当該事業者が承継した事業について収支の改善その他の強化を図ることにより、当該事業の再生を図ること。
※2：特定中小企業者（法第2条第21項）
　　　過大な債務を負っていることその他の事情によって財務の状況が悪化していることにより、事業の継続が困難となっている中小企業者。
※3：承継事業者（法第2条第23項）
　　　中小企業承継事業再生により事業を承継する事業者
※4：中小企業承継事業再生計画（法第39条の2第1項）
　　　特定中小企業者及び承継事業者が共同で実施しようとする中小企業承継事業再生に関する計画。

第2　特定許認可等に基づく地位の承継に係る都道府県等における手続
　1　特定許認可等に基づく地位の承継
　　認定された再生計画に、法第39条の2第3項の特定許認可等（※5）に基づく特定中小企業者の地位が記載されている場合において、当該再生計画に従って承継事業者が事業を承継したときは、当該承継事業者は、当該特定許認可等の根拠となる法令の規定にかかわらず、当該特定許認可等に基づく特定中小企業者の地位を承継すること

第5編　旅館業

としている。
　前記の特定許認可等は、具体的には「産業活力の再生及び産業活動の革新に関する特別措置法施行令（平成11年政令第258号）」で定められており、旅館業法（昭和23年法律第138号）第3条第1項の規定による許可を、当該特定許認可等として規定している。
※5：特定許認可等
　　行政手続法（平成5年法律第88号）第2条第3号の許認可等であって、それに基づく地位を特定中小企業者が有する場合において当該地位が承継事業者に承継されることが中小企業承継事業再生の円滑化に特に資するものとして政令で定めるもの。

2　事前調整の実施
　再生計画の認定申請を行おうとする申請者による経済産業局への事前の相談を通じて、当該申請者が、旅館業法第3条第1項の規定による許可について、本制度の許認可等の承継に関する特例措置を活用する意向があることを経済産業局が確認した場合には、経済産業局から、当該許可を行った都道府県等の担当部署に、事前調整を開始する旨、文書にて事務連絡（「別添1－1：事前調整開始に係る事務連絡の文書例」を参照。）を行う。
　当該事務連絡を受けた都道府県等の担当部署は、申請者からの連絡を受け、当該申請者に対し事前調整を行うために必要な関係書類等について指示を行うとともに、必要に応じた当該申請者との事前の打ち合わせ等を実施することとする。なお、必要な関係書類等とは、下記3(2)の旅館業法第3条第1項の許可又は同法第3条の2第1項の承認に係る審査に必要な関係書類をいうものとする。
　申請者との事前調整を通じて、仮に当該申請者から正式な申請があり、経済産業局からの協議（下記「3　協議から同意までに関する手続」を参照。）を受けたときに、旅館業法の審査基準に照らし十分に同意が可能であると判断される程度にまで関係書類等の準備が整った時点で、都道府県等の担当部署は、経済産業局に対し、事前調整が完了した旨、文書にて事務連絡（「別添1－2：事前調整完了に係る事務連絡の文書例」を参照。）を行うこととする。
　なお、事前調整完了から、申請者の計画の申請までの期間は、原則1月を超えないものとして運用を図る。
※経済産業局の中小企業承継事業再生計画に係る担当窓口については、別添3を参照。

3　協議から同意までに関する手続
　(1)　協議から同意までについて
　　法第39条の2第5項の規定に基づき、主務大臣（※6）は、再生計画に特定許認可等に基づく特定中小企業者の地位が記載されている場合において、計画の認定をしようとするときは、当該特定許認可等をした行政庁に協議し、その同意を得なければならないとしている。具体的には、再生計画に旅館業法第3条第1項の規定に

よる許可に基づく特定中小企業者の地位が記載されている場合においては、経済産業局長（沖縄にあっては内閣府沖縄総合事務局長。以下同じ。）及び厚生労働大臣から、都道府県等の長に協議を行うこととなる。
※6：経済産業大臣及び中小企業承継事業再生計画に係る事業を所管する大臣
(2) 協議から同意までの手続について
　経済産業局は、申請者から正式に申請があった場合、再生計画に旅館業法第3条の規定による許可に基づく特定中小企業者の地位が記載されていること、及び前記2の事前調整完了に係る事務連絡があったことを確認した後、経済産業局から、旅館業法第3条第1項の規定に基づく許可をした都道府県等の担当部署に、
① 協議依頼文書（「別添2－1：協議に係る文書例」を参照。）
② 旅館業法第3条第1項の許可又は同法第3条の2第1項の承認の許可に係る審査に必要な関係書類
③ 再生計画の写し
を送付する。
　都道府県等の担当部署は、旅館業法の趣旨を考慮して審査を行うこととし、同意をするかどうかの判断を行う。なお、法第39条の2第6項では、「（特定許認可等をした）行政庁は、主務大臣及び第1項の認定の申請を行った者に対して、同意に必要な情報の提供を求めることができる。」と規定しており、都道府県等の担当部署は、経済産業局及び申請者に対して、同意に必要な情報の提供を直接求めることができる。
　同意に係る審査を行った後は、同意をするかどうかについて、都道府県等の担当部署から経済産業局に対し通知（「別添2－2：同意に係る文書例」を参照。）することとする。
(3) 同意に係る審査について
　法第39条の2第7項では、「（特定許認可等をした）行政庁は、当該特定許認可等をする根拠となる規定の趣旨を考慮して、同意をするかどうかを判断するものとする。」と規定しており、審査に関しては、根拠となる旅館業法や関係法令等の規定の趣旨に基づき実施することとする。
　従って、申請を行う特定中小企業者に対し、旅館業法第3条第1項の規定に基づく許可をした都道府県等の担当部署が、経済産業局から送付のあった以下の審査に必要な関係書類を用い、以下の同法の基準に基づき審査を行うこととする。
○審査基準：旅館業法第3条第2項から第4項
○申請書類等：同法施行規則第1条第1項、第2項（計画内で事業譲渡を行う場合）又は同法施行規則第2条第1項、第2項（計画内で会社分割を行う場合）
　なお、同意に係る審査は、当該特定中小企業者に対し許可を行った都道府県等が責任を持って審査いただきたい。
(4) 中小企業承継事業再生計画の変更に伴う協議から同意までの手続について
　認定を受けた申請者が法第39条の3第1項の規定に基づき再生計画の変更をしよ

うとするときは、主務大臣の認定を受けなければならないとしている。これに関して、承継事業者が事業を承継する前に当該計画の変更の申請がされた場合には、再度、都道府県等の長に協議される。手続としては、前記(2)の協議から同意までの手続を準用することとする。
4 標準処理期間
再生計画における「計画の認定の申請から認定までに係る期間」及び「変更の認定の申請から認定までに係る期間」は原則として1月と規定している。

ただし、両期間には、特定許認可等に係る行政庁に協議し、その同意を得るために要した期間を含まないものとする。これにより、同計画の認定又は変更の認定についての協議から同意までの期間は、最長、旅館業法第3条第1項の規定に基づく許可及び同法第3条の2第1項の規定に基づく承認に係る都道府県等が定める標準処理期間が確保される。

しかし、前記2の事前調整の実施において、十分に同意が可能であると判断される程度にまで関係書類等の準備が整っていることを勘案し、同意に係る審査については迅速に対応いただきたい。

第3 その他留意点
1 承継事業者の事業の承継の報告に係る事項の通知について
法第39条の4第2項の規定に基づき、認定を受けた者は、再生計画に従って承継事業者が事業を承継したときは、その事実を証する書面を添えて、主務大臣に報告することとしており、法第39条の4第3項の規定に基づき、主務大臣は、その報告に係る事項を特定許認可等に係る行政庁に通知することとしている。具体的には、報告を受けた経済産業局が、当該事業の承継の報告に係る事項に関して、同意をした都道府県等に通知することとなるので、ご承知おきいただきたい。

なお、計画の認定から事業の承継までの期間は、原則3月を超えない運用を行うこととしている。
2 事業の承継後について
旅館業を承継した事業者については、当該事業者が承継することとなる許可の根拠となる旅館業法や関係法令等の規定の趣旨に基づき、旅館業法を所管・運用する都道府県等による監督を実施することとなる。

以上

地位の承継に対する旅館業許可に関する事務取扱について

＜別添1－1：事前調整開始に係る事務連絡の文書例＞

事務連絡
平成〇年〇月〇日

都道府県等担当部署名

〇〇経済産業局〇〇〇部〇〇〇課

産業活力の再生及び産業活動の革新に関する特別措置法第39
条の4第1項の特定許認可等に基づく地位の承継に係る事前
調整開始について（依頼）

　産業活力の再生及び産業活動の革新に関する特別措置法第39条の2第1項に基づく中小企業承継事業再生計画の認定の申請について、下記の者から当局に対し、申請に関して事前相談があり、同法第39条の2第3項の規定により、旅館業法第3条第1項の許可に基づく地位を当該計画に記載する意向を確認いたしました。
　つきましては、本件に関しまして、下記の者から貴課に対し事前照会等を行いますので、ご対応頂きますようよろしくお願いいたします。

記

※特定中小企業者及び承継事業者の名称、所在地、代表者名、連絡先を記載。

＜別添1－2：事前調整完了に係る事務連絡の文書例＞

事務連絡
平成〇年〇月〇日

〇〇経済産業局〇〇〇部〇〇〇課

都道府県等担当部署名

産業活力の再生及び産業活動の革新に関する特別措置法第39
条の4の特定許認可等に基づく地位の承継に係る事前調整の
完了について

　平成〇年〇月〇日付けをもって、貴局から依頼のありました、産業活力の再生及び産業活動の革新に関する特別措置法第39条の4第1項の特定許認可等に基づく地位の承継に係る事前調整開始についての依頼につきまして、下記の者との事前調整が整い、完了いたしましたのでご連絡いたします。

記

※特定中小企業者及び承継事業者の名称、所在地、代表者名、連絡先を記載。

第5編　旅館業

＜別添2―1：協議に係る文書例＞

（番　　　号）
平成○年○月○日

都道府県等の長名　殿

業所管大臣（※）及び経済産業局長名
（※権限委任をする場合には地方支分部局の長）

産業活力の再生及び産業活動の革新に関する特別措置法第39
条の2第5項の規定に基づく特定許認可等に係る協議につい
て（依頼）

　下記の者から、産業活力の再生及び産業活動の革新に関する特別措置法第39条の2第1項の規定に基づき、中小企業承継事業再生計画の認定申請があり、当該計画に、同法第39条の2第3項の規定に基づき、旅館業法第3条第1項の許可に基づく地位が記載されておりますので、同法第39条の2第5項の規定に基づき協議いたします。

記

※特定中小企業者及び承継事業者の名称、所在地、代表者名、連絡先を記載。

＜別添2―2：同意に係る文書例＞

（番　　　号）
平成○年○月○日

業所管大臣（※）及び経済産業局長名　殿
（※権限委任をする場合には地方支分部局の長）

都道府県等の長名

産業活力の再生及び産業活動の革新に関する特別措置法第39
条の2第5項の規定に基づく特定許認可等に係る協議につい
て（回答）

　平成○年○月○日付けをもって、業所管大臣及び経済産業局長名から依頼のありました、産業活力の再生及び産業活動の革新に関する特別措置法第39条の2第5項の規定に基づく特定許認可等に係る協議の依頼につきまして、下記の通り回答いたします。

記
同意する（又は同意しない）

※同意しない場合は理由を記載。

<別添3:経済産業局の中小企業承継事業再生計画に係る担当窓口一覧>

局・部・課室名		電話番号
北海道経済産業局	中小企業課	011-709-1783
東北経済産業局	中小企業課	022-221-4922
関東経済産業局	中小企業金融課	048-600-0425
中部経済産業局	中小企業課　中小企業再生支援室	052-951-2748
近畿経済産業局	中小企業課	06-6966-6023
中国経済産業局	中小企業課	082-224-5661
四国経済産業局	中小企業課	087-811-8529
九州経済産業局	中小企業課	092-482-5448
沖縄総合事務局	中小企業課	098-866-1755

第5編　旅館業

○旅館業に対する防火安全対策の徹底について

　　　　　　　　　　　　　［平成24年10月9日　健衛発1009第1号
　　　　　　　　　　　　　　各都道府県・各政令市・各特別区衛生主管部（局）長宛
　　　　　　　　　　　　　　厚生労働省健康局生活衛生課長通知］

　旅館業に対する防火安全対策については、「旅館業における防火安全対策について」（昭和61年2月17日付け衛指第21号厚生省生活衛生局長通知）等によりお願いしているところであり、さらに、本年7月31日には「生活衛生関係営業の運営の適正化及び振興に関する法律に基づく生活衛生同業組合の活用と理容師法等の衛生関係法令に基づく立入検査等の適切な実施について」（平成24年7月31日健衛発0731第1号当職通知）に基づき監視指導に関して実効の向上をお願いしているところですが、今般、旅館等に係る消防法令及び建築基準法令に関する調査結果が消防庁及び国土交通省から、それぞれ、別添のとおり、公表されたところです。
　今回の調査結果では、昭和46年以前に新築された3階以上の建築物について、消防法令及び建築法令の違反が相当数に上るという結果となっています。
　旅館等に係る防火対策については、消防庁及び国土交通省からそれぞれ貴都道府県等の消防法及び建築基準法の所管部局に対して指導の徹底が図られているところでありますが、貴職におかれても、当該調査結果も踏まえ、消防部局及び建築部局と連携の上、旅館業者において、消防法令及び建築法令を遵守し、消防機関等の指導・協力を得て、必要な防火設備等の体制を整備するとともに、避難訓練等の実施など防火安全対策に遺漏なきよう、指導の徹底をお願いします。
　なお、防火避難施設、消防設備の設置改善等が必要な場合には、必要に応じて日本政策金融公庫の融資制度の活用等の指導、助言をお願いします。
別添　略

○国家戦略特別区域法における旅館業法の特例の施行について

　　　　　　　　　　　　　［平成26年5月1日　健発0501第3号
　　　　　　　　　　　　　　各都道府県知事・各政令市市長・各特別区区長宛　厚生労働省健康局長通知］

　国家戦略特別区域法（平成25年法律第107号。以下「法」という。）、国家戦略特別区域法施行令（平成26年政令第99号。以下「施行令」という。）及び厚生労働省関係国家戦略特別区域法施行規則（平成26年厚生労働省令第33号。以下「施行規則」という。）が平成

26年4月1日に、国家戦略特別区域を定める政令(平成26年政令第178号)が同年5月1日に施行されたところであるが、国家戦略特別区域法における旅館業法(昭和23年法律第138号)の特例の内容は、下記のとおりであるので、御了知いただきたい。

記

1 旅館業法の特例の内容

　国家戦略特別区域会議が、国家戦略特別区域外国人滞在施設経営事業(国家戦略特別区域において外国人旅客の滞在に適した施設を賃貸借契約及びこれに付随する契約に基づき一定期間以上使用させるとともに外国人旅客の滞在に必要な役務を提供する事業として政令で定める次の要件に該当する事業をいう。)を定めた区域計画について、内閣総理大臣の認定を受けたときは、当該認定の日以後は、当該国家戦略特別区域外国人滞在施設経営事業を行おうとする者は、その行おうとする事業が当該要件に該当している旨の都道府県知事(保健所を設置する市又は特別区にあっては、市長又は区長。以下同じ。)の認定(以下「特定認定」という。)を受けることにより、当該事業については、旅館業法第3条第1項の規定は適用しないものとすること(法第13条、施行令第3条及び施行規則関係)。

(1) 国家戦略特別区域外国人滞在施設経営事業の要件

① 当該事業の用に供する施設であって賃貸借契約及びこれに付随する契約に基づき使用させるもの(以下単に「施設」という。)の所在地が国家戦略特別区域にあること。

② 施設を使用させる期間が7日から10日までの範囲内において施設の所在地を管轄する都道府県(その所在地が保健所を設置する市又は特別区の区域にある場合にあっては、当該保健所を設置する市又は特別区)の条例で定める期間以上であること。

③ 施設の各居室は、次のいずれにも該当するものであること。

　ア　1居室の床面積は、25平方メートル以上であること。ただし、施設の所在地を管轄する都道府県知事が、外国人旅客の快適な滞在に支障がないと認めた場合においては、この限りでない。

　イ　出入口及び窓は、鍵をかけることができるものであること。

　ウ　出入口及び窓を除き、居室と他の居室、廊下等との境は、壁造りであること。

　エ　適当な換気、採光、照明、防湿、排水、暖房及び冷房の設備を有すること。

　オ　台所、浴室、便所及び洗面設備を有すること。

　カ　寝具、テーブル、椅子、収納家具、調理のために必要な器具又は設備及び清掃のために必要な器具を有すること。

④ 施設の使用の開始時に清潔な居室を提供すること。

⑤ 施設の使用方法に関する外国語を用いた案内、緊急時における外国語を用いた情報提供その他の外国人旅客の滞在に必要な役務を提供すること。

⑥ 当該事業の一部が旅館業法第2条第1項に規定する旅館業に該当するものであること。

第5編　旅館業

(2) 特定認定の申請等
① 特定認定を受けようとする者は、あらかじめ、所定の申請書及び添付書類を、施設の所在地を管轄する都道府県知事に提出しなければならないこと。
　ア　申請書の記載事項
　　(ア)　氏名又は名称及び住所並びに法人にあっては、その代表者の氏名
　　(イ)　その行おうとする事業の内容
　　(ウ)　施設の名称及び所在地
　　(エ)　施設の構造設備の概要
　　(オ)　施設の各居室の床面積
　　(カ)　施設の各居室の設備及び器具の状況
　　(キ)　施設内の清潔保持の方法
　　(ク)　提供する外国人旅客の滞在に必要な役務の内容及び当該役務を提供するための体制
　　(ケ)　特定認定を受けようとする者の電話番号その他の連絡先
　　(コ)　施設のホームページアドレス
　イ　申請書の添付書類
　　(ア)　申請者が法人である場合には、定款又は寄附行為及び登記事項証明書
　　(イ)　申請者が個人である場合には、住民票の写し
　　(ウ)　賃貸借契約及びこれに付随する契約に係る約款
　　(エ)　施設の構造設備を明らかにする図面
② 特定認定を受けた者（以下「認定事業者」という。）は、申請内容等の変更をしようとするときは、都道府県知事の変更の認定を受けなければならないこと。ただし、当該変更が施設の名称の変更等の軽微な変更の場合には、その日から10日以内に、その旨を都道府県知事に届け出ればよいこと。
③ 認定事業者は、特定認定を受けた事業（以下「認定事業」という。）を廃止したときは、その日から10日以内に、都道府県知事に届出を行わなければならないこと。
(3) 特定認定の取消し等
① 都道府県知事は、次のいずれかに該当するときは、特定認定を取り消すことができること。
　ア　認定区域計画（内閣総理大臣の認定を受けた区域計画をいう。以下同じ。）の変更（特定事業として国家戦略特別区域外国人滞在施設経営事業を定めないこととするものに限る。）の認定があったとき。
　イ　認定区域計画（特定事業として国家戦略特別区域外国人滞在施設経営事業を定めたものに限る。）の認定が取り消されたとき。
　ウ　認定事業者が行う認定事業が上記(1)の要件に該当しなくなったと認めるとき。
　エ　認定事業者が不正の手段により特定認定を受けたとき。
　オ　認定事業者が変更の認定を受けず、又は変更の届出を行わなかったとき。

カ 認定事業者が報告徴収に対して報告をせず、又は虚偽の報告をしたとき。
② 都道府県知事は、本法の施行に必要な限度において、認定事業者に対し、認定事業の実施状況について報告を求めることができること。
2 留意事項
(1) 本施設は、外国人旅客の滞在に適した施設であり、賃貸借契約及びこれに付随する契約に基づき一定期間以上滞在し、滞在者の管理のもとに居室が使用されるとともに、外国人旅客の滞在に必要な役務が提供される施設であり、こうした趣旨に沿って適正な施設の運営が確保される必要があること。
(2) 上記1(1)②に掲げる要件については、旅館業法の適用を除外するに当たり、公衆衛生や善良の風俗の保持のほか、旅館・ホテルとの役割分担を考慮したものであり、地域の旅館・ホテルの状況等を勘案し、条例で具体的な期間を定める必要があること。
(3) 上記1(1)③に掲げる要件については、外国人旅客の滞在に適した環境として必要な要件を定めるものであり、1(1)③に掲げる設備又は器具については、こうした観点から必要な機能が備わっていれば充足されるものであること。
(4) 上記1(1)⑤に掲げる要件については、外国人旅客の滞在に必要な役務として、少なくとも施設の使用方法に関する外国語を用いた案内及び緊急時における外国語を用いた情報提供を求めており、その他については特定の役務を掲げていないので、事業者においては、対応できる外国語の種類も含め、各施設で提供する役務を契約及びホームページで明示し、これらの定めに基づき提供することが求められるものであること。
(5) 緊急時における外国語を用いた情報提供については、本施設には地域に馴染みがなく、日本語を解さない外国人旅客が滞在することから、災害や急病、事故等の緊急時において、外国語により避難や救急医療等に関する情報を提供するといった対応を迅速に行うことができる体制が求められるので、特定認定に際しては、申請書においてこれらの実施に係る体制について確認が求められること。なお、本特例措置は旅館業法の特例を設けるものであるが、消防法令の適用に関しては特に変更はないので、施設について消防担当部局に対し必要な情報提供を行うこと。
(6) 施設については、賃貸借契約に基づき一定期間以上居室を使用する旨の契約を締結するものであるが、使用期間の途中で滞在者の事情で任意の契約の解約が可能であれば、期間を定める意味が実質的になくなることから、特定認定に際しては、契約約款における解約条項に関して確認が求められること。

第5編　旅館業

◯旅館業法の遵守の徹底について
〔平成26年7月10日　健衛発0710第2号
各都道府県・各政令市・各特別区衛生主管部(局)長宛
厚生労働省健康局生活衛生課長通知〕

　宿泊業については、旅館業法に基づき指導が行われているところであるが、先般、東京都内で、自宅の一部を用いて宿泊料をとって外国人を宿泊させる宿泊施設を営んでいるとして、旅館業法第3条違反（無許可営業）で逮捕され、同法の罰則に処せられるという事案が報道されたところである。
　もとより、自宅の建物を活用する場合であっても、宿泊料とみなすことができる対価を得て人を宿泊させる業を営む者については、旅館業法第3条の許可を取得する必要があるので、前記の違反事例も踏まえ、改めて、貴管下において、旅館業法の遵守について周知徹底を行うとともに、事業者への指導を徹底されたい。

◯簡易宿所に係る防火対策の更なる徹底について
〔平成27年5月19日　健衛発0519第1号
各都道府県・各政令市・各特別区衛生主管部(局)長宛
厚生労働省健康局生活衛生課長通知〕

　5月17日未明に発生した神奈川県川崎市内の簡易宿所の火災については、まだ全容は明らかではありませんが、現段階で、死者5人、負傷者19人の犠牲者が確認されています。
　簡易宿所の防火対策については、昭和56年1月30日付け環指第14号厚生省環境衛生局指導課長通知「旅館業に対する防火安全対策の徹底について」等に基づいて、旅館業の営業者に対する指導等を行っていただいているところでありますが、今回の火災を受けて、新たに、5月18日付けで国土交通省から建築部局に対して別添1のとおり、関係部局と連携し、違法に建築されている物件の有無の調査等とともに防災査察の重点実施に関する要請がなされたところです。消防庁からも同様に消防部局に対して別添2のとおり、関係機関と情報共有等を行いつつ、簡易宿所に係る防火対策の更なる周知徹底を図るよう要請されています。
　ついては、貴職におかれましては、簡易宿所の防火対策の強化に向けて、建築部局、消防部局等の関係機関との情報共有に努めるとともに、関係機関より求めがあった場合には、適宜、情報提供を行うなど連携して対応するようお願いいたします。
別添　略

○旅館業法の遵守の徹底について

> 平成27年11月27日　生食衛発1127第1号
> 各都道府県・各政令市・各特別区衛生主管部(局)長宛
> 厚生労働省医薬・生活衛生局生活衛生・食品安全部生活衛生課長通知

　平成26年7月10日付け当職通知「旅館業法の遵守の徹底について」において、自宅等の建物を活用する場合においても宿泊料と見なすことができる対価を得て人を宿泊させる業を営む者については、旅館業法第3条の許可を取得する必要がある旨をお示しするとともに、同法の遵守についての周知徹底及び事業者への指導徹底を求めているところですが、今般、本通知に基づく各自治体における対応状況等について、本年7月に依頼したフォローアップ調査の結果を取りまとめましたので、情報提供いたします。(別添1)

　貴職におかれましては、本調査結果においてお示しした「旅館業法の無許可営業者に対する指導(等)事例」なども参考にしていただき、悪質な事例や住民とのトラブル事例が発生していることなどを踏まえ、引き続き、関係機関とも必要な連携を図りながら、適切な指導等に努めていただくとともに、旅館業法に関する正しい情報の発信等に努めていただくよう、よろしくお願いいたします。

　特に、最近では、マンション等の共同住宅を使用した事例として、騒音、ごみ捨てなどに関する住民トラブルのほか、マンション管理規約に違反した住宅以外の目的の使用や、賃貸借契約に違反した目的外使用・無断転貸などの問題も生じており、旅館業法の許可の取扱いに当たっては、管理規約等を踏まえた適正な使用権原の有無等についても留意した対応をお願いいたします。

　また、自宅等の建物を活用した宿泊サービスの提供に関し、旅館業法との関係を整理したQ&Aをとりまとめたものを併せて送付いたしますので、適宜、ご活用下さい。(別添2)

　なお、自宅等の建物を活用したいわゆる「民泊サービス」のあり方については、「規制改革実施計画」(平成27年6月30日閣議決定)において、「インターネットを通じ宿泊者を募集する一般住宅、別荘等を活用した民泊サービスについては、関係省庁において実態の把握等を行った上で、旅館・ホテルとの競争条件を含め、幅広い観点から検討し、結論を得る(平成27年検討開始、平成28年結論)」とされたところであり、厚生労働省及び観光庁においては、今般、「「民泊サービス」のあり方に関する検討会」を開催し、検討を開始したところです。今後、同検討会における検討結果を踏まえ、必要な措置を講じる予定であることを申し添えます。

別添1　略
(別添2)
　　　旅館業法に関するQ&A
Q1　旅館業とはどのようなものですか。
A1　旅館業とは「宿泊料を受けて人を宿泊させる営業」と定義されており、「宿泊」とは「寝具を使用して施設を利用すること」とされています。そのため、「宿泊料」(Q

7参照）を徴収しない場合は旅館業法の適用は受けません。
　なお、旅館業がアパート等の貸室業と違う点は、①施設の管理・経営形態を総体的にみて、宿泊者のいる部屋を含め施設の衛生上の維持管理責任が営業者にあると社会通念上認められること、②施設を利用する宿泊者がその宿泊する部屋に生活の本拠を有さないこととなります。

Q2　個人が自宅の一部を利用して人を宿泊させる場合は、旅館業法上の許可が必要ですか。

A2　個人が自宅や空き家の一部を利用して行う場合であっても、「宿泊料を受けて人を宿泊させる営業」に当たる場合（Q1参照）には、旅館業法上の許可が必要です。

Q3　知人・友人を宿泊させる場合でも旅館業法上の許可は必要ですか。

A3　旅館業に該当する「営業」とは、「社会性をもって継続反復されているもの」となります。ここでいう「社会性をもって」とは、社会通念上、個人生活上の行為として行われる範囲を超える行為として行われるものであり、一般的には、知人・友人を宿泊させる場合は、「社会性をもって」には当たらず、旅館業法上の許可は不要と考えられます。

Q4　インターネットを介して知り合った外国の方が来日した際に、自宅の空き部屋に泊まってもらいました。その際、お礼としてお金をもらいましたが、問題ないでしょうか。

A4　日頃から交友関係にある外国の方を泊められる場合は、Q3の場合と同様と考えられます。ただし、インターネットサイト等を利用して、不特定多数の方を対象とした宿泊者の募集を行い、繰り返し人を宿泊させる場合は、「社会性をもって継続反復されているもの」に当たるため、宿泊料と見なされるものを受け取る場合は、旅館業の許可を受ける必要があります。

Q5　営利を目的としてではなく、人とのコミュニケーションなど交流を目的として宿泊させる場合でも、旅館業法上の許可は必要ですか。

A5　人とのコミュニケーションなど交流を目的とすることだけでは旅館業法の対象外とならないため、「宿泊料を受けて人を宿泊させる営業」に当たる場合（Q1参照）には、旅館業法上の許可が必要です。

Q6　土日のみに限定して宿泊サービスを提供する場合であっても、旅館業法上の許可は必要ですか。

A6　日数や曜日をあらかじめ限定した場合であっても、宿泊料を受けて人を宿泊させる行為が反復継続して行われる場合は、旅館業法上の許可が必要です。

Q7　「宿泊料」ではなく、例えば「体験料」など別の名目で料金を徴収すれば旅館業法上の許可は不要ですか。

A7　「宿泊料」とは、名目だけではなく、実質的に寝具や部屋の使用料とみなされる、休憩料、寝具賃貸料、寝具等のクリーニング代、光熱水道費、室内清掃費などが含まれます。このため、これらの費用を徴収して人を宿泊させる営業を行う場合には、旅館業法上の許可が必要です。

Q8　旅館業法上の許可を受けないで、「宿泊料を受けて人を宿泊させる営業」を行った場合はどうなりますか。
A8　旅館業法第10条では、許可を受けないで旅館業を経営した者は、6月以下の懲役又は3万円以下の罰金に処することとされています。
Q9　旅館業法上の許可を受けるにはどうすればいいですか。
A9　使用する予定の施設の所在する都道府県（保健所を設置する市、特別区を含む。）で申請の受付や事前相談等を行っています。

○旅館業に対する防火安全対策の徹底について

>　平成28年2月10日　生食衛発0210第3号
>　各都道府県・各政令市・各特別区衛生主管部（局）長宛
>　厚生労働省医薬・生活衛生局生活衛生・食品安全部生活衛生課長通知

　旅館業に対する防火安全対策の徹底については、昨年5月19日付け当職通知「簡易宿所に係る防火対策の更なる徹底について」等により、建築部局及び消防部局等の関係機関との情報共有等についての要請を行ってきたところです。
　今般、神奈川県川崎市簡易宿所火災（平成27年5月17日）、広島県広島市飲食店火災（平成27年10月8日）などの重大な人的被害を発生させた火災事案を踏まえ、建築物への立入検査等について、建築部局、消防部局及び施設の営業等の許認可等を行う部局相互間の情報共有や連携のための体制を強化し、建築物の防火安全対策の更なる充実を図るため、平成27年12月24日付け国住指第3541号国土交通省住宅局建築指導課長通知及び同日付け消防予第480号消防庁予防課長通知が別添のとおり発出されたので、お知らせします。
　貴職におかれては、上記通知において示された「建築物への立入検査等に係る関係行政機関による情報共有・連携体制の構築に関するガイドライン」を踏まえ、建築部局、消防部局等の関係機関との情報共有等に努め、特に、昭和56年1月30日付け環指第14号厚生省環境衛生局指導課長通知「旅館業に対する防火安全対策の徹底について」の別紙にあるとおり、「旅館業法に基づく営業の許可に際しては、建築物の検査済み証の写し及び当該建築物が消防法令に適合している旨の所轄消防機関の通知書の送付を受けるまでの間は、営業許可を差し控える」、「旅館、ホテルの増改築に伴う旅館業法に基づく構造設備の概要の変更に際しては、防火安全の観点から旅館業者に対して消防法令及び建築法令を遵守し、十分な措置を講ずるよう指導する」など、引き続き、関係法令の遵守、旅館業に対する防火安全対策の徹底を図られるようお願いします。

（別　添）
　　建築物への立入検査等に係る関係行政機関による情報共有・連携体制の
　　構築について（技術的助言）

>　平成27年12月24日　国住指第3541号
>　各都道府県建築主務部長宛　国土交通省住宅局建築指導課長通知

　神奈川県川崎市簡易宿泊所火災（平成27年5月17日）、広島県広島市飲食店火災（平成

第5編　旅館業

27年10月8日）など、近年重大な人的被害を発生させた火災事案を踏まえ、建築物への立入検査等について、建築部局、消防部局及び施設の営業等の許認可等を行う部局相互間の情報共有や連携のための体制を強化することが求められてきています。

このような状況を踏まえ、建築物の防火安全対策の更なる充実を図るため、建築物への立入検査等に係る建築部局、消防部局及び許認可等部局間における情報共有・連携体制の構築について、総務省消防庁と検討を行い、別添1のとおり「建築物への立入検査等に係る関係行政機関による情報共有・連携体制の構築に関するガイドライン」を策定しました。

つきましては、本ガイドラインを踏まえ、関係行政機関と相互に協力して、情報共有・連携体制の構築に努められますようお願いします。

また、本ガイドラインの策定については、別添2のとおり総務省消防庁予防課長から各都道府県消防防災主管部長等あてに、通知されていることを申し添えます。

なお、貴職におかれましては、貴管内の特定行政庁に対しても、この旨周知していただきますようお願いいたします。

別添2　略
別添1

　　建築物への立入検査等に係る関係行政機関による情報共有・連携体制の
　　構築に関するガイドライン

〔総務省消防庁〕
〔国土交通省〕

1　ガイドライン策定の背景

　川崎市簡易宿泊所火災（平成27年5月17日）、広島市飲食店火災（平成27年10月8日）など、近年重大な人的被害を発生させた火災事案を踏まえ、消防部局、建築部局及び施設の営業等の許認可等を行う部局（以下「許認可等部局」という。）相互間の情報共有や連携のための体制を強化することが求められてきている。

　本ガイドラインは、このような状況を踏まえ、建築物における火災対策の充実を図るため、消防部局、建築部局及び許認可等部局（警察部局、衛生主管部局、介護保険部局）による建築物への立入検査等に係る情報共有・連携体制の構築の進め方について、総務省消防庁及び国土交通省において協議の上、策定したものである。

2　建築物への立入検査等に係る関係行政機関による情報共有・連携体制の構築

　消防部局及び建築部局の両部局（以下「両部局」という。）は、次の(1)～(3)により、建築物への立入検査等に係る情報共有・連携体制を構築し、火災対策の充実を図るものとする。

(1)　合同立入検査を実施する際の情報共有及び連携

　①　両部局は、過去の法令違反の状況や火災危険性等を考慮して、合同で立入検査を実施することが効率的かつ効果的と認める建築物がある場合は、当該建築物について合同で立入検査を実施する時期等を調整する。

　②　両部局は、①により調整を終了した建築物について、合同で立入検査を実施する。その際、両部局はそれぞれの所管法令に関して、法令適合状況を確認する。

③ 両部局は、合同立入検査を実施した結果、消防法令又は建築基準法令（以下「関係法令」という。）に適合していないと判断したときは、それぞれの所管法令に基づき適切に是正指導を行う。
　その際、必要に応じて、当該違反の内容について両部局で情報共有を行うとともに、その後の是正指導状況及び是正結果について、適宜相互に情報提供を行う。
　また、両部局は、必要に応じて、許認可等部局に対して、違反の内容、是正指導状況及び是正結果について情報提供を行うとともに、必要な対応を依頼する。
④ 両部局は、是正命令等の措置を行う場合には、必要に応じて、連携に努める。
　（連携の例）
　　・是正命令等の措置の内容や時期に係る情報共有
　　・是正結果の確認のための合同立入検査の実施
(2) 単独で立入検査を実施する際の情報共有及び連携
① 消防部局又は建築部局は、単独で立入検査を実施した結果、以下に該当する建築物を新たに把握した場合には、もう一方の部局に情報提供する（様式例第1号参照）。なお、情報提供の対象とする建築物については、地域の実情に応じて、両部局で十分調整の上、できる限り具体的に定める。
　　ア　関係法令違反が生じるおそれの大きい増改築又は用途変更が行われた建築物
　　　（当該増改築又は用途変更について、確認済証の交付又は消防長等の同意がなされている場合は除く。）
　　（例）(ｱ)　階が増設され、又は吹抜きに床が設置された建築物
　　　　　(ｲ)　病院・有床診療所、宿泊施設（ホテル・旅館等）、社会福祉施設又は寄宿舎に用途変更されたことにより、当該用途が新たに設けられた建築物
　　イ　防火上の観点から著しく危険である可能性が高い建築物
　　（例）・木造3層以上の建築物（①のア(ｲ)の用途に限る。）
② 消防部局又は建築部局は、関係法令への適合状況に関する判断のために必要な情報がある場合は、それぞれもう一方の部局に対して、建築物を指定して、その内容を照会する（様式例第2号参照）。
　（照会する内容の具体例）
　　・建築構造、階数、避難施設の管理状況　等
　また、照会を受けた消防部局又は建築部局は、それぞれもう一方の部局に対して、台帳、立入検査の結果又は当該建築物の所有者等から届出がなされた直近の報告書等で確認した情報を回答する（様式例第3号）。
　（直近の報告書の具体例）
　　・直近の定期調査報告書、直近の防火対象物点検結果報告書
③ 消防部局又は建築部局は、関係法令への適合状況に関する判断のために必要があると認めるときは、当該建築物について立入検査を実施する。
　その際、必要に応じて、(1)①②により合同で立入検査を実施する。
④ 両部局は、関係法令に適合していないと判断したときは、それぞれの所管法令に

基づき適切に是正指導を行う。

その際、必要に応じて、当該違反の内容について両部局で情報共有を行うとともに、その後の是正指導状況及び是正結果について、適宜相互に情報提供を行う。

また、両部局は、必要に応じて、許認可等部局に対して、違反の内容、是正指導状況及び是正結果について情報提供を行うとともに、必要な対応を依頼する。

⑤ 両部局は、是正命令等の措置を行う場合には、必要に応じて、連携に努める。
 (連携の例)
 ・是正命令等の措置の内容や時期に係る情報共有
 ・是正結果の確認のための合同立入検査の実施

(3) 緊急点検実施時の連携

両部局は、関係法令に適合していない等により大きな被害を伴う火災が発生し、他の建築物においても火災による同様の被害が生じるおそれが高いと認める場合は、必要に応じて、関係行政機関で協議の上、火災等が発生した建築物と類似のものについて緊急点検を実施する。

その際、必要に応じて、(1)に準じて合同で立入検査を実施するなど、適切な情報共有及び連携に努める。

3 留意事項

両部局においては、情報共有・連携体制をより効果的なものとするため、事務処理要領の策定や連絡会議の設置等の枠組みの構築に努めること。

なお、連絡会議の設置等の枠組みの構築に当たっては、以下に留意し、地域の実情に応じて、既存の各種会議等の体制を活用することも含めて検討すること。

その際、関係行政機関の連携に係る関係通知を参考とし、許認可等部局との間で十分調整を行うこと。

(1) 両部局が同一の自治体に属さないケース(例:建築部局は「県」、消防部局は「一部事務組合」)では、自治体の枠を超えた連携が必要となること。なお、特定行政庁が都道府県の場合は、都道府県の建築部局及び消防防災主管部局が、連携して主導的に枠組みを構築することが望ましいこと。

(2) 構築した情報共有・連携体制が効率的かつ継続的な枠組みとなるよう、連絡会議を定期的に開催するとともに、一定期間ごとに立入検査の実施結果や法令違反の是正指導状況等の情報共有を図ること。

(様式例第1号)

第　　　号
平成　年　月　日

$\left\{\begin{array}{l}\text{〇〇消防本部担当課長}\\ \text{〇〇建築行政担当課長}\end{array}\right\}$　殿

$\left\{\begin{array}{l}\text{〇〇建築行政担当課長}\\ \text{〇〇消防本部担当課長}\end{array}\right\}$

立入検査を実施した建築物に係る情報提供について

　今般、立入検査を実施した建築物について、「建築物への立入検査等に係る関係行政機関による情報共有・連携体制の構築に関するガイドライン」2(2)①に基づき、下記のとおり情報提供します。

記

1　建築物の概要
　・所在地
　・名　称
　・所有者等
　・用　途

2　内容

3　所有者等の連絡先

以上

第5編　旅館業

(様式例第2号)

第　　　号
平成　年　月　日

｛〇〇消防本部担当課長｝
｛〇〇建築行政担当課長｝　殿

｛〇〇建築行政担当課長｝
｛〇〇消防本部担当課長｝

建築物に係る｛建築基準法令・消防法令｝への適合状況について（照会）

　建築物における｛建築基準法令・消防法令｝への適合状況に関する判断のため、「建築物への立入検査等に係る関係行政機関による情報共有・連携体制の構築に関するガイドライン」2(2)②に基づき、下記のとおり照会します。

記

1　建築物の概要
　・所在地
　・名　称
　・所有者等
　・用　途
2　照会内容

以上

(様式例第3号)

第　　　号
平成　年　月　日

｛〇〇消防本部担当課長｝
｛〇〇建築行政担当課長｝　殿

｛〇〇建築行政担当課長｝
｛〇〇消防本部担当課長｝

建築物に係る｛建築基準法令・消防法令｝への適合状況について（回答）

　平成　年　月　日付　　　第　　号で照会のあった標記について、「建築物への立入検査等に係る関係行政機関による情報共有・連携体制の構築に関するガイドライン」2(2)②に基づき、下記のとおり回答します。

記

1　建築物の概要
　・所在地
　・名　称
　・所有者等
　・用　途
2　回答内容

以上

○簡易宿所営業の許可取得促進について
〔平成28年7月26日　生食衛発0726第1号
各都道府県・各政令市・各特別区衛生主管部(局)長宛
厚生労働省医薬・生活衛生局生活衛生・食品安全部生
活衛生課長通知〕

　「旅館業法施行令の一部を改正する政令の施行等について」（平成28年3月30日付け厚生労働省医薬・生活衛生局生活衛生・食品安全部長通知）において通知したとおり、民泊サービス（住宅の全部又は一部を活用して宿泊サービスを提供するもの）について、様々なニーズに応えつつ、宿泊者の安全性の確保、近隣住民とのトラブル防止などが適切に図られるよう、適切なルールづくりが求められています。
　その一方、民泊サービスを反復継続して宿泊料とみなすことができる対価を得て行う場合、旅館業法（昭和23年法律第138号。以下「法」という。）に基づく許可が必要であるにもかかわらず、許可を得ずに実施されるものが広がっており、これに早急に対応することが求められています。
　そこで、簡易宿所営業の枠組みを活用して旅館業法に基づく許可取得の促進を図る観点から、「旅館業における衛生等管理要領」（「公衆浴場における衛生等管理要領等について」（平成12年12月15日付け生衛発第1,811号厚生省生活衛生局長通知）の別添3。以下「要領」という。）の一部を改正するとともに、旅館業法施行令（昭和32年政令第152号。以下「施行令」という。）第1条第3項第7号の規定に基づく簡易宿所営業の構造設備の基準や法第4条第2項の規定に基づく衛生措置等を定める条例の規定について、本年4月1日に施行された施行令改正の趣旨や、同改正により簡易宿所営業として営業することが可能となる小規模な施設の特性を踏まえ点検し、必要に応じて条例の弾力運用や改正等を可能な限り早期に行っていただくようお願いしていたところです。
　一方、例えば、便所や共同洗面所の給水栓の数等に関する条例（規則等を含む）の規定が、住宅等の小規模な施設を活用した簡易宿所営業の許可取得の障害となっているのではないかとの指摘がされています。
　については、引き続き、簡易宿所営業における玄関帳場の設置義務のみならず、幅広く条例を点検し、その弾力運用や改正等の検討を行っていただくよう改めてお願いします。

第5編　旅館業

○住宅を使用して宿泊サービスを提供する施設に係る関係法令の遵守の徹底に向けた連携体制の構築について

> 平成29年3月17日　生食衛発0317第1号
> 各都道府県・各政令市・各特別区衛生主管部（局）長宛
> 厚生労働省医薬・生活衛生局生活衛生・食品安全部生活衛生課長通知

　旅館業に係る防火安全対策の徹底については、昨年2月10日付け当職通知「旅館業に対する防火安全対策の徹底」等により、建築部局及び消防部局等の関係機関との情報共有等についての連携強化について要請を行ってきたところです。

　今般、住宅を使用して宿泊サービスを提供するなど多様な宿泊サービスが提供されている実態を踏まえ、平成29年3月17日付け消防予第63号消防庁予防課長通知、同日付け国住指第4,339号国土交通省住宅局建築指導課長通知及び同日付け観観産818号国土交通省観光庁観光産業課長通知が別添のとおり発出されたので、お知らせします。

　貴職におかれては、上記通知を踏まえ、引き続き、消防部局、建築部局及び観光部局等の関係機関との情報共有等に努めるとともに旅館業法をはじめとする関係法令の遵守の徹底を図られるようお願いします。

〔別　添〕
　　宿泊サービスを提供する施設における消防法令の遵守の徹底について

> 平成29年3月17日　消防予第63号
> 各都道府県消防防災主管部長・東京消防庁・各指定都市消防本部消防長宛　消防庁予防課長通知

　近年、住宅（戸建住宅、共同住宅等）の全部又は一部において宿泊サービスが提供されるなど、様々な形態の宿泊サービスが出現している状況にありますが、住宅を利用する場合であっても、有償で繰り返し、宿泊サービスを提供することは、基本的に旅館業にあたるため、旅館業法に基づく許可を得ることが必要とされています。また、一部地域では、旅館業法に基づく許可のほかに、国家戦略特別区域法に基づく認定を受ける方法もあります。

　このような形態の宿泊サービスを提供する施設で消防法令違反が存する場合は、火災が発生した際の人命の危険が特に高いと考えられ、その施設の実態や危険性に応じた適切な防火安全対策が講じられるよう指導していく必要があります。

　これらのことから、各消防機関においては、立入検査における関係のある者（宿泊者を含む。）への質問、関係者への資料提出命令、報告徴収等を行うことや「建築物への立入検査等に係る関係行政機関による情報共有・連携体制の構築について」（平成27年12月24日付け消防予第480号）により衛生部局等の関係行政機関との情報共有等を行うなどにより、宿泊サービスを提供する施設の実態を把握した上で、適切に指導することが求められているところです。

　このような状況を踏まえ、宿泊サービスを提供する施設の実態把握等に係る関係行政機

住宅を使用して宿泊サービスを提供する施設に係る法令遵守徹底に向けた連携体制構築
関との情報共有等の取組に関して、参考事例を別添のとおりとりまとめました。
　これらの事例からは、宿泊サービスを提供する施設の実態把握等について、関係行政機関と情報共有を図ることや合同で立入検査を行うこと、関係行政機関で構成する協議会を設置することなどの取組みが有効と考えられます。
　つきましては、これらの事例を参考として、宿泊サービスを提供する施設の実態把握等を進め、消防法令の遵守の徹底を図られるようお願いします。
　各都道府県消防防災主管課におかれましては、貴都道府県内の市町村（消防の事務を処理する一部事務組合等を含む。）に対しても、この旨周知していただきますようお願いします。
　なお、別添のとおり、関係部局との連携体制の構築について、厚生労働省医薬・生活衛生局生活衛生・食品安全部生活衛生課、国土交通省住宅局建築指導課及び国土交通省観光庁観光産業課より関係部局あてにそれぞれ通知されていることを申し添えます。
別添　略
別紙
　　　　宿泊サービスを提供する施設の実態把握等に係る関係行政機関との情報
　　　　共有等に関する事例
●事例1
・住宅での宿泊サービスの提供を覚知することとなるのは、ほとんどが近隣住人から寄せられる情報からである。
・宿泊サービスの提供に関する情報は消防、衛生部局の双方に寄せられており、互いに情報を共有し、合同で現地確認を行う等、協力し合っている。
・消防法令適合状況について、消防法令適合通知書の交付により、衛生部局と連携し、旅館業法の許可等の手続きに際して、消防法令への適合を指導している。共同住宅の一部で宿泊サービスを提供する場合、宿泊サービスを提供する部分以外の部分の状況についても許可等の判断を行う衛生部局に情報提供している。
●事例2
・昨年、宿泊サービスを提供する施設等に関する市民通報窓口が開設されたが、主担当は衛生部局となっている。
・一般市民からの通報や立入検査その他の業務などに際して、宿泊サービスを提供する施設を新たに発見した場合には、改めて立入検査を行うこととしている。関係部局との連携について取り決めた文書は今のところ無いが、このような場合には、衛生部局と合同で立入検査を行っている。
・立入検査を行った際に、マンションのロビーの郵便受け等に「Hostel. Stay Here. 3,000yen/day.」のようなマジック書きの看板やシールが貼られていることが多い。このような掲示を発見した場合は、宿泊サービスの提供が行われていることが多く、建物の所有者に直接問い合わせる等により物件情報を調査することもある。
・旅館業法の許可を受けていない宿泊施設を発見した場合は、関係部局と情報共有を行い、消防部局は必要な消防法令上の措置内容を指導するとともに、衛生部局は旅館業

第5編　旅館業

法上の申請等を行うよう事業者に指導する。旅館業法の申請手続きにおいて、消防法令に適合しているか確認する段階で、消防部局は、必要な消防用設備等が設置されているか等の確認を行う。
●事例3
・観光部局、衛生部局、建築部局などの関係部局で協議会を設置し、連携して宿泊サービスを提供する施設の実態把握や是正指導等にあたっている。
・各部局のホームページにおいて、法令上の手続、注意事項等を掲載して啓発している。
・観光部局において、市内で宿泊サービスを提供している施設（仲介情報等から市内で宿泊サービスを提供していると考えられるが所在地が特定できないものも含む。）の実態調査を行い、関係部局間で情報共有している。
・宿泊サービスを提供している施設への指導については、市民からの通報（市の関係部局へ直接寄せられたもの）により判明したものを最優先としている。また、観光部局で実施した実態調査で確認された施設のうち、所在地が特定され、かつ、旅館業法の許可がなされていないものについて、消防部局と衛生部局が合同で立入検査を行う等により指導を行っている。
・通報相談窓口に寄せられた情報等について、衛生部局、建築部局及び消防部局が所定の様式による情報共有を図っている。

住宅を利用して宿泊サービスを提供する施設に係る建築指導行政における関係行政機関との連携体制の構築について

〔平成29年3月17日　国住指第4339号
各都道府県建築行政主務部長宛　国土交通省住宅局建築指導課長通知〕

　平素より、建築行政の推進に多大なご協力をいただき、誠にありがとうございます。
　近年、住宅（一戸建ての住宅、長屋、共同住宅等）の全部又は一部を利用して、不特定の利用者に宿泊サービスを提供するなど、建築物の新たな利用実態が確認されております。既存の住宅を利用する場合においても、有償で繰り返し、宿泊サービスを提供する場合は、基本的には旅館業に当たるため、旅館業法に基づく許可を得ることが必要とされています。この場合、建築基準法上の用途は原則としてホテル・旅館に該当し、防火関係規定等を満たす必要があります（なお、一部地域においては、旅館業法に基づく許可のほかに、国家戦略特別区域法に基づく認定を受ける方法もあり、この場合の用途の扱いについては別途「国家戦略特別区域外国人滞在施設経営事業の用に供する施設の建築基準法における取扱いについて」（平成28年11月11日付け国住指第2,706号・国住街第142号）において通知しているとおりです。）。
　このような建築物に対する違反建築の防止、違反是正の取組みについては、「建築物への立入検査等に係る関係行政機関による情報共有・連携体制の構築について」（平成27年12月24日付け国住指第3,541号）等を踏まえ、関係部局と相互に協力して、情報共有や連

携体制の構築を図り、適切に実施されていることと存じますが、このたび、総務省消防庁予防課、厚生労働省医薬・生活衛生局生活衛生・食品安全部生活衛生課、国土交通省観光庁観光産業課より各都道府県関係部局あてに、宿泊サービスを提供する施設に係る関係法令の遵守の徹底に向けた連携体制の構築等について、別添1から3までのとおり通知されておりますのでご連絡いたします。

貴職におかれましては、引き続き、消防部局、衛生部局、観光部局等とのさらなる連携を図られるようお願いいたします。

なお、貴管内特定行政庁に対してもこの旨周知方お願いします。

別添1～3　略

　　　住宅を使用して宿泊サービスを提供する施設に係る関係法令の遵守の徹
　　　底に向けた連携体制の構築について

　　　　　　［平成29年3月17日　観観産第818号
　　　　　　　各都道府県観光担当部(局)長宛　国土交通省観光庁観
　　　　　　　光産業課長通知　　　　　　　　　　　　　　　　　　］

　ここ数年、空き室を短期で貸したい人と旅行者をマッチングするインターネットを利用したビジネスが世界各国で展開されており、我が国でもこうしたマッチングサイトを利用した民泊（「住宅の全部又は一部を活用して宿泊サービスを提供するもの」をいう。）が急速に普及しています。

　今般、こうした民泊を含む多様な宿泊サービスが提供されている実態を踏まえ、平成29年3月17日付け消防予第63号消防庁予防課長通知、同日付け国住指第4,339号国土交通省住宅局建築指導課長通知及び同日付け生食衛発0317第1号厚生労働省医薬・生活衛生局生活衛生・食品安全部生活衛生課長通知が別添のとおり発出されたので、お知らせします。

　貴職におかれては、上記通知を踏まえ、宿泊サービスの提供施設（仲介事業者の情報等から宿泊サービスを提供していると考えられるが所在地が特定できないものも含む）に関する調査を行い、その情報を消防部局、建築部局及び衛生部局等の関係機関に提供する等、宿泊サービスを提供する施設の実態把握や是正指導等のための情報共有等に努めるとともに、宿泊サービスを提供する施設に関する関係法令の遵守の徹底を図られるようお願いいたします。なお、併せて管下市町村等へもこの旨周知方お願いいたします。

○簡易宿所営業における玄関帳場等の設置について

　　　　　　［平成29年12月15日　生食発1215第3号
　　　　　　　各都道府県知事・各政令市市長・各特別区区長宛　厚
　　　　　　　生労働省大臣官房生活衛生・食品安全審議官通知　　］

　簡易宿所営業については、旅館業法施行令（昭和32年政令第152号）における構造設備基準において、玄関帳場その他これに類する設備（以下「玄関帳場等」という。）に関する規定を設けていない。

　他方、旅館業における衛生等管理要領（平成12年12月5日付け生衛発第1,811号厚生省

第5編　旅館業

　生活衛生局長通知「公衆浴場における衛生等管理要領等について」別添3。以下「要領」という。）においては、かつて簡易宿所営業の施設設備の基準として「適当な規模の玄関、玄関帳場又はフロント及びこれに類する設備を設けること。」と示していたが、「旅館業法施行令の一部を改正する政令の施行等について」（平成28年3月30日付け生食発0330第5号厚生労働省生活衛生局長通知）において、要領の当該規定を「適当な規模の玄関、玄関帳場又はフロント及びこれに類する設備を設けることが望ましいこと。」と改正し、簡易宿所営業における玄関帳場等の設置について条例で規定している都道府県等（保健所を設置する市及び特別区を含む。以下同じ。）に対し、実態に応じた弾力的な運用や条例の改正等の必要な対応についての特段の御配慮をお願いしたところ、現時点では、一部の都道府県等において、玄関帳場等の設置について引き続き条例で規定しているところである。

　今般、「「歴史的資源を活用した観光まちづくりタスクフォース」における取りまとめ」（平成29年5月18日）（別添参考資料参照）を踏まえ、複数の簡易宿所において共同で玄関帳場等を設置する場合の取扱いについて、以下のとおりお示しするので、条例により簡易宿所営業における玄関帳場等の設置を義務づけている都道府県等におかれては、改めて、特段の御配慮をお願いしたい。

記

1　都道府県等が、条例で、簡易宿所営業の施設に対し玄関帳場等の設置を求めている場合において、
　(1)　一の営業者が複数の簡易宿所を運営するときに、一の玄関帳場等を設置して、それら複数の簡易宿所の玄関帳場等として機能させること。
　(2)　複数の簡易宿所の営業者が、共同して一の玄関帳場等を設置して、それら複数の簡易宿所の玄関帳場等として機能させることは、緊急時に適切に対応できる体制が整備されていれば差し支えないこと。
2　1の(2)にいう「緊急時に適切に対応できる体制」とは、宿泊客の緊急を要する状況に対し、その求めに応じて、通常おおむね10分程度で職員等が駆けつけることができる体制を想定しているものであること。
　　「緊急時に適切に対応できる体制」が整備されているか否かは、基本的に、職員等が駆けつけるために通常要する時間によって判断されるべきであり、また、職員等が玄関帳場等から駆けつけるとは限らないことから、玄関帳場等からの距離によって機械的に判断するような取扱いは想定していないので、御留意いただきたい。
3　1の(2)により、複数の簡易宿所の営業者が、共同して一の玄関帳場等を設置する場合には、玄関帳場等を設置する営業者が他の営業者が営業する簡易宿所の宿泊客の宿泊者名簿の作成等を行うことが想定されるため、個人情報の取扱いについて関係法令の遵守等、特に留意が必要であることにつき、関係者に対する周知等をお願いする。
別添参考資料　略

○旅館業からの暴力団排除の推進について

> 平成30年5月11日　薬生衛発0511第2号
> 各都道府県・各政令市・各特別区衛生主管部(局)長宛
> 厚生労働省医薬・生活衛生局生活衛生課長通知

　旅館業法の一部を改正する法律（平成29年法律第84号）による改正後の旅館業法（昭和23年法律第138号。以下「法」という。）においては、同法第2条第1項に規定する旅館業からの暴力団排除を推進するため、旅館業の許可を受けようとする者が同法第3条第2項第5号、第6号（同条第5号に該当する場合に限る。）若しくは第7号（同条第5号に該当する場合に限る。）又は第8号のいずれか（以下「暴力団排除条項」という。）に該当するときは、都道府県知事（保健所を設置する市又は特別区にあっては、市長又は区長。以下同じ。）は旅館業の許可を与えないことができる旨を規定している。

　については、旅館業からの暴力団排除の推進に関し、警察庁と協議の上、「旅館業からの暴力団排除に関する合意書」（平成30年5月11日付警察庁丁暴発第154号、薬生衛発0511第1号。以下「合意書」という。）（別添1）に基づき、下記のとおり取り組むこととしたので、各都道府県、保健所設置市、特別区においては、その実施に遺漏なきようお願いする。

　なお、本件に関しては、警察庁から各都道府県警察の長及び各方面本部長に対し、別添2「旅館業からの暴力団排除の推進について」（平成30年5月11日付警察庁丁暴発第153号）が発出されているので参考とされたい。

記

1　暴力団排除条項に係る照会等
　(1)　申請書の提出
　　　法第3条第1項並びに旅館業法施行規則（昭和23年厚生労働省令第28号）第1条第1項第6号に基づき、旅館業を経営するため都道府県知事の許可を受けようとする者は、許可を受けようとする者が暴力団排除条項に該当することの有無及び該当するときはその内容を記載した申請書を都道府県知事に提出しなければならないこととされている。
　(2)　暴力団排除条項に係る照会
　　　都道府県（保健所を設置する市又は特別区にあっては、市又は特別区。以下同じ。）の生活衛生を担当する課の長（以下「生活衛生担当課長」という。）は、旅館業の許可の申請又は申請事項等の変更に係る届出における審査及び確認を行う場合その他必要がある場合は、当該生活衛生担当課が所在する都道府県を管轄する警視庁又は道府県警察本部の暴力団対策を主管する課等の長（以下「暴力団対策主管課長等」という。）に対し、旅館業の許可を受けようとする者又は旅館業の許可を受けた者（以下「許可申請者等」という。）の暴力団排除条項該当性の有無について文書（別記様式第1号）に加え、当該許可申請者等（当該許可申請者等が法人等であるときはその役員等）の氏名カナ、氏名漢字、生年月日、性別等をエクセルのファイル形式（別記様式第1号別添。拡張子.xls）により記録した電磁的記録媒体（CD—R等をいう。

以下同じ。）を用い、暴力団対策主管課長等に通知することにより照会するものとする。
2　暴力団排除条項に該当した場合の対応
　　1の照会に対し、暴力団対策主管課長等から別記様式第2号により、許可申請者等が暴力団排除条項に該当する事由があるとの回答が行われた場合には、生活衛生担当課長は、当該許可申請者等に対し必要な措置を執るものとする。
3　その他
　　本通知に基づく暴力団対策主管課長等への照会の結果、許可申請者等が暴力団排除条項に該当すると判明した場合には、当該許可申請者等の情報及び対処方針を遅滞なく厚生労働省医薬・生活衛生局生活衛生課に情報提供することとする。
　　また、本通知の実行に際しては、暴力団対策主管課長等と緊密に連携を取り、円滑な執行を図るとともに、職員の安全確保に懸念が生じた場合は速やかに暴力団対策主管課長等に相談することとする。
別添2　略

別添1
　　旅館業からの暴力団排除に関する合意書
```
平成30年5月11日　警察庁丁暴発第154号・薬生衛発
0511第1号
警察庁刑事局組織犯罪対策部暴力団対策・厚生労働省
医薬・生活衛生局生活衛生課長
```
　旅館業法の一部を改正する法律（平成29年法律第84号）による改正後の旅館業法（昭和23年法律第138号。以下「法」という。）が、平成30年6月15日から施行されることに伴い、旅館業からの暴力団排除を徹底するため、警察庁と厚生労働省は、都道府県警察（以下「警察」という。）と都道府県（保健所を設置する市又は特別区にあっては、市又は特別区。以下同じ。）の生活衛生を担当する課（以下「生活衛生担当課」という。）との間での業務運用について、下記のとおり合意する。
記

1　合意書の趣旨
　　生活衛生担当課は、旅館業の許可の申請又は申請事項等の変更に係る届出における審査及び確認を行う場合その他必要がある場合は、警察に対して、旅館業の許可を受けようとする者又は許可を受けた者（以下「許可申請者等」という。）の暴力団排除条項該当性について照会するものとする。また、警察は、生活衛生担当課からの照会に対して当該許可申請者等の暴力団排除条項該当性について回答するものとする。
2　排除対象者
(1)　暴力団員による不当な行為の防止等に関する法律（平成3年法律第77号）第2条第6号に規定する暴力団員又は暴力団員でなくなった日から起算して5年を経過しない者（以下「暴力団員等」という。）（法第3条第2項第5号）
(2)　営業に関し成年者と同一の行為能力を有しない未成年者でその法定代理人（法定代理人が法人である場合にあっては、その役員を含む。）が暴力団員等に該当するもの

(法第3条第2項第6号)
(3) 法人であって、その役員のうちに暴力団員等に該当する者があるもの（法第3条第2項第7号）
(4) 暴力団員等がその事業活動を支配する（※注）者（法第3条第2項第8号）
　（※注）「事業活動を支配する」とは、
　　　① 暴力団員等の親族（事実上の婚姻関係にある者を含む。）又は暴力団若しくは暴力団員と密接な関係を有する者が、事業主であることのほか、多額の出資又は融資を行い、事業活動に相当程度の影響力を有していること。
　　　② 暴力団員等が、事業活動への相当程度の影響力を背景にして、名目のいかんを問わず、多額の金品その他財産上の利益供与を受けていること又は売買、請負、委任その他の有償契約を締結していること。

3 照会及び回答の要領
(1) 照会
　生活衛生担当課の長（以下「生活衛生担当課長」という。）は、当該生活衛生担当課が所在する都道府県を管轄する警視庁又は道府県警察本部の暴力団対策を主管する課等の長（以下「暴力団対策主管課長等」という。）に対し、許可申請者等の暴力団排除条項該当性の有無について文書（別記様式第1号）に加え、当該許可申請者等（当該許可申請者等が法人等であるときはその役員等）の氏名カナ、氏名漢字、生年月日、性別等をエクセルのファイル形式（別記様式第1号別添。拡張子．xls）により記録した電磁的記録媒体（CD—R等をいう。以下同じ。）を用い、暴力団対策主管課長等に通知することにより行うものとする。
(2) 回答
　暴力団対策主管課長等は、当該許可申請者等の暴力団排除条項該当性を確認し、該当性の有無について、生活衛生担当課長に対し、速やかに文書（別記様式第2号）により回答するものとする。
　なお、暴力団対策主管課長等は、暴力団排除条項該当性の確認に際して、より詳細な情報が必要となる場合は、生活衛生担当課長に対し、更なる資料等の提出を求めることができるものとする。
(3) 警察が自ら通知する場合
　暴力団対策主管課長等は、3(1)による照会以外で、旅館業の許可を受けた者が2の排除対象者に該当する事実を確認した場合は、当該事実を確認した区域を管轄する生活衛生担当課長に対し、速やかに文書（別記様式第3号）により通知し、必要な措置を執ることを求めるものとする。
(4) 当該許可申請者等への通知
　暴力団対策主管課長等から排除対象者に該当する事由があるとの回答・通知が行われた場合には、生活衛生担当課長は、当該許可申請者等に対し必要な措置を執るものとする。

4 照会等に関する留意事項
(1) 暴力団対策主管課長等と生活衛生担当課長との間の文書又は電磁的記録媒体の受渡

第5編　旅館業

しについては、原則として、手渡しで行うものとする。
　　　ただし、遠隔地であるなど、手渡しにより難いと認められる特段の事情があるときは、両者の間で協議の上、郵便書留による送付をもって行うことができるものとする。
　(2) 別記様式第1号から第3号までについては、所定の事項が記載されていれば、適宜変更して用いても差し支えない。
5　情報管理の徹底
　　暴力団対策主管課長等と生活衛生担当課長は、本合意書に基づく照会等その他両者間で行われる情報交換に係る情報については、照会等手続の目的以外に利用しないものとし、紛失及び漏えいの防止その他情報管理に万全を期すものとする。
6　連携の強化
　　暴力団対策主管課長等と生活衛生担当課長は、照会の手続に関して、相互に協力し、緊密な連携の下、旅館業からの暴力団排除対策を推進するものとする。
7　保護対策
　　暴力団対策主管課長等は、暴力団員等による旅館業への不当介入事案があった場合、積極的に事件化を検討するとともに、必要に応じて、生活衛生担当課職員等関係者に対する保護対策を適切に実施するものとする。
8　その他
　(1) 本合意書に定めのない事項又は疑義の生じた事項については、警察庁及び厚生労働省において、その都度協議の上、決定するものとする。
　(2) 本合意書に基づく業務の運用は、平成30年6月15日から開始するものとする。

以上

別記様式第1号（照会）

文　書　番　号
平成〇年〇月〇日

暴力団対策課長　殿

生活衛生担当課長　印

「旅館業からの暴力団排除に関する合意書」に基づく照会について

　下記の者について、「旅館業からの暴力団排除に関する合意書」に規定する排除対象者に該当するか否かについて照会します。

記

1　照会対象者
　　別添のとおり。

　※　別添を用いない場合は、
　　　　氏名（フリガナ）、生年月日、性別、住所
　　を記載し、法人の場合は、
　　　　その法人の商号又は名称
　　を加えて記載すること。

別添

照会文書記載例

シメイ	氏名	和暦	年	月	日	性別	住所	法人名
ロウドウ タロウ	労働　太郎	S	30	03	04	M	東京都千代田区	●●(株)
ハケン ハナコ	環境　綺麗	H	1	11	30	F	東京都府中市	(株)▲▲
トウホク イチロウ	東北　一郎	S	40	01	01	M	●●県▲▲郡■■町	■■(有)
カンサイ ジロウ	関西　次郎	S	45	12	24	M	大阪市中央区	(有)××
キュウシュウ サブロウ	九州　三郎	S	39	08	02	M	神奈川県横浜市	個人

（補足説明）

　　電磁的記録（拡張子.xlsにて保存）については、氏名カナ（半角、姓と名の間も半角で1マス空け）、氏名漢字（全角、姓と名の間も全角で1マス空け）、生年月日（大正はT、昭和はS、平成はHで半角とし、数字は2桁半角）、性別（半角で男性はM、女性はF）、住所（市区町村まで全角）、法人名（全角）、役職（全角）をセルごとに入力し、照会を行うものとする（上記記載例参照）。

　　なお、上記記載例は、便宜上、項目名及び罫線を付しているが、実際の照会の際は、罫線は不要。

　　また、外国人については、氏名欄にはアルファベットを、シメイ欄は当該アルファベットのカナを記載すること。

第5編　旅館業

別記様式第2号（回答）

　　　　　　　　　　　　　　　　　　　　　　　　　文　書　番　号
　　　　　　　　　　　　　　　　　　　　　　　　　平成〇年〇月〇日
　　生活衛生担当課長　殿

　　　　　　　　　　　　　　　　　　　　　　　暴力団対策課長　印

　　　　「旅館業からの暴力団排除に関する合意書」に基づく回答について

　「旅館業からの暴力団排除に関する合意書」（以下「本合意書」という。）に基づき、平成　　年　　月　　日付け（文書番号〇〇）で照会のあった件について、下記のとおり回答します。

　　　　　　　　　　　　　　　　　　記
※　該当する場合
　1　照会対象者
　　　商号又は氏名、代表者、役員等
　2　調査結果
　　　上記の者は、本合意書1—2—〇に該当する事由があると認められる。
　　　その他の者は、本合意書に規定する排除対象者に該当する事由があると認められない。
※　該当しない場合
　　　いずれの者も本合意書に規定する排除対象者に該当する事由があると認められない。

別記様式第3号（通知）

　　　　　　　　　　　　　　　　　　　　　　　　　文　書　番　号
　　　　　　　　　　　　　　　　　　　　　　　　　平成〇年〇月〇日
　　生活衛生担当課長　殿

　　　　　　　　　　　　　　　　　　　　　　　暴力団対策課長　印

　　　　「旅館業からの暴力団排除に関する合意書」に基づく通知について

　下記の者については、「旅館業からの暴力団排除に関する合意書」（以下「本合意書」という。）に規定する排除対象者に該当すると認められるので通知します。
　　　　　　　　　　　　　　　　　　記
1　氏名（フリガナ）
2　生年月日
3　性別
4　住所
5　法人の場合にあっては、その法人の商号又は名称
6　理由
　　上記の者は、本合意書に規定する排除対象者1—2—〇に該当する事由があると認められる。
7　その他
　※　必要により記載

○旅客室を有する船舶を活用した宿泊施設における無窓の客室の取扱いについて

[平成30年5月16日　薬生衛発0516第4号
各都道府県・各政令市・各特別区衛生主管部(局)長宛
厚生労働省医薬・生活衛生局生活衛生課長通知]

標記については、2020年東京オリンピック・パラリンピック競技大会の開催に向け、今後、旅客室を有する船舶を活用した宿泊施設として旅館業法（昭和23年法律第138号）に基づく営業許可申請が見込まれることを踏まえ、下記の全ての条件を満たす場合、旅館業における衛生等管理要領（「公衆浴場における衛生等管理要領等について」（平成12年12月5日付け生衛発第1811号厚生省生活衛生局長通知別添3））における客室の窓に関する規定にかかわらず、無窓の客室を含む施設に対し、イベントの開催期間（前後の数日を含む。）に限定して、各自治体の判断により営業許可を与えて差し支えないものと考えるので、施設の営業許可申請の審査に当たっては、適切な対応を図られたい。

記

1　通常、貨客の運送に利用されている旅客室を有する船舶であること。
2　多数の来訪者が見込まれる大規模なイベントが開催されることに伴って宿泊施設の需要が高まることから、各自治体において当該船舶に許可を与えることが必要であると判断すること。
3　以下の各項目を満たすこと。
　(1)　設備関係
　　1)　全客室のうち、無窓の客室が占める割合は、概ね4割程度以下であること。
　　2)　窓を代替する以下の設備が無窓の客室に確保されていること。
　　　a　照明設備
　　　　宿泊者の安全衛生上、適当な照度を満たすこと。
　　　b　換気設備
　　　　外気に面して開放することのできる換気口を設けるなど衛生的な空気環境を十分確保すること。
　(2)　運用関係
　　営業者は宿泊者に対し、無窓の客室である旨を宿泊契約時に知らせること。

○旅館業法の許可を得ないで旅館業を行っている者に対する取締りについて

> 平成30年5月21日　薬生衛発0521第1号
> 各都道府県・各政令市・各特別区衛生主管部(局)長宛
> 厚生労働省医薬・生活衛生局生活衛生課長通知

　住宅を活用して宿泊サービスを提供するいわゆる民泊については、旅館業法の許可を得ずに実施される違法な営業が多数見受けられる実態があります。
　このため、このような事態を是正しつつ、健全な民泊の普及を図ることを目的とした住宅宿泊事業法が、第193回国会で成立（平成29年6月16日公布）し、平成30年6月15日に施行される予定です。さらに、無許可営業者に対する取締りを強化し、旅館業の健全な発展を図ることを目的とした旅館業法の一部を改正する法律（以下「改正法」という。）が、第195回国会で成立（平成29年12月15日公布）し、平成30年6月15日に施行される予定です。
　旅館業法の遵守については、これまでも周知徹底及び事業者への指導徹底をお願いしているところですが、このたび、住宅宿泊事業法及び改正法の施行日を迎えるに当たり、無許可営業者への対応に関し留意いただきたい事項を下記のとおり整理いたしました。
　貴職におかれましても、引き続き無許可営業者に対する適切な指導等に努めていただくとともに、対応に当たっては、本通知の内容について十分ご了知の上、警察を始めとする各関係者との連携強化を図っていただき、これまで以上に実効性のある指導等を行っていただくようご協力をお願いいたします。
　なお、本通知に関しては、警察庁生活安全局生活経済対策管理官との間で共有するとともに、引き続き悪質な民泊の取締り等について協力していくことを確認しております。

記

1　改正法により、都道府県知事（保健所設置市又は特別区にあっては市長又は区長。以下同じ。）による無許可営業者に対する報告徴収及び立入検査並びに緊急命令の権限が新たに付与されたことから、改正法施行後は、都道府県知事におかれては、本権限を十分に活用し、無許可営業者への取締りを進めていただきたいこと。
2　改正法施行前においても、改正法施行後の罰金の上限額引上げの内容について無許可営業者に徹底しながら、速やかに無許可営業を改善するよう指導していただくとともに、改正法施行日から無許可営業者に対する報告徴収及び立入検査並びに緊急命令の権限を十分に活用できるよう、その準備に万全を期されたいこと。
3　都道府県知事による繰り返しの指導等にもかかわらず、無許可営業を改善せず、依然として違法な民泊サービスを提供し続ける悪質な無許可営業者については、積極的に警察に情報提供するなど連携強化を図り、警察による取締りを求めていただきたいこと。
4　無許可営業者の調査・指導や警察への協力要請を行うに当たって、法解釈上の疑問点等が存在する場合は、積極的に厚生労働省に相談されたいこと。

○旅館業の許可手続における構造設備の基準への適合確認及び消防法令への適合確認を同時に行うことについて

> 平成30年7月20日　薬生衛発0720第1号
> 各都道府県・各保健所設置市・各特別区衛生主管部（局）長宛　厚生労働省医薬・生活衛生局生活衛生課長通知

　旅館業の営業許可にあたっては、営業許可申請書を受理後すみやかに所轄消防機関に通報し、又は指導により営業許可申請者をして所轄消防機関に申請せしめ、当該消防機関から消防法令に義務づけられている消防用設備等の設置についての査察結果についての通知書の送付を受けた後に処理するものとされています。このため、都道府県知事（保健所設置市又は特別区にあっては、市長又は区長。）が旅館業の営業許可をするに当たっては、許可対象施設について、旅館業法令の観点から構造設備の基準への適合の確認を、消防法令の観点から消防関係法令への適合の確認を、それぞれ行う必要があるところです。

　これらの事項に係る施設現地での適合確認は、同時に行うことが可能ですので、許可申請者の負担の軽減の観点から、都道府県（保健所設置市又は特別区にあっては、市又は区。以下同じ。）におかれては、所轄消防機関と連携・調整し、可能な限りこれらの確認を同時に行っていただきますようお願いいたします。

　なお、本通知については、消防庁から各都道府県の消防部局宛て別途周知されていることを申し添えます。

○旅館業法FAQの発出について

> 平成30年10月15日　事務連絡
> 各都道府県・各保健所設置市・各特別区生活衛生担当課宛　厚生労働省医薬・生活衛生局生活衛生課

〔改正経過〕
　第1次改正　〔平成31年4月17日事務連絡〕
　第2次改正　〔令和元年7月26日事務連絡〕
　第3次改正　〔令和2年10月12日事務連絡〕

　旅館業法等の一部を改正する法律（以下「改正旅館業法」という。）については、平成30年6月15日より施行されたが、これまで当課が照会を受け回答した主な事項について、別添のとおり、旅館業法FAQとして取りまとめたので、お示しする。

　貴課におかれては、内容を御了知の上、改正旅館業法の運用・事務執行の参考に供されたい。

　なお、旅館業法FAQについては、今後も必要に応じて改定・追記し、随時お示しする予定である旨申し添える。

第5編　旅館業

〔別　添〕

旅館業法に関するFAQ

令和2年10月12日改定

①規制緩和について

No.	質問	回答
1	旅館・ホテル営業について玄関帳場に代替するICT設備を備えていれば玄関帳場を設置しないことができるとされましたが、代替設備を備えれば無人で営業することも可能でしょうか。	宿泊者の安全や利便性の確保のため、①緊急時の対応ができること。②宿泊者の本人確認や出入りの確認ができること。③鍵の受け渡し等を適切に行うことができること、といった通知でお示しした設備を備えれば、旅館・ホテルの施設内に職員等を常駐させないことも可能です。ただし、②については、旅館・ホテル営業の全ての施設について、施設ごとに、ビデオカメラ等を設置し、宿泊者の本人確認のみならず、出入りの状況の確認を常時鮮明な画像より実施する必要があります。
2	ホテル営業の入浴設備について、改正前の政令では「洋室浴室又はシャワー室」と規定されていたが、改正後は、「宿泊者の需要を満たすことができる適当な規模の入浴設備を有すること」と規定されています。旅館・ホテル営業については、改正前のホテル営業では認められていたシャワー室のみの設置は認められなくなるのでしょうか。	旅館・ホテル営業においても、シャワー室のみの設置は可能です。今回の改正は、旅館・ホテル営業の入浴設備の基準については、規制の緩やかな旅館の水準に統一するとの趣旨ですので、ホテル営業を旅館・ホテル営業へと一本化したことにより、規制を強化することは想定していません。簡易宿所営業、下宿営業についても、同様の取扱いとして差し支えありません。
3	平成29年12月の「旅館業における衛生等管理要領」の改正で、旅館・ホテル営業の「衛生に必要な措置の基準」に規定されていた、1客室に宿泊させる宿泊者の数の規定をなぜ削除したのでしょうか。「宿泊者1人当たりの床面積」が確保できなくなって問題ではないでしょうか。	旅館業法令上に根拠がなく、衛生管理要領のみを根拠としている規制は落とすとの観点で、削除いたしました。しかしながら、事業者には、旅館・ホテルの設備について、引き続き、他法令を遵守して、宿泊者の安全を確保していただきたいと考えております。この観点から、衛生管理要領の「Ⅰ　総則」に、「第4　関係法令の遵守」との項目を追加し、「建築基準法、消

旅館業法ＦＡＱの発出について

		防法その他関係法令の遵守が必要」との旨を入念的に追記しております。
4	なぜ平成30年1月に農家民宿の省令改正を行ったのでしょうか。	農林漁業者や個人が農林漁業体験民宿業を営む施設は、旅館業許可の要件の一つである簡易宿所営業に係る客室延床面積の基準が適用除外とされていましたが、この適用除外の対象は、農林漁業者以外の者が実施する場合は、個人がその居宅において営む場合に限定されており、法人が実施する場合や、個人が居宅以外で実施する場合が省令上認められていませんでした。しかし、法人による実施や、居宅以外での実施についての要望が多く、（客室延床面積以外の基準は適用除外とならないため）簡易宿所営業を行うために必要な衛生措置が行われることや、住宅宿泊事業法の規制内容等を踏まえ、実質的に法人による運営を認めても差し支えないことから、農家民宿に係る施設全てを対象とすることとしたものです。
5	「旅館業における衛生等管理要領の改正について」（平成29年12月15日付け生食発1215第2号厚生労働省大臣官房生活衛生・食品安全審議官通知）により、「Ⅱ　施設整備　第1　ホテル営業及び旅館営業の施設設備の基準（施設一般）13（入浴用給湯・給水設備）」において、「水道水以外の水」の文言を削除し、「水の水質」という表現を追加されましたが、ここでいう水には水道水も含まれることになるのか。	削除した趣旨は、「公衆浴場における水質基準等に関する指針」の水質基準や検査方法の規定について、温泉水又は井戸水は、「この基準により難く、かつ、衛生上危害を生じるおそれがないときは、（中略）適用しないことができる。」と記載しており、「水道水以外の水」と限定すると、矛盾していると誤認させる表現であるために整合性をとったものです。浴場で使用する水については、水道水も含め、従前どおり、当該指針に適合することを確認することとご理解ください。 なお、浴場においては「調節箱」や「貯湯槽」などを経由して供給される場合もあることから、水道水であっても水質の悪化が懸念されるなどの状況があれば、積極的に確認することが望ましいです。

第5編　旅館業

6	「Ⅱ　施設整備　第1　ホテル営業及び旅館営業の施設設備の基準　施設一般　23（給水設備）」において、「水道水その他飲用に適する水」という文言を「飲料水」に表現を変更した趣旨をお教えください。	飲料水の定義を、「第2　用語の定義」に移動させたためです。
7	「Ⅲ　施設についての換気、採光、照明、防湿及び清潔その他宿泊者の衛生に必要な措置の基準（施設一般）20（飲用水供給設備の管理）、（水道法の適用を受けない飲用水）、（小規模受水槽）、（給水、給湯設備の管理）」において、必要な検査や塩素消毒の規定を削除した趣旨をお教えください。	建築物における衛生的環境の確保に関する法律（昭和45年法律第20号）に規定される「建築物環境衛生管理基準」と類似の規定が多かったことから、建築物環境衛生管理基準との重複による混乱を避けるため削除しました（「旅館業における衛生等管理要領の改正について」（平成29年12月15日付け生食発1215第2号厚生労働省大臣官房生活衛生・食品安全審議官通知）別添2のP43に建築物環境衛生管理基準の遵守をしていただきたい旨を記載しています。）。
8	「旅館業法施行規則及び環境衛生監視員証を定める省令の一部を改正する省令」（平成30年1月31日厚生労働省令第9号）による改正後の旅館業法施行規則第4条の2第2項第2号に規定する「営業者の事務所」とは、どこまでを指すのか。	旅館業の施設に附設される建物や、旅館業の施設から少し距離を空けた場所に設置する事務所のような建物を想定しています。
9	改正省令第4条の3第1号及び第2号の設備は、旅館業の施設とは別の場所に存在することは問題ないでしょうか。また、各号に掲げられたそれぞれの機能が分散して存在することは問題ないでしょうか。	設備が一体として、①緊急時における迅速対応ができること、②宿泊者の本人確認及び出入りの確認ができること、③鍵の適切な受渡しができること、という厚生労働省令で定める基準を満たすのであれば、それぞれの機能が施設とは別の場所に存在したり、分散して存在したりすることは問題ありません。
	改正省令第4条の3第1号及び第2号の設備が、旅館業の施設とは別の場所に存在する場合、その設備の機能が適切である旨の書類を申請さ	旅館業の施設の許可を与えるに当たっては、改正省令第4条の3各号の設備が、旅館業の施設とは別の場所にある場合でも、その設備が適切かどうか判断した上で許可

旅館業法ＦＡＱの発出について

10	せ、審査したり、実地に立ち入り指導したりすることは可能でしょうか。	を与える必要があります。このため、各自治体が必要とご判断されるのであれば、事業者にその設備が適切である旨の書類申請をさせたり、その設備への立入指導等を行うことは差し支えございません。
11	改正政令第１条第１項第２号に「玄関帳場その他当該者の確認を適切に行うための設備として厚生労働省令で定める基準に適合するもの」とあるが、この「その他」は並列の意味で、玄関帳場と省令で定める基準に適合するものの両方が必要ということでしょうか。	両方必要という意味ではありません。玄関帳場を設置するか、または、玄関帳場そのものでなくとも、玄関帳場に代替する、省令で定める基準に適合する設備を設置することを求めています。
12	旅館・ホテル営業に玄関帳場の必置を求める（ＩＣＴを利用した代替設備は認めない）旨を条例で定めることは、法令に違反しないでしょうか。	法令違反にはなりませんが、今回の旅館業規制見直しの趣旨を踏まえ、適切なご対応をお願いいたします。
13	宿泊者名簿は、宿泊者に実際に記載してもらっているが、ＩＣＴ代替設備を導入した場合も、宿泊者に記載してもらうべきでしょうか。予約のときに得た情報を営業者が記載することで足りるでしょうか。	宿泊者名簿の記載は、宿泊者の自筆での記載が必須とされるものではありません。ＩＣＴ代替設備を設け、予約のときに得た情報を営業者が記載した場合は、チェックイン時に、宿泊者が誤り等ないことを確認しチェックボックスへのチェックを行う等の方法で足りると考えられます。
14	今般の法令改正により、実質的に旅館・ホテル営業と簡易宿所営業の違いがなくなったのではないでしょうか。	少なくとも国の法令等においては、旅館・ホテル営業においては、玄関帳場または省令で定める基準に適合する代替設備を設ける必要がありますが、簡易宿所営業には、玄関帳場・玄関帳場代替設備のいずれも設置義務がない等の違いがあります。
15	１客室の床面積の規制について、旅館・ホテル営業は規制が残っていますが、昨年12月の衛生等管理要領の改正で、簡易宿所営業と下宿営業については削除されたのはなぜでしょ	今回の旅館業規制の見直しにおいては、公衆衛生等の観点から必要最小限の規制とすべき、との観点から、旅館・ホテル営業の客室の最低床面積は７㎡（寝台を置く場合は９㎡）と規制自体は残しました。他方

第5編　旅館業

| | うか。 | で、簡易宿所営業・下宿営業の1客室の床面積の規制は、法令には根拠がないにもかかわらず、衛生等管理要領にのみ規制を設けていたものでしたので、通知のみの規制は撤廃すべきとの観点から撤廃しました。 |

②取締りについて

No.	質問	回答
1	旅館業法第7条の2第2項及び第3項の「善良の風俗の保持」とは具体的にどのような事例を想定しているのでしょうか。	実際には、個別事案ごとの判断になりますが、例えば猥褻な広告物の掲示がなされた場合に、当該広告物の撤去を命じることなどが想定されます。
2	地方自治体に、①無許可営業者への報告徴収、立入検査、質問検査権限（第7条第2項）②無許可営業者への緊急命令（第7条の2第3項）が新設されたが、両項には、「旅館業が営まれている」と規定されています。この「旅館業が営まれている」の解釈について、地方自治体が報告徴収・立入検査権限等を行使するにあたっては、「旅館業が営まれている」ことを確実に証明できる場合に限られるのでしょうか。	報告徴収・立入検査等を行うことは、旅館業を営む者等の権利を大きく制限するものであるため、その権限は必要最小限度のものとすべきとの観点から、本規定は、「旅館業が営まれている」ことが明らかな場合を基本的には想定した規定ぶりとしています。ただし、仮に宿泊料の徴収の事実を確実に証明できない場合であっても、不特定多数の者を宿泊させていることがほぼ確実であって、旅館業が営まれている場合に発生しうる公衆衛生上のリスクの存在が疑われる場合においては、立入検査等の権限を行使することは、改正法の趣旨に鑑みて可能であると考えています。
3	No.2の回答に関して、「公衆衛生上のリスクの存在が疑われる場合」とはどのような場合でしょうか。	旅館業の営業許可を受けた営業者は、施設が基準を満たしていることはもとより、施設を衛生的に維持管理することや伝染性疾病に罹患した者を宿泊させないこと等の必要な措置を講じており、これらの措置が講じられない場合、感染症のまん延等のリスクの発生が懸念されます。したがって、無許可営業であることがほぼ確実と考えられ、かつ、その実態が不透明である場合においては、「公衆衛生上のリスク」の存在が疑われる場合に該当すると考えて差し支

		えないものと考えています。
4	住宅宿泊事業法の説明会で、観光庁から「無届営業は旅館業法違反として扱う」旨の説明がありました。改正旅館業法では、無許可施設への立入権限等が規定されましたが、住宅宿泊事業法の届出をしない営業者に対して営業停止命令（第8条）をかけ、罰則（第10条）を科すことは可能なのでしょうか。	旅館業法第8条は、許可を受けた営業者への許可取消し、営業停止命令を規定したものであり、住宅宿泊事業法の届出をせず、旅館業法上の許可も得ずに旅館業を営む者は、旅館業法上の無許可営業者となるため、こうした無許可営業者に対して立入検査を行う場合は、法第7条第1項ではなく同条第2項に基づき立入検査を行い、業務停止命令を行う場合は、法第8条ではなく法第7条の2第3項に基づき業務停止命令を行うこととなります。 さらに、無許可営業者に対して、法第10条第1号に基づき、罰則を科すことは可能です。
5	旅館業法第7条第2項に規定されている「その他の関係者」は、どの程度まで含めて考えればよいでしょうか。	「その他の関係者」は対象を限定するものではなく、旅館業法第7条の2第3項の規定による命令をすべきかどうかの調査をする上で、その必要性が合理的に説明できるものであれば、「関係者」として質問等の対象とすることができるものと考えております。
5の2	旅館業法第7条第2項の「その他の関係者」に水道・電気・ガス等、施設管理に関する事業者を含んで、水道事業者等に対し、違法民泊の疑いがある営業者の個人情報を聴取するための調査を行うことは可能でしょうか。	違法民泊が行われているために公衆衛生上の重大な危害の発生等が想定され緊急に営業者を特定する必要があるものの、営業者特定のための他の代替手段がないことが合理的に説明できる場合は、水道事業者等を旅館業法第7条第2項の「その他の関係者」と捉えて差し支えございません。（なお、同条第1項の「その他の関係者」については、緊急に営業者を特定する必要性が生じることは想定されないことから、水道事業者等を対象とする必要はないと考えております。）
	改正旅館業法第7条第2項にて、無許可営業者への立入権限が創設され	共同住宅等の建物内に立ち入る場合は、住宅の管理人等の了解を取って下さい。改正

第5編　旅館業

No.	質問	回答
6	ましたが、共同住宅においては「関係者以外は立入禁止」等の表示を掲げている施設が多く見受けられます。これらの表示のある共同住宅の建物内に、違法民泊を疑われる施設が存在する場合、改正旅館業法第7条第2項を行使し、了解を得ずに立入調査を実施することは差し支えないでしょうか。	旅館業法第7条第2項の「その他の関係者」には、その必要性が合理的に説明できるものであれば管理人等も含まれますので、仮に立入調査等への協力を管理人等が拒否した場合は、改正旅館業法第11条第2号により罰則が科される可能性もあることを説明するなどして、立入調査への了解を取って下さい。
7	住宅宿泊事業法で規定日数を超えた場合、ただちに旅館業法上の無許可営業と判断して旅館業法違反の取締りをするべきか、それとも、住宅宿泊事業法上の業務改善命令等の行政指導をするべきでしょうか。	住宅宿泊事業法で定められた規定日数の180日を超えた場合は、旅館業法違反なので、旅館業法違反の取締りをできます。ただし、旅館業法と住宅宿泊事業法は密接に関連しているものであり、旅館業法所管部局と住宅宿泊事業法所管部局間で連携して、取締りにあたって下さい。
8	旅館業法第3条第1項に基づき旅館業の許可を得ている営業者が、他施設において無許可営業も行っていて是正指導に従わない場合、無許可営業を行っていることをもって、営業者に対し、旅館業法第8条に基づき、許可施設の営業停止命令を発出することはできるでしょうか。	旅館業法第8条に基づき、営業許可取消処分、営業停止命令を発出することができます。

③旅館業と貸室業の範囲について

No.	質問	回答
1	営業者が一の施設において旅館業と貸室業を営む場合、営業者が提供する各サービスが、旅館のサービスに該当するか否かの判断をより円滑にする等のため、「この期間より短い期間のサービスについては、基本的に旅館業のサービスと判断する」という運用を行うための目安期間を、地方自治体で設定しても良いでしょうか。	旅館業のサービスへの該当性については、昭和61年3月31日衛指第44号厚生省生活衛生局指導課長通知、平成12年12月13日衛指第128号厚生省生活衛生局指導課長通知等に照らして判断することが基本です。それを前提とした上で、各サービスが旅館業のサービスに該当するか否かの判断を円滑に行えるようにし、住宅宿泊事業法の日数制限についても適切に運用いただくため、ご質問の目安期間を是非設定していただきた

		いと考えます。
2	1の目安期間を設定する場合、望ましい期間はあるでしょうか。	望ましい期間は1か月と考えています。ただし、既に地方自治体で別途の目安期間を事実上設定している場合は、従前通りの考え方で旅館業に係るサービスへの該当性を判断して差し支えありません。 （参考）住宅の貸付に関する消費税の取扱いについて 住宅の貸付けについては、住宅の定義を「人の居住の用に供する家屋」とした上で「住宅の貸付けは非課税」とされていますが、次のいずれかに該当する場合は、住宅の貸付けから除外され、「課税」となります。 1　住宅の貸付期間が1か月未満の場合 2　旅館業法第2条第1項に規定する旅館業に係る施設
3	目安期間を設定した場合、目安期間以上の期間のサービスは、すべて旅館業のサービスに該当しないと判断すべきでしょうか。	目安期間以上の期間のサービス提供であっても、以下のいずれかに該当する場合は、旅館業のサービスに該当するものと考えられます。 ①営業者が目安期間以上の期間のサービス提供を前提とする貸室業を営業する意思を対外的に明示せず、貸室業を行う前提での利用者の募集を継続的に実施していない場合 ②利用者との契約において、営業者が、目安期間以上のサービスを提供すると示しつつも、目安期間に到達する前に当該サービスの提供終了を繰り返す場合
4	No.3の回答②について、契約の時点では目安期間以上のサービス提供を予定していたが、利用者側のやむを得ない理由によるキャンセルにより偶発的にサービス提供期間が目安期間未満となった場合も、旅館業のサービスに該当すると判断すべきでし	ご質問の場合は、旅館業のサービスに該当しないと判断して差し支えありません。ただし利用者側のやむを得ない事情の有無は、営業者に説明責任があります。

第5編　旅館業

5	ようか。 No.3の回答②について、利用者側のやむを得ない理由によるキャンセルが不自然に繰り返される場合、旅館業に該当すると判断して差し支えないでしょうか。	差し支えありません。ご質問の事例は、営業者が貸室業のサービスを提供していると装っているが、実際は旅館業のサービスを提供しているものと考えられます。
6	日雇い労働者が宿泊する施設において、日雇い労働者の業務の特殊性を考慮し、日雇い労働者と営業者との契約は1日（1泊）単位ですが、日雇い労働者がその宿泊する施設に生活の本拠を有することを想定した営業を営業者が営んでいる場合は、旅館業に該当しないと判断して差し支えないでしょうか。	差し支えありません。
7	営業者が、目安期間未満のサービスを、単発的・偶発的に提供した場合で継続反復性が認められないものは、旅館業のサービスに該当しないと判断して差し支えないでしょうか。	差し支えありません。 昭和39年6月4日環衛第15号厚生省環境衛生課長通知でお示ししているとおり、宿泊者の交代性の有無等を勘案の上、社会性ないし継続反復性が認められないものについては旅館業法の規制の対象外として取り扱ってご判断いただきたいと考えます。
8	特定の物件において宿泊サービスが複数回提供されたことが明らかであって、かつ、それらのサービスが提供された時点で、当該物件が、宿泊サービスの利用契約を仲介するWEBサイトに掲載されていた事実（当該物件の近隣に存する他の類似物件を当該物件の運営者が宿泊仲介サイトに掲載させていた場合を含む）が把握された場合は、それらのサービスに関して金銭の授受について具体的に把握できない場合であっても、不特定多数の宿泊者から金銭の支払いを受けて旅館業のサービスを提供	WEBサイトにおいて「宿泊料を徴収しない」ということが明示されていない限りは、ご質問の場合は旅館業のサービスを提供していた蓋然性が極めて高いものと判断して差し支えないと考えております。

No.	質問	回答
	していたものと判断してよろしいでしょうか。	
9	目安期間以上のサービスと、目安期間未満のサービスの両方を行う事業者は、目安期間未満のサービスの実施に関して旅館業法の許可や住宅宿泊事業法の届出等が必要という理解で良いでしょうか。	貴見のとおりです。
10	住宅宿泊事業法の登録を受けた住宅宿泊仲介業者のWEBサイトに「当社は貸室業者であるので、旅館業法の許可等は不要」と主張する営業者の物件が掲載されている場合、どのように対応すれば良いでしょうか。	当該営業者が提供するサービスが常に目安期間以上のサービスであって貸室業であることを明示していれば、旅館業法の許可等は不要であり、住宅宿泊仲介業者のWEBサイトにそうした営業者の物件が掲載されていても、旅館業法上の問題は生じませんので、住宅宿泊仲介業者としては、当該営業者に対し、目安期間以上のサービスのみを提供することをWEBサイト上明らかにさせることが、最低限必要になります。 なお、不動産取引の仲介に関しては、宅地建物取引業法を所管する各地方自治体又は各地方整備局等の担当部局にご相談下さい。

④その他

No.	質問	回答
1	宿泊者名簿は必ずチェックイン時に書かなければならないのでしょうか。予約時の情報を宿泊者名簿とすることは可能でしょうか。	宿泊者名簿の正確な記載を担保するためには、本人確認を行う必要がありますので、チェックイン時に記載するようにして下さい。
2	改正旅館業法中、「経営しよう」を「営もう」に、「営業の」を「旅館業の」に改正したのは、どのような趣旨があるのでしょうか。	今般の改正に伴い、表現の適正化を行ったものです。
	「旅館業からの暴力団排除の推進について」（平成30年5月11日付け薬生衛発0511第2号）が発出されまし	許可申請者について、地方自治体において暴力団排除条項に該当するかの確認が必要と判断する場合にのみ、申請時点で個別に

第5編　旅館業

3	たが、暴力団排除条項該当性についての**警察**への照会は、全ての許可申請者について行う必要があるのでしょうか。	警察に照会をかければ差し支えございません。それ以外の場合は、旅館業の許可を出した後に、まとめて営業許可者のリストを4半期に1回程度警察に照会をかけていただければと思います。
4	暴力団排除条項について、現在の既存旅館業者全て照会する必要はあるでしょうか。照会の対象となる申請時期はいつからでしょうか。	地方自治体が必要と判断する場合にのみ照会いただければ問題ございません。暴力団排除条項は、改正旅館業法の施行日（6月15日）より施行されますので、施行日以降、申請者が暴力団員等に該当する場合に、自治体は許可を与えないことができることとなります。
5	暴力団排除条項について、法人の役員の変更があった場合は照会の対象となるでしょうか。法人の場合、役員の生年月日等は必要でしょうか。必要な場合、どのように申請者に求めればよいでしょうか。	変更後の役員が暴力団員等に該当すると疑われる場合など、必要に応じて照会をいただければ構いません。役員の生年月日等については、法令上は求める根拠はありませんが、警察への照会が必要と判断される場合は、旅館業の許可の判断に当たり必要な情報である旨を説明し、申請者から提供いただくようにして下さい。
6	住宅宿泊事業法においては、マンション管理規約で宿泊業の禁止規定を設けた場合、当該マンションにおける住宅宿泊事業の届出はできないようになっていますが、旅館業も同様の対応をするべく、自治体が条例等で規定を設けることは問題ないでしょうか。	条例等で規定を設けることは問題ございません。マンションで旅館業を行う旨の申請があった場合、その許可に当たっては、マンション管理規約に禁止規定がないことを確認することが望ましいです。
7	宿泊者が在日の米軍人であった場合、宿泊者名簿の記載及び本人確認はどのように行えばよいでしょうか。	米軍の身分証明書にあたるミリタリーIDなどにより、本人確認を行った上で宿泊者名簿の記載を行ってください。 なお、ミリタリーIDについては、提示を求め、本人確認を行うことは差し支えありませんが、写しを取ることや番号を記載するのは控えるようにしてください。ただし、提示を求めることに法令上の根拠はご

		ざいませんので、宿泊者が提示を拒否する場合は強制することはできません。
8	国内に住所をもつ外国人宿泊者に対して、本人確認のため在留カードの提示やコピーを求めても良いでしょうか。	必要に応じ自治体等の判断で求めることは差し支えございませんが、法令上には根拠はございませんので、宿泊者が提示やコピーを拒否する場合は強制することはできません。

第5編　旅館業

○旅館業法に関するFAQの改定について

> 平成31年4月17日　事務連絡
> 各都道府県・各保健所設置市・各特別区生活衛生担当
> 課宛　厚生労働省医薬・生活衛生局生活衛生課

　生活衛生関係営業への取組につきましては、平素より、ご高配を賜り厚く御礼申し上げます。
　旅館業法に関するFAQにつきましては、平成30年10月15日付け事務連絡「旅館業法FAQの発出について」でお示ししたところですが、このたび、下記の点を改定しましたのでお示しします。
　今後も必要に応じて改定し、随時お示しする予定である旨申し添えます。

記

○「②取締りについて」の5の質問欄に文言適正化のため下線部を追記。
　旅館業法第7条に規定されている
　→旅館業法第7条第2項に規定されている
○「②取締りについて」の5の2及び「④その他」の7及び8を追記。

以上

○旅館業法に関するFAQの改定について

> 令和元年7月26日　事務連絡
> 各都道府県・各保健所設置市・各特別区生活衛生担当
> 課宛　厚生労働省医薬・生活衛生局生活衛生課

　生活衛生関係営業への取組につきましては、平素より、ご高配を賜り厚く御礼申し上げます。
　旅館業法に関するFAQにつきまして、このたび、下記の点を改定しましたのでお示しします。
　今後も必要に応じて改定し、随時お示しする予定である旨申し添えます。

記

　「①規制緩和について」の3の回答欄から、「今般〜」以下の文言を削除の上、表現を適正化。
（修正理由）
　　消防法施行規則の収容人員は、消防用設備等の設置基準や防火管理上必要とされる業務の義務づけの有無等の判断にあたっての基準として用いるものであり、消防法施行規則に従って収容人員を算定することは、宿泊者1人当たり床面積を確保することを目的とするものではないため。

以上

○旅館業法に関するＦＡＱの改定について

［令和2年10月12日　事務連絡
各都道府県・各保健所設置市・各特別区生活衛生担当
課宛　厚生労働省医薬・生活衛生局生活衛生課］

　生活衛生関係営業への取組につきましては、平素より、ご高配を賜り厚く御礼申し上げます。
　旅館業法に関するＦＡＱにつきまして、このたび、下記の点を改定しましたのでお示しします。
　今後も必要に応じて改定し、随時お示しする予定である旨申し添えます。

記

　「①規制緩和について」の13の回答欄の表現を適正化。
（修正理由）
　規制改革推進会議投資等ワーキング・グループにおいて、「宿泊者本人に宿泊者名簿の記載を求めてください」という表現の解釈が自治体により異なるのではないかとの御指摘を受けたことから、当該記載の考え方を明確化するため修正を行うものです。

以上

第5編　旅館業

第4章　衛生措置等

○ペンション営業及び自動車旅行ホテル営業における衛生等自主管理マニュアルについて

［昭和60年3月29日　衛指第55号
　各都道府県・各政令市・各特別区衛生主管部(局)長宛
　厚生省生活衛生局指導課長通知］

　旅館業における衛生等の確保、向上等については、昭和59年8月28日衛指第24号生活衛生局長名をもって「旅館業における衛生等管理要領」（以下「要領」という。）が定められたところであるが、ペンション営業及び自動車旅行ホテル営業の特別の性格にかんがみ要領に対するこれらの営業に関する特例を設け、またこれらの営業に固有な特性に係るものに関する基準を設けた「ペンション営業における衛生等自主管理マニュアル」及び「自動車旅行ホテル営業における衛生等自主管理マニュアル」を別添のとおり定めたので、本マニュアルを要領と併せ、ペンション営業及び自動車旅行ホテル営業についての行政指導の指針として活用されたい。

　なお、今後関係団体においては、本マニュアルを自主管理の指針として衛生水準等の維持向上等を図っていくこととなるので、その指導について特段の御配意をお願いする。

〔別添1〕
　　　ペンション営業における衛生等自主管理マニュアル
I　目的
　このマニュアルは、ペンション営業の特別の性格にかんがみ「旅館業における衛生等管理要領」（昭和59年8月28日衛指第24号）（以下「要領」という。）に対するペンション営業の特例を定め、またペンション営業に固有な特性に係るものに関する基準を定めることとし、もってペンション営業に関する衛生の向上及び確保を図り、併せて善良の風俗を保持することを目的とする。
II　適用の範囲及び用語の定義
　第1　このマニュアルは、ペンション営業及びその営業者について適用し、次に定める事項以外のものについては要領のホテル営業に関する基準が適用される。
　第2　このマニュアルにおいて用いる用語は、次のとおり定義する。
　　1　ペンション営業　宿泊の態様が洋風であるような様式の構造設備で、かつ、オーナー（営業者及びこれに準ずる者をいう。）が他の宿泊者との交流の機会を提供する接遇サービスを行う比較的小規模のホテル営業であって、家族旅行者を宿泊させることができる客室、ラウンジ又はプレイルーム及び食堂を有するものをいう。
　　2　ラウンジ又はプレイルーム　ロビーとしての機能を有するものであるが、一般にオーナーと他の宿泊者とが交流できるところで、ステレオ等の娯楽施設を有し、又は談話ができるよう椅子、テーブル等が配置されている室又は場所をいい、食堂がその一部としてこれに兼用される場合を含む。

3 なお規定の末尾にカッコがある場合は、当該規定が要領中の相当する規定に対する特例であることを示し、カッコ内の番号は要領中の相当する規定を示す。

Ⅲ 施設・設備
（施設の周囲）
1 施設の周囲には、周囲の環境に調和し、善良な風俗を害することがないよう植木、芝生等による緑化地帯を設けるなど開放的な構造にすること。ただし、市街地にあるものについてはこの限りでないこと。

（施設の外壁、屋根等）
2 施設の外壁、屋根、広告物及び外観等はできる限り単純で控え目なものが望ましく、立地場所における周囲の善良な風俗を害することがないよう意匠形状が著しく奇異でなく、かつ、派手な色彩でないこと。（Ⅲ第一2）

（施設一般）
3 施設の天井は、床面からおおむね2.4m以上の高さを有することが望ましい。（Ⅲ第一8）

（フロント）
4 フロントの受付台は、長さが0.9m以上のものを有すること。（Ⅲ第一11の(2)）
5 フロントは、同一階において、ロビー、ラウンジ又はプレイルーム、食堂のいずれかに近接してつながる宿泊者が通過する場所であって、玄関から容易にみえるところにある場合に限り、玄関から離れて設けてもよいこととすること。（Ⅲ第一11の(1)）
6 施設には、宿泊者が宿泊者名簿の記載、料金等の支払い、客室のかぎの授受等宿泊のために必要な手続きをフロントにおいて、従業者と面接して行わなくとも自動的にできる設備を設けるなど、フロントが客との面接を行う施設としての機能を果たさなくなるような設備を設けないこと。

（ラウンジ又はプレイルーム）
7 ラウンジ又はプレイルームを設けること。この場合、フロントに付属する場所に別途ロビーを設けなくともよいこと。ラウンジ又はプレイルームは、宿泊者が容易に利用しやすい場所に位置して設け、その面積は、次式により得られる以上の面積を有すること。ただし、この面積には、食堂を兼用する場所の面積は含まれないこと。

ラウンジ又はプレイルームの面積＝収容定員×{(0.1×6.3㎡[※1]×1/4)[※2] + (0.2×1.1㎡[※3])[※1]}

(注)※1 最も混雑する時間帯の利用率
※2 4人がけの応接セット及び所要の通路面積＝0.8×1.8m+1.8×2.7m＝6.3㎡
※3 1人がけの椅子面積＝0.9×1.2m＝1.08㎡≒1.1㎡

（客室）
8 客室の数は、10室以上であること。この場合、洋室の数は、客室総数の10分の8以上を有すること。（Ⅲ第一14の(5)の①）

9 家族旅行者が宿泊できる客室は、総客室数の10分の3以上であること。
 10 客室内のインテリアは、華美でないこと。
 11 寝台は、個人用のもの（幅員1.3m以下のシングルベッド）を置くこと。（Ⅲ第一14の(5)の⑥のa）
 12 家族旅行者が宿泊できる客室には、洋室の場合補助寝台を必要に応じて設けること。
 13 客室には、階層式寝台を有しないこと。

（浴室）
 14 共同浴室は、その浴槽水面積は、次式により得られる面積以上であること。（Ⅲ第一15の(7)の②のb）

　　浴槽水面積＝収容定員$^{※1}$×0.3$^{※2}$×0.5$^{※3}$×0.5㎡$^{※4}$×宿泊者男女比
　（注）※1は、入浴設備を有しない客室定員の合計に、専用の入浴設備を有する客室の合計の50％を加えた人数を収容定員とする。
　　　　※2は、入浴者の最も多い時間帯（17～18時又は21～22時）の入浴者数を収容定員の30％としたこと。
　　　　※3は入浴者のうち浴槽使用者及び洗い場使用者の比率を50％としたこと。
　　　　※4は、入浴者1人当たりの浴槽使用面積。

 15 洗い場は、次の構造設備であること。
　1) 洗い場の面積は、次式により得られる面積以上であること。（Ⅲ第一15の(7)の②のe）

　　　洗い場面積＝収容定員$^{※1}$×0.3$^{※2}$×0.5$^{※3}$×1.1㎡$^{※5}$×宿泊者男女比
　　（注）※1、2、3は、前記14の(注)を参照すること。
　　　　　※5は、入浴者1人当たりの洗い場使用面積。
　2) 洗い場に備えつける給水（湯）栓は、次式により得られる数以上であること。（Ⅲ第一15の(7)の②のf）

　　　給水（湯）栓数＝収容定員$^{※1}$×0.3$^{※2}$×0.5$^{※3}$×宿泊者男女比
　　（注）※1、2、3は、前記14の（注）を参照すること。なお、給水（湯）栓数は、小数点以下を四捨五入して算定すること。

 16 洋室のうち1割以上は、専用の入浴設備（洋式浴室又はシャワー室）を有するものであること。（Ⅲ第一15の(10)の①）

（洗面所）
 17 寒冷地の場合、洗面所には、湯を給水できる設備を備えつけることが望ましい。（Ⅲ第一18の(2)）

（便所）
 18 便所は、水洗式であって、座便式のもので手洗いができる設備を付属している場合及び洗面所が隣接している場合にあっては、手洗い設備を省略できること。（Ⅲ第一19の(1)）

19 便器の数は、座便式便器を用いる場合、大便器と小便器の合計便数が要領に定める基準の合計個数以上であること。（Ⅲ第一19の(2)）
20 大便所は、適当な広さを有するおおむね幅員0.8m×奥行1.1m以上の構造であること。（Ⅲ第一19の(4)）
21 小便器の間は、適当な間隔（0.6m以上）を有すること。（Ⅲ第一19の(6)）
（調理室）
22 調理室を設けること。この場合、その広さは、おおむね15㎡以上を有し、収容定員が40人を超える場合は、次式により得られる広さ以上であること。（Ⅲ第一21）

調理場の面積＝収容定員$\overset{※1}{\times}0.8\overset{※2}{\times}1$㎡$\overset{※3}{\times}0.5\overset{※4}{}$

（注）※1は、客室の収容定員の合計とする。
※2は、食堂を利用する宿泊者の時間帯（午前7時30分～午後8時30分）の利用者数を収容定員の80％としたこと。
※3は、食堂を利用する者の喫食に必要な面積。
※4は、調理場の広さは、少なくとも食堂の広さの2分の1以上を有することが適当であるとしたこと。

（食堂）
23 食堂（ラウンジを一部食堂として兼用する場合、その面積を含む。）の面積は、次式により得られる広さ以上であること。（Ⅲ第一24の(1)）

食堂の面積＝収容定員$\overset{※1}{\times}0.8\overset{※2}{\times}1$㎡$\overset{※3}{}$

（注）※1、2、3は前記22の(注)を参照すること。
24 市街地におけるペンションについては、付近に宿泊者が容易に食事を喫食することができる環境を有し、施設内で食事の提供が少ない場合に限り、収容定員に対する当該ペンション内の食堂を利用する者の数の割合に応じて食堂及び調理室の広さを緩和することができること。（Ⅲ第一21及び24）

（更衣室）
25 更衣室は、従業者の数が少ない場合においては、従業者専用のものを設ける必要がないこと。（Ⅲ第一44）

（表示）
26 施設入口、フロントの見やすい場所には、「ペンション営業」である旨の表示を掲示すること。

Ⅳ 施設についての換気、採光、照明、防湿及び清潔その他宿泊者の衛生に必要な措置の基準

（寝具の管理）
1 寝具については、6か月に1回以上微生物等の検査を受け、その記録は2年間以上保存すること。（Ⅳ23の(4)）

（自主管理）
2 営業者は、相互の連携を密にし、自主管理を強化するため厚生省、都道府県等の指

第5編　旅館業

導を受け、さらに要領及びこのマニュアルの周知徹底に努めること。（Ⅳ34）
Ⅴ　他の類似の営業についての準用
　　宿泊の態様が洋風であるような様式の構造設備で、かつ、オーナー（営業者及びこれに準ずる者をいう。）が他の宿泊者との交流の機会を提供する接遇サービスを行う簡易宿所営業であって、家族旅行者を宿泊させることができる客室、ラウンジ又はプレイルーム及び食堂を有するものについては、このマニュアルの規定（Ⅲ8の規定を除く。）を準用する。

〔別添2〕
　　　　自動車旅行ホテル営業における衛生等自主管理マニュアル
Ⅰ　目的
　　このマニュアルは、自動車旅行ホテル営業の特別の性格にかんがみ「旅館業における衛生等管理要領」（昭和59年8月28日衛指第24号）（以下「要領」という。）に対する自動車旅行ホテル営業の特例を定め、また、自動車旅行ホテル営業に固有な特性に係るものに関する基準を定めることとし、もって自動車旅行ホテル営業に関する衛生の向上及び確保を図り、併せて善良な風俗を保持することを目的とする。
Ⅱ　適用の範囲及び用語の定義
　第1　このマニュアルは、自動車旅行ホテル営業及びその営業者について適用し、管理棟を有する宿泊施設については、これを準用する。次に定める事項以外のものについては、要領のホテル営業に関する基準が適用される。
　第2　このマニュアルにおいて用いる用語は、次のとおり定義する。
　　1　自動車旅行ホテル営業　宿泊の態様が自動車旅行者を対象とするホテル営業であって、その営業に係る施設内に、管理棟を有し、かつ、家族旅行者（主に子供を同伴する家族連れで3人以上のものをいう。）を宿泊させることができる客室、食堂、その他客の共用に供し得る場所を有するものをいう。
　　2　管理棟　宿泊者名簿、会計帳簿等を記載するためフロントとして施設の自動車の出入口に設けられた施設設備をいう。
　　3　ポーチ（玄関口）　管理棟の屋外部にあって、上部が屋根又はひさしでおおわれている吹抜（ふきぬき）の車寄せの部分で、宿泊手続きのため宿泊の自動車を停止させる場所をいう。
　　4　なお、規定の末尾にカッコがある場合は、当該規定が要領中の相当する規定に対する特例であることを示し、カッコ内の番号は、要領中の相当する規定を示す。
Ⅲ　施設・設備
　（施設一般）
　1　施設の周囲は、周囲の環境に調和し、善良な風俗を害することがないよう植木、芝生等による緑化地帯を設けるなど開放的な構造とすること。
　（施設の外壁、屋根等）
　2　施設の外壁、屋根、広告物及び外観等は、できる限り単純で控え目なものが望ましく、立地場所における周囲の善良な風俗を害することがないよう意匠、形状が著しく

奇異でなく、かつ、派手な色彩でないこと。（Ⅲ第一2）
(管理棟及びポーチ)
3　管理棟及びポーチは、次の構造設備であること。（Ⅲ第一11の(6)）
  (1) 管理棟は、相対する宿泊者と従業者が直接面接でき、かつ、自動車内部を十分に見通すことができるよう適当な高さ（おおむね0.8メートル以上1メートル以下）、長さ（おおむね1.8メートル以上）及び幅員（おおむね0.3メートル以上）を有する受付設備を有するものであること。
  (2) 管理棟は、宿泊手続きを容易に行うため、従業者がポーチに出入りすることができる出入口を有するものであること。
  (3) 管理棟には、宿泊手続きが容易に行え、自動車の移動に支障が生じないよう十分な広さを有する構造のポーチを設けること。
  (4) ポーチは、自動車を物理的に停止させる装置（遮断機）等入場する車を確実に停止させることができる設備を有するものであること。
  (5) 宿泊しようとする者は、必ず管理棟を経由する構造とすること。また管理棟の周囲は、宿泊しようとする者が宿泊手続き等を行うため自動車を一時停車することができる広さが確保されていること。
  (6) 施設には、宿泊者が宿泊者名簿の記載、料金の支払い、客室のカギの授受等宿泊のために必要な手続きを、管理棟において従業者と面接して行わなくとも自動的にできる設備を設けるなど、管理棟が客との面接を行う施設としての機能を果たさなくなるような構造設備を設けないこと。
(ロビー)
4　50㎡以上のロビーを設けること。（Ⅲ第一12）
(駐車場)
5　駐車場（敷地内に設置される自動車の駐車のための場所又は施設をいう。）は、宿泊者等の自動車の駐車需要を十分に満たすことができるよう設けること。
6　駐車場には、宿泊者の危害の発生を防止し、自動車の管理を適正に行うためモニターテレビ等の設備を設けること。
(車庫と客室との連絡)
7　車庫は、次の各号のいずれかに該当する構造であってはならないこと。
  (1) 客の使用する自動車の車庫（天井（天井のない場合にあっては、屋根）及び2以上の側壁（ついたて、カーテンその他これらに類するものを含む。）を有するものに限るものとし、2以上の自動車を収容することができる車庫にあっては、その客の自動車の駐車の用に供する区画された車庫の部分をいう。以下同じ。）が通常その客の宿泊に供される個室に接続する構造
  (2) 客の使用する自動車の車庫が通常その客の宿泊に供される個室に近接して設けられ、当該個室が当該車庫に面する外壁面に出入口を有する構造
  (3) 客の宿泊する個室がその客の使用する自動車の車庫と当該個室との通路に主として用いられる廊下、階段その他の施設（当該施設の内部を外部から容易に見通すこ

第5編　旅館業

とができるものを除く。）に通ずる出入口を有する構造
   8　客室から管理棟、食堂その他客の共用に供し得る場所につながる共通の通路、廊下及び階段を有すること。
   （客室）
   9　家族旅行者用の客室は、洋室の場合は寝台を3台以上、和室の場合は和式寝具を3組以上備え付けることができる広さを有すること。また、洋室の場合は、室内には補助寝台（折たたみ式等のものを含む。）等の収納設備を設け、その旨を表示すること。
   10　客室には、他の規定で設置が定められているもののほかに、事務用の机及び椅子、応接セット（客を応対するのに用いるテーブルと椅子又は座布団の一そろえをいう。）、座敷机、椅子又は座布団、冷凍冷蔵庫、テレビスタンド、ラジオ、時計、茶器セット、コタツ、カラオケセット、民芸品、卓上電話、又はこれらに類するもの以外のものは、置かないようにすること。
   11　寝台は、個人用のもの（幅員1.3m以下のシングルベッド）を置くことが望ましい。（Ⅲ第一14の(5)の⑥のa）
   12　和式の寝具にあっては、敷布団の幅員が1.3m以下であることが望ましい。（Ⅲ第一14の(6)の⑤）
   13　客室内のインテリアは、華美でないこと。
   14　客室又は管理棟には、貴重品の預かり設備を完備していること。
   15　施設には、中央管理方式の自動施錠装置を設ける等により宿泊者が客室のドアを自由に開閉することができないような装置を講じてはならないこと。（Ⅲ第一14の(5)の⑦）
   16　廊下等に面して料金等の支払い等のための小窓を各客室に設けてはならないこと。その他これに類するような構造設備でないこと。
   （食堂）
   17　宿泊者の利用しやすいところに食堂を設けること。
   （洗面所）
   18　洗面設備は、1給水栓当たり、幅員0.6m、奥行き0.5m以上であること。（Ⅲ第一18の(2)）
   （表示）
   19　施設入口、管理棟の見やすい場所には、「自動車旅行ホテル営業」である旨の表示を掲示すること。
Ⅳ　施設についての換気、採光、照明、防湿及び清潔その他宿泊者の衛生及び管理に必要な措置の基準
   （換気）
   1　客室の一酸化炭素濃度は、5ppm以下であること。（Ⅳ21(2)の⑤）
   （寝具の管理）
   2　寝具については、6か月に1回以上微生物等の検査を実施し、その記録は2年間以

上保存すること。(Ⅳ23の(4))
(自主管理)
3 営業者は、相互の連携を密にし、自主管理を強化するため厚生省、都道府県等の指導を受け、さらに衛生管理要領及びこのマニュアルの周知徹底に努めること。(Ⅳ34)
(宿泊事務)
4 宿泊者名簿には、宿泊者の氏名、住所、自動車の車両番号その他所要の事項を記載すること。(Ⅵ)
5 宿泊しようとする者(以下「来客」という。)の自動車をポーチで確実に一旦停車させた後、来客及び車両番号の確認、宿泊者名簿の記載及び客室のカギを手渡すことなど宿泊事務に係る所要の手続きを行った上で施設内に入らせること。駐車場に管理棟を経由せずに入れる構造のものにあっては、管理棟において宿泊事務に係る所要の手続きを行った後でなければ客室に入らせないこと。
　ただし、暴風雨又は吹雪の時など宿泊事務を適正に行うことができない状況において、来客及び車両番号の確認とカギを手渡すこと以外の宿泊事務については、客室において宿泊者が入室後直ちに事務手続きを行うことができる場合に限り、省略できること。

○環境衛生関係営業施設における自主管理点検表の制定について(抄)

[昭和63年10月18日　衛指第215号
各都道府県・各政令市・各特別区衛生主管部(局)長宛
厚生省生活衛生局指導課長通知]

〔改正経過〕
第1次改正　〔平成3年8月15日衛指第163号〕

　理容師法、美容師法、クリーニング業法、興行場法、旅館業法及び公衆浴場法に規定する環境衛生関係営業施設の衛生水準の維持向上を図るため、従前より各業種毎に衛生等管理要領を定めてきたところである。これら衛生等管理要領の営業者に対する周知徹底等、監視指導における有効な活用については、常日頃より格別の御配慮をお願いしているところであるが、今後の監視指導のあり方として、営業者自身による自主的管理の強化が指摘されていることから、有効かつ簡便に営業者自身が自主的管理を実施できるよう、別添のとおり各業種ごとの自主管理点検表を作成したので御了知のうえ、監視指導業務の効率的実施を図るため、十分に活用されるようお願いする。
　なお、換気、照明等の項目に( )書きで物理的数値を記入しているが、これは、必ずしも営業者が測定用具を備えて自ら測定することを意図したものではなく、環境衛生監視員が当該施設に立ち入った際に施設内環境を実際に測定し、営業者に教示する等の方法により、営業者が客観的に照度等を認識できるよう付記したものである。

第5編　旅館業

別　添

旅館業の自主管理点検表

施設の周囲一般		
施設の周囲一般	1	施設の周囲及び施設内は毎日清掃し、清潔に保っているか。また、保守点検を行っているか。
	2	採光、照明は十分か。
	3	ねずみ、昆虫の発生、生息について定期的に点検し、適切な防除措置を講じているか。
	4	照明設備、換気設備は定期的に清掃点検を行っているか。
客室	5	客室内の備品類及び飲食用の器具は清潔に保管されているか。
	6	温度、湿度は適切か。（空気調和設備による場合は、温度は17～28℃、冷房の場合は外気との温度差は7℃以内）
	7	非常口の表示は、宿泊者にわかるようになっているか。
	8	定員、宿泊料金は見やすいところに表示しているか。
浴室	9	脱衣場の衣類カゴ類、足拭き等人が直接接触する器具は清掃を行い、定期的に消毒し、清潔で衛生的に保持しているか。
	10	浴室で客が使用する器具（桶、椅子）は清潔か。
洗面所便所	11	洗面所は常に清潔を保ち、使用する器具（くし、ヘアブラシ、コップ等）は、衛生的に処理しているか。
	12	便所は臭気がなく、必要に応じ消毒しているか。
寝具	13	寝衣、敷布又はシーツ等直接皮膚に接するものは宿泊者一人毎に交換しているか。
	14	布団、枕、毛布及びこれに類するものは清潔に保っているか。
	15	リネン室は常に清潔で、整理整頓しているか。
給水	16	給水施設は定期的に保守点検しているか。
	17	飲用水は衛生的に確保しているか。（水道以外の水を飲用に用いる場合は、1週間に1回以上遊離残留塩素を測定し、その値は0.1ppm以上とする）
配膳室食堂	18	配膳室、食堂、宴会場等飲食に使用する場所は、食中毒の発生等のない様常に清掃し、清潔にしているか。
その他	19	宿泊者名簿はきちんと記載されているか。
	20	従業者は定期的に健康診断を受けているか。
	21	伝染病にかかっている者又は疑いのある者が業務に従事していないか。
	22	定められた保健所等への届出は、きちんと行っているか。

○旅館業における重症急性呼吸器症候群（SARS）への対応について

平成15年5月19日　健衛発第0519001号・健感発第0519002号
各都道府県・各政令市・各特別区衛生主管部(局)長宛
厚生労働省健康局生活衛生・結核感染症課長連名通知

　我が国では、現在のところ、SARSの患者は発生していないものの、SARSへの不安が強まっていることから、今般、旅館業におけるSARSへの対応についての留意事項を下記のとおりまとめましたので、関係者への周知方よろしくお願いいたします。
　なお、現時点での医学的見知によると、SARSコロナウイルスは有症者だけに感染性があり疾病を伝播しうること、すなわち、症状がない期間はヒトに感染させることはないと考えられていること、また、有病者の2メートル以内での会話、有病者の看護又は介護、有病者との同居、有病者の体液や気道分泌物に直接触れる等の濃厚な接触がなければ感染伝播することはないと考えられていることから、各営業者においていたずらに過剰な反応に陥らないよう、併せて御指導をお願いいたします。

記

1　営業者が日頃留意すべき事項
(1)　保健所等の関係機関と十分連携し、都道府県の行動計画等SARSに関する情報収集に努めるとともに、緊急の場合に宿泊者等が受診するための医療機関を把握しておくこと。
(2)　感染経路の把握に必要な場合があるため、旅館業法第6条に基づく宿泊者名簿への正確な記載を励行し、宿泊者の状況把握に努めること。
(3)　宿泊者から体温計の貸出を求められたら衛生的管理に留意の上で貸与するなど、宿泊者の健康管理に積極的に協力すること。
(4)　日頃から、従業員の健康管理、施設の環境衛生管理の徹底を図ること。
2　SARSコロナウイルスへの感染が疑われる宿泊者が発生した場合の対応
　宿泊者からSARSコロナウイルスへの感染が疑われる旨の申し出があった場合、又は宿泊者が①又は②に該当し、38℃以上の発熱や咳、呼吸困難の症状があることが確認された場合は、以下の対応をとること。
①　WHOが公表した「最近の地域内伝播」が疑われる地域に旅行又は居住し、本邦入国後10日以内の者
②　SARSと診断された者あるいは疑われる者を看護、介護若しくは同居して又は気道分泌物若しくは体液に直接触れて10日以内の者
※WHOが公表した「最近の地域内伝播」が疑われる地域

（平成15年5月14日現在）

　　中国（北京、広東省、河北省、香港、湖北省、内モンゴル自治区、吉林省、江蘇省、山西省、陝西省、天津、台北）、フィリピン（マニラ）、シンガポール

(1) 感染が疑われる宿泊者に対し、感染拡大の予防の必要性を十分説明の上、レストラン等の利用を控え、他の宿泊者と接触しないよう個室での待機を依頼すること。同室者がいれば他室への移動と待機を依頼すること。
　　また、飛沫の飛散を防止するため、感染が疑われる宿泊者及び同室していた者には、マスク着用を求めること。
(2) 感染が疑われる宿泊者に対応する従業員の数を極力制限し、原則として、部門長などの責任者が対応すること。感染が疑われる宿泊者に接触する場合は、マスク及び使い捨て手袋を着用し、感染が疑われる宿泊者から離れた場合は、手洗い及びうがいを確実に行うこと。使用後のマスク及び手袋はビニール袋で密閉し、焼却する等適正な方法で廃棄すること。
(3) 感染が疑われる宿泊者の同意を得た上で、速やかに保健所にSARSコロナウイルスへの感染が疑われる宿泊者が発生したことを連絡し、その後の対応策について保健所から指示を受けること。
(4) 宿泊者名簿の記載により、保健所が行う当該宿泊者の宿泊期間中における他の宿泊者に関する状況把握に協力すること。
(5) 保健所の指示が得られるまでの間、緊急に対応する必要がある場合は、感染防止対策のため、以下の対策を講じること。
　① 感染が疑われる宿泊者の医療機関への移送
　　感染が疑われる宿泊者の医療機関への移送は、保健所の指示に従うこととするが、急を要する場合は、当該都道府県の定めた計画に準じ、救急車等を手配し医療機関へ移送すること。
　　なお、当該手配の際、SARSの疑いのあることを伝えること。
　② 消毒
　　施設の消毒は、保健所の指示に従うこととするが、急を要し、自ら行う場合は、感染が疑われる宿泊者が利用した区域（客室、レストラン、エレベータ、廊下等）の手指や体表の接触部（ドアノブ、スイッチ類、手すり、洗面、便座、流水レバー等）を中心に、別添「家庭・職場における消毒（例）改訂版（国立感染症研究所感染症情報センター）」を参照し、消毒を実施すること。
3 感染が疑われる宿泊者に接触対応した場合等の従業員の対策
(1) SARSコロナウイルスへの感染が疑われる宿泊者又は従業員に接触した可能性のある従業員への対応は、保健所の指示に従うこと。
(2) 就業中の従業員にSARSと疑われる症状が発生した場合の対応は、「2　SARSコロナウイルスへの感染が疑われる宿泊者が発生した場合の対応」に準じること。
(3) 従業員から、本人又は家族にSARSコロナウイルスへの感染が疑われる症状の申し出があった場合、使用者は、保健所又は医療機関に連絡させ、その指示に従わせること。

旅館業における重症急性呼吸器症候群（SARS）への対応について

（別　添）
　　　家庭・職場における消毒（例）改訂版
　　　　　　　　　　　　　　　　　　　　［2003年5月15日改訂］
　　　　　　　　　　　　　　　　　　　　［感染症情報センター］

　この消毒例はSARSの「疑い例」あるいは「可能性例」が確認された場合に、家庭や職場での消毒について記載したもので、新たな知見の集積などにより変更されることがあります。
　また、入手の容易さを考慮して家庭用の漂白剤を使った例を記載しています。消毒用エタノール（薬局などで入手可能）など、エンベロープのあるウイルスに効果のあるとされている消毒薬が入手可能な場合はこれらを使うことも推奨されます。有効性が認められると考えられている消毒薬については、「SARSコロナウイルスに対する消毒剤の適用（例）」を参照して下さい。また、消毒薬の種類によっては、有機物を取り除いておかないと効果が薄れるもの、引火性、粘膜刺激性、あるいは発ガン性があるものもあるので必ず注意書きをよく読み、それらを守って使用する必要があります。最近のSARSコロナウイルスの環境中での生存に関する知見や、感染経路が完全には解明されていないことなどを考慮し、「疑い例」「可能性例」の患者に関連した家庭や職場での消毒を行う際には、これらの患者の医療機関での対応に準じることが望ましいと考えられます。N95マスク（最低限）、手袋（両手）、ゴーグル、使い捨てガウン、エプロン、汚染除去可能な履物で個人的な防御を行った上で行うことが望まれます。
　また、電化製品などを消毒する場合には細心の注意を払い、機器に水分などが入り込まないようにします。また、下痢便などではこのウイルスが4日間程度生存することも指摘されており、トイレの消毒の際は、飛沫などが飛び散らないように注意が必要と考えられます。ここで使用している家庭用漂白剤は次亜塩素酸ナトリウムが成分である塩素系の漂白剤（5％濃度）のことです。（例：ハイター、キッチンキレイキレイ）

1：家庭や職場
　●居間・食事部屋
　　【対象】
　　　ドアノブ・窓の取手・照明のスイッチ・ソファー・テーブル・椅子・電話機・コンピュータのキーボードとマウス・小児の玩具・床・壁など
　　【方法】
　　　・100倍に希釈された家庭の漂白剤（家庭漂白剤1に対して水道水99）で完全に拭く。（最終濃度0.05％）
　　　・特に手などが触れる部分は、50倍に希釈した漂白剤（家庭漂白剤1に対して水道水49）を使用する。（最終濃度0.1％）その後、「から拭き」をする。
　●台所とトイレ
　　【対象】
　　　水道の蛇口・シャワーヘッド・浴槽・洗面器・ドアノブ・窓の取っ手・照明スイッチ・排水溝・水洗便器と流水レバー・便座とフタ・汚物入れ・壁・床など

【方法】
・便器
100倍に希釈された家庭の漂白剤（家庭漂白剤1に対して水道水99）（最終濃度0.05％）とトイレブラシを使ってきれいにする。その後、水を流す。
・浴槽や洗面台
100倍に希釈された家庭の漂白剤（家庭漂白剤1に対して水道水99）（最終濃度0.05％）通常のブラシを使ってきれいにする。その後、水でよくすすぐ。
・排水溝
100倍に希釈された家庭の漂白剤（家庭漂白剤1に対して水道水99）（最終濃度0.05％）を注ぐ。5分間経過したら、水を流して排水する。
●その他（食器・衣類・寝具）
【方法】
「疑い例」あるいは「可能性例」の患者が着ていた衣類や寝具については、衣類・布団や枕のカバーは熱湯消毒（80℃、10分以上）してから洗濯機にかける、熱水洗濯を行う。
または、10—100倍に薄めた家庭の漂白剤（最終濃度0.5—0.05％）で清拭または30分間浸漬。

2：職場や集合住宅の共用部分
現在のところ建物全体や近所の家などに対して特別な消毒は必要ないと考えられます。しかし、以下の共用部分については、清掃・消毒を行うことが推奨されます。
【対象】
・エレベーター（昇降機）あるいはエスカレータ
特にエレベーターの呼出しボタン、停止階ボタン、エスカレータの手摺り部分
・建物への出入り口
建築の入口にあるドアノブやハンドル、セキュリティ対応のオートロックボタンなど不特定の人が触れる部分
・共用のトイレ、給水場所など
【方法】
・100倍に希釈された家庭の漂白剤（家庭漂白剤1に対して水道水99）（最終濃度0.05％）で完全に拭く。
・特に手などが触れる部分は、50倍に希釈した漂白剤（家庭漂白剤1に対して水道水49）（最終濃度0.1％）を使用する。その後、「から拭き」をする。
・トイレについては家庭や職場の例を参照。

◯宿泊者名簿の必要事項の記載の徹底について

> 平成16年1月13日　健発第0113004号
> 各都道府県知事・各政令市市長・各特別区区長宛　厚生労働省健康局長通知

　旅館業法（昭和23年法律第138号）第6条においては、旅館等において感染症が発生し、又は感染症患者が宿泊した場合にその感染経路を調査すること等を目的として（昭和32年10月8日環境発第51号厚生省公衆衛生局環境衛生部長回答）、営業者は、宿泊者名簿を備え、これに宿泊者の氏名、住所、職業その他の事項を記載することと規定されているところである。

　平成15年5月には、重症急性呼吸器症候群（SARS）にり患した外国人旅行者が国内ホテルに宿泊した事案が発生し、感染経路の把握の際に必要となる宿泊者名簿の重要性が再認識されたところであり、感染症のまん延の防止を図るためには、営業者に対し、下記に掲げるように宿泊者の身元を後日確認できるような措置を採るようにしておくことが重要となる。

　また、近年の諸外国におけるテロ事案等の発生を受け、安全問題に対する意識が高まっていることにかんがみ、警察官から営業者に対し、職務上宿泊者名簿の閲覧等の請求があった場合には、当該職務の目的に必要な範囲内で協力することも必要と考える。

　以上のような状況を踏まえ、旅館業法の適正な施行を図る観点から下記に掲げる内容を営業者に指導方よろしくお願いする。

　なお、本通知は、地方自治法（昭和22年法律第67号）第245条の4第1項に基づく技術的助言であることを申し添える。

記

1　宿泊者に対し、宿泊者名簿への正確な記載を働きかけること。
2　宿泊者名簿に国籍及び旅券番号欄を設け、本邦に短期滞在していると思われる外国人宿泊者に対し、該当欄に記載させること。
　その際、該当欄の記載が不備であると思われる場合等必要に応じ、当該外国人宿泊者に対し、旅券等の提示を求め、当該欄の記載が正確なものか確認すること。
　おって、旅館業法上、宿泊者は、営業者から請求があったときは、宿泊者名簿に記載する事項を告げなければならないこと（旅館業法第6条第2項）。

第5編　旅館業

○ノロウィルスによる感染性胃腸炎及び食中毒の発生防止対策の徹底について

> 平成18年12月19日　健感発第1219001号・健衛発第
> 1219001号・食安監発第1219001号
> 各都道府県・各保健所設置市・各特別区衛生主管部
> （局）長宛　厚生労働省健康局結核感染症・生活衛生・
> 医薬食品局食品安全部監視安全課長連名通知

　標記について、本年12月8日付健感発第1208001号及び食安監発第1208002号により、「ノロウィルスに関するQ&A」の改訂について通知し、関係機関への周知を依頼したところですが、その後も感染性胃腸炎や食中毒の発生が続いており、年末年始の繁忙期を迎えることから、貴管下の食品事業者及び旅館・ホテル営業者等に対し、「ノロウィルスに関するQ&A」を参考に、特に下記の点について周知し、各事業所における従業員教育を含めた発生防止対策の徹底を行うようお願いします。

　また、集団感染事例の発生に際しては、感染症部局と食品衛生部局が連携をとり原因究明等の調査を徹底するようお願いするとともに、公表にあたっては、当該事例で推定される感染経路等、原因究明状況などを明らかにし、風評被害の防止に努めるようお願いします。

記

(1) 患者のふん便や吐ぶつには大量のウィルスが排出されるので、
　① 食事前やトイレの後などには、必ず手を洗うこと。
　② 下痢やおう吐等の症状がある方は、食品を直接取り扱う作業をしないよう要請すること。
　③ 胃腸炎患者に接する方は、患者のふん便や吐ぶつを適切に処理し、感染を広げないこと。
(2) 特に子どもやお年寄りなどの抵抗力の弱い方は、加熱が必要な食品は中心部までしっかり加熱して食べること。また、調理器具等は使用後に洗浄、殺菌すること。
(3) ノロウィルスの失活化には、エタノールや逆性せっけんはあまり効果がなく、完全な失活化には、次亜塩素酸ナトリウム又は加熱（85℃以上1分間以上）が必要である点に留意すること。

○ノロウイルスによる感染性胃腸炎の集団発生に係る指導等の実施困難事例における対応について

> 平成18年12月27日　健感発第1227001号・健衛発第
> 1227001号・食安監発第1227001号
> 各都道府県・各保健所設置市・各特別区衛生主管部
> （局）長宛　厚生労働省健康局結核感染症・生活衛生・
> 医薬食品局食品安全部監視安全課長連名通知

　ノロウイルスによる感染性胃腸炎については、本年12月8日付健感発第1208001号及び

感染性胃腸炎集団発生に係る指導等の実施困難事例における対応

食安監発第1208002号により、「ノロウイルスに関するQ&A」の改訂について通知し、また、本年12月19日付健感発第1219001号、健衛発第1219001号及び食安監発第1219001号により、ノロウイルスによる感染性胃腸炎及び食中毒の発生防止対策の徹底について通知しているところである。

今般、各自治体においてノロウイルスによる感染性胃腸炎の集団発生時の旅館等の事業者への指導等において判断に困難が生ずる場合がみられることから、国立感染症研究所の専門家の意見を踏まえ別添のとおり「ノロウイルスによる感染性胃腸炎の集団発生に係る指導等の実施困難事例に関するQ&A」を作成したので、貴管下の食品事業者、旅館・ホテル営業者等への発生防止対策の指導の参考にされたい。

〔別　添〕
　　　ノロウイルスによる感染性胃腸炎の集団発生に係る指導等の実施困難事
　　　　例に関するQ&A

平成18年12月27日作成

目次　　　　　　　　　　　　　　　　　　　　　　　　　　　　　　　　　　頁
Q1　次亜塩素酸ナトリウムを使用しがたい素材の消毒を行う場合の代替
　　方法はないか。……………………………………………………………………1440
Q2　手指の手洗いと消毒についてどのように指導を行うべきか。……………1440
Q3　旅館等において、原因究明の結果、食中毒と断定した事例において
　　は、当該旅館等の調理施設に対して食品衛生法に基づく営業停止等の
　　措置をとることができるが、その他の施設については、利用制限の指
　　導を行うことは困難であり、二次感染予防対策や施設利用方法につい
　　て指導することが必要と考えるがどのような点に留意する必要がある
　　か。…………………………………………………………………………………1440
Q4　調理従事者が感染性胃腸炎症状を呈しているが、症状の原因がノロ
　　ウイルスであるかどうかわからない。食品を直接取り扱う作業に従事
　　させないようにすべきかどうか質問を受けた場合はどのように回答を
　　行うべきか。………………………………………………………………………1441
Q5　食品取扱者が、ノロウイルスによる感染性胃腸炎を発症し、症状が
　　無くなった後、食品の取扱い作業へ従事させることができるまでの期
　　間についてどのように指導をしたらよいか。また、調理従事者などの
　　家族がノロウイルスに感染した場合、その調理従事者本人にどのよう
　　に指導したらよいか。……………………………………………………………1441
Q6　旅館等の利用者が当該施設を利用中に発症し、当該施設の食事を介
　　さず、利用者の吐ぶつやふん便から感染が拡大した場合においても、
　　食品衛生法に基づく行政処分として営業停止になるのか。…………………1441
Q7　ノロウイルスに感染している、あるいは、下痢・おう吐等の症状を
　　呈してノロウイルス感染が強く疑われる宿泊者について、旅館等が宿
　　泊を拒むことができるのか。……………………………………………………1441
Q8　寝具におう吐した場合、どのような対応を指導すべきか。………………1442

※消毒や手洗い等に関しては、「ノロウイルスに関するQ&A」にも記載しておりますのでご参照ください。
http://www.mhlw.go.jp/topics/syokuchu/kanren/yobou/dl/040204-1.pdf
【消毒関係】

> Q1　次亜塩素酸ナトリウムを使用しがたい素材の消毒を行う場合の代替方法はないか。

　ノロウイルスを完全に失活化する方法には、次亜塩素酸ナトリウム（市販の塩素系漂白剤で対応可能）、加熱があります。次亜塩素酸ナトリウムをしみ込ませたペーパータオルの利用、熱水による85℃・1分間以上あるいは80℃・10分間以上の殺菌、スチームアイロンの利用などが考えられます。

【感染予防関係】

> Q2　手指の手洗いと消毒についてどのように指導を行うべきか。

　調理を行う前、食事の前、トイレに行った後、下痢等の患者の汚物処理やおむつ交換等を行った後は、必ず手洗いを行うようにします。患者の汚物等に触れる場合はガウン（エプロン）、ゴム製の手袋（使い捨てのものが望ましい）、マスクを着用するなどして直接触れないこと、衣類等に付着させないことが重要です。手洗いの際は、次のように行います。
① 指輪等を外し、石けん（ハンドソープ剤の方がより効果が高い）を十分に泡立て、ブラシなどを使用して手指を洗浄する。
② すすぎは温水による流水で十分に行い、清潔なタオル又はペーパータオルで拭く。なお、自身に下痢症状のあるとき、患者の汚物を処理したときは、この操作を2回行うことが望ましい。

　石けん自体にはノロウイルスを直接失活化する効果はありませんが、手の脂肪等の汚れと一緒に、ウイルスを手指から除去する効果があります。

> Q3　旅館等において、原因究明の結果、食中毒と断定した事例においては、当該旅館等の調理施設に対して食品衛生法に基づく営業停止等の措置をとることができるが、その他の施設については、利用制限の指導を行うことは困難であり、二次感染予防対策や施設利用方法について指導することが必要と考えるがどのような点に留意する必要があるか。

　旅館等において感染を予防する点から、従業員のみならず、利用客を含めて予防対策を徹底することが重要です。ノロウイルスは、手指や食品を介して、経口で感染しますので、
① 食事の前やトイレの後などには、必ず手を洗うよう呼びかける
② 胃腸炎の症状がある方には、特に手洗いなどの励行をお願いする
③ 胃腸炎症状の方と接する場合には、患者のふん便や吐物を適切に処理し、感染を広げないよう対応を徹底する

ことが肝要です。
【就業関係】

> Q4 調理従事者が感染性胃腸炎症状を呈しているが、症状の原因がノロウイルスであるかどうかわからない。食品を直接取り扱う作業に従事させないようにすべきかどうか質問を受けた場合はどのように回答を行うべきか。

　感染性胃腸炎にはノロウイルス以外のウイルス、細菌、原虫などによる感染の場合もあります。食品事業者が実施すべき管理運営基準に関する指針（昭和47年11月6日付環食第516号）にあるとおり、食品を直接取り扱う作業に従事させず、医療機関に受診するよう指導すべきと考えます。

> Q5 食品取扱者が、ノロウイルスによる感染性胃腸炎を発症し、症状が無くなった後、食品の取扱い作業へ従事させることができるまでの期間についてどのように指導をしたらよいか。また、調理従事者などの家族がノロウイルスに感染した場合、その調理従事者本人にどのように指導したらよいか。

　ノロウイルスによる感染性胃腸炎の場合、ウイルスは下痢等の症状がなくなっても、通常では、1週間程度長いときには1か月程度ウイルスの排泄が続くことがあります。症状が改善した後も、しばらくの間は直接食品を取り扱う作業をさせないようにすることが望ましいと考えます。この期間については、各個人によって異なることから一定の時期を示すことは難しいと考えます。また、ノロウイルスによる感染性胃腸炎については、ウイルスは感染していても症状を示さない不顕性感染も認められています。
　したがって、食品を直接取り扱う業務を再開する際や調理従事者の家族が感染している場合で症状を示していない場合は、手洗いの徹底や食品に触れる際の「使い捨ての手袋」の着用を行うよう指導します。

【旅館等施設の利用・宿泊関係】

> Q6 旅館等の利用者が当該施設を利用中に発症し、当該施設の食事を介さず、利用者の吐ぶつやふん便から感染が拡大した場合においても、食品衛生法に基づく行政処分として営業停止になるのか。

　旅館等でノロウイルスによる感染性胃腸炎が集団発生した場合、保健所は患者の検便や疫学調査など原因究明を実施します。また、食中毒の可能性が否定できない場合は、念のため、調理など飲食関係営業の自粛を要請することが必要となります。
　原因究明の結果、旅館等が提供した食事が原因でないことが判明した場合には、調理など飲食関係営業の自粛を解除します。この場合、当該旅館等に対し食品衛生法に基づく営業停止の処分になりません。

> Q7 ノロウイルスに感染している、あるいは、下痢・おう吐等の症状を呈してノロウイルス感染が強く疑われる宿泊者について、旅館等が宿泊を拒むことができるのか。

第5編　旅館業

　ノロウイルスに感染していることが明らかな患者については、受診された医師の指示やそのときの状態を勘案し、利用させる場合は、Q4のように、入念な感染予防対策を行うことが肝要です。また、おう吐・下痢等の症状のある利用者については、施設の利用を控えるよう求めるとともに、医療機関での受診を勧めることが望ましいと考えます。

Q8　寝具におう吐した場合、どのような対応を指導すべきか。

　リネン等は、付着した汚物中のウイルスが飛び散らないようにペーパータオルなどでできるだけ吐ぶつを取り除き、洗剤を入れた水の中で静かにもみ洗いします。その際にしぶきを吸い込まないよう注意する必要があります。下洗いしたリネン類の消毒は、85℃・1分間以上または80℃・10分以上の熱水洗濯が適しています。ただし、熱水洗濯が行える洗濯機がない場合には、次亜塩素酸ナトリウム（200ppm）の消毒が有効です。その後、十分すすぎ、高温の乾燥機などを使用すると殺菌効果は高まります。布団などすぐに洗濯できない場合は、表面の汚物をペーパータオル等で取り除き、スチームアイロンで熱殺菌し、その後布団乾燥機を使うと効果的です。布団乾燥機を使うときには窓を開け、換気を十分に行いましょう。

　下洗いの際には次亜塩素酸ナトリウムが1000ppm以上になるようにして消毒します。また下洗いした場所は次亜塩素酸ナトリウム（200ppm）の消毒を行いましょう。

○新型インフルエンザ（豚インフルエンザ）発生に関する旅館業者への周知について（依頼）

平成21年4月28日　事務連絡
各都道府県・各政令市・各特別区衛生主管部（局）宛
厚生労働省健康局生活衛生課

　メキシコ等で発生した豚インフルエンザは、継続的に人から人への感染が見られる状態になったとして、4月27日、WHOにおいて専門家による緊急委員会が開催され、その結果を踏まえて公表されたWHO事務局長のステートメントの中でフェーズ4宣言がなされました。これを受け、厚生労働省としては、メキシコ、アメリカ、カナダにおいて、「感染症の予防及び感染症の患者に対する医療に関する法律」に規定する新型インフルエンザ等感染症が発生したことを宣言したところです。

　政府として、まずは、ウイルスの国内への侵入を阻止するため、水際対策の徹底を図っていくこととしていますが、保健所等から旅館業の営業者に対して問い合わせがあった場合は御協力いただきますよう、周知方よろしくお願いいたします。

　また、新型インフルエンザの流行が確認されている地域から来ているとの理由のみで宿泊拒否するなど、各営業者においていたずらに過剰な反応に陥らないよう、併せて御指導をお願いいたします。

○旅館業の宿泊施設におけるエボラ出血熱への対応について

> 平成26年12月15日　健感発1215第1号・健衛発1215第3号
> 各都道府県・各保健所設置市・各特別区主管部（局）長宛　厚生労働省健康局結核感染症・生活衛生課長連名通知

〔改正経過〕

　　第1次改正　〔平成27年5月11日健感発0511第4号・健衛発0511第1号〕

　我が国では、現在、エボラ出血熱の患者は発生していないものの、エボラ出血熱への対策強化が求められている。現在、検疫所においては、到着便の乗客に対し、日頃から実施している発熱者の発見のためのサーモグラフィーによる体温測定を行うことに加え、エボラ出血熱の流行国であるギニア又はシエラレオネに滞在していた者に対して、当該国に滞在した場合にはその旨自己申告するよう呼びかけているところである。

　このような状況に鑑み、今般、旅館業の宿泊施設におけるエボラ出血熱への対応についての留意事項を下記のとおりまとめたので、御了知の上、関係者への周知を図るとともに、その実施に遺漏なきを期されたい。また、衛生部局及び保健所においても宿泊施設に十分な情報の提供に努められたい。

記

第1　エボラ出血熱とは

　　エボラ出血熱は、エボラウイルスによる感染症であり、エボラウイルスに感染すると、2日から21日まで（通常は7日から10日まで）の潜伏期の後、突然の発熱、頭痛、倦怠感、筋肉痛、咽頭痛等の症状を呈し、次いで、嘔吐、下痢、胸部痛、出血（吐血、下血）等の症状が現れる。

　　エボラウイルスには、エボラ出血熱の症状が出ている患者の体液等（血液、分泌物、吐物、排泄物）や患者の体液等に汚染された物質（注射針など）に十分な防護なしに触れた際、ウイルスが傷口や粘膜から侵入することで感染する。

　　一般的に、エボラウイルスは空気感染せず、インフルエンザウイルスとは異なり容易に飛沫感染しないものであり、また、エボラウイルスに感染している者でもエボラ出血熱の症状のない者からの感染はないものと考えられている。

第2　流行国に滞在した者が入国又は帰国する場合の検疫所、保健所における対応

　1　当該者が入国又は帰国時に発症している場合

　　　エボラ出血熱の流行国での到着前21日以内の滞在歴が確認された者（以下「滞在歴確認者」という。）のうち、38度以上の発熱症状がある者又は到着前21日以内にエボラ出血熱患者（疑い患者を含む。）の体液等との接触歴があり、かつ、体熱感を訴える者については、エボラ出血熱の感染の疑いがあるため、検疫法（昭和26年法律第201号）第14条第1項第1号の規定に基づく隔離の対象となる。

第5編　旅館業

　　また、滞在歴確認者のうち、発熱等の症状は無いものの直接傷口や粘膜等にエボラウイルスの曝露を受けた者については、エボラ出血熱の感染のおそれがあるため、同項第2号に基づく停留の対象となる。
　　したがって、これらに該当する者が入国又は帰国することはない。
 2　当該者が入国又は帰国時には発症していない場合
　　1以外の滞在歴確認者については、入国又は帰国することとなるが、検疫法第18条第2項の規定に基づき、最大21日間、1日2回、健康状態を検疫所へ報告することが義務付けられることとなる。
　　この場合、検疫所は、当該者の居所の所在地を管轄する都道府県知事（保健所を設置する市又は特別区にあっては、市長又は区長。）に対し連絡を入れることとなるため、当該者の所在については保健所が把握することとなる。
第3　宿泊施設における対応
 1　営業者が日頃留意すべき事項
 (1)　保健所等の関係機関と十分連携し、エボラ出血熱に関する情報収集に努めること。
 (2)　感染経路の把握に必要な場合があるため、旅館業法（昭和23年法律第138号）第6条に基づく宿泊者名簿への正確な記載を励行し、宿泊者の状況把握に努めること。
 (3)　日頃から、従業者の健康管理、施設の環境衛生管理の徹底を図ること。
 2　宿泊拒否の制限
　　検疫所への健康状態の報告を義務付けられていることのみを理由として宿泊を拒むことはできない（旅館業法第5条）。
　　なお、検疫所への健康状態の報告を義務付けられている者に係る情報については、個人情報保護の観点から、保健所から宿泊施設に提供することはできないものであること。
 3　保健所から「エボラ出血熱への感染が疑われる者が宿泊している」との連絡を受けた場合
　　上記第2の2に該当する滞在歴確認者について、保健所から「エボラ出血熱への感染が疑われる者が宿泊している」との連絡を受けた場合には、宿泊施設の営業者は、保健所の指示に従い対処すること。
　　この場合、保健所は当該者を国又は都道府県の指定する医療機関（感染症の予防及び感染症の患者に対する医療に関する法律（平成10年法律第114号。以下「感染症法」という。）に規定する「特定感染症指定医療機関」又は「第1種感染症指定医療機関」をいい、以下「指定医療機関」という。）へ移送するため、職員を当該施設へ派遣することとなる。宿泊施設の営業者は、保健所職員が施設に到着するまでの間、その際には、原則として、感染まん延の防止の観点から、当該者に対し、レストラン、大浴場等の利用を控え、他の宿泊者と接触しないよう個室での待機を依頼するとともに、同行者がいれば、他室への移動及び待機を依頼すること。

エボラ出血熱の国内発生を想定した行政機関における基本的な対応について（依頼）

また、吐物や排泄物があった場合には、その処理については、保健所の指示に従うこと。

さらに、保健所が宿泊者名簿の提出などを求めた場合はこれに応ずること。おって、当該施設の営業者及び従業者は、当該者の宿泊期間中における他の宿泊者に対する接触状況の把握に協力すること。

4　宿泊者から直接宿泊施設の営業者又は従業者に対し訴えがあった場合

宿泊者から宿泊施設の営業者又は従業者に対して、38度以上の発熱又は体熱感等の訴えがあり、かつ、当該者自身が検疫所への健康状態の報告を義務付けられている者であると申告してきた場合に、宿泊施設の営業者又は従業者は、直ちに保健所に連絡すること。その後の対応は3と同様であること。

第4　その他

1　第3の3において、指定医療機関に移送された者が、検査の結果、エボラ出血熱患者であることが確定した場合には、当該施設の消毒を行うことになる。施設の消毒の責任は宿泊施設を管理している営業者にあるが、エボラ出血熱の患者の吐物や排泄物の処理等、営業者が当該施設を適切かつ安全に消毒することが困難であると認められる場合は、感染症法第27条第2項の規定に基づき、保健所が消毒することとなる。その際には、宿泊施設の営業者は、保健所の指示に従い、保健所の消毒に協力すること。

2　エボラ出血熱患者であると確定した者の対応に携わった従業者から、エボラ出血熱への感染が疑われる症状の申し出があった場合、営業者は、保健所に連絡し、その指示に従うこと。

○エボラ出血熱の国内発生を想定した行政機関における基本的な対応について（依頼）

平成27年5月11日　健感発0511第2号
各都道府県・各保健所設置市・各特別区衛生主管部
（局）長宛　厚生労働省健康局結核感染症課長通知

エボラ出血熱について、平成26年11月21日付け厚生労働省健康局結核感染症課長通知「エボラ出血熱の国内発生を想定した行政機関における基本的な対応について（依頼）」により、エボラ出血熱の国内発生を想定した対応について依頼をしているところです。

今般、世界保健機関（WHO）による、リベリアにおけるエボラ出血熱の終息宣言を踏まえ、リベリアに係るエボラ出血熱流行国としての対応を取りやめることとするため、同通知を下記のとおり改正をいたしますので、その対応に遺漏なきようお願いします。

記

1　対応

・　ギニア又はシエラレオネからの入国者及び帰国者に対して健康監視の措置が採られることになった場合、検疫所から当該者の居所の所在地を管轄する都道府県知事（保

健所を設置する市又は特別区にあっては、市長又は区長。以下同じ。）に連絡が入るものであること。
- 患者との接触歴がある者について、患者と最後に接触した日から最大21日間、健康診断等のリスクに応じた対応を、別添1の別紙に示すとおり行うこと。また、健康状態の報告等を要請するに当たっては、別添3の様式を参考として作成したので、適宜活用すること。なおギニア又はシエラレオネに過去21日以内の滞在歴が検疫所で確認された者のうち、外出自粛の要請の対象となった者の健康状態については、その期間中、当該検疫所に連絡すること。
- 健康監視対象者が発熱等の症状を呈した場合は、その旨連絡を受けた検疫所から当該者の居所の所在地を管轄する都道府県知事に連絡が入るものであること。また、医療機関又は本人から最寄りの保健所に連絡が入る場合があることに留意すること。
- ギニア又はシエラレオネの過去21日以内の滞在歴が確認でき、かつ、次のア又はイに該当する者について、エボラ出血熱が疑われると判断した場合、エボラ出血熱の疑似症患者として取り扱うこと。
 ア　38℃以上の発熱症状がある者
 イ　21日以内にエボラ出血熱患者（疑い患者を含む。）の体液等（血液、体液、吐物、排泄物など）との接触歴（感染予防策の有無を問わない。）があり、かつ、体熱感を訴える者
- 有症状者からの電話相談により、発熱症状に加えて、ギニア又はシエラレオネの過去1か月以内の滞在歴が確認できた場合は、当該者はエボラ出血熱への感染が疑われる患者であるため、保健所の職員が訪問するまでの間、自宅などその場での待機等を要請すること。自らの職員をして当該者をエボラ出血熱の疑似症患者と診断した場合、特定感染症指定医療機関又は第一種感染症指定医療機関へ移送すること。また、エボラ出血熱の感染が疑われる患者を把握した場合、直ちに厚生労働省健康局結核感染症課に報告すること。
- 管内の医療機関から、エボラ出血熱の疑似症患者の届出がなされた場合、直ちに厚生労働省健康局結核感染症課に報告するとともに、当該疑似症患者について当該医療機関での待機を要請した上で、当該疑似症患者を特定感染症指定医療機関又は第一種感染症指定医療機関へ移送すること。
- 有症状者又は医療機関からの連絡を常時受けられる体制を整備するとともに、夜間・休日に連絡を受けられるようになっているか確認すること。有症状者又は医療機関からの連絡に応じて迅速に対応できる体制を構築すること。
- 移送については、地域の実情に応じて、特定感染症指定医療機関又は第一種感染症指定医療機関の専門家に対する協力依頼、消防機関との連携体制の構築など、必要な調整をあらかじめ関係機関と済ませておくこと。なお、消防機関との連携体制の構築の詳細については、追って通知する。
- 検体の輸送については、国立感染症研究所までの輸送体制など、必要な検討をあらかじめ済ませておくこと。

- 対応の方法や流れなどをあらかじめ具体的に決めておくことにより、担当者は迅速な対応が取れるようにしておくこと。
- エボラ出血熱の患者が国内において診断された場合には、航空機同乗者や当該患者の家族等、患者との接触のおそれがある者について、必要に応じ、調査を行うこと。

2 参考
別添1:エボラ出血熱検疫時及び国内患者発生時の全体フローチャート(暫定版) 略
別添2:エボラ出血熱疑い患者が発生した場合の自治体向け標準的対応フロー 略
別添3:健康状態の報告のお願い(参考様式) 略
「エボラ出血熱について」
http://www.mhlw.go.jp/bunya/kenkou/kekkaku-kansenshou19/ebola.html

○旅館業における衛生等管理要領の改正について

〔平成29年12月15日 生食発1215第2号
各都道府県知事・各政令市市長・各特別区区長宛
厚生労働省大臣官房生活衛生・食品安全審議官通知〕

　旅館業における衛生管理等については、かねてから営業者に対する適切な指導方お願いしているところであるが、今般、旅館業規制の見直しに関する意見(平成28年12月6日規制改革推進会議決定。別添1)等の意見を踏まえ、旅館業における衛生等管理要領(「公衆浴場における衛生等管理要領等について」(平成12年12月5日付け生衛発第1811号厚生省生活衛生局長通知別添3)の一部を別添2のとおり改正したので、これらの内容について十分御了知の上、貴管下営業者に対する周知徹底及び指導等について、遺漏なきよう適切な対応を願いたい。

　また、別添1で示された規制の見直しのうち、第195回国会(特別会)において成立し、本日付で公布された旅館業法の一部を改正する法律(平成29年法律第84号)に関する事項及び旅館業法施行令(昭和32年政令第152号)の改正によって実施する事項については、後日改めてお示しする旨申し添える。

　なお、この通知は、地方自治法(昭和22年法律第67号)第245条の4第1項に規定する技術的な助言に当たるものである。

別添1
　　　　旅館業規制の見直しに関する意見

〔平成28年12月6日
規制改革推進会議〕

1 改革の必要性
　昭和23年に「公衆衛生及び国民生活の向上に寄与すること」を目的として制定された旅館業法は、時代に応じた変更が不十分なまま今日に至っている。過剰な規制はホテル・旅館事業者の創意工夫を阻むものであり、外国人観光客を含む宿泊需要の拡大や宿泊

第5編　旅館業

ニーズの多様化に十分対応できていないという指摘がある。

同法に基づく規制は、施設の構造設備の基準が中心だが、こと細かな規制によらずとも、ＩＣＴの活用等で目的を達成し得るものや、あらかじめ顧客に対して構造設備の状況を明示することで足りると考えられるものが多い。また、同法の目的に照らして必要性が明確ではない規制も少なくない。

現在、次期通常国会への提出に向けて、「民泊法案」とともに、旅館業法改正法案の検討が行われているが、その際、構造設備の基準の規制全般についてゼロベースで見直し、最適かつ最小の規制にする必要がある。

2　改革の方策

(1) 旅館業に係る構造設備の基準の規制全般について、撤廃することができないかゼロベースで見直すべきである。少なくとも、下記Ａ．の規制については撤廃し、下記Ｂ．の規制については公衆衛生等の観点から根拠を明確に説明し得る必要最小限のものとすべきである。

　Ａ．① 客室の最低数
　　　② 寝具の種類
　　　③ 客室の境の種類
　　　④ 採光・照明設備の具体的要件
　　　⑤ 便所の具体的要件
　Ｂ．① 客室の最低床面積
　　　② 入浴設備の具体的要件

(2) 構造設備の基準のうち玄関帳場の規制については、「受付台の長さが1.8m以上」等の要件は撤廃するとともに、ＩＣＴの活用等によりセキュリティ面や本人確認の機能が代替できる場合は適用除外とすべきである。

(3) 今後とも、2020年東京オリンピック・パラリンピックの開催に向け、旅館業に関する規制について不断の改革を進めるべきである。

以上

別添2・3　略

○旅館業における衛生等管理要領の改正について

> 平成30年1月31日　生食発0131第2号
> 各都道府県知事・各保健所設置市市長・各特別区区長宛
> 厚生労働省大臣官房生活衛生・食品安全審議官通知

　旅館業における衛生管理等については、かねてから営業者に対する適切な指導方お願いしているところである。

　今般、旅館業法の一部を改正する法律（平成29年法律第84号）が公布され、同法の施行に伴い、旅館業法の一部を改正する法律の施行に伴う関係政令の整備に関する政令（平成30年政令第21号）及び旅館業法施行規則及び環境衛生監視員証を定める省令の一部を改正する省令（平成30年厚生労働省令第9号）が公布されたことを踏まえ、旅館業における衛生等管理要領（「公衆浴場における衛生等管理要領等について」（平成12年12月5日付け生衛発第1,811号厚生省生活衛生局長通知別添3））の一部を別紙のとおり改正し、平成30年6月15日から施行することとしたので、これらの内容について十分御了知の上、貴管内営業者に対する周知徹底、指導等について、遺漏なきよう適切な対応を願いたい。

　なお、この通知は、地方自治法（昭和22年法律第67号）第245条の4第1項に規定する技術的な助言に当たるものである。

第5編　旅館業

○旅館業における入浴施設のレジオネラの防止対策及びコンプライアンスの遵守の周知徹底について

［令和5年2月27日　事務連絡
各都道府県・各保健所設置市・各特別区生活衛生担当
課宛　厚生労働省医薬・生活衛生局生活衛生課］

　福岡県内の旅館業の入浴施設において、基準を上回るレジオネラ属菌が検出された、連日使用型循環浴槽の完全換水を年2回しか実施していなかった、塩素濃度が基準を下回っていた、当該営業者が行政に対して虚偽の報告をした等の報道がされています。

　旅館業の営業者については、衛生上の危険を防止し、利用者に対して安全なサービスを提供することが求められており、レジオネラ症の防止対策をはじめ、必要な衛生措置を講じなければならないこととされています。また、行政の報告徴収等に対して虚偽の報告を行うことは、罰則の対象となり得るものです。

　このような事案は、業界全体の衛生水準について利用者からの信用を失うなど、業界の信頼を損なうことにつながるものです。

　都道府県、保健所設置市及び特別区におかれては、貴管下の旅館業の営業者に対して、レジオネラの防止対策とともに、コンプライアンスの遵守について、改めて周知徹底いただきますようよろしくお願い申し上げます。

（参考）厚生労働省ホームページの「レジオネラ対策のページ」
https://www.mhlw.go.jp/stf/seisakunitsuite/bunya/0000124204.html
　・「公衆浴場における衛生等管理要領等について」（平成2年12月10日時点）
　・「循環式浴槽におけるレジオネラ症防止対策マニュアル」（令和元年12月17日時点）
　　等

（参考）
○旅館業法（昭和23年法律第138号）
　第11条　次の各号のいずれかに該当する者は、これを50万円以下の罰金に処する。
　　一　（略）
　　二　第7条第1項又は第2項の規定による報告をせず、若しくは虚偽の報告をし、又は当該職員の検査を拒み、妨げ、若しくは忌避し、若しくは質問に対し答弁をせず、若しくは虚偽の答弁をした者
　　三　（略）
○公衆浴場法（昭和23年法律第139号）
　第9条　第6条第1項の規定による報告をせず、若しくは虚偽の報告をし、又は当該職員の立入検査を拒み、妨げ、若しくは忌避した者は、これを2000円以下の罰金に処する。

第5章　営業許可の取消等

○旅館業の許可取消等に関する取扱について

> 昭和32年11月11日　衛発第978号
> 各都道府県知事・各指定都市市長宛　厚生省公衆衛生
> 局長通知

　旅館業法の一部を改正する法律（昭和32年法律第176号）の施行については、さきに昭和32年8月7日付厚生省発衛第371号厚生事務次官通知、同月3日付衛発第649号本職通知等により示されたところであるが、なお旅館業法第8条に規定する風俗事犯に該当する場合における旅館業の許可取消又は停止に関する処分の取扱については、下記事項を参照のうえ、これを行われたい。

　なお、右に関し、今般別紙のとおり、警察庁次長から都道府県公安委員会委員長等あて通知されたので、本通知を参考のうえ、都道府県警察との連絡を密にし、旅館業法施行の円滑適正化とこれが実効の確保に努められたい。

記

　旅館業法第8条各号に規定する罪に関し警察が検察庁に事件を送致した場合において、警視総監又は道府県警察本部長（以下「警察本部長」という。）が必要と認めたときは、警察本部長より当該事件の内容を当該営業者の営業施設の所在する都道府県知事（その所在地が地方自治法第252条の19第1項の指定都市（以下「指定都市」という。）の区域内にあるときは、当該指定都市の長）に通報するものとされたから、都道府県知事（指定都市にあっては、その長）は、当該通報を旅館業法第8条の営業許可取消又は停止に関する処分を決定する場合にあたっての判断資料とされたいこと。この場合において、当該旅館業の施設が風俗営業をあわせ営むものであるときは、なるべく、営業許可の取消又は停止処分の決定にあたり、風俗営業取締法第4条の規定による行政処分と著しい不均衡を生ずることのないようあわせて考慮されたいこと。

　なお、右の通報があった事例について処分を行ったときは、処分を行った施設の所在地、名称（旅館名）、営業者名、処分の内容及び処分年月日を当該事件が通報された警察本部長あて連絡されたいこと。

　おって、警察庁からの申出もあり、風俗営業取締法に基く条例において、旅館業と風俗営業との兼業を制限する旨の規定を設けている都道府県において、当該警察本部長から連絡があった場合には、今後は、新たに旅館業の許可を行った施設につき、その所在地、名称（旅館名）、営業者名及び許可年月日を通報する措置を行うよう配慮されたいこと。

別　紙

　　　改正旅館業法第8条の規定による行政処分の事由となる犯罪についての
　　　連絡等に関する当該行政庁と都道府県警察との協力について

> 昭和32年11月11日　警察庁乙刑発第17号
> 各都道府県方面公安委員会委員長・各管区警察局長宛
> 警察庁次長通知

　改正旅館業法（本年6月15日法律第176号をもって改正されたもの）第8条の規定により、行政処分を行うことのできる事由が拡張されたのであるが、その事由の中には警察が

第5編　旅館業

行う犯罪捜査の結果認知されるものも少くないのみならず、右行政庁と都道府県警察とは密接な関係にあるので、下記により右両者が緊密に協力するよう取り計らわれたい。

記

1　改正旅館業法第8条の規定に基く行政処分の事由のうち犯罪関係のものの連絡については、次の各号によること。
　(1)　行政処分の事由となるものは、(イ)営業者がこの法律又はこの法律に基く処分に違反したとき　(ロ)営業者が法人である場合、その法人の役員が人的欠格要件に該当するに至ったとき　(ハ)営業者（営業者が法人である場合におけるその代表者を含む）又はその代理人、使用人その他の従業者が当該営業に関し、刑法第174条、第175条、第182条の罪、風俗営業取締法に規定する罪、婦女に売淫をさせた者等の処罰に関する勅令に規定する罪を犯したときであるが、右の諸事由のうち、罪を犯したことを理由とする場合における都道府県警察からの通報については、その犯罪を検挙し、検察庁に送致したもので必要と認めたものにつき行うものとする。
　(2)　通報は、当該都道府県警察の警視総監又は道府県警察本部長（以下、警察本部長という。）から当該都道府県知事（指定都市においては、その市長とする。以下知事という。）にその都度行うものとする。
　　　処分を行う知事の属する都道府県とこれらの事犯を検挙した都道府県警察の属する都道府県とが異る場合には、処分を行う知事の属する都道府県の警察本部長を通じて行うものとする。
　(3)　通報した事犯に対する措置については、知事からその措置の内容につき、警察本部長に通報されることになっている。
　(4)　右各号に関する細目については、必要に応じ各都道府県警察と当該行政処分庁と協議するものとする。
2　風俗営業取締法施行条例において、風俗営業と旅館業との兼業について制限がある場合は、許可等に必要があるので、知事が旅館業を許可した場合は、許可の年月日、営業者の所在地、氏名、施設名（旅館名）等につき、警察本部長に通報されることになっているが、この場合あらかじめ警察本部長から当該行政庁に対し通報方について連絡しておくこと。
3　風俗営業と旅館業との兼業を行っている場合において、知事と都道府県方面公安委員会との両者でそれぞれ行政処分を行う場合は、なるべく均衡を失わないよう相互に連絡をとるよう配意すること。
4　構造設備の基準、施設の利用基準等による善良の風俗が害されることがないようにする規制については、直接には知事の責任において運用されるものであること。
　　なお、施設の利用基準の運用において、善良の風俗が害されるような文書、図画等であるかどうかは、刑法第175条の罪に該当する場合はもちろん、更に社会通念上良俗に反すると認められるものも含まれる趣旨であるので了知のこと。
5　右各項については、厚生省と打合済であり、同省公衆衛生局長において別添写のとおり通達されているので含みおくこと。

別添　略

第6章 その他

(補助犬を伴う障害者等への配慮)

○身体障害者補助犬を伴う障害者等の旅館、飲食店等の利用について

> 平成14年8月7日　健衛発第0807003号
> 各都道府県・各政令市・各特別区衛生主管部(局)長宛
> 厚生労働省健康局生活衛生課長通知

　旅館、飲食店等の生活衛生関係営業に対する監視指導については、種々御配慮を煩わしているところでありますが、今般、「身体障害者補助犬法」及び「身体障害者補助犬の育成及びこれを使用する身体障害者の施設等の利用の円滑化のための障害者基本法等の一部を改正する法律」が施行されることに伴い、厚生労働省社会・援護局長より、旅館及び飲食店をはじめとする不特定多数の者が利用する施設に関して、別添のとおり、同法の趣旨が関係機関等へ周知されるよう依頼がありました。
　ついては、本法の趣旨を御了知の上、貴管下関係団体等に対し、その周知方よろしくお願いいたします。
　なお、「盲導犬を伴う視覚障害者の旅館、飲食店等の利用について（昭和56年1月30日付け環指第12号）」は、当通知をもって廃止いたします。

〔別　添〕

　　「身体障害者補助犬法」及び「身体障害者補助犬の育成及びこれを使用する身体障害者の施設等の利用の円滑化のための障害者基本法等の一部を改正する法律」の施行について

> 平成14年6月7日　社援発第0607010号
> 各内部部局の長・社会保険庁総務部総務課長・中央労働委員会事務局総務課長宛　社会・援護局長通知

　「身体障害者補助犬法（平成14年法律第49号）」及び「身体障害者補助犬の育成及びこれを使用する身体障害者の施設等の利用の円滑化のための障害者基本法等の一部を改正する法律（平成14年法律第50号）」については、別添のとおり、5月29日に公布されたところである。
　この法律は、身体障害者が国等が管理する施設、公共交通機関及び不特定かつ多数の者が利用する施設を利用する場合において、身体障害者補助犬を同伴することができるようにするための措置を講じることにより身体障害者の自立と社会参加の進展を図ることを目的として制定されたものであるので、その趣旨を御了知の上、関係機関及び関係団体等に対し、その周知徹底を図られるよう特段の御配意をお願いしたい。
　なお、この法律は、一部を除き平成14年10月1日から施行されるが、必要な政省令等については、今後、順次制定し示すこととしているので、併せて御了知願いたい。
別添　略

(事業活動の調整)

○旅館業における事業活動の調整の円滑化について

〔昭和59年5月1日　環指第45号・59企庁第670号
　各都道府県知事宛　厚生省環境衛生局長・中小企業庁
　長官連名通知〕

　最近、旅館業における大企業と中小企業との間の事業活動に関する摩擦問題が多発している。紛争の形態、内容はそれぞれの事例ごとに多種多様であるが、貴県におかれては、従来どおり中小企業の事業活動の機会の確保のための大企業者の事業活動の調整に関する法律（昭和52年法律第74号）に基づく調査、調整の申出等に係る所要の指導及び必要な場合における都道府県中小企業調停審議会においての意見聴取並びに環境衛生関係営業の運営の適正化に関する法律（昭和32年法律第164号）に基づく調査の申出及び特殊契約に係る所要の指導を行うよう努めるとともに、それぞれの紛争の実態に即して旅館業における紛争調整が円滑に行われるよう、よろしく対処ありたい。

　これに際し、県下に都道府県環境衛生営業指導センターが設置されている場合には、必要に応じ、同センターによる旅館業における分野調整問題に係る指導体制を強化するよう指導するとともに、事業活動調整員の積極的活用を図られたい。なお、県下に同センターが設立されていない場合には、その設立までの間においては、都道府県環境衛生同業組合連絡協議会の活用を図ることも検討されたい。

　また、紛争の形態、内容からみて市町村レベル又は民間レベルでの紛争解決が適当であると判断する場合には、県下の市町村又は貴県が紛争の実態を勘案した上で適当と考える商工会議所、商工会等の地域経済団体等に対し、その意向を踏まえつつ、自主的な旅館業活動調整の場を設けるよう所要の指導・支援を行うこととされたい。

（エイズ患者の宿泊）

○エイズ患者の宿泊に係る旅館業法第5条の取扱
　いについて

　　　　　　　　　　平成4年9月29日　衛指第197号
　　　　　　　　　　各都道府県・各政令市・各特別区衛生主管部(局)長宛
　　　　　　　　　　厚生省生活衛生局指導課長通知

　旅館業法（昭和23年法律第138号）第5条は、営業者が宿泊を拒むことができる場合として、「宿泊しようとする者が伝染性の疾病にかかっていると明らかに認められるとき」（同条第1号）を掲げているが、この規定における「伝染性の疾病」とは、旅館業法の目的に鑑み、宿泊という行為を通じて通常感染するおそれのある疾病であって、当該疾病に感染した者を宿泊させることが公衆衛生上の見地から好ましくないものに限られるとしてきたところである。

　エイズについては、飲食や入浴などの日常生活を通じて感染するものではないことから、この「伝染性の疾病」には該当せず、同号に基づいて宿泊を拒むことはできないので、この点について改めて営業者等への周知及び指導・監督方よろしくお願いする。

　なお、旅館業法の円滑な運用を図る上で、エイズに関する正しい知識を普及させることが大きな意義を有するものであることから、貴職におかれても、旅館業に従事する者等に対して、エイズに関する正しい知識の普及と啓発を図られるよう、一層の御尽力をお願いする。

（生きがい活動支援通所事業）

○旅館・ホテルにおける生きがい活動支援通所事業の実施について

［平成13年9月10日　健衛発第94号
各都道府県・各政令市・各特別区衛生主管部（局）長宛
厚生労働省健康局生活衛生課長通知］

　標記については、「介護予防・生活支援事業の実施について」（平成13年5月25日付け老発第213号厚生労働省老健局長通知）により実施されているところですが、近年、各地において、旅館・ホテルを活用した「生きがい活動支援通所事業」への取組が見られることから、これを広く普及し、かつ、その円滑な実施を図るため、今般、別紙のとおり「旅館・ホテルにおける生きがい活動支援通所事業実施要綱」を定めたので、通知します。
　ついては、関係行政機関に対し周知を図るとともに、福祉部局とも十分に連携をした上で積極的な支援をお願いします。

別　紙
　　　　　旅館・ホテルにおける「生きがい活動支援通所事業」実施要綱
1　目的
　　本要綱は、家に閉じこもりがちな高齢者、要介護状態になるおそれのある高齢者等に対し、通所による各種サービスを提供することにより、高齢者の社会的孤立感の解消、自立生活の助長及び要介護状態になることの予防を図ることを目的として市町村・特別区が実施する「生きがい活動支援通所事業」を旅館・ホテルにおいて行う場合における実施基準等を定め、もって、当該事業の円滑な実施を図るとともに、旅館・ホテルによる地域社会の福祉の増進に関する事業の推進を図ることを目的とする。
2　事業内容等
　(1)　利用対象者
　　　おおむね60歳以上の一人暮らしの高齢者等であって家に閉じこもりがちな者とすること。
　(2)　実施方法
　　　実施主体である市町村・特別区からの委託条項に基づき実施するものであること。
　(3)　要員の配置
　　　本事業の実施には、生きがい活動援助員（介護福祉士、訪問介護員養成研修課程2級以上の修了者等の介護・福祉に関し専門性を有する者）が必要であり、事業規模に応じた所要の要員が、市町村・特別区から派遣を受けるなどにより配置されていること。
　(4)　提供するサービス
　　　平成13年5月25日付け老発第213号厚生労働省老健局長通知別紙「介護予防・生活

支援事業実施要綱」別記1の(2)のオの㈡に基づき市町村・特別区が実施するサービスとし、次に掲げる項目の一部又は全部（ただし、②、③及び④の事業は、必須とする。）とする。
① 生活相談
② 日常動作訓練
③ 趣味活動
④ 入浴
⑤ 健康チェック
⑥ 給食
⑦ その他利用対象者の希望又は身体の状況に応じた必要なサービス
(5) 実施規模等
ア 実施回数
繁忙期を除き週1回以上は提供できるよう配慮すること。
イ 実施規模
1回当たりの利用人員は、1施設15名から20名程度までが望ましいこと。
3 施設・設備基準
(1) 駐車スペース
施設の出入口に近い場所に設けるとともに、高齢者がスムーズに昇降できるよう十分なスペースの確保に留意すること。
(2) 施設の出入口
出入口は、スロープの設置又は段差を極力解消する等利用に支障がないよう配慮すること。
(3) 広間
広間は、日常動作訓練等を行うに十分なスペースがあること。また、通路と広間の段差は、高齢者等の利用に十分配慮された高さであること。
(4) 廊下
当該事業に利用する施設内外の通路等の表面を滑りにくい材質で仕上げるなど高齢者等の利用に配慮されていること。
(5) 浴室
ア 出入口
段差を低くするとともに、簡易スロープ用具の設置に配慮すること。
イ 脱衣場
衣服の脱着を安定した姿勢で行えるよう椅子やベンチ等を設置することが望ましいこと。
ウ 床材等
転倒防止のため、滑り止めマットを配置するか滑り止め加工を行うことが望ましいこと。
エ 洗い場

(ｱ) 脱衣場からの出入口は、段差を低くし歩行に支障のないよう配慮すること。
　(ｲ) 床は、滑り止めマットを敷くかノンスリップタイル等滑りにくい材質を用いることが望ましいこと。
　(ｳ) 洗うときに安定した姿勢が保てるよう、シャワーチェアー等を配置することが望ましいこと。
　オ　浴槽
　(ｱ) 浴槽への出入りや浴槽内での移動及び姿勢の安定のために、浴槽回り及び浴槽内に手すり又は簡易手すりを設けることが望ましいこと。
　(ｲ) 転倒を防ぐため、浴槽内の材質は、ノンスリップタイル等滑りにくい材質を用いることが望ましいこと。
(6) 便所
　本事業に供される便所については、男女各1以上の座便式便器、手すり、非常用ブザー等事故発生時の連絡設備を設置するなど、高齢者等の利用に配慮すること。
(7) その他
　安全性を確保するための手すり等の設置については、専門家の指導を受けることが望ましいこと。
4　運営基準
(1) 利用料金
　利用料金は市町村・特別区が定めるものであるが、高齢者等が利用しやすい低廉な価格となるよう協力すること。
(2) 給食サービス
　給食については、栄養士の協力を得るなど、高齢者に配慮したメニューの提供に努めること。
(3) 衛生管理
　「旅館業における衛生等管理要領」（平成12年12月15日付け生衛発第1,811号厚生省生活衛生局長通知）に基づき施設・設備の衛生管理の徹底を図ること。
(4) 従業員の教育
　急病人が発生した場合等において、応急処置や虚弱な高齢者の介助が適切に行えるよう、従業員等に対して救急講習や介護に関する基本的知識などを研修させることが望ましいこと。
(5) 救急医療体制
　実施施設においては、近隣に救急医療を実施できる協力医療機関を確保し、緊急時に迅速に対応できるよう連絡体制等を整えておくこと。
(6) 事故補償
　基本的には市町村・特別区の実施主体との契約又は受託契約によることとなるが、不慮の事故の発生も想定されることから、旅館ホテル賠償責任保険に加入していることが望ましいこと。
(7) 関係機関との連携

米国で引き起こされた同時多発テロ事件等への捜査協力について

事業の実施に当たっては、市町村・特別区、社会福祉協議会、老人クラブ等との連携を密にし、事業の円滑な運営に努めること。

（同時多発テロ事件等への捜査協力）

○米国で引き起こされた同時多発テロ事件等への捜査協力について

［平成13年10月19日　健衛発第108号
全国旅館生活衛生同業組合連合会理事長宛　厚生労働省健康局生活衛生課長通知］

標記について、警察庁警備局外事課長から別添のとおり協力依頼がありましたので、趣旨を御理解の上、下記事項につき、貴連合会所属組合員に対し周知方よろしくお取り計らい願います。

記

1　宿泊者、施設利用者等で挙動が不審な者を見かけた場合には、速やかに最寄りの警察署に通報すること。
2　宿泊者に係る不審事案の有無等に関する警察官の質問に対しては、積極的に協力すること。
3　宿泊者名簿への正確な記載を励行するなど宿泊者の状況把握に努めるとともに、旅館業法には宿泊者名簿の警察官への提出を義務付ける規定は設けられていないものの、警察官から職務上閲覧等の請求があった場合には、当該職務の目的に必要な範囲内で協力すること。

〔別　添〕

米国における同時多発テロ事件を受けた各種テロ対策への協力依頼について

［平成13年10月19日　警察庁丁外発第250号
厚生労働省健康局生活衛生課長宛　警察庁警備局外事課長通知］

全国都道府県警察では、9月11日に発生した「米国における同時多発テロ事件」を受けた各種テロ対策を現在推進中であり、その一環として、ホテル、旅館等の協力を得て、不審者の発見、関連情報の収集等に努めているところです。ついては、上記テロ対策へのホテル、旅館等の協力につき、貴省より関係事業者に周知・指導いただけますよう、お願いいたします。

第5編　旅館業

○旅館業法施行規則の一部を改正する省令の施行に関する留意事項について

　　平成17年2月9日　健衛発第0209004号
　　各都道府県・各政令市・各特別区衛生主管部(局)長宛
　　厚生労働省健康局生活衛生課長通知

　旅館業法施行規則の一部を改正する省令（以下「改正規則」という。）が、平成17年1月24日厚生労働省令第7号をもって公布され、平成17年4月1日から施行されることとなった。

　この改正の背景、内容等については、「旅館業法施行規則の一部を改正する省令の施行について」（平成17年2月9日付け健発第0209001号厚生労働省健康局長通知）により、既に示しているところであるが、本改正に伴う留意事項は下記のとおりであるので、御了知の上、貴管内の関係団体及び旅館業者等に対する周知、指導方をお願いする。

記

1　旅券の写しについて

　　前記健康局長通知の記の3(2)においては、営業者は国籍及び旅券番号の記載をすべき宿泊者に対して旅券の呈示を求め、その写しを宿泊者名簿とともに保存することとしているが、営業者の求めにもかかわらず、当該宿泊者が旅券の呈示を拒否する場合には、当該措置が国の指導により行うものであることを説明して呈示を求め、更に拒否する場合には、当該宿泊者は旅券不携帯の可能性があるものとして、最寄りの警察署に連絡する等適切な対応を行うこと。

2　宿泊者名簿の記載事項を告げない宿泊者の取扱いについて

　　旅館業法第6条第2項の規定により、宿泊者は、営業者から請求があったときは、宿泊者名簿の記載事項を告げなければならないとされているが、営業者が請求したにもかかわらず、宿泊しようとする者が宿泊者名簿に記載すべき事項を告げない場合には、このことをもって旅館業法第5条第2号の「その他の違法行為（中略）をする虞があると認められるとき」に該当するものとして、宿泊を拒否できると解すること。

3　捜査機関に対する協力について

　　警察官からその職務上宿泊者名簿の閲覧請求があった場合においては、当該職務の目的に必要な範囲内で協力することが必要であるとしてきたところ（平成13年10月19日付け健衛発第108号厚生労働省健康局生活衛生課長通知及び平成16年1月13日付け健発第0113004号厚生労働省健康局長通知参照。）、旅館等の利用者の安全確保の観点からも、捜査機関から宿泊者名簿（外国人宿泊者の旅券の写しを含む。）の閲覧請求があった場合には、引き続き協力すること。

4　「都道府県知事が必要と認める事項」について

　　改正規則第4条の2第2号の規定に基づき都道府県知事が宿泊者名簿への記載が必要と認めた事項については、都道府県において規則等により定めることができること。

○旅館業法施行規則の一部を改正する省令の施行に伴う措置の再周知等について

> 平成17年7月5日　健衛発第0705001号
> 各都道府県・各政令市・各特別区衛生主管部（局）長宛
> 厚生労働省健康局生活衛生課長通知

　旅館業法施行規則の一部を改正する省令（平成17年厚生労働省令第7号。以下「改正規則」という。）は、本年4月1日から施行されているところであり、また、この施行に伴い旅館等の営業者が実施すべき措置等については、「旅館業法施行規則の一部を改正する省令の施行について（平成17年2月9日付け健発第0209001号厚生労働省健康局長通知）」及び「旅館業法施行規則の一部を改正する省令の施行に関する留意事項について（同日付け健衛発第0209004号当職通知）」により、貴管内の関係団体及び旅館等の営業者等に対し、その周知、指導方をお願いしたところである。

　今般、警察庁が、本年5月から6月にかけて、各都道府県警察を通じて、全国の旅館等の営業者における上記各通知による措置等の実施状況を調査した結果によると、調査対象営業者の4割超が改正規則自体を知らないなど、周知が十分に進んでいない状況にあり（別紙1）、警察庁、法務省、公安調査庁及び海上保安庁の関係課長から当職に対し、改めて都道府県知事等に対する改正規則等についての周知・指導を行うよう依頼があったところである（別紙2）。

　ついては、改正規則及び上記各通知の内容について、既に関係団体及び旅館等の営業者に周知、指導していただいているところではあるが、今般の調査結果及び関係省庁からの依頼の趣旨等も踏まえ、改めて周知徹底を図るようお願いしたい。

別紙1

旅館業者調査

	改正規則等の周知状況	宿泊者名簿へ国籍、旅券番号を記載する旅館業者	旅券の呈示を求める旅館業者	旅券の写しを保存する旅館業者	調査数（業者数）
北海道	60%	86%	87%	79%	609
青森県	50%	25%	41%	20%	137
岩手県	54%	53%	57%	43%	173
宮城県	76%	59%	62%	40%	166
秋田県	66%	100%	67%	38%	82
山形県	72%	53%	64%	36%	119
福島県	66%	56%	51%	29%	119
東京都	80%	68%	67%	43%	263

第5編　旅館業

茨城県	48%	20%	26%	13%	314
栃木県	47%	19%	28%	12%	254
群馬県	68%	50%	72%	33%	222
埼玉県	62%	43%	51%	28%	102
千葉県	63%	28%	49%	16%	352
神奈川県	51%	53%	53%	21%	335
新潟県	47%	32%	38%	25%	325
山梨県	19%	14%	17%	8%	209
長野県	74%	81%	74%	60%	552
静岡県	60%	38%	42%	38%	405
富山県	69%	66%	64%	44%	62
石川県	66%	32%	46%	29%	184
福井県	37%	73%	32%	18%	294
岐阜県	39%	60%	35%	23%	445
愛知県	56%	40%	46%	20%	352
三重県	77%	41%	61%	41%	128
滋賀県	78%	68%	75%	54%	108
京都府	64%	52%	56%	45%	153
大阪府	54%	44%	40%	25%	664
兵庫県	46%	39%	46%	18%	336
奈良県	35%	100%	100%	100%	80
和歌山県	80%	55%	68%	55%	105
鳥取県	51%	76%	86%	76%	94
島根県	79%	30%	36%	15%	185
岡山県	51%	40%	56%	31%	126
広島県	76%	58%	64%	56%	265
山口県	64%	47%	49%	36%	206
徳島県	25%	26%	31%	22%	67

旅館業法施行規則の一部を改正する省令の施行に伴う措置の再周知等について

香川県	84％	48％	94％	48％	56
愛媛県	53％	37％	40％	19％	105
高知県	70％	66％	69％	22％	242
福岡県	59％	49％	54％	35％	150
佐賀県	52％	25％	50％	25％	167
長崎県	65％	46％	58％	35％	173
熊本県	57％	49％	48％	33％	233
大分県	54％	36％	52％	35％	145
宮崎県	46％	38％	47％	35％	144
鹿児島県	29％	23％	30％	13％	168
沖縄県	50％	37％	42％	31％	249
全国	57％	49％	52％	34％	―
（業者数）	5,967	5,118	5,398	3,508	10,424

別紙2

「テロの未然防止に関する行動計画」を受けて旅館業者が執るべきこと
とされた措置に関する依頼について

［平成17年6月24日　警察庁丁備企発第28号・管総第
1127号・公調総発第536号・保警第32号
厚生労働省健康局生活衛生課長宛　警察庁警備局警備
企画・法務省入国管理局総務・公安調査庁総務部総務
・海上保安庁警備救難部警備課長連名通知］

標記の件について下記のとおり依頼するので、よろしくお取り計らい願いたい。

記

昨年12月に決定された「テロの未然防止に関する行動計画」を受けて、旅館業法施行規則の一部を改正する省令（平成17年厚生労働省令第7号。以下「改正規則」という。）が施行され、貴省から都道府県知事等に対し、「旅館業法施行規則の一部を改正する省令の施行について」（平成17年2月9日付け健発第0209001号厚生労働省健康局長通知）、「旅館業法施行規則の一部を改正する省令の施行に関する留意事項について」（平成17年2月9日付け健衛発第0209004号厚生労働省健康局生活衛生課長通知）及び「マンション等の施設を使用する形態の旅館業について」（平成17年2月9日付け健衛発第0209006号厚生労働省健康局生活衛生課長通知）（以下「厚生労働省通知」という。）が発出されたが、各都道府県警察で調査した結果、旅館業者における改正規則及び厚生労働省通知の内容の周知状況が不十分であり、旅館業者が執るべきこととされた措置が実施されていない事例が多数見られるため、改めて都道府県知事等に対して周知・指導を行っていただきたく、格段の配慮をお願いする。

○旅館業法施行規則の一部を改正する省令の取扱について

[平成17年9月5日　事務連絡
各都道府県・各政令市・各特別区衛生主管部(局)担当者宛　厚生労働省健康局生活衛生課指導係長]

　旅館業法施行規則の一部を改正する省令については、平成17年2月9日付け健発第0209001号厚生労働省健康局長通知及び平成17年2月9日付け健衛発第0209004号厚生労働省健康局生活衛生課長通知により貴管内の関係団体及び旅館業者等に対し周知、指導をされていることと思いますが、今般、日本国とアメリカ合衆国との間の相互協力及び安全保障条約第6条に基づく施設及び区域並びに日本国における合衆国軍隊の地位に関する協定（以下「日米地位協定」という。）に基づき旅券を所持せずに入国するアメリカ合衆国軍隊の構成員（以下「合衆国軍隊の構成員」という。）の取扱について、多くの自治体より照会がありましたので、下記のとおり取扱うこととして、貴管下関係者に対して周知方をお願いいたします。

記

1　合衆国軍隊の構成員については、日米地位協定第9条第2項の規定により、旅券及び査証に関する我が国の法令の適用から除外されているため、旅券を所持せずに我が国に入国しており、旅館等に宿泊する際に旅券の呈示を求めるとともにその写しを営業者が保存することは事実上不可能であるが、同条第3項により、氏名、生年月日、階級及び番号、軍の区分並びに写真を掲げる身分証明書を携帯すべきこととなっていることから、上記健康局長通知の記の3(2)の措置については、上記の身分証明書によりその者が合衆国軍隊の構成員であることを確認し、宿泊者名簿の備考欄等に、日米地位協定第9条第3項に基づく身分証明書を確認した旨を記載することとする。この場合、宿泊者名簿に旅券番号を記載することは不要である。

2　合衆国軍隊の軍属及び構成員又は軍属の家族については、日米地位協定第9条第4項により、合衆国の当局が発給した適当な文書を携帯すべきこととなっており、ここにいう「適当な文書」とは、昭和27年5月の「米軍の構成員、軍属、家族の出入国」に関する日米合同委員会合意によれば、旅券又は旅行証明書が想定されるところ、これらの者が旅券を携帯していない場合の上記健康局長通知の記の3(2)の措置については、上記の文書によりその者が合衆国の軍属又は構成員又は軍属の家族であることを確認し、宿泊者名簿の備考欄等に、日米地位協定第9条第4項に基づく文書を確認した旨を記載することとする。この場合も、宿泊者名簿に旅券番号を記載することは不要である。

○旅館業法施行規則の一部を改正する省令の施行に伴う措置の周知徹底等について

　　　　平成17年11月1日　健衛発第1101001号
　　　　各都道府県・各政令市・各特別区衛生主管部（局）長宛
　　　　厚生労働省健康局生活衛生課長通知

　旅館業法施行規則の一部を改正する省令（平成17年厚生労働省令第7号。以下「改正規則」という。）の施行に伴う措置については、平成17年7月5日付け健衛発第0705001号当職通知により再周知をお願いしたところですが、今般、警察庁が本年8月24日から10月7日にかけて、各都道府県警察を通じて、上記措置の実施状況を調査したところ、調査対象営業者の8割超に改正規則が周知されているなど（別紙）、前回調査と比較すると短期間で大幅に周知状況が改善された結果となっております。これは各地方公共団体における御尽力の成果であると考えております。

　しかし、依然として周知状況が低調な地域もあることから、営業者にこれらの措置を定着させるため、通知漏れの再確認、説明会の開催や立入検査時にフロント従業者へ周知を指導するなどにより、今後においても関係団体及び営業者等に対する継続的な指導をお願いいたします。

　また、一部の営業者において、改正規則に基づく措置として、日本国内に住所を有する外国人に対して旅券の呈示等を求めているとの報道がされているところですが、改正規則に基づく措置は「日本国内に住所を有しない外国人」が対象ですので、その指導に遺漏なきを期するよう重ねてお願いいたします。

別紙　略

○旅館業法施行規則の一部を改正する省令の施行に伴う措置の周知徹底等について

　　　　平成19年10月18日　健衛発第1018001号
　　　　各都道府県・各政令市・各特別区衛生主管部（局）長宛
　　　　厚生労働省健康局生活衛生課長通知

　旅館業法施行規則の一部を改正する省令（平成17年厚生労働省令第7号。以下「改正規則」という。）の施行に伴い、「旅館業法施行規則の一部を改正する省令の施行について（平成17年2月9日付け健発第0209001号厚生労働省健康局長通知。以下「局長通知」という。）」及び「旅館業法施行規則の一部を改正する省令の施行に関する留意事項について（同日付け健衛発第0209004号当職通知）」により旅館等の営業者が実施すべき措置の周知、指導を依頼するとともに、その後も改正規則及び局長通知に基づく措置の実施状況が必ずしも十分ではなかったことから、当該措置の周知徹底について繰り返しお願いしてきたところである。

　しかし、依然としてこれらの措置が実施されていない事例が見られること、さらに北海

第5編　旅館業

道洞爺湖サミット等の開催を控え、テロ対策をより徹底することが求められる情勢にあることを踏まえ、今般、警察庁から別添のとおり「「テロの未然防止に関する行動計画」を受けて旅館業者が執るべきこととされた措置の周知・指導の徹底に関する依頼について」により当該措置に係るさらなる周知・指導の徹底について依頼を受けたところである。

　ついては、営業者に当該措置を確実に定着させるため、周知通知の再発出、説明会の開催や立入検査時における指導等により、改めて関係団体及び営業者等に対する周知・指導の徹底をお願いする。

（別　添）

　　「テロの未然防止に関する行動計画」を受けて旅館業者が執るべきこと
　とされた措置の周知・指導の徹底に関する依頼について
　　　　　　　　　　　　　　　　［平成19年10月15日　警察庁丁備企発第34号・警察庁丁
　　　　　　　　　　　　　　　　　国テ発第60号
　　　　　　　　　　　　　　　　　厚生労働省健康局生活衛生課長宛　警察庁警備局警備
　　　　　　　　　　　　　　　　　企画・外事情報部国際テロリズム対策課長連名通知］

　標記の件について下記のとおり依頼するので、よろしくお取り計らい願いたい。

記

　平成16年12月10日に決定された「テロの未然防止に関する行動計画」を受けて、旅館業法施行規則の一部を改正する省令（平成17年厚生労働省令第7号）が施行され、貴省から都道府県知事等に対し、「旅館業法施行規則の一部を改正する省令の施行について」（平成17年2月9日付け健発0209001号厚生労働省健康局長通知）、「旅館業法施行規則の一部を改正する省令の施行に関する留意事項について（同日付け健衛発第0209004号厚生労働省健康局生活衛生課長通知）」等の通知が発出され、旅館業者が執るべき措置の周知・指導をされているものと承知している。しかしながら、規則改正から2年以上が過ぎた現時点においても、依然として旅館業者が執るべきこととされた措置が実施されていない事例が見られること、さらに来年の北海道洞爺湖サミット等の開催を控え、テロ対策をより徹底することが求められる情勢にあることから、改めて都道府県知事等に対して旅館業者が執るべき措置の周知・指導をより徹底していただきたく、格段の配慮をお願いする。

○日本国内に住所を有しない外国人宿泊者に係る旅券の写しに関する取扱いの周知について

［平成20年1月23日　健衛発第0123001号
各都道府県・各政令市・各特別区衛生主管部（局）長宛
厚生労働省健康局生活衛生課長通知］

　標記について、日本国内に住所を有さない外国人宿泊者（以下「外国人宿泊者」という。）に関しては「旅館業法施行規則の一部を改正する省令の施行について」（平成17年2月9日付け健発第0209001号厚生労働省健康局長通知）の記の3(2)により、氏名、旅券番号等の宿泊者名簿記載に正確を期する必要があるため旅券の呈示を求めるとともに、旅券の写しを宿泊者名簿とともに保存することとし、貴管下の関係団体及び旅館業者に対して

その周知、指導方をお願いしているところである。
　しかし、これまでに外国人宿泊者の理解が得られない等の理由により旅券の写しを円滑に取得することができない事例が散見されていたことから、今般、別添のとおり主な外国語による案内文書を作成したところである。
　ついては、当該案内文書を貴機関の関係窓口で掲示することや関連ホームページに掲載するほか、旅館業者への郵送又は関係者会議及び立入検査の場を活用しての配布等により、貴管下の全ての旅館業者が外国人宿泊者から旅券の写しを円滑に取得できるようさらなる周知徹底を図るようお願いしたい。
　なお、当該案内文書については、厚生労働省ホームページにおいても掲載している（http：//www.mhlw.go.jp/bunya/kenkou/seikatsu-eisei1113.html）ので必要に応じて活用されたい。
別添　略

○北海道洞爺湖サミット等に伴う旅館等における宿泊者名簿への記載等の徹底等について

［平成20年6月4日　健衛発第0604001号
各都道府県・各政令市・各特別区衛生主管部（局）長宛
厚生労働省健康局生活衛生課長通知］

　旅館業法施行規則の一部を改正する省令（平成17年厚生労働省令第7号）の施行に伴い、「旅館業法施行規則の一部を改正する省令の施行について（平成17年2月9日付け健発第0209001号厚生労働省健康局長通知）」及び「旅館業法施行規則の一部を改正する省令の施行に関する留意事項について（同日付け健衛発0209004号当職通知）」により旅館等の営業者が実施すべき措置の周知、指導を依頼するとともに、その後も繰り返し周知の徹底、指導をお願いしてきたところです。
　今般、G8閣僚会合が各地で開催され、また、北海道洞爺湖サミットが間近に控えていることを踏まえ、改めて貴管下の関係団体及び旅館業者に対して、日本国内に住所を有しない外国人宿泊者に係る宿泊者名簿への国籍及び旅券番号の記載並びに旅券の写しの保存等について一層の周知徹底を図るようお願いいたします。
　なお、団体旅行の場合には、旅券の写しの取得に旅館等の営業者が苦慮している事例が多く報告されていることから、別添のとおり、国土交通省総合政策局観光事業課長から社団法人日本旅行業協会会長等に対して、あらかじめ旅券の写しを用意して宿泊業者に提出するなどの協力依頼がされている旨申し添えます。
別添　略

第5編　旅館業

○日本APEC開催に伴う旅館等における宿泊者名簿への記載等の周知徹底について

［平成22年5月28日　健衛発0528第2号
各都道府県・各政令市・各特別区衛生主管部(局)長宛
厚生労働省健康局生活衛生課長通知］

　旅館業法施行規則の一部を改正する省令（平成17年厚生労働省令第7号）の施行に伴い、「旅館業法施行規則の一部を改正する省令の施行について（平成17年2月9日付け健発第0209001号厚生労働省健康局長通知）」及び「旅館業法施行規則の一部を改正する省令の施行に関する留意事項について（同日付け健衛発第0209004号当職通知）」により旅館等の営業者が実施すべき措置の周知、指導を依頼するとともに、その後も当該措置の周知徹底について繰り返しお願いしてきたところです。
　今般、日本APEC閣僚会合が各地で開催され、また首脳会議が開催されることを踏まえ、改めて貴管下の関係団体及び営業者に対して、日本国内に住所を有しない外国人宿泊者に係る宿泊者名簿への国籍及び旅券番号の記載並びに旅券の写しの保存等について一層の周知徹底を図るようお願いします。

○ラブホテル対策に関する関係機関との連携強化等について

［平成22年6月30日　健衛発0630第3号
各都道府県・各政令市・各特別区衛生主管部(局)長宛
厚生労働省健康局生活衛生課長通知］

　専ら性的な目的に利用されるホテル（以下「ラブホテル」という。）の中には、風俗営業等の規制及び業務の適正化等に関する法律（以下「風営法」という。）第2条第6項第4号に掲げる施設に該当しない、いわゆる類似ラブホテルと呼ばれるものがあり、これらのホテルを含め、ラブホテル一般に関する様々な問題の解決を図るためには、風営法だけではなく、旅館業法、建築基準法、景観法及び屋外広告物法等の関係法令を有効に活用し、総合的、多面的な対策を講ずる必要があることから、別添1のとおり、警察庁生活安全局保安課、厚生労働省健康局生活衛生課、国土交通省住宅局市街地建築課、国土交通省都市・地域整備局公園緑地・景観課との間でラブホテル対策に関する協議会を設置したところである。
　これに伴い、警察庁より各都道府県警察等に対して、地方公共団体の関係部局との間に協議会を設置するなど連携を強化し、総合的、多面的な方策を講じるよう別添2のとおり通知がなされたところである。
　ついては、今後、貴職に対して、各都道府県警察等から協力依頼があった際には、情報の共有など必要な連携を図っていくことについて、協力、配慮いただくようお願いする。

ラブホテル対策に関する関係機関との連携強化等について

（別添1）
　　　　ラブホテル対策に関する協議会の設置について
1　目的
　　近年、専ら性的な目的に利用されるホテル（以下「ラブホテル」という。）について、地域住民等から多数の取締り要望、苦情等が寄せられるとともに、ラブホテルが児童買春等の犯行場所となるなど、善良の風俗及び清浄な風俗環境の保持並びに少年の健全育成に支障を及ぼしている状況が見受けられる。

　　このようなホテルの中には、風俗営業等の規制及び業務の適正化等に関する法律（以下「風営法」という。）第2条第6項第4号に掲げる営業に該当しない、いわゆる類似ラブホテルと呼ばれるものがあり、これらのホテルを含め、ラブホテル一般に関する上記問題の解決を図るためには、風営法、旅館業法、建築基準法、景観法等の関係法令を有効に活用し、総合的、多面的な対策を講ずる必要がある。

　　そこで、近年の社会情勢の変化を受けて、警察庁生活安全局保安課、厚生労働省健康局生活衛生課、国土交通省住宅局市街地建築課及び国土交通省都市・地域整備局公園緑地・景観課は、ラブホテルの問題に的確に対処するため、ラブホテル対策に関する協議会（以下「協議会」という。）を設置することとする。

2　協議会の実施
　(1)　協議会は、**警察庁生活安全局保安課長、厚生労働省健康局生活衛生課長、国土交通省住宅局市街地建築課長又は同省都市・地域整備局公園緑地・景観課長**の求めにより実施する。
　(2)　協議会は、次に掲げる者をもって実施する。ただし、必要があると認めるときは、関係職員等を追加することができる。
　　　　警　察　庁　　生活安全局保安課長
　　　　　　　　　　　生活安全局保安課課長補佐
　　　　厚生労働省　　健康局生活衛生課長
　　　　　　　　　　　健康局生活衛生課課長補佐
　　　　国土交通省　　住宅局市街地建築課長
　　　　　　　　　　　住宅局市街地建築課課長補佐
　　　　　　　　　　　都市・地域整備局公園緑地・景観課長
　　　　　　　　　　　都市・地域整備局公園緑地・景観課課長補佐
　(3)　協議会においては、ラブホテル対策についての相互理解を深め、連携を強化するために必要な意見交換を行う。
　　　　また、必要に応じてラブホテル対策以外の関係する施策についても意見交換を行うことができるものとする。
3　相互の連絡体制の強化
　(1)　**警察庁生活安全局保安課、厚生労働省健康局生活衛生課、国土交通省住宅局市街地建築課及び同省都市・地域整備局公園緑地・景観課**に、それぞれ連絡責任者を置くものとする。

第5編　旅館業

(2)　連絡責任者は、ラブホテル対策について、必要に応じて情報交換を行うものとする。
4　地方における連絡の実施
　自治体と都道府県警察との間にも、必要に応じて協議会を開催し、ラブホテル対策について意見交換及び個別事案等に係る情報交換を行うなど、連携の強化を図るものとする。

(別添2)
　　　ラブホテル対策に関する関係機関との連携強化等について

> 平成22年6月22日　警察庁丁保発第84号
> 各管区警察局広域調整担当・警視庁生活安全・各道府県警察本部長宛　（参考送付先）警察大学校生活安全教養部長・各方面本部長　警察庁生活安全局保安課長通達

　近年、専ら性的な目的に利用されるホテル（以下「ラブホテル」という。）について、地域住民等から多数の取締り要望、苦情等が寄せられるとともに、ラブホテルが児童買春等の犯行場所となるなど、善良の風俗及び清浄な風俗環境の保持並びに少年の健全育成に支障を及ぼしている状況が見受けられる。
　このようなホテルの中には、風俗営業等の規制及び業務の適正化等に関する法律（以下「風営法」という。）第2条第6項第4号に掲げる施設に該当しない、いわゆる類似ラブホテルと呼ばれるものがあり、これらのホテルを含め、ラブホテル一般に関する上記問題の解決を図るためには、風営法、旅館業法、建築基準法、景観法及び屋外広告物法の関係法令を有効に活用し、総合的、多面的な対策を講ずる必要がある。
　警察庁では、ラブホテルの問題に的確に対処するため、別添のとおり、厚生労働省健康局生活衛生課（旅館業法を所管）、国土交通省住宅局市街地建築課（建築基準法を所管）及び同省都市・地域整備局公園緑地・景観課（景観法及び屋外広告物法を所管）との間でラブホテル対策に関する協議会を設置したところである。
　各都道府県警察にあっても、知事部局との間に協議会を設置するとともに、必要に応じて警察署レベルにおいても市町村との間に協議会を設置するなどにより関係自治体との連携を強化し、風営法、旅館業法、建築基準法、景観法及び屋外広告物法のほか、各自治体の条例による各種規制を有効に活用するとともに、自治体との情報共有や合同立入等を行うなど総合的、多面的な対策を講じられたい。
　また、特にラブホテルが問題となっている地域においては、悪質なラブホテルに係る情報の警察への積極的な提供を住民に呼びかけるため、都道府県警察のウェブサイトでの広報や自治会等への広報を行い、管内のラブホテルの的確な営業実態の把握に努め、これを上記協議会において紹介するなど、必要な措置を講じること。
　なお、ラブホテルに係る問題に対して警察がとるべき措置を示した「地域において問題となっているラブホテル等への対応について」（平成18年10月4日付警察庁丁生環発第276号）についても参照されたい。

○旅館等における宿泊者名簿への記載等の徹底について

> 平成26年12月19日　健衛発1219第2号
> 各都道府県・各政令市・各特別区衛生主管部(局)長宛
> 厚生労働省健康局生活衛生課長通知

　宿泊者名簿の必要事項の記載の徹底については、旅館業法施行規則の一部を改正する省令（平成17年厚生労働省令第7号）の施行に伴い、「旅館業法施行規則の一部を改正する省令の施行について」（平成17年2月9日付け健発第0209001号健康局長通知）及び「旅館業法施行規則の一部を改正する省令の施行に関する留意事項について」（同日付け健衛発第0209004号当職通知）により旅館業の営業者が実施すべき措置の周知、指導を依頼するとともに、その後も繰り返し周知の徹底、指導をお願いしてきたところです。

　しかしながら、別添の警察庁からの依頼にあるとおり、依然として営業者が実施すべき事項等が徹底されていない事例も散見されている状況です。

　国内におけるテロ等の不法行為を未然に防止するためにも不特定多数の者が利用する旅館等においては、安全確保のための体制整備は非常に重要なものとなっていることから、改めて下記の内容について営業者に対する周知、指導の徹底をお願いします。

記

1　宿泊者に対し、宿泊者名簿への正確な記載を働きかけること。
2　日本国内に住所を有しない外国人宿泊者に関しては、宿泊者名簿の国籍及び旅券番号欄への記載を徹底し、旅券の呈示を求めるとともに、旅券の写しを宿泊者名簿とともに保存すること。なお、旅券の写しの保存により、当該宿泊者に関する宿泊者名簿の氏名、国籍及び旅券番号の欄への記載を代替しても差し支えない。
3　営業者の求めにもかかわらず、当該宿泊者が旅券の呈示を拒否する場合は、当該措置が国の指導によるものであることを説明して呈示を求め、さらに拒否する場合には、当該宿泊者は旅券不携帯の可能性があるものとして、最寄りの警察署に連絡する等適切な対応を行うこと。
4　警察官からその職務上宿泊者名簿の閲覧請求があった場合には、捜査関係事項照会書の交付の有無にかかわらず、当該職務の目的に必要な範囲で協力すること。
　なお、この場合には、捜査関係事項照会書の交付がないときであっても、個人情報の保護に関する法律（平成15年法律第57号）第23条第1項第4号の場合に該当し、本人の同意を得る必要はないものと解すること。

第5編　旅館業

〔別　添〕
旅館業法施行規則の一部を改正する省令の施行に伴い旅館等の営業者が
実施すべき事項及び留意事項の周知・指導の徹底に関する依頼について

［平成26年10月30日　警察庁丁備企発第182号・警察庁
　丁国テ発第317号
　厚生労働省健康局生活衛生課長宛　警察庁警備局警備
　企画・外事情報部国際テロリズム対策課長連名通知　］

標記の件について下記のとおり依頼する。

記

　平成16年12月10日に決定された「テロの未然防止に関する行動計画」を受けて、旅館業法施行規則の一部を改正する省令（平成17年厚生労働省令第7号）が施行され、貴省から都道府県知事等に対し、「旅館業法施行規則の一部を改正する省令の施行について」（平成17年2月9日付け健発第0209001号厚生労働省健康局長通知）、「旅館業法施行規則の一部を改正する省令の施行に関する留意事項について」（同日付け健衛発第0209004号厚生労働省健康局生活衛生課長通知）、「旅館業法施行規則の一部を改正する省令の施行に伴う措置の周知徹底等について」（平成19年10月18日付け健発第1018001号厚生労働省健康局生活衛生課長通知）等の通知が発出され、旅館等の営業者が実施すべき事項及び留意事項（以下「営業者が実施すべき事項等」という。）の周知・指導をされているものと承知している。

　しかしながら、依然として営業者が実施すべき事項等が徹底されていない事例が確認されている一方で、我が国では2016年主要国首脳会議及び2020年オリンピック・パラリンピック東京大会の開催が予定されており、多数の外国人の来日が見込まれる中、テロ等の不法行為を未然に防止するため、営業者が実施すべき事項等を徹底することの重要性が更に増しているところである。

　そこで、都道府県知事等に対して、旅館業法施行規則の一部を改正する省令の施行に伴い営業者が実施すべき事項等について、改めて具体的に周知・指導する通知を発出するほか、説明会の開催や立入検査による営業者への指導を促進するなどにより、営業者が実施すべき事項等の周知・指導の更なる徹底をお願いする。

○外国人滞在施設経営事業の円滑な実施を図るための留意事項について

［平成27年7月31日　府地創第270号・健発0731第6号
　各都道府県知事・各政令市市長・各特別区区長宛　内
　閣府地方創生推進室長・厚生労働省健康局長連名通知　］

　国家戦略特別区域法（平成25年法律第107号。以下「特区法」という。）における旅館業法（昭和23年法律第138号）の特例については、近年の諸国におけるテロ事案の発生の状況及び感染症のまん延の防止を図る観点や近隣住民とのトラブルを防止する観点などから、認定事業者（特区法第13条第4項の認定事業者をいう。以下同じ。）においては、旅館業法に基づく旅館等と同等の水準で滞在者の身元を確実に確認できるような措置を講じ

外国人滞在施設経営事業の円滑な実施を図るための留意事項について

ておくとともに、施設の近隣の住民の不安を除去するための措置を講じておくことが重要である。

このため、今般、上記の観点からの外国人滞在施設（同項の認定事業の用に供する施設をいう。）に対する留意事項を下記のとおりまとめたので、各認定事業者において、適切な対応がとられるよう、必要な対応を図られたい。

なお、特区法第13条第1項のとおり、本施設は、外国人旅客の滞在に適した施設として、賃貸借契約及びこれに付随する契約に基づき一定期間以上滞在し、外国人旅客の滞在に必要な役務が提供される施設であり、こうした趣旨に沿って適正な施設の運営が確保される必要があるので、改めて御了知願いたい。

なお、本通知については、警察庁と協議済みであることを申し添える。

記

1 テロ対策、感染症対策及び違法薬物の使用や売春などの施設における違法な行為の防止の観点から、事業の実施に当たっては、以下に掲げる点に十分に留意すること。
  (1) 認定事業者は、別紙の滞在者名簿を備え、滞在者の氏名、住所及び職業並びにその国籍及び旅券番号を記載すること。その際、記載の正確性を担保する観点から当該滞在者に旅券の呈示を求めるとともに、旅券の写しを滞在者名簿とともに保存すること。なお、これにより、当該滞在者に関する滞在者名簿の氏名、国籍及び旅券番号の記載に代替しても差し支えないものとすること。
  (2) 認定事業者は、滞在者が施設の使用を開始する時に、対面（又は滞在者が実際に施設に所在することが映像等により確実に確認できる方法）により、滞在者名簿に記載されている滞在者と実際に使用する者が同一の者であることを確認すること。
  (3) 認定事業者は、契約期間中に、滞在者本人が適切に施設を使用しているかどうかについて、状況の確認を行うとともに、挙動に不審な点が見られる場合や違法薬物の使用や売春などの法令に違反する行為が疑われる場合には、速やかに最寄りの警察署に通報すること。
  (4) 認定事業者は、滞在者が施設の使用を終了する時にも、対面（又は滞在者が実際に施設に所在することが映像等により確実に確認できる方法）により、滞在者名簿に記載されている滞在者と実際に使用した者が同一の者であることを確認すること。
  (5) 滞在者名簿は3年以上保存すること。
  (6) 認定事業者の求めにもかかわらず、当該滞在者が旅券の呈示を拒否する場合には、当該措置が国の指導により行うものであることを説明して呈示を求め、更に拒否する場合には、当該滞在者は旅券不携帯の可能性があるものとして、最寄りの警察署に連絡する等適切な対応を行うこと。
  (7) 警察等の捜査機関の職員（以下「警察官等」という。）から、その職務上滞在者名簿（上記(1)の旅券の写しを含む。）の閲覧請求があった場合には、捜査関係事項照会書の交付の有無にかかわらず、当該職務の目的に必要な範囲内で協力すること。なお、この場合には、捜査関係事項照会書の交付がないときであっても、個人情報の保護に関する法律（平成15年法律第57号）第23条第1項第4号の場合に該当し、本人の同意を得る必要はないものと解すること。また、滞在者に係る不審事案の有無に関す

(8)　立入検査権限については、特定認定（特区法第13条第1項の認定をいう。以下同じ。）の取消事由への該当性を判断するという目的に限ったものであれば、条例により規定することは可能であること。
2　近隣住民の不安を除去する観点から、事業の実施に当たっては、以下に掲げる点に十分に留意すること。
　(1)　認定事業者は、事前に、施設の近隣住民に対し、当該施設が国家戦略特別区域外国人滞在施設経営事業に使用されるものであることについて、適切に説明し、近隣住民の理解を得るよう努めること。
　(2)　認定事業者は、近隣住民からの苦情等の窓口を設置し、近隣住民に周知するとともに、近隣住民からの苦情等に対しては適切に対応すること。
　(3)　認定事業者は、施設の滞在者に対し、使用開始時に、以下の点を含めた施設使用の際の注意事項を説明すること。
　　ア　施設に備え付けられた設備の使用方法
　　イ　廃棄物の処理方法
　　ウ　騒音等により周囲に迷惑をかけないこと。
　　エ　火災等の緊急事態が発生した場合の通報先及び初期対応の方法（防火、防災設備の使用方法を含む。）
　(4)　認定事業者は、以下の点を含めた必要な措置を講じること。
　　ア　廃棄物の処理方法
　　イ　火災等の緊急事態が発生した場合の対応方法
　(5)　上記(3)については、国家戦略特別区域法施行令（平成26年政令第99号）第3条第5号（「施設の使用方法に関する外国語を用いた案内、緊急時における外国語を用いた情報提供その他の外国人旅客の滞在に必要な役務を提供すること。」）に含まれるものであること。また、上記(1)、(2)及び(4)については、厚生労働省関係国家戦略特別区域法施行規則（平成26年省令第33号）第3条第6号（「提供する外国人旅客の滞在に必要な役務の内容及び当該役務を提供するための体制」）に含まれ得るものとして、いずれも申請書にこれらの具体的内容を記載させることが可能であること。
3　特区法を適正に執行するという観点から、特区法第13条第9項の特定認定の取消しに当たっては、以下に掲げる点に十分に留意すること。
　　特定認定の取消しは、特区法第13条第9項各号に抵触する場合に限られるが、施設の滞在者に対する廃棄物の処理方法の周知等滞在に必要な役務の提供が適切になされていない場合や苦情対応が適切になされない場合には、申請書の記載内容が適切に履行されていないものとして行政指導の対象となるとともに、これらの措置が適切に履行されていないことにより、例えば、近隣住民とのトラブルから外国人滞在施設経営事業が円滑に実施できなくなり、その結果として施設の滞在者の平穏な滞在に支障が生じるに至った場合など国家戦略特別区域法施行令第3条第5号の「外国人旅客の滞在に必要な役務を提供すること」という要件に該当しなくなったと判断できる場合は、取り消し得ること。

別　紙

滞　在　者　名　簿

滞在期間								
	年	月	日	〜	年	月	日	日間
氏　　名								
住　　所								
職　　業								
国　　籍								
旅券番号								

※　必要に応じて項目を追加可能

○厚生労働省関係国家戦略特別区域法施行規則の一部を改正する省令の施行について

［平成27年9月15日　健発0915第6号
各都道府県知事・各政令市市長・各特別区区長宛　厚生労働省健康局長通知］

　厚生労働省関係国家戦略特別区域法施行規則（平成26年厚生労働省令第33号。以下「施行規則」という。）の一部を改正する省令（平成27年厚生労働省令第138号）が本日、公布・施行され、国家戦略特別区域法（平成25年法律第107号）第13条に規定する国家戦略特別区域外国人滞在施設経営事業に係る特定認定の申請書の添付書類及び記載事項が追加されたところであるが、その内容は下記のとおりであるので、御了知願いたい。

　なお、今回の施行規則の改正は、「外国人滞在施設経営事業の円滑な実施を図るための留意事項について（通知）」（平成27年7月31日付け府地創第270号及び健発0731第6号内閣府地方創生推進室長及び厚生労働省健康局長通知）の記1と関連するものであるので、当該部分を併せて参照されたい。

第5編　旅館業

記
1　特定認定に係る申請書の添付書類の追加
　　滞在者名簿の備付けに資するため、申請書の添付書類に「滞在者名簿の様式」を追加すること（施行規則第11条第5号）。
2　特定認定に係る申請書の記載事項の追加
　　滞在者名簿の記載内容の正確性に資するため、申請書の記載事項に「滞在者が日本国内に住所を有しない外国人であることを確認する方法」を追加すること（施行規則第12条第9号）。

○伊勢志摩サミット等に伴う旅館等における宿泊者名簿への記載等の徹底について

　　　平成28年4月4日　生食衛発0404第1号
　　　各都道府県・各政令市・各特別区衛生主管部（局）長宛
　　　厚生労働省医薬・生活衛生局生活衛生・食品安全部生
　　　活衛生課長通知

　旅館業法施行規則の一部を改正する省令（平成17年厚生労働省令第7号）の施行に伴い、「旅館業法施行規則の一部を改正する省令の施行について（平成17年2月9日付け健発第0209001号厚生労働省健康局長通知）」及び「旅館業法施行規則の一部を改正する省令の施行に関する留意事項について（同日付け健衛発第0209004号当職通知）」により旅館等の営業者が実施すべき措置の周知、指導を依頼するとともに、その後も繰り返し周知の徹底、指導を行ってきたところです。
　また、旅館業法施行令の一部を改正する政令（平成28年政令第98号）の施行により、従来よりも小規模な施設についても簡易宿所の許可取得が可能となることから、これにより新たに営業を開始する営業者に対しても十分な周知徹底が重要です。
　今般、G7閣僚会合や伊勢志摩サミットの開催を控えていることを踏まえ、改めて、無許可営業者の把握・指導等に努めるとともに、貴管下の関係団体及び旅館業者に対して、日本国内に住所を有しない外国人宿泊者に係る宿泊者名簿への国籍及び旅券番号の記載並びに旅券の写しの保存、捜査機関に対する協力等について、「旅館等における宿泊者名簿への記載等の徹底について」（平成26年12月19日付け健衛発1219第2号厚生労働省健康局生活衛生課長通知）なども踏まえ、一層の周知を図るようお願いいたします。

◯日露首脳会談等に伴う旅館等における宿泊者名簿への記載等の徹底について

> 平成28年12月7日　生食衛発1207第1号
> 各都道府県・各政令市・各特別区衛生主管部(局)長宛
> 厚生労働省医薬・生活衛生局生活衛生・食品安全部生活衛生課長通知

　旅館業法施行規則の一部を改正する省令（平成17年厚生労働省令第7号）の施行に伴い、「旅館業法施行規則の一部を改正する省令の施行について（平成17年2月9日付け健発第0209001号厚生労働省健康局長通知）」及び「旅館業法施行規則の一部を改正する省令の施行に関する留意事項について（同日付け健衛発第0209004号当職通知）」により旅館等の営業者が実施すべき措置の周知、指導を依頼するとともに、その後も繰り返し周知の徹底、指導を行ってきたところです。

　また、旅館業法施行令の一部を改正する政令（平成28年政令第98号）の施行により、従来よりも小規模な施設についても簡易宿所の許可取得が可能となることから、これにより新たに営業を開始する営業者に対しても十分な周知徹底が重要です。

　今般、日露首脳会談の開催を控えていることを踏まえ、改めて、無許可営業者の把握・指導等に努めるとともに、貴管下の関係団体及び旅館業者に対して、日本国内に住所を有しない外国人宿泊者に係る宿泊者名簿への国籍及び旅券番号の記載並びに旅券の写しの保存、捜査機関に対する協力等について、「旅館等における宿泊者名簿への記載等の徹底について」（平成26年12月19日付け健衛発1219第2号厚生労働省健康局生活衛生課長通知）なども踏まえ、一層の周知を図るようお願いいたします。

◯日米首脳会談等に伴う旅館等における宿泊者名簿への記載等の徹底について

> 平成29年10月26日　薬食衛発1026第1号
> 各都道府県・各政令市・各特別区衛生主管部(局)長宛
> 厚生労働省医薬・生活衛生局生活衛生課長通知

　宿泊者名簿の必要事項の記載の徹底については、旅館業法施行規則の一部を改正する省令（平成17年厚生労働省令第7号）の施行に伴い、「旅館業法施行規則の一部を改正する省令の施行について（平成17年2月9日付け健発第0209001号厚生労働省健康局長通知）」及び「旅館業法施行規則の一部を改正する省令の施行に関する留意事項について（同日付け健衛発第0209004号当職通知）」により旅館等の営業者が実施すべき措置の周知、指導を依頼するとともに、その後も繰り返し周知の徹底、指導をお願いしてきたところです。

　また、旅館業法施行令の一部を改正する政令（平成28年政令第98号）の施行により、従来よりも小規模な施設についても簡易宿所の許可取得が可能となることから、これにより新たに営業を開始する営業者に対しても十分な周知徹底が重要です。

　今般、日米首脳会談の開催を控えていることを踏まえ、改めて、無許可営業者の把握・

第5編　旅館業

指導等に努めるとともに、貴管下の関係団体及び旅館業者に対して、宿泊者名簿の管理を徹底するとともに、日本国内に住所を有しない外国人宿泊者に係る宿泊者名簿への国籍及び旅券番号の記載並びに旅券の写しの保存、捜査機関に対する協力等について、「旅館等における宿泊者名簿への記載等の徹底について」（平成26年12月19日付け健衛発1219第2号厚生労働省健康局生活衛生課長通知）なども踏まえ、一層の周知を図るようお願いいたします。
別添1・2　略

○日中韓サミット等に伴う旅館等における宿泊者名簿への記載等の徹底について

> 平成30年5月7日　薬生衛発0507第1号
> 各都道府県・各政令市・各特別区衛生主管部（局）長宛
> 厚生労働省医薬・生活衛生局生活衛生課長通知

　宿泊者名簿の必要事項の記載の徹底については、旅館業法施行規則の一部を改正する省令（平成17年厚生労働省令第7号）の施行に伴い、「旅館業法施行規則の一部を改正する省令の施行について（平成17年2月9日付け健発第0209001号厚生労働省健康局長通知）」及び「旅館業法施行規則の一部を改正する省令の施行に関する留意事項について（同日付け健衛発第0209004号当職通知）」により旅館等の営業者が実施すべき措置の周知、指導を依頼するとともに、その後も繰り返し周知の徹底、指導をお願いしてきたところです。
　今般、日中韓サミットの開催を控えていることを踏まえ、改めて、無許可営業者の把握・指導等に努めるとともに、貴管内の関係団体及び旅館業者に対して、宿泊者名簿の管理を徹底するとともに、日本国内に住所を有しない外国人宿泊者に係る宿泊者名簿への国籍及び旅券番号の記載並びに旅券の写しの保存、捜査機関に対する協力等について、「旅館等における宿泊者名簿への記載等の徹底について」（平成26年12月19日付け健衛発1219第2号厚生労働省健康局生活衛生課長通知）なども踏まえ、一層の周知を図るようお願いいたします。

（ハンセン病に関する正しい知識の普及）

○ハンセン病に関する正しい知識の普及について

> 平成15年11月19日　健疾発第1119001号・健衛発第1119001号
> 各都道府県・各政令市・各特別区衛生主管部(局)長宛
> 厚生労働省健康局疾病対策・生活衛生課長連名通知

　標記に関し、平成8年3月31日付け健医第110号厚生事務次官通知や「ハンセン病を正しく理解する週間」の実施等を通じ、ハンセン病に関する正しい知識の普及による、いわれなき差別や偏見の解消をお願いしているところでありますが、今般、熊本県において、ハンセン病療養所の入所者がホテルの宿泊を拒否されるという極めて遺憾な事例が発生いたしました。

　ハンセン病については、飲食や入浴などの日常生活を通じて感染するものではなく、旅館業法第5条第1号及び公衆浴場法第4条にいう「伝染性の疾病」には該当しません。この点について改めて営業者等への周知及び指導・監督方お願いするとともに、あわせて貴管下市町村、関係機関、関係団体等に幅広くハンセン病に関する正しい知識の普及と啓発を図り、このような事案が発生しないよう、一層の御尽力をお願いいたします。

(歴史的な町並みの保全等)

○厚生労働省関係構造改革特別区域法第2条第3項に規定する省令の特例に関する措置及びその適用を受ける特定事業を定める省令の一部を改正する省令の施行について

〔平成22年1月6日　健発0106第4号
各都道府県知事・各政令市市長・各特別区区長宛　厚
生労働省健康局長通知〕

　今般、厚生労働省関係構造改革特別区域法第2条第3項に規定する省令の特例に関する措置及びその適用を受ける特定事業を定める省令の一部を改正する省令が、平成22年1月6日厚生労働省令第1号をもって、別添のとおり公布・施行されたところである。
　貴職におかれては、下記の改正等の趣旨及び内容を十分御了知の上、関係者への周知を図るとともに、その実施に当たりよろしくお取り計らい願いたい。

記

第1　改正の趣旨
　　旅館業法（昭和23年法律第138号）第2条第3項に規定する旅館営業の施設（以下「旅館営業施設」という。）については、宿泊しようとする者との面接に適する玄関帳場その他これに類する設備（以下「玄関帳場等」という。）を有することとされているが、構造改革特区第15次提案を踏まえ、歴史的な街並みの保全や都市部等との交流促進による地域活性化を図るため、町家などの伝統的建造物の風情を活かし旅館営業を行う場合には、玄関帳場等に代替する機能を有する設備等を備えること等により、玄関帳場等の設置を適用除外とする特例を設けるものであること。
第2　改正の内容
　　地方公共団体が、その設定する構造改革特別区域法（以下「法」という。）第2条第1項に規定する構造改革特別区域内における旅館営業施設が、次の各号に掲げる要件を満たしていることを認めて法第4条第8項の内閣総理大臣の認定を申請し、その認定を受けたときは、当該認定の日以後は、旅館業法施行令（昭和32年政令第152号）第1条第2項第4号に定める基準（玄関帳場等）について、当該認定に係る旅館営業施設に対して適用しないこととすることができること。
　1　文化財保護法（昭和25年法律第214号）第144条第1項の規定に基づき文部科学大臣に選定された重要伝統的建造物群保存地区内にあること。
　2　文化財保護法第2条第1項第6号に規定する伝統的建造物群を構成している建築物等（次号において「伝統的建造物」という。）であること。
　3　伝統的建造物としての特性を維持するため、旅館業法施行令第1条第2項第4号に

規定する玄関帳場等を設けることが困難であること。
4 玄関帳場等に代替する機能を有する設備を設けることその他善良の風俗の保持を図るための措置が講じられていること。具体的には以下(1)から(3)の状態を指すこと。
 (1) ビデオカメラ等を設置することにより、宿泊者の出入りの状況が確認できること。
 (2) 管理事務所等において宿泊者との面接を行い、宿泊者名簿の記載を行うこと。
 (3) 管理事務所等から旅館営業施設まで職員が宿泊者に付き添って案内し、職員が解錠のうえ、宿泊者に鍵を引き渡すこと。
5 事故が発生したときその他の緊急時における迅速な対応のための体制が整備されていること。具体的には以下(1)から(4)の状態を指すこと。
 (1) 旅館営業施設と管理事務所等との間に通話機器が設置されていること。
 (2) 旅館営業施設が管理事務所等の周囲おおむね100メートルの区域内に設置されていること。
 (3) 宿泊者の安全等を確保するためのマニュアルを整備すること。
 (4) 地方公共団体、防犯関係者、消防関係者、観光又は地域振興に取り組む関係者等が、状況の確認と情報交換を行う体制を構築すること。

第3 その他
旅館業法第2条第4項に規定する簡易宿所営業の施設については、「公衆浴場における衛生等管理要領等について」（平成12年12月15日生衛発第1,811号厚生省生活衛生局長通知）の別添3「旅館業における衛生等管理要領」のⅡの第2の3において、「適当な規模の玄関、玄関帳場又はフロント及びこれに類する設備を設けること」と定めているが、前記第2の要件を満たす場合においては、柔軟に対応されたいこと。
別添 略

（東日本大震災）

○「平成23年（2011年）東北地方太平洋沖地震」の発生に伴う高齢者、障害者等の要援護者への緊急対応について（依頼）

[平成23年3月11日　健衛発0311第1号
全国旅館ホテル生活衛生同業組合連合会会長宛　厚生労働省健康局生活衛生課長通知]

「平成23年（2011年）東北地方太平洋沖地震」の発生に伴い、避難生活が必要となっている高齢者、障害者等の要援護者について、被災自治体等から貴連合会傘下の旅館・ホテルに対して災害援助法に基づく避難所等として活用し受け入れていただくことの要請があった場合には、緊急時の対応としてこれに積極的に御協力いただけるよう、組合に対する

第5編　旅館業

周知方よろしくお取り計らい願います。
　なお、当該依頼を受ける際には、利用に関する諸事情について当該都道府県等と十分調整するよう併せて周知願います。

○福島原子力発電所の事故による避難者に関する旅館業者への周知について

　　　　　　　　　　　　　　　　［平成23年3月19日　健衛発0319第1号
　　　　　　　　　　　　　　　　　各都道府県・各政令市・各特別区衛生主管部（局）長宛
　　　　　　　　　　　　　　　　　厚生労働省健康局生活衛生課長通知］

　福島原子力発電所の事故に伴い、その周辺では住民への避難や屋内退避の指示が出ている状況を受け、福島原子力発電所周辺の避難・屋内退避圏内から圏外や他県、福島県内から他県に避難した方がおられますが、放射線の影響を懸念して避難した方の宿泊の受入れを躊躇する旅館業の営業者がいるとの話を聞き及んでおります。
　福島第一原子力発電所の半径20km圏内の避難指示がされた3月12日午後に、福島第一原子力発電所の敷地境界で測定された値は、1015マイクロシーベルトと発表されています。一方で、1人当たりの自然放射線の被ばく線量は年間2400マイクロシーベルト、胸部ＣＴスキャンによる被ばく線量は1回6900マイクロシーベルトであることを鑑みれば、避難指示に応じて避難した方については被ばく線量は極めて限られており、宿泊の受入れを行って問題ないものと考えられます（別紙参照）。
　つきましては、福島県から来ているとの理由のみで宿泊拒否するなど、各営業者においていたずらに過剰な反応に陥らないよう、御指導をお願いいたします。
　なお、避難された方が放射線の影響に関する健康相談を希望する場合の対応については、当局総務課地域保健室から各都道府県等地域保健主管部局あて事務連絡（http://www.mhlw.go.jp/stf/houdou/2r98520000014tr1-img/2r98520000015fth.pdf）が発出されておりますので、適宜、情報提供をお願いします。

別紙　略

（建築基準法の用途規制）

○遊休期間の別荘の貸出しに係る建築基準法の用途規制について

> 平成28年2月17日　生食衛発0217第1号
> 各都道府県・各政令市・各特別区衛生主管部（局）長宛
> 厚生労働省医薬・生活衛生局生活衛生・食品安全部生活衛生課長通知

標記については、「規制改革実施計画」（平成27年6月30日閣議決定）において、「地域の実情に応じて、地方公共団体が特別用途地区や地区計画を活用し、条例により必要な規定を定めた場合や特定行政庁が良好な住居の環境を害するおそれがないと認めて個別に許可した場合には、住居専用地域においても立地できること」を周知することとされていたところです。今般、国土交通省住宅局市街地建築課長より各都道府県建築行政主務部長に対し、別添のとおり通知されたのでお知らせします。

については、貴職におかれても、当該通知の内容を了知の上、建築行政部局と日常的に情報共有を行うなど、緊密な連携を図り、住居専用地域においても遊休期間の別荘の貸出しについて旅館業法の許可を取得したものが立地できる制度を活用する場合における当該制度の適正な運用を図っていただくようお願いします。

〔別　添〕

遊休期間の別荘の貸出しに係る建築基準法の用途規制について（技術的助言）

> 平成28年2月17日　国住街第158号
> 各都道府県建築行政主務部長宛　国土交通省住宅局市街地建築課長通知

近年、住宅として建築された別荘を、その所有者が利用しない遊休期間中に他人に有償で貸し出す事例が見られる。

この際の建築基準法（昭和25年法律第201号）の用途規制の運用について、「規制改革実施計画」（平成27年6月30日閣議決定）（別紙）を踏まえ、地方自治法（昭和22年法律第67号）第245条の4第1項の規定に基づく技術的助言として、下記のとおり通知する。

貴職におかれては、貴管内特定行政庁及び貴職指定の指定確認検査機関に対しても、この旨周知方お願いする。なお、国土交通大臣指定又は地方整備局長指定の指定確認検査機関に対しても、この旨通知していることを申し添える。

記

住宅として建築された別荘を、その所有者が利用しない遊休期間中に他人に有償で貸し出す場合は、旅館業法（昭和23年法律第138号）第3条に基づく許可が必要である。

この際、建築基準法においては、当該別荘は「ホテル又は旅館」に該当するものとして取り扱われるため、用途規制においては、住居専用地域（第一種低層住居専用地域、第二

種低層住居専用地域、第一種中高層住居専用地域及び第二種中高層住居専用地域をいう。以下同じ。)において立地できないこととなるが、地域の実情に応じて、地方公共団体が同法第49条に規定する特別用途地区や同法第68条の2に規定する地区計画等を活用し、同法第49条第2項又は同法第68条の2第5項に基づく条例により必要な規定を定めた場合や、同法第48条各項(第1項から第4項までに限る。)ただし書に規定する特例許可制度を活用し、特定行政庁が良好な住居の環境を害するおそれがないと認めて個別に許可した場合には、住居専用地域においても立地できる。

なお、適正な運用を図るため、衛生主管担当部局等の関係部局と日常的に情報共有を行うなど、緊密に連携していただきたい。

別紙　略

(相談窓口)

○改正旅館業法の施行に伴う障害者差別解消法に関する相談対応について(依頼)

> 令和5年11月15日　事務連絡
> 各都道府県障害保健福祉主管部(局)宛　厚生労働省健康・生活衛生局生活衛生課

　障害を理由とする差別の解消の推進に関する法律(平成25年法律第65号。以下「障害者差別解消法」という。)に関して、日頃からの衛生主管部局との連携につきましては、平素より、御高配を賜り厚く御礼申し上げます。

　本日、旅館業法施行令等の一部を改正する政令(令和5年政令第330号)等が公布・公表されたことに伴い、別添のとおり、都道府県知事、保健所設置市長及び特別区長宛てに通知しましたので、お知らせいたします。

　特に、生活衛生関係営業等の事業活動の継続に資する環境の整備を図るための旅館業法等の一部を改正する法律(令和5年法律第52号)により新設される旅館業法(昭和23年法律第138号)第5条第1項第3号及びこれに伴い新設される旅館業法施行規則(昭和23年厚生省令第28号)第5条の6の規定については、障害者差別解消法に関連した規定が含まれることから、旅館業法所管部(局)から貴部(局)に、障害者の宿泊拒否に関する相談が寄せられることが考えられます。また、宿泊施設における障害者差別解消法に関わる相談については、旅館業法にも関わる内容である場合もあります。

　このため、貴部(局)におかれては、上記内容を御了知の上、旅館業法所管部(局)からの相談に適切に対応いただくとともに、障害者の宿泊拒否に関する相談が貴部(局)に来た場合には、旅館業法第5条違反等の可能性もあるため、適宜、旅館業法所管部局とも連携して対応いただきますよう、よろしくお願い申し上げます。

　また、旅館業(旅館業法第2条第1項に規定する旅館業をいう。)の施設から、障害者差別解消法に係る研修の協力依頼があったときは、可能な範囲でご協力をお願いするとともに、貴管内の市町村(特別区含む。)の障害保健福祉主管部(局)に対しても、本事務連絡の周知をお願いいたします。

　なお、旅館業法所管部局に対しては、各自治体の旅館業法に係る相談窓口において障害者差別解消法にも関わる相談を受けた場合には、貴部(局)と連携して適切に対応するよう依頼していることを申し添えます。

別添　略

第5編　旅館業

○生活衛生関係営業等の事業活動の継続に資する環境の整備を図るための旅館業法等の一部を改正する法律による改正後の旅館業法等に係る運用上の疑義について

〔令和5年12月1日　健生衛発1201第1号
各都道府県・各保健所設置市・各特別区衛生主管部
(局)長宛　厚生労働省健康・生活衛生局生活衛生課長
通知〕

　今般、生活衛生関係営業等の事業活動の継続に資する環境の整備を図るための旅館業法等の一部を改正する法律（令和5年法律第52号）による改正後の旅館業法（昭和23年法律第138号。以下「法」という。）等に関し、運用上の疑義を別添のとおりまとめましたので、これらについて十分御了知の上、適切な対応をお願いいたします。
　なお、本通知は、地方自治法（昭和22年法律第67号）第245条の4第1項に基づく技術的な助言であることを申し添えます。

（別　添）

相談窓口担当者向けFAQ

※「指針」とは、旅館業法第5条の2第1項に基づき定められた「旅館業の施設において特定感染症の感染防止に必要な協力の求めを行う場合の留意事項並びに宿泊拒否制限及び差別防止に関する指針」をいう。

＜特定感染症の感染防止対策への協力の求め関係＞

番号	質問	回答	備考
1	感染防止対策の協力の求めは、いつでも誰にでも行うことができるのか。	旅館業法第4条の2第1項の協力の求めは、特定感染症が国内で発生している期間に限り、宿泊しようとする者の症状の有無等に応じて、旅館業の施設における感染防止対策に必要な限度で、行うことができることとされている。 　一方で、旅館業法に基づかない任意の協力の求めは、いつでも、誰に対しても行うことができる。	旅館業法第4条の2第1項 指針1261ページ等

旅館業法等の一部改正法による改正後の旅館業法等に係る運用上の疑義について

2	指針1261ページに「協力の求めの趣旨等について理解を得られるように丁寧に説明した上で、協力の求めに応じることについて同意を得ることが考えられること」との記載があるが、予約サイトなどで感染防止対策の協力の求めに応じることを宿泊約款に掲載し、当該宿泊約款について「同意する」にチェックを入れないと先に進めないような仕様にすることは差し支えないか。	予約サイトなどで、宿泊約款に「感染防止対策の協力の求めに応じることに同意する」にチェックを入れないと先に進めないような仕様にすることは、当該予約サイト以外に宿泊の申込みをできる手段がある場合には旅館業法第5条第1項違反とはならないが、他に宿泊の申込みをできる手段がないのであれば、事実上感染防止対策の協力の求めに応じない場合に宿泊拒否することとなるため、旅館業法第5条第1項違反になり得る。	旅館業法第5条第1項 指針1261ページ
3	指針や報告の求めに係る様式サンプルにおいては、「当該症状が特定感染症以外によるものであることの根拠となる事項」について、「予防接種の副反応などの注意事項」なども含まれ得るとされている。この場合、営業者は、予防接種の副反応の注意事項を見せることを宿泊しようとする者に求めることは旅館業法第4条の2に基づき可能と言えるか。	「当該症状が特定感染症以外によるものであることの根拠」については、まずは宿泊しようとする者の自己申告によって把握することになるが、報告内容が虚偽と疑われる場合は、営業者から宿泊しようとする者に対し、確認のための手段としての資料の提示等を求めることもできる。	旅館業法第4条の2 指針1267ページ 研修ツール（詳細版）様式サンプル
	宿泊しようとする者のうち特定感染症の症状を呈している者が営業者からの報告の求めに応じない場合に備えて、あらかじめホテルのホームページや宿泊契約において、協力に応じることが利用者の義務であること	旅館業法第4条の2の協力の求めは、旅館業の施設における特定感染症のまん延の防止のために必要な限度に留めることが求められる。	旅館業法第4条の2 指針1261ページ

第5編　旅館業

4	を説明しつつ「ご協力いただけない場合は、施設利用を一部制限することがあります」のように示しておくことがトラブル回避のために有効と考えるが、そうした対応をすることについて、旅館業法上何か制約はあるか。		

<宿泊拒否制限関係>

番号	質問	回答例	備考
1	旅館業法第5条第1項各号のいずれかに該当するが、営業者判断で宿泊させることにより、他の宿泊客から苦情が生じたとしても、営業者が相応の対応や他の宿泊客に対して理解を求める努力をしているいないにかかわらず、旅館業法上問題ないとの理解でよいか。	旅館業法上、旅館業法第5条第1項各号のいずれかに該当するとしても宿泊させること自体は、特に問題としない。	旅館業法第5条第1項
2	旅館業法施行規則第5条の6第1号括弧書きにおいて、なぜ社会的障壁の除去を求める場合を除くのか。	御指摘の点については、障害者が営業者にとって実施に伴う負担が過重かどうか分からない中で社会的障壁の除去を求めた場合であって、当該求めが営業者にとって実施に伴う負担が過重であったときに、御指摘の括弧書きの規定がなければ、宿泊拒否規定に該当してしまう可能性がある。 障害者からの社会的障壁の除去の求めに際しては建設的対話が重要であるところ、上記のように、当該求めが営業者にとって実施に伴う負担が過重であること	旅館業法施行規則第5条の6第1号 指針1277ページ

		を理由に宿泊拒否されるようなことを除外する趣旨で、「社会的障壁の除去を求める場合を除く」としている。	
3	例えば、杖を使っている障害者に対して、旅館の従業者が「杖を使っている方は大浴場は使えません」と言ったが、そのすぐ後にその上司が訂正し、合理的配慮の提供を提案したものの、当該障害者が、従業者の当初の「杖を使っている方は大浴場は使えません」という発言に起因して、長時間にわたり様々な形で土下座や慰謝料等の不当な要求を繰り返したときは、旅館業法施行規則第5条の6第2号の「営業者が宿泊しようとする者に対して障害を理由とする差別の解消の推進に関する法律第8条第1項の不当な差別的取扱いを行つたことに起因するものその他これに準ずる合理的な理由」に該当するとして、旅館業法第5条第1項第3号の規定の対象外となるのか。	すぐに上司が訂正した時点で不当な差別的取扱いに起因するものでなくなっているため、御指摘の行為は旅館業法第5条第1項第3号の規定の対象になり得る。	旅館業法第5条第1項第3号 指針1277ページ
4	日常的に介助が必要な方が、介助者なしで宿泊することを求めることは、特定要求行為に該当しないから、宿泊拒否できないのか。	旅館業法施行規則第5条の6第1号に規定する「社会的障壁の除去を求める場合」に該当するため、特定要求行為に該当しない。旅館業法第5条第1項第3号以外の宿泊拒否事由に該当しないのであれば宿泊拒否	指針1274～1283ページ

5	補助犬の同伴について、和室しか客室がない宿泊施設の営業者が、身体障害者補助犬法第9条の「当該施設に著しい損害が発生するおそれがある」場合に該当するとして、その補助犬を同伴する者を宿泊拒否した場合は、旅館業法違反となるのか。	できない。指針に記載のとおり、補助犬の同伴を求めることは特定要求行為に該当しない。客室設備の状況にかかわらず、補助犬の同伴を求めた者につき、旅館業法第5条第1項各号に該当する事由が認められない限り、宿泊拒否をすることは、旅館業法違反となる。	指針1280～1283ページ
6	1室のみの旅館業の施設において、宿泊しようとする者のうち、特定感染症の患者等に該当するかどうかの検査結果待ちの者を客室等で待機させることになり、その待機が次の予約客の宿泊日を超えることとなった場合は、当該次の予約客の宿泊は断ることになるか。	施設内に一室のみであり、複数の予約者が相部屋で泊まる想定ではない場合は、旅館業法第5条第1項第4号に該当するとして、特定感染症の患者等に該当するかどうかの検査結果待ちの者の宿泊を拒み得る。	指針1265、1266、1287ページ
7	宿泊者が事前に合意した宿泊規約に違反し、利用規則の禁止事項に抵触した場合も旅館業法第5条第1項第3号「サービスの提供を著しく阻害するおそれのある要求」に当てはまるのではないか。	御指摘のケースは、そもそも「要求」を行っていないものである場合は、旅館業法第5条第1項第3号に該当しないと考えられる。	旅館業法第5条第1項第3号
8	以下の事例は、特定要求行為に該当するか。 「施設側の案内が行き届かず、宿泊しようとする者が腹を立てた。担当者からのお詫びでは納得せず、総支配人を呼べと要求。責任者からの謝罪を行うも納得されず、その間に苦言を呈さ	要求の内容の妥当性に照らして、当該要求を実現するための手段・態様が不相当な言動を交えて要求を繰り返し行う行為になり得るため、特定要求行為に該当し得ると考えられる。	旅館業法第5条第1項第3号 指針1281、1282ページ

旅館業法等の一部改正法による改正後の旅館業法等に係る運用上の疑義について

	れ金銭を要求される。ご要望にはお答えできないことをお伝えするも、同じ要望を繰り返し長時間拘束。」		
9	以下の事例は、特定要求行為に該当するか。 「予約サイトごとに宿泊料が異なり、より安い宿泊料のものを後で知った客が、その安い宿泊料にしろと言ってきた場合」	予約サイトごとの宿泊料は当該サイトと施設の間での契約内容に応じて各施設が定めているものであることから、その宿泊客が予約したサイトと異なるサイトの料金にするようにという要求は、「宿泊料の減額その他の内容の実現が容易でない事項の要求」に該当し、これを繰り返す場合には旅館業法第5条第1項第3号に該当し得る。	旅館業法第5条第1項第3号
10	以下の事例は、特定要求行為に該当するか。 「アップグレードに関して、体が大きくてシングルベッドでは狭いという者が、自分の体格というどうしようもないことが理由なので、クイーンサイズのベッドの部屋に追加料金無しで変えてくれと言う場合」	宿泊料は一般に利用サービスに応じたものであって、クイーンサイズのベッドの提供を求めるのであれば当然にクイーンサイズのベッドを利用するだけの対価を支払う必要があることから、これを支払うことなく部屋の変更を要求することは、「宿泊料の減額その他の内容の実現が容易でない事項の要求」に該当し、これを繰り返す場合には旅館業法第5条第1項第3号に該当し得る。	旅館業法第5条第1項第3号
11	以下の事例は、旅館業法第5条第1項各号のいずれかに該当するか。 「予約を直前でキャンセルする行為を繰り返す場合」	偽計業務妨害罪に該当し得ることから、旅館業法第5条第1項第2号に該当し得る。	旅館業法第5条第1項第2号

第5編　旅館業

12	以下の事例は、旅館業法第5条第1項各号のいずれかに該当するか。 「特定の従業者の個人情報等（退勤時間や出勤時間、休みはいつなのか）を教えてほしいと繰り返し要求する場合」	特定の従業者に対して執拗に個人情報等の提供を求めることは、従業者の心身に負担を与える言動を交えた要求であって、当該要求をした者の接遇に通常必要とされる以上の労力を要するものに該当し得るため、旅館業法第5条第1項第3号に該当し得る。	旅館業法第5条第1項第3号
13	以下の事例は、旅館業法第5条第1項各号のいずれかに該当するか。 「旅館業の営業者の承諾なく行われる旅館業の施設内におけるアダルトビデオ撮影」	旅館業法第5条第1項第2号「風紀を乱す行為をするおそれがある」場合に該当し得る。	旅館業法第5条第1項第2号
14	以下の事例は、旅館業法第5条第1項各号のいずれかに該当するか。 「自分は暴力団だとか暴力団の知り合いがいるとほのめかしつつ繰り返し要求してくる場合」 「ボクシングのクリンチのように詰め寄る場合」はどうか。	記載のようなほのめかしは「従業員の心身に負担を与える言動を交えた要求」に該当し、これを繰り返してくる場合には旅館業法第5条第1項第3号に該当し得る。また、暴力団が施設に乗り込んでくるかのように思わせるような言動による要求であれば脅迫や強要未遂にも該当し得るため、旅館業法第5条第1項第2号にも該当し得る。 　ボクシングのクリンチのように詰める場合は暴行罪に該当し得、身体に直接触れなくても衝突するかのような気勢を示しながら拳を振り回したり何か物を投げる等した場合も暴行罪が成立し得るため、旅館業法第	旅館業法第5条第1項第2号及び第3号

旅館業法等の一部改正法による改正後の旅館業法等に係る運用上の疑義について

		5条第1項第2号に該当し得る。	
15	以下の事例は、旅館業法第5条第1項各号のいずれかに該当するか。 「宿泊拒否事由に該当する等により、営業者が退去を求めたにもかかわらず、退去しない場合」	営業者が退去を求めたにもかかわらず、退去に必要な時間が経過してもなおこれを拒んで居座る場合には、不退去罪が成立し得ることから、旅館業法第5条第1項第2号に該当し得る。	旅館業法第5条第1項第2号
16	以下の事例は、旅館業法第5条第1項各号のいずれかに該当するか。 「営業者が、宿泊者名簿の記載を求めたにもかかわらず、宿泊者が当該事項の告知をしない場合」	「旅館業法施行規則の一部を改正する省令の施行に関する留意事項について」（平成17年2月9日付け健衛発第0209004号厚生労働省健康局生活衛生課長通知）において記載のとおり、旅館業法第6条第2項に違反した場合には、旅館業法第5条第1項第2号に該当し得る。	旅館業法第5条第1項第2号
17	以下の事例は、旅館業法第5条第1項各号のいずれかに該当するか。 「大人が常時世話をしなければならないような幼児のみで宿泊することを繰り返し求める場合」	保護者が旅先で事故に遭って入院する等、やむを得ない事情がない限り、旅館業法第5条第1項第3号に該当し得る。また、同項第4号にも該当し得るが、やむを得ない事情がある場合は、旅館業法第5条第2項を踏まえる必要がある。	旅館業法第5条第1項第3号及び第4号並びに同条第2項
18	以下の事例は、旅館業法第5条第1項各号のいずれかに該当するか。 「第1回改正旅館業法の円滑な施行に向けた検討会資料4の21ページ目で紹介されている裁判例（東京地判令和4年2月17日。別紙参	旅館業法施行規則第5条の6第2号に該当し得るものとして、旅館業法第5条第1項第3号に該当し得る。	旅館業法第5条第1項第3号

1493

	照）の事案」		
19	過去に旅館業法第5条第1項第2号に該当する行為をした者が宿泊したいと申し出てきたのに対して、また違法行為をするおそれがあるとして、同号をもとに宿泊拒否をすることは問題ないか。また、過去に旅館業法第5条第1項第3号に該当する行為をした者が宿泊したいと申し出てきたのに対して、かつて旅館業法施行規則第5条の6に該当する行為を繰り返したとして、同号をもとに宿泊拒否をすることは問題ないか。	旅館業法第5条第1項第2号に該当するのは、「賭博その他の違法行為又は風紀を乱す行為をするおそれがある」と認められる場合であるので、過去に同号該当の行為をした者が宿泊を申し込んできた場合、当該行為の悪質性や当該行為に及んだ経緯（例えばアダルトビデオ撮影等の職業的なものか、そうした背景のない偶発的なものか）、当該行為をしたことへの慰謝の措置の有無、当該行為からどの程度時間が経過したか等の事情を考慮要素とし、なお賭博その他の違法行為をする「おそれ」があると判断される場合には、同号該当性が肯定される場合もあり得る。 　他方、同項第2号とは異なり、同項第3号は「おそれ」を宿泊拒否事由としていない以上、同項第3号に該当するためには、現に旅館業法施行規則第5条の6に該当する行為を繰り返した場合である必要がある。もっとも、「従業員の心身に負担を与える言動」として旅館業法施行規則第5条の6に該当するか否か、同条に該当する行為を「繰り返した」と認められるか否かの判断に当たり、過去に同条該当の行為をしたこと	旅館業法第5条第1項第2号及び第3号

		やその内容を考慮することは認められ得る。例えば、旅館業法第5条第1項第3号該当による宿泊拒否後、近接した時期に新たに宿泊申込みがなされ、旅館業法施行規則第5条の6に該当する行為が行われた場合において、過去の同条該当の行為と、現になされている同条該当の行為の間に連続性がある場合には、過去の同条該当の行為と併せて「繰り返した」と認められ、旅館業法第5条第1項第3号該当性が肯定される場合もあり得る。ただし、同項第3号の場合は生活衛生関係営業等の事業活動の継続に資する環境の整備を図るための旅館業法等の一部を改正する法律(令和5年法律第52号)の施行日(令和5年12月13日)より前の行為をもとにすることはできないことに留意されたい。	
20	特定感染症の国内発生期間中において、医療機関等が逼迫しており、都道府県等の関係者が尽力してもなお宿泊療養施設の調整に時間を要している患者が、調整待ちの期間中に、宿泊療養施設ではない自宅近隣の旅館業の施設を訪問し、旅館業法第4条の2第1項第1号に基づく協力に応じるから宿泊療養施設の調整が完	特定感染症の患者等であれば、旅館業法第5条第1項第1号に該当し、宿泊を拒むことができる。御指摘のように近隣に自宅があり待機できる場合は、一般的に、自宅療養できない状況とは言えず、客室等で待機させることが望ましいとまでは言えない。	旅館業法第5条第1項第1号

第5編　旅館業

番号			
	了するまでの間、客室に待機させろと繰り返し要求することは、特定要求行為又は旅館業法第5条第1項第1号に該当するか。あるいは、宿泊しようとする患者の行き場がなくなることがないよう、客室で待機させることが望ましいのか。		
21	特定感染症の国内発生期間中において、医療機関等が逼迫しており、自宅近隣の医療機関で受診できなかった有症状者が、旅館業の施設を訪問し、旅館業法第4条の2第1項第1号に基づく協力に応じて医師の診断結果を報告してやるから受診できる医療機関を紹介しろ、診断結果が陰性であれば宿泊すると繰り返し要求することは、特定要求行為に該当するか。	営業者から旅館業法第4条の2第1項の協力を求めていないにもかかわらず、宿泊しようとする者に対して医療機関を紹介する必要はない。 御指摘のような要求行為を行う場合は、特定要求行為に該当し得る。	旅館業法第4条の2第1項

＜差別防止の徹底等関係＞

番号	質問	回答例	備考
1	障害者に対する必要な配慮について事前に申告するよう求めることは、差し支えないか。	障害者に対する必要な配慮を検討することを目的として、宿泊予約の際に事前に障害について申告を求めることは不当な差別的取扱いに当たらない。ただし、事前申告を行わなかった障害者が宿泊予定日に来訪した際、障害について事前申告をしなかったことのみを理由として宿泊を拒否することは、旅館業法第5条第1項に違反するほか、不当	指針1290ページ

番号	質問	回答例	備考
2	旅館業法第3条の5第2項に定められる「その従業者」は、「営業者の従業者」か「旅館業の施設において勤務する従業者（営業者以外の者の従業者を含む。）」か。「営業者の従業者」である場合、「旅館業の施設において勤務する従業者（営業者以外の者の従業者を含む。）」への研修について、考え方如何。	な差別的取扱いとなる。「その従業者」とは「営業者の従業者」をいう。なお、旅館業の施設内の飲食店等で働く者であって、営業者の従業者でない者に対しても、それぞれの飲食店等の営業者において、提供するサービスの性質等に応じて、必要な研修等が行われることが望ましい。	旅館業法第3条の5第2項 指針1288ページ

＜その他＞

番号	質問	回答例	備考
1	指針の位置付け如何。	指針は、法令の解釈の指針となるものであり、法規範ではないため、特定者に対して作為不作為を求めるものではなく、また直接に国民に法的義務を課すものではない。なお、営業者が指針に沿わない場合は旅館業法に基づく指導監督や命令の対象になり得ることとなり、協力要請や宿泊拒否の不適切な運用の抑止が期待されるとともに、実際に不適切な運用がなされた旅館業の業務を是正することができると考えている。	旅館業法第5条の2第1項
2	宿泊者名簿に記載する連絡先は、電話番号以外にメールアドレス等も可か。	可能（電話番号又はメールアドレスいずれかのみの記載でも可）。	旅館業法第6条第1項

第5編　旅館業

（別紙）
〇令和4年2月17日／東京地方裁判所／民事第26部／判決／令和2年（ワ）30003号
　（判決）　棄却
　（事案）
　　〇被告Y3を通じて被告Y1が経営する旅館への宿泊を予約していた原告が、被告Y1が原告を反社会的勢力とみなして同旅館への宿泊を拒否し、被告Y3がこれを幇助したとして、これらが被告らの不法行為に該当し、また、禁煙車の手配を依頼したにもかかわらず、煙草の臭いのある車両を貸し出されたとして、このことが被告Y3の不法行為又は債務不履行に該当するなどと主張して、被告Y1に対し、不法行為に基づき、A新聞及びB新聞への謝罪広告の掲載並びに30万円及びこれに対する訴状送達の日の翌日である令和2年12月20日から支払済みまで年3分の割合による遅延損害金の支払等を求めた事案。
　（認定事実）
　　〇前提事実、後掲各証拠及び弁論の全趣旨によれば、この点に関し、以下の事実が認められる。
　　　ア　原告は、平成30年6月27日、本件旅館に電話を掛け、本件旅館における喫煙場所を尋ねた。本件旅館の従業員は、玄関の横の屋外に1か所、館内1階と3階の2か所の合計3か所に喫煙場所がある旨回答した。それに対し、原告は、自身が喘息の持病を有していること、煙草にアレルギーがあること、嫌煙権があること、自分は煙草のC会を開催しており、抗議活動やビラ配布等の方法で各施設を改善させてきたことなどを述べ、屋外の喫煙場所の灰皿を撤去若しくは移動すること又は仕切りを設置することを要求した。当該従業員は、実際に利用する方もいることなどから、原告の要求には応じることができない旨回答した。
　　　イ　原告は、平成30年6月28日、本件旅館に電話を掛け、再度、同様の要求をした。本件旅館の従業員が、要求に応じることができない旨回答したところ、原告は、口調を厳しくし、喘息患者等の嫌煙家を排除するようであれば、嫌煙家の団体が、拡声器を使用したり立て看板を立てたりして抗議することもあるなどと述べた。電話を代わった本件旅館のフロント支配人は、原告に対し、改めて原告の要求に応じられないことを述べたが、原告は、同趣旨の発言を繰り返した。同支配人は、灰皿を撤去等しない場合には、原告が本件旅館の玄関先で拡声器を使用して喚くなどの行動に出るおそれがあると考え、被告Y3に対し、このような行為がされると、他の宿泊客に迷惑を及ぼすおそれがあるため、原告の宿泊を控えてほしい旨を伝えた。
　　　ウ　被告Y3は、同日、原告に対し、本件旅館の宿泊に係る原告の予約をキャンセルし、宿泊代金相当額を返金することを伝えた。
　　　エ　原告は、その後、他の宿泊先を探し、平成30年6月29日には徳島県の宿に宿泊することとなった。
　（判断）

旅館業法等の一部改正法による改正後の旅館業法等に係る運用上の疑義について

ア　（前略）香川県旅館業施設の措置の基準等に関する条例（香川県昭和33年条例第2号。以下「本件条例」という。）第11条においては、同法に定める宿泊を拒むことができる事由として、宿泊しようとする者が、でい酔者等で他の宿泊者に対し著しく迷惑を及ぼすおそれがあると認められるとき（(1)）（中略）が定められている。（中略）

ウ　次に、被告Y1が前記イに説示した理由で原告の宿泊を拒否したことが原告に対する不法行為を構成するか否かについて検討する。（中略）原告の発言内容やその態様からすれば、被告Y1が、原告を本件旅館に宿泊させることとした場合には、原告が、本件旅館の玄関先で拡声器を使用して喚くおそれがあると判断したことには、相応の根拠があったといえる。原告は、四国への旅行で拡声器を所持しているはずがない旨供述するが、被告Y1においては、そのような事情を知る余地がないのであるから、前記説示を左右するものではない。そして、本件旅館の玄関先は、宿泊客や利用客が多数往来する場所であり、このような場所で前記のような行為をされると、他の宿泊客や利用客に不快感を与えることがあるほか、宿泊等の手続に支障を来すことも十分に考えられる。以上の事情等に鑑みると、被告Y1が、前記イに説示した理由で原告の宿泊を拒否したことが、旅館業法の規定に違反するとまではいえず（同法第5条第3号、本件条例第11条(1)）、原告に対する不法行為を構成するともいえない。同様に、被告Y3について、原告に対する不法行為を幇助したとはいえない。

第5編　旅館業

(他法との関係)

○小規模建築物を対象とした医療・福祉施設、宿泊施設、集客施設等の許認可等に係る建築部局及び消防部局との情報共有について

> 令和元年7月19日　医政総発0719第1号・薬生食監発0719第1号・薬生衛発0719第1号・子保発0719第1号・子家発0719第1号・子子発0719第1号・子母発0719第1号・社援保発0719第1号・障企自発0719第1号・障障発0719第3号・老推発0719第1号・老高発0719第1号・老振発0719第1号・老老発0719第1号
> 各都道府県・各保健所設置市・各特別区公衆衛生・民生主管部(局)長宛　厚生労働省医政局総務・医薬・生活衛生局食品監視安全・生活衛生・子ども家庭局保育・家庭福祉・子育て支援・母子保健・社会・援護局保護課長・障害保健福祉部企画課自立支援振興室長・障害福祉課長・老健局総務課認知症施策推進室長・高齢者支援・振興・老人保健課長連名通知

　今般、建築基準法の一部を改正する法律(平成30年法律第67号)及び建築基準法の一部を改正する法律の施行に伴う関係政令の整備等に関する政令(令和元年政令第30号)が令和元年6月25日に施行されたところです。
　本改正では、空き家等を福祉施設等へ用途変更する際の手続きを合理化し、既存建築ストックの利活用を促進するため、建築主が建築基準法(昭和25年法律第201号)第6条第1項に定める特殊建築物(以下「特殊建築物」という。特殊建築物の用途については別添参照。)に用途変更する場合、建築確認※1を要することとしていた基準について、その用途に供する部分の床面積の合計(以下「延べ面積」という。)が100㎡を超える場合から200㎡を超える場合に見直すこととされています。
　このため、本改正後、延べ面積が100㎡を超え200㎡以下の特殊建築物(以下「小規模建築物」という。)への用途変更が行われる場合、建築部局は建築確認によりその事実を確認しないこととなりますが、建築物の利用者の安全・安心の確保及び防火の観点や、地方公共団体が定期報告制度※2の報告対象施設に漏れがないか確かめる観点からは、引き続き建築部局及び消防部局が小規模建築物への用途変更を把握し、適切に管理監督を行っていくことが重要です。
　こうしたことから、国土交通省住宅局建築指導課長から「小規模建築物を対象とした医療・福祉施設、宿泊施設、集客施設等を所管する関係部局との連携について」(別紙1)(令和元年6月24日付け国住指第661号国土交通省住宅局建築指導課長通知。以下「建築指導課長通知」という。)が発出され、各都道府県建築行政主務部長及び特定行政庁に対し、
・　医療・福祉施設、宿泊施設、集客施設等(以下「医療・福祉施設等」という。)の所管部局との連絡体制を整備するとともに、
・　当該所管部局に対して、許認可等に当たって、小規模建築物に関する情報を把握した

場合には、建築部局及び消防部局に可能な限り速やかに情報共有するよう依頼することが求められています。

都道府県（管内市町村含む）、保健所設置市及び特別区内の別添に掲げる医療・福祉施設等の各所管部局におかれては、建築指導課長通知の内容について御了知いただくとともに、建築部局から、医療・福祉施設等の許認可等に係る情報共有を求められた場合には協力をお願いします。

なお、総務省消防庁予防課長から各都道府県消防防災主管部長等宛てに、「小規模建築物を対象とした医療福祉施設、宿泊施設、集客施設等を所管する関係部局との連携について」（別紙2）（令和元年6月24日付け消防予第58号）のとおり通知されていることを申し添えます。

※1 一定規模以上の建築物を建築しようとする場合に、建築主が工事に着手する前に、建築主事等に確認申請書を提出し、その計画が建築基準法等の基準に適合していることの確認を受ける手続きのこと（建築基準法第6条第1項）。

※2 定期報告制度は、使用開始後の建築物が建築基準法の基準に適合していることを確かめることで、当該建築物の利用者の安全・安心を確保するための制度。
具体的には、建築物の所有者又は管理者が、定期的に、建築物調査員などの資格者に調査をさせ、その結果を地方公共団体に報告することが義務付けられている（建築基準法第12条第1項）。

（別　添）

医療・福祉施設等の用途

病院、有床診療所、助産所	
ホテル、旅館、下宿	
介護老人保健施設	
介護医療院	
児童福祉施設	助産施設
	乳児院
	母子生活支援施設
	保育所
	幼保連携型認定こども園
	児童厚生施設
	児童養護施設
	障害児入所施設
	児童発達支援センター
	児童自立支援施設

	児童家庭支援センター	
	児童自立生活援助事業(自立援助ホーム)	
身体障害者社会参加施設 (補装具製作施設及び視聴覚障害者情報提供施設を除く。)	身体障害者福祉センター	
	盲導犬訓練施設	
保護施設(医療保護施設を除く。)	救護施設、更生施設、授産施設、宿所提供施設	
婦人保護施設		
老人福祉施設	老人デイサービスセンター	
	老人短期入所施設	
	老人福祉センター	
	老人介護支援センター	
	養護老人ホーム	
	特別養護老人ホーム	
	軽費老人ホーム	
有料老人ホーム		
サービス付き高齢者向け住宅		
小規模多機能型居宅介護事業所		
看護小規模多機能型居宅介護事業所		
母子保健施設		
障害者支援施設		
地域活動支援センター		
福祉ホーム		
障害福祉サービス事業(生活介護、自立訓練、就労移行支援又は就労継続支援を行う事業に限る。)の用に供する施設		
寄宿舎(グループホーム)	認知症対応型グループホーム(認知症対応型共同生活介護)	
	障害福祉サービス事業(共同生活援助)の用に供する施設	
劇場、映画館、演芸場、観覧場		
公衆浴場		
飲食店		

許認可等に係る建築部局及び消防部局との情報共有について

(別紙1)

小規模建築物を対象とした医療・福祉施設、宿泊施設、集客施設等を所管する関係部局との連携について

　　　　　　　　　　　［令和元年6月24日　国住指第661号
　　　　　　　　　　　　各都道府県建築行政主務部長宛　国土交通省住宅局建
　　　　　　　　　　　　築指導課長通知　　　　　　　　　　　　　　　　　］

　建築基準法の一部を改正する法律（平成30年法律第67号）の施行に伴い、改正後の建築基準法（昭和25年法律第201号。以下「法」という。）第6条第1項第1号に規定する建築確認の対象となる床面積の合計については、100平方メートルを超えるものから200平方メートルを超えるものに改められたところです。これに伴い、法第6条第1項第1号の特殊建築物のいずれかへ用途を変更する場合（類似の用途相互間におけるものを除く。）については、法第87条第1項の規定により法第6条の規定が準用され、確認申請が必要とされていることから、当該用途に供する部分の床面積の合計が200平方メートル以下の特殊建築物への用途変更時については、確認申請が不要となります。

　また、建築基準法の一部を改正する法律の施行に伴う関係政令の整備等に関する政令（令和元年政令第30号）により法第12条第1項の定期報告の対象を定めた建築基準法施行令（昭和25年政令第338号。以下「令」という。）第16条第2項において準用する令第14条の2を改正し、法別表第一（い）欄に掲げる用途に供する特殊建築物のうち、<u>階数3以上</u>でその用途に供する部分の床面積の合計が<u>100平方メートルを超え200平方メートル以下</u>のものを追加しています。

　こうした今般の改正を踏まえ、別添1の各用途に供する建築物（医療・福祉施設、宿泊施設、集客施設等）のうちその用途に供する部分の床面積の合計が100平方メートルを超え200平方メートル以下の建築物に係る適切な維持管理、防火安全対策の取組みを実施する上での留意点を下記のとおりとりまとめましたので通知します。

　貴職におかれましては、消防部局に加え、医療部局、福祉部局、保健部局をはじめ各都道府県の関係部局（支部局を含む）を通じて、別添1の各用途に供する建築物にかかる法令を所管する管下の市区町村担当部局にも依頼し、貴職及び管内特定行政庁との情報連携を実施していただくとともに、管内の特定行政庁に対して周知していただきますようお願いいたします。

　なお、総務省消防庁予防課から各都道府県消防防災主管部長等あてに、別添2「小規模建築物を対象とした医療福祉施設、宿泊施設を所管する関係部局との連携について」（令和元年6月24日付け消防予第58号）のとおり通知されていることを申し添えます。

　本通知は、地方自治法（昭和22年法律第67号）第245条の4第1項の規定による技術的助言であることを申し添えます。

　　　　　　　　　　　　　　　　　記

1　関係部局間における連絡体制の整備等
　①　各特定行政庁の建築主務部局（以下「建築部局」という。）においては、消防部局とも連携し、別添1の各用途に供する建築物を所管する部局に連絡し連絡体制を整備すること。

②　建築部局においては、必要に応じて連絡会議を開催すること等を通じて、関係部局に対して改正法令の内容を丁寧に説明すること。
２　関係部局間における情報共有の推進
　①　建築部局においては、特に用途変更後の建築物が建築基準法令及び関係法令等に違反した状態とならないよう、別添１の各用途に供する建築物を所管する部局に対して、許認可等にあたり、当該建築物のうちその用途に供する部分の床面積の合計が100平方メートルを超え200平方メートル以下の建築物（以下「小規模建築物」という。）に関する情報を把握した場合には、可能な限り速やかな情報共有を依頼すること。なお、本情報共有は、消防部局及び建築部局に対してなされることから、消防部局とも連携した対応を図られたい。
　②　建築部局が提供を受ける情報は、関係部局間で調整し、必要最小限の内容とすることが望ましい。
　　　　（共有する情報の例）施設名称、施設の用途、施設の所在地
　③　小規模建築物の所有者・管理者等からの問合せには、建築部局において積極的に対応すること。
　④　建築部局においては、小規模建築物の情報を得た場合には、当該情報を適切に管理し、今後の指導等に有効に活用すること。
３　定期報告制度等の有効活用
　①　別添１の各用途に供する建築物のうち階数３以上でその用途に供する部分の床面積の合計が100平方メートルを超え200平方メートル以下の建築物（以下「特定小規模建築物」という。）については、法第12条第１項の規定に基づき、定期報告の対象として指定されたい。
　②　空き家を福祉施設へ用途変更した場合など、非特定小規模建築物から特定小規模建築物に該当するに至った場合には、建築部局は当該特定小規模建築物（上記①に該当するものを除く。）の所有者等に対して、３年程度を目途に、適切に維持保全が行われていることを確かめるため、必要に応じて法第12条第５項に基づき報告を求めること。
　③　建築部局は、定期報告等の結果を踏まえて違反のおそれがあると認められる場合には、必要な指導等を行うこと。
４　その他
　建築部局と関係部局間の情報連携については、これまでも違反是正や防火安全対策の必要性等を鑑みて、国土交通省をはじめ関係省庁から累次の通知等が発出されてきたところであり、関係部局間で既に一定の連携体制、情報連携が確立されていることから、今回の取扱いにあたっても従前のとおり有効にご活用いただきますようお願いします。
　また、小規模建築物の用途変更時の確認申請や消防同意は不要となるものの、建築基準法令及び消防法令を遵守することは従前から変わりがないことに留意していただくとともに、必要に応じて、関係事業者に対して、管轄の建築部局や消防部局に事前に相談されることを勧めるようお願いします。

許認可等に係る建築部局及び消防部局との情報共有について

以上

別添1・2 略

(別紙2)
小規模建築物を対象とした医療福祉施設、宿泊施設、集客施設等を所管する関係部局との連携について

　　　　　　　　　　　令和元年6月24日　消防予第58号
　　　　　　　　　　　各都道府県消防防災主管部長・東京消防庁・各指定都
　　　　　　　　　　　市消防長宛　消防庁予防課長通知

　建築基準法の一部を改正する法律（平成30年法律第67号）等が明日施行されることに伴い、「建築基準法の一部を改正する法律等の施行について（情報提供）」（令和元年6月24日付け消防消第81号、消防予第56号）（別添1参照）により、留意すべき事項について周知したところです。
　今回の改正により、改正後の建築基準法（昭和25年法律第201号。以下「法」という。）第6条第1項第1号の規定に基づき建築確認の対象となる建築物の床面積の合計については、100㎡を超えるものから200㎡を超えるものに改められます。これに伴い、200㎡以下の建築物の用途を法第6条第1項第1号の特殊建築物のいずれかへ変更する場合（類似の用途相互間におけるものを除く。）、法第87条第1項の規定による法第6条の規定の準用を受けなくなることから、用途変更時の建築確認が不要となります。一方で、建築確認やそれに伴う消防同意が不要となる延べ面積が100㎡を超え200㎡以下の特殊建築物（以下「小規模建築物」という。）の関係者が、建築基準法令及び消防法令を遵守しなければならないことについては、従前から変わりありません。
　この建築確認が不要となる小規模建築物の用途変更等に係る留意事項については、「小規模建築物を対象とした医療・福祉施設、宿泊施設、集客施設等を所管する関係部局との連携について」（令和元年6月24日付け国住指第661号）（別添2参照）のとおり通知されており、建築部局から別添3の各用途に供する建築物を所管する部局に対し、許認可等にあたり、小規模建築物に関する情報を把握した場合には、建築部局及び消防部局に可能な限り速やかな情報共有を依頼することとされております。
　貴職におかれては、関係部局の連携の動向に十分留意されるとともに、各都道府県消防防災主管部長におかれては、貴都道府県内の市町村（消防の事務を処理する一部事務組合等を含む。）に対しても、この旨周知していただきますようお願いします。
　なお、本通知は、消防組織法（昭和22年法律第226号）第37条の規定に基づく助言として発出するものであることを申し添えます。

別添1～3　略

Ⅲ 解釈通知編

第1章 旅館業の定義

（「業として」の解釈）

○旅館業法関係における「業として」の解釈について

〔昭和33年1月22日　33環第162号
厚生省公衆衛生局長宛　神奈川県衛生部長照会〕

　「業として」の解釈については、環境衛生関係営業三法のものとして昭和24年7月28日法制意見第1局長通牒、同年10月17日衛発第1,048号公衆衛生局長通牒「公衆浴場法等の営業関係法律中の「業として」の解釈について」及び昭和25年4月26日衛発第358号公衆衛生局長通牒「営業三法の運営について」並びに昭和27年10月6日広公第473号広島県衛生部長照会「旅館業法に関する疑義について」に対する回答文昭和27年10月29日衛環第92号厚生省公衆衛生局環境衛生部環境衛生課長通牒「同題」等をもって示されておりますが、旅館業法関係については、昭和32年6月15日法律第176号による改正以前のものであり、その後情勢の変化も見られ、特に本県の如き観光県にあっては、厚生施設として温泉地には寮等が、海岸地には海の家等の特殊施設が多数存在しており、これら施設では、利用者から宿泊料の名目でなく他の名目をもって金銭を徴収しております関係上従来御示しを願っています「業として」の解釈にては、取扱いに疑義を生じておりますので次の事項につき何分の御教示を頂きたく照会いたします。

記

1　旅館業法関係の「業として」の解釈は、対象は特定人と不特定人とに関係がなく、宿泊料を受けて寝具を使用して宿泊させる行為が反覆継続して行われ社会性を有していることと了解しているが、貴職の通牒によれば、極く低廉な食事代として徴収している寮、その他特定人を対象とする宿泊施設は、本法の適用を受けぬとされている。
　　この場合「極く低廉な食事代」とは、客観的に見てどの程度までのものをいうのか、これが決定の要件は何によってなすべきや。又「寝具を使用して」とは、利用者が自己の寝具を持参して使用した場合も含まれるや。
2　「寮」又は「海の家」等は、主として会社、工場、官公庁等の厚生施設として設置されているのが普通であるが、構造設備等は、一般の旅館営業と何等異なるとこ

旅館業法関係における「業として」の解釈について

ろがなく、宿泊料という名称を用いず、寺院等における房あるいは宗教法人の宿泊施設等における「おこもり料、奉納金、寄附金、供物料又は御札料」等の如く「使用料、利用料又は食事代」等の名称にて金銭を徴収しているのが見受けられるのである。しかしながら、これら厚生施設は、厚生組合員又は利用対象者等から平素厚生費を徴収しているか又は会社、工場、官公庁等より維持費、経営費、借用料、契約金その他これに類する名目の出費がされているのが通例であって、この費用の一部又は全部が宿泊施設の経営面へ支出されることにより維持されているのが実態であり、宿泊時の徴収金は、前記既徴収費分を控除した額と思考されるのである。従って厚生費等を更に増額するならば、使用料等の費用の徴収は、無用となるか、極く低廉な額又は整理費等を徴収するだけでも支障をきたさないこととなる。斯くすれば「業として」の解釈に該当しないようにも解される。

この場合「業として」の解釈は如何に解すべきや。又房等の取扱いは、如何にすべきや御貴見を承りたい。

〔昭和33年3月10日　衛環発第29号〕
〔神奈川県衛生部長宛　厚生省環境衛生部長回答〕

昭和33年1月22日付33環第162号をもって照会のあった標記について、下記のとおり回答する。

記

1　旅館業とは、旅館業法第2条第2項から第5項までに規定されているとおり、「宿泊料を受けて、人を宿泊させる営業」をいうのであるから、名称の如何をとわず客観的にみて宿泊料にあたるものを全然徴収しない場合、すなわち、食事代として徴収しても宿泊料にあたるものをそのうちに含むときは旅館業の許可を要するが、食事の実費相当額又は社会通念上食事代と考えられる額しか徴収しないときは、旅館業法の適用対象とはならないものである。

なお、旅館業法第2条第6項に規定する「寝具を使用して」には、利用者が自己の寝具を持参して使用した場合も、当然含むものである。

2　前項の「宿泊料を受けて」とは、当該宿泊に関し、宿泊者又はその代理人等から名称或いは金銭又は現物のいかんをとわず、宿泊の代価にあたるものを徴収することをいうのであるから、宿泊の代価全額を会社、工場、官公庁等が支出し、又は平素徴収ずみの厚生費等をもってあてている場合はともかく、当該宿泊に関し宿泊の代価の全部又は一部を徴収する場合は、すべて旅館業法の適用を受けるものである。

なお、寺院の房についても、「おこもり料、奉納金、寄附金、供物料、御札料、使用料、利用料又は食事代」の名称をもって徴収しているものが、客観的にみて宿泊の代価にあたるかどうかを判断のうえ、右により取り扱われたい。

(「主として」の解釈)

○旅館業法第2条における「主として」の解釈等について

> 昭和45年1月7日　44衛公環発第486号
> 厚生省環境衛生局長宛　東京都衛生局公衆衛生部長照会

　このことについては、昭和32年8月7日、発衛第371号「旅館業法の一部を改正する法律等の施行について」によって示されているが、下記の点につき疑義がありますので、至急御教示願います。

記

1　旅館業法第2条第2項、第3項及び第4項において「主とする施設」と規定しているが、これは施設の主体性のいかんによって判断すべきと考えられ、さらに主体性の判断は、客室数よりも客室延面積によってなされるべきものと考えるがどうか。
2　ホテル営業、旅館営業における客室は、法第2条第4項に規定する多数人で共用する客室は含まれないと解するがどうか。
　　(本都においては、含まれないとして運用している。)
3　簡易宿所営業の「多数人が共用する構造設備」とは、いかなる構造設備をいうのか。
　　その特別な構造設備がないとすれば1客室を2人以上追い込み式で使用するという営業者の経営方針のいかんによって判断せざるを得ないと考えるがどうか。
4　簡易宿所営業では、「宿泊する場所を多数人で共用する構造及び設備」以外の客室すなわち多数人で共用しない客室を認めていると解するが、この場合客室の面積は、同法施行令第1条第1項第2号イ及び同条第2項第2号の規制を受けるものと解するがどうか。
　　(本都においては、ホテル営業及び旅館営業のレベルダウンとなるので、この規制を受けるものとして運用している。)
5　旅館等の名称中にホテル営業、旅館営業、簡易宿泊所営業及び下宿営業種別と異なる業種の名称を用いている現状にかんがみ施設に営業種別の表示を義務づけることを構造設備の基準として知事が規則で定めることが可能か。

> 昭和46年6月28日　環衛第117号
> 東京都衛生局公衆衛生部長宛　厚生省環境衛生局環境衛生課長回答

　昭和45年1月7日付44衛公環発第486号をもって照会のあった標記の件については、次のとおり回答する。

旅館業法第2条における「主として」の解釈等について

記

1　旅館業の施設において主とする構造設備が洋式であるか和式であるかの判断は、洋式又は和式の客室の数及びその延べ面積の全体に占める比率は、重要な判断基準ではあるが、その他ロビー等の共用に供し得る公室、食堂、浴室、便所等の構造設備についても検討して行なうべきである。
2　旅館業法（以下「法」という。）には、特段の規制はなく、ホテル営業施設及び旅館営業施設に多数人で共用する客室が含まれていても差し支えない。
3　法第2条第4項に規定する「多数人で共用する構造及び設備」とは、面積、寝具設備等から判断して1室に2人以上宿泊することが可能であり、かつ、営業者が当該客室を多数人で共用させるものとして予定していることが客観的に認められるものをいうと解する。
4　簡易宿所営業施設における多数人で共用しない客室に対しては、旅館業法施行令（以下「令」という。）第1条に定めるホテル営業施設及び旅館営業施設の客室の最低床面積の規定は適用されないが、簡易宿所営業施設といえども1室の面積が狭少すぎることは、衛生上好ましくないので、営業者に対して適正な面積が確保されるよう指導するとともに、必要があれば、令第1条第3項第7号の規定に基づき都道府県の規則で客室の最低床面積を規制することも考慮されたい。
5　都道府県知事が規則で営業種別の表示を構造設備基準として義務づけることを定めることはできないと解するが、旅館業者に対して営業許可種別に即した表示をするよう指導されたい。

(ホテル)

○旅館営業者が「ホテル」の名称を使用すること
　に関する件

[昭和26年3月7日　衛公第935号
　厚生省公衆衛生局長宛　岩手県知事照会]

下記諸点につき疑義があるので、至急御回報煩わしたい。

記

1　旅館業法施行以前より「○○ホテル」の名称を用いて、普通旅館を営業している者が営業を廃止し、法人経営として新たに申請して来た場合（但し県の細則に定められた「ホテル」としての基準に合致せず）でも「旅館○○ホテル」の名称で営業を許可して差し支えなきや。
2　旅館業法施行後新たに普通旅館の営業を「旅館○○ホテル」の名称で申請して来た場合、この名称で許可して差し支えなきや。
3　普通旅館としての施設であるに拘わらず、単に名称「○○旅館」を「旅館○○ホテル」に変更の届出があった場合、之を受理して差し支えなきや。

[昭和26年4月13日　衛発第262号
　岩手県知事宛　厚生省公衆衛生局長回答]

標記の件については下記の通り回答する。

記

　名称については、なるべく旅館業法第2条の区別に即したものとする様指導することが望ましいが、現行法上何等制限規定がないので、1、2、3ともに許可受理して差し支えない。

○旅館業法の疑義について

[昭和26年6月18日　公保第513号
厚生省公衆衛生局長宛　群馬県知事照会]

　旅館業法第2条にホテルの定義が規定され、都道府県知事の定める基準に合わぬものはホテルの許可を与えられず、従って、従来よりの旅館業者で同法附則第15条により既得権を認められたものでも、ホテルの基準に合わぬものは、旅館のみの許可を受けたものと見なされ、ホテルの名称を使用することは出来ないものと考えられるが、屋号何々ホテルと称し或いは会社名に株式会社何々ホテル等の名称を付し広告宣伝するものあり、法令に禁止の明文なき旅館業法制定の趣旨に鑑み不可と考えるが、聊か疑義があるので、下記諸点につき何分の御教示願いたく照会致します。

記

1　会社名に株式会社何々ホテル等の名称を付し、旅館の名称、屋号又は商号にホテルの文字を付する場合（個人営業者で旅館の名称、屋号又は商号にホテルの文字を付す場合も含む）
　若し、不可とすれば従前の法令により許可を受け、既得権を認められ、許可証にホテルの名称が記載してあるものも全面的にホテルの名称使用を禁止する必要があるかどうか。
2　会社名に何々ホテルと名称を付してあるが、旅館の名称、屋号又は商号にはホテルの文字を付さぬ場合
3　会社名及び旅館の名称、屋号又は商号に正式の許可を受けず、何々ホテルと広告宣伝する場合

[昭和26年7月7日　衛発第521号
群馬県知事宛　厚生省公衆衛生局長回答]

昭和26年6月18日公保第513号で照会のあった標記の件下の通り回答する。
1　名称の使用制限については何等規定がないので、現行法上名称の使用を制限することは、適当でないが、なるべく、旅館については旅館の名称を使用するよう指導されたい。
2　趣旨不分明であるが、会社の名称については、勿論旅館業法の問題外である。
3　趣旨不分明である。

（旅館）

○旅館業法の疑義について

> ［昭和27年10月16日　公第3,381号
> 厚生省公衆衛生局長宛　福井県衛生部長照会］

旅館業法第2条において旅館についての定義を規定しているが、これについて下記のとおり疑義がありますので照会します。

記

国鉄福井駅は現在3階建鉄筋コンクリート造であるが、国鉄の使用しているのは1階のみで2階及び3階は、株式会社福井ステーションビル（代表者坪川信一）が旅館、売店、理容所、食堂等を経営しており、その一部として仮眠室なるものを2階に設け汽車の発車時刻までの待合せ客の利用に供しているが、その営業内容は

1　料金
　　1時間まで100円（他にサービス料として1割加算）
　　1時間を超す場合は30分毎に区切り前記の料金の比率にて徴収する。
2　ベッド数　26台
3　サービスとして汽車の時刻に間に合うように客を起す。
4　食事なし

で試みに9月中の利用者数を示すと、

利用時間	人員	利用時間	人員
1時間まで	77	1.5時間まで	55
2　〃	280	2.5　〃	47
3　〃	186	3.5　〃	15
4　〃	92	4.5　〃	14
5　〃	36	5.5　〃	3
6　〃	16	6.5　〃	1
7　〃	2	7.5　〃	1
8　〃	2		

となっており、以上の内容において旅館の定義中のいわゆる「1日を単位とする」に該当するかどうか、又「宿泊」と称することができるかどうかについて疑義があるので至急何分の御回答をお願いします。

なお仮眠室の平面図は別添のとおりで採光、換気は衛生上非常に悪く、経営者側の言によれば、本施設は全国で初めてのもので今後各地においても斯種施設を設ける傾向があり従って見学者も多数ある模様につき参考までに申し添えます。

別添　図面略

環境衛生主管課長会議における質疑応答集の送付について（旅館業法関係）

［昭和27年11月4日　衛環第96号
福井県衛生部長宛　厚生省公衆衛生局環境衛生課長回答］

10月16日公第3,381号で照会された右のことについては、下記のとおり回答する。

記

　一時的な休憩施設として時間を単位とした料金を徴収している施設であっても、不特定多数人を反覆継続して利用せしめ、且つ社会性を帯びた施設であれば、徴収する料金の名目の如何を問わず、旅館業法第2条に謂う「宿泊料又は室料」とみなして処理すべきである。殊に照会の如き施設であれば、夜間に利用する者も相当あると思われるが、これらの利用者より徴収する料金は、旅館業法にいう「宿泊料又は室料」と解することができる。

○環境衛生主管課長会議における質疑応答集の送付について（旅館業法関係）

［昭和32年8月29日　衛環第56号
各都道府県衛生主管部（局）長・各指定都市衛生局長宛
厚生省公衆衛生局環境衛生部環境衛生課長通知］

〔改正経過〕
　第1次改正　〔昭和40年7月2日環衛第5,073号〕

　過般昭和32年7月17日開催の環境衛生主管課長会議における改正旅館業法関係の質疑応答事項のうち、その主なるものを下記のとおりとりまとめたので、送付するから、行政事務運用上の参考資料とされたい。
　おって、本質疑応答においては、「旅館業法」を「法」、「旅館業法施行令」を「令」とそれぞれ略称する。

記

（問1）法第2条第1項の規定により旅館業の施設が4種に区分されたが、今後の営業許可は、旅館業として許可すべきものであるか。ホテル営業、簡易宿所営業等業種別に許可すべきであるか。
（答）許可は、ホテル営業、旅館営業、簡易宿所営業又は下宿営業として許可しなければならない。
（問2）3週間の宿泊料を単位とする温泉宿は、下宿営業であるかどうか。
（答）下宿営業は1箇月以上の期間を単位とするものであるから、設問の場合は下宿営業以外の種別の旅館業である。
（問3）簡易宿所営業が新しく改正法で規定されたが、従前の営業の取扱いはどうすべきか。
（答）改正法施行日である昭和32年6月15日現在によって、当該施設が法第2条第2項から第5項までの規定の施設のいずれに該当するかは、客観的に定まるものではあるが、なお念のためこの際営業者から簡易宿所営業として営業されるものであるかどうかについて、届出等をさせるのがもっとも適当な措置と考えられる。

第5編　旅館業

(問4) 法第3条第2項の「施設の設置場所が公衆衛生上不適当」とは、いかなる場所か。

(答) 法第4条第2項の規定に基く条例規定事項を遵守しえないような場所が、不適当な場所である。

(問5) 学校附近について特別の規制が加えられることとなったが、今後の営業許可は、いかなる時期において行うのがもっとも適当か。

(答) 従前の行政方針どおり、営業の施設の建築完成後であっても差し支えないが、学校附近の場合は不許可となることもありうるので、申請者の便宜を考慮して、施設の建築に着手する前にあらかじめ許可、不許可の処分を決定することとしても差し支えない。なお、この点は、許可権者の行政方針にもよるので、一率に国において方針を決定することは困難である。

(問6) 削除

(問7) いわゆる売春業者が当該施設を旅館業の施設に転業させる場合は、許可すべきであるか。

(答) 法第3条第2項の規定による不許可基準に該当するものでない限り、許可すべきである。ただ、旅館業法改正の趣旨にのっとり、許可後においても、法第4条第3項の基準の遵守について常時指導を行うよう特に留意されたい。

(問8) いわゆるバンガローは旅館業の施設となるか。

(答) 業として人を宿泊させる営業である限り、旅館業の施設となる。ただ、特殊の事情もあるので、施行令第2条の規定による構造設備の基準の特例が適用されることとなる。

(問9) 構造設備の基準に食堂を規定しなかった理由如何。

(答) 食堂(調理室)を構造設備の基準として政令で規定した場合、全国共通に必ず設けなければならないこととなり、現実の都道府県知事の従前の行政方針からみて、必ずしも実情にそわない場合もあるので、規定しなかったのであるが、必要と認めるときは、都道府県知事の定める構造設備の基準において規定して差し支えない。

(問10) 構造設備の基準に定員を規定しなかった理由如何。

(答) 定員とは、換言すれば一定の広さの客室に何人以上利用させてはならないということであり、従って、許可を受けて後の営業に際しての守るべき基準となるから、法第4条第2項の規定に基く条例事項となるものである。なお、近時、修学旅行専門旅館等において種種定員について問題ともなっているので、この際、条例に規定して実効を確保することは、適確な行政措置と考えられる。

(問11) 簡易宿所営業における階層式寝台について層数の制限を政令で規定しなかった理由如何。

(答) 層数の制限は、天井の高さにもよるので政令で一率に基準を設けることは困難であるが、もし必要と認めるときは、都道府県知事の定める構造設備の基準において規定して差し支えない。

(問12) 下宿の部屋数、1部屋の広さ等は、都道府県知事の定める構造設備の基準におい

て規定して差し支えないか。
(答) 設問のとおりである。
(問13) 客室の床面積の算定方法如何。
(答) 客が占有使用しうる部分の面積をいい、客室内の客専用の浴室、便所等は含まれるが、共通の廊下、客室の床の間等は算定には含まれない。
(問14) 簡易宿所営業の延床面積は、押入等を除いた個室面積の総和と解して差し支えないか。
(答) 設問のとおりである。

(船舶)

○船舶内の旅館業経営許可について

［昭和25年3月28日　衛発第249号
　都府県知事宛　厚生省公衆衛生局長通知］

標記の件に関し、別紙(1)（25環第379号）のとおり、北海道知事より照会があったので、別紙(2)（衛発第249号）の回答を行ったから、これが類似の事項等については、右通牒の趣旨により指導取締に遺憾なきを期されたい。

別紙(1)

船舶内の旅館業経営許可申請について

［昭和25年2月13日　25環第379号
　厚生省公衆衛生局長宛　北海道知事照会］

財団法人鉄道弘済会札幌支部長から函館連絡さん橋にけい留中の慶福丸内で旅館業法による普通旅館を経営したい旨の願い出がありましたがより許可について疑義がありますので至急何分の御指示をお願いします。

記

旅館業法第2条第2項以下の規定による旅館業には土地に定着する施設を要する提要件と認められ、従って本件慶福丸のようにけい留中の船舶は、旅館業法の適用範囲外のものと考えられる。

参考

該船舶は、けい留のため函館港内公有水面使用について許可を得ている。

別紙(2)

船舶内の旅館業経営許可について

［昭和25年3月28日　衛発第249号
　北海道知事宛　厚生省公衆衛生局長回答］

昭和25年2月13日附25環第379号をもって御照会になった標記の件については、現行法に旅館は地上又は地下に定着した施設でなければならないとの規定はないので、けい留中

第5編　旅館業

の船舶と雖も、旅館業法第2条第3項により貴職の定められた旅館としての基準に合致し、特に屎尿、厨芥等の汚物処分の設備及びその処理方法が公衆衛生上適当なものである場合には、旅館業としての許可を与えて差し支えないものと解される。ただし、許可を与える場合にも、現在のけい留場所を変更しない事を条件とする等適当な措置が必要である。

○旅館業法適用に関する件

〔昭和26年4月26日　公乙第1,636号
厚生省公衆衛生局長宛　神奈川県衛生部長照会〕

　本県に於いては、昭和24年10月17日附公衆衛生局長名公衆浴場法等の営業関係法律中の「業として」の解釈についての御通牒により、営業の解釈が拡張せられたものとして、旅館業法施行条例の一部を昭和24年12月改正し、旅館、下宿の基準を下廻る労働者簡易宿泊所等の施設基準を定めたのであるが、横浜市内に於いては、無宿日傭労務者等を対象とし、「はしけ」の廃船を市内貫流河川岩壁にワイヤーロープにてけい船し、之に屋根を作り、内部に2～4層の床を設け、100～200名程度の人員を収容し得る設備をした宿泊施設がある。
　之等施設については、昭和25年4月25日附公衆衛生局長名「営業三法の運用について」の御通牒に依る宿泊料若しくは室料を受けて人を宿泊させる施設であるので、当然旅館業法の適用を受くべきものであると考えられるが、適用につき疑点があるので、下記につき御指示願いたい。
　尚、本件の如き建造物については、建築基準法の適用を受けていないので、念のため申し添える。

記

　小船舶内に於ける営業についても、昭和25年3月28日附衛発第249号「船舶内の旅館経営業許可について」と云う公衆衛生局長名通牒により処理致す場合、施設が水上の小施設であり、浴場、便所、洗面所等知事の定める衛生施設基準に合致させる事が不可能なものについても、旅館業法を適用すべきであるか。

〔昭和26年5月22日　衛発第375号
神奈川県衛生部長宛　厚生省公衆衛生局長回答〕

　標記の件に関しては下記の通り回答する。
　船舶を一定の場所にけい留し不特定多数の者を反覆継続して宿泊せしめ、且つ、宿泊料又は室料を受けている場合は、旅館業法の適用があるから同法に基く貴県条例で定める衛生基準に合致しないものは、許可すべきでない。

○旅館業法の疑義について

［昭和50年7月3日　環第607号
　厚生省環境衛生局長宛　新潟県衛生部長照会］

　当県のある港の中央埠頭に観光フェリー船をけい留し、レスト・シップ・サービスと称して、本来の運送業務に支障のない範囲内で別記「レスト・シップ・サービス計画概要」のとおり不特定多数の希望者から料金を徴収して、夜間船内で休けい（実態としては宿泊と思われる）を行わせる計画があるが、これに関して、次の点に疑義があるので、至急御教示くださるようお願いします。

1　本件について、旅館業法第3条第1項の営業許可が必要かどうか。
2　営業許可が必要である場合、けい留船の船籍地とけい留地の属する都道府県が異なっているが、どちらで営業許可を行うべきか。

別　記

　　　　レスト・シップ・サービス計画概要
1　休けい時間
　　午後10時30分から翌朝5時まで
2　対象者
　　出発地で乗船した者のうち、目的港の中央埠頭に翌朝までけい留する船内で夜間休けいを希望する者（計画では、1回206人を予定している。）
　　なお、休けい者が希望する場合は当日の午後11時15分まで食事のための上陸を認める。
3　実施期間
　　昭和50年7月12日から昭和50年8月31日までの毎日。
4　寝具
　　まくら、毛布及びゆかたを貸与する。ただし、ゆかたは2等室以上の等級のみ。
5　料金
　　レスト施設使用料として、1人1回1000円から1万円（利用船室の等級、利用形態により異なる）を徴する。
6　その他
　　詳細は、別紙のレスト・シップ・サービス事業計画書のとおり

別紙　略

［昭和50年7月12日　環指第61号
　新潟県衛生部長宛　厚生省環境衛生局指導課長回答］

　昭和50年7月3日付け環第607号をもって照会のあった標記について下記のとおり回答する。

　　　　　　　　　　　　　記

1について

第5編　旅館業

　船舶による運送業務に通常随伴する程度を超えて休憩又は宿泊をさせる場合には、当該船舶は旅館業法の適用対象施設となるものと考える。
　設例の船舶にあっては、旅館業法の適用対象施設として取り扱うことが適当である。
2について
　旅館業法上の許可は営業の行われる船舶けい留地の属する都道府県が行うことが適当である。

（寮・保健所）

○営業三法の運用について

> ［昭和27年9月2日　公保第441号
> 　厚生省公衆衛生局環境衛生課長宛　長野県衛生部長照会］
>
> 　右について昭和25年4月26日衛発第358号による公衆衛生局長通牒左記中第2号「旅館業法について」の解釈の疑義が生じたので下記の点について至急御回示を煩わしたい。
> 　なお新潟鉄道局総務部長から各地方部長あて通ちょう及び長野鉄道管理局長から長野県知事あての照会写を参考までに添付する。
> 　　　　　　　　　　　　　記
> 一　福利厚生施設として温泉地等に職員宿泊所（旅館業法による施設基準に適合している）と称し、職員の外その家族も同様に宿泊させているものも寮その他特定人を対象とする宿泊施設と解すべきであるか。
> 二　前号の宿泊所は経営上宿泊者から次の通り食事代の他に維持費の一部を徴収しているが、これらを包括的に極く低廉な食事代の実費と解すべきであるか。
>   1　宿泊料（1人1泊）　　60円
>   2　夕食　　　　　　　100円
>   3　朝食　　　　　　　 40円
>   4　昼食　　　　　　　 42円
>   5　宿泊所使用料（1人当り）10円
>   6　入湯税　（1人当り）　10円
> 3　右宿泊所は地方税法第113条の適用を受け遊興飲食税を徴収させている。
> 別添照会写　略

［昭和27年10月9日　衛環第89号
　長野県衛生部長宛　厚生省環境衛生課長回答］
9月2日公保第441号で照会された右のことについては下記のとおり回答する。
　　　　　　　　　　　　　記

1及び2について
　職員の福利厚生施設として宿泊所を設けている場合であっても、宿泊料を徴収していれば、旅館業法の適用を受けるものである。

○旅館業法に関する疑義について

[昭和27年10月6日　広公第473号
厚生省環境衛生部長宛　広島県衛生部長照会]

　標記の件下記事項について疑義がありますので至急御回答賜わりたくお願い致します。

記

1　法第3条には許可対象として『「人を宿泊させる営業」を営もうとする者は………』と、第4条以下においては、営業規制対象として『「旅館業」を営む者（「営業者」という。以下同じ。）は………』と規定されているが、解釈上、両者の関係は如何に理解すべきか。
2　宿泊料又は室料を受けて人を宿泊させる施設で、法にいう「ホテル」「旅館」又は「下宿（具体的には別添広島県規則旅館業法施行細則第3条から第5条まで参照）に該当しないものについては県規則による基準を改めて、これを捕捉しない限り、法の適用外になるものと解してよろしいか。例えば通常間貸しと称せられているもの。
3　厚生省公衆衛生局長通牒「公衆浴場法等の営業関係法律中の「業として」の解釈について（昭和24年10月17日衛発第1,048号各都道府県知事宛中）3、旅館業法について」によれば「会社、工場等の寮（但し、労働基準法の対象となるものを除く。）会員制度の宿泊施設その他特定人を対象とする宿泊施設又は社会事業的な宿泊施設」も法の適用を受けることとなるとあるが、次に掲げる施設はこれら一連の施設として法の適用を受けるものと解してよろしいか。
　(1)　各種の学校寄宿舎で実費程度の食事代以外に食費又はこれに類するものを受けているもの。
　(2)　官公署、事業場等の福利厚生施設（保養所等の名称の如何を問わない。）で、実費程度の食事代以外は宿泊料又はこれに類するものを受けて特定人を宿泊させるもの。
　(3)　健康保険法第23条の規定による施設（保養所等の名称の如何を問わない。）で、実費程度の食事代以外に宿泊料又はこれに類するものを受けて特定人を宿泊させるもの。
4　人を宿泊させる施設で、法にいう「ホテル」以外のものについて、一般に「ホテル」という名称を使用すること及び法にいう「旅館」及び「下宿」の経営に対して法の許可を与えることは、現行法上差し支えないものと解されるが、それでよろしいか。

第5編　旅館業

[昭和27年10月29日　衛環第92号
広島県衛生部長宛　厚生省環境衛生課長回答]

10月6日広公第473号で照会された右のことについては下記のとおり回答する。
記
1　御質問は、その趣旨によって種々解釈できると思うが、旅館業法第3条の規定は、許可対象を規定したものであり、第4条以下の「旅館業を営む者」とは、第3条の規定により許可を受けた者に対する営業規制である。
2　貴見のとおりであるが、通常間貸しと称せられているもので、その状態が一般家庭におけるものであれば、社会性が認められないから旅館業法を適用する必要はない。
3　昭和25年4月26日衛発第358号公衆衛生局長より各都道府県知事宛通牒「営業三法の運用について」中、2、旅館業法について、により、さきに通牒した〔公衆浴場法等の営業関係法律中の「業として」の解釈について〕中、3、旅館業法について、を改正し、その取扱が宿泊料又は室料を受けて人を宿泊させる施設のみに限定すべきこととしたのであるが、食費の実費程度以上のものをとっている照会の如き場合は当然法の適用を受けるものである。
4　貴見のとおりである。
　なお旅館業法第2条にそれぞれ規定してある「ホテル」「旅館」及び「下宿」に対する許可は、名称の如何を問わず飽くまでも施設基準に合致したものにそれぞれの許可を与えることはいうまでもない。

○会社工場等の寮、会員制度等の宿泊施設の取扱いについて

[昭和27年11月29日　公第1,923号
厚生省公衆衛生局長　山口県知事照会]

会社工場等の寮、会員制度等の宿泊施設は「公衆浴場等の営業関係法律中の「業として」の解釈について」の通牒により旅館業法の適用を受けることとなったがこれが取扱について疑義があるので至急回答願いたく御照会いたします。
記
1　会社工場等の寮、会員制度の宿泊施設を経営する者が「業としての解釈について」の通牒により旅館業法の適用を受けるにもかかわらず営業でないことを理由として旅館業の営業許可申請を拒む場合は当然旅館業法第3条第1項違反として同法第10条の罰則を適用されるものと解するがいかが。
2　営業許可を受ける場合の営業種別は実態調査の上旅館業法第2条及び同条第3項の規定の趣旨により旅館又は下宿と定めるべきものと解するがいかが。
3　温泉地において温泉療養者より室料を受けて長期間宿泊（但し自炊）せしめるため相当数の貸間を有する宿泊施設は旅館業法の下宿の許可を受けなければならないと解するがいかが。

〔昭和27年12月8日　衛環第109号
　山口県衛生部長宛　厚生省環境衛生課長回答〕

　11月29日公第1,923号で貴県知事より照会のあった右のことについては下記のとおり回答する。

記

1　該施設が宿泊者に対して宿泊料又は室料を受けていない場合、又は低廉な食事代程度を徴収している状態であれば本法の適用外であるが、(昭和25年4月26日衛発第358号「営業三法の運用について」第2参照) 飽くまでも旅館業法に規定する旅館としての許可をとらせる必要のある施設で、その状態が照会の如き場合であれば、当然法第10条の規定による罰則を適用すべきである。
2　貴見のとおりそれぞれの基準に従って許可すべきものである。
3　貴見のとおりである。

○旅館業法の疑義について

〔昭和31年10月25日　31環発第284号
　厚生省環境衛生課長宛　茨城県衛生部長照会〕

　標記について、下記のような疑義がありますので、御教示願います。

記

1　昭和25年4月26日付衛発第358号「営業三法の運用について」の通牒中、会社、工場等の寮（労働基準法の対象となるものを除く。）その他特定人を対象とする施設で、ごく低廉な食事代の実費しかとらぬものは本法の適用を受けぬものである旨示されているが、食事代の実費の外に宿泊料または室料（実費のいかんをとわず）徴し宿泊させるときは、本法を適用させるのは適当な措置か。
2　前項の通牒中、その他特定人を対象とする施設とは組合組織、会員制度、保養所等を意味するものか。また同通牒中特定多数の者を泊める施設も本法の旅館の中に包含されると言うが、会員制度等の施設はこれらの施設には該当しないか。

〔昭和31年11月30日　衛環第121号
　茨城県衛生部長宛　厚生省環境衛生課長回答〕

　昭和31年10月25日31環発第284号をもって照会にかかる標記の件については、下記により回答する。

記

1　お尋ねの場合については、貴見の通り、旅館業法を適用させるべきである。
2　お尋ねの内容では、具体的な事情が判明しないが一般的にはその他特定人を対象とする施設とは、貴見の通りであり、また、会員制度の施設は、特定多数の者を泊める施設に該当するものである。

第5編　旅館業

○旅館業法の許可対象について

〔昭和38年9月12日　38衛第863号
厚生省環境衛生課長宛　横浜市衛生局長照会〕

廃業したホテル営業の施設を鉄道会社の健康保険組合において、夏季期間中組合員のため及び組合員に限らず会社の関係先の者を含めて利用させるため、海の家として使用しているが、この実態は、いずれも宿泊の際宿泊料を徴収しないものでありますが、この取扱いについて次のいずれによるべきか。

記

1　旅館業法における「業として」の解釈について昭和33年3月10日付け衛環発第29号厚生省環境衛生部長から神奈川県衛生部長あて回答2からして宿泊料を徴収しない場合は、旅館業法の適用を受けない。
2　会社、工場等の厚生施設にあっては、組合員から平素徴収の厚生費あるいは会社、工場側からの維持費、経営費その他これらに類する名目の出費がなされているのが通例であって、宿泊に際し宿泊料を徴収しなくとも間接に宿泊料を徴していることになり、宿泊時に宿泊料を徴する場合にだけ旅館業法を適用させることは狭い解釈である。

前記の回答にあっても「宿泊の代価全額を会社、工場、官公庁等が支出し、又は平素徴収ずみの厚生費等をもってあてている場合はともかく」として積極的に否定しているとは思料されない。

〔昭和38年10月26日　環衛第19号
横浜市衛生局長宛　厚生省環境衛生課長回答〕

昭和38年9月12日38衛第863号をもって照会のあった標記について次のとおり回答する。

記

1のとおり解してさしつかえない。ただし、「宿泊料を徴収しない」とは名称の如何をとわず客観的にみて宿泊料にあたるものを全然徴収しないことをいうものと解する。

（オリンピック選手村）

○旅館業法の適用について

〔昭和39年3月26日　39衛公環発第110号
厚生省公衆衛生局長宛　東京都衛生局長照会〕

本都においては、オリンピック東京大会を間近に控えて、下記事例について旅館業法を適用すべきか否か解釈上疑義がありますので至急ご回答賜わりたい。

記

旅館業法の適用について

1　民泊について
　東京都ではオリンピック開催時における宿泊施設の不足を補うため、既開催国の例にならい、次の要領により一般から宿泊施設提供者を募集し、既に650件余りを審査のうえ受付けている。
　民泊施設の取扱い要綱の主なものをあげれば、宿舎の提供期間は昭和39年10月1日から同年10月31日の間とする。
　宿舎の提供は家屋全体とは限らず1室以上いくらでもよい。家屋は洋式和式のいずれも可とし、水洗式便所、風呂（和式も可）またはシャワー設備を有すること。食事は朝食（トースト、ハムエッグ、コーヒー程度）の用意ができることを要件としている。
　なお施設提供者には宿泊謝礼金として1人1泊約1800円の割合で支払うことになっている。予約受付等の事務取扱いはすべて東京都オリンピック準備局及びその事務所が扱うことになっている。
　これに対して旅館業法上の営業の定義から、「宿泊料をうけて、人を宿泊させる」という点からは営業に該当するものと考えられるが、それがオリンピック開催期間中のみに限られること、及び必ずしも施設の利用が当該期間中継続しているとはいえないところから、「その行為が反覆継続して行われるもの」に該当するかどうかは疑わしい。反覆継続の解釈如何によっては業法の適用が除外せられるものと思われるが如何。

2　選手村について
　オリンピック開催時及びその準備の期間を含めて、大会に参加する選手役員を収容するため代々木の旧ワシントンハイツ跡に選手村本村が設置され、さらに大磯・軽井沢にも分村が設置されることになっている。設置期間は昭和39年9月15日から同年11月5日までで、本村のみで約264棟に7500人余りの選手及び関係役員が収容されることになっている。これについてはＩＯＣ（オリンピック東京大会組織委員会）の話によれば宿泊費は徴収せず参加各国が大会負担金という形で大会滞在費その他を総括して支出する。もしその中に選手村の宿泊費に該当するものがあるとしてもそれは食事代程度であって、選手村の運営費用の大半は大会費用から支出されるということである。
　従って選手村については、宿泊料という明確なものが存在するとは考えられずまたその形態からも選手の合宿制度等と均しいものと考えられるので旅館業法の適用は除外されると解釈されるが如何。

3　船中泊
　オリンピック時に東京港、横浜港および川崎港に外人観光客を乗せてくる客船をそのままバースに停泊させ、宿泊施設として利用しようという計画がある。すでに東京港（晴海ふ頭）では5隻（想定乗客数計2000名）、横浜港（大さん橋等）で6隻（同、計4500名）、川崎港で2隻（計600名）の申込みがあるとのことである。
　これについては、船舶は元来が貨客の運送を主な目的とするのであって、列車そ

第5編　旅館業

の他の運輸機関と均しく、宿泊は単にそれに伴う附随行為として考えられるので旅館業法の適用は認められないと考えられるが如何。
　なおこの場合、停泊中の船に乗船客以外の者で外部より単に宿泊するだけの目的をもってくる者に対して、宿泊料をとって宿泊させる際はどのように扱われるか。
　以上各事例について、業法の解釈から旅館業法が適用されない場合は、それらの施設について、一定の衛生措置の基準を遵守させる必要があるときその取扱いにいかなる指導形態をとるのが望ましいと考えられるか。この点についてもご教示願いたい。

〔昭和39年6月4日　環衛第15号
東京都衛生局長宛　厚生省環境衛生課長回答〕

　昭和39年3月26日39衛公環発第110号をもって東京都衛生局長より環境衛生局長あて照会のあった標題について下記のとおり回答する。なお、本件に関しては、昭和38年12月12日環発第551号「オリンピック開催に伴う清掃対策について」及び昭和39年3月31日環発第115号「厚生省関係オリンピック東京大会準備対策の推進について」を参照のうえ、関係部局とも十分連絡をとり、環境衛生上遺憾のないように特段のご配慮を煩わしたい。

記

第1　旅館業法は、宿泊料を受け、かつ、宿舎の提供が社会性をもって継続反復されているものについて対象とするものであるが、おたずねの場合について一律的判断は下しがたく、宿泊者の交代性の有無等を勘案の上、社会性ないし継続反復性が認められないものについては規制の対象外として取扱うべきであるので実情に照らし、その適用について遺憾のないようにされたい。
第2　選手村については貴見のとおり解する。
第3　おたずねの船中泊の場合においては、旅館業法の適用は排除されるものと解する。

(駅の待合室)

○旅館業法の疑義について

〔昭和31年10月18日　31環第2,400号
厚生省公衆衛生局長宛　北海道衛生部長照会〕

　本道管下において下記の事例があり、旅館業法に該当するかどうか疑義がありますので、折返し何分の御回示下さるようお願いいたします。

記

1　駅前市街地において「お休み所」なる施設を設け、主として汽車の発着時刻の間待合せ客の利用に供しているが、その経営実態は、
　1　料金
　　　1時間につき20円　休憩料として徴収

2　1施設において使用している部屋数
　　　畳敷き7室（室面積　10畳間1　　6畳間6）
　3　寝具について
　　　枕を貸与する。希望によっては毛布を貸与することあり。
　4　湯茶の接待をする。
　5　食事は供与しない。
　6　利用者は汽車の乗換え客が主であって、数時間、殆ど夜間に利用している（従って、事実上宿泊となる者が多い。）
　7　試みに、実態調査当日における利用者数を示せば、

調査月日	調査時刻	利用人員
8月20日	自午前1時 至午前5時	28名（1施設の状況）

2　右市街地（同一駅附近）には、右を含め4箇所の施設があり、1日の利用者数は推定70名乃至80名位と思われる。
　　なお、これは年間において最も利用者の少ない夏期の実態であり、冬期においてはさらに多数人が利用するものと思われ、その経営は年間を通じ、連日反覆継続している。
3　右のとおり、休憩施設として利用せしめ、時間を単位として料金を徴収しているが、この場合、旅館業法にいう旅館の定義中の「1日を単位とする」「宿泊料又は室料」「宿泊させる」と解することができるかどうか。

［昭和31年11月29日　　衛環第118号
　北海道衛生部長宛　厚生省公衆衛生局環境衛生部長回答］

　昭和31年10月18日31環第2,400号をもって照会にかかる標記の件については、下記により回答する。

記

　汽車の発着時刻の間待合せ客の休けいのために利用させる施設であれば、それ自体においては通例は、旅館業法の対象外の施設となるものであるが、お尋ねの場合のごとく、形式的には時間を単位として料金を徴していても、実質的には、夜間数時間利用させてその料金を徴することは、1日を単位とする宿泊料を受けることと同様の結果となるものと思料されるのであって、更に寝具設備まで利用させることは、当然旅館業法第2条第3項の「1日を単位とする宿泊料又は室料を受けて人を宿泊させる施設」に該当するものと解されるので、かような形態の宿泊者に社会性をもって、かつ、反覆継続して利用させるときは、旅館業法第3条第1項の規定による許可を必要とするものである。

第5編　旅館業

（キャンプバンガロー）

○バンガローの指導取締について

〔昭和27年7月31日　公保第368号〕
〔厚生省環境衛生課長宛　長野県衛生部長照会〕

　最近各地にバンガローが建設利用されているが、これは当然旅館業法第2条第3項の規定により室料を受けて人を宿泊させる施設であると認められるので、これらの施設は、いずれも公衆衛生の見地から放任できないものであるから下記いずれかの方法により指導取締をなすべきものと認められるが、いささか疑義が生じたので何分の御指示を煩わしたい。

記

1　旅館業法施行条例並びに同法施行細則に特殊の施設基準を定めて差し支えないか。
2　特殊のものとして単独の県条例を制定し取締をなすべきか。
3　行政指導として一定の施設基準を設けこれによって指導取締をなすべきか。

〔昭和27年8月14日　衛環第77号〕
〔長野県衛生部長宛　厚生省環境衛生課長回答〕

7月31日附公保第368号で照会された標記の件については、下記のとおり回答する。

記

　バンガローが不特定多数人を対象とし反覆継続して宿泊料又は室料を受けて人を宿泊させている場合は、旅館業法第2条の規定により特殊の施設基準を定めて本法を適用すべきである。

参照〔昭和24年10月17日附衛発第1,048号及び昭和25年4月26日附衛発第358号局長通牒〕

○旅館業法施行の疑義について

〔昭和33年7月10日　33環第2,677号〕
〔厚生省環境衛生部長宛　大阪府衛生部長照会〕

　標記のことについて下記事項について疑義がありますので御繁務中恐縮ですが至急御指示を賜りたく御願い致します。

記

　大蔵省管理中の大阪府堺市浜寺公園地域内にある元米駐留軍家族用浜寺キャンプの内約20戸を大阪府が大蔵省より無償で借用し、今般これを当府民生部児童課の外郭団体である大阪府青少年野外活動協会が「海の家」として府下の学校、青少年団を対象に海洋に関する教育、体育、野外活動、及びレクリエーション等に関する講習、講演、研究会、若しくは臨海学校等学生、青少年の教育のために宿泊訓練を目的として

電気、水道及び寝具其の他の維持費として1泊につき小学生100円、中学生120円、高校生150円程度を徴して利用する場合旅館業法を適用すべきものと解するが如何。

〔昭和33年8月20日　衛環発第62号
大阪府衛生部長宛　厚生省環境衛生部長回答〕

　昭和33年7月10日33環第2,677号をもって照会のあった標記については、次のとおり回答する。

記

　お尋ねの場合、宿泊訓練が極めて例外的であるならば格別、反覆継続して人を宿泊させる施設であるならば、利用者より受ける電気、水道等の維持費は宿泊料と認めるので、旅館業法が適用されるものと解する。

（断食道場）

○旅館業法の運用について

〔昭和43年8月6日　保指第285号
厚生省環境衛生局長宛　神奈川県衛生部長照会〕

　旅館業法における「業として」の解釈については、貴職よりの通知により運用いたしておりますが、次のことに疑義を生じておりますので、何分のご教示を願いたく照会いたします。
　断食道場について、旅館業法の旅館に該当するか否かの捜査関係事項照会（別紙写）がありましたが、断食道場における主目的が断食に伴う宿泊であり、入寮費として宿泊の代価にあたるものを徴収している場合であっても、旅館業法の適用をすることに疑義があり、特に本件の場合は社会通念上「宿泊料を受けて宿泊させる営業」とは解せないので、適用対象外としてよろしいかご貴見を承りたい。
別紙　略

〔昭和43年11月20日　環衛第8,175号
神奈川県衛生部長宛　厚生省環境衛生局環境衛生課長回答〕

　昭和43年8月6日付け保指第285号をもって照会のあった標記の件については、貴見のとおりである。

第5編　旅館業

（芸者置屋）

○旅館業法の適用について

> ［昭和48年2月5日　薬発第293号
> 　厚生省環境衛生課長宛　島根県環境保健部長照会］
>
> 下記の点について、何分のご教示をお願いします。
> 記
> 1　旅館業法でいう下宿営業は、法第2条第5項で施設を設け1か月以上の期間を単位とする下宿料を受けて人を宿泊させる営業となっているが、芸者置屋業はこれに該当するかどうか疑義があるので伺いたい。
> 　芸者置屋業は、芸妓に対し業のあっせんを前提として寝具、居室、食事を提供し、各人ごとに売上げの3割から5割程度を（口頭契約）支払わせることにしており、支払割合は芸者置屋業者から借入金額に応分し、支払時期は不定期である。
> 　今回現地調査を行なった結果では、芸者置屋における芸妓の宿泊状況は、従業員宿舎の利用とかわりないものと解される。
> 　なお、本県の場合この営業形態に対し過去に許可を与えているものもあり、又松江地方裁判所から旅館業法違反（無許可営業）の判決が昭和39年に出されている。
> 添付資料　判決書写　略
> 2　以上に関連するが、旅館業法でいう下宿営業の適用を受けるべき営業形態の具体的な例示をお願いしたい。

［昭和48年7月6日　環衛第126号
　島根県環境保健部長宛　厚生省環境衛生課長回答］

昭和48年2月5日付け薬発第293号をもって照会のあった標記について、下記のとおり回答する。
記
1について
　照会に係る芸者置屋業は、旅館業法でいう下宿営業には該当しないものであると解する。
2について
　昭和32年8月3日付け衛発第649号公衆衛生局長通知(4)を参照されたい。

(旅館内の個室付特殊浴場)

○旅館内にトルコ風呂を設ける場合の取扱について

〔昭和32年8月8日　衛環発第34号
各都道府県衛生主管部(局)長・各指定都市市長宛　厚
生省公衆衛生局環境衛生部長通知〕

標記について別添第1により神戸市衛生局長より照会があったので、別添第2により回答したから御了知ありたい。

〔別添第1〕

旅館内にトルコ風呂を設ける場合の取扱について

〔昭和32年7月19日　神衛防第228号
厚生省公衆衛生局環境衛生課長宛　神戸市衛生局長照会〕

標記のことにつき次の如き疑義を生じましたので至急御回答賜りたく照会申し上げます。

記

旅館内にトルコ風呂を2～3個程度設ける場合
(イ)　利用の対象が宿泊者に限られる場合は、昭和24年10月17日衛第1,048号通牒にいう旅館内の浴場として取扱ってよいか。
(ロ)　対象が宿泊者のみならず、休憩という名目で、トルコ風呂のみを利用することが頻繁にわたることが予想せられ、昭和29年1月5日衛発第1号にいう「入浴させる対象及び目的が旅館業のそれの範囲をこえる」可能性があると考えられるが、この場合当該入浴施設が旅館業の範囲をこえるものと見なし、旅館業法による許可を与えない理由となし得るか。

〔別添第2〕

〔昭和32年8月8日　衛環発第34号
神戸市衛生局長宛　厚生省公衆衛生局環境衛生部長回答〕

昭和32年7月19日付神衛防第228号をもって御照会の標の件について次のとおり回答する。

記

1　設問(イ)について
　トルコ風呂の利用者がお尋ねの場合のごとく当該旅館業の施設の宿泊者に限定されているものであれば貴見のとおり旅館内の浴場として公衆浴場法の適用外として取扱って差し支えない。
2　設問(ロ)について
　お尋ねの件については、当該施設について宿泊(旅館業法第2条第6項に規定するもの

をいう。）者以外に業として利用されることが客観的に認められるときは、営業者本人の意思目的の如何にかかわらず旅館としての旅館業法の許可の外に公衆浴場法第2条第1項の許可を要するものと解せられる。

（マンションホテル）

○マンションホテルについて

> ［昭和49年2月26日　環第1,410号
> 厚生省環境衛生局環境衛生課長宛　宮城県衛生部長照会］

　本県において、最近マンションの一般居室をその持主が使用しない時に、隣接しているホテルが客室として借りうけて使用しようとする場合、下記の事例があるので、その取扱いについて御教示願います。
〔事例1〕
① 　ホテル側施設　客室51室、定員234名
② 　マンション施設　戸数108戸（居室面積30㎡以上）
③ 　配置図　別添1　　（略）
④ 　業者の考えている営業方法：マンション居室の所有者とホテル側が契約後、所有者が使用しない時はホテルの客室として使用できる。ただし所有者は前日に連絡すれば優先的に使用できる。
⑤ 　ホテル側の職員がマンションのフロントに常勤する。
⑥ 　ホテルとマンションは渡り廊下で連絡する。
⑦ 　リース室を使用するお客もホテルフロントで受付をする。
⑧ 　食事はホテルの食堂を使用する。
〔事例2〕
① 　ホテル側施設　客室31室、定員113名
② 　マンション施設　戸数198戸（居室面積44.8㎡以上）
③ 　配置図　別添2　　（略）
④ 　業者の考えている営業方法：マンションの居室の所有者が月単位でリース月の3か月前にホテル側と契約を結び、そのリース期間は完全にホテル側の客室となり、所有者の優先権は認めない。
⑤⑥⑦は、事例1に同じ。
上記内容で営業をしようとしているのであるが
1　事例1の場合にはマンションの所有者が宿泊等について、優先的になり、法令第5条の「宿泊をさせる義務」に違反する可能性があると思われるのでこれについては、リース期間中はリース室は完全に旅館の管理下に入り、所有者の優先権等は認めないこととする。

2 リース室供給施設については、下記内容を満たしているものとする。
① リース室供給施設は建築基準法第6条第1項の建築確認を旅館、ホテルの用途でうけていること。
② リース室供給施設は、旅館ホテルとして、消防法令に義務づけられている消防用設備等が設置されていること。
③ リース室供給施設の管理を、旅館営業者が行っていること。
④ リース室供給施設の衛生設備(給水、排水その他)等が関係法令に適合していること。
⑤ リース室供給施設にフロント、寝具格納の施設が設けられていること。
3 事務手続上の問題としては、客室数、定員数の変動が激しく、実際には把握が困難になるので、リース期間は1月以上を単位とし、リースの開始される前月の20日までに変更届を提出させる。
　以上1、2、3の内容により、事例のような場合、旅館業法による客室として取扱ってよろしいか伺います。

〔昭和49年5月11日　環指第8号
　宮城県衛生部長宛　厚生省環境衛生局指導課長回答〕

昭和49年2月26日付け環第1,410号をもって照会のあった標記について、下記のとおり回答する。

記

照会に係る事例の施設については、旅館業法上の客室として取り扱って差し支えない。

○旅館業法上の疑義について

〔昭和56年7月15日　56中環管発第305号
　厚生省環境衛生局指導課長宛　東京都中央区環境衛生部長照会〕

本区において、最近マンションの一部を下記のように使用しようとする事例があるので、その取扱いについて御教示願います。

記

1　施設の状況及び管理等
(1) 施設は、分譲マンション(鉄筋コンクリート9階建)として建設されたものであり、使用しようとする施設は、1階1室(フロント)、2階7室、3階21室、7階4室、8階12室、9階1室の計46室である。
(2) 売主A社は、1室につき10名と売買契約を締結し、専用部分及び共用部分をあわせて、共有持分として所有権を購入者(以下「所有者」という。)に移転するものである。
(3) この際、A社はB社を指定し、所有者及びB社との間に施設の維持管理及び使用について、施設利用契約及び利用規定を締結することを条件とするものであ

る。
　(4)　施設利用契約においては、A社はB社の代理人である。
　(5)　各所有者には、年間45泊の宿泊利用券が配布されるが、これを第三者に譲渡することもでき、譲渡を受けた者（宿泊利用券所持者）は誰でも施設を利用できる。
　(6)　宿泊利用券所持者は、B社の管理に係る他の同種の施設も利用できる。
　(7)　寝具はB社が提供する。
　(8)　食事は提供しない。
　(9)　施設の利用料は、利用者が宿泊の都度、室内清掃、シーツ類のクリーニング代等の実費と称し、1000円をB社に支払うほか共用部分の管理経費を主とした一般的な管理費用として、所有者は月額4000円（但し、1か年分を前納）を定期的に支払う。
2　質問点
　(1)　上記1において、B社は次のような理由で当該施設が、旅館業法の対象施設に該当しない旨主張する。
　　ア　営業行為が、所有者の委託に基づく管理業務であること。
　　イ　所有者から、月額4000円の定期的支払い（但し、1か年分前納）を受けること及び利用の都度、1人1泊1000円の支払いを受けることに関して、前者は共用部分の管理経費を主とした一般的管理費用であること。後者は、清掃費、クリーニング代等の実費であり、当該実費の平均額を事前に契約により定額として定めたものであって、これは旅館業法に定める「宿泊料を受ける」行為に該当しないこと。
　　（質問）
　　　(ｱ)　アについて
　　　　別添4施設利用契約書第7条では、所有者は、その所有する施設の占有を禁じられ、かつ、管理運営の一切をB社に委任することとなっていること。同第12条では、B社が所有者の土地・建物に入り、当該建物の補修・改修・改築ができること。
　　　　また、宿泊利用券による施設利用者の利用を拒否し、又は退去を命じうること等、B社の行為は単なる管理業務の域を超えた管理上の全責任を社会的に負うところの営業行為であると判断する。
　　　(ｲ)　イについて
　　　　宿泊の都度、利用者から光熱水費、室内清掃費、クリーニング代等として、定額1000円を徴収することは、宿泊の対価を徴収しているものと解され、旅館業法に定める「宿泊料を受ける」行為に該当すると判断する。
　　　以上(ｱ)及び(ｲ)の理由により、当該施設を旅館業法適用対象施設として取り扱うのが相当であると考えるが如何。
別添　略

旅館業法運用上の疑義について

> 昭和56年7月31日　環指第124号
> 東京都中央区環境衛生部長宛　厚生省環境衛生局指導
> 課長回答

　昭和56年7月15日56中環管発第305号をもって照会のあった標記の件については、次のとおり回答する。

記

　貴見のとおりである。本件事例は、B社が施設の所有権者を含む多数人に対し施設を使用させるものであって、その行為は人を宿泊させる営業に該当し、かつクリーニング代等に充てるとして徴収する費用は宿泊料に当たるものであるので、旅館業法の対象となると解される。
　なお、B社に対しては旅館業法に基づく営業許可申請を行うよう指導されたい。

（ウィークリーマンション）

○旅館業法運用上の疑義について

> 昭和62年12月25日　62衛環第727号
> 厚生省生活衛生局指導課長宛　東京都衛生局環境衛生
> 部長照会

　近年、社会需要の多様化に伴って、新たな営業形態を持つ施設が出現しており、本件もいわゆるウィークリーマンションと称する短期宿泊賃貸マンションとでもいうべき施設で、旅館業と貸室業の中間的な営業形態をもつものと考えられます。
　旅館業法の運用にあたっては、昭和61年3月31日付衛指第44号厚生省生活衛生局指導課長通知が示されているところですが、本件の旅館業法上の取り扱いについて疑義が生じたため、至急ご回答願います。
　（施設の状況及び管理等）
1　施設は既存のアパート、マンションの空室又は専用に建築した室を賃貸する。
2　利用日数の単位は、1週以上とし最長制限の定めはないが、実態としては1～2週間の短期利用者が大半である。
3　利用者は手付金を支払って予約し、入居時までに物品保証金及び利用料等を支払い賃貸契約を締結した上、入居する。
4　客室には日常生活に必要な設備（調理設備、冷蔵庫、テレビ、浴室、寝具類等）が完備している。
5　室内への電話器、家具等の持ち込みは禁止している。
6　利用期間中における室内の清掃等の維持管理は、全て利用者が行う。
7　シーツ、枕カバーの取り換え、浴衣の提供等リネンサービスは行わない。
　なお、利用者からの依頼があれば請け負い会社を斡旋する。
8　食事は提供しない。

9 光熱水費は各個メーターで契約解除時に別途清算する。
 10 本施設の利用者は、主として会社の短期出張者、研修生、受験生等である。
（質問点）
　昭和61年3月31日付、厚生省指導課長通知によれば、旅館業法にいう「人を宿泊させる営業」とは、
　1 施設の管理・経営形態を総体的にみて、宿泊者のいる部屋を含め施設の衛生上の維持管理責任が営業者にあるものと社会通念上認められること
　2 施設を利用する宿泊者がその宿泊する部屋に生活の本拠を有さないことを原則として営業しているものであること
の2点を条件として有するものであるとされている。
　本施設を、この2条件に照らして判断すると、
　1 契約上、利用期間中の室内の清掃等の維持管理は利用者が行うこととされているが、1～2週間程度という1月に満たない短期間のうちに、会社の出張、研修、受験等の特定の目的で不特定多数利用者が反復して利用するものであること等、施設の管理・経営形態を総体的にみると、利用者交替時の室内の清掃・寝具類の管理等、施設の衛生管理の基本的な部分はなお営業者の責任において確保されていると見るべきものであることから、本施設の衛生上の維持管理責任は、社会通念上、営業者にあるとみられる。
　2 また、生活の本拠の有無についても、利用の期間、目的等からみて、本施設には利用者の生活の本拠はないとみられる。
　上記より、本施設を、旅館業法の適用対象施設として取り扱うのが相当と考えるが如何。

〔昭和63年1月29日　衛指第23号
　東京都衛生局環境衛生部長宛　厚生省生活衛生局指導
　課長回答〕

　昭和62年12月25日付け62衛環環第727号をもって照会のあった件について、下記のとおり回答する。

記

　近年、いわゆるウィークリーマンションをはじめとして、新しい形態の旅館業類似営業がみられるが、これらが旅館業法にいう「人を宿泊させる営業」に該当するか否かは、公衆衛生その他旅館業法の目的に照らし、総合的に判断すべきものであることはいうまでもない。照会の施設については、貴見の通り、旅館業法の適用対象施設として取り扱ってさしつかえない。

(町屋・町屋長屋)

○旅館業法の適用について

> 旅館業法の適用について
> ［平成19年12月10日　保保生第154号
> 厚生労働省健康局生活衛生課長宛　京都市保健福祉局
> 長照会］

　最近、本市においては、「町家レンタル」や「町家ステイ」等と称する新たな施設の形態が見受けられます。
　つきましては、上記のような事例に関する旅館業法上の取扱について、ご教示いただきますようお願いします。

記

【事例1】
① 営業形態
　　利用者は、事前にインターネットや電話で旅行業者等に施設の利用を申込み、利用当日、利用施設とは異なる施設（利用施設から直線距離で約150m離れた利用施設所有者（以下「所有者」という。）の店舗）において、所有者から利用方法の説明を受けるとともに、料金の支払いや鍵の受取り等を行う。
　　所有者は、2階建て町家長屋（1棟4軒続き）の1軒を利用者に提供するものであり、当該施設に管理者等は常駐していない。
② 利用者　観光客等
③ 滞在期間　1泊から
④ 料金　1日単位で1軒ごとに設定（定員規定有）
⑤ 寝具の提供　有り
⑥ 施設の管理主体　所有者
⑦ 営業形態の表現　町家レンタル、町家ステイ

【事例2】
① 営業形態
　　利用者は、事前にインターネット等で旅行業者等に施設の利用を申込み、利用当日、利用施設とは異なる施設（施設提供者（以下「提供者」という。）の事務所）、又は利用施設において、提供者から利用方法の説明を受けるとともに、鍵の受取り等を行う。料金の支払いについては、銀行振込等で行う。
　　提供者は、本市内に点在する一戸建ての町家（6棟）を1棟ごと利用者に貸与するものであり、当該施設に管理者等は常駐していない。
　　本事例では、宅地建物取引業法に基づき、利用者と提供者との間で定期賃貸借契約を結んでいる。

第5編　旅館業

　　② 利用者　観光客等
　　③ 滞在期間　1泊から
　　④ 料金　1日単位で1棟ごとに設定（定員規定有）
　　⑤ 寝具の提供　有り
　　⑥ 施設の管理主体　提供者
　　⑦ 営業形態の表現　京町家ステイ、Ｗｅｅｋｌｙ町家
【事例3】
　　① 営業形態
　　　利用者は、事前にインターネットで旅行業者等に施設の利用を申込み、利用当日、事前に施設提供者（以下「提供者」という。）から電子メール等で通知された暗証番号を用い、解錠し施設を利用する。料金の支払いについては、クレジットカード等で行う。このため、利用者は、提供者等と直接面会せずに利用できる。
　　② 利用者　観光客等
　　③ 滞在期間　1泊から
　　④ 料金　1日単位で1棟ごとに設定（定員規定有）
　　⑤ 寝具の提供　有り
　　⑥ 施設の管理主体　提供者
　　⑦ 営業形態の表現　御泊処、京町家ウィークリー
1　上記の各事例について、いずれも旅館業法の適用を受けると考えるがいかがか。
2　上記の各事例において、旅館業法の適用を受ける場合
　(1) 事例1の長屋のような施設の場合は、1軒ごとに許可が必要か。また、事例2のように点在する施設については、町家ごとに許可が必要か。
　(2) 事例1及び事例2のように施設に付随した玄関帳場がなく、施設から地理的に離れた場所に玄関帳場の機能を有した施設がある場合は、これを玄関帳場と解してもよいか。また、同一営業者が、1箇所の玄関帳場を複数の許可施設の玄関帳場として使用しても差し支えないか。
　(3) 事例3のように所有者等と面談せずに鍵等の受け渡しが可能であり、宿泊者名簿への記入は電子メールの申込みによって代える場合であっても、玄関帳場は必要と解するがいかがか。

　　　　　［平成19年12月21日　健衛発第1221001号
　　　　　　京都市保健福祉局長宛　厚生労働省健康局生活衛生課長
　　　　　　回答　　　　　　　　　　　　　　　　　　　　　　　］

　平成19年12月10日付け保保生第154号をもって照会のあった標記について下記のとおり回答します。

記

1　1について
　　貴見のとおりである。

2　2の(1)について

事例1の長屋（1棟4軒続き）のような施設の場合には、常時全軒を営業施設とするのであれば長屋全体を1施設とした営業許可を与えることも可能である。

すなわち、営業施設が長屋全体であろうと又は1軒ごとであろうと、その施設における営業の実態に即した許可を与えることが適当である。

また、事例2の町屋のように、市内に点在し各々の営業施設が関連することなく個別に立地している場合については、そもそも構造設備基準に基づく入浴設備の規模、洗面設備の規模、便所の数等は、個々の営業施設ごとにその規模及び数が適当であるか否かを判断すべきことから、貴見のとおり町屋ごとに許可が必要となるものと解する。

なお、宅地建物取引業法に基づき、定期賃貸借契約を締結している場合であっても「人を宿泊させる営業」である以上は、旅館業法の適用を受けるものである（「下宿営業の範囲について」（昭和61年3月31日付け衛指第44号厚生省生活衛生局指導課長通知を参照））。

3　2の(2)について

玄関帳場は、宿泊客が従業員と面接せず利用できるなど不健全な営業形態の旅館を排除することを趣旨に設けられているものであり、健全な営業形態を確保する観点を踏まえると、営業施設に付随しない玄関帳場は認められない。

また、1箇所の玄関帳場を点在する複数の営業施設の玄関帳場として使用する場合には、結果的に、玄関帳場が営業施設の入口、又は宿泊者が施設を利用しようとするときに必ず通過する通路に面して設置されていない施設ができることから、玄関帳場を設ける趣旨を踏まえると、そのような玄関帳場の使用は認められない。

4　2の(3)について

上記3に記載した趣旨のとおり宿泊者との面接は必要不可欠なことから、鍵等の受け渡し又は宿泊者名簿の記載手段がいずれの方法であっても、玄関帳場の設置は必要である。

第5編　旅館業

（ボランティア民泊）

○旅館業法適用の疑義について

> 平成30年4月4日　保医セ第64号
> 厚生労働省医薬・生活衛生局・生活衛生・食品安全部
> 生活衛生課長宛　京都市保健福祉局長照会

　最近、本市において、下記のとおり「ボランティア民泊」と称して、人を宿泊させる営業者がおり、その取扱いに疑義が生じましたので、至急御教示いただきますようお願いいたします。

記

1　営業形態
(1)　一般社団法人Aは、健康増進法に基づく禁煙促進ボランティア活動を実施していると自称し、1部屋当たり月4000円の会費を支払い、賛助会員となって、「ボランティア事業者認定証」が交付されれば、「ボランティア民泊」として、旅館業の営業許可がなくとも合法的に民泊を営業できるとして、営業者を勧誘している。「ボランティア民泊」とは、電子タバコの普及活動として、利用者は営業者に当該活動に対する寄付金を納め、営業者が訪日外国人等に対し無償で宿泊サービスと電子タバコを提供するものである。利用者の支払う金銭は寄付金であり、対価性がないため、当該宿泊サービスの提供は旅館業に当たらず、違法ではないと同団体は主張している。
(2)　しかしながら、賛助会員である営業者は同団体のホームページのほか、インターネット仲介サイトBを介して、一般の「民泊」営業者と同様に、1人1泊当たりの料金を定め、仲介サイトの予約決済システムにより、利用者を募っている。
(3)　また、市内にある「ボランティア事業者認定証」が交付された施設の宿泊者約50人に聴き取り調査を行ったところ、全員が「寄付金ではなく、宿泊料として支払った。」との認識であり、電子タバコが提供されていない場合もあることが確認された。
(4)　利用者：観光等目的の訪日外国人等
(5)　滞在期間：1泊から
(6)　料金：1人1泊当たり4000円～8000円を仲介サイトに表示
　　　　　　（宿泊者1人当たりの料金、施設の清掃料、サービス料及びキャンセルポリシーなどを表示）
(7)　寝具の提供：有り
(8)　施設の衛生上の維持管理責任：営業者（賛助会員）
(9)　提供される電子タバコは、1個1500円程度で市販されているものである。本市が調査した限りにおいて、複数人の宿泊者が複数日にわたって宿泊した場合で

も、電子タバコが提供される個数は最大で1個であり、中には提供がなされていない場合があることを確認している。
2　質問点
事業実態は上記のとおりであり、厚生労働省通知においては「宿泊料は名目のいかんを問わず、実質的に寝具や部屋の使用料とみなされるものはこれに含まれる。」とされているところ、一般社団法人Aが寄付金と主張する料金は宿泊料とみなされ、同団体及び賛助会員の営業する「ボランティア民泊」は旅館業に該当すると解するがいかがか。

［平成30年4月6日　薬生衛発0406第1号
　京都市保健福祉局長宛　厚生労働省医薬・生活衛生局
　生活衛生課長回答］

平成30年4月4日付け保医セ第64号をもって照会のあった標記について下記のとおり回答します。

記

1　(1)から(9)までが事実であるならば、旅館業に該当すると解して差し支えない。

第5編　旅館業

（宿泊）

○旅館業法による宿泊の疑義について

> 昭和33年5月1日　公衛第1,414号
> 厚生省公衆衛生局環境衛生部環境衛生課長宛　和歌山
> 県衛生部長照会

　右については、宿泊者名簿の記入について売春防止法と密接な関係があると思われるので、下記の点について御教示願いたい。

記

1　宿泊の解決には時間的規制があるのか。
　　（例えば何時から何時までという制約規制）
2　宿泊は昼間であっても（利用時間の長短を問わず）寝具を用いて休息する場合は、宿泊と解して宿泊者名簿に記入するのか。
3　従来の休憩ということは、宿泊者名簿と併せてどう取扱うべきか。

> 昭和33年5月15日　衛環発第48号
> 和歌山県衛生部長宛　厚生省公衆衛生局環境衛生部長
> 回答

　昭和33年5月1日公衛第1,414号をもって照会のあった標記については、次のとおり回答する。

記

1　宿泊とは、旅館業法第2条第6項の規定のとおり、寝具を使用して旅館業の施設を利用することをいうのであって、これに合致する場合には、宿泊の時間とは関係なく宿泊者名簿に記入すべきである。
2　1の趣旨から宿泊と解して宿泊者名簿に記入すべきである。
3　休憩といわれるものであっても、1の宿泊に該当する場合は、宿泊者名簿に記入すべきである。

○旅館業法の疑義について

> 昭和39年11月5日　39医第856号
> 厚生省環境衛生課長宛　岩手県厚生部長照会

　旅館業法第3条による営業許可を要すると認められる施設があり、再三許可を受けるよう注意を与えたが、その経営者は旅館業法適用外であるとし、許可を受けることを拒み、経営を続けており、その施設がしばしば不良分子の使用により、風俗あるいは婦女暴行等のいかゞわしい事件を起し治安当局よりも、手入れが行われているが、犯罪構成の立証が困難で問題となっているものである。施設の概要は下記のようでありますので業法適用の是非について至急文書をもって御指示を得たく照会します。

　　　　　　　　　　　記
1　施設は盛岡市内にあり、6畳便所つきの木造平屋建て家屋が10棟並列しており、それぞれの家屋を1日500円の賃貸料を受けて解放し、客に自由に使用させている。1日単位の貸借契約書に記入させ貸家であるとし、旅館業法適用外のものであると強気である。寝具は希望があれば貸出すこととしている。食事は提供しないが注文のある品は購入の便を図っている。
2　設備は極めて不完全で旅館の基準には合致しない。

〔昭和39年11月19日　環衛第32号
　岩手県厚生部長宛　厚生省環境衛生課長回答〕

　昭和39年11月5日39医第856号をもって照会のあった標記について下記のとおり回答する。

　　　　　　　　　　　記

　当該施設が不特定または多数人によってたえず交代して寝具を使用して利用されていれば経営者と利用者の取り決めた契約の文言にかかわらず、「人を宿泊させる」営業と解され、また、当該賃貸料は「宿泊料」と解されるので、旅館業法の対象になるものと思われる。
　記2については、昭和36年6月20日厚生省環衛第1号（問1）を参照されたい。

○サウナ風呂における宿泊行為の取扱いについて

〔昭和50年1月28日　福衛環第57号
　厚生省環境衛生局指導課長宛　福岡市長照会〕

　最近、本市内において、公衆浴場法に基づく許可済の特殊公衆浴場、サウナ風呂の施設内に、多数人が共用できる構造と、温度調節を完備した仮眠室と称する部屋を設け、下記の形態で営業する者が続出し、社会的にも表面化しております。
　当該営業の特徴は、タオルケットを有料で貸与し、藤枕やクッションを無料で貸与する他、昼夜の入浴料金に価格差をつけて終日営業とし、社会通念上の「宿泊」ができる営業形態にあります。
　この場合、貸与したタオルケットの使用目的から、旅館業法第2条の寝具に該当すると解するか、またタオルケットの貸料及び夜の入浴料金に同条の宿泊料が潜在していると解して旅館業法を適用することの可否に疑義を生じたので御回答を煩したく照会します。

　　　　　　　　　　　記
1　営業形態
　1）営業時間　　24時間
　2）仮眠室構造　冷暖房完備、床ジュータン貼り
　3）仮眠室利用人員　1日50～60人
　4）寝具類似品の貸出　タオルケット　100円

第5編　旅館業

```
                枕（藤、ソバガラ）　　無料
                クッション　無料
    5）入浴料金　サービスタイム（7.00～17.00）　　900円
                レギュラータイム（17.00～24.00）　　1200円
                ナイトタイム（0.00～7.00）　　1300円
```

〔昭和50年3月3日　環指第15号〕
〔福岡市衛生局長宛　厚生省環境衛生局指導課長回答〕

　昭和50年1月28日福衛環第57号をもって照会のあった標記については、次のとおり回答する。

記

1　「寝具」の意義について
　　タオルケットも、ベット、枕、シーツ、毛布その他の寝具類（昭和44年7月7日付け衛環第9,096号環境衛生課長回答参照）とともに使用することによって旅館業法第2条第2項にいう「寝具」となり得るものと解する。
2　「宿泊させる」の意義について
　　「仮眠室」において休憩させる行為が、サウナ風呂に入浴した後暫時休憩させるといった、サウナ営業に通常随伴する程度のものであれば、当該行為は、旅館業法第2条にいう「宿泊させる」行為に該当しない。これに対し、そのような程度を超えて、一般の旅館、ホテル等におけると何ら異ならないような形で休憩ないし睡眠をとらせている場合においては、当該行為は、同法第2条にいう「宿泊させる」行為に該当するものと解する。
3　「宿泊料」の意義について
　　「宿泊させる」行為があることを前提にすれば、設例のような場合にあっては、宿泊の対価を徴収しているものと解する。

（宿泊する場所）

○簡易宿所営業の許可に関する疑義について

　　　簡易宿所営業の許可について
〔昭和42年10月26日　42公発第1,471号〕
〔厚生省環境衛生局環境衛生課長宛　福岡県衛生部長照会〕

　旅館業法第2条第4項に簡易宿所営業の定義として「宿泊する場所を多数人が共用する構造及び設備を主とする施設」となっており、これの解釈が昭和32年8月7日発衛第371号各都道府県知事、各指定都市市長宛、厚生事務次官依命通達「旅館業法の一部を改正する法律等の施行について」によって示されているが、下記事項について

取扱いに疑義を生じたので御教示願いたい。
記
1　法第2条第4項に規定する「宿泊する場所」とは、宿泊する客室をさすものか又は施設全体をさすものか、これの解釈について
2　旅館業法による旅館営業の基準に合致しないものについては、従来5室未満等でも簡易宿所営業として認めて来たが、目下建設中の別紙建築様式の設備のうちには旅館営業としての基準に合致する部分と基準に満たない部分（個室）があり、業者は低料金実施のため簡易宿所営業を希望している場合、簡易宿所営業として許可してさしつかえないか。

別　紙
建築様式
　鉄筋コンクリート造地下1階、地上6階、塔屋2階建延床面積1728㎡
　内　訳
　　地　下　　浴室2
　　1　階　　玄関、食堂、厨房、従業員室、従業員食堂
　　2　階　　大広間、和室（管理人室を含む）7室
　　3～6階　洋室（9.72㎡）24室
　　　　　　洋室（6.48㎡）60室

```
昭和42年11月29日　環衛第7,155号
福岡県衛生部長宛　厚生省環境衛生局環境衛生課長回答
```

　昭和42年10月26日付け42公発第1,471号をもって照会のあった標記について下記のとおり回答する。
記
1　旅館業法第2条第4項に規定する「宿泊する場所」とは、宿泊の用に供する客室をいう。
2　事案の設備のうち、旅館業法施行令第1条第1項及び第2項に規定する施設の構造設備基準に適合しない部分（個室）は、宿泊する場所を多数人が共用する構造及び設備を有するとはいえないので、簡易宿所営業の施設にも該当しない。

○旅館業法運用上の疑義について

```
昭和49年10月31日　49衛環環第1,344号
厚生省環境衛生局指導課長宛　東京都衛生局環境衛生部長照会
```

　旅館業法運用上の疑義に関し、昭和40年6月7日付環衛第5,012号厚生省環境衛生課長通知により回答があったが、近年利用者の多様な需要に対応するとして従来と異った使用方式をとり入れた施設があらわれているので、これが旅館業法上の取扱いに

ついて重ねて貴省の見解をおたずねします。
（施設の状況及び管理等）
1　施設は、木造平家の別棟式で各々に簡単な調理設備が設けられ自炊が可能である。
2　寝具は経営者側で提供する。
3　食事は提供しない。
4　光熱水費は経営者側で支払う。
5　宿泊日数の単位は1日以上とし最長期限の定めはない。
6　長期滞在（1月以上）のものは別途賃貸借契約を締結することもある。
7　利用料は利用者が借室料としてその都度支払うが、賃貸借契約による場合は月毎に定額を支払う。
8　借入期間中の部屋等の清掃は、一応利用者がおこなうことにしているが、1日単位で利用する場合は経営者がおこなう。
（質問点）
　施設の管理責任が、利用者の滞在日数の長短、利用者の希望などによって異なるなど将来の不確定事項に係らしめている場合その管理責任を経営者側におき旅館業法対象施設と考えざるを得ないと思うがどうか。

［昭和50年3月3日　環指第14号
東京都衛生局環境衛生部長宛　厚生省環境衛生局指導課長回答］

　昭和49年10月31日49衛環第1,344号をもって照会のあった標記については、次のとおり回答する。

記

　お尋ねのような施設が旅館業法の適用対象施設となるか否かを検討するに当たっては、各棟を個別的にとらえるのではなく、当該棟を含む全棟を総体的にとらえ、有機的に一体をなした施設全体の管理・経営形態の如何を考慮すべきであり、各棟及びその周辺における清掃その他の衛生上の維持管理責任等が、総体的にみて、社会通念上経営者の側にあると認められる場合には、当該施設を旅館業法適用対象施設として取り扱うのが相当である。
　設例のような場合にあっては、貴見のとおり取り扱って差し支えない。

(寝具)

○旅館業法の疑義について

［昭和43年11月14日　発衛第473号
　厚生省環境衛生課長宛　鳥取県厚生部長照会］

　最近県下にモーテルと称する旅館営業施設および休憩施設が建てられ、営業が行なわれておりますが、下記事項について疑義がありますので、至急ご教示願います。
　なお、旅館営業許可を受けている施設図面を参考に添付します。

記

1　旅館業法第2条第6項に規定されている「寝具」とは、ベット、敷きぶとん、掛けぶとん、毛布、包布、シーツ、まくら、まくらおおいと解してよろしいか。
2　昼間、夜間を問わず、かつ、利用時間に関係なく、設問1の寝具のうち、1品目を使用した場合であっても寝具を使用した者（宿泊者）と解し、当該利用者を旅館業法第6条に規定されている宿泊者名簿に記載しなければならないものと解してよろしいか。
3　旅館営業許可を受けているモーテル（別添図面参照）には、ベット上に常時掛けぶとん、敷きぶとん、まくら等が就寝できる状態に準備されているが、客がこの寝具を使用したかどうかの事実を確認することは至難である。したがって、昼間、夜間を問わず、かつ、利用時間に関係なくこの施設を利用した者を、すべて宿泊者名簿に記載しなければならないものと解してよろしいか。
4　旅館営業許可を受けていないモーテル（休憩所）で、その施設を利用する者が寝具を持ち込み、特定な場所を使用し仮眠または休憩するような事例がある場合は、旅館営業の許可を必要とするものと解してよろしいか。
5　宿泊者名簿の保存について期間の定めがないが、どの程度保存するのが適当であるか。

別添　略

［昭和44年7月7日　環衛第9,096号
　鳥取県厚生部長宛　厚生省環境衛生課長回答］

　昭和43年11月14日付け発衛第473号をもって照会のあった標記の件について、次のとおり回答する。

記

1　1については、ご指摘のものは、法第2条第6項に規定する「寝具」に該当するが同項に規定する「寝具」がそれらに限定されるものと解するのは適当でない。
2　2及び3については、具体的事例により判断することが必要であるが、通常の場合、貴見のとおりに取り扱って差し支えない。
3　4については、モーテル等の休憩施設に寝具が備置され、又は当該施設の利用者によ

って寝具が持ち込まれる等により、これらの休憩施設が専ら寝具を使用する者によって利用される場合であって、その経営が業として行なわれ、かつ、その利用につき対価を受ける場合には、旅館業の許可を要するものと解する。
4　5については、3年間保存されたい。

（宿泊料）

○営業三法取扱の疑義について

〔昭和28年2月16日　28公衛発第282号
　厚生省公衆衛生局長宛　埼玉県知事照会〕

　標記については、昭和25年4月26日付衛発第358号「営業三法の運用について」の通ちょうに基き実施中なるも、今般旅館業法の取扱解釈について疑義を生じたので、下記につき至急何分の御指示を願いたい。

記

　寺院において、特定人（講中）並びに一般人を対象とし、特に夏期においては、各学校の生徒を集団的に宿泊させて旅館行為を反覆継続し、従来から信仰の殿堂と称し、宿泊料又は室料にかわるに、思召と称して代価を要求しておる場合、寺院においては、無料奉仕的であるから昭和25年4月26日付衛発第358号厚生省公衆衛生局長の「営業三法の運用について」の通ちょうをたてに、許可願を提出しないと主張しておるが、県としては旅館業法に基く許可を受くべき業とみなすべきものと解釈するが、本省の御意向を伺いたい。

〔昭和28年3月6日　衛環第20号
　埼玉県衛生部長宛　厚生省公衆衛生局環境衛生部環境
　衛生課長回答〕

　2月16日28公衛発第282号で貴県知事より公衆衛生局長宛照会のあった右のことについては、下記のとおり回答する。

記

　寺院において、お布施又は思召と称して宿泊者に対し、料金を徴収して居る場合であっても、その実態が、不特定多数人を反覆継続して利用せしめ、且つ社会性を帯びている場合には、徴収する料金の名目の如何を問わず旅館業法第2条にいう「宿泊料又は室料」とみなして処理すべきである。殊に照会の如き場合には、他に及ぼす影響も大きく、当然社会性を有するものと考えられるので、旅館業法を適用する必要がある。

○旅館業法の疑義について

> 平成22年3月3日　21生衛第489号
> 厚生労働省健康局生活衛生課長宛　長崎県県民生活部
> 生活衛生課長照会

　当県の離島地域において、地域活性化の一環として、古民家を改修し、そこで宿泊を含めた様々な体験を行わせる事業が実施される予定である。その際、下記事例の場合、旅館業法の適用の有無について回答願います。（1～2は同一事例であり、総合的に判断することとする）

記

1　旅館業法の適用対象となるには「宿泊料を受けて」が要件であるが、利用者から体験料を徴収する際、宿泊した場合とそうでない場合が同額であり、体験料の中に宿泊料相当額が含まれていないことが明白な場合。（利用者は体験料のみ負担）

　　（例）　日帰りの場合の体験料　　1人　7000円
　　　　　宿泊する場合の体験料　　1人　7000円

（補足）
　　上記の場合は、宿泊する際の「宿泊料相当」に該当する、寝具賃貸料、寝具クリーニング代、光熱水道費等の維持管理費（例　5000円／1人）は利用者から徴収せず、古民家の所有者である町が負担する。

2　上記の場合であって、町と体験提供者で施設利用契約を締結し、体験提供者が町に対し、施設利用代として（例　3000円）を支払っている場合。（施設利用代は体験料の収入から支出される。）
　　この場合、体験料の中に施設利用料が含まれていることにより、町は「宿泊料」を間接的に徴収していることになると解するが如何か。

> 平成22年4月7日　健衛発0407第1号
> 長崎県県民生活部生活衛生課長宛　厚生労働省健康局
> 生活衛生課長回答

　平成22年3月3日付け21生衛第489号をもって照会のあった標記について下記のとおり回答します。

記

1について
　　体験料の中に宿泊料相当額が含まれていないことが明白であれば、旅館業法の適用は受けないものである。
2について
　　施設利用代の中に宿泊料にあたるものが含まれているのであれば、旅館業法の適用を受けるものである。

第5編　旅館業

第2章　営業の許可

（名義変更）

○旅館業法の疑義について

［昭和33年7月12日　33衛公環発第565号］
［厚生省環境衛生部長宛　東京都公衆衛生部長照会］

　旅館業法第3条第2項の取り扱いに関して、疑義が生じ、その運用に支障をきたしているので、下記事項について至急御回示お願いいたします。

記

　改正旅館業法（昭和32年6月15日付）の附則第2項によって改正後の法律の許可をうけたものとみなされた者が廃業して、その施設を相続または、譲渡をうけた者から新らたに営業許可申請があったとき、その施設の構造設備が改正法に基く施行令の基準に適合しない個所があった場合は、法第3条第2項の規定によれば、原則的には不許可とすることが妥当かと思われるが、かかる措置をとった場合には、行政の運営上から好ましくない事態の発生も予想され、また、現実に則しない面もあるので、次のとおり処理し許可して支障ないか。

　できるだけ現基準に適合するよう改善させるが、早急に改善することが不可能と認められる場合は、法第3条第6項に規定する公衆衛生上必要な条件として、改正法附則第3項に準じて、昭和35年6月14日までに改善することの条件を附して許可する。

［昭和33年8月20日　衛環発第61号］
［東京都衛生局長宛　厚生省環境衛生部長回答］

　昭和33年7月12日33衛公環発第565号をもって照会のあった標記については、次のとおり回答する。

記

　お尋ねのように旅館の施設を相続し、又は譲渡を受けた場合においては、当該施設について何等変更を加えないものであっても、新たな許可申請であり、改正後の旅館業法が適用されるわけであるが、改正後の旅館業法で定める基準に適合するように早急に改善することが客観的に困難である等その事情が真にやむを得ないと認められるときは、従前の当該施設の営業が公衆衛生上及び風紀上何等支障がなかったことにかんがみ、やむを得ないと認められる最少限度の不適合につき貴見のとおり、条件を附して許可を与えることは差し支えないものと解する。

（条件）

○旅館業の条件付き許可について

> 昭和31年3月28日　衛公環発第237号
> 厚生省公衆衛生局環境衛生部長宛　東京都公衆衛生部長照会

　旅館業の許可にあたっては、旅館業法施行当時はバラック建の施設が多いため、同法施行当時都規則中に「2年を下らない有効期間その他必要な条件をつけることができる。」旨の規定を設け、この規定に従って2年若しくは6年までの有効期間をつけて許可をしてきたが、近時においてはその施設も恒久的な施設が多くなったので、その施設に応じて5年、10年または永久等としてその有効期間を延長しての条件をつけて許可をしたいが（都規則をこのように改める。）この法解釈について貴見を得たい。

> 昭和31年10月29日　衛環発第53号
> 東京都衛生局長宛　厚生省公衆衛生局環境衛生部長回答

　昭和31年3月28日衛公環発第237号をもって照会のあった標記については、下記のとおり回答する。

記

　旅館業法制定当時の建築物の状態その他社会情勢下にあっては、都規則中に設問のような規定を設けたことについては、その趣旨は、了とされるが、本来旅館業法においては、旅館業の営業施設について、宿泊者の衛生に必要な措置の実施状況は、同法第7条の規定に基き、関係者からの報告徴収、あるいはいわゆる立入検査の方法によって把握し、その措置の基準に違反しているときは、許可の取消又は営業の停止を命ずることができることとなっている趣旨からして、現段階では、許可に際し、都規則の規定で予め有効期限を附することは、適法であるとは考えられない。

○旅館業経営許可について

> 昭和36年9月28日　36環第339号
> 厚生省環境衛生局長宛　長野県衛生部長照会

　現に旅館業法による経営許可を受けて経営している旅館施設に対し、別人から経営許可申請がなされたがこの施設に対しては、下記のとおり現経営者と申請人との間に営業権、所有権の問題につき係争中であり、現経営者から係争問題解決まで許可を保留方上申書が提出されておりますが、この旅館経営許可申請については、司法の係争に関知することなく公衆衛生上支障ない（設置及び施設基準に適合する）限り「公衆浴場営業許可について」の昭和31年11月29日衛環第119号山梨県衛生部長あて貴局環

第5編　旅館業

境衛生課長回答に準じ、更にこれを許可して差し支えないか至急御教示願います。
　また同回答は、下記2の理由をもって行政処分として当を得ないものと思われますがこの点につきましても併せ御教示願います。

記

1　係争内容
　本県上山田町において、従来から旅館業を経営している合資会社M旅館をそのまま維持継承することを約束のもとに建物一さいを譲受け株式会社M旅館なるものが設立今回旅館経営許可申請がなされた。
　ところが申請と同時に合資会社M旅館の代表社員から株式会社M旅館が所有する建物は偽罔手段で騙取されたものであることを理由にこれに対し現在司法裁判所において係争中であり、かつ合資会社M旅館は経営の意思あるとして係争問題解決まで当該申請に係る許可の保留につき上申書が提出されている。
2　同一施設に対する新たな許可処分は、従前の営業権者の廃業を前提としてなされるのが原則であることからして、有効に前許可が消滅しない限りにおいて、二重に許可することは違法と考えられる。(なお、本件に類似した事件として判例体系、行政法、行政作用(1)警察4(Ⅱ)に昭和30年12月26日神戸地裁の判決例がある。)

〔昭和36年11月24日　環発第235号〕
〔長野県知事宛　厚生省環境衛生局長回答〕

　昭和36年9月28日36環第339号をもって御照会の標記については、次のとおり回答する。

記

　旅館業法による旅館業の許可は、公衆衛生取締及び風俗取締の観点からみて支障がないと認められる場合に、旅館業経営に関する一般的な禁止を当該施設について解除する行政行為であって、申請に対して許可を与えるか否かは、当該施設についての私法上の権利関係から離れてもっぱら公衆衛生上及び風俗上の見地から決定されなければならないものであり、かりに当該施設の私法上の権利関係について当事者間に紛争があったとしても、それは公衆衛生上及び風俗上の見地からする適否の問題とは直接の関係をもたない事柄であるばかりでなく、この種の私法上の紛争については、許可権者である都道府県知事がこれを実質的に審査し、またこれによって拘束を受けるものと解すべきなんらの法理上の根拠も認められないものであり、かつ、同一の施設について各別の者に対して許可を与えることは、当該施設の使用が上記の許可とはまったく別個にもっぱら私法上の関係によって決定されるべき問題である以上、なんら論理上の矛盾をきたすものではないという解釈は、昭和26年7月31日法務法意一発第46号神奈川県衛生部長あて法務府法制意見第一局長事務代理発その他から明らかなように、妥当と考えられてきたところである。
　したがって、この解釈にたつ以上、お尋ねの事例にあっても、当該施設につき、公衆衛生上及び風俗上別段の支障が認められず、かつ当該申請が明らかに不能若しくはこれに準ずるものを内容とするものでないかぎり、当該申請者に対して、旅館業の経営許可を拒むことはできないものと解するのが相当である。

(営業許可と私法関係)

○賃貸借権係争中の施設についての営業許可の可否について

〔照会〕
　　　　賃貸借権係争中の旅館について営業許可の行政処分に関する疑義照会

〔昭和26年5月24日　26公発乙第2,199号
　法務府法制意見第1局長宛　神奈川県衛生部長照会〕

　本県に於て最近別紙のような事例があるが、旅館営業をしようとする者から、旅館業法及び食品衛生法による営業許可申請があって、その申請書類に手続上の不備がなく、又施設が知事の定める施設基準に合致する場合、下記事項に関して如何なる措置をとったらよろしいか。至急御回答をしたく照会する。

記
1　旅館の賃貸借権について係争中の当事者相互から同時に許可申請のあった場合、如何取り扱うべきか。
2　右の場合、1名が先に申請し、他が後より申請して来た時は、先の者を優先的に取扱うべきか。
3　右の場合、建築物所有者でない者が申請書に所有者の賃貸承諾書を添付し得ないとき、これを却下してよろしいか。
4　右の場合、提訴中のときは、事件解決まで許可を保留すべきか。

〔意見〕
　　　　賃貸借権係争中の施設についての営業許可の可否について

〔昭和26年7月31日　法務府法意1発第46号
　神奈川県衛生部長宛　法務府法制意見第1局長事務代理回答〕

　5月24日附26公発第2,119号をもって照会にかかる標記の件に関し、左のとおり意見を回答する。
1　問題
　　旅館業及び飲食店営業の施設について、所有者甲とこれに対して賃貸権を主張する乙との間にその権利関係につき争がある場合に、甲及び乙が各別にその同一施設について旅館業及び飲食店営業の許可を申請したとき、都道府県知事は、当該施設の私法上の権利関係について争があることまたは同一施設について二重に申請があったことを理由にして、甲または乙に対してその許可を拒むことができるか。
2　意見
　　お示しのような理由によっては、都道府県知事は、甲乙いずれに対しても、許可を拒

むことはできない。
3 理由
　旅館業法による旅館業の許可は、公衆衛生取締の観点から見て支障がないと認められる場合に、旅館業経営に関する一般的な禁止を解除する行政行為であって、申請に対して許可を与えるか否かは、もっぱら公衆衛生取締の見地から決定されなければならない（旅館業法第1条、第3条）。お示しの場合には、ある施設の賃借権の存否について所有者たる甲と賃借権を主張する乙との間に私法上の争があるところから、甲及び乙がそれぞれ別個にその同一施設について旅館業の許可を申請したものであるが、この場合に都道府県知事が右の許可を拒み得るか否かは、結局、このような事情が右に述べた旅館業の許可にいかなる影響を及ぼすかを検討することによって解決されよう。
　まず、営業施設の権利関係について甲乙間に紛争があるという事情についていえば、それが旅館業法第3条第2項にいう「営業の施設」と全然無関係のこととはいえないとしても、それはあくまで当該施設の権利関係に関する私法上の争たるに止まり、公衆衛生上の見地からする適否の問題とは直接の関係をもたない事柄であるばかりでなく、この種の私法上の紛争について、許可権者がこれを実質的に審査し、またこれによって拘束を受けると解すべきなんらの法理上の根拠も認められない。（この点の詳細については、別添の本年1月31日附愛知県知事宛意見回答「公衆浴場法による営業について」の理由(2)を参照されたい。）註1
　次に、甲乙両者の申請にかかる営業施設が同一のものであるという点が、許可を与えるに当っての支障をなすものであるか否かを検討してみよう。この点については、甲乙の両者がそれぞれ営業のために使用しようとする施設が単に同一のものであるからといって、それが直ちに公衆衛生上の要件を欠くものと断定することができないことはいうまでもないから、問題は、けっきょく、同一の施設について各別の者に対して同一旅館業の許可を与えることが許可の競合を来し、法理上許されないのではないかという点に帰着する。思うに、旅館業の性質は、最初に、述べたように、公衆衛生取締の見地から旅館営業に関してなされている一般禁止を特定の者に対して解除する行政行為であって、甲または乙に対する旅館業の許可は、甲または乙に対して旅館業の経営の禁止を解除したに止まり、そのいずれに対しても当該施設についての排他的使用権を設定したものではない。換言すれば、甲または乙のいずれかその施設を使用し得るかは、右の許可とは全く別個に、もっぱら私法上の関係によって決定されるべき問題である。従って、同一の施設について甲乙の両者に対し各別に許可を与えることはなんら論理上の矛盾を来すものではないから、許可の競合を理由として、甲または乙に対し許可を拒むことは正当とは認め難い。（この点の詳細については、別添の本年4月2日附岡山市警本部長宛意見回答「風俗営業の許可取扱について」を参照されたい。）註2　（略）
　しかも、旅館業の許可に関しては、このような場合に、申請の先後によってその取扱に優劣をつけるべき法律上の根拠もないから、都道府県知事は、その申請の先後によって甲または乙に対して許可を拒むこともできないのである。
　右は、もっぱら旅館業法による旅館業の許可について述べたのであるが、食品衛生法

による飲食店営業の許可も右の旅館業の許可となんらその性質を異にするものではないから、旅館業の許可について述べたところは飲食店営業の許可についてもそのまま妥当するものといわなければならない。

　以上の理由により、都道府県知事は、お示しのような理由によっては、甲乙いずれに対しても、旅館業及び飲食店営業の許可を拒むことはできないものと解するが相当である。

〔要旨〕
　　　　旅館業及び飲食店営業の許可について
　ある施設の賃借権について所有者と第三者の間に争がある場合に、右の施設について両者がそれぞれ旅館業及び飲食店営業の許可を申請したとき、都道府県知事は、当該施設の私法上の権利関係について争があること、又は同一施設について二重に申請があったことを理由としては、両者のいずれに対してもその許可を拒むことはできない。

○旅館営業許可に関する他の法令との関係疑義について

〔昭和26年7月26日　26公第2,710号〕
〔厚生省公衆衛生局長宛　神奈川県知事照会〕

　本県に於いて最近別紙のような事例があるが、旅館営業を始めようとする者から旅館業法に基く営業許可申請があって、その申請書類に手続上の不備がなく、又施設が業法の施設基準に合致する場合下記事項に関して如何なる措置をとったらよろしいか、至急御回答を煩わしたく御照会致します。

記

一　本申請建物は久里浜漁港増築計画地域内にあって、船具工場として払下（大蔵省）許可を得ており、払い下げの際契約書をもって10か年、船具工場以外に転用を禁じられたものである。（この場合契約違反にならないか）
二　当該地は都市計画法による準工業地として指定してあるが旅館等は許可して支障なきか。
三　旅館業法と旧軍港市転換法と何れを優先して取り扱うべきか。（この場合行政庁は転換法第3条に則り、どの程度の援助を与えなければならぬか）
四　結論として何れを行政的に取り上ぐべきか。
五　その他参考となるべき事項
　1　申請書記載事項については現場調査の結果相違ないと認める。
　2　旅館設置場所は公衆衛生上支障ない。
　3　旅館業法施行条例第8条に規定する各項については違反事項を認めず。
　4　建築は既に確認ずみである。
　5　その他許可条件に適合している。

第5編　旅館業

［昭和26年8月23日　衛発第658号
　神奈川県知事宛　厚生省公衆衛生局長回答］

昭和26年7月26日26公第2,710号で照会の標記の件下記のとおり回答する。
1　契約違反を理由として不許可にすることはできない。
2　準工業地域内に旅館を建築又は営業してはならないという規定はなく、又他法令の制限は旅館業法に基く許可行為を左右するものではないので準工業地域内であるとの理由により不許可にすることはできない。
3　旧軍港市転換法第3条は訓示的規定であり、旅館業許可の行政行為を左右するものではない。
4　故に旅館業法に規定する条件に適合すれば許可を与えなければならない。

○旅館営業許可の行政処分に関する疑義照会について

［昭和29年5月22日　発医第848号
　厚生省公衆衛生局環境衛生部環境衛生課長宛　石川県
　衛生部長照会］

本県において、別紙のような事例があり、既に許可を受けて営業を継続中の施設に対し、旅館業法及び食品衛生法による営業許可申請があった場合、その申請書類に手続上の不備がなく又施設が知事の定める施設基準に合致する場合、下記事項に関して「昭和26年8月17日衛環第85号をもって御送附の昭和26年7月31日法務府法意1発第46号法務府法制意見第1局長事務代理から神奈川県衛生部長宛の賃貸借権係争中の施設についての営業許可の可否について」の回答内容と同一に考え取り扱っても差支えないか、右御回答を煩したく御照会致します。
記
1　既に許可を受けて温泉旅館業を継続中の処、偶々仲間割れが生じて従来からの経営名儀者が斥けられ、現実は営業施設を離れているが、本人は廃業の意思ないことを表示し、一方の当事者から改めて営業許可申請のあった場合如何に取扱うべきか。
2　任意組合の代表者変更届は、旅館業法施行規則第1条第1項第1号の申請者の変更と拡大解釈して同規則第2条の届出を受理して差支えないか。
別紙　略

［昭和29年9月2日　衛環第82号
　石川県衛生部長宛　厚生省公衆衛生局環境衛生部環境
　衛生課長回答］

昭和29年5月22日発医第848号をもって照会の標記について、下記の通り回答する。
記
　旅館業法第3条の規定による旅館営業の許可は、旅館施設が公衆衛生上支障がない場合に経営に関する一般的禁止を解除する行政行為であって、許可を与える特定の者に当該施

設についての排他的使用権を設定するものではない。即ち、旅館についての経営名儀者に関し争がある場合においても、その争はもっぱら当事者間の私法上の権利関係に関する争であって、都道府県知事が旅館営業許可を行うに際し、これを実質的に審査し又は拘束されるとは解せられない。従って、お尋ねの場合においては、旧経営名儀者の廃業の意思の有無如何にかかわらず、新経営名儀者の許可申請が当該施設について公衆衛生上支障ない限りこれを許可しても差し支えないと解する。

○旅館営業許可に関する疑義について

〔昭和30年1月21日　30環衛第39号〕
〔厚生省公衆衛生局環境衛生部長宛　長崎県衛生部長照会〕

本県において、下記の如き事例がありますが、営業許可取消ができるかどうか。又如何なる措置をとるべきか。
　御多忙中恐縮ですが、至急御教示御回答煩わしたく照会いたします。

記

1　関係者
　　甲　旅館営業者
　　乙　家屋所有者
　　丙　家屋所有者（乙の養子）
　　丁　家屋所有者（丙の実父）
2　事案内容
　(1)　昭和20年3月、甲は乙の承諾を得て、乙の家屋中3室を借り同居したが、同年9月、乙は死亡し、同家屋は丙の所有となった。
　(2)　昭和25年6月、甲は借りていない他の室を含めて、旅館営業許可申請書に記載し、且つ家主の承諾書を添付せずに、県の許可を得て営業を開始した。
　(3)　家主丙は、昭和25年10月県に対し、営業許可取消願を提出したので、甲丙の間を調停したが、不調に終った。
　(4)　昭和28年同家屋は丁の所有となり、昭和29年9月、丁は県に対し営業許可取消願を再提出した。
3　取消願出の主張点及び関係法令（条例、施行規則添付）
　(1)　旅館業法施行細則第2条第2項に定める家屋所有者の承諾書を、営業許可申請書に添付していない点（この場合の許可は、不法許可であると家主は主張している。）。
　(2)　貸していない室を客室に使用するように申請書に記載して許可を得ている点（3室にては許可にならないので、借りていない室を記載し県の許可を得ている。）。

第5編　旅館業

［昭和30年5月19日　衛環発第16号
　長崎県衛生部長宛　厚生省公衆衛生局環境衛生部長回答］

　昭和30年1月21日環衛第39号で照会のあった標記のことについて、下記の通り回答する。

記

　旅館業法第3条の営業許可は、本来当該施設が衛生上必要とされる要件を具備しているかいないかについてのみ判断され、当該施設に対する許可申請人の使用権限については触れるところではない。

　従って、旅館営業許可申請にあたって、この使用権限に関し必要な書類を提出させること等は許可の要件に関係はなく、単に行政の円滑かつ合理的な運営を図るための行政上の便宜を目的としているものとみるべきである。

　設問にかかる長崎県旅館業法施行細則第2条第2号の承諾書の提出は、かかる意味において、それが申請書の添付書類として形式的に申請の内容の一部をなすとみられる場合に於ても、許可の行政行為の必須要件となるべきものでないことは明らかである。従って、県細則第2条第2号の書類を添附せずに行った許可申請であっても、申請は有効に成立し、これに基く許可も適法になされたものというべきであり、当然この許可を取り消すべき事由に該当しない。

○旅館業の許可について

［平成21年7月16日　事務連絡
　各都道府県・各政令市・各特別区衛生主管部(局)宛
　厚生労働省健康局生活衛生課］

　平成21年5月28日付け生衛第221号で新潟県福祉保健部長から照会があった標記については、別添のとおり回答したので参考までにお知らせします。

　　旅館業の許可について

［平成21年5月28日　生衛第221号
　厚生労働省健康局生活衛生課長宛　新潟県福祉保健部
　長照会］

　日頃から、当県の公衆衛生行政の推進にご配意いただき感謝申し上げます。
　このたび当県において、下記の工事関係者を宿泊させる宿泊施設について旅館業の許可の取扱いの疑義が生じましたので、ご教示くださるようお願いいたします。

記

1　当該施設の営業形態
　①　施設の概要　　火力発電所建設工事従事者用の宿泊施設。
　②　所有及び運営　いずれも建設工事に関わっている会社ではない。
　③　利用料金等　　運営会社が建設工事に関連する会社と契約を取り交わし、会社から1泊2食（1室1名）で4900円程度の料金を徴収してい

④　衛生管理等　　寝具の提供、衛生維持管理は運営会社が実施している。
　　⑤　その他　　　　労働基準監督署には「宿舎」として届出済み。
２　疑義の内容
　　下記の理由により、当該施設は「会社、工場等の寮」には当たらず、旅館業法の許可が必要な施設と考える。
　（昭和25年４月26日付衛発第358号厚生省公衆衛生局長通知より）
　・運営会社、所有会社とも建設工事に関わる会社ではなく、１泊から利用できることから、長期間に渡る建設工事の福利厚生施設とは判断できないこと
　・実費程度の食事代を超える「宿泊料」と判断される額を徴収していること
　・寝具の提供があり、衛生管理が運営会社側にあること
　・インターネット広告において「働く人のための専用の宿舎」と掲載しているが、近隣レジャーの情報を掲載し、業種を「ビジネスホテル」と表示するなど、一般客が宿泊可能と判断される広告を行っていること
３　その他（参考資料等）
　・　上越保健所（新潟県）から運営会社への指導通知書　略
　・　運営会社からの上越保健所への申立書　略
　・　運営会社ホームページに掲載されていた事業コンセプト　略
　　　（現在は掲載されていない）
　・　労働基準監督所に届出した当該施設の寄宿舎設置届　略
　・　当該施設のインターネット広告　略

　　　旅館業の許可について

　　　　　　　　［平成21年７月13日　健衛発0713第１号
　　　　　　　　　新潟県福祉保健部長宛　厚生労働省健康局生活衛生課長回答］

　平成21年５月28日付け生衛第221号をもって照会のあった標記について下記のとおり回答します。

　　　　　　　　　　　　　　　　記

　本来、建設業附属寄宿舎については、労働基準法及び建設業附属寄宿舎規程により監督を受けることから、旅館業法を適用する必要はないと考える。
　ただし、照会の施設のように当該施設の運営会社と契約している建設工事に関わる会社の労働者以外の者についても宿泊可能としているのであれば、旅館業法の許可が必要と考える。

第5編　旅館業

（他法との関係）

○建築基準法による違反建築物の旅館営業許可に関する疑義について

[昭和28年7月15日　発公衛第571号
厚生省公衆衛生局長宛　鳥取県知事照会]

標記に関し、下記について疑義を生じたので、至急何分の御意見願います。

記

1　旅館業法による営業許可申請書が提出され、当該施設は公衆衛生上何等支障なく、旅館業法上当然許可を与えなければならない施設であるも、当該施設は建築基準法第6条第1項違反建築物であるため、同一行政庁においてこれに許可を与えることは行政上不当と考えられるが、かかる場合、旅館業法による公衆衛生上の見地からこれを理由に不許可として申請書を却下することができるか。或は、あくまで旅館業法により許可を与えるべきか。
2　又、不許可として申請書を却下した場合、申請人から旅館業法による不許可理由でないため、行政訴訟等も考えられるので、この場合、如何に取り扱うか、何分の御指示願いたい。

[昭和28年9月8日　衛発第706号
鳥取県知事宛　厚生省公衆衛生局長回答]

7月15日発公衛第571号で照会された右のことについては下記のとおり回答する。

記

旅館業の許可の可否は、もっぱら公衆衛生の見地から決定すべきものであるから都道府県知事は、当該営業の施設の場所及びその構造設備が公衆衛生上支障がないと認めたときは、当該施設が建築基準法による建築の確認を受けていないものであってもこれを許可しなければならないものと解されたい。

但し、建築基準法による確認を受けない以上当該建築物を建築することができないので、例え旅館営業の許可を受けても事実上当該営業を行うことはできないわけであるから行政上の取扱としては建築基準法による確認を受けさせた後に旅館営業の許可を与えるようにすることが適当と考える。

(事業譲渡)

○旅館業法等における事業譲渡に係る規定の運用上の疑義について

> 令和5年11月29日　健生衛発1129第3号・健生食監発1129第1号
> 各都道府県・各保健所設置市・各特別区衛生主管部(局)長宛　厚生労働省健康・生活衛生局生活衛生・食品監視安全課長連名通知

　生活衛生関係営業等の事業活動の継続に資する環境の整備を図るための旅館業法等の一部を改正する法律（令和5年法律第52号。以下「改正法」という。）による改正後の旅館業法（昭和23年法律第138号）、食品衛生法（昭和22年法律第233号）、理容師法（昭和22年法律第234号）、興行場法（昭和23年法律第137号）、公衆浴場法（昭和23年法律第139号）、クリーニング業法（昭和25年法律第207号）、美容師法（昭和32年法律第163号）及び食鳥処理の事業の規制及び食鳥検査に関する法律（平成2年法律第70号）並びに改正法における事業譲渡に係る規定に関する運用上の留意事項等については、「旅館業法施行規則等の一部を改正する省令の公布等について」（令和5年8月3日付け生食発0803第1号厚生労働省大臣官房生活衛生・食品安全審議官通知）において示していますが、当該各法における事業譲渡に係る規定の運用上の疑義について、別紙のとおり、取りまとめましたので、これらについて十分御了知の上、適切な対応をお願いいたします。

　なお、本通知は、地方自治法（昭和22年法律第67号）第245条の4第1項に基づく技術的な助言であることを申し添えます。

（別　紙）
　　　旅館業法等における事業譲渡に係る規定の運用上の疑義に関するFAQ
＜共通事項＞

> 問1　「旅館業法施行規則等の一部を改正する省令の公布等について」（令和5年8月3日付け生食発0803第1号厚生労働省大臣官房生活衛生・食品安全審議官通知。以下「留意事項通知」という。）第3(1)③の「調査」は、各法の規定に基づく立入調査権限の範囲で行うことを予定しているか。当該調査の法的根拠は何か。

（答）
　　立入調査は各業法の規定が法的根拠であり、権限も各業法に規定された範囲内と解する。報告徴収は、改正法附則の規定を根拠に行うものと解するが、理容師法、美容師法及びクリーニング業法を除き、各業法に規定されている報告徴収と重複する範囲で、各業法に規定されている報告徴収の規定も根拠に行うことが想定される。

> 問2　改正法附則で規定されている譲渡による承継後の調査は、「地位が承継された日」から起算して6月を経過するまでの間において行われなければならないとされているが、当該「地位が承継された日」とは、「承継の届出日（例：理容師法第11条の3第2項）」を指すものではなく、「譲渡した日（例：改正法附則第5条第2項

で引用する新理容師法第11条の3第1項)」を指すということか。

(答)
　旅館業以外は貴見のとおり。旅館業については、承認され、譲渡の効力が発生した日を指す。

問3　留意事項通知第3(1)③アに記載されている「事業譲渡に際し、衛生等に係る情報提供等がある場合」は、誰から誰に対する情報提供か。

(答)
　近隣住民や利用者等から行政への情報提供等が想定される。

問4　改正法附則に規定された6月以内の調査について、法人成り等緊急性がない事例も想定されるため、一律に速やかな調査を要することとはせず、都道府県知事等が事例により判断する余地を設けるべきではないか。

(答)
　法人成りであったとしても、地位承継により営業者が変更になることに変わりなく、速やかな調査を行う必要があると考える。

問5　改正法附則における譲渡による承継後の調査は、「当分の間」とされているが、具体的にはいつまでか。

(答)
　具体的な期限は、定められていない。

問6　譲渡後、諸事情によりやむなく6か月以上経過した後に承継届が提出された場合には、改正法附則で規定する6か月調査についてはどのように対応すればよいか。

(答)
　届出後速やかに調査されたい。

問7　留意事項通知第3(2)①地位の承継において、「営業の許可又は届出がされている事業の一部を譲渡する場合には、今回の改正により措置した事業譲渡に係る規定の対象外であること。」と記載があるが、許可区域が変更となるような構造設備の変更（例：建物を残したまま2棟を1棟へ規模を縮小）を行っている場合において、事業譲渡に係る規定の対象外に該当するとして、変更届の提出がなされるまで承継承認申請書（承継届）の受理を差し控えるべきであるか。

(答)
　申請（届出）の形式要件を具備していれば受け付ける必要がある。ただし、衛生上の懸念があれば、速やかに調査されたい。
　なお、事業を譲り渡す者が、事業譲渡以前に構造設備の増設・縮小等を行ったが変更届を怠っていたことが承継承認申請書（承継届）が提出された時点で判明した場合等の対応については、問10を参照されたい。

問8　留意事項通知第3(2)②において、「営業の譲渡が行われたことを証する書類」

等について、譲渡契約書等の写し等が想定されると記載されているが、他にどのような書類が想定されるか。

（答）
　例えば、次のように、当事者による譲渡の意思と譲渡の事実等、譲り渡す者と譲り受ける者の間で譲渡が行われたことが分かる記載（旅館業にあっては、譲り渡す者と譲り受ける者の間で譲渡が行われることが分かる記載）のある、両名による覚書等が想定される。
・譲渡人氏名、住所（法人にあっては名称、代表者名、主たる事務所の所在地）
・譲受人氏名、住所（法人にあっては名称、代表者名、主たる事務所の所在地）
・営業施設の名称、所在地
・当該営業許可又は届出に係る事業を譲渡した旨（旅館業にあっては、当該営業許可に係る事業を譲渡する旨）
・譲渡の事実があった日（旅館業にあっては、譲渡の効力発生日）

問9　個人事業主が法人成りをした場合、元の個人事業主が事業譲渡後の法人の代表者や役員であることを法人の登記事項証明書等で確認できれば、当該登記事項証明書等を営業の譲渡が行われたことを証する書類とみなしてよいか。

（答）
　営業許可を受けていた個人事業主が法人成りした場合も、法人の登記事項証明書等に個人事業主の名前が代表取締役として記載されていたとしても、許可を受けた営業を法人が譲り受けたかどうかは明らかにはならない。このため、当該登記事項証明書等のみでは足りず、他に営業の譲渡を証する書類の提出が必要である。

問10　留意事項通知第3(2)②イ)に関連し、事業譲渡前に、「前営業者」が施設の増設等を行い、変更届を怠っていた場合は、どのように対応・指導すれば良いか。さらに「前営業者」が、同一性がない程度（同一営業許可の範疇に留まらない程度）の増改築を行っており、届出後に新規許可又は届出が必要と判明した場合、どのように対応・指導すれば良いか。

（答）
　「前営業者」が施設の増設等を行い、変更届を怠っていた場合は、譲り受けた者が変更届等を提出する必要がある。「前営業者」が、同一性がない程度の増改築を行っており、届出後に新規許可又は届出が必要と判明した場合、新規許可又は届出を取るよう、指導されたい。
　なお、旅館業法の場合、事業譲渡の申請後承認前に新規許可が必要であると判断した場合には、承認を行わず、新規許可を求めることとなる。
　また、「前営業者」において行っていた変更の内容が同一性がない程度の増改築であって、各法令に基づき新規許可又は届出が必要であったのに新規許可又は届出を受けずに営業していた場合には、無許可又は無届の営業であり、譲受人は無許可又は無届の営業をそのまま承継したことになる可能性がある。

第5編　旅館業

問11　留意事項通知第3(2)②オに「事業譲渡に伴う申請等に係る手数料については、減免・引き下げについて積極的に検討すること。」とある。このことについて、事業譲渡については手数料を徴収することが前提であるということか。また、徴収しない場合は減免の手続が必須となるのか。経過措置として行われる調査の手数料という名目で、自治体が手数料を徴収することはあり得るか。

（答）
　　手数料については、合併・分割・相続に伴う申請等に係る手数料との平仄を踏まえつつ、地方自治法第227条の規定に基づき、各自治体のご判断で適切に対処いただきたい。

問12　留意事項通知別紙各様式1～5中の「許可番号」や「届出番号」について、当該事項は各法施行規則には規定されていないものの、届出等の際に記載させる必要がある又は記載させることが望ましいということか。

（答）
　　譲渡対象となるものがどの許可営業又は届出営業かを明確にする観点から記載が望ましい。

＜旅館業法関係＞

問1　留意事項通知第3(3)①において、「連名の申請書を提出することが想定される」とあるが、連名でない申請書も可能という余地があるということか。

（答）
　　通知に記載のとおり、旅館業法関係においては、譲渡する予定の者と譲り受ける者が連名の申請書を提出することが想定されるが、譲渡人単独名義の申請書と譲受人単独名義の申請書がそれぞれ提出される場合もありうるものと考えられる。

問2　改正法の施行日前に旅館業の事業譲渡の承認の申請がなされた場合であって、改正法の施行日直後に事業譲渡が予定されているときには、都道府県知事等としてはどういった対応をとるのか。

（答）
　　仮に譲渡の日が施行日当日であっても、営業者の地位の承継に関する申請・承認は、施行日当日までできない。もっとも、都道府県知事等において、申請者が今回の改正により措置した譲渡に係る規定により営業者の地位を承継することを期待していることを確認した場合は、申請者に対し、施行日以降に申請されたい旨を伝えるとともに、施行日前において事実上申請の内容を確認して検討し、施行日以降になされた申請を受理し速やかに承認を行うことは可能と考えられる。

問3　留意事項通知第3(3)③において『申請書に添付することとされる定款及び寄付行為の写しは、事業譲渡に伴い定款等の変更がある場合には、その一部変更等の手続を経た正式のものでなければならないこと。このため、譲渡について認可が必要な場合にあってはその認可後のものでなければならないこと。』とあるが、これは

具体的にどのような事例か。

（答）
　「認可が必要な場合」とは、例えば医療法人や社会福祉法人の場合等が想定される。

問4　留意事項通知第3(3)に関して、承認の際の条件について、旅館業の分割合併の場合と同様に、承認書として効力が発生する時期を明確に記す必要があるため、どのような条件を付すか例を示していただきたい。

（答）
　「本承認の効力は、譲渡の効力発生を停止条件として生じる。」等の記載が考えられる。

問5　旅館業の承継においては、承継の申請と変更の届出を同時に行うことが可能と解してよいか。また、このとき承継に係る申請者は譲受人若しくは譲渡人（又は連名）であり、変更に係る届出者は譲渡人になると解してよいか。

（答）
　改正法による改正後の旅館業法第3条の2第1項では、譲渡人及び譲受人が承認を受けることとされていることから、承認を受けるのは「譲受人若しくは譲渡人（又は連名）」ではなく「譲受人及び譲渡人（又は連名）」である。変更に係る届出者については、譲渡の効力発生前であれば譲渡人、譲渡の効力発生後であれば譲受人が届け出るべきである。

＜旅館業法・公衆浴場法＞

問1　旅館業・浴場業については、国の通知等により、建築確認・消防法適合通知に関する確認が求められている。第三者への事業譲渡の際に、それらは提出不要なのか。また、そもそも譲渡を受けた者は建築基準法、消防法上の対応は不要となるのか。

（答）
　「食品衛生法施行規則等の一部を改正する省令の公布について」（令和2年7月14日付け生食発0714第4号厚生労働省大臣官房生活衛生・食品安全審議官通知）第3(7)で示しているとおり、施設の構造設備について譲り受けたものから変更がない場合においては、検査済証や消防法令適合通知書についての提出は省略可能である。
　なお、第三者への事業譲渡を行った場合における建築基準法及び消防法に基づく確認の要否については、建築・消防担当部署へ照会されたい。

＜食品衛生法＞

問1　例えば、飲食店営業と菓子製造業のどちらか一方の事業のみを譲渡する場合等は法に基づく許可営業者の地位の承継の対象となるか。

（答）
　飲食店営業と菓子製造業の許可を得ている施設がそれぞれの許可に係る事業を譲渡し、地位承継をすることは可能である。

第3章　学校等の周辺の旅館業の許可

（不許可とできない場合）

○旅館業法の施行上の疑義について

〔昭和32年7月23日　発衛防第82号
厚生省公衆衛生局環境衛生部長宛　京都市衛生局長照会〕

標記のことについて、下記のとおり疑義がありますので、折返し御指示下さるよう照会いたします。

記

1　旅館業法第3条第3項の規定により、教育委員会の意見を求めたところ、「当該旅館は学校（夜間授業もしている）に隣接しており、又営業の暁には歌舞音曲のため授業の遂行を著しく妨げることが予想され、清純な教育環境が著しく害されるおそれがあるものと認め、旅館設置に強く反対する」との意見が出されたが、このように将来営業の場合起り得るかもわからない事由をもって旅館営業を不許可とすることができるか。
2　旅館業法の一部を改正する法律の施行に伴い、本市旅館業法施行細則の全部を改正する細則案（別紙）を作成しましたが、違法又は不当な点があるか否か御検討願います。
　　なお、同細則案中赤印の点を特に御検討願います。
3　施行令第3条第2号の掲示してならない広告物に所謂温泉マーク♨は該当するか。

〔昭和32年7月30日　衛環発第31号
京都市長宛　厚生省公衆衛生局環境衛生部長回答〕

昭和32年7月23日発衛防第82号をもって御照会のあった標記については、下記により回答する。

記

1　法第1条の目的に照して清純な教育環境とは、風俗上の観点からの規制であるから、お尋ねの場合の歌舞音曲のごとき騒音とは、直ちには関連を有しないものと思料されるので、かかる事由のみによって不許可処分とすることはできないと思料される。
2　旅館業法施行規則の一部を改正する省令の公布をまって通知する。
3　いわゆる温泉マークそのものは、善良の風俗を害する広告物には該当しないが、いわゆる温泉マークその他の広告物の総合的判断から、施行令第3条第2号の違反となる場合もあり得るので、御了知ありたい。

○旅館業法施行上の疑義について

〔昭和32年9月6日　発衛防第129号〕
〔厚生省環境衛生部長宛　京都市衛生局長照会〕

　上記のことについて、下記事項を承知いたしたいので、折返し御指示下さるよう照会いたします。

記

1　学校（中学校、幼稚園、夜間高等学校）に隣接している場所から旅館営業許可申請書が提出されましたが、これについて別紙(1)の理由で不許可とすることができるか。
　なお、本旅館は所謂団体客を主とする営業をすると申請者はいっている。
2　幼稚園より約60メートル離れている場所から旅館営業許可申請書が提出されましたが、これについて別紙(2)の理由で不許可にすることができるか。

別紙(1)
1　当該旅館が、学校に隣接していること。
2　旅館内の人声、物音は授業中の学校側によく響き、特に歌舞音曲の類が授業の遂行を妨げることが予想されること。
3　ネオン、サインの類が教室の近くで点滅されるおそれがあり、学習環境上好ましくないこと。（夜間授業がある。）
4　修学旅行生等が宿泊する場合、学校生徒との間にけんか、口論その他好ましくない交渉を生ずるおそれがあること。
5　団体客がバスに乗降する場合、生徒の通学を妨げ、又は騒音が授業を妨げることが予想されること。
　以上により本旅館の設置は清純な教育環境を著しく害するおそれがあるものと認められる。

　備考
　①　本件旅館の敷地は約18坪が学校用地の中央部に突出している。
　②　学校用地には、市立中学校（生徒数約600名）の外に市立幼稚園（園児数70名）及び市立堀川高等学校定時制分校専修夜間部（生徒数480名）が併置されている。

別紙(2)
1　幼稚園の周囲の現況は別紙図面のとおり全く見透せないが、西方に刑余者保護観察所があり、又、北方に映画館が建っており、南方は映画館、飲食店等が軒を並べて建っておって、学校教育上好ましくないところに、更に東方に今回旅館が設置されることは、幼稚園の周囲に学校教育上好ましくない施設ができる端緒となり、近い将来附近一帯が学校教育上好ましくない施設で覆われてしまう。
　よって、清純な教育環境が著しく害されるおそれがあるものと認められる。

第5編　旅館業

［昭和32年10月1日　衛環発第49号
　京都市衛生部長宛　厚生省環境衛生部長回答］

　昭和32年9月6日付発衛防第129号をもって照会のあった標記について、下記のとおり回答する。

記

　設例の1及び2のいずれの場合についても、照会に添付された理由をもって、ただちに旅館業法（以下「法」という。）第3条第2項に規定する「その設置によって当該学校の清純な教育環境が著しく害されるおそれがある」に該当するとは認め難く、清純な教育環境が著しく害されるおそれとは、更に申請場所に現存する旅館の利用者、利用方法等をも勘案して総合的に判断すべきものであって、照会に添付された事由のみによっては不許可とすることはできないものと考えられる。従って、設例の1及び2のいずれの場合も、法第3条第3項の規定により教育委員会等に、その設置によって清純な教育環境が著しく害されるおそれがあるかどうかについて実情を十分検討し、その具体的な意見及び事由を述べるよう求め、その意見及び事由を十分考慮のうえ、処分を決定すべきである。

○学校周辺の旅館業について

［昭和32年10月4日　薬第1,793号
　厚生省公衆衛生局環境衛生部環境衛生課長宛　岡山県
　衛生部長照会］

　今般の旅館業法改正により、新たに規制が加えられることとなった学校周辺の旅館業営業許可について差し迫った事情にありますので、下記のことについて至急何分の御回答を賜わりたい。

記

1　いわゆる学校の敷地の周囲100メートル以内の場所において営業許可の申請があった場合、施設は政令で定められている基準に合致しているが、教育委員会等への照会に対し、位置のみのことで教育委員会等から将来清純な教育環境を著しく害されるおそれがあるかも知れないという推測的見地から不許可にしてほしい旨の回答があった場合、これのみにより不許可処分にすることは妥当でないと解されるが、この点についての貴見。
2　いわゆる特殊地帯を除いて、住宅区域における場合、清純な教育環境を著しく害するか否かは営業開始後の形態により決すべきであり、一応許可を与え、その後において経営の実態が清純な教育環境を著しく害するおそれがあると認められ、教育委員会等から意見を述べられたときは、改善命令、営業の停止、許可の取消等の処分を行うことが適当と認められるが、この点についての貴見。
3　学校から100メートル以内の場所における施設が、政令で定められている基準には合致しているが、内部の構造が洋式客室のみであるため、これを直ちに将来清純な教育環境を著しく害するおそれがあるものとの見地から許可権者が方針を定めることは、相当確実な証左とはいい難く、許可申請書に対するあまりにも不利益な処分であると解されるが、この点についての貴見。

旅館業法第3条第2項本文後段の解釈について

〔昭和32年11月1日　衛環発第58号
　岡山県衛生部長宛　厚生省公衆衛生局環境衛生部長回
　答〕

　昭和32年10月4日付薬第1,793号をもって照会のあった標記について、下記のとおり回答する。

記

1　旅館業法第3条第2項後段の運用については、さきに、昭和32年8月5日付厚生省衛発第650号、文部省国施第45号各都道府県知事、指定都市市長及び都道府県教育委員会あて厚生省公衆衛生局長及び文部省管理局長共同通知「学校周辺の旅館業について」記「2」において示されているとおり、「当該施設の構造設備、位置等からして清純な教育環境が著しく害されるおそれがあることが相当確実に認められる場合に限って、不許可処分とすることができる」ものであって、設例のごとき推測的見地から不許可処分をすることは、妥当でない。
2　住宅区域等にあっては、清純な教育環境を著しく害するおそれがあるかどうかは、当該施設が営業を開始し、その経営の実態が明らかにならなければ判断し難い場合もあるものと考えられ、かゝる場合には、設例のごとき取扱をするのが適当である。
3　単に構造設備が洋式のみであるからといって、ただちに清純な教育環境を著しく害するおそれがあるとは認め難く、申請場所に現存する旅館の利用者、利用方法等をも勘案して、総合的に判断すべきである。

○旅館業法第3条第2項本文後段の解釈について

〔昭和33年6月11日　33公第4,878号
　厚生省公衆衛生局環境衛生部長宛　福岡県衛生部長照
　会〕

　旅館業法第3条第2項の規定に基き、県教育委員会の意見を求めたところ、別紙写のとおり「適当でない」旨回答があったが、同法同条第2項本文後段の事由により、不許可の処分をなしうるのは、同法施行令第1条第2項第8号の設備基準等から判断し、視覚により清純な教育環境が著しく阻害されるおそれがある場合であって、本来の旅館の性格よりして絃歌等聴覚によるものは考慮されていないものと解するが、許否決定の際聴覚による教育環境の阻害は、程度の如何を問わず、全然考慮しなくて差し支えないものかどうか、いささか疑義を生じたので、至急何分の御回示を賜り度く照会します。

　なお、学校及び施設から見た写真並びに図面を参考までに添付します。
　（写真及び別図面）略
　　　　　旅館業施設の設置について

〔昭和32年9月11日　32教施第366号
　福岡県衛生部長宛　福岡県教育委員会教育長発〕

　下記の者にかかる昭和32年9月6日付32公第4,517号によるこのことについては、

教育庁宗像出張所長の意見どおり適当でないと思料します。
　なお、上記出張所長の意見中附記については、これが実施上疑問があるので、考慮の余地はないものと思料します。
記
施設所在地　宗像郡〇〇町大字〇〇×××番地の××
申請者の住所氏名　直方市大字〇〇××番地　　〇　〇　〇　〇
　　　「旅館営業について調査依頼」について

〔昭和32年7月18日　32教宗第972号
宗像保健所長宛　福岡県教育長宗像出張所長発〕

　昭和32年7月16日付32宗保衛発第2,325号による右の件について下記の通り回答します。
記
　申請施設の場所が〇〇小学校の周囲おおむね100メートルの区域内にあり旅館営業の許可をされることは適当でないと認める。

〔昭和32年7月29日　32教宗号外
福岡県宗像保健所長宛　福岡県教育庁宗像出張所長発〕

　先に「旅館営業について調査依頼」について回答書を送付しましたがそのことにつき下記のように詳細に申し添えます。
記
1　旅館より聞える絃歌その他が学校で実施する青年学級に支障を来している。このことはすでにはっきり認められる。
2　旅館が学校に近接（70米）し高台にあり、しかもその広間と思われる室が小学校の正門の方に直接むいているようであるがこのことは教育上好ましくないと思われる。
3　旅館が営業される際その周囲にかもし出される雰囲気それに出入する人々またその附近を逍遥する人々は教育上決して好ましいものではないと思われる。
4　なお将来〇〇附近は観光地として発展し同種の施設が次次に設立されることが予想される。しかし学校の附近だけは文教の地区として清純な環境を保持すべきであると思われる。この意味よりこの度若し措置をあやまる時は将来に禍根をのこすものではないかと思われる。
附　記
　　なお次のようなことが考慮されるならば又一考の余地もないことはないと思われる。
1　児童の在校時（授業時は勿論放課後においても）青年学級実施日（主として夜間）に絃歌その他を一切行わない。
2　学校に面した側に1階2階を通じしゃへいの垣等を設けなお樹木などを植えてできるだけ学校より旅館が直接視野内に入ることを防ぐ。
3　旅館利用者の学校近傍等の逍遥をつつしむこと。

4　将来○○が観光的に発展してもこの種の施設の学校附近に設立されることをとりしまる。

　　　申請施設から学校までの距離を断面図により示す。

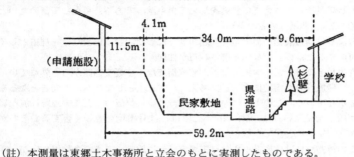

（註）本測量は東郷土木事務所と立会のもとに実測したものである。

〔昭和33年6月23日　　衛環発第53号
　福岡県衛生部長宛　厚生省環境衛生部長回答〕

　昭和33年6月11日付公第4,878号をもって照会の標記について、下記のとおり回答する。

記

　旅館業法（以下「法」という。）第1条の目的に照して法第3条第2項に規定する「清純な教育環境」とは善良な風俗の観点からの規制であるから、歌謡絃歌等の騒音が授業に与える影響のみを理由にして営業不許可処分とすることはできないものと思料される。

　なお、歌謡絃歌等の騒音は、主として当該旅館が風俗営業を兼業する場合に生ずるものと考えられるが、風俗営業取締法第3条の規定に基く条例により風俗営業における営業の場所につき必要な制限を付することができるものとされているから、当該旅館につき風俗営業の許可を与えないこととすることにつき、貴県警察本部とも連絡をとられるよう御参考までに申し添える。

○学校周辺の旅館業について

〔昭和33年10月7日　医第2,452号
　厚生省公衆衛生局環境衛生部環境衛生課長宛　佐賀県厚生部長照会〕

　このことについて、下記のような問題が起っておりますので、至急何分の御指示を願います。

記

1　問題の旅館の位置は、学校の北裏、運動場から川と道路を距てて約15メートルの所である。（別紙1のとおり）
2　この旅館の構造設備は、旅館業法施行令第1条第2項第8号の設備を有しないが、その他の点については特に教育環境を著しく害すると認定すべき構造ではな

第5編　旅館業

い。（別紙2のとおり）
3　県としては、学校からの見透しをさえぎる設備がないことを理由に一応不許可の線を出したが、教育委員会では設置の場所そのものが教育環境を著しく害する位置に在るとして見透しをさえぎる設備を加えて再申請しても不許可として貰いたいとの意見である。（別紙3のとおり）
問1　このように構造設備の面で全く問題がなくなった場合、位置だけを理由として不許可にするとは妥当でないと解されるが如何。
問2　教育委員会では、この学校の位置が繁華街でなく主要交通路からも外れているので、一般旅行者が宿泊に来るとは考えられず、主としてアベック向きとなるものと推定している。このように旅行者の通行の少い位置（現在この道路に旅館は勿論商店も全くない。）に旅館を作ることは、教育環境を著しく害するおそれがあると認定することができるか。
参考イ　この道路沿いは住宅と小さな町工場で、外に旅館のできる余地は少いが、学校東側通用門附近には空地があり、旅館を申請する者が出て来る可能性はあり得る。
　　　ロ　申請者は、現在自衛隊地方連絡部の職員で、旅館業、風俗営業の前歴はない。
別紙1～3　略

〔昭和33年10月25日　衛環発第89号
　佐賀県厚生部長宛　厚生省公衆衛生局環境衛生部長回答〕

昭和33年10月7日医第2,452号をもって照会のあった標記については、次のとおり回答する。

記

1　旅館施設の設置により学校の清純な教育環境が著しく害されるおそれがあるとの認定は、当該施設の構造設備、位置等から総合的に判断すべきものであって、単に設置の場所が学校の敷地の極く近辺にあるとの理由をもって不許可処分とすることは妥当ではない。
2　単に、旅行者の通行の少い位置に旅館の施設を作ることだけをもって教育環境を著しく害するおそれがあると認定することは出来ないと考えられる。

　　　（不許可とする場合）

○学校周辺の旅館業の許可の取扱いについて

〔昭和40年11月4日　40衛公環収第2,413号
　厚生省環境衛生局長宛　東京都衛生局長照会〕

このことについては、昭和32年8月5日付、厚生省衛発第650号、文部省国施第45

号（各都道府県知事、各都道府県教育委員会あて、厚生省公衆衛生局長、文部省管理局長事務代理名）および同年11月1日付、衛環発第58号（岡山県衛生部長あて、厚生省環境衛生部長回答）ならびに昭和33年3月10日付衛環発第28号（北海道衛生部長あて厚生省環境衛生部長回答）の各通達等により取扱ってきたところですが、近時、青少年健全育成の見地からする環境浄化運動が強力に推進されている状況を反映して、学校周辺の旅館の設置について、地域団体および教育委員会、区議会等の強い反対運動が起っています。

つきましては、これが許可の取扱いについてさらに慎重を期するため、下記により貴見を承りたいので照会します。

記

1 申請旅館等の構造および位置等の状況
　　東京都荒川区日暮里4丁目960番地
(1) 当該旅館の施設（未着工）と学校（荒川区立第8中学校）との間の距離は約75メートルであって、現状では学校の建物が高層化（5階建の計画がある）したとしても、学校から当該旅館の各室内部を見透すことは困難である。
(2) 当該旅館の構造設備は、軽量型鋼防水モルタル3階建、4.5帖14室であって、各室にバス、トイレはなく、構造設備上、既存の旅館施設と特に差異は認められないが、旅館の構造および経営者の意思等から見て、旅行者および団体宿泊等を主体とするものとは思われない。
(3) 当該旅館の地域は、準工業地区であり一部商業地区である。なお当該学校の周囲100メートル以内には、旅館業の施設はない。
(4) 当該旅館の前面道路は通学路であるが生徒の通行は少い。
(5) 現在この地域の旅館の状況からは教育環境を著しく害する具体的な事実は見受けられない。
(6) 下谷、鶯谷地区の区画整理等に伴い、日暮里地区へ旅館が進出する傾向がある。（本件を含めて3件であるが、うち2件は地域団体等の反対もなく、すでに許可を与えている）
(7) 保健所長の諮問機関たる営業3法運営協議会においては、許可は好ましくないとする意見が多い。（なお知事の諮問機関たる本都3法運営協議会にはいまだ付議していない）
(8) 教育委員会および地域団体等からは強い反対意見、反対陳情がある。（別紙のとおり）

2 許可に対する意見
　　学校周辺にこの種の施設があることは好ましくないとする住民感情は理解できるが、従来の運用通達によって判断する限り、1の状況からは、当該旅館の設置によって「清純な教育環境が著しく害されるおそれがあることが相当確実に認められる」とはいい難いと思われるがいかがか。

別紙　略

第5編　旅館業

〔昭和41年2月24日　環衛第5,021号
　東京都衛生局長宛　厚生省環境衛生局環境衛生課長回答〕

　昭和40年11月4日付40衛公環収第2,413号をもって照会のあった標記については、下記のとおり回答する。

記

　当該旅館の位置が単に学校に近いという理由のみをもって不許可とすることは適当でないが、その設置場所、構造設備等を具体的にかつ総合的に判断して、当該旅館の営業の実体が通常旅行者、団体客等を対象として営業を行なうものでないことが十分に推定される等清純な教育環境が著しく害されるおそれがあると認められるときは不許可として差し支えない。

　なお、この場合において、清純な教育環境を著しく害されるおそれがあるかどうかについては、教育委員会の意見が単に旅館の位置が学校に近いという理由で不許可とすべきであるという場合、理由が明確でない場合等を除いては、その意見を十分に尊重されたい。

○旅館業法第3条第2項本文後段の取扱いについて

〔昭和45年7月7日　45衛公環発第316号
　厚生省環境衛生課長宛　東京都公衆衛生部長照会〕

　このことについては、昭和32年8月5日付、衛発第650号「学校周辺の旅館業について」等により、学校周辺の旅館設置によって清純な教育環境が、著しく害されるおそれがあるか否かの判断基準が示されている。

　今般、本都において、別紙のような事例があり、私立幼稚園の所管庁である渋谷区長から「現況以上の旅館が建設されることは好ましくない」との反対意見があり、当該幼稚園長等も同様の意見で設置に反対している。

　このような旅館群の形成を抑止するために、許可適否の判断が行なえるか否か等、下記の点について御回示願います。

　なお、本件は事務処理に長期間を費やしているので至急御回答願います。

記

1　本事例において、清純な教育環境を著しく害するか否かの判断基準として構造設備、幼稚園からの見とおし、通園路、通園者の数、地域の他業種の状況、営業者の営業方針等の総合的判断を行ない許可を妥当とした場合、"学校周辺の地区に旅館が増加することによって旅館群を形成し、旅館それぞれの相乗作用によって、環境を害する"という反対意見があっても、申請旅館についてのみ考慮して許可処分を行なって良いか。
2　かりに、地域の旅館の増加を抑止するため不許可処分にできるとするならばいかなる判断及びどの時点で不許可処分とするか。

旅館業法第3条に関する疑義について

3 渋谷区長の回答については、再照会を行ったが回答は得られず、この意見では具体性に欠けるとして、許可処分を行なってよいか。

〔昭和45年11月18日　環衛第179号
東京都公衆衛生部長宛　厚生省環境衛生課長回答〕

昭和45年7月7日付45衛公環発第316号をもって照会のあった標記の件については、次のとおり回答する。

記

1及び2について

　当該幼稚園の周辺に旅館群が形成されることによって直ちに清純な施設環境が害されるとはいえないが、当該旅館の構造設備、位置、周辺の状況等を総合的に判断して、当該旅館の設置により、当該幼稚園の清純な教育環境が著しく害されると認めるときは、不許可として差し支えない。

3について

　意見の内容が具体性を欠くときは再照会をし、または許可権者みずから調査をする等により、事情を十分は握して判断するようにされたい。

（周辺100mの区域内）

○旅館業法第3条に関する疑義について

〔昭和32年12月2日　32衛第2,212号
厚生省公衆衛生局環境衛生部長宛　横浜市衛生局長照会〕

このことについて、下記のとおり疑義を生じましたので、至急御教示願いたく照会します。

記

1　旅館業法第3条第2項本文後段及び第3項中に「学校の敷地の周囲おおむね100メートルの区域内」とあるが、これは立地条件等を考慮して斯様に定められたものと存ずるのであるが、通常の状態においては100メートルをもって区域内とし、特別の事情がある場合は、1割程度の区域の拡張を認める趣旨と解して関係事務を処理したい。

〔昭和33年1月8日　衛環発第3号
横浜市衛生局長宛　厚生省公衆衛生局環境衛生部長回答〕

昭和32年12月2日付衛第2,212号をもって照会のあった標記については、貴見のとおり取り扱われて差し支えない。

第5編　旅館業

○旅館業法による営業許可の取扱上の疑義について

> 昭和33年1月20日　薬第103号
> 厚生省公衆衛生局環境衛生部長宛　岡山県衛生部長照会

　旅館業法第3条の規定による営業許可の取扱について疑義を生じておりますので、下記のことについて至急何分の御回答を賜わりたい。

記

　学校周辺の旅館業の許可については旅館業法第3条第3項の規定により教育委員会等の意見を求めなければならないこととなっておりますが、たとえその施設が学校の周辺おおむね100メートルの区域内にある場合でも地形上及び介在建築物等により学校から見とおすことができない位置に所在するときは、昭和32年8月5日付厚生省衛発第650号、文部省国施第45号連名通ちょうの趣旨より考え、その必要はないものと解されますが、この点についての貴見。

> 昭和33年2月10日　衛環発第10号
> 岡山県衛生部長宛　厚生省公衆衛生局環境衛生部長回答

　昭和33年1月20日付薬第103号をもって照会のあった標記について、下記のとおり回答する。

記

　昭和32年8月5日付厚生省衛発第650号、文部省国施第45号各都道府県知事指定都市市長、都道府県教育委員会あて厚生省公衆衛生局長及び文部省管理局長連名通知「学校周辺の旅館業について」の「記1」は、旅館業法施行令第1条第1項及び第2項、すなわち旅館業法第3条第2項の「施設の構造設備の政令で定める基準」について述べているにとどまるから、学校から客室又は客にダンス若しくは射幸心をそそるおそれがある遊技をさせるホール、その他の設備の内部を見とおすことをさえぎることができる設備を有するものであっても、当該旅館業の施設の設置場所が学校教育法第1条に規定する学校の敷地の周囲おおむね100メートルの区域内にある場合には、旅館業法第3条第3項の規定により、許可を与えるについて、教育委員会等の意見を求めなければならないものである。

○青少年の健全な育成を図るための施設として告示されている都市公園から、おおむね100メートル以内の旅館業の許可の取扱いについて

```
昭和60年10月25日　東大阪保環第542号
厚生省生活衛生局指導課長宛　東大阪市長（保健衛生
部環境衛生課扱）照会
```

　このことについては、昭和32年8月5日付、厚生省衛発第650号、文部省国施第45号（各都道府県知事、各都道府県教育委員会あて、厚生省公衆衛生局長、文部省管理局長事務代理名）、同年11月1日付、衛環発第58号（岡山県衛生部長あて、厚生省環境衛生部長回答）、昭和33年3月10日付衛環発第28号（北海道衛生部長あて、厚生省環境衛生部長回答）ならびに昭和41年2月24日環衛第5,021号（東京都衛生局長あて、厚生省環境衛生課長回答）の各通達等により取り扱ってきたところですが、最近、青少年の健全育成の見地から旅館業法第3条第3項の規定に係る旅館業などの許可の取扱いについて、営業規制に対する条例の制定を市議会に請願するなど、地域団体、市議会等の強い反対運動が起っております。

　つきましては、これが許可の取扱いについてさらに一層の慎重を期するため、下記により貴見を承りたいので照会いたします。

記

1　申請旅館の構造および位置等の状況
　(1)　A旅館他3件
　　　東大阪市長田東4丁目26番地他9筆
　　①　当該旅館等の施設（建築中）と公園（長田北公園）との間の距離は180mあって、その間に事務所ビル（3階建）があり、公園から直接当該旅館等の内部を見通すことは困難である。
　　②　当該旅館の地域は商業地域であり、過去に許可した旅館が周辺に11軒ある。
　　③　当該旅館の構造設備は鉄骨造、7階建面積33.16―45.73㎡の部屋が20室あり、各部屋にバス・トイレがあり、全室洋室となっている。また、1階にはフロント10.28㎡、ロビー40.41㎡、2階にはレストラン26.38㎡、厨房14.66㎡、休憩室14.08㎡、各階に8.8㎡のリネン室を有している。
　　④　当該旅館の東側中央環状線沿いに通学路があり、この周辺を通行する生徒もいる。
　　⑤　ラブホテルの建築規制については、当市で昭和56年に制定公布した条例を全面改正し、昭和60年7月6日より公布し施行している。
　　⑥　「ラブホテル営業の規制を求める」請願書が市民団体から議会に提出され、現在議会において、休会中の継続審議となっている。
　　⑦　開発指導要綱、建築確認申請の合議のあった時点で旅館業法上、構造設備の基準などについて指導している。

(2) B旅館
東大阪市長田東2丁目60番地2他2筆
① 当該旅館の施設と公園（長田北公園）との距離は道路（4m）をへだてて向いになっている。
② 当該旅館の地域は商業地域であり、過去に公園前に許可した旅館がある。また、周辺には11軒旅館がある。
③ 当該旅館の構造設備は鉄骨8階建、面積13.71—17.49㎡の室が67室あり、各室にバス・トイレがあり、全室洋室となっている。また、1階にはフロント6.8㎡、ロビー60.65㎡、喫茶レストラン48.09㎡、事務室8.75㎡、各階に1.98㎡のパントリーと称するリネン室を有している。
④ 隣接する公園の1日平均利用者数、内18歳未満の者利用者数は別添のとおりで、東側中央環状線沿いに通学路があり、この周辺を通行する生徒もいる。
⑤ ラブホテルの建築規制については、当市で昭和56年に制定公布した条例を全面改正し、昭和60年7月6日より公布し施行している。
⑥ 「ラブホテル営業の規制を求める」請願書が市民団体から議会に提出され、現在議会において、休会中の継続審議となっている。

2 許可に関する意見
(1) A旅館他3件については、公園から2件が180m、2件が210mであり、おおむね100m以上離れているので清純な教育環境を害するか否かの判断をする対象外とし、公園の所管部局へ意見を求めず事務処理をしてさしつかえないと思われるがいかが。
　なお、善良な風俗に関する施設基準であります大阪府旅館業法施行細則により、180mの施設2件を指導することとしたいがいかが。
(2) B旅館については、構造設備、公園からの見通し、通学路、18歳未満の青少年の利用状況、地域の他業種の状況、営業者の営業方針等の総合的な判断を行い、構造設備、ネオン等の外観の規制、「東大阪市ラブホテル建築規制に関する条例」に適合することなどを前提として建築確認申請に合議することとしたいがいかが。
(3) B旅館について、地域の旅館の増加および旅館群の形成による旅館それぞれの相乗作用により、清純な教育環境を著しく害するとし、不許可処分とすることができるか。
(4) 地域の旅館の増加を抑止するため不許可処分にできるとするならば、いかなる判断およびどの時点で不許可処分とするのか。
(5) 善良な風俗を害する要因は次の事項が考えられると思うがどうか。また、判断するに際して一つでもこの要因があれば、不許可処分にできるのか。
① 旅館等の構造設備が「風俗営業等の規制および業務の適正化等に関する法律施行令」に定める第3条に該当する場合。
② 東大阪市ラブホテル建築規制に関する条例施行規則第2条の構造及び設備に

該当する場合。
③ 派手なネオン、外観、広告看板を有している施設。
④ 付近住民から営業を不許可にしてほしい旨要望のあった施設。
⑤ 旅館業法第3条第3項で定められている施設(以下「指定施設」という。)からおおむね100m以内に該当する場合。
⑥ 指定施設からおおむね100m以内に旅館が建設され、指定施設の所属長の回答が「ラブホテルであれば不許可にしてほしい。」とあった場合。
3 参考資料
(1) 大阪府旅館業法施行条例、同法施行細則。
(2) 東大阪市ラブホテル建築規制に関する条例、同条例施行規則。
(3) 付近見取図。
(4) A旅館・B旅館の平面図、調査書、経過など。
(5) 「ラブホテル営業の規制を求める」請願書。

〔昭和60年11月22日　衛指第251号
東大阪市長宛　厚生省生活衛生局指導課長回答〕

昭和60年10月25日付け東大阪保環第542号をもって照会のあった標記の件については、次のとおり回答する。

記

1　(1)について
　貴見のとおり取り扱われて差し支えない。
2　(2)について
　B旅館については、記1(2)に記載されているのみでは、清純な施設環境を著しく害するかどうかは判断できないが、構造設備、公園からの見通し、利用者の利用方法、利用状況等を総合的に判断して許可等の処分を行うべきである。
3　(3)について
　旅館業の許可申請に対する処分は、周辺の学校等の清純な施設環境に対するその許可申請に係る施設の影響に着目して行われるものであり、貴照会中の「相乗効果」を斟酌するのは適当でない。
4　(4)について
　地域の旅館の増加を抑止することは、旅館業の許可とは関係のないことであり、別の観点からなされるべきことである。
5　(5)について
　単に旅館業法第3条第3項で定める施設の周囲100m以内にあるから等の理由だけで学校等の清純な施設環境を著しく害するおそれがあるとは即断できないものであり、構造設備、利用状況等を総合的に勘案して許可するかどうかを決定すべきである。

第5編　旅館業

（教育委員会等の意見の取扱い）

○旅館業法の運用について

> ［昭和33年2月28日　33環第2,277号
> 厚生省環境衛生部長宛　北海道衛生部長照会］
>
> 　このことに関し、下記についての御高見を折返し御教示されたく照会いたします。なお差迫った事情もありますので、御多忙中恐縮ですが至急御回示をお願い申上げます。
>
> 記
>
> 　旅館業法第3条第3項の規定により、教育委員会に意見を求めたのに対し、その回答が清純な教育環境を害するおそれがあるから許可不賛成とあった場合、その理由が学校と近距離にあるので風紀上好ましくなく従って教育環境を害するおそれがあると認めたもので、具体的に清純な教育環境を著しく害するおそれあることの根拠又は事実がない場合、当庁の見解としては、当該建物が旅館の用途にて新築されたものであり、学校とは近距離であるが、その構造設備等が政令に定める基準に適合しており（客室、ホールその他の設備の内部を学校から見えないようにしてあり）且つ申請人は従前旅館業法及び風俗関係法令に違反したことのない者であって、客観的に教育環境を著しく害すると認められる具体的理由がない限り、たとえ教育委員会の意見が不賛成であっても許可すべきものと解するが差支えないか。

［昭和33年3月10日　衛環発第28号
北海道衛生部長宛　厚生省環境衛生部長回答］

　昭和33年2月28日付33環第2,277号をもって照会の標記について、下記のとおり回答する。

記

　旅館業法第3条第3項は、「都道府県知事は、学校の敷地の周囲おおむね100メートルの区域内の施設につき第1項の許可を与える場合には、あらかじめ、その施設の設置によって当該学校の清純な教育環境が著しく害されるおそれがないかどうかについて、……教育委員会（等）……の意見を求めなければならない。」と規定しているにとどまるから、たとえ教育委員会等から許可を与えることに不賛成との意見があっても、その理由の根拠又は事実が乏しく、道知事において清純な教育環境を著しく害されるおそれがないと認めるときは、当然許可して差支えなく、また、旅館業法第3条第2項の不許可事由に該当すると認められない限り、許可すべきである。

(無認可保育所との関係)

○旅館業法上の疑義について

> ［昭和50年12月23日　環第648号
> 　厚生省環境衛生局指導課長宛　兵庫県衛生部長照会］
>
> 　旅館業法第3条第3項について、下記のとおり疑義が生じたので、至急御回答願います。
>
> 記
>
> 　旅館業法第3条第3項第2号の規定による児童福祉施設について、児童福祉法第35条第3項に基づき都道府県知事の認可を受けない施設、すなわち無認可施設（保育所）は、同法第7条の規定による児童福祉施設に該当しないと解され、これが清純な施設環境が著しく害されるおそれがないかどうかについての意見を求める必要はないと思料されますが、しかしながら旅館業法第3条第3項の趣旨の観点からみた場合、これが取扱いに疑義があるので文書をもって、御見解を教示願いたい。

［昭和51年1月8日　環指第1号
　兵庫県衛生部長宛　厚生省環境衛生局指導課長回答］

昭和50年12月23日環第648号をもって照会のあった標記について、下記のとおり回答する。

記

貴見のとおりである。

第5編　旅館業

第4章　営業許可事務の取扱い

（許可事項の変更届）

○旅館営業に関する疑義について

> 昭和32年9月27日　公号外
> 厚生省公衆衛生局長宛　山梨県厚生労働部長照会

　本県市町村職員恩給組合の保養所は、職員恩給組合において経営するが、諸種の関係上組合長を町村会長が兼ねており、又町村会長の任期が、2年であるので、会長の代る度に許可の切替えをしなければならないのであるが、任期以前に交代する場合は許可の切替えは更に短縮せられて頻繁となるので、この特別事情により法人に準じて許可申請手続をさせるか、或は職員恩給組合名にて許可申請手続をさせるか、いささか疑義があるので、至急何分の御指示を煩わしたい。
　なお本組合は法人としての登記はしてないので、念の為申添える。

> 昭和32年10月9日　衛環発第52号
> 山梨県厚生労働部長宛　厚生省公衆衛生局環境衛生部長回答

　昭和32年9月27日付公号外をもって照会のあった標記について、下記のとおり回答する。

記

　町村職員恩給組合は、町村職員恩給組合法第2条に定めるとおり、設立に登記は要しないが、地方自治法第284条に規定する一部事務組合であって法人格を有するものである（地方自治法第285条）から、その経営に係る職員の保養に資する施設についても、法人としての旅館営業許可申請手続をとればたりるものである。

（営業廃止届）

○旅館業法施行規則第2条の廃業届の疑義について

> 昭和31年11月5日　発衛第4,244号
> 厚生省公衆衛生局環境衛生部環境衛生課長宛　石川県厚生部長照会

　右のことについて、当県には、現在下記の如き届書が提出され、この取扱いにつき疑義が生じていますので、何分の御指示を賜りたく御依頼します。

旅館業法等環境衛生営業施設に対する許可手続の疑義について

記
一　廃業届出までの概要
　1　今回廃業届出の旅館施設に対しては、既に営業名儀人A及びBに対する二重許可が与えられている。
　2　Aは従前より許可を受け、営業を継続してきたが、本年春頃税金滞納等の理由により、旅館施設の所有権がBに移り、Bの願い出により、本年6月旅館営業の二重許可が与えられたが、Aは現在もなお営業を継続中である。
　3　Aは本年7月17日地方裁判所において破産宣告を受け、同年8月30日破産法に基く債権者集会において、破産者の営業を廃止する旨決議され、同年10月12日破産管財人より旅館廃業届（別紙写）が提出された。
二　廃業届の取扱いについての疑義
　1　右廃業届が旅館業法施行規則第2条に規定する「営業者の廃止」と同様と解されるかどうか。
別紙　略

〔昭和31年12月13日　衛環第124号
　石川県厚生部長宛　厚生省公衆衛生局環境衛生部環境
　衛生課長回答〕

　昭和31年11月5日発衛第4,244号をもって照会にかかる標記の件については、下記により回答する。

記
　旅館業法施行規則第2条の旅館営業の廃止の届出は、旅館業を営む者が死亡その他法律行為の能力が欠除していると客観的に認められる場合を除いては、旅館業を営む者からなされるべきものであり、破産宣告を受けた者が直ちに届出をなす能力を失っているとは解されず、また、破産法による債権者集会の営業廃止の決議が、私人のなす公法行為まで制限されるものではない。従って、お尋ねの破産管財人からなされた営業廃止の届出は、単なる債権者集会の決議の結果の通知であって、旅館業法施行規則第2条に規定する営業の廃止届とは、解されないものである。

（許可申請の添付書類）

○旅館業法等環境衛生営業施設に対する許可手続
　　の疑義について

〔昭和39年1月6日　大衛第1,629号
　厚生省環境衛生課長宛　大阪市衛生局長照会〕

1　環境衛生営業関係（営業三法）施設に対する許可にあたっては、本市においては、各法施行細則を設け営業許可申請書に特に他の法令との関係において必要な書

第5編　旅館業

> 類として建築しゅん工検査済証の写、消防検査済証の写などを添付せしめ、これを
> 申請さしているところであるが、当該申請にかかる営業施設が、これら他の法令違
> 反建築物である場合に、これを理由に（従って必要添付書類を欠き許可申請が適法
> でないとして）許可処分を行なわないことが許されるか。
> 　また、これに関してかかる内容の細則規定の法制上の効力について如何。
> 　（特に行政不服審査法等の関係において）
> 2　旅館業法等営業三法の規制の趣旨並びに目的からして、他の法令違反の有無にか
> かわらずこれらの法にもとづく構造設備並びに衛生措置基準に適合すれば、これら
> 他の法令違反施設に対しての許可の当否如何。

〔昭和39年5月8日　環衛第10号〕
〔大阪市衛生局長宛　厚生省環境衛生課長回答〕

　昭和39年1月6日大衛第1,629号をもって照会のあった標記について次のとおり回答する。

　なお、本件については昭和28年9月8日付け衛発第706号の鳥取県知事あて厚生省公衆衛生局長通達を参照されたい。

記

第1　1については、他の法令に違反する建築物であるという理由で許可処分を行なわないことはできないものと解される。したがって、本件に関する貴市の施行細則の規定は、行政指導の領域においてのみ妥当するものと思われる。

第2　2については、法律上は許可を与えても差しつかえないものと解される。
　　なお、他の法令に違反する建築物については、関係部局において違法行為を是正する措置をとるよう事前に十分連絡されたい。

○外国人滞在施設経営事業に係る国家戦略特別区域法及び厚生労働省関係国家戦略特別区域法施行規則の解釈について

> 平成30年12月27日　戦特第1,061号
> 内閣府地方創生推進事務局長宛　大阪府政策企画部特区推進監照会

　日頃から、特区施策の推進にご理解、ご協力いただきありがとうございます。
　大阪府においては、平成28年4月より特区民泊を実施しているところですが、国家戦略特別区域法を適正に執行する観点から、国家戦略特別区域法（以下「法」という）及び厚生労働省関係国家戦略特別区域法施行規則（以下「規則」という）について、ご見解をお示しいただきますようお願い申し上げます。

記

(1)　法第13条第2項及び規則第11条第1項第2号において、特区民泊の申請書に住民票の写しを添付する必要がありますが、日本に住民票のない方は特区民泊を実施できないと判断して差し支えないか。

(2)　上記(1)で日本に住民票のない方であっても特区民泊を実施できる場合、①外国の行政機関が発行した住所を証明する書類、②当該外国の公証人の認証のある住所に関する宣誓供述書又は③在留カード、特別永住者証明書その他公的機関が発行した住所の記載のある身分証明書の写しの提出を以って、住民票の写しの代替として特定認定をしても差し支えないか。

国家戦略特別区域外国人滞在施設経営事業に係る照会事項について

> 平成31年1月25日　薬生衛発0125第2号
> 内閣府地方創生推進事務局担当参事官宛　厚生労働省医薬・生活衛生局生活衛生課長回答

　平成31年1月18日付け府地事第42号をもって依頼のありました、平成30年12月27日付け戦特第1,061号「外国人滞在施設経営事業に係る国家戦略特別区域法及び厚生労働省関係国家戦略特別区域法施行規則の解釈について（照会）」について下記のとおり回答します。

記

　国家戦略特別区域法第13条第2項及び厚生労働省関係国家戦略特別区域法施行規則第11条第1項第2号において、申請者の本人確認を図る観点から、住民票の写しの添付を求めているものの、日本に住民票のない者が特区民泊を実施することを禁止する趣旨ではない。

　したがって、日本に住民票のない者については、①外国の行政機関が発行した住所を証明する書類、②当該外国の公証人の認証のある住所に関する宣誓供述書又は③在留カード、特別永住者証明書その他公的機関が発行した住所の記載のある身分証明書の写しの提出を以て、住民票の写しの代替として申請者の本人確認をできるものとして、特定認定をしても差し支えない。

第5章 衛生風紀に関する構造基準

（構造設備と善良な風俗）

○旅館営業の許可事務取扱に対する疑義について

> 昭和32年6月6日　衛第2,714号
> 厚生省公衆衛生局環境衛生部長宛　徳島県厚生労働部長照会

　旅館営業の指導取締については、昭和32年3月8日発衛第78号による「旅館営業に対する指導監督の強化について」の通達に基き、営業の健全化について努力していますが、現在許可申請中のもので次の2点に疑義が生じましたので、これの取扱方につき至急何分のご回示をお願いします。
　許可申請中の施設は、玄関がカフェー形態で（申請人は応接室であると主張しているが）その奥および2階が小部屋により構成されており、明らかに善良な風俗を害するものとみられるが、現行の旅館業法および食品衛生法の基準に合致する場合
1　その構造、営業方法が不適当なことについて認識させ、自発的に許可の申請を取り下げるよう強力に指導するも、その営業形態が営業方針であるとして、設置を翻意しない場合は申請どおり許可をしなければならないか。
2　また、この場合、次の旅館業法の改正実施まで保留しておくことが違法であるかどうか。

> 昭和32年7月29日　衛環発第30号
> 徳島県厚生労働部長宛　厚生省公衆衛生局環境衛生部長回答

　昭和32年6月6日衛第2,714号をもって御照会のあった標記については、下記により回答する。

記

　貴見のとおり、改正旅館業法第3条第2項の規定による構造設備の基準に合致する限りは、許可せざるを得ない。ただし、当該施設の設置場所が学校周辺であるときは、改正法第3条第2項後段の規定により、その構造設備等から推して清純な教育環境を著しく害するおそれがあるかどうかについても調査しなければならないものである。
　なお、許可後については、改正旅館業法第4条第3項及び第8条の規定に基く指導取締を行うはもちろん、昭和32年3月8日発衛第78号通達「旅館営業に対する指導監督の強化について」2による監督の徹底を期することは、いうまでもないものであること。

〔参　考〕
　　　　旅館営業に対する指導監督の強化について

旅館業法施行令第3条第1号及び第1条の解釈について

［昭和32年3月8日　発衛第78号
　東京都知事宛　厚生事務次官通知］

　最近、貴職管下の一部地区において不健全な営業を行う旅館の乱立が地区住民の生活環境に種々の悪影響を及ぼし、しかもこの種旅館がさらに増加する傾向にあって、社会問題となりつつある現況にかんがみ、今後旅館の指導監督及びその許可処分にあたっては、特に次の点に留意し、旅館営業の健全化のために強力な措置を取られるよう格段の配意を願いたい。

記

1　現に旅館の営業許可申請中のもの及び今後許可の申請をしようとするものに対する措置

　個々の施設等につき具体的に十分調査し、生活環境に悪影響を及ぼすと認められるものについては、おおむねつぎの措置を講ずるものとする。
(1)　業界の自粛とその協力にまって、自発的に許可の申請を取り下げるよう積極的に業界を指導すること。
(2)　現に設置されている営業関係の運営協議会に教育機関その他の関係行政機関、地区住民の代表者等を加える等、極力この組織を活用して許可処分の適正を期すること。
(3)　申請者に対しては個々にその設置場所の不適当なことを認識させ、設置を翻意するよう強く勧奨すること。
(4)　申請に係る施設についてその設置場所及び構造設備の許可基準をさらに一層厳正に適用し、個々の事例につき慎重にその処分に当ること。

2　現に許可を受けて旅館営業を行っているものに対する措置

　法の趣旨を十分に理解徹底させ、いやしくもその精神を逸脱することのないよう指導するとともに、差し当りつぎの措置を講ずるものとする。
(1)　衛生措置の実施状況、営業方法等につきさらに強力な監視指導を行い、業者の自粛と相まって旅館営業の健全化を期すること。
(2)　旅館業の公共性にかんがみ、業界自体の自粛を促すことにより、不健全な広告、表示、宣伝方法等を行わないよう関係機関及び業界と緊密に連絡し、その実行を期すること。

○旅館業法施行令第3条第1号及び第1条の解釈について

［昭和46年2月8日　242―873
　厚生省環境衛生局環境衛生課長宛　宮崎県衛生部長照会］

　モーテルと称する旅館営業施設において、善良の風俗を害するおそれのある設備を有するものが見うけられるが、下記につき疑義がありますので、至急御回答を煩わしたく照会します。

第5編　旅館業

記
1　次のような設備は旅館業法施行令第3条第1号に規定する「善良の風俗が害されるような物件」に該当するか。
　(1)　ピンク映画上映設備
　(2)　セックスムードのテープレコーダー
　(3)　鏡の間
2　旅館業法施行令第1条第1項第11号及び第2項第10号の規定に基づいて、車庫のシャッターを取りつけないように条例で規制できるか。

〔昭和46年7月6日　環衛第122号
　宮崎県衛生部長宛　厚生省環境衛生局環境衛生課長回答〕

昭和46年2月8日付242—873をもって照会のあった標記の件については、次のとおり回答する。

記

1について
　(1)、(2)、(3)に掲げる物件は、いずれも旅館業法施行令（昭和32年政令第152号。以下「令」という。）第3条第1項に規定する「善良の風俗が害されるような文書、図画その他の物件」に該当しないが、映画上映設備に用いられるフィルム又はテープレコーダーに用いられるテープについては、当該物件に該当することがあり得るので、個々具体的にその内容が害されるようなものか否かを判断されたい。
2について
　令第1条第1項第11号及び第2項第10号に基づきご照会のような条例を定めることはできない。

○旅館業法施行令第1条第1項第4号および同条第2項第4号に規定する玄関帳場について

〔昭和48年1月17日　47指営第651号
　厚生省環境衛生局長宛　福岡県衛生部長照会〕

標記のことについて下記によりお尋ねします。

記

旅館業法施行令（以下「令」という。）第1条第1項第4号及び同条第2項第4号に「面接に適する玄関帳場その他これに類する設備を有すること。」と規定していますが、このことについては昭和45年7月16日付環衛第101号通知によると「いわゆるモーテル」の玄関帳場は「個々の棟に設置を義務づけることは実際的ではないので、施設を利用するときに客が通過する場所に設け、面接できる構造のものであること」と説明されております。
　ところで、「いわゆるモーテル」においては自動車で管理棟の前を通過するため面

接できる状況にないのが実情であります。昨年、風俗営業等取締法の一部改正により、一段と「モーテル」に対する規制が強化されたことは社会的に好反響を与え、その期待も又大きいものがありますが、旅館業法の目的とする善良の風俗を保持するためにも、令第1条第1項第4号並びに同条第2項第4号の規定を「玄関は自動車で通過する場所ではなく歩いて通過する客室棟の1か所とし、そこに帳場を設置し、客は廊下づたいに各客室に入室するものとする。」というように解釈いたしてよいかどうかお尋ねします。

〔昭和48年8月27日　環衛第16号
　福岡県衛生部長宛　厚生省環境衛生課長回答〕

　昭和48年1月17日付け47指営第651号をもって照会のあった標記について、下記のとおり回答する。

記

　玄関帳場の設置場所については、昭和45年7月16日付け環衛第101号環境衛生局長通知第2の1のように解すべきであって、貴見のように解することは妥当でない。

（洋式構造と旅館業）

○旅館業法に関する疑義について

〔昭和39年6月23日　環第726号
　厚生省環境衛生局長宛　富山県厚生部長照会〕

　このことについて下記事項に疑義がありますので至急ご教示願います。

記

1　洋式の客室（9㎡以上のもの）4室
　　和式の客室（7㎡以上のもの）5室
　　洋式の客室（7㎡以上9㎡以下のもの）10室でホテル設備の完備した施設に対し
(イ)　ホテル営業の許可を与えてよいか
(ロ)　旅館営業の許可を与えてよいか
(ハ)　旅館営業の許可を与える場合も洋式の客室（7㎡以上9㎡以下のもの）については、許可の対象とならないものと考えるが如何
(ニ)　洋式の客室で9㎡以下で7㎡以上のものに例えば畳等の設備にすれば和室として許可の対象と考えるが如何
2　和式の客室の設備構造については具体的に例示されたい。

〔昭和40年4月2日　環衛第5,039号
　富山県衛生部長宛　厚生省環境衛生課長回答〕

　昭和39年6月23日付け環第726号をもって照会のあった標記について下記のとおり回答する。

第5編　旅館業

記
1　おたずねの1については、当該施設には、ホテル営業、旅館営業、いずれの許可も与えることはできないと解される。ただし、おたずねの(二)のように施設を改造した場合には旅館営業として許可をして差し支えない。
2　和室の構造設備の具体的基準については貴県において細則により実態に則して規定されたい。

（床面積の算定）

○旅館業法施行上の疑義について

〔昭和43年12月18日　環第1,275号〕
〔厚生省環境衛生部長宛　茨城県衛生部長照会〕

上記のことについて、下記のとおり疑義がありますので、ご多忙中恐縮ですが、至急ご教示くださるようお願いします。

記

旅館業法施行令第1条の規定による客室の床面積の算定については、昭和32年8月3日付衛発第649号厚生省公衆衛生局長通知第2(2)により、「床面積とは、宿泊者が利用し得る部分の面積であって、これには押入、床の間等は含まれないが、客室に付属する浴室、便所、板間等は含まれるものであること。」とされているが、次の場合はどのように取り扱うべきか。
1　図1のような構造の客室（旅館業法施行令第1条第2項による旅館営業で、和式の構造設備によるもの。）の場合
(1)　浴室、便所、板の間は、専用のものである。
(2)　浴室、便所、板の間を含めた全体の面積は、13.2平方メートルである。
　①　浴室、便所、板の間を含め1客室とみて許可を与えて支障ないか。
　②　①によって許可を与える場合でも、図のうち客室の部分の床面積は、7平方メートル以上でなければならないか。

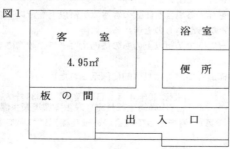

図1

旅館の床面積の算定について

図2

次の間　4.95㎡　｜　客室　7.425㎡

出入口

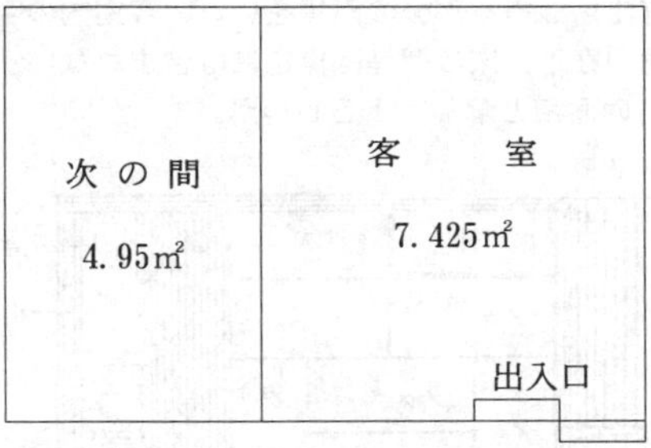

2　図2のような構造で、すでに許可を受けている客室（7.425平方メートル）に次の間と称して4.95平方メートルの広さの室（客室との間は、ふすままたは一部壁等により区画されている。）を増設し、もっぱら客の宿泊に供している場合。
(1)　1客室として許可を与えるべきであるか。
(2)　(1)により許可を与えることができない場合、次の間をもっぱら宿泊に供している場合は、旅館業法違反となるか。

〔昭和44年3月17日　環衛第9,044号
茨城県衛生部長宛　厚生省環境衛生課長回答〕

昭和43年12月18日付け環第1,275号をもって照会のあった標記について、次のとおり回答する。

記

1　1(1)については、貴見のとおりである。
2　1(2)については、浴室、便所、板の間等を含めた面積が7平方メートル以上あればよいと解する。
3　2(1)については、次の間を含めて1客室として許可を与えるべきである。
4　2(2)については、次の間を含めて1客室として利用させている場合は、旅館業法に違反しない。

○旅館の床面積の算定について

〔昭和45年12月25日　環衛第1,876号
厚生省環境衛生局環境衛生課長宛　大分県厚生部長照会〕

旅館の床面積の算定に関する別紙問1・問2の疑義について至急ご教示くださるようお願いします。

別　紙
問1　旅館の床面積について
　昭和32年8月29日環衛第56号（環境衛生課長発府県主管部長あて）通知で「客室

第5編 旅館業

の床面積は客の占有使用し得る部分の面積をいい、客室内の客専用の浴室、便所等は含まれるが、共通の廊下、床の間等は算定には含まれない」とあるので、下記事例の場合は□線内の面積と解してよろしいか。

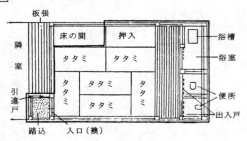

問2 旅館の床面積について

鉄筋コンクリート造りの部屋の床面積は建築基準法による床面積であるか、又は柱又は壁の内面の床面積（うちづら）（□内の面積）の何れであるか。

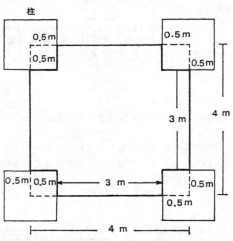

① 建築基準法による場合の床面積＝4m×4m＝16㎡
② 内面の床面積＝（4m×4m）－（0.5m×0.5m×4）＝15㎡

差 引　　　　　　　　　　　　　　　　　1㎡

〔昭和46年6月24日　環衛第114号
大分県厚生部長宛　厚生省環境衛生局環境衛生課長回
答〕

昭和45年12月25日付環衛第1,876号をもって照会のあった「旅館業法の疑義について」については、次のとおり回答する。

記

問1について
　お示しの図について、さらに押入れの部分を除いたものが、客室の床面積となるものである。

問2について
　客室の床面積の算定は、壁、柱等の内側で測定（いわゆる内法(うちのり)）によって行なうものである。

（部屋数の不足）

○旅館営業の許可について

［昭和45年11月2日　45環第218号
　厚生省環境衛生課長宛　長野県衛生部長照会］

下記事項について、疑義が生じましたので御回答願います。

記

1　旅館業法施行令第1条第2項の規定によると、旅館営業の施設の構造設備の基準は、客室の数が5室以上であることとされているが、いわゆるモーテル形式の旅館で客室が4室で営業申請があった場合、旅館業法第2条第3項の旅館営業として取扱ってよいか。
2　旅館業法第2条第4項の多数人とは何人以上を云うのか。

［昭和46年6月28日　環衛第118号
　長野県衛生部長宛　厚生省環境衛生課長回答］

昭和45年11月2日付45環第218号をもって照会のあった標記の件については、次のとおり回答する。

記

1について
　旅館業法施行令第1条第2項に定める旅館営業の施設の構造設備の基準に適合しない施設に対して旅館業法第2条第3項に規定する旅館営業としての旅館業の許可を与えるべきではない。

2について
　旅館業法第2条第4項の多数人とは、2人以上をいう。

第5編　旅館業

（玄関帳場）

○簡易宿所営業における玄関帳場等の設置について

　　　　　平成29年12月15日　事務連絡
　　　　　各都道府県・各政令市・各特別区生活衛生担当課宛
　　　　　厚生労働省医薬・生活衛生局生活衛生課

　簡易宿所営業における玄関帳場等の設置について、想定される照会事項への回答案を別紙のとおり取りまとめたのでお示しする。
　貴課におかれては、内容を御了知の上、観光担当部局等の関係部署及び都道府県におかれては併せて管下市町村等への周知等について御配慮願いたい。

別　紙
問　効率的に事務を遂行する観点から、「緊急時に適切に対応できる体制」が整備されているかどうかについて、対象となる簡易宿所の玄関帳場からの距離に着目した基準を設定したいのだが、どの程度の距離が適切か。
答　通知の本文にあるとおり、「緊急時に適切に対応できる体制」が整備されているか否かは、基本的に、職員等が駆けつけるために通常要する時間によって判断されるべきであり、また、駆けつける職員等が玄関帳場等から駆けつけるとは限らないことから、玄関帳場等からの距離によって機械的に判断するような取扱いは想定していない。
　仮に、実務的な理由等から、どうしても玄関帳場等からの距離を基準に判断せざるを得ない事情がある場合については、例えば徒歩で駆けつけることが想定されるケースであれば1km程度が目安になると考えられるが、自転車や自動車で駆けつけることが想定されるケースにおいては、より長い距離を基準とすることとなると考えられる。
　いずれにせよ、「「歴史的資源を活用した観光まちづくりタスクフォース」におけるとりまとめ」（平成29年5月18日）の趣旨も踏まえ、各地域の実情に応じ「緊急時に適切に対応できる体制」を実質的に確保できるかどうかという観点で、本件に係る運用を行っていただくよう重ねてお願いする。

○ICTの活用による玄関帳場の代替、宿泊者名簿の電子化について

［令和2年10月12日　事務連絡
各都道府県・各保健所設置市・各特別区生活衛生担当
課宛　厚生労働省医薬・生活衛生局生活衛生課］

　生活衛生関係営業への取組につきましては、平素より、ご高配を賜り厚く御礼申し上げます。

　10月9日に行われた規制改革推進会議投資等ワーキング・グループにおきまして、ICTの活用による玄関帳場の代替、宿泊者名簿の電子化を促進するよう意見がありました。

　また、現下の新型コロナウイルス感染症の状況を踏まえると、宿泊施設においてもより一層非接触・非対面の取組の促進が求められているところです。

　つきましては、下記の事項について改めて御理解いただき、御協力をお願いいたします。

　併せて、貴自治体におけるICTの活用による玄関帳場の代替・宿泊者名簿の電子化の状況について、別添の調査票（Excel）に必要事項を記載の上、令和2年10月21日（水）までに、Excelファイルでご提出をお願いいたします。

　なお、本照会に対する回答は、今月中を目途にとりまとめ、公表を行う予定です。

記

1　希望する事業者がICT設備により玄関帳場を代替できるよう、旅館業法施行令（昭和32年政令第152号）第1条第1項第2号に規定する玄関帳場の設置に代えて、旅館業法施行規則（昭和23年厚生省令第28号）第4条の3に規定する基準を満たした設備を設けることができるとされていること。

2　旅館業法（昭和23年法律第138号）第6条の宿泊者名簿については、書面の保存等に係る負担の軽減等を通じて国民の利便性の向上を図るため、民間事業者等が行う書面の保存等における情報通信の技術の利用に関する法律（平成16年法律第149号）第3条第1項並びに厚生労働省の所管する法令の規定に基づく民間事業者等が行う書面の保存等における情報通信の技術の利用に関する省令（平成17年厚生労働省令第44号）第3条及び別表第1の規定に基づき、書面の保存に代えて当該書面に係る電磁的記録の保存を行うことができるとされており、当該名簿の提出にあたっても、電磁的記録の提出で差し支えないこと。

以上

第5編　旅館業

（無窓客室）

○無窓客室に対する旅館業法の取扱いについて

　　　　　　　　　　［平成元年9月13日　発衛第106号
　　　　　　　　　　　厚生省生活衛生局指導課長宛　鳥取県衛生環境部長照
　　　　　　　　　　　会　　　　　　　　　　　　　　　　　　　　　　　］

　このことについて、下記のとおり旅館業法についての法解釈の疑義が生じましたので、至急ご教示願います。

記

　別紙のように窓等により、採光が全くとれない無窓の部屋を「客室」として使用する施設は、旅館業法施行令第1条の規定に基づく「構造設備の基準」に適合しない施設であるとして次のとおり解してよろしいか。
1　旅館業法施行令第1条第1項第5号に規定する「適当な採光………設備を有すること。」とは、窓等により自然の光が取り入れられるような設備のことである。
2　同号は、ホテルの各施設の使用目的に応じて、具体的に適用すべきであり、「客室」については、第2号ハ及びニによっても明らかのように窓を設けなければならないことからしても、自然の光が取り入れられるような設備を要するものである。

（別紙）
　数階建ての店舗建物の一部をホテルに用途変更し、客室を設置したところ、建物外壁に面する部分のみならず、各階の建物中央部についても区画し、客室を設置した。
　この中央部客室は外気に面さず、もちろん採光が全くとれない部屋である。
図示

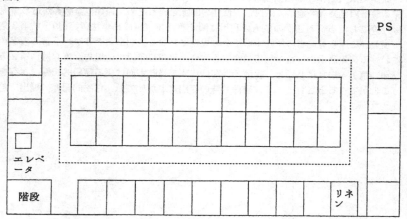

(注) 1　旅館業の種別　ホテル営業
　　 2　無　窓　客　室　「………」で囲んだ建物中央の区画部分

[平成元年9月20日　衛指第160号
鳥取県衛生環境部長宛　厚生省生活衛生局指導課長回答]

　平成元年9月13日付け発衛第106号をもって照会のあった標記について下記のとおり回答する。

記

　貴見のとおりである。なお、ホテルの客室の取扱いについては、昭和59年8月28日付け衛指第24号厚生省生活衛生局長通知「旅館業法における衛生等管理要領について」の別添「旅館業における衛生等管理要領」のⅢの第1の14及び32において窓のない客室は設けないこと、適当な採光及び照明の設備を有すること等を規定してあるので十分留意すること。

第6章　行政処分（許可取消、営業停止等）

（行政処分の実施の可否）

○旅館業における行政処分の実施の可否について

> ［平成20年6月30日　薬第590号
> 　厚生労働省健康局生活衛生課長宛　島根県健康福祉部
> 　長照会］
>
> 　本年5月28日、県内のホテル（旅館業法（以下「法」という。）に基づくホテル営業）の玄関地下配管ピットから硫化水素が発生したところです。
> 　これを受け、当県では宿泊者の衛生を確保するため営業停止処分の実施について検討したところですが、法第4条第2項の「措置の基準」として当県の条例で規定している内容は別紙のとおりであり、対応できる規定がありませんでした。
> 　つきましては、法に基づき下記のとおり処分できるか、御多忙中恐縮とは存じますが、御教示くださいますようお願いします。
> 記
> 1　法第4条第1項の「宿泊者の衛生に必要な措置を講じなければならない」との規定に違反するとして、法第8条に基づき営業停止処分を課すことは可能か。
> 2　上記1について可能であるとした場合、その法理論はどのようなものか。
> 　また、上記1の判例はあるか。
> 別紙　略

> ［平成20年7月10日　健衛発第0710001号
> 　島根県健康福祉部長宛　厚生労働省健康局生活衛生課
> 　長回答］

　平成20年6月30日付け薬第590号をもって照会のあった標記について下記のとおり回答します。

記

　旅館業法（以下「法」という。）第4条第1項の「宿泊者の衛生に必要な措置を講じなければならない」との規定に違反するとして法第8条に規定する処分を命ずるためには、法第4条第2項の規定に基づき都道府県が条例で定めた措置の基準に違反していることが原則として必要である。
　ただし、法の本旨は衛生の確保であることから、たとえ条例に対応できる規定がないとしても、衛生の確保に必要な措置が明らかに講じられていないと客観的に認められる場合であれば、直ちに法第4条第1項に違反するとして法第8条に規定する処分を命ずることができないとまでは言えないと考える。
　なお、判例の有無については承知していない。
　おって、照会のあった事案について当該通知に基づきどのような対応をされたか当職あて報告されたい。

(公開の聴聞)

○旅館業法第9条第1項の聴聞について

> ［昭和33年7月11日　文第252号
> 　自治庁行政課長宛　山口県総務部長照会］

　旅館業法（昭和23年法律第138号）第8条の「次に掲げる罪を犯したとき」とは、同条各号に掲げる罪について有罪の確定判決があったときをいうものと解されますが、その確定判決がある前に、同条の処分の原因と認められる違反行為があった旨の都道府県警察本部長の通報等に基いて、同法第9条第1項の聴聞を行うことができますか。さしかかった問題がありますので、至急御教示願います。

> ［昭和33年7月29日　自庁行発第126号
> 　厚生省環境衛生部長宛　自治庁行政課長発］

　7月11日付文第252号をもって山口県総務部長から、当職に照会の標記については、貴職において処理されることが適当と思われますので回送しますから、よろしくお願いいたします。

> ［昭和33年8月21日　衛環発第64号
> 　山口県総務部長宛　厚生省環境衛生部長回答］

　標記については、昭和33年7月11日文第252号をもって自治庁行政局行政課長あて照会されたところであるが、自治庁当局より当部あてに廻送されたので、次のとおり回答する。

記

　旅館業法第8条各号に掲げる罪を犯したと認められる場合には、当該行為についての司法処分とは関係なく、同法第9条の聴聞の手続を経たうえ必要な行政処分を行うことができるのであって聴聞及び行政処分のいずれも当該行為の有罪確定判決とは関係なく行って差し支えない。

(法第8条の「罪を犯したとき」の解釈)

○旅館業の許可取消等に関する取扱について

> ［昭和32年12月19日　2公第1,763号
> 　厚生省公衆衛生局長宛　京都府衛生部長照会］

　右のことについて、衛発第978号で旅館業法第8条各号に規定する罪に関し、警察が検察庁に事件を送致した場合において、警視総監又は道府県警察本部長が必要と認めたときは、警察本部長より当該事件の内容を当該営業者の営業施設の所在する都道府県知事に通報するものとされたから、都道府県知事は、当該通報を旅館業法第8条

の営業許可取消又は停止に関する処分を決定する場合にあたっての判断資料とされたい旨の通ちょうがありましたが、旅館業法第8条には、許可の取消又は期間を定めて営業の停止を命ずることができるのは、1刑法第174条、第175条又は第182条の罪、2風俗営業取締法に規定する罪、3婦女に売淫をさせた者等の処罰に関する勅令に規定する罪、と定められているが、旅館業法で、許可の取消又は期間を定めて営業の停止を命ずることのできるのは、刑の確定したもののみに行いうるものと考える。然し、前記通ちょうに云う判断資料とは、犯罪の容疑ありと認められる時においても旅館業法第8条の行政処分を行いうるものか、いささか疑義があるので、御回答願いたい。

[昭和33年1月14日　衛環発第4号
 京都府衛生部長宛　厚生省公衆衛生局環境衛生部長回答]

昭和32年12月19日付2公第1,763号をもって照会のあった標記について、下記のとおり回答する。

記

旅館業法第8条後段に規定する「罪を犯した」とは、必ずしも公訴の提起の有無乃至は刑の確定にはかかわりなく、客観的に明白に罪を犯したと認められることをいうものであり、明らかに罪を犯したと認められるときには、公訴の提起をまつまでもなく、当然に同条による行政処分を行うことができるわけであるが、ただ実際には、罪を犯したか否かの発見及びその判断は極めて困難な場合が多いので、都道府県警察よりの事件送致の通報を判断資料とし、聴聞会において当事者の申立を聴き、検察庁の公訴提起時に、公訴提起の有無をも検討のうえ、行政処分を行うか否かを決定するのが、通例であろう。

○旅館業法第8条の取扱の疑義について

[昭和33年2月3日　秋発公第35号
 厚生省環境衛生課長宛　秋田県厚生部長照会]

旅館業法第8条の規定による行政処分を行うに際し、風俗関係法律との関連について次のとおり疑義がありますので、何分の御指示を願います。

記

旅館業法第8条中「次に掲げる罪を犯したとき」とは、衛発第978号（昭和32年11月11日）通牒による警察が検察庁に事件を送致し、警察本部長より知事に通報があったときと解すべきか、又は当該事件について刑が確定した時をもって「罪を犯したもの」として措置すべきであるか。

又風俗営業取締法第4条の規定に基く行政処分（営業停止又は許可の取消）も「風俗営業取締法に規定する罪」を犯したものと解して差支えないか。

[昭和33年2月11日　衛環発第12号
 秋田県厚生部長宛　厚生省環境衛生部長回答]

昭和33年2月3日付秋発公第35号をもって照会のあった標記について、下記のとおり回答する。

県公安委員会がモーテル営業の廃止を命じたときの旅館業法上の許可処分の取扱い

記

　旅館業法第８条後段に規定する「罪を犯した」とは、必ずしも公訴の提起の有無又は刑の確定にはかかわりなく、客観的に明白に罪を犯したと認められることをいうものであり、客観的に明白に罪を犯したと認められるときは、公訴の提起をまつまでもなく、同条による行政処分の対象としうるわけであるが、ただ、事例としては罪を犯したかどうかの発見及びその認定は極めて困難な場合が多いと思われ、都道府県警察よりの検察庁へ事件送致した旨の通報を判断資料とし、聴聞会において当事者の申立を聴き、検察庁における公訴提起時に公訴提起の有無をも検討のうえ、行政処分を行うか否かを決定するのが通例であろう。

　なお、風俗営業取締法第４条の規定による営業許可の取消、停止等の行政処分は、旅館業法第８条第２号の「風俗営業取締法に規定する罪」には、あたらない。

○県公安委員会がモーテル営業の廃止を命じたときの旅館業法上の許可処分の取扱いについて

〔昭和48年８月21日　発衛第172号〕
〔厚生省環境衛生課長宛　鳥取県厚生部長照会〕

　このことについて、下記のとおり疑義が生じましたので、至急ご教示願います。

記

　風俗営業等取締法施行条例施行日から１年経過したのちモーテル営業（風俗営業等取締法第４条の６に規定されている営業）禁止区域内でモーテル営業を行なう者に対して、県公安委員会が風俗営業等取締法第４条の６第３項の規定によってモーテル営業の廃止を命じた場合において、既に旅館業法に基づいて与えている営業許可については、同法第８条の規定は適用できないと解されるが、この場合どのように取り扱うべきか。

〔昭和48年10月９日　環衛第204号〕
〔鳥取県厚生部長宛　厚生省環境衛生課長回答〕

　昭和48年８月21日付け発衛第172号をもって照会のあった標記の件について下記のごとく回答する。

記

　照会の場合においては、旅館業法第８条の規定により営業許可の取消等の処分はできないものと解する。

　この場合、当該モーテルの営業者が、営業廃止の届出をしないときは、実際に営業を廃止したか否かについて報告徴収その他調査を行い、廃止した旨の確証を得た場合には、同法施行規則第２条による営業廃止の届出があったものとして取扱われたい。

第5編　旅館業

○旅館業法に関する疑義について

> 昭和49年3月9日　大環保第2,676号
> 厚生省環境衛生局指導課長宛　大阪市環境保健局長照会

　日頃、本市の衛生行政に種々ご指導賜わり厚くお礼申し上げます。
　今般、標記の法について別紙のとおり疑義を生じましたので、ご教示をお願いします。
　なお、別紙1について申し添えますと、本市西成区には、多数の簡易宿所があり、それらの利用者の多くは通常居住施設として利用する日雇労働者で、特に構造設備に留意しておりました。しかしながら、先般、6階建の簡易宿所が火災事故を起こし死者1名を出す結果となり、当局といたしましても対策を検討いたしておりますが、当該簡易宿所に対し、利用者の労働者が組織する労働者団体から本市あて営業許可取消、停止処分にするよう強く要請がありました。
　つきましては、その内容から主務官庁のご貴見をもって本市の見解を示したく存じますので、事情ご賢察のうえ、よろしくご配慮賜わりますようお願いします。

別　紙
　　　旅館業法に関する疑義について
　簡易宿所A（本館及び別館）の本館が死者1名を出す火災事故を起こし、現在、本館については消防上、衛生上の設備を補修工事中につき休業し、別館についてのみ営業を続行しております。
　火災事故を起こし死者を出したことは、旅館業法に基づく処分規定には該当せず、また、本市施行条例に当該事故をもって営業許可取消、停止処分の上積規定を設けることは、旅館業法の立法の趣旨に反するものであり、本館の補修の後、支障がなければ当然営業の再開について認めなければならないと思われるがご貴見を伺いたい。

> 昭和50年3月7日　環指第17号
> 大阪市環境保健局長宛　厚生省環境衛生局指導課長回答

　昭和49年3月9日付け大環保第2,676号をもって照会のあった標記については、下記のとおり回答する。

記

　現行旅館業法上は、同法第8条に掲げる事由がなければ、営業の許可の取消し又は営業の停止の処分を行うことはできない。

(行政処分の対象となる施設の範囲)

○旅館業法に関する疑義について

〔昭和33年7月3日 薬第839号
厚生省環境衛生部長宛 三重県衛生部長照会〕

　右のことについて次のとおり疑義がありますので、至急御回答下さるようお願いします。

記

一　旅館業及び料理店営業を兼業している営業者が次の状況で売春行為があったときは旅館業法（以下「法」という。）第8条の規定による行政処分の対象になるかどうか。
　1　料理店営業施設内で売春行為が行われた場合（旅館及び料理の施設は別棟になっている。）
　2　同一施設内において各々の部屋を旅館客室及び料理客室等に区分している場合旅館客室以外の（料理客室、居室、従業員室等の）部屋で売春行為が行われた場合
二　同一人が2以上の施設を経営している場合（各々別個に許可を受けている。以下「甲、又は乙」という。）甲の施設において法第8条各号の一に該当するに至ったときは、乙の施設も行政処分の対象になるか。
　例　1　甲、乙施設の所在地が同一地域内の場合
　　　2　甲、乙施設の所在地が別の市、町、村に所在する場合
　　　3　甲、乙施設の所在地が各々A県、B県に所在する場合
三　客の利用する庭園は営業施設に含まれるか。もし含まれるとすれば庭園のみを著しく増設した場合「同一性が失われる変更」として取扱うべきか。

〔昭和33年9月5日 衛環発第70号
三重県衛生部長宛 厚生省環境衛生部長回答〕

昭和33年7月3日付薬第839号をもって照会の標記について、次のとおり回答する。

記

1　旅館業法（以下「法」という。）第8条後段の規定により旅館業の許可を取り消し、又は営業の停止を命ずることができるのは、旅館業の営業者（営業者が法人である場合におけるその代表者を含む。以下同じ。）又はその代理人、使用人その他の従業者が当該営業に関し、同条各号に掲げる罪を犯したときであり、当該犯罪行為と当該営業との間に相当の因果関係が存する場合に限られるから、旅館業の施設とは別棟の建物又は同一建物内であっても旅館業の施設とは明確に区分された別個の施設で単に売春行為が行われたことをもって、同条の規定による行政処分の対象とすることはできない。ただし、旅館業の営業者が旅館業の施設の宿泊者を勧誘しその従業者をして売春行為を行わ

1601

しめる等当該犯罪行為と当該旅館業との間に相当の因果関係が存する場合には、別棟の建物又は別個の施設であっても、法第8条後段の規定により行政処分を行うことができる。
2　旅館業の許可は、当該施設について行われる対物許可であるから、その取消又は営業停止も当該施設に限られ、御照会の乙の施設について行政処分をすることはできない。
3　客の利用する庭園も旅館業の施設の一部ではあるが、施設を構成する要素ではないから、たとえ著しく増設された場合であっても、それをもって旅館業の施設としての同一性が損われたということはできない。

○旅館業法第8条の規定による処分に関する疑義について

［昭和33年12月27日　衛公環発第983号
厚生省公衆衛生局長宛　東京都公衆衛生部長照会］

旅館業のうち、簡易宿所営業（下宿営業も含む）の営業者に対して、旅館業法第8条の規定（主として売春防止法関係）によって処分を行う場合、次のとおり疑義を生じたので、至急何分の御指示を願いたい。

記

本都における簡易宿所営業の施設には、数か月から数年にわたる長期宿泊者が宿泊している場合が多く、これらの施設の営業者に対して営業停止を命ずる場合、その営業停止期間中、長期宿泊者をその施設から立退かせることは事実上不可能と思われるので、次の何れかの措置によって処理したいが、最も妥当と思われるものを指示願いたい。
1　長期宿泊者からは、処分期間中宿泊料をうけさせないで、その宿泊を認める。
2　長期宿泊者の使用する以外の客室のみ、使用を禁止する。
3　長期宿泊者の使用する客室は、旅館業法の対象外の施設として、規則第2条による届出を行わせ、他の部分についてのみ使用停止を命ずる。
備考（長期宿泊者とは、おおむね1か月以上定宿者を云う。）

［昭和34年1月14日　衛環発第4号
東京都衛生局長宛　厚生省公衆衛生局環境衛生部長回答］

昭和33年12月27日付衛公環発第983号をもって貴局公衆衛生部長より照会のあった標記について、下記のとおり回答する。

記

旅館業法第8条の規定による期間を定めての営業の停止命令は、当該施設について営業として人を宿泊させることを一時禁止し、当該期間中客室に人を宿泊させる営業に利用してはならないということであるが、簡易宿所営業又は下宿営業において、おおむね1か月以上にわたる長期宿泊者を当該停止期間中立ち退かせることは、御指摘のとおり事実上不

可能に近いと思われるので、かかる場合にあっては、長期宿泊者の使用している客室以外の客室の使用を禁止するとともに、長期宿泊者については、当該停止期間中宿泊料を徴収してはならないとの措置をとることが現実に即した妥当な取り扱と考えられる。

（犯罪についての判断資料）

○旅館業の行政処分に関する取扱について

［昭和33年6月3日　33環発第238号
厚生省環境衛生部長宛　茨城県衛生部長照会］

　右については、昭和32年11月11日付衛発978号「旅館業の許可取消等に関する取扱について」の通達によって、**警察当局と連絡を密にし、旅館業法施行の円滑化**とこれが実効の確保に努めておりますが、現在懸案中の事案について次の事項に疑義を生じましたので取り急ぎ御教示をお願いします。

記

1　「旅館業の許可取消等に関する取扱について」（昭和32年11月11日付衛発第978号）の通達中旅館業法第8条各号に規定する罪に関し警察本部長からの当該事件の内容が通報され、旅館業法第8条に規定する行政処分を決定する場合当該通報を判断資料とする方法は、行政行為として十分な法的根拠を具備しているものであるかどうか。具備しているものとすればその理由

2　旅館業法第8条に規定する行政処分をしようとするとき、当該営業者またはその代理人（以下「被聴聞者」という。）の出頭を求めて公開による聴聞を行った場合、被聴聞者が**警察本部長からの当該事件の内容について一部若しくは全部を否認**した場合、当該事案について被聴聞者に弁明及び有利な証拠の提出の機会を与えるのみで、被聴聞者の陳述を参酌することなく通報された内容を検討して処分を決定すべきか、若しくは被聴聞者の陳述を基礎として処分を決定すべきか、後者の場合当該事犯については、同一内容において風俗営業取締法の規定による行政処分と著しい不均衡を生ずる結果となるおそれがあるかどうか。

3　行政処分が決定された者がその処分を不服として訴願または行政訴訟を提起した場合提起中であっても行政処分の執行を停止することなく行ってよいと思うかどうか。

4　期間を定めた営業の停止処分が決定された者がその処分を不服として訴申法による訴願の提起がなし得るかどうか。

本県の環境衛生関係営業の聴聞に関する規則（別紙）を参考までに添付しました。

別紙　略

［昭和33年10月22日　衛環発第86号
茨城県衛生部長宛　厚生省環境衛生部長回答］

第5編　旅館業

　昭和33年6月3日33環発第238号をもって照会のあった標記については、次のとおり回答する。

記

1　都道府県知事が旅館業法第8条に規定する行政処分を決定する場合に警察本部長からの通報内容をその判断資料とすることは特別の法的根拠を有するものではないが、十分な捜査機能を有する警察が行った犯罪捜査を結果によって認知される点も少ないのでこれを一の判断資料とすることが望ましい。
2　警察本部長からの通報内容は、都道府県知事が行政処分の決定を行うに際しての一つの資料にすぎないものであり、これをもって決定的な資料とすべきではないから被聴聞者の陳述も十分参酌すべきはもちろんである。この場合においては、風俗営業取締法による行政処分と不均衡のないよう留意願いたい。
3　訴願法第12条及び行政事件訴訟特例法第10条の規定により、特に必要があると認められるときを除き、訴願又は訴の提起によっては行政処分の執行は停止されるものではない。
4　訴願法第1条第1項第3号に規定する「営業免許ノ拒否又ハ取消ニ関スル事件」に営業停止に関する事件は含まないと解される。

（許可条件違反と行政処分）

○旅館業法第3条に関する疑義について

> 昭和33年12月25日　公第1,566号
> 厚生省公衆衛生局環境衛生部長宛　山口県衛生部長照会

　標記のことについて下記のとおり疑義を生じましたので、至急御教示願いたく照会いたします。

記

1　法第3条の規定により許可を与える場合、条件付許可は適法とは認められないが、本年4月売春防止法の全面施行に伴い売春関係業者の旅館業転業について許可するに当り、一定の期間内に構造設備の基準に適合するよう条件を付して許可を与えたが、期限満了後未改善のため基準に適合しない場合は、許可に当り付した条件を法第7条の2の規定による措置命令と看做し、法第9条の規定により公開の聴聞を行い、法第8条の規定による行政処分を行うことができるか。
　　また、右のような場合は、一応不適合部分の条件事項について法第7条の2の規定に基き、再度一定の期間内に基準に適合させるため措置命令することがよいか。
2　法第3条第6項の規定による「公衆衛生上必要な条件」とは、その営業施設の水準の維持向上のために付するものであるから、前項1の条件の場合とは内容的に相

違するので、同一視して運用することは適法でないと考えられるがいかが。
3　法第3条第1項の規定により許可を受けた施設営業者が、営業不振で負債苦のため営業施設を放棄し、居所不明、また営業者死亡し、近親者なく、いづれも旅館業法施行規則第2条の規定に基く届出不可能なるときは、いかなる方法により取消し処分を行うことができるか。

　　　　　　［昭和34年2月10日　衛環発第13号
　　　　　　　山口県衛生部長宛　厚生省公衆衛生局環境衛生部長回
　　　　　　　答　　　　　　　　　　　　　　　　　　　　　　　］

昭和33年12月25日公第1,566号をもって照会のあった標記については、次のとおり回答する。

記

1　売春関係業者の転業について、一定の期間内に構造設備の基準に適合させることを条件として、旅館業の営業許可を与えた場合において、当該期間が満了しても構造設備の基準に適合していないときは、旅館業法（以下「法」という。）第8条の「この法律に基く処分に違反したとき」として、法第7条の2の規定による施設改善命令を行うことなく、直ちに営業許可の取消又は営業の停止（以下「営業許可の取消等」という。）を行うこともできる。しかしながら、施設改善命令の規定の趣旨から考え、行政運用としては、特にやむを得ない事情がある場合を除き、営業許可の取消等を行う前に施設改善命令を出すことが望ましい。
2　売春関係業者の転業について附された一定の期間内に構造設備の基準に適合させるべき旨の条件も法第3条第6項の規定による条件と考えられるが、その違反については、前述のとおり、直ちに営業許可の取消等を行うことなく、先ず施設改善命令を出すよう運用することが適切である。
3　旅館業の経営者が死亡した場合には、当該経営者に係る許可処分は当然に失効するものであり、また経営者が行方不明となった場合であっても、その営業が客観的に廃止されたと認められるときは、当該経営者に係る許可処分は当然に失効したものとして取り扱われたい。なお、いずれの場合にあっても、取消処分を行う必要がないことは勿論であるが、事務処理等のため要すれば、死亡し、又は行方不明となった者に係る許可は、失効した旨の公示を行われたい。

（罪を犯した者への新たな許可）

○旅館業法に関する疑義について

　　　　　　［昭和34年3月20日　神衛環第849号
　　　　　　　厚生省公衆衛生局長宛　神戸市衛生局長照会　　　　］

標記に関し、下記の諸点に御回答くださるようお願いいたします。

第5編　旅館業

　　　　　　　　　　　記
1　昭和32年6月の改正前にその第2条第1項において「旅館業とは……許可を受けて、業として……。」とあったものが改正後にはそのような規定がないことから改正後の同法の営業者を事実として旅館業を経営している者と解し、無許可の施設にも立入検査等の規定を適用することができるか。
2　旅館業法第8条各号に規定する罪を犯した旅館業無許可経営者が警察からの通報後許可申請した場合、許可を保留し裁判確定後売春防止法等違反を理由として不許可処分にすることができるか。
　また、このような場合いったん許可をしておいて裁判確定をまって第8条の行政処分を行うことができるか。もし、できないものとすれば、無許可の営業者について行政処分ができず、既許可営業者との間に不均衡をきたすと思われるがいかん。

〔昭和34年4月4日　衛環発第23号
　神戸市衛生局長宛　厚生省公衆衛生部環境衛生部長回答〕

　昭和34年3月20日神衛環第849号をもって照会のあった標記について下記のとおり回答する。

　　　　　　　　　　　記
1　旅館業法の規定による旅館業を営む者（以下「営業者」という。）について、御指摘のとおり許可を受けているか否かにかかわらず事実として旅館業法第2条第2項から第5項までに掲げる営業を営む者をいうのであり、未だ許可を受けていない施設に対しても当然に立入検査等の規定が適用されるものである。
2　旅館業の許可の申請があつた場合において申請者が旅館業法第3条第2項各号に掲げる者に該当するときは、都道府県知事又は指定都市市長は許可を与えないことができる。すなわち、無許可の営業者については、無許可という旅館業法違反により刑に処せられ、その執行を終り、又は執行を受けることがなくなった日から3年を経過していないときに許可を与えないことができるのであり、第8条各号に掲げる罪（売春防止法違反等）を理由に許可を与えないことはできない。
　なお、このような場合に、いったん許可を与えておいてその後に許可前の行為（第8条各号に掲げる罪を犯したこと）を理由に許可を取り消し、又は営業の停止を命ずることはできないと解すべきである。

第7章 その他

(宿泊拒否)

○旅館業法第5条第2号の解釈等について

> 平成18年6月13日　警察庁丁暴発第41号
> 厚生労働省生活衛生課長宛　警察庁刑事局組織犯罪対策部暴力団対策課長照会

　みだしの件につきまして、下記のとおり質疑を行いますので、ご見解の回答をお願いします。

記

　暴力団による義理かけ（注）は、その組織の勢力誇示、資金獲得等を企図したものであり、また過去にホテルラウンジ等において暴力団の抗争に一般利用客が巻き添えになり死亡するという痛ましい事件も発生しているところ、暴力団排除対策推進上、その阻止の徹底を図っていく必要があります。
　このため警察としては、義理かけ等の阻止のため、あらかじめホテル等の利用約款、宿泊約款等に暴力団排除条項を整備するよう働きかけを行っているところであり、大都市部のホテル等では、その整備が進んでいるところです。
　そこで、旅館業法第5条第2号に規定する
　　宿泊しようとする者がとばく、その他の違法行為又は風紀を乱す行為をする虞があると認められるとき。
について、暴力団等反社会的勢力は同号に該当すると解釈され、また宿泊約款に別添にあるような、いわゆる「暴力団排除条項」を整備するよう警察が指導することは問題ないと考えておりますが、念のため確認願います。
　(注)義理かけとは、襲名披露、組葬等の法要、出所出迎え等を言います。

> 平成18年6月22日　健衛発第0622001号
> 警察庁刑事局組織犯罪対策部暴力団対策課長宛　厚生労働省健康局生活衛生課長回答

　平成18年6月13日付け警察庁丁暴発第41号で照会のありました標記について、下記のとおり回答いたします。

記

　貴見のとおり

（宿泊者名簿）

○旅館業法第6条の解釈について

〔昭和27年8月22日　岡警交保第1,777号
法務府法制意見第一局長宛　岡山市警察署長照会〕

標記の件について下記の如き疑義がある。事務処理上の参考にしたいので御高見賜りたい。

記

1　設問

旅館業法第6条の宿泊者名簿に同条に謂う「当該官吏又は吏員」は警察官吏又は吏員を指称するものではないか。

乃ち本件については「環境衛生監視員の証」を所持する者であるとの見解もあるが、左の理由に依りこれが見解には承服し難いので御教示賜りたい。

2　私見

(1)　昭和25年8月11日厚生省令第41号「旅館業法施行規則等の規定に基づく環境衛生監視員の身分を示す証票等を定める省令」に規定する証票の中「旅館業に対する監視員の証」裏面の立入検査に関する関係条文には法第7条の記載のみで第6条を根拠条文として登載していない。

(2)　旅館業法第6条は環境衛生監視員の行う公衆衛生上の取締には無関係であり且又旅館業法施行規則を初めとして環境衛生監視員の行う立入検査を規定した法規にあっては環境衛生監視員の表現について「当該吏員」の字句を用い旅館業法第7条にもこの表現を用いている点から同法第6条の「当該官吏又は吏員」は衛生監視員の表現ではなく別個の公務員の規定であると考えられる。

(3)　昭和22年12月10日内務省警第202号「警察制度の改正に伴う警察所管事務及びその根本法規が一部改廃移譲について」における公安第2課関係の事務処理要領第10項に宿泊人の届出受理は警察事務として存置する旨規定されたこの趣旨から考察すると現行旅館業法第6条は宿泊人に関する規定である以上同条に謂う「当該」の文字は「警察」と読み変え得ると解する。

〔昭和27年10月24日　衛発第1,018号
岡山市警察署長宛　厚生省公衆衛生局長回答〕

本年8月22日附岡警交保第1,777号を以て貴職より法務省に照会された右のことにつき内閣法制局第1部長より当省宛回答方依頼があったので、下記の通り意見を回答する。

記

旅館業法第6条に規定する「当該官吏又は吏員」とは旅館業に対し公衆衛生上特に伝染病予防の見地より指導取締りを行う国家公務員及び地方公務員を意味するものである。即

ち同条の規定は旅館等において伝染病が発生し、又は伝染病患者が宿泊した場合に宿泊者名簿を調べて、その伝染経路を調査する等その蔓延を阻止する為に必要な措置を取り得る事を目的としたものである。従って同条に規定する「当該官吏又は吏員」とは環境衛生監視員及び防疫担当の官吏又は吏員を指すものである。

又旅館の立入検査に際し環境衛生監視員が携帯する証票の裏面に関係条文として法第7条のみをあげ、第6条を掲げてないのは同条の規定が立入検査でなく営業者の名簿提出義務を規定したものであるからである。

従って法第6条の規定は警察官等の職務権限には何等関係のないものである。

なお犯罪予防等の見地からする警察官等の旅館に対する職務権限は、警察官等職務執行法の規定の運用により支障なく行われ得るものと解している。

○旅館業法第6条の当該官吏又は吏員について

〔昭和32年9月20日　公保第6,136号
厚生省公衆衛生局長宛　大分県厚生部長照会〕

標記について下記のとおり疑義がありますから何分の御指示を願います。

記

旅館業法第7条に規定されている「当該吏員」については、旅館業法施行規則第4条に「環境衛生監視員」と明示されているので、疑問の余地はないが、旅館業法第6条第1項にある「当該官吏又は吏員」とは、誰を、意味するのか疑問がありますから、具体的に御指示を願います。

〔昭和32年10月8日　衛環発第51号
大分県厚生部長宛　厚生省公衆衛生局環境衛生部長回答〕

昭和32年9月20日公保第6,136号をもって照会のあった標記について、下記のとおり回答する。

記

旅館業法第6条第1項の「当該官吏又は吏員」とは、同条の規定が旅館等において伝染病が発生し、又は伝染病患者が宿泊した場合に宿泊者名簿を調べてその伝染経路を調査する等もっぱら公衆衛生、特に伝染病予防上必要な措置をとりうることを目的とするものであることから、環境衛生監視員のほか、防疫担当の官吏又は吏員に限り含むものと解される。

第5編　旅館業

○旅館業における宿泊者名簿の取扱いについて

［昭和44年9月16日　44衛公環発第332号
　厚生省環境衛生局長宛　東京都衛生局長照会］

下記事項について、疑義が生じましたので御回答願います。

記

1　旅館業法第6条第2項において、宿泊者に対して必要事項を営業者に告知する義務を規定しているが営業者は、宿泊者がこれを拒否した場合、同法同条第1項に規定する宿泊者名簿が記載できず法の実効性を期し難いので、同法第12条の罰則規定を広く解し適用できるものと考えるがどうか。
2　また、宿泊者が告知を拒否した場合、これを理由として宿泊を拒否できる旨、都条例で定めることができるか。
3　修学旅行、会社等の従業員が団体で宿泊する場合、参加者全員の必要事項を代表者もしくは引卒責任者が把握できるときは、宿泊者名簿にはその代表者もしくは引卒責任者のみ記載すれば良いと考えるがどうか。
4　宿泊者名簿の保存期間は、食中毒、伝染病等の事故に際して必要であると考えられ、従って1か年程度の期間保存すれば良いと考えるがどうか。

［昭和45年3月11日　環衛第36号
　東京都衛生局長宛　厚生省環境衛生課長回答］

昭和44年9月16日付44衛公環発第332号をもって照会のあった標記の件について下記のとおり回答する。

記

1　宿泊者が営業者に対して告げるべき事項を告げなかったというだけでは、旅館業法（以下「法」という。）第12条の罰則規定は適用されないものと解する。
2　都道府県は、法第5条第3号の規定に基づき、営業者は宿泊者が告げるべき事項を告げなかった場合に宿泊を拒むことができる旨を条例で規定することができるものと解する。
3　代表者又は、引卒責任者において当該団体の構成員の氏名、住所、職業等が確実に把握されている場合においては、当該代表者等に係る必要事項のほか、当該団体の名称、宿泊者の男女別人数等その構成を明らかにするために必要な事項を記載することとされたい。
4　宿泊者名簿は、3か年程度保存するよう営業者を指導されたい。

(旅館業の防火安全対策)

○「旅館営業に対する防火安全対策の強化通知」
に対する疑義について

> ［昭和44年2月14日　神衛公衆第872号
> 　厚生省環境衛生課長宛　神戸市衛生局長照会］
>
> 昭和44年1月23日付環衛第9,001の1号にて通知のありましたこのことについて、取扱上若干の疑義があるので、下記の点について折返えし、ご教示を賜わりたく照会いたします。
>
> 記
> 1 「消防用設備等の改善がなされるまでの間は、旅館業の営業許可は、さし控えるもの」とする法律的根拠について。
> 2 「改善がなされるまでの間」とは、具体的にどの程度の期間を指すのか。
> 3 施設、設備の変更がない廃業新願に対しても適用すべきものか。
> 4 この通知は旅館業法改正までの暫定措置とみてよろしいか。

［昭和44年7月7日　環衛第9,094号
　神戸市衛生局長宛　厚生省環境衛生課長回答］

昭和44年2月14日付け神衛公衆第872号をもって照会のあった標記の件について、下記のとおり回答する。

記
1 1については、旅館業の営業許可の可否の判断は、当該施設の構造設備に関しては、公衆衛生及び善良の風俗を確保する見地からなされるべきものであるが、最近における火災事故の発生にかんがみ、ホテル、旅館等の防火安全対策を強化するための行政指導の一環として旅館業施設に関する諸法令の、より緊密な運用を図ろうとするものである。
2 2については、消防用設備等の改善が完了するまでの間を意味するので、具体的な事例により異なるものである。
3 3については、お尋ねのとおりである。
4 4については、旅館業法の改正とはかかわりなく、関係法令の緊密な運用のための措置と解されたい。

第5編 旅館業

（法第12条の解釈について）

○捜査関係事項の照会について

> 平成元年7月26日　公1、1発第20,716号
> 厚生省生活衛生局指導課長宛　警視庁公安部公安第一課長照会
>
> 旅館業法第12条に第6条第2項の規定に違反して同条第1項の事項を偽って告げた者はこれを拘留又は科料に処すると規定されているがどの様な実害が予想されて第12条の規定が設けられたか御教示賜りたい。

> 平成元年8月2日　衛指第127号
> 警視庁公安部公安第一課長宛　厚生省生活衛生局指導課長回答

刑事訴訟法第197条第2項に基づき、平成元年7月26日付け公1、1発第20,716号により照会のあった件について下記のとおり回答する。

記

旅館業法第6条の規定は、旅館等において伝染病が発生し、又は伝染病患者が宿泊した場合に宿泊者名簿を調べて、その伝染経路を調査する等もっぱら公衆衛生、特に伝染病予防上必要な措置を取り得ることを目的としたものであり、この目的達成上支障が生じることのないよう同法第12条により、同法第6条第1項の事項を偽って告げた者に対して、拘留又は科料に処することとしている。

第6編

公衆浴場

I　法令編

●公衆浴場法

〔昭和23年7月12日〕
〔法律第139号〕

〔一部改正経過〕

第1次　〔昭和25年3月28日法律第26号「性病予防法等の一部を改正する法律」第8条による改正
第2次　〔昭和25年5月17日法律第187号「公衆浴場法の一部を改正する法律」による改正
第3次　〔昭和31年6月12日法律第148号「地方自治法の一部を改正する法律の施行に伴う関係法律の整理に関する法律」第15条による改正
第4次　〔昭和37年9月15日法律第161号「行政不服審査法の施行に伴う関係法律の整理等に関する法律」第85条による改正
第5次　〔昭和39年6月30日法律第121号「公衆浴場法の一部を改正する法律」による改正
第6次　〔昭和54年12月25日法律第70号「許可、認可等の整理に関する法律」第3条による改正
第7次　〔昭和60年12月24日法律第102号「許可、認可等民間活動に係る規制の整理及び合理化に関する法律」第9条による改正
第8次　〔昭和62年9月26日法律第98号「精神衛生法等の一部を改正する法律」第4条による改正
第9次　〔平成6年7月1日法律第84号「地域保健対策強化のための関係法律の整備に関する法律」第27条による改正
第10次　〔平成5年11月12日法律第89号「行政手続法の施行に伴う関係法律の整備に関する法律」第92条による改正
第11次　〔平成6年6月29日法律第49号「地方自治法の一部を改正する法律の施行に伴う関係法律の整備に関する法律」第8条による改正
第12次　〔平成11年7月16日法律第87号「地方分権の推進を図るための関係法律の整備等に関する法律」第158条による改正
第13次　〔平成12年5月31日法律第91号「商法等の一部を改正する法律の施行に伴う関係法律の整備に関する法律」第18条による改正
第14次　〔平成18年6月7日法律第53号「地方自治法の一部を改正する法律」附則第21条による改正
第15次　〔平成23年8月30日法律第105号「地域の自主性及び自立性を高めるための改革の推進を図るための関係法律の整備に関する法律」第27条（平成23年6月法律第70号・同年12月法律第122号により一部改正）による改正
第16次　〔令和5年6月14日法律第52号「生活衛生関係営業等の事業活動の継続に資する環境の整備を図るための旅館業法等の一部を改正する法律」第5条による改正
注　令和4年6月17日法律第68号「刑法等の一部を改正する法律の施行に伴う関係法律の整理等に関する法律」第230条（令和5年5月法律第28号により一部改正）による改正は未施行につき〔参考〕として1658頁以降に収載（令和7年6月1日施行）

公衆浴場法

〔定義〕

第1条　この法律で「公衆浴場」とは、温湯、潮湯又は温泉その他を使用して、公衆を入浴させる施設をいう。

2　この法律で「浴場業」とは、都道府県知事（保健所を設置する市又は特別区にあつては、市長又は区長。以下同じ。）の許可を受けて、業として公衆浴場を経営することをいう。

〔改正〕

　　一部改正（第6・9・15次改正）

〔営業の許可〕

第2条　業として公衆浴場を経営しようとする者は、都道府県知事の許可を受けなければならない。

2　都道府県知事は、公衆浴場の設置の場所若しくはその構造設備が、公衆衛生上不適当

第6編　公衆浴場

であると認めるとき又はその設置の場所が配置の適正を欠くと認めるときは、前項の許可を与えないことができる。但し、この場合においては、都道府県知事は、理由を附した書面をもつて、その旨を通知しなければならない。

3　前項の設置の場所の配置の基準については、都道府県（保健所を設置する市又は特別区にあつては、市又は特別区。以下同じ。）が条例で、これを定める。

4　都道府県知事は、第2項の規定の趣旨にかんがみて必要があると認めるときは、第1項の許可に必要な条件を附することができる。

〔改正〕
　　一部改正（第2・5・12・15次改正）

〔参照条文〕
　　「許可」の申請手続等＝規則1・4・7　罰則＝法8一・11

〔営業者の地位の承継〕

第2条の2　浴場業を営む者（以下「営業者」という。）が当該浴場業を譲渡し、又は営業者について相続、合併若しくは分割（当該浴場業を承継させるものに限る。）があつたときは、当該浴場業を譲り受けた者又は相続人（相続人が2人以上ある場合において、その全員の同意により当該浴場業を承継すべき相続人を選定したときは、その者）、合併後存続する法人若しくは合併により設立した法人若しくは分割により当該浴場業を承継した法人は、営業者の地位を承継する。

2　前項の規定により営業者の地位を承継した者は、遅滞なく、その事実を証する書面を添えて、その旨を都道府県知事に届け出なければならない。

〔改正〕
　　追加（第7次改正）、一部改正（第13・16次改正）

〔参照条文〕
　　「承継」の届出等＝規則1の2～4・7

〔営業者の講ずべき衛生措置〕

第3条　営業者は、公衆浴場について、換気、採光、照明、保温及び清潔その他入浴者の衛生及び風紀に必要な措置を講じなければならない。

2　前項の措置の基準については、都道府県が条例で、これを定める。

〔改正〕
　　一部改正（第7次改正）

〔患者に対する入浴の拒否〕

第4条　営業者は伝染性の疾病にかかつている者と認められる者に対しては、その入浴を拒まなければならない。但し、省令の定めるところにより、療養のために利用される公衆浴場で、都道府県知事の許可を受けたものについては、この限りでない。

〔改正〕
　　一部改正（第8次改正）

〔委任〕
　　「省令」＝規則5

〔参照条文〕
　　　罰則＝法10・11
〔公衆衛生に害を及ぼす行為の禁止等〕
第5条　入浴者は、公衆浴場において、浴そう内を著しく不潔にし、その他公衆衛生に害を及ぼす虞のある行為をしてはならない。
2　営業者又は公衆浴場の管理者は、前項の行為をする者に対して、その行為を制止しなければならない。
〔参照条文〕
　　　第1項　罰則＝法10二
　　　第2項　罰則＝法10一・11
〔報告徴収、立入検査〕
第6条　都道府県知事は、必要があると認めるときは、営業者その他の関係者から必要な報告を求め、又は当該職員に公衆浴場に立ち入り、第2条第4項の規定により付した条件の遵守若しくは第3条第1項の規定による措置の実施の状況を検査させることができる。
2　当該職員が前項の規定により立入検査をする場合においては、その身分を示す証票を携帯し、且つ、関係人の請求があるときは、これを呈示しなければならない。
〔改正〕
　　　一部改正（第1・5・6・14次改正）
〔参照条文〕
　　　第1項　「当該職員」＝規則6　罰則＝法9・11
　　　第2項　「身分を示す証票」＝規則6、昭和52年1月厚令第1号「環境衛生監視員証を定める省令」
〔営業許可の取消又は停止〕
第7条　都道府県知事は、営業者が、第2条第4項の規定により附した条件又は第3条第1項の規定に違反したときは、第2条第1項の許可を取り消し、又は期間を定めて営業の停止を命ずることができる。
2　前項の規定による許可の取消しに係る聴聞の期日における審理は、公開により行わなければならない。
〔改正〕
　　　一部改正（第5・10次改正）
〔参照条文〕
　　　第1項　罰則＝法8二・11
〔罰則〕
第8条　次の各号の一に該当する者は、これを6月以下の懲役又は1万円以下の罰金に処する。
一　第2条第1項の規定に違反した者
二　第7条第1項の規定による命令に違反した者
〔改正〕
　　　一部改正（第5次改正）

第6編　公衆浴場

第9条　第6条第1項の規定による報告をせず、若しくは虚偽の報告をし、又は当該職員の立入検査を拒み、妨げ、若しくは忌避した者は、これを2000円以下の罰金に処する。
〔改正〕
　　　一部改正（第5・14次改正）
第10条　次の各号の一に該当する者は、これを拘留又は科料に処する。
一　第4条又は第5条第2項の規定に違反した者
二　第4条の規定により営業者が拒んだにもかかわらず入浴した者又は第5条第1項の規定に違反した者
〔改正〕
　　　一部改正（第5次改正）
〔両罰規定〕
第11条　法人の代表者又は法人若しくは人の代理人、使用人その他の従業者が、その法人又は人の業務に関して、第8条、第9条又は前条第1号の違反行為をしたときは、行為者を罰する外、その法人又は人に対しても、各本条の罰金又は科料を科する。

　　　　附　則
〔施行期日〕
第12条　この法律は、昭和23年7月15日から、これを施行する。
〔従前の命令による営業許可等の効力〕
第13条　この法律施行の際、現に従前の命令の規定により営業の許可を受け、又は営業の届出をして、浴場業を営んでいる者は、第2条第1項の許可を受けたものとみなす。
〔届出による営業の継続〕
第14条　昭和23年1月1日から、この法律施行の日までに、新たに浴場業を営み、この法律施行の際現に浴場業を営んでいる者は、この法律施行の日から、2月間は、第2条第1項の規定にかかわらず、引き続き浴場業を営むことができる。
2　前項の規定に該当する者は、この法律施行後2月以内に、都道府県知事にその旨を届け出なければならない。
3　前項の届出をした者は、第2条第1項の許可を受けたものとみなす。

　　　　附　則（第16次改正）抄
（施行期日）
第1条　この法律は、公布の日から起算して6月を超えない範囲内において政令で定める日〔令和5年12月13日〕から施行する。ただし、附則第12条の規定は、公布の日〔令和5年6月14日〕から施行する。
〔委任〕
　　　「政令」＝令和5年11月政令第329号「生活衛生関係営業等の事業活動の継続に資する環境の整備を図るための旅館業法等の一部を改正する法律の施行期日を定める政令」
（検討）
第2条　政府は、第1条の規定による改正後の旅館業法（以下この条及び次条において「新旅館業法」という。）第4条の2第1項の規定による協力の求め（同項第3号に掲

げる者にあっては、当該者の体温その他の健康状態その他同号の厚生労働省令で定める事項の確認に係るものに限る。）を受けた者が正当な理由なくこれに応じないときの対応の在り方について、旅館業（旅館業法第2条第1項に規定する旅館業をいう。次項及び次条第3項において同じ。）の施設における特定感染症（新旅館業法第2条第6項に規定する特定感染症をいう。）のまん延防止を図る観点から検討を加え、必要があると認めるときは、その結果に基づいて所要の措置を講ずるものとする。
2　政府は、過去に旅館業の施設において第1条の規定による改正前の旅館業法第5条の規定の運用に関しハンセン病の患者であった者等に対して不当な差別的取扱いがされたことを踏まえつつ、新旅館業法第5条第1項の規定の施行の状況について検討を加え、必要があると認めるときは、その結果に基づいて所要の措置を講ずるものとする。
3　前2項に定めるもののほか、政府は、この法律の施行後3年を経過した場合において、この法律による改正後のそれぞれの法律の規定の施行の状況を勘案し、必要があると認めるときは、当該規定について検討を加え、その結果に基づいて所要の措置を講ずるものとする。

（公衆浴場法の一部改正に伴う経過措置）

第7条　第5条の規定による改正後の公衆浴場法（次項において「新公衆浴場法」という。）第2条の2の規定は、施行日前に公衆浴場法第1条第2項に規定する浴場業（次項において単に「浴場業」という。）の譲渡があった場合における当該浴場業を譲り受けた者については、適用しない。
2　都道府県知事は、当分の間、新公衆浴場法第2条の2第1項の規定により営業者の地位を承継した者（浴場業の譲渡により当該地位を承継した者に限る。）の業務の状況について、当該地位が承継された日から起算して6月を経過するまでの間において、少なくとも1回調査しなければならない。

（政令への委任）

第12条　附則第3条から前条までに定めるもののほか、この法律の施行に関し必要な経過措置（罰則に関する経過措置を含む。）は、政令で定める。

第6編　公衆浴場

〔参　考〕
●刑法等の一部を改正する法律の施行に伴う関係法律の整理等に関する法律（抄）

〔令和4年6月17日〕
〔法　律　第　68　号〕

注　令和5年5月17日法律第28号「刑事訴訟法等の一部を改正する法律」附則第36条により一部改正

　第1編　関係法律の一部改正
　　第11章　厚生労働省関係
（公衆浴場法の一部改正）
第230条　公衆浴場法（昭和23年法律第139号）の一部を次のように改正する。
　　第8条中「1に」を「いずれかに」に改め、「これを」を削り、「懲役又は1万円」を「拘禁刑又は2万円」に改める。
　　第9条中「これを2000円」を「2万円」に改める。
　第2編　経過措置
　　第1章　通則
　（罰則の適用等に関する経過措置）
第441条　刑法等の一部を改正する法律（令和4年法律第67号。以下「刑法等一部改正法」という。）及びこの法律（以下「刑法等一部改正法等」という。）の施行前にした行為の処罰については、次章に別段の定めがあるもののほか、なお従前の例による。
2　刑法等一部改正法等の施行後にした行為に対して、他の法律の規定によりなお従前の例によることとされ、なお効力を有することとされ又は改正前若しくは廃止前の法律の規定の例によることとされる罰則を適用する場合において、当該罰則に定める刑（刑法施行法第19条第1項の規定又は第82条の規定による改正後の沖縄の復帰に伴う特別措置に関する法律第25条第4項の規定の適用後のものを含む。）に刑法等一部改正法第2条の規定による改正前の刑法（明治40年法律第45号。以下この項において「旧刑法」という。）第12条に規定する懲役（以下「懲役」という。）、旧刑法第13条に規定する禁錮（以下「禁錮」という。）又は旧刑法第16条に規定する拘留（以下「旧拘留」という。）が含まれるときは、当該刑のうち無期の懲役又は禁錮はそれぞれ無期拘禁刑と、有期の懲役又は禁錮はそれぞれその刑と長期及び短期（刑法施行法第20条の規定の適用後のものを含む。）を同じくする有期拘禁刑と、旧拘留は長期及び短期（刑法施行法第20条の規定の適用後のものを含む。）を同じくする拘留とする。
　（裁判の効力とその執行に関する経過措置）
第442条　懲役、禁錮及び旧拘留の確定裁判の効力並びにその執行については、次章に別段の定めがあるもののほか、なお従前の例による。
　　第4章　その他
　（経過措置の政令への委任）
第509条　この編に定めるもののほか、刑法等一部改正法等の施行に伴い必要な経過措置は、政令で定める。

附　則　抄

（施行期日）
1　この法律は、刑法等一部改正法施行日〔令和7年6月1日〕から施行する。ただし、次の各号に掲げる規定は、当該各号に定める日から施行する。
　一　第509条の規定　公布の日

●公衆浴場法施行規則

〔昭和23年7月24日〕
〔厚 生 省 令 第27号〕

〔一部改正経過〕
第1次　〔昭和25年4月1日厚生省令第13号「性病予防法施行規則等の一部を改正する省令」第8条による改正
第2次　〔昭和31年9月22日厚生省令第44号「公衆浴場法施行規則の一部を改正する省令」による改正
第3次　〔昭和52年1月18日厚生省第1号「環境衛生監視員証を定める省令」附則第4項による改正
第4次　〔昭和55年5月1日厚生省令第16号「興行場法施行規則等の一部を改正する省令」第3条による改正
第5次　〔昭和60年12月24日厚生省令第47号「公衆浴場法施行規則等の一部を改正する省令」第1条による改正
第6次　〔昭和63年4月8日厚生省令第29号「精神衛生法施行規則等の一部を改正する省令」第2条による改正
第7次　〔昭和63年12月20日厚生省令第66号「公衆浴場法施行規則等の一部を改正する省令」第1条による改正
第8次　〔平成6年7月1日厚生省令第47号「保健所法施行規則等の一部を改正する省令」第13条による改正
第9次　〔平成13年3月27日厚生労働省令第40号「公衆浴場法施行規則等の一部を改正する省令」第1条による改正
第10次　〔令和2年7月14日厚生労働省令第140号「食品衛生法施行規則等の一部を改正する省令」第2条による改正
第11次　〔令和5年8月3日厚生労働省令第101号「旅館業法施行規則等の一部を改正する省令」第3条による改正

公衆浴場法施行規則を次のように定める。
公衆浴場法施行規則
〔営業許可の申請〕
第1条　公衆浴場法（昭和23年法律第139号。以下「法」という。）第2条第1項の規定により許可を受けようとする者は、次に掲げる事項を記載した申請書を、その公衆浴場所在地を管轄する都道府県知事（保健所を設置する市又は特別区にあつては、市長又は区長。以下同じ。）に提出しなければならない。
　一　申請者の住所、氏名及び生年月日（法人にあつては、その名称、事務所所在地、代表者の氏名及び定款又は寄附行為の写し）
　二　公衆浴場の名称及び所在地
　三　公衆浴場の種類（温泉の含有物質又は医薬品等を原料とした薬湯を使用する公衆浴場にあつては、その物質又は医薬品等の名称、成分、用法、用量及び効能を付記すること。）
　四　営業施設の構造設備
　五　その他都道府県知事が定める事項
　〔改正〕
　　　一部改正（第2・4・5・8・10・11次改正）
〔譲渡による営業者の地位の承継の届出〕
第1条の2　法第2条の2第2項の規定により譲渡による営業者の地位の承継の届出をしようとする者は、次に掲げる事項を記載した届書を、その公衆浴場所在地を管轄する都道府県知事に提出しなければならない。
　一　届出者の住所、氏名及び生年月日（法人にあつては、その名称、事務所所在地及び代表者の氏名）
　二　浴場業を譲渡した者の住所及び氏名（法人にあつては、その名称、事務所の所在地

及び代表者の氏名）
　　三　譲渡の年月日
　　四　公衆浴場の名称及び所在地
2　前項の届書には、次に掲げる書類を添付しなければならない。
　　一　浴場業の譲渡が行われたことを証する書類
　　二　届出者が法人の場合にあつては、届出者の定款又は寄附行為の写し
　〔改正〕
　　　　追加（第11次改正）
〔相続による営業者の地位の承継の届出〕
第2条　法第2条の2第2項の規定により相続による営業者の地位の承継の届出をしようとする者は、次に掲げる事項を記載した届書を、その公衆浴場所在地を管轄する都道府県知事に提出しなければならない。
　　一　届出者の住所、氏名及び生年月日並びに被相続人との続柄
　　二　被相続人の氏名及び住所
　　三　相続開始の年月日
　　四　公衆浴場の名称及び所在地
2　前項の届書には、次に掲げる書類を添付しなければならない。
　　一　戸籍謄本又は不動産登記規則（平成17年法務省令第18号）第247条第5項の規定により交付を受けた同条第1項に規定する法定相続情報一覧図の写し
　　二　相続人が2人以上ある場合において、その全員の同意により営業者の地位を承継すべき相続人として選定された者にあつては、その全員の同意書
　〔改正〕
　　　　追加（第5次改正）、一部改正（第10次改正）
〔営業者の地位の承継の届出〕
第3条　法第2条の2第2項の規定により合併による営業者の地位の承継の届出をしようとする者は、次に掲げる事項を記載した届書を、その公衆浴場所在地を管轄する都道府県知事に提出しなければならない。
　　一　届出者の名称、事務所所在地及び代表者の氏名
　　二　合併により消滅した法人の名称、事務所所在地及び代表者の氏名
　　三　合併の年月日
　　四　公衆浴場の名称及び所在地
2　前項の届書には、合併後存続する法人又は合併により設立される法人の定款又は寄附行為の写しを添付しなければならない。
　〔改正〕
　　　　追加（第5次改正）、一部改正（第9次改正）
第3条の2　法第2条の2第2項の規定により分割による営業者の地位の承継の届出をしようとする者は、次に掲げる事項を記載した届書を、その公衆浴場所在地を管轄する都道府県知事に提出しなければならない。

第6編　公衆浴場

　　一　届出者の名称、事務所所在地及び代表者の氏名
　　二　分割前の法人の名称、事務所所在地及び代表者の氏名
　　三　分割の年月日
　　四　公衆浴場の名称及び所在地
2　前項の届書には、分割により浴場業を承継する法人の定款又は寄附行為の写しを添付しなければならない。
　　〔改正〕
　　　　追加（第9次改正）
　　〔営業者の届出〕
第4条　浴場業を営む者は、第1条の申請書若しくは前4条の届書に記載した事項を変更したとき又は営業の全部若しくは一部を停止し若しくは廃止したときは、10日以内にその公衆浴場所在地を管轄する都道府県知事に、その旨を届け出なければならない。
　　〔改正〕
　　　　一部改正（第5・9・11次改正）、旧第2条を本条に繰下（第5次改正）
　　〔患者の入浴〕
第5条　次に掲げる場合は、法第4条ただし書の規定により都道府県知事の許可を受けて、同条に規定する患者（以下「患者」という。）を入浴させることができる。
　　一　温泉を使用する公衆浴場で、その温泉が公衆浴場法第4条に規定する伝染性の疾病に対して療養効果があると認められ、かつ、患者用の入浴施設が別に設けられている場合
　　二　潮湯又は薬湯を使用する公衆浴場で、患者用の入浴施設が別に設けられている場合
　　〔改正〕
　　　　一部改正（第2・5・6次改正）、旧第3条を本条に繰下（第5次改正）
　　〔環境衛生監視員〕
第6条　法第6条第1項の職権を行う者を、環境衛生監視員と称し、同条第2項の規定によりその携帯する証票は、別に定める。
　　〔改正〕
　　　　一部改正（第1～3次改正）、旧第4条を本条に繰下（第5次改正）
　　〔委任〕
　　　　「別に定める」＝昭和52年1月厚令第1号「環境衛生監視員証を定める省令」
　　〔届出期限の特例〕
第7条　第4条に規定する届出の期限が地方自治法（昭和22年法律第67号）第4条の2第1項に規定する地方公共団体の休日に当たるときは、地方公共団体の休日の翌日をもってその期限とみなす。
　　〔改正〕
　　　　追加（第7次改正）
　　　　附　　則
　この省令は、公布の日〔昭和23年7月24日〕から、これを施行する。

●公衆浴場の確保のための特別措置に関する法律

[昭和56年6月9日 法律第68号]

〔一部改正経過〕
- 第1次　〔平成11年5月28日法律第56号「国民金融公庫法の一部を改正する法律」附則第51条による改正
- 第2次　〔平成16年4月16日法律第32号「公衆浴場の確保のための特別措置に関する法律の一部を改正する法律」による改正
- 第3次　〔平成19年5月25日法律第58号「株式会社日本政策金融公庫法の施行に伴う関係法律の整備に関する法律」第1条による改正

公衆浴場の確保のための特別措置に関する法律

（目的）

第1条　この法律は、公衆浴場が住民の日常生活において欠くことのできない施設であるとともに、住民の健康の増進等に関し重要な役割を担つているにもかかわらず著しく減少しつつある状況にかんがみ、公衆浴場についての特別措置を講ずるように努めることにより、住民のその利用の機会の確保を図り、もつて公衆衛生の向上及び増進並びに住民の福祉の向上に寄与することを目的とする。

〔改正〕
　　一部改正（第2次改正）

（定義）

第2条　この法律で「公衆浴場」とは、公衆浴場法（昭和23年法律第139号）第1条第1項に規定する公衆浴場であつて、物価統制令（昭和21年勅令第118号）第4条の規定に基づき入浴料金が定められるものをいう。

（国及び地方公共団体の任務）

第3条　国及び地方公共団体は、公衆浴場の経営の安定を図る等必要な措置を講ずることにより、住民の公衆浴場の利用の機会の確保に努めなければならない。

（活用についての配慮等）

第4条　国及び地方公共団体は、公衆浴場が住民の健康の増進等に関し重要な役割を担つていることにかんがみ、住民の健康の増進、住民相互の交流の促進等の住民の福祉の向上のため、公衆浴場の活用について適切な配慮をするよう努めなければならない。

2　公衆浴場を経営する者は、前項の公衆浴場の活用に係る国及び地方公共団体の施策に協力するよう努めなければならない。

〔改正〕
　　追加（第2次改正）

（貸付けについての配慮）

第5条　株式会社日本政策金融公庫又は沖縄振興開発金融公庫は、その業務を行うに当たつて、公衆浴場を経営する者に対し、その公衆浴場の施設又は設備の設置又は整備に要する資金を貸し付ける場合には、通常の条件よりも有利な条件で貸し付けるように努めるものとする。

2　前項の通常の条件よりも有利な条件を定めるに当たつては、この法律の施行の際現に

第6編　公衆浴場

定められている条件及びその後の通常の条件の推移等を勘案して、有利なものになるように配慮するものとする。

〔改正〕
　　　一部改正（第1・3次改正）、旧第4条を本条に繰下（第2次改正）

（助成等についての配慮）

第6条　国又は地方公共団体は、公衆浴場について、その確保を図るため必要と認める場合には、所要の助成その他必要な措置を講ずるように努めるものとする。

〔改正〕
　　　旧第5条を本条に繰下（第2次改正）

　　附　則

この法律は、昭和57年4月1日から施行する。

●公衆浴場入浴料金の統制額の指定等に関する省令

〔昭和32年9月12日〕
〔厚生省令第38号〕

〔一部改正経過〕
　第1次　〔昭和50年5月9日厚生省令第21号「公衆浴場入浴料金の統制額の指定等に関する省令の一部を改正する省令」による改正
　第2次　〔平成12年3月30日厚生省令第57号「食品衛生法施行規則等の一部を改正する省令」第6条による改正

　物価統制令（昭和21年勅令第118号）第4条及び物価統制令施行令（昭和27年政令第319号）第11条の規定に基き、並びに物価統制令を実施するため、公衆浴場入浴料金の統制額の指定等に関する省令を次のように定める。
　　　公衆浴場入浴料金の統制額の指定等に関する省令
　（公衆浴場入浴料金）
第1条　公衆浴場入浴料金は、国民生活安定緊急措置法（昭和48年法律第121号）附則第4条の規定によりなお従前の例によることとされている統制額の指定をすることができる価格等とする。
2　前項の公衆浴場入浴料金の区分は、次のとおりとする。
　一　12才以上の者についての入浴料金
　二　6才以上12才未満の者1人についての入浴料金
　三　6才未満の者1人についての入浴料金
　〔改正〕
　　　一部改正（第2次改正）

　（都道府県知事による統制額の指定）
第2条　都道府県知事は、物価統制令施行令（昭和27年政令第319号）附則第4項の規定に基づき、前条第1項に規定する公衆浴場入浴料金につき、その統制額を指定するものとする。この場合においては、前条第2項の規定にかかわらず、同項に規定する公衆浴場入浴料金の区分として、年齢その他必要な事情を考慮して、入浴者の洗髪についての料金の区分を設けることができる。
　〔改正〕
　　　全部改正（第2次改正）

　（昭和30年3月厚生省告示第58号の廃止）
第3条　昭和30年3月厚生省告示第58号は、廃止する。
　　　附　則
　この省令は、昭和32年10月1日から施行する。

第6編　公衆浴場

●浴場業の振興指針

〔令和2年3月5日〕
〔厚生労働省告示第53号〕

〔一部改正経過〕
　　第1次　〔令和3年3月18日厚労告第79号〕

　生活衛生関係営業の運営の適正化及び振興に関する法律（昭和32年法律第164号）第56条の2第1項の規定に基づき、浴場業の振興指針（平成27年厚生労働省告示第25号）の全部を次のように改正し、令和2年4月1日から適用する。
　　浴場業の振興指針
　浴場業の営業者（以下「営業者」という。）が、公衆浴場法（昭和23年法律第139号）等の衛生規制に的確に対応しつつ、現下の諸課題にも適切に対応し、経営の安定及び改善を図ることは、国民生活の向上に資するものである。
　このため、生活衛生関係営業の運営の適正化及び振興に関する法律（昭和32年法律第164号。以下「生衛法」という。）第56条の2第1項に基づき、浴場業の振興指針を定めてきたところであるが、今般、営業者及び生活衛生同業組合（生活衛生同業小組合を含む。以下「組合」という。）等の事業の実施状況等を踏まえ、営業者及び組合等の具体的活用に資するよう、実践的かつ戦略的な指針として改正を行った。
　今後、営業者及び組合等において本指針が十分に活用されることを期待するとともに、新たな衛生上の課題や経済社会情勢の変化、営業者及び利用者等のニーズを反映して、適時かつ適切に本指針を改定するものとする。
第1　浴場業を取り巻く状況
　一　営業者の動向
　　　浴場業は、高温多湿な我が国の気候風土の中で古くから「施浴」や「町湯」として栄え、多くの人々に入浴の機会を提供し、地域の保健衛生水準の維持向上に大いに役立ってきたところであり、地域の触れ合いの場としても重要な役割を担うなど、我が国独特の生活文化を築いてきたものである。
　　　公衆浴場は、平成25年度の26,580施設から平成29年度の25,121施設に減少している。このうち、一般公衆浴場（いわゆる「銭湯」をいう。以下同じ。）は、同時期で、4,542施設から3,729施設に減少している（厚生労働省「衛生行政報告例」による。）。
　　　一般公衆浴場は、物価統制令（昭和21年勅令第118号）第4条の規定に基づき入浴料金を都道府県知事が指定していることもあり、公衆浴場の確保のための特別措置に関する法律（昭和56年法律第68号）第3条の規定に基づき、金融及び税制上の優遇措置等の諸施策を実施しているが、利用者数の減少に伴う収益の減少、経営者の高齢化、施設及び設備の老朽化等による経営環境の悪化、家族経営による長時間労働並びに相続税の負担増等による後継者の確保難により転業及び廃業が進んでいる。

さらに、営業者が抱える経営上の問題点としては、「客数の減少」と回答した割合が69.2％（前回振興指針では77.4％）となっており、以下、「施設・設備の老朽化」が68.0％（前回振興指針では57.1％）、「燃料費の上昇」が37.0％（前回振興指針では63.5％）、「光熱費の上昇」が33.7％（前回振興指針では49.6％）と続いている。このことから、客数の減少とともにエネルギー価格等の問題が経営上の問題点となっていることが伺われる（厚生労働省「生活衛生関係営業経営実態調査」による。）。

　また、日本政策金融公庫（以下「日本公庫」という。）が行った『生活衛生関係営業の景気動向等調査（令和元年7～9月期）』において、浴場業の経営上の問題点は、多い順に「店舗施設の狭隘・老朽化」（62.0％）、「顧客数の減少」（55.6％）、「仕入価格・人件費等の上昇を価格に転嫁困難」（25.0％）となっている。

　一方、近年増加している訪日外国人旅行者の集客に向けた取組の実施状況については、令和元年6月時点で、「実施している」と回答した割合が21.3％と、生活衛生関係営業の中では、旅館業に次いで多くなっており、訪日外国人旅行者に対する今後の受け入れ方針としては、「積極的に受け入れていきたい」が17.4％、「受け入れてもよい」が58.7％となっている（日本公庫『生活衛生関係営業の景気動向等調査特別調査（令和元年4～6月期）』による。）。

　また、令和元年12月に確認された新型コロナウイルス感染症（COVID—19）（以下「新型コロナウイルス感染症」という。）の感染拡大は社会経済に大きな影響を与え、我が国の浴場業も多大な影響を受けたところである。

　新型コロナウイルス感染症の感染拡大に伴う事業への影響について、公衆浴場業の営業者で、売上が減少したと回答した者は76.8％で、その売上の減少幅（令和2年2～5月の対前年比）は、「20％未満」が50.0％、「20％以上50％未満」が38.4％、「50％以上80％未満」が10.5％、「80％以上」が1.2％となっている（日本公庫『生活衛生関係営業の景気動向等調査（令和2年4～6月期）特別調査』による。）。

二　消費動向

　平成30年の1世帯あたり（2人以上の世帯）の温泉・銭湯入浴料支出は1,795円で、前年比184円の減少であった（総務省「家計調査報告」による。）。

　また、1日平均客数別施設数の構成割合は、総数では「50人～99人」が29.3％で最も多く、次いで「100人～199人」が27.3％となっている。立地条件別にみると、「住宅地区」では「100人～199人」が32.6％、「50人～99人」が30.8％と来客数が多くなっている（厚生労働省「生活衛生関係営業経営実態調査」による。）。

三　営業者の考える今後の経営方針

　営業者の考える今後の経営方針（複数回答）としては、「接客サービス充実」30.5％（前回振興指針では24.6％）、「施設・設備の改装」29.0％（前回振興指針では23.4％）、「集客のためのイベント実施」23.5％（前回振興指針では20.2％）、「広告・宣伝等の強化」及び「サービスデー等の工夫」18.2％（前回振興指針では記述なし）となっている（厚生労働省「生活衛生関係営業経営実態調査」による。）。

　また、公衆浴場業を営む者が、新型コロナウイルス感染症収束後に予定している取

組としては、「広報活動の強化」が33.0％、次いで「生産性向上に資する設備投資の実施」が13.4％、「新商品、新メニューの開発」が8.0％となっている一方、「特にない」が50.9％となっている（日本公庫『生活衛生関係営業の景気動向等調査（令和2年4～6月期）特別調査』による。）。

第2　前期の振興計画の実施状況

　都道府県別に設立された浴場業の組合（平成30年12月末現在、41都道府県で設立されている組合）においては、前期の浴場業の振興指針（平成27年厚生労働省告示第25号）を踏まえ、振興計画を策定及び実施しているところであるが、当該振興計画について、全5か年のうち4か年終了時である平成30年度末に実施した自己評価は次表のとおりである。

表　振興計画の実施状況についての各組合による自己評価

（単位：％）

	事業名	達成	概ね達成	主な事業
1	衛生に関する知識及び意識の向上に関する事業	56％	36％	・衛生管理講習会の開催 ・衛生マニュアルの作成及び配布 ・自主管理対策
2	施設及び設備並びにサービスの改善に関する事業	25％	50％	・施設特性を踏まえた改装や設備の導入投資
3	利用者の利益の増進に関する事業	64％	36％	・行事湯の実施 ・講習会の開催 ・賠償責任保険への加入促進
4	経営マネジメントの合理化及び効率化に関する事業	28％	40％	・経営講習会又は各種研修会の開催 ・経営に関する相談及び指導
5	営業者及び従業員の技能の改善向上に関する事業	48％	26％	・技術講習会の開催
6	事業の共同化等に関する事業	64％	12％	・共同購入の実施
7	取引関係の改善に関する事業	38％	46％	・関係業界等との情報交換会の開催
8	従業員の福祉の充実に関する事業	25％	42％	・共済制度等の加入促進 ・定期健康診断の実施
9	事業の承継及び後継者支援に関する事業	13％	35％	・後継者育成支援のための研修会等の開催 ・青年部の活動支援
10	環境の保全及び省エネル	29％	42％	・省エネルギー機器の導入

	ギーの強化に関する事業			
11	少子高齢化社会等への対応に関する事業	38%	21%	・子ども又は高齢者向け入浴サービスの作成
12	「浴育」への対応に関する事業	64%	36%	・小学生等を対象とした体験入浴の実施 ・入浴マナー啓発
13	禁煙等に関する対策に関する事業	45%	41%	・講習会の開催 ・施設における禁煙・分煙の推進
14	地域との共生に関する事業	48%	26%	・地域イベントへの参加 ・コミュニティの場としての施設の開放 ・ポスター等の作成及び配布
15	東日本大震災への対応と節電行動の徹底に関する事業	29%	38%	・災害時における施設の提供 ・節電に関する啓発

㈲ 組合からの実施状況報告を基に作成。

なお、国庫補助金としての予算措置（以下「予算措置」という。）については、平成23年度より、外部評価の導入を通じた効果測定の検証やPDCAサイクル（事業を継続的に改善するため、Plan（計画）―Do（実施）―Check（評価）―Act（改善）の段階を繰り返すことをいう。）の確立を目的として、「生活衛生関係営業の振興に関する検討会」の下に設けられた「生活衛生関係営業対策事業費補助金審査・評価会」において、補助対象となる事業の審査から評価までを一貫して行う等、必要な見直し措置を講じている。

このため、組合及び生活衛生同業組合連合会（以下「連合会」という。）等においても、振興計画に基づき事業を実施する際は、事業目標及び成果目標を可能な限り明確化した上で、達成状況についても評価を行う必要がある。

当該振興計画等の実施に向けて、組合、連合会等においては、本指針及び振興計画の内容について広く広報を行い、組合未加入の営業者への加入勧誘及び組合未結成地域の営業者への組合結成の支援を図ることが期待される。

組合への加入、非加入は営業者の任意であるが、生衛法の趣旨及び組合の活動内容等を詳しく知らない新規開設者等の営業者がいることも考えられるため、都道府県、保健所設置市又は特別区（以下「都道府県等」という。）は、営業者による許可申請又は届出等の際に、営業者に対して、生衛法の趣旨並びに関係する組合の活動内容、所在地及び連絡先等について情報提供を行う等の取組の実施が求められる。

第3 浴場業の振興の目標に関する事項
 一 営業者の直面する課題と地域社会から期待される役割
  浴場業は、国民の衛生的で快適な生活を確保するサービスとして、国民生活の充実

に大いに寄与してきた。自家風呂を持たない人々に対して入浴の機会を提供するとともに、自家風呂普及率が95％を超える中で、「浴槽が大きくリラックスできる」、「よく温まる」などの利用者の声もあり、従来のような単に身体を洗うという目的以外に、疲れをとる、気分転換を図るなどの心の癒しの場としても重要な役割を果たしている。こうした重要な役割を浴場業が引き続き担い、国民生活の向上に貢献できるよう、経営環境や国民のニーズ、衛生課題に適切に対応しつつ、各々の営業者の経営戦略に基づき、その特性を活かし、事業の安定と活力ある発展を図ることが求められる。

浴場業は不特定多数の者を入浴させる施設であることから、衛生上の問題、特に、レジオネラ症に注意が必要な業態であり、衛生上の危険を防止し、利用者に対して安全なサービスを提供することは営業者の責務である。

我が国においては、今後、一人暮らしの高齢者の増加が予想されるが、公衆浴場は、地域住民との交流の場を提供するのみならず、常に従業員や他の入浴者の目があり、入浴に起因する事故に対しても迅速な対応が可能であることから、このような利用者を積極的に取り込んでいくことが期待される。同時に、子ども世代等を対象にした「浴育」の推進により、日本の銭湯文化を幅広い層に伝えていくことも重要である。また、公衆浴場は、地域住民に身近な交流スペースとしても重要な地域資源であり、今後、地域コミュニティの核として、地域の様々な活動に積極的に開放していくとともに、ランニングブーム等に着目した健康増進関連の新規利用者の掘り起こしが望まれる。

今後、我が国においても、訪日外国人旅行者や在留外国人の増加が予想されるが、日本の伝統的な公衆浴場への関心は高いものと想定され、入浴マナーの紹介等をはじめ、その受入れ体制の整備が望まれる。その際、それぞれの国の文化や風習に配慮することが求められる。

また、地球環境問題や高騰するエネルギー価格の問題に的確に対応するため、環境に配慮したボイラー燃料への転換や、省エネルギー関係設備の導入等を推進する必要がある。

あわせて、社会全体の少子高齢化の進展や障害を理由とする差別の解消の推進に関する法律（平成25年法律第65号。以下「障害者差別解消法」という。）を踏まえ、全ての利用者が施設を円滑に利用できるよう、ソフト、ハード両面におけるバリアフリー化及びユニバーサルデザイン化の取組が求められる。また、人工肛門又は人工膀胱を使用している者（以下「オストメイト」という。）及び入浴着を着用した乳がん患者・経験者への配慮が求められる。

また、新型コロナウイルス感染症の感染拡大に伴う売上減や経営維持、雇用確保等に対応するため、日本公庫の融資や国・自治体の補助金・助成制度を積極的に活用して早期に業績回復を図る必要がある。

二　今後5年間における営業の振興の目標

1　衛生問題への対応

衛生課題は、浴槽等におけるレジオネラ症防止対策を講じることはもとより、インフルエンザ等の感染症への対応が必要であり、営業者にとどまらず、保健所等衛生関係機関及び公益財団法人都道府県生活衛生営業指導センター（以下「都道府県指導センター」という。）等との連携を密にして対応することが求められる。

また、新型コロナウイルス感染症の感染拡大に伴い、我が国でも３つの「密」（密閉・密集・密接）の回避、人と人との距離を空ける、消毒や換気の徹底、業種別の感染拡大予防ガイドラインの遵守・徹底など、感染症対策に関する「新しい生活様式」に向けて徹底した衛生対策が求められている。

衛生問題は、営業者が一定水準の衛生管理をしている場合、通常、頻繁に発生するものではないため、発生防止に必要な費用及び手間について判断しにくい特質がある。しかし、一旦、感染症が発生した場合には、多くの利用者に被害が及ぶことはもとより、営業自体の存続が困難になる可能性があることから、日頃からの地道な衛生管理の取組が重要である。

また、こうした衛生問題は、個々の営業者の問題にとどまらず、業界全体に対する信頼を損ねることにもつながることから、組合及び連合会には、組合員、非組合員双方の営業者が自覚と責任感を持ち、衛生水準の向上が図られるよう、継続的に知識及び意識向上に資する普及啓発並びに適切な指導及び支援に努めることが求められる。

とりわけ、中小規模の営業者は重要な公衆衛生情報の把握が困難となる場合が考えられるため、これら営業者に対する組合加入の促進や公衆衛生情報の提供が円滑に行われることが期待される。

2　経営方針の決定と利用者及び地域社会への貢献

浴場業の中でも一般公衆浴場は、自家風呂普及率が95％を超える中で、設備の老朽化、後継者不足の問題等の課題を抱えており、営業者を取り巻く経営環境は厳しい。

こうした中で、営業者は、利用者のニーズや世帯動向を的確に把握し、専門性や地域密着、対面接客等の特性を活かし、競争軸となる強みを見い出し、独自性を十分に発揮し、以下の点に留意しつつ、経営展開を行っていくことが求められる。

(1)　消費者ニーズの把握と創意工夫による経営展開

一般公衆浴場は、既に地域に定着しているところが多いことから、利用者の要望、利用者層等の動向及び周囲の競合施設の状況等の情報を収集し、自施設のサービスを見直すなど、経営意識の改革に努めるとともに、経営方針について将来を見据えた上で改めて検討する必要がある。

また、自施設の立地条件や経営方針に照らし、営業日や営業時間、利用者が満足するサービスの見直しを行い、例えば、こどもの日、母の日、父の日又は敬老の日等の無料優待制度、しょうぶ湯、ゆず湯、リンゴ湯又はハーブ湯等のサービス、冷水や麦茶の無料サービス、優待制度付きのプリペイドカード、回数券又は家族券の発行、個人のプライバシー保護を考慮した番台のロビー化、清涼飲料水

や氷菓等多様な飲食物等の提供及びBGMの放送等、自由な発想で自施設に適した新たなサービスを開発することが期待される。
(2) 地域コミュニティの核としての機能の発揮

我が国における一人暮らしの高齢者の数は、2010年の約480万人から2020年には約670万人と大幅に増加することが予想される。高齢者が地域社会でいきいきと暮らしていくためには、住民同士が会話する機会は非常に重要であり、公衆浴場は、リラックスしながら気軽な会話が行われる場として、地域の貴重な財産である。また、自宅での入浴時の事故を防止する観点からも、公衆浴場での入浴は有効であり、このような地域のニーズに的確に対応することが求められる。

また、自家風呂の普及により公衆浴場を利用したことのない子どもが多い中、体験入浴又は親子ふれあい入浴などの機会を通じて、子どもが利用しやすい企画を実践することや、歴史や構造で特色をアピールできる施設において、自施設の特色を含めた銭湯文化の紹介又は発信を行うことは、新規利用者を開拓する上でも有効な取組であり、積極的な対応が期待される。

さらに、地方公共団体や地域の自治会等と連携して、地域住民のサロンとして公衆浴場のスペースを開放することにより、地域住民の活動の活性化に貢献することができることから、このような取組に積極的に対応することが求められる。

加えて、健康に対する国民の意識の高まりを踏まえ、ランニングブーム等に着目した対応や、高血圧、糖尿病等生活習慣病患者に対する健康的な入浴法の普及等により、新規利用者の掘り起こしを行うことが望まれる。
(3) 高齢者、障害者及び子育て世帯等への配慮

高齢化の進展は、高齢者向けのサービス需要の拡がりにもつながることから、また、障害者差別解消法において、障害者の社会参加の推進がますます求められていることを踏まえ、専門性や独自のこだわり等の特性を活かしつつ、高齢者や障害者等が利用しやすい設備の整備など、これらのニーズにきめ細かに応じたサービスの提供を積極的に行っていくことが求められているとともに、同法において、民間営業者は、障害者に対し合理的な配慮を行うよう努めなければならない、とされていることから、ソフト、ハード両面におけるバリアフリー化及びユニバーサルデザイン化の取組が求められる。

また、オストメイト及び入浴着を着用した乳がん患者・経験者についても、衛生上問題ない形で入浴サービスを楽しんでいただくことは可能であり、その点を正しく認識し、適切に対処することが必要である。

また、子育て世帯が安心・安全にサービスを利用できるための配慮も合わせて求められる。
(4) 省エネルギーへの対応

節電などの省エネルギーによる経営の合理化、コスト削減、地球環境の保全、高騰するエネルギー価格の問題に的確に対応するため、不要時の消灯や照明ランプの間引き、LED照明装置やエネルギー効率の高い空調設備等の導入を進める

ことが期待される。
　さらに、化石燃料の使用に伴う温室効果ガスの増加対策として、ボイラー等の機器の購入及び更新に際しては、省エネルギー性能の高い機器の購入に配慮することや、エネルギー価格増大に伴う電気料金の高騰などの対策として、普段から不要時の消灯、照明ランプの間引き及び設備面でのLED照明装置等の導入を推進するなど、継続的な対策をする必要がある。

(5) 訪日・在留外国人への配慮
　平成30年度の訪日外国人旅行者数は、史上初めて3,000万人を突破し、5年前と比較して3倍程度に増加しており、今後も訪日外国人旅行者数の更なる増加が見込まれる。
　政府においては、東京オリンピック・パラリンピックが開催される2020年度までに訪日外国人旅行者4,000万人、2030年度までに6,000万人を目標に掲げ、「観光先進国」への新たな国づくりに向けて取組を進め、ビザ要件の緩和やいわゆるLCC（ローコストキャリア）の参入促進による航空ネットワークの充実等に取り組むこととしている。また、訪日外国人旅行者の急増に加え、外国人労働者や在留外国人も増加していることから、外国語表記の充実や外国人とのコミュニケーション能力の向上、キャッシュレス決済等の導入を図ることが求められる。
　また、訪日外国人旅行者の受入れに当たっては、我が国の入浴マナーを理解していただくとともに、旅行者の母国の文化や風習に対し配慮することが必要である。

(6) 受動喫煙防止への対応
　受動喫煙（人が他人の喫煙によりたばこから発生した煙にさらされること）については、健康に悪影響を与えることが科学的に明らかにされており、国際的に見ても、「たばこの規制に関する世界保健機関枠組条約」の締結国として、国民の健康を保護するために受動喫煙防止を推進することが求められている。
　そのため、受動喫煙による健康への悪影響をなくし、国民・労働者の健康の増進を図る観点から、健康増進法（平成14年法律第103号）の一部改正（平成30年法律第78号）及び労働安全衛生法（昭和47年法律第57号）により、望まない受動喫煙が生じないよう、多数の者が利用する施設の管理者や営業者は受動喫煙を防止するための措置を講じることとされており、浴場業においても、受動喫煙防止の強化を図り、その実効性を高めることが求められる。

3　税制及び融資の支援措置
　浴場業の組合又は組合員は、生活衛生関係営業の支援等の一つとして、税制優遇措置及び日本公庫を通した低利融資を受ける仕組みがある。
　税制優遇措置については、組合が共同利用施設を取得した場合の特別償却制度が設けられており、組合において共同配送用車輌及び共同蓄電設備の購入時や組合の会館を建て替える際などに活用することができる。
　融資については、一般公衆浴場に対する設備資金を営業者が借りた場合は、日本

公庫の生活衛生資金貸付の金利で、最も優遇された金利による融資を受けることができる仕組みが設けられており、特に、設備投資を検討する営業者には、積極的な活用が期待される。
三　関係機関に期待される役割
　1　組合及び連合会に期待される役割
　　組合は、公衆衛生の向上及び利用者の利益の増進に資する目的で、組合員たる営業者の営業の振興を図るための振興計画を策定することができる。組合には、地域の実情に応じ、適切な振興計画を策定することが求められる。
　　組合及び連合会には、予算措置や独自の財源を活用して、営業者の直面する衛生問題及び経営課題に対する適切な支援事業を実施することが期待される。
　　事業の実施に際しては、有効性及び効率性（費用対効果）の観点から、計画期間に得られる成果目標を明確にしながら事業の企画立案及び実施を行い、得られた成果については適切に効果測定する等、事業の適切かつ効果的な実施に努めることが求められる。
　　加えて、組合及び連合会には、振興指針及び振興計画の内容について広く広報を図り、組合未加入の営業者への加入勧誘及び組合未結成地域の営業者への組合結成の支援を図ることが期待される。広報を行う際には、組合活動への参画のイメージを分かりやすく提示するなど、営業者の目線に立った情報提供を行うことが求められる。
　　また、事業効果を最大限発揮し事業成果を広く国民や社会に還元できるよう、都道府県指導センター、保健所等衛生関係行政機関及び日本公庫支店等との連携及び調整を行うことが期待される。
　2　都道府県等、都道府県指導センター及び日本公庫に期待される役割
　　営業許可申請等各種申請や届出、研修会、融資相談などの様々な機会を捉え、新規営業者をはじめとする組合未加入の営業者に対し、組合に関する情報提供を行うとともに、組合活動の活性化のための取組等を積極的に行うことが期待される。
　　また、多くの営業者が経営基盤の脆弱な中小規模の営業者であることに鑑み、都道府県指導センター及び日本公庫において、組合と連携しつつ、営業者へのきめ細かな相談、指導その他必要な支援等を行い、予算措置、融資による金融措置（以下「金融措置」という。）及び税制措置等の有効的な活用を図ることが期待される。
　　とりわけ、金融措置については、審査及び決定を行う日本公庫において、営業者が利用しやすい融資の実施、生活衛生関係営業に係る経済金融事情等の把握及び分析に努め、関係団体に情報提供するとともに、都道府県指導センター及び日本公庫が協力して、融資手続や事業計画の作成に不慣れな営業者への支援の観点から、融資に係るきめ細かな相談及び融資手続の簡素化を行うことが期待される。低利融資制度については、各々の営業者の事業計画作成が前提とされることから、本指針の内容を踏まえ、営業者の戦略性を引き出す形での指導を行うことが求められる。
　　加えて、都道府県指導センターにおいて、組合が行う生活衛生関係営業経営改善

資金特別貸付に係る審査を代行するなど、金融措置の利用の促進を図ることが期待される。
3 国及び公益財団法人全国生活衛生営業指導センターに期待される役割
　国及び公益財団法人全国生活衛生営業指導センター（以下「全国指導センター」という。）は、公衆衛生の向上及び営業の健全な振興を図る観点から、都道府県等及び連合会と連携を図り、信頼性の高い情報の発信及び的確な政策ニーズの把握等を行う必要がある。また、予算措置、金融措置及び税制措置を中心とする政策支援措置については、営業者の衛生水準の確保及び経営の安定に最大限の効果が発揮できるよう、安定的に所要の措置を講じるとともに、制度の活性化に向けた不断の改革の取組が必要である。
　全国指導センターにおいては、中小規模の営業者に対して、組合加入の働きかけや公衆衛生情報の提供機能の強化を行うため、関係の組合及び連合会との連携を促すための取組が求められる。

第4　浴場業の振興の目標を達成するために必要な事項
　浴場業の目標を達成するために必要な事項としては、次に掲げるように多岐にわたるが、営業者においては、衛生水準の向上等のために必須で取り組むべき事項と、戦略的経営を推進するために選択的に取り組むべき事項の区別を行うことで、課題解決と継続的な成長を可能にし、国民生活の向上に貢献することが期待される。
　また、組合及び連合会においては、組合員である営業者等に対する指導及び支援並びに利用者の浴場業への信頼向上に資する事業の計画的な推進が求められる。
　このために必要となる具体的取組としては、次に掲げるとおりである。
一　営業者の取組
1　衛生水準の向上に関する事項
(1)　日常の衛生管理に関する事項
　　営業者は、入浴設備の衛生管理において、浴槽等におけるレジオネラ症の発生を防止するために、自主管理手引書及び点検表を作成し、営業者又は従業員の中から日常の衛生管理に係る責任者を定める等の自主管理対策の充実を図ることが必要である。
　　また、衛生管理を徹底するための研修会及び講習会を受講し、営業者及び従業員の衛生管理の手引の作成等による普及啓発及び衛生管理体制の整備充実に努めるものとする。
　　また、新型コロナウイルス感染症の感染拡大に伴い、我が国でも3つの「密」（密閉・密集・密接）の回避、人と人との距離を空ける、消毒や換気の徹底、業種別の感染拡大予防ガイドラインの遵守・徹底など、感染症対策に関する「新しい生活様式」に向けて徹底した衛生対策を行う必要がある。
　　さらに、感染症の予防のため、発熱等の感染症が疑われる症状のある従業員に適切な対応を行うなど従業員の健康管理に十分留意し、従業員に対する正確な衛生教育の徹底及び危機管理体制を整備することが必要である。

(2) 衛生面における施設及び設備の改善に関する事項

営業者は、日常の衛生的管理の取組に加えて、定期的かつ適切に施設及び設備の衛生面の改善に取り組むことが必要である。清潔で快適な浴場を整備するために、換気、防湿、衛生害虫等の駆除並びに脱衣室及びトイレ等の清掃を行うほか、足拭きマット等の設備についても衛生の保持を図り、利用者が衛生的な環境で快適な入浴が行えるよう衛生管理に努めることが必要である。

2 経営課題への対処に関する事項

個別の経営課題への対処については、営業者の自立的な取組が前提であるが、多様な利用者の要望に対応する良質なサービスを提供し、国民生活の向上に貢献する観点から、営業者においては、経営改革に積極的に取り組むことが期待される。

特に、家族経営等の場合、営業者や従業員が変わることはほとんどないため、経営手法が固定的になりやすい面があるが、経営意識の改革を図り、以下の事項に選択的に取り組んでいくことが期待される。

(1) 経営方針の明確化及び独自性の発揮に関する事項

現在置かれている経営環境や市場を十分に把握した上で分析し、自施設や地域の特性を踏まえ、強みを見いだし、経営方針を明確化し、自施設の付加価値や独自性を高めていくとともに、経営管理の合理化及び効率化を図ることが必要である。

ア 自施設の立地条件、利用者層、資本力及び経営能力等の経営上の特質の把握
イ 周辺競合施設に関する情報収集と比較
ウ ターゲットとする利用者層の特定
エ 重点サービスの明確化
オ 施設のコンセプト及び経営戦略の明確化
カ 地域コミュニティの中で期待されている役割の把握
キ 経営手法及び専門的知識の習得及び伝承並びに後継者の育成
ク 若手人材の活用による経営手法の開拓
ケ 都道府県指導センター等の経営指導機関による経営診断の積極的活用

(2) サービスの見直し及び利用者の確保に関する事項

利用者のニーズやライフスタイルの変化に的確に対応し、利用者が安心して利用できるよう、浴場の魅力を増し、利用者の満足度を向上させるとともに、新たな利用者を獲得することが重要であることから、以下の事項に選択的に取り組むことが期待される。

ア サービスの充実
① 従業員等の教育及び研修の徹底
② マニュアルを超えた「おもてなしの心(気配り・目配り・心配り)」による温もりのあるサービスの提供
③ 回数券や家族券等の発行
④ 季節風呂(しょうぶ湯、ゆず湯、リンゴ湯又はハーブ湯等)等のサービス

⑤　割引制度の実施
⑥　スタンプラリーの実施
⑦　清涼飲料水や氷菓子等の販売
⑧　冷水、お茶又はシャンプー等の無料サービス
⑨　高齢者、障害者及び妊産婦等への介助
⑩　身体障害者が同伴する身体障害者補助犬の待機場所やクレート（犬舎）の用意
⑪　利用者との信頼関係の構築
⑫　専門性を高めた高付加価値の提供
⑬　看板サービスへのこだわり
⑭　優秀な人材の獲得並びに若手従業員の育成、指導及び資質向上
⑮　魅力ある職場作り（人と人の心のチームワーク）
⑯　経営手法・熟練技能の効率的な伝承
⑰　外国語表示の推進
イ　健康志向等に対応した取組
①　健康入浴法等の知識の普及
②　生活習慣病等の予防対策としての水中運動の推進
③　生活習慣病患者等に対する入浴指導
④　専門家による健康座談会の実施等
⑤　ランニング愛好家への対応
ウ　利用者のニーズやライフスタイルの変化等に対応した施設作り
①　清潔で入りやすく、誰もがくつろぎやすい施設の雰囲気作り
②　ＢＧＭ放送等による雰囲気作り
③　個人のプライバシーを考慮した番台のロビー化
④　親子又は子ども向け体験入浴の実施
⑤　銭湯文化や入浴マナーの紹介及び啓発
⑥　児童又は生徒の入浴体験学習への協力
⑦　地域のイベント等に対する場所（脱衣場等）の提供
⑧　訪日外国人旅行者への対応
(3)　施設及び設備の改善並びに業務改善等に関する事項
　　営業者は、施設及び設備の改善並びに業務改善等のため、以下の事項に取り組むことが期待される。
ア　安全で衛生的な施設となるような定期的な内外装の改装
イ　各施設の特性を踏まえた清潔な雰囲気の醸成
ウ　高齢者及び障害者等に配慮したバリアフリー対策の実施
エ　省エネルギー対応の空調設備、太陽光発電設備等の導入
オ　節電に資する人感センサー、ＬＥＤ照明、蓄電池設備等の導入
カ　都道府県指導センターなどが開催する生産性向上等を図るためのセミナー等

への参加及び業務改善助成金等各種制度の活用
キ　受動喫煙の防止
ク　サービスの高付加価値化及び生産性の向上
ケ　従業員の安全衛生の確保及び労働条件の改善
コ　環境保全の推進
サ　節電及び省エネルギーの推進
(4) 情報通信技術を利用した新規利用者の獲得及び利用者の確保に関する事項
　　営業者は、情報セキュリティの管理に留意しつつ、インターネット等の情報通信技術を効果的に活用する等、以下の事項に選択的に取り組むことが期待される。
ア　インターネット等の活用による異業種との提携又は割引サービスの実施
イ　ホームページの開設等、積極的な情報発信によるプロモーションの促進
ウ　広報チラシの配布
(5) 表示の適正化と苦情の適切な処理に関する事項
　　営業者は、施設外をはじめとして、利用者の見やすい場所に、営業時間、休業日、設備等、提供するサービス内容及び料金について明確に表示することにより、利用者の利便を図るとともに、利用者に対し入浴効果や正しい入浴マナー等の浴場に関する情報の提供に努めるものとする。
　　また、最近の国民の安全及び安心に対する意識の向上並びに消費者保護が一層求められてきていることから、営業者は利用者への真摯な対応が利用者の信頼確保につながることを認識し、利用者からの意見や苦情に対しては、誠意をもって対応することにより、問題の早急かつ円滑な解決に努めることが必要である。
(6) 人材育成及び自己啓発の推進に関する事項
　　浴場業においては、公衆浴場の持つ医学的効用や健康入浴法に関する知識を従業員に習得させ、健康入浴推進員の養成に努め、若手従業員の育成及び指導を図り、若者に魅力ある職場作りに努めることが必要である。
　　したがって、営業者は、従業員の資質の向上に関する情報を収集し、基礎的な接遇等に関する知識の習得を目指した職場内指導を充実するとともに、都道府県指導センターや組合等の実施する研修会及び講習会への積極的参加等、あらゆる機会を活用して従業員の資質の向上を図り、その能力を効果的に発揮できるよう努めるとともに、適正な労働条件の確保に努めることが期待される。
　　また、営業者は、後継者及び独立を希望する従業員が、経営、顧客管理及び従業員管理等の技能を取得できるよう、自己啓発を促すとともに、後継者及び従業員の人材育成に努めることが望まれる。
二　営業者に対する支援に関する事項
1　組合及び連合会による営業者の支援
　　組合及び連合会においては、営業者の自立的な経営改革を支援する都道府県指導センター等の関係機関との連携を密にし、次に掲げる事項を中心に積極的な支援に

努めることが期待される。

　また、支援に当たっては、関係機関等が作成する、営業者の経営改善に役立つ手引や好事例集等を効果的に活用すること、及び関係機関が開催する生産性向上等を推進するためのセミナー等に関して組合員に対する参加の促進等必要な協力を行うことが期待される。

(1) 衛生に関する知識及び意識の向上に関する事項

　営業者に対して衛生管理を徹底するための研修会及び講習会の開催、営業者及び従業員の衛生管理の手引の作成等による普及啓発並びに衛生管理体制の整備充実のために必要な支援に努めることが期待される。

(2) サービス、店舗及び設備並びに業務の効率化に関する事項

　衛生水準の向上、経営マネジメントの合理化及び効率化、利用者の利益の増進等のため、サービス、店舗施設及び設備の改善並びに業務の効率化に関する指導、助言、情報提供、ＩＣＴの活用に係るサポート等必要な支援に努めることが期待される。

(3) 利用者の利益の増進及び商品の提供方法に関する事項

　サービス内容の適正表示や営業者における接客手引及び作業手引の基本となるマニュアルの作成、苦情相談窓口の開設や苦情処理の対応に関するマニュアルの作成に努めること。

　また、銭湯マップ等による組合員の施設紹介を進めるとともに、生活習慣病の予防及び改善等に資する知識や、入浴のストレス解消効果等、入浴に関する正しい知識の普及啓発に努めること。

　さらに、スタンプラリーの実施や銭湯文化の周知など、一般公衆浴場の有用性を地域住民等に広くアピールする機会を増やすよう努めることが期待される。

　さらに、関係機関との連携の下での、創業や事業承継における助言・相談の取組の推進が期待される。

(4) 経営マネジメントの合理化及び効率化に関する事項

　先駆的な経営事例等経営管理の合理化等に関する講習会及び研修会の開催、立地環境等経営環境に関する情報及び浴場業の将来の展望に関する情報の収集及び整理並びに営業者に対するこれらの情報提供に努めること。

(5) 経営課題に即した相談支援に関する事項

　営業者が直面する様々な経営課題に対して、経営特別相談員による経営指導事業の周知に努めるとともに、これを金融面から補完する生活衛生関係営業経営改善資金特別貸付制度の趣旨や活用方法の周知が期待される。

(6) 営業者及び従業員の技能の向上に関する事項

　公衆浴場の持つ医学的効用や健康入浴法に関する知識及び基礎的な接遇等に関する研修会及び講習会の開催等教育研修制度の充実強化、健康入浴推進員の養成に努めることが期待される。

(7) 事業の共同化及び協業化に関する事項

事業の共同化及び協業化の企画立案及び実施に係る指導に努めることが期待される。
　(8)　取引関係の改善に関する事項
　　　設備業界や燃料業界等の関係業界の協力を得ることによる取引条件の合理的改善及び組合員等の経済的地位の向上に努めることが期待される。
　(9)　従業員の福利の充実に関する事項
　　　従業員の労働条件整備及び労働関係法令の遵守に関する助言、作業環境の改善及び健康管理充実（定期健康診断の実施等を含む。）のための支援、医療保険、年金保険及び労働保険の加入等に係る啓発、組合員等の大多数の利用に資する福利厚生の充実並びに共済等制度（退職金及び生命保険等をいう。）の整備及び強化に努めること。
　　　さらに、男女共同参画社会の推進及び少子高齢化社会の進展を踏まえ、従業員の福利の充実に努めることが期待される。
　(10)　事業の承継及び後継者育成支援に関する事項
　　　営業者の高齢化が急激に進んでいることから、事業の円滑な承継に関するケーススタディ及び成功事例等の経営知識や各地域にある事業承継に関する相談機関及び最新の関連税制についての情報提供並びに後継者育成支援の促進を図るために必要な支援体制の整備に努めることが期待される。
２　行政施策及び政策金融による営業者の支援及び利用者の信頼の向上
　(1)　都道府県指導センター
　　　組合との連携を密にして、以下に掲げる事項を中心に積極的な取組に努めることが期待される。
　　ア　関係機関等が作成する手引や好事例集等を効果的に活用した、営業者に対する経営改善の具体的指導及び助言等の支援
　　イ　利用者からの苦情及び要望の営業者への伝達
　　ウ　利用者の信頼の向上に向けた積極的な取組
　　エ　都道府県等及び特別区と連携した組合加入促進に向けた取組
　　オ　連合会及び都道府県等と連携した組合の振興計画の策定に対する指導及び支援
　　カ　生産性向上や業務改善を推進するためのセミナー等の開催
　(2)　全国指導センター
　　　都道府県指導センターの取組を推進するため、以下に掲げる事項を中心に積極的な取組に努めることが期待される。
　　ア　関係機関等が作成する手引や好事例集等、営業者の経営改革の取組に役立つ情報の収集、整理及び情報提供
　　イ　危機管理マニュアルの作成
　　ウ　苦情処理マニュアルの作成
　　エ　効果測定の支援及び政策提言機能の強化

オ　公衆衛生情報の提供機能の強化
(3)　国及び都道府県等
　　浴場業に対する利用者の信頼の向上及び営業の健全な振興を図る観点から、以下に掲げる事項を中心に積極的な取組に努めること。
ア　浴場に関する指導監督
イ　浴場に関する情報提供その他必要な支援
ウ　災害又は事故等の発生時における適時、適切な風評被害防止策の実施
エ　営業者の経営改善に役立つ手引や好事例集等の作成・更新及び各種支援策の周知
(4)　日本公庫
　　営業者の円滑な事業実施に資するため、以下に掲げる事項を中心に積極的な取組に努めることが期待される。
ア　営業者が利用しやすい融資の実施
イ　生活衛生関係営業に係る経済金融事情等の把握、分析及び情報提供
ウ　組合等と連携した経営課題の解決に資するセミナーの開催及び各種印刷物の発行による情報提供
エ　災害時等における速やかな相談窓口の設置
オ　事業承継の円滑化に資する情報提供

第5　営業の振興に際し配慮すべき事項
　浴場業においては、他の生活衛生関係営業と同様に、衛生水準の確保と経営の安定のみならず、営業者の社会的責任として環境の保全や省エネルギーの強化に努めるとともに、時代の要請である少子高齢化社会等への対応、禁煙等に関する対策、地域との共生、災害への対応及び従業員の賃金引上げに向けた対応、働き方・休み方改革への対応といった課題に応えていくことが要請される。こうした課題への対応は、個々の営業者が中心となって関係者の支援の下で行われることが必要であり、かつ適切に対応することを通じて、地域社会に確固たる位置付けを確保することが期待される。

一　「浴育」への対応
　1　営業者に期待される役割
　　　営業者は、入浴を通じて生涯、心身の健康をより育むことを目的とされている「浴育」について、民間の取組と連携して以下に掲げる事項に積極的に取り組むことが期待される。
　　(1)　入浴マナーの普及
　　(2)　安全入浴の普及の支援
　2　組合及び連合会に期待される役割
　　　効果的な「浴育」の実施方法についての研究の実施
　3　日本公庫に期待される役割
　　　融資の実施等により営業者を支援する。
二　少子高齢化社会等への対応

第6編　公衆浴場

　1　営業者に期待される役割
　　　営業者は、高齢者、障害者及び一人暮らしの者並びに子育て世帯及び共働き世帯等が住み慣れた地域社会で安心かつ充実した日常生活を営むことができるよう、以下に掲げる事項を中心に積極的な取組に努めることが期待される。
　(1)　高齢者、障害者、妊産婦や子供連れの顧客等に配慮した積極的なバリアフリー対策の実施
　(2)　高齢者、障害者及び妊産婦等が安心して入浴できる環境の実現
　(3)　障害者差別解消法の規定に基づく障害者への合理的配慮
　(4)　受動喫煙の防止
　(5)　従業員に対する教育及び研修の充実及び強化
　(6)　子育て世帯、共働き世帯等が働きやすい職場環境の整備
　(7)　地域社会とのつながりを強化する観点も含めた地域の高齢者、障害者及び女性等の積極的雇用の推進
　2　組合及び連合会に期待される役割
　　　高齢者、障害者、妊産婦及び子ども連れの顧客等の利便性を考慮した施設設計やサービス提供に係る研究の実施
　3　日本公庫に期待される役割
　　　高齢者、障害者、妊産婦及び子ども連れの顧客等の利用の円滑化を図るために必要な設備（バリアフリー化等）導入時に、振興事業貸付等が積極的に活用されるよう、引き続き制度の周知等を図る。
三　地域との共生（地域コミュニティの再生及び強化（商店街の活性化））
　1　営業者に期待される役割
　(1)　地域の街づくりへの積極的な参加
　(2)　「賑わい」や「つながり」を通じた豊かな人間関係（ソーシャル・キャピタル）の形成
　(3)　共同ポイントサービス事業及びスタンプ事業の実施
　(4)　地域の防犯、消防、防災、交通安全及び環境保護活動の推進に対する協力
　(5)　暴力団排除等への対応
　(6)　災害対応能力及び危機管理能力の維持向上
　(7)　地震等の大規模災害が発生した場合における、地域住民への支援
　2　組合及び連合会に期待される役割
　(1)　地域の自治体等と連携して行う、社会活動の企画、指導及び援助ができる指導者の育成
　(2)　業種を超えた相互協力の推進
　(3)　地域における特色ある取組の支援
　(4)　自治会、町内会、地区協議会、ＮＰＯ及び大学等との連携活動の推進
　(5)　地域・商店街役員への浴場業の若手経営者の登用
　(6)　地域における事業承継の推進（承継マッチング支援）及び新規開業希望者の育

成
- (7) 地域、商店街活性化に資する組合活動事例の周知
- 3 日本公庫に期待される役割
  - きめ細かな相談、融資の実施等により営業者及び新規開業希望者を支援する。
- 四 環境の保全、省エネルギーの強化
  - 1 営業者に期待される役割
    - (1) 省エネルギー対応の空調設備及び太陽光発電設備等の導入
    - (2) 節電に資する人感センサー、不要時の消灯、空調機設定温度の見直し並びにLED照明装置及び熱電供給システム等の導入
    - (3) 廃棄物の最小化及び分別回収の実施
    - (4) 温室効果ガス排出の抑制
  - 2 組合及び連合会に期待される役割
    - (1) 廃棄物の最小化及び分別回収の普及啓発
    - (2) 業種を超えた組合間の相互協力
  - 3 日本公庫に期待される役割
    - 省エネルギー設備導入時に、振興事業貸付等が積極的に活用されるよう、引き続き制度の周知を図る。
- 五 禁煙等に関する対策
  - 1 営業者に求められる役割
    - 望まない受動喫煙の防止を図るため、以下の措置を講じることが求められる。
    - (1) 施設内の禁煙の徹底及び喫煙専用室等の設置
    - (2) 受動喫煙による健康影響が大きい子どもなど20歳未満の者、患者等への配慮
    - (3) 従業員に対する受動喫煙防止対策
  - 2 組合及び連合会に期待される役割
    - 効果的な受動喫煙防止対策に関する情報提供を行い、併せて制度周知を図る。
  - 3 国及び都道府県等の役割
    - 受動喫煙防止に関する制度周知や受動喫煙防止対策に有効な予算措置、金融措置等に関する情報提供を行う。
  - 4 日本公庫に期待される役割
    - 受動喫煙防止設備の導入時に、振興事業貸付等が積極的に活用されるよう、引き続き制度の周知等を図る。
- 六 災害への対応と節電行動の徹底
  - 我が国は、その位置、地形、地質、気象等の自然的条件から、台風、豪雨、豪雪、洪水、土砂災害、地震、津波、火山噴火等による災害が発生しやすい国土となっており、継続的な防災対策及び災害時の地域支援を含めた対応並びに節電行動への取組が期待される。
  - 1 営業者に期待される役割（災害時は営業者自身の安全を確保した上で対応する。）

(1)　災害発生前段階における防災対策の実施及び災害対応能力の維持向上
　(2)　地域における防災訓練への参加及び自店舗等での防災訓練の実施
　(3)　近隣住民等の安否確認や被災状況の把握及び自治体等への情報提供
　(4)　地震等の大規模災害が発生した場合における、地域住民への支援
　(5)　被災した営業者のみならず営業者全体による相互扶助と連携の下での役割発揮
　(6)　災害発生時における、被災営業者の営業再開を通じた被災者への支援及び地域コミュニティの復元
　(7)　従業員及び利用者に対する節電啓発
　(8)　中長期の節電に資する省エネルギー対応の設備の導入
　(9)　節電を通じた経営の合理化
　(10)　電力制約下における新たな需要（ビジネス機会）の取り込み
2　組合及び連合会に期待される役割
　(1)　営業者及び地域並びに災害種別を想定した防災対策への支援
　(2)　同業者による支え合い（太い「絆」で再強化）
　(3)　災害発生時の被災者の避難誘導などを通じた帰宅困難者防止等への取組
　(4)　被災した地域住民へのボランティアに関する呼びかけ
　(5)　節電啓発や節電行動に対する支援
　(6)　節電に資する共同利用施設（共同蓄電設備等）の設置
3　国及び都道府県等の役割
　　過去の災害を教訓とした防災対策や情報収集、広報の実施等、以下に掲げる事項を中心に積極的な取組に努める。
　(1)　過去の災害を教訓とした緊急に実施する必要性が高く、即効性の高い防災、減災等の施策
　(2)　節電啓発や節電行動の取組に対する支援
4　日本公庫に期待される役割
　　災害発生時には、被災した営業者に対し低利融資を実施し、きめ細やかな相談及び支援を行う。
七　最低賃金の引上げを踏まえた対応（生産性向上を除く。）
　　最低賃金については、政府の目標として「年率３％程度を目途として、名目ＧＤＰ成長率にも配慮しつつ引き上げ、全国加重平均が1,000円となることを目指す」ことが示されていることから、以下に掲げる事項を中心に積極的な取組に努める必要がある。
1　営業者に求められる役割
　(1)　最低賃金の遵守
　(2)　業務改善助成金及びキャリアアップ助成金等各種制度の必要に応じた活用
　(3)　関係機関が開催する最低賃金に関するセミナー等への参加を通じた最低賃金制度の理解
2　組合及び連合会に期待される役割

(1)　最低賃金の制度周知
　(2)　助成金の利用促進
　　　助成金等各種制度や関係機関が開催する最低賃金に関するセミナー等の周知を図る。
３　都道府県指導センターに期待される役割
　(1)　最低賃金の周知
　　　従業員等の最低賃金違反に関する相談窓口（労働基準監督署等）の周知を図る。
　(2)　助成金の利用促進に向けた体制の整備
　　　助成金等の申請に係る支援の周知や相談体制の整備を図る。
　(3)　関係機関との連携によるセミナー等の開催
　　　労働局等との連携により経営相談事業等を実施するほか、関係機関との連携により最低賃金に関するセミナー等を開催する。
４　国及び都道府県等の役割
　(1)　営業許可等を行っている自治体における事業者向け講習会等の機会を利用した周知
　(2)　営業許可等の際における窓口での個別周知
　(3)　研修会等を通じた助成金制度の周知
５　日本公庫に期待される役割
　　従業員の賃金引上げや人材確保に必要な融資に、振興事業貸付等が積極的に活用されるよう、引き続き制度の周知等を図る。
八　働き方・休み方改革に向けた対応
　　従業員がそれぞれの事情に応じた多様な働き方を選択できる職場環境を作ることで人材の確保や生産性の向上が図られるよう、営業者には長時間労働の是正や雇用形態に関わらない公正な待遇の確保、また、職場のハラスメント対策に必要な措置を図ることが求められる。
１　営業者に求められる役割
　(1)　時間外労働の上限規制及び月60時間超の時間外割増賃金率の引上げへの対応による長時間労働の是正
　(2)　年５日の年次有給休暇の確実な取得
　(3)　雇用形態や就業形態に関わらない公正な待遇の確保
　(4)　従業員に対する待遇に関する説明義務
　(5)　セクシュアルハラスメントやパワーハラスメント等職場のハラスメント対策
２　組合及び連合会に期待される役割
　　相談窓口及び関係機関が開催するセミナー等の周知を図る。
３　都道府県指導センターに期待される役割
　　相談窓口及び関係機関が開催するセミナー等の周知を図る。
４　国及び都道府県等の役割

第6編　公衆浴場

　　(1)　営業許可等を行っている自治体における事業者向け講習会等の機会を利用した制度周知
　　(2)　営業許可等の際における窓口での制度周知
　　(3)　研修会等を通じた制度周知
　5　日本公庫に期待される役割
　　　従業員の長時間労働の是正や非正規雇用の処遇改善に取り組むために必要な融資に、振興事業貸付等が積極的に活用されるよう、引き続き制度の周知等を図る。

●物価統制令（抄）

〔昭和21年３月３日　勅　令　第　118　号〕

注　平成18年６月法律第53号「地方自治法の一部を改正する法律」附則第16条による改正現在
　（未施行分については〔参考〕として1687頁以降に収載）
　〔昭和27年法律第88号により、昭和27年４月28日以後法律としての効力を有す〕

〔価格等の意義〕
第２条　本令ニ於テ価格等トハ価格、運送賃、保管料、保険料、賃貸料、加工賃、修繕料其ノ他給付ノ対価タル財産的給付ヲ謂フ
〔統制額を超える契約・支払・受領の禁止、地区により統制額の異る場合の基準統制額〕
第３条　価格等ニ付第４条及第７条ニ規定スル統制額アルトキハ価格等ハ其ノ統制額ヲ超エテ之ヲ契約シ、支払ヒ又ハ受領スルコトヲ得ズ但シ第７条第１項ニ規定スル統制額ニ係ル場合ヲ除クノ外政令ノ定ムル所ニ依リ価格等ノ支払者又ハ受領者ニ於テ主務大臣ノ許可ヲ受ケタル場合ニ於テハ此ノ限ニ在ラズ
②価格等ニ対スル給付ノ為サルル地区ニ於ケル統制額ト他ノ地区ニ於ケル当該価格等ノ統制額トガ異ル場合ニ於テハ当該給付ニ付テハ主務大臣別段ノ定ヲ為シタル場合ヲ除クノ外当該給付ノ為サルル地区ニ於ケル統制額ヲ以テ前項ノ場合ニ於ケル統制額トス
〔統制額の指定〕
第４条　主務大臣物価ガ著シク昂騰シ又ハ昂騰スル虞アル場合ニ於テ他ノ措置ニ依リテハ価格等ノ安定ヲ確保スルコト困難ト認ムルトキハ第７条ニ規定スル場合ヲ除クノ外政令ノ定ムル所ニ依リ当該価格等ニ付其ノ統制額ヲ指定スルコトヲ得
〔脱法行為の禁止〕
第９条　何等ノ名義ヲ以テスルヲ問ハズ第３条ノ規定ニ依ル禁止ヲ免ルル行為ヲ為スコトヲ得ズ
〔報告の徴収・帳簿の作成及び検査〕
第30条　主務大臣若ハ地方行政機関ノ長又ハ都道府県知事必要アリト認ムルトキハ物価ニ関シ報告ヲ徴シ、帳簿ノ作成ヲ命ジ又ハ政令ノ定ムル所ニ依リ当該職員ヲシテ必要ナル場所ニ臨検シ業務ノ状況若ハ帳簿書類其ノ他ノ物件ヲ検査セシムルコトヲ得

物価統制令（抄）

②前項ノ規定ニ依リ都道府県ガ処理スルコトトサレテイル事務ハ地方自治法（昭和22年法律第67号）第2条第9項第1号ニ規定スル第1号法定受託事務トス

〔職権の一部の委任〕

第31条 本令ニ規定スル主務大臣ノ職権ニ属スル事務ノ一部ハ政令ノ定ムル所ニ依リ都道府県知事之ヲ行フコトトスルコトヲ得

②主務大臣ハ政令ノ定ムル所ニ依リ本令ニ規定スル主務大臣ノ職権ノ一部ヲ地方行政機関ノ長ヲシテ行ハシムルコトヲ得

〔統制額違反の罰則〕

第33条 左ノ各号ノ一ニ該当スル者ハ10年以下ノ懲役又ハ500万円以下ノ罰金ニ処ス但シ第1号又ハ第3号ニ該当スル者ニ付テハ違反ニ係ル価格等ノ金額ト統制額ニ依リ価格等ノ金額トノ差額又ハ之ニ相当スル金額ノ3倍ガ500万円ヲ超ユルトキ、第2号ニ該当スル者ニ付テハ違反ニ係ル価格等ノ金額ト履行中ノ契約締結当時ノ第3条第1項但書ノ許可ニ伴ヒ主務大臣ノ定メタル額若ハ第4条若ハ第7条ニ規定スル統制額トノ差額又ハ之ニ相当スル金額ノ3倍ガ500万円ヲ超ユルトキハ罰金ハ当該差額又ハ金額ノ3倍以下トス

一　第3条ノ規定ニ違反シタル者
二　第8条ノ2ノ規定ニ違反シタル者
三　第9条ノ規定ニ違反シタル者

〔併科〕

第36条 前3条ノ罪ヲ犯シタル者ニハ情状ニ因リ懲役及罰金ヲ併科スルコトヲ得

〔参　考〕

　　　　●刑法等の一部を改正する法律の施行に伴う関係法律の整理等に関する法律（抄）

〔令和4年6月17日〕
〔法　律　第　68　号〕

注　令和5年5月17日法律第28号「刑事訴訟法等の一部を改正する法律」附則第36条により一部改正

第1編　関係法律の一部改正
　　第4章　内閣府関係
　　　　第6節　消費者庁関係

（物価統制令等の一部改正）

第138条 次に掲げる法律の規定中「懲役」を「拘禁刑」に改める。

一　物価統制令（昭和21年勅令第118号）第33条から第38条まで

　　第2編　経過措置
　　　　第1章　通則

（罰則の適用等に関する経過措置）

第441条 刑法等の一部を改正する法律（令和4年法律第67号。以下「刑法等一部改正法」という。）及びこの法律（以下「刑法等一部改正法等」という。）の施行前にした行

為の処罰については、次章に別段の定めがあるもののほか、なお従前の例による。
2 　刑法等一部改正法等の施行後にした行為に対して、他の法律の規定によりなお従前の例によることとされ、なお効力を有することとされ又は改正前若しくは廃止前の法律の規定の例によることとされる罰則を適用する場合において、当該罰則に定める刑（刑法施行法第19条第１項の規定又は第82条の規定による改正後の沖縄の復帰に伴う特別措置に関する法律第25条第４項の規定の適用後のものを含む。）に刑法等一部改正法第２条の規定による改正前の刑法（明治40年法律第45号。以下この項において「旧刑法」という。）第12条に規定する懲役（以下「懲役」という。）、旧刑法第13条に規定する禁錮（以下「禁錮」という。）又は旧刑法第16条に規定する拘留（以下「旧拘留」という。）が含まれるときは、当該刑のうち無期の懲役又は禁錮はそれぞれ無期拘禁刑と、有期の懲役又は禁錮はそれぞれその刑と長期及び短期（刑法施行法第20条の規定の適用後のものを含む。）を同じくする有期拘禁刑と、旧拘留は長期及び短期（刑法施行法第20条の規定の適用後のものを含む。）を同じくする拘留とする。
　（裁判の効力とその執行に関する経過措置）
第442条　懲役、禁錮及び旧拘留の確定裁判の効力並びにその執行については、次章に別段の定めがあるもののほか、なお従前の例による。
　　　第４章　その他
　（経過措置の政令への委任）
第509条　この編に定めるもののほか、刑法等一部改正法等の施行に伴い必要な経過措置は、政令で定める。
　　　附　則　抄
　（施行期日）
1　この法律は、刑法等一部改正法施行日〔令和７年６月１日〕から施行する。ただし、次の各号に掲げる規定は、当該各号に定める日から施行する。
　一　第509条の規定　公布の日

●物価統制令施行令（抄）

〔昭和27年7月31日〕
〔政　令　第　319　号〕

注　令和3年10月政令第287号「物価統制令施行令の一部を改正する政令」による改正現在

（都道府県が処理する事務等）
第11条　次に掲げる主務大臣の職権に属する事務は、主務大臣において都道府県知事が処分する旨を定めた価格等については、都道府県知事が行う。
　一　令〔物価統制令〕第3条第1項但書の規定による許可
　二　令第8条ノ2但書の規定による別段の定及び許可
2　前項の規定により都道府県が処理することとされている事務は、地方自治法（昭和22年法律第67号）第2条第9項第1号に規定する第1号法定受託事務とする。
3　第1項の場合においては、令及びこの政令中同項に規定する事務に係る主務大臣に関する規定は、都道府県知事に関する規定として都道府県知事に適用があるものとする。
4　第1項各号に掲げる主務大臣の職権及び令第4条の規定による指定は、主務大臣において地方行政機関の長が処分する旨を定めた価格等については、地方行政機関の長が行う。

●物価統制令の規定に基づく臨検検査をする職員の携帯する身分を示す証票の様式を定める命令

〔令和3年10月22日〕
〔内閣府・財務・厚生労働・農林水産・経済産業・国土交通省令第1号〕

物価統制令（昭和21年勅令第118号）を実施するため、物価統制令の規定に基づく臨検検査をする職員の携帯する身分を示す証票の様式を定める命令を次のように定める。
　　物価統制令の規定に基づく臨検検査をする職員の携帯する身分を示す証票の様式を定める命令
　物価統制令第30条第1項の規定により臨検検査をする職員の携帯する身分を示す証票は、別記様式によるものとする。
　　　附　則
　この命令は、公布の日〔令和3年10月22日〕から施行する。

第6編　公衆浴場

別記様式（本則関係）

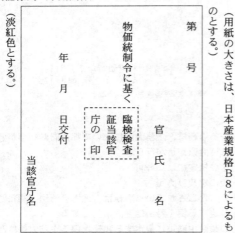

●物価統制令の規定に基づく臨検検査をする職員の携帯する身分を示す証票の様式の特例に関する命令

〔令和3年10月22日
内閣府・財務・厚生労働・農林水産・経済産業・国土
交通省令第2号〕

物価統制令（昭和21年勅令第118号）を実施するため、物価統制令の規定に基づく臨検検査をする職員の携帯する身分を示す証票の様式の特例に関する命令を次のように定める。

　　　物価統制令の規定に基づく臨検検査をする職員の携帯する身分を示す証票の様式の特例に関する命令

物価統制令第30条第1項の規定（都道府県知事の事務に係るものに限る。）に基づく臨検検査の際に職員が携帯するその身分を示す証明書は、物価統制令の規定に基づく臨検検査をする職員の携帯する身分を示す証票の様式を定める命令（令和3年厚生労働省、農林水産省、内閣府、財務省、経済産業省、国土交通省令第1号）の規定にかかわらず、別記様式によることができる。

　　　附　則
　この命令は、公布の日〔令和3年10月22日〕から施行する。

物価統制令の規定に基づく臨検検査をする身分証票の様式の特例に関する命令

別記様式（本則関係）

（第1面）

```
　第　　　号
　　　　立入検査等をする職員の携帯する身分を示す証明書
職　名
氏　名
生年月日　　　年　　月　　日生
　　　　　　　　　　　　　　　　　　　　　　　写
　　　　　年　　月　　日交付　　　　　　　　　真
　　　　　年　　月　　日限り有効

　　都道府県知事（市町村長・区長）　　㊞
```

（第2面）

　この証明書を携帯する者は、下表に掲げる法令の条項のうち、該当の有無の欄に丸印のある法令の条項により立入検査等をする職権を有するものです。

法　令　の　条　項	該当の有無

（備考）1　この証明書は、用紙1枚で作成することとする。
　　　　2　法令の条項の欄に、この証明書を使用して行う立入検査等に係る法令の条項を記載すること。
　　　　3　該当の有無の欄に、立入検査等をする職権を有する場合は「〇」を、有しない場合は「―」を記載すること。
　　　　4　記載する法令の条項の数に応じて、行を適宜追加すること。第2面については、その全部又は一部を裏面に記載することができる。
　　　　5　裏面には、参照条文を記載することができる。

Ⅱ　基本通知編

第1章　共通事項

○公衆浴場法の一部改正について

〔昭和25年5月26日　発衛第1,089号〕
〔各都道府県知事宛　厚生事務次官通知〕

　公衆浴場の適正配置をはかるために人口の密度或は隣接浴場との距離等を基として基準を定めこれを以って営業許可の要件とする事は、従来の公衆浴場法第2条第2項の規定を根拠としては法律的に無理であったためこの点を改めるべく、今次第7国会に議員提案により同条文の改正案が提出せられ、原案通り可決成立し、昭和25年5月17日を以って公布、即日施行せられることとなった。（別紙1）従って今後はこの改正条文に基き各都道府県において公衆浴場の適正配置に関し条例で基準を定め、営業許可に当ってはその基準によって適宜措置し得る事になったが、その施行については影響するところも大きいので下記の点御留意の上特にその運用の万全を期せられたい。

記

一　従来規則で定めていた府県においては、これを廃止し、新たに条例で基準を定めること。
一　土地の状況その他の条件等により、定められた基準により難い場合があると考えられるので、かかる場合には例外を認めることが出来るような規定をしておくこと。
一　基準の適用については、工場、事業場等の福利厚生施設的な浴場で、公衆浴場法の適用を受けるものは之を除外すること。但し、会員組織の浴場又は地域的な利用組合の設ける浴場の如きは適用されるものであること。
一　基準の設定に当っては公衆衛生の見地から出来得る限り多くの人が利用し得るようにという利用者の便宜と衛生的施設を充実せしめるための浴場運営の健全化とを勘案し、各地方の実情に応じた適切な基準を定めること。
一　この度の改正の趣旨が一方において利用者の便宜を図ると共に他方において公衆浴場の衛生施設の充実のためにその経営の健全化を図り以って公衆衛生の向上と公共の福祉に寄与せしめることにあるので各都道府県においては今後衛生上の指導監督については特に厳重に行うと共に、公衆浴場の衛生的水準の向上を図るため、その構造、設備等に関する基準についても再検討を加え浴場の整備に一段と留意せられたいこと。
　なお本改正案の提出理由（別紙2）及び従来各都道府県で定めていた距離制限に関する規定（別紙3）を送付するから参考にせられたい。

別紙1～3　略

○公衆浴場法の一部を改正する法律の施行について（施行通知）

> 昭和39年7月31日　環発第286号
> 各都道府県知事・各指定都市市長宛　厚生省環境衛生局長通知

　公衆浴場法の一部を改正する法律（昭和39年法律第12号。以下「改正法」という。）は、昭和39年6月30日公布され、7月30日から施行されることになった。今回の改正の主な目的は、公衆浴場の経営の許可の申請が公衆浴場の配置の基準上不適当と認められる場所について行なわれた場合において、当該公衆浴場が特殊浴場であるという理由で経営の許可を行なった後に、当該許可を受けた者が一般公衆浴場と同様の形態の営業を行ない、又は当該浴場を改築して一般公衆浴場とすること等により公衆浴場の配置の適正を乱す事態が生ずるおそれがあることにかんがみ、これらの事態の発生を防止しようとするものであって、その要旨及び施行に際し留意すべき事項は、下記のとおりであるので、御了知のうえ、その運用に遺憾のないようにされたい。

　なお、改正法と同日付けで公布された「クリーニング業法の一部を改正する法律」（昭和39年法律第119号）及び「環境衛生関係営業の運営の適正化に関する法律の一部を改正する法律」（昭和39年法律第120号）の施行に関しては、これに伴う政省令の改正が行なわれた後、別途通知する予定である。

記

第1　今回の改正の要旨
 1　都道府県知事が公衆浴場の許可に際し必要な条件を附した場合において営業者が、この条件に違反したときには、都道府県知事は営業の停止又は許可の取消しができることとされたこと。
 2　罰金の最高額が引き上げられるとともに、罰則に関する規定の整備が行なわれたこと。

第2　施行上の注意
 1　公衆浴場の営業許可に附される条件について
　　改正法による改正後の公衆浴場法（以下「新法」という。）第2条第4項の趣旨は、当該許可の目的に照らし必要な条件を附けた場合にこれにできる旨を単に法文上明らかにしようとするものであって、従来附された条件の効力を否定する趣旨でないこと。（附則　2項参照）また、その内容には公衆衛生上必要な条件をも含むものであり、その範囲を包括的かつ具体的に示すことは困難であるが、その実例を挙げれば次のとおりであること。
　　なお、ここでいう「条件」とは、狭義の条件のみならず、期限、負担、取消権の留保等を含む附款と解すべきであること。
　（例1）
　　　一般公衆浴場と異なる特別の施設又は労務の提供をすべての客に対して常に行な

第6編　公衆浴場

うこと。
（例2）
一定の期間内に営業を開始しない場合には、許可を取り消すことがあること。
2　許可の条件違反を理由とする取り消しについて
新法第2条第4項の規定に基づき附せられた条件に違反したことを理由として許可の取消しを行なう場合には、徒らに当該許可の形式的文言にこだわることなく、改正法第2条第4項の規定の趣旨に照らし、実体に則して十分な検討を行なわれたいこと。

○公衆浴場の確保のための特別措置に関する法律の公布について

［昭和56年6月13日　環指第101号
　各都道府県知事・各政令市市長・各特別区区長宛　厚
　生省環境衛生局長通知］

公衆浴場の確保のための特別措置に関する法律は、別添のとおり昭和56年6月9日法律第68号をもって公布されたところであるが、その趣旨、内容等は下記のとおりであるので、御了知されたい。

記

第1　立法の趣旨
公衆浴場は、これを利用する国民にとっては、日常生活上欠くことのできない施設であるにかかわらず、著しく減少しつつある状況にかんがみ、国民の入浴の機会を確保するため、特別の措置を講ずるよう努めることとしたこと。
第2　法律の内容
1　国及び地方公共団体の任務
国及び地方公共団体は、公衆浴場の経営の安定を図る等必要な措置を講ずることにより、住民の公衆浴場の利用の機会の確保に努めなければならないこと。
2　貸付けについての配慮
環境衛生金融公庫及び沖縄振興開発金融公庫は、公衆浴場を経営する者に対し、その公衆浴場の施設の設置等に要する資金について、通常の条件よりも有利な条件で貸し付けるように努めるものとすること。
3　助成等についての配慮
国又は地方公共団体は、公衆浴場の確保を図るため、所要の助成その他必要な措置を講ずるように努めるものとすること。
第3　施行時期
本法律は、昭和57年4月1日から施行されるものであること。
別添　略

◯公衆浴場法の一部を改正する法律の施行期日を定める政令及び公衆浴場法施行規則の一部を改正する省令について

> 昭和63年4月27日　衛指第103号
> 各都道府県衛生主管部（局）長宛　厚生省生活衛生局指導課長通知

　精神衛生法等の一部を改正する法律（昭和62年9月26日法律第98号）により、精神障害者の人権擁護の推進と社会復帰の促進の観点に立って公衆浴場法の一部が改正され、利用制限等の見直しの一環として精神障害者に係る公衆浴場の利用規制が緩和されたところであるが、その施行期日を定める政令が昭和63年4月8日政令第88号により公布された。
　また、前記法律改正に伴い公衆浴場法施行規則の一部を改正する省令が昭和63年4月8日厚生省令第29号をもって公布された。
　改正内容は下記のとおりであるので御了知のうえ貴都道府県及び傘下市（区）町村においても本改正の趣旨を理解のうえ環境衛生関係営業法の条例等の見直し等について御指導方よろしくお願いするものである。

記

1　公衆浴場法の一部を改正する法律の施行期日
　　　昭和63年7月1日
2　公衆浴場法施行規則の一部改正
　　　第5条第1号中「又は精神病」を削除等
　　　（施行期日　昭和63年7月1日）

第6編　公衆浴場

○「公衆浴場法施行規則等の一部を改正する省令」の施行について（抄）

> 平成13年3月27日　健発第336号
> 各都道府県知事・各政令市市長・各特別区区長宛　厚生労働省健康局長通知

　公衆浴場法施行規則等の一部を改正する省令（以下「改正省令」という。）が、平成13年3月27日厚生労働省令第40号をもって公布され、平成13年4月1日から施行されることとなった。
　これらの趣旨等は下記のとおりであるので、御了知の上、その運用に遺漏のないよう願います。

記

第1　改正の趣旨
　　「商法等の一部を改正する法律」（平成12年法律第90号）、「商法等の一部を改正する法律の施行に伴う関係法律の整備に関する法律」（平成12年法律第91号。以下「整備法」という。）の施行に伴い、会社の分割により浴場業等の営業者の地位を承継した者の届出等に係る規定を整備するものであること。

第2　改正の内容
　1　公衆浴場法施行規則（昭和23年厚生省令第27号）の一部改正
　　(1)　浴場業を営む者について分割（当該浴場業を承継させるものに限る。）があったときは、分割により当該浴場業を承継した法人は、営業者の地位を承継することとされた（整備法により改正後の公衆浴場法（昭和23年法律第139号）第2条の2）。
　　(2)　分割により営業者の地位を承継した者は、届出者の名称、事務所所在地及び代表者の氏名、分割前の法人の名称、事務所所在地及び代表者の氏名、分割の年月日並びに公衆浴場の名称及び所在地を記載した届書を、その公衆浴場所在地を管轄する都道府県知事、保健所を設置する市の市長又は特別区の区長（以下「都道府県知事等」という。）に提出しなければならない（改正省令により改正後の公衆浴場法施行規則第3条の2第1項）。
　　　　この場合、届書には、定款又は寄附行為の写しを添付しなければならない（同条第2項）。
　2　旅館業法施行規則（昭和23年厚生省令第28号）の一部改正
　　(1)　旅館業を営む法人が分割をする場合（当該旅館業を承継させるものに限る。）において、当該分割について都道府県知事等の承認を受けたときは、分割により当該旅館業を承継した法人は、営業者の地位を承継することとされた（整備法により改正後の旅館業法（昭和23年法律第138号。以下「法」という。）第3条の2）。
　　(2)　分割について都道府県知事等の承認を受けようとする者は、分割前の法人及び分

割により旅館業を承継する法人の名称、事務所所在地及び代表者の氏名、分割の予定年月日、営業施設の名称及び所在地並びに法第3条第2項各号に該当することの有無及び該当するときは、その内容を記載した申請書を、その営業施設所在地を管轄する都道府県知事等に提出しなければならない（改正省令により改正後の法施行規則第2条第1項）。

　　この場合、申請書には、分割により旅館業を承継する法人の定款又は寄附行為の写しを添付しなければならない（同条第2項）。
3　クリーニング業法施行規則（昭和25年厚生省令第35号）の一部改正
(1)　クリーニング所の開設者について分割（当該営業を承継させるものに限る。）があったときは、分割により当該営業を承継した法人は、当該クリーニング所に係る営業者の地位を承継することとされた（整備法により改正後のクリーニング業法（昭和25年法律第207号）第5条の3）。
(2)　分割により営業者の地位を承継した者は、届出者の名称、主たる事務所の所在地及び代表者の氏名、分割前の法人の名称、主たる事務所の所在地及び代表者の氏名、分割の年月日並びにクリーニング所の名称及び所在地を記載した届出書を開設地を管轄する都道府県知事等に提出しなければならない（改正省令により改正後のクリーニング業法施行規則第2条の4第1項）。

　　この場合、届出書には、分割により営業を承継した法人の登記簿の謄本を添付しなければならない（同条第2項）。
4　理容師法施行規則（平成10年厚生省令第4号）の一部改正　　略
5　美容師法施行規則（平成10年厚生省令第7号）の一部改正　　略

第6編　公衆浴場

○公衆浴場の確保のための特別措置に関する法律の一部を改正する法律の施行について（施行通知）

> 平成16年4月16日　健発第0416002号
> 各都道府県知事・各政令市市長・各特別区区長宛　厚生労働省健康局長通知

　公衆浴場の確保のための特別措置に関する法律の一部を改正する法律が、衆議院厚生労働委員長から議員提案され、平成16年4月16日法律第32号として公布され、同日より施行された。その改正の趣旨及び概要については下記のとおりであるので、その内容を十分御了知の上、関係機関等への周知徹底を図るとともに、その実施に遺漏なきを期されたい。

記

第1　改正の趣旨
　　公衆浴場が住民の健康の増進等に関し重要な役割を担っていることにかんがみ、国及び地方公共団体は、住民の健康の増進等の住民の福祉の向上のため、公衆浴場の活用について適切な配慮をするよう努めるとともに、公衆浴場を経営する者は当該公衆浴場の活用に係る国及び地方公共団体の施策に協力するよう努める必要がある。このため、公衆浴場の確保のための特別措置に関する法律（昭和56年法律第68号）における公衆浴場の位置づけ等を明確にしようとするものである。

第2　改正の概要
　1　目的に関する事項
　　　公衆浴場が住民の健康の増進等に関し重要な役割を担っていることを明確にするとともに、目的に住民の福祉の向上を加えることとされた。（第1条関係）
　2　公衆浴場の活用についての配慮等
　　(1)　国及び地方公共団体は、住民の健康の増進、住民相互の交流の促進等の住民の福祉の向上のため、公衆浴場の活用について適切な配慮をするよう努めなければならないこととされた。（第4条第1項関係）
　　(2)　公衆浴場を経営する者は、(1)の公衆浴場の活用に係る国及び地方公共団体の施策に協力するよう努めなければならないこととされた。（第4条第2項関係）
　3　施行期日
　　　この法律は、公布の日から施行することとされた。（附則関係）

第2章　適用範囲

○公衆浴場法等の営業関係法律中の「業として」の解釈について

〔昭和24年10月17日　衛発第1,048号
各都道府県知事宛　厚生省公衆衛生局長通知〕

　従来、公衆浴場法、興行場法、旅館業法における「業として」の解釈については、(1)不特定多数人を対象とすること、(2)反覆継続の意志をもっていること、(3)対価をとることの3つの要件を必要とするものであるとして来たのであるが、これは本来の「業」の意味に対して行政慣例その他によって、3つの制限を附し、狭く解釈して来たものである。

　然し乍ら、この狭い解釈によっては、公衆衛生上種々不十分の点が生じているので法務府と打ち合せの結果これを本来の意味にもどし、営業関係三法律の施行を一段と徹底させ、公衆衛生の向上増進を図ることとした。

　法律上業としてある行為をするという場合その業の本来の意味は、その行為を反覆継続して行うということである。即ち、ある行為を反覆継続して行う場合には、その行為を業として行うということになる。従って、相手方が不特定多数であること、対価を受けること等は本来の「業」の概念上必要ではない。

　但し、業として行うという場合には、その行為が社会性をもって行われることが必要であって、単に個人の消費生活上反覆継続して行われるような場合や個人自身の娯楽としてなされる等の場合は含まれない。即ち個人の家庭に浴場を設け、又は個々人の家庭において親類友人等を宿泊させること等は「業として」行うとはいえない。

　又、営業関係法律中には、「興行場営業」「営業者」「営業の停止」等の文言を用いているので営利の目的を有する「営業」のみがこれ等の法律の適用を受けるようにも解されるが、これはこれ等の法律で単に「業として興行場を経営すること」を「興行場営業」ということに定義づけ、「浴場業を営む者」を「営業者」ということに定義づけたにすぎない。

　従って今後、ある行為が反覆継続して行われ而もその行為が社会性をもっておこなわれる場合、これを業として行うと解釈し、営業三法は、これに従い下記のように取り扱うこととされたい。

記

1　公衆浴場法について

　　従来、公衆浴場法の適用については、会員制度や組合組織のもの、工場、事業場、学校等に設けられたものその他特定人を相手とするものは適用外とされ、又無料奉仕のものも適用外とされてきたのであるが、今後はこれ等のものであっても、反覆継続の意思をもってなされ、且つ、その行為が社会性を有していると認められるものであればすべて適用されることになる。但し、旅館内の浴場等に対しては旅館業法により、公衆衛生

の見地から、公衆浴場法によるとほぼ同様な監督その他必要な措置をなし得ることになっているので重ねて公衆浴場法を適用すべき必要はなく、公衆浴場法の適用を排除していると解せられる。事業場附属寄宿舎内の浴場も労働基準法及び事業場附属寄宿舎規則により監督を受けるので本法の適用は排除される。又入浴の施設を有する家庭で近隣の者を継続的に入浴させるような場合には社会性を有するものとは認められないので適用は排除される。

同様に近隣の数世帯が協同して浴場を設け利用しているような場合も適用は排除される。

これは、各世帯において施設を設け入浴するという消費生活上の行為を協同化する点については、利用者が集って組合を組織し、組合において浴場を設けて利用することと実質的に異ならないのであるが、然し組合における浴場経営ということは、消費生活上の行為であっても協同して組織化組合の「事業」として行われるものであるため社会性を有するものとなり従って法律の適用を受けるのであって、近隣の数世帯が協同して浴場を設け利用する場合とは異なるのである。

次に法律適用の範囲拡大に伴って、従来適用外とされていたものが、許可をうけることになり、距離の制限について種々問題が発生することと思われるが、これについては組合組織、会員制度の浴場は、従来から法律の適用を受けるものとされていた公衆浴場と同様に取り扱い、工場、事業場、学校等の厚生施設的な浴場は、特例を認めるように考慮することが適当と思われる。

又、対価の徴収の有無を問わない関係上、無料奉仕的な浴場も適用されることになることに注意されたい。

2　興行場について

興行場法についても大体同様であって、文化会館等と称して特定の人に映画等を見せる施設や会員制度のもの等特定人を相手とするもの或いは又無料奉仕的なものにも適用される。但し、工場、事業場等で従業員の福利施設として興行場を設けた場合は勿論適用されるのであるが、工場の内に設けられた集会所その他既設建物を利用して映画等を行う場合は、毎月4、5日以上反覆継続して行うような場合以外は興行場としての許可は不要である。

3　旅館業法について

旅館についても大体同様である。従って、会社、工場等の寮（但し、労働基準法の対象となるものを除く。）会員制度の宿泊施設、その他特定人を対象とする宿泊施設は適用を受けることとなり又社会事業的な或いは又無料奉仕的な宿泊施設も法の適用を受けることになるのであるがこの場合、過渡的な応急措置として衛生上の危害を防止し得る範囲内で簡易旅館の基準を若干下廻る基準を設けることもやむを得ない。

4　なお、従来の解釈により法の適用外とみなされ、許可なくして行っていたものについては、今回解釈が本来の意味にもどり、従って、許可を受けなければならない事となった旨の公示をなして周知徹底をはかり、大体、3乃至4か月の期間内に許可を受けさせなければならない。

○営業三法の運用について

〔昭和25年4月26日　衛発第358号〕
〔各都道府県知事宛　厚生省公衆衛生局長通知〕

　公衆浴場法等の営業関係法律中「業として」の解釈については、昭和24年10月17日附衛発第1,048号を以って既に通知した所であり、夫々同通牒の線に沿い運用して居られる事と思うが、更に下記の点について御留意の上運用の万全を期せられたい。

記

1　公衆浴場法について

　　工場、事業場等の浴場の中で事業所附属寄宿舎規程により監督を受けるものについては、公衆浴場法の適用が排除されることは既に通知した通りであるが、更に特に身体を汚染する作業場等に設けられた浴場についても、労働安全衛生規則等により監督を受け得ると解釈されるので、かかる浴場についても、公衆浴場法を適用する必要はないと考えられる。

　　従って、工場、事業場等の浴場で公衆浴場法の適用を受けるのは、従業員の福利厚生の為に設けられたもので、比較的規模の大なる浴場であると解釈すべきである。

2　旅館業法について

　　先の通牒では、無料奉仕的な宿泊施設も旅館業法の適用を受ける旨の通牒をしたが、この点は同法第2条第1号乃至第3号の規定と矛盾するので、旅館業法の適用を受けるものは、宿泊料又は室料を受けて人を宿泊させる施設に限るべきでこの点訂正する。

　　従って、会社、工場等の寮、その他特定人を対象とする宿泊施設で極く低廉な食事代の実費しかとらぬものは、本法の適用を受けぬものと解すべきである。

　　又、同法第5条との関係については「業として」の解釈が拡張せられ、不特定多数の者を泊める施設のみならず、特定多数の者を泊める施設も本法の旅館の中に包含されることになったので後者については、第5条の規定に拘わらず、条理上当然特定人以外の者の宿泊を拒むことが出来るものと解釈すべきである。

3　興行場法については、別途通知する。

第3章　営業の許可等

○風俗営業等取締法の一部を改正する法律の施行に伴なう公衆浴場法等の取扱いについて

〔昭和41年8月5日　環衛第5,091号
各都道府県知事・指定都市市長宛　厚生省環境衛生局
長通知〕

　風俗営業等取締法の一部を改正する法律（以下「風営改正法」という。）が昭和41年6月30日法律第91号をもって公布され、同年7月1日より施行された。これは最近特に問題となっていたいわゆるトルコ風呂、ヌード・スタジオ、ストリップ劇場等について今後この法律を中心として風俗上の規制を行なおうとするものである。

　風俗営業等取締法（以下「風営法」という。）の施行については、警察庁並びに都道府県公安委員会の所管するところであり、今回同法の規制対象とされた浴場業及び興業場営業の許可にあたっては原則として従前どおりの取扱いとして差支えないものである。しかしながら同法において立地制限を受けるような施設については、たとえ許可があったとしても風営法に抵触し営業ができないこととなるので実体的見地からこのような事態を避けることが望ましい。従って許可にあたっては関係行政機関との連絡を密にし下記事項に留意のうえ法の運用に遺憾のないようにされたい。

記

1　公衆浴場法による浴場業の施設として個室を設け、当該個室において異性の客に接触する役務を提供する営業（以下「個室付浴場業」という。）の営業許可にあたっては次によりその設置場所及び営業形態が風営法の規制対象となるか否かを十分確認のうえ、これに該当するものに対しては同法に抵触するような事態が起こらないよう適切な指導を行なわれたいこと。

ア　個室付浴場業の許可申請書が提出されたときは、これを審査する前に公衆浴場法を所管する部局から風営法を所管する部局あてに照会を行ない、当該個室付浴場業が風営法第4条の4第1項又は同条第2項に基づく条例に該当するか否かを文書により確認すること。

イ　個室付浴場業の許可を申請する者に対し、風営法を所管する部局の判断の資料とするため当該営業にかかる施設の位置から200メートル以内の地域の図面及び「異性をして客の身体に接する役務の提供の有無」を確認できる書面の添付を求めること。

ウ　「異性をして客の身体に接する役務の提供の有無」を確認する書面を受けつけるにあたっては、「無」と記載された場合でも当該申請者による役務提供者の募集等風営法第4条の4に規定する個室付浴場業に該当するおそれのある事実の有無について確認するため風営法を所管する部局と十分な連絡を行なわれたいこと。

2　風営法第4条の4により規制を受ける個室付浴場業であって、1の取扱いによって処

理できないものであっても同法該当のみの理由をもって不許可とはできないものであること。
3　風営法第4条の4の規定により個室付浴場業の規制を受ける地域で、異性をして客の身体に接する役務の提供がないものとして営業許可をされた浴場業において、その後当該役務の提供がなされたときは、都道府県公安委員会により営業停止を命ぜられるものであること。
4　旅館業法による旅館業の営業施設である入浴設備であっても、当該施設について宿泊者以外の者に業として提供することが客観的に認められるときは、営業者の意思如何にかかわらず、公衆浴場法第2条第1項の許可を要するものであるとして既に取扱ってきたところである。従って旅館業における入浴設備であってもその利用客の過半が宿泊者以外である場合、浴場部分と宿泊施設部分が明確に区別されているような場合等は公衆浴場業の許可を要するものとして取扱われたいこと。なお、このような施設の取扱いに関しては風営法を所管する部局と十分な連絡をとられたいこと。
5　風営法第4条の4第3項に係る個室付浴場業の利用施設についてその同一性を失なったとみられる程度の大幅な増改築を行なった者又は浴場業の施設を譲り受けて営業を行なう等の者については、新たに公衆浴場法の規定にもとづき許可を受けるべきものであること。なお、昭和41年6月30日現在で公衆浴場法第2条第1項の許可を受けており当該施設が既にしゅん工されていたものの取扱いについては風営法を所管する部局と十分な打合せを行なわれたいこと。

○風俗営業等取締法の一部を改正する法律の施行に伴なう公衆浴場法等の取扱いについて

[昭和41年10月6日　環衛第5,111号
各都道府県・各指定都市衛生主管部（局）長宛　厚生省
環境衛生局環境衛生課長通知]

標記については、既に昭和41年8月5日付け環衛第5,091号をもって通知されているところであるが、風俗営業等取締法の改正は、法律上は公衆浴場法の施行に影響を与えるものではなく、今回の措置は、その経緯等にかんがみ、公衆浴場法上の許可に際し、事前の行政指導の一環として、風俗営業等取締法上営業が禁止される公衆浴場については、その経営の許可申請を取り下げるよう指導することが妥当であるという見地から行なわれるものである。この場合においては、公衆浴場法所管部局は公衆浴場法施行の見地より、風俗営業等取締法所管部局は風俗営業等取締法施行の見地よりそれぞれ検討を加えるものであるが、同通知に基づく事務の実施については下記の取扱いによることとしたので御了知のうえ、法の運用に遺憾なきを期されたい。なお、この件については警察庁とも打ち合わせずみである。

記

1　前出通知中記の1のアにいう文書による照会及び確認を行なう前に、公衆浴場法所管部局と風俗営業等取締法所管部局との間で連絡打合わせを行ない、その結果に基づいて

必要な指導を十分に行なわれたいこと。
2　前出通知中記の1のアにいう文書による照会及び確認にかえて、当該許可申請に対する決裁文書の稟議等の方法により、当該許可の当否に関する意見を相互に確認することも差しつかえないこと。

○特殊な浴場業の店舗名の健全化について

> 昭和59年10月23日　衛指第64号
> 各都道府県・各政令市・各特別区衛生主管部（局）長宛
> 厚生省生活衛生局指導課長

　最近、我が国の国際交流はますます活発となっているが、このようななかで、我が国において、いわゆるトルコ風呂の名称がその本来の語源及び浴場形態と全くかけ離れて、個室において異性の客に接触する役務を提供する営業を主目的とする施設の名称として一般化し、このため、その呼称が我が国とトルコ共和国との友好的な信頼関係を損いかねない状況になりつつある。

　ついては諸外国との良好な親善関係の一層の発展のため、浴場の名称については「トルコ」、「○○大使館」等諸外国の国名、地名、人名、ブランド名等の名称、または公共施設、教育施設に関する名称等を使用しないよう関係業界及び営業者の指導方よろしくお願いする。

　また、公衆浴場の許可に当たっては、公衆浴場の名称につき前記趣旨を勘案し、適宜指導を行うとともに、関係業界における名称変更を行う等の動きと併せ、名称変更についての指導を積極的に進め、その変更手続きについてはこれが円滑に行われるよう善処方よろしくお願いする。

第4章　衛生措置等

○公衆浴場における電気浴器の取扱について

〔昭和27年7月30日　衛発第693号〕
〔各都道府県知事宛　厚生省公衆衛生局長通知〕

　電気浴器については、本年2月25日付衛発第149号により通知した如く、その施設による危害防止の徹底を期するため電気工学並びに医学の学識経験者及び資源庁関係官と検討中であったが、その結果、電気浴器を設置しようとする電気事業者は、その設計について資源庁長官の認可をうけることになり、当局においても別紙の如き措置基準を定めたから、下記事項を留意の上、所轄通商産業局長と緊密に連絡するとともに、関係業者を指導する等、その運用に万全を期せられたい。

　なお、電気工作物規程第4条による電気浴器の認可基準については、資源庁長官より各通商産業局長宛通知済みである。

記

1　現に電気浴器を設置している公衆浴場が存在するか、又は近き将来設置が予想せられる都道府県においては、別紙1措置基準に定められた事項及び別紙2の資源庁長官の定めた電気浴器認可基準の内容を公衆浴場法第3条の措置の基準の一部として条例に規定すること。
2　公衆浴場業者が浴槽に電気浴器を附設する場合は、電気事業者に、資源庁長官の認可を受けた設計により工事を行わせることとし、工事完了後この施設が基準通りに作成せられたことを証明する所轄通商産業局長の証明書を添えて、公衆浴場法施行規則第2条による届出を行わせること。（通商産業局長の証明については、先般資源庁における全国通商産業局担当課長会議において打合せ済みであり、この証明書は公衆浴場業者に交付されるものであるが、この件に関しては、おって資源庁施設部長から各通商産業局長宛通知される予定である。）
3　新規に公衆浴場の営業許可をうける場合であって、電気浴器を併置しようとするときは、その営業許可申請書に資源庁長官の認可書写を添えさせ、工事完了の後に前号の通商産業局長の証明書を提出させること。
4　電気浴槽を使用するにあたっては、公衆浴場内に医治効能を掲示させぬよう指導すること。

別紙1

　　　措置基準
1　公衆浴場業者は、専任の第3種以上の電気技術者をおいて保守にあたらしめること。
2　公衆浴場業者は、通商産業局係官の定期検査（年2回）の他、右の電気技術者をして毎年2回以上、接地抵抗、絶縁抵抗及び出力電圧を関係官庁係官立会のもとに測定せしめ、その記録を3年間以上保存させること。

3 公衆浴場業者は、電気浴槽の附近の浴客の見易い場所に左の各号に該当する者をして電気浴槽を利用せしめないように注意した適当な大きさの標示板を掲げること。
  (イ) 外傷又は皮膚面に潰瘍のある者
  (ロ) 心臓病、高血圧症、動脈硬化症、腎臓病、神経過敏症、てんかんの疾病を有する者又は妊娠中の者
  (ハ) 老人、幼児、又は胸腺淋巴体質の者
4 細菌感染を防止するため、電気浴槽の浴水温度は普通浴槽の浴水温度より低くしないこと。
5 雷鳴中は電気浴器の使用をなるべく中止すること。
別紙2　略

○公衆浴場における風紀の問題について

〔昭和39年5月12日　環発第183号〕
〔各都道府県知事宛　厚生省環境衛生局長通知〕

　従来、公衆浴場法第3条第1項に規定する「風紀に必要な措置」については、昭和23年8月厚生事務次官通知（厚生省発第10号）により、主として男女の混浴の禁止を意味するものである旨の行政指導を行なってきたのであるが、その後いわゆるトルコ風呂の営業実態が善良な風俗を害するおそれがあるとして社会問題化している事実にかんがみ、公衆を入浴させる施設としての公衆浴場の利用に伴なって発生し、かつ、入浴者それ自身を含む一般公衆に影響を及ぼすおそれのあるものである限りにおいて、次のような風紀に必要な措置を含むものと解されるので、各都道府県の実情に応じ、条例の改正を行なう等トルコ風呂における風紀が乱されることのないよう格別の御配意を煩わしたい。

記

1　営業者は従業員に風紀を乱すおそれのある服装をさせないこと。
2　営業者は、従業員に風紀を乱すおそれのある行為を行なわないように指導しなければならないこと。
3　営業者は、風紀を乱すおそれのある行為が行なわれないよう常に注意しなければならないこと。
  （例）(1)　個室内に風紀を乱すおそれのある文書、絵画写真等を貼布しないように注意すること。
  　　　(2)　個室内に風紀を乱すおそれのある物品をおかないように注意すること。
4　営業者は、前各項のほか、風紀が乱されることのないよう必要な一般的予防措置を講じなければならないこと。
  （例）(1)　個室は内部を見透せるようにすること。
  　　　(2)　個室には鍵がかからないようにすること。

○環境衛生関係営業施設における自主管理点検表の制定について(抄)

```
昭和63年10月18日    衛指第215号
各都道府県・各政令市・各特別区衛生主管部(局)長宛
厚生省生活衛生局指導課長通知
```

〔改正経過〕

第1次改正 〔平成3年8月15日衛指第163号〕

　理容師法、美容師法、クリーニング業法、興行場法、旅館業法及び公衆浴場法に規定する環境衛生関係営業施設の衛生水準の維持向上を図るため、従前より各業種毎に衛生等管理要領を定めてきたところである。これら衛生等管理要領の営業者に対する周知徹底等、監視指導における有効な活用については、常日頃より格別の御配慮をお願いしているところであるが、今後の監視指導のあり方として、営業者自身による自主的管理の強化が指摘されていることから、有効かつ簡便に営業者自身が自主的管理を実施できるよう、別添のとおり各業種ごとの自主管理点検表を作成したので御了知のうえ、監視指導業務の効率的実施を図るため、十分に活用されるようお願いする。

　なお、換気、照明等の項目に（ ）書きで物理的数値を記入しているが、これは、必ずしも営業者が測定用具を備えて自ら測定することを意図したものではなく、環境衛生監視員が当該施設に立ち入った際に施設内環境を実際に測定し、営業者に教示する等の方法により、営業者が客観的に照度等を認識できるよう付記したものである。

別　添

公衆浴場の自主管理点検表

施設一般	1	施設の周囲は毎日清掃し清潔に保っているか。
	2	排水設備（溝、管、汚水ます、温水器等）は適宜清掃し（1月1回以上の消毒を含む）良好な流通が保たれているか。
	3	ねずみ、昆虫の発生、生息について定期的に点検し、適切な防除措置を講じているか。
	4	施設内各室の照明は十分か。（浴室、脱衣室、便所150〜300ルックス、受付、下足場300〜700ルックス、廊下75〜150ルックスが望ましい）
	5	施設内各室の換気は十分か。（炭酸ガス濃度は1500ppm以下、一酸化炭素濃度は10ppm以下）
	6	給水、給湯設備は1年1回以上保守点検しているか。
	7	便所は毎日清掃し、1月に1回以上消毒し、防臭に努めているか。
脱衣	8	脱衣室内で人が直接接触する床、脱衣箱、体重計等は毎日清掃し、1月に1回以上消毒しているか。
	9	空気調和設備（フィルター等）、換気扇、扇風機は汚れていないか。
	10	足拭き、マット及びベビー用シーツは消毒等を行ったものと適宜取り替え

第6編　公衆浴場

室	衛生的に保っているか。 11　脱衣室の給水栓には飲用適又は飲用不適の旨をその付近の見やすい場所に表示してあるか。
浴 室	12　浴室内で人が直接接触する床、浴槽、洗い桶、腰掛け等は毎日清掃し、1月に1回以上消毒しているか。 13　浴室の床面、周壁及び浴槽等の耐水性材質の破損はないか。 14　浴室の給水栓、給湯栓は、毎日保守点検し使用上支障がないか。 15　浴槽水は、清浄（消毒を行い）で常に満杯状態を保っているか。 16　温度計は破損していないか。 17　浴槽水は、毎日換水しているか。 18　上がり用湯及び上がり用水は清浄で十分な量を供給しているか。 19　使用済みのカミソリ、ゴミ等を浴室内に放置していないか。
水 質	20　飲用水を供給する受水槽、高置水槽は1年に1回以上清掃しているか。 21　飲用水の水質検査を給水栓（水道管に直結している給水栓を除く）において実施し、その記録を保存しているか。 22　原水、上がり用湯及び浴槽水は年1回以上水質検査を実施し、その記録を1年以上保存しているか。
そ の 他	23　入浴料金、営業時間、入浴者の心得、その他必要な事項を見易い場所に掲示してあるか。 24　従業者は定期的に健康診断をうけているか。 25　伝染病にかかっている者又は疑いのある者が業務に従事していないか。 26　定められた保健所等への届出は、きちんと行っているか。
サ・ ウナ 設備 室室	27　毎日清掃、洗浄し1月1回以上消毒及びねずみ、昆虫の点検をしているか。 28　1月に1回以上保守点検し、室内の温度及び湿度について定期的に測定しその記録を1年以上保存しているか。 29　見やすい場所に入浴上の注意事項が掲示してあるか。
屋 外 の 浴 槽	30　浴槽及び浴槽に付帯する通路等は、毎日清掃し、1月に1回以上消毒及びねずみ、衛生害虫等の点検をしているか。 31　浴槽水は清浄（消毒を行い）で常に満杯状態を保っているか。 32　浴槽水は、毎日換水しているか。

○公衆浴場における衛生等管理要領等の改定について

```
平成3年9月19日　事務連絡
各都道府県・各政令市・各特別区衛生主管部(局)環境
衛生関係営業担当課宛　厚生省生活衛生局指導課
```

　公衆浴場における衛生等管理要領については、平成3年8月15日衛指第160号をもって生活衛生局長より通知されたところですが、現時点までの同管理要領に関する照会に対する回答、当課の考え方についてまとめましたので送付します。

　なお、5月13日付事務連絡で改定案を送付した際、水質基準の改定案も併せて送付いたしましたが、水質基準については、現在、プールの水質基準が検討されていること、また、浴用剤等による水質への影響について引き続き検討が必要であることから、今回の管理要領の改定とは別途実施することとしました。

1　適用の範囲及び用語の定義について
　　現時点で公衆浴場を類型化すると、別紙のとおりとなると考えます。
2　施設設備について
　1)　3　脱衣室(1)、4　浴室(1)、(4)の隔壁、天井の高さについては、それぞれの目的に対する実効を確保できればよいことから、具体的数値を削りました。
　2)　3　脱衣室に床面積等の算定式については、フロント化、ロビー化等形態が変化してきているため、機能の見直し、分化（休息室の設置等）等実態を踏まえ、係数の見直しを行いました。
　3)　10　その他の入浴設備(1)サウナ設備については、従来のその他の公衆浴場に規定されていた内容をそのまま規定しました。
　　　なお、サウナの構造設備等については、今後、消防庁において基準を検討する予定（事務局：(社)日本サウナ協会）であり、その結果を踏まえ、見直しをする予定です。（時期未定）
　4)　(2)屋外に設ける浴槽については、原則として、公衆浴場については、保温の措置が講じられているが、その例外として、いわゆる「露天風呂」を認めるものであり、洗い場を設置し、入浴者が保温の措置の講じられていない場所に長時間滞留することを助長することは好ましくないものと考えています。また、同様に、露天風呂には保温されている部分から直接出入りできる必要のあるものと考えています。
　5)　11　付帯施設。ここでいう付帯施設とは、飲食施設をはじめ、公衆浴場業の許可対象外となるものを想定しています。
3　衛生管理について
　1)　5　浴室の管理(2)浴槽水の温度について、今改定において、衛生管理上の必要事項としての浴槽水温度「おおむね42℃」を削除しました。
　　　現在では、ほとんどの浴場で循環ろ過機が設置され、更に、浴槽水の消毒も行われ

ており、浴槽水質は確保されています。
　したがって、浴槽水温の設定については、利用者ニーズに対応する意味で、営業者の裁量に任せても差し支えないものと考えます。
　また、最近、公衆浴場利用者の嗜好の多様化により、42℃では水温が高すぎるとの要望が寄せられており、また、高齢者、高血圧の入浴には40℃以下の温い温度の方が危険が少ない旨の報告があります。
2)　5　浴室の管理(4)浴槽水の換水については、浴槽、ろ過機等の構造により、厳密に「完全に換水する」ことが不可能な場合があるため、表現を改めたものであり、規定の主旨に変更はありません。
3)　8　給水、給湯設備の管理(3)塩素系薬剤を用いて消毒を行う場合には、塩素濃度が低いと殺菌力が不十分となり、また、高すぎると塩素による刺激で不快感を起こすことがあるため、自主管理の一環として、濃度測定を行わせることが望ましいため規定しました。
　塩素濃度については、先の水質基準改正案でも触れたように、水質基準に採用する方向で検討しています。
4)　9　(2)屋外の浴槽の管理については、浮遊物等により浴槽が汚染されやすいため、浴槽水の水質を維持するために、浴室の浴槽より厳しい管理規定としています。
5)　12　(4)～(6)タオル等の貸与については、新しいもの、消毒済のものについては、原則可としました。

公衆浴場における衛生等管理要領等の改定について

〔別　紙〕
〔公衆浴場の類型〕

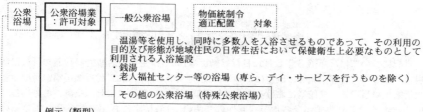

温湯等を使用し、同時に多数人を入浴させるものであって、その利用の目的及び形態が地域住民の日常生活において保健衛生上必要なものとして利用される入浴施設
・銭湯
・老人福祉センター等の浴場（専ら、デイ・サービスを行うものを除く）

例示（類型）
(1)　温湯等を使用し、同時に多数人を入浴させるものであって、保養または休養のための施設を有するもの。
　　・ヘルスセンター
　　・健康ランド
(2)　温湯等を使用し、同時に多数人を入浴させるものであって、スポーツ施設に付帯するもの。
　　・ゴルフ場等の風呂〔41.3.23環衛5,031〕
　　・アスレチックジム等の風呂
(3)　温湯等を使用し、同時に多数人を入浴させるものであって、工場、事業場等が、その従業員厚生のために設置するもの。
　　・（福利）厚生浴場（比較的規模の大きいもの）〔25.4.26衛発358〕
(4)　蒸気、蒸気等を使用し、同時に多数人を入浴させることができるもの。
　　・サウナ（を主とする浴場）
(5)　蒸気、熱気を使用し、個室を設けるもの。
(6)　その他のもの。
　　・移動入浴車（浴槽が固定されているもの）
　　・エステティックサロン（熱気、熱砂、熱線、泥、etc.）
　　・酵素風呂、砂風呂等〔43.4.25環衛8,066等〕
　　・介助浴槽（機械浴槽）（専ら、デイ・サービス事業に係るものを除く。）
〔その他のものに含まれるもの〕
○　温湯等を使用し、同時に多数人を入浴させるものであって、健康増進を目的とするもの。
　　・クアハウス

▷他法令に基づき設置され、衛生措置の講じられているもの。
　○身体を汚染する作業場等に設けられた浴場〔25.4.26衛発358：労働安全衛生規則第625条〕
　○事業附属寄宿舎〔労働基準法第96条、事業附属寄宿舎規程第27条〕
　○旅館業法の適用を受ける施設内に設けられた浴場（宿泊者以外の者が入浴するものを除く）
▷専ら、他法令、条例等に基づく制度により運営され、衛生措置の講じられるもの。
　○デイ・ケア施設（老人保健法に基づく措置にかかる事業のみを行う施設に設けられた浴場（医療行為））
　○対象者を限定して、専ら、行政が実施する介助サービス事業のみを行う浴場〔平成3年第1回十大都道府県課長会議〕
　　・老人福祉施設におけるデイ・サービスの用に供する浴場
　　・身体障害者福祉センター等におけるデイ・サービスの用に供する浴場

公衆浴場に該当しないもの

○浴場にあたらないもの。
　・遊泳用プール
　・遊泳用プールに付帯する採暖設備（採暖室、採暖槽）〔平成3年第1回十大都道府県課長会議〕（遊泳用プールに近接して設置され、単独で利用されることがないもの。）
○消費生活上の協同行為であって、社会性の認められないもの。〔24.10.17衛発1,048〕
　・もらい湯

第6編　公衆浴場

○公衆浴場及び旅館における浴室の衛生管理の徹底について

　　平成8年7月26日　衛指第122号
　　各都道府県・各政令市・各特別区衛生主管部(局)長宛
　　厚生省生活衛生局指導課長通知

　標記については、平成3年8月15日付け衛指第160号厚生省生活衛生局長通知「公衆浴場における衛生管理要領等の改定について」及び昭和59年8月28日付け衛指第24号厚生省生活衛生局長通知「旅館業における衛生等管理要領について」により、指導方お願いしているところでありますが、各地で病原性大腸菌O—157による食中毒が多発しているので、当面の対応として以下の点に留意の上、浴場業及び旅館業の営業者等の関係者に対し衛生管理の徹底をお願いいたしたい。
1　平成3年8月15日付け衛指第160号厚生省生活衛生局長通知の別添「公衆浴場における衛生等管理要領」（特に、「IV衛生管理」に関する事項）及び昭和59年8月28日付け衛指第24号厚生省生活衛生局長通知の別添「旅館業における衛生等管理要領」（特に、浴室及び脱衣場の管理に関する事項）の遵守の徹底を指導されたいこと。
2　浴場利用者に対する注意の喚起について
　　浴場業及び旅館業の営業者が次の事項を脱衣場に掲示するなどして利用者に衛生上の注意を喚起するよう指導されたいこと。
(1)　浴槽に入る前に石鹸等を用いて体をよく洗うとともに、出る際にもシャワー等で体を洗い流すようにされたいこと。
(2)　下痢症状のある者については、利用を差し控えられたいこと。

○温泉を利用した公衆浴場業及び旅館業の入浴施設の衛生管理の徹底について

　　平成11年3月29日　衛指第28号
　　各都道府県・各政令市・各中核市・各特別区衛生主管部(局)長宛　厚生省生活衛生局指導課長通知

　公衆浴場業及び旅館業の衛生管理については、平成3年8月15日衛指第160号厚生省生活衛生局長通知「公衆浴場における衛生等管理要領」、昭和38年10月23日環発第477号厚生省環境衛生局長通達「公衆浴場における水質等に関する基準」及び昭和59年8月28日衛指第24号厚生省生活衛生局長通知「旅館業における衛生等管理要領」を定め、かねてからその指導をお願いしてきたところであるが、当該営業所の入浴施設の利用によるレジオネラ症の発生防止のため、浴槽水の衛生管理を徹底するよう貴管内における当該営業者に対する一層の指導方よろしくお願い致したい。
　なお、レジオネラ属菌の細菌検査法等については、(財)全国環境衛生営業指導センターから発行された「改訂・レジオネラ属菌防除指針—温泉利用入浴施設用—」を参考にされたい。

○温泉利用入浴施設の衛生管理の徹底について

> 平成12年5月17日　衛指第56号
> 各都道府県・各政令市・各特別区衛生主管部（局）長宛
> 厚生省生活衛生局指導課長通知

　本年3月、静岡県内の宿泊施設の浴場で、多数の利用客がレジオネラ属菌に感染し被害が生じたことが報道されたところであり、静岡県では、現在関係機関と連携して、原因究明を図っているところである。

　温泉を利用した公衆浴場及び旅館業の入浴施設の衛生管理の徹底については、平成11年3月29日付け衛指第28号等により、かねてから指導をお願いしているところであるが、前記事案の発生を契機として、下記の点にも御留意の上、貴管内における営業者に対する一層の指導方よろしくお願い致したい。

　なお、レジオネラ症患者を診断した医師から、感染症の予防及び感染症の患者に関する法律第12条第1項に基づき保健所長を経由して都道府県知事あてに報告がされる等、レジオネラ症の発生に関する情報に接した場合には、関係部局と連携して発生源を特定するとともに、被害拡大の防止に努められたい。

記

1　入浴施設を新設し、又は改装をした場合には、営業開始前に十分に清掃及び消毒をするとともに、レジオネラ属菌の細菌検査を実施して安全性を確認すること。
2　露天風呂は、レジオネラ属菌により汚染されるおそれが大きいことから、内湯と露天風呂との間の配管を通じて、露天風呂の湯が内湯に混じることのないようにすること。
3　塩素剤により浴槽水を消毒している入浴施設にあっては、一度に多数の客が入浴する場合には、塩素濃度が下がり消毒が不十分となる可能性があるため消毒の回数を増やすこと。
4　営業者は、不測の事態に備えるため、損害賠償責任保険に加入することが望ましいこと。

○公衆浴場業及び旅館業における入浴施設の衛生管理の徹底について

> 平成12年7月18日　衛指第84号
> 各都道府県・各政令市・各特別区衛生主管部（局）長宛
> 厚生省生活衛生局指導課長通知

　標記については、平成11年3月29日付け衛指第28号、本年5月17日付け衛指第56号等により、営業者に対する指導方お願いしているところですが、最近、レジオネラ症が全国各地の入浴施設で相次いで発生していることから、入浴施設における衛生管理を一層徹底させることが求められています。

　現在、関係機関においてこれらの事例の原因等を調査しているところですが、貴職におかれましては、同種の事例の再発を防止するため、下記のとおり対応方お願いします。

第6編　公衆浴場

　なお、厚生省においては、入浴施設におけるレジオネラ症の発生を防止するため、今後、「旅館業における衛生等管理要領」、「公衆浴場における衛生等管理要領」等の改正を検討する予定としております。
　おって、営業者向けにレジオネラ症予防のためのパンフレットを現在作成中であり、後日、各都道府県あてに送付する予定としていることを申し添えます。

記

1　貴職管内の入浴施設を立入検査により一斉点検し、浴槽水等のレジオネラ属菌の検査結果等を踏まえ、「改訂・レジオネラ属菌防除指針」(財団法人全国環境衛生営業指導センター、全国旅館環境衛生同業組合連合会発行)、「新版レジオネラ症防止指針」(財団法人ビル管理教育センター発行) 等に基づき、浴槽水・ろ過装置等の適切な衛生管理の実施について指導すること。
　なお、一斉点検に当たっては、以下に掲げる施設から順次実施すること。
　ア　循環式ろ過装置を使用している施設
　イ　気泡発生装置、ジェット噴射装置、打たせ湯等、エアロゾルを発生させるおそれがある設備を使用している施設
　ウ　露天風呂を設置している施設
2　営業者に対し、換水、消毒、清掃、水質検査等の実施状況を管理簿等に記録・保存し、関係行政機関からの求めに応じて提出できるように指導すること。

○公衆浴場における衛生等管理要領等について

［平成12年12月15日　生衛発第1,811号
各都道府県知事・各政令市市長・各特別区区長宛　厚
生省生活衛生局長通知］

〔改正経過〕

　第1次改正　〔平成15年2月14日健発第0214004号
　第2次改正　〔平成28年3月30日生食発0330第5号
　第3次改正　〔平成29年12月15日生食発1215第2号
　第4次改正　〔平成30年1月31日生食発0131第2号
　第5次改正　〔令和元年9月19日生食発0919第8号
　第6次改正　〔令和2年12月10日生食発1210第1号
　第7次改正　〔令和5年11月15日健生発1115第5号

　公衆浴場及び旅館業における衛生管理等については、かねてから営業者に対する適切な指導方お願いしているところであるが、公衆浴場及び旅館業におけるレジオネラ症発生の防止対策等、一層の衛生水準の維持、確保を図るため、「公衆浴場における水質基準等に関する指針」を別添1のとおり策定するとともに、「公衆浴場における衛生等管理要領」及び「旅館業における衛生等管理要領」を別添2及び別添3のとおり全面改正したので、衛生管理の指導に当たっての指針として活用されたい。
　なお、「公衆浴場における水質等に関する基準」(昭和38年10月23日環発第477号)、「公衆浴場における衛生等管理要領」(平成3年8月15日衛指第160号) 及び「旅館業における

公衆浴場における衛生等管理要領等について

衛生等管理要領」（昭和59年8月28日衛指第24号）は廃止する。
別添1
　　　　公衆浴場における水質基準等に関する指針
第1　この指針は、公衆浴場において使用する水につき、水質の基準及び水質の検査方法を定めることを目的とする。
第2　この指針において使用する用語は、次の各号で定めるとおりとする。
　1　「原湯」とは、浴槽の湯を再利用せずに浴槽に直接注入される温水をいう。
　2　「原水」とは、原湯の原料に用いる水及び浴槽の水の温度を調整する目的で、浴槽の水を再利用せずに浴槽に直接注入される水をいう。
　3　「上がり用湯」とは、洗い場及びシャワーに備え付けられた湯栓から供給される温水をいう。
　4　「上がり用水」とは、洗い場及びシャワーに備え付けられた水栓から供給される水をいう。
　5　「浴槽水」とは、浴槽内の湯水をいう。
第3　原湯、原水、上がり用湯及び上がり用水の水質基準及びその検査方法は、次の各号に規定するとおりとする。
　　ただし、温泉水又は井戸水を使用するものであるため、この基準により難く、かつ、衛生上危害を生じるおそれがないときは、1のアからエまでの基準の一部又は全部を適用しないことができる。
　1　水質基準
　　ア　色度は、5度以下であること。
　　イ　濁度は、2度以下であること。
　　ウ　pH値は、5.8以上8.6以下であること。
　　エ　有機物（全有機炭素（TOC）の量）は3mg／L以下、又は、過マンガン酸カリウム消費量は10mg／L以下であること。
　　　（注）塩素化イソシアヌル酸又はその塩を用いて消毒している等の理由により有機物（全有機炭素（TOC）の量）の測定結果を適用することが不適切と考えられる場合は、過マンガン酸カリウム消費量の測定で、10mg／L以下であることとする。
　　オ　大腸菌は検出されないこと。
　　カ　レジオネラ属菌は、検出されないこと（10cfu／100mL未満）。
　2　検査方法
　　ア　色度、濁度、pH値、有機物（全有機炭素（TOC）の量）及び大腸菌の検査方法は、それぞれ水質基準に関する省令（平成15年厚生労働省令第101号）で定める検査方法によること。また、過マンガン酸カリウム消費量の検査方法は、同令による廃止前の水質基準に関する省令（平成4年厚生省令第69号）で定める検査方法によること。
　　　（注）大腸菌の検査方法である特定酵素基質培地法は、海水を含む試料では海洋細菌

第6編　公衆浴場

　　　により偽陽性となることがあるため、海水を含む検体で大腸菌陽性になった場合
　　　は、ダーラム管が入ったECブイヨン10mLに陽性検体100μLを接種し、44.5℃で
　　　培養してガス産生を確認する。ガス産生が認められた場合は特定酵素基質培地に
　　　よる検査結果を採用する。ガス産生が認められない場合は特定酵素基質培地によ
　　　る大腸菌陽性の結果は偽陽性と判定すること。
　　イ　レジオネラ属菌の検査方法は、ろ過濃縮法又は冷却遠心濃縮法のいずれかによ
　　　ること。また、その具体的手順は、「公衆浴場における浴槽水等のレジオネラ属菌検
　　　査方法について」（令和元年9月19日薬生衛発0919第1号厚生労働省医薬・生活衛
　　　生局生活衛生課長通知）を参照すること。
　　ウ　1年に1回以上、水質検査を行い、その結果は検査の日から3年間保管するこ
　　　と。
　　エ　検査の依頼に当たっては、精度管理を行っている検査機関に依頼することが望ま
　　　しい。
第4　浴槽水の水質基準及びその検査方法は次の各号に規定するとおりとする。
　　ただし、温泉水又は井戸水を使用するものであるため、この基準により難く、かつ、
　衛生上危害を生じるおそれがないときは、1のア及びイの基準のどちらか又は両方を適
　用しないことができる。
　1　水質基準
　　ア　濁度は、5度以下であること。
　　イ　有機物（全有機炭素（TOC）の量）は8mg／L以下、又は、過マンガン酸カリ
　　　ウム消費量は25mg／L以下であること。
　　　(注)　塩素化イソシアヌル酸又はその塩を用いて消毒している等の理由により有機物
　　　　（全有機炭素（TOC）の量）の測定結果を適用することが不適切と考えられる
　　　　場合は、過マンガン酸カリウム消費量の測定で、25mg／L以下であることとす
　　　　る。
　　ウ　大腸菌群（グラム陰性の無芽胞性の桿菌であって、乳糖を分解して、酸とガスを
　　　形成するすべての好気性又は通性嫌気性の菌をいう。）は、1個／mL以下であるこ
　　　と。
　　エ　レジオネラ属菌は、検出されないこと（10cfu/100mL未満）。
　2　検査方法
　　ア　濁度、有機物（全有機炭素（TOC）の量）、過マンガン酸カリウム消費量及び
　　　レジオネラ属菌の検査方法については、第3の検査方法によること。
　　イ　大腸菌群の検査方法
　　　　下水の水質の検定方法等に関する省令（昭和37年厚生省令・建設省令第1号）別
　　　表第1（第6条）の大腸菌群数の検定方法によること。なお、試料は希釈せずに使
　　　用すること。
　　ウ　ろ過器を使用していない浴槽水及び毎日完全に換水している浴槽水は、1年に1
　　　回以上、連日使用している浴槽水は、1年に2回以上（ただし、浴槽水の消毒が塩

素消毒でない場合には、1年に4回以上。）、水質検査を行い、その結果は検査の日から3年間保管すること。
　　エ　検査の依頼に当たっては、精度管理を行っている検査機関に依頼することが望ましい。

別添2
　　　公衆浴場における衛生等管理要領
Ⅰ　総則
第1　目的
　この要領は、公衆浴場における施設、設備、水質の衛生的管理、従業者の健康管理、その他入浴者の衛生及び風紀に必要な措置により公衆浴場における衛生等の向上及び確保を図ることを目的とする。
第2　適用の範囲及び用語の定義
1　この要領は、公衆浴場及び浴場業を営む者について適用する。
2　この要領において用いる用語は、次のとおり定義する。
　(1)　「一般公衆浴場」とは、温湯等を使用し、同時に多数人を入浴させる公衆浴場であって、その利用の目的及び形態が地域住民の日常生活において保健衛生上必要なものとして利用される入浴施設をいう。
　(2)　「その他の公衆浴場」とは、一般公衆浴場以外の公衆浴場をいい、以下に分類される。
　　1)　温湯等を使用し、同時に多数人を入浴させるものであって、保養又は休養のための施設を有するもの
　　2)　温湯等を使用し、同時に多数人を入浴させるものであって、スポーツ施設に付帯するもの
　　3)　温湯等を使用し、同時に多数人を入浴させるものであって、工場、事業場等が、その従業員の福利厚生のために設置するもの
　　4)　蒸気、熱気等を使用し、同時に多数人を入浴させることができるもの
　　5)　蒸気、熱気等を使用し、個室を設けるもの
　　6)　その他のもの
　(3)　「原湯」とは、浴槽の湯を再利用せずに浴槽に直接注入される温水をいう。
　(4)　「原水」とは、原湯の原料に用いる水及び浴槽の水の温度を調整する目的で、浴槽の水を再利用せずに浴槽に直接注入される水をいう。
　(5)　「上がり用湯」とは、洗い場及びシャワーに備え付けられた湯栓から供給される温水をいう。
　(6)　「上がり用水」とは、洗い場及びシャワーに備え付けられた水栓から供給される水をいう。
　(7)　「浴槽水」とは、浴槽内の湯水をいう。
　(8)　「飲料水」とは、水道法（昭和32年法律第177号）第3条第9項に規定する給水装置により供給される水（以下「水道水」という。）その他飲用に適する水をい

う。
- (9) 「貯湯槽」とは、原湯等を貯留する槽（タンク）をいう。
- (10) 「ろ過器」とは、浴槽水を再利用するため、浴槽水中の微細な粒子や繊維等を除去する装置をいう。
- (11) 「集毛器」とは、浴槽水を再利用するため、浴槽水に混入した毛髪や比較的大きな異物を捕集する網状の装置をいう。
- (12) 「調節箱」とは、洗い場の湯栓（カラン）やシャワーに送る湯の温度を調節するための槽（タンク）をいう。
- (13) 「循環配管」とは、湯水を浴槽とろ過器等との間で循環させるための配管をいう。
- (14) 「循環式浴槽」とは、温泉水や水道水の使用量を少なくする目的で、浴槽の湯をろ過器等を通して循環させる構造の浴槽をいう。

第3　特に留意すべき事項

　近年の入浴施設では、湯水の節約を行うため、ろ過器を中心とする設備、湯水を再利用するための貯湯槽及びそれらの設備をつなぐ配管等により、複雑な循環系を構成することが多くなっている。また、かけ流し式浴槽施設においても、施設の大型化や多様化に伴い、温泉資源や湯量の確保を目的とした貯湯槽が設置されていたり、複数の浴槽への配水のために配管が複雑になっていたりしている。加えて、湯を豊富にみせるための演出や露天風呂、気泡発生装置、ジェット噴射装置等微小な水粒を発生させる設備（以下「気泡発生装置等」という。）や打たせ湯の設置など様々な工夫により、入浴者を楽しませる設備が付帯されるようになってきた。これまでのレジオネラ症の発生事例を踏まえると、これらの設備は衛生管理を十分行うことができるよう、構造設備上の措置が必要である。

　浴槽水の微生物汚染は、入浴者の体表、土ぼこり等に存在する微生物が持ち込まれることにより発生する。さらに、それらの微生物は、常に供給される入浴者からの有機質により増殖し、ろ過器、浴槽や配管の内壁等に生物膜を形成する。しかも、その生物膜により、外界からの不利な条件（塩素剤等の殺菌剤）から保護されているため、浴槽水を消毒するだけではレジオネラ属菌等の微生物汚染を除去できない。そのため、浴槽水の消毒のみならず常にその支持体となっている生物膜の発生を防止し、生物膜の形成を認めたならば直ちにそれを除去しなければならない。ろ過器に次いで、配管は生物膜の形成場所となりやすいため、設計施工時に配管を最短にする、図面等により配管の状況を正確に把握し、既存の不要な配管を除去する等の対応が必要である。

　気泡発生装置等を設置した浴槽や打たせ湯、シャワー等は、エアロゾルを発生させ、レジオネラ属菌感染の原因ともなりやすい。連日使用している浴槽水を気泡発生装置等を設置した浴槽で使用しない、打たせ湯等には再利用された浴槽水を使用しない等、汚染された湯水によるレジオネラ属菌の感染の機会を減らさなければならない。

　新規営業開始時や休止後の再開時は、レジオネラ属菌が増殖している危険性が高いので、十分に消毒した後に営業開始、再開するよう注意すること。

Ⅱ 施設設備
第1 一般公衆浴場
 1 施設全般
  (1) 施設の周囲は、清掃及び排水が容易にできる構造であること。
  (2) ねずみ、衛生害虫等の侵入を防止するため、外部に開放する排水口、窓等に金網を設ける等必要に応じて防除設備を設けること。
  (3) 施設内の採光、照明及び換気が十分行うことができる構造設備であること。
 2 下足場
  はきものを安全に保管することができる設備を入浴者数に応じて設けること。
 3 脱衣室
  (1) 男女を区別し、その境界には隔壁を設けて、相互に、かつ、屋外から見通しのできない構造であること。
  (2) 脱衣室の床面積(洗濯機、乾燥機、自動販売機等の面積を除く。)は、男女それぞれその入浴者数に応じ、次により算出される面積以上であることが望ましいこと。
   毎時最大浴場利用人員×20／60×1.1㎡×1.5
   (注) 毎時最大浴場利用人員……おおむね、平均人員の2倍
      20……着脱衣、休憩等に要する時間(分)
      1.1㎡……入浴者1人当たりの衣服の着脱等に要する面積
      1.5……脱衣箱、通路、洗面化粧等に要する面積
  (3) 床面は、耐水性の材料を用いること。
  (4) 入浴者の衣類その他の携帯品を安全に保管できる設備を入浴者数に応じて設けること。
   なお、脱衣箱(かご)の数は、次により算出される数以上であることが望ましいこと。
   毎時最大浴場利用人員×50／60
   (注) 50……浴場利用時間(分)
  (5) 開放できる窓又は換気設備等を有すること。
  (6) 洗面設備を設けること。
  (7) 洗濯機、乾燥機、自動販売機等を設置する場合は、脱衣室の機能に支障を来さない場所とすること。
  (8) 洗濯機を設置する場合には、専用の排水口を設けること。
   なお、ドライクリーニング用洗濯機を備えないこと。
   また、乾燥機を設置する場合には、水蒸気、燃焼ガス等を屋外に排出できる構造であること。
 4 浴室
  (1) 男女を区別し、その境界には隔壁を設け、相互に、かつ、屋外から見通しのできない構造であること。

(2)　浴室の床面、周壁（床面から１ｍ以上）及び浴槽は、耐水性の材料を用いること。
(3)　浴室の床面は、流し湯が停滞しないよう適当な勾配（おおむね100分の1.5以上）を設け、かつ、隙間がなく、清掃が容易に行える構造であること。
　　また、すべりにくい材質又は構造とすることが望ましいこと。
(4)　浴室の天井は、適当な勾配を設ける等して、水滴が落下しないようにすること。
　　また、浴室には、湯気抜き、換気扇等を設けること。
(5)　洗い場の面積は、男女それぞれその入浴者数に応じ、次により算出される面積以上であることが望ましいこと。
　　毎時最大浴場利用人員×20／60×1.1㎡×1.5
　　（注）　20……洗い場使用時間（分）
　　　　　　1.1㎡……入浴者１人当たりの洗い場使用面積
　　　　　　1.5……通路等に要する面積の係数
(6)　洗い場には、入浴者数に応じた十分な数の給水（湯）栓、洗い桶及び腰掛を備えること。
　　なお、給水（湯）栓は、男女それぞれその入浴者数に応じ、次により算出される数（組）以上であることが望ましいこと。
　　毎時最大浴場利用人員×20／60
　　（注）　20……洗い場使用時間（分）
(7)　給水（湯）栓は他の組の中心点との距離がおおむね70cm以上であること。
　　なお、90cm程度の間隔が望ましいこと。
(8)　洗い場の排水溝は、危害を防止し、かつ、排水等に支障のない構造であること。
(9)　浴槽内面積の合計は、男女それぞれその入浴者数に応じ、次により算出される面積以上であることが望ましいこと。
　　毎時最大浴場利用人員×10／60×0.7㎡×1.2
　　（注）　10……浴槽使用時間（分）
　　　　　　0.7㎡……入浴者１人当たりの浴槽使用面積
　　　　　　1.2……浴槽内の踏段、注（湯水）口等に要する面積の係数
(10)　浴槽は、洗い水等の流入を防止するため上縁が洗い場の床面よりおおむね５cm以上（15cm以上が望ましいこと。）の適当な高さを有すること。
　　また、必要に応じて手すり及び内側に踏段を設ける等、高齢者、小児等に配慮したものであることが望ましいこと。
(11)　浴槽は、熱湯及び熱交換器が入浴者に直接接触しない構造であること。
　　ただし、給湯栓等により熱湯を補給する構造のものにあっては、その付近のよく見やすい場所に熱湯に注意すべき旨の表示をすること。
(12)　ろ過器を設置する場合にあっては、以下の構造設備上の措置を講じること。
　1)　ろ過器は、浴槽ごとに設置することが望ましく、１時間当たり浴槽の容量以上のろ過能力を有し、かつ、逆洗浄等の適切な方法でろ過器内のごみ、汚泥等を排

出することができる構造であるとともに、ろ過器に毛髪等が混入しないようろ過器の前に集毛器を設けること。
2) 浴槽における原水又は原湯の注入口は、循環配管に接続せず、浴槽水面上部から浴槽に落とし込む構造とすること。
3) 循環してろ過された湯水は浴槽の底部に近い部分から補給される構造とし、当該湯水の誤飲及びエアロゾルの発生を防止すること。
4) 浴槽水の消毒に用いる塩素系薬剤の注入又は投入口は、浴槽水がろ過器内に入る直前に設置されていること。
(13) 打たせ湯及びシャワーは、循環している浴槽水を用いる構造でないこと。
(14) 気泡発生装置等を設置する場合には、連日使用している浴槽水を用いる構造でないこと。また、点検、清掃及び排水が容易に行うことができ、空気取入口から土ぼこりが入らないような構造であること。
(15) 内湯と露天風呂の間は、配管等を通じて、露天風呂の湯が内湯に混じることのない構造であること。
(16) オーバーフロー水及びオーバーフロー回収槽（以下「回収槽」という。）内の水を浴用に供する構造になっていないこと。ただし、これにより難い場合には、オーバーフロー還水管を直接循環配管に接続せず、回収槽は、地下埋設を避け、内部の清掃が容易に行える位置又は構造になっているとともに、レジオネラ属菌が繁殖しないように、回収槽内の水が消毒できる設備が設けられていること。
(17) 浴槽には、入浴者が容易に見える位置に温度計を備えること。
(18) 水位計の設置は、配管内を洗浄・消毒できる構造、あるいは配管等を要しないセンサー方式であること。
(19) 配管内の浴槽水が完全に排水できるような構造とすること。
(20) 使用済みのカミソリ等を廃棄するための容器を備えること。
(21) シャワー設備を設ける場合は、適当な温度の湯を十分に供給でき、湯の温度を調節できるものであること。
また、立位で使用するシャワー設備を設ける場合は、シャワー水が浴槽及び入浴者にかからないよう、十分な距離を設け、又はカーテン等を備えること。
(22) 調節箱を設置する場合は、清掃しやすい構造とし、レジオネラ属菌が繁殖しないように、薬剤注入口を設けるなど塩素消毒等が行えるようにすること。
5 飲料水供給設備
浴室、脱衣室の入浴者の利用しやすい場所に1か所以上の飲料水を供給する設備を設けること。
6 給水、給湯設備
(1) 原水、原湯、上がり用水及び上がり用湯として使用する水の水質は、本通知の別添1「公衆浴場における水質基準等に関する指針」（平成12年12月15日生衛発第1,811号厚生省生活衛生局長通知）に適合していることを確認したものであること。

(2) 貯湯槽は、通常の使用状態において、湯の補給口、底部等に至るまで60℃以上に保ち、かつ、最大使用時においても55℃以上に保つ能力を有する加温装置を設置すること。それにより難い場合には、レジオネラ属菌が繁殖しないように貯湯槽水の消毒設備が備えられていること。貯湯槽は完全に排水できる構造とすること。
   (3) 放熱管及び給配湯は、露出せず、直接身体に接触させない設備とすること。
 7 便所
   (1) 男女それぞれの脱衣室等入浴者が利用しやすい場所にそれぞれ便所を設けること。
      また、高齢者、小児等に配慮した便器を設けることが望ましいこと。
   (2) 窓又は換気設備等を有すること。
   (3) 流水式手洗い設備が備えられていること。
 8 排水設備
   (1) 浴場の汚水を屋外の下水溝、排水ます等に遅滞なく排水できる排水溝等を設けること。
   (2) 排水溝、排水管及びこれに付属する排水ますは、コンクリート等の不浸透性材料を用い、臭気の発散、汚水の漏出を防ぐために必要な設備とすること。
   (3) 排水溝及び排水ますは、衛生害虫等が発生せず、かつ、ねずみが侵入しにくい構造であること。
 9 休息室
   必要に応じ、休息のための場所を設けること。
 10 その他の入浴設備を設ける場合
   (1) サウナ室又はサウナ設備(蒸気又は熱気のもの)を設ける場合
      1) サウナ室は、男女を区別し、床面、内壁及び天井は、耐熱性の材料を用いて築造すること。
      2) サウナ室の床面は、排水が容易に行えるようおおむね100分の1.5以上の適当な勾配を付け、隙間がなく、清掃が容易に行える構造であること。
         また、室内には、掃除の際に使用される水が完全に屋外に排出できるよう排水口を設けること。
      3) サウナ室又はサウナ設備の蒸気又は熱気の放出口、放熱パイプは、直接入浴者の身体に接触しない構造であること。
         また、入浴者が接触するおそれのあるところに金属部分がある場合は、断熱材で覆う等の安全措置を講ずること。
      4) サウナ室は、換気を適切に行うため、給気口は室内の最も低い床面に近接する適当な位置に設け、排気口は天井に近接する適当な位置に設けること。
      5) サウナ室又はサウナ設備の適温を保つため、温度調節設備を備えること。
      6) サウナ室又はサウナ設備には、サウナの利用基準温度を表示し、温度計を適当な位置に設置し、必要に応じて湿度計を設置すること。
      7) サウナ室の室内を容易に見通すことができる窓を適当な位置に設けること。

また、入浴者の安全のため、室内には、非常用ブザー等を入浴者の見やすい場所に設けること。
- (2) 露天風呂を設ける場合
  1) 4浴室(1)、(2)及び(10)～(19)に準じた構造とすること。
  2) 屋外に設けられる浴槽の浴槽内面積及び浴槽に付帯する通路等の面積は、男女それぞれその入浴者数に応じ、十分な面積であること。
  3) 屋外には洗い場を設けないこと。
  4) 浴槽に付帯する通路等には脱衣室、浴室等の屋内の保温されている部分から直接出入りできる構造であること。
- (3) 電気浴器を設ける場合
  電気浴器用電源装置は、電気用品安全法（昭和36年法律第234号）に基づき、製造・輸入されたものであること。
- 11 付帯施設
  娯楽室、マッサージ室、アスレチック室等を設ける場合は、入浴施設と明確に区分すること。

第2 その他の公衆浴場

その他の公衆浴場にあっては、上記第1を準用する。

なお、公衆浴場の利用目的、利用形態等により、これにより難い場合であって、公衆衛生上及び風紀上支障がないと認められるときは、一部適用を除外することができるものとする。

Ⅲ 衛生管理

第1 一般公衆浴場

1 施設全般の管理
  (1) 施設整備は、次表により清掃及び消毒し、清潔で衛生的に保つこと。
  なお、消毒には材質等に応じ、適切な消毒剤を用いることとし、河川及び湖沼に排水する場合には、環境保全のための必要な処理を行うこと。

場　　所	清掃及び消毒
脱衣室内の人が直接接触するところ（床、壁、脱衣箱、体重計等）	毎日清掃 1か月に1回以上消毒
浴室内の人が直接接触するところ（床、壁、洗いおけ、腰掛、シャワー用カーテン等）	毎日清掃 1か月に1回以上消毒
浴槽	毎日完全に換水して浴槽を清掃すること。ただし、これにより難い場合にあっても、1週間に1回以上完全に換水して浴槽を清掃

ろ過器及び循環配管	1週間に1回以上、ろ過器を十分に逆洗浄して汚れを排出するとともに、ろ過器及び循環配管について、適切な方法で生物膜を除去、消毒（注）※1※2 図面等により、配管の状況を正確に把握し、不要な配管を除去すること
水位計配管	少なくとも週に1回、適切な消毒方法で生物膜を除去
シャワー	少なくとも週に1回、内部の水が置き換わるように通水 シャワーヘッドとホースは6か月に1回以上点検し、内部の汚れとスケールを1年に1回以上洗浄、消毒
集毛器	毎日清掃、消毒
貯湯槽	60℃以上を保ち、最大使用時にも55℃以上とし、これにより難い場合は消毒装置を設置し、生物膜の状況を監視し、必要に応じて清掃及び消毒（注）※3 設備の破損等の確認、温度計の性能の確認を行うこと
調節箱	生物膜の状況を監視し、必要に応じて清掃及び消毒（注）※3
気泡発生装置	適宜清掃、消毒
浴室内の排水口	適宜清掃、汚水を適切に排水
空気調和装置（フィルター等）、換気扇	適宜清掃
飲用水を供給する受水槽、高置水槽	1年に1回以上清掃（注）※4
その他の給水、給湯設備	必要に応じて清掃、消毒
便所	毎日清掃し、防臭に努め、1か月に1回以上消毒
排水設備（排水溝、排水管、汚水ます、温水器（排湯熱交換器）等）	適宜清掃し、防臭に努め、常に流通を良好に保ち、1か月に1回以上消毒
その他の施設（娯楽室、マッサージ室、アスレチック室等）	毎日清掃 6か月に1回以上消毒

施設の周囲	毎日清掃

 (注)※1 消毒方法は、循環配管及び浴槽の材質、腐食状況、生物膜の状況等を考慮して適切な方法を選択すること。消毒方法の留意点は、「循環式浴槽におけるレジオネラ症防止対策マニュアルについて」（平成13年9月11日健衛発第95号厚生労働省健康局生活衛生課長通知）等を参考にすること。

  ※2 上記措置に加えて、年に1回程度は循環配管内の生物膜の状況を点検し、生物膜がある場合には、その除去を行うこと。

  ※3 作業従事者はエアロゾルを吸引しないようにマスク等を着用すること。また、貯湯槽の底部は汚れが堆積しやすく低温になりやすいので、定期的に貯湯槽の底部の滞留水を排水すること。

  ※4 貯水槽の清掃は、空気調和設備等の維持管理及び清掃等に係る技術上の基準（平成15年3月25日厚生労働省告示第119号）の第2に準じて行うこととし、専門の業者に行わせることが望ましいこと。

(2) 施設の内外におけるねずみ、衛生害虫等の生息状態について、次表により点検し、適切な防除措置を講じ、清潔で衛生的に保つこと。

場　　所	点検回数
脱衣室、浴室、便所、排水設備	1か月に1回以上
その他の設備	6か月に1回以上

2 換気、温度

 脱衣室及び浴室は、脱衣又は入浴に支障のない温度に保ち、かつ、換気を十分に行うこと。

 なお、空気中の二酸化炭素濃度は1500ppm以下、一酸化炭素濃度は10ppm以下であること。

3 採光、照明

 施設内の各場所は、十分な照度があり、おおむね次の範囲の照度であることが望ましいこと。

場　　所	照度（ルクス）	測定地点
浴室	150〜300	床面
脱衣所、便所	150〜300	床面
受付	300〜700	作業面
下足場	300〜700	床面
廊下	75〜150	床面

4　脱衣室の管理
　(1)　床面は、常に適度な乾燥が保たれていること。
　(2)　足ふきマット及びベビー用シーツは、消毒等を行ったものと適宜取り替え、衛生的に保つこと。
　　　なお、消毒には、材質等に応じ、適切な消毒剤を用いること。
　(3)　脱衣室の給水栓には、飲用適又は飲用不適の旨をその付近の見やすい場所に表示すること。
　(4)　洗濯機及び乾燥機については、利用者の見やすい場所に使用方法、禁止事項等を表示し、1か月に1回以上保守点検し、事故防止に留意すること。
　(5)　脱衣室等の入浴者の見やすい場所に、浴槽内に入る前には身体を洗うこと等、公衆衛生に害を及ぼすおそれのある行為をさせないよう注意喚起すること。
5　浴室の管理
　(1)　浴室は、湯気抜きを常に適切に行うとともに、給水（湯）栓等が、常に使用できるよう毎日保守点検すること。
　(2)　浴槽水は適温に保つこと。
　(3)　原水、原湯、上がり用水及び上がり用湯並びに浴槽水として使用する水は、「公衆浴場における水質基準等に関する指針」に適合するよう水質を管理すること。
　(4)　浴槽水は、常に満杯状態に保ち、かつ、十分にろ過した湯水又は原湯を供給することにより溢水させ、清浄に保つこと。
　(5)　浴槽水の消毒に当たっては、塩素系薬剤を使用し、浴槽水中の遊離残留塩素濃度を頻繁に測定して、通常0.4mg／L程度を保ち、かつ、遊離残留塩素濃度は最大1mg／Lを超えないよう努めること。結合塩素のモノクロラミンの場合には、3mg／L程度を保つこと。また、当該測定結果は検査の日から3年間保管すること。
　　　ただし、原水若しくは原湯の性質その他の条件により塩素系薬剤が使用できない場合、原水若しくは原湯のpHが高く塩素系薬剤の効果が減弱する場合、又はオゾン殺菌等他の消毒方法を使用する場合であって、併せて適切な衛生措置を行うのであれば、この限りではない。
　　　(注)※1　温泉水等を使用し、塩素系薬剤を使用する場合には、温泉水等に含まれる成分と塩素系薬剤との相互作用の有無などについて、事前に十分な調査を行うこと。
　　　　　※2　塩素系薬剤が使用できない場合とは、低pHの泉質のため有毒な塩素ガスを発生する場合、有機質を多く含む泉質のため消毒剤の投入が困難な場合、又は循環配管を使用しない浴槽で、浴槽の容量に比して原湯若しくは原水の流量が多く遊離残留塩素の維持が困難な場合などを指す。この場合、浴槽水を毎日完全に換水し、浴槽、ろ過器及び循環配管を十分清掃・消毒を行うこと等により、生物膜の生成を防止すること。
　　　　　※3　高pHの泉質に塩素系薬剤だけを用いて消毒をする場合には、レジオネ

ラ属菌の検査により殺菌効果を検証し、遊離残留塩素濃度を維持して接触時間を長くするか、必要に応じて遊離残留塩素濃度をやや高く設定すること（例えば0.5〜1mg／Lなど）で十分な消毒に配慮をすること。あるいは、結合塩素であるモノクロラミン消毒によること。アンモニア性窒素を含む場合や高pHの温泉浴槽水の消毒には、濃度管理が容易で、十分な消毒効果が期待できるモノクロラミン消毒がより適していること。

※4　オゾン殺菌、紫外線殺菌、銀イオン殺菌、光触媒などの消毒方法を採用する場合には、塩素消毒を併用する等適切な衛生措置を行うこと。また、オゾン殺菌等塩素消毒以外の消毒方法を用いる場合には、レジオネラ属菌の検査を行い、あらかじめ検証しておくこと。

※5　オゾン殺菌による場合は、高濃度のオゾンが人体に有害であるため、活性炭による廃オゾンの処理を行うなど、浴槽水中にオゾンを含んだ気泡が存在しないようにすること。

※6　紫外線殺菌による場合は、透過率、浴槽水の温度、照射比等を考慮して、十分な照射量であること。また、紫外線はランプのガラス管が汚れると効力が落ちるため、常時ガラス面の清浄を保つよう管理すること。

(6)　循環式浴槽の浴槽水を塩素系薬剤によって消毒する場合は、当該薬剤はろ過器の直前に投入すること。

(7)　消毒装置の維持管理を適切に行うこと。

　　（注）※1　薬液タンクの薬剤の量を確認し、補給を怠らないようにすること。

　　　　　※2　注入弁のノズルが詰まっていたり、空気をかんだりして送液が停止していないか等、送液ポンプが正常に作動し薬液の注入が行われていることを毎日確認すること。

　　　　　※3　注入弁は定期的に清掃を行い、目詰まりを起こさないようにすること。

(8)　オーバーフロー水及び回収槽の水を浴用に供しないこと。ただし、これにより難い場合にあっては、オーバーフロー還水管及び回収槽の内部の清掃及び消毒を頻繁に行うとともに、レジオネラ属菌が繁殖しないように、別途、回収槽の水を塩素系薬剤等で消毒すること。

(9)　浴槽に気泡発生装置等を設置している場合は、連日使用している浴槽水を使用しないこと。気泡発生装置等の内部に生物膜が形成されないように適切に管理すること。

(10)　打たせ湯及びシャワーには、循環している浴槽水を使用しないこと。

(11)　浴槽に湯水がある時は、ろ過器及び消毒装置を常に作動させること。

(12)　その他、「循環式浴槽におけるレジオネラ症防止対策マニュアルについて」等を参考にして、適切に管理すること。

6　飲用水供給設備の管理
(1) 飲用水を供給する設備については、飲用適の旨をその付近の見やすい場所に表示すること。
(2) 水道法の適用を受けない飲用水及び水道事業の用に供する水道から供給を受ける水のみを水源とする受水槽(以下、「小規模受水槽」)から供給を受ける飲用水について、次の表による水質検査を水質基準に関する省令(平成15年厚生労働省令第101号)の基準に従い行い、その結果を検査の日から3年間保管するとともに、基準を超える汚染が判明した場合は、保健所に通報し、その指示に従うこと。また、これら飲用水の消毒は、遊離残留塩素が0.1mg／L以上になるように管理すること。

ただし、温泉法(昭和23年法律第125号)に基づき、都道府県知事が飲用の許可を与えている温泉については、適用しない。
(水道法の適用を受けない飲用水)

検査対象	検査回数
色、濁り、臭い、味	1日に1回以上
水質基準に関する省令(平成15年厚生労働省令第101号)の表の上欄に掲げる事項のうち、一般細菌、大腸菌、亜硝酸態窒素、硝酸態窒素及び亜硝酸態窒素、塩化物イオン、有機物(全有機炭素(TOC)の量)、pH値、味、臭気、色度及び濁度並びにトリクロロエチレン及びテトラクロロエチレン等に代表される有機溶剤、その他の水質基準項目のうち周辺の水質検査結果等から判断して必要となる事項	1年に1回以上

(注) 飲用水に異常を認めたときは、臨時に水道法第4条に係る検査項目のうち、必要な検査を行うこと。

(小規模受水槽)

検査対象	検査回数
色、濁り、臭い、味	1日に1回以上

(注) 飲用水に異常を認めたときは、臨時に水道法第4条に係る検査項目のうち、必要な検査を行うこと。

7　給水、給湯設備の管理
(1) 貯湯槽の温度を、通常の使用状態において湯の補給口、底部等に至るまで60℃以上に保ち、かつ、最大使用時においても55℃以上に保つようにすること。ただし、これにより難い場合には、レジオネラ属菌が繁殖しないように貯湯槽内の湯水の消毒を行うこと。貯湯槽は完全に排水できる構造とすること。
(2) 給水、給湯設備は、1年に1回以上保守点検し、必要に応じて被覆その他の補修

等を行うこと。
　また、小規模受水槽については、簡易専用水道に準じて管理状況について保健所等の検査を受けることが望ましいこと。
8　その他の設備の管理
　(1)　サウナ室又はサウナ設備（蒸気又は熱気のもの）を設ける場合
　　1)　毎日清掃・洗浄し、1か月に1回以上消毒及びねずみ、衛生害虫等の点検を行うとともに、必要に応じて防除措置を講じ、清潔で衛生的に保つこと。
　　2)　換気を十分に行うこと。
　　3)　見やすい場所に入浴上の注意を掲示し、使用中は、入浴者の安全に注意すること。
　　4)　1か月に1回以上保守点検するとともに、室内の温度及び湿度について定期的に測定し、その記録を作成し、これを3年以上保存すること。
　(2)　露天風呂を設ける場合
　　1)　浴槽に付帯する通路等は毎日清掃し、1か月に1回以上消毒及びねずみ、衛生害虫等の点検を行うとともに、必要に応じて防除措置を講じ、清潔で衛生的に保つこと。
　　2)　浴槽及び浴槽に付帯する通路等は、十分に照度があること。
　　3)　露天風呂の周囲に植栽がある場合は、浴槽に土が入り込まないよう注意すること。
　　4)　その他、5浴室の管理(2)〜(12)に準じて適切に管理すること。
　(3)　電気浴器を設ける場合
　　1)　1か月に1回以上保守点検するとともに、絶縁抵抗、接地抵抗等について定期的に検査を受け、その記録を作成し、これを3年以上保存すること。
　　2)　見やすい場所に入浴上の注意を掲示し、使用中は、入浴者の安全に注意すること。
9　入浴者に対する制限
　(1)　おおむね7歳以上の男女を混浴させないこと。
　(2)　入浴を通じて人から人に感染させるおそれのある感染症にかかっている者、下痢症状のある者及び泥酔者等で他の入浴者の入浴に支障を与えるおそれのある者を入浴させないこと。
　(3)　浴槽に入る前に石ケン等を用いて身体をよく洗うとともに、出る際にもシャワー等で身体を洗い流すよう入浴者の衛生上の注意を喚起すること。
　(4)　浴槽内で身体を洗うこと、浴室で洗濯をすること等、公衆衛生に害を及ぼすおそれのある行為をさせないこと。
10　従業者の衛生管理
　(1)　衣服は、常に清潔に保つこと。
　(2)　感染症の予防及び感染症の患者に対する医療に関する法律（平成10年法律第114号）により就業が制限される感染症にかかっている者又はその疑いのある者は、当

該感染症をまん延させるおそれがなくなるまでの期間業務に従事させないこと。
(3) 従業者は、1年に1回以上健康診断を受けることが望ましいこと。
11 その他
(1) 脱衣室等の入浴者の見やすい場所に、浴槽内に入る前には身体を洗うこと等、公衆衛生に害を及ぼすおそれのある行為をさせないよう注意喚起する他、入浴料金、営業時間、入浴者の心得、その他必要な事項を掲示すること。
(2) 入浴施設内において、物品販売等を行う場合には、相互汚染のないよう衛生的に保つこと。
(3) 入浴者の衣類、貴重品等の盗難防止を図ること。
(4) 入浴者にタオルを貸与する場合は、新しいもの、又は消毒したもの(「クリーニング所における衛生管理要領について」(昭和57年3月31日環指第48号厚生省環境衛生局長通知)第4 消毒に規定される消毒方法及び消毒効果を有する洗濯方法に従って処理されたもの)とすること。
(5) 入浴者に、くし、ヘアブラシを貸与する場合は、新しいもの、又は消毒したもの(材質等に応じ、逆性石ケン液、紫外線消毒器等を使用して処理されたもの。)とすること。
(6) 入浴者にカミソリを貸与する場合は、新しいもののみとすること。
(7) 使用済みのカミソリを放置させないこと。
(8) 入浴者に洗面道具を保管する箱を貸与するときは、不衛生にならないよう注意させるとともに、定期的に当該箱内を清掃及び消毒すること。
(9) 善良な風俗の保持に努めなければならないこと。

第2 その他の公衆浴場
その他の公衆浴場にあっては、上記第1を準用する。
なお、公衆浴場の利用目的利用形態等により、これにより難い場合であって、公衆衛生上及び風紀上支障がないと認められるときは、一部適用を除外することができるものとする。

IV 自主管理体制
1 営業者は、本要領に基づき、自主管理マニュアル及びその点検表を作成し、従業者に周知徹底すること。
2 営業者は、自主管理を効果的に行うため、自らが責任者となり又は従業者のうちから責任者を定めること。
3 責任者は、責任をもって衛生等の管理に努めること。
4 施設利用者中にレジオネラ症又はその疑いのある患者が発生した場合は、次の点に注意し、直ちに保健所に通報し、その指示に従うこと。
(1) 浴槽、ろ過器等施設の現状を保持すること。
(2) 浴槽の使用を中止すること。
(3) 独自の判断で浴槽内等への消毒剤の投入を行わないこと。
(注) 浴槽内等に消毒剤が投入されると生きたレジオネラ属菌の検出は困難となる

が、遺伝子を検出することは可能である。

別添3
　　　　旅館業における衛生等管理要領
Ⅰ　総則
第1　目的
　この要領は、旅館業における施設、設備、器具等の衛生的管理、寝具等の衛生的取扱い、従業者の健康管理等の措置により、旅館業に関する衛生の向上及び確保を図り、併せて善良の風俗を保持することを目的とする。
第2　適用の範囲及び用語の定義
1　この要領は、旅館業及びその営業者について適用する。
2　この要領において用いる用語は、次のとおり定義する。
　(1)　「旅館業」とは、宿泊料を受けて、人を宿泊させる営業であって、旅館・ホテル営業、簡易宿所営業及び下宿営業をいう。
　　1)　「旅館・ホテル営業」とは、施設を設け、宿泊料を受けて、人を宿泊させる営業で、簡易宿所営業及び下宿営業以外の営業をいう。
　　2)　「簡易宿所営業」とは、宿泊する場所（客室）を、多数で共用する構造及び設備を有する施設を設けて行う営業をいう。
　　3)　「下宿営業」とは、施設を設け、1月以上の期間を単位とする宿泊料を受けて、人を宿泊させる営業をいう。
　(2)　「宿泊」とは、宿泊時間の長短にかかわらず寝具を使用して前各項の施設を利用することをいう。
　(3)　「玄関帳場」又は「フロント」とは、旅館又はホテルの玄関に付設された会計帳簿等を記載する等のための設備をいう。
　(4)　「寝具」とは、寝台（木等による枠組構造のものをいう。）、敷布団、掛け布団、毛布、敷布又はシーツ、枕、カバー（包布等）、寝衣（浴衣を含む。）等仮眠若しくは睡眠又はこれらに類似する行為において使用されるものをいう。
　(5)　「宴会場」又は「ホール」とは、施設内において飲食、宴会等に興を添える形態で音楽、演芸、ショー等の興行行為ができるよう舞台又はその他の設備を有する室又は場所をいう。
　(6)　「ロビー」とは、玄関帳場又はフロントに付属する場所で、待合わせ又は談話ができるよういす、テーブル等を有する室又は場所をいう。
　(7)　「客室」とは、睡眠、休憩等宿泊者が利用し得る場所（客室に付属する浴室、便所、洗面所、板間、踏込み等であって、床の間、押入れ、共通の廊下及びこれに類する場所を除く。）をいう。
　　　なお、その床面積は、壁、柱等の内側で測定する方法（いわゆる内法）によって測定する。
　(8)　「配膳室」とは、食べられる状態になった調理食品を食堂、宴会場その他飲食に供するところへ配膳するため一時的に保管する室又は場所をいう。

(9) 「洗濯室」とは、洗濯機、脱水機等が配置され、専ら洗濯が行われる室又は場所をいう。
(10) 「浴室」とは、浴槽等入浴設備を有する室又は場所をいう。
(11) 「脱衣場」とは、浴室に付属し、入浴者が衣類の着脱を行う室又は場所をいう。
(12) 「原湯」とは、浴槽の湯を再利用せずに浴槽に直接注入される温水をいう。
(13) 「原水」とは、原湯の原料に用いる水及び浴槽の水の温度を調整する目的で、浴槽の水を再利用せずに浴槽に直接注入される水をいう。
(14) 「上がり用湯」とは、洗い場及びシャワーに備え付けられた湯栓から供給される温水をいう。
(15) 「上がり用水」とは、洗い場及びシャワーに備え付けられた水栓から供給される水をいう。
(16) 「浴槽水」とは、浴槽内の湯水をいう。
(17) 「飲料水」とは、水道法(昭和32年法律第177号)第3条第9項に規定する給水装置により供給される水(以下「水道水」という。)その他飲用に適する水をいう。
(18) 「貯湯槽」とは、原湯等を貯留する槽(タンク)をいう。
(19) 「ろ過器」とは、浴槽水を再利用するため、浴槽水中の微細な粒子や繊維等を除去する装置をいう。
(20) 「集毛器」とは、浴槽水を再利用するため、浴槽水に混入した毛髪や比較的大きな異物を捕集する網状の装置をいう。
(21) 「調節箱」とは、洗い場の湯栓(カラン)やシャワーに送る湯の温度を調節するための槽(タンク)をいう。
(22) 「循環配管」とは、湯水を浴槽とろ過器等との間で循環させるための配管をいう。
(23) 「循環式浴槽」とは、温泉水や水道水の使用量を少なくする目的で、浴槽の湯をろ過器等を通して循環させる構造の浴槽をいう。
(24) 「特定感染症」とは、次に掲げる感染症をいう。
  1) 感染症の予防及び感染症の患者に対する医療に関する法律(平成10年法律第114号。以下「感染症法」という。)第6条第2項に規定する1類感染症(以下単に「1類感染症」という。)
  2) 感染症法第6条第3項に規定する2類感染症(以下単に「2類感染症」という。)
  3) 感染症法第6条第7項に規定する新型インフルエンザ等感染症(以下単に「新型インフルエンザ等感染症」という。)
  4) 感染症法第6条第8項に規定する指定感染症であって、感染症法第44条の9第1項の規定に基づく政令によって感染症法第19条若しくは第20条又は第44条の3第2項の規定を準用するもの(以下単に「指定感染症」という。)
  5) 感染症法第6条第9項に規定する新感染症(以下単に「新感染症」という。)

⑵5 「特定感染症の患者等」とは、特定感染症（新感染症を除く。）の患者、1類感染症、2類感染症、新型インフルエンザ等感染症又は指定感染症の患者とみなされる者及び新感染症の所見がある者をいい、宿泊することにより旅館業の施設において特定感染症をまん延させるおそれがほとんどないものとして旅館業法施行規則第5条の4で定める者を除く。

第3 特に留意すべき事項

近年の入浴施設では、湯水の節約を行うため、ろ過器を中心とする設備、湯水を再利用するための貯湯槽及びそれらの設備をつなぐ配管等により、複雑な循環系を構成することが多くなっている。また、かけ流し式浴槽施設においても、施設の大型化や多様化に伴い、温泉資源や湯量の確保を目的とした貯湯槽が設置されていたり、複数の浴槽への配水のために配管が複雑になっていたりしている。加えて、湯を豊富にみせるための演出や露天風呂、気泡発生装置、ジェット噴射装置等微小な水粒を発生させる設備（以下「気泡発生装置等」という。）や打たせ湯の設置など様々な工夫により、入浴者を楽しませる設備が付帯されるようになってきた。これまでのレジオネラ症の発生事例を踏まえると、これらの設備は衛生管理を十分行うことができるよう、構造設備上の措置が必要である。

浴槽水の微生物汚染は、入浴者の体表、土ぼこり等に存在する微生物が持ち込まれることにより発生する。さらに、それらの微生物は、常に供給される入浴者からの有機質により増殖し、ろ過器、浴槽や配管の内壁等に生物膜を形成する。しかも、その生物膜により、外界からの不利な条件（塩素剤等の殺菌剤）から保護されているため、浴槽水を消毒するだけではレジオネラ属菌等の微生物汚染を除去できない。そのため、浴槽水の消毒のみならず常にその支持体となっている生物膜の発生を防止し、生物膜の形成を認めたならば直ちにそれを除去しなければならない。ろ過器に次いで、配管は生物膜の形成場所となりやすいため、設計施工時に配管を最短にする、図面等により配管の状況を正確に把握し、既存の不要な配管を除去する等の対応が必要である。

気泡発生装置等を設置した浴槽や打たせ湯、シャワー等は、エアロゾルを発生させ、レジオネラ属菌感染の原因ともなりやすい。連日使用している浴槽水を気泡発生装置等を設置した浴槽で使用しない、打たせ湯等には再利用された浴槽水を使用しない等、汚染された湯水によるレジオネラ属菌の感染の機会を減らさなければならない。

新規営業開始時や休止後の再開時は、レジオネラ属菌が増殖している危険性が高いので、十分に消毒した後に営業開始、再開するよう注意すること。

第4 関係法令の遵守

旅館業における施設、設備等の管理等については、旅館業法（昭和23年法律第138号）、旅館業法施行令（昭和32年政令第152号）やこの要領によることとするほか、建築基準法（昭和25年法律第201号）、消防法（昭和23年法律第186号）その他各種関係法令の遵守が必要である。

Ⅱ 施設設備

第1 旅館・ホテル営業の施設設備の基準

第6編　公衆浴場

（施設の周囲）
1　施設の周囲は、排水及び清掃が容易にできる構造であること。
（施設一般）
2　施設の外壁、屋根、広告物、外観等は、立地場所における周囲の善良の風俗を害することがないよう意匠が著しく奇異でなく、かつ、周囲の環境の調和する構造設備であること。
3　施設は、排水が極めて悪い場所、不潔な場所等衛生上不適当な場所に設けないこと。
　　ただし、衛生上支障がないよう適当な措置が講じられているものは、この限りでないこと。
4　施設は、ねずみの侵入を防止するため外部に開放する排水口、吸排気口等に金網を設けるなど必要に応じて適当な防除設備を有すること。
5　施設の外部に開放される窓等には、金網等を設けるなど衛生害虫の侵入及び防止を図るための有効な防除設備を有すること。
6　施設は、適当な防湿及び排水の設備を有すること。
7　高齢者、障害者等の移動等の円滑化の促進に関する法律（平成18年法律第91号）において、ホテルや旅館は特別特定建築物と位置付けられており、一定規模以上の特別特定建築物の建築等を行う場合には、建築物移動等円滑化基準への適合が義務づけられているほか、一定規模未満の特別特定建築物の建築等を行う場合や、既に建築されている特別特定建築物については、建築物移動等円滑化基準への適合に向けた措置が努力義務となっており、これらを踏まえた対応を行うこと。
（玄関帳場又はフロント）
8　善良風俗の保持上、宿泊しようとする者との面接に適し、次の(1)～(4)までの要件を満たす構造設備の玄関帳場又はフロントを有すること。ただし、(5)の要件を満たす場合は、玄関帳場又はフロントに代替する機能を有する設備を備えているものとして、玄関帳場又はフロントを設置しないことができること。
　(1)　玄関帳場又はフロントは、玄関から容易に見えるよう宿泊者が通過する場所に位置し、囲い等により宿泊者の出入りを容易に見ることができない構造設備でないこと。
　(2)　玄関帳場又はフロントは、事務をとるのに適した広さを有し、相対する宿泊者と従事者が直接面接できる構造であること。
　(3)　旅館・ホテル営業においては、玄関帳場に類する設備として従業者が常時待機し、来客の都度、玄関に出て客に応対する構造の部屋を玄関に付設することができること。
　(4)　モーテル等特定の用途を有する施設においては、玄関帳場又はフロントとして、施設への入口、又は宿泊しようとする者が当該施設を利用しようとするときに必ず通過する通路に面して、その者との面接に適する規模と構造を有する設備（例えば管理棟）を設けることができること。

(5) 次の全ての要件を満たし、宿泊者の安全や利便性の確保ができていること。
 1) 事故が発生したときその他の緊急時における迅速な対応のための体制が整備されていること。緊急時に対応できる体制については、宿泊者の緊急を要する状況に対し、その求めに応じて、通常おおむね10分程度で職員等が駆けつけることができる体制を想定しているものであること。
 2) 営業者自らが設置したビデオカメラ等により、宿泊者の本人確認や出入りの状況の確認を常時鮮明な画像により実施すること。
 3) 鍵の受渡しを適切に行うこと。

（ロビー）
9 ロビーを設ける場合は、ロビーは、宿泊者の需要を満たすことができるよう収容定員及び利用の実態を勘案し、適当な広さを有し、くず箱、灰皿等の喫煙設備を備え、又は専用の喫煙場所を設け、かつ、清掃が容易に行える構造であること。この場合、喫煙場所は、床面を難燃性を有する材料で築造するなど適切な不燃措置を講じ、かつ、汚染空気を直接施設外に排出できる局所排気装置を備え付けている構造設備であること。

（廊下、階段）
10 廊下、階段（踊り場を含む。以下同じ。）は、適当な幅、高さ及び踏面を有し、清掃が容易に行える構造であること。
 また、階段には、高齢者等の安全確保のため必要に応じ手すり等の設備を設けることが望ましいこと。

（客室）
11 客室は、次の要件を満たす構造設備であること。
 (1) 客室の床面積は、7㎡（寝台を置く客室にあっては9㎡）以上であること。
 (2) 収容定員に応じて十分な広さを有し、清掃が容易に行える構造であること。
 (3) 客室の前面に空地があるなど衛生上支障がない場合を除き、客室は、地階に設けてはならないこと。
 また、窓のない客室は、設けないこと。

（浴室）
12 浴室の構造設備は、次の(1)～(5)までの要件を満たすものであること。ただし、(6)の要件を満たす場合は、宿泊者の需要を満たすことができる適当な規模の入浴設備を必ずしも有する必要のないこと。
 (1) 浴室（脱衣場を含む。）の内部が当該浴室の外から容易に見えるような性的好奇心をそそる構造であってはならないこと。
 (2) 清潔で衛生上支障のないよう清掃が容易に行える構造であること。
 (3) 共同浴室を設ける場合は、原則として男女別に分け、各1か所以上のものを有すること。
 (4) 浴槽及び洗い場は、次の構造設備であること。
  1) 浴槽及び洗い場には、排水に支障が生じないよう適切な大きさの排水口を適当

な位置に設けること。
2) 共同浴室に設ける場合は、次に掲げるところによること。
　a　必要に応じて手すり及び内側に踏段を設ける等、高齢者、子ども等に配慮したものであることが望ましいこと。
　b　浴槽内面積は、収容定員に応じて適当な広さを有すること。
　c　浴槽には、入浴者が容易に見える位置に浴槽ごとに1個以上の隔測温度計を備え、常に清浄な湯及び水を供給することができる設備を有すること。
　d　浴槽は、熱湯が入浴者に直接接触しない構造であること。
　　　ただし、給湯栓等により熱湯を補給する構造のものにあっては、その付近のよく見やすい場所に熱湯に注意すべき旨の表示をすること。
　e　洗い場の面積は、収容定員に応じて適当な広さを有すること。
　f　入浴者の利用しやすい場所に、飲料水を供給する設備を設置すること。
　g　ろ過器を設置する場合にあっては、以下の構造設備上の措置を講ずること。
　　①　ろ過器は、浴槽ごとに設置することが望ましく、1時間当たり浴槽の容量以上のろ過能力を有し、かつ、逆洗浄等の適切な方法でろ過器内のごみ、汚泥等を排出することができる構造であるとともに、ろ過器に毛髪等が混入しないようろ過器の前に集毛器を設けること。
　　②　浴槽における原水又は原湯の注入口は、循環配管に接続せず、浴槽水面上部から浴槽に落とし込む構造とすること。
　　③　循環してろ過された湯水は浴槽の底部に近い部分で補給される構造とし、当該湯水の誤飲及びエアロゾルの発生を防止すること。
　　④　浴槽水の消毒に用いる塩素系薬剤の注入又は投入口は、浴槽水がろ過器内に入る直前に設置されていること。
　h　打たせ湯及びシャワーは、循環している浴槽水を用いる構造でないこと。
　i　気泡発生装置等を設置する場合には、連日使用している浴槽水を用いる構造でないこと。また、点検、清掃及び排水が容易に行うことができ、空気取入口から土ぼこりや浴槽水等が入らないような構造であること。
　j　内湯と露天風呂の間は、配管等を通じて、露天風呂の湯が内湯に混じることのない構造であること。
　k　オーバーフロー水及びオーバーフロー回収槽（以下「回収槽」という。）内の水を浴用に供する構造になっていないこと。ただし、これにより難い場合には、オーバーフロー還水管を直接循環配管に接続せず、回収槽は、地下埋設を避け、内部の清掃が容易に行える位置又は構造になっているとともに、レジオネラ属菌が繁殖しないように、回収槽内の水が消毒できる設備が設けられていること。
　l　水位計の設置は、配管内を洗浄・消毒できる構造、あるいは配管等を要しないセンサー方式であること。
　m　配管内の浴槽水が完全に排水できるような構造とすること。

　　　　　　　　　　　　　　　　　　　　公衆浴場における衛生等管理要領等について

　　　　n　調節箱を設置する場合は、清掃しやすい構造とし、レジオネラ属菌が繁殖しないように、薬剤注入口を設けるなど塩素消毒等が行えるようにすること。
　(5)　サウナ室又はサウナ設備を設ける場合は、上記(3)のほか次に掲げるところによること。
　　1)　室又は設備の内外にサウナの利用基準温度及び湿度を表示し、温度計及び湿度計を内部の容易に見える適当な位置に備え付けること。
　　2)　室内又は設備内は、換気を適切に行うため、排気口は、適当な位置に設けること。
　　3)　室内又は設備内を容易に見通すことができる窓を適当な位置に設けること。
　　4)　室内及び設備内に放熱パイプを備え付ける場合は、これが直接身体に接触しない構造であること。
　　5)　火気や、営業中利用者の健康に異常が生じた場合など危害の発生に適切に対処し、又はこれら異常な事態が生じないよう入浴上の注意に係る表示をよく見える場所に掲示すること。
　(6)　施設に近接して公衆浴場がある等入浴に支障を来さないと認められること。
(入浴用給湯・給水設備)
13　入浴用給湯・給水設備は次の要件を十分に満たしていること。
　(1)　原水、原湯、上がり用水及び上がり用湯として使用する水の水質は、本通知の別添1「公衆浴場における水質基準等に関する指針」(平成12年12月15日生衛発第1,811号厚生省生活衛生局長通知)に適合していることを確認したものであること。
　(2)　貯湯槽は、通常の使用状態において、湯の補給口、底部等に至るまで60℃以上に保ち、かつ、最大使用時においても55℃以上に保つ能力を有する加温装置を設置すること。それにより難い場合には、レジオネラ属菌が繁殖しないように貯湯槽水の消毒設備が備えられていること。貯湯槽は完全に排水できる構造とすること。
　(3)　放熱管及び給配湯は、露出せず、直接身体に接触させない設備とすること。
(脱衣場)
14　脱衣場を設ける場合は、収容定員に応じて十分な広さを有し、入浴者の需要を満たすことができるよう適当な数の洗面設備(脱衣場に隣接するものを含む。)及び衣類を収納する保管設備を有すること。
　　なお、共同浴室にあっては、脱衣場を付設すること。
(洗面所)
15　洗面所は、宿泊者の需要を満たすことができるよう適当な規模を有し、次の要件を満たす構造設備であること。
　(1)　洗面所は、宿泊者の利用しやすい位置に設け、十分な広さを有していること。
　(2)　共同洗面所を設ける場合、その洗面設備の給水栓は、適当な数を有すること。
　(3)　共同洗面所に共同洗面設備(2給水栓以上を隣接して設け、ひとつの受水槽を共用するものをいう。)を設ける場合は、給水栓の間が適当な間隔を有しているこ

(便所)
16 便所は、次の要件を満たす構造設備であること。
 (1) 手洗設備は、上記の15(洗面所)に係る基準に準じて設けること。
 (2) 便所は、宿泊者等の利用しやすい位置に設け、適当な数を有すること。
     なお、共同便所を設ける場合は、男子用、女子用の別に分けて、適当な数を備え付けること。
 (3) 便所を付設していない客室を有する階には、共同便所を設けること。この場合、調理室及び配膳室から適当な距離を有していること。
 (4) 車いす用の便所を設ける場合は、車いすの移動に支障が生じないよう十分な広さを有すること。
 (5) 便所は、悪臭を排除するため適当な換気設備を備え付けること。
 (6) 便所の清掃用具はその他の清掃用具と共用しないこと。
(調理室)
17 調理室を設ける場合は、宿泊者の食事の需要を満たすことができるよう十分な広さを有し、構造設備については、食品衛生法(昭和22年法律第233号)第51条の規定に基づき都道府県知事等が定める飲食店営業の施設基準に適合するものであること。
 また、その他同法に基づく指導に従い、良好な構造設備にすること。
 なお、共同自炊用の調理室を設ける場合は、宿泊者の自炊の需要を満たすことができるよう十分な広さを有し、適当な調理設備を備え付けていること。
(配膳用リフト及びコンテナ)
18 配膳用リフト及びコンテナを置く場合、これらは、耐久性及び不浸透性を有する材料で作られ、食品等の出し入れ及び清掃が容易に行える構造であること。
(配膳室)
19 配膳室を設ける場合は、次の要件を満たす構造設備であること。
 (1) 配膳室は、配膳に支障が生じないよう十分な広さを有し、その他の場所とは明らかに区分すること。
 (2) 配膳室には、配膳数量に応じ十分な大きさを有し、清掃及び食品等の出入れが容易にできる保管設備及び配膳台を置くこと。
 (3) 配膳室内の見やすい位置に温度計及び湿度計を備え付けること。
(食堂等)
20 食堂、宴会場又はホールその他飲食に用いる室を設ける場合は、次の要件を満たす構造設備であること。
 (1) 宿泊者等の食事の需要を満たすことができるよう適当な広さを有すること。
 (2) 室内には、宿泊者等が容易に見やすい位置に温度計及び湿度計を備え付けること。
(洗濯室)
21 洗濯室を設ける場合は、洗濯物の量に応じ、これを適切に処理することができるよ

う適当な広さ及び洗濯設備を有し、その他の構造設備については、「クリーニング所における衛生管理要領について」（昭和57年3月31日環指第48号厚生省環境衛生局長通知）に準ずるものとすること。
（プール）
22　プールを設ける場合は、地方公共団体が定める条例等により設けることとする。定めがない場合は、「遊泳用プールの衛生基準について」（平成19年5月28日健発第0528003号厚生労働省健康局長通知）を参照して設けることが望ましいこと。
（給水設備）
23　給水設備は、次の要件を満たす構造設備であること。
  (1)　飲料水を衛生的で十分に供給し得る設備を適切に配置すること。
　　　なお、水道水以外の井戸水又は自家用水道を飲用に供する場合にあっては、殺菌装置及び浄水装置を備え付けること。
  (2)　雑用水を供給する設備を設ける場合は、飲料水との誤飲を避けるためその旨の表示を当該設備の周囲の容易に見えるところに掲示すること。
  (3)　埋没式（地面に埋めるものをいう。）の受水槽にあっては、雨水等による冠水を防止するためマンホールは、防水型とし、その開口部は、適当な立ち上げを有すること（10cm以上の高さを有することが望ましいこと。）。
  (4)　受水槽、高置水槽等の貯水槽は、不浸透性の材料を用い、密閉構造とし、そのマンホールは、密閉及び施錠することができ、通気管、オーバーフロー管、ドレーン管は、害虫を防除できる構造であること。
  (5)　受水槽及び高置水槽等の貯水槽の内部及び周辺は、清掃及び消毒が容易に行える構造であること。
  (6)　井戸水を飲料水として使用する場合、浅井戸にあっては、便所、汚水溜等不潔な場所から20m以上の距離を有して位置し、その他の井戸は、少なくとも5m以上の距離を有して位置すること。
（し尿及び排水処理設備）
24　し尿及び排水処理設備は、衛生害虫等の発生を防除し、かつ、し尿及び排水を適正に処理できる性能を有する構造設備であること。
（廃棄物集積場等）
25　施設には、不浸透性の材料で作られ、かつ、汚液（汚水を含む。）、ごみ等が飛散流出しない構造のごみ箱を、必要に応じて十分な数を適当な位置に置くこと。
　また、廃棄物の量が著しく多い大規模な施設にあっては、不浸透性の材料で作り、かつ、給水栓を設ける等清掃が容易にできる構造の専用の廃棄物の集積場又は処理設備を適当な位置に設けること。
（ガス設備）
26　ガス設備を設ける場合は、次の要件を満たす構造設備であること。
  (1)　ガス設備は、腐蝕しにくい適当な材料で作られ、かつ、有害であるガスを漏出しないよう次に掲げるところによるものであること。

1) 調理室のガス設備は、その他の場所のガス供給系統と区別するなど専用の構造であること。
2) 客室、食堂、宴会場又はホールその他飲食に用いる室に備え付けるガス設備には、専用の元栓があり、その接続部は容易に取り外しができない構造であること。
3) ガスが流通する管は、堅固な材料で作るなどガスの流通が容易に中断されないよう適切な構造であること。
(2) 客室、食堂、宴会場又はホールその他飲食に用いる室にガス設備を備え付ける場合は、室内の客の見やすい位置にガス栓の所在場所、ガス元栓の開閉時間、ガスの使用方法等についての注意の表示等を掲示すること。

(採光・照明設備)
27 施設には、適当な採光及び照明の設備を有し、次の要件を十分に満たすものであること。
(1) 客室は、窓等により自然光線が十分に採光できる構造とすること。
(2) 照明設備は、施設内のそれぞれの場所で宿泊者の安全衛生上又は業務上の必要な照度を満たすものとすること。

(換気関係設備)
28 施設は、外気に面して開放することのできる換気口を設けるなど自然換気設備により衛生的な空気環境を十分に確保するか、又は内部の汚染空気の排除、温度、湿度の調整等を行うため適当な機械換気設備(空気を浄化し、その流量を調節して供給(排出を含む。)をすることができる設備をいう。)若しくは空気調和設備(空気を浄化し、その温度、湿度及び流量を調節して供給(排出を含む。)をすることができる設備をいう。)を有し、次の要件を十分に満たすものであること。
(1) 機械換気設備及び空気調和設備は、次の要件を満たす構造設備であること。
1) 外気取入口は、汚染された空気を取り入れることがないように適当な位置に設けること。
2) 外気の清浄度が不十分なときは、空気を浄化する適当な設備を設けること。
3) 給気口は、内部に取り入れられた空気の分布を均等にし、かつ、局部的に空気の流れが停滞しないよう良好な気流分布を得るため適当な吹出性能のものを、また排気を効果的にできる適当な吸引性能のものを、適当な位置に設けること。
4) 送風機(給気用・排気用)は、風道その他の抵抗及び外風圧に対して、安定した所定の風量が得られる機能を有すること。
5) 風道は、漏れが少ない気密性の高い構造であること。
また、風道の材料は、容易に劣化し、又は吸気を汚染するおそれのないものであること。
6) 送風機、風道の要所、給気口、排気口その他機械換気設備の重要な部分は、保守点検、整備が容易にできる構造であること。
7) 給気口及び排気口(排気筒の頂部を含む。)には、雨水又は昆虫、鳥、ほこり

その他衛生上有害なものの侵入を防止するための設備を備え付けること。
(2) 空気調和設備を設けているところは、客室、廊下等の適当な位置に容易に見えるよう温度計及び湿度計を備え付けること。

(暖房設備)
29 客室に暖房設備を設ける場合は、密閉式の暖房設備(直接屋外から空気を取り入れ、かつ、廃ガスその他の生成物を直接屋外に排出する構造のものをいう。)その他半密閉式(廃ガスその他の生成物を直接屋外に排出する構造のものをいう。)等室内の空気を汚染するおそれがないものを備え付け、開放型のものは置かないこと。

(寝具)
30 寝具は、宿泊者の定員に応じて十分な数を備え、清潔で衛生的なものであり、後記「Ⅲ 施設についての換気、採光、照明、防湿及び清潔その他宿泊者の衛生に必要な措置の基準」18(寝具の管理)の基準を満たすものであること。

(その他)
31 玄関、玄関帳場又はフロントの見やすい場所に営業許可証を掲示すること。
32 危害発生等に係る連絡を迅速、かつ、適切に行うため客室と玄関帳場又はフロント及び事務室の間には、電話等所要の設備を必要に応じて備え付けることが望ましいこと。
33 従業者の更衣等に使用する室(以下「更衣室」という。)は、事業者が講ずべき快適な職場環境の形成のための措置に関する指針(平成4年7月1日付け労働省告示第59号)に従い、常時清潔で使いやすくしておくこと。更衣室は、従業者専用とし、必要に応じて食品取扱い従業者と区分することが望ましいこと。
34 施設の設置場所が旅館業法第3条第3項各号に掲げる施設(以下「学校等」という。)の敷地(これらの用に供するものと決定した土地を含む。)の周囲おおむね100m以内の区域内にある場合には、当該学校等から客室又は客の接待をして客に遊興若しくは客に飲食をさせるホール若しくは射幸心をそそるおそれがある遊技をさせるホールその他の設備の内部を見通すことをさえぎることができる設備を有すること。

第2 簡易宿所営業の施設設備の基準
1 客室は、次の要件を満たす構造設備であること。
 (1) 客室の延床面積は、33㎡(旅館業法第3条第1項の許可の申請に当たって宿泊者の数を10人未満とする場合には、3.3㎡に当該宿泊者の数を乗じて得た面積)以上であること。
 (2) 客室は、収容定員に応じて十分な広さを有していること。
 (3) 階層式寝台の上段と下段の間隔は、おおむね1m以上であること。
 (4) 階層式寝台(上段)の外側のふちには、宿泊者が寝台から落ちないよう手すりを設ける等適切に措置することが望ましいこと。
 (5) いわゆるカプセル型の寝台は、次の要件を満たすものであること。
  1) 良好な空気環境を保つことができる構造であること。
  2) 適当な照明設備を有すること。

3) 就寝に支障が生じないよう適当な広さを有すること。
4) その他の上記階層式寝台の(3)及び(4)の基準を満たす構造であること。
(6) その他「第1　旅館・ホテル営業の施設設備の基準」の11（客室）の(2)及び(3)に準じて設けること。
2　適当な規模の玄関、玄関帳場若しくはフロント又はこれに類する設備を設けることが望ましいこと。
　　ただし、次の各号のいずれにも該当するときは、これらの設備を設けることは要しないこと。
(1) 玄関帳場等に代替する機能を有する設備を設けることその他善良の風俗の保持を図るための措置が講じられていること。
(2) 事故が発生したときその他の緊急時における迅速な対応のための体制が整備されていること。緊急時に対応できる体制については、宿泊者の緊急を要する状況に対し、その求めに応じて、通常おおむね10分程度で職員等が駆けつけることができる体制をとることが望ましいこと。
3　廊下及び階層式寝台を置く客室の通路は、適当な幅を有すること。
4　当該施設に近接して公衆浴場がある等入浴に支障を来さないと認められる場合を除き、宿泊者の需要を満たすことができる規模の入浴設備を有すること。この場合、「第1　旅館・ホテル営業の施設設備の基準」の12（浴室）の(1)～(5)までに準じて設けることが望ましいこと。
5　宿泊者の需要を満たすことができる適当な規模の洗面設備を有すること。この場合、「第1　旅館・ホテル営業の施設設備の基準」の15（洗面所）に準じて設けることが望ましいこと。
6　適当な数及び構造設備の便所を有すること。この場合、「第1　旅館・ホテル営業の施設設備の基準」の16（便所）に準じて設けることが望ましいこと。
7　適当な換気、採光、照明、防湿及び排水の設備を有すること。この場合、換気、採光、照明に係る設備については、「第1　旅館・ホテル営業の施設設備の基準」の27（採光・照明設備）に準じて設けること。
8　その他、「第1　旅館・ホテル営業の施設設備の基準」の1～7、9、10、14、17～21、23～26及び29～34に準じて設けることが望ましいこと。
第3　下宿営業の施設設備の基準
1　客室は、次の要件を満たす構造設備のものであること。
(1) 客室は、収容定員に応じ十分な広さを有すること。
(2) その他、「第1　旅館・ホテル営業の施設設備の基準」の11（客室）の(2)及び(3)に準じて設けること。
2　当該施設に近接して公衆浴場がある等入浴に支障を来さないと認められる場合を除き、宿泊者の需要を満たすことができる規模の入浴設備を有すること。この場合、「第1　旅館・ホテル営業の施設設備の基準」の12（浴室）の(1)～(5)までに準じて設けること。

3　宿泊者の需要を満たすことができる適当な規模の洗面設備を有すること。この場合、「第1　旅館・ホテル営業の施設設備の基準」の15（洗面所）に準じて設けること。
4　適当な数及び構造設備の便所を有すること。この場合、「第1　旅館・ホテル営業の施設設備の基準」の16（便所）に準じて設けること。
5　調理室及び食堂を設ける場合は、宿泊者の食事の需要を満たすことができるよう十分な広さを有すること。この場合、「第1　旅館・ホテル営業の施設設備の基準」の17（調理室）及び20（食堂等）に準じて設けること。
6　必要に応じて、適当な広さの共同洗濯場及び洗濯設備を有すること。
7　適当な換気、採光、照明、防湿及び排水の設備を有すること。この場合、換気、採光、照明に係る設備については、「第1　旅館・ホテル営業の施設設備の基準」の27（採光・照明設備）及び28（換気関係設備）に準じて設けること。
8　寝具は、適当な数を有すること。
9　その他、「第1　旅館・ホテル営業の施設設備の基準」の1～8、10、14、18、19、23～26、29～34に準じて設けることが望ましいこと。

第4　季節的営業等における施設設備の基準の特例

　旅館・ホテル営業又は簡易宿所営業の施設のうち、季節的に利用されるもの、交通が著しく不便な地域にあるもの、その他特別の事情があるものについては、客室の数及び床面積、玄関帳場又はフロント及びその他の基準について、適用の必要性がない場合又はこれらの基準によることができない場合であって、かつ、公衆衛生の維持に支障がないときには、これらの基準によらないことができるものとする。

　この場合の対象施設は、次のとおりとする。
1　キャンプ場、スキー場、海水浴場等において特定の季節に限り、営業するところであって、プレハブ等営業の都度容易に建築又は解体ができるもので、かつ、衛生上支障がないよう容易に管理ができる構造設備の施設。
　なお、温泉地における長期湯治宿泊者を対象とするところ（いわゆる温泉湯治場）で積雪等により、特定の季節に閉鎖するところについては、衛生上支障のないよう容易に管理ができる構造設備の施設。
2　山小屋等交通が著しく不便な地域にあるところであって、利用度の低い施設。
3　体育会、博覧会等のため団体宿泊等一時的に営業するところであって、プレハブ等容易に建築又は解体できるもので、かつ、衛生上支障がないよう容易に管理ができる構造設備の施設。

Ⅲ　施設についての換気、採光、照明、防湿及び清潔その他宿泊者の衛生に必要な措置の基準

（施設の周囲）
1　施設の周囲は、定期的に清掃し、常に清潔を保ち、ねずみ、衛生害虫等の発生源が発見された場合は、直ちに、その撤去、埋去履土、焼却、殺虫剤の散布等必要な措置を講ずること。

また、周囲の排水溝は、定期的に清掃、補修等を行い、排水に常に支障が生じないように保つこと。
（施設一般）
2 施設設備は、特に定める場合を除き、定期的に清掃し、必要に応じて補修及び消毒を行い、清潔で衛生上支障がないように保つこと。
　　また、その記録を作成し、これを3年以上保存すること。
　　なお、施設の維持管理のうち空気環境の調整、給水及び排水の管理、清掃、ねずみ、昆虫等の防除については、建築物における衛生的環境の確保に関する法律（昭和45年法律第20号）に規定される「建築物環境衛生管理基準」を遵守すること。（3000㎡未満の施設については、努力義務。）
（宿泊）
3 客室に水差し、コップ等飲食用の器具を備える場合は、清潔で衛生的なものを置き、衛生的なものである旨を表示することが望ましいこと。
（浴室の管理）
4 浴室は、次に掲げるところにより措置すること。
 (1) 浴室は、湯気抜きを常に適切に行い、入浴設備は、常に使用できるよう定期的に保守点検すること。
 (2) 浴槽水は、常に満杯状態に保ち、かつ、十分にろ過した湯水又は原湯を供給することにより溢水させ、清浄に保つこと。
　　また、上がり用湯及び上がり用水は清浄で十分な量を供給すること。
 (3) 浴槽水は適温に保つこと。
 (4) 洗いおけ、腰掛等入浴者が直接接触する器具及び浴室内は、湯垢を除くなど適切に清掃し、必要に応じて補修し、常に清潔で衛生的に保つこと。
 (5) 設備は、次表により清掃及び消毒し、清潔で衛生的に保つこと。
　　なお、消毒には材質等に応じ、適切な消毒剤を用いることとし、河川又は湖沼に排水する場合には、環境保全のための必要な処理を行うこと。

場　　所	清掃及び消毒
浴槽	毎日完全に換水して浴槽を清掃すること。ただし、これにより難い場合にあっても、1週間に1回以上完全に換水して浴槽を清掃
ろ過器及び循環配管	1週間に1回以上、ろ過器を十分に逆洗浄して汚れを排出するとともに、ろ過器及び循環配管について、適切な消毒方法で生物膜を除去(注)※1※2 図面等により、配管の状況を正確に把握し、不要な配管を除去すること
水位計配管	少なくとも週に1回、適切な消毒方法で生物膜を除去

シャワー	少なくとも週に１回、内部の水が置き換わるように通水。シャワーヘッドとホースは６か月に１回以上点検し、内部の汚れとスケールを１年に１回以上洗浄、消毒
集毛器	毎日清掃、消毒
貯湯槽	60℃以上を保ち、最大使用時にも55℃以上とし、これにより難い場合は消毒装置を設置し、生物膜の状況を監視し、必要に応じて清掃及び消毒（注）※３ 設備の破損等の確認、温度計の性能の確認を行うこと
調節箱	生物膜の状況を監視し、必要に応じて清掃及び消毒（注）※３
気泡発生装置	適宜清掃、消毒
浴室内の排水口	適宜清掃し、汚水を適切に排水する
その他の設備	必要に応じて清掃及び消毒

(注)※１　消毒方法は、循環配管及び浴槽の材質、腐食状況、生物膜の状況等を考慮して適切な方法を選択すること。消毒方法の留意点は、「循環式浴槽におけるレジオネラ症防止対策マニュアルについて」（平成13年９月11日健衛発第95号厚生労働省健康局生活衛生課長通知）等を参考にすること。

※２　上記措置に加えて、年に１回程度は循環配管内の生物膜の状況を点検し、生物膜がある場合には、その除去を行うこと。

※３　作業従事者はエアロゾルを吸引しないようにマスク等を着用すること。また、貯湯槽の底部は汚れが堆積しやすく低温になりやすいので、適宜貯湯槽の底部の滞留水を排水すること。

(6) 原水、原湯、上がり用水及び上がり用湯並びに浴槽水として使用する水は、「公衆浴場における水質基準等に関する指針」に適合するよう水質を管理すること。

(7) 浴槽水の消毒に当たっては、塩素系薬剤を使用し、浴槽水中の遊離残留塩素濃度を頻繁に測定して、0.4mg／L程度を保ち、かつ、遊離残留塩素濃度は最大１mg／Lを超えないよう努めること。結合塩素のモノクロラミンの場合には、３mg／L程度を保つこと。また、当該測定結果は検査の日から３年間保管すること。

ただし、原水若しくは原湯の性質その他の条件により塩素系薬剤が使用できない場合、原水若しくは原湯のpHが高く塩素系薬剤の効果が減弱する場合、又はオゾン殺菌等他の消毒方法を使用する場合であって、併せて適切な衛生措置を行う場合には、この限りではない。

(注)※１　温泉水等を使用し、塩素系薬剤を使用する場合には、温泉水等に含まれる成分と塩素系薬剤との相互作用の有無などについて、事前に十分な調

査を行うこと。

※2　塩素系薬剤が使用できない場合とは、低pHの泉質のため有毒な塩素ガスを発生する場合、有機質を多く含む泉質のため消毒剤の投入が困難な場合、又は循環配管を使用しない浴槽で、浴槽の容量に比して原湯若しくは原水の流量が多く遊離残留塩素の維持が困難な場合などを指す。この場合、浴槽水を毎日完全に換水し、浴槽、ろ過器及び循環配管を十分清掃・消毒を行うこと等により、生物膜の生成を防止すること。

※3　高pHの泉質に塩素系薬剤だけを用いて消毒をする場合には、レジオネラ属菌の検査により殺菌効果を検証し、遊離残留塩素濃度を維持して接触時間を長くするか、必要に応じて遊離残留塩素濃度をやや高く設定すること（例えば0.5～1 mg／Lなど）で十分な消毒に配慮をすること。あるいは、結合塩素であるモノクロラミン消毒によること。アンモニア性窒素を含む場合や高pHの温泉浴槽水の消毒には、濃度管理が容易で、十分な消毒効果が期待できるモノクロラミン消毒がより適していること。

※4　オゾン殺菌、紫外線殺菌、銀イオン殺菌、光触媒などの消毒方法を採用する場合には、塩素消毒を併用する等適切な衛生措置を行うこと。オゾン殺菌等塩素消毒以外の消毒方法を用いる場合には、レジオネラ属菌の検査を行い、あらかじめ検証しておくこと。

※5　オゾン殺菌による場合は、高濃度のオゾンが人体に有害であるため、活性炭による廃オゾンの処理を行うなど、浴槽水中にオゾンを含んだ気泡が存在しないようにすること。

※6　紫外線殺菌による場合は、透過率、浴槽水の温度、照射比等を考慮して、十分な照射量であること。また、紫外線はランプのガラス管が汚れると効力が落ちるため、常時ガラス面の清浄を保つよう管理すること。

(8)　循環式浴槽の浴槽水を塩素系薬剤によって消毒する場合は、当該薬剤はろ過器の直前に投入すること。

(9)　消毒装置の維持管理を適切に行うこと。

(注)※1　薬液タンクの薬剤の量を確認し、補給を怠らないようにすること。

※2　注入弁のノズルが詰まっていたり、空気をかんだりして送液が停止していないか等、送液ポンプが正常に作動し薬液の注入が行われていることを毎日確認すること。

※3　注入弁は定期的に清掃を行い、目詰まりを起こさないようにすること。

(10)　オーバーフロー水及び回収槽の水を浴用に供しないこと。ただし、これにより難い場合にあっては、オーバーフロー還水管及び回収槽の内部の清掃及び消毒を頻繁に行うとともに、レジオネラ属菌が繁殖しないように、別途、回収槽の水を塩素系薬剤等で消毒すること。

(11)　浴槽に気泡発生装置等を設置している場合は、連日使用している浴槽水を使用しないこと。気泡発生装置等の内部に生物膜が形成されないように適切に管理するこ

公衆浴場における衛生等管理要領等について

　　と。
　⑿　打たせ湯及びシャワーには、循環している浴槽水を使用しないこと。
　⒀　浴槽に湯水がある時は、ろ過器及び消毒装置を常に作動させること。
　⒁　その他、「循環式浴槽におけるレジオネラ症防止対策マニュアルについて」等を参考にして、適切に管理すること。
　⒂　上がり用湯、上がり用水等の飲用適・不適の旨の表示等の掲示物については、常によく見えるよう適切に措置すること。
　⒃　共同浴室にあっては、おおむね7歳以上の男女を混浴させないこと。
　　　また、共同浴室等においては、使用済みのカミソリを放置させないこと。
　⒄　サウナ室又はサウナ設備にあっては、室内の温度及び湿度について定められた数値の範囲を適切に保つため定期的に測定すること。

（入浴用給湯・給水設備）
5　入浴用給湯・給水設備は、次に掲げるところにより措置すること。
　⑴　入浴用給湯・給水設備は、1年に1回以上保守点検し、必要に応じて被覆その他の補修等を行うこと。
　　　また、小規模受水槽については、簡易専用水道に準じて管理状況について保健所等の検査を受けることが望ましいこと。
　⑵　貯湯槽の温度を、通常の使用状態において湯の補給口、底部等に至るまで60℃以上に保ち、かつ、最大使用時においても55℃以上に保つようにすること。ただし、これにより難い場合には、レジオネラ属菌が繁殖しないように貯湯槽内の湯水の消毒を行うこと。貯湯槽は完全に排水できる構造とすること。

（露天風呂の管理）
6　露天風呂を設ける場合は、次に掲げるところにより措置すること。
　⑴　浴槽に付帯する通路等は毎日清掃し、1か月に1回以上消毒及びねずみ、衛生害虫等の点検を行うとともに、必要に応じて防除措置を講じ、清潔で衛生的に保つこと。
　⑵　浴槽及び浴槽に付帯する通路等は十分に照度があること。
　⑶　露天風呂の周囲に植栽がある場合は、浴槽に土が入り込まないよう注意すること。
　⑷　その他、4（浴室の管理）の⑵、⑷～⒁に準じて適切に管理すること。

（脱衣場の管理）
7　脱衣場の衣類かご（箱）、足ふき、体重計等人が直接接触する器具は、清掃を適切に行うとともに、定期的に消毒し、清潔で衛生的に保つこと。
　　また、カーペットその他これに類する敷き物は、洗濯を適切に行う等衛生上支障がないように措置されているものを除いて敷かないことが望ましいこと。

（洗面所の管理）
8　洗面所は、洗面用として飲用に適する湯又は水を十分に供給し、適切に清掃し、常に清潔に保つこと。

第6編　公衆浴場

　　また、洗面設備には、石ケン、ハンドソープ等を常に使用できるよう備えること。タオル、くし、ヘアブラシを備える場合は、客1人ごとに消毒するなど衛生的なものを置き、くし及びヘアブラシの置き場所は、消毒済のものと使用後のものに区分し、その旨を周辺の適切なところに表示することが望ましいこと。カミソリを備える場合は、新しいものとすること。
（便所の管理）
9　便所は、臭気の防除に努め、便器の汚れを十分に除去するなど1日1回以上清掃し、必要に応じて消毒し、常に清潔で衛生的に保つこと。
　　また、座便式の便器において人に直接接触する便座の部分は、1日1回以上消毒し、客室に付設されたものについては、消毒後、その旨を表示することが望ましいこと。
10　手洗い設備は、消毒液、石ケン、ハンドソープ等を備えるなど手洗いに常に支障が生じないように措置すること。
（寝具の保管室の管理）
11　寝具を収納する押し入れその他保管室にあっては、適切に清掃し、常に清潔に保つこと。
（配膳室、食堂等の管理）
12　配膳室、食堂、宴会場又はホールその他飲食に使用する場所にあっては、常に悪臭等の汚染空気を施設の外に適切に排出すること。
13　配膳室、配膳用のリフト及びコンテナにあっては、食品残さいが飛散して残存しないよう定期的に適切に清掃し、必要に応じて消毒を行い、常に清潔で衛生的に保つこと。
　　また、冷凍庫及び冷蔵庫にあっては、必要に応じて適切に消毒し、衛生上支障がないように保つこと。
（洗濯室の管理）
14　洗濯室にあっては、「クリーニング所における衛生管理要領について」に準じて適切に措置すること。
（プールの管理）
15　プールは、地方公共団体が定める条例等に基づき適切に措置すること。定めがない場合は、「遊泳用プールの衛生基準について」を参照して適切に措置することが望ましいこと。
（換気）
16　換気設備の管理及び空気環境の基準に関しては、次に掲げるところにより措置すること。
　(1)　換気設備は、適切に清掃し、換気用の開口部は、常に開放すること。
　(2)　機械換気設備及び空気調和設備は、定期的に保守点検し、故障、破損等がある場合は、速やかに補修すること。
（照明）

17　照明設備は、定期的に照度を測定するなど保守点検を適切に行い、照度不足、故障等が生じた場合は、速やかに取り替え、又は補修すること。
　　また、定期的に清掃し、常に清潔に保つこと。
（寝具の管理）
18　寝具は、次に掲げるところにより措置すること。
　⑴　布団、枕、毛布は、原則として敷布又はシーツ、カバーで適切に覆うこと。
　⑵　寝衣、敷布又はシーツ、布団カバー、枕カバー、包布等直接人に接触するものは、宿泊者1人ごとに洗濯したものと取り替えること。
　　　なお、同一の宿泊者にあっては、寝衣は毎日、その他のものにあっては3日に1回は少なくとも取り替えること。
　⑶　寝具は、適切に洗濯・管理等を行うこと。
（タオル等の管理）
19　洗面室、便所等に備え付ける手ぬぐい、タオル及びこれに類するものは、清潔で衛生的に取り扱い、使用に支障が生じないよう適切な数を常に供給すること。
（案内書等の作成）
20　衛生及び善良風俗の保持、避難経路の案内、非常時の対応策等に関する案内の文書、ポスター等を作成し、宿泊者の注意の喚起に努めること。この場合、必要に応じ英語等外国語によるものを作成すること。
（事故等の対応措置）
21　宿泊者等の傷害、事故等の発生に備え、これに必要な措置を次に掲げるところにより講ずること。
　⑴　救急医薬品及び衛生材料を適切に備えておくこと。
　⑵　事故等の発生に迅速で適切に対応できるよう医療機関等との通報網の整備等組織的体制を確立しておくこと。
　⑶　特定感染症に宿泊者等がかかっており、又はその疑いがあるときは、保健所等の指示を受け、その使用した客室、寝具及び器具類を消毒、廃棄等必要な措置を行うこと。
　⑷　施設利用者中にレジオネラ症又はその疑いのある患者が発生した場合は、次の点に注意し、直ちに保健所に通報し、その指示に従うこと。
　　1)　発生源と疑われる設備等の現状を保持すること。
　　2)　入浴施設では、浴槽の使用を中止すること。
　　3)　独自の判断で浴槽内等への消毒剤の投入を行わないこと。
　　　（注）　浴槽内等に消毒剤が投入されると生きたレジオネラ属菌の検出は困難となるが、遺伝子を検出することは可能である。
22　営業者は、宿泊しようとする者に対し、旅館業の施設における特定感染症のまん延の防止に必要な限度において、特定感染症国内発生期間に限り、旅館業法第4条の2第1項に基づいて協力を求めることができるが、その詳細については「旅館業の施設において特定感染症の感染防止に必要な協力の求めを行う場合の留意事項並びに宿泊

拒否制限及び差別防止に関する指針」（令和5年11月15日大臣決定。以下単に「指針」という。）を参照すること。

なお、特定感染症国内発生期間は、次に掲げる特定感染症の区分に応じ、それぞれ次の期間（結核にあっては、旅館業法施行令第7条で定める期間）であること。
1) 1類感染症及び2類感染症　当該感染症が国内で発生した旨の公表が行われたときから、国内での発生がなくなった旨の公表が行われるまでの間
2) 新型インフルエンザ等感染症及び新感染症　当該感染症が国内で発生した旨の公表が行われたときから、当該感染症が新型インフルエンザ等感染症として認められなくなった旨の公表又は当該感染症について1類感染症に係る感染症法の規定を適用することを定める政令の廃止が行われるまでの間
3) 指定感染症　感染症法第44条の7第1項の規定により国内で発生した旨の公表が行われ、かつ、当該感染症について入院又は宿泊療養若しくは自宅療養に係る感染症法の規定が準用されたときから、当該感染症について全国的かつ急速なまん延のおそれがなくなった旨の公表が行われ、又は当該感染症について入院並びに宿泊療養及び自宅療養に係る感染症法の規定がいずれも準用されなくなるときまでの間

23　施設の機械室、ボイラー室等の危険な場所には、子ども等の宿泊者が容易に入ることがないようその旨が明らかに分かる措置を講ずること。

24　ガスの元栓は、客室等の客の安全を確認した後でなければ開放してはならないこと。

（従業者の衛生管理）

25　従業者の衛生管理は、次に掲げるところにより措置すること。
(1)　衣服は、常に清潔を保つこと。
(2)　感染症により就業が制限される感染症にかかっている者又はその疑いのある者は、当該感染症をまん延させるおそれがなくなるまでの期間業務に従事させないこと。
(3)　客に接する従業者は、1年に1回以上健康診断を受けることが望ましいこと。
(4)　従業者は、衛生及び善良風俗の保持に支障が生じないよう適当な人数を置くこと。

（営業者及び宿泊衛生責任者の責務）

26　営業者は、施設又はその部門ごとに、当該従業者のうちから公衆衛生及び善良風俗の保持に関する責任者（以下「宿泊衛生責任者」という。）を定めて置くこと。

27　営業者又は宿泊衛生責任者は、施設の管理が適切に行われるよう従業者の衛生等の教育に努めなければならないこと。

また、営業者は、旅館業の施設において特定感染症のまん延の防止に必要な対策を適切に講じ、及び高齢者、障害者その他の特に配慮を要する宿泊者に対してその特性に応じた適切な宿泊に関するサービスを提供するため、その従業者に対して必要な研修の機会を与えるよう努めなければならないこと。その詳細については指針を参照すること。

28　営業者は、公衆衛生の改善向上及び善良風俗の保持を図り、もってその経営を公共の福祉に適合させることを目的として、営業者相互の連携を密にするとともに自主管理を強化するため、本要領に基づき自主管理マニュアル及びその点検表を作成し、従業者に周知徹底させること。
29　簡易宿所営業のうち、宿泊者の数を10人未満として申請がなされた施設の場合については、旅館業法第3条の5第2項や第4条の2第1項等の法令や指針で定めるものを除き、公衆衛生上支障がないと認められる範囲で、この基準の一部を緩和し、若しくは適用しないことができるものとする。

IV　宿泊拒否の制限
1　営業者は、次に掲げる場合を除いては、宿泊を拒んではならない。
(1)　宿泊しようとする者が特定感染症の患者等であるとき。
(2)　宿泊しようとする者が賭博、その他の違法行為又は風紀を乱す行為をするおそれがあると認められるとき。具体的には、例えば、宿泊しようとする者が次に掲げる場合には該当しうるものと解釈される。
　　1)　暴力団員等であるとき。
　　2)　他の宿泊者に著しい迷惑を及ぼす言動をしたとき。
　　3)　宿泊に関し暴力的要求行為が行われ、又は合理的な範囲を超える負担を求められたとき（法第5条第1項第3号に該当する場合や宿泊しようとする者が障害者差別解消法第7条第2項又は第8条第2項の規定による社会的障壁の除去を求める場合は除く。）。
(3)　宿泊しようとする者が、営業者に対し、その実施に伴う負担が過重であって他の宿泊者に対する宿泊に関するサービスの提供を著しく阻害するおそれのある要求として厚生労働省令で定めるものを繰り返したとき。
　　「厚生労働省令で定めるもの」は、次のいずれかに該当するものであって、他の宿泊者に対する宿泊に関するサービスの提供を著しく阻害するおそれのあるものとする。
　・　宿泊料の減額その他のその内容の実現が容易でない事項の要求（宿泊に関して障害を理由とする差別の解消の推進に関する法律（平成25年法律第65号）第2条第2号に規定する社会的障壁の除去を求める場合を除く。）
　・　粗野又は乱暴な言動その他の従業者の心身に負担を与える言動（営業者が宿泊しようとする者に対して障害を理由とする差別の解消の推進に関する法律第8条第1項の不当な差別的取扱いを行ったことに起因するものその他これに準ずる合理的な理由があるものを除く。）を交えた要求であって、当該要求をした者の接遇に通常必要とされる以上の労力を要することとなるもの
(4)　宿泊施設に余裕がないときその他都道府県が条例で定める事由があるとき。
2　営業者は、旅館業の公共性を踏まえ、かつ、宿泊しようとする者の状況等に配慮して、みだりに宿泊を拒むことがないようにするとともに、宿泊を拒む場合には、上記1のいずれかに該当するかどうかを客観的な事実に基づいて判断し、及び宿泊しよう

とする者からの求めに応じてその理由を丁寧に説明することができるようにするものとする。
3 　多様な消費者ニーズに応えられるよう、合理性が認められる範囲内において、例えば、大人向け等営業上の工夫として利用者の良識と任意の協力の下において実施される場合、宿泊拒否には当たらない。
4 　宿泊者の性的指向、性自認等を理由に宿泊を拒否（宿泊施設におけるダブルベッドの予約制限を含む。）することなく、適切に配慮すること。
5 　営業者は、当分の間、法第5条第1項第1号又は第3号のいずれかに該当することを理由に宿泊を拒んだときは、同各号に掲げる場合ごとに、書面又は電磁的記録に宿泊を拒んだ理由等を記載し、当該書面又は電磁的記録を作成した日から3年間保存する方法により、宿泊を拒んだ理由のほか、その日時や拒否された者及びその対応に係る責任者の氏名、同項第3号に該当することを理由とする場合にあっては宿泊を拒むまでの経過の概要等を記録しておく必要があること。
6 　その他、宿泊拒否の制限については指針を参照すること。
Ⅴ 　宿泊者名簿
　 　宿泊者名簿は、次に掲げるところにより措置すること。
1 　営業者は、宿泊者名簿を備え、これに宿泊者の氏名、住所、連絡先その他の事項の記載を行うこと。
　　 ただし、団体で宿泊するとき、代表者又は引率責任者において、当該団体の構成員の氏名、住所、連絡先等が確実に把握されている場合においては、当該代表者等に係る必要事項のほか、当該団体の名称、宿泊者の男女別人数等その構成を明らかにするための必要な事項が記載されれば、この限りでないこと。
2 　宿泊者名簿を作成し、これを3年保存すること。
3 　宿泊者名簿は、以下のいずれかの場所に備えることとすること。
　1） 　営業を行う施設
　2） 　営業者の事務所
4 　宿泊者名簿の正確な記載を確保するための措置として、本人確認を行うこと。具体的には、対面又は対面と同等の手段として以下のいずれの要件にも該当するICTを活用した方法等により行うこと。
　1） 　宿泊者の顔及び旅券が画像により鮮明に確認できること。
　2） 　当該画像が施設の近傍から発信されていることを確認できること。
　　 　当該方法の例としては、施設等に備え付けたテレビ電話やタブレット端末等による方法が考えられる。
5 　日本国内に住所を有しない外国人宿泊者に関しては、宿泊者名簿の国籍及び旅券番号欄への記載を徹底し、旅券の呈示を求めるとともに、旅券の写しを宿泊者名簿とともに保存すること。なお、旅券の写しの保存により、当該宿泊者に対する宿泊者名簿の氏名、国籍及び旅券番号の欄への記載を代替しても差し支えないこと。
6 　営業者の求めにもかかわらず、当該宿泊者が旅券の呈示を拒否する場合は、当該措

置が国の指導によるものであることを説明して呈示を求め、更に拒否する場合には、当該宿泊者は旅券不携帯の可能性があるものとして、最寄りの警察署に連絡する等適切な対応を行うこと。
7 　警察官からその職務上宿泊者名簿の閲覧請求があった場合には、捜査関係事項照会書の交付の有無にかかわらず、当該職務の目的に必要な範囲で協力すること。なお、この場合には、捜査関係事項照会書の交付がないときであっても、個人情報の保護に関する法律（平成15年法律第57号）第23条第１項第４号の場合に該当し、本人の同意を得る必要はない。

Ⅵ　利用基準
　営業者は、旅館業の施設を利用させるについては、次の基準によらなければならない。
1 　人の性的好奇心をそそるおそれのある性具及び彫刻等善良の風俗が害されるような文章、図面その他の物件を旅館業の施設に掲示し、又は備え付けないこと。
2 　色彩がけばけばしく、著しく奇異なネオン、広告設備等善良の風俗が害されるような広告物を掲示しないこと。

Ⅶ　防火安全対策
　営業者は、災害時の事故防止を図るため従業者の防火対策、火災時の措置等については、常時消防関係機関の指導を受ける等災害時の態勢を常に整えておくこと。

○循環式浴槽におけるレジオネラ症防止対策マニュアルについて

［平成13年9月11日　健衛発第95号
各都道府県・各政令市・各特別区衛生主管部（局）長宛
厚生労働省健康局生活衛生課長通知］

〔改正経過〕
　第1次改正　〔平成27年3月31日健衛発0331第7号〕
　第2次改正　〔令和元年12月17日薬生衛発1217第1号〕

　公衆浴場業、旅館業等における循環式浴槽のレジオネラ症防止対策については、「公衆浴場における衛生等管理要領等について」（平成12年12月15日付け生衛発第1,811号同局長通知）等に基づき、関係者に対し御指導をお願いしているところですが、今般、循環式浴槽におけるレジオネラ症防止対策について、営業者による適切な管理が行われるよう、平成12年度厚生科学研究に基づき、上記通知の趣旨を踏まえた具体的な管理方法等をマニュアルとして作成しましたので、関係者への周知方お願いいたします。

　なお、「遊泳用プールの衛生基準について」（平成13年7月24日付け健発第774号厚生労働省健康局長通知）に基づく遊泳用プールの付帯設備として、循環式浴槽と同様の設備が設けられている場合にも、当該設備の管理が上記マニュアルに準じて行われるよう、関係者への周知方併せてお願いいたします。

別　添

　　　循環式浴槽におけるレジオネラ症防止対策マニュアル

目次　　　　　　　　　　　　　　　　　　　　　　　　　　　　　　　　　頁
はじめに……………………………………………………………………………1756
　Ⅰ　レジオネラ症とは…………………………………………………………1756
　Ⅱ　感染源および感染経路……………………………………………………1757
　Ⅲ　循環式浴槽の管理方法
　　1　入浴施設を管理する上で特に留意する事項……………………………1757
　　2　関連法規等に規定されている管理概要…………………………………1757
　　3　設備の概要
　　　(1)　循環式浴槽とは、どのようなシステムの浴槽をいいますか。………1759
　　　(2)　湯の循環方式には、どのような方法がありますか。………………1759
　　　(3)　ろ過器の機能について教えて下さい。………………………………1760
　　　(4)　ろ過器にはどのような種類のものが使われていますか。…………1761
　　4　構造上の問題点と対策
　　　(1)　循環式浴槽の構造上の問題点とチェックポイントを教えて下さい。……………………………………………………………………………1762

5 浴槽の水質管理
1) 水質基準・検査方法・検査頻度
 (1) レジオネラ属菌に関する浴槽水の水質に関する基準はありますか。……………………………………………………………………………1764
2) 消毒方法
 (1) 浴槽水などの消毒方法に関する規定はありますか。………………………1765
 (2) 塩素系薬剤にはどのようなものがありますか。……………………………1765
 (3) 塩素系薬剤の注入（投入）にはどのような方法がありますか。…………1765
 (4) 塩素系薬剤による消毒方法で注意すべきことは何ですか。………………1766
 (5) 塩素系薬剤を使用するにあたっての一般的な注意事項は何ですか。……………………………………………………………………………1766
 (6) 有効塩素と残留塩素の違いは何ですか。……………………………………1767
 (7) 塩素系薬剤で浴槽水を消毒する場合の注入（投入）量はどのくらいですか。…………………………………………………………………………1768
 (8) 残留塩素濃度の測定にはどのような方法がありますか。…………………1768
 (9) アルカリ性の温泉水では、塩素系薬剤の消毒効果が低下する理由は何ですか。………………………………………………………………………1768
 (10) 塩素系薬剤の他にどのような消毒方法がありますか。また、使用上の注意点は何ですか。…………………………………………………………1769
6 浴槽の管理方法
 (1) 浴槽の清掃・消毒に関する規定はありますか。……………………………1770
 (2) 浴槽の清掃・消毒の効果を確認する方法はありますか。…………………1770
 (3) 循環式浴槽の維持管理上の注意点について教えて下さい。………………1770
 (4) その他の浴槽設備の管理で注意することは何ですか。……………………1772
 (5) 浴槽水の汚染状況を簡易に把握する方法はありますか。…………………1772
 (6) 残留塩素濃度は規定の濃度を保ち、定期的に配管洗浄するなど、適切な管理を行っているにもかかわらず、レジオネラ属菌が検出される場合はどのように対処すればよいですか。……………………………1772
 (7) 生物膜を除去しなければならないのはどうしてですか。…………………1773
7 その他
 (1) 感染の危険因子について教えて下さい。……………………………………1773
 (2) レジオネラ症に罹らないようにするには、どうしたらよいのでしょうか。……………………………………………………………………………1773
 (3) レジオネラ症が疑われる患者が発生した場合の対応を教えてください。……………………………………………………………………………1773
 (4) 浴槽水のレジオネラ属菌の検査はどこに依頼すればよいのでしょうか。……………………………………………………………………………1774
 (5) 検査を行うにあたり、検体の採取・搬送はどのように行えばよい

(6)　レジオネラ迅速検査法（遺伝子検査法）の活用について教えてください。 ……………………………………………………………………1774
　(7)　掛け流し温泉施設のレジオネラ属菌対策を教えてください。 ………1775
　(8)　浴槽水中にどのくらいの菌数のレジオネラ属菌がいると患者が発生しますか。 …………………………………………………………………1775
　(9)　浴槽や貯湯槽等の清掃時の注意事項を教えてください。 ……………1775

はじめに

　この防止対策マニュアルは、「Ⅰ　レジオネラ症とは」、「Ⅱ　感染源および感染経路」、「Ⅲ　循環式浴槽の管理方法」の3つからなっています。Ⅰ及びⅡは、レジオネラ症の紹介と発生機構についての解説、Ⅲにおいては、循環式浴槽を中心とした設備概要と衛生上の問題点、管理上の安全対策について、「公衆浴場における水質基準等に関する指針」、「公衆浴場における衛生等管理要領」及び「旅館業における衛生等管理要領」を踏まえ、具体的な管理方法等について厚生労働科学研究などの最新の知見をもとに、現時点におけるレジオネラ症を防止するための望ましい対応方法を記述しました。

　なお、本防止対策マニュアルは、循環式浴槽をはじめとする公衆浴場等の施設設備の利用者から設備維持管理者、設計者、製造・販売者並びに行政関係者などの多くの方に利用して頂きたく、参考となるべきことを、Ｑ＆Ａ方式を用いて項目別に分かり易いかたちでまとめました。

Ⅰ　レジオネラ症とは

　レジオネラ症が独立疾患として最初に認識されたのは、1976年夏のことでした。米国フィラデルフィアのベルビュー・ホテルで、在郷軍人会ペンシルバニア州支部総会が開催された時、同州各地から参加した会員の221名が、帰郷後に原因不明の重症肺炎を発病し、そのうち34名が死亡しました。この重症肺炎は、米国疾病予防センター（ＣＤＣ）の精力的な調査により独立疾患と認められ、在郷軍人会（The Legion）にちなんで、在郷軍人病（Legionnaires' disease）と呼ばれました。半年に及ぶ研究の結果、新しい病原菌が発見され、*Legionella pneumophila* と命名されました。その後、レジオネラ症には、肺炎型だけでなくインフルエンザのような熱性疾患型があることが、1965年のミシガン州ポンティアック衛生局庁舎内の集団発生にまでさかのぼって判明し、この病型をポンティアック熱と呼ぶようになりました。レジオネラ肺炎に罹ると、悪寒、高熱、全身倦怠感、頭痛、筋肉痛などが起こり、呼吸器症状として痰の少ない咳、少量の粘性痰、胸痛・呼吸困難などが現れ、症状は日を追って重くなっていきます。腹痛、水溶性下痢、意識障害、歩行障害を伴う場合もあります。潜伏期間は、2～10日です。

　1999年4月に施行された、感染症の予防及び感染症の患者に対する医療に関する法律（いわゆる感染症法）においては、レジオネラ症は全数把握の4類感染症に分類され、診断した医師は直ちにその情報を最寄りの保健所に届けることが義務づけられました。

　現在欧米では、レジオネラ肺炎は市中肺炎の2～8％を占め、レジオネラ属菌は、肺

炎球菌に次いで重要な肺炎の原因菌にあげられています。感染症法の施行後、報告された患者数は13,615例（1999年～2017年）、届出時点の死亡は1.9％（2007年～2016年）となっています。尿中抗原検査の普及などで、年々届出数が増加し、2017年は1733例となっています。

Ⅱ 感染源および感染経路

通常、レジオネラ肺炎は、レジオネラ属菌を包んだ直径5μm以下のエアロゾル（空中に浮遊している小さい粒子）を吸入することにより起こる気道感染症です。レジオネラ属菌は本来、環境細菌であり、土壌、河川、湖沼などの自然環境に生息していますが、一般にその菌数は少ないと考えられます。冷却塔水、循環式浴槽水など水温20℃以上の人工環境水では、アメーバ、繊毛虫など細菌を餌とする原生動物が生息しています。これらの細胞に取り込まれたレジオネラ属菌は、死滅することなく細胞内で増殖することができます。その菌数は、水100mLあたり10^1～10^2個から、多い時は10^6個以上に達します。

レジオネラ肺炎は健常者も罹りますが、糖尿病患者、慢性呼吸器疾患者、免疫不全者、高齢者、乳児、大酒家や多量喫煙者は罹りやすい傾向があります。国内で発生する患者の感染源は入浴施設が最も多く、土木・粉塵作業、園芸作業、旅行との関連も指摘されています。海外におけるレジオネラ市中集団感染の事例としては、この菌に汚染された冷却塔水から発生したエアロゾルが感染源であったケースが最も多く報告されています。レジオネラ属菌に汚染された循環式浴槽水、シャワー、ホテルのロビーの噴水、洗車、野菜への噴霧水のエアロゾル吸入、浴槽内で溺れて汚染水を呼吸器に吸い込んだ時などに感染・発病した事例が国内外で報告されています。近年の国内の調査により、水たまりや自動車のエアコンあるいはウォッシャー液からレジオネラ属菌が検出され、自動車運転とレジオネラ症の関連が注目されています。レジオネラ症は基本的に肺炎ですが、汚染水の直接接触で外傷が化膿し、皮膚膿瘍になった事例もあります。また、温泉の水を毎日飲んで肺炎を発症した事例もあります。

ただし、患者との接触によって感染したという報告はありませんので、患者を隔離する必要はありません。

Ⅲ 循環式浴槽の管理方法

1 入浴施設を管理する上で特に留意する事項

近年の入浴施設は、複雑な配管系から構成され、さらに露天風呂や気泡発生装置などの設備が付帯されており、レジオネラ症の発生事例を踏まえると、設備の衛生管理や構造設備上の措置を十分行う必要があります。

貯湯槽は微生物汚染を防ぐために土ぼこりを入りにくくし、清掃や消毒を十分に行います。配管系や浴槽はレジオネラ属菌等の増殖を防ぐために生物膜の発生を防止し、発生したならば直ちに除去します。さらに、連日使用している浴槽水や再利用された浴槽水を気泡発生装置や打たせ湯等に使用することを控え、エアロゾルの発生を防ぎ、感染の機会を減らすことが必要です。

2 関連法規等に規定されている管理概要

第6編　公衆浴場

　公衆浴場等の衛生管理については、「公衆浴場における衛生等管理要領等について」（平成12年12月15日付け生衛発第1,811号厚生省生活衛生局長通知）（以下「管理要領等」と言います。）により、公衆浴場等のろ過器及び循環配管、貯湯槽などの衛生管理が求められています。なお、浴槽水の水質については、レジオネラ属菌は検出されないこと（10CFU／100mL未満）という基準が設定されています。また、レジオネラ属菌の増殖を防ぐために、「管理要領等」で以下のような管理要点が示されています。

① 　ろ過器は、浴槽ごとに設置することが望ましく、1時間当たりで、浴槽の容量以上のろ過能力を有し、かつ、逆洗浄等の適切な方法でろ過器内のごみ、汚泥等を排出することができる構造であるとともに、ろ過器に毛髪等が混入しないようろ過器の前に集毛器を設けること。

② 　ろ過器及び循環配管は、1週間に1回以上、ろ過器を十分に逆洗浄して汚濁を排出するとともに、適切な消毒方法で生物膜を除去すること。年に1回程度は循環配管内の生物膜の状況を点検し、生物膜がある場合には、その除去を行うこと。

③ 　浴槽水の消毒に当たっては、塩素系薬剤を使用し、浴槽水中の遊離残留塩素濃度を頻繁に測定して、通常0.4mg／L程度を保ち、かつ、遊離残留塩素濃度は最大1.0mg／Lを超えないように努めること。また、結合塩素のモノクロラミンの場合には、3mg／L程度を保つこと。

④ 　原水若しくは原湯の性質その他の条件により塩素系薬剤が使用できない場合、原水若しくは原湯のpHが高く塩素系薬剤の効果が減弱する場合、又はオゾン殺菌等他の消毒方法を使用する場合であって、併せて適切な衛生措置を行うのであれば、塩素系薬剤以外の消毒方法を使用できること。

⑤ 　毎日完全に換水して浴槽を清掃すること。ただし、これにより難い場合にあっても、1週間に1回以上完全に換水して浴槽を清掃、消毒すること。

⑥ 　管理記録を3年以上保存すること。

などです。

　公衆浴場では、毎日完全換水することが前提となっています。営業中は、充分に原湯又は循環ろ過水を供給することにより溢水させ、浴槽水を清浄に保ちます。1日の営業終了後に完全に水を落とし（貯め湯をせずに）、浴槽、ろ過装置、循環系を消毒・清掃します。浴槽の清掃管理を適切に実施していても、ろ過装置や配管系の消毒・清掃を怠るとレジオネラ属菌の繁殖を許すことになります。

　温泉などで、砂ろ過等のろ過器を設置して継続的に営業する場合には、塩素消毒を併用することが前提となります。塩素を添加せずに連続運転をすると、ろ材にたまった有機物を栄養源として微生物が繁殖し、生物膜（バイオフィルム、ぬめり）を形成します。生物膜の中では、レジオネラ属菌などの微生物は、消毒剤などの殺菌作用から守られて生息し続けます。これを除去せずに浴槽水だけを消毒しても、十分な効果が期待できないことは明らかです。

3 　設備の概要

循環式浴槽におけるレジオネラ症防止対策マニュアルについて

(1) 循環式浴槽とは、どのようなシステムの浴槽をいいますか。

循環式浴槽とは、温泉水や水道水の使用量を少なくする目的で、浴槽の湯をろ過器等を通して循環させることにより、浴槽内の湯を清浄に保つ構造の浴槽を言います。構造は、図―1に示すように集毛器（ヘアーキャッチャー）、循環ポンプ、消毒装置、ろ過器、加熱器（熱交換器）、循環配管によって構成され、浴槽内の湯をろ過し適温に保つものです。

浴槽の湯は、髪の毛などの混入物が集毛器で除去され、消毒剤などを用いて消毒します。消毒剤には塩素系薬剤が推奨されていますが、温泉の中には塩素消毒の効果が十分に発揮されない泉質があります。その場合は、オゾン殺菌、紫外線殺菌等により消毒が行われています。その後、ろ過器で更に微細な汚濁がろ過され、加熱器で適温に温めて浴槽に戻されます。

(2) 湯の循環方式には、どのような方法がありますか。

浴槽の湯の循環方式には、一般に、①側壁吐出・底面還水方式（図―2）、②側壁吐出・オーバーフロー還水方式（図―3）が使われています。
① 側壁吐出・底面還水方式
　浴槽の側壁からろ過・消毒された湯を浴槽内に吐出させて、浴槽の底から吸い込んでろ過器に戻す方法で、一般にはこの方式が多く使われています。
② 側壁吐出・オーバーフロー還水方式
　浴槽内に浴槽の側壁や底面から湯を吐出させて、浴槽の縁からオーバーフローさせた湯を集めてろ過器に戻す方法で、湯が豊富に溢れ出ているように見せる視覚的な効果と、浴槽表面の浮遊物の除去が可能です。節水の目的でも用いられる循環方式であり、オーバーフローした浴槽水に洗い場の排水を混入させない集水方法としなければなりません。

なお、オーバーフロー回収槽は高率にレジオネラに汚染されることから、専用の消毒と洗浄が欠かせず、自治体によっては設置が禁止されています。

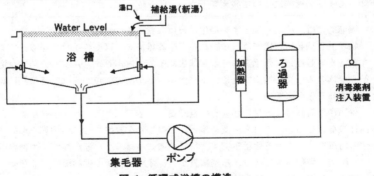

図-1　循環式浴槽の構造

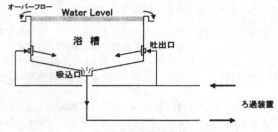

図-2　側壁吐出・底面還水方式

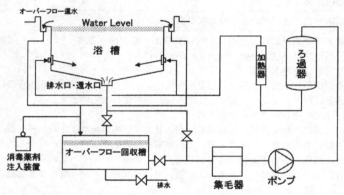

図-3　側壁吐出・オーバーフロー還水方式

(3) ろ過器の機能について教えて下さい。

　機能的には、物理ろ過と生物浄化に分けられます。
　物理的ろ過装置の機能は、微細な粒子や繊維あるいは髪の毛などを除去するものですが、水に溶け込んだ物質を分解・除去する能力はありません。ろ過装置は浴槽システム全体の表面積を増やすため、レジオネラ症予防の観点からはできるだけ装置を小さくすることが必要です。
　生物浄化装置は、ろ材に多孔質の自然石、人造石（セラミックボール等）あるいは活性炭などを用い、これらを支持体として微生物を繁殖させて生物膜を形成させ浴槽水の汚濁を分解させる仕組みです。特に循環式浴槽では水温が高く、生物膜はレジオネラ属菌の増殖の場であり、ろ過装置がレジオネラ属菌の供給源になるため、循環式浴槽用のろ過装置として生物浄化装置は使用できません。

(4) ろ過器にはどのような種類のものが使われていますか。

　物理的ろ過器には大きく分けて、(1)砂式、(2)けいそう（珪藻）土式、(3)カートリッジ式の３つの方式があります。公衆浴場における「管理要領等」では、ろ過器は、浴槽ごとに設置することが望ましいとされています。さらに、循環式浴槽のろ過能力は、１時間に浴槽の湯が１回以上ろ過されることとされており、一般には1.5～３回程度の能力としている例が多いようですが、入浴者数に対して浴槽の容量が大きい場合などは、それほど多くろ過をしなくても、濁度の基準を超えることはないでしょう。溢水とそれに見合う補湯が行われれば、過マンガン酸カリウム消費量及び濁度が理論的に公衆浴場法の浴槽水の水質基準を超えないことが厚生労働科学研究班の試算により示されています。

① 砂式

　砂式は、水質の変動に強く操作が容易で比較的安定した水質が得られるため、一般に多く使われています。ろ過タンク内に、粒子径や比重の異なる天然砂などを積層して湯をろ過するもので、20～50μm程度までの汚濁を捕捉します。なお、レジオネラ属菌や他の雑菌は、大きさが0.5～２μmで、砂ろ過では除去はできません。ろ過能力はろ過速度によって左右され、一般に25～50m／hのものが使われていますが、ろ過精度を考えれば40m／h以下の速度を維持することを推奨します。

　ろ材が目詰まりしたら、湯を逆に流して（逆洗）汚濁を清掃・排除しますが、その回数は週１回以上定期的に行い、同時にろ材の消毒をする必要があります。適切な洗浄を行わなかったり、多少の汚濁が残ったりすることで砂が固まり、微生物の繁殖を招きます。確実に汚濁を排除し、消毒することが重要です。

② けいそう土式

　ろ布（合成繊維膜）に微細なけいそう土粉末を２～６mm程度の厚さで積層させて、ろ過膜を作りろ過するもので、５μm程度までの汚濁を捕捉できるなど、ここに示した３方式のうちで最も除去性能に優れています。けいそう土に細かい物を使用すれば細菌でも捕捉出来ますが、配管等でも微生物が増殖するので、ろ過器のみで細菌を抑えることはできません。ろ材が詰まったらけいそう土を洗い落として、新しいけいそう土を付着させてろ過膜を作り直しますので、汚濁をろ過器から排出できます。このろ過器は、公衆浴場などで使われている例が多いようです。

③ カートリッジ式

　合成繊維の糸を筒形に巻いたカートリッジと、ポリエステル不織布のプリーツ形カートリッジをろ材にしたものがあり、ろ過水量に応じた本数を使用し10～15μm程度までの汚濁を捕捉できます。糸巻き式のカートリッジは、逆洗機能が付いていないので、一般には消耗品として破棄します。また、プリーツ形はタンクから取り出して洗浄できますが、操作が容易ではありません。現在では、比較的入浴者が少なく小規模な浴槽に使われていますが、捕捉した汚濁物質を定期的に除去できないため、浴槽用のろ過器としては好ましくありません。

第6編　公衆浴場

4　構造上の問題点と対策

(1) 循環式浴槽の構造上の問題点とチェックポイントを教えて下さい。

① 循環湯の吐出口は浴槽の水面下に設ける。

浴槽内の湯が部分的に滞留しないように配置しつつ、循環湯の吐出口の位置は、必ず浴槽の水面より下に設けます。循環湯の一部を、浴槽水面より上部に設けた湯口から浴槽内に落とし込む構造のものがよく見受けられます。これは旅館や娯楽施設の浴場で、湯を豊富に見せるための演出として行われているようですが、新しい湯と誤解して口に含んだりする入浴客もあり、また、レジオネラ症感染の原因であるエアロゾルが発生するなど衛生的に危険なものです。浴槽の湯口からは、新しい温泉水や湯、水以外は流さないようにする必要があります。

② 浴槽循環湯を打たせ湯等に使用しない。

湯を上部から落として、マッサージ効果を期待した「打たせ湯」は、エアロゾルが発生して口や目にも入り込むことがあり、レジオネラ属菌に感染する危険性があるため、循環浴槽水やオーバーフロー水等を再利用した水をそれに使用することはできません。同様に、シャワー等もエアロゾルを発生させるため循環している浴槽水を使用してはいけません。

③ 気泡発生装置の使用は、更に管理面を強化する必要がある。

現在、気泡風呂、超音波あるいはジェット風呂などと称する、浴槽内で気泡を発生させて入浴を楽しむ浴槽が多く設置されています。しかし、水面上で気泡がやぶれてエアロゾルが発生するため、レジオネラ属菌が飛散するおそれがあります。従って気泡発生装置を使用する場合はこれによる感染の危険が高くなります。気泡発生装置等を設置している場合は、連日使用している浴槽水を使用しないようにするほか、点検、清掃及び排水が容易に行うことができ、空気取入口から土ぼこりや浴槽水等が入らないような構造とし、内部に生物膜が形成されないように管理する必要があります。また、浴槽水の水質基準を厳守するとともに、気泡発生装置の責任者を定めて、責任の所在を明確にしておくなど、更に管理面を強化する必要があります。

④ 浴槽への補給水や補給湯の配管を浴槽循環配管に直接接続しない。

浴槽の湯は、入浴者によるかけ湯や溢水などによって減っていくため、新しい湯や水を補給する必要があります。浴槽に補給する湯や水は、必ず浴槽水面上部から浴槽に落としこむ方法をとり、浴槽の湯が給湯・給水配管に逆流しないようにしなければなりません。浴槽循環配管に、給湯配管あるいは給水配管を直接接続することは、逆流防止のため禁止されています。逆止弁を付けても、細菌等の汚濁の逆流を防ぐことはできません。

⑤ 浴場排水熱回収用温水器（熱交換器）の給水管にピンホールがないことを確認する。

現在、多くの公衆浴場などで使われている熱回収用温水器は、汚れた浴場排水と

給水が管壁だけで接しているため、腐食などで管にピンホールができた場合には、給水を汚染するおそれがあります。浴場排水は非常に汚れていますので、給水管は常に正圧（排水管より圧力が高い状態）にするとともに、ピンホールができていないか定期的に検査を行い、汚染防止に努めるなど温水器の維持管理には十分な注意が必要です。

⑥　浴槽オーバーフロー回収槽は定期的に清掃を行う。

　「管理要領等」では、オーバーフロー水及びオーバーフロー回収槽内の水を浴用に供しないこととされています。止むを得ず浴用に供する場合は、オーバーフロー環水管を直接循環配管に接続せず、浴槽からのオーバーフロー水のみ回収し、浴場床排水が混入しない構造とします。オーバーフロー回収槽は、地下埋設を避け、内部の清掃が容易に行える位置・状態に設置するとともに、回収槽内の水が消毒できる設備を設ける必要があります。

　オーバーフロー回収槽内部は常に清浄な状態を保つために回収槽の壁面の清掃及び消毒を頻繁に行い、レジオネラ属菌が繁殖しないように、別途、回収槽の水を塩素系薬剤等で消毒する等の衛生管理を適切に行う必要があります。（常時遊離残留塩素濃度を0.4～1.0mg／Lに維持するとともに、１週間に１回以上完全に排水して回収槽の壁面の清掃及び消毒を行い、３か月ごとにレジオネラ属菌検査を行って不検出を確認することが望ましい。）

⑦　シャワーは定期的に清掃を行う。

　シャワーの内部でも生物膜が生成され易く、レジオネラ属菌を検出することがあります。さらに、エアロゾルを発生し易いため、公衆浴場で使用されているシャワーは循環している浴槽水を使用しないことになっています。できるだけ、シャワー内部に水が滞留しないように、少なくとも週に１回、内部の水が置き換わるように通水するとともに、シャワーヘッドとホースは６か月に１回以上点検し、内部の汚れとスケールを１年に１回以上洗浄、消毒するなどの対策を行い、定期的にレジオネラ属菌検査を行って、不検出を確認することが推奨されます。

⑧　調節箱は定期的に清掃を行う。

　公衆浴場では、洗い場の湯栓（カラン）やシャワーへ送る湯の温度を調節するために「調節箱」を設置している場合があります。この調節箱内部の湯温は、レジオネラ属菌の繁殖に適した温度となるため注意が必要です。また、開放型の調節箱では容易にレジオネラ属菌が侵入し、増殖する危険があります。従って、生物膜の状況を監視し、定期的に調節箱の清掃を行い、必要により塩素消毒を追加し、常に清浄な状態を保つことが大切です。

⑨　温泉水の貯湯槽の維持管理を適切に行う。

　温泉等で貯湯槽を設けている場合には、レジオネラ属菌の繁殖あるいは混入を防ぐために、通常の使用状態において、湯の補給口、底部等に至るまで60℃以上に保ち、かつ、最大使用時においても55℃以上に保つ能力を有する加温装置が必要です。それにより難い場合は、消毒設備を設置します。タンクが外気と遮断されてい

るか、破損箇所はないか、温度計の性能に問題はないかを定期的に調べます。また、貯湯槽などは定期的に清掃を行い、常に清浄な状態を保つことが大切です。生物膜の状況を監視し、必要に応じて清掃及び消毒を行います。清掃しやすいように、貯湯槽は完全に排水できる構造とする必要があります。

　他に、源泉水を一定の区域で集中管理している場合の貯湯槽において、タンクから各施設への配湯管は、高温水でも劣化せず、温度が低下しにくい材質のものを使用します。

　また、自家泉源の湯を貯湯槽に貯めている施設で、湯温が60℃以上に設定出来ない場合には、元湯がレジオネラ属菌に汚染されている可能性があるので、元湯の貯湯温度を高められる装置に取り替えることを検討する必要があります。

5　浴槽の水質管理
1)　水質基準・検査方法・検査頻度

(1)　レジオネラ属菌に関する浴槽水の水質に関する基準はありますか。

　レジオネラ属菌に関する浴槽水の水質に関する基準などは、「管理要領等」で以下のように定められています。
① 　水質基準
　　浴槽水の水質基準は、レジオネラ属菌は検出されないこと（10CFU／100mL未満）とされています。水試料1000mLを10mLに濃縮し、濃縮液100μLを寒天平板1枚に塗抹して培養した結果、1集落のレジオネラ属菌が検出された場合の検出感度は10CFU／100mLとなることから、「検出されないこと」は「10CFU／100mL未満」となります。
② 　検査方法
　　レジオネラ属菌の検査は以下の方法で行います。
　・レジオネラ属菌は、ろ過濃縮法又は冷却遠心濃縮法のいずれかによること。また、その具体的手順は、「公衆浴場における浴槽水等のレジオネラ属菌検査方法について」（令和元年9月19日付け薬生衛発0919第1号厚生労働省医薬・生活衛生局生活衛生課長通知）を参照すること。
③ 　検査頻度
　　浴槽水等の水質検査は、循環式浴槽の形態によって以下のとおり、定期的に行うこととされています。なお、この検査に関する書類は、3年以上保存しなければなりません。
　・ろ過器を使用していない浴槽水及び毎日完全に換水している浴槽水は、1年に1回以上
　・連日使用している浴槽水は、1年に2回以上
　・連日使用している浴槽水でその消毒が塩素消毒でない場合は、1年に4回以上
2)　消毒方法

(1) 浴槽水などの消毒方法に関する規定はありますか。

浴槽水などの消毒方法は、「管理要領等」で以下のように定められています。
・浴槽水の消毒に用いる塩素系薬剤の注入（投入）口は、浴槽水がろ過器内に入る直前に設置すること。
・浴槽水の消毒に当たっては、塩素系薬剤を使用し、浴槽水中の遊離残留塩素濃度を頻繁に測定して、通常0.4mg／L程度を保ち、かつ、遊離残留塩素濃度は最大1.0mg／Lを超えないよう努めること。また、結合塩素のモノクロラミンの場合には、3mg／L程度を保つこと。
・ただし、原水若しくは原湯の性質その他の条件により塩素系薬剤が使用できない場合、原水若しくは原湯のpHが高く塩素系薬剤の効果が減弱する場合、又は塩素系薬剤が使用できる浴槽水であっても、併せて適切な衛生措置を行うのであれば、塩素系薬剤以外の消毒方法を使用できること。
・当該測定結果は検査の日から3年間保管すること。

(2) 塩素系薬剤にはどのようなものがありますか。

塩素系薬剤には、表に示すように、次亜塩素酸ナトリウム（液剤）、次亜塩素酸カルシウム（散剤、顆粒、錠剤）、塩素化イソシアヌル酸（顆粒、錠剤）などがあり、その使用方法は種類によってそれぞれ異なります。しかし、どの塩素系薬剤を使用しても、水中で次亜塩素酸が生じ、その殺菌効果によって消毒が行われます。また、結合塩素のモノクロラミンも使用できること（浴槽水の終濃度3mg／L程度）が厚生労働科学研究の調査により明らかにされています。モノクロラミンは安定な化合物ではないので現場で生成を行う必要があります。

種類	有効塩素(%)	性状
次亜塩素酸ナトリウム	5～12	液体（アルカリ性）
次亜塩素酸カルシウム		
さらし粉	30	固体（アルカリ性）
高度さらし粉70固体（中性）	70	固体（中性）
塩素化イソシアヌル酸		
トリクロロイソシアヌル酸	85～90	固体（酸性）
ジクロロイソシアヌル酸ナトリウム	60	固体（弱酸性）

(3) 塩素系薬剤の注入（投入）にはどのような方法がありますか。

塩素系薬剤の注入方法には、自動注入方式による方法と投げ込みによる方法があります。
自動注入方式による方法には、塩素系薬剤をタイマーで制御し間欠的に注入するもの、循環水量に比例して連続的に注入するもの、塩素濃度を測定してフィードバック

制御で塩素濃度を一定に保つように必要量を注入するものがあります。なお、自動注入方式は、薬液タンクと薬液注入ポンプから構成されています。

投げ込みによる方法は、塩素系薬剤を管理者が浴槽などに直接投入する方法です。

いずれの方法においても、浴槽水の遊離残留塩素濃度を測定し、薬剤濃度が高くならないよう（1.0mg／L程度までが望ましい。）注意する必要があります。自動測定機器はスケールの付着により誤差が生じますので、自動機器とは別に手動での測定、機器の洗浄と補正が必要です。

(4)　塩素系薬剤による消毒方法で注意すべきことは何ですか。

塩素系薬剤を注入（投入）するにあたり、ろ過装置のろ材などに微生物が繁殖している場合などには、発泡したり、塩素系薬剤の消費が激しくて必要な塩素濃度を確保できなかったりすることが想定されます。このため、消毒の前には逆洗などの徹底した前処理が必要です。

なお、ろ過装置に塩素消費量以上の過剰な塩素系薬剤を注入すると、浴槽水中の塩素濃度が高くなり、トリハロメタンや塩素臭が発生しやすくなったり、資機材が腐食するなどのおそれがあります。

また、温泉を使用している場合には、温泉成分と塩素系薬剤との相互作用の有無などについて、事前に十分な調査を行う必要があります。ただし、単純温泉であっても、規模や様式により結果が異なる場合もありますので、事前調査を行い、各施設が自前のデータを持つことが重要です。例えば、高pHの泉質に塩素系薬剤だけで消毒を行う場合は、レジオネラ属菌の殺菌効果を検証し、遊離残留塩素濃度をやや高く設定すること（0.5～1.0mg／Lなど）で十分な消毒に配慮する必要があります。なお、温泉成分と塩素系薬剤との反応で、有害あるいは不快な状態に変化する泉質としては、低pH（塩素ガスの発生）、鉄やマンガン（酸化物の生成による着色）が考えられます。アンモニア性窒素を1mg／L以上含む場合は、遊離塩素を検出するまでには、多量の次亜塩素酸ナトリウムの投入（ブレークポイント処理）を必要とし、現場での濃度調整の困難さや、消毒臭気、消毒副生成物の問題も生じるため、アンモニア性窒素を含む温泉浴槽水の消毒には、濃度管理が容易で、充分な消毒効果が期待できるモノクロラミン消毒がより適しています。

モノクロラミン消毒の薬剤は保存がきかないので、次亜塩素酸ナトリウムとアンモニア剤の各溶液を水道水に混合して、現場で生成する必要があります。酸性の温泉泉質ではトリクロラミン等の悪臭物質が生じる為、使用できません。

(5)　塩素系薬剤を使用するにあたっての一般的な注意事項は何ですか。

塩素系薬剤を使用するにあたっては、消毒効果の減少と事故の発生を防ぐため、取り扱いと保管に注意する必要があります。

塩素系薬剤は、他の薬品などとの接触や高温多湿を避け、光を遮った場所に保管します。

各メーカーから販売されている錠剤、ペレット、粒径の大きい顆粒のものは、消防法上の危険物には該当しませんが、固形の塩素系薬剤は強力な酸化性物質であるため、取り扱いを誤ると発火、爆発の危険があります。

特に、塩素化イソシアヌル酸と次亜塩素酸カルシウムを混合して使用・保管すると、発熱・発火する恐れがあります。

また、次亜塩素酸ナトリウムは強アルカリ性のため、直接皮膚に接触しないようにします。なお、衣服や機械器具に付着すると腐食・損傷する恐れがあります。

保護具としては、保護マスク、保護眼鏡、保護手袋などがあり、必要に応じて使用します。

〈塩素系薬剤の取り扱い時の救急措置〉
・皮膚に付着した場合は、流水で十分に洗い流します。
・眼に入った場合は、流水で15分間以上洗眼します。
・吸入した場合は、新鮮な空気の所へ運び、仰向けか横向きに寝かせ、身体を暖めて血液の循環を良くし、酸素補給を十分にします。
・いずれの場合も、医師に事故者を診察してもらうことが必要です。

(6) 有効塩素と残留塩素の違いは何ですか。

殺菌効力のある塩素系薬剤を有効塩素といいます。

塩素系薬剤が水に溶解した時にできる次亜塩素酸（HClO）や次亜塩素酸イオン（ClO⁻）も有効塩素です。性質は異なりますが、クロラミンも有効塩素です。

一方、水に溶解した場合に塩化物イオン（Cl⁻）となる塩化ナトリウムなどの無機塩化物や有機化合物と結合した有機の塩素化合物の大半は反応性に乏しく消毒効果が期待できないため、有効塩素ではありません。

塩素が、水中で殺菌作用を起こしたり、汚染物と反応したり、紫外線の作用で分解した後に、なお残留している有効塩素を残留塩素といいます。

残留塩素には、遊離塩素と結合塩素があります。次亜塩素酸（HClO）や次亜塩素酸イオン（ClO⁻）を遊離塩素と呼び、クロラミンを結合塩素と呼びます。

遊離（あるいは結合）塩素、遊離型塩素、遊離有効塩素、遊離残留塩素などの用語はすべて同じ意味で使われています。

残留塩素を測定する場合、遊離塩素のみを測定する他、遊離塩素と結合塩素との合計量を測定することができますが、これを総塩素あるいは総残留塩素と呼びます。総塩素から遊離塩素を差し引いたものが結合塩素となります。（遊離塩素＋結合塩素＝総塩素）

また、測定した塩素量を表す時は、遊離（あるいは結合・総）塩素濃度（mg／L）と呼びます。

なお、浴槽水の塩素を測定する場合は、多くは遊離残留塩素を対象としますが、モノクロラミンを消毒に用いる場合など必要により総塩素（結合塩素を算出）、アンモニア性窒素も測定し、塩素消毒の状態を確認します。

(7) 塩素系薬剤で浴槽水を消毒する場合の注入（投入）量はどのくらいですか。

　塩素系薬剤の添加量は、入浴者数、循環式浴槽の形態・仕様、ろ材などの汚れの状況、水質などにより、遊離残留塩素の消費量が異なるため、湯量（浴槽内＋ろ過装置＋配管内の合計）からだけでは一概に決定することはできません。浴槽水の遊離残留塩素濃度を測定しながら、その量を決める必要があります。なお、アンモニア性窒素が存在すると、目安としてその10倍程度の塩素が消費されるので注意が必要です。
　下記に参考として、遊離残留塩素の消費が全く無いことを条件に、湯量から求めた塩素系薬剤の添加量の算出例を示します（有効塩素濃度は各塩素系薬剤に記載されています。）。

例①　湯量が10m³の浴槽に、塩素系薬剤として有効塩素濃度12％の次亜塩素酸ナトリウム溶液を用いて、浴槽水の遊離残留塩素濃度を0.4mg／Lにするには、
　　　0.4mg／L×10m³＝0.4g／m³×10m³＝4.0g（≒4mL）
　　　4mL×100／12＝33.3mL
　　したがって、塩素系薬剤を33.3mL添加することになります。

例②　湯量が10m³の浴槽に、塩素系薬剤として有効塩素濃度55％のジクロロイソシアヌル酸ナトリウムを1錠（1錠あたり10gとする）添加すると、
　　　10g×55％＝5.5g
　　　1錠に含まれている有効塩素量は5.5gとなり、
　　　5.5g÷10m³＝0.55mg／L
　　したがって、塩素系薬剤1錠添加することにより、浴槽水の遊離残留塩素濃度は、0.55mg／Lとなります。

(8) 残留塩素濃度の測定にはどのような方法がありますか。

　残留塩素の測定方法には、比色法（DPD法）や吸光光度法、電流法などがあります。一般には、DPD法を用いた携帯型の簡易測定器が使用されています。
　DPD法（N,N-Diethyl-p-phenylene-diamine法）
　比色管にリン酸緩衝液、DPD試薬を添加し、検水を取り、発色させます。検水中の残留塩素濃度に応じて桃〜桃赤色へと瞬時に呈色しますので、速やかに（おおむね1分以内に）測定器の標準比色列と比色し遊離残留塩素濃度を求めます。時間が経過すると結合塩素でも発色し、正確な測定ができなくなります。温泉水の泉質によってはDPD試薬の反応を妨害することがあります。発色した色を比色版と比較し測定する残留塩素測定器（DPD法）では、着色や白濁している浴槽水（薬湯や温泉など）では、測定できない場合があります。

(9) アルカリ性の温泉水では、塩素系薬剤の消毒効果が低下する理由は何ですか。

　塩素系薬剤の消毒効果は、殺菌力の強い次亜塩素酸（HClO）と、殺菌力がその100分の1程度に過ぎない次亜塩素酸イオン（ClO⁻）の比率により異なりますが、そ

の比率はpHにより変動します。以下に示す表のように、pH6.0では、約97％がHClOで占められていますが、pH7.5では50％、pH9.0では3.1％と激減しています。このため、アルカリ性の温泉水では、塩素系薬剤の効果が低下します。弱アルカリ性でアンモニア性窒素が少ない場合には遊離塩素消毒が有効ですが、アルカリ性でアンモニア性窒素が多い場合はモノクロラミン消毒が使用できます。

表　pHとHClOとの関係

pH	HClO(％)
6.00	96.9
6.25	94.7
6.50	90.9
6.75	84.9
7.00	76.0
7.25	64.0
7.50	50.0
7.75	36.0
8.00	24.0
8.25	15.1
8.50	9.1
8.75	5.3
9.00	3.1
9.25	1.7
9.50	1.0
9.75	0.6
10.00	0.3

(10)　塩素系薬剤の他にどのような消毒方法がありますか。また、使用上の注意点は何ですか。

　浴槽水の消毒には塩素系薬剤が主として使われていますが、その他にオゾン、紫外線、銀イオン、光触媒などの消毒方法があります。

　高濃度のオゾンは人体に有害であるため、活性炭などによる廃オゾンの処理が欠かせません。

　紫外線はランプのガラス管が汚れると効力が落ちるため、常時ガラス面の清浄度を保つ必要があり、適切な維持管理が必要です。

　高濃度オゾン、紫外線、光触媒のように残留性がない消毒方法の場合は、消毒した場所の生物膜を除去し、レジオネラ属菌を消毒することはできますが、配管系や浴槽等の他の場所ではレジオネラ属菌が増殖する可能性があり、残留性のある消毒法と併用して使用する必要があります。

第6編　公衆浴場

　　また、二酸化塩素は、生成装置によっては毒性のある未反応の亜塩素酸（イオン）が残留して、水中の亜塩素酸濃度が高くなることが考えられ、残留消毒剤濃度の測定に注意が必要です。なお、銅イオンはレジオネラ属菌の消毒効果は低く、EUでは、レジオネラ属菌の消毒方法としては、認められていません。

6　浴槽の管理方法

(1)　浴槽の清掃・消毒に関する規定はありますか。

　　浴槽の清掃・消毒については、「管理要領等」では、毎日完全に換水して浴槽を清掃することとし、これにより難い場合にあっても、1週間に1回以上完全に換水して浴槽を清掃することと定められています。また、浴槽に湯水がある時は、ろ過器及び消毒装置を常に作動させることと定められています。

(2)　浴槽の清掃・消毒の効果を確認する方法はありますか。

　　ATP拭き取り検査を行うことにより、浴槽壁等の生物膜の残存量を現場で迅速に確認できます。
　　厚生労働科学研究により、浴槽壁等の10cm四方を専用綿棒で拭き取った時の清浄度基準値（1000RLU）が提案されており、この値以上であれば拭き取り試料中のレジオネラの検出率が有意に増加します。この方法を利用すると、汚染場所が特定でき、洗浄効果が確認できるため、洗浄方法の最適化が可能となります。
　　ちなみに、高圧洗浄に頼るよりもブラシ主体の洗浄が効果的で、さらにブラシ後の高濃度塩素消毒が有効であり、目地は洗浄しにくいというデータが得られています。

(3)　循環式浴槽の維持管理上の注意点について教えて下さい。

①　ろ過器の維持管理
　　「管理要領等」では、ろ材の種類を問わず、ろ過装置自体がレジオネラ属菌の供給源とならないよう、消毒を1週間に1回以上実施すること。また、ろ過器は1週間に1回以上逆洗して汚濁を排出することと定められています。

②　循環配管の維持管理
　　循環配管の内壁には、粘着性の生物膜が生成され易く、レジオネラ属菌の温床となります。そのため、年に1回程度は、循環配管内の生物膜を除去し、消毒することが必要です。また、図面等により、配管の状況を正確に把握し、不要な配管を除去することも重要です。
　　生物膜の除去には、以下のような処理が考えられますが、危険が伴うことや、洗浄廃液の処理などに専門的な知識が必要な場合もあります。
　　過酸化水素消毒：過酸化水素（2〜3％で使用）は、有機物と反応して発泡し、物理的に生物膜を剥離、除去します。また、同時に強い殺菌作用があります。
　　過酸化水素は、毒物及び劇物取締法で指定された劇物であり、取り扱いには危険が伴い、さらに処理薬品が多量に必要であること、洗浄廃液の化学的酸素要求量

（COD）が高いことなども含め、専門の業者による洗浄が必要であり、その費用も高価なものとなります。

塩素消毒：高濃度の有効塩素を含んだ浴槽水を、配管の中に循環させることで殺菌する方法です。残留塩素濃度は、循環系内の配管などの材質の腐食を考慮して、5～10mg／L程度が妥当です。この状態で、浴槽水を数時間循環させます。生物膜が存在している循環系に塩素を入れると、塩素は微生物の細胞膜を破壊してタンパクや多糖類を溶出させるので、浴槽水が濁ったり発泡したりすることがあります。ただし、普段から浴槽水中の遊離残留塩素濃度が、0.4mg／Lとなるように塩素系薬剤を連続注入により添加して、微生物の繁殖を防いでいれば、高濃度の塩素処理を行っても発泡などは起きません。また、結合塩素のモノクロラミンの場合には、3mg／L程度を保つことが必要です。

ちなみに、米国やオーストラリアでは、浴槽水中に残留塩素を常時保つことが、レジオネラ属菌を含む微生物の繁殖を防ぐキーポイントであることが強調されています。具体的には、使用時に残留塩素濃度を2～4mg／Lに保つこと、また、少なくとも1週間に1回以上10mg／Lの塩素で1～4時間処理することが管理方法として推奨されています。

その他：次亜塩素酸ナトリウムと併用して、水中で二酸化塩素を発生させる薬剤もあり、スライムの除去・消毒を行う方法も用いられています。

加温消毒：60℃以上の高温水を、循環させることで殺菌する方法です。但し、循環系の材質によっては、劣化（例えば熱による塩ビ管の軟化劣化）、または腐食を促進することもありますので、事前に設備の確認が必要です。

③ 消毒装置の維持管理

薬液タンクの塩素系薬剤の量を確認し、補給を怠らないようにしなければなりません。送液ポンプが正常に作動し、薬液の注入が行われていることを毎日確認します。注入弁のノズルが詰まったり、空気をかんだりして送液が停止している例がよく見受けられます。

一般によく使われている市販品の次亜塩素酸ナトリウム溶液は、有効塩素濃度が12％ですが、そのまま使うとノズルが詰まり易いので、5～10倍に薄めて使用している例が多いようです。また、不純物の多い工業用のものは使用を避け、日本水道協会規格品、食品添加物認定品あるいは医薬品などとして市販されている薬剤を使用することにより、目詰まりはある程度防ぐことができます。いずれにしても、薬剤注入弁は定期的に清掃を行い、目詰まりを起こさないように管理する必要があります。

④ 集毛器の維持管理

集毛器の清掃洗浄・消毒は、毎日行います。理由はろ過器と同様に、集毛器自体がレジオネラ属菌の供給源とならないようにするためです。こまめに清掃洗浄を行い、その際に、塩素系薬剤や過酸化水素溶液などで集毛部や内部を清掃すると良いでしょう。

(4) その他の浴槽設備の管理で注意することは何ですか。

① 露天風呂

露天風呂は、常時、レジオネラ属菌の汚染の機会にさらされているため、浴槽の湯は常に満杯状態とし、溢水を図り、浮遊物の除去に努める必要があります。露天風呂の周囲に植栽がある場合は、浴槽に土が入り込まないよう注意してください。

循環してろ過された湯水を使用していない浴槽水や毎日完全換水型浴槽水は、毎日完全に換水し、連日使用型循環浴槽水は、1週間に1回以上定期的に完全換水し、浴槽の消毒・清掃を行います。

内湯と露天風呂の間は、配管を通じて、露天風呂の湯が内湯に混じることのないように注意する必要があります。

② 酸性温泉と食塩泉

酸性温泉の中には、レジオネラ属菌が検出されず逆に殺菌作用のある泉質があり、レジオネラの検査が条例により免除されている場合があります。ただし、温泉の泉質は補給水の注入や循環ろ過の継続、入浴者の増減によって変化し、決して不変ではありません。そのため、現行の細菌検査方法でレジオネラ属菌が検出されない場合でも、定期的に保守・管理を行うことが重要です。

試験管内の実験では、3％食塩の存在下でレジオネラ属菌は増殖しませんが、食塩泉等の塩化物泉でもレジオネラ属菌がしばしば検出されます。外部の食塩濃度が、アメーバの中では、レジオネラ属菌の増殖にあまり影響していないためと考えられます。

③ 家庭用循環式浴槽の管理

家庭用循環式浴槽の日々の管理に関しては、特に基準があるわけではありません。その使用にあたっては、前記の管理方法を参考にして、添付の説明書等に従って、事故を未然に防ぐことが大切です。

(5) 浴槽水の汚染状況を簡易に把握する方法はありますか。

浴槽水のATP量を迅速簡易測定器で測定すると、レジオネラ属菌が増殖しやすい環境の指標となることが報告されています。日常の浴槽水の管理に有効な手段となります。

(6) 残留塩素濃度は規定の濃度を保ち、定期的に配管洗浄するなど、適切な管理を行っているにもかかわらず、レジオネラ属菌が検出される場合はどのように対処すればよいですか。

塩素消毒等を行っているにもかかわらず、pHや溶解物、測定の不備等により消毒効果が不十分であり、実際には規定濃度に達していない場合に、レジオネラ属菌が検出されることがあります。

また、配管、連通管、貯湯槽の水位計などに湯が滞留する場所があり、そこでレジ

オネラ属菌が増殖することがあります。浴槽においてもその形状や構造、材質によっては遊離塩素が規定濃度に達しない場所があり、レジオネラ属菌が検出されることがあります。残留遊離塩素が規定濃度であっても、生物膜内のレジオネラ属菌の消毒には不十分であり、レジオネラ属菌が検出された場合は、増殖場所を特定し、対策を立てることが重要です。

(7) 生物膜を除去しなければならないのはどうしてですか。

　レジオネラ属菌は、アメーバの中では遊離残留塩素に対してより抵抗性になり、また塩素による障害から回復しやすくなります。このため、遊離して浮遊するレジオネラ属菌は塩素消毒で殺菌できても、生物膜に生息するアメーバの中では生き残ります。したがって、十分な遊離残留塩素が確認できても、生物膜を除去しないとレジオネラ属菌が検出される場合があります。

　日々の管理の中で、生物膜の蓄積を防ぐことが重要であり、定期的な配管洗浄でも生物膜が除去できない場合は、定期洗浄の頻度や方法、日常的な換水後の洗浄方法を見直す必要があるでしょう。

　なお、厚生労働科学研究事業において、生物膜の除去のための目安にATP量の測定（ATP拭き取り検査）が参考になることが示されています。

7　その他

(1) 感染の危険因子について教えて下さい。

　感染症の発症には、病原体―宿主（人）―環境の3要素が深く関わっています。
　一般的には、レジオネラ属菌は感染性はさほど強くはないといわれており、本感染症は、宿主の感染防御機能が低下している場合（「Ⅱ　感染源および感染経路」を参照）や新生児および高齢者など生理的に感染症に対する抵抗が弱い宿主（人）は感染しやすくなります。しかし、何ら基礎疾患を有しない宿主（人）であっても、レジオネラ属菌によって高度に汚染されたエアロゾルを一定量以上肺に吸引すれば、感染することがあります。

(2) レジオネラ症に罹らないようにするには、どうしたらよいのでしょうか。

　本症は、レジオネラ属菌を増殖させない、汚染されたエアロゾルを発生させない、直接肺に吸い込まないことによって、その感染を回避することができます。従って、エアロゾルを形成しやすく、かつ肺に吸引する機会が多い、循環式浴槽、打たせ湯、バブルジェット式浴槽、シャワーなどのほか、超音波加湿器、冷却塔水などは、その管理に厳重な注意が必要になります。その他、工事現場の砂塵を吸い込んで感染した事例も報告されていますので、そのような場所では、エアロゾルを吸引しないよう、マスクなどの着用も効果があるでしょう。

(3) レジオネラ症が疑われる患者が発生した場合の対応を教えてください。

各施設では、普段から、レジオネラ症の発生やその疑いがあった場合の対応についてシミュレーションしておく必要があります。

患者発生は、医師の診断および保健所への届出で確認されることが多く、届出の時点ではすでに感染の成立から相当時間が経っている場合があります。このため、各施設では日頃から来客者名や住所などを把握しておくとともに、問題が生じた時には設備の使用を中止し、浴槽水等の消毒を行わずそのままの状態で保存し、保健所等の指示を待ちます。

医療機関では、抗菌薬投与前の呼吸器検体を確保して菌を分離し、その菌と保健所等の調査による環境由来の菌との遺伝子型の比較から、感染源が確定されます。また、呼吸器検体から菌の分離を経ずに遺伝子型別できる場合もあります。

(4) 浴槽水のレジオネラ属菌の検査はどこに依頼すればよいのでしょうか。

最寄りの保健所や衛生研究所などに相談して下さい。民間検査機関に検査を依頼することもできます。

なお、検査の信頼性の確保のため、「管理要領等」では、レジオネラ検査の依頼に当たっては、精度管理を行っている検査機関に依頼することが望ましいとされています。

(5) 検査を行うにあたり、検体の採取・搬送はどのように行えばよいでしょうか。

検体の採取・搬送などの方法は検査実施機関の説明に従ってください。

また、「公衆浴場における浴槽水等のレジオネラ属菌検査方法について」を参照してください。

スライムや沈殿物の場合は、滅菌綿棒で浴槽壁等の一定範囲を拭い取ります。拭い範囲を一定にするには、例えば2×2.5cmの長方形を切り抜いた厚紙を当てて切り抜き内部を拭います。拭った綿棒は乾燥を防ぐため、極く少量の滅菌水または検水を入れたたねじ栓つきの滅菌小型広口容器〔プラスチック製滅菌遠心管〕に入れて密封します。

(6) レジオネラ迅速検査法（遺伝子検査法）の活用について教えてください。

培養検査法は結果が得られるまでに7日～10日を要しますが、迅速検査法（遺伝子検査法）は採水当日あるいは翌日に判定が可能であり、現在いくつかの市販検査キットが利用可能です。迅速検査法は死菌のDNAを検出する可能性があることなどの理由から、最終的にレジオネラ属菌の有無は培養検査法で判定する必要がありますが、迅速検査法では結果が迅速に得られるため、現在は主に次の目的で使用されています。
・患者発生時の感染源調査（原因究明）
・改善措置後の陰性確認検査（営業再開の目安）
・洗浄効果の判定（陰性証明）

・清掃・消毒管理された検水におけるレジオネラ属菌の陰性確認　等

　迅速検査法には、菌の生死に関わらず遺伝子を検出する方法（生菌死菌検出法）と、生菌由来の遺伝子のみを検出する方法（生菌検出法）の2種類があり、それぞれ結果の解釈には注意が必要です。

　前者（生菌死菌検出法）は、死菌由来の遺伝子も増幅対象とするため、遺伝子検査法が陽性でも培養検査法が陰性になる場合がありますが、採水当日に結果が判明し、死菌の存在を潜在的なリスクとして評価することが可能です。

　後者（生菌検出法）は、液体培養による生菌の選択的増殖と、化学修飾による死菌由来DNAの増幅抑制を組み合わせたもので、採水翌日に培養検査結果の予測が可能ですが、菌数が少ない場合には培養検査の結果と食い違う場合があることがわかっています。

　いずれにしても、これらの特徴を理解したうえで、培養検査法と組み合わせて使用するのが良いでしょう。

　また、「公衆浴場における浴槽水等のレジオネラ属菌検査方法について」を参照してください。

(7)　掛け流し温泉施設のレジオネラ属菌対策を教えてください。

　掛け流し温泉施設には様々な構造があり、レジオネラ属菌が定着・増殖しやすい施設も見受けられる。厚生労働科学研究の調査では、掛け流し温泉施設においても浴槽や貯湯槽、配管その他の設備の生物膜の除去がレジオネラ対策として最も重要であることが示されています。循環式浴槽に準じて施設・設備の清掃・消毒を行うとともに、必要に応じて塩素系消毒剤等により浴槽水を常時消毒することが推奨されます。

(8)　浴槽水中にどのくらいの菌数のレジオネラ属菌がいると患者が発生しますか。

　レジオネラ属菌の患者由来株と入浴施設由来株が一致した疫学的に確かな事例の浴槽水中の菌数は90～4700CFU／100mLであったという報告があります。また、溺水の場合には、少量の菌でも感染することがあるので、溺水後に体調が悪くなればすぐに診察を受けて下さい。

　適切な消毒がなされていない場合、レジオネラ属菌は、4～6時間で倍します。患者の発生を防止するためには、現在の管理基準（検出されないこと、10CFU／100mL未満）を遵守することが重要です。

(9)　浴槽や貯湯槽等の清掃時の注意事項を教えてください。

　清掃時にエアロゾルが発生するため、清掃者の一般的な感染予防対策として、手袋や密封性の高いマスクの着用が推奨されます。高圧洗浄機の使用の際には、消毒された水を使用します。

○レジオネラ症患者の発生時等の対応について

> 平成14年9月3日　健感発第0903001号・健衛発第0903001号
> 各都道府県・各政令市・各特別区衛生主管部（局）長宛
> 厚生労働省健康局結核感染症・生活衛生課長連名通知

　本年7月の宮崎県日向市内の浴場に係るレジオネラ症集団発生事例においては、数名の死者を含め極めて多数の患者が生じたところである。

　レジオネラ症発生又はそれを疑わせる情報に接した場合においては、第1に、感染の拡大を防止するため、速やかに、感染源について措置を講じる必要がある。第2に、医療機関等において患者の早期の発見や適切な治療が行われるよう、速やかな情報提供が必要である。

　通常、レジオネラ症の感染源の特定のためには、対象施設等に係る検体由来の菌株と患者由来の菌株との遺伝子パターンの一致を確認するため2週間以上の日数を必要としているが、第1及び第2の措置を速やかに行うべき必要性にかんがみれば、ただそれを待つのではなく、第一報に接した後、速やかに所要の措置を講ずることに着手する必要がある。

　レジオネラ症発生等の情報に接した場合に講ずべき措置ないしは留意事項は下記のとおりであり、貴職におかれては御了知の上、公衆浴場等の衛生管理を徹底し、管下の保健所等に周知いただくとともに、事態発生に備え必要に応じ地域の医療関係者等と協議して検査体制を確認するなど、適切な対応をお願いしたい。

　なお、この通知は、地方自治法（昭和22年法律第67号）第245条の4第1項に規定する技術的助言である。

記

1　感染源に関する措置
　(1)　感染の拡大を防止するために感染源の特定を行う必要があり、このため、関係者に情報の提供を求めるなど必要な情報を収集すること。
　(2)　その結果に基づき、感染源と疑われる施設等について、検体採取等のため、実地に赴くこと。検体採取の際には、配管や供水供湯設備等の関連する設備や周辺状況等も併せて把握すること。なお、発生源の特定のためには、患者由来の菌株との遺伝子解析が必要となることから、速やかに患者由来の菌株の提供を依頼すること。
　(3)　当該施設を継続使用した場合において、感染の拡大のおそれがあると認められるときは、公衆浴場法（昭和23年法律第139号）等の法律に基づく措置を講ずるに至る前であっても、当該施設の使用中止を要請・指導すること。
2　医療機関等への情報提供等
　(1)　感染源と疑われる施設周辺又は患者居住地周辺の医療機関に対して、患者の早期発見や適切な治療につながる情報提供及び注意喚起を講じること。また、感染症の予防及び感染症の患者に対する医療に関する法律（平成10年法律第114号）に基づく届出についても徹底すること。
　(2)　感染者が広域にわたり得る場合には、広報や報道機関等を通じた医療機関・住民へ

の呼び掛けを行うことも検討すること。
(3) なお、届出があった地域と感染源と疑われる施設の所在する地域とが異なる場合等にあっては、対策が遅れぬよう、保健所間・自治体間の連携等に努めること。

○入浴施設におけるレジオネラ症防止対策の実施状況の緊急一斉点検について

> 平成14年9月20日　健衛発第0920001号
> 各都道府県・各政令市・各特別区衛生主管部（局）長宛
> 厚生労働省健康局生活衛生課長通知

　本年7月、宮崎県日向市の入浴施設を感染源として死者7名を含むレジオネラ症集団感染事例が発生し、本年8月、鹿児島県東郷町内の入浴施設においても同種の事例が発生しているところである。
　このような集団感染事例が相次いで発生していること、死亡事例等重大な結果が生じていること、一旦感染事例が発生すれば、当該営業者のみならず管内の他の入浴施設への不安感も広がることから、危機意識をもって、貴管内における公衆浴場業、旅館業等の入浴施設において、下記のとおり、特に発生リスクの高い施設のレジオネラ症防止対策の実施状況の緊急一斉点検を実施するとともに、他の入浴施設を含めた対策の普及指導及び不備な点があった場合における個別具体的な改善指導を実施し、入浴施設利用者の安全確保と不安感の解消に万全を尽くしていただきたい。
　なお、この通知は、地方自治法（昭和22年法律第67号）第245条の4第1項に基づく技術的助言である。

記

1　発生リスクの高い施設の緊急一斉点検の実施
　(1) 重点対象施設
　　　以下に掲げる発生リスクが比較的高いと思われる設備を設置している入浴施設について、重点的に一斉点検を行っていただきたい。特にそれらの設備を併設している大型入浴施設については緊急に実施し、これらの重点対象施設の点検が年内を目途に完了されるようご配慮願いたい。
　　① 大型入浴施設
　　② 循環式ろ過装置を使用している施設
　　③ 気泡発生装置、ジェット噴射装置、打たせ湯等エアロゾルを発生させる設備
　　④ 薬湯を使用している施設又は露天風呂
　(2) 点検のポイント
　　　「循環式浴槽におけるレジオネラ防止対策マニュアル」、「公衆浴場における衛生等管理要領」、「旅館業における衛生等管理要領」等に基づきレジオネラ症防止対策が適切に実施されているかどうかを点検していただきたいが、特に次の点について留意していただきたい（9月30日に開催する「全国レジオネラ対策会議」で配布する予定の

第6編　公衆浴場

　　研修用テキスト「レジオネラ症の知識と浴場の衛生管理」は、これらのマニュアル等をまとめたものであるので活用されたい。)。
- ・浴槽水の換水・浴槽の清掃（原則毎日、連続使用型循環浴槽は週1回以上）が適切に行われていること。
- ・循環ろ過装置等が週1回以上適切に洗浄・消毒されていること。
- ・気泡発生装置等上記(1)③の装置に連続使用型循環式浴槽水が使用されていないこと。
- ・浴槽水の遊離残留塩素濃度の測定を行い塩素剤による消毒が適切に行われていること。
- ・アルカリ系温泉水の利用等塩素剤の消毒が効きにくい泉質の場合、他の消毒方法の併用等により適切に消毒が行われていること。
- ・露天風呂の湯が配管を通じて内湯と混ざる構造となっていないことや露天風呂が清潔に保たれていること。

　　特に(1)で述べた大型の入浴施設など発生リスクが比較的高いと思われる入浴施設においては、浴槽水にレジオネラ属菌が含まれていないことを、営業者による自主検査又は行政検査により確認することが望ましい。
　　また、検査時にレジオネラ属菌が検出されなかった場合であっても、入浴施設における適切な防止対策を怠れば、発生事例を生じ得ることから、日常的な衛生管理の実施に努める必要があることを指導されたい。
　　なお、保健所職員等が点検を行う際に使用する調査票の例（宮崎県の例）を添付するので参考にされたい。

2　営業者への普及啓発

　　重点対象施設に含まれない入浴施設の営業者にも、最低限レジオネラ症防止対策に関するパンフレットの知識が周知されるよう、パンフレットの再配布、貴管内営業者向けの研修事業の開催等を通じて、適切な衛生管理知識の普及啓発に努められたい。

入浴施設におけるレジオネラ症防止対策の実施状況の緊急一斉点検について

レジオネラ症防止対策緊急実態調査票

NO（　　）			実施年月日	
保健所名		記入者氏名		
施　設　名				
所　在　地				
申　請　者		衛生管理者		
		衛生管理マニュアルの有無		
源　　水	源水の種類　温泉水　・　地下水　・　水道水　・　その他（　　　　） 　　　　　　浴槽水が混合水の場合（　　）水と（　　）水を（　）：（　） 源水の水質検査　　1年に（　　）回実施			
営業状況	休館日（毎月　　　曜日）その他（　　　　　　　　　　）			
平均入浴者数	平日		平均人／日	
	土・日・祭日		平均人／日	
浴槽水の残留塩素濃度	浴槽名	残留塩素濃度(mg/L)	測定時間	施設側立会者名

施設機器	貯湯タンク	設置あり・設置なし		
		設置ありの場合	設定温度	℃（加熱方法：ボイラー・電気）・設定なし
			外気との遮断構造	遮断されている・遮断されていない
			清掃頻度	定期的（　　に　　回）・未実施
			清掃方法	
			冷却方法	未加熱源湯・水道水・地下水・電気（クーラー）
	連日使用型循環浴槽		基	

第6編　公衆浴場

	浴槽		換水頻度	（　）日に1回換水	
		毎日完全換水型循環浴槽		基	
		非循環型浴槽		基	
	循環ろ過装置			基	
	エアロゾル発生装置	気泡発生装置		基	
		ジェット噴射装置		基	
		打たせ湯		基	
		ミストサウナ		基	
衛生管理	浴槽水の消毒	消毒方法	薬剤（薬剤名　　　　　　　　　）・紫外線・オゾン・その他（　）		
		塩素自動注入装置	有　・　無 有りの場合　遊離残留塩素濃度設定値（　　）mg／L 無しの場合　使用薬剤名及び剤形（錠剤、液剤、粒剤等）		
		測定記録簿	有（保存期間：良・不）・無		
		測定方法	自動（注入器と連動・非連動）・手動（オルトトリジン・ＤＰＤ・電極式）		
		浴槽毎の状　況（頻度）	浴槽名	消毒方法	
	浴槽の清掃・消毒方法		自社による清掃・　業者委託（委託業者名：　　　　　　　）		
		浴槽名	実施回数・清掃内容		
			（　）日に1回　清掃内容：手洗・機械・薬剤 （薬剤名　　　　　）		

入浴施設におけるレジオネラ症防止対策の実施状況の緊急一斉点検について

			（　）日に1回　清掃内容：手洗・機械・薬剤 　　　　　　　　　　　　　　　　（薬剤名　　　　　　）
			（　）日に1回　清掃内容：手洗・機械・薬剤 　　　　　　　　　　　　　　　　（薬剤名　　　　　　）
			（　）日に1回　清掃内容：手洗・機械・薬剤 　　　　　　　　　　　　　　　　（薬剤名　　　　　　）
	循環ろ過装置の清掃・消毒方法	ろ過装置名	実施回数・清掃内容
			（　）日に1回　清掃内容：逆洗・薬剤環流 　　　　　　　　　　　　　　　　（薬剤名　　　　　　）
			（　）日に1回　清掃内容：逆洗・薬剤環流 　　　　　　　　　　　　　　　　（薬剤名　　　　　　）
			（　）日に1回　清掃内容：逆洗・薬剤環流 　　　　　　　　　　　　　　　　（薬剤名　　　　　　）
			（　）日に1回　清掃内容：逆洗・薬剤環流 　　　　　　　　　　　　　　　　（薬剤名　　　　　　）
			（　）日に1回　清掃内容：逆洗・薬剤環流 　　　　　　　　　　　　　　　　（薬剤名　　　　　　）
浴槽水の水質検査	理化学検査	実施している（定期的　・　随時　・　その他）・未実施	
	レジオネラ属菌検査	実施している（定期的　・　随時　・　その他）・未実施 実施している場合	注：実施回数が多い場合、検査結果を供与してもらう。

レジオネラ属菌検査 実施している場合：

実施年月日	浴槽名	検査結果　CFU／100mL

水質検査依頼先名（　　　　　　　　　　　　　　）
採水は、循環系を確認した上、1循環系当たり1浴槽は必ず実施すること
＊未実施の場合：実施予定月日（　　　　　　　　）

前回立入後の改善事項

清掃箇所（依頼業者名・使用薬剤名）：

消毒方法

第6編 公衆浴場

管理者等人的改善	
その他	

調査時の指導内容

○公衆浴場における衛生等管理要領等の改正について

> 平成15年2月14日　健発第0214004号
> 各都道府県知事・各政令市市長・各特別区区長宛　厚
> 生労働省健康局長通知

　公衆浴場及び旅館業におけるレジオネラ症発生防止対策については、「公衆浴場における衛生等管理要領等について」（平成12年12月15日生衛発第1,811号厚生省生活衛生局長通知）に盛り込まれているところであるが、近年、公衆浴場を発生源とするレジオネラ症の集団感染事例が度々起きており、かつ、これら管理要領等の記載ぶりが分りにくいとの指摘もあることから、レジオネラ症発生防止対策の要点を追加するとともに、「公衆浴場法第3条第2項並びに旅館業法第4条第2項及び同法施行令第1条に基づく条例等にレジオネラ症発生防止対策を追加する際の指針について」（平成14年10月29日健発第1029004号同局長通知）との整合性を図りつつ、レジオネラ症発生防止対策について営業者に対する指導の具体的内容を盛り込む等の改正を、別添1ないし別添3のとおり行ったので、衛生管理の指導に当たっての指針として活用されたい。
　なお、本管理要領等は、地方自治法（昭和22年法律第67号）第245条の4第1項に基づく技術的助言である。
別添1～3　略

○公衆浴場における衛生等管理要領について

> 平成18年8月24日　健衛発第0824001号
> 各都道府県・各政令市・各特別区衛生主管部(局)長宛
> 厚生労働省健康局生活衛生課長通知

　公衆浴場の水質管理等については、各地方公共団体において条例、指導要綱等に基づき、自治事務として指導していただいているところであるが、その際の参考として、「公衆浴場における衛生等管理要領等の改正について」（平成15年2月14日付け健発第0214004号厚生労働省健康局長通知。以下「管理要領」という。）を、地方自治法（昭和22年法律第67号）第245条の4第1項の規定に基づく技術的助言として示しているところである。
　この管理要領においては、浴槽水の消毒に関して別紙のとおり示しており、この中でオゾン殺菌等他の消毒方法の使用についても規定しているところであるが、これについては、塩素系薬剤が使用できない場合及び塩素系薬剤の効果が減弱する場合のみに限定してそれらの消毒方法の使用を認めるというものではなく、塩素系薬剤が使用できる浴槽水であっても、適切な衛生措置を行うのであればそれらの消毒方法を使用できるという趣旨であるので、この旨御了知願いたい。
別紙　略

◯公衆浴場における浴槽水等のレジオネラ属菌検査方法について

> 令和元年9月19日　薬生衛発0919第1号
> 各都道府県・各保健所設置市・各特別区衛生主管部（局）
> 長宛　厚生労働省医薬・生活衛生局生活衛生課長通知

　公衆浴場におけるレジオネラ属菌の検査方法の具体的手順については、「公衆浴場における衛生等管理要領等について」（平成12年12月15日生衛発第1,811号厚生省生活衛生局長通知）の別添1「公衆浴場における水質基準等に関する指針」において、「「新版レジオネラ症防止指針」の「＜付録＞1　環境水のレジオネラ属菌検査方法」を参照すること」とされてきたところです。

　今般、環境水中のレジオネラを計数する方法を記載したISO11731が改正されたこと等を受け、厚生労働科学研究を実施したところであり、同研究成果を踏まえ、レジオネラ属菌の検査方法の平準化等を目的として、別添のとおり公衆浴場における浴槽水等のレジオネラ属菌検査方法を策定したので、貴管下の関係者へ周知をお願いいたします。

　なお、本通知は、地方自治法（昭和22年法律第67号）第245条の4第1項の規定に基づく技術的助言である旨申し添えます。

別　添

公衆浴場における浴槽水等のレジオネラ属菌検査方法

概　　要

　環境水中のレジオネラを計数する方法を記載したISO11731:1998 Water quality - Enumeration of *Legionella*が2017年5月に改訂され（以下「改訂ＩＳＯ法」という。）、環境水の状況に応じて、使用培地や前処理法を選択するような記載となった。

　現在、国内における公衆浴場の浴槽水等の検査においては、培地上でレジオネラ属菌の発育を阻害する夾雑菌の存在を前提とした検査対応が一般的となっている。本検査方法においても選択分離培地を使用し、熱や酸による前処理を行うことを基本とした。また、濃縮検水に加え非濃縮検水の検査方法についても記載した。改訂ＩＳＯ法ではろ過濃縮法を推奨していることから、本検査方法においても検水の濃縮についてはろ過濃縮法を推奨した。なお、検査工程ごとに必要となる基本的な注意事項のほかに、検査結果に影響する可能性のあるポイントも示した。本検査方法は、公衆浴場における浴槽水等のレジオネラ属菌検出のための基本となる検査方法について技術的助言として示しているものである。レジオネラ症患者発生時の感染源特定のための検査については、この限りではない。

　分離培地上の発育集落に斜光を当て実体顕微鏡で観察すると、レジオネラ属菌は特徴的な外観構造（モザイク・カットグラス様）を呈する。効率よく集落を選定でき、より正確な定量結果の報告が可能となることから、この集落観察法（斜光法）の実施を推奨する。

　さらに、近年普及してきた核酸を検出する迅速検査法についても記載した。また、精度管理の必要性についても言及した。

1 検水の採取

1) 試薬
   25％チオ硫酸ナトリウム水溶液（121℃15分間オートクレーブ滅菌又はろ過滅菌）：塩素を含んでいる検水を採取する場合に塩素中和剤として用いる。
2) 器具及び器材
   (1) 採水容器：ポリプロピレン及びポリエチレン製並びにガラス製等の密栓ができる容器で、滅菌済みのもの。
   (2) 柄杓：採水に用いる。滅菌したプラスチック容器を用いることもできる。
3) 採水手技
   採水にあたっては、滅菌又は消毒した柄杓等を使用する。複数の検水を採取する場合は必要数の滅菌した柄杓を準備するか、採水するたびに消毒用アルコールで柄杓を消毒して使用する。なお、採水時は手袋とマスクを装着することが望ましい。

   採水量は、一検体あたり500mL以上とする。検水で容器を満杯にせず、上部に空間を残すように採水する（注1）。

   採水後、容器の周囲をアルコール綿等で消毒する。塩素を含んでいる検水を採取する場合は、採水容器に25％チオ硫酸ナトリウム水溶液を1／500量になるように加える。又は、あらかじめチオ硫酸ナトリウムを検水100mLにつき0.02～0.05ｇの割合で採水容器に入れ滅菌したものを使用する（注2）。ねじ栓を固く締め検水が漏れないようにする。パラフィルム等で固定するとなおよい（注3）。

   注1 開栓時にこぼさないようにし、採水容器内に空気を残すため。
   注2 市販のチオ硫酸ナトリウムの入った容器の使用も可能。
   注3 温かい検水を採取した時は、温度が下がると合成樹脂容器が収縮して栓がゆるみ、検水が漏れることがあるので注意する。
4) 検水の搬送と保存
   検水は、6～18℃で搬送し、検査室に搬入後速やかに検査に供する。ただちに検査が実施できない場合は、6±2℃で冷蔵保存し、採水後2日以内に検査を実施することが望ましい。再検査を含め5日以内に検査を実施する。採水から検査までに要した時間を記録する（注4）。

   注4 検水の輸送又は保存中に生菌数が変化する可能性を考慮して、温度の記録も残すことが望ましい。

2 検査

2.1 はじめに

検査にあたってはあらかじめ標準作業手順書を作成しておく。また、検水中にはレジオネラ属菌が存在していると想定し、ＢＳＬ２実験室内でその取り扱い基準に従い実施する。エアロゾルを発生する操作（注5）は、クラス2の安全キャビネット内で作業する。

検査工程を図1に示す。原則として非濃縮検水と濃縮検水の両方を検査する（注6）。非濃縮検水は未処理（注7）、濃縮検水については熱処理又は酸処理を実施し（注8）、原則として選択分離培地で培養する。濃縮法はろ過濃縮法を推奨する。

注5　培地への接種、濃縮工程、ピペットからの吹き出し、洗い出し時等における強い振とうや攪拌、混合等。

注6　清掃消毒直後の検水等、レジオネラ属菌数が少ないことが推定される場合においては、濃縮検水のみでもよい。

注7　未処理とは、検水の夾雑菌が少ないと想定される場合に熱や酸による前処理を行わないこと。未処理の非濃縮検水で夾雑菌が抑制できなかった場合は、熱処理や酸処理を行う。

注8　熱処理と酸処理のどちらが適しているかを判断できない場合は、両方を行う。

2.2　レジオネラ用培地

1) 非選択分離培地：ＢＣＹＥα寒天培地

レジオネラ属菌は、一般的な細菌培養に用いる培地には発育することができない。そのため、レジオネラ属菌の培養には、発育に必須である鉄、L―システイン及び発育阻害物質を吸着するための活性炭末を加えたＣＹＥ（Charcoal yeast extract）寒天に、培地の緩衝性を高め発育時間を短縮するACES Buffer、α―ケトグルタル酸カリウムを添加したＢＣＹＥα寒天培地が用いられる。市販生培地や市販基礎培地に市販サプリメントを添加した培地が利用できる。

利用法：L―システイン要求性試験（2.8　菌の鑑別・同定と計数参照）、釣菌後の培養、夾雑菌が少ないと推定される検水からの分離培養等。

2) 選択分離培地：ＧＶＰＣα寒天培地、ＭＷＹ寒天培地、ＷＹＯα寒天培地等

選択分離培地は、ＢＣＹＥα寒天培地に各種抗菌剤を加えて作られている。「新版レジオネラ症防止指針」（公益財団法人日本建築衛生管理教育センター発行）にも記載されているとおり、3種の選択分離培地の発育支持力に大差は認められなかった。実際の検査においては、検水中に混在する夾雑菌の抑制に有用な選択剤が特定できないことから、特に培地の種類は指定しない（注9）。

利用法：検水からのレジオネラ属菌の分離培養。

注9　培地の種類や製造業者の違いにより、形成集落の大きさ等に違いが見られる。検査者は、事前に自施設で使用している培地上でのレジオネラ属菌集落を経日的に観察し、集落の性状等を確認しておく。

3) 培地の保存

培地は製造業者の推奨温度で冷蔵保存する。自家調製した培地は、4 ± 2℃で保存し、できるだけ新鮮なものを使用する（注10）。

注10　嫌気ジャーやクーラーボックスに入れ密封し冷蔵保存することで、乾燥、結露をかなり防ぐことが出来る。自家調製した培地は、適切な保存により3か月間のレジオネラ属菌発育性能を保持できる。

2.3　検水の濃縮

1) メンブレンフィルターろ過濃縮法
1)—1　試薬
　(1)　滅菌蒸留水：ろ過後のフィルターから菌を再浮遊させるのに用いる。また、採水容器やフィルターホルダーに残る検水を洗い流す場合に用いる。
　(2)　消毒用エタノール：アルコール綿の作製に用いる。
1)—2　器具及び器材
　(1)　メンブレンフィルター：ポリカーボネート製で、ポアサイズ0.20μm又は0.22μm（製造業者により異なる）（注11、12）。
　(2)　滅菌したフィルターホルダー：ガラス製又はポリスルホン製（注13）を推奨。吸引ビンと一体化している製品もあり、個別対応する時に便利である。
　(3)　マニホールド：多連のマニホールドが便利である。検水数が少なければ吸引ビンで代用することもできる。
　(4)　吸引ポンプ等
　(5)　吸引ビン：マニホールドに繋いで廃液を貯める。
　(6)　シリコン栓：吸引ビンに使用する。
　(7)　ガラス管：シリコン栓に刺して用いる。チューブの太さに合わせる。
　(8)　チューブ：マニホールドと吸引ビン、吸引ポンプ等を繋ぐ。
　(9)　ピンセット：メンブレンフィルターの操作に用いる。
　(10)　スクリューキャップタイプの滅菌50mL遠沈管：ろ過後のフィルターから菌を再浮遊させる時に用いる（注14）。
　(11)　撹拌機：ボルテックス又は同等品を用いる。
　(12)　アルコール綿：ピンセットの消毒に用いる。
注11　ポリカーボネート製メンブレンフィルターは、均一な表示径の円筒状孔を持つため、サイズによる正確な分離が可能となる。他の材質のフィルターでは、膜の内部に菌が入り込んで回収率が下がる場合がある。
注12　新版レジオネラ症防止指針（公益財団法人日本建築衛生管理教育センター発行）によると、レジオネラ属菌の菌体サイズは0.3〜0.9×2〜20μmであり、0.40や0.45μmのポアサイズのフィルターではトラップされずに通過してしまう場合がある。
注13　使用後の洗浄時にブラシ等で傷がつかないように注意する。
注14　他の容器で代用可能であるが、フィルターからの洗い出しはエアロゾルが最も発生しやすい工程のため、密封できる容器を使用すること。
1)—3　操作
　(1)　安全キャビネット内で操作し、検水量は500mLとする。
　(2)　マニホールドにフィルターホルダーをセットし、チューブでマニホールドと吸引ビン、吸引ポンプ等を繋ぐ。
　(3)　フィルターホルダーにメンブレンフィルターを滅菌又はアルコール綿で消毒したピンセットを用いてセットする。

(4) 検水を注ぐ前に適量の滅菌蒸留水をフィルターホルダーのファネルに注ぎ、ホルダーが適切にセットされているか確認する。
(5) 採水容器の外側をアルコール綿で消毒後、十分転倒混和し、採水容器から検水をファネルに注ぎ、吸引を開始する（注15）。
(6) 検水の全量を注ぎ終わったら、適量の滅菌蒸留水で容器を洗い、その洗浄液もろ過する。ろ過が終了したら、ファネルの内側も同様に洗い、その洗浄液もろ過する。
(7) 滅菌又はアルコール綿で消毒したピンセットでフィルターを取り出し、5 mLの滅菌蒸留水が入った滅菌50mL遠沈管等に入れて栓をする。
(8) 振とうを最大にした撹拌機で遠沈管を1分間撹拌する（注16）。

注15 検水に強い混濁がある場合には、大孔径のフィルター（材質は指定しない）で前ろ過を行い、そのろ液をろ過濃縮する。

注16 ISO11731では改訂前を含め、撹拌時間2分以内としているが、厚生労働科学研究費補助金健康安全・危機管理対策総合研究事業（以下、「厚労科研」という。）「公衆浴場等施設の衛生管理におけるレジオネラ症対策に関する研究」平成30年度総括研究報告書p103において1分及び2分で比較した結果、ポリカーボネート製メンブレンフィルターでは明確な差は認められなかったため、1分間とした。

2) 冷却遠心濃縮法

ろ過濃縮が困難（検水の質、検査設備等）と判断された場合に行う。また、その基本操作手順は、ISO 11731:1998を基礎として検討されたJIS K 0350-50-10:2006を参照すること。

2)—1 器具及び器材
(1) 冷却遠心機：スイング式ローターは沈殿物がチューブの底に集積し、上清が除去しやすい。アングル式ローターは強い遠心力がかけられる。
(2) 滅菌したスクリューキャップタイプ遠沈管（注17）
(3) アスピレーター又は滅菌ピペット

注17 破損のないことを確認し、劣化したものは使わない。

2)—2 操作
(1) 安全キャビネット内で、検水を十分転倒混和した後、遠沈管に200±5 mLの検水を注ぐ。遠心加速度6,000 g で10分又は3,000 g で30分、15～25℃で遠心する（注18）。遠心はブレーキ設定せず、自然に停止するのを待つ（注19）。
(2) 遠沈管を取り出し、安全キャビネット内において、滅菌ピペットもしくはアスピレーター等で液量が100倍濃縮となるまで慎重に上清を除去する。滅菌ピペット等で残した液を用いて管壁に付着したレジオネラ属菌を勢いよく洗って剥がし、沈渣とよく混和する。

注18 使用機器で遠心加速度設定が出来ない場合は、以下の計算式で計算する。
　　　遠心加速度（g）＝1,118×回転半径（cm）×回転速度^2（rpm）×10^{-8}

注19 ブレーキをかける場合は、諸条件を検討し、ブレーキによる影響が出ないこと

を確認すること。
2.4　前処理
　　レジオネラ属菌の検出を阻む夾雑菌を抑制するため、培地に接種する前に検水の前処理を行う。方法には、熱処理、酸処理、熱及び酸処理があり、方法により夾雑菌の抑制状況に違いが認められる。レジオネラ属菌の発育を抑制する場合があるので、処理時間には注意を要する。清掃直後等で検水の夾雑菌が少ないと想定される場合は、熱や酸による前処理を行わないこと（未処理）もある。
1)　未処理
　　本検査方法では、非濃縮検水の検査を実施する場合、原則として未処理とする。
2)　熱処理
2)-1　器具及び器材
　(1)　キャップ付き滅菌試験管等：熱処理を行う時に使用する（注20）。
　(2)　滅菌ピペット等：試料を滅菌試験管に移す時に使用する。
　(3)　タイマー：処理時間の計測に使用する。
　(4)　ウォーターバス等：熱処理を行う時に使用する。
　注20　熱処理中、試験管内の空気の膨張によりキャップが緩んだり開いたりするのを防ぐため、スクリューキャップタイプを推奨する。
2)-2　操作
　　試料0.5mL以上を滅菌試験管に取り、50±1℃に設定したウォーターバス等に20分間静置後、速やかに接種する。速やかに接種できない場合は水冷する（注21、22）。
　注21　新版レジオネラ症防止指針（公益財団法人日本建築衛生管理教育センター発行）には、50℃、20分及び50±1℃、30±2分間の2通りの記載がある。厚労科研「レジオネラ検査の標準化及び消毒等に係る公衆浴場等における衛生管理手法に関する研究」平成26年度総括研究報告書p111において、50±1℃、20分の加熱時間の方がより有効だという検査結果が得られている。
　注22　加熱処理試料は6±2℃で、再検査まで保存できる。
3)　酸処理
3)-1　試薬
　　酸処理液：0.2M HCl・KCl液pH2.2±0.2（注23）
　注23　市販されている。自家調製した場合は、pHを測定し、品質の確保に努めること。
3)-2　器具及び器材
　(1)　キャップ付き滅菌試験管等：酸処理を行う時に使用する。
　(2)　滅菌ピペット等：試料及び酸処理液を滅菌試験管に移す時に使用する。
　(3)　タイマー：処理時間の計測に使用する。
3)-3　操作
　　安全キャビネットの中で、試料0.5mL以上を滅菌試験管に取り、等量の酸処理液を加え混和し室温で5分間静置する（注24）。

第6編　公衆浴場

注24　夾雑菌が多いと予想される場合は、20分まで処理時間を延長してもよい。酸処理後の検水は保存には適さない。
4)　熱及び酸処理
検水中に夾雑菌が非常に多く、熱処理又は酸処理だけではそれらを抑制できなかった、もしくは抑制できないと予想される場合に実施する。
4)—1　試薬
酸処理液：0.2M HC1・KC1液pH2.2±0.2
4)—2　試料
2.4　前処理　2)　熱処理の工程で作製した試料。
4)—3　器具及び器材
2.4　前処理　3)—2　器具及び器材に準ずる。
4)—4　操作
2.4　前処理　3)—3　操作に準ずる。
2.5　接種
非濃縮検水、前項までに準備した濃縮検水を接種する。
1)　試薬
分離培地：ＧＶＰＣα寒天培地、ＭＷＹ寒天培地、ＷＹＯα寒天培地等の選択分離培地（注25）。
注25　夾雑菌が少ないと推定される検水からの分離培養には、非選択分離培地であるＢＣＹＥα寒天培地で良い結果が得られる場合がある。改訂ＩＳＯ法では清浄度の高い検水の培養にはＢＣＹＥα寒天培地の使用を求めている。
2)　器具及び器材
⑴　マイクロピペット：100μL及び200μLが量り取れるもの。
⑵　滅菌チップ：100μL及び200μLの試料を培地に接種する。
⑶　滅菌コンラージ棒：試料の培地への塗布に使用する。
3)　操作
⑴　インキュベーター（孵卵器）又は安全キャビネット内で、分離培地表面の水滴を取り除く程度まで乾燥させる（注26）。非濃縮検水及び熱処理試料は100μLを、酸処理試料並びに熱及び酸処理試料は200μLを培地に接種する（注27）。
⑵　試料を接種後、直ちにコンラージ棒で均等に広げ、試料が吸収されるまで静置する（注28）。
注26　乾燥し過ぎるとレジオネラ属菌の検出率が低下する。
注27　検水中に多数のレジオネラ属菌又は夾雑菌が存在し、菌数を定量的に算出することが困難であると予想される場合は、試料を滅菌リン酸緩衝生理食塩水（pH7.4）等で希釈することで良い結果が得られる場合がある。
注28　試料が培地に完全に吸収されるまでコンラージ棒で塗布し続けてはいけない。厚労科研「公衆浴場等におけるレジオネラ属菌対策を含めた総合的衛生管理手法に関する研究」平成24年度総括研究報告書p122により、コンラージ棒の力加減が

出現集落数に影響する可能性が示唆されている。
2.6 培養
 1) 器具及び器材
  (1) インキュベーター：培養に使用する。
  (2) 湿潤箱等
 2) 操作
  (1) 試料を接種した分離培地を裏返し、培養中の乾燥を防ぐため湿潤箱等に入れる（注29）。
  (2) 36±1℃に設定したインキュベーターに入れて培養する。
  (3) 培養期間は7日間とする（注30）。
  注29 培養日数が長いことから、培地の乾燥に注意する。蓋付きの水切りバットの外側に純水等を入れて使用する。あるいは、透明ビニール袋に分離培地と湿らせ丸めたペーパータオル等を入れてもよい。
  注30 まれに7日目以降にレジオネラ属菌の発育が認められる場合もあるので、7日目に実体顕微鏡観察で疑わしいコロニーがあれば、培養を10日まで続ける。
2.7 分離培地上の集落の観察
 1) 器具及び器材
  (1) 実体顕微鏡：分離培地上の集落の観察に用いる。
  (2) 実体顕微鏡用照明装置：光量調節可能で、斜光角度が自由に変えられるフレキシブルアームの装置が望ましい。
  (3) 長波UVランプ：集落の自発蛍光の有無の観察に用いる。
 2) 操作
  (1) 分離培地を培養開始翌日から7日目まで毎日観察する。夾雑菌が少ない場合は、観察日を減らしても良い。レジオネラ属菌は3日目から観察されることが多いが、出現が遅い菌もある。レジオネラ属菌は灰白色湿潤集落として観察される。
  (2) 実体顕微鏡下で発育集落に斜光を当て（図2）、培地上の集落を観察し、モザイク・カットグラス様が確認できた集落（図3）を、レジオネラ属菌と推定する（注31、32、33）。斜光法は集落の特徴が確認しやすい暗所で行うことを推奨する。
  (3) 暗所で長波UVランプを照射し、集落の自発蛍光の有無を観察することで、自発蛍光を有する菌種群が選定できる（図4、表1）。
  注31 分離集落の特徴を利用したレジオネラ属菌分別方法の有用性. 環境感染学会誌, 25:8-13, 2010.
  注32 肉眼観察で翌日から確認できる集落はレジオネラ属菌ではない可能性が高い。実体顕微鏡を用いると、培養2日目（30～35時間程度）からレジオネラ様集落を確認できる場合がある。
  注33 実体顕微鏡の観察では、エアロゾルは発生しないため、安全キャビネットを必要としないが、培地の取り扱いに十分注意すること。また、分離培地のフタを開けて集落の確認を行う時は、空中落下細菌による汚染に注意する。

2.8 菌の鑑別・同定と計数

本検査方法では、斜光法でレジオネラ属菌と推定された灰白色湿潤集落のうち、L—システインの要求性を有していたものをレジオネラ属菌とする。

1) 試薬
   (1) ＢＣＹＥα培地
   (2) Ｌ—システイン不含ＢＣＹＥα寒天培地（血液寒天培地、トリプトソイ寒天培地、普通寒天培地でも可）
2) 器具及び器材
   白金耳又は白金線
3) 操作
   (1) 斜光法により集落を観察し、レジオネラ属菌と推定される集落を全て数える（注34）。
   (2) 観察期間中にレジオネラ様集落を適宜釣菌し、Ｌ—システイン不含ＢＣＹＥα寒天培地とＢＣＹＥα寒天培地の順に画線培養し、Ｌ—システイン要求性の確認を行う（注35）。釣菌する集落数は、集落数が10個以下の場合はすべてとし、それ以上の場合もできる限り釣菌する。
   (3) Ｌ—システイン不含寒天培地には発育が認められず、ＢＣＹＥα寒天培地に発育した菌をレジオネラ属菌とする（注36）。

   注34 菌数が極めて多い場合は、分離培地を４分割して１区画分を計測する。
   注35 釣菌した集落を滅菌生理食塩水に懸濁後、それぞれの分離培地に画線してもよい。夾雑菌と少しでも接触している場合は、ＢＣＹＥα培地で分離培養し単一菌としてから、Ｌ—システイン要求性試験を実施する。
   注36 釣菌後の培養は48時間程度で十分な発育が確認される場合が多い。

4) 菌の算定
   (1) 分離培地ごとにレジオネラ属菌と確定した集落数を算出する。非濃縮検水では、集落１個が検水100mL中1,000CFU、100倍濃縮検水では10CFUに相当する。レジオネラ様集落の全てを釣菌しない場合、釣菌した集落のうち、レジオネラ属菌と確定された集落数の割合を基に、分離培地全体のレジオネラ属菌集落数を算出する（注37）。
   (2) 前処理法が異なる場合や、異なる種類の培地に接種した場合、菌数は多い方の値を採用する（注38）。
   (3) 本検査方法での濃縮検水における不検出は10CFU／100mL未満となる。報告に際しては検出下限値を明示する。夾雑菌が多く観察不能のときは「検出不能」とし、レジオネラ属菌「不検出」としてはいけない。

   注37 例えば、濃縮検水を塗布した分離培地の１／４区画に発育しているレジオネラ様集落数が50個で、25集落を釣菌し、性状の確認を行い、20個がレジオネラ属菌であると確認された場合、計算は次のようになる。

   20（レジオネラ属菌確定数）／25（釣菌数）×50（レジオネラ様菌発育数）×4

(分画数)×10(濃縮係数) ＝1,600CFU／100mL
　　注38　夾雑菌等の影響で、濃縮検体からは検出されず、非濃縮検体からは検出されることもある。
2.9　迅速検査法

検水中のレジオネラ属菌由来の核酸（DNA、RNA）を直接検出する方法（迅速検査法）としては、リアルタイムPCR (qPCR) 法、LAMP (Loop-mediated isothermal amplification) 法、PALSAR (Probe Alternation Link Self-Assembly Reaction) 法等を利用した検出試薬キットが市販されている。これらは、レジオネラ属菌の16S rRNA等の配列特異性が高く、多コピー存在する核酸を標的としている。

一般的に、迅速検査法は生菌のみならず死菌DNAやVNC (viable but nonculturable) 状態の菌も検出する。すなわち、迅速検査により陽性となった検水にその時点で必ず生菌が存在するわけではない。しかしながら、その結果はレジオネラ属菌の存在履歴を示すことから、衛生管理上の注意が促される。この特性を有効活用する場としては、清掃・消毒管理された検水におけるレジオネラ属菌の陰性確認や、培養法と併用したスクリーニング検査としての利用が挙げられる。迅速検査法のうち、リアルタイムPCR法は検出試薬キットに添付されている試薬を用いて検量線を作成することにより、遺伝子の定量的な検出が可能である。

迅速検査法で生菌のみを検出するには、DNA増幅反応前にEMA (ethidium monoazide) 処理をおこなうことで、死菌由来DNA、膜損傷菌由来DNAの増幅を抑制し、生菌由来DNAを選択的に増幅させる（注39）。EMA処理前に液体培養を加えてリアルタイムPCR法を行うと、より平板培養法と高い相関を示す生菌検出方法となる（LC EMA-qPCR法）。培養法との整合性の観点から、迅速検査法のみで水質基準に適合しているか否かを判断する場合は、生菌の遺伝子を定量的に検出する方法（LC EMA-qPCR法）を用いる。

迅速検査法は反応系によりそれぞれ特性があるので、検出試薬キットの説明書をよく読み理解して用いる。特に注意を要するのは、検水に含まれる物質により反応が阻害され、偽陰性となることである。したがって、インターナルコントロールを用いるなど、偽陰性確認が可能な検出試薬キットの使用が望ましい。各迅速検査法における結果の判定は、取扱説明書に従う。

　　注39　VNC菌を検出する場合もある。
1) 試薬

市販のレジオネラ属菌検出試薬キットを用いる（注40）。

　　注40　論文等に記載のプライマー、プローブの自家調製も可能であるが、その場合は検出感度や検出精度を把握するための予備実験が不可欠である。
2) 器具及び器材

検出試薬キットの説明書に従って準備する。器具類はすべてディスポーザブル又は滅菌済みのものを使用する。コンタミネーション防止のために、ピペットチップはフィルター付きの製品を使用する。

3) 操作（注41）
  (1) 100倍濃縮検水1～4 mLを検出試薬キットの説明書に従って再濃縮する（注42）。
  (2) 検出試薬キットの説明書に従ってDNA又はRNAを抽出し、増幅反応を行う。常に陽性対照と陰性対照を用意し、反応が正常に進行していることを確認する。

注41 コンタミネーション防止のために、1 反応試薬の調製、分注を行うエリア（検水及び核酸を持ち込まない）、2 検水の濃縮、核酸調製を行うエリア（検水を扱うため安全キャビネットが設置されていなければならない）、3 陽性対照の調製、添加を行うエリア、の3つに作業環境を分けることが望ましい。ピペット等もエリアごとに別のものを使う。

注42 培養検査と共通の濃縮検水を用いることができる。

3　精度管理

　昨今のさまざまな試験検査においては、「信頼性確保のため、精度管理を実施すること」が求められている。レジオネラ属菌検査においても例外ではなく、精度管理は必須と言える。精度管理には、検査施設内で行う内部精度管理と別の機関が実施主体となる外部精度管理に分けられる。各検査施設が外部精度管理に参加したり、内部精度管理を実施したりすることで、信頼性の高い検査結果の保証に繋がる。

　内部精度管理で確認する点として、検水の濃縮手順、培地への接種方法、斜光法の手順、レジオネラ属菌の確定方法、算定方法等がある。一例として回収率の確認方法を次に示す。すなわち、保管しているレジオネラ属菌を30℃で3日間培養後、レジオネラ属菌懸濁液を作製し、McFarland標準液や濁度計等を用いて濁度を測定する。それを適宜希釈し、培地に塗布してあらかじめ濁度と菌数の相関を確認しておく。濁度によりおよその菌数が算出できるレジオネラ属菌懸濁液を希釈したもの（例えば10^4CFU／mL見当）を滅菌生理食塩水等500mLに適量添加する。それを検水として、自施設の標準手順作業書に従い、検水中のレジオネラ属菌数を算定し、元のレジオネラ属菌懸濁液を培地に塗布した場合と比較して回収率を求める。迅速検査法についても同様に検水を作製し実施する。

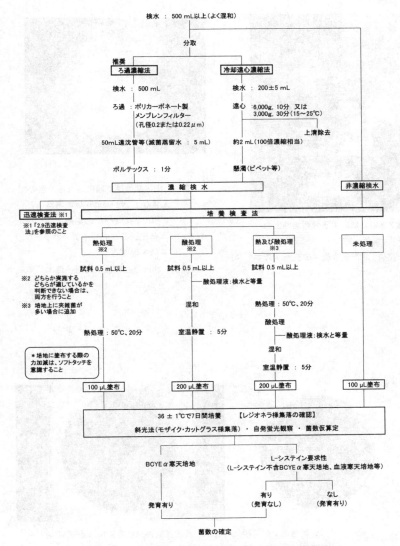

図1　公衆浴場における浴槽水等のレジオネラ属菌検査方法
※レジオネラ症患者の発生時の感染源の特定のための検査については、この限りではない。

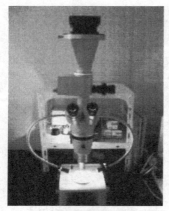

図2 斜光法による分離培地上の
集落観察
（提供：北海道立衛生研究所　森本　洋氏）

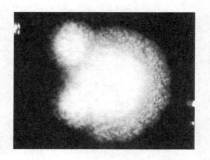

図3 実体顕微鏡で観察される1個の
大きな L. pneumophila 血清群1と
2個の L. cherrii の集落。
集落周縁部がモザイク・カットグラス様を呈する。
（提供：北海道立衛生研究所　森本　洋氏）

 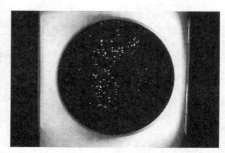

図4 同じ分離培地での可視光（左）と長波長紫外光（右）による観察
（提供：北海道立衛生研究所　森本　洋氏）

公衆浴場における浴槽水等のレジオネラ属菌検査方法について

表1 長波UVランプ照射時のレジオネラ属菌61種の自発蛍光の有無

	自発蛍光		自発蛍光		自発蛍光
L. anisa	＋青白	L. adelaidensis	-	L. longbeachae	-
L. bozemanae	＋青白	L. beliardensis	-	L. maceachernii	-
L. cherrii	＋青白	L. birminghamensis	-	L. massiliensis	-
L. dumoffii	＋青白	L. brunensis	-	L. micdadei	-
L. gormanii	＋青白	L. busanensis	-	L. moravica	-
L. lytica	＋青白V	L. cardiaca	-	L. nagasakiensis	-
L. parisiensis	＋青白	L. cincinatiensis	-	L. nautarum	-
L. qingyii	＋青白	L. drancourtii	-	L. norrlandica	-
L. rowbothamii	＋青白	L. drozanskii	-	L. oakridgensis	-
L. saoudiensis	＋青白	L. fairfieldensis	-	L. pneumophila	-
L. steelei	＋青白V	L. fallonii	-	L. quateirensis	-
L. steigerwaltii	＋青白	L. feeleii	-	L. quinlivanii	-
L. tucsonensis	＋青白	L. geestiana	-	L. sainthelensi	-
L. dresdenensis	＋暗赤	L. gratiana	-	L. santicrucis	-
L. erythra	＋暗赤	L. gresilensis	-	L. shakespearei	-
L. rubrilucens	＋暗赤	L. hackeliae	-	L. spiritensis	-
L. taurinensis	＋暗赤V	L. impletisoli	-	L. thermalis	-
		L. israelensis	-	L. tunisiensis	-
		L. jamestowniensis	-	L. wadsworthii	-
		L. jordanis	-	L. waltersii	-
		L. lansingensis	-	L. worsleiensis	-
		L. londiniensis	-	L. yabuuchiae	-

V：株により異なる。

第6編　公衆浴場

○公衆浴場における衛生等管理要領等の遵守について

> 令和4年4月15日　事務連絡
> 各都道府県・各保健所設置市・各特別区生活衛生担当課宛　厚生労働省医薬・生活衛生局生活衛生課

　平素より、生活衛生関係営業への取組につきまして、ご理解・ご協力をいただき、ありがとうございます。

　今般、神戸市の入浴施設において、レジオネラ症[1]による死亡事例が発生したとの報告がありました（神戸市のプレスリリースを添付します）。

　レジオネラ症への対策として、厚生労働省において「公衆浴場における衛生等管理要領等について（平成12年12月15日生衛発第1811号厚生省生活衛生局長通知）」や「循環式浴槽におけるレジオネラ症防止対策マニュアル（平成13年9月11日健衛発第95号厚生労働省健康局生活衛生課長通知）」等を策定するとともに、厚生労働省ホームページにおいてレジオネラ対策に関する情報を掲載しております。

　都道府県、保健所設置市及び特別区におかれましては、貴管下の公衆浴場、旅館・ホテル等レジオネラ症の発生が想定される施設に対して、公衆浴場における衛生等管理要領等の遵守並びにレジオネラ対策の徹底等について、改めて周知いただきますようよろしくお願い申し上げます。

　なお、本件については、現在、神戸市から状況を聴取しており、今後、厚生労働省としましても、専門家のご意見も踏まえた上で、衛生管理上の留意点等について、必要な情報提供を行う予定です。

　1　レジオネラ属菌が原因で起こる感染症であり、在郷軍人病（レジオネラ肺炎）とポンティアック熱が主要な病型である。

（参考）厚生労働省ホームページ
○レジオネラ対策のページ
https://www.mhlw.go.jp/stf/seisakunitsuite/bunya/0000124204.html

○公衆浴場における衛生等管理要領等の遵守について（その2）

> 令和4年5月13日　事務連絡
> 各都道府県・各保健所設置市・各特別区生活衛生担当課宛　厚生労働省医薬・生活衛生局生活衛生課

　本件については、令和4年4月15日付け事務連絡「公衆浴場における衛生等管理要領等の遵守について」により、貴管下の公衆浴場、旅館・ホテル等レジオネラ症の発生が想定される施設に対して、公衆浴場における衛生等管理要領等の遵守及びレジオネラ対策の徹底等について、周知をお願いしたところです。

　当該事務連絡でお知らせした神戸市の事例について、レジオネラ症発生の直接的な要因

は判明していないものの、気泡発生装置の清掃不足や、配管の日常の洗浄消毒不足が要因と推定されたと聞いており、本事例と関連して、専門家から聴取したご意見を踏まえ、公衆浴場における衛生管理上の留意点をお知らせしますので、改めて周知いただきますようお願いいたします。

記

【本事例を踏まえた公衆浴場における衛生管理上の留意点について】
・公衆浴場における衛生管理について、令和4年5月13日当課事務連絡で通知した「入浴施設の衛生管理の手引き」（以下「手引き」という。）P.1「Ⅰ　総合衛生管理プログラム」を取り入れる。
・施設内自主管理マニュアルや点検表について、国が示す最新の通知等に適合するよう、適時見直しを行う。
・配管の洗浄については、手引きP.41「Ⅱ－6　循環配管」に記載されている循環配管の洗浄を導入することが推奨される。
・気泡発生装置は、構造上、洗浄消毒がしにくく、レジオネラの増殖の危険性が特に高いため、手引きP.47「Ⅱ－11　気泡発生装置等」を参考に、洗浄消毒を徹底する。

○入浴施設の衛生管理の手引きの周知について

［令和4年5月13日　事務連絡
各都道府県・各保健所設置市・各特別区生活衛生担当
課宛　厚生労働省医薬・生活衛生局生活衛生課］

　平素より、生活衛生関係営業への取組につきまして、ご理解・ご協力をいただき、御礼申し上げます。
　今般、令和3年度厚生労働科学研究（健康安全・危機管理対策総合研究事業（公衆浴場におけるレジオネラ症対策に資する検査・消毒方法等の衛生管理手法の開発のための研究））において、別添「入浴施設の衛生管理の手引き」が作成されましたので、レジオネラ対策の一助として、貴管下関係機関や関係団体などに周知いただき、活用が図られるようお取り計らいのほどよろしくお願いいたします。

（参考）厚生労働省ホームページ
○入浴施設の衛生管理の手引き
　https://www.mhlw.go.jp/content/11130500/000939445.pdf
別添　略

○公衆浴場や旅館業の施設の共同浴室における男女の取扱いについて

　　　　令和5年6月23日　薬生衛発0623第1号
　　　　各都道府県・各保健所設置市・各特別区衛生主管部（局）
　　　　長宛　厚生労働省医薬・生活衛生局生活衛生課長通知

　公衆浴場や旅館業の施設の共同浴室については、「公衆浴場における衛生等管理要領等について」（平成12年12月15日付け生衛発第1811号厚生省生活衛生局長通知）の別添2「公衆浴場における衛生等管理要領」及び別添3「旅館業における衛生等管理要領」において、「おおむね7歳以上の男女を混浴させないこと」などと定めています。

　これらの要領でいう男女とは、風紀の観点から混浴禁止を定めている趣旨から、身体的な特徴をもって判断するものであり、浴場業及び旅館業の営業者は、例えば、体は男性、心は女性の者が女湯に入らないようにする必要があるものと考えていますので、都道府県、保健所設置市及び特別区におかれては、御了知の上、貴管内の浴場業及び旅館業の営業者に対する周知や指導等について御配慮をお願いいたします。

　なお、本通知は、地方自治法（昭和22年法律第67号）第245条の4第1項の規定に基づく技術的助言である旨申し添えます。

（参　考）
　　　　令和5年4月28日　衆議院　内閣委員会　会議録（抜粋）
○國重委員
　（略）公衆浴場、いわゆる銭湯や旅館等の宿泊施設の共同浴室について、現在それぞれ衛生等管理要領が定められておりまして、その中で男女別の定めがされています。これらは風紀の観点から混浴禁止を定めていることから、男女の別は身体的な特徴の性をもって判断することとされていると、事前に政府の方からも説明を受けております。
　そこで、念のため確認をさせていただきたいんですけれども、これらの共同浴場における男女の判断基準はトランスジェンダーにも当てはまる、つまり、トランスジェンダーの場合も性自認ではなくて身体的特徴に基づいて判断することになると理解をしていますけれども、これで間違いないかどうか、答弁を求めます。
○佐々木政府参考人
　お答えいたします。
　公衆浴場や宿泊施設の共同浴場につきましては、厚生労働省が管理要領を定めております。具体的には、公衆浴場における衛生等管理要領や旅館業における衛生等管理要領になります。この中で、おおむね7歳以上の男女を混浴させないことなどと定めております。
　この要領で言う男女は、風紀の観点から混浴禁止を定めている趣旨から、トランスジェンダーの方も含め、身体的な特徴の性をもって判断するものであり、公衆浴場等の営業者は、体は男性、心は女性の方が女湯に入らないようにする、こういう必要があると

公衆浴場や旅館業の施設の共同浴室における男女の取扱いについて

考えております。

　実際の適用につきましては、都道府県等が条例を定めております。この条例によって、基本的にこの要領と同じような形で男女の浴室を区別し、混浴を禁止しているものと承知しております。

○國重委員

　トランスジェンダーの方であっても、心ではなくて身体的特徴で判断するというようなことだったと思います。

　では、共同浴場において、先ほど答弁いただいたとおり、風紀の観点から心の性ではなくて身体的特徴をもって男女を区別する、このような現在行われている取扱いというのは憲法14条に照らしても差別に当たらないと、念のため確認しますが、差別に当たらないということで間違いないかどうか、答弁を求めます。

○伊佐副大臣

　憲法14条、いわゆる法の下の平等でありますが、この原則が規定されております。この趣旨としては、合理的な理由なしに区別をすることを禁止するという趣旨でございます。

　つまり、合理的と認められる範囲内の区別を否定するものではないというふうに理解をしておりまして、先ほど委員御指摘の、公衆浴場における入浴者については男女を身体的な特徴の性をもって判断するというこの取扱いは、風紀の観点から合理的な区別であるというふうに考えられております。憲法第14条に照らしても差別に当たらないものというふうに考えております。

第6編 公衆浴場

第5章 入浴料金

○公衆浴場入浴料金の統制額の指定等に関する省令の施行について（依命通達）

［昭和32年9月13日　厚生省発衛第411号　
　各都道府県知事宛　厚生事務次官通知］

　公衆浴場入浴料金の統制額の指定等に関する省令（以下「省令」という。）が昭和32年9月12日厚生省令第38号をもって公布、来る10月1日から施行されることとなり、これにより、これまで物価統制令（昭和21年勅令第118号）第4条の規定に基き、厚生大臣が行っていた公衆浴場入浴料金の統制額（以下「統制額」という。）の指定は、同日以降、物価統制令施行令（昭和27年政令第319号）第11条の規定に基く権限委任によって、都道府県知事において引き続き料金の統制を行うこととされたが、これが運用の適否は、国民生活の安定に至大の影響を及ぼすこととなるものであるから、特に次の事項に御留意のうえ、これが実施に遺憾なきを期せられたく、命によって通達する。

記

1　公衆浴場入浴料金を指定する件（昭和30年3月厚生省告示第58号。以下「告示第58号」という。）は、昭和32年10月1日をもって廃止され、都道府県知事は、同日までに統制額の指定を行わなければならないこととなるが、その趣旨とするところは、地域の実情に即した合理的な統制額の指定を行い得ること及び公衆浴場法（昭和23年法律第139号）に基いて、都道府県知事が行う公衆浴場の指導監督行政に一貫性を持たせ得ることのほか、過般施行された環境衛生関係営業の運営の適正化に関する法律（昭和32年法律第164号）に基く厚生大臣の権限の一部が都道府県知事に委任されたことによる当該行政との一元化を確保し得ること等にあるものであること。
2　都道府県知事は、統制額の指定にあたっては、物価の騰貴を抑制する見地からはもとより、公衆浴場の利用者の大部分が風呂を有しない階層に属する現実にかんがみて利用者の負担を最少限度にとどめる見地から十分慎重を期せられたく、特に次の諸点に準拠して行われたいこと。
　(1)　今回の措置は、都道府県知事に対する権限委任を主眼とするものであること及び統制額の地域的不合理の是正は既に昭和28年2月厚生省告示第35号（以下「告示第35号」という。）をもって指定されて以来引き続きA料金の種別に属して今日に至った地域を除いて、昭和29年以来数次に亙って、厚生省において行ったところでもあることにかんがみ、地域の事情その他からする特別の不合理性のない限り、原則として告示第58号による現行の統制額によるものとすること。
　　　なお、北海道における離島にある公衆浴場及び温泉むし風呂その他のものであって、都道府県知事において特殊のものと認めた公衆浴場についての統制額の定についても、現行どおりの取扱いとすること。

(2) 告示第35号をもって指定されて以来、引き続きA料金の種別に属して今日に至った地域については、地域の事情その他により公衆浴場経営の原価計算上現行の統制額によることが妥当でないと認められるときは、㈠12歳以上の者1人につき17円、㈡6歳以上12歳未満のもの1人につき14円、㈢6歳未満の者1人につき7円までの範囲内（ただし、婦人洗髪料については、現行どおりとすること。）において統制額の指定を行うことは、やむを得ないものであること。この場合においても、これらの地域のすべてを一率に機械的に改訂することなく、広く諸種の条件を勘案して、真にやむを得ない事情の存するときに限り、行うものとすること。

(3) 都道府県知事が現行の統制額に相当する額と異なる統制額を指定しようとするときは、あらかじめ、厚生大臣と協議するものとすること。

3 今回の制度の改定に基き、都道府県知事は、10月1日において物価統制令施行令第2条の規定により、公示をもって統制額の指定を行わなければならないものであるが、この場合、現行の統制額の不合理を是正する必要があると認めるときであっても、時間的制約その他諸般の事情から同日までに、これが指定を行うことができがたいときは取り敢えず、告示第58号で指定された統制額に相当する額をもって、その統制額としての公示を行い示後十分な調査を行ったうえ、改めて、合理的な統制額の指定を行うものとし、いやしくも権限委任に際し、空白期間を招来するがごとき事態を絶対に引き起さないこと。

4 今回の制度の改正を機に公衆浴場の経営者は、当該施設の衛生措置の向上について一層の尽力を行わせるよう、これが指導の配意を願いたいこと。

○公衆浴場入浴料金の統制額の指定について

［昭和34年1月7日　発衛第6号　　　　］
［各都道府県知事宛　厚生事務次官通知］

標記については、過般公衆浴場入浴料金の統制額の指定等に関する省令の施行について（昭和32年9月13日厚生省発衛第411号各都道府県知事あて厚生事務次官依命通達）をもって指示したところであるが、物価統制令（昭和21年勅令第118号）第4条に基く入浴料金の統制額の指定に関する権限が、都道府県知事に委任されてから既に1年有余を経過し、この間円滑な行政事務の運営が図られてきたことに鑑み、今後は行政事務の簡素化の見地から、統制額を変更しようとする場合の当省に対する協議については、下記によることとしたのでこれが実施に遺憾なきを期せられたい。

なお、入浴料金の統制額の変更は、国民生活の安定に重大な影響を及ぼすものであるので、これが処理については従前どおり慎重を期するよう格段の配意をお願いする。

記

1 現在各都道府県において公示されている入浴料金のうち当該都道府県における大人、中人及び小人料金並びに婦人洗髪料についてそれぞれの最高額（一般料金と冬期料金とに区分されている都道府県においてはそれぞれの当該期間ごとの最高額とする。）を引

き上げようとする場合以外の場合には協議を要しないこととし、事後すみやかに報告を行うこと。この場合浴場の経営内容の実態調査を行うことはもとよりであるが、料金値上に係る市町村その他の関係者の意見をも十分聴取してから行うよう配意されたいこと。
2 1以外の場合については、従前どおりあらかじめ当省に協議するものとし、この場合統制額を変更しようとする日の15日前までに協議の手続をとられたいこと。

○公衆浴場入浴料金の統制額の指定等について

[昭和35年7月5日　厚生省発衛第295号]
[各都道府県知事宛　厚生省公衆衛生局長通知]

標記については、すでに公衆浴場入浴料金の統制額の指定等に関する省令の施行について（昭和32年9月13日厚生省発衛第411号各都道府県知事あて厚生事務次官依命通達）ならびに公衆浴場入浴料金の統制額の指定について（昭和34年1月7日発衛第6号各都道府県知事あて厚生事務次官通知）をもって指示したところであるが、このたび東京都における統制額を最高額の17円に変更する協議に際し、公衆浴場入浴料金の指定等に関して6月28日閣議了承がなされたので、次の事項に留意の上、これが実施について遺憾のないよう配意をお願いする。

記

1　公衆浴場入浴料金の統制額の引き上げについては最高額17円までの範囲内において各地域の実情に応じ各都道府県知事が必要と認め当省に協議したものについてこれを認める旨了承されたのであるが、これは従前どおり前記厚生事務次官通知の趣旨が再確認されたものであり、従って一律に最高額に引き上げることを認めるものではないことに留意されたいこと。
2　入浴料金の回数券制度について公衆浴場利用者の便宜と負担軽減を考慮し、でき得る限り自主的発行を行政指導する旨了承されたので全国公衆浴場組合連合会に対して「別紙」のとおり通知したから了知されたいこと。

（別　紙）

　　　　　公衆浴場入浴料金の回数券制度について

[昭和35年7月5日　厚生省発衛第294号]
[全国公衆浴場組合連合会会長宛　厚生省公衆衛生局長]
[通知]

公衆浴場入浴料金については、6月28日の閣議了承を経て、東京都においてはその統制額を大人17円、中人13円及び小人7円と現行料金よりそれぞれ1円引き上げ7月1日から実施されることとなったのであるが、入浴料金の回数券制度は、閣議においても回数券の自主的発行が了承された次第にかんがみ、貴組合においてでき得る限りこれを実施するよう浴場業者の指導に努められたい。

○公衆浴場入浴料金の統制額の指定について

［昭和36年12月20日　厚生省発環第137号］
［各都道府県知事宛　厚生事務次官通知　］

　標記については、すでに「公衆浴場入浴料金の統制額の指定等に関する省令の施行について（昭和32年９月13日厚生省発衛第411号各都道府県知事あて厚生事務次官依命通達）」、「公衆浴場入浴料金の統制額の指定について（昭和34年１月７日厚生省発衛第６号各都道府県知事あて厚生事務次官通知）」及び「公衆浴場入浴料金の統制額の指定等について（昭和35年７月５日厚生省発衛第295号各都道府県知事あて厚生省公衆衛生局長通知）」をもって指示したところであるが、最近における人件費及び諸物価の値上りによる経費の増加等の事情から、従来都道府県知事が厚生大臣に協議する場合の統制額の最高限度である大人17円、中人14円、小人７円の範囲内の料金では、必要な衛生措置の確保など公衆浴場の適正な運営を期することが困難な場合も生ずるにいたったので、今回この統制額の最高限度を大人19円、中人15円、小人８円にそれぞれ改めること（婦人洗髪料は従来どおり現行統制額で据え置くものとする。）となったので、その取扱いに遺憾なきを期せられたく、命によって通達する。

　なお、入浴料金最高額の変更の協議に際しては実態調査によることとされているが、最近における人件費及び諸物価の高騰の状況にかんがみ、今後１年間を限り、止むを得ないと認める場合においては、既に実施された実態調査について人件費及び諸物価の変動について妥当と考えられる統計資料等に基づいた補正を行ない、入浴料金を算定して差支えない。

○公衆浴場入浴料金の統制額の指定について（依命通知）

［昭和38年８月９日　厚生省発環第113号］
［各都道府県知事宛　厚生事務次官通知　］

　標記については、「公衆浴場入浴料金の統制額の指定等に関する省令の施行について」（昭和32年９月13日厚生省発衛第411号、各都道府県知事あて厚生事務次官依命通達）をはじめとし、従来しばしば指示してきたところであるが、今後は都道府県における大人、中人及び小人料金並びに婦人洗髪料について、それぞれの最高統制額を改訂しようとする場合の厚生大臣に対する協議は廃止し、都道府県知事限りで最高統制額の指定を行なうこととしたので、下記の諸点に留意のうえ、これが実施に遺憾のないよう配意願いたく、命によって通達する。

　なお、具体的事項については、別途指示する予定であるので、念のため申し添える。

記

1　公衆浴場入浴料金の最高統制額を策定しようとする場合には、公衆浴場経営について実態調査を行なうこと。

第6編　公衆浴場

2　公衆浴場入浴料金の最高統制額を決定する場合には、それぞれの都道府県の実情に応じ、公衆浴場入浴料金協議会等を設置し、関係者の意向を十分把握すること。

○公衆浴場入浴料金の統制額の指定について

〔昭和38年8月12日　環発第335号〕
〔各都道府県知事宛　厚生省環境衛生局長通知〕

〔改正経過〕

第1次改正　〔昭和48年11月14日環衛第232号〕

標記については、昭和38年8月9日厚生省発環第113号厚生事務次官依命通達により指示したところであるが、公衆浴場入浴料金の最高統制額を改訂しようとする場合には、下記の諸点に留意のうえ、これが実施に遺憾なきを期されたい。

なお、現在当局において公衆浴場における水質基準を検討しており、近くこのことについて指示する予定であるが、公衆浴場における衛生措置の確保については、公衆浴場組合を指導して施設の改善に努めるとともに、公衆浴場利用者の協力を得て国民の保健衛生水準の向上のために格段の御協力を煩わしたい。

記

1　公衆浴場入浴料金最高統制額を改訂しようとする場合は、おおむね別紙(1)「公衆浴場経営実態調査要綱」に準拠して、経営の実態調査を行なうこと。

2　公衆浴場入浴料金最高統制額を決定する場合は、おおむね別紙(2)「公衆浴場入浴料金諮問機関設置要領」に準拠して協議会等を設置し、あらかじめ、十分にその意見を聞き、最高統制額の適正を期すること。

別紙(1)

公衆浴場経営実態調査要綱

1　この調査は、公衆浴場経営の実態を把握することにより適正な入浴料金統制額の指定を行なう場合の基礎とすること。

2　調査の方法は、実地調査及び関係者からの聞き取り調査によること。

3　支出についての調査項目は、おおむね別表に記載の事項とし、収入についての調査は、入浴者数の実測調査によるものとすること。

4　調査の客体数は、都道府県における最高統制額によっている浴場のおおむね2割以上とし、できる限り平均的な規模の施設を抽出するよう努めること。

5　調査の時期は、都道府県の実情によるが、年間を通じた平均的な営業実態を把握しうるように必要な考慮を払うこと。

公衆浴場入浴料金の統制額の指定について

別表

支 出 調 査 項 目

支 出 科 目	内　　　　　　　　容	
人　件　費	事業主	円
	従業員（家族従事者を含む。）（　　名）	円
	その他	円
用　水　費		
上　水　道　料	使用量　　　　　㎥　　　　（@	円）
下　水　道　料		円
燃　料　費	重油使用量　　　　Kℓ　　　　（@	円）
	その他の燃料使用量	円
光　熱　費	電気使用量　　　　KWH	
消　耗　品　費	（品目別とする。）	円
修　繕　費		円
賃　借　料	敷　地　　　　　㎡　　　　（@	円）
	家　屋　　　　　㎡	円
備　品　費		円
保　険　料　等	火災保険料	円
	その他	円
会費及び交際費等		円
減　価　償　却　費	（資産別とする。）	円
建　物　再　調　達　費		
公　租　公　課	（公租公課別とする。）	円
支　払　利　子	借入金　　　　円　利率　　　　％	円
資　本　報　酬		円
その他の諸経費	（経費別とする。）	円

第6編　公衆浴場

別紙(2)
　　　　公衆浴場入浴料金諮問機関設置要領
1　都道府県知事が入浴料金の改訂について意見を聞くためのものとし、その名称及び設置の手続きは都道府県の実情に応じて定めるものとする。
2　委員は12名程度とし、その構成は次のとおりとする。
　(1)　関係吏員（衛生及び経済主管部関係吏員）
　(2)　有識者（経営、保健衛生の専門家等）
　(3)　住民代表（例えば、民生委員、社会教育委員、婦人団体代表等であって、公衆浴場を利用している者又は公衆浴場の実情を十分承知している者）
　(4)　業者代表（公衆浴場を経営している者）

◯公衆浴場入浴料金の統制額の指定について

　　　　　　［昭和48年11月14日　環衛第232号
　　　　　　　各都道府県知事宛　厚生省環境衛生局長通知］

　標記については、昭和38年8月12日環発第335号本職通知により取り扱われているところであるが、近年の公衆浴場経営の実態の変化等にかんがみると、公衆浴場入浴料金の統制額を改定しようとする場合に行う公衆浴場経営実態調査の調査項目を公益事業等の料金算定の際に用いられている調査項目と同様のものとすることが適当と思料されるので、同通知の公衆浴場経営実態調査要綱の別表を別紙のとおり改めることとしたので、これが適切な取扱いに遺憾のないようご配意されたい。
　なお、この改正に際し、公衆浴場入浴料金の統制額の指定に関して留意すべき主な事項を示すこととし、別途通知する予定である。
　おって、公衆浴場経営の近代化及び合理化の指導等公衆浴場対策のいっそうの推進を図られたい。
別紙　略

◯公衆浴場の入浴料金の統制額の指定について

　　　　　　［昭和48年11月14日　環衛第233号
　　　　　　　各都道府県公衆浴場主管部(局)長宛　厚生省環境衛生局環境衛生課長通知］

　標記については、昭和48年11月14日環衛第232号をもって環境衛生局長より貴都道府県知事あて通知したところであるが、今回の公衆浴場経営実態調査要綱の改正内容及び公衆浴場入浴料金の統制額の指定（以下単に「指定」という。）に関して留意すべき主な事項は、下記のとおりであるので、これが円滑な実施に格段の配意をお願いする。
　おって、前記環境衛生局長通知及びこの通知に則して、公衆浴場入浴料金の統制額の最初の改定を行った場合には、その算定に関する諸資料を付して当課あて報告されたい。
　　　　　　　　　　　　　　　記

第1　公衆浴場経営実態調査要綱の改正内容
　　今回の改正は、公衆浴場経営の実態の変化等にかんがみ、支出調査項目を次のように拡大するとともに、所要の整理をしたものであること。
　1　人件費の項目に事業主の人件費も含めること。
　2　資本報酬及び支払利子を支出調査項目とすること。
　3　公租公課の項目には、公衆浴場経営にかかるすべての公租公課を含めること。
　4　建物再調達費を支出調査項目とすること。
第2　指定に関して留意すべき事項
　1　公衆浴場経営実態調査の対象公衆浴場
　　指定の基礎として行われる公衆浴場経営実態調査の対象とする公衆浴場の規模の基準については、公衆浴場の確保がとくに必要である等特別な事情がある場合には、平均的な水準を若干下回る水準としても差し支えないこと。
　2　資本報酬等の算定
　　指定の際見込む資本報酬については、他の公益事業等との均衡等から自己資本の10％程度として算定することが適当であること。また、支払利子は、施設設備資金等直接公衆浴場経営にかかる借入金の支払利子にかぎり、実態を基礎にして算定すること。
　3　営業費用の算定
　　(1)　指定の際見込む営業費用の項目は、おおむね(3)に掲げるとおりであり、その算定にあたっては、各項目ごとに、当該算定対象期間内において予測される物価及び人件費水準並びに公衆浴場入浴者数等の社会的経済的要因の変動を考慮して行うこと。この場合、算定対象期間は、原則として1年間とすることが適当であること。
　　(2)　用水費、燃料費等営業費用の中で標準化が可能なものについては、実態との調整に配慮しつつ、できるだけ標準化して算定すること。
　　(3)　営業費用の算定にあたり留意すべき事項はおおむね次のとおりであること。
　　　ア　人件費
　　　　(ア)　人件費には、事業主の給与相当額（法人経営の場合は、従業員を兼務する役員で当該法人を代表する者の給与を含む。）及び従業員（家族専従者を含む。）の給与のほか、臨時の非常勤従業員の給与、従業員の退職給与金等を含むこと。
　　　　(イ)　人件費の算定に必要となる従業員数（事業主を含む。）については、昭和46年の厚生省の浴場業実態調査結果によって標準化すれば次の表のとおりであること。ただし、この標準人員数と実態人員数との間に著しい開差がある場合には、さしあたり実態人員数を用いることはやむを得ないこと。

1日当たり入浴者数		標準人員
	100人未満	2.00人
100人以上	150人未満	2.22

第6編　公衆浴場

150人以上	200人未満	2.66
200人以上	250人未満	3.09
250人以上	300人未満	3.53
300人以上	350人未満	3.97
350人以上	400人未満	4.40
400人以上	450人未満	4.84
450人以上		5.06

　㋒　人件費の算定に必要となる人件費水準については、単に従前の公衆浴場従業者の人件費の推移のみならず、類似の職種における水準との格差の縮小に努めるよう配慮すること。なお、この際参考となるものには、当該地域の一般中小企業における人件費水準、毎月勤労統計、春期賃上げ状況等があること。

イ　用水費
　上水道使用料及び下水道使用料とすること。

ウ　燃料費
　重油その他の燃料（営業用自動車、湯屋暖房等に必要な燃料を含む。）の購入費とすること。

エ　光熱費
　電気使用料とすること。

オ　消耗品費
　燃料費及び修繕費に含まれない消耗品（原材料及び清掃、照明等の業務用消耗器材器具を含む。）の購入費とすること。

カ　修繕費
　公衆浴場業に供する施設（土地、建物等）及び設備を通常の状態において保守し、維持するために必要な修繕料とすること。したがって、修繕のための原材料購入費を含み、資産の帳簿価額の増加の原因となるような大修繕のための費用は除かれること。

キ　賃借料
　公衆浴場業に必要な借地料、借家料等とすること。

ク　備品費
　公衆浴場業の用に供する施設に付帯する設備備品及び営業用自動車以外の什器備品の購入費とすること。

ケ　保険料等
　公衆浴場業の用に供する施設の火災保険料等とすること。

コ　旅費及び交通費
　公的機関に対する業務連絡、関係団体の行う会合への出席等に必要な旅費及び交通費とすること。

サ　会費及び交際費

公衆浴場業の関係団体会費その他公衆浴場の経営のために直接必要と認められる交際費とすること。
シ　減価償却費
公衆浴場業の用に供する事業用固定資産であって当該算定対象期間を通じて保有し、又は当該期間中に増加すると予測されるものの取得価額又は帳簿価額について行う減価償却費とすること。この場合、減価償却は、定額法により行うものとし、減価償却資産の残存価格及び耐用年数は税法関係法令に定めるところによること。
ス　公租公課
公衆浴場経営にかかるすべての公租公課とすること。したがって、事業主の給与相当額にかかる所得税、都道府県民税及び市町村民税は除かれるものであること。
セ　その他の諸経費
以上の営業費用以外の公衆浴場経営に必要な事務及び業務のための経費（広告料、保管料等）とすること。
4　建物再調達費の算定
指定の際見込む建物再調達費は、当面、貸借対照表の資産の部に計上される前期末における建物（その従物を含む。）の帳簿価格の5％程度として算定することが適当であること。

◯公衆浴場入浴料金の統制額の指定等に関する省令の一部を改正する省令の施行について

〔昭和50年5月9日　環指第38号〕
〔各都道府県知事宛　厚生省環境衛生局長通知〕

公衆浴場入浴料金の統制額の指定等に関する省令の一部を改正する省令（以下「改正省令」という。）が昭和50年5月9日厚生省令第21号をもって公布され、同日施行された。今回の改正は、最近における男子の長髪化傾向にかんがみ、これらの者について、女子との均衡上洗髪料を徴収しうるみちを開いたものである。
改正の要旨及び運用上留意すべき事項は、下記のとおりであるので、これが運用に遺憾のないようにされたい。

記

第1　改正の要旨
公衆浴場入浴料金の区分のうち、「婦人洗髪料」の区分を廃止し、新たに、都道府県知事が、年齢その他必要な事情を考慮して、入浴者の洗髪についての料金の区分を設けることができることとしたこと（第1条第3項）。
第2　運用上留意すべき事項
1　改正省令施行後は、女子との均衡を考え、男子からも洗髪についての料金（以下

「洗髪料」という。）を徴収しうるように洗髪料の区分を設けることができることとされたものであること。

なお、洗髪料の区分を設けるか否か、また、必要な事情を考慮してその区分を更に細分化するか否かの判断は都道府県知事の裁量にゆだねることとされたものであること。
2 洗髪料の区分の設定に当たっては、「年齢その他必要な事情」を考慮すべきこととされたが、これについては、次の点に配慮されたいこと。
 (1) 従来の婦人洗髪料徴収の際の一般的慣行等にかんがみ、男女を問わず12歳未満の者からは洗髪料を徴収しないこととするのが適当であること。
 (2) 今回の省令改正の背景にかんがみ、男子については長髪の者に限り洗髪料を徴収することとするのが適当であること。
 (3) 湯の使用量等を考慮して、洗髪料の徴収を例えば染毛の場合に限定すること等の措置を講ずることも妨げないものであること。
3 改正省令の運用に当たって、番台での摩擦をできるだけ回避できるよう洗髪料徴収対象者の範囲等を極力利用者に周知させるよう業界を指導されたいこと。なお、当職としても、全国公衆浴場業環境衛生同業組合連合会に対し、利用者の理解を得るために必要な措置を講ずるよう指導することとしているものであること。

○消費税導入に伴う公衆浴場入浴料金の統制額の指定について

［平成元年2月28日　衛指第24号
各都道府県知事宛　厚生省生活衛生局長通知］

今般、消費税法（昭和63年12月30日法律第108号）が公布・施行され、本年4月1日から適用されることに伴い、物価統制令に基づく現行の公衆浴場入浴料金の統制額を見直す必要が生じたので、下記の点に留意の上、必要があると認められる場合は統制額を改訂する等これが適切な取扱いに遺憾のないよう配慮願いたい。

記

1 公衆浴場入浴料金（以下「入浴料金」という。）に係る消費税は、物価統制令による統制額に含めて処理すること。
2 消費税に係る入浴料金の統制額の算定については、原則として現行の入浴料金統制額に当該統制額の3％相当額を加算するものとする。なお、前記計算結果に10円未満の端数が生じた場合は、これを四捨五入し、10円単位とすることができるものであること。
3 今後入浴料金の統制額を改訂するに当たっては、当面消費税を除外した額をもとに入浴料金を算定し、当該額に消費税相当額を加算して入浴料金統制額とすること。

○消費税率の改正及び地方消費税の創設に伴う公衆浴場入浴料金の統制額の指定について

［平成9年1月31日　衛指第22号
各都道府県知事宛　厚生省生活衛生局長通知］

　平成6年12月に所得税法及び消費税法の一部を改正する法律（平成6年法律第109号）及び地方税法等の一部を改正する法律（平成6年法律第111号）が公布され、平成9年4月1日から、消費税率が地方消費税と合わせ5パーセント（現行3パーセント）に引き上げられることとなっているところである。

　これに伴い、現行の公衆浴場入浴料金の統制額を改正する場合には、公衆浴場入浴料金の統制額と消費税との関係について、現行の各都道府県における取扱いを基本としつつ、さらに下記の点に留意の上、適切な取扱いに遺憾のないよう配慮されたい。

記

1　課税事業者は、原則として本体価格に消費税率分（現行3％、平成9年4月1日以降は地方消費税分を含め5％）を上乗せすることとされており、他方、免税事業者については、仕入れに係る消費税相当分をコスト上昇要因として価格に転嫁することが予定されていること。
2　物価統制令（昭和21年勅令第108号）第4条の規定に基づき、公衆浴場入浴料金の統制額の指定等に関する省令（昭和32年厚生省令第38号）で入浴料金が統制額とされている公衆浴場業界においても、課税事業者と免税事業者が混在していることに鑑み、統制額の算定に当たっては、前項で述べた課税事業者と免税事業者の相違を踏まえ、特に免税事業者がいやしくも益税批判を受けることのないよう、例えば、仕入れに係る消費税相当額のみを加算するなど、適正な方法によることとされたいこと。
3　なお、一般論として、免税事業者が本体価格の消費税率分（現行3％、平成9年4月1日以降は地方消費税分を含め5％）を消費税相当額として、別途消費者から受け取っている事例は、消費税法の意図するところではなく、いわゆる「益税」批判の対象となることに特に留意する必要があること。

第6章　その他

(振興)

○中小企業の事業活動の機会の確保のための大企業者の事業活動の調整に関する法律の一部を改正する法律等の施行について

> 昭和56年9月30日　環指第161号
> 各都道府県衛生主管部(局)長宛　厚生省環境衛生局指導課長通知

　中小企業の事業活動の機会の確保のための大企業者の事業活動の調整に関する法律の一部を改正する法律（昭和56年法律第83号。以下「法」という。）は、昭和56年6月12日に公布され、中小企業の事業活動の機会の確保のための大企業者の事業活動の調整に関する法律の一部を改正する法律の施行期日を定める政令（昭和56年政令第273号）に基づき、昭和56年9月11日から施行された。

　また、中小企業の事業活動の機会の確保のための大企業者の事業活動の調整に関する法律施行規則の一部を改正する省令（昭和56年総理府、大蔵省、文部省、厚生省、農林水産省、通商産業省、運輸省、郵政省、建設省令第1号。）は、昭和56年9月10日に公布され、法施行期日と同日をもって施行されたところである。

　法の施行に伴う事務処理については、関係各省庁の協議に基づき、中小企業庁長官から各都道府県知事あてに昭和56年9月11日56企庁第1,460号をもって通知（写し別添）されたところであるが、分野調整に関する紛争が環境衛生関係営業において顕著に発生している現状にかんがみ、貴職におかれても、下記の事項に留意の上、その取扱いに遺憾なきを期せられたい。

記

一　主な改正内容
(1)　中小企業の事業活動の機会の確保のための大企業者の事業活動の調整に関する法律の一部改正関係
　　1　複数の大企業者がその事業活動を実質的に支配することが可能なものとして主務省令で定める関係を持っている会社を大企業者とすることができるようにしたこと。
　　2　大企業者の事業の開始又は拡大の計画に関する調査の申出のうち都道府県の区域を越えない区域をその地区とする中小企業団体がするものは、当該区域を管轄する都道府県知事を経由してしなければならないものとしたこと。
　　3　大企業者の事業の開始又は拡大に関する調整の申出のうち都道府県の区域を越え

中小企業の事業活動の機会の確保のため等の法律の一部改正法律等の施行について

　　　ない区域をその地区とする中小企業団体がするものは、当該区域を管轄する都道府県知事を経由してなければならないものとしたこと。
　　4　都道府県知事は、当該都道府県知事を経由してされた調整の申出について、その申出に係る事業の開始又は拡大の計画の実施がその申出をした中小企業団体の構成員たる中小企業者の経営の安定に及ぼす影響等に関し、主務大臣に対し、意見を申し出ることができるものとし、この場合において、都道府県知事は、当該中小企業団体の構成員たる中小企業者の経営の安定に及ぼす影響等に関し、都道府県中小企業調停審議会の意見を聴くことができるものとしたこと。
(2)　中小企業の事業活動の機会の確保のための大企業者の事業活動の調整に関する法律施行規則の一部改正関係
　　1　大企業者がその事業活動を実質的に支配することが可能なものとして主務省令で定める関係を、当面、従前のとおり大企業者の単独支配関係に限定することとしたこと。
　　2　その地区が都道府県の区域を越えない中小企業団体からの調査又は調整の申出に当たっての提出書類の部数を写し2通から同3通（1通は都道府県の控え用）に改めることとしたこと。
二　運用上の留意事項
　1　環境衛生関係営業に係る分野調整問題については、これら営業に対する包括的な行政の一環として衛生部（局）において責任ある体制がとれるよう措置するとともに、調査・調整の申出等に係る窓口についても関係部局と協議の上、その明確化が図られるよう関係団体等に対し周知徹底を図られたいこと。
　2　都道府県中小企業調停審議会が未設置の都道府県にあっては、その速やかな設置について関係部局等に対し十分な働きかけを行われたいこと。
　3　都道府県中小企業調停審議会の委員の構成については、環境衛生関係営業について引き続き調整問題の多発が予想されることに鑑み、審議会において環境衛生営業の業界の意見を公平に反映し、かつ委員にふさわしい識見を有する者が少なくとも1名は任命されるよう関係部局等との調整等に努められたいこと。
　4　調査又は調整の申出書の提出が予想される等の場合にあっては、厚生省と十分な連絡をとり、関係者に対し迅速かつ適切な指導を行うよう努められたいこと。
別添
　　　　中小企業の事業活動の機会の確保のための大企業者の事業活動の調整に
　　　　関する法律の施行に伴う事務処理について

　　　　　　　　　　　　　　　　　［昭和56年9月11日　56企庁第1,460号
　　　　　　　　　　　　　　　　　　各都道府県知事宛　中小企業庁長官通知］

　第94国会で一部改正された中小企業の事業活動の機会の確保のための大企業者の事業活動の調整に関する法律（昭和52年法律第74号、以下「法」という。）の施行に伴う都道府県知事の事務については、警察庁、大蔵省、文部省、厚生省、農林水産省、通商産業省、運輸省、郵政省及び建設省において協議した結果、下記のとおり取り扱うこととしたの

第6編　公衆浴場

で、これにより処理して下さい。

記

（事務処理体制の明確化）
1　中小企業団体からの調査・調整の申出等が行われた場合に、迅速かつ責任ある対処をしうるよう、関係部局における事務処理体制の明確化、連携等を図ること。

（調査及び調整の申出の経由）
2　受理した調査又は調整の申出書及び添付書類については、写し1通を控えとし、残部を当該地域を管轄する主務官庁の地方支分部局の長（主務大臣が厚生大臣又は建設大臣であるものについては主務大臣）あて、速やかに送付すること。

（意見の申出）
3　法第6条第3項に規定する都道府県知事の意見の申出については、別紙様式の書面により、大企業者の進出が申出中小企業団体の構成員たる中小企業者の経営の安定に及ぼす影響、一般消費者及び関連事業者への影響、中小企業の事業活動の改善のための指導等の事項に配慮して行うこと。意見の申出書は、調整の申出書の送付後できる限り速やかに、写し3部を添えて主務官庁の地方支分部局の長を経由して（主務大臣が厚生大臣又は建設大臣であるものについては写し2部を添えて直接）主務大臣に提出すること。

（都道府県中小企業調停審議会）
4　都道府県中小企業調停審議会については、紛争の速やかな解決を図るため、各都道府県の実情に応じた運営が図られるよう措置するとともに、委員の構成について、分野調整の観点からも地域の中小企業者の実情が十分かつ公平に反映されるよう配慮すること。

（主務官庁、地方支分部局との連絡）
5　法の実施に当たって疑義のある場合は、主務官庁の地方支分部局又は関係官庁と随時連絡を密にすること。

別紙様式

	番　　　　号
	年　　月　　日

主務大臣あて

　　　　　　　　　　　　　　　　　　　都道府県知事

　　（株）○○○の事業の開始（拡大）に関する△△△からの
　　調整の申出について（意見書）

　中小企業の事業活動の機会の確保のための大企業者の事業活動の調整に関する法律第6条第3項の規定に基づき、標記申出について、下記のとおり意見を申し

述べます。

記

○中小企業の事業活動の機会の確保のための大企業者の事業活動の調整に関する法律施行規則の一部を改正する命令の施行について

［昭和57年2月9日　環指第17号
各都道府県衛生主管部(局)長宛　厚生省環境衛生局指導課長通知］

　中小企業の事業活動の機会の確保のための大企業者の事業活動の調整に関する法律施行規則の一部を改正する命令（昭和57年総理府、大蔵省、文部省、厚生省、農林水産省、通商産業省、運輸省、郵政省、建設省令第1号）は、昭和57年1月29日に公布され、同年2月1日から施行されたところであるが、今回の改正の内容等は次のとおりであるので、その運用に万全を期せられたい。

記
1　今回の改正は、中小企業の事業活動の機会の確保のための大企業者の事業活動の調整に関する法律の一部を改正する法律（昭和56年法律第83号）の施行に伴い、主務省令において規定できることとなった複数の大企業の共同支配によるダミーについて新たに規定するものであること。
2　今回新たに対象となるのは、次のものであること。
　(1)　2以上の大企業が合わせて2分の1以上の資本を所有しており、主務大臣が審査して実質的支配関係ありと認めるもの
　(2)　2以上の大企業が合わせて2分の1以上の役員をそれらの企業の役員又は職員が兼ねており、主務大臣が審査して実質的支配関係ありと認めるもの

（あん摩師）

○無免許あん摩師の取り締り等について

［昭和32年11月20日　発医第166号
各都道府県知事宛　厚生省医務局長通知］

　最近、都会、温泉地等において、無資格であん摩業を営む者が増加する傾向がうかがわれ、あん摩師、はり師、きゅう師及び柔道整復師法の適正な運用を期するうえからも放置

第6編　公衆浴場

し難い状態を惹起している。
　かかる無資格あん摩業については、第22特別国会において、あん摩師、はり師、きゅう師及び柔道整復師法の一部改正が行なわれた際の衆、参両院社会労働委員会の附帯決議においても、その根絶を要望されたところであるが、かかる事態の根絶を期するためには、あん摩師の業界等に対し必要な指導を強化するとともに、これと併行して無免許あん摩師の取締を徹底することが必要であると思われるので、概ね下記事項に配意のうえ遺憾なきを期せられたい。
　なお、本件については警察庁とも打合済みであるから申し添える。
記

1　都道府県衛生主管部局は、都道府県警察当局との連絡を密にし、衛生主管部局の行う行政指導と警察取締とが下部機関に至るまで有機的に連携して行なわれるよう配意し、総合的効果をあげるよう努めること。
2　温泉地、観光地その他無免許あん摩師の多い地域に重点を置いて、あん摩業界の実態把握に努め実情に応じ適切な指導方策を講ずるとともに警察取締上必要と認められる資料情報等は努めてこれを都道府県警察当局に提供し、効率的な取締が行なわれるよう協力すること。
　なお、衛生主管部局において無免許あん摩師に関する事犯を認知した場合には、証拠となる資料をできる限り詳細に整備したうえ、警察当局に対し告発の措置をとること。
3　最近免許所有者で、免許を有しない若い婦女子を雇傭し、住込みその他により短期間の施術の手ほどきをし、旅館、料亭等に出張させて施術を行わしめ、その報酬を一定の割合で分配しているものがあるが、この種業者については、無資格あん摩業の共犯としての告発、あん摩師、はり師、きゅう師及び柔道整復師法第9条による業務の停止又は免許の取消の行政処分等の措置を行うこと。なお、いわゆるトルコ風呂等において行われるもみ、たたき等の行為であっても時間、刺戟の強さ等から総合的に判断してあん摩行為と認められる場合があるが、かかる行為を業として無資格者が行うことはあん摩師、はり師、きゅう師及び柔道整復師法第1条の規定違反に該当するので、この種の業務を行っている者に対しては、実情に応じ、警告を発し、又は告発等の措置をとること。
4　あん摩師の学校又は養成施設の生徒が免許を受ける以前において施術を業として行うことは明らかに、あん摩師、はり師、きゅう師及び柔道整復師法に違反するものであるから、管内所在のあん摩師養成施設の長に対しかかる行為を行わせないよう連絡指導し、その絶無を期すること。
5　あん摩業の実態を把握し、あわせて無免許あん摩師の取締りに資するため、衛生主管部局において業者団体と連絡をとり、例えば、免許所有者に対して、免許証の写又は免許所有証明書等免許者であることを証明する証票を発行し、営業に際してこれを携行させる等の措置を考慮すること。
6　無免許あん摩師の絶滅を期するためには主要な需要先である旅館、料亭等の営業者の協力に俟つところが多いので、その積極的な協力を要請し、無免許あん摩師と知りなが

らこれを客に仲介し、施術を行わせることのないよう徹底した指導を行うとともに、衛生主管部局においてこれら業者に対して免許所有者であるか否かを識別するための資料として当該地区の免許所有者名簿を作製配布する等の措置を考慮すること。

○免許を受けないであん摩、マッサージ又は指圧を業とする者の取締りについて

〔昭和39年11月18日　医発第1,379号
各都道府県知事宛　厚生省医務局長通知〕

　免許を受けないで、あん摩、マッサージ又は指圧を業とする者の取締りについては、従来、通知したところにしたがって御配意をわずらわしているところであり、さらに本年9月28日本職名をもって、「あん摩師、はり師、きゅう師及び柔道整復師法等の一部を改正する法律等について」通知した中でも、視覚障害者であるあん摩マッサージ指圧師の職域を確保するという観点から一層意を用いられたい旨要望したところである。視覚障害者であるあん摩マッサージ指圧師がかねてよりこの業務における職域の確保をつよく主張した理由の一つに免許を受けないあん摩、マッサージ又は指圧を業とする者の増加があることは明らかである。今般改正されたあん摩マッサージ指圧師、はり師、きゅう師、柔道整復師等に関する法律（昭和22年法律第217号）によって、視覚障害者のこの業における職域確保の実現をみたが、この措置を効果あらしめるためにも、さらに下記の方針にしたがい引きつづき免許をうけないでこの業務を行なうものの取締りを強化されたく、重ねて通知する。

記

1　免許を受けないであん摩マッサージ又は指圧を業とする者がその業務を行なうことの多い旅館等については、その地域の免許を有するあん摩マッサージ指圧師の名簿を配付させる等の方法を講じ免許を受けない者の排除について周知をはかり協力を求めること。
2　施術所を開設している者については、あん摩マッサージ指圧師、はり師、きゅう師、柔道整復師等に関する法律施行規則（以下「施行規則」という）第24条の規定により届け出られた施術者の氏名を確認し、免許を受けないで業務に従事する者のないように警告するとともに、これらの者に違反行為を行なわせている者であって免許を受けている者に対しては適時適当な行政処分を行なうこと。もっぱら出張によって業務を行なう者についてもこれに準じて扱うこと。
3　あん摩マッサージ指圧師、はり師、きゅう師又は柔道整復師を養成する学校又は養成所に在学する者の実習については、昭和38年1月9日本職通知「あん摩師、はり師、きゅう師又は柔道整復師の学校又は養成所に在学している者の実習等の取り扱いについて」に示したとおり行なわせるようにし、これらの者が、その限度をこえて違法行為にわたることのないよう指導されたいこと。
4　前記1ないし3とは別に免許を受けた者とは直接関係なしに免許を受けないでこれら

第6編　公衆浴場

の業を行なう者については、関係業界の協力を得て、その発見につとめること。
5　上記1ないし4によって把握された違法行為を行なう者についての取締りについては、警察に協力するとともに、その告発については、昭和37年12月27日、医務局医事課長発各都道府県衛生部長宛通知「無免許あん摩の取締等について」によられたいこと。

（競合問題）

○老人福祉センター等の入浴施設と公衆浴場との競合問題の調整について

　　　　　　　　　　　［昭和59年11月21日　衛指第78号
　　　　　　　　　　　　各都道府県衛生主管部(局)長宛　厚生省生活衛生局指
　　　　　　　　　　　　導課長通知　　　　　　　　　　　　　　　　　　　］

標記については、かねてより御配意いただいているところであるが、最近においてもなお、老人福祉センター等の設置・運営に当たっている市町村等と当該地域の公衆浴場業環境衛生同業組合等との間で摩擦が生じている地域がある。このような現状に鑑み、今般、別添のとおり厚生省社会局老人福祉課長名により各都道府県・指定都市民生主管部（局）長あて通知されたので、貴職におかれても、一般の公衆浴場の配置との関連や浴場業の経営の安定等に配慮しながら、公衆浴場業環境衛生同業組合の意見等も十分聴取し、老人福祉センター等の設置・運営に関する民生主管部（局）との調整に当たられたい。

〔別　添〕

　　　老人福祉センター等の入浴施設と公衆浴場との競合問題の調整について

　　　　　　　　　　　［昭和59年11月21日　社老第120号
　　　　　　　　　　　　各都道府県・各指定都市民生主管部(局)長宛　厚生省
　　　　　　　　　　　　社会局老人福祉課長通知　　　　　　　　　　　　　］

老人福祉センター等の利用施設は、地域の老人が積極的に社会参加し、健康の増進、教養の向上のための便宜を総合的に供与するための施設として、適正配置に留意するとともに関係諸機関との調整のもとに整備が進められているところであるが、一部の地域においては、依然として老人福祉センター等の運営をめぐり、当該地域の浴場業者等との間で摩擦を生じている事例がある。

ついては、老人福祉センター等の設置運営に当たっては、公衆浴場業環境衛生同業組合等との調整を十分に行うよう市町村等関係機関の指導に努められたい。

なお、本件については、貴職においても、公衆浴場を所管する部局との連絡を十分に図られたい。

（福祉入浴援助事業）

○福祉入浴援助事業を行う公衆浴場の設備に関する基準について

平成6年3月2日　衛指第33号
各都道府県・各政令市・各特別区衛生主管部（局）長宛
厚生省生活衛生局指導課長通知

　公衆浴場業など環境衛生関係営業の振興については、平素より種々御配意を煩わしているところであるが、公衆浴場は、これを利用する国民にとって日常生活上欠くことのできない施設であるに関わらず、減少傾向が続いており、昭和56年に制定された「公衆浴場の確保のための特別措置に関する法律」においても、国及び地方公共団体は住民の公衆浴場の利用機会の確保に努めることとされている。

　このような中で、虚弱老人等が利用しやすいよう公衆浴場の設備に一定の改造を加えた上で、その施設を利用して、入浴介助等を伴う入浴援助事業を実施する、いわゆる公衆浴場における福祉入浴援助事業は、老人の福祉の向上とともに、公衆浴場の確保を図る上でも意義の大きい事業であると考えている。

　今般、同事業の円滑な実施に資するため、同事業を行う公衆浴場が最低限備える必要がある設備について、全国公衆浴場業環境衛生同業組合連合会の設置した「福祉入浴サービス事業検討委員会」（委員長：竹内孝仁日本医科大学教授）から、別添のとおり「福祉入浴援助事業を行う公衆浴場の設備に関する基準」が報告されたので、公衆浴場業の振興に加えて、既存の民間施設等の社会資本を有効に活用する観点からも、下記の事項に留意の上、貴管下関係行政機関に対し周知を図り、市町村等における公衆浴場を活用した福祉入浴援助事業等の実施の指針として活用され、同事業の普及・実施に対して福祉部局と十分連携を図って積極的な支援をお願いする。

記

1　本基準は、福祉入浴援助事業実施浴場の設備に係る基準であるにとどまらず、高齢化社会の到来を間近に控え、公衆浴場の利用者も高齢者の割合が今後さらに高まっていくことに鑑み、一般の公衆浴場においても望ましい設備の基準を示したものであり、一般の公衆浴場を指導する際には十分配慮されたいこと。

2　福祉入浴援助事業を実施する場合は、対象となる公衆浴場が基準を満たしているかどうか、地方公共団体等が事前に調査・把握する制度を整備する必要があること。

3　貴管下関係行政機関で福祉入浴援助事業を企画・実施する場合には、同事業を実施する公衆浴場業者に対して介助等の福祉事業の講習会等を行うこと及び公衆浴場業者と医療機関等との連携体制の整備を図ることが望ましいこと。

（別　添）
　　　福祉入浴援助事業を行う公衆浴場の設備に関する基準

第6編　公衆浴場

1　目的

　この基準は、老人等の健康増進、疾病予防等を図るため、公衆浴場の施設を利用した入浴介助等を伴う入浴サービス事業（以下「福祉入浴援助事業」という。）を実施する公衆浴場が最低限備える必要がある設備について定めるものである。これにより、利用者の安全に配慮するとともに、同事業の円滑かつ積極的な実施の促進を図ることを目的とする。

2　設備の基準

　虚弱老人等が公衆浴場を安全かつ円滑に利用できるようにするため、次の基準をすべて（※印を付したものを除く。）満たしていること。

　これは、厚生省の「障害老人の日常生活自立度（寝たきり度）判定基準」によるランクA程度の者が安心して入浴できるのに必要な設備の基準を定めるものであり、障害を持つ者を対象に含めて事業を行う場合には、必要に応じて、さらに、設備の設置や改善等を行う必要がある。

(1)　玄関

　ア　段差をなくし、歩行しやすくするために、玄関ポーチ及び上がり框に表面を滑りにくく加工したスロープを設けること。

　イ　下足を着脱するとき、腰掛けた安定した姿勢を保てるように、椅子、スツール又はベンチ等を配置すること。

　ウ　転倒を防ぐために、玄関・上がり框周辺に、利用者の全体重を支えるのに十分な支持強度をもった手すりを設けること。

　　なお、手すりの設置・維持管理に際しては、安全性の確保のために専門家の指導を受けることが望ましい（以下、手すりに関する事項においても同様）。

(2)　脱衣室

　ア　歩行や立ち座りのとき、体を支え、転倒の危険性を防ぐために、手すりを設けること。

　イ　衣服を着脱するとき、腰掛けた安定した姿勢を保てるように、椅子、スツール、ベンチ、ソファー、ベッド等を配置すること。

　ウ　転倒を防ぐため、床に滑り止めマットを配置するか、又は床の滑り止め加工を行うことが望ましい。※

(3)　便所

　ア　段差をなくし、歩行しやすくするために、入口に、表面を滑りにくく加工したスロープを設けること。

　イ　虚弱老人等の使用に配慮して、上置き用便座等の洋式便器及びトイレ用簡易手すりを設けること。

(4)　洗い場

　ア　段差をなくし、歩行しやすくするために、入口に、表面を滑りにくく加工したスロープを設けること。

　イ　歩行や立ち座りのとき、体を支え、転倒の危険性を防ぐために、手すりを設ける

こと。
ウ 転倒を防ぐため、洗い場内の床（特に出入口付近及び浴槽付近）には、滑り止めマットを配置するか、又はノンスリップタイル等の滑りにくい材質のタイルを用いること。
エ 体を洗うとき、腰掛けた安定した姿勢を保てるように、バスマット、シャワーシート、シャワーチェアー等を配置すること。
オ 握力や腕力が弱い者の操作を容易にするために、レバーハンドル式カラン等に取り替えることや、適切な位置にシャワーを設定できるシャワーヘッドスライドバーを設けることが望ましい。※

(5) 浴槽
ア(ｱ) 浴槽への出入りや浴槽内での移動及び姿勢の安定のために、浴槽回り及び浴槽内に手すり又は簡易手すりを設けること。
(ｲ) 浴槽への出入りをさらに容易にするために、浴槽横にベンチを設置すること、又は浴槽改造により浴槽の縁を広くしたステージを設置することが望ましい。※
イ 転倒を防ぐため、浴槽内の床（特に足を踏み入れる場所付近）には、滑り止めマットを配置するか、又は、ノンスリップタイル等の滑りにくい材質のタイルを用いること。
ウ 浴槽内の足場を確保し、浴槽内での安定した座り型を確保するために、浴槽改造によりステップを設置することが望ましい。※
エ 浴槽の深さはあまり深くならぬよう、また、浴槽の縁はあまり高くならぬよう注意すること。※

(6) その他
ア 車椅子による通行を容易にするため、各所の出入口幅は80cm以上とすることが望ましい。※
イ 介助等の福祉事業の講習会等の事業を実施するのに十分なスペースを確保することが望ましい。※

○福祉入浴援助事業（デイセントー事業）を行う公衆浴場の施設・設備及び運営基準について

［平成9年7月22日　衛指第139号
各都道府県知事・各政令市市長・各特別区区長宛　厚生省生活衛生局長通知］

　公衆浴場など環境衛生関係営業の振興については、平素より種々御配意を煩わしているところであるが、公衆浴場は、これを利用する国民にとっては日常生活上欠くことのできない施設であることに関わらず、減少傾向が続いており、昭和56年に制定された「公衆浴場の確保のための特別措置に関する法律」においても、国及び地方公共団体は住民の公衆浴場の利用機会の確保に努めることとされている。

第6編　公衆浴場

　このような中、「福祉入浴援助事業を行う公衆浴場の設備に関する基準について」（平成6年3月2日厚生省生活衛生局指導課長通知）により福祉入浴援助事業の支援をお願いしてきたところであるが、同事業の円滑な実施に資するため、その対象施設としての公衆浴場の施設・設備及び運営基準を別添により定めたので通知する。
　ついては、貴管下関係行政機関に対し周知を図り、市区町村等における公衆浴場を活用した同事業の普及・実施のために福祉部局と十分連携を図って積極的な支援をお願いする。

〔別　添〕
　　　　福祉入浴援助事業（デイセントー事業）実施要綱
1　目的
　　この要綱は、公衆浴場の施設を利用した入浴介助等を伴う入浴サービス事業（以下「福祉入浴援助事業」という。）を実施する公衆浴場が最低限備える必要がある施設、設備及び実施にあたっての運営基準について定めるものである。
2　施設基準
　(1)　車椅子による通行を容易にするため、各所の出入口の幅は十分に確保されることが望ましい。
　(2)　介助等の福祉事業の講習会等の事業を実施するのに十分なスペースを確保するため、男湯と女湯の間仕切りを開閉式にすることが望ましい。
　　　また、スペースは概ね30㎡（男女合計面積）とする。
3　設備基準
　(1)　玄関
　　ア　段差をなくし、歩行しやすくするために、玄関ポーチ及び上がり框に表面を滑りにくく加工したスロープを設けることが望ましい。
　　イ　下足を着脱するとき、腰掛けた安定した姿勢を保てるように、椅子、スツール、又はベンチ等を配置すること。
　　ウ　転倒を防ぐために、玄関・上がり框周辺に、利用者の全体重を支えるのに十分な支持強度をもった手摺りを設けること。
　　　なお、手摺りの設置・維持管理に際しては、安全性の確保のために専門家の指導を受けることが望ましい。
　(2)　脱衣室
　　ア　歩行や立ち座りのとき、体を支え、転倒の危険性を防ぐために、手摺りを設けること。
　　イ　衣服を着脱するとき、腰掛けた安定した姿勢を保てるように、椅子、スツール、ベンチ、ソファー、ベット等を配置すること。
　　ウ　転倒を防ぐため、床に滑り止めマットを配置するか、又は床の滑り止め加工を行うことが望ましい。
　(3)　便所
　　ア　段差をなくし、歩行しやすくするために、入口に、表面を滑りにくく加工したス

ロープを設けることが望ましい。
　　イ　虚弱老人等の使用に配慮して、上置き用便座等の洋式便器及びトイレ用簡易手摺りを設けること。
(4)　洗い場
　　ア　段差をなくし、歩行しやすくするために、入口に、表面を滑りにくく加工したスロープを設けること。
　　イ　歩行や立ち座りのとき、体を支え、転倒の危険性を防ぐために、手摺りを設けること。
　　ウ　転倒を防ぐため、洗い場の床（特に出入口付近及び浴槽付近）には、滑り止めマットを配置するか、又はノンスリップタイル等の滑りにくい材質のタイルを用いることが望ましい。
　　エ　体を洗うとき、腰掛けた安定した姿勢を保てるように、バスマット、シャワーシート、シャワーチェアー等を配置すること。
　　オ　握力や腕力が弱い者の操作を容易にするために、レバーハンドル式カラン等に取り替えることや、適切な位置にシャワーを設定できるシャワーヘッドスライドバーを設けることが望ましい。
(5)　浴槽
　　ア　浴槽への出入りや浴槽内での移動及び姿勢の安定のために、浴槽廻り及び浴槽内に手摺り又は簡易手摺りを設けること。
　　　　また、浴槽への出入りをさらに容易にするために、浴槽横にベンチを設置すること、又は浴槽改造により浴槽の縁を広くしたステージを設置することが望ましい。
　　イ　転倒を防ぐため、浴槽内の床（特に足を踏み入れる場所付近）には、滑り止めマットを配置するか、又は、ノンスリップタイル等の滑りにくい材質のタイルを用いることが望ましい。
　　ウ　浴槽内の足場を確保し、浴槽内での安定した座り型を確保するために、浴槽改造によりステップを設置することが望ましい。
　　エ　浴槽の深さはあまり深くならぬよう、また、浴槽の縁はあまり高くならぬよう注意すること。
4　運営基準
(1)　市町村との協力
　　サテライト型デイサービス事業の実施主体である市町村と協力し、福祉入浴援助事業の円滑な実施に努めること。
(2)　運営委員会への参画
　　地域の支援（協力）により事業を展開するため、概ね次の構成員からなる運営委員会の組織化に協力し、参画するものとする。
　　ア　社会福祉事業を行う団体の代表
　　イ　民生委員等
　　ウ　社会福祉に関するボランティア団体の代表者

第6編　公衆浴場

　　エ　浴場事業者
　　オ　その他事業に必要な者
(3)　対象者
　　事業の利用対象者は、概ね65歳以上の要介護老人（65歳未満であって初老期痴呆に該当する者を含む。）及び身体障害者であって、身体が虚弱又はねたきり等のために日常生活を営むのに支障がある者とする。
(4)　実施日
　　事業の実施日は、週1回以上となるよう努めるものとする。
(5)　利用定員
　　事業の1回当たりの利用定員は、20名を限度とする。
(6)　指定
　　福祉入浴援助事業の実施に当たっては、市町村の指定を受けるものとする。

○入れ墨（タトゥー）がある外国人旅行者の入浴に関する対応について

> 平成28年3月18日　事務連絡
> 各都道府県・各政令市・各特別区生活衛生担当課宛
> 厚生労働省医薬・生活衛生局生活衛生・食品安全部
> 生活衛生課

　入れ墨がある外国人旅行者と入浴施設等との摩擦を避けることにより、できるだけ多くの外国人旅行者に入浴を楽しんでいただくことを目的として、別添により、観光庁が関係業界に対し周知を行ったところです。
　つきましては、貴職におかれましても、別添の趣旨に鑑み、不当な理由により入浴拒否が生じないよう、管内の入浴施設等に対し周知徹底を図るとともに、適切な対応を行っていただきますよう、よろしくお願いいたします。
別添　略

Ⅲ 解釈通知編

第1章 公衆浴場業の定義

(「業として」の解釈)

○公衆浴場法等の営業関係法律中の「業として」
の解釈について

［昭和24年3月11日　衛発第256号］
［法制意見第1局長宛　厚生省公衆衛生局長照会］

〔照会〕
標記の件に関し、法施行上下記の如き疑義があるので法務庁調査意見局の見解を伺いたく、よろしく御取計り願いたい。

記

興行場法第1条第1項、公衆浴場法第1条第2項及び旅館業法第2条にそれぞれ興行場営業、浴場業及び旅館業を定義として「業として」経営することとしてあり、又理容師法第1条で理髪師又は美容師の定義として理髪又は美容を「業とする」ものとし、理髪所又は美容所については理髪又は美容の「業を行う」ために設けられた施設としている。従って「業として」経営するもの又は「業とする」ものがそれぞれ興行場法、公衆浴場法、旅館業法又は理容師法の適用を受けるものである。この場合に「業として」又は「業とする」等の「業」の解釈については、一般には不特定且多数人を対象として対価を得て反覆継続的に行うものを云うものと解されているのであり、これ等の法の運営については、以上の如き解釈に基いてこれを行なって来たのであるが、実際上は次に述べる如き種々の問題があり、特にこれ等諸法は公衆衛生上の見地から必要な取締りを行う目的たる趣旨に鑑みても、業の対象として不特定多数人のみに限定せず、不特定少数人又は特定多数人の場合にも業の解釈を拡張して法の適用を受けさせる必要があると思われる。従って「業」の意味を右のように拡張して解釈しても差し支えないものであるか或は従来通りの解釈であるべきかについて疑義が生じたのである。

なおこれ等諸法が「営業」という語を使用せず特に「業」としたことは、観念上両者に若干の相違を認めても差し支えないと思われ、現に医師法又は歯科医師法の「医業」又は「歯科医業」の解釈として不特定又は多数人の場合をも含んでいるのである。問題となった具体的事例を

第6編　公衆浴場

　1　興行場法について
　　鉱山、工場等で従業員及びその家族の福利施設としてそれ等の者を対象とする興行のための施設を設けた場合（北海道）
　2　公衆浴場法について
　　公衆浴場の営業の許可の申請をして不許可の処分を受けた者が、何町或は何組合共同浴場として相当数の会員よりなる会員制度の浴場を経営した場合（石川県）
　3　学校の福利施設として理髪所を設け学校生徒等の特定人に対して理髪を行なっている場合（島根県）
　すなわち以上の如く、会社工場学校等の福利施設として行われる場合又は会員制度による場合等特定多数人を対象とする場合が問題となるのである。
　公衆浴場法の運営に関する件（公衆衛生局案）
　公衆浴場法は、業として公衆浴場を経営するものを法の対象とするものである。「業」とは、本来は反覆継続して行うものをいうのであり、従って本来は公衆浴場を経営する行為を反覆継続するものは、すべて「業として」公衆浴場を経営するものとして公衆浴場法の対象となるべきものである。
　然し、法施行以来従来の行政慣例により、一応「業」の解釈については、不特定多数人を対象として対価を得て反覆継続的に行うものという狭い解釈を踏襲して来た。従って、会員制度による公衆浴場の経営の如く、会員のみが利用する公衆浴場については、一応本法の適用は除外されていたのである。
　然し、会員制度による浴場の構造設備等については、一般のものに比して不備な点が多く、しかもその公衆衛生に及ぼす影響は極めて大なるものがあるので法務府法制意見当局と打合の結果従来の行政慣例をもととした業の解釈を業の本来の意味に一歩近づけて拡張し、会員制度の浴場の如く、特定多数人を対象とするものについても、本法の適用を受けさせることとし、もって公衆浴場法の趣旨を一層徹底せしめ公衆衛生の向上増進を図らんとすることに意見の一致をみたのである。この点御留意の上本法の適正な運営を計られたい。従って、今後は特定多数人を対象として経営せる公衆浴場で、（例えば会員制度の浴場、協同組合の経営する浴場等）何等かの形で対価を得て、（維持費、組合費、会費等名称の如何を問わない。）反覆継続的に行われるものについても、本法を適用して差し支えない。又、これ等の公衆浴場の経営主体が、市町村等の公共団体、組合組織の団体等であっても同様に取り扱って差し支えない。なお、工場、学校等の福祉施設として設けられた浴場については、原則として本法の適用は受けないものである。
　　　　　　共同利用組合組織による浴場に対する公衆浴場法の適用について
〔昭和24年7月4日　24衛発第5,030号
　厚生省公衆衛生局長宛　埼玉県知事発〕
　北浦和市〇〇町共同浴場利用組合　責任者
　右の者肩書地に於て共同組合組織の許に特定人を対象に共同浴場を経営しているので所轄保健所に於て公衆浴場法第11条第1項に該当する公衆浴場として指導取締を行

っているが詳細に調査した処下記の通りで内容は一般の公衆浴場業者と殆んど変りがないと認められる。
　従って法第1条第2項の業に該当するものとして取り扱いたいと思うがいささか疑義があるので一応貴局の意見を御指示願いたい。尚共同組合経営で特定人（組合員）のみを対象とする場合に於ても公衆浴場法第1条第2項に該当する公衆浴場として取扱ってよいか併せてお伺いする。
下記

1　浴場設置より現在迄の経緯
　本浴場は昭和20年10月頃東京都田端より疎開して来た浴場建物を北浦和町会で買収し当時町会区域の住民利用のため建設町会にて経営したのであるが昭和22年6月町会解散と共に同地内の有志が発起人となり任意組合としての共同利用組合を組織し之を住宅として現在に至った。
2　現在の経営状況
　任意組合に改組時別紙の通りの定款を定め選出役員に依って業務を運営している。
　現在理事長として北浦和町3丁目○○○○○○が就任しまた浴場管理人として○○○○外家族1名雇人1名が実際の浴場業務を管理していて同人は組合と雇傭関係にある。
　組合員は定款に定める如く北浦和3、4、5丁目の住民を以って構成するのを原則としているが1年以前から同町内以外よりの新規加入者も認めて居って現在3000人の組合員を擁する。
　組合員の出資方法は1人1口80円とし組合に対し入浴券は（1枚8円）を1口最高限度1か月20枚を発行していて入浴券は組合員章の提示により責任者より交付すると云うが実状は詳かでない。
　出資金並びに入浴券の売上は浴場維持費にあって黒字経営の場合も組合員の利益配当は行なわず現在黒字経営であるが従来赤字であったためその補塡にあて将来入浴券の価格引下げを行う見込であるという。
3　施設の概要
　法第1条第2項に依らない無免許浴場であるため県規定公衆浴場法施行条例所定の浴場施設基準に適合しない点があるすなわち浴場の総建坪は約40坪で浴槽は丸桶様木製で20人を収容し得る大きさにて洗場は板張り浴槽脱衣場は男女別として番台を設けている。
　脱衣棚、便所も設え概ね浴槽の体裁を備えている用水は水道水で燃料は薪を使用している。
　右調査の通り本浴場は特定人の利用を目的としているもののようであるが現在は特定者以外の者へ利用させている様子なので詳細目下取調べ中である。
　　　北浦和共同浴場利用組合定款
　　第1章　総則

第6編　公衆浴場

第1条　本組合は組合員の保健衛生に資する為共同浴場を経営し之を利用するを目的とする
第2条　本組合は北浦和共同浴場利用組合と称する
第3条　本組合の区域は浦和市北浦和町3、4、5丁目一円とする
第4条　本組合は事務所を浦和市北浦和町3丁目65番地に置く
第5条　本組合は第1条の目的を以って出資をなしたる世帯員代表を以て之を組織する前項に関する細則は別に之を定む
第6条　本組合の公告は組合の掲示板に掲示して之をなす
　　　　第2章　加入及び脱退
第7条　第3条の区域に在住する者は本組合の承諾を得て組合員となることが出来る
第8条　組合は左の事由によって脱退する
　　一　組合員たる資格の喪失
　　　　第3章　出資、積立金及び持分
第9条　出資1口の金額は金　　　円とす
第10条　本組合は出資総額に達する迄毎事業年度の剰余金の4分の1以上を準備金として積立てるものとする
第11条　準備金は損失の塡補に充つるものとし総会の承諾を経たる方法の外之を他に利用することが出来ない
第12条　本組合の財産は総組合員の共有に属する組合員の持分は左の標準に依り之を定める
　　一　出資金口に対しては払込済出資額に応じて之を算定する
　　二　準備金其の他の組合財産に対しては払込済出資額に応じて之を算定する組合員の損益分配の割合は各組合員の払込出資の価額に応じて之を算定する
第13条　組合員脱退の場合に於ける持分の払戻は払込済出資額とする
第14条　持分の払戻は事業年度末より1年以内に之をなす
　　　　第4章　剰余金の処分
第15条　一事業年度に於ける総益金より総損金及び将来の損失金を控除したるものを剰余金とし準備金を控除し尚残金あるときは翌年度繰越金とする
　　　　第5章　事業及びその執行
第16条　本組合はその目的を達するため左の事業を行う
　　一　組合員の為共同浴場を経営すること
　　二　前号に附帯する一切の事業其の他組合の目的を達するに必要な施設をなすこと
第17条　事業の執行に関する細則は理事会に於て之を定む
　　　　第6章　役員総代及び職員
第18条　本組合に左の役員を置く
　　一　理事　　若干名
　　二　監事　　2名

理事の内から理事長1名専務理事1名常務理事2名を互選する
　　　　本組合に総代会の承認を経て雇問を置くことが出来る
第19条　理事監事は総会又は総代会に於て組合員中より之を選任する
第20条　理事又は監事に選任せられたる者は正当の事由あるに非ざれば之を辞することが出来ない
第21条　理事及び監事に不正の行為あり又は不適任と認められたときは総代会の決議を以て之を解任することが出来る
第22条　理事及び監事の任期は前任者の残任期間とする
第23条　本定款に別項の規定あるものを除く外組合の業務は理事の過半数を以て之を決する
第24条　理事長は組合事務を統轄し組合を代表する
　　　　理事長事故あるときは専務理事之に代る
　　　　専務理事は理事長を補佐し組合事務を掌理する常務理事は専務理事を補佐し常時組合運営の任にあたる
第25条　監事の職務左の如し
　　　一　組合財産の状況を監査すること
　　　二　理事の業務執行の状況を監査すること
　　　三　前各号の報告をなす必要あるとき総代会を招集すること
第26条　総代は別に定むる選挙区を………総代の員数並びに選出方法………
第27条　理事監事及び総代………手当を支給することが出来る
第28条　本組合に職員若干名を………
　　　　第7章　会議
第29条　会議を分ち総会総代会及び理事会とする
　　　　総会は組合員を以って之を組織し総会に代る議決………
第30条　総代会は通常総代会及び臨時総代会の2種とする
　　　　通常総代会は毎年1月に之を開く
　　　　臨時総代会は左の場合に於て之を開く
　　　一　理事必要すると認めたとき
　　　二　監事が組合の財産又は業務の状況に関し報告する必要ありと認めたとき
　　　三　全総代の5分の1以上の同意を得て別の定により総代会の………招集を請求されたとき
第31条　総代会に於て議決すべき事項左の如し
　　　一、定款の変更　二、経費の………　三、財産目録貸借対照表事業報告書の承認　四、理事監事の選任及び解任　五、準備金の利用　六、其の他理事長必要と認めたる事項
第40条　理事会の職務権限左の如し
　　　一　組合員の加入脱退諾否決定
　　　二　組合員の出資に関する事項

第6編　公衆浴場

　　　　三　組合に対する異議の裁決
　　　　四　組合の業務に関する事項
　　　　五　其の他理事長に於て必要なりと認めたる事項並びに定款其の他の細則に依
　　　　　　り理事会の職務権限に属する事項
　第41条　理事会は理事長之を招集する
　　　　理事会の議決は理事定員の過半数の同意を以て之をなす
　第42条　総代
　　　　第8章　会計
　第43条　本組合の事業及び会計年度は1か年度とし1月1日に始まり12月31日に終る
　第44条　理事長は毎事業年度の終りに於て左に掲ぐる書類を調整し定時総代会の会日
　　　　前に監事に提出し且つ之を事務所に備へねばならない
　　　　一　財産目録
　　　　二　貸借対照表
　　　　三　事業報告書
　第45条　本組合の一般事務に要する経費は………寄附金其の他の雑収入を以て之に充
　　　　てる
　　　　第9章　附則
　第46条　本組合事業の執行其の他の細則は別に定める所に依る

〔意　見〕
　　　　公衆浴場法等の営業関係法律中の「業として」の解釈について
　　　　　　　　　　　　　　　　　　［昭和24年7月28日　法務府法意1発第44号　］
　　　　　　　　　　　　　　　　　　　厚生省公衆衛生局長宛　法制意見第1局長発
　本年3月11日附衛発第256号をもって照会せられた標記の件に関し、次のとおり意見を回答する。
1　公衆浴場法、興行場法、理容師法等の法律においては、それぞれ、「業として」公衆浴場、興行場を経営しようとする者は許可を受けなければならない旨を規定し、又理髪師（又は美容師）の免許をうけた者でなければ理髪（又は美容）を「業として」はならないと規定している。法律上ある行為を「業とする」と云われるためには、人が社会生活上の地位に基きその行為を反覆継続して行う場合でなければならない。個人の消費生活上の行為や娯楽としてなされる行為は社会生活上の地位に関係がないから、たとえ反覆継続してなされても、「業」とするものとは云えない。しかしながら、相手方が不特定又は多数であること、対価を受けること等は「業」の概念上必要でない。もっとも、興行場法及び公衆浴場法では「興行場営業」「営業者」「営業の停止」等の文言を用いているので、営利の目的を有する「営業」のみがこれらの法律の適用をうけるようにも解せられるが、これらの法律では「業として興行場を経営すること」を「興行場営業」と云い、（興行場法第1条第2項）、「浴場業を営む者」を「営業者」と云っている（公衆浴場法第3条第1項）に過ぎない。従って、これらの法律は「業として」興行場や公衆浴場を経営するという観念にあたるものであれば、対価の有無に関係なく適用あるもの

公衆浴場法等の営業関係法律中の「業として」の解釈について

と云わなければならない。
2 浴場の経営主体が顧客を特定の多数人に限定した会員制度の浴場においても、その浴場経営は経営主体の社会生活上の地位に基き継続して行うものであるから、業として浴場を経営するものと解すべきである。しかして、公衆浴場の定義（法第1条第1項）における「公衆」とは、必ずしも不特定多数者たることを必要とせず、特定の多数者も「公衆」たるに妨げないと解せられるから、結局右のような会員制度の浴場は、公衆浴場法の適用を受けなければならない。もっとも、入浴の施設を有する家庭において近隣の者を入浴させるような場合には、たとえ継続して行なったとしても、社会生活上の地位に基いてなすものと云えないから「業」の概念に入らない。
3 利用者が集まって組合を組織し、自ら浴場の経営主体となる場合（協同組合による浴場）は、たとえ組合が形式上法人格をもち、法人たる組合が浴場の経営主体たる形式をとる場合であっても、実質上は各世帯において施設を設けて入浴するという消費生活上の行為を協同し組織化して行うにほかならないのであって、従って、利用者と経営主体とは実質的には同一であり、この点で会員制度の浴場とはその本質を異にする。しかしながら、本来「業」の観念に関係のない消費生活上の行為であっても、これを協同化し組合の「事業」として行うようになれば、そこに社会生活上の地位に基く「業」たるの実質を生じ、公衆浴場法の適用を受けるものと解するのが正当である。しかして、このことは組合が法人であると否とにかかわらない。ただ、近隣の数世帯が協同して浴場を設け、これを利用しているような場合には、組合の事業たる実質をもたず、各世帯における入浴施設の設置、利用と同様、法の適用外におかれるのであって、この間の区別は社会通念によるほかはない。
4 工場、事業場、学校等において、従業員、その家族、学生生徒の利用に供するために設けた、浴場、興行場の経営は、一般的にいえば経営主体が行う本来の業務ではないが、それは、経営主体が社会生活上の地位において本来の業務に附随して継続して行う事務に属し、従って、業務上のものであるから、「業として」浴場（又は興行場）を経営するものと云わなければならない。しかしながら、旅館業法の適用をうけるホテル、旅館等の浴場については、この法律が公衆衛生の見地から公衆浴場におけるとほぼ同様な監督その他必要な措置をなし得る規定を定めているので、この浴場について重ねて公衆浴場法を適用すべき必要がなく、従って公衆浴場法の適用を排除していると解するのが正当である。他にも同様の関係に立つ法律があるかどうかを吟味した上で、公衆浴場法、興行場法等の適用範囲がきめられなくてはならない。

〔要旨〕
　　　　公衆浴場法、興行場法理容師法等にいう「業として」の意義について
　公衆浴場法、興行場法、理容師法等の公衆衛生法上の取締法令にいう「業として」とは、人が社会生活上の地位に基いてその行為を反覆継続して行うことをいい、必ずしも対価をうけること又は相手方が不特定かつ多数であることを必要としない。

（家族風呂）

○特殊浴場に対する公衆浴場法適用の疑義について

> 昭和26年2月13日　6衛環第119号
> 厚生省公衆衛生局環境衛生部長宛　京都府衛生部長照会

　管下京都市内に左記のような浴場の建設を計画する者がありますが、本件は公衆浴場法を適用すべきものと思われますが、聊か疑義がありますので御意見を承りたく右照会します。

記

1　既設公衆浴場（送り湯式）の隣接地を利用して建設するもので家族風呂（仮称）と称し、和式及び洋式の小さい浴槽を数個設けて、同伴者等に各浴槽を貸切りとするものである。
2　料金は普通入浴料金より高くとる。
3　入浴者は一般大衆であり、不特定多数である。
4　普通浴場と同じく反覆継続して営業する。
5　設置予定場所は、普通住宅地である。
6　旅館又は料理飲食店として営業するものではない。

> 昭和26年3月12日　衛環第24号
> 京都府衛生部長宛　厚生省公衆衛生局環境衛生課長回答

　昭和26年2月13日6衛環第119号で照会された右のことについては下記のとおり回答する。

記

　家族風呂であっても、不特定多数を対象とし、反覆継続して営業するのであるから、公衆浴場法第2条第1項の規定により許可を受けさせるべきであるが、この場合は一般公衆浴場とは異なるので、既存条例の適用しかない場合は、第3条に基き条例を制定する必要がある。

(牛乳風呂)

○公衆浴場としての牛乳風呂の取扱に関する件

> 昭和26年2月7日　公第103号
> 厚生省公衆衛生局長宛　宮城県知事照会

　右について最近脱脂乳の増加からこれを公衆浴場の浴場に混入し牛乳風呂として願い出るものがあり、又新聞報道によれば東京都において牛乳風呂が公衆浴場として営業されているが疑義があるので、下記の点について至急何分の御回答を煩わしたい。

記

1　公衆浴場として浴場に脱脂乳を混入することは清潔保持の点からこれを監視するに困難を来たし不適当と認められるが差し支えなきや
2　差し支えないものとした場合の法的理由

> 昭和26年3月20日　衛発第265号
> 宮城県知事宛　厚生省公衆衛生局長回答

　昭和26年2月7日公第103号で申請された右のことについては下記のとおり回答する。

記

　脱脂乳を用いたいわゆる牛乳風呂であっても、法第2条第2項に規定する不許可の理由がなければ許可しなければならない。
　但し、かかる公衆浴場の衛生措置については、条例で、浴槽内の湯を常時換流させるための設備を設けなければならない等必要な基準を設けることが必要である。
　なお、東京都に於て牛乳風呂を公衆浴場として許可した事例はないので、参考までにお知らせする。

(個室付特殊浴場)

○トルコ風呂の取扱について

> 昭和27年11月6日　公第3,450号
> 厚生省公衆衛生局環境衛生部環境衛生課長宛　神奈川県衛生部長照会

　最近、本県横浜市に相次いでトルコ風呂の出願があり、その営業形態は、各独立した浴室に蒸し風呂及び洋式風呂を設置して、婦女がサービスし更に寝台を用意した別室において、マッサージ的行為を行うものであるが、利用の対象は一応大衆に置いているものの、300円乃至500円という高額の料金を徴収する関係上利用者は、特定の者に限定され、一般大衆の利用度は極めて薄く、従来の公衆浴場とは根本的にその形

態を異にするものなので、これを直ちに公衆浴場法の許可の対象とし、同法に根拠を置く指導取締を行うことについては、疑義の点もあるので、これが取扱について何分の御指示を願いたく御照会いたします。

> 昭和27年11月11日　衛環第98号
> 神奈川県衛生部長宛　厚生省公衆衛生局環境衛生部環境衛生課長回答

11月6日付27公衛第3,450号をもって照会のあった標記について下記のとおり回答する。

記

お尋ねのトルコ風呂については、社会性をもって公衆を入浴させる施設であるから公衆浴場法を適用すべきである。但し、この場合一般浴場とは異るので法第3条に基づき条例をもってその基準を制定する必要がある。

なお、適正配置については、トルコ風呂専門の浴場であれば特例を設けて考慮することが適当と思われる。

（協同組合の厚生施設）

○公衆浴場法の適用について

> 昭和28年1月30日　公衛発第38号
> 厚生省公衆衛生局環境衛生課長宛　茨城県衛生部長照会
> 日立市会瀬342ノ5　会瀬漁業協同組合長

右の者から漁業協同組合の福利厚生施設として組合従業員（数名）、組合員（96名）及び右の家族（大人413名、小人68名）を入浴させる目的で浴場を経営したい旨の申出があったので調査したが、これは昭和24年10月17日付衛発第1,048号通達による公衆浴場法等の営業関係法律中「業として」の解釈について及び昭和25年4月25日付衛発第358号通達による営業三法の運用についての通達により、公衆浴場法の適用を受けるものと解されるが、疑義を生じたので（別紙のとおり参考書類を添付する）至急何分の御回答を願います。なおこの浴場は公衆浴場法第2条第1項の規定による許可をうけている公衆浴場から約6、70米の距離があって、本県公衆浴場法施行条例第2条に規定する距離制限に抵触し、且つ但し書に該当しないものである。

おってこの漁業協同組合の経営しようとする浴場について労働基準法及び事業場付属寄宿舎規則による監督を受けるものかどうか、口頭で日立労働基準監督署長に照会したところ、監督を受けない旨の解答を得たので申し添える。

別　紙
　　　　公衆浴場法施行条例（抜萃）
第2条　公衆浴場法（昭和23年法律第139号。以下「法」という。）第2条第3項の規

定に基く公衆浴場の設置場所の配置は、既設浴場との直距離が市部にあっては300米、郡部にあっては400米なければならない。但し、知事が土地の状況その他公衆衛生上必要であると認めるときは、この限りでない。
2 　前項但書の認定については、予め公衆浴場整備審議会の意見を聞かなければならない。

　　　　　　会瀬漁業協同組合内規
1 　浴場の場所及び名称は左の通り
　⑴　場所　茨城県日立市大字会瀬476番地
　⑵　名称　会瀬漁業協同組合自営浴場
1 　本浴場は右記番地の土地及び家屋を武藤達男氏より家賃及び地代として壱か月壱万弐千五百円也を以て会瀬漁業協同組合が定款第2条の4及び9の目的達成のため借り受け自営するものとす。
1 　本浴場は営利を度外視し専ら組合員の福利を旨とし衛生施設の一助となすを目的とす。
1 　本浴場に入浴せんとする者は会瀬漁業協同組合の組合員並に其の家族（従業員）にして本組合の事務所に於て発行する入浴券持参の者に限る。
　本組合事務所に於ては組合員の家族数に応じて1人1日1枚以内の入浴券を発売し、其の家族数を超える入浴券の発売は致しません。
1 　入浴券は1枚5円以内を電気料其の他の維持費として申し受けます。
1 　入浴券は本組合員並に其の家族（従業員）以外の者に譲渡することができません。
1 　本浴場内の規則は公衆浴場に対する県令其の他の定むる規則に従うこと。

```
昭和28年2月23日　　衛環第16号
茨城県衛生部長宛　　厚生省公衆衛生局環境衛生課長回
答
```

1月30日付公衛発第38号をもって照会のあった標記について下記のとおり回答する。
　　　　　　　　　　　　　　記
　おたずねの漁業協同組合における厚生施設としての浴場については、その規模が比較的大きく、漁業協同組合という特殊な業態からみてその行為が社会性を有しているものと判断される。また御質問の内容から判断するに、労働基準法並びに事業場附属寄宿舎規則等の監督を受けないものと思われるから、その場合は当然公衆浴場法の適用を受けることになる。
　なお、貴県においては、正式に労働基準監督署と連絡されて事務上手落のないよう取り計らわれたい。

第6編　公衆浴場

○公衆浴場法の運営疑義について

> 昭和30年6月17日　公発第910号
> 厚生省環境衛生課長宛　徳島県衛生部長照会

次のような場合における公衆浴場法の運営方針について、ご回答下さい。
1　1漁業組合の組合員は、業務上夜間おそくなり、他の一般浴場を利用できないので、きわめて不便な生活をしている。
　そのため組合員の厚生施設として無料で入浴さすため浴場を設立しようとしていますが、このような場合、公衆浴場法を適用させるべきでしょうか。
2　1で法の適用を受ける場合、配置の適正基準に合致していませんが、このような場合、法の主旨からは、但書の適用による許可をするのが適当でしょうか。
3　他府県で、このような場合に適正基準の但書を適用し、許可を与えた例があれば照会の都合もありますので、府県名を教えて下さい。
4　1で公衆浴場法の適用を受けない場合でも、その家族を入浴させるような場合は、当然法の適用範囲となるものとの見解ですが、この見解で正しいでしょうか。
　また、有料の場合も同じ見解ですが、どうでしょうか。
　なお、この計画における
(1)　現在申請地区の人口3000人に対し、公衆浴場2か所あり、申請者は、組合員の職務上入浴する時期が夜おそくなるため、浴場は営業していないといっていますが、既設浴場業者は、夜間おそくても、不便を与えないようにするといっています。

> 昭和30年7月30日　衛環第47号
> 徳島県衛生部長宛　厚生省公衆衛生局環境衛生部環境衛生課長回答

「配置の基準の特例による許可について」
　昭和30年6月17日公第910号をもって照会のあった標記の件について下記のとおり回答する。

記

1　貴見のとおり。
2　貴県公衆浴場措置及び配置に関する条例第17条但書の趣旨に従って許可を与えることも考えられるので、慎重に実情を判断した上、同条但書適用の可否を決定されたい。
3　茨城県に類似の例がある。
　（参考）
　　徳島県公衆浴場措置及び配置に関する条例
第17条　（配置の適正基準250米）
　　但し、人口密度その他土地の状況等によって利用者に甚しく不便を与える等配置の適正を欠くと認められるときは、その距離を短縮することができる。

(普通浴場と特殊浴場)

○公衆浴場の疑義について

> 昭和31年2月20日　衛公環発第130号
> 厚生省公衆衛生局環境衛生部長宛　東京都公衆衛生部長照会

　最近都内において、蒸気又は熱気を用い、いわゆるトルコぶろ式のもの、温泉又は茶湯等を使用し、休憩室等の附帯施設を設けたもの、或は前両者を併設したもの等その構造設備からみて、明らかにいわゆる銭湯と称する普通公衆浴場と形体を異にするものが増加の傾向にあり、これらの浴場は、本法第2条第3項に規定する配置の適正という観点から考慮すれば、疑義が生ずるので下記について何分の御指示を願いたい。

記

1　「公衆浴場を分けて普通公衆浴場及び特殊浴場とする」ということが規定できるか。
2　できるとすれば、さらにこの事項について普通公衆浴場とはどういうもので、特殊浴場とはどういうものをいうか。即ち、療養または保養を目的とするものが特殊浴場である。というように定義付けられるか。
3　さらに、普通公衆浴場の構造設備及び特殊浴場の構造設備について、その構造設備の基準を定めることができるか。
4　上記1、2、3の事項が可能とすれば、公衆浴場の許可書に種別として、普通公衆浴場または特殊浴場としての許可書の発行ができるか。
5　若し、上記4に掲げた事項が可能とすれば、仮りに特殊浴場として許可されたものが、普通公衆浴場としての構造変更をする場合（届出）条例に規定する距離制限に抵触することになるため、その理由をもって普通公衆浴場としての切換を認めないことができるか。
6　上記1から5までについては（但し4については規則で規定すべきと考えられるが如何）、条例で規定すべきかまたは規則で規定すべきものか。

> 昭和31年3月3日　衛環発第9号
> 東京都衛生局長宛　厚生省公衆衛生局環境衛生部長回答

　昭和31年2月20日衛公環発第130号をもって公衆衛生部長から照会のあった標記の件について、下記のとおり回答する。

記

1　お尋ねの1、2、3について
　現行の公衆浴場法においては、その立法の趣旨並びに法解釈の点から云っても、浴場の用に供する施設の利用目的（例えば療養、保養等）によって、公衆浴場を区分することは

できないものと考える。
　しかしながら、当該施設において講ずべき衛生措置基準がその形態の特殊性により実体的に異なり、これを区別して個別的な差違を設けることが適当な場合であり、かつ、その差違を立法技術上規定しうる場合は、その範囲内において都道府県の条例で便宜上、公衆浴場を普通浴場と特殊浴場を区分することは差し支えない。
2　4について
　公衆浴場について営業の許可は、右の衛生措置基準の見地よりする普通浴場と特殊浴場の区分にかかわらず、同一であるべきである。従って、普通お尋ねのように浴場又は特殊浴場としての許可書をそれぞれ種別として発行することはできない。
3　5について
　申請事項の変更の手続等についても営業の許可の場合と同じく、両者同一に取り扱うべきものである。
4　6について
　1に掲げた事項を規定する場合は、都道府県の条例によるべきである。

（旅館内の入浴施設）

○公衆浴場法の疑義について

［昭和28年11月19日　公衛第967号
　厚生省公衆衛生局長宛　静岡県衛生部長照会］

　公衆浴場法の適用について下記の通り疑義を生じたので、至急回答願いたい。
　　　　　　　　　　　　　　記
　普通旅館に於て、宿泊客の外に浴場施設のみを利用せしめ、公衆浴場と同様形態を以て公衆浴場類似営業をなした場合、旅館業法或は公衆浴場法違反となるか
具体的内容
　A旅館に於て、2個の大浴槽を設け、不特定多数人に対し、15円～20円の入浴料をもって反覆入浴せしめている。
　昭和24年10月17日衛発第1,048号厚生省公衆衛生局長通牒によると「…旅館内の浴場等に対しては、旅館業法により、公衆衛生の見地から、公衆浴場法によるとほぼ同様な監督その他必要な措置をなし得ることになっているので、重ねて公衆浴場法を適用すべき必要はなく、公衆浴場法の適用を排除していると解せられる……」とあり、又、旅館業法第2条第3項に「旅館とは1日を単位とする宿泊料又は室料を受けて人を宿泊させる施設」とあるが、右のように宿泊客の外に入浴のみを目的とする客をとる場合、公衆浴場法第3条第1項の違反となるかと思われるが、御指示下さるよう照会します。

［昭和29年1月5日　衛発第1号
　静岡県知事宛　厚生省公衆衛生局長回答］

11月19日公衛第967号で照会のあった標記については、下記のとおり回答する。

記

　旅館内に設けられた入浴施設は、当該営業施設の一部として、宿泊者に入浴の便宜を提供するのであるから、この範囲内における入浴施設に関しては、昭和24年10月17日衛第1,048号通牒の如く、旅館業法によって公衆衛生上の見地から指導監督をうけるので、公衆浴場法は適用されない。

　しかしながら、諸間の場合のように入浴させる対象及目的が、旅館業のそれの範囲をこえ、且つ、その行為が反覆継続の意思をもってなされているように解せられるので、当該入浴施設は旅館業の範囲を逸脱し、公衆浴場法の適用をうける必要があると考えられる。

○公衆浴場法の適用範囲について

[昭和40年8月2日　環第236号
厚生省環境衛生局長宛　鹿児島県衛生部長照会]

　　　公衆浴場法の適用範囲について
　上記について、下記の点について疑義を生じましたので、至急なにぶんの御指示をお願いします。

記

1　旅館において休憩という名目で一時的に休憩施設を利用させて休憩料金を徴収することは昭和27年11月4日付け衛環第96号により、旅館業法にいう宿泊料と解するとあるが、旅館内場（たとえばヘルスセンターなどのような温泉大浴場）の入浴を目的として一時的な休憩料金を支払って入浴（無料）することは旅館業の範囲とみなされるか。

2　また上記場合において休憩料金のほかに入浴者に対し入浴料金を加算徴収することはさしつかえないか。

3　ある建物内に娯楽施設（たとえば、サーキット等）を設け、入場料を徴収し、希望者に対しては併設の大浴そう（温泉）を無料でサービス利用させることは公衆浴場類似行為と解し公衆浴場法を適用すべきであるか。

　もし、公衆浴場法を適用するとした場合、当該施設が既設公衆浴場との関係において、公衆浴場設置場所の配置基準条例による距離制限内にある場合いかなる取扱いをなすべきか。

4　なお、旅館業の営業許可を受けた者が、同一建物（施設）内に併設された娯楽施設並びに大浴場（温泉）の利用について宿泊者以外の者に対し上記行為を行なった場合いかに取り扱うべきか。

[昭和40年10月5日　環衛第5,115号
鹿児島県衛生部長宛　厚生省環境衛生局環境衛生課長
回答]

昭和40年8月2日付け環第236号をもって照会のあった標記の件については次のとおり

第6編　公衆浴場

回答する。
1
(1)　旅館内の浴場については、昭和29年1月5日付け衛発第1号に示されているように、旅館宿泊者を入浴させる施設については旅館業法により、公衆浴場法と同様の規制を受けるから、公衆浴場法が重ねては、適用されないが、宿泊者以外の者が入浴し、その行為が反覆継続してなされている場合は、公衆浴場法の適用がある。
(2)　その名目の如何をとわず、寝具を使用して施設を利用する者は宿泊者である。
(3)　従って、お尋ねの1の「休憩」が「宿泊」でない場合には公衆浴場法の適用がある。
2　おたずねの2についてはさしつかえない。
3　おたずねの3については公衆浴場法の適用があるものと解される。配置基準条例については当該施設を利用させる形態が一般公衆浴場と同様であると認められない場合は適用すべきでない。
4　おたずねの4については、1の(1)のとおりである。

（山村共同浴場）

○「新農山漁村建設総合対策要綱」に基く共同浴場施設について

> 昭和32年2月18日　医第517号
> 厚生省公衆衛生局環境衛生部環境衛生課長宛　福井県
> 厚生部長照会

　農林省振興局所管にかかる「新農山漁村建設総合対策要綱」(昭和31年4月6日閣議決定事項)（以下「対策要綱」と略称する）に基いて、本県農林部農政課が計画中の下記施設（農林省振興局振興課において、本年度末までに施設完成に決定したもよう）が事実上「共同浴場」として経営された場合、公衆浴場法第1条に規定する「業として」経営するものに該当し、公衆浴場法に基く知事の許可を受けなければならないものと解されるが、対策要綱で定める共同浴場の施設基準は、各都道府県の条例で定める公衆浴場の施設基準を著しく下廻るものと考えられ、本県においてもまたその例外ではないので、対策要綱が閣議決定に基く趣旨もあり、その取扱いをいかがいたすべきか、折返し御回報煩わしたい。
　なお、本県農政課によれば、農林省では同施設が公衆浴場法の適用を受けないものであるとしているので申し添えます。

記

　「対策要綱」に基く「農山漁村振興特別助成事業実施基準」中第4項（技術研修及び生活改善施設）第4号（生活改善展示施設）に基き次のような施設を昭和31年度事

業として設けることに決定している。
1 建設の目的　地元の要望および本県内の「生活改善展示施設」として共同浴場を建設し、これを常時使用せしめるほか、一般の展示に供する。
2 建設の場所　福井県勝山市鹿谷町保田
　　　　　　　（備考　附近には、既設公衆浴場は存在しない）
3 建設申請人　福井県勝山市鹿谷町保田部落会長
4 施設の規模等　共同浴場　1棟　15坪（男、女別に2.5坪の脱衣場および浴室を設ける）
　　　　　　　建設費総額40万円
5 利用者　保田部落　40戸（人口240人）が共同利用する。
6 そ の 他　建設費に対して助成金があり、維持費として各戸に分担せしめる模様

> 昭和32年3月13日　衛環第19号
> 福井県厚生部長宛　厚生省公衆衛生局環境衛生部環境衛生課長回答

昭和32年2月18日医第517号をもって照会のあった標記の件について下記により回答する。

記

お尋ねのような事例の施設であれば、社会性を有すると思料されるので、公衆浴場法の適用を受けるものと解せられる。

おって、本件については、農林省振興局振興課とも連絡済みであるので念のため申し添える。

（無料の浴場）

○公衆浴場法の適用について

> 昭和31年11月17日　31環第6,022号
> 厚生省環境衛生課長宛　大阪府衛生部長照会

公衆浴場法の適用につき次の事項について疑義を生じたので何分の御指示をお願いします。

記

府下堺市を中心とする一般労務者及び労働母子の福祉と援護を図り、勤労精神の増進能率化促進を期するため堺市新在家町東3丁目20番地の1に堺労働福祉援護協会（会長阪本三郎）を設立し、同協会厚生福祉の一として一般公衆浴場と同規模の厚生簡易宿泊所附属厚生浴場を堺市新在家町東3丁20番地に設置し、民生委員、未亡人会長、及び労働組合長等の低額所得の証明ある労務者及び労働母子等で協会の認めた者を一

般会員（家族を含む）として会員券を発行し入浴料大人10円、小人5円で入浴せしめている。尚、厚生簡易宿泊所は目下計画中である。
　これは昭和24年10月17日づけ衛発第1,048号通達による公衆浴場法等の営業関係法律中「業として」の解釈についての通達により公衆浴場法の適用を受けるものと解されるが疑義を生じたので至急何分の御回答を願います。

［昭和31年11月22日　　衛環第115号　　　　］
［大阪府衛生部長宛　厚生省環境衛生課長回答］

　昭和31年11月17日31環第6,022号をもって照会にかかる標記の件については、下記により回答する。

記

　公衆浴場法第2条第1項にいう業として経営するとは、その行為が社会性をもって行われ、かつ反覆継続の意思をもってなされることをいい、相手方が不特定多数であること、対価を受けること等は、概念上必要とされないところである。従って、簡易宿泊所の所謂内湯という形態ではなく、低所得階層が一般的に利用するということは、とりもなおさず社会性を有すると認められるので、反覆継続の意思をもってなされるかぎりは、業として公衆浴場を経営することと解され、公衆浴場法第2条第1項の規定により許可を必要とするものである。

（参　考）
　昭和31年10月6日衛環第100号「公衆浴場法の適用について（回答）」（青森県衛生部長宛）をもって同様趣旨の通知を発している。

（アパートの附設浴場）

○公衆浴場法適用上の疑義について

［昭和39年8月31日　　環衛第2,789号　　　　　］
［厚生省環境衛生課長宛　大分県厚生部長照会］

　臨海工業地帯造成に伴なう漁業転業者が、アパート経営を行なっているが、該アパートの浴場が公衆浴場法の適用施設であるかどうか判定に困難を来しているので御教示願いたく、別紙内情を添えて照会いたします。
1　私設アパート40世帯150人程度が利用する浴場で
　(イ)　一般家庭用より若干大きい位いの入浴施設を男女別に作ってある。
　(ロ)　アパートの一部を使用している。
　(ハ)　入居者以外は絶対に利用させていない。
　(ニ)　午後5時から午後9時までが利用時間である。
　(ホ)　重油使用で湯沸かしは管理人（アパート経営者）が行なうが掃除は利用者の輪番制である。

(ハ)　経費は1月1世帯（家族人員に左右されない。）100円を油代の一部として管理人が徴している。
　(ト)　夏期は毎日、冬期は3日に1回程度沸かしている。
2　附近（半径約4km）に公衆浴場がないため、アパート建設と同時に入居者用として管理人が作ったものである。
3　利用人員に比し施設が小さく利用時間中は相当混雑するようであるが、今の所他に増設の計画はない。
4　配置図

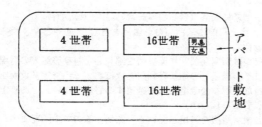

上記のような実情にあり
①　消費生活上の行為と考えられないこともない。
②　消費生活上の行為であると限定するには、入浴対象が多過ぎる。
③　組合或は会員制ではなく、又数世帯の合意による施設でもないが、管理人が経営しているとも限定し難い。

```
昭和39年11月26日　環衛第33号
大分県厚生部長宛　厚生省環境衛生局環境衛生課長回答
```

　昭和39年8月31日環衛第2,789号をもって照会のあった標題について下記のとおり回答する。
記
　おたずねの浴場施設については、経営が継続反覆して行なわれること、利用人口数からみて公衆性が認められること、及び管理形態からみて単なる消費生活上の協同行為の域をこえて社会性が認められることからして公衆浴場法（昭和23年法律第139号）の適用の対象となるものと思われる。

第6編　公衆浴場

（マッサージ施術所の浴場）

○あん摩、マッサージ施術所の浴場に対する公衆
　浴場法適用の疑義について

> 昭和40年3月4日　40保指第327号
> 厚生省環境衛生局長宛　神奈川県衛生部長照会

　次のことについて公衆浴場法を適用すべきか否かについて疑義を生じましたので何分の御回示を得たく照会します。
1　施術所においてサービスに入浴（むし風呂を含む。）させた場合
2　施術所においてマッサージ前に入浴（むし風呂を含む。）するとマッサージしやすいので入浴させる場合
　なお昭和38年8月19日づけ衛環発第28号環境衛生部長名「料亭旅館等の浴場の取扱いについて」の回答中「その構造、形態及び利用態様において不特定多数人を対象とする公衆浴場と認められない限り公衆浴場法を適用する必要はない」とあり上記1、2についても同様に解してよろしいか。
　なお一部の県にては公衆浴場法を適用していると聞知するので申添えます。

> 昭和40年4月1日　環衛第5,037号
> 神奈川県衛生部長宛　厚生省環境衛生局環境衛生課長
> 回答

　昭和40年3月4日40保指第327号で照会のあった標記のことについては、1及び2のいずれについても、不特定又は多数人を対象に反覆継続して行なわれる場合には公衆浴場法が適用されると解される。

（サウナ風呂、カマ風呂）

○公衆浴場法の疑義について

> 昭和41年9月20日　G450環第435号
> 厚生省環境衛生局環境衛生課長宛　岡山県衛生部長照会

　このことについて、下記事項について疑義を生じたので、至急御回示をくださるよう照会いたします。

記

1　近時、岡山市内に公衆浴場に類似した営業形態（サウナ、カマ風呂等）のものが、新設される気運があるが、公衆浴場法第1条「この法律で公衆浴場とは温湯、潮湯又は温泉その他を使用して公衆を入浴させる施設をいう。」のうち、その他の

施設とは、前記（サウナ、カマ風呂等）を含むと解してよいか。
　　　なお、水槽、シャワー施設のない場合は、公衆浴場法に該当する業種となるか。
　2　略

> 昭和41年12月21日　環衛第5,150号
> 岡山県衛生部長宛　厚生省環境衛生局環境衛生課長回答

　昭和41年9月20日付け環第435号をもって照会のあった標記について下記のとおり回答する。

記

1　貴見のとおり、水槽シャワーの有無にかかわらず、いわゆるサウナ風呂及びカマ風呂はトルコ風呂と同じく公衆浴場法第1条第1項に規定する公衆浴場である。
2　略

○公衆浴場法の疑義について

> 昭和42年1月20日　環衛第7,014号
> 各都道府県・各政令市衛生主管部（局）長宛　厚生省環境衛生局環境衛生課長通知

　標記の件に関し、別添第1により岡山県衛生部長より照会があり、別添第2により回答したので御承知ありたい。

別添第1
問1　近時岡山市内に公衆浴場に類似した営業形態（サウナ、カマ風呂等）のものが、新設される気運があるが、公衆浴場法第1条「この法律で公衆浴場とは温湯、潮湯又は温泉その他を使用して公衆を入浴させる施設をいう。」のうち、その他の施設とは前記（サウナ、カマ風呂等）を含むと解してよいか。
　　　なお、水槽、シャワー施設のない場合は公衆浴場法に該当する業種となるか。
　2　以下略

別添第2
答1　貴見のとおり、水槽シャワーの有無にかかわらず、いわゆるサウナ風呂及びカマ風呂はトルコ風呂と同じく公衆浴場法第1条第1項に規定する公衆浴場である。

（ゴルフ場の浴場）

○ゴルフ場における浴場の取り扱いについて

> 昭和41年3月23日　環衛第5,031号
> 兵庫県衛生部長宛　厚生省環境衛生局環境衛生課長回答

第6編　公衆浴場

> 問　管内ゴルフ場において浴室を設け、ゴルフを行なう会員、同伴者及びゲスト等多数人に利用させているが、近年これらの施設並びにその利用者の増加等にかんがみ、この行為が社会性を有するものと認められ、かつ、反覆継続の意志をもってなされるものであるから、公衆浴場法における「業」の解釈に該当すると思われる。従って、公衆浴場法第2条第1項の規定による営業の許可を受けなければならないものと解されるが如何。
> 　参考までに県下、西宮保健所管内におけるゴルフ場内浴場施設調査表を添えます。
> 　調査表　略

答　貴見のとおりと解せられる。なお、その取り扱いにあたっては、その設置の場所の配置の基準、入浴者の衛生に必要な措置等に関して公衆衛生上妥当な範囲で緩和規定を設けることは差しつかえない。

○クリーニング業法及び公衆浴場の疑義について

> ［昭和41年11月16日　公第815号
> 　厚生省環境衛生課長宛　静岡県衛生部長照会］
>
> クリーニング業及び公衆浴場法の疑義について
> このことについて別紙のとおり疑義があるので至急ご教示願います。
> 〔別　紙〕
> 1　略
> 2　ゴルフ場の浴場は特に入浴料金として別個に徴収していないため現在公衆浴場法を適用していないがその実態は温湯を使用し多数のものが入浴する施設で公衆浴場的性格が強いと思われる。
> 　現在は各都道府県とも適用していないと思われるがこれが見解をお示し願いたい。
> 　また法を適用する場合は文書によりその旨御示達願いたい。

> ［昭和42年2月9日　環衛第7,025号
> 　静岡県衛生部長宛　厚生省環境衛生局環境衛生課長回答］

昭和41年11月16日付け公第815号によって照会のあった標記について次のとおり回答する。
1　略
2　ゴルフ場の入浴施設は、社会性をもって多数人が反覆継続して利用する施設と認められるから公衆浴場法を適用すべきである。

(酵素風呂)

○特殊公衆浴場に対する公衆浴場法適用の疑義について

> 昭和43年3月1日　43衛公環発第84号
> 厚生省環境衛生局環境衛生課長宛　東京都衛生局公衆衛生部長照会

公衆浴場法適用について、下記のとおり疑義を生じたので、至急御回答願います。

記

1　最近東京都下において、酵素風呂と称して、深さ2m位の浴槽に鋸屑を入れ、それに多種の酵素（大高酵素と称するもの）を混合し、3、4日放置し、発酵をおこなわせ、その発酵熱（40℃～60℃前後の温度）を利用して、鋸屑の中に20分～30分間身体をよこたえ、発汗等をおこさせる形態のものが計画されつつあるが、公衆浴場法第1条に云う「温湯又は温泉その他を使用して……」の「その他」に含むものと解してよいか。また、この場合の行為は入浴と解し得ると思うが如何。

　なお、鋸屑浴槽の外にシャワー、湯水栓等が併設されているものであり、鋸屑浴槽の入浴に際しては、男は頭にカバーをし、パンツを着用、女は頭にカバーをし、ゆかた等を着用するものであることを申し添えます。

2　1の施設が、公衆浴場法の適用を受けるものとした場合、同一鋸屑風呂を多日にわたって使用され得ることは、法第3条第1項に規定する清潔保持の点から好ましからざるものと思われるが如何。

> 昭和43年4月25日　環衛第8,066号
> 東京都衛生局公衆衛生部長宛　厚生省環境衛生局環境衛生課長回答

昭和43年3月1日付け43衛公環発第84号をもって照会のあった標記について次のとおり回答する。

記

1　1については、貴見のとおりである。
2　2については、ご指摘のような問題もあるので、浴槽内の鋸屑や酵素を定期的にとりかえる等の措置基準を設けること等により、当該施設の清潔保持に努められたい。

第6編　公衆浴場

（シャワー浴場）

○公衆浴場法の疑義について

> 昭和42年1月23日　42衛公環発第23号
> 厚生省環境衛生局環境衛生課長宛　東京都衛生局公衆衛生部長照会
>
> 1　公衆浴場法第1条第1項中"公衆を入浴させる施設"の"入浴"とは、どのような行為をいうのであるか。
> 2　脱衣室、シャワー室（温湯及び冷水シャワーによる）、化粧室等を設け、シャワーバスと称して営業を行っている者があるが、シャワーのみを用い、従来の"いわゆる銭湯"における浴槽等を設けない場合においても、身体の垢、脂、汗その他の汚れを洗浄清拭する作用を行う場合は、"入浴"に該当すると考えられるがどうか。
> 　この場合、冷水のみを使用して身体を浸し又はシャワー浴する場合も入浴と見做されるかどうか。
> 〔以下略〕

> 昭和43年7月25日　環衛第8,113号
> 東京都衛生局公衆衛生部長宛　厚生省環境衛生局環境衛生課長回答

1　1については、2との関連において「入浴」の語義を明らかにする必要があると考えたための照会と思われるが、公衆浴場法第1条第1項にいう「温湯、潮湯又は温泉その他を使用して、公衆を入浴させる施設」が、どの範囲のものであるかは、この法律の立法目的である当該施設における衛生の確保の必要性の有無を考慮して判断すべきものであり、単に「入浴」の語義が何であるかによって判断すべきものではない。
2　2については、現段階においては消極に解する。
〔以下略〕

（新生児の沐浴施設）

○公衆浴場法に基づく営業許可に関する疑義について

> 昭和43年12月23日　242—871
> 厚生省環境衛生課長宛　宮崎県衛生部長照会
>
> このことについて、下記事項に疑義がありますので至急御指示賜り度く御願い致し

ます。
記
1　病院産院を退院後の新生児に対する沐浴を業務とする浴場の申請（別紙）がありましたが、これは公衆浴場法（特殊浴場業）としての営業許可が必要か否か。

> 昭和44年3月17日　環衛第9,045号
> 宮崎県衛生部長宛　厚生省環境衛生局環境衛生課長回答

昭和43年12月23日付け242―871をもって照会のあった標記の件について次のとおり回答する。
記
お尋ねのような業務が反覆継続して行なわれる場合には、公衆浴場の営業許可が必要である。

（自治会立共同風呂）

○公衆浴場法の運用について

> 昭和43年7月6日　環第771号
> 厚生省環境衛生課長宛　広島県衛生部長照会

　最近調査の結果、県、市町村などの公共団体が設置する住宅団地内に居住者の為に共同で利用する浴場を設けて、居住者が自主的に運営している浴場が相当数あることが判明しました。
　ついては、この浴場の取扱いについて次のとおり照会しますのでご回答ください。
（調査資料添付）
記
1　県、市町村などの公共団体が管理する住宅団地に、居住者の為に共同で利用する浴場を設置し、これを自治会などが利用料を徴収して運営しているが、これらの浴場は公衆浴場法の適用を受けるか、適用を受けるとすれば配置の基準の適用を除外することができるか。
　　なお、このような共同の浴場が公衆浴場法の適用を受けるが、配置の基準の適用除外がなされないとすれば、下記2の福利厚生施設と対比して適用除外されない理由は如何。
2　工場、事業場などの福利厚生施設的な浴場は、公衆浴場法の適用を受けるものであり、適正配置の基準の適用については、これを除外するよう通知されているが、これらの福利厚生施設に対して適正配置の基準を除外している趣旨は如何。
　　又これらの福利厚生施設は、昭25.4.26公衆衛生局長通知「営業三法の運用につ

第6編　公衆浴場

いて」の中で「………従業員の福利厚生の為に設けられたもので比較的規模の大なる浴場である………」とされているが
(1) 従業員の福利厚生の為………とあるが、この中には従業員の家族は含まれるか。
(2) 比較的規模の大なる浴場………とあるが、具体的に示されるか。
3　福利厚生施設として許可されるものは、工場、事業場など及び社宅の敷地内に設けられるものであって、外部と塀などにより明りょうに区別されている場合でなければならないか。

[昭和44年7月7日　環衛第9,095号]
[広島県衛生部長宛　厚生省環境衛生課長回答]

昭和43年9月6日付け環第771号をもって照会のあった標記について、下記のとおり回答する。

記

1　お尋ねのような浴場についても、その経営が業として行なわれる場合には、公衆浴場法の適用を受けるものである。
　　また、公衆浴場法の適用をうける場合には、お尋ねのような浴場は自治会が設置運営するということを除いては、一般の公衆浴場と実質的になんら異なるものではないと考えられるので、適正配置の基準の適用を除外することは適当でない。
2　工場、事業場等における福利厚生施設としての浴場については、昭和24年10月17日付け衛発第1,048号公衆衛生局長通知をもって、距離制限の規定の適用について特例を認めるよう考慮することが適当とされているが、その趣旨は、これらの施設は利用者が工場、事業場の従業員等に限定されるため、一般の公衆浴場と同等に取り扱うことが適当でなく、また、工場、事業場の従業員等の福利厚生と便宜を図るためにも特例を認めることが適当であるとするものである。
　　お尋ねの2(1)の従業員については、かならずしも従業員のみに限られるものではなく、従業員の家族も含まれると解する。なお、従業員の家族が日常的に利用する形態の浴場については、適正配置の基準が適用されるので念のため申し添える。
　　2(2)については、当該浴場が業として経営され、かつ、事業附属寄宿舎規程または労働安全衛生規則等の適用を受けない場合には、すべて公衆浴場法の適用を受けるものである。
3　3については、お尋ねのように外部と区別する構造を有している必要はない。

(トレーニング場の浴場)

○トレーニング場に対する公衆浴場法適用の疑義について

> 昭和48年9月12日　衛環第89号
> 厚生省環境衛生課長宛　京都市衛生局長照会

　最近本市において、健康トレーニング場として屋外プール（温水プール、25メートル、数コース）と20名程度収容できるサウナ室（浴槽なし）を各々1箇所宛設け、若中年層の不特定多数の男女を対象に各自が、サウナとプールを交互に利用して急速発汗と急速冷身を繰返し、身体を鍛錬するという施設を計画しているものがある。
　業者はサウナ、プールの他に医療施設も併設し、（医師を常駐）総合的な料金制度とし、また、水着をつけた男女がプールと同様に、サウナ室を同時に共用することにより、性を意識しないで鍛錬できるようにしたいので、サウナ室は1箇所とし、男女別に設けたくないとの意向が強い。（注、別個に設けると意識する由）
　また、熱気浴（乾熱）以外では、例えばシャワーではその目的とする効果がないと称している。
　本市では男女別のサウナ室を設け公衆浴場の許可をうけるよう指導する方針であるが、本件に関するご見解と、併せて、次の点に疑義を生じたので、至急何分のご教示をお願いします。

記

1　サウナ室を利用することは、水着の着用の如何にかかわらず入浴行為であると考えられるがどうか。
2　営業目的が利用者の身体の鍛錬、整美容、その他これに類するものであっても、不特定多数を対象として反覆継続して入浴施設（規模の大小にかゝわらず）を利用させる場合は、公衆浴場法の適用をうけると考えられるがどうか。

> 昭和48年11月19日　環衛第237号
> 京都市衛生局長宛　厚生省環境衛生局環境衛生課長回答

　昭和48年9月12日付け衛環第89号をもって照会のあった標記の件について、下記のとおり回答する。

記

1　貴見のとおりである。
2　貴見のとおりである。

(医療施設等の浴場)

○公衆浴場法の解釈について

> 平成30年7月13日　事務連絡
> 各都道府県・各政令市・各特別区生活衛生担当課宛
> 厚生労働省医薬・生活衛生局生活衛生課

公衆浴場法の解釈について、今般、別添のとおり整理をしましたので、よろしくお取りはからい願います。

〔別　添〕

No.	質問	回答
1	災害時において入浴する機会を持てない多数の被災者がいる緊急事態に鑑み、被災地における支え合いの観点から、このような状況が継続している期間に限定し、医療施設等の浴室を地域の住民に開放する場合において、業として公衆浴場を経営することに該当しないと判断することは可能か。	公衆浴場法第2条第1項にいう「業」とは、その行為が社会性をもって行われ、かつ反復継続の意思をもってなされることをいう（昭和31年11月22日付け衛環第115号）。 「業」に該当するか否かについては、上記を踏まえ総合的に判断する必要があるが、御質問のような対応であれば、実施者の意図や実施期間が極めて限定的であることに鑑み、通常、業として公衆浴場を経営することに該当しないと判断することは可能と考えられる。なお、その場合においても、実施者においては、衛生管理に十分留意することが必要である。

第2章　営業の許可

第1節　営業許可と私法関係

○公衆浴場法による営業許可について

〔昭和25年11月21日　保指第3,451号〕
〔法務府法制意見第1局長宛　愛知県知事照会〕

〔照会〕
　公衆浴場は吾人日常生活に欠くべからざる施設であり、この意味で公衆浴場法の運営には細心の留意を払って居りますが、下記(1)事例の場合、(2)の諸点につき法令上疑義がありますので至急意見を御回答願いたい。

記

(1)　昭和25年5月4日　甲提出公衆浴場法による営業許可申請書（地主乙、丙〔申請地は甲、乙の共有〕は甲がこの土地を使用することの承諾書添付）受理。
　　昭和25年8月　乙は右承諾書に捺印したことなしとの知事宛文書を提出。
　　昭和25年8月26日　所轄警察署よりの要求により関係書類を提出。
　　爾来所轄警察署に於ては乙の私文書偽造行使被疑事件につき調査中。
　　甲は乙、丙を被告とし民事訴訟提起中。
　　本件公衆浴場営業許可申請書は衛生部に於て保留中。
(2)　イ　本件の如く条例施行前受理した申請書に対し、愛知県公衆浴場の適正配置の基準に関する条例（条例第30号）が適用されるか、どうか。
　　ロ　(1)の如く申請地の土地所有関係につき刑事及び民事事件がある場合、公衆浴場法のみの観点から否否を決定してよいか、どうか。

〔意見〕
　　　　公衆浴場法による営業許可について

〔昭和26年1月31日　法務府法意1発第2号〕
〔愛知県知事宛　法務府法制意見第1局長発〕

　客年11月21日附保指第3,451号をもって照会にかかる標記の件に関し、左のとおり意見を回答する。
1　問題
(1)　公衆浴場法（昭和23年7月12日法律第139号）は、昭和25年5月17日法律第187号をもってその一部を改正されたが、改正法第2条第3項の規定に基いて県条例が制定施行された場合に、同法の右改正に先立って公衆浴場営業の許可を申請した者に対して、右改正法の規定及びこれに基く県条例を適用することができるか。

第6編　公衆浴場

(2)　許可申請者の浴場を設置すべき敷地の権利関係をめぐる私法上の紛争について訴が裁判所に提起されており、かつ、右敷地の権利関係に関して当事者の作成した文書につき、所轄警察署が私文書偽造行使の罪の疑のもとに、捜査している場合に、県知事はこのような事情を実質的に審査すべきであるか。

2　意見
(1)　お尋ねの場合には、改正法の規定及びこれに基く県条例を適用すべきである。
(2)　お尋ねの事情は、審査すべきではない。

3　理由
(1)　公衆浴場営業の不許可の基準に関する公衆浴場法（昭和23年7月12日法律第139号）第2条第1項の規定は、昭和25年法律第187号をもってその一部を改正され、改正法第2条第2項では、不許可の要件の一として、従前の要件の外に、さらに浴場の「設置の場所が配置の適正を欠く」場合を掲げるとともに、右の設置の場所の配置の基準は同条第3項の規定に基き都道府県条例でこれを定めることと規定している（以下同法改正前の規定を「旧法の規定」、改正後の規定を「新法の規定」という。）。このように、許可の基準について、新法の規定は旧法の規定よりも厳格となったため、お尋ねのように、許可の申請を受理したのが旧法施行時であったときは、たとえその直後に、新法の規定が施行されたとしても、許可基準について、より厳格な新法の規定を適用することはできないのではあるまいかとの疑が一応生ずるであろう。

　しかしながら、一般に、法律は、特別の定めがない限り、その施行と同時に拘束力を生ずるのであって、お尋ねの場合にも、この理によって、右改正法はその施行と同時に有効に拘束力を発生するとともに、旧法の規定はこれと同じくしてその効力を失うものと解される。従って、改正法施行後においては、たとえその施行前に許可申請が受理されていたとしても、公衆浴場営業の許可について、既に失効している旧法の規定を適用する余地は全くなく、当然新法の規定によらなければならない。故に、お尋ねのように、既に新法に基く県条例が施行されている場合には、当該申請人に対する許可を与えるに当っては、もっぱら新法の規定及びこれに基く県条例を適用するのが正当である。

(2)　公衆浴場法第2条第2項が「都道府県知事は、公衆浴場の設置の場所若しくはその構造設備が、公衆衛生上不適当であると認めるとき又はその設置の場所が配置の適正を欠くと認めるときは、」公衆浴場業経営の許可を与えないことができる旨規定しているのは、公衆衛生確保の見地から、公衆浴場業の許可について、右の規定に該当する場合に限って、都道府県知事が許可を拒み得ることを認めた趣旨と解され、従って、その他の事由を理由として都道府県知事がみだりに許可を拒むことはできないと解すべきことはいうまでもない。

　お尋ねの問題について、右第2条第2項との関係を考察するに、先ず、敷地の権利関係をめぐる私法上の紛争について訴が提起されている点についていえば、右の紛争が当該敷地の権利関係に関する争である以上、それが第2条第2項にいう「浴場の設置の場所」と全然無関係の事項とはいえないとしても、このような紛争は、あくまで

当該敷地の権利関係をめぐる私法上の争であって、公衆衛生上の適否とは直接の関係をもたないものというべく、従って、このような敷地に関する紛争を目して、右第2条第2項の規定に該当する事由とみることはできないものと解される。次に、私文書偽造行使の疑に関する点についていえば、この問題はもっぱらその行為が、刑法にふれるか否かの刑罰法規上の問題であって、それが右条項にいう場所に関する公衆衛生上の適否の問題とは全く別個の問題であることは、これまた明白である。

以上によって明らかなように、お尋ねの事由は、いずれも公衆浴場法第2条第2項に規定する不許可の要件に別段の関係をもたない事項であり、従って、この事由について、不許可に関する右第2条第2項の規定を適用する余地はないものといわなければならない。

次に、このような敷地に関する私法上の紛争がある場合には、許可権者は、明文の規定をまたずして、当然に、この点について審査すべきではないかという別個の見解が考えられる。しかしながら、公衆浴場法が公衆浴場営業を許可制としているのは、公衆浴場営業に関して公衆衛生を維持確保しようとする行政上の目的に基くものに外ならないのであって、このような許可について、公衆衛生とは無関係な土地の私法上の権利関係を実質的に審査することは、法の認めるところではないと解すべきである。故に、お尋ねの場合に公衆浴場法第2条第2項の規定とは別個に、さらに敷地に関する私法上の紛争について審査する必要はないと言わなければならない。

すなわち、県知事が当該申請人に対して許可を与えるか否かを決定するに当り、お尋ねのような事情を審査すべき義務を負うものでないことはもちろん、またこれらの事情に拘束されるべきいわれもないと解するのが正当である。

〔要旨〕
　　　　公衆浴場営業の許可について
1　公衆浴場法の一部が改正された場合の公衆浴場営業の許可については、その改正前の申請にかかるものについても、改正後の規定が適用される。
2　公衆浴場を設置すべき敷地の権利関係について私法上の紛争があり、且つ、右の権利関係に関して当事者の作成した文書につき私文書偽造行使の疑がある場合でも、県知事は、当該許可を与えるについて、このような事情に拘束されるものではない。

○公衆浴場法による営業許可についての意見書写送付の件

〔昭和26年4月12日　衛発第266号〕
〔各都道府県知事宛　厚生省公衆衛生局長通知〕

標記の件に関し、愛知県知事より法務府法制意見第1局長宛公衆浴場法による営業許可につき照会したのに対し、別紙写のとおり意見書を送付した旨本省宛通知があったので参考までにお知らせする。

第6編　公衆浴場

(別紙写)

［昭和26年1月31日　法務府法意1発第2号
　愛知県知事宛　法務府法制意見第1局長回答］

客年11月21日付保指第3,451号をもって照会にかかる標記の件に関し、左のとおり意見を回答する。

1　問　題
(1)　公衆浴場法（昭和23年7月12日法律第139号）は、昭和25年5月17日法律第187号をもってその一部を改正されたが、改正法第2条第3項の規定に基いて県条例制定施行された場合に、同法の右改正に先立って公衆浴場営業の許可を申請した者に対して、右改正法の規定及びこれに基く県条例を適用することができるか。
(2)　許可申請者の浴場を設置すべき敷地の権利関係をめぐる私法上の紛争について訴が裁判所に提起されており、かつ、右敷地の権利関係に関して当時者の作成した文書につき、所轄警察署が私文書偽造行使の罪の疑のもとに、捜査を行っている場合は、県知事はこのような事情で実質的に審査すべきであるか。

2　意　見
(1)　お尋ねの場合には、改正法の規定及びこれに基く県条例を適用すべきである。
(2)　お尋ねの事情は、審査すべきではない。

3　理　由
(1)　公衆浴場営業の不許可の基準に関する公衆浴場法（昭和22年7月12日法律第139号）第2条第2項の規定は、昭和25年法律第187号をもってその一部を改正され、改正法第2条第2項では、不許可の要件の一として、従前の要件の外に、さらに浴場の「設置の場所が配置の適正を欠く」場合を掲げるとともに、右の設置の場所の配置の基準は同条第3項の規定に基き都道府県条例でこれを定めることと規定している（以下同法改正前の規定を「旧法の規定」改正後の規定を「新法の規定」という。）。このように、許可の基準について、新法の規定は旧法の規定よりも厳格となったため、お尋ねのように、許可の申請を受理したのが旧法施行時であったときは、たとえその直後に、新法の規定が施行されたとしても、許可基準について、より厳格な新法の規定を適用することはできないのではあるまいかとの疑が一応生ずるであろう。

しかしながら、一般に、法律は、特別の定がない限りその施行と同時に拘束力を生ずるのであって、お尋ねの場合にも、この理によって、右改正法はその施行と同時に有効に拘束力を発生するとともに、旧法の規定はこれと時を同じくしてその効力を失うものと解される。従って、改正法施行後においては、たとえその施行前に許可申請が受理されていたとしても、公衆浴場営業の許可について、既に失効している旧法の規定を適用する余地は全くなく、当然新法の規定によらなければならない。故に、お尋ねのように既に、新法の規定に基く県条例が施行されている場合には、当該申請人に対する許可を与えるに当っては、もっぱら新法の規定及びこれに基く県条例を適用するのが正当である。

(2) 公衆浴場法第2条第2項が、「都道府県知事は、公衆浴場の設置の場所若しくはその構造設備が、公衆衛生上不適当であると認めるとき又はその設置の場所が配置の適正を欠くと認めるときは、」公衆浴場業経営の許可を与えないことができる旨規定しているのは、公衆衛生確保の見地から、公衆浴場業の許可について、右の規定に該当する場合に限って、都道府県知事が許可を拒み得ることを認めた趣旨と解せられ、従って、その他の事由を理由として都道府県知事がみだりに許可を拒むことはできないと解すべきことはいうまでもない。

お尋ねの問題について、右第2条第2項との関係を考察するに、先ず、敷地の権利関係をめぐる私法上の紛争について訴が提起されている点についていえば、右の紛争が当該敷地の権利関係に関する争である以上それが第2条第2項にいう「浴場の設置の場所」と全然無関係の事項とはいえないとしても、このような紛争は、あくまで当該敷地の権利関係をめぐる私法上の争であって、公衆衛生上の適否とは直接の関係をもたないものというべく、従って、このような敷地に関する紛争を目して、右第2条第2項の規定に該当する事由とみることはできないものと解される。

次に、私文書偽造行使の疑に関する点についていえば、この問題は、もっぱら、その行為が、刑法にふれるか否かの刑罰法規上の問題であって、それが右条項にいう場所に関する公衆衛生上の適否の問題とは全く別個の問題であることは、これまた極めて明白である。

以上によって明らかなように、お尋ねの事由は、いずれも公衆浴場法第2条第2項に規定する不許可の要件に別段の関係をもたない事項であり、従って、この事由について、不許可に関する右第2条第2項の規定を適用する余地はないものといわなければならない。

次に、このような敷地に関する私法上の紛争がある場合には、許可権者は、明文の規定をまたずして、当然に、この点について審査すべきではないかという別個の見解が考えられる。しかしながら、公衆浴場法が公衆浴場営業を許可制としているのは、公衆浴場営業に関して公衆衛生を維持確保しようとする行政上の目的に基くものに外ならないのであって、このような許可について、公衆衛生とは無関係な土地の私法上の権利関係を実質的に審査することは、法の認めるところではないと解すべきである。故に、お尋ねの場合に公衆浴場法第2条第2項の規定とは別個に、さらに敷地に関する私法上の紛争について審査する必要はないといわなければならない。

すなわち、県知事が当該申請人に対し許可を与えるか否かを決定するに当たり、お尋ねのような事情を審査すべき義務を負うものでないことはもちろん、また、これらの事情に拘束されるべきいわれもないと解するのが正当である。

公衆浴場法による営業許可について

〔昭和25年11月21日　保指第3,451号〕
〔法務府法制意見第1局長宛　愛知県知事照会〕

公衆浴場は吾人日常生活に欠くべからざる施設であり、この意味で公衆浴場法の運営には細心の留意を払って居りますが、下記(1)事例の場合(2)の諸点につき法令上疑義

第6編　公衆浴場

がありますので至急御意見を御回答願いたい。
記
(1)　昭和25年5月4日　用提出公衆浴場法による営業許可申請書（地主乙、丙（申請地は甲、乙の共有）は甲がこの土地を使用することの承諾書添付）受理。
　　昭和25年8月　　　乙は右承諾書に捺印したことなしとの知事宛文書を提出。
　　昭和25年8月26日　所轄警察署よりの要求により関係書類を提出。
　爾来所轄警察署に於ては乙の私文書偽造行使被疑事件につき調査中。
　甲は乙、丙を被告とし民事訴訟提起中。
　本件公衆浴場営業許可申請書は衛生部に於て保留中。
(2)イ　本件の如く条例施行前受理した申請書に対し、愛知県公衆浴場の適正配置の基準に関する条例（条例第30号）が適用されるか、どうか。
　　ロ　(1)の如く申請地の土地所有関係につき刑事及び民事事件がある場合、公衆浴場法のみの観点から許否を決定してよいか、どうか。
（別添　公衆浴場法関係法例経過　略）

○公衆浴場営業許可について

［昭和31年10月5日　公第10—20号
　厚生省公衆衛生局長宛　山梨県衛生部長照会］

　現に公衆浴場法による営業許可を受けて営業している浴場施設について別人が営業許可申請書を提出された場合について疑義を生じその取扱上支障を来している差しせまった事例があるので文書をもって至急御回示を煩わしたい。
　なお許可申請書が提出されてきたまでの概要は次のとおりである。
記
　本県において昭和31年2月14日付にて甲府市朝日町Aに対し公衆浴場営業を許可しAは現在営業中である。たまたま同年7月23日付にて甲府市朝日町BがAの廃業届を添付して同施設について許可申請をなしてきた。
　このことについてAの廃業等について確認するため調査した処Aは全然廃業の意志もなく、従って廃業届を提出した事実もない、廃業届の提出はAの全く感知しないことであると申述した。
　その後Aは廃業する意志はないと云う理由を以て現にAが営業している事実について確認して欲しい旨知事に対し公文書で上申して来ている。一方Aの廃業等についてBについて調査するにBは廃業のことはA、B、相互間のことであるAの廃業は両者において了解済みであるのでBに対し許可すべきであると申述べている。
　以上のように本件は現に営業権を有する一つの浴場施設に対して全くの別人が営業申請したものであり（尤もこの間には廃業届の提出をめぐりA、B両者間に意見のく

い違いがあり、何等かの個人的関係はあるものの如く思料される点もあるがＡはあくまで廃業する意志のないことも又事実である）この場合
(1)Ａの廃業届を認めてＢに許可すべきものか　(2)Ａの廃業届を取下（本人Ａの取下願による）せしめてＡの許可を継続すべきものか。　(3)廃業をめぐるＡ、Ｂ両者間の紛争は単なる私法上の問題として之には関係なくＢの申請に対しても許可すべきものか。（この場合はＡ、Ｂ両者に対する二重許可となる）　(4)Ａ、Ｂ両者間の話合いを待って後Ａ、Ｂの何れか一方に許可すべきものか。
　なお本件についてはＡ及びＡの関係者の間において相続権営業権等のことにて今まで数回問題がおきている今回の問題も之等のことが関連している模様である。

〔昭和31年11月29日　衛環第119号
山梨県衛生部長宛　厚生省環境衛生課長回答〕

　昭和31年10月5日公第10—20号をもって照会にかかる標記については、下記により回答する。

記

　公衆浴場法第2条第1項の規定による公衆浴場の営業の許可は、公衆浴場営業に関してなされている一般的な禁止を当該施設について解除する行政行為であって、特定の者に当該施設の排他的使用権を設定したものではない。したがって、お尋ねの場合において、Ａの廃業の意思の有無如何にかかわらず、当該施設についてＢからなされた許可申請に対しては、公衆衛生上支障のない限り、更にこれを許可して差し支えないものである。

○公衆浴場法の疑義について

〔昭和32年4月26日　公衛第787号
厚生省公衆衛生局環境衛生部環境衛生課長宛　和歌山県衛生部長照会〕

　公衆浴場法の適用について下記のとおり疑義を生じたので、至急何分の御指示を願います。

記

　公衆浴場法施行規則第2条による記載事項の変更の届出に関しては、昭和23年11月2日付衛第278号公衆衛生局長から県知事あて通達「営業三法の取扱に関する件」によって取り扱っておるところであるが、次のような場合、同法施行規則第2条の届出だけでたりるか否か、同法第2条の新たに許可を受けなければならないか否か。
(1)　公衆浴場法第2条の規定により、公衆浴場（公衆浴場の種類白湯）として、許可を受けた施設が、同法第4条ただし書の規定による公衆浴場以外の公衆浴場で薬湯を使用する場合。

〔昭和32年5月27日　衛環第36号
和歌山県衛生部長宛　厚生省公衆衛生局環境衛生部環境衛生課長回答〕

第6編　公衆浴場

　昭和32年4月26日公衛第787号をもって照会の標記の件について、次のとおり回答する。

記

　おたずねのような場合の取扱については、変更事項が単に薬湯使用の有無という点にのみ関するものであれば、公衆浴場法施行規則第2条の規定による変更の届出で足りる。

　なお、薬湯の使用にあたり、その浴場の構造設備に著しい改造が施され、許可当時の施設と比較して同一性を失ったと認められる場合は、新たに公衆浴場法第2条による許可を要することとなる。

（条件）

○公衆浴場法施行上の疑義について

〔昭和41年12月14日　薬第2,719号
厚生省環境衛生課長宛　三重県衛生部長照会〕

A　熱気を用いて公衆を入浴させる施設（いわゆるサウナ風呂と称する施設であって熱気室を主体とし、シャワー設備、浴槽、脱衣休憩室等を附設して公衆の入浴に供する施設）について

Ⅰ　当該施設は公衆浴場法（以下法という）第1条に規定する公衆浴場に該当するや否や。

Ⅱ　上記Ⅰを「該当する」とした場合

(1)　当該サウナ風呂を法第2条第2項及び同条第3項にもとづく適正配置基準（設置距離規制）の対象とすべきや否や。

(2)　上記(1)を「否」とした場合、当該特殊浴場の経営競争、低料金営業の実施等その経営方法如何によっては、一般公衆浴場（いわゆる銭湯）の経営と競合し、一般公衆浴場の経営を阻害し、ひいてはその講ずべき衛生措置に悪影響を及ぼす可能性も多いものと危惧されるので、之を防止するため当該特殊浴場の営業許可に際し「一般公衆浴場の経営と競合するが如き経営方法を実施したときは、本許可を取消す」旨の許可条件を付して差支えなきや否や。

(3)　上記(2)を「可」とした場合、その経営競合は主として、利用料金と施設利用内容により判定さるべきものと思料されるので、これらに対し、次のそれぞれの措置を講ずることの可否。即ち

㋑　知事が、公衆浴場審議会の議を経て、一般公衆浴場の経営と競合しないと認められる特殊浴場利用料金最低限度額を特殊浴場の種類毎に定め、その限度額以下で経営する特殊浴場については許可を与えず、若しくは許可を取消すことの可否。

㋺　上記㋑の利用料金最低限度額を定める場合、その算定の基礎として、特殊浴場営業者が利用者に提供する嗜好品（タバコ、菓子、飲物など）等の代金

　　　　を含入することの可否。
　　㈦　個人用浴槽以外の多人数用浴槽の設置を認めないことの可否。
　　㈢　上記㈦を「否」とした場合
　　　a　当該浴槽を単に「かけ湯」用の「湯溜め」としてのみ利用を認め、入浴用としての利用を認めないことの可否。
　　　b　多人数用浴槽の大きさを制限する（例えば、「熱気室面積と同等以下であること」など）ことの可否。
　　　c　多人数用浴槽の水温及び水量を一定限度（例えば、「30℃以下であって、かつ常に溢水状態であること」など）に規制すること。
　Ⅲ　当該施設について、男女両性の利用施設を別個に設営せしめ、単一施設による男女の混浴、時間割別利用又は日割別利用等を認めないことの可否。
　Ⅳ　一般公衆浴場にサウナ風呂を併設する場合について
　　⑴　一般公衆浴場の浴場施設内（例えば洗い場、脱衣室、その他）にサウナ施設（熱気室、或は熱気室とシャワー施設）を付設することの可否。
　　⑵　上記⑴を「可」とする場合、当該営業者が、そのサウナ施設の利用者に対して、物価統制令第4条にもとづく公衆浴場入浴料金統制額（以下単に入浴料金統制額という）以外に、別途料金を徴することの可否。
　　⑶　一般公衆浴場の営業者が、当該浴場の施設外であって、かつその同一敷地内或は棟続きにサウナ風呂を設置営業しようとするときは、之を法第2条第1項にもとづく新規申請として、前記Ⅱ各号により規制することの可否。
B　特殊浴場の入浴料金について
　　昭和38年10月7日付愛知県知事照会に対する貴職回答（昭和40年6月7日環衛第5,063号）によれば「特殊浴場（トルコ風呂）の入浴料金統制額を指定することは不適当である」旨示達されているが、この見解はサウナ風呂及びヘルスセンター等、設置距離規制の適用を受けないいわゆる特殊浴場全般に適用されるべきものと解されるが如何。
C　低料金特殊浴場の規制について
　　特殊浴場中いわゆるヘルスセンターには、その営業場所、施設内容及び経営方法等からみて、一般公衆浴場に近似した形態をもっているものが出現している（本県においては、四日市市内の某ヘルスセンターが昼間（観劇共）250円、夜間（観劇なし入浴のみ）50円営業の実例あり、一般公衆浴場の経営と競合する危惧大である）。
　Ⅰ　上記の如きヘルスセンターについては、一般公衆浴場として取扱い設置距離規制及び入浴料金統制額を適用することの可否。
　Ⅱ　上記Ⅰを「可」とした場合、昼間観劇料金は入浴料金統制額以外に別途徴することの可否。
　Ⅲ　上記Ⅰを「否」とした場合、同一浴場施設を以て昼間は特殊浴場、夜間は一般公衆浴場として営業を認めることの可否。

第6編　公衆浴場

　　D　新設備の公衆浴場について
　　　　最近、公衆浴場用設備として、①温浴槽にブロアー装置等を付して浴湯を流動或は噴出せしめ、あんま効果等を期待する施設、又は②身体自動洗滌装置（車輛等の自動洗滌装置と原理を同じくするもの）などの新設備が出現し、若しくは出現が予想されている。
　　Ｉ　一般公衆浴場の施設に上記の設備を施し、その利用者に対し入浴料金統制額以外に別途利用料金を徴することの可否。
　　Ⅱ　上記の設備のみを以て経営しようとする公衆浴場（入浴料金は50円乃至200円程度）を特殊浴場として取扱い適正配置規制の対象外とすることの可否。
　　Ⅲ　上記の設備中①については、当該浴槽の温度は37℃～40℃が生理的適温となる模様であるが、若しこの設備の設置を認めるときは本件の関係条例に定めた「浴槽の温度は42℃以上とすること」に抵触することゝなる。この場合条例の一部改正を必要とすると解されるが貴見如何。

以上

〔昭和42年2月9日　環衛第7,026号
三重県衛生部長宛　厚生省環境衛生局環境衛生課長回答〕

　昭和41年12月14日付け薬第2,719号をもって照会のあった標記について次のとおり回答する。
1　照会Aについて
　(1)　Ⅰについては該当する。
　(2)　Ⅱの(1)については、現在のところ当該施設本来の営業方法によるかぎり国民の日常生活の用に供せられる公衆浴場との競合関係は生じないと解されるので、対象とすべきではない。
　　　Ⅱの(2)については、例示のような条件を附することは差しつかえない。
　　　Ⅱの(3)については、㋑、㋺、㊂のa及びbのいずれの措置も講ずることはできない。
　　　即ち、当該公衆浴場の経営が一般公衆浴場の経営と競合することとなるかどうかは、料金、構造設備、利用者の性格等から総合的に判断すべきであって、あらかじめ料金や構造設備について個別に基準を定め、それに合致しないときは直ちに一般公衆浴場と競合関係に立つと認定することはできない。
　　　Ⅱの(3)の㊂のcについては、公衆衛生の見地から必要であれば、その限度において規制することは可能である。
　(3)　Ⅲについては設問後段の如き利用形態を認めるべきでない。
　(4)　Ⅳの(1)及び(2)については、いずれも可である。
　　　Ⅳの(3)については、既存の公衆浴場とは別に新たな許可申請を行なうべきである。
2　照会Bについては貴見のとおりである。
3　照会Cについて

(1) Ⅰについては、ヘルスセンターの料金が低額であること等によって周辺地域住民がこれを日常の入浴に利用しており、その経営が一般公衆浴場の経営と競合する状態にあると認められるときは、当該ヘルスセンターについて物価統制令及び距離制限に関する条例の規定を適用すべきである。
(2) Ⅱについては、観劇料金は別途徴収して差しつかえない。
(3) Ⅲについては、同一の施設について昼間夜間等の区別により物価統制令の適用を受ける経営と受けない経営を行なうことは認めるべきでない。
4 照会Dについて
(1) Ⅰ及びⅡについては、物価統制令に基づく入浴料金の範囲内でサービスとして当該設備を利用させるか又は当該利用者から別途に料金を徴収するかのいずれかの経営形態が認められるべきである。当該設備の性格上その利用者を特に区別することができない場合に浴場の利用者全員から物価統制令に基づく入浴料金の額をこえる料金を徴収することは、当該公衆浴場が一般公衆の日常の用に供する経営形態をとるものである以上物価統制令違反となり、またそれを距離制限の対象外とすることもできない。
(2) Ⅲについては浴槽の温度を一般に42℃以上と定めた趣旨に照し、御照会のような特殊な浴槽においては37℃乃至40℃であっても同様の効果を期待できると判断される場合には、貴見のとおり条例の一部改正を行なうべきである。

第2節　競願

（審査の順序）

○公衆浴場競願の取扱について

> 昭和27年11月26日　27公第8,036号
> 厚生省公衆衛生局環境衛生部環境衛生課長宛　福岡県
> 衛生部長照会

本県において現在次のような事業が発生しているが、これに対し如何なる措置をとったらよろしいか至急何分のお教示を願いたく照会する。

記

1 事業の概要
　甲が本年6月21日付公衆浴場経営許可申請を提出したが、その設置の場所が適正配置の基準距離に抵触するので、設置の場所を基準距離外に変更するよう指示し、願人甲に適地の選定をさせたが、適地の入手困難で、止むなくその事情を具し、11月7日公衆浴場経営許可申請を再提出した。

甲の公衆浴場設置の場所は、既存の公衆浴場から284.5米で適正配置の基準距離300米に僅か15米程度不足する。然るに、周囲の環境、既存公衆浴場の入浴状況及び他に適地の入手困難なる事情等を勘案して、許可止むを得ないものとして、公衆浴場設置審議会に諮問準備中に偶々乙より甲の出願場所より40米程度の間隔を置いて公衆浴場経営許可申請を11月22日提出あり、乙の公衆浴場設置の場所は、既存の公衆浴場との距離330米で配置の基準距離には抵触しない。

なお、甲、乙の両出願浴場は周囲の環境及びその構造設備等には優劣はない。
2 右事業案に対する措置
 1問 適正配置の基準距離に抵触しない後願の乙に許可を与え、甲の出願は不許可とすべきものかどうか
 2問 先願の理由により、甲の出願を先に詮議し許否決定したる後、乙の出願を詮議すべきかどうか
 3問 その他妥当なる措置があればその措置について

［昭和27年12月10日　衛環第111号
　福岡県衛生部長宛　厚生省公衆衛生局環境衛生部環境
　衛生課長回答］

11月26日付公第8,036号をもって照会のあった標記について下記のとおり回答する。

記

公衆浴場法第2条第3項によって条例に委任された「適正配置の基準」のうち、距離の制限は判断の1つの基準をしめしたのであって、その土地の状況、人口密度等により、公衆衛生上の適否を決定する知事の公益的裁量にもよらなければならない。したがって、甲については、一応距離制限以外の点について十分審査する必要があるように思われるからお尋ねの場合は当然行政慣習にしたがって先願（甲の）審査を行い、その許可の適否を決定した後、（この場合乙の申請の有無は無関係である）後願（乙）について審査することが適当と考えられる。

○公衆浴場設置許可申請の競願事件について

［昭和29年12月2日　衛環発第32号
　長崎県知事宛　厚生省公衆衛生局環境衛生部長回答］

昭和29年10月27日環衛第621号をもって照会のあった標記の件について、下記のとおり回答する。

記

公衆浴場法（昭和23年法律第129号）第2条第1項の規定による公衆浴場経営の許可は、本来対物許可であり、且つ、この対物許可は現に有する施設について、当該施設が法定要件を具備しているか否かを確認して行うことを原則とするが、設置場所の配置が適正であることを要するために当該施設が明らかに建設される見透しをもって便宜事前に許可されることも可能である。よってお尋ねの場合の如く施設設置以前に競願して許可申請が

公衆浴場法に基く営業許可に関する疑義について

あり、且つ、当該施設の一方が設置後許可される結果、その反射的利益として他方が排除されることが明らかに予見される場合においては、事前の行政処分を行い予め当該行政処分によって生じる効果を確定することは差し支えなくあえて法に違背するものではないというべきである。

しかして、かかる場合において、競願にかかる何れを許可するかは、具体的事案に則してその公益性と行政処分の確定性を判断して行うことを要する。

なお、本件の如き場合の運用としては、行政処分以前に極力行政指導を行い、出来る限り事後の紛争が生じることをさけるよう措置することが望ましいことは云うまでもない。

○公衆浴場法に基く営業許可に関する疑義について

> 昭和32年5月31日　青医第1,404号
> 厚生省公衆衛生局環境衛生部長　青森県衛生民生労働部長照会

既設公衆浴場が類焼し、営業者は一応所轄保健所に口答をもって再建を申し出ているが、土地所有者から公衆浴場の再建に対し異議を述べられたため、調停事件となり、そのため正式の書類はまだ提出していないうちに、他の者から該地より約100米（本県は適正配置の基準は市部290米、町村350米）離れた場所に公衆浴場を新設するについての設置承認（施行細則第2条第2項の規定による）が提出された。

この場合、下記の事項について疑義があるので取り急ぎ御指示願います。

記

1　正式の設置承認申請書を提出した後者の申請を先願とするのは適当であるかどうか。
2　施設の焼失により営業者が再建の意思表示した場合、営業の既得権を認めるのは至当かどうか。
3　公衆浴場法の営業許可は対物許可であると思うが、施設が焼失した原因の如何にかかわらず、営業の存続は全くないものと解してよろしいかどうか。

> 昭和32年7月3日　衛環発第24号
> 青森県衛生民生労働部長宛　厚生省公衆衛生局環境衛生部長回答

昭和32年5月31日青医第1,404号をもって照会のあった標記の件については、下記により回答する。

記

1　お尋ねの件は、一般の新設による競願とは異り、施設の焼失に起因するものであって、かかる場合は営業を存続させる事例が多いのであるから、文書による営業許可の申請でなくとも、条理上、申請がなされたものとして取り扱うのが至当であり、従って、お尋ねのごとく後者の申請を先願とすることは、適当ではない。

なお、この場合において再建の意思表示の確認をするため一定の期間内に正式の許可

第6編　公衆浴場

申請書を提出させるよう指導し、その提出がなかった場合には、願がなきものとして取扱って差支えない。
2　営業の既得権は、認められないが一般的にかような場合は、条理上先ず営業者が再建の意思を有するものであるか否かを確認することが適当な措置と考えられる。
3　貴見の通り、営業の施設が公衆衛生上支障がないものとして許可されたものであるから、施設として機能を失う程度の焼失であれば営業許可は当然消滅したものである。

○公衆浴場競願の取扱について

〔昭和33年9月19日　33公第3,505号
厚生省公衆衛生局環境衛生部環境衛生課長宛　福岡県
衛生部長照会〕

本県において現在次のような事案が発生しているが、これに対し如何なる措置をとったらよろしいか、至急何分のご教示を願いたく照会します。
　　　　　　　　　　　　　　　　記
1　事案の概要
　　当県においては、公衆浴場に限って工事着手前に許可申請手続をさせ、許可指令受領後着工するように指導しているのであるが、甲及び乙が本年4月30日同日付で公衆浴場営業許可申請書を提出したが、甲が僅かに先願であるため、その許可の適否を審査した結果、公衆浴場法（以下「法」という。）に適合し、支障ないものと認めて本年5月28日付で許可された。
　　而るに、甲の公衆浴場設置の場所には3軒の借家があり、これを立退かせなければ建築できない現状であり、更に、営業の許可を受けた日から6か月以内に開業しないときは、営業の許可はその効力を失う旨の条件付の許可であったために、乙の申請について不許可処分をすることなく今日まで保留していたところ、甲は許可を受けた場所に建築することを不可能と認め、廃業届を提出すると同時に、さきに許可を受けた設置の場所から約100米離れた場所に営業許可申請書を提出した。
　　この場合、甲、乙間の距離は適正配置の基準距離に達しないが、甲、乙いずれもその構造、設備は法第2条並びに第3条に規定する基準に適合している。
2　右事案に対する措置
　(1)　問　競願の一に許可を受けた日から6か月以内に開業しないときは、営業の許可はその効力を失う旨の条件を付し許可された場合、他の一にはその期間6か月以内と雖も取り下げさせるか又は不許可処分とすべきものかどうか。
　(2)　問　競願の一に許可され、他の一に対し何等処置をすることなく保留している場合、後者は第三者から申請があった場合対抗しえないものかどうか。
　(3)　問　適正配置の基準距離を、市部と郡部と区分して条例によって定められ、市、郡の境界に跨って申請した場合、その土地の状況、人口密度等により公衆衛生上の適否を決定する公益的裁量により、そのいずれを採っても差し支えないものかどうか。
　(4)　問　その他妥当なる措置があればその措置について。

公衆浴場競願の取扱いについて

［昭和33年10月7日　衛環発第82号
　福岡県衛生部長宛　厚生省公衆衛生局衛生部長回答］

　昭和33年9月19日33公第3,505号をもって照会のあった標記については、次のとおり回答する。

記

1　貴県における行政指導上の問題として処理すべきものと解するが、お尋ねのような条件が附されている場合には、実情を勘案のうえ6か月間はその処分を延期することは差し支えない。
2　処分が保留されている場合には、その後に行われた第三者からの申請より先に申請があったものとして処理するのが適当である。
3　都道府県知事の自由裁量により決定することとなるが、その判断の基準としては、一応市部と郡部との距離の割合を算出して加重平均をなし、基準距離とすることが考えられる。
4　甲が廃業届を提出した後別に行った申請は、100メートルも離れた場所に建築するものであり、単に従前の申請内容を変更したものとは考えられないので、別個の申請があったものとし、従って御設例の場合には乙の申請を先願として処理すべきものと解する。

○公衆浴場競願の取扱いについて

［昭和39年9月11日　39環第1,703号
　厚生省環境衛生局環境衛生部長宛　大阪府衛生部長照会］

　本府においては公衆浴場を許可する場合設置場所の配置が適正であることを要するため当該施設が明らかに建設される見透しをもって便宜事前に許可しているものであるが今般甲が提出した公衆浴場営業許可申請書に記載された浴場の地番と大部分異なる地番（一部合致）の地域を浴場建設予定地とした図面が添付されていた（別添図面参照）ので本府において調査中、乙から甲申請地の至近距離の場所を浴場建設地とした申請書（後願）が提出された。

1　この場合、甲の申請書に記載された浴場所在地の地番と一致する地域を浴場建設地とするよう申請書の添付図面を修正せしめ単なる申請書の内容変更として甲を先願とすべきか。
2　本許可が対物許可なる性格を有する以上、申請書に添付された浴場建設地の図面は、申請書の極めて重要な部分であり、この図面が一度修正された場合は新な申請として取扱い、この結果甲を後願とし乙を先願とすべきか。
　（注）　甲の申請にかかる浴場建設地は修正前も修正後も地番はことなるが、甲の所有地であることにかわりはない。
　　　また、このような間違いは申請人甲が図面の作成ならびに浴場建設地域の明示を設計事務所に依頼し、これを確認せず、誤って提出したものとして申請人

1869

第6編　公衆浴場

> 甲ならびに甲の依頼を受けた設計事務所より始末書を提出している。

> 昭和39年10月16日　環衛第24号
> 大阪府衛生部長宛　厚生省環境衛生局環境衛生課長回答

　標記の件については、昭和39年9月11日付け39環第1,703号をもって照会があったが、甲の申請時における内部意思が申請書記載の浴場建設予定地の地番と一致する地域に浴場を建設しようとしていたものであると認められるならば、申請書の添付図面を修正せしめ甲を先願として取り扱うべきである。

（建築確認の時期）

○公衆浴場許可の取扱について

> 昭和28年12月3日　28公保第1,014号
> 厚生省公衆衛生局長宛　岐阜県衛生事務局長照会

　標記のことがらについて、左のとおり疑義を生じて居りますので、折返何方の回答をお願い致します。

新設申請者	既設業者（移転）
一　建築確認申請	一　建築確認申請
11月9日提出	11月17日提出
一　営業許可申請	一　営業許可申請
11月13日提出	10月29日提出

一　既設浴場間の距離　　369.0米
一　移転希望地との距離　334.8米

1　右のとおり建築確認申請は、新設申請者は11月9日提出、移転業者（既設）は11月17日提出、又、営業許可申請は、移転業者（既設）は10月29日、新設申請者は11月13日で、建築確認申請は新設申請者が先に提出され、又営業許可申請は、既設業者が先に提出せられているような場合、建築確認申請を基にして処理すべきか又営業許可申請を基にして処理すべきか。
2　県の公衆浴場法施行条例で新たに設置しようとする「公衆浴場」は、既設の公衆浴場との間に350米以上の距離を保たなければならないが、移転業者（既設）の如く営業許可申請及び建築確認申請は提出されているが、何れも許可及び建築確認を与えていないものは既設の公衆浴場と認められるや
3　県条例で距離は浴場関係を結ぶ最短の道路で測定することになっているが、敷地内の通路は道路として浴場間を結ぶ距離中に含まれるや否や

> 昭和29年1月5日　衛発第3号
> 岐阜県知事宛　厚生省公衆衛生局長回答

12月3日28公保第1,014号で照会のあった標記の件につき下記の通り回答する。

1 公衆浴場の営業許可は、営業許可申請書に基づいて処理すべきであって、建築確認申請の提出の有無によって左右されるものでない。
2 貴県条例にある「既設」の解釈については、もっぱら条例制定の趣旨にもとづいて判断されるべき問題であるが、営業許可をあたえていない建築物を公衆浴場法施行条例に規定する「既設」としてみなすことはできない。
3 貴県条例の基準に規定する「道路」に、敷地内のいわゆる「道路」が含まれるや否かは、貴県条例の基準算定の方法によって判断すべきである。

(口頭の申請)

○公衆浴場競願事件の取扱について

[昭和32年9月5日 公第2,432号
厚生省環境衛生課長宛 熊本県衛生部長照会]

公衆浴場行政に関しては、かねてより種々御教示に預り感謝にたえないところでありますが、最近本県において次のような公衆浴場の営業許可をめぐる競願事件が発生しましたので、如何なる措置をとるべきか何分の御教示の程をお願いいたします。
一 事件の概要
　1 AはBから浴場の建物を借用し、昭和24年10月11日から銀杏湯と称し、許可を受け浴場業を経営していたが、その借料についてBとの間に近時紛争が起っていた。
　2 Aは、熊本簡易裁判所に調停を提起し、昭和31年1月20日調停が次のとおり成立した。
　　(1) Aは昭和32年12月末日限りで浴場をBに明渡すこと。
　　(2) Aは浴場建物の借料として毎月、1万5000円をBに支払うこと。
　　(3) Aは借料を1月以上滞納したときは、即時、浴場をBに明渡すこと。
　　(4) Aは建物明渡しと同時に営業権一切をBに譲渡すること。
　3 その後、Aが調停事項にある借料支払の件を履行しないため、Bは熊本地方裁判所に強制執行を委託し、昭和31年3月17日銀杏湯は、強制執行された。
　4 Aは強制執行後も、強引に銀杏湯に侵入し営業を続けていたが、遂に別途公衆浴場を新設すべく昭和32年8月14日銀杏湯を退去し、翌15日付で銀杏湯の廃業届を提出し、又新規浴場の営業許可申請書を提出した。
　5 BはAの廃業した後の銀杏湯において浴場業を経営すべく8月20日付で営業許可申請書を提出した。
二 事件が行政上の問題に発展した理由
　1 事件の遠因は、銀杏湯をめぐる貸借関係であるが、AとBが浴場業の経営意志を表示したため競願事件に発展したものである。

2　Aの新築場所とBの申請場所（銀杏湯）との距離は、50メートルである。
　3　Aの新築場所は、B以外のものからは、300メートル以上の距離を有している。
　4　本県の適正配置の基準は、浴場相互間の距離が300メートル以上を保つよう定められている。
　5　Aの申請年月日は、昭和32年8月15日であり、Bの申請年月日は昭和32年8月20日である。
　6　A、Bともに適正配置の基準以外の点においては、不適当な点は、認められない。
三　事件に対する行政措置
　1　本件の遠因たる貸借関係については、民事々件であるため行政上直接考慮する必要はないものと考える。
　2　調停事項に営業権を譲渡という項目があるが、これはA、B、両者間を拘束するのみで、行政上の効力は有しないものと考える。
　3　Aが先願であるため行政慣習に従い先議し適当と認められる場合は許可して差支えないか。
　4　Bは後願であるが、浴場の建物は現存しているので、浴場を継続存置させ、空白を避けるためBに許可すべきであるか。
　5　本県としては、法的に、先願審議もやむを得ないと考えるものである。

〔昭和32年9月19日　衛環発第45号
　熊本県衛生部長宛　厚生省環境衛生部長回答〕

　昭和32年9月5日付公第2,432号をもって照会のあった標記については、下記により、取り扱われたい。

記

　設例の件においては、Bの申請に係る公衆浴場施設が現存するのに対し、Aの申請は施設の新築に着手する以前のものであるので、AB間における先願後願を考慮するよりも、浴場業許可の対物許可たる性格にかんがみ、まずBの申請について審査のうえ許可に関する処分を行い、しかる後においてAの申請に対する処分を決定すべきである。

〇公衆浴場の営業許可に関する疑義について

〔昭和32年8月21日　薬第740号
　厚生省環境衛生部長宛　三重県衛生部長照会〕

　既設の公衆浴場から約100メートル（本県では適正配置の基準を280メートルとし、特殊な事情のある場合は許可することが出来る）離れた場所に公衆浴場を建設しようとして申請書が提出されました。既設公衆浴場はこの対抗策として旧施設をとりこわし、新しい施設を同地に建設しようとして口頭で申し出ているが正式の申請書は提出していない。この場合次の事項について疑義を生じましたので取り急ぎ御指示願います。

公衆浴場許可事務取扱上の疑義について

記
1　既設の公衆浴場の営業許可は対物許可であると思うので新しく建設する施設に対しては従前の営業の存続はないものと解されるので新しい許可を要するものとして処理してよろしいか。
2　公衆浴場を新しく営業しようとする意志表示は「公衆浴場法施行規則第1条」に基き申請書類の提出によって効力を有すると思うがこの場合は競願となるので行政慣習により申請書の受理の順序に従って処理すべきものと解してよろしいか。
3　競願とせず既設の浴場であったものの優先権を認めることができるかどうか。

［昭和32年9月24日　衛環発第46号
　三重県知事宛　厚生省環境衛生部長回答］

　昭和32年8月21日付薬第740号をもって貴県衛生部長から照会のあった標記については、下記のとおり取り扱われたい。

記

　公衆浴場業の許可の申請は、貴見のとおり、公衆浴場法施行規則（昭和23年厚生省令第27号）第1条によって要式行為とされており、申請書の提出受理が必要であるが、設例の場合は、既設の公衆浴場（以下「甲浴場」という。）から約100メートル離れた場所に新たに公衆浴場（以下「乙浴場」という。）を経営すべくその営業許可の申請書が提出受理されたものであり、現に甲浴場は営業中のものと解せられるから、甲浴場に関する口頭の申出とは関係なく、乙浴場の申請に対し、甲浴場からの配置の基準に照し、許可又は不許可の処分を決定するのが適当である。

（既得権の保護）

○公衆浴場許可事務取扱上の疑義について

［昭和31年11月5日　31発薬公第1,945号
　厚生省環境衛生部長宛　香川県衛生部長照会］

　このことについて取扱上疑義がありますので次の点至何分の御回答をお願いします。

記

　公衆浴場法第13条及び第14条の規定の適用による公衆浴場については、本県では現行の条例及び細則に定める距離及び構造設備基準に適合していない施設が相当多いのでありますが、これらの施設の経営者が死亡その他の理由により、名義変更（家族の相続又は第三者が売買譲渡による）として次のような場合に許可申請があった場合はその取扱いについて、いささか疑義があるにつき何分の御回答願います。
1　これを新設公衆浴場として取扱うべきですか。（現行条例を適用）
2　新設として処理する場合本県条例の規定による距離についても新設浴場としての

第6編　公衆浴場

解釈でよろしいか。（距離については緩和規定がある）
3　構造設備についてもこの場合緩和規定を適用してよろしいか。
4　経営者が死亡し、名義を家族に変更した場合及び家族以外の第三者に変更した場合、その取扱いに考慮すべき点が認められますか。
5　名義の変更のみでなく、老朽のためその場所へ新築する場合距離の問題についてどう解釈すべきでしょうか。

［昭和32年1月18日　衛環第2号
　香川県衛生部長宛　厚生省環境衛生課長回答］

昭和31年11月5日31発薬公第1,945号をもって照会にかかる標記の件について次のとおり回答する。

記

1　貴見のとおりである。
2　貴見のとおりである。
3　貴県条例の規定方法にもよるが、もし適用しうるときは、緩和規定によることは差し支えない。しかし、一般的にはできうる限り原則的な基準に合致させるように指導することがのぞましい。
4　営業の承継にあたって、家族と家族以外の第三者と区別して取り扱う法的根拠は存しないから許可に際しては同等に取り扱うべきである。
5　施設が老朽したため、同一場所へ新設された場合は、施設の同一性は失われたものと解されるから、許可にあたっては新設の場合として取り扱われたい。

○公衆浴場法による営業許可について

［昭和33年5月13日　兵総第2,904号
　厚生省環境衛生部長宛　兵庫県衛生部長照会］

標記のことについて下記のような場合これをいかに取り扱うべきかさしあたって処理する問題もあるので至急文書により御教示願いたい。

記

1　公衆浴場法施行前から公衆浴場営業を営んでいた者（労働組合代表者）甲が当該建築物の賃借契約が満期になったのでこれを家主である乙に返還し、乙が引き続いて同一建築物を利用して営業の許可申請をなした場合、当該建築物が距離制限内にあっても公衆浴場経営の許可は、本来対物許可であるから乙に許可をしても支障ないか。
2　前項の場合において甲は、既得権を主張して距離制限内に新設の公衆浴場営業の許可申請をした場合知事は、配置の基準を定めた条例のしんしゃく規定に該当しない場合不許可とすることは支障ないか。
なお従前労働組合の営んでいた浴場は労働組合員のみに限定せず不特定多数人を対象としていたものであり当該労働組合自体も労働組合法による労働組合ではなく単なる組合である。

［昭和33年6月5日　衛環発第63号
兵庫県衛生部長宛　厚生省環境衛生部長回答］

　昭和33年5月13日兵総第2,904号をもって照会のあった標記については、次のとおり回答する。

記

1　お尋ねのように甲から営業の承継を受けた公衆浴場につき、乙が新たに許可の申請を行った場合においては、当該施設が条例で定める適正配置の基準に合致しないものであっても、甲が営業していた当時公衆衛生上何ら不適当なことがなかったと同じ状況のもとに乙が引き続き営業を行う等その条例で定めるしんしゃくすべき事由に該当すると認められるときは、乙に許可を与えるよう取り扱われたい。
2　甲が別に公衆浴場を新設して許可の申請を行う場合には、既得権には何等の関係もなく全く新たな申請とみるべきであって、その施設が条例で定める適正配置の基準に合致せず、しかもその条例で定めるしんしゃくすべき事由に該当しないときは、当然不許可とすべきである。

○公衆浴場営業許可事務取扱い上の疑義について

［昭和40年3月9日　公衆衛生第172号
厚生省環境衛生課長宛　山口県衛生部長照会］

　　公衆浴場営業許可事務取扱上の疑義について
　このことについて下記のような場合これをいかに取り扱うべきか、至急何分の御回答をお願いします。
　おって、本県の「公衆浴場適正配置基準条例」、「公衆浴場について衛生及び風紀に必要な措置の基準に関する条例」および「公衆浴場法施行細則」を御参考に添付します。

記

例1
　　A（公衆浴場法第13条の規定による届出業者）は、同業Bと相互に距離制限内（至近B既設公衆浴場までの距離約100メートル）において浴場業を営んでいる者であるが、この施設の維持管理について部分的にしばしば改善方の指導を受けていたところ全施設老朽化しているとして、このたび全施設をとりこわし、改築（旧施設の構造設備いわゆる許可当時の構造設備と同一性を異にする。）した場合
例2
　　公衆浴場を営もうとする者（当該施設についての相続人又は譲受者）から前営業者の死亡その他を理由に許可申請があった場合（この申請施設が既設浴場との距離において相当に制限内にある場合）
1　例1、例2ともに新設の公衆浴場として取り扱い、その設置場所について適正配置基準条例の各条各号に該当しないときは許可できないものとして取り扱うべきか。

第6編　公衆浴場

　　または、例1は旧浴場の実質的な改善、例2は単なる営業者の変更であると解して取り扱い許可して支障ないものか。
　　なお、これが処分結果によって申請者または既設浴場営業者から本県配置基準条例の規定の適用可否について不服申立がある場合も考えられる。
参　考　略

> 昭和40年6月7日　環衛第5,061号
> 山口県衛生部長宛　厚生省環境衛生局環境衛生課長回答

　昭和40年3月9日付け公衆衛生第172号をもって照会のあった標記の件についておたずねの例1及び例2については、それぞれ別添の昭和32年1月18日衛環発第2号香川県衛生部長宛厚生省環境衛生課長回答写及び昭和33年6月5日衛環発第63号兵庫県衛生部長宛厚生省環境衛生部長回答写を参照されたい。

第3節　許可の同一性

（名義変更）

○公衆浴場法、旅館業法等の疑義について

> 昭和28年1月29日　公衛発第35号
> 厚生省公衆衛生局環境衛生部環境衛生課長宛　茨城県衛生部長照会

　公衆浴場法及び旅館業法の適用について下記のとおり疑義を生じたので至急何分の御指示を願います。
記
一　旅館業法、公衆浴場法等の施行規則第2条による記載事項の変更の届出に関しては、昭和23年11月2日付衛発第278号公衆衛生局長から県知事あての通達「営業三法の取扱に関する件」によって取り扱っておるところであるが、左のような場合、変更の届出として取り扱うべきか、新たに許可を申請させるべきか。
　1　旅館、公衆浴場等を株式会社社長甲の名儀で許可を受けた者が専務理事乙の名儀に変更しようとする場合、申請書に記載した事項の変更とみなして新たに許可を申請させるか。
　2　同一番地内で都市計画その他の理由で同一施設のものが移動し、場所だけ変更のあった場合、新しい場所の変更とみなして新たに許可の申請をさせるか。
二　既設の公衆浴場という場合の既設という意味は、公衆浴場法第2条第1項の規定によって許可を受けた浴場及び同法による許可はないが、建築基準法第6条によっ

風俗営業等取締法の一部を改正する法律の施行に伴う公衆浴場法等の取扱いについて

て建築確認の通知を受けたものも包含されると解してよいか。
三 公衆浴場法の「業として」の解釈については、昭和24年10月17日付衛発第1,048号公衆浴場等の営業関係法律中の「業として」の解釈について及び昭和25年4月26日付衛発第358号「営業三法の運用について」の公衆衛生局長から県知事あての通達によって処理しているところであるが、次の点につき疑義を生じている。
 1 現に許可を受けて営業をしている2つの公衆浴場との中間両方から約70、80メートルの距離に漁業協同組合で福利厚生施設として公衆浴場を経営しようとする次のような場合、労働安全衛生規則並びに事業附属寄宿舎規程の適用を受けるか。又、公衆浴場法の適用を受けるか（県条例に規定する距離制限内であり、但し書にある知事が土地の状況その他の公衆衛生上必要であると認めらるる条件は具備されていない、県条例関係条文等を添付する）。
  A 漁業協同組合の構成員である1人の組合員の経営する漁場で期間（2月から9月まで約8か月間）を定めて、従業員約100名を自己の施設である寄宿舎に収容して漁業に従事させ、この寄宿舎に浴場の設備がないので、漁業協同組合の経営する浴場を利用して入浴させる場合
  B Aの場合この従業員を組合の従業員とみなされるか。

```
昭和28年2月9日　衛環第12号
茨城県衛生部長宛　厚生省公衆衛生局環境衛生部環境
衛生課長回答
```

1月29日付公衛発第35号をもって照会のあった標記について下記のとおり回答する。
記
一 営業許可をうけたものが法人組織であってその代表者（営業許可をうけたものの氏名）が変更になった場合は、届出のみで差し支えない。又おたずねの2の場合は、同一番地内であっても、その施設が移動したのであるから、場所の変更であるので、新たに許可をうける必要がある。
二については、既に「適正配置」の条例に適合するものとして認定されているものは含むものと解される。
三 Aの場合で、労働安全衛生規則及び事業附属寄宿舎規程等の適用を受けるものであれば、公衆浴場法の適用は排除される。

○風俗営業等取締法の一部を改正する法律の施行に伴う公衆浴場法等の取扱いについて

```
昭和41年8月31日　41衛第1,150号
厚生省環境衛生局長宛　横浜市衛生局長照会
```

昭和41年8月5日づけ環衛第5,091号をもって通知のありました標記の取扱いに関し、次のような疑義がありますので、至急何分のご教示を煩わしたく願います。
1 取扱通知の2によると風俗営業等取締法（以下「風営法」という。）第4条の4

により規制を受ける個室付浴場業で1の取扱いによって処理できないものであっても同法該当のみの理由をもって不許可とはできないものであるとしていることから、同通知1のアにより風営法を所管する部局あて照会した結果、支障があるとの回答の場合、当該許可申請に対しどのような措置をとることになるか。
2　風営法第4条の4は、学校、児童福祉施設等の現存する施設との規制距離だけでなく、これらの用に供するものと決定した土地を含めてのものであるが、これらの用に供するものとしての土地は、とかく秘密保持の性格をもつことからそのは握が困難である場合が多いと思料される。このようなことから既存の学校等またはこれらの用に供するものとしての土地との規制距離内に個室付浴場業を許可した場合、その許可処分の効力はどのようになるか。
3　取扱通知5のなお書以下の取扱として、昭和41年6月30日以前に譲受（個人経営を法人経営に変更等の場合を含む。）または、施設の過半数以上にわたる増改築が行なわれすでに工事が完了している場合の事例を含めて処理してよろしいか。

［昭和41年11月8日　環衛第5,129号
　横浜市衛生局長宛　厚生省環境衛生局環境衛生課長回答］

　昭和41年8月31日付け41衛第1,150号をもって照会のあった標記について下記のとおり回答する。

記

1　風俗営業等取締法（以下「風営法」という。）により営業が禁止されている個室付浴場業について質問の場合公衆浴場法による経営許可を受けても風営法により営業が禁止されていることにより実質的に営業を行なうことができない旨を申請者に了知せしめ、自発的に公衆浴場法による経営許可申請を取り下げるよう指導されたい。
2　公衆浴場法上の許可はそのまま存続する。
3　貴見のとおり処理してさしつかえない。
　なお、警察当局と充分連絡打ち合わせを行なわれたい。

○公衆浴場営業許可の疑義について

［昭和56年4月27日　環第150号
　厚生省環境衛生局長宛　静岡県衛生部長照会］

　このことについて営業許可の変更届の受理に関して別紙事例が発生し次の事項に疑義を生じたので至急ご教示下さるよう照会いたします。

記

1　個人からその個人を構成員とする法人への許可名義の変更は新たに許可を要するか、又は営業許可申請事項変更届で可能か。
2　営業許可申請事項の変更では処理できないとした場合、そのような事項を内容とする営業許可申請事項変更届が受理されても、それは法的に無効と解すべきか。
3　営業許可事項変更届が効力を生じなかった場合、当初の個人に対する許可の法的

効力は、なお存続していると解すべきか。又存続しているとした場合永年法人で営業していたことを理由として個人名義の営業許可を取消すことができるか。
4　風俗営業等取締法第4条の4に違反することになった場合、公衆浴場法の許可は失効すると解するべきか、またはそれを理由として許可を取消すことができるか。

［昭和56年5月16日　環指第85号
　静岡県衛生部長宛　厚生省環境衛生局指導課長回答］

　昭和56年4月27日付け環第150号をもって照会のあった標記について、次のとおり回答する。

記

1　新たに許可を要する。（昭和23年11月2日衛発第278号厚生省公衆衛生局長通知を参照のこと。）
2　当該変更届は、公衆浴場法上何ら意味を有しないものである。
3　当初個人に与えられた許可は、消滅していない。
　なお、公衆浴場業の許可を受けた者が、許可を受けてから相当の期間を経たにもかかわらず、営業を開始せず、又は長期にわたって休業している等客観的事実に徴し、その者が営業をなす意思ないし能力を欠いていると認められる場合には、法理上許可を取り消し得ると解される。
4　風俗営業等取締法第4条の4第1項又は第2項の規定により同条第1項に規定する個室付浴場業を営むことができないとしても、そのことにより公衆浴場法に基づく営業の許可が当然に消滅するものではなく、また営業の許可の取消事由に該当するものでもない。

（所在地の変更）

○公衆浴場法施行規則第2条の適用範囲について

［昭和29年9月6日　公第550号
　厚生省公衆衛生局環境衛生課長宛　千葉県衛生部長照会］

　公衆浴場法施行規則第2条の適用範囲について
右の下記事項につき至急御回答煩したい。

記

(1)　別紙要図のように甲（甲の1）に対し昭和27年12月公衆浴場営業の許可を与えたのであるが土地の関係で今日まで該浴場を建設するにいたらない。
(2)　よって甲は最近隣接地に（甲の2）土地を求め、この地に公衆浴場を建設しようと計画している（この土地は既設公衆浴場との間に県条例に基く距離もあり環境その他も良好である）

この場合公衆浴場法施行規則第2条の単なる届出（所在地の変更）を受理することによって規則第2条により従来の営業の許可は引続き効力を有するものと解してよろしいか。
(3)　或は又前記届出では無効にして新たに申請を要するものであるか、この点疑義を生じておりますので御回答煩したい。
　　理由は甲の申請後別紙のように乙、丙とその近接地区に出願もあるので至急御指示願いたい。
別紙要図　略

［昭和29年9月25日　衛環第92号
　千葉県衛生部長宛　厚生省環境衛生課長回答］

　昭和29年9月6日公第550号をもって照会のあった標記の件について、下記の通り回答する。

記

　公衆浴場法施行規則第2条に規定する所在地の変更届については、昭和23年11月2日衛発第278号厚生省公衆衛生局長通ちょう「興行場法旅館業法公衆浴場法の3法の施行規則第2条による記載事項の変更の届出について」に示されているとおり、新しい場所に変更した場合には適用されないので、許可を受けた者が申請地と異った場所に設置しようとするときは新たな許可を受ける必要がある。なお、この場合、新たな許可を申請するに対して、既に受けた許可にかゝる施設については営業の廃止届をするか又は都道府県知事において許可の取消を行うのが適当である。

（構造設備の変更）

○公衆浴場（特殊浴場）営業の許可取消（撤回）処分並びに附加基準の制定について

［昭和33年7月8日　衛第798号
　厚生省公衆衛生局長宛　大阪市衛生局長照会］
　右のことについて下記のとおり疑義を生じたので何分の御指示をお願いします。
記
一　公衆浴場（特殊浴場）営業の許可取消（撤回）処分について昭和31年10月大阪府知事より距離制限の適用を受けない公衆浴場（特殊浴場）営業の許可を受けいわゆるトルコ風呂営業を行っていたAが、許可後まもなく経営難等を理由に、特殊浴場としての構造設備を無届で根本的に改造し一般公衆浴場営業に切りかえしたため、距離制限の適用を受け営業している近隣業者（最も近接するもの約60メートル）は経営上被害ありとしてその善処方について別添歎願書を当局に提出している実情である。

公衆浴場（特殊浴場）営業の許可取消（撤回）処分並びに附加基準の制定について

　当局としては、Aに対して現状の一般浴場としての構造設備を早急に許可当時の特殊浴場としての、構造設備に復元するよう勧告指導しているがAには今日にいたるも復元させる気色が全然見受けられない。
1　この場合営業許可の取消処分は当然公衆浴場法第7条の規定により行われねばならないものであるが本事例のように特殊浴場についての構造設備等の基準が現在府条例に規定されていないため取消処分を行うにも、手続上困難な実情にあるが、たまたま本件府知事の許可時に「構造設備が特殊浴場として認めがたきときは、許可を取消し、若しくは変更させることがある」という事項の附款があるので、当局としてはできうれば本条件違反として、取り消しの処分を行いたい考えである。
2　しかしながら、昭和28年2月23日衛環発第6号によれば公衆浴場の営業許可を与える場合に、その許可対象について一般的な条件を附することは営業許可の附款事項として差しつかえない旨示されているが、本事例のごとく条例その他関係法令に基準のない「構造設備が特殊浴場として認めがたいときは、許可を取り消し、若しくは変更させることがある」のごとき重要事項を一般的事項として附款しうるものか、否か。
二　附加基準の制定について
　地方自治法施行令第174条の36により指定都市においては、いわゆる附加基準を定めることができることとなったが
1　現行条例又は規則に基準として規定されている事項についてのみ指定都市の特殊事情から必要とする場合に限り制定できるものであるか。
2　あるいは現行条例又は規則に基準として規定されていない事項についても、附加基準を制定できるものであるか。

〔昭和33年9月11日　衛環発第77号
　大阪市衛生局長宛　厚生省環境衛生部長回答〕

　昭和33年7月8日衛第798号をもって照会のあった標記については、次のとおり回答する。

記

1　公衆浴場の設置の場所が公衆浴場の適正配置の基準に関する条例によれば、不許可とされるべきにもかかわらず、当該公衆浴場が一般の公衆浴場と異なった営業形態をとるものであり、一般の公衆浴場とは競争関係を生じないとの見地から特に許可を与える場合においては、お尋ねの趣旨の如き条件を附することは差し支えないものと解する。
　なお、お尋ねの附款中「特殊浴場として認めがたいとき」の表現は、明確を欠くきらいがあると考えられるので、例えば、「許可を受けた当時の構造設備を著しく変更し、又は入浴料金を改訂した場合」とする等その明確化を期せられたい。
2　指定都市においては、その区域における公衆衛生上の特殊事情から特に必要を認められる場合にかぎり、府県が定めている個々の基準に加重する基準のほか、府県が定めている基準以外の基準を定めることも差し支えない。

第6編　公衆浴場

○公衆浴場法の疑義について

> ［昭和40年9月13日　衛庶第1,340号
> 　厚生省環境衛生局長宛　熊本県衛生部長照会］

　最近トルコ風呂等特殊な浴場施設が出来たので、指導取締りの運営上、本県の公衆浴場基準条例を改正し、特殊公衆浴場の基準を設け、一般公衆浴場と特殊公衆浴場（(1)工場事業所等の福利厚生施設として設置するもの。(2)温泉を利用し、休養、娯楽等のためのものと認められる附帯施設を有し、多数人を入浴させることのできるもの。(3)個室を設けて温湯又は蒸気等による入浴をさせる設備を有するもの（トルコ風呂））に区分したのであるが、次の事項について疑義がありますので御教示下さい。

記

1　営業許可について
　1　既設の一般公衆浴場の浴そうを利用し、更に特殊公衆浴場(2)の設備をする場合は、距離の制限を解除したものであり、その他の基準は従前通りであるので、新たな営業許可は必要ないと解してよろしいか。
　2　既設の一般公衆浴場と別に特殊公衆浴場(3)を併設する場合には、新たな基準を設けたので、別に営業許可を与えるべきであると解してよろしいか。
2　入浴料金について
　公衆浴場の入浴料金は、物価統制令（昭和21年3月勅令第118号）の適用を受け、知事が指定することになっているが、特殊公衆浴場（前記の(1)(2)(3)とも）の入浴料金については、物価統制令の立法の趣旨よりみて、その額を知事が定める必要はないと解してよろしいか。

> ［昭和40年11月17日　環衛第5,129号
> 　熊本県衛生部長宛　厚生省環境衛生課長回答］

　昭和40年9月13日付け衛庶第1,340号をもって照会のあった標記の件については次のとおり回答する。
1　公衆浴場の許可については、(1)衛生基準保持の面からみて施設の構造設備が大幅に変更された場合又は、(2)配置の適正を図る面からみて経営形態が大幅に変更された場合には新たな許可を必要とされるものである。
　したがっておたずねの1—1の場合は経営形態が変更するのであるから新たな許可を必要とするものである。
　なお、温泉ではなく、一般の白湯を利用する休養、娯楽等のためのものと認められる附帯施設を有する施設についても貴県条例第4条第1項第2号に規定する施設の取扱いに準じて取り扱われることが適当と思われる。
2　おたずねの1—2については、併設の態様が既設の一般公衆浴場の構造設備には大規模な変更がない状態で、その一部に附随的に特殊浴場(3)が設置され、一般公衆浴場の利用者が無料で利用できるような形態であれば変更の届出をもって足り新たな許可は必要ではない。

既設の一般公衆浴場の構造設備には大規模な変更がない場合であっても既設の公衆浴場と新設の特殊浴場(3)の経営形態が分離しているものと認められる場合には、新設の部分について新たな許可が必要である。
3　おたずねの2については、貴見のとおりである。

（個室付浴場の場合）

○風俗営業等取締法の一部改正にともなう公衆浴場の取扱いについて

［昭和43年4月16日　衛庶第627号
　厚生省環境衛生局長宛　熊本県衛生部長照会］

　昭和41年8月5日付環衛第5,091号厚生省環境衛生局長通知中……「風営法第4条の4第3項に係る個室付浴場の利用施設について、その同一性を失なったとみられる程度の大幅な増改築を行なった者、又は浴場業の施設を譲り受けて営業を行なう等の者については新たに公衆浴場法の規定に基づき許可を受けるべきものである。」としているが、これに対する警察庁の同法同条同項にかかる解釈では「営業者の死亡、営業の譲渡等の場合は死亡または譲渡の時点において本項の適用は消滅し、……」なお「個室の数をふやしたり模様替えをするなど改築することは……認められない。」としており、そのため下記事例に対する取り扱いに疑義があるので、具体的な厚生省と警察庁の統一解釈をお願いしたい。
事　例
　(1)　現在設置禁止地区において7室の個室付浴場の許可を受けている業者が無届で2室増室している。
　(2)　現在設置禁止地区において、許可を受けていた業者が営業施設を譲渡し、その譲渡をうけた者は無届で営業している。

［昭和43年7月25日　環衛第8,114号
　熊本県衛生部長宛　厚生省環境衛生局環境衛生課長回答］

　昭和41年8月5日付厚生省環境衛生局長通知は、風俗営業等取締法（以下「風営法」という。）第4条の4第3項に係る個室付浴場についても、当該浴場の施設につき同一性を失なったとみられる程度の大幅な増改築がなされ、またはその譲渡がなされた場合には、新たに公衆浴場法に基づき公衆浴場の営業の許可を要することを注意的に述べたものであって、風営法第4条の4第3項の規定について解釈したものではない。
　貴設例(1)及び(2)については、公衆浴場として新たな営業の許可を要するかどうかに関する限りにおいては、(1)については届出で足り、(2)については新たな許可が必要であると解する。

第4節　他法との関係

○旅館業及び公衆浴場業の許可の疑義について

> ［昭和32年10月17日　青医第2,645号
> 厚生省公衆衛生局環境衛生課長宛　青森県衛生民生労
> 働部長照会］

1　公衆浴場の設置が既設公衆浴場から公衆浴場法に基づく適正配置の基準（本県においては市部290メートル、町村350メートル以上）による法定距離から113.74メートルも近いので県としてはその公衆浴場の設置を認めないのみならず組合員組織をもって無許可営業行為をしたのでこれを告発した。
　　しかるに、申請者は公衆浴場では許可にならないのでその建築物で旅館業（簡易宿所営業）の許可申請をしてきた。この建築物の構造設備のうち浴場が必要以上の規模を有してはいるが、旅館業法関係基準に適合するので公衆浴場業的行為をしてはならないことを許可の条件として許可したが実状は公衆浴場業を営んでいる。右の場合、旅館業の許可をうけているが主とする営業が旅館業でなく公衆浴場業であり、しかも旅館業の許可条件に違反しているので旅館業の許可を取消すことはできないか。
2　上記の同様なケースとして別添の申請書をもって、旅館の建築を願い出でてきたが、これは、前者の轍を踏むおそれが充分あるのでこれに対して公衆浴場の性格をもった施設は、社会通念上からみた簡易宿所としての浴室、休憩室（脱衣室の性格あり）を改造されたい旨の意見を建築主事に対して述べたが現在の政令、規則等では旅館の浴場の規模基準は最高を制限していないので簡易宿所としての施設基準に合致しておれば確認通知せざるをえないから単に社会通念上でなく関係法令に基く根拠を明示されたいと申し出でられたがこの場合いかにすべきか。御教示願いたい。

> ［昭和32年10月21日　衛環発第54号
> 青森県衛生民生労働部長宛　厚生省環境衛生部長回答］

　昭和32年10月17日付青医第2,645号をもって照会のあった標記について、次のとおり回答する。

記

1　旅館業の許可にあたって「公衆浴場業的行為をしてはならない」との条件を附することは、それが、昭和32年法律第176号による改正後の旅館業法（以下「新法」という。）に基く許可にあたっての新法第3条第6項の規定による公衆衛生上必要な条件として附されたものであるならば、その違反に対し、新法第8条の規定により旅館業の許可を取り消し、又は期間を定めて営業の停止を命ずることができるが、昭和32年法律第176号による改正前の旅館業法第3条第1項の規定に基く許可にあたっての条件であれば、その違反をもって旅館業の営業許可の取消又は停止の事由とすることはできない。

なお、設問の場合、旅館業の許可を受けた施設において実体的に公衆浴場業を営んでいる場合には、当然公衆浴場法第2条第1項の規定による許可を要するものであることはいうまでもない。この許可に当っては都道府県知事の定めた配置、構造等の諸条件に適合すべきであるのは当然である。
2 旅館業の許可を受け、当該施設において無許可で浴場業をあわせ営む疑いがある場合には、新法第3条第1項の旅館業の許可にあたって、同条第6項の規定により、当該施設において浴場業をあわせ営むことは公衆衛生上不適当であり、業として公衆浴場を営むには更に必要な衛生上の措置を講じなければならない等公衆衛生上必要な条件を附しておくことが適当な措置と考えられる。

なお、当該施設において実体的に公衆浴場業を営むに至ったときは、公衆浴場法第2条第1項の規定による許可を要するものであることはいうまでもない。その許可に当っては前号の通りである。

第5節　事前許可と事後許可

○公衆浴場営業許可方式の改正について

［昭和33年2月6日　衛第60号
　厚生省公衆衛生局長宛　大阪市衛生局長照会］

本市の公衆浴場営業許可は現在大阪府の行政慣例を踏襲し、事前許可でありますがこの方式では実際に事務を処理するうえにおいて種々弊害があり公衆浴場行政の円滑な運営にも著しく障害となっていますので、この際許可方式を事後許可に改正いたしたい所存で目下準備を進めておりますが、許可方式については関係法規及び通ちょうにも何ら明確にされておりませんので事後許可方式についての貴局の御意見を至急御回報下さるようお願い申し上げます。

なお参考までに新旧の許可方式を例示いたします。

記

・現在　事前許可方式
　　公衆浴場営業許可申請―許可―公衆浴場営業開始届―受理
・改正後　事後許可方式
　　公衆浴場営業許可申請―配置の間隔に適合するものと認定する認定書―公衆浴場工事現況届―公衆浴場工事しゅん工届―許可

［昭和33年3月1日　衛環発第22号
　大阪市衛生局長宛　厚生省公衆衛生局環境衛生部長回
　答］

昭和33年2月6日付衛第60号をもって照会のあった標記については、貴見のとおり改められて差し支えないと思料されるが、ただこの場合における「配置の間隔に適合するとの認定書」の有する法的意味が不明確であるところから行政運用上支障がないかどうかを充分検討のうえ実施されたい。

第4章 配置規制

第1節 距離制限

○公衆浴場法の一部改正について

> ［昭和25年5月24日　保指第2,378号
> 　厚生省公衆衛生局長宛　愛知県知事照会］

今次法律の改正に伴い、本県においてもその趣旨の実施につき種々考究中なるも、下記諸点につき疑義があるので、至急御回報煩わしたい。

記

1　設置の場所が適正の配置を欠くか欠かないかの認否は、公衆衛生上の見地よりする必要なき如き感じを規定の構成上から受けるが如何。この趣旨は、業者保護のものか。
2　「前項の認可を与えないことができる」の意は、与えなくてもよいとのことか或いは与えてはいけないとのことか。換言すれば、この規定は絶対的か相対的なものか。
3　法律施行以前、県に於いて、申請書受理済であり、未処理のものは法律施行後において如何に処理するや、条例施行以前のものについては如何にするや。

> ［昭和25年7月21日　衛発第564号
> 　愛知県知事宛　厚生省公衆衛生局長回答］

昭和25年5月24日付保指第2,378号で照会があった標記のことについて下記の通り回答する。

記

1　改正条文中に「設置の場所が配置の適正を欠くと認めるときは」とあるが、この場合何を基礎として適正であるか否かを判断すべきかという点については、法文上稍々明確を欠いている憾みはあるが、然し、公衆浴場法の立法趣旨があくまでも公衆衛生の見地から、浴場の指導取締を行うということにある点に鑑み、この場合、当然公衆衛生上の考慮にもとづく判断を必要とすると解される。従って、配置の基準を定めるに当っては、できる限り多くの人々が容易に公衆浴場を利用し得るようにという利用者の便宜と、浴場の衛生的施設の充実を図るための浴場経営の健全化との両面を十分に勘案考慮して決定すべきである。
2　「前項の許可を与えないことができる」という規定は、浴場の設置の場所及び構造設備が公衆衛生上適当であり、又配置も適正であるときは許可を与えないことができないということと対比しているのであって、許可を与えても与えなくてもよいという意味ではない。従って、浴場が前記の要件の何れかを欠いている場合には、知事は公衆衛生上

の見地から当然許可を与えてはならないものである。但し、知事が明らかに前記の要件を欠いている浴場に対して許可を与えた場合には、「違法な行政行為」ではなくして「不当な行政行為」を為したものと解される。
3　配置の基準に関する条例制定以前に受理した許可申請については、設置の場所及び構造設備が公衆衛生上適当であるか否かのみを検討の上処理しても違法でない。然し、法律改正の趣旨に則り出来る限り速やかに配置の基準に関する条例を制定し、これによって許可することが望ましい。

第2節　適正配置の判断

（許可の裁量）

○県条例による公衆浴場、興行場の新設制限について

［昭和30年1月11日　30医第11号
　厚生省公衆衛生局長宛　福島県知事照会］

　公衆浴場法、興行場法施行にあたって県条例によって一定の距離制限を新設の要件としているが、この距離制限規定について運営上の疑義が生じたので下記事項について折返し文書をもって御教示願います。
　　　福島県公衆浴場法施行条例
第1条　公衆浴場設置の場所は、既設の公衆浴場から直線による最短距離が300米以上離れなければならない。但し、知事が土地の状況、人口の密度（制限距離以内において人口3000人以上）その他を考慮し、支障ないと認めたときは、この限りでない。
　　　福島県興行場法施行条例
第1条　興行場の設置場所は、次の条件を具備しなければならない。
　1　公衆衛生上若しくは危害を及ぼすと認められる施設から200米以上の距離を有すること。
　2　官公署、学校、病院から100米以上の距離を有すること。但し土地の状況この他特別の事由があると認めるときは、これを緩和することができる。
　（以下略）

［昭和30年6月17日　衛発第374号
　福島県知事宛　厚生省公衆衛生局長回答］

　昭和30年1月11日30医第11号をもって照会のあった標記のことにつき、下記の通り回答する。

第6編　公衆浴場

記
　お尋ねの公衆浴場法、興行場法の施行にあたり県条例で一定の距離制限を新設の要件とすることに関して。
1　公衆浴場の設置の場所が配置の適正を欠くか否かの判断の基準を、都道府県の条例で一律に既設浴場からの距離をもって規制することが、法の目的を逸脱した違法なものであるか否か、公衆浴場の設置の場所が配置の適正を欠くか否かの判断の基準は、必ずしも距離をもって定めなければならないことはないが、衛生上必要とされる限度を距離的に算定しこれを規定しても法の目的を逸脱した違法な条例ということはできない。
2　興行場法の施行にあたり県条例で一定の距離制限を新設の要件とすることは、興行場法及び地方自治法違反であるか否か、興行場営業を許可するに当り許可の要件として考慮すべき設置の場所は、具体的事案に則して個々に行うことを要し、一律に距離をもって規制することは、特に法の委任に基かない限り、できないと解するべきである。

（隣接町村の距離制限）

○市町村の区域を異にする場合の既設公衆浴場と
　新設公衆浴場との距離の問題について

〔昭和28年3月20日　28環衛発第191号
　厚生省環境衛生課長宛　長崎県衛生部長照会〕
　標記について左のとおり疑義を生じて居りますので何分の回答をお願い致します。
記
1　公衆浴場法第2条第3号に基き公衆浴場設置場所の配置基準につき、本県は公衆浴場を新設する場合原則として既設の公衆浴場から政令市300メートル、その他の市部350メートル以上、郡部400メートル以上の距離を保有しなければならないことと定めているが、市とその隣接町村の区域の境界線外において既設の公衆浴場がある場合、新に浴場を設置しようとするとき次の各号は如何に取り扱うべきか。
(1)　本件の場合も行政区域の如何に拘らず基準距離を保有せしむべきであるか。
(2)　保有せしめるとすれば、その適用すべき基準距離は何れによるべきか。

〔昭和28年3月28日　衛環第24号
　長崎県衛生部長宛　厚生省環境衛生課長回答〕
　3月20日付28環衛発第191号をもって照会のあった標記について下記のとおり回答する。

記
　御質問のような場合は、基準距離にあまりとらわれずに、条例に但書の規定があればこれにより知事の自由裁量によって許否を決定されることが望ましいが、判断の基準として一応の距離を定める必要があると思われるので、市部と隣接町村にかかる距離の割合を算出して加重算術平均をなし、基準距離とするのが適当と考えられる。

(施設の増築)

○公衆浴場営業許可について

> 昭和32年8月23日　衛第2,145号
> 厚生省環境衛生課長宛　滋賀県厚生労働部長照会

　このことについて下記のような場合これを如何に取り扱うべきか至急何分の回答をお願いします。

記

　Aは、従前より距離制限内（至近既設公衆浴場まで約260メートル。）において浴場業を営んでいる者であるが、（公衆浴場法第13条の規定による届出業者である。）この施設は、すでに老朽化し、かつ、衛生上の措置を十分講ずることができないために、今回これを取りこわし、全部を新築することとした。
　当該新浴場は、旧浴場に比しその規模が大となるため、旧浴場の敷地の範囲内で建築することができず、特に奥行が隣接家屋に制約されるので、旧浴場横の空地を新浴場の中心として新築することにした。
　従って旧浴場の敷地は、一部利用されるものであるが、大部分旧敷地近接の土地が利用され、かつ、その土地は従前からAの所有地であるが、地番を異にしている。
　この場合新規許可の取扱いが至当と思われるのであるが、新浴場は実質的にAの公衆浴場の改善であるとみなし、許可申請書が提出されたときは、距離制限にかかわらず許可して差支えないと解するが如何。
　反面厳密には新浴場の敷地が旧浴場の敷地の外に、相当面積に及んでいるのであるから移転と解し、Aが従来からの営業者である事実にこうでいすることなく、新規の申請とみなし設置場所の配置の基準（本県の場合300メートル）に照し許可の審査を行わなければならないかどうか。

> 昭和32年9月5日　衛環発第41号
> 滋賀県知事宛　厚生省環境衛生部長回答

　昭和32年8月23日付衛第2,145号をもって貴県厚生労働部長から環境衛生課長あて照会のあった標記について、下記のとおり回答する。

記

　照会の事例にあっては、実質的には浴場設備の改築と解されるので、貴県における現行の設置場所の配置の基準にかかわらず、許可して差し支えない。

第6編　公衆浴場

(移転改築)

○公衆浴場に関する疑義について

> ［昭和32年10月5日　32発薬公第1,659号
> 厚生省環境衛生部長宛　香川県民生衛生部長照会］

　このことについて下記のとおり疑義がありますので至急御回答賜りたくお願いいたします。

記

一　公衆浴場法第2条第2項中「その設置の場所が配置の適正を欠くと認めるときは……」の解釈について

　1　法第2条により許可した既設公衆浴場の建物が、腐朽し、使用に堪えなくなったため、改築する場合その許可した場所以外の土地（隣接地）に公衆浴場が建築される場合の法第2条第2項の解釈について御指示下さい。
　　なお、既設の公衆浴場は他の用途に転用されるものでありますので念のため申し添えます。

(参考)

　　おって法第2条第3項による設置の場所の配置の基準については、公衆浴場に対する措置の基準等に関する条例（昭和28年3月31日条例第25号）第2条第1号「既設浴場男女入口間の中央から新設浴場男女入口間の中央までが300米以上の距離を有していること。ただし、利用者の利便、人口密度、土地の状況等によって知事が適当と認めた場合はこの限りでない。」に抵触するものであって（213米）塀も隣接地に新築されることにより、なお距離は短縮されることになります。

> ［昭和32年11月2日　衛環発第59号
> 香川県民生衛生部長宛　厚生省環境衛生部長回答］

　昭和32年10月5日付32発薬公第1,659号をもって照会のあった標記について、下記のとおり回答する。

記

　照会の場合、新たな設置ではあるが、現在地に改築せずこれを廃用し、直接隣接地に建築するのが、やむをえない事由によるものであれば、実質的には改築として、許可して差し支えないものと考えられる。

○公衆浴場法に基く営業許可に関する疑義について

〔昭和33年2月13日　33公第127号〕
〔厚生省環境衛生部長宛　鹿児島県衛生部長照会〕

昭和32年7月3日衛環発第24号を以て御指示の事例と略々同様でありますが、なお疑義がありますので、下記事例については何れに許可すべきか御教示願います。

記

A　既設業者で施設を焼失した者
B　新しく営業許可を申出た者
C　Aの隣接業者で、Aがすべてを委任しているといっている者

昭和32年3月2日　既設公衆浴場A（25年2月以降経営）焼失（自家出火）

3月27日　Bの妻が所轄保健所に来所、Aが再建しない場合には公衆浴場を設置したい旨申出

4月10日　保健所係員がAに逢い、浴場再建意志の有無について尋ねたが、Aはその場に於て確答せず、再建については隣接業者Cに委任してあるのでとの答であった。

同日B来所、Aは再建の意志は無いとの噂であるので、浴場を設置したいと、公衆浴場営業許可申請書を持参した（A旧施設の近隣地）がAに対する道義的立場について説明したところ、真にAが自身で営業されるのなら勿論道義的に申請は遠慮するが、ただ単に名義だけで、他人が経営するのならあく迄申請するとて意思を表示して退所

4月13日　Aよりの申出により旧施設跡を建築主事と同行調査、建築基準法の基準に充たない旨確認（公衆浴場法に示す基準で建築すれば、建築基準法の示す基準に充たない）

4月24日　C保健所に来所、他の場所に建築したい旨申出（旧場所より100メートル位の距離、B申出の場所からも50メートル位の場所）

4月26日　A申請書提出（係員不在中）

4月27日　申請書不備のため、訂正するよう指導

5月13日　書類審査の結果、不備を発見（土地承諾書偽造の疑）したので申請書類（手数料共）Aへ返戻、
　　　　B来所、Aが実際営業するものでないと確信するので申請すると書類提出

5月21日　A申請書

以上のような状況でなされた事例について、Aは災難によるものであるので、Bに極力申請を止めるよう指導、又できれば双方で話し合うよう指導したが、結局不調に終り、Aは既得権を、Bは先願を主張、その理由としてAが真に自身で経営するものでなく、実際はCが経営するものであるとの風評を理由としている。

（土地資金等Cから出ているとの噂で、Aに自分の名前を出しているだけで実際は

第6編　公衆浴場

Cが経営するのではないかと疑われるような点もある。）

〔昭和33年2月24日　衛環発第18号
鹿児島県衛生部長宛　厚生省環境衛生部長回答〕

昭和33年2月13日付33公第127号をもって照会の標記について下記のとおり回答する。

記

設例の場合は、施設の焼失に起因するものではあるが、旧施設跡又は特別の事情によりその近隣地に再建するならばともかく、100メートルも離れた場所に建築するのであるから、それがやむを得ない理由によるものでない限り、一般の新設による競願として取り扱うのが適当と思料される。

（条例制定前の許可施設）

○公衆浴場法による営業許可について

〔昭和28年6月19日　28公第294号
厚生省公衆衛生局環境衛生課長宛　鹿児島県衛生部長
照会〕

右のことについて現行公衆浴場法の公布施行前後の経過措置等に慎重留意を払ったのでありますが、今日に至り下記1事例の場合2の諸点につき法令上疑義を生じましたので、至急貴見を御回答願います。

記

1　事実の綜合概略（事実の詳細については省略）

本件は、従前甲が営んでいた浴場が昭和20年戦災により烏有に帰したのであるが、かねて出征していた甲は、戦後復員して旧位置に営業の許可申請をなしたものである。この申請位置は、既設の最寄浴場から120米の距離にあるものであるが、県においては旧規定（昭和23年4月2日鹿児島県条例第15号湯屋営業条例）により許可処分をなした。しかし甲は資金の都合等でこの許可の約半年後に建築許可を受け、且つ、昭和25年末まで満2か年間建築をしていない。この間新法施行に伴い衛生風紀措置の基準条例（昭和24年1月26日鹿児島県条例第7号）制定と同時に旧規定を廃止したので、本件については新法第13条及び旧規定廃止によりこの許可を無効と解釈した。

次で甲はその後無断工事に着手したが、その時は既に改正法に伴い配置基準条例が制定されて居り、県としては改正法以前に既に営業しておれば別として本件の場合当然最寄りの浴場との距離120米は配置基準（市部300米郡部400米と規定）に抵触するものとして再三位置を変更するよう勧告するも肯んぜず上棟したので、県としては新たに営業許可申請をなさしめ、本件につき改めて審議した結果不許可処分をなすとともに、この時更に念のため旧規定に基く許可も無効である旨通告したわ

公衆浴場法による営業許可について

けである。
　甲は前記通告を受けた後その旨了承して建築を中止していたが、本年に入り再び建築を開始し、既に完成された模様である。これはさきに福岡市に生じた事件に関し浴場の配置基準を設けることは違憲であるという思惑から本件も甲に有利に解決されるものと判断し建築を強行完成せしめたものと推察される。
　なお、甲は現在営業はしていないが、早晩火入を敢行し、これに対し保健所が告発するのを待って甲も法廷で争うことを願っている気配が察知される。今次甲の新設した浴場は改正法より見るとき配置基準条例には抵触するが、浴場の衛生風紀措置の基準に全く合致し、而も同市では既設のものに比し有数な浴場施設であるから既設業者の組合長乙の反対に拘わらず大方の与論の支持を得て必ず初志を貫徹できるものと確信しているもののようである。

2　問題
(a)　新法第13条によれば、「現に浴場業を営んでいる者は、第2条第1項の許可を受けたものとみなす。」となっていて、現に営業を営んでいる者に対しては、別段の手続を要せずして当然新法による許可を得たものと解釈するのであるが、本件の如く後日に至り新法施行前の旧規定による知事の営業許可を得た者がその許可を得たのみで、旧規定による許可から新法の切替に至る期間に浴場建設の余裕、従って浴場営業の余裕が時間的になかったものとして、「現に営んでいる者」に準じ知事の許可は有効とみなして差支えないか。
(b)　又本事例でとった措置の如くやはり「現に営業を営んでいる者」の規定に抵触するとして旧規定による知事の許可はそのまま無効とみなして処分することは差支えないか。
(c)　若し(a)項により第13条を適用すべきものとみなす場合は勿論のこと、(b)項により無効とみなす場合も今日甲の新設浴場が配置基準には抵触するが衛生風紀措置の基準以上であり且つ市民大方の支持を得ている如き実情下において左の理由で配置基準条例第3条によりこれを許可する方針のもとに従前の取扱と切り離して新に許可申請をなさしめることは妥当であるか。
　(イ)　甲は戦前永年の浴場業者であり、曽て組合長たりしことあり、本人の性格及び能力等の点より他への転換は到底不可能と考えらること。
　(ロ)　従前の浴場は戦災により消失し而も甲が出征より帰還した当時旧位置に再起の意図で営業許可申請をなして当初旧規定で許可せられたものであること。

```
┌─────────────────────────────────────────┐
│昭和28年7月14日　　衛環第43号             │
│鹿児島県衛生部長宛　厚生省公衆衛生局環境衛生課長│
│回答                                     │
└─────────────────────────────────────────┘
```

昭和28年6月19日28公第294号で照会のあった標記について下記のとおり回答する。

記

1　(a)及び(b)については、昭和23年4月5日甲に対してなされた旧鹿児島県湯屋営業条例（以下旧条例）による湯屋営業の許可は、公衆浴場法第14条の経過規定によって適法の

手続をしなければならない。したがって甲になされた旧条例による営業許可は無効である。即ち、(1)昭和23年4月3日制定公布された旧条例は、公衆浴場法第13条の「従前の命令」（この命令は、昭和22年法律第72号「日本国憲法施行の際現に効力を有する命令の規定の効力等に関する法律」によって昭和23年1月1日から失効している。）の規定に該当せず、旧条例によってなされた営業許可は、公衆浴場法第13条の規定により同法第2条第1項の許可をうけたものとみなすことはできないものである。(2)旧条例によるこの許可は、昭和23年1月1日から7月までの間になされたものであるから、公衆浴場法第14条の経過措置によるべき性質のものである。

2 (c)については、許可すべきか否かは貴県条例第3条に該当するか否かによって判断さるべきものと思料するが、御申越の(イ)(ロ)の理由のみでは直ちに貴県条例第3条の公衆衛生上必要であるとの要件に該当するものとは認めがたい。

第3節　都市計画法による移転

○公衆浴場法と都市計画法との関係について

［昭和27年12月25日　27環第4,303号
　厚生省公衆衛生局長宛　北海道衛生部長照会］

　本道各都市においても、都市計画法に基き区劃整理を施行しているが、区劃整理によって公衆浴場が移転を命じられた場合に、その命じられた移転先と既存の公衆浴場との距離関係で問題が生ずる虞があるので、都市計画法と公衆浴場法との関係について左のような疑義があるので、何分の御指示願います。
　なお、本件は差当り近く問題が生ずる虞があるので、至急御回示願います。

記

　都市計画法第12条第2項の規定による耕地整理法第27条の規定によれば、「整理施行者は、整理施行区域内の工作物を移転し」得る旨の規定があり、その工作物が公衆浴場である場合は「公衆浴場として移転し」得ると解されるが、一方、当庁の公衆浴場法施行条例では、「既設の公衆浴場との距離は327メートル以上離れなければならない」ことになっているので、整理施行者が公衆浴場を移転した移転先が既設の公衆浴場との距離が、327メートル以上離れない場所である場合は、条例の規定と相反する結果となるが、この場合条例の規定が優先するか、整理施行者の移転が優先するか疑義がある。

［昭和28年2月16日　衛環発第4号
　北海道衛生部長宛　厚生省公衆衛生局環境衛生部長回答］

　昭和27年12月25日付環第4,303号をもって照会のあった標記について下記のとおり回答する。

公衆浴場法に基く営業許可に関する疑義について

記

　都市計画法によって公衆浴場がその移転の対象となり、新たな場所に移転した場合は、当然所在地が変更になるので、公衆浴場法第2条による営業許可が必要である。従って、この場合、距離制限の条例規定を無視することはできない。よって、貴県においては、耕地施行者（都市計画法第12条第2項により耕地整理法準用）に対し、公衆浴場が都市計画の対象となった場合に公衆浴場法の条例に基く適正配置について十分考慮されるよう連絡されることが望ましい。
　なお、右については昭和23年12月2日衛発第278号厚生省公衆衛生局長通牒を参照されたい。

○公衆浴場法に基く営業許可に関する疑義について

[昭和33年5月28日　発衛防第51号
 厚生省環境衛生部長宛　京都市衛生局長照会]

　都市計画法による街路事業により3年以内に取除かれる予定になっている既設公衆浴場があり、その浴場から約250メートル離れた場所に公衆浴場を新設経営したい旨の許可申請書が提出された場合、下記の事項について疑義がありますので、折り返し御指示願います。

記

1　上記既設浴場は法律により半強制的に立退をさせられるのであるから、当該浴場の移転又はその附近への新設についての意思表示を求め、その意思表示があれば、これを先願とし上記許可申請を後願として取扱ってよいか。
2　先願として取扱ってよい場合、その意思表示の期間及び既設浴場の移転、新設地の範囲を限定すべきであると考えるが、どの程度とすべきか。

[昭和33年7月10日　衛環発第58号
 京都市衛生局長宛　厚生省環境衛生部長回答]

　昭和33年5月28日発衛防第51号をもって照会のあった標記については、次のとおり回答する。

記

　お尋ねのように当該公衆浴場とは別に新たな許可申請書が既に提出された場合には現に公衆浴場の存する場所を基準としてこれを先に審議すべきものと解する。
　なお、都市計画法によって公衆浴場がその移転の対象となる場合には所在地が変更になるので、公衆浴場法第2条による営業許可が必要であり、適正配置の基準に関する条例の適用を受けるものであるが、既設浴場の廃止が都市計画法により一方的に行われる事情にかんがみ当該移転先が営業者の意思によらないものであるときは、距離制限にかかわらず許可を与えるよう取り扱われたい。

また、このように公衆浴場が計画事業の対象となる場合には都市計画の決定につき適正配置の基準に関する条例の規定との関連が十分考慮されるよう連絡することが望ましい。

第4節　特殊浴場と配置規制

（生活協同組合の浴場）

○共同浴場に対し公衆浴場法第2条第2項による
　適正配置の基準適用の疑義について

[昭和30年12月1日　公衛第892号
厚生省公衆衛生局長宛　静岡県知事照会]

管下三島市大中島1818番地に於ける浴場（三島温泉）の問題については昭和28年以来4回に亘り左記の通り御照会又は御報告申上げて来ました処今般三島市1837番地発起人君澤安外416世帯約2000人が集り消費生活協同組合法（昭和23年7月30日法律第200号）により協同組合を設立しその利用事業として同浴場を賃借経営したき旨発起人より設立認可申請がありましたが、右が経営しようとする浴場は昭和25年5月26日付発衛第108号厚生事務次官通達「公衆浴場法の一部改正について」の記の第4項目但書に示す「会員組織の浴場又は地域的な利用組合の設ける浴場」として公衆浴場法第2条第2項による適正配置の基準を適用すべきであるか否かについて至急御回答を得たく御照会いたします。

記

昭和28.11.19　公衛第967号　浴場法の疑義について
昭和29. 9.23　公衛第899号　公衆浴場法違反の告発について
昭和30. 9. 5　公衛第719号　三島温泉仮処分執行について
昭和30.10.18　公衛第119号の2　三島温泉第2回目仮処分決定について

[昭和30年12月26日　衛環発第48号
静岡県知事宛　厚生省公衆衛生局環境衛生部長回答]

本年12月1日公衛第892号をもって公衆衛生局長あて照会のあった標記の件について、下記のとおり回答する。

記

　消費生活協同組合が事業として経営する共同浴場は、昭和24年10月17日衛発第1,048号公衆衛生局長通知『公衆浴場法等の営業関係法律中の「業として」の解釈について』1に示されている如く、「組合における浴場経営ということは、消費生活上の行為であっても、協同して組織化組合の事業として行われるものであるため社会性を有するものとな

り、従って法律の適用を受ける」ことは明らかであり、又かかる公衆浴場の距離制限の適用については、昭和25年5月26日発衛第1,089号厚生事務次官通知『公衆浴場法の一部改正について』第3項但書に示されている如く「会員組織の浴場又は地域的な利用組合の設ける浴場の如きは適用されるものである」ので、お尋ねの共同浴場もこの場合に該当すると思料される。ただし前記通知第3項の趣旨により、土地の状況その他衛生的諸条件を勘案して、条例に基いて、適用除外を行いうる場合であるかどうかについては、全く知事の条例の運用にかかる事項であるので、この点は合せて御考慮されたい。

（個室付特殊浴場）

○トルコ風呂等特殊浴場の適正配置の基準の適用について

[昭和41年4月18日　1公第340号
厚生省環境衛生局環境衛生課長宛　京都府衛生部長照会]

本府においては、従来から公衆浴場法第2条第3項に規定する公衆浴場の設置場所の配置の基準として「各公衆浴場との最短距離を250メートル間隔とする」と条例で定めていますが、この取り扱いにつき、下記のとおりいささか疑義が生じておりますので、至急何分のご回答をお願いします。

　　　　　　　　　　　記
1　公衆浴場法第2条第3項の規定により条例で定める設置の場所の配置の基準は、公衆浴場法の規定に該当する公衆浴場（トルコ風呂等特殊浴場を含む）のすべてについて適用することができないか。もしできないとすれば、その理由は如何。
2　特殊浴場については、公衆浴場法第2条第3項の規定により設置の場所の配置の基準を設けることができないとしても、特殊浴場経営の許可申請が行なわれ許可をあたえたのちに一般浴場と同様の形態の営業が行なわれた場合、公衆浴場の配置の適正を乱す事態の発生が考えられるので、これを防止するため、公衆浴場法第2条第4項の規定により一般公衆浴場への移行を防ぐために条件を附すことができるか。

[昭和41年8月29日　環衛第5,100号
京都府衛生部長宛　厚生省環境衛生局環境衛生課長回答]

昭和41年4月18日付け1公第340号をもって照会のあった標記について、次のとおり回答する。
1　質問1について
　　公衆浴場法第2条第3項の趣旨は、公衆浴場の衛生水準を維持するためにその経営の

健全化を図ることによって公衆衛生の向上と公共の福祉に寄与せしめることにあるので、条例のうち同条同項に基づく部分はこのような見地からみて配置の適正を確保する必要のある公衆浴場について適用されるものである。

したがって、構造設備及び経営形態からみて、国民の日常生活の用に供せられる公衆浴場と実質的競合関係にたたない公衆浴場については、貴府条例中設置の場所の配置の基準に関する部分の適用はないこととされたい。

2 質問2について

貴見のとおりである。

第5章　衛生風紀に関する措置基準、構造基準

(法第2条及び第3条の解釈)

○公衆浴場法第2条及び第3条の解釈について

> 平成6年12月1日　環第1,616号
> 厚生省生活衛生局指導課長宛　富山県生活衛生部環境
> 衛生課長照会

このことについて、つぎのとおり疑義がありますのでご回答をお願いします。

記

1　公衆浴場法第2条によって営業を許可する場合の構造設備の条件と同法第3条により各県の条例で定めるようになっている衛生措置の基準とは区別されるものと解してよいか。
2　この場合、許可に必要な構造設備の基準についてはその立法形式が何等規定されていないが、営業許可は機関委任事務であるから県規則で規定してもよいか。
3　公衆浴場法第2条第2項にいう「公衆浴場の設置の場所」と同条第3項にいう「設置の場所の配置の基準」とは、意味するところが、同じと解してよいか。
　　「異なる」と解した場合、許可に必要な公衆浴場の設置の場所の基準についてはその立法形式が何等規定されていないが、営業許可は機関委任事務であるから県規則で規定してもよいか。
4　公衆浴場法第3条第1項における「換気、採光、照明、保温及び清潔その他入浴者の衛生及び風紀に必要な措置」とは、「換気、採光、照明、保温、清潔」が「施設設備」、「その他入浴者の衛生」が「衛生管理」、そして「風紀」は風紀として、整理して解釈してよいか。

> 平成7年1月11日　衛指第2号
> 富山県生活環境部環境衛生課長宛　厚生省生活衛生局
> 指導課長回答

平成6年12月1日付け環第1,616号をもって照会のあった標記については、下記のとおり回答する。

記

1について
　　区別されるものと解する。但し、公衆浴場法第3条第1項は、営業者の講ずるべき措置についての規定であるが、措置の内容には、構造設備に関する事項も含み得る。
2について
　　公衆浴場法第2条第2項における許可に必要な構造設備基準については、県規則で規

定することができる。
3について
　異なるものと解する。公衆浴場法第2条第2項の「公衆浴場の設置の場所」の基準については、県規則で規定することができる。
4について
　「換気、採光、照明、保温及び清潔その他入浴者の衛生及び風紀」とは、入浴者の衛生と風紀の2点について述べている。
　入浴者の衛生の具体的措置として換気、採光、照明、保温及び清潔を例示している。

（薬湯）

○公衆浴場に薬湯を併設することについて

　　　　〔昭和26年12月14日　公保号外
　　　　　厚生省公衆衛生局環境衛生部環境衛生課長宛　滋賀県
　　　　　衛生部公衆保健課長照会〕

　標記のことについて最近願出るものがあり聊か疑義を生じたので、至急御回報煩したい。

　　　　　　　　　　　　　記
1　公衆浴場に薬湯を併設することは、患者混浴の虞れがあり不適当と思われるが、最近本県に願出のあるものは、公衆浴場の主浴槽に白湯と副浴槽に薬湯を設置するもので、副浴槽の薬湯については患者用或は何々疾患に効く等と標示せず、一応患者専用でないので、法第4条の規定による同法施行規則第3条の適用は至難と思考せられる。よって、法第2条第2項による不適格条件がなければ許可を与えてよいか。
2　薬湯併設は、不適当として不許可処分をする場合の法的理由。
　なお、薬湯併設による弊害等の事例があれば併せ御教示願いたい。

　　　　〔昭和27年1月28日　環衛第4号
　　　　　滋賀県衛生部公衆保健課長宛　厚生省公衆衛生局環境
　　　　　衛生部環境衛生課長回答〕

　昭和26年12月14日付公保号外をもって御照会のあった標記について、下記のとおり回答する。

　　　　　　　　　　　　　記
　患者専用の薬湯であれば、公衆浴場法施行規則第3条第2項の規定により、当然入浴施設を別に設けなければならないが、御照会の如き場合は、一般浴客に対する奉仕的意味をもって併置されたものと解せられるので、法第2条第2項の不適格条件がなければ許可を与えても差し支えない。

但し、薬湯を併置しておくことは、患者が一般浴客と混浴するおそれが多分にあるので、この面の行政的指導を十分に考慮して事故の発生を防止するよう特に留意されたい。

○薬湯の併置営業について

［昭和26年12月20日　公衛第1,838号
厚生省環境衛生課長宛　愛媛県衛生部長照会］

　同一施設の公衆浴場に清湯と薬湯とを併置して居る場合本県における従来からの取扱は薬湯自体が療養効果とサービス的な面とを兼ね備えている関係上之を公衆浴場法第4条に規定する患者専用のものとして取り扱わず、法第2条による一般公衆浴場として併置営業を認めて来たのでありますが法令上疑義がありますので御照会します。

　公衆浴場法第1条に「公衆浴場」とは温湯、潮湯又は温泉その他を使用して、公衆を入浴させる施設をいう。とあり、清湯単独だけか又は清湯と薬湯等との併置を意味するものか不明であり、更に省令第3条第1項、第3項に患者用の入浴施設を「別に」とあるは全然別個に施設を設けるのか同一施設内に例えば一隅に別の湯船を設けて薬湯等とするのか不明であり、現実に患者用と非患者用とを区別する方途がアイマイである。同一浴室内に単に浴槽を別にするのみであるとすれば本県の大多数の公衆浴場は法第2条並びに法第4条の2つの許可を必要とすると解されるのであるが之に対して貴見を伺いたい。

［昭和27年2月11日　衛環第6号
愛媛県衛生部長宛　厚生省環境衛生課長回答］

　昭和26年12月20日付公衛第1,838号をもって照会のあった標記について下記のとおり回答する。

記

1　法第4条の但書に規定されている公衆浴場以外の一般浴場で薬湯を使用する事は、法律上禁止されておらず従って法的には禁止することは出来ない。

　この場合清湯、薬湯共に患者でない一般浴客が使用するのであるから併置して差しつかえない。

　但し、薬湯の併置は患者が一般浴客と混浴するおそれが多分にあるばかりでなく、汚濁度の判断が容易でないためその結果反って不衛生的な浴場となることも考えられるので薬湯を併置してある公衆浴場に対して、行政的指導を十分に考慮して事件の発生を防止するよう特に留意されたい。

2　法第4条但書に規定する公衆浴場の施設は一般公衆浴場施設とは全然別個に設けなければならない。

第6編　公衆浴場

○公衆浴場法第3条の規定による入浴者の衛生に必要な措置基準について

> 昭和28年2月18日　　8衛環第1,070号
> 厚生省公衆衛生局環境衛生部長宛　京都府衛生部長照会
>
> 　公衆浴場法の規定による京都府条例中に次の条文を入浴者の衛生に必要な措置の基準として規定したいと思いますが、法的にいささか疑問がありますので、これを規定することの可否について何分の御回示をお願いします。
> 記
> 1　浴場用として厚生大臣の許可を受けた医薬品を使用する場合のほかは、浴場の効能に関し、記事を広告し、記述し又は流布してはならない。

> 昭和28年3月6日　　衛環発第8号
> 京都府衛生部長宛　厚生省公衆衛生局環境衛生部長回答

　2月18日8衛環第1,070号をもって照会のあった標記について、下記のとおり回答する。

記

1　一般公衆浴場でいわゆるいかがわしい薬品を投入し、その効能効果を広告掲示することは、公衆衛生上の観点から見て好ましいものではないが、御質問のような薬湯に関する広告の禁止を公衆浴場法第3条の「入浴者の衛生に必要な措置の基準」として条例に規定することはできない。

　なお、御質問のように薬湯に関する広告の掲示を禁止することは住民の安全及び保健衛生上必要と認められるので、別に地方自治法第2条の趣旨にそって、貴府条例に規定することができると考えられる。

○公衆浴場法に関する疑義について

> 昭和31年11月27日　　31医第435号
> 厚生省公衆衛生局長宛　福島県知事照会

　公衆浴場の開設許可に関し疑義がありますので、下記の点について何分の御回示を願いたく、照会いたします。

記

1　このたび別紙写のとおり開設許可願の提出があったが、本件は、法第4条但書に該当する患者専用の薬湯であって、一般健康者を入浴させない浴場で、本県条例第2条第2項（別紙添付）の規定により距離制限に関係なく許可せざるを得ないことと思料されるが、その可否について、否とする場合その根拠。
2　右の患者専用の薬湯を許可した場合における指導取締上留意すべき点。
3　右の薬湯を許可する場合、特に規定はないが、標示する条件を附することの可否

について。
4　右の場合、更にその設置する看板等に「患者専用」、「一般健康者の入浴拒否」、「薬効」等につき、標示の義務を課する条件を附することの可否。
別紙写　略

〔昭和32年2月25日　衛環発第11号
　福島県知事宛　厚生省公衆衛生局環境衛生部長回答〕

　昭和31年11月27日31医第435号をもって照会にかかる標記については、下記により回答する。

記

1　貴県公衆浴場法施行条例第1条第2号の規定によれば客観的に条例第1条第2号に該当すると認められるかぎり貴見の通りである。
2　御照会の場合については一般の者を業として入浴させるときは、改めて条例第1条の距離制限の規定が適用されることとなるものと思料されるからかかることのないよう指導に当るべきである。
3　許可に際し営業の停止あるいは許可の取消の事由となる意の条件を附することはできないが、行政指導上、標示する条件を附することは必ずしも違法とは考えられない。なお、この場合は、もっぱら「療養のために利用される公衆浴場」という前提の下に距離制限の条項が適用されないで許可されるものであるから、一般のものを業として利用させるに至ったときは、改めて距離制限の条項が適用されることとなるものであり、従って、かかる状態に至ったときは、一たんなされた営業の許可が当然失効になることもあり得る旨の行政庁の意思表示を予め示すことも考慮されたい。
4については、3によられたい。
　　事前に、許可申請者の意思目的を十分確かめ、仮にも脱法的意図の下に行われることのないよう指導に当られたいこと。

○公衆浴場法施行規則第1条の規定について

〔昭和38年6月14日　38衛第438号
　厚生省環境衛生局長宛　横浜市衛生局長照会〕

　公衆浴場の浴湯に薬湯を使用する場合には、公衆浴場法施行規則第1条第3号に「その物質又は医薬品等の名称、成分、用法、用量及び効能を附記すること」とありますが、この規定の運用について次の1のとおり疑義を生じ、また、2、3のいずれによるべきか何分の御教示を願います。

記

1　温泉の含有物質を原料とした物を使用する場合は、その成分、効能等を附記するだけではなく、検査機関の証明書等を必要とするか。
2　同号中「その物質又は医薬品等」とあるが、薬湯使用という点からして医薬品等とは薬事法に基づく許可等を受けた物を使用することによって利用者の保健衛生が

保持される。したがって、「医薬品等」とは薬事法第2条第1項各号及び第2項の物に限定される。
3　昭和26年2月7日づけで宮城県知事から厚生省公衆衛生局長あて照会の牛乳風呂の取扱に関する照会に対する回答は、牛乳風呂であっても公衆浴場法第2条第2項に規定する不許可の理由がなければ許可しなければならないとし、但し、衛生措置について条例で浴場を常時換流させるための設備を設けなければならない等必要な基準を設ける必要があるとしていることからして、「薬湯使用」の場合、薬事法第2条第1項各号及び第2項の物に限定されない。

[昭和38年10月29日　環衛第21号
横浜市衛生局長宛　厚生省環境衛生局環境衛生課長回答]

昭和38年6月14日38衛第438号をもって照会のあった標記について、次のとおり回答する。

記

公衆浴場法施行規則第1条第3号中「その物質又は医薬品等の名称、成分、用法、用量及び効能を附記すること」について検査機関の証明書等を必要とするものではない。
2及び3については、「医薬品等」の解釈は薬事法第2条第1項及び第2条の物に限定されない。

（電気浴施設）

○公衆浴場における電気浴施設の設置について

[昭和26年12月20日　6衛環第9,648号
厚生省公衆衛生局長宛　京都府知事照会]

既設の公衆浴場に左の様式による電気浴施設を併設し一般公衆の入浴の用に供することに対し公衆浴場法の適用にあたり公衆衛生上の可否並びに行政上の措置について何分の御指示を願いたく御伺いする。
追て前記の如き電気浴施設は最近当府管内において続々増加の傾向にあるがこのような電気浴の入浴には禁忌症があり、又その操作にも相当の知識を必要とする関係上、かかる施設を公衆浴場に併設することについては慎重な考慮を要するので目下種々調査研究中であることを申添える。
（様式）
　主浴槽の別に設けた浴槽の対面した2壁に銅製の極板（この間隔約1米）を設け浴場を通じて10ボルト3アンペアー以下の交流電気を流してその中間に入浴する
（構造別紙の通り）
　但し、電池を使用して直流電気による同様の施設もあるが構造設備は前記と略同様

公衆浴場における電気浴施設の設置について

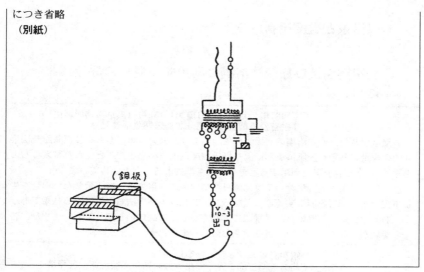

〔昭和27年2月25日　衛発第149号〕
〔京都府知事宛　厚生省公衆衛生局長回答〕

　昭和26年12月20日6衛環第9,648号で照会のあった標記のことについては、電気工学並びに医学の学識経験者及び関係方面の意見を聴取して種々考究中であるが未だ最後的結論に到達しないが、目下の見解は次の通りであるから下記により関係業者を指導されたい。

記

　現在電気浴施設を公衆浴場に設置することは、電気衝撃による危険等がないとは言えない（電気衝撃による慢性障碍を学術的には推定されるが、目下研究中で人体については、明確な結論を得ていない）のであり、公衆衛生上何等危害を生ずるものではないと断定することはできない。然し、一方これを明らかに公衆浴場法第2条の規定に基き公衆衛生上不適当であるとするには未だ学術的根拠が薄弱である。従って、これが可否については、尚学術的研究及び文献の調査を学界方面に依頼してあり、且つ又電気工作中の保安施設の不備は不測の災害が予想されるから、その災害を完全に防止しうるか否かについて、目下電気工学専門家及び厚生省、資源庁の関係者により、特別のヒューズ取付、電極との接触防止装置、混触防止装置、保安器の設置、誘導線輪の規制その他入浴者の制限並びに電気技術者を雇傭せしめて、管理させる等の措置について検討中である。

　従って、この方針の決定するまでは、電気浴槽を新設しないよう指導されたい。

（温泉と温度規制）

○公衆浴場及び旅館業浴場に利用する温泉の取扱について

> ［昭和31年2月10日　31環第1,185号（東京事務所経由）
> 厚生省公衆衛生局長宛　北海道衛生部長照会］
>
> 公衆浴場及び旅館業浴場の浴場温度については、公衆浴場法第3条及び旅館業法第4条の規定に基き、別添道条例により摂氏42度以上（浴湯を客ごとに取り替えるものを除く。）とし、温泉を利用するときもこの基準によることと定めています。
> 　従って、温泉の場合においては、温泉法第12条の利用許可とは一致しない場合を生じ事実上その利用を制限することとなるが、これは規制の法域を異にする結果であって、右の条例による制限は、温泉法に牴触するものではないと解しておりますが、若干の疑義があるので、何分の御回報をお願いします。

［昭和31年3月6日　衛環第20号
北海道衛生部長宛　厚生省公衆衛生局環境衛生部環境
衛生課長回答］

　昭和31年2月10日31環第1,185号をもって公衆衛生局長あて照会のあった標記の件について下記のとおり回答する。

記

　温泉法第12条第1項に規定する温泉の利用許可は、当該温泉を公共の浴用又は飲用に供する場合、その成分が衛生上有害でないことを確認することを内容とするものであって、その温泉の利用の方法についてまで含むものではない。従って、たとえば温泉法により利用の許可を与えられた温泉を公衆浴場などで使用する場合に、公衆浴場としての本質上その保持すべき温度について公衆浴場法の建前で一定の基準を設けることは何等温泉法と関係するものでないと解すべきである。

（患者専用浴場）

○公衆浴場法第4条に関する疑義について

> ［昭和32年2月7日　神衛防第683号
> 厚生省公衆衛生局環境衛生部環境衛生課長宛　神戸市
> 衛生局長照会］
>
> 　標記の件につき疑義が生じましたので、下記の点につき至急御回答賜りたく、照会申し上げます。

記
1　公衆浴場法第4条但し書きに言う「療養のために利用される公衆浴場で都道府県知事の許可を受けたもの」とは、一般公衆浴場とは別個の独立した伝染病、精神病患者専用の浴場をも含むものか。
2　前項の意味のものであると解するならば、第2条と第4条の両方の許可を必要とするものか。
3　第1項を否定的に解するとすれば、第4条但し書きにより、伝染病、精神病患者を入浴せしめ得る場合は、一般公衆浴場に患者専用の入浴施設が併設される場合に限られるか。

> 昭和32年2月25日　衛環第15号
> 神戸市衛生局長宛　厚生省公衆衛生局環境衛生部環境衛生課長回答

昭和32年2月7日神衛防第683号をもって照会のあった標記の件については、下記により回答する。

記
1　通例は、公衆浴場に患者用の入浴施設が別に設けられている場合を云うものであるが、理論上は、意見の通り別個の独立した伝染病、精神病患者専用の浴場をも含むものである。
2　療養のために利用される公衆浴場については、必ず第2条の許可及び第4条ただし書の許可を必要とするものである。
3　1にもある通り、理論上は、伝染病、精神病患者専用の浴場もあり得るが、現実問題として、一般公衆浴場に患者用の入浴施設が別に設けられるのが、公衆浴場の営業形態の通例であると思料される。

(採光照明)

○地階に設けられる公衆浴場の採光について

> 昭和33年11月15日　発衛防第223号
> 厚生省公衆衛生局環境衛生部環境衛生課長宛　京都市衛生局長照会

地階に設けられる公衆浴場の採光について
　上記のことについて、今般本市において地階及び地上3階建鉄筋コンクリート造りの建物の地階に一般公衆浴場を設置したい旨の申出があったが下記事項に疑義がありますので御回答願いたく照会します。
　追って、本件差し迫った事情もありますので折返し御回答下されるようお願いします。

記
1　公衆浴場が地階に設けられるため浴室、脱衣室に「自然採光」がとれないが、蛍光灯等による照明及び機械換気が行われることにより公衆衛生上支障ないと認められるが如何。
2　公衆浴場法第3条の規定に公衆浴場について「採光、照明、換気、…」に必要な措置を講じなければならないとあるが「採光」とは「自然採光」だけでなく「人工照明」をも含むものと解してよいか。
備考
　　地下室における理容所、美容所の採光について、福岡県衛生部長あての昭和26年12月17日付衛環第141号による貴課の回答によれば「人工採光」を認めて差支えない、とある。

［昭和33年11月24日　発衛第95号
　京都市衛生局長宛　厚生省公衆衛生局環境衛生部長回答］

　昭和33年11月15日発衛防第223号をもって照会のあった標記については、次のとおり回答する。

記

　公衆浴場法第3条第1項の採光には人工照明は含まれないが、人工照明のみによる場合であっても十分な照度が保たれれば、公衆衛生上重大な支障をきたすことはないと考えられるので、公衆浴場が地階に設けられるため止むを得ない場合には人工照明のみのものを認めて差し支えない。

（施設の範囲）

○公衆浴場法第1条中の施設の解釈について

［昭和38年9月9日　38公衛第1,387号
　厚生省環境衛生局環境衛生課長宛　埼玉県衛生部長照会］

　公衆浴場法第1条による公衆浴場とは「温湯、潮湯又は温泉その他を利用して、公衆を入浴させる施設をいう。」と定義づけられているが、この条文中の「施設」を下記のように解釈してよろしいか至急ご教示願いたい。

記

1　公衆浴場営業施設とは
　　公衆浴場法第3条の規定（営業者の講ずべき措置として、入浴者の衛生及び風紀に必要な措置を講じなければならない。）により設けられている外壁（板またはブロックその他の方法による遮へい物（塀））は、公衆浴場としての機能を発揮する

に必要な設備であると考えられる。
　従って公衆浴場として具備すべき用件を満たしている外壁以内は（例えば中庭）営業施設と解すべきである。

> ［昭和38年12月25日　環衛第26号
> 　埼玉県衛生部長宛　厚生省環境衛生課長回答］

　昭和38年9月9日38公衛第1,387号をもって照会のあった標題について次のとおり回答する。

記

　公衆浴場法第3条の規定に基づいて設けられている外壁については貴見のとおり、公衆浴場の構造設備の一部分と考えられるが、外壁以内に設けられている設備であっても公衆浴場の機能上必要でないものについては営業施設と解することはできない。

（公衆浴場内での販売行為、飲食行為）

○公衆浴場法および興行場法に係る疑義について

> ［昭和44年2月7日　発衛第69号
> 　厚生省環境衛生局環境衛生課長宛　鳥取県厚生部長照会］

　このことについて、下記のとおり疑義を生じましたので、なにぶんのご教示をお願いします。

記

1　公衆浴場法について
　公衆浴場の施設内（脱衣場）で牛乳その他の飲料水を販売する行為については、県条例で規定する脱衣場の面積が牛乳その他の飲料水の販売容器等を設置している場所の面積を控除してもなお保持されている場合には許容してよいが、この場合、牛乳の販売については、食品衛生法による許可を得なければならないものと解する。

2　興行場法について
　興行場法（昭和23年7月法律第137号）第2条の規定により演芸場の許可をうけたヌードスタジオにおいて、いわゆる幕合に8mmの映画の上映（10分程度）しようとする場合には、興行場法施行規則（昭和23年7月厚生省令第29号）第2条の規定により知事に届出すればよいものと解する。

> ［昭和44年4月14日　環衛第9,063号
> 　鳥取県厚生部長宛　厚生省環境衛生局環境衛生課長回答］

　昭和44年2月7日付け発衛第69号をもって照会のあった標記の件については、1、2と

第6編　公衆浴場

も貴見のとおりである。

○公衆浴場内における乳類販売の許可の取扱いについて

> ［昭和40年7月19日　40環号外
> 　厚生省環境衛生局環境衛生課長宛　福島県厚生部長照会］
>
> 　本県では、現在まで公衆浴場の施設内即ち下足場、脱衣場等で乳類その他の食品を販売することは、公衆衛生上好ましくないという理由で、公衆浴場の許可対象部分と明確に区画しゃ断しない限り認めない方針をとっておりましたが最近の情勢から今後の解釈を下記のとおり統一したいので、よろしいか至急御回答を願います。
>
> 記
>
> 1　今後公衆浴場の施設内で乳類販売をしようとするときは、許可を受けてこれを行うことができる。
> 　　但し、次の条件を具備するものとする。
> (1)　販売所又は販売器を設備することにより、公衆浴場利用に支障をきたさないような配慮をすること
> (2)　販売所又は販売器はできる限り男女別に設けるものとするが、不可能の場合は、風紀上支障のない設備をすること
> (3)　販売容器は汚染のおそれのないものを使用するとともに、また牛乳空びん等により浴場施設内が汚染されることのないような配慮をすること
>
> 別紙　略

> ［昭和40年8月11日　環衛第5,091号・環乳第5,048号
> 　福島県厚生部長宛　厚生省環境衛生局環境衛生課長回答］
>
> 昭和40年7月19日付け40環号外をもって照会のあった標記の件については貴見の通り解して差し支えないが、なお販売する乳類が更衣等の際に汚染されることのないよう十分指導されたい。

○公衆浴場内における飲食について

> ［昭和41年1月24日　1公第89号
> 　厚生省環境衛生課長宛　京都府衛生部長照会］
>
> 　本府においては、従来から「浴場内で入浴者に飲食させないこと」とし、公衆浴場法第3条に規定する浴場業者が講じなければならない必要な措置の基準として条例で定めているが、この取り扱いにつき下記のとおりいささか疑義もあり、緊急に解決を迫られていますので来る1月29日の全国都道府県衛生主管部長会議出席のため上京の

さい、貴課に立ち寄りますので、その際文書にてご回答下さるようお願いします。
記
1　公衆浴場法第3条第2項の規定により条例で定める措置の基準は、同条第1項に規定するとおり、入浴者の衛生および風紀上必要なものに限られるものであり、一般的に浴場内で飲食を禁止することはできないか。
2　一般的に禁止することができないとしても、アルコールを含む飲食物の浴場内での飲食を禁止し、または、浴室内で飲食を禁止し、もしくは、浴場内の飲食場所を指定することは、衛生上必要な措置として、これを規制することができるか。

〔昭和41年3月2日　環衛第5,025号
京都府衛生部長宛　厚生省環境衛生課長回答〕

1　公衆浴場内における飲食を一般的に禁止することは入浴者の衛生及び風紀に必要な措置には含まれないものと解される。
2　入浴者の衛生及び風紀が維持されるために必要な措置として貴見のごとき措置をとることはさしつかえない。

（蒸気室の併設）

○公衆浴場法の疑義について

〔昭和40年11月4日　（公）第575号
厚生省環境衛生局長宛　群馬県衛生民生部長照会〕

公衆浴場法の適用につき次の事項について疑義を生じましたので至急何分のご教示をお願いしたく照会します。
記
1　公衆浴場法による営業の許可を受けて営業している一般公衆浴場の浴室内の一部を改造して蒸気室を設置したいとの申請があったが、本県においては特殊公衆浴場条例の制定はなく、公衆浴場法第2条第3項及び同法第3条第2項による一般公衆浴場の条例が制定されており、同条例の構造設備基準には蒸気室設置についての規定はないが、蒸気室の設置を認めることができるか。
2　蒸気室を設置することができると認められた場合、蒸気室の保安および構造設備についての取扱いは如何。
3　既設一般公衆浴場の浴室内を一部改造して蒸気室を設置した場合は申請書記載事項の変更の手続きでよいか。

〔昭和41年1月7日　環衛第5,001号
群馬県衛生民生部長宛　厚生省環境衛生局環境衛生課長回答〕

昭和40年11月4日付け（公）第575号をもって照会のあった標記の件について次のとお

り回答する。
1　おたずねの1及び2について
　都道府県知事は公衆浴場の設置の場所または構造設備が公衆衛生上不適当であると認めるときは、許可を与えないことができるが、それらの条件が満たされている場合には許可を与えないことはできない。おたずねの事例における蒸気室が公衆浴場に該当することは明らかであるから、許可申請があれば条例に定めがないことを理由に不許可とすることはできず、都道府県知事が構造設備等について公衆衛生上の観点から適否を判断して許可不許可を決定しなければならない。なお、蒸気を使用する浴室についての公衆衛生上必要な措置の一例を挙げると次のようなものが考えられる。
(1)　湯気抜きのための開口部又は換気扇の設備をすること。
(2)　適当な位置に温度を明示するために温度計を具えること。
(3)　浴室の放熱パイプは直接身体に接触させない構造とすること。
2　おたずねの3について
　公衆浴場の経営形態または構造設備のいずれについても同質性を保持していると認められる程度の変更であれば、許可申請書記載事項の変更の届出をするだけでよく、新たな許可を受ける必要はない。おたずねの事例についてみるに、蒸気室に変更されたのは以前の構造設備の一部分にすぎず、重大な変更はないものと解され、また蒸気風呂の利用に特別の料金を徴する等経営形態の上からの著しい変化がない場合には貴見のとおり取扱ってさしつかえない。

(熱気風呂（サウナバス）の併設)

○公衆浴場における熱気風呂の取扱い上の疑義について

〔昭和43年5月30日　環第664号〕
〔厚生省環境衛生局長宛　富山県厚生部長照会〕

　最近、県下の公衆浴場業者から経営の合理化、多角化の面から別添サウナバスを購入し、これを一般公衆浴場に設置して熱気によるいわゆる特殊浴場（サウナ風呂）を兼営したいという照会があったが、この取扱いについて下記のとおり疑義があるので、至急ご回答下さるようお願いします。

記
1　いわゆる簡易サウナバスを公衆浴場に設置することの可否について
　照会のあった公衆浴場に設置しようとするサウナバスは、現在電気用品取締法（昭和36年11月16日法律第234号）の対象になっていないため、通商産業大臣による型式の認可を要しないものとされており、従って通商産業省令で定める技術上の

基準に適合しているか否かは問われないと解されるが、仄聞するところによれば、近く電気用品取締法の一部改正により当製品は認可の対象になることが予定されているとのことである。かかる場合において認可対象前に当該製品を公衆浴場に設置して、一般公衆の入浴に供することの可否についてご教示願いたい。

　なお、営業者は当該製品を早急に設置することを希望しているのであるが、現時点では前記技術上の基準に適合するか否かが不明であるということをもって公衆浴場法第２条第２項にいう公衆衛生上不適当なものであると解することができるか。

2　設備の共用について

　「既設一般公衆浴場」(A)における脱衣場の床面積が、「条例で規定する一般公衆浴場」(B)の脱衣場の床面積と、「規則（条例の委任に基づく規則）」で規定する熱気等による特殊浴場」(C)の脱衣場、休憩室の床面積を加えたものを超え、かつ、(A)の洗場の床面積が(B)の洗場の床面積と(C)の浴室の床面積を加えたものを超えるときは、それぞれの施設を共用することを認めてもよいか。

　また前記サウナバス（熱気箱）の設置場所は、別紙図面のとおり隣接独立建物とすることが好ましいが、敷地の関係上既設脱衣場の一部を利用することも考えられる。この場合設置場所は浴室と解されるので、適当なしきりを設け、かつ、洗場に直接出入れし得る位置であることを要すると考えられるが如何。

3　営業許可について

　既設一般公衆浴場に熱気等による特殊浴場を併設する場合、事務手続上の問題としては、

(1)　公衆浴場法施行規則第２条の規定による届出。

(2)　営業許可の取直し〔既設一般公衆浴場を一旦廃止し、新たに公衆浴場営業（温湯および熱気等）の許可申請を行なう。〕。

(3)　営業許可の追加申請（熱気等）。

　以上３つの方法が考えられるが、既設一般公衆浴場は温湯として営業に必要な構造設備を具備したものに対し許可を与えたものであり、新たに熱気等による特殊浴場を併設する場合は、衛生措置基準が実体的に異なるため、(3)により新たに営業許可の追加申請をさせるべきであると考えられるが如何。

別紙図面　略

〔昭和43年9月3日　環衛第8,134号
　富山県厚生部長宛　厚生省環境衛生課長回答〕

昭和43年5月30日付環第664号をもって照会のあった標記について、次のとおり回答する。

記

1　(1)の前段については、当該サウナバスについて公衆衛生上不適当と認められなければ、公衆浴場法第２条第１項の許可を受けて、これを一般公衆の入浴に供して差し支えない。後段については、当該サウナバスが電気用品取締法の認可の対象となった場合に同法で定める技術上の基準に適合しており同法の規定に基づいて認可されるものである

かどうか不明であることをもって、公衆浴場法第2条第2項にいう公衆衛生上不適当であると解することはできない。
2 (2)の前段については施設の共用を認めて差し支えない。また、後段については貴県条例の定める措置基準に合致した構造であることを要するが、その措置基準に合致するかどうかについては、貴県で判断されたい。
3 (3)については貴見のとおりである。
　注　昭和47年3月16日環衛第45号「一般公衆浴場に併設するサウナ室の取扱いについて」関連参照

○一般公衆浴場に併設するサウナ室の取扱いについて

〔昭和47年2月16日　7環第72号
　厚生省環境衛生課長宛　京都府衛生部長照会〕

　本府において一般の公衆浴場（物価統制令による指定価格を徴している浴場）内にサウナ室を併設し、一般入浴客にサービスとしてサウナ室を無料で利用させる浴場が出現し、近接浴場の客を吸収し、対抗上近接浴場の一部では料金のダンピングを行なう事態が生じています。
　これについて浴場業界からはサウナ室の併設を禁止するよう願い出がありますが、公衆浴場法の適用および入浴料金の徴収について、次のとおり疑義を生じましたので、至急何分のご指示をお願いします。

記

1　条例で一般公衆浴場内にサウナ室を併設することを禁止できるかどうか。
2　1で禁止することができない場合、サウナ室を利用する浴客のみに対し、その利用料を一般の入浴料とは別に徴収することができるかどうか。
3　1で禁止することができない場合、サウナ室（脱衣室、浴そう、洗場その他は既に許可を受けている公衆浴場と共用）に対し、特殊浴場として新たに公衆浴場の許可を取らせることが適当かどうか。

〔昭和47年3月16日　環衛第45号
　京都府衛生部長宛　厚生省環境衛生課長回答〕

　昭和47年2月16日付7環第72号をもって照会のあった標記の件については、次のとおり回答する。

記

1について
　一般公衆浴場内にサウナ室を併設することを禁止すべき公衆衛生上の理由が認められないので、条例をもってこれを禁止することはできない。
2について
　サウナ室利用料を別途徴収できるものと解する。

3について
　サウナ室を設置しても既存の浴場部分を含めた施設全体が一体のものとして認識されるならば変更の届出で足りる。
　なお、昭和43年9月3日環衛第8,134号富山県厚生部長あて当職回答のうち、これと抵触する部分の取扱いは、今後この趣旨によられたい。

（風紀条項と公衆浴場内でのマージャン）

○公衆浴場法の疑義について

［昭和50年10月13日　50環第296号
　厚生省環境衛生局長宛　愛知県衛生部長照会］

　近年、各種産業の著しい発展に伴い、環境衛生営業施設においても経営の多様化がはかられ、サウナ風呂（公衆浴場）でサービス行為としてレストルームに併設し、食品衛生法により許可を受けた施設を設け、客に飲食物を提供したり、またレストルームに碁、将棋を備えたり、あるいはミニゴルフ、ビリヤード施設を備え、無料で使用させるなどのサービス行為が行われている。
　特に本県においては、10～30卓のまあじゃん用具を備えサウナ風呂の営業時間中（午後3時頃から午前2時頃まで、一部は翌朝9時頃まで）にサウナ風呂利用者に限ってまあじゃん遊技を行わせている施設が出現し、既設の風俗営業等取締法の許可を受けたまあじゃん遊技施設との関連で社会的な問題となってきており、これらの施設に対する指導上公衆浴場法の運用について下記のとおり疑義を生じましたので、至急、なにぶんの御教示をお願いします。

記

1　公衆浴場法に規定する「風紀に必要な措置」については、従来主として男女混浴の禁止を意味するとされていました。
　その後、トルコ風呂の営業実態に伴い、昭和39年には従業員に風紀を乱すおそれのある服装をさせないこと、風紀を乱すおそれのある行為をさせないことなどが含まれるとされましたが、この中にまあじゃん行為のような射幸行為の禁止まで含まれると解すべきかどうか。
2　サウナ風呂においてレストルームとは別に障壁により、独立した区画部分をもうけ、まあじゃんの用具を備え、サウナ風呂利用者に無料でまあじゃん遊技を行わせている場合、この区画部分は公衆浴場法による許可対象外であると考えるがどうか。
　もし、許可対象外であると解するならその区画部分で行われるまあじゃん遊技については、公衆浴場法により、営業時間の規制などを含めてこれを規制することはできないと考えるがどうか。

> 3 公衆浴場の営業施設としては、浴室及び脱衣室のほかサウナ風呂については、その利用形態からレストルームについても浴場施設としてこれを含めて許可を与えるのが適当と考えるがどうか。
> 　なお、適当と解される場合、レストルームは入浴客の休息を目的としたものであり、休息の目的を逸脱するような設備等を備えることは適当でないと考えるがどうか。

〔昭和50年10月23日　環指第93号
愛知県衛生部長宛　厚生省環境衛生局指導課長回答〕

昭和50年10月13日50環第296号をもって照会のあった標記については、次のとおり回答する。

記

1について
　公衆浴場法第3条第1項に規定する「風紀に必要な措置」には、サウナ風呂においてまあじゃんのように客に射幸心をそそるおそれのある遊技が行われないようにすることは含まれないと解する。

2について
　貴見のとおりである。

3について
　入浴者がサウナ風呂に入浴後通常利用する暫時の休憩のための施設は、公衆浴場法第2条第1項に規定する許可を要する「公衆浴場」に含まれると解する。

第6章　行政処分

（長期休業と許可の取消）

○公衆浴場営業許可の行政処分手続について

> 昭和26年12月13日　青医第1,408号
> 厚生省公衆衛生局環境衛生部長宛　青森県衛生部長照会

　法令に明文がないので下記事項について、公衆の保健衛生上より公衆浴場の営業許可並びに営業許可を取り消す必要ある場合において県の条例又は、細則等に規定し得るや否や至急御回答煩わしたく照会いたします。

記

1　営業許可取り消し及び却下の場合
　　既設の公衆浴場が長期休業（3か月）あるいは、営業許可を受けてから長期（1か月）にわたって、営業をしないとき又は建築基準法により確認を受けてから長期（6か月）にわたり、公衆浴場設置せず営業許可の申請のない場合
2　営業許可を与える場合
　　前項のとおり建築の確認を受けてから相当長期間公衆浴場設置せず、従って営業許可申請もないとき同地域の他の者から公衆浴場設置並びに営業許可申請があった場合この者に許可を与えてさしつかえないか。

> 昭和26年12月25日　衛環第149号
> 青森県衛生部長宛　厚生省公衆衛生局環境衛生部長回答

　標記について12月13日付青医第1,408号をもって照会があったが下記のとおり回答する。

記

　1について長期休業又は許可をうけてから長期にわたり営業を開始しない者に対し、当該営業の許可を取り消しうるよう条例又は規則で規定することは、法に定められた取消理由の範囲外であるから出来ない。
　又、建築基準法により確認を受けてから営業許可の申請なく長期にわたり、公衆浴場を設置しないことは公衆浴場法とは別問題である。
　2について貴見のとおり許可して差しつかえない。

第6編　公衆浴場

○公衆浴場新設許可事務について

　　　　〔昭和28年1月26日　環第166号
　　　　　厚生省公衆衛生局環境衛生部長宛　大阪府衛生部長照
　　　　　会〕

　右のことについて次のとおり疑義がありますので、至急御回答を煩わしたく照会致します。

　　　　　　　　　　　　　記

　本府においては、公衆浴場営業許可申請を建築確認申請前に提出せしめ、左記府条例に規定する上次の条件をつけて営業許可を与えているが、現下の情勢としては許可を受けた大部分のものは許可条件の期限内に着工せず、1か年を経過するものも続出する傾向にあり、本府としては許可後3か月目に本人に対して工事着手の意志の有無その他を文書をもって照会し、自発的に辞退届を提出せしめる等の方法によって処理しているが、尚これに応じない者もあり、一面、近時その許可済地の附近から営業申請書を提出するものもあって種々問題を起しているが、この場合は単に営業せしめるための許可を与えた程度に止まり、法第7条第2項に謂う取消手続を必要とするものと認め難い上、この知事の条件を有効なるものと認め、この場合、知事限りにおいてその営業許可を取り消し得るものと解せられるも、貴見拝承致したい。

　さしあたって、処理を要する問題もあるので、至急御回答を御願いしたい。

　（参考）
　　　　許可条件
1　許可後3か月以内に工事に着手し、その旨届け出ないとき若しくは10か月以内に工事を完成しないときは、この許可を取り消すことがある。
　　　　本府条例抜萃
第2条　公衆浴場の設置場所の配置の間隔はおおむね250米を必要とする。但し、次の各号の一に該当する場合はこの限りでない。
　一　設置の許可を受けた公衆浴場が3箇月以内に工事に着手しないとき、若しくは10箇月以内に工事を完成しないとき

　　　　〔昭和28年2月23日　衛環発第6号
　　　　　大阪府衛生部長宛　厚生省公衆衛生局環境衛生部長回
　　　　　答〕

1月26日付環第166号をもって照会のあった標記について、下記のとおり回答する。

　　　　　　　　　　　　　記

　公衆浴場の営業許可を与える場合に、その許可対象について一般的な条件を附することは営業許可の附款事項として差し支えないものであるが、照会のような場合で相手方がその許可条件を履行せず全く無視したときは、法第7条第2項の手続を経ずに許可を取り消すことができる。

○公衆浴場法の営業許可について

> 昭和28年10月12日　衛発第591号
> 内閣法制局第1部長宛　厚生省公衆衛生局長照会

〔照会〕

公衆浴場法（昭和23年法律第139号）第2条の営業許可について、下記のような疑義が生じたので貴職の御回答をお願いする。

記

営業の許可をうけてから相当の期間を経て営業を開始しない場合、又は長期にわたって休業している場合にこれを理由としてその許可を取り消すことができるか。

〔意見〕

公衆浴場法の営業許可について

> 昭和28年12月9日　法制局1発第112号
> 厚生省公衆衛生局長宛　法制局第1部長発

10月12日付衛発第591号をもって照会にかかる標記の件に関し、左のとおり意見を回答する。

1　問題

公衆浴場法第2条第1項の規定により公衆浴場業の許可を受けた者が、許可を受けてから相当の期間を経たにもかかわらず、営業を開始しない場合、又は長期にわたって休業している場合には、都道府県知事は、右の許可を取り消す権限を有するものと解すべきである。

2　意見及び理由

公衆浴場法は、公衆浴場業の許可の取消事由としては、その許可をうけたものが第3条第1項の規定に違反した場合を掲げるにとどまるが（第7条第1項）、お示しの事案が第3条第1項の規定に違反するものとは考えられない以上、取消の根拠を公衆浴場法の明文の規定に求め得ないことはいうまでもない。しかし、この故をもって、都道府県知事が右の許可をすべての場合を通じ絶対に取り消す権限を有しないものと速断することはできない。

お示しの場合のように許可を得たにもかかわらず、相当の期間を経ても営業を開始せず、又は長期にわたって休業しているのは、一般に許可を受けた者が営業の意思を有せず、又は有するとしても営業の能力に欠けていることに起因するものと考えられる余地があるが、このように許可を得ているにもかかわらず、許可の内容たる営業を相当の長期にわたって行わないことは、たとえこれによって積極的な公衆衛生上の障害を生ずるものではないにせよ、与えられた許可の本旨を没却するものといわざるを得ないのであって、許可権者たる都道府県知事は、許可を受けたにもかかわらず、許可の内容たる営業をなす意思ないし能力を欠いていると客観的に認められる者に対しては、たとえ明文の規定がなくても、許可の根拠を失うにいたったものとして、条理上当然にこれを取り消す権限を有するものと解するのが正当である。

第6編　公衆浴場

　従って、お示しの場合、許可をうけた者について営業の意思ないし能力を欠いていることが客観的に認められる限りは、都道府県知事において許可を取り消す権限を有するものと解すべきである。

〔要旨〕
　　　　公衆浴場業の許可の取消について
　公衆浴場法による公衆浴場業の許可を受けた者が、許可を受けてから相当の期間を経たにもかかわらず、営業を開始せず、又は長期にわたって休業している等客観的事実に徴し、その者が営業をなす意思ないし能力を欠いていると認められる限り、都道府県知事は、法の明文の規定がなくても、その許可を取り消す権限を有する。

（風紀びん乱と許可の取消）

○公衆浴場、旅館、飲食店と風紀びん乱について

```
昭和26年9月17日　　衛公発第2,113号
法務府法制意見第1局長宛　東京都衛生局公衆衛生課
長照会
```

　標記に関し次の点について何分の御回答を相煩わしたい。
1　風紀びん乱のおそれがあるということで営業不許可とすることは、現行法（公衆浴場法、旅館業法、食品衛生法）では不可触と思われるが如何。
2　風紀びん乱のおそれがある場合、営業不許可とすることは、不可触とすれば、風俗営業法、本都売春等取締条例等に違反した場合は、業務の禁、停止又は営業の許可取消をする旨の条件付許可は可触であるか如何。
　（備考）食品衛生法第21条第2項には、許可に2年を下らない有効期間その他の条件をつけることができる。とあり又公衆浴場法施行細則（都規則）、旅館業法施行細則（都規則）、にも同様の規定がある。
3　既に営業許可した施設において風紀びん乱の行為があったことを理由に営業の禁、停止又は許可取消をすることができるか如何。
　（備考）公衆浴場法第3条には、営業者は入浴者の風紀に必要な措置を講じなければならないと規定されている。
4　既に営業を許可された施設において反覆継続して売春行為を為さしめ、性病感染の元となった事実があった場合、公衆衛生の面から営業の禁、停止、許可取消の行政処分ができる旨を条例で規定することができるか如何。

```
昭和27年2月22日　　衛環第39号
東京都衛生局長宛　厚生省公衆衛生局環境衛生部長回
答
```

　標記について、本年9月17日付衛公第2,113号を以って、法務府法制意見第1局長宛意見照会されたが法務府当局より本局に廻送されたので下記の通り回答する。

記
1　貴見の通り
2　許可に付しうる条件は、公衆衛生上必要な範囲に限られるのであって、従って、御照会のような他法令（風俗営業法、売春等取締条例等）に違反した場合に営業の禁、停止又は許可取消をする旨の条件を付することは、右の範囲を超えるものであり、このような条件を付することはできない。
3　既に許可した施設において風紀びん乱の行為があったことを理由に営業の禁、停止又は許可の取消をすることはできない。
　　尚公衆浴場法に於ける風紀の意味については、昭和23年8月18日付公衛第10号を参照されたい。
4　御照会のような事例について、条例で公衆衛生の面から規定することはできない。

○公衆浴場法の疑義について

［昭和44年2月27日　環第512号
　厚生省環境衛生局長宛　山形県衛生部長照会］

このたび、風俗営業等取締法第4条の4の規定による規制地域内（200メートル以内に児童福祉施設がある。）にある特殊公衆浴場である、いわゆるトルコ風呂について異性の役務提供がないものとして、昭和43年1月31日許可されたのであるが、その後異性の役務提供を行なったため2回にわたり検挙のうえ送致され、目下県公安委員会においても行政処分が検討されているが、このたび、県警察本部防犯課より事犯の内容が悪質であり風紀を乱す行為が立証できるので、このような場合公衆浴場法に基づく知事の行政処分があってしかるべき旨の申出がなされているが、公衆浴場法第7条に基づく行政処分の適用について疑義があるため、下記について「昭和27年2月22日衛環第39号公衆浴場と風紀びん乱について環境衛生部長から東京都衛生局長あて回答」及び「昭和39年5月12日環発第183号公衆浴場における風紀問題について厚生省環境衛生局長通知」並びに「昭和41年8月5日環衛第5,091号風営法の一部を改正する法律の施行に伴う公衆浴場法等の取扱いについて厚生省環境衛生局長通知」等を勘案のうえ至急ご教示をお願いします。

記
1　本県の公衆浴場法施行条例は、別添のとおりでありますが、当該施設内において従業員が悪質な卑わいな役務を提供し、風紀を乱す行為を行なった場合に公衆浴場法第3条（県公衆浴場法施行条例第3条第2項第5号の遵守規定）違反として、同法第7条に基づき許可の取消又は営業の停止に係る行政処分の可否について
2　県公衆浴場法施行条例に定める構造設備基準以外に、上記の風紀を乱す行為を防止するための当該施設に対する改善命令の可否について

別添　略

第6編　公衆浴場

　　　　　　　　　　　　〔昭和44年7月7日　環衛第9,097号　　　　　　　　　〕
　　　　　　　　　　　　　山形県衛生部長宛　厚生省環境衛生課長回答
　昭和44年2月27日付け環第512号をもって照会のあった標記の件について、下記のとおり回答する。

記

1　従業員が風紀を乱すおそれのある行為をしたことにより、公衆浴場法（以下「法」という。）第3条第2項に基づく条例で定める措置基準に違反することとなった場合には、法第3条第1項違反として法第7条第1項に基づいて営業許可の取消又は営業停止の行政処分をすることができるものと解する。
2　お尋ねのような改善命令を出すことはできない。

（行政上の瑕疵に基づく許可の取消）

○公衆浴場許可取消について

　　　　　　　　　　　　〔昭和29年4月20日　29公第4,558号　　　　　　　〕
　　　　　　　　　　　　　厚生省公衆衛生局長宛　福岡県知事照会

　下記の通り公衆浴場経営許可申請に対し構造設備並びに配置の適正の基準等に抵触しないのでこれに許可を与えたところが許可後において配置の適正の基準に抵触し許可に瑕疵あることがわかったが、これに対し許可を取り消すことができるかどうか何分のお教示をお願いする。

記

1　公衆浴場経営許可の申請に当っては申請人が申請書に添付する四隣400メートル以内の見取図には、四隣400メートル以内に既設の公衆浴場がある場合はその位置を表示し距離を記入するように公衆浴場法施行細則（昭和25年福岡県規則第75号）第4条第3号に規定されているが、申請人は申請書添付の見取図に既設公衆浴場の位置を表示していない。
2　申請書を受理した所轄の保健所も配置の適正基準に抵触しない旨の副申書を添えて申請書を県に進達したので書面審査の上これに対し経営の許可を与えた。
3　ところが許可1か月後に隣接の既設公衆浴場経営者から配置の適正基準に抵触する旨の申出があり実地調査の結果既設の公衆浴場から195メートルで基準距離250メートルに達しないことが確認された。
4　配置の適正基準距離に抵触する公衆浴場新設経営許可に対しては予め公衆浴場設置審議会に諮問を経て処置をすることに公衆浴場法第2条並びに第3条に規定する基準条例（昭和25年福岡県条例第54号第5条第2項）に規定されているがこの許可に当ってはもちろんこの諮問手続を経ていない。

公衆浴場許可取消について

〔昭和29年10月14日　厚生省公衆衛生局第729号
福岡県知事宛　厚生省公衆衛生局長回答〕

　昭和29年4月20日29公第4,558号をもって照会のあった標記について、下記のとおり回答する。

記

　公衆浴場営業許可がその成立において瑕疵があった場合においては、原則として処分庁においてその許可を取り消すことができる。ただ、お尋ねの場合のように距離制限の範囲内に処分庁の錯誤に基いて公衆浴場営業を許可した場合においては、当該許可が公衆衛生上よりする一般禁止の解除にとゞまりこの許可に基いて行う営業が一般公益に資する点大なるに鑑み、当該許可を取り消した場合当該施設の利用者の蒙る不利益と公益の必要性を勘案して取消の適否を定めることを要し必ずしも取り消すべき事項として拘束されないので、この点充分考慮の上処理されたい。

第6編　公衆浴場

第7章　入浴料金

（入浴料金と休憩時間）

　〇公衆浴場の入浴料金について

> ［昭和30年4月19日　振発第103号
> 　厚生省環境衛生部長宛　茨城県商工部長照会］

　右について物価統制令及び厚生省告示第58号に関し種々疑問の点がありますから次の事項について御回答をお願いします。
記

1　脱衣場のほかに休憩室（別室）をつくり1日の間に何回も湯に入れるような施設をつくって入浴料金（統制料金）のほかに休憩料金を徴収することは違法であるかどうか。
　　ただし、休憩室を利用しない入湯者は休憩料を徴収しない。
2　（略）
3　特殊な公衆浴場と認めたとき、その料金を都道府県知事はどのような基準によって定めるか。
　　なお、本県において一般公衆浴場（町営、私営）において休憩室をつくり別途に休憩料（40円～50円）を徴収しているところがあり、今後増加する傾向にみえる。
　　　振発第103号の2
　　　　昭和30年6月16日

茨城県商工部長

　　　厚生省環境衛生局長　殿
　　　　公衆浴場の入浴料金について（照会）
　右について昭和30年4月19日付振発第103号で御照会をいたしましたが、いまだに御回答がなく、県浴場組合連合会からもたびたび督促をうけておりますので至急御回答をいただきたい。
　　振発第103号の3
　　　　昭和30年7月22日

茨城県商工部長

　　　厚生省環境衛生部長　殿
　　　　公衆浴場の入浴料金について
　右について昭和30年4月19日付振発第103号及び6月16日付振発第103号の2により別紙写のとおり御照会をいたしましたが、いまだに御回答がなく事務処理上支障がありますから至急御回答を、お願いいたします。

なお、本県の温泉、薬湯利用の公衆浴場業者37名について実態調査をしましたが、下記のとおりでありますので参考までにお知らせいたします。

記

休憩料こみの1日の入浴料金	35円以上 50円まで	3業者	半日の入浴の時は上記金額の約2分の1
〃	51円以上 80円まで	21業者	〃
〃	81円以上100円まで	4業者	〃
〃	101円以上200円まで	1業者	〃
休憩料こみの1日の入浴料金	400円	1業者	半日の入浴の時は上記金額の約2分の1
	合計	30業者	

但し、未回答業者7名あり

```
昭和30年8月11日　衛環発第27号
茨城県商工部長宛　厚生省公衆衛生局環境衛生部長回答
```

昭和30年4月19日振発第103号をもって照会のあった標記の件について下記のとおり回答する。

記

1　おたずねの場合、休憩室と、公衆浴場施設とを通念上別個に利用することが利用客の自由に委せられておれば必ずしも違法ではないから例外として認められる。ただ当該休憩施設が本来の公衆浴場施設の機能に支障を生じるに至るような場合には法本来の趣旨に反するということができる。
2　（略）
3　当該浴場の具体的実情に応じて定めるべきものであるので、諸種の経費等を勘案し適当な額を指示されたい。

（入浴料金と時間超過料金）

○入浴料金統制額に係る物価統制令第15条の解釈について

```
昭和33年4月4日　青医第851号
厚生省公衆衛生局長宛　青森県衛生民生労働部長照会
```

本県において公衆浴場の入浴料金に関連して下記事例が生じ、この処理解決にあたって、いささか疑義が生じたのでこの点照会します。

記

一　事例の内容

第6編　公衆浴場

　　厚生省令第38号（昭和32年9月12日）による入浴料金統制額指定の権限委譲に基き、昨年12月28日県告示により毎年12月1日から3月31日までは、いわゆる冬料金として大人16円、中人13円、小人7円の額を認めたものであり、従って4月1日から夏料金に切替えられ各1円値下げたものになり現在実施されております。
　　しかるに、一部業者は「1人入浴時間30分と制限し、これを超過する場合、超過料金として大人5円、中人3円、小人4円を徴収する」決議を行い、これを施設内に掲示し、実施せんとしておる状況にあります。
二　照会事項
　1　昭和32年9月12日付厚生省令第38号により統制額の指定の権限が委譲されたが、これと同時に物価統制令第15条の表示命令の権限も委譲されているとみるべきか。
　2　単に入浴時間を制限し、その時間を超過したときは超過料金を受領する旨の掲示を行っている場合、都道府県知事が物価統制令第15条の規定を適用し、必要なる事項の表示命令として、かかる時間制限の表示の撤去を命ずることができるか。
　3　また、浴場において統制額料金表を掲示していない場合、この表示を命ずることができるか。
三　要望事項
　1　もし物価統制令第15条の権限が委譲されない場合には当該規定により価格等の額の表示に関して必要なる事項を命ずるように措置されたい。

〔昭和33年4月9日　衛環発第37号
青森県衛生民生労働部長宛　厚生省環境衛生部長回答〕

　昭和33年4月4日付青医第851号をもって照会の標記について、下記のとおり回答する。

記

　都道府県知事に対する権限委任は、法律又は法律に基く政令によらなければならないこととされているが、現行物価統制令施行令においては物価統制令第15条の規定による価格等の表示命令の権限は都道府県知事に委任されておらず、都道府県知事が同条の規定により入浴料金統制額に関する表示物の撤去を命じ、又は表示を命ずることはできない。しかし、御照会の事例にあっては、公衆浴場が営業時間中に「1人入浴時間30分と制限し、これを超過する場合は超過料を徴収する」旨の掲示を掲げる、当該公衆浴場を利用せしめること自体が、すでに物価統制令第9条に違反し、同令第33条の適用があるものと解されるから、かかる掲示を行い、利用せしめている公衆浴場に対しては、ただちに告発等所要の手続をとるよう配意されたい。
　なお、今後全般的に必要と認められるならば、当省において物価統制令第15条の規定による価格等の表示命令の制定も考慮する所存であるから、念のため申し添える。

(温泉ヘルスセンター)

○公営企業法による公衆浴場（温泉ヘルスセンター）入浴料金の取扱について

> 昭和33年11月18日　33商第2,011号
> 厚生省公衆衛生局環境衛生部環境衛生課長宛　北海道
> 商工部長（北海道東京事務所経由）照会

　　　　公営企業法による公衆浴場（温泉ヘルスセンター）入浴料金の取扱について
　今般小樽市に於いては、低料金で市民の健康と体位の向上をはかることを目的として公営企業法による公衆浴場（温泉ヘルスセンター）を設置することとなったが、これが入浴料金についての照会がありましたので、下記の事項について至急回答賜わりたくお願い致します。

記

1　本件を昭和32年9月12日厚生省令第38号の第2条に基き知事権限において統制額を指定して差支えないか。
2　昭和32年9月13日厚生省衛生第411号の文中(1)の中で「北海道における離島にある公衆浴場及び温泉むし風呂その他のもの」となっているが、これの「温泉むし風呂その他のもの」を、離島にかゝるものでないと解釈して本件をこれに適用し取扱って差支えないか、又文中特殊なものと認めたときとなっているが、具体的にどのようなことを前提とし記述されているか。
3　もし他府県で同様又は類似のケースがあれば、その府県名、認可、状況等についてお知らせ願います。

参考事項

小樽市ヘルスセンターの概況

　小樽市では低料金の温泉大衆浴場（総坪数350坪、浴槽3ケ）を小樽市市朝里温泉街に設置すべく本年当初よりボーリングを行っていたところであるが、今般450米掘下げ1日1500石の噴水をみたので、これの実施計画にのりだした。この工事費についてはすでに大蔵省で総工事費3000万円の内1000万円が起債で認められて居り、本年11月23日起工式34年8月竣工の予定となっている。
　なお、ヘルスセンター計画入浴料金は大人100円、小人50円となっている。

> 昭和34年1月20日　衛環発第5号
> 北海道商工部長宛　厚生省環境衛生部長回答

　昭和33年11月18日33商第2,011号をもって照会のあった標記については、次のとおり回答する。なお、御照会類似の事例の他府県における有無については、現在までのところ当局に報告はないので念のため申し添える。

記

第6編　公衆浴場

1　地方公営企業法による地方公営企業として経営される公衆浴場についても、公衆浴場入浴料金の統制額を指定するものである。
2　「温泉むし風呂その他のもの」は北海道における離島にあると否とを問わない。
　「特殊なもの」とは、経営形態から判断して一般国民が生活必需としての入浴のため利用する一般の公衆浴場とは異なる性格を有する公衆浴場をいうものと解されたい。

（個室付特殊浴場）

○特殊浴場（トルコ風呂）に係る入浴料金の統制
　額の指定について

[昭和38年10月7日　38環第378号]
[厚生省環境衛生局長宛　愛知県知事照会]

　公衆浴場入浴料金の統制額の指定等に関する省令（昭和32年厚生省令第38号、以下「省令」という。）第1条および第2条の規定に基づいて公衆浴場入浴料金の統制額を指定するに際し、標記事項に関して下記のとおり疑義がありますので、至急、何分のご指示をお願いします。

記

1　物価統制令（昭和21年勅令第118号）の趣旨に鑑み、特殊浴場（トルコ風呂）のごとく、利用階層の限られた入浴施設にあっては、本来、同統制令の規制を受けないものと思われるが、公衆浴場法との関連において（昭和27年衛環第98号神奈川県衛生部長あて厚生省環境衛生課長回答「トルコ風呂の取扱について」、昭和32年衛環発第34号神戸市衛生局長あて厚生省環境衛生部長回答「旅館内にトルコ風呂を設ける場合の取扱について」参照）これら特殊浴場（トルコ風呂）の入浴料金についても、省令第1条および第2条に規定する公衆浴場入浴料金に含めるものと解し、その統制額を指定すべきであるかどうか。
2　含めるものと解する場合
　(1)　特殊浴場（トルコ風呂）は、営業の規模、形態、サービス内容等が施設ごとに種々異なっており、したがって入浴料金の統制額を指定する方法として、普通の公衆浴場入浴料金の如く、広域的ないし一般的に指定すべきものではなく、各施設ごとに個別に指定すべきものと考えられるがどうか。
　　また、この場合、省令第1条第2項に規定する入浴料金の区分との関係はどうか。
　(2)　特殊浴場（トルコ風呂）においては、客に入浴施設を利用させるほか、入浴の際、婦女がサービスし、あるいは別室においてマッサージ的行為を行なうものであるが、かかる入浴料金の統制額の指定には、これらサービス料金の額まで含め勘案のうえ決定すべきものであるかどうか。
　　また、営業者が、指定統制額以外にサービス料等と称する金額を加算して客か

ら徴収する場合、入浴料金の統制額の指定は、現実問題として無意味なものと考えられるが、この点はどうか。

> ［昭和40年6月7日　環衛第5,063号
> 　愛知県衛生部長宛　厚生省環境衛生課長回答］

　昭和38年10月7日付け38環第378号をもって照会のあった標記の件について次のとおり回答する。
　公衆浴場入浴料金が物価統制令による統制の対象とされている趣旨は、これが物価の騰貴に与える影響が大であり、また、利用者の負担を十分考慮する必要があるというものであることから、トルコ風呂料金は公衆浴場入浴料金の統制額の指定等に関する省令の対象とされていないと解すべきである。
　従って、トルコ風呂料金の統制額を指定することは不適当である。

（統制額以下の入浴料金の規制）

○公衆浴場入浴料金について

> ［昭和41年3月28日　広浴協発第125号
> 　厚生省公衆衛生局長宛　広島県公衆浴場協同組合理事長照会］

　　公衆浴場入浴料金に関する件
　謹啓春暖の候益々ご清祥の御ことゝ遥察慶賀の至りに存じ上げます。
　扨て当広島県知事は昭和39年7月1日付をもって入浴料金をA地区大人22円B地区20円と決定実施致し現在に至っております。最近に至り広島市内（A地区）において公定料金22円を割り20円或は15円で営業を為し周囲の同業者に多大の経済的且つ精神的に負担を為さしめており之が広島全市に及ぼさんとしている現況であります。物価高騰の折現行入浴料金にしても既に経営困難に落入る業者もあり、この問題は今や浴場業者の死活に関することで早急に解決をせまられております。
　就いてはこの件に関し速かに下記の問いに明解なるご解答賜り度存じます。
　　　　　　　　　　　　　　　記
1　公衆浴場入浴料金の統制額の指定等に関する省令
　　　　　　　　　　　　　　　　　　昭和39年9月12日厚生省令第38号
　第2条の規定する所定中に公衆浴場入浴料金の価格は「都道府県知事に於て処分する価格とする」と規定されているが、これが処分する課程に於ては各都道府県は「統制額の指定等に関する省令」「公衆浴場実態要綱」「公衆浴場入浴料金適正化諮問機関設置要領」等を準拠として条例をもってその機関を設置して審議し然してその審議の要綱については「物価統制令が適用され物価騰貴の抑制する最高額の面」と「公衆衛生保持の為の経営者間の過度の競争を阻止して経営の不合理化を阻止せんとする『カ

ルテル』の面」亦「公衆浴場の利用者は大部分が家庭風呂を有しない階層に属する現実に鑑みて利用者の負担を最少限度に止める見地から経済的情勢の時期の公衆浴場経営の原価計算上の最低額の面」これ等の各面の範囲内で審議されたものをその職権を有する県知事が処分した定価格が公衆浴場入浴料金の「統制指定価格」である。

　この処分行為は県知事の法律行為であるから、これを私人が自由に値上げ又は値下げして経営出来得るものではないと解するがこの点について値下げして経営出来得るとの偏見なる解釈をする者があるから、これが何れが妥当の解釈であるかの御教示を煩はしたい。

以上

〔昭和41年4月18日　環衛第5,044号
　広島県衛生部長宛　厚生省環境衛生局環境衛生課長回答〕

公衆浴場に関する行政についてはかねてより御配慮いただいているところであるが、今般貴県公衆浴場協同組合理事長髙土一三より標題について照会があり別添のように回答したので、貴職より本人あて送付されたい。

　広島県公衆浴場協同組合
　　理事長　髙土一三殿

厚生省環境衛生局環境衛生課長

　公衆浴場入浴料金について

　昭和41年3月28日付け広浴協発第125号をもって照会のあった標記の件について下記のとおり回答する。

記

　お尋ねの公衆浴場入浴料金の価格は、物価統制令にいう「統制額」として指定されるものであるが、物価統制令においては統制額を超える契約、支払又は受領の禁止を規定するのみで統制額以下の契約、支払又は受領を禁止するものではない。厚生省環境衛生局長通知（昭和38年8月12日付け）にいう「公衆浴場経営実態調査要綱」及び「公衆浴場入浴料金諸問機関設置要領」も物価統制令の趣旨に沿って最高統制額の適正を期することとしているものであり、統制額以下の入浴料金まで規制するものではない。

（男子洗髪料）

○公衆浴場の入浴料金について

〔昭和47年9月2日　47指営第340号
　厚生省環境衛生課長宛　福岡県衛生部長照会〕

　公衆浴場の入浴料金については「公衆浴場入浴料金の統制額の指定等に関する省令（昭和32年厚生省令第38号）」（以下「省令」という。）第1条第2項で指定されてい

るところであります。
　ところで、近時における男子の長髪化に伴い、一部の浴場業者においては男子洗髪料として料金を徴収するむきも見受けられますが、男子洗髪料は省令の指定の対象とはされておりません。これら省令第１条第２項の指定対象外の料金については営業者において定め、自由に徴収できるものか、あるいはできないものか疑義がありますので御照会いたします。

> 昭和47年12月27日　環衛第227号
> 福岡県衛生部長宛　厚生省環境衛生局環境衛生課長回答

　昭和47年９月２日付け47指営第340号をもって照会のあった標記について、次のとおり回答する。

記

　男子洗髪料を別途徴収することはできないものと解する。

第8章　その他

（浴場内のあん摩類似行為）

○浴場内のあん摩類似行為について

〔昭和27年1月11日　医第8号
京都府衛生部長宛　厚生省医務局医務課長回答〕

照会
　近年東京都下で開設して居る「トルコ」浴場を模倣して京都市内島原遊郭地域他2か所に同種浴場を開設しようとするものがあり未だ申請書を提出しないためその業態は詳細不明であるが左記のような業態をなすものと推測されるにつき聊か疑義がありますので御審議の上折り返し何分の御回示を仰ぎたく御照会致します。

記
1　浴場内でサービス婦女子を使って客の全身を垢流しの傍ら摩さつ、もみ、たたきをさせるのは所要時間の長短を問わず、あん摩師の業態と認定できるか否や。
2　あん摩師の資格のない浴場営業者が資格者を雇傭して浴場内で上記の行為をなさしめ又は浴場建物内に該施設に適宜の設備をして客の求めに応じ施術なさしめる業態は、あん摩師、はり師、きゅう師及び柔道整復師法第1条違反として認定できるか否や。

回答
　本年11月22日6衛医第8,170号をもって照会の右のことについては、下記の通り回答する。

記
1　浴場内でサービス婦女子が客に対して行うもみ、たたき等の行為が通常の公衆浴場において行われている程度を超える場合は、あん摩師の業務と認められるべきものと解する。
2　あん摩師の免許を有しない浴場営業者が、あん摩師の免許を有する者を雇傭し、その者に場所を提供し、施術を為さしめるが如き一連の行為は、あん摩師、はり師、きゅう師及び柔道整復師法第1条違反に問疑される限りのものではないが、その施術所の設備、清潔保持等については、法令の規定する要件を具有するものでなくてはならない。

○あん摩師、はり師、きゅう師又は柔道整復師の学校又は養成所等に在学している者の実習等の取り扱いについて

〔昭和38年1月9日　医発第8号の2
各都道府県知事宛　厚生省医務局長通知〕

標記については、東京都からの別紙1の照会に対し、別紙2のとおり回答したので通知する。

（別紙1）
　　　　あん摩師等法の施行にかかる疑義について

〔昭和37年8月6日　37衛医医発第172号
厚生省医務局長宛　東京都衛生局長照会〕

1　法第3条第3号について

　有資格者が開設する施術所において、無資格者をして法第1条の業務を行わせたとき、または行わせることを目的として無資格者を雇入れたとき、その開設者は法第3条第3号の規定による業務に関し不正の行為があった者と解されるか。

　なお、資格を有しない者の開設する施術所に勤務する有資格者である施術者は、その施術所についてなんらかの管理をなすべき責を有するか。もし有するものとすれば、その勤務する施術所の開設者に法第3条第3号に該当する行為があったときは、当該施術所に勤務している資格を有する施術者に対し、第9条の処分を行うことができるか。

2　学校または養成施設の生徒の実習について

(1)　学校または養成施設の実習室において、生徒が実技の実習を行う場合、当該実技教員立合いのもとに、教員および生徒以外の者を、実習の対象として差支えないか。

(2)　学校または養成施設が、生徒の実習を目的として、つぎのところに実習所を設け、当該実技教員立合いのもとで、教員および生徒以外の者を対象として、実習を行うことは差支えないか。
　　ア　校舎または施設の敷地内
　　イ　アの隣接地域
　　ウ　アおよびイ以外の場所

3　あん摩行為について

　別紙Ⅰ浴場内のあん摩類似行為について（昭和27年1月11日医発第8号）および別紙Ⅱ無免許あん摩師の取締り等について（昭和32年11月20日医発第166号）つぎのとおり疑義があるので、具体的にご教示願いたい。

　別紙Ⅰの「通常公衆浴場において行われている程度」および別紙Ⅱの「時間、刺戟の強さ等から総合的に判断して」に関し、これらをあん摩師の行う業務と明確に区別するに必要な、総合的判断をなす基準を明示されたい。

第6編　公衆浴場

4　法第3条第4号について

売春防止法（昭和31年法律第118号）第5条から第13条までの刑事処分を受けた有資格者である施術所開設者または施術者は法第3条第4号に該当する者と認められるか。

（別紙）

Ⅰ　浴場内のあん摩類似行為について

（昭和27年1月11日医発第8号）（抄）

浴場内でサービス婦女子が客に対して行うもみ、たたき等の行為が通常の公衆浴場において行われている程度を超える場合は、あん摩師の業務と認められるべきものと解する。

Ⅱ　無免許あん摩師の取締り等について（抄）

（昭和32年11月20日医発第166号）

（前段略）なお、いわゆるトルコ風呂等において行われるもみ、たたき等の行為であっても時間、刺戟の強さ等から総合的に判断してあん摩行為と認められる場合があるが………

（以下略）

（別紙2）

あん摩師、はり師、きゅう師又は柔道整復師の学校又は養成所に在学している者の実習等の取り扱いについて

〔昭和38年1月9日　医発第8号〕
〔東京都知事宛　厚生省医務局長回答〕

昭和37年8月6日37衛医医発第172号をもって貴都衛生局長から照会のあった標記については、下記のとおり回答する。

記

1について

(1)　あん摩師、はり師、きゅう師又は柔道整復師法（以下「法」という。）第1条に規定する者（以下「有資格者」という。）が、あん摩、はり、きゅう又は柔道整復を業とすることができない者（以下「無資格者」という。）に法第1条違反の行為を行なわせた場合及び無資格者の法第1条違反の行為を援助した場合は、いずれもその有資格者は法第3条第3号に規定する「第1条に規定する業務に関し犯罪又は不正の行為があった者」に該当する。

しかし、有資格者が、法第1条違反の行為を行なわせる目的を有していたとしても、無資格者を雇用したに止まり、その無資格者に同条違反の行為を行なわせるには至っていない場合は、同条違反の行為の実行がないので、「第1条に規定する業務に関し犯罪又は不正の行為があった者」に該当しない。

(2)　無資格者が開設する施術所に勤務する有資格者は、法律上当然に当該施術所の管理責任を負担するものではない。また、法第9条の規定による行政処分を行なうことが

できるのは、その有資格者自身が法第3条各号の規定に該当する場合に限られる。
2について
　あん摩師、はり師、きゅう師又は柔道整復師を養成する学校又は養成所（以下「養成施設」という。）に在学する者（以下「生徒」という。）が行なう実習の対象者については、格別の制限はない。また、実習は、原則として、養成施設内の実習室において行なうよう指導されたいが、そこで行なうだけでは十分な効果をあげ得ない事情がある場合には、実技教員の施術所等適当な施設を選定して行なわせることとしてもさしつかえない。

　なお、無資格者たる生徒の実習が法第1条違反とならないのは、それが有資格者たる実技教員の直接かつ具体的な指示を受けて行なわれるものであり、したがってその生徒が主体的に施術を行なったものとは解されないからである。従って、例え実習の目的を持って行なったにしても、実技教員の直接、かつ、具体的な指示を受けることなく生徒が自主的に施術行為を行なった場合は、それが適法な実習とは認められないことはいうまでもなく、法第1条に抵触することとなる。
3について
　法第1条に規定するあん摩とは、人体についての病的状態の除去又は疲労の回復という生理的効果の実現を目的として行なわれ、かつ、その効果を生ずることが可能な、もむ、おす、たたく、摩擦するなどの行為の総称である。

　通常の公衆浴場内や理容所内で、一般に、数分の間行なわれている程度の行為は、医学上及び社会通念上そのような効果を目的としているものとは判断し難いし、また実際にもそのような効果を生じ得ないものと考えられるが、所謂トルコ風呂等において行なわれている行為の中には、その広告、施術の実態等から判断して法第1条のあん摩に該当するものも多いものと考えられるので、あん摩師の免許を有しない者が、有資格者の直接、かつ、具体的な指示のもとに、即ちその補助者として（手足として）行なっている場合を除き、個室等において主体的に施術行為を行なっている場合は、実態を調査のうえ、取り締りの措置を講ぜられたい。
4について
　お示しの者は、法第3条第4号に該当する。

○トルコ・サウナ風呂施設内で行なわれるマッサージ行為について

［昭和43年5月9日　医事第60号の2
各都道府県衛生主管部（局）長・各政令市衛生局長宛
厚生省医務局医事課長通知］

　標記について、神戸市からの別紙1の照会に対し、別紙2のとおり回答したので通知する。

1935

第6編　公衆浴場

> 別紙1
> トルコ・サウナぶろ施設内で理容行為等を行なうことについて
> ［昭和43年2月2日　神衛公衆第684号
> 　厚生省環境衛生局長宛　神戸市衛生局長照会］
> 　標記のことについて、疑義が生じましたので、下記の点につき至急ご回答たまわりたく照会申しあげます。
> 　　　　　　　　　　　　　　記
> 1　トルコ又はサウナぶろ利用客に対して、客の要請のあった場合のみ、顔そり、洗髪、ドライ器具等による整髪を行なう行為は、理容師法にいう理容に該当すると思われるが、ご意見を承わりたい。
> 2　客の要請のあった場合に、整髪のみを行なう場合は如何。
> 3　理容師がトルコ又はサウナの従業員として雇用され、浴場業の附随サービス行為として、無料で整髪のみを行なう場合、又は若干の料金徴収をする場合は如何。
> 4　従業員（いわゆるトルコ嬢）のマッサージ行為は、あん摩マッサージ指圧師、はり師、きゅう師、柔道整復師等に関する法律に抵触するかどうか。
> 　　なお、トルコぶろ等において女子従業員が、浴場施設内で行なう洗髪、顔そり、美顔術、整髪等が理容業に該当するとすれば、全国的に関連を有するものと思考されるので、取締りの統一的な通達を出されたく要望いたします。

別紙2
　　　トルコ・サウナ風呂施設内で従業員が行なうマッサージ行為について
　　　　　　　　　　　［昭和43年5月9日　医事第60号
　　　　　　　　　　　　神戸市衛生局長宛　厚生省医務局医事課長回答］
　昭和43年2月2日貴市衛生局長からの当省環境衛生局長あての照会中標記については、下記のとおり回答する。
　　　　　　　　　　　　　　　　　記
　いわゆるトルコ風呂等において行なわれるもみ、たたき等の行為であっても、時間、刺戟の強さ等から総合的に判断してあん摩行為と認められる場合があるが、かかる行為を業として無資格者が行なうことはあん摩師、はり師、きゅう師及び柔道整復師法第1条の規定違反に該当するものとして実情に応じ同法により規制すべきものであることは、すでに昭和32年11月20日発医第166号「無免許あん摩師等の取締等について」下記3及び昭和38年1月9日医発第8号の2「あん摩師、はり師、きゅう師又は柔道整復師の学校又は養成所等に在学している者の実習等の取り扱いについて」別紙2下記の「3について」において指示したところである。照会のトルコ・サウナ風呂施設内で従業員が行なういわゆる「マッサージ」と称せられる行為も、同様にその呼称、施術の実態からみた場合、前記法律を改正したあん摩マッサージ指圧師、はり師、きゅう師、柔道整復師等に関する法律第1条に規定するマッサージに該当する場合も少なくないと考えられるので、その広告の状況、実態等を調査のうえ、適切な措置を講ぜられたい。
　なお、上記2通達を添付するから、上記の措置の場合に参照されたい。

○サウナ風呂施設内で行なわれている美容マッサージ行為について

［昭和47年7月25日　発医第57号
厚生省医務局長宛　鳥取県厚生部長照会］

　このことについては、昭和43年5月9日付医事第60号の2厚生省医務局医事課長名で各都道府県衛生部長あて通知に基づき指導取締りを行なっていますが、最近サウナ風呂等において無資格で美容マッサージと称する行為を業として行なう者があり、あん摩マッサージ指圧師、はり師、きゅう師等に関する法律の適用において、疑義が生じたので下記について至急ご回答くださるようお願いします。〔以下省略〕

記

1　あん摩等の行為の目的については、昭和38年1月9日付医発第8号厚生省医務局長通知（東京都知事あて回答）の3で示されているとおり、人体についての病的状態の除去または疲労の回復という生理的効果の実現を目的として行なわれるものと解しているが、この美容マッサージ行為の目的は、健康者の美容のみの効果を目的とし、サウナ風呂を利用する一行程として行なわれておる。また、行為の実施は、サウナ風呂にはいった者の希望によって、別室（6ベット）においてこの美容マッサージ行為（モミ、サスリ、タタキ、オサエル等を約30分）を行なうもので、料金は当該行為をあわせて行なう場合と入浴のみ行なう場合を区別している。

　　したがって、行為そのものは前記医務局長通知により判断すれば時間的にはあん摩マッサージ指圧師、はり師、きゅう師等に関する法律（以下「法」という。）第1条に違反するものと考えられるが、目的においては、あん摩師の行なう業務と異なる効果を標ぼうしており、その取扱いについて見解を伺いたい。

2　疲労回復という生理的効果および刺激の強さ等から、同法第1条に違反するものか否かの判断をする場合、その基準および判断の方法について具体的にお示し願いたい。

3　法第7条による広告の制限については、有資格者および施術所に関し規制したものであると解するが、それ以外の者が同条第1項第2号と同様の広告をした場合法令上その規制について、なんら定められていないと思われるが貴職の見解を伺いたい。

［昭和47年9月5日　医事第108号
鳥取県厚生部長宛　厚生省医務局医事課長回答］

昭和47年7月25日発医第57号をもって照会のあった標記について、下記のとおり回答する。

記

1について

　御照会のマッサージ行為が別添調書のとおりであるとすれば、当該行為を業として無資格者が行なうことは、あん摩マッサージ指圧師、はり師、きゅう師等に関する法律第

1条の規定に違反するものと思料する。
2について
　法第1条に規定するあん摩、マッサージ、指圧に該当するか否かは、個別の事例ごとに、当該行為の実態及び性格を総合的に判断する必要があるが、一般的な標準としては、次のような事項が考えられる。
　① 個室等の独立性のある施術室を有する場合であること。
　② 有資格者の直接、かつ、具体的な指示の下に、その補助者として（手足として）行なうのでなく、主体的に施術行為を行なっている場合であること。
　③ 当該行為が実質的にみて人体の病的状態の除去又は疲労の回復という生理的効果の実現を目的としているものと判断され、また、実際にもそのような効果を生じ得るものと考えられる場合であること。
　④ 当該行為が、時間、刺激の強さ等において通常の公衆浴場内、理容所内、美容所内等で一般に附随的に行なわれている程度を超えている場合であること。
3について
　法第7条は、あん摩業、マッサージ業、指圧業等の業務又はこれらの施術所に関して広告をなし得る事項を制限したものであり、その広告者が、有資格者や施術所のみでなく、その他の第三者である場合も含まれる。

第7編

住宅宿泊事業

I　法令編

●住宅宿泊事業法

〔平成29年6月16日〕
〔法　律　第　65　号〕

〔一部改正経過〕
　第1次　〔令和元年6月14日法律第37号「成年被後見人等の権利の制限に係る措置の適正化等を図るための関係法律の整備に関する法律」第165条による改正〕
　注　令和4年6月17日法律第68号「刑法等の一部を改正する法律の施行に伴う関係法律の整理等に関する法律」第419条による改正（令和5年5月法律第28号により一部改正）は未施行につき〔参考〕として2026頁以降に収載（令和7年6月1日施行）

住宅宿泊事業法

目次　　　　　　　　　　　　　　　　　　　　　　　　　　　　　　　　　　　　　　　頁
　第1章　総則（第1条・第2条）……………………………………………………………2003
　第2章　住宅宿泊事業
　　第1節　届出等（第3条・第4条）………………………………………………………2005
　　第2節　業務（第5条—第14条）…………………………………………………………2007
　　第3節　監督（第15条—第17条）…………………………………………………………2009
　　第4節　雑則（第18条—第21条）…………………………………………………………2010
　第3章　住宅宿泊管理業
　　第1節　登録（第22条—第28条）…………………………………………………………2010
　　第2節　業務（第29条—第40条）…………………………………………………………2013
　　第3節　監督（第41条—第45条）…………………………………………………………2015
　第4章　住宅宿泊仲介業
　　第1節　登録（第46条—第52条）…………………………………………………………2017
　　第2節　業務（第53条—第60条）…………………………………………………………2019
　　第3節　監督（第61条—第66条）…………………………………………………………2021
　　第4節　旅行業法の特例（第67条）………………………………………………………2023
　第5章　雑則（第68条—第71条）……………………………………………………………2023
　第6章　罰則（第72条—第79条）……………………………………………………………2024
　附則

第1章　総則

（目的）

第1条　この法律は、我が国における観光旅客の宿泊をめぐる状況に鑑み、住宅宿泊事業を営む者に係る届出制度並びに住宅宿泊管理業を営む者及び住宅宿泊仲介業を営む者に

第7編　住宅宿泊事業

係る登録制度を設ける等の措置を講ずることにより、これらの事業を営む者の業務の適正な運営を確保しつつ、国内外からの観光旅客の宿泊に対する需要に的確に対応してこれらの者の来訪及び滞在を促進し、もって国民生活の安定向上及び国民経済の発展に寄与することを目的とする。

（定義）

第2条　この法律において「住宅」とは、次の各号に掲げる要件のいずれにも該当する家屋をいう。

一　当該家屋内に台所、浴室、便所、洗面設備その他の当該家屋を生活の本拠として使用するために必要なものとして国土交通省令・厚生労働省令で定める設備が設けられていること。

二　現に人の生活の本拠として使用されている家屋、従前の入居者の賃貸借の期間の満了後新たな入居者の募集が行われている家屋その他の家屋であって、人の居住の用に供されていると認められるものとして国土交通省令・厚生労働省令で定めるものに該当すること。

2　この法律において「宿泊」とは、寝具を使用して施設を利用することをいう。

3　この法律において「住宅宿泊事業」とは、旅館業法（昭和23年法律第138号）第3条の2第1項に規定する営業者以外の者が宿泊料を受けて住宅に人を宿泊させる事業であって、人を宿泊させる日数として国土交通省令・厚生労働省令で定めるところにより算定した日数が1年間で180日を超えないものをいう。

4　この法律において「住宅宿泊事業者」とは、次条第1項の届出をして住宅宿泊事業を営む者をいう。

5　この法律において「住宅宿泊管理業務」とは、第5条から第10条までの規定による業務及び住宅宿泊事業の適切な実施のために必要な届出住宅（次条第1項の届出に係る住宅をいう。以下同じ。）の維持保全に関する業務をいう。

6　この法律において「住宅宿泊管理業」とは、住宅宿泊事業者から第11条第1項の規定による委託を受けて、報酬を得て、住宅宿泊管理業務を行う事業をいう。

7　この法律において「住宅宿泊管理業者」とは、第22条第1項の登録を受けて住宅宿泊管理業を営む者をいう。

8　この法律において「住宅宿泊仲介業務」とは、次に掲げる行為をいう。

一　宿泊者のため、届出住宅における宿泊のサービスの提供を受けることについて、代理して契約を締結し、媒介をし、又は取次ぎをする行為

二　住宅宿泊事業者のため、宿泊者に対する届出住宅における宿泊のサービスの提供について、代理して契約を締結し、又は媒介をする行為

9　この法律において「住宅宿泊仲介業」とは、旅行業法（昭和27年法律第239号）第6条の4第1項に規定する旅行業者（第12条及び第67条において単に「旅行業者」という。）以外の者が、報酬を得て、前項各号に掲げる行為を行う事業をいう。

10　この法律において「住宅宿泊仲介業者」とは、第46条第1項の登録を受けて住宅宿泊仲介業を営む者をいう。

〔委任〕
　　第1項　第1号の「国土交通省令・厚生労働省令」＝規則1　第2号の「国土交通省・厚生労働省令」＝規則2
　　第3項　「国土交通省令・厚生労働省令」＝規則3

第2章　住宅宿泊事業
第1節　届出等

（届出）
第3条　都道府県知事（保健所を設置する市又は特別区（以下「保健所設置市等」という。）であって、その長が第68条第1項の規定により同項に規定する住宅宿泊事業等関係行政事務を処理するものの区域にあっては、当該保健所設置市等の長。第7項並びに同条第1項及び第2項を除き、以下同じ。）に住宅宿泊事業を営む旨の届出をした者は、旅館業法第3条第1項の規定にかかわらず、住宅宿泊事業を営むことができる。

2　前項の届出をしようとする者は、国土交通省令・厚生労働省令で定めるところにより、住宅宿泊事業を営もうとする住宅ごとに、次に掲げる事項を記載した届出書を都道府県知事に提出しなければならない。
　一　商号、名称又は氏名及び住所
　二　法人である場合においては、その役員の氏名
　三　未成年者である場合においては、その法定代理人の氏名及び住所（法定代理人が法人である場合にあっては、その商号又は名称及び住所並びにその役員の氏名）
　四　住宅の所在地
　五　営業所又は事務所を設ける場合においては、その名称及び所在地
　六　第11条第1項の規定による住宅宿泊管理業務の委託（以下単に「住宅宿泊管理業務の委託」という。）をする場合においては、その相手方である住宅宿泊管理業者の商号、名称又は氏名その他の国土交通省令・厚生労働省令で定める事項
　七　その他国土交通省令・厚生労働省令で定める事項

3　前項の届出書には、当該届出に係る住宅の図面、第1項の届出をしようとする者が次条各号のいずれにも該当しないことを誓約する書面その他の国土交通省令・厚生労働省令で定める書類を添付しなければならない。

4　住宅宿泊事業者は、第2項第1号から第3号まで、第5号又は第7号に掲げる事項に変更があったときはその日から30日以内に、同項第6号に掲げる事項を変更しようとするときはあらかじめ、その旨を都道府県知事に届け出なければならない。

5　第3項の規定は、前項の規定による届出について準用する。

6　住宅宿泊事業者が次の各号のいずれかに該当することとなったときは、当該各号に定める者は、国土交通省令・厚生労働省令で定めるところにより、その日（第1号の場合にあっては、その事実を知った日）から30日以内に、その旨を都道府県知事に届け出なければならない。
　一　住宅宿泊事業者である個人が死亡したとき　その相続人
　二　住宅宿泊事業者である法人が合併により消滅したとき　その法人を代表する役員であった者

三　住宅宿泊事業者である法人が破産手続開始の決定により解散したとき　その破産管財人
四　住宅宿泊事業者である法人が合併及び破産手続開始の決定以外の理由により解散したとき　その清算人
五　住宅宿泊事業を廃止したとき　住宅宿泊事業者であった個人又は住宅宿泊事業者であった法人を代表する役員

7　都道府県知事は、第1項、第4項又は前項の規定による届出を受理した場合において、当該届出に係る住宅が保健所設置市等（その長が第68条第1項の規定により同項に規定する住宅宿泊事業等関係行政事務を処理するものを除く。）の区域内に所在するときは、遅滞なく、その旨を当該保健所設置市等の長に通知しなければならない。

〔委任〕
　　第2項　本文の「国土交通省令・厚生労働省令」＝規則4　第6号の「国土交通省令・厚生労働省令」＝規則4Ⅱ　第7号の「国土交通省令・厚生労働省令」＝規則4Ⅲ
　　第3項　「国土交通省令・厚生労働省令」＝規則4Ⅳ
　　第6項　「国土交通省令・厚生労働省令」＝規則6

〔**参照条文**〕
　　第1項　罰則＝法73一・78
　　第4項　「変更」の届出＝規則5　罰則＝法76一・78
　　第6項　罰則＝法79

（欠格事由）
第4条　次の各号のいずれかに該当する者は、住宅宿泊事業を営んではならない。
一　心身の故障により住宅宿泊事業を的確に遂行することができない者として国土交通省令・厚生労働省令で定めるもの
二　破産手続開始の決定を受けて復権を得ない者
三　第16条第2項の規定により住宅宿泊事業の廃止を命ぜられ、その命令の日から3年を経過しない者（当該命令をされた者が法人である場合にあっては、当該命令の日前30日以内に当該法人の役員であった者で当該命令の日から3年を経過しないものを含む。）
四　禁錮以上の刑に処せられ、又はこの法律若しくは旅館業法の規定により罰金の刑に処せられ、その執行を終わり、又は執行を受けることがなくなった日から起算して3年を経過しない者
五　暴力団員による不当な行為の防止等に関する法律（平成3年法律第77号）第2条第6号に規定する暴力団員又は同号に規定する暴力団員でなくなった日から5年を経過しない者（以下「暴力団員等」という。）
六　営業に関し成年者と同一の行為能力を有しない未成年者でその法定代理人（法定代理人が法人である場合にあっては、その役員を含む。第25条第1項第7号及び第49条第1項第7号において同じ。）が前各号のいずれかに該当するもの
七　法人であって、その役員のうちに第1号から第5号までのいずれかに該当する者があるもの
八　暴力団員等がその事業活動を支配する者

〔改正〕
　　一部改正（第1次改正）
〔委任〕
　　第1号の「国土交通省令・厚生労働省令」＝規則6の2
　　　第2節　業務
（宿泊者の衛生の確保）
第5条　住宅宿泊事業者は、届出住宅について、各居室（住宅宿泊事業の用に供するものに限る。第11条第1項第1号において同じ。）の床面積に応じた宿泊者数の制限、定期的な清掃その他の宿泊者の衛生の確保を図るために必要な措置であって厚生労働省令で定めるものを講じなければならない。
〔委任〕
　　「厚生労働省令」＝平成29年10月厚労令第117号「厚生労働省関係住宅宿泊事業法施行規則」
（宿泊者の安全の確保）
第6条　住宅宿泊事業者は、届出住宅について、非常用照明器具の設置、避難経路の表示その他の火災その他の災害が発生した場合における宿泊者の安全の確保を図るために必要な措置であって国土交通省令で定めるものを講じなければならない。
（外国人観光旅客である宿泊者の快適性及び利便性の確保）
第7条　住宅宿泊事業者は、外国人観光旅客である宿泊者に対し、届出住宅の設備の使用方法に関する外国語を用いた案内、移動のための交通手段に関する外国語を用いた情報提供その他の外国人観光旅客である宿泊者の快適性及び利便性の確保を図るために必要な措置であって国土交通省令で定めるものを講じなければならない。
（宿泊者名簿の備付け等）
第8条　住宅宿泊事業者は、国土交通省令・厚生労働省令で定めるところにより届出住宅その他の国土交通省令・厚生労働省令で定める場所に宿泊者名簿を備え、これに宿泊者の氏名、住所、職業その他の国土交通省令・厚生労働省令で定める事項を記載し、都道府県知事の要求があったときは、これを提出しなければならない。
2　宿泊者は、住宅宿泊事業者から請求があったときは、前項の国土交通省令・厚生労働省令で定める事項を告げなければならない。
〔委任〕
　　第1項　「国土交通省令・厚生労働省令で定めるところ」＝規則7Ⅰ　「国土交通省令・厚生労働省令で定める場所」＝規則7Ⅱ　「国土交通省令・厚生労働省令で定める事項」＝規則7Ⅲ
〔参照条文〕
　　第1項　罰則＝法76二・78
　　第2項　罰則＝法77
（周辺地域の生活環境への悪影響の防止に関し必要な事項の説明）
第9条　住宅宿泊事業者は、国土交通省令・厚生労働省令で定めるところにより、宿泊者に対し、騒音の防止のために配慮すべき事項その他の届出住宅の周辺地域の生活環境への悪影響の防止に関し必要な事項であって国土交通省令・厚生労働省令で定めるものについて説明しなければならない。

第7編　住宅宿泊事業

2　住宅宿泊事業者は、外国人観光旅客である宿泊者に対しては、外国語を用いて前項の規定による説明をしなければならない。

〔委任〕
第1項　「国土交通省令・厚生労働省令で定めるところ」＝規則8Ⅰ　「国土交通省令・厚生労働省令で定めるもの」＝規則8Ⅱ

（苦情等への対応）

第10条　住宅宿泊事業者は、届出住宅の周辺地域の住民からの苦情及び問合せについては、適切かつ迅速にこれに対応しなければならない。

（住宅宿泊管理業務の委託）

第11条　住宅宿泊事業者は、次の各号のいずれかに該当するときは、国土交通省令・厚生労働省令で定めるところにより、当該届出住宅に係る住宅宿泊管理業務を一の住宅宿泊管理業者に委託しなければならない。ただし、住宅宿泊事業者が住宅宿泊管理業者である場合において、当該住宅宿泊事業者が自ら当該届出住宅に係る住宅宿泊管理業務を行うときは、この限りでない。

一　届出住宅の居室の数が、一の住宅宿泊事業者が各居室に係る住宅宿泊管理業務の全部を行ったとしてもその適切な実施に支障を生ずるおそれがないものとして国土交通省令・厚生労働省令で定める居室の数を超えるとき。

二　届出住宅に人を宿泊させる間、不在（一時的なものとして国土交通省令・厚生労働省令で定めるものを除く。）となるとき（住宅宿泊事業者が自己の生活の本拠として使用する住宅と届出住宅との距離その他の事情を勘案し、住宅宿泊管理業務を住宅宿泊管理業者に委託しなくてもその適切な実施に支障を生ずるおそれがないと認められる場合として国土交通省令・厚生労働省令で定めるときを除く。）。

2　第5条から前条までの規定は、住宅宿泊管理業務の委託がされた届出住宅において住宅宿泊事業を営む住宅宿泊事業者については、適用しない。

〔委任〕
第1項　本文の「国土交通省令・厚生労働省令で定めるところ」＝規則9Ⅰ　第1号の「国土交通省令・厚生労働省令で定める居室の数」＝規則9Ⅱ　第2号の「国土交通省令・厚生労働省令で定めるもの」＝規則9Ⅲ　「国土交通省令・厚生労働省令で定めるとき」＝規則9Ⅳ

〔参照条文〕
第1項　罰則＝法75・78

（宿泊サービス提供契約の締結の代理等の委託）

第12条　住宅宿泊事業者は、宿泊サービス提供契約（宿泊者に対する届出住宅における宿泊のサービスの提供に係る契約をいう。）の締結の代理又は媒介を他人に委託するときは、住宅宿泊仲介業者又は旅行業者に委託しなければならない。

〔参照条文〕
「委託」の方法＝規則10　罰則＝法75・78

（標識の掲示）

第13条　住宅宿泊事業者は、届出住宅ごとに、公衆の見やすい場所に、国土交通省令・厚生労働省令で定める様式の標識を掲げなければならない。

〔委任〕
「国土交通省令・厚生労働省令」＝規則11
〔参照条文〕
罰則＝法76二・78

（都道府県知事への定期報告）
第14条 住宅宿泊事業者は、届出住宅に人を宿泊させた日数その他の国土交通省令・厚生労働省令で定める事項について、国土交通省令・厚生労働省令で定めるところにより、定期的に、都道府県知事に報告しなければならない。
〔委任〕
「国土交通省令・厚生労働省令で定める事項」＝規則12Ⅰ　「国土交通省令・厚生労働省令で定めるところ」＝規則12Ⅱ
〔参照条文〕
罰則＝法76三・78

第3節　監督

（業務改善命令）
第15条 都道府県知事は、住宅宿泊事業の適正な運営を確保するため必要があると認めるときは、その必要の限度において、住宅宿泊事業者に対し、業務の方法の変更その他業務の運営の改善に必要な措置をとるべきことを命ずることができる。
〔参照条文〕
罰則＝法76四・78

（業務停止命令等）
第16条 都道府県知事は、住宅宿泊事業者がその営む住宅宿泊事業に関し法令又は前条の規定による命令に違反したときは、1年以内の期間を定めて、その業務の全部又は一部の停止を命ずることができる。
2　都道府県知事は、住宅宿泊事業者がその営む住宅宿泊事業に関し法令又は前条若しくは前項の規定による命令に違反した場合であって、他の方法により監督の目的を達成することができないときは、住宅宿泊事業の廃止を命ずることができる。
3　都道府県知事は、前2項の規定による命令をしたときは、遅滞なく、その理由を示して、その旨を住宅宿泊事業者に通知しなければならない。
〔参照条文〕
第1・2項　罰則＝法73二・78

（報告徴収及び立入検査）
第17条 都道府県知事は、住宅宿泊事業の適正な運営を確保するため必要があると認めるときは、住宅宿泊事業者に対し、その業務に関し報告を求め、又はその職員に、届出住宅その他の施設に立ち入り、その業務の状況若しくは設備、帳簿書類その他の物件を検査させ、若しくは関係者に質問させることができる。
2　前項の規定により立入検査をする職員は、その身分を示す証明書を携帯し、関係者に提示しなければならない。

3 第1項の規定による立入検査の権限は、犯罪捜査のために認められたものと解してはならない。
〔参照条文〕
第1項　罰則＝法76五・78
第4節　雑則
（条例による住宅宿泊事業の実施の制限）
第18条　都道府県（第68条第1項の規定により同項に規定する住宅宿泊事業等関係行政事務を処理する保健所設置市等の区域にあっては、当該保健所設置市等）は、住宅宿泊事業に起因する騒音の発生その他の事象による生活環境の悪化を防止するため必要があるときは、合理的に必要と認められる限度において、政令で定める基準に従い条例で定めるところにより、区域を定めて、住宅宿泊事業を実施する期間を制限することができる。
〔委任〕
「政令」＝令1
〔参照条文〕
「条例」の制定の際の市町村の意見聴取＝規則14　罰則＝法76五・78
（住宅宿泊事業者に対する助言等）
第19条　観光庁長官は、住宅宿泊事業の適切な実施を図るため、住宅宿泊事業者に対し、インターネットを利用することができる機能を有する設備の整備その他の外国人観光旅客に対する接遇の向上を図るための措置に関し必要な助言その他の援助を行うものとする。
（住宅宿泊事業に関する情報の提供）
第20条　観光庁長官は、外国人観光旅客の宿泊に関する利便の増進を図るため、外国人観光旅客に対し、住宅宿泊事業の実施状況その他の住宅宿泊事業に関する情報を提供するものとする。
2　観光庁長官は、前項の情報を提供するため必要があると認めるときは、都道府県知事に対し、当該都道府県の区域内に所在する届出住宅に関し必要な情報の提供を求めることができる。
（建築基準法との関係）
第21条　建築基準法（昭和25年法律第201号）及びこれに基づく命令の規定において「住宅」、「長屋」、「共同住宅」又は「寄宿舎」とあるのは、届出住宅であるものを含むものとする。
第3章　住宅宿泊管理業
第1節　登録
（登録）
第22条　住宅宿泊管理業を営もうとする者は、国土交通大臣の登録を受けなければならない。
2　前項の登録は、5年ごとにその更新を受けなければ、その期間の経過によって、その

効力を失う。
3　前項の更新の申請があった場合において、同項の期間（以下この項及び次項において「登録の有効期間」という。）の満了の日までにその申請に対する処分がされないときは、従前の登録は、登録の有効期間の満了後もその処分がされるまでの間は、なおその効力を有する。
4　前項の場合において、登録の更新がされたときは、その登録の有効期間は、従前の登録の有効期間の満了の日の翌日から起算するものとする。
5　第2項の登録の更新を受けようとする者は、実費を勘案して政令で定める額の手数料を納めなければならない。

〔委任〕
　　第5項　「政令」＝令2

〔参照条文〕
　　第1項　罰則＝法72一・二・78

（登録の申請）
第23条　前条第1項の登録（同条第2項の登録の更新を含む。以下この章及び第72条第2号において同じ。）を受けようとする者は、次に掲げる事項を記載した申請書を国土交通大臣に提出しなければならない。
一　商号、名称又は氏名及び住所
二　法人である場合においては、その役員の氏名
三　未成年者である場合においては、その法定代理人の氏名及び住所（法定代理人が法人である場合にあっては、その商号又は名称及び住所並びにその役員の氏名）
四　営業所又は事務所の名称及び所在地
2　前項の申請書には、前条第1項の登録を受けようとする者が第25条第1項各号のいずれにも該当しないことを誓約する書面その他の国土交通省令で定める書類を添付しなければならない。

（登録簿への記載等）
第24条　国土交通大臣は、前条第1項の規定による登録の申請があったときは、次条第1項の規定により登録を拒否する場合を除き、次に掲げる事項を住宅宿泊管理業者登録簿に登録しなければならない。
一　前条第1項各号に掲げる事項
二　登録年月日及び登録番号
2　国土交通大臣は、前項の規定による登録をしたときは、遅滞なく、その旨を申請者及び都道府県知事に通知しなければならない。

（登録の拒否）
第25条　国土交通大臣は、第22条第1項の登録を受けようとする者が次の各号のいずれかに該当するとき、又は第23条第1項の申請書若しくはその添付書類のうちに重要な事項について虚偽の記載があり、若しくは重要な事実の記載が欠けているときは、その登録を拒否しなければならない。

一 心身の故障により住宅宿泊管理業を的確に遂行することができない者として国土交通省令で定めるもの
二 破産手続開始の決定を受けて復権を得ない者
三 第42条第1項又は第4項の規定により登録を取り消され、その取消しの日から5年を経過しない者（当該登録を取り消された者が法人である場合にあっては、当該取消しの日前30日以内に当該法人の役員であった者で当該取消しの日から5年を経過しないものを含む。）
四 禁錮以上の刑に処せられ、又はこの法律の規定により罰金の刑に処せられ、その執行を終わり、又は執行を受けることがなくなった日から起算して5年を経過しない者
五 暴力団員等
六 住宅宿泊管理業に関し不正又は不誠実な行為をするおそれがあると認めるに足りる相当の理由がある者として国土交通省令で定めるもの
七 営業に関し成年者と同一の行為能力を有しない未成年者でその法定代理人が前各号のいずれかに該当するもの
八 法人であって、その役員のうちに第1号から第6号までのいずれかに該当する者があるもの
九 暴力団員等がその事業活動を支配する者
十 住宅宿泊管理業を遂行するために必要と認められる国土交通省令で定める基準に適合する財産的基礎を有しない者
十一 住宅宿泊管理業を的確に遂行するための必要な体制が整備されていない者として国土交通省令で定めるもの
2 国土交通大臣は、前項の規定により登録を拒否したときは、遅滞なく、その理由を示して、その旨を申請者に通知しなければならない。
〔改正〕
　　一部改正（第1次改正）
（変更の届出等）
第26条 住宅宿泊管理業者は、第23条第1項各号に掲げる事項に変更があったときは、その日から30日以内に、その旨を国土交通大臣に届け出なければならない。
2 国土交通大臣は、前項の規定による届出を受理したときは、当該届出に係る事項が前条第1項第7号又は第8号に該当する場合を除き、当該事項を住宅宿泊管理業者登録簿に登録しなければならない。
3 国土交通大臣は、前項の規定による登録をしたときは、遅滞なく、その旨を都道府県知事に通知しなければならない。
4 第23条第2項の規定は、第1項の規定による届出について準用する。
〔参照条文〕
　　第1項　罰則＝法76一・78・79
（住宅宿泊管理業者登録簿の閲覧）
第27条 国土交通大臣は、住宅宿泊管理業者登録簿を一般の閲覧に供しなければならな

い。
（廃業等の届出）
第28条 住宅宿泊管理業者が次の各号のいずれかに該当することとなったときは、当該各号に定める者は、国土交通省令で定めるところにより、その日（第1号の場合にあっては、その事実を知った日）から30日以内に、その旨を国土交通大臣に届け出なければならない。
一　住宅宿泊管理業者である個人が死亡したとき　その相続人
二　住宅宿泊管理業者である法人が合併により消滅したとき　その法人を代表する役員であった者
三　住宅宿泊管理業者である法人が破産手続開始の決定により解散したとき　その破産管財人
四　住宅宿泊管理業者である法人が合併及び破産手続開始の決定以外の理由により解散したとき　その清算人
五　住宅宿泊管理業を廃止したとき　住宅宿泊管理業者であった個人又は住宅宿泊管理業者であった法人を代表する役員
2　住宅宿泊管理業者が前項各号のいずれかに該当することとなったときは、第22条第1項の登録は、その効力を失う。

　　　　第2節　業務
（業務処理の原則）
第29条 住宅宿泊管理業者は、信義を旨とし、誠実にその業務を行わなければならない。
（名義貸しの禁止）
第30条 住宅宿泊管理業者は、自己の名義をもって、他人に住宅宿泊管理業を営ませてはならない。
〔**参照条文**〕
　　　　罰則＝法72三・78

（誇大広告等の禁止）
第31条 住宅宿泊管理業者は、その業務に関して広告をするときは、住宅宿泊管理業者の責任に関する事項その他の国土交通省令で定める事項について、著しく事実に相違する表示をし、又は実際のものよりも著しく優良であり、若しくは有利であると人を誤認させるような表示をしてはならない。
〔**参照条文**〕
　　　　罰則＝法76六・78

（不当な勧誘等の禁止）
第32条 住宅宿泊管理業者は、次に掲げる行為をしてはならない。
一　管理受託契約（住宅宿泊管理業務の委託を受けることを内容とする契約をいう。以下同じ。）の締結の勧誘をするに際し、又はその解除を妨げるため、住宅宿泊管理業務を委託し、又は委託しようとする住宅宿泊事業者（以下「委託者」という。）に対し、当該管理受託契約に関する事項であって委託者の判断に影響を及ぼすこととなる

重要なものにつき、故意に事実を告げず、又は不実のことを告げる行為
二　前号に掲げるもののほか、住宅宿泊管理業に関する行為であって、委託者の保護に欠けるものとして国土交通省令で定めるもの
〔参照条文〕
　　第1号　罰則＝法76七・78

（管理受託契約の締結前の書面の交付）
第33条　住宅宿泊管理業者は、管理受託契約を締結しようとするときは、委託者（住宅宿泊管理業者である者を除く。）に対し、当該管理受託契約を締結するまでに、管理受託契約の内容及びその履行に関する事項であって国土交通省令で定めるものについて、書面を交付して説明しなければならない。
2　住宅宿泊管理業者は、前項の規定による書面の交付に代えて、政令で定めるところにより、委託者の承諾を得て、当該書面に記載すべき事項を電磁的方法（電子情報処理組織を使用する方法その他の情報通信の技術を利用する方法であって国土交通省令で定めるものをいう。第60条第2項において同じ。）により提供することができる。この場合において、当該住宅宿泊管理業者は、当該書面を交付したものとみなす。
〔委任〕
　　第2項　「政令」＝令3

（管理受託契約の締結時の書面の交付）
第34条　住宅宿泊管理業者は、管理受託契約を締結したときは、委託者に対し、遅滞なく、次に掲げる事項を記載した書面を交付しなければならない。
一　住宅宿泊管理業務の対象となる届出住宅
二　住宅宿泊管理業務の実施方法
三　契約期間に関する事項
四　報酬に関する事項
五　契約の更新又は解除に関する定めがあるときは、その内容
六　その他国土交通省令で定める事項
2　前条第2項の規定は、前項の規定による書面の交付について準用する。

（住宅宿泊管理業務の再委託の禁止）
第35条　住宅宿泊管理業者は、住宅宿泊事業者から委託された住宅宿泊管理業務の全部を他の者に対し、再委託してはならない。

（住宅宿泊管理業務の実施）
第36条　第5条から第10条までの規定は、住宅宿泊管理業務の委託がされた届出住宅において住宅宿泊管理業を営む住宅宿泊管理業者について準用する。この場合において、第8条第1項中「届出住宅その他の国土交通省令・厚生労働省令で定める場所」とあるのは「当該住宅宿泊管理業者の営業所又は事務所」と、「都道府県知事」とあるのは「国土交通大臣又は都道府県知事」と読み替えるものとする。
〔参照条文〕
　　罰則＝法76二・77・78

（証明書の携帯等）
第37条 住宅宿泊管理業者は、国土交通省令で定めるところにより、その業務に従事する使用人その他の従業者に、その従業者であることを証する証明書を携帯させなければ、その者をその業務に従事させてはならない。
2 住宅宿泊管理業者の使用人その他の従業者は、その業務を行うに際し、住宅宿泊事業者その他の関係者から請求があったときは、前項の証明書を提示しなければならない。
〔参照条文〕
罰則＝法76二・78

（帳簿の備付け等）
第38条 住宅宿泊管理業者は、国土交通省令で定めるところにより、その営業所又は事務所ごとに、その業務に関する帳簿を備え付け、届出住宅ごとに管理受託契約について契約年月日その他の国土交通省令で定める事項を記載し、これを保存しなければならない。
〔参照条文〕
罰則＝法76八・78

（標識の掲示）
第39条 住宅宿泊管理業者は、その営業所又は事務所ごとに、公衆の見やすい場所に、国土交通省令で定める様式の標識を掲げなければならない。

（住宅宿泊事業者への定期報告）
第40条 住宅宿泊管理業者は、住宅宿泊管理業務の実施状況その他の国土交通省令で定める事項について、国土交通省令で定めるところにより、定期的に、住宅宿泊事業者に報告しなければならない。

　　　　第3節　監督
（業務改善命令）
第41条 国土交通大臣は、住宅宿泊管理業の適正な運営を確保するため必要があると認めるときは、その必要の限度において、住宅宿泊管理業者に対し、業務の方法の変更その他業務の運営の改善に必要な措置をとるべきことを命ずることができる。この場合において、国土交通大臣は、都道府県知事に対し、遅滞なく、当該命令をした旨を通知しなければならない。
2 都道府県知事は、住宅宿泊管理業（第36条において準用する第5条から第10条までの規定による業務に限る。第45条第2項において同じ。）の適正な運営を確保するため必要があると認めるときは、その必要の限度において、住宅宿泊管理業者（当該都道府県の区域内において住宅宿泊管理業を営む者に限る。次条第2項及び第45条第2項において同じ。）に対し、業務の方法の変更その他業務の運営の改善に必要な措置をとるべきことを命ずることができる。この場合において、都道府県知事は、国土交通大臣に対し、遅滞なく、当該命令をした旨を通知しなければならない。
〔参照条文〕
罰則＝法76四・78

第7編 住宅宿泊事業

(登録の取消し等)
第42条 国土交通大臣は、住宅宿泊管理業者が次の各号のいずれかに該当するときは、その登録を取り消し、又は1年以内の期間を定めてその業務の全部若しくは一部の停止を命ずることができる。
　一　第25条第1項各号(第3号を除く。)のいずれかに該当することとなったとき。
　二　不正の手段により第22条第1項の登録を受けたとき。
　三　その営む住宅宿泊管理業に関し法令又は前条第1項若しくはこの項の規定による命令に違反したとき。
　四　都道府県知事から次項の規定による要請があったとき。
2　都道府県知事は、住宅宿泊管理業者が第36条において準用する第5条から第10条までの規定に違反したとき、又は前条第2項の規定による命令に違反したときは、国土交通大臣に対し、前項の規定による処分をすべき旨を要請することができる。
3　国土交通大臣は、第1項の規定による命令をしたときは、遅滞なく、その旨を都道府県知事に通知しなければならない。
4　国土交通大臣は、住宅宿泊管理業者が登録を受けてから1年以内に業務を開始せず、又は引き続き1年以上業務を行っていないと認めるときは、その登録を取り消すことができる。
5　第25条第2項の規定は、第1項又は前項の規定による処分をした場合について準用する。

〔**参照条文**〕
　　第1項　罰則＝法74・78

(登録の抹消)
第43条 国土交通大臣は、第22条第2項若しくは第28条第2項の規定により登録がその効力を失ったとき、又は前条第1項若しくは第4項の規定により登録を取り消したときは、当該登録を抹消しなければならない。
2　第26条第3項の規定は、前項の規定による登録の抹消について準用する。

(監督処分等の公告)
第44条 国土交通大臣は、第42条第1項又は第4項の規定による処分をしたときは、国土交通省令で定めるところにより、その旨を公告しなければならない。

(報告徴収及び立入検査)
第45条 国土交通大臣は、住宅宿泊管理業の適正な運営を確保するため必要があると認めるときは、住宅宿泊管理業者に対し、その業務に関し報告を求め、又はその職員に、住宅宿泊管理業者の営業所、事務所その他の施設に立ち入り、その業務の状況若しくは設備、帳簿書類その他の物件を検査させ、若しくは関係者に質問させることができる。
2　都道府県知事は、住宅宿泊管理業の適正な運営を確保するため必要があると認めるときは、住宅宿泊管理業者に対し、その業務に関し報告を求め、又はその職員に、住宅宿泊管理業者の営業所、事務所その他の施設に立ち入り、その業務の状況若しくは設備、帳簿書類その他の物件を検査させ、若しくは関係者に質問させることができる。

3　第17条第2項及び第3項の規定は、前2項の規定による立入検査について準用する。
　〔参照条文〕
　　　第1・2項　罰則＝法76五・78
　　第4章　住宅宿泊仲介業
　　　第1節　登録
　（登録）
第46条　観光庁長官の登録を受けた者は、旅行業法第3条の規定にかかわらず、住宅宿泊仲介業を営むことができる。
2　前項の登録は、5年ごとにその更新を受けなければ、その期間の経過によって、その効力を失う。
3　前項の更新の申請があった場合において、同項の期間（以下この項及び次項において「登録の有効期間」という。）の満了の日までにその申請に対する処分がされないときは、従前の登録は、登録の有効期間の満了後もその処分がされるまでの間は、なおその効力を有する。
4　前項の場合において、登録の更新がされたときは、その登録の有効期間は、従前の登録の有効期間の満了の日の翌日から起算するものとする。
5　第2項の登録の更新を受けようとする者は、実費を勘案して政令で定める額の手数料を納めなければならない。
　〔参照条文〕
　　　第1項　罰則＝法72二・78
　（登録の申請）
第47条　前条第1項の登録（同条第2項の登録の更新を含む。以下この章及び第72条第2号において同じ。）を受けようとする者は、次に掲げる事項を記載した申請書を観光庁長官に提出しなければならない。
　一　商号、名称又は氏名及び住所
　二　法人である場合においては、その役員の氏名
　三　未成年者である場合においては、その法定代理人の氏名及び住所（法定代理人が法人である場合にあっては、その商号又は名称及び住所並びにその役員の氏名）
　四　営業所又は事務所の名称及び所在地
2　前項の申請書には、前条第1項の登録を受けようとする者が第49条第1項各号のいずれにも該当しないことを誓約する書面その他の国土交通省令で定める書類を添付しなければならない。
　（登録簿への記載等）
第48条　観光庁長官は、前条第1項の規定による登録の申請があったときは、次条第1項の規定により登録を拒否する場合を除き、次に掲げる事項を住宅宿泊仲介業者登録簿に登録しなければならない。
　一　前条第1項各号に掲げる事項
　二　登録年月日及び登録番号

第7編　住宅宿泊事業

2　観光庁長官は、前項の規定による登録をしたときは、遅滞なく、その旨を申請者に通知しなければならない。
　（登録の拒否）
第49条　観光庁長官は、第46条第1項の登録を受けようとする者が次の各号のいずれかに該当するとき、又は第47条第1項の申請書若しくはその添付書類のうちに重要な事項について虚偽の記載があり、若しくは重要な事実の記載が欠けているときは、その登録を拒否しなければならない。
　一　心身の故障により住宅宿泊仲介業を的確に遂行することができない者として国土交通省令で定めるもの
　二　破産手続開始の決定を受けて復権を得ない者又は外国の法令上これと同様に取り扱われている者
　三　第62条第1項若しくは第2項又は第63条第1項若しくは第2項の規定により登録を取り消され、その取消しの日から5年を経過しない者（当該登録を取り消された者が法人である場合にあっては、当該取消しの日前30日以内に当該法人の役員であった者で当該取消しの日から5年を経過しないものを含む。）
　四　禁錮以上の刑（これに相当する外国の法令による刑を含む。）に処せられ、又はこの法律若しくは旅行業法若しくはこれらに相当する外国の法令の規定により罰金の刑（これに相当する外国の法令による刑を含む。）に処せられ、その執行を終わり、又は執行を受けることがなくなった日から起算して5年を経過しない者
　五　暴力団員等
　六　住宅宿泊仲介業に関し不正又は不誠実な行為をするおそれがあると認めるに足りる相当の理由がある者として国土交通省令で定めるもの
　七　営業に関し成年者と同一の行為能力を有しない未成年者でその法定代理人が前各号のいずれかに該当するもの
　八　法人であって、その役員のうちに第1号から第6号までのいずれかに該当する者があるもの
　九　暴力団員等がその事業活動を支配する者
　十　住宅宿泊仲介業を遂行するために必要と認められる国土交通省令で定める基準に適合する財産的基礎を有しない者
　十一　住宅宿泊仲介業を的確に遂行するための必要な体制が整備されていない者として国土交通省令で定めるもの
2　観光庁長官は、前項の規定により登録を拒否したときは、遅滞なく、その理由を示して、その旨を申請者に通知しなければならない。
　〔改正〕
　　　一部改正（第1次改正）
　（変更の届出等）
第50条　住宅宿泊仲介業者は、第47条第1項各号に掲げる事項に変更があったときは、その日から30日以内に、その旨を観光庁長官に届け出なければならない。

2 観光庁長官は、前項の規定による届出を受理したときは、当該届出に係る事項が前条第１項第７号又は第８号に該当する場合を除き、当該事項を住宅宿泊仲介業者登録簿に登録しなければならない。
3 第47条第２項の規定は、第１項の規定による届出について準用する。
〔参照条文〕
第１項　罰則＝法76一・78

（住宅宿泊仲介業者登録簿の閲覧）
第51条　観光庁長官は、住宅宿泊仲介業者登録簿を一般の閲覧に供しなければならない。
（廃業等の届出）
第52条　住宅宿泊仲介業者が次の各号のいずれかに該当することとなったときは、当該各号に定める者は、国土交通省令で定めるところにより、その日（第１号の場合にあっては、その事実を知った日）から30日以内に、その旨を観光庁長官に届け出なければならない。
一　住宅宿泊仲介業者である個人が死亡したとき　その相続人
二　住宅宿泊仲介業者である法人が合併により消滅したとき　その法人を代表する役員であった者
三　住宅宿泊仲介業者である法人が破産手続開始の決定を受けたとき又は外国の法令上破産手続に相当する手続を開始したとき　その破産管財人又は外国の法令上これに相当する者
四　住宅宿泊仲介業者である法人が合併及び破産手続開始の決定以外の理由により解散したとき　その清算人又は外国の法令上これに相当する者
五　住宅宿泊仲介業を廃止したとき　住宅宿泊仲介業者であった個人又は住宅宿泊仲介業者であった法人を代表する役員
2 住宅宿泊仲介業者が前項各号のいずれかに該当することとなったときは、第46条第１項の登録は、その効力を失う。
〔参照条文〕
第１項　罰則＝法79

第２節　業務

（業務処理の原則）
第53条　住宅宿泊仲介業者は、信義を旨とし、誠実にその業務を行わなければならない。
（名義貸しの禁止）
第54条　住宅宿泊仲介業者は、自己の名義をもって、他人に住宅宿泊仲介業を営ませてはならない。
〔参照条文〕
罰則＝法72三・78

（住宅宿泊仲介業約款）
第55条　住宅宿泊仲介業者は、宿泊者と締結する住宅宿泊仲介業務に関する契約（第57条第１号及び第59条第１項において「住宅宿泊仲介契約」という。）に関し、住宅宿泊仲

介業約款を定め、その実施前に、観光庁長官に届け出なければならない。これを変更しようとするときも、同様とする。
2　観光庁長官は、前項の住宅宿泊仲介業約款が次の各号のいずれかに該当すると認めるときは、当該住宅宿泊仲介業者に対し、相当の期限を定めて、その住宅宿泊仲介業約款を変更すべきことを命ずることができる。
　一　宿泊者の正当な利益を害するおそれがあるものであるとき。
　二　住宅宿泊仲介業務に関する料金その他の宿泊者との取引に係る金銭の収受及び払戻しに関する事項並びに住宅宿泊仲介業者の責任に関する事項が明確に定められていないとき。
3　観光庁長官が標準住宅宿泊仲介業約款を定めて公示した場合（これを変更して公示した場合を含む。）において、住宅宿泊仲介業者が、標準住宅宿泊仲介業約款と同一の住宅宿泊仲介業約款を定め、又は現に定めている住宅宿泊仲介業約款を標準住宅宿泊仲介業約款と同一のものに変更したときは、その住宅宿泊仲介業約款については、第1項の規定による届出をしたものとみなす。
4　住宅宿泊仲介業者は、国土交通省令で定めるところにより、住宅宿泊仲介業約款を公示しなければならない。
　〔参照条文〕
　　　第1項　罰則＝法76一・78
　　　第2項　罰則＝法76四・78
　　　第4項　罰則＝法76九・78

（住宅宿泊仲介業務に関する料金の公示等）
第56条　住宅宿泊仲介業者は、その業務の開始前に、国土交通省令で定める基準に従い、宿泊者及び住宅宿泊事業者から収受する住宅宿泊仲介業務に関する料金を定め、国土交通省令で定めるところにより、これを公示しなければならない。これを変更しようとするときも、同様とする。
2　住宅宿泊仲介業者は、前項の規定により公示した料金を超えて料金を収受してはならない。
　〔参照条文〕
　　　第1項　罰則＝法76一〇・78
　　　第2項　罰則＝法76一一・78

（不当な勧誘等の禁止）
第57条　住宅宿泊仲介業者は、次に掲げる行為をしてはならない。
　一　住宅宿泊仲介契約の締結の勧誘をするに際し、又はその解除を妨げるため、宿泊者に対し、当該住宅宿泊仲介契約に関する事項であって宿泊者の判断に影響を及ぼすこととなる重要なものにつき、故意に事実を告げず、又は不実のことを告げる行為
　二　前号に掲げるもののほか、住宅宿泊仲介業に関する行為であって、宿泊者の保護に欠けるものとして国土交通省令で定めるもの
　〔参照条文〕
　　　第1号　罰則＝法76七・78

（違法行為のあっせん等の禁止）
第58条 住宅宿泊仲介業者又はその代理人、使用人その他の従業者は、その行う住宅宿泊仲介業務に関連して、次に掲げる行為をしてはならない。
一 宿泊者に対し、法令に違反する行為を行うことをあっせんし、又はその行為を行うことに関し便宜を供与すること。
二 宿泊者に対し、法令に違反するサービスの提供を受けることをあっせんし、又はその提供を受けることに関し便宜を供与すること。
三 前2号のあっせん又は便宜の供与を行う旨の広告をし、又はこれに類する広告をすること。
四 前3号に掲げるもののほか、宿泊者の保護に欠け、又は住宅宿泊仲介業の信用を失墜させるものとして国土交通省令で定める行為

（住宅宿泊仲介契約の締結前の書面の交付）
第59条 住宅宿泊仲介業者は、住宅宿泊仲介契約を締結しようとするときは、宿泊者に対し、当該住宅宿泊仲介契約を締結するまでに、住宅宿泊仲介契約の内容及びその履行に関する事項であって国土交通省令で定めるものについて、書面を交付して説明しなければならない。
2 第33条第2項の規定は、宿泊者に対する前項の規定による書面の交付について準用する。

（標識の掲示）
第60条 住宅宿泊仲介業者は、その営業所又は事務所ごとに、公衆の見やすい場所に、国土交通省令で定める様式の標識を掲げなければならない。
2 住宅宿泊仲介業者は、国土交通省令で定めるところにより、登録年月日、登録番号その他の国土交通省令で定める事項を電磁的方法により公示することができる。この場合においては、前項の規定は、適用しない。

〔**参照条文**〕
　　　第1項　罰則＝法76二・78

第3節　監督

（業務改善命令）
第61条 観光庁長官は、住宅宿泊仲介業の適正な運営を確保するため必要があると認めるときは、その必要の限度において、住宅宿泊仲介業者（国内に住所若しくは居所を有しない自然人又は国内に主たる事務所を有しない法人その他の団体であって、外国において住宅宿泊仲介業を営む者（以下「外国住宅宿泊仲介業者」という。）を除く。以下同じ。）に対し、業務の方法の変更その他業務の運営の改善に必要な措置をとるべきことを命ずることができる。
2 前項の規定は、外国住宅宿泊仲介業者について準用する。この場合において、同項中「命ずる」とあるのは、「請求する」と読み替えるものとする。

〔**参照条文**〕
　　　第1項　罰則＝法76四・78

（登録の取消し等）
第62条　観光庁長官は、住宅宿泊仲介業者が次の各号のいずれかに該当するときは、その登録を取り消し、又は1年以内の期間を定めてその業務の全部若しくは一部の停止を命ずることができる。
一　第49条第1項各号（第3号を除く。）のいずれかに該当することとなったとき。
二　不正の手段により第46条第1項の登録を受けたとき。
三　その営む住宅宿泊仲介業に関し法令又は前条第1項若しくはこの項の規定による命令に違反したとき。
2　観光庁長官は、住宅宿泊仲介業者が登録を受けてから1年以内に業務を開始せず、又は引き続き1年以上業務を行っていないと認めるときは、その登録を取り消すことができる。
3　第49条第2項の規定は、前2項の規定による処分をした場合について準用する。
〔参照条文〕
　　第1項　罰則＝法74・78

第63条　観光庁長官は、外国住宅宿泊仲介業者が次の各号のいずれかに該当するときは、その登録を取り消し、又は1年以内の期間を定めてその業務の全部若しくは一部の停止を請求することができる。
一　前条第1項第1号又は第2号に該当するとき。
二　その営む住宅宿泊仲介業に関し法令に違反したとき。
三　第61条第2項において読み替えて準用する同条第1項又はこの項の規定による請求に応じなかったとき。
四　観光庁長官が、住宅宿泊仲介業の適正な運営を確保するため必要があると認めて、外国住宅宿泊仲介業者に対し、その業務に関し報告を求め、又はその職員に、外国住宅宿泊仲介業者の営業所若しくは事務所に立ち入り、その業務の状況若しくは帳簿書類その他の物件を検査させ、若しくは関係者に質問させようとした場合において、その報告がされず、若しくは虚偽の報告がされ、又はその検査が拒まれ、妨げられ、若しくは忌避され、若しくはその質問に対して答弁がされず、若しくは虚偽の答弁がされたとき。
五　第4項の規定による費用の負担をしないとき。
2　観光庁長官は、外国住宅宿泊仲介業者が登録を受けてから1年以内に業務を開始せず、又は引き続き1年以上業務を行っていないと認めるときは、その登録を取り消すことができる。
3　第49条第2項の規定は、前2項の規定による登録の取消し又は第1項の規定による業務の停止の請求をした場合について準用する。
4　第1項第4号の規定による検査に要する費用（政令で定めるものに限る。）は、当該検査を受ける外国住宅宿泊仲介業者の負担とする。
〔委任〕
　　第4項　「政令」＝令4

（登録の抹消）

第64条 観光庁長官は、第46条第２項若しくは第52条第２項の規定により登録がその効力を失ったとき、又は第62条第１項若しくは第２項若しくは前条第１項若しくは第２項の規定により登録を取り消したときは、当該登録を抹消しなければならない。

（監督処分等の公告）

第65条 観光庁長官は、次の各号のいずれかに該当するときは、国土交通省令で定めるところにより、その旨を公告しなければならない。

一　第62条第１項又は第２項の規定による処分をしたとき。

二　第63条第１項若しくは第２項の規定による登録の取消し又は同条第１項の規定による業務の停止の請求をしたとき。

（報告徴収及び立入検査）

第66条 観光庁長官は、住宅宿泊仲介業の適正な運営を確保するため必要があると認めるときは、住宅宿泊仲介業者に対し、その業務に関し報告を求め、又はその職員に、住宅宿泊仲介業者の営業所若しくは事務所に立ち入り、その業務の状況若しくは帳簿書類その他の物件を検査させ、若しくは関係者に質問させることができる。

２　第17条第２項及び第３項の規定は、前項の規定による立入検査について準用する。

〔参照条文〕
　　　　第１項　罰則＝法76五・78

第４節　旅行業法の特例

第67条 旅行業者が旅行業法第２条第１項第４号に掲げる旅行業務（同条第３項に規定する旅行業務をいう。）として第２条第８項第２号に掲げる行為を取り扱う場合における同法第12条第１項の規定の適用については、同項中「旅行者」とあるのは、「旅行者及び住宅宿泊事業法（平成29年法律第65号）第２条第４項に規定する住宅宿泊事業者」とする。

第５章　雑則

（保健所設置市等及びその長による住宅宿泊事業等関係行政事務の処理）

第68条 保健所設置市等及びその長は、当該保健所設置市等の区域内において、都道府県及び都道府県知事に代わって住宅宿泊事業等関係行政事務（第２章（第３条第７項を除く。）及び第３章の規定に基づく事務であって都道府県又は都道府県知事が処理することとされているものをいう。以下同じ。）を処理することができる。

２　保健所設置市等及びその長が前項の規定により住宅宿泊事業等関係行政事務を処理しようとするときは、当該保健所設置市等の長は、あらかじめ、これを処理することについて、都道府県知事と協議しなければならない。

３　前項の規定による協議をした保健所設置市等の長は、住宅宿泊事業等関係行政事務の処理を開始する日の30日前までに、国土交通省令・厚生労働省令で定めるところにより、その旨を公示しなければならない。

４　保健所設置市等及びその長が第１項の規定により住宅宿泊事業等関係行政事務を処理する場合における住宅宿泊事業等関係行政事務の引継ぎその他の必要な事項は、国土交

通省令・厚生労働省令で定める。
〔委任〕
第3項　「国土交通省令・厚生労働省令」＝規則15
第4項　「国土交通省令・厚生労働省令」＝規則16

（権限の委任）
第69条　この法律に規定する国土交通大臣の権限は、国土交通省令で定めるところにより、その一部を地方支分部局の長に委任することができる。

（省令への委任）
第70条　この法律に定めるもののほか、この法律の実施のため必要な事項は、国土交通省令・厚生労働省令、国土交通省令又は厚生労働省令で定める。

（経過措置）
第71条　この法律に基づき命令を制定し、又は改廃する場合においては、その命令で、その制定又は改廃に伴い合理的に必要と判断される範囲内において、所要の経過措置（罰則に関する経過措置を含む。）を定めることができる。

第6章　罰則

第72条　次の各号のいずれかに該当する者は、1年以下の懲役若しくは100万円以下の罰金に処し、又はこれを併科する。
一　第22条第1項の規定に違反して、住宅宿泊管理業を営んだ者
二　不正の手段により第22条第1項又は第46条第1項の登録を受けた者
三　第30条又は第54条の規定に違反して、他人に住宅宿泊管理業又は住宅宿泊仲介業を営ませた者

第73条　次の各号のいずれかに該当する者は、6月以下の懲役若しくは100万円以下の罰金に処し、又はこれを併科する。
一　第3条第1項の届出をする場合において虚偽の届出をした者
二　第16条第1項又は第2項の規定による命令に違反した者

第74条　第42条第1項又は第62条第1項の規定による命令に違反した者は、6月以下の懲役若しくは50万円以下の罰金に処し、又はこれを併科する。

第75条　第11条第1項又は第12条の規定に違反した者は、50万円以下の罰金に処する。

第76条　次の各号のいずれかに該当する者は、30万円以下の罰金に処する。
一　第3条第4項、第26条第1項、第50条第1項又は第55条第1項の規定による届出をせず、又は虚偽の届出をした者
二　第8条第1項（第36条において準用する場合を含む。）、第13条、第37条第1項若しくは第2項、第39条又は第60条第1項の規定に違反した者
三　第14条の規定による報告をせず、又は虚偽の報告をした者
四　第15条、第41条第1項若しくは第2項、第55条第2項又は第61条第1項の規定による命令に違反した者
五　第17条第1項、第45条第1項若しくは第2項若しくは第66条第1項の規定による報告をせず、若しくは虚偽の報告をし、又はこれらの規定による検査を拒み、妨げ、若

しくは忌避し、若しくはこれらの規定による質問に対して答弁せず、若しくは虚偽の答弁をした者
六　第31条の規定に違反して、著しく事実に相違する表示をし、又は実際のものよりも著しく優良であり、若しくは有利であると人を誤認させるような表示をした者
七　第32条（第1号に係る部分に限る。）又は第57条（第1号に係る部分に限る。）の規定に違反して、故意に事実を告げず、又は不実のことを告げた者
八　第38条の規定に違反して、帳簿を備え付けず、帳簿に記載せず、若しくは帳簿に虚偽の記載をし、又は帳簿を保存しなかった者
九　第55条第4項の規定に違反して、住宅宿泊仲介業約款を公示しなかった者
十　第56条第1項の規定に違反して、料金を公示しなかった者
十一　第56条第2項の規定に違反して、同条第1項の規定により公示した料金を超えて料金を収受した者

第77条　第8条第2項（第36条において準用する場合を含む。）の規定に違反して、第8条第1項の国土交通省令・厚生労働省令で定める事項を偽って告げた者は、これを拘留又は科料に処する。

第78条　法人の代表者又は法人若しくは人の代理人、使用人その他の従業者が、その法人又は人の業務に関し、第72条から第76条までの違反行為をしたときは、行為者を罰するほか、その法人又は人に対して各本条の罰金刑を科する。

第79条　第3条第6項、第28条第1項又は第52条第1項の規定による届出をせず、又は虚偽の届出をした者は、20万円以下の過料に処する。

　　　附　則　抄
（施行期日）
第1条　この法律は、公布の日から起算して1年を超えない範囲内において政令で定める日〔平成30年6月15日〕から施行する。ただし、次条及び附則第3条の規定は、公布の日から起算して9月を超えない範囲内において政令で定める日〔平成29年10月27日・平成30年3月15日〕から施行する。
〔委任〕

政令＝平成29年10月政令第272号「住宅宿泊事業法の施行期日を定める政令」

（準備行為）
第2条　住宅宿泊事業を営もうとする者は、この法律の施行の日（以下「施行日」という。）前においても、第3条第2項及び第3項の規定の例により、都道府県知事（第3項前段及び第4項の規定により保健所設置市等の長が第3項前段の公示をし、その日から起算して30日を経過した場合における当該保健所設置市等の区域にあっては、その長）に届出をすることができる。この場合において、その届出をした者は、施行日において同条第1項の届出をしたものとみなす。
2　第22条第1項又は第46条第1項の登録を受けようとする者は、施行日前においても、第23条又は第47条の規定の例により、その申請を行うことができる。
3　保健所設置市等及びその長が第68条第1項の規定により住宅宿泊事業等関係行政事務

第7編　住宅宿泊事業

を処理しようとするときは、当該保健所設置市等の長は、施行日前においても、同条第2項及び第3項の規定の例により、都道府県知事との協議及び住宅宿泊事業等関係行政事務の処理を開始する旨の公示をすることができる。この場合において、その協議は施行日において同条第2項の規定によりした協議と、その公示は施行日において同条第3項の規定によりした公示とみなす。

4　前項前段の公示は、施行日の30日前までにするものとする。

（政令への委任）

第3条　前条に定めるもののほか、この法律の施行に関し必要な経過措置は、政令で定める。

（検討）

第4条　政府は、この法律の施行後3年を経過した場合において、この法律の施行の状況について検討を加え、必要があると認めるときは、その結果に基づいて必要な措置を講ずるものとする。

〔参　考〕

◉刑法等の一部を改正する法律の施行に伴う関係法律の整理等に関する法律（抄）

〔令和4年6月17日〕
〔法　律　第 68 号〕

注　令和5年5月17日法律第28号「刑事訴訟法等の一部を改正する法律」附則第36条により一部改正

第1編　関係法律の一部改正

第14章　国土交通省関係

（住宅宿泊事業法の一部改正）

第419条　住宅宿泊事業法（平成29年法律第65号）の一部を次のように改正する。

第4条第4号、第25条第1項第4号及び第49条第1項第4号中「禁錮」を「拘禁刑」に改める。

第72条から第74条までの規定中「懲役」を「拘禁刑」に改める。

第2編　経過措置

第1章　通則

（罰則の適用等に関する経過措置）

第441条　刑法等の一部を改正する法律（令和4年法律第67号。以下「刑法等一部改正法」という。）及びこの法律（以下「刑法等一部改正法等」という。）の施行前にした行為の処罰については、次章に別段の定めがあるもののほか、なお従前の例による。

2　刑法等一部改正法等の施行後にした行為に対して、他の法律の規定によりなお従前の例によることとされ、なお効力を有することとされ又は改正前若しくは廃止前の法律の規定の例によることとされる罰則を適用する場合において、当該罰則に定める刑（刑法施行法第19条第1項の規定又は第82条の規定による改正後の沖縄の復帰に伴う特別措置に関する法律第25条第4項の規定の適用後のものを含む。）に刑法等一部改正法第2条

の規定による改正前の刑法（明治40年法律第45号。以下この項において「旧刑法」という。）第12条に規定する懲役（以下「懲役」という。）、旧刑法第13条に規定する禁錮（以下「禁錮」という。）又は旧刑法第16条に規定する拘留（以下「旧拘留」という。）が含まれるときは、当該刑のうち無期の懲役又は禁錮はそれぞれ無期拘禁刑と、有期の懲役又は禁錮はそれぞれその刑と長期及び短期（刑法施行法第20条の規定の適用後のものを含む。）を同じくする有期拘禁刑と、旧拘留は長期及び短期（刑法施行法第20条の規定の適用後のものを含む。）を同じくする拘留とする。

（裁判の効力とその執行に関する経過措置）

第442条 懲役、禁錮及び旧拘留の確定裁判の効力並びにその執行については、次章に別段の定めがあるもののほか、なお従前の例による。

（人の資格に関する経過措置）

第443条 懲役、禁錮又は旧拘留に処せられた者に係る人の資格に関する法令の規定の適用については、無期の懲役又は禁錮に処せられた者はそれぞれ無期拘禁刑に処せられた者と、有期の懲役又は禁錮に処せられた者はそれぞれ刑期を同じくする有期拘禁刑に処せられた者と、旧拘留に処せられた者は拘留に処せられた者とみなす。

2 拘禁刑又は拘留に処せられた者に係る他の法律の規定によりなお従前の例によることとされ、なお効力を有することとされ又は改正前若しくは廃止前の法律の規定の例によることとされる人の資格に関する法令の規定の適用については、無期拘禁刑に処せられた者は無期禁錮に処せられた者と、有期拘禁刑に処せられた者は刑期を同じくする有期禁錮に処せられた者と、拘留に処せられた者は刑期を同じくする旧拘留に処せられた者とみなす。

第4章 その他

（経過措置の政令への委任）

第509条 この編に定めるもののほか、刑法等一部改正法等の施行に伴い必要な経過措置は、政令で定める。

附　則　抄

（施行期日）

1　この法律は、刑法等一部改正法施行日〔令和7年6月1日〕から施行する。ただし、次の各号に掲げる規定は、当該各号に定める日から施行する。

一　第509条の規定　公布の日

●住宅宿泊事業法施行令

〔平成29年10月27日政　令　第　273　号〕

〔一部改正経過〕

第1次　令和元年12月13日政令第183号「情報通信技術の活用による行政手続等に係る関係者の利便性の向上並びに行政運営の簡素化及び効率化を図るための行政手続等における情報通信の技術の利用に関する法律等の一部を改正する法律の施行に伴う関係政令の整備等に関する政令」第11条による改正

住宅宿泊事業法施行令

内閣は、住宅宿泊事業法（平成29年法律第65号）第18条、第22条第5項、第33条第2項（同法第34条第2項及び第59条第2項において準用する場合を含む。）、第46条第5項及び第63条第4項の規定に基づき、この政令を制定する。

（住宅宿泊事業の実施の制限に関する条例の基準）

第1条　住宅宿泊事業法（以下「法」という。）第18条の政令で定める基準は、次のとおりとする。

一　法第18条の規定による制限は、区域ごとに、住宅宿泊事業を実施してはならない期間を指定して行うこと。

二　住宅宿泊事業を実施する期間を制限する区域の指定は、土地利用の状況その他の事情を勘案して、住宅宿泊事業に起因する騒音の発生その他の事象による生活環境の悪化を防止することが特に必要である地域内の区域について行うこと。

三　住宅宿泊事業を実施してはならない期間の指定は、宿泊に対する需要の状況その他の事情を勘案して、住宅宿泊事業に起因する騒音の発生その他の事象による生活環境の悪化を防止することが特に必要である期間内において行うこと。

（住宅宿泊管理業者等の登録の更新の手数料）

第2条　法第22条第5項の政令で定める額は、1万9700円（情報通信技術を活用した行政の推進等に関する法律（平成14年法律第151号）第6条第1項の規定により同項に規定する電子情報処理組織を使用して法第22条第2項の登録の更新の申請をする場合にあっては、1万9100円）とする。

2　法第46条第5項の政令で定める額は、2万6500円（情報通信技術を活用した行政の推進等に関する法律第6条第1項の規定により同項に規定する電子情報処理組織を使用して法第46条第2項の登録の更新の申請をする場合にあっては、2万5700円）とする。

〔改正〕

一部改正（第1次改正）

（管理受託契約に係る書面等に記載すべき事項の電磁的方法による提供の承諾等）

第3条　法第33条第2項（法第34条第2項及び第59条第2項において準用する場合を含む。）に規定する事項を電磁的方法により提供しようとする者（次項において「提供者」という。）は、国土交通省令で定めるところにより、あらかじめ、当該事項の提供

の相手方に対し、その用いる電磁的方法の種類及び内容を示し、書面又は電磁的方法による承諾を得なければならない。
2　前項の承諾を得た提供者は、同項の相手方から書面又は電磁的方法により電磁的方法による事項の提供を受けない旨の申出があったときは、当該相手方に対し、当該事項の提供を電磁的方法によってしてはならない。ただし、当該相手方が再び同項の承諾をした場合は、この限りでない。
　（外国住宅宿泊仲介業者の営業所等における検査に要する費用の負担）
第4条　法第63条第4項の政令で定める費用は、同条第1項第4号の規定による検査のため同号の職員がその検査に係る営業所又は事務所（外国にある営業所又は事務所に限る。）の所在地に出張をするのに要する旅費の額に相当するものとする。この場合において、その旅費の額の計算に関し必要な細目は、国土交通省令で定める。
　　　附　則　抄
　（施行期日）
1　この政令は、法の施行の日（平成30年6月15日）から施行する。

第7編　住宅宿泊事業

●住宅宿泊事業法施行規則

〔平成29年10月27日〕
〔厚生労働・国土交通省令第2号〕

〔一部改正経過〕
- 第1次　〔平成31年3月14日厚生労働省・国土交通省令第1号「住宅宿泊事業法施行規則の一部を改正する省令」による改正〕
- 第2次　〔令和元年5月7日厚生労働省・国土交通省令第1号「住宅宿泊事業法施行規則の一部を改正する省令」による改正〕
- 第3次　〔令和元年9月13日厚生労働省・国土交通省令第3号「住宅宿泊事業法施行規則の一部を改正する省令」による改正〕
- 第4次　〔令和2年12月23日厚生労働省・国土交通省令第3号「住宅宿泊事業法施行規則の一部を改正する省令」による改正〕
- 第5次　〔令和3年8月31日厚生労働省・国土交通省令第2号「住宅宿泊事業法施行規則の一部を改正する省令」による改正〕
- 第6次　〔令和3年10月22日厚生労働省・国土交通省令第3号「住宅宿泊事業法の規定に基づく立入検査の際に携帯する職員の身分を示す証明書の様式の特例に関する省令」附則第2条による改正〕
- 第7次　〔令和5年12月28日厚生労働省・国土交通省令第2号「住宅宿泊事業法施行規則の一部を改正する省令」による改正〕

住宅宿泊事業法（平成29年法律第65号）の規定に基づき、住宅宿泊事業法施行規則を次のように定める。

住宅宿泊事業法施行規則

（法第2条第1項第1号の国土交通省令・厚生労働省令で定める設備）

第1条　住宅宿泊事業法（以下「法」という。）第2条第1項第1号の国土交通省令・厚生労働省令で定める設備は、次に掲げるものとする。
　一　台所
　二　浴室
　三　便所
　四　洗面設備

（法第2条第1項第2号の国土交通省令・厚生労働省令で定める家屋）

第2条　法第2条第1項第2号の人の居住の用に供されていると認められる家屋として国土交通省令・厚生労働省令で定めるものは、次の各号のいずれかに該当するものであって、事業（人を宿泊させるもの又は人を入居させるものを除く。）の用に供されていないものとする。
　一　現に人の生活の本拠として使用されている家屋
　二　入居者の募集が行われている家屋
　三　随時その所有者、賃借人又は転借人の居住の用に供されている家屋

（人を宿泊させる日数の算定）

第3条　法第2条第3項の国土交通省令・厚生労働省令で定めるところにより算定した日数は、毎年4月1日正午から翌年4月1日正午までの期間において人を宿泊させた日数とする。この場合において、正午から翌日の正午までの期間を1日とする。

（届出）

第4条 法第3条第1項の届出は、住宅宿泊事業を開始しようとする日の前日までに、第1号様式による届出書を提出して行うものとする。

2 法第3条第2項第6号の国土交通省令・厚生労働省令で定める事項は、次に掲げるものとする。
　一　住宅宿泊管理業者の商号、名称又は氏名
　二　住宅宿泊管理業者の登録年月日及び登録番号
　三　法第32条第1号に規定する管理受託契約の内容

3 法第3条第2項第7号の国土交通省令・厚生労働省令で定める事項は、次に掲げるものとする。
　一　届出をしようとする者（以下この条において「届出者」という。）の生年月日及び性別（届出者が法人である場合にあっては、その役員の生年月日及び性別）
　二　届出者が未成年である場合においては、その法定代理人の生年月日及び性別（法定代理人が法人である場合にあっては、その役員の生年月日及び性別）
　三　届出者が法人である場合においては、法人番号（行政手続における特定の個人を識別するための番号の利用等に関する法律（平成25年法律第27号）第2条第15項に規定する法人番号をいう。）
　四　届出者が住宅宿泊管理業者である場合においては、その登録年月日及び登録番号
　五　届出者の連絡先
　六　住宅の不動産番号（不動産登記規則（平成17年法務省令第18号）第1条第8号に規定する不動産番号をいう。）
　七　第2条各号に掲げる家屋の別
　八　一戸建ての住宅、長屋、共同住宅又は寄宿舎の別
　九　住宅の規模
　十　住宅に人を宿泊させる間、届出者が不在（法第11条第1項第2号の国土交通省令・厚生労働省令で定める不在を除く。）とならない場合においては、その旨
　十一　届出者が賃借人である場合においては、賃貸人が住宅宿泊事業の用に供することを目的とした賃借物の転貸を承諾している旨
　十二　届出者が転借人である場合においては、賃貸人及び転貸人が住宅宿泊事業の用に供することを目的とした転借物の転貸を承諾している旨
　十三　住宅がある建物が2以上の区分所有者（建物の区分所有等に関する法律（昭和37年法律第69号）第2条第2項に規定する区分所有者をいう。次項において同じ。）が存する建物で人の居住の用に供する専有部分（同法第2条第3項に規定する専有部分をいう。次項において同じ。）のあるものである場合においては、規約に住宅宿泊事業を営むことを禁止する旨の定めがない旨（当該規約に住宅宿泊事業を営むことについての定めがない場合は、管理組合（マンションの管理の適正化の推進に関する法律（平成12年法律第149号）第2条第3号に規定する管理組合をいう。次項において同じ。）に届出住宅において住宅宿泊事業を営むことを禁止する意思がない旨を含む。）

4 法第3条第3項の国土交通省令・厚生労働省令で定める書類は、次に掲げるものとす

る。
一　届出者が法人である場合においては、次に掲げる書類
　　イ　定款又は寄付行為
　　ロ　登記事項証明書
　　ハ　役員が破産手続開始の決定を受けて復権を得ない者に該当しない旨の市町村（特別区を含む。次号及び第14条において同じ。）の長の証明書
　　ニ　住宅の登記事項証明書
　　ホ　住宅が第２条第２号に掲げる家屋に該当する場合においては、入居者の募集の広告その他の当該住宅において入居者の募集が行われていることを証する書類
　　ヘ　住宅が第２条第３号に掲げる家屋に該当する場合においては、当該住宅が随時その所有者、賃借人又は転借人の居住の用に供されていることを証する書類
　　ト　次に掲げる事項を明示した住宅の図面
　　　(1)　台所、浴室、便所及び洗面設備の位置
　　　(2)　住宅の間取り及び出入口
　　　(3)　各階の別
　　　(4)　居室（法第５条に規定する居室をいう。第９条第４項第２号において同じ。）、宿泊室（宿泊者の就寝の用に供する室をいう。以下この号において同じ。）及び宿泊者の使用に供する部分（宿泊室を除く。）のそれぞれの床面積
　　チ　届出者が賃借人である場合においては、賃貸人が住宅宿泊事業の用に供することを目的とした賃借物の転貸を承諾したことを証する書面
　　リ　届出者が転借人である場合においては、賃貸人及び転貸人が住宅宿泊事業の用に供することを目的とした転借物の転貸を承諾したことを証する書面
　　ヌ　住宅がある建物が２以上の区分所有者が存する建物で人の居住の用に供する専有部分のあるものである場合においては、専有部分の用途に関する規約の写し
　　ル　ヌの場合において、規約に住宅宿泊事業を営むことについての定めがない場合は、管理組合に届出住宅において住宅宿泊事業を営むことを禁止する意思がないことを確認したことを証する書類
　　ヲ　届出者が住宅に係る住宅宿泊管理業務を住宅宿泊管理業者に委託する場合においては、法第34条の規定により交付された書面の写し
　　ワ　法第４条第２号から第４号まで、第７号及び第８号のいずれにも該当しないことを誓約する書面
二　届出者（営業に関し成年者と同一の行為能力を有しない未成年者である場合にあっては、その法定代理人（法定代理人が法人である場合にあっては、その役員）を含む。以下この号及び次項において同じ。）が個人である場合においては、次に掲げる書類
　　イ　届出者が破産手続開始の決定を受けて復権を得ない者に該当しない旨の市町村の長の証明書
　　ロ　営業に関し成年者と同一の行為能力を有しない未成年者であって、その法定代理

人が法人である場合においては、その法定代理人の登記事項証明書
　ハ　法第４条第１号から第６号まで及び第８号のいずれにも該当しないことを誓約する書面
　ニ　前号ニからヲまでに掲げる書類
5　都道府県知事（保健所設置市等であって、その長が法第68条第１項の規定により同項に規定する住宅宿泊事業等関係行政事務を処理するものの区域にあっては、当該保健所設置市等の長。第16条を除き、以下同じ。）は、届出者（個人である場合に限る。）に係る本人確認情報（住民基本台帳法（昭和42年法律第81号）第30条の６第１項に規定する本人確認情報をいう。）のうち住民票コード以外のものについて、同法第30条の10第１項（同項第１号に係る部分に限る。）、第30条の11第１項（同項第１号に係る部分に限る。）及び第30条の12第１項（同項第１号に係る部分に限る。）の規定によるその提供を受けることができないとき、又は同法第30条の15第１項（同項第１号に係る部分に限る。）の規定によるその利用ができないときは、その者に対し、住民票の抄本若しくは個人番号カード（行政手続における特定の個人を識別するための番号の利用等に関する法律（平成25年法律第27号）第２条第７項に規定する個人番号カードをいう。）の写し又はこれらに類するものであって氏名、生年月日及び住所を証明する書類を提出させることができる。
6　都道府県知事は、特に必要がないと認めるときは、この規則の規定により届出書に添付しなければならない書類の一部を省略させることができる。
7　都道府県知事は、第１項の届出があったときは、届出者に、届出番号を通知しなければならない。
　　〔改正〕
　　　　一部改正（第３・５次改正）
　（変更の届出）
第５条　法第３条第４項の規定による届出は、第２号様式による届出事項変更届出書を提出して行うものとする。
2　法第３条第５項において準用する同条第３項の国土交通省令・厚生労働省令で定める書類は、第４条第４項各号に掲げる書類のうち、当該変更事項に係るものとする。
　（廃業等の届出）
第６条　法第３条第６項の規定による届出は、第３号様式による廃業等届出書を提出して行うものとする。
　（心身の故障により住宅宿泊事業を的確に遂行することができない者）
第６条の２　法第４条第１号の国土交通省令・厚生労働省令で定める者は、精神の機能の障害により住宅宿泊事業を的確に遂行するに当たって必要な認知、判断及び意思疎通を適切に行うことができない者とする。
　　〔改正〕
　　　　追加（第３次改正）
　（宿泊者名簿）

第7編　住宅宿泊事業

第7条　法第8条第1項（法第36条において準用する場合を含む。第3項及び第4項において同じ。）の宿泊者名簿は、当該宿泊者名簿の正確な記載を確保するための措置を講じた上で作成し、その作成の日から3年間保存するものとする。

2　法第8条第1項の国土交通省令・厚生労働省令で定める場所は、次の各号のいずれかに掲げる場所とする。
　一　届出住宅
　二　住宅宿泊事業者の営業所又は事務所

3　法第8条第1項の国土交通省令・厚生労働省令で定める事項は、宿泊者の氏名、住所、職業及び宿泊日のほか、宿泊者が日本国内に住所を有しない外国人であるときは、その国籍及び旅券番号とする。

4　前項に掲げる事項が、電子計算機に備えられたファイル又は電磁的記録媒体（電子的方式、磁気的方式その他人の知覚によっては認識することができない方式で作られる記録であって、電子計算機による情報処理の用に供されるものに係る記録媒体をいう。）に記録され、必要に応じ電子計算機その他の機器を用いて明確に紙面に表示されるときは、当該記録をもって法第8条第1項の規定による宿泊者名簿への記載に代えることができる。

〔改正〕
　　　一部改正（第7次改正）

（周辺地域の生活環境への悪影響の防止に関し必要な事項の説明）

第8条　法第9条第1項（法第36条において準用する場合を含む。次項において同じ。）の規定による説明は、書面の備付けその他の適切な方法により行わなければならない。

2　法第9条第1項の届出住宅の周辺地域の生活環境への悪影響の防止に関し必要な事項であって国土交通省令・厚生労働省令で定めるものは、次に掲げるものとする。
　一　騒音の防止のために配慮すべき事項
　二　ごみの処理に関し配慮すべき事項
　三　火災の防止のために配慮すべき事項
　四　前3号に掲げるもののほか、届出住宅の周辺地域の生活環境への悪影響の防止に関し必要な事項

〔改正〕
　　　一部改正（第7次改正）

（住宅宿泊管理業務の委託の方法）

第9条　法第11条第1項の規定による委託は、次に定めるところにより行わなければならない。
　一　届出住宅に係る住宅宿泊管理業務の全部を契約により委託すること。
　二　委託しようとする住宅宿泊管理業者に対し、あらかじめ、法第3条第2項の届出書及び同条第3項の書類の内容を通知すること。

2　法第11条第1項第1号の国土交通省令・厚生労働省令で定める居室の数は、5とする。

3　法第11条第1項第2号の国土交通省令・厚生労働省令で定めるものは、日常生活を営む上で通常行われる行為に要する時間の範囲内の不在とする。

4　法第11条第1項第2号の国土交通省令・厚生労働省令で定めるときは、次の各号のいずれにも該当するときとする。

　一　住宅宿泊事業者が自己の生活の本拠として使用する住宅と届出住宅が、同一の建築物内若しくは敷地内にあるとき又は隣接しているとき（住宅宿泊事業者が当該届出住宅から発生する騒音その他の事象による生活環境の悪化を認識することができないことが明らかであるときを除く。）。

　二　届出住宅の居室であって、それに係る住宅宿泊管理業務を住宅宿泊事業者が自ら行うものの数の合計が5以下であるとき。

　（宿泊サービス提供契約の締結の代理等の委託の方法）

第10条　住宅宿泊事業者は、法第12条の規定による委託をしようとするときは、当該委託をしようとする住宅宿泊仲介業者又は旅行業者に対し、商号、名称又は氏名並びに当該委託に係る届出住宅の所在地及び届出番号を通知しなければならない。

　〔改正〕
　　　一部改正（第1次改正）

　（標識の様式）

第11条　法第13条の国土交通省令・厚生労働省令で定める様式は、次の各号に掲げる者の区分に応じ、当該各号に定めるものとする。

　一　届出住宅に係る住宅宿泊管理業務を自ら行う者（次号及び第3号に掲げる者を除く。）　第4号様式

　二　法第11条第1項第2号の国土交通省令・厚生労働省令で定めるときに届出住宅に係る住宅宿泊管理業務を自ら行う者（住宅宿泊管理業者であるものを除く。）　第5号様式

　三　届出住宅に人を宿泊させる間不在となるときに届出住宅に係る住宅宿泊管理業務を自ら行う者（住宅宿泊管理業者であるものに限る。）　第6号様式

　四　届出住宅に係る住宅宿泊管理業務を住宅宿泊管理業者へ委託する者　第6号様式

　（住宅宿泊事業者の報告）

第12条　法第14条の国土交通省令・厚生労働省令で定める事項は、次に掲げるものとする。

　一　届出住宅に人を宿泊させた日数
　二　宿泊者数
　三　延べ宿泊者数
　四　国籍別の宿泊者数の内訳

2　住宅宿泊事業者は、届出住宅ごとに、毎年2月、4月、6月、8月、10月及び12月の15日までに、それぞれの月の前2月における前項各号に掲げる事項を、都道府県知事に報告しなければならない。

　（身分証明書の様式）

第7編　住宅宿泊事業

第13条　法第17条第2項の身分を示す証明書は、第7号様式によるものとする。
　（条例の制定の際の市町村の意見聴取）
第14条　都道府県が法第18条の規定に基づく条例を定めようとする場合には、当該都道府県知事は、あらかじめ、当該都道府県の区域内の市町村の意見を聴くよう努めなければならない。
　〔**改正**〕
　　　　一部改正（第1次改正）
　（住宅宿泊事業等関係行政事務の処理の開始の公示）
第15条　法第68条第3項の規定による公示は、次に掲げる事項について行うものとする。
　一　住宅宿泊事業等関係行政事務の処理を開始する旨
　二　住宅宿泊事業等関係行政事務の処理を開始する日
　（住宅宿泊事業等関係行政事務の引継ぎ）
第16条　都道府県知事は、法第68条第4項に規定する場合においては、次に掲げる事務を行わなければならない。
　一　引き継ぐべき住宅宿泊事業等関係行政事務を保健所設置市等の長に引き継ぐこと。
　二　引き継ぐべき住宅宿泊事業等関係行政事務に関する帳簿及び書類を保健所設置市等の長に引き渡すこと。
　三　その他保健所設置市等の長が必要と認める事項を行うこと。
　　　　附　則
この省令は、法の施行の日（平成30年6月15日）から施行する。

住宅宿泊事業法施行規則

第一号様式（第四条関係） （Ａ４）

住 宅 宿 泊 事 業 届 出 書
（第一面）

　住宅宿泊事業法第３条第１項の規定により、住宅宿泊事業の届出をします。
この届出書及び添付書類の記載事項は、事実に相違ありません。

　　　　　　　　　　　　　　　　　　　　　　　　　　　　　年　　月　　日

　　　　　殿

　　　　　　　　　　届出者　商 号 又 は 名 称
　　　　　　　　　　　　　　氏　　　　　　名
　　　　　　　　　　　　　　（法人である場合においては、代表者の氏名）
　　　　　　　　　　　　　　電　話　番　号
　　　　　　　　　　　　　　ファクシミリ番号

| ※ | 受付番号 | | ※ | 受付年月日 | |

※	届出番号	第　　　　　　　　　号
※	届出年月日	年　　月　　日

◎　商号、名称又は氏名、住所及び連絡先

法 人 番 号	
フ リ ガ ナ	
商号、名称又は氏名	
郵 便 番 号	
住　　　所	
電 話 番 号	

法人・個人の別
□　１．法人
　　２．個人

確認欄
※

◎　代表者又は個人に関する事項

フ リ ガ ナ	
氏　　　名	
生 年 月 日	－　　年　　月　　日
性　　　別	□ 男性　□ 女性

確認欄
※

2037

(第二面)

受付番号
※ ☐☐☐☐☐☐

◎ 法定代理人に関する事項

フリガナ	
商号、名称又は氏名	
郵便番号	
住　所	
生年月日	―　　年　　月　　日
性　別	☐ 男性　☐ 女性

法人・個人の別
☐ 1. 法人
　 2. 個人

確認欄
※

◎ 法定代理人の代表者に関する事項（法人である場合）

フリガナ	
氏　名	
生年月日	―　　年　　月　　日
性　別	☐ 男性　☐ 女性

確認欄
※

◎ 法定代理人の役員に関する事項（法人である場合）

フリガナ	
氏　名	
生年月日	―　　年　　月　　日
性　別	☐ 男性　☐ 女性

確認欄
※

フリガナ	
氏　名	
生年月日	―　　年　　月　　日
性　別	☐ 男性　☐ 女性

確認欄
※

フリガナ	
氏　名	
生年月日	―　　年　　月　　日
性　別	☐ 男性　☐ 女性

確認欄
※

フリガナ	
氏　名	
生年月日	―　　年　　月　　日
性　別	☐ 男性　☐ 女性

確認欄
※

(第三面)

受付番号
※ □□□□□

◎ 役員に関する事項（法人である場合）

フリガナ	
氏　　　名	
生 年 月 日	－　　年　　月　　日
性　　　別	□ 男性　　□ 女性

確認欄
※

フリガナ	
氏　　　名	
生 年 月 日	－　　年　　月　　日
性　　　別	□ 男性　　□ 女性

確認欄
※

フリガナ	
氏　　　名	
生 年 月 日	－　　年　　月　　日
性　　　別	□ 男性　　□ 女性

確認欄
※

フリガナ	
氏　　　名	
生 年 月 日	－　　年　　月　　日
性　　　別	□ 男性　　□ 女性

確認欄
※

フリガナ	
氏　　　名	
生 年 月 日	－　　年　　月　　日
性　　　別	□ 男性　　□ 女性

確認欄
※

フリガナ	
氏　　　名	
生 年 月 日	－　　年　　月　　日
性　　　別	□ 男性　　□ 女性

確認欄
※

第7編　住宅宿泊事業

(第四面)

受付番号
※ ☐

◎ 住宅宿泊管理業に関する事項（住宅宿泊管理業者である場合）　　確認欄 ※

登録年月日	－　　年　　月　　日
登録番号	

◎ 住宅に関する事項

郵便番号	－
所在地	
不動産番号	

第2条各号に掲げる家屋の別	☐ 現に人の生活の本拠として使用されている家屋	☐ 入居者の募集が行われている家屋	☐ 随時その所有者、賃借人又は転借人の居住の用に供されている家屋

住宅の建て方	☐ 一戸建ての住宅　☐ 長屋　☐ 共同住宅　☐ 寄宿舎

住宅の規模

居室			㎡
	宿泊室	宿泊者の使用に供する部分（宿泊室を除く）	合計
階	㎡	㎡	㎡
階	㎡	㎡	㎡
階	㎡	㎡	㎡
合計	㎡	㎡	㎡

確認欄 ※

◎ 営業所又は事務所に関する事項（営業所又は事務所を設ける場合）

営業所又は事務所の名称	
郵便番号	－
所在地	
電話番号	

確認欄 ※

営業所又は事務所の名称	
郵便番号	－
所在地	
電話番号	

確認欄 ※

営業所又は事務所の名称	
郵便番号	－
所在地	
電話番号	

確認欄 ※

住宅宿泊事業法施行規則

(第五面)

受付番号
※ □□□□□

◎ 住宅宿泊管理業務の委託に関する事項（住宅宿泊管理業務を委託する場合）

住宅宿泊管理業者	フリガナ	
	商号、名称又は氏名	
	登録年月日	－ 年　月　日
	登録番号	
	管理受託契約の内容	

確認欄
※

◎ その他の事項

□	住宅に人を宿泊させる間、不在（法第11条第1項第2号の国土交通省令・厚生労働省令で定めるものを除く。）とならない	
□	賃借人に該当する	□ 賃貸人が住宅宿泊事業の用に供することを目的とした賃借物の転貸を承諾している
□	賃借人に該当しない	
□	転借人に該当する	□ 賃貸人及び転貸人が住宅宿泊事業の用に供することを目的とした転借物の転貸を承諾している
□	転借人に該当しない	
□	住宅がある建物が、二以上の区分所有者が存する建物で人の居住の用に供する専有部分のあるものに該当する	□ 規約に住宅宿泊事業を営むことを禁止する旨の定めがない（当該規約に住宅宿泊事業についての定めがない場合は、管理組合に届出住宅において住宅宿泊事業を営むことを禁止する意思がない旨を含む。）
□	住宅がある建物が、二以上の区分所有者が存する建物で人の居住の用に供する専有部分のあるものに該当しない	

確認欄
※

第7編　住宅宿泊事業

備考
1　各面共通事項
　① 届出者は、※印の欄には記入しないこと。
　② 「生年月日」及び「登録年月日」の欄は、最初の□には下表より該当する元号のコードを記入するとともに、□に数字を記入するに当たっては、空位の□に「0」を記入すること。

　　（記入例）　|S|－|6|0|年|0|1|月|0|1|日　　|M|明治|S|昭和|R|令和|
　　　　　　　　［昭和60年1月1日の場合］　　　　　　|T|大正|H|平成|

　③ 氏名の「フリガナ」の欄は、カタカナで、姓と名の間に1文字分空けて左詰めで記入し、その際、濁点及び半濁点は1文字として扱うこと。また、「氏名」の欄も姓と名の間に1文字分空けて左詰めで記入すること。
　④ 「住所」及び「所在地」の欄は、「丁目」、「番」及び「号」をそれぞれ－（ダッシュ）で区切り、上段から左詰めで記入すること。

　　（記入例）　|東|京|都|千|代|田|区|霞|が|関|2|－|1|－|3| | | | |

　⑤ 届出者が未成年者である場合には、法定代理人の同意書を添付すること。

2　第一面関係
　① 法人番号は、届出者が法人である場合にのみ記入すること。
　　※ 法人番号とは、国税庁から指定・通知される13桁の番号。（商業登記簿の会社法人等番号12桁の左側に1桁を付加したもの）
　② 商号、名称又は氏名の「フリガナ」の欄は、カタカナで上段から左詰めで記入し、その際、濁点及び半濁点は1文字として扱うこと。また、「商号、名称又は氏名」も、上段から左詰めで記入すること。
　③ 「法人・個人の別」の欄は、該当する番号を記入すること。
　④ 代表者又は個人に関する事項については、法人である場合で代表者が複数存在するときには、届出者である代表者について記入し、その他の者については、第三面の役員に関する事項の欄に記入すること。
　　例えば、株式会社の場合で代表取締役が複数存在するときには、届出者である代表取締役について記入し、その他の者については、第三面の役員に関する事項の欄に記入すること。

3　第二面関係
　① 法定代理人の代表者に関する事項（法人である場合）及び法定代理人の役員に関する事項（法人である場合）の届出は、届出者の法定代理人が法人である場合にのみ記入すること。
　② 商号、名称又は氏名の「フリガナ」の欄は、カタカナで上段から左詰めで記入し、その際、濁点及び半濁点は1文字として扱うこと。また、「商号、名称又は氏名」も、上段から左詰めで記入すること。
　③ 「法人・個人の別」の欄は、該当する番号を記入すること。
　④ 法定代理人の代表者に関する事項（法人である場合）について、代表者が複数存在するときには、その中から選任された1名の代表者について記入し、その他の者については、法定代理人の役員に関する事項（法人である場合）に記入すること。
　　例えば、株式会社の場合で代表取締役が複数存在するときには、その中から選任された1名の他の代表取締役について記入し、その他の者については、法定代理人の役員に関する事項（法人である場合）の欄に記入すること。
　⑤ 第二面に記載しきれない場合は、同じ様式により作成した書面に記載して当該面の次に添付すること。

4　第三面関係
　① 第三面は、届出者が法人である場合にのみ記入すること。
　② 役員に関する事項の欄は、第一面で代表者として記入した者については記入しないこと。
　③ 第三面に記載しきれない場合は、同じ様式により作成した書面に記載して当該面の次に添付すること。

5　第四面関係
　① 住宅宿泊管理業に関する事項（住宅宿泊管理業者である場合）の届出は、届出者が住宅宿泊管理業者で

住宅宿泊事業法施行規則

　　ある場合にのみ記入すること。
② 営業所又は事務所に関する事項（営業所又は事務所を設ける場合）の届出は、届出者が、営業所又は事務所を設ける場合にのみ記入すること。また、営業所又は事務所ごとに作成すること。
③ 「電話番号」の欄は、市外局番、市内局番、番号をそれぞれ－（ダッシュ）で区切り、左詰めで記入すること。

　（記入例）　| 0 | 3 | － | 5 | 2 | 5 | 3 | － | 8 | 1 | 1 | 1 |

④ 第四面に記載しきれない場合は、同じ様式により作成した書面に記載して当該面の次に添付すること。

6　第五面関係
① 住宅宿泊管理業務の委託に関する事項（住宅宿泊管理業務を委託する場合）の届出は、届出者が住宅宿泊管理業務を委託する場合にのみ記入すること。
② 商号、名称又は氏名の「フリガナ」の欄は、カタカナで上段から左詰めで記入し、その際、濁点及び半濁点は1文字として扱うこと。また、「商号、名称又は氏名」も、上段から左詰めで記入すること。

〔**改正**〕
　　一部改正（第2・4次改正）

2043

第7編 住宅宿泊事業

第二号様式（第五条関係） （A4）

届 出 事 項 変 更 届 出 書
（第一面）

住宅宿泊事業法第3条第4項の規定により、届出事項の変更の届出をします。

年　月　日

殿

届出者　商 号 又 は 名 称
　　　　氏　　　　　　　名
　　　　（法人である場合においては、代表者の氏名）
　　　　電　話　番　号
　　　　ファクシミリ番号

受付番号　　　　　受付年月日　　　　　届出番号

◎　商号、名称又は氏名、住所及び連絡先

変更後
- 変 更 年 月 日　―　年　月　日
- 法 人 番 号
- フ リ ガ ナ
- 商号、名称又は氏名
- 郵 便 番 号　―
- 住　　　所
- 電 話 番 号

変更前
- フ リ ガ ナ
- 商号、名称又は氏名
- 住　　　所

確認欄　※

◎　代表者又は個人に関する事項　　　　変更区分

変更後
- 変 更 年 月 日　―　年　月　日　　1．就退任　2．氏名
- フ リ ガ ナ
- 氏　　　名
- 生 年 月 日　―　年　月　日
- 性　　　別　□ 男性　□ 女性

変更前
- フ リ ガ ナ
- 氏　　　名
- 生 年 月 日　―　年　月　日
- 性　　　別　□ 男性　□ 女性

確認欄　※

住宅宿泊事業法施行規則

(第二面)

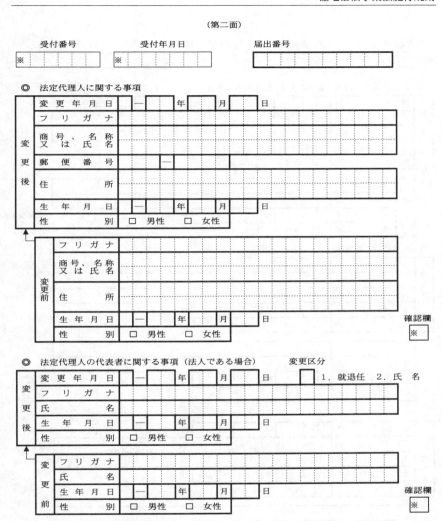

第7編 住宅宿泊事業

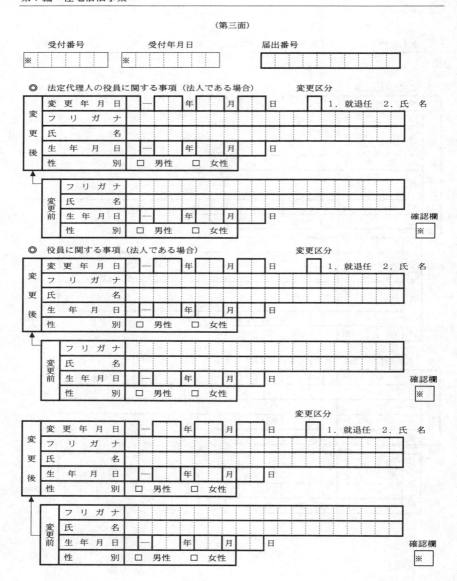

住宅宿泊事業法施行規則

(第四面)

	受付番号	受付年月日	届出番号
※		※	

◎ 住宅宿泊管理業者に関する事項（住宅宿泊管理業者である場合）

変更後	変更年月日	— 　年　 　月　 　日
	登録年月日	— 　年　 　月　 　日
	登録番号	

変更前	登録年月日	— 　年　 　月　 　日
	登録番号	

◎ 住宅に関する事項

変更後

変更年月日	— 　年　 　月　 　日		
第2条各号に掲げる家屋の別	☐ 現に人の生活の本拠として使用されている家屋	☐ 入居者の募集が行われている家屋	☐ 随時その所有者、賃借人又は転借人の居住の用に供されている家屋
住宅の建て方	☐ 一戸建ての住宅　☐ 長屋　☐ 共同住宅　☐ 寄宿舎		

住宅の規模

		宿泊室	宿泊者の使用に供する部分（宿泊室を除く）	合計
居室				㎡
	階	㎡	㎡	㎡
	階	㎡	㎡	㎡
	階	㎡	㎡	㎡
合計		㎡	㎡	㎡

確認欄 ※

変更前

第2条各号に掲げる家屋の別	☐ 現に人の生活の本拠として使用されている家屋	☐ 入居者の募集が行われている家屋	☐ 随時その所有者、賃借人又は転借人の居住の用に供されている家屋
住宅の建て方	☐ 一戸建ての住宅　☐ 長屋　☐ 共同住宅　☐ 寄宿舎		

住宅の規模

		宿泊室	宿泊者の使用に供する部分（宿泊室を除く）	合計
居室				㎡
	階	㎡	㎡	㎡
	階	㎡	㎡	㎡
	階	㎡	㎡	㎡
合計		㎡	㎡	㎡

第7編　住宅宿泊事業

(第五面)

受付番号　　　受付年月日　　　届出番号

◎ 営業所又は事務所に関する事項（営業所又は事務所を設ける場合）

変更区分
1. 新設・廃止
2. 名称・所在地

【変更後】
- 変更年月日　　―　年　月　日
- 営業所又は事務所の名称
- 郵便番号
- 所在地
- 電話番号

【変更前】
- 営業所又は事務所の名称
- 所在地

確認欄 ※

◎ 住宅宿泊管理業務の委託に関する事項（住宅宿泊管理業務を委託する場合）

【変更後・住宅宿泊管理業者】
- 変更年月日　　―　年　月　日
- フリガナ
- 商号、名称又は氏名
- 登録年月日　　―　年　月　日
- 登録番号
- 管理受託契約の内容

【変更前・住宅宿泊管理業者】
- フリガナ
- 商号、名称又は氏名
- 登録年月日　　―　年　月　日
- 登録番号
- 管理受託契約の内容

確認欄 ※

住宅宿泊事業法施行規則

(第六面)

受付番号	受付年月日	届出番号
※	※	

◎ その他の事項

<table>
<tr><td rowspan="8">変更後</td><td colspan="3">変更年月日　　　―　　　年　　　月　　　日</td></tr>
<tr><td colspan="3">☐ 住宅に人を宿泊させる間、不在（法第11条第1項第2号の国土交通省令・厚生労働省令で定めるものを除く。）とならない</td></tr>
<tr><td>☐ 賃借人に該当する</td><td colspan="2">☐ 賃貸人が住宅宿泊事業の用に供することを目的とした賃貸物の転貸を承諾している</td></tr>
<tr><td colspan="3">☐ 賃借人に該当しない</td></tr>
<tr><td>☐ 転借人に該当する</td><td colspan="2">☐ 賃貸人及び転貸人が住宅宿泊事業の用に供することを目的とした転借物の転貸を承諾している</td></tr>
<tr><td colspan="3">☐ 転借人に該当しない</td></tr>
<tr><td>☐ 住宅がある建物が、二以上の区分所有者が存する建物で人の居住の用に供する専有部分のあるものに該当する</td><td colspan="2">☐ 規約に住宅宿泊事業を営むことを禁止する旨の定めがない（当該規約に住宅宿泊事業についての定めがない場合は、管理組合に届出住宅において住宅宿泊事業を営むことを禁止する意思がない旨を含む。）</td></tr>
<tr><td colspan="3">☐ 住宅がある建物が、二以上の区分所有者が存する建物で人の居住の用に供する専有部分のあるものに該当しない</td></tr>
</table>

<table>
<tr><td rowspan="7">変更前</td><td colspan="3">☐ 住宅に人を宿泊させる間、不在（法第11条第1項第2号の国土交通省令・厚生労働省令で定めるものを除く。）とならない</td></tr>
<tr><td>☐ 賃借人に該当する</td><td colspan="2">☐ 賃貸人が住宅宿泊事業の用に供することを目的とした賃貸物の転貸を承諾している</td></tr>
<tr><td colspan="3">☐ 賃借人に該当しない</td></tr>
<tr><td>☐ 転借人に該当する</td><td colspan="2">☐ 賃貸人及び転貸人が住宅宿泊事業の用に供することを目的とした転借物の転貸を承諾している</td></tr>
<tr><td colspan="3">☐ 転借人に該当しない</td></tr>
<tr><td>☐ 住宅がある建物が、二以上の区分所有者が存する建物で人の居住の用に供する専有部分のあるものに該当する</td><td colspan="2">☐ 規約に住宅宿泊事業を営むことを禁止する旨の定めがない（当該規約に住宅宿泊事業についての定めがない場合は、管理組合に届出住宅において住宅宿泊事業を営むことを禁止する意思がない旨を含む。）</td></tr>
<tr><td colspan="3">☐ 住宅がある建物が、二以上の区分所有者が存する建物で人の居住の用に供する専有部分のあるものに該当しない</td></tr>
</table>

確認欄
※

第7編　住宅宿泊事業

備考
1　各面共通事項
① 届出者は、※印の欄には記入しないこと。
② 「変更年月日」及び「生年月日」の欄は、最初の□には下表より該当する元号のコードを記入するとともに、□に数字を記入するに当たっては、空位の□に「0」を記入すること。

（記入例）　S－60年01月01日　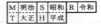
　　　　　［昭和60年1月1日の場合］

③ 氏名の「フリガナ」の欄は、カタカナで、姓と名の間に1文字分空けて左詰めで記入し、その際、濁点及び半濁点は1文字として扱うこと。また、「氏名」の欄も姓と名の間に1文字分空けて左詰めで記入すること。
④ 「住所」及び「所在地」の欄は、「丁目」、「番」及び「号」をそれぞれ－（ダッシュ）で区切り、上段から左詰めで記入すること。

（記入例）　東京都千代田区霞が関2－1－3

2　第一面関係
① 法人番号は、届出者が法人である場合にのみ記入すること。
　※　法人番号とは、国税庁から指定・通知される13桁の番号。（商業登記簿の会社法人等番号12桁の左側に1桁を付加したもの）
② 商号、名称又は氏名の「フリガナ」の欄は、カタカナで上段から左詰めで記入し、その際、濁点及び半濁点は1文字として扱うこと。また、「商号、名称又は氏名」の欄も、上段から左詰めで記入すること。
③ 代表者又は個人に関する事項の届出は、次の区分に応じ、それぞれ当該区分に定めるところにより作成すること。
　ア　代表者に交代があった場合
　　　「変更区分」の欄に「1」を記入するとともに、「変更後」の欄及び「変更前」の欄の両方に記載すること。
　イ　代表者の氏名に変更があった場合
　　　「変更区分」の欄に「2」を記入するとともに、「変更後」の欄及び「変更前」の欄の両方に記載すること。

3　第二面関係
① 法定代理人の代表者に関する事項（法人である場合）の届出は、届出者の法定代理人が法人である場合にのみ記入すること。
② 商号、名称又は氏名の「フリガナ」の欄は、カタカナで上段から左詰めで記入し、その際、濁点及び半濁点は1文字として扱うこと。また、「商号、名称又は氏名」も、上段から左詰めで記入すること。
③ 法定代理人の代表者に関する事項（法人である場合）の届出は、次の区分に応じ、それぞれ当該区分の定めるところにより作成すること。
　ア　代表者に交代があった場合
　　　「変更区分」の欄に「1」を記入するとともに、「変更後」の欄及び「変更前」の欄の両方に記載すること。
　イ　代表者の氏名に変更があった場合
　　　「変更区分」の欄に「2」を記入するとともに、「変更後」の欄及び「変更前」の欄の両方に記載すること。

4　第三面関係
① 第三面は、届出者が法人である場合にのみ記入すること。
② 法定代理人の役員に関する事項（法人である場合）の届出は、次の区分に応じ、それぞれ当該区分の定めるところにより作成すること。
　ア　代表者以外の役員に交代があった場合
　　　「変更区分」の欄に「1」を記入するとともに、「変更後」の欄及び「変更前」の欄の両方に記載すること。
　イ　代表者以外の役員に新たな者を追加した場合
　　　「変更区分」の欄に「1」を記入するとともに、「変更後」の欄にのみ記載すること。
　ウ　代表者以外の役員を削減した場合

「変更区分」の欄に「1」を記入するとともに、「変更前」の欄にのみ記載すること。
　　エ　代表者以外の役員の氏名に変更があった場合
　　　　「変更区分」の欄に「2」を記入するとともに、「変更後」の欄及び「変更前」の欄の両方に記載すること。
③　役員に関する事項（法人である場合）の届出は、次の区分に応じ、それぞれ当該区分の定めるところにより作成すること。
　　ア　代表者以外の役員に交代があった場合
　　　　「変更区分」の欄に「1」を記入するとともに、「変更後」の欄及び「変更前」の欄の両方に記載すること。
　　イ　代表者以外の役員に新たな者を追加した場合
　　　　「変更区分」の欄に「1」を記入するとともに、「変更後」の欄にのみ記載すること。
　　ウ　代表者以外の役員を削減した場合
　　　　「変更区分」の欄に「1」を記入するとともに、「変更前」の欄にのみ記載すること。
　　エ　代表者以外の役員の氏名に変更があった場合
　　　　「変更区分」の欄に「2」を記入するとともに、「変更後」の欄及び「変更前」の欄の両方に記載すること。

5　第四面関係
　　住宅宿泊管理業者に関する事項（住宅宿泊管理業者である場合）の届出は、届出者が、住宅宿泊管理業者である場合にのみ記入すること。また、次の区分に応じ、それぞれ当該区分の定めるところにより作成すること。
　　ア　住宅宿泊管理業の登録をした場合
　　　　「変更後」の欄にのみ記載すること。
　　イ　住宅宿泊管理業を廃止等した場合
　　　　「変更前」の欄にのみ記載すること。

6　第五面関係
①　営業所又は事務所に関する事項（営業所又は事務所を設ける場合）の届出は、届出者が、営業所又は事務所を設ける場合にのみ記入すること。また、次の区分に応じ、営業所又は事務所ごとに、それぞれ当該区分に定めるところにより作成すること。
　　ア　営業所又は事務所を新設した場合
　　　　「変更区分」の欄に「1」を記入するとともに、「変更後」の欄にのみ記載すること。
　　イ　営業所又は事務所を廃止した場合
　　　　「変更区分」の欄に「1」を記入するとともに、「変更前」の欄にのみ記載すること。
　　ウ　営業所又は事務所の名称又は所在地に変更があった場合
　　　　「変更区分」の欄に「2」を記入するとともに、「変更後」の欄及び「変更前」の欄の両方に記載すること。
②　「電話番号」の欄は、市外局番、市内局番、番号をそれぞれ－（ダッシュ）で区切り、左詰めで記入すること。

　　（記入例）　`03-5253-8111`

③　住宅宿泊管理業務の委託に関する事項（住宅宿泊管理業務を委託する場合）の届出は、届出者が、住宅宿泊管理業務を委託する場合にのみ記入すること。
④　商号、名称又は氏名の「フリガナ」の欄は、カタカナで上段から左詰めで記入し、その際、濁点及び半濁点は1文字として扱うこと。また、「商号、名称又は氏名」も、上段から左詰めで記入すること。

〔改正〕
　　一部改正（第2・4次改正）

第7編　住宅宿泊事業

第三号様式（第六条関係）　　　　　　　　　　　　　　　　　　　（A4）

廃　業　等　届　出　書

住宅宿泊事業法第3条第6項の規定により、下記のとおり届け出ます。

　　　　　　　　　　　　　　　　　　　　　　　　　　　　年　　月　　日

　　　　　　　殿

　　　　　　　　　　　　届出者　住所

　　　　　　　　　　　　　　　　氏名

受付番号	受付年月日	届出時の届出番号
＊	＊	（　）

届出の理由	1．死亡 2．合併による消滅 3．破産手続開始の決定 4．解散 5．廃止
商号、名称又は氏名	
届出事由の生じた日	
住宅宿泊事業に関する事項	1．届出住宅に人を宿泊させた日数 2．宿泊者数 3．延べ宿泊者数 4．国籍別の宿泊者数の内訳
住宅宿泊事業者と届出人との関係	1．相続人 2．元代表役員 3．破産管財人 4．清算人 5．本人

① 　届出者は、＊印の欄には記入しないこと。
② 　「届出の理由」及び「住宅宿泊事業者と届出人との関係」欄は、該当するものの番号を○で囲むこと。
③ 　死亡の場合にあっては、「届出事由の生じた日」の欄に死亡の事実を知った日を付記すること。
④ 　「住宅宿泊事業に関する事項」欄は、法第14条の規定による報告をした日のうち直近のものが属する月の初日から届出事由の生じた日までにおける1．から4．までの事項を付記すること。

〔**改正**〕
　　一部改正（第4次改正）

第四号様式（第十一条関係）

注① 　地の色は白色とし、標章は青色とすること。
　② 　「〇〇県知事」には、届出を受理した都道府県知事又は保健所を設置する市若しくは特別区の長の名前を記載すること。

第7編　住宅宿泊事業

第五号様式（第十一条関係）

注①　地の色は白色とし、標章は青色とすること。
　②　「○○県知事」には、届出を受理した都道府県知事又は保健所を設置する市若しくは特別区の長の名前を記載すること。

住宅宿泊事業法施行規則

第六号様式（第十一条関係）

注① 地の色は白色とし、標章は青色とすること。
　② 「○○県知事」には、届出を受理した都道府県知事又は保健所を設置する市若しくは特別区の長の名前を記載すること。

第7編 住宅宿泊事業

第七号様式（第十三条関係）

（表　面）

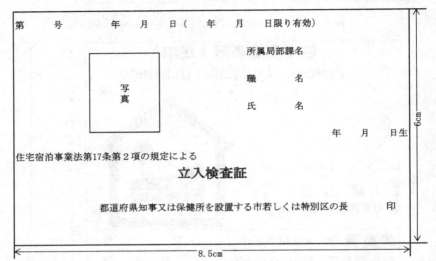

（裏　面）

```
　　　　　　　　　　住宅宿泊事業法抜粋

（報告徴収及び立入検査）
第十七条　都道府県知事は、住宅宿泊事業の適正な運営を確保するため必要があると認める
　ときは、住宅宿泊事業者に対し、その業務に関し報告を求め、又はその職員に、届出住宅
　その他の施設に立ち入り、その業務の状況若しくは設備、帳簿書類その他の物件を検査さ
　せ、若しくは関係者に質問させることができる。
２　前項の規定により立入検査をする職員は、その身分を示す証明書を携帯し、関係者に提
　示しなければならない。
３　第一項の規定による立入検査の権限は、犯罪捜査のために認められたものと解してはな
　らない。
第七十六条　次の各号のいずれかに該当する者は、三十万円以下の罰金に処する。
　五　第十七条第一項、第四十五条第一項若しくは第二項若しくは第六十六条第一項の規定
　　による報告をせず、若しくは虚偽の報告をし、又はこれらの規定による検査を拒み、妨
　　げ、若しくは忌避し、若しくはこれらの規定による質問に対して答弁せず、若しくは虚
　　偽の答弁をした者
```

〔改正〕

　　　一部改正（第６次改正）

●厚生労働省関係住宅宿泊事業法施行規則

〔平成29年10月27日〕
〔厚生労働省令第117号〕

住宅宿泊事業法（平成29年法律第65号）第5条の規定に基づき、厚生労働省関係住宅宿泊事業法施行規則を次のように定める。

厚生労働省関係住宅宿泊事業法施行規則

住宅宿泊事業法（平成29年法律第65号）第5条に規定する厚生労働省令で定める措置は、次のとおりとする。
一 居室の床面積は、宿泊者1人当たり3.3平方メートル以上を確保すること。
二 定期的な清掃及び換気を行うこと。

附　則

この省令は、平成30年6月15日から施行する。

●住宅宿泊事業法の規定に基づく立入検査の際に携帯する職員の身分を示す証明書の様式の特例に関する省令

〔令和3年10月22日〕
〔厚生労働・国土交通省令第3号〕

住宅宿泊事業法（平成29年法律第65号）を実施するため、住宅宿泊事業法の規定に基づく立入検査の際に携帯する職員の身分を示す証明書の様式の特例に関する省令を次のように定める。

住宅宿泊事業法の規定に基づく立入検査の際に携帯する職員の身分を示す証明書の様式の特例に関する省令

住宅宿泊事業法（平成29年法律第65号）第17条第1項の規定に基づく立入検査の際に職員が携帯するその身分を示す証明書は、住宅宿泊事業法施行規則（平成29年厚生労働省令国土交通省令第2号）第13条の規定にかかわらず、別記様式によることができる。

附　則　抄

（施行期日）

第1条 この省令は、公布の日から施行する。

（経過措置）

第3条 この省令の施行の際現にあるこの省令による改正前の様式（次項において「旧様式」という。）により使用されている書類は、この省令による改正後の様式によるものとみなす。

2 この省令の施行の際現にある旧様式による用紙については、当分の間、これを取り繕って使用することができる。

第7編　住宅宿泊事業

別記様式（本則関係）

（第1面）

```
第    号
          立入検査等をする職員の携帯する身分を示す証明書

職　名
氏　名                                    　写
生年月日    　年    月    日生            　真

      年    月    日交付
      年    月    日限り有効

都道府県知事（市町村長・区長）    ㊞
```

（第2面）

　この証明書を携帯する者は、下表に掲げる法令の条項のうち、該当の有無の欄に丸印のある法令の条項により立入検査等をする職権を有するものです。

法　令　の　条　項	該当の有無

（備考）　1　この証明書は、用紙1枚で作成することとする。
　　　　　2　法令の条項の欄に、この証明書を使用して行う立入検査等に係る法令の条項を記載すること。
　　　　　3　該当の有無の欄に、立入検査等をする職権を有する場合は「〇」を、有しない場合は「―」を記載すること。
　　　　　4　記載する法令の条項の数に応じて、行を適宜追加すること。第2面については、その全部又は一部を裏面に記載することができる。
　　　　　5　裏面には、参照条文を記載することができる。

◉国土交通省の所管する法律の規定に基づく立入検査等の際に携帯する職員の身分を示す証明書の様式の特例に関する省令（抄）

〔令和3年10月22日〕
〔国土交通省令第68号〕

〔一部改正経過〕
第1次　〔令和3年10月29日国土交通省令第69号「特定都市河川浸水被害対策法等の一部を改正する法律の施行に伴う国土交通省関係省令の整備等に関する省令」第10条による改正〕
第2次　〔令和4年11月1日国土交通省令第75号「所有者不明土地の利用の円滑化等に関する特別措置法施行規則等の一部を改正する省令」第2条による改正〕

軌道法（大正10年法律第76号）及び関係法令の規定を実施するため、国土交通省の所管する法律の規定に基づく立入検査等の際に携帯する職員の身分を示す証明書の様式の特例に関する省令を次のように定める。

国土交通省の所管する法律の規定に基づく立入検査等の際に携帯する職員の身分を示す証明書の様式の特例に関する省令

次の各号に掲げる法律の規定（都道府県知事又は市町村長（特別区の区長を含む。）の事務に係るものに限る。）に基づく立入検査等の際に職員が携帯するその身分を示す証明書は、他の法令の規定にかかわらず、別記様式によることができる。

二十五　住宅宿泊事業法（平成29年法律第65号）第45条第2項

　　　附　則
（施行期日）
第1条　この省令は、公布の日〔令和3年10月22日〕から施行する。

第7編　住宅宿泊事業

別記様式（本則関係）

（第1面）

第　　　号	
立入検査等をする職員の携帯する身分を示す証明書	
職　名	
氏　名	写真
生年月日　　　年　　　月　　　日生	
年　　　月　　　日交付	
年　　　月　　　日限り有効	
都道府県知事（市町村長・区長）　　　㊞	

（第2面）

　この証明書を携帯する者は、下表に掲げる法令の条項のうち、該当の有無の欄に丸印のある法令の条項により立入検査等をする職権を有するものです。

法　令　の　条　項	該当の有無

（備考）1　この証明書は、用紙1枚で作成することとする。
　　　　2　法令の条項の欄に、この証明書を使用して行う立入検査等に係る法令の条項を記載すること。
　　　　3　該当の有無の欄に、立入検査等をする職権を有する場合は「○」を、有しない場合は「―」を記載すること。
　　　　4　記載する法令の条項の数に応じて、行を適宜追加すること。第2面については、その全部又は一部を裏面に記載することができる。
　　　　5　裏面には、参照条文を記載することができる。

規制改革実施計画に基づくイベント開催時の旅館業法上の取扱いについて

II 通知編

○「規制改革実施計画(平成27年6月30日閣議決定)」に基づくイベント開催時の旅館業法上の取扱いについて

[平成27年9月1日 事務連絡
各都道府県・各政令市・各特別区生活衛生担当課宛
厚生労働省健康局生活衛生課]

〔改正経過〕
　　第1次改正　〔平成29年7月10日事務連絡〕
　　第2次改正　〔令和元年12月25日事務連絡〕

　イベント開催時の旅館業法上の取扱いについては、平成27年7月1日付事務連絡において別紙のとおり考え方を示しているところですが、本件に関し、よくある照会事項について別添のとおりとりまとめたので、内容を御了知の上、観光担当部局等の関係部署及び都道府県におかれては併せて管下市町村等への周知等について御配慮願います。
（別　紙）
○平成27年7月1日付事務連絡（抜粋）
　イベント開催時の旅館業法上の取扱いについては、「反復継続」に当たる場合には、旅館業法施行規則第5条第1項第3号による特例の対象として取り扱うこととなるが、年1回（2～3日程度）のイベント開催時であって、宿泊施設の不足が見込まれることにより、開催地の自治体の要請等により自宅を提供するような公共性の高いものについては、「反復継続」するものではなく、「業」に当たらない。
　なお、自治体の要請等に基づき、公共性が高いことを要件とする考え方であることから、開催地周辺の宿泊施設が不足することの確認や反復継続して行われていないことが確認ができるよう、自宅提供者の把握を行うことなどが求められる。
（別　添）

イベント開催時の取扱いQ＆A

番号	質　　問	回　　答
	イベント民泊ガイドライン（イベントホームステイガイドライン）においては、旅館業法上の「業」に当たらないイベント開催時のケースとして、「年数回程度（1回当たり2～3日程度）」としているが、イベント開催期	イベント開催時の旅館業法上の取扱いについては、事務連絡でお示ししたケースに該当するものについては、「反復継続」するものではなく、「業」に当たらないと解するものであり、お尋ねのケースについては、「反復継

1	間が4日を超えるケースについては、旅館業法上の許可が必要となるのか。	続」するものか否かを、個別のケースごとに判断することとなる。 　したがって、一律に許可の要否をお答えすることはできないが、旅館業法上の規制が、主として公衆衛生の観点から行われているものであることにかんがみれば、宿泊者が入れ替わるか否かが、その規制の必要性判断における重要な要素であり、4日を超えるケースであっても、原則として同一人が継続して宿泊するのであれば、各自治体の旅館業法所管部署の判断により、「反復継続」性がないものとして、旅館業法上の許可を要しない扱いとすることも可能である。 ※　昭和39年6月4日環衛第15号東京都衛生局長宛厚生省環境衛生課長回答参照。
2	年1回のイベントであるが、複数年にわたって行われるイベントにおいて、毎年、自治体が同一人に対し、自宅の提供を要請し、同一人の自宅において宿泊を受け入れる場合も、旅館業法上の「業」には当たらないと解してよいか。	宿泊の受け入れが複数年にわたって繰り返される場合であっても、毎年の受け入れが年1回のイベント時に限られる場合には、「反復継続」して宿泊を提供するものではないと解されるので、お見込みのとおりである。
3	地域活性化の観点から、四季に応じた町おこしイベントの開催（四半期ごとに1回実施）を計画しているが、イベント会場周辺には宿泊施設が数軒しかなく、イベント規模に対応できるだけの宿泊施設の確保は困難であり、今後もホテル・旅館の開業予定もないため、イベント開催時に必要と考える受入数の確保は困難である。 　町おこしイベント等の自治体が関与するイベントにあっては、公共性が非常に高く、当該地域の公衆衛生上の問	お尋ねのケースについては、個別のケースごとに判断すべきものであり、一律に許可の要否をお答えすることはできないが、協力要請する自治体が宿泊施設が不足することや公衆衛生上の観点からの問題が生じない状況であることを確認し、かつ施設提供者が自治体からの要請以外には宿泊サービスを行わないことを担保する措置を講じている場合は、年数回程度であれば、旅館業法上の「業」に当たらない扱いとすることは可能と考える。

	題が生じさせない対応を講じることが可能と考えられるため、年に数回程度であれば旅館業法上の「業」に当たらないと解してよいか。	
4	イベント民泊ガイドライン（イベントホームステイガイドライン）においては、旅館業法上の「業」に当たらないイベント開催時のケースとして、「年数回程度（1回当たり2〜3日程度）」としているが、年何回までが許容されるのか。	イベントホームステイ（イベント民泊）の場合、一般的な旅館業を営む場合と異なり、サービス提供者自らのサービス実施意欲だけではなく、地元自治体がイベント開催時の宿泊施設不足を解消するため、公的な立場から協力を求めることによってはじめて実施可能となる特殊性があるため、「多数の集客が見込まれるイベントの開催時に宿泊施設が不足する地域において、その不足を解消する」というイベントホームステイ（イベント民泊）の趣旨を十分に踏まえて実施される場合には、結果的に同一の住宅において、年に複数回実施されたとしても、実施期間中に宿泊者の入れ替わりがない態様で行われる限り、「旅館業」に該当しないものである。 　上記の趣旨を十分に踏まえて実施される場合には、その回数は自ずと「年数回程度」と言える範囲にとどまるはずであり、実施の是非については、年に何回までなら大丈夫かということではなく、イベントホームステイ（イベント民泊）を実施するという判断が、上記の趣旨を十分に踏まえているか否かという観点で、考えるべきものである。 　ただし、イベントホームステイ（イベント民泊）の本来の趣旨を逸脱し、いたずらに継続反復して実施されるような事態が常態化したとすれば、それは旅館業法違反となるものであるので、そのような懸念が生じないよう、

第7編　住宅宿泊事業

		必要に応じて都道府県（政令市又は特別区）の旅館業法担当部局に相談するなど、地域の関係者のご理解の下、円滑に実施いただくことが望ましい。
5	事務連絡において、旅館業法上の許可を不要とするケースとして認められている「公共性の高いもの」についての判断基準如何。当該イベントは自治体が主催している必要はあるか。	イベントを自治体が主催している必要は必ずしもなく、協賛や後援を行っているようなものも含まれ得る。また、イベントの内容自体が必ずしも公共性の高いものである必要もない。 　「公共性の高いもの」の判断は、例えば、地域振興に資するなどの観点から、宿泊者受け入れのための自宅の提供を要請することの必要性を自治体として判断することとなるが、事務連絡でもお示ししているとおり、宿泊施設が不足することを自治体が確認し、かつ、宿泊者受け入れのための自宅の提供を要請することの必要性を自治体が判断し、要請することが必要である。
6	イベントを主催し、自宅の提供を要請しようとする自治体が旅館業の営業許可の権限を有しない市町村である場合、「公共性の高いもの」の判断は、当該市町村が行うのか。それとも、当該市町村を管轄する都道府県が行うことになるのか。	事務連絡でお示ししたようなケースに該当するものについては、「業」に当たらないものであるため、そもそも旅館業法の許可を要しないものであることから、一義的な判断はあくまで当該市町村が行うものである。 　しかしながら、その運用内容等によっては、「反復継続するものとして、旅館業に当たる」と判断される可能性も考えられることから、適正な運営が図られるよう、都道府県の関係部署とは十分に連携を図り、必要な確認等が行われることが望ましい。
7	旅館業法上の許可を不要とする取り扱いが認められるためには、宿泊施設が不足することの確認や、自宅の提供の要請は、自治体自ら行う必要があるか。自治体からの委託を受けた業者が	最終的に、自治体において宿泊施設が不足することが確認でき、かつ、自宅の提供を要請することの必要性を自治体自らが判断することが担保された形で、お尋ねにある業務を業者に委託

	行う場合も認められるか。	するのであれば、自治体が関与した「公共性の高いもの」として取り扱って差し支えない。
8	開催地周辺の宿泊施設が不足することの確認は、具体的な確認調査のようなものを行う必要があるのか。また、自治体から住民に対して行う自宅提供の要請は、例えば公示などの手続きをとる必要があるのか。	例えば、宿泊施設の供給量とイベント来場者見込み数との関係から、宿泊施設の不足が見込まれることを、自治体としてある程度客観的、合理的に説明できるのであれば、必ずしも具体的な確認調査のようなものまでを行う必要はない。 ただし、前年度に利用実績がなかった場合などについては、改めて宿泊施設の不足について、検証を行うことが望ましい。 また、自治体からの要請行為については、当該要請行為が、例えばホームページや広報誌で広く呼びかけられていたり、個別に文書による要請が行われているなど、当該行為が明確に確認できる形で行われているのであれば、その形式を問うものではない。
9	宿泊施設が不足することの判断は、どの程度のエリアを想定したものか。当該自治体エリア内には宿泊施設がないが、近隣自治体のエリアを含めると一定の宿泊施設の供給が確保できる場合はどうか。	イベント開催地の自治体の区域内だけで考えるのではなく、各地域の地理的状況や交通事情等を踏まえ、イベント開催会場から、イベント来場者が比較的移動が容易なエリア内を想定して、宿泊施設が確保できるか否かを判断することが適当である。
10	イベントホームステイ（イベント民泊）を行おうとする地域が広範囲になり、旅館業法の適用確認を行う自治体（旅館業法担当部局）が複数に跨る場合は、自治体ごとに旅館業法の許可を要しないことの確認が必要なのか。	地域が広範囲となる場合には、イベントホームステイ（イベント民泊）を行おうとする地域の自治体ごとにイベントホームステイ（イベント民泊）実施についての合意が得られていることが必要であり、実施に当たっての旅館業法の許可を要しないことの確認についても、管轄する自治体ごとに行う必要がある。

第7編　住宅宿泊事業

11	事務連絡において、「開催地の自治体の要請等により自宅を提供する」とあるが、この「等」にはどのような内容が含まれるのか。	「等」の内容としてどのようなものが考えられるのかについては、個別の事例により異なってくるものと考えているが、例えば、開催地の自治体と民間企業等が実行委員会を組織して公募する場合や、自治体から委託を受けた者が公募を行うことなどが考えられる。
12	事務連絡において、「自宅」とあるが、具体的にはどのような範囲を想定しているか。	「自宅」とは、住宅提供者が居住する施設のことを想定している。 なお、住宅提供者が所有するものに限られない。
13	事務連絡において、旅館業法上の許可を要しないと判断されるケースにおいても、宿泊を提供するものである以上は、一定の衛生措置が講じられる必要があると考えるが、どうか。	一定の衛生水準が確保されることが望ましいのはご指摘のとおりである。 自宅提供者および宿泊者が適切に把握されていることはもちろんのこと、自宅提供者に対する事前の研修を実施するなどにより、宿泊者を受け入れるに当たっての衛生管理上の注意事項などを周知しておくことが望まれる。

民泊サービスと旅館業法に関するＱ＆Ａ

Ｑ１　旅館業とはどのようなものですか。

Ａ１　旅館業とは「宿泊料を受けて人を宿泊させる営業」と定義されており、「宿泊」とは「寝具を使用して施設を利用すること」とされています。そのため、「宿泊料」（Q9参照）を徴収しない場合は旅館業法の適用は受けません。

　なお、旅館業がアパート等の貸室業と違う点は、

① 施設の管理・経営形態を総体的にみて、宿泊者のいる部屋を含め施設の衛生上の維持管理責任が営業者にあると社会通念上認められること、

② 施設を利用する宿泊者がその宿泊する部屋に生活の本拠を有さないこと

となります。

Ｑ２　旅館業の許可には、どういった種類のものがありますか。

Ａ２　旅館業法では、旅館業を次の３つに分類しています。

① 旅館・ホテル営業：施設を設け、宿泊料を受けて人を宿泊させる営業で、簡易宿所営業及び下宿営業以外のもの

② 簡易宿所営業：宿泊する場所を多数人で共用する構造及び設備を主とする施設を設け、宿泊料を受けて人を宿泊させる営業で、下宿営業以外のもの

③ 下宿営業：施設を設け、1月以上の期間を単位とする宿泊料を受けて人を宿泊させる営業

Q3 「民泊サービス」とは、どのようなものですか。

A3 法令上の定めはありませんが、一般には、住宅（戸建住宅、共同住宅等）の全部又は一部を活用して宿泊サービスを提供することを指します。住宅宿泊事業法による住宅宿泊事業の届出を行う場合や、国家戦略特別区域法の特区民泊の認定を受ける場合を除くと、簡易宿所営業として旅館業法上の許可を取得して実施する場合が一般的です。

Q4 個人が自宅の一部を利用して人を宿泊させる場合は、旅館業法上の許可が必要ですか。

A4 個人が自宅や空き家の一部を利用して行う場合であっても、「宿泊料を受けて人を宿泊させる営業」に当たる場合（Q1参照）には、住宅宿泊事業法による住宅宿泊事業としての届出を行うか、国家戦略特別区域法の特区民泊の認定を受ける場合を除き、旅館業法上の許可が必要です。

Q5 知人・友人を宿泊させる場合でも旅館業法上の許可は必要ですか。

A5 旅館業に該当する「営業」とは、「社会性をもって継続反復されているもの」となります。ここでいう「社会性をもって」とは、社会通念上、個人生活上の行為として行われる範囲を超える行為として行われるものであり、一般的には、知人・友人を宿泊させる場合は、「社会性をもって」には当たらず、旅館業法上の許可は不要と考えられます。「知人」「友人」と称していても、事実上広く宿泊者の募集を行い、繰り返し人を宿泊させる場合は、住宅宿泊事業法による住宅宿泊事業としての届出を行うか、国家戦略特別区域法の特区民泊の認定を受ける場合を除き、旅館業法上の許可が必要です。

Q6 インターネットを介して知り合った外国の方が来日した際に、自宅の空き部屋に泊まってもらいました。その際、お礼としてお金をもらいましたが、問題ないでしょうか。

A6 日頃から交友関係にある外国の方を泊められる場合は、Q5の場合と同様と考えられます。ただし、インターネットサイト等を利用して、広く宿泊者の募集を行い、繰り返し人を宿泊させ得る状態にある場合は、「社会性をもって継続反復されているもの」に当たります。このような場合で、宿泊料と見なされるものを受け取る場合は、住宅宿泊事業法による住宅宿泊事業としての届出を行うか、国家戦略特別区域法の特区民泊の認定を受ける場合を除き、旅館業の許可を受ける必要があります。

Q7 営利を目的としてではなく、人とのコミュニケーションなど交流を目的として宿泊させる場合でも、旅館業法上の許可は必要ですか。

A7 人とのコミュニケーションなど交流を目的とすることだけでは旅館業法の対象外とならないため、「宿泊料を受けて人を宿泊させる営業」に当たる場合（Q1参照）には、住宅宿泊事業法による住宅宿泊事業としての届出を行うか、国家戦略特別区域法の特区民泊の認定を受ける場合を除き、旅館業法上の許可が必要です。

第7編　住宅宿泊事業

Q8　土日のみに限定して宿泊サービスを提供する場合であっても、旅館業法上の許可は必要ですか。

A8　日数や曜日をあらかじめ限定した場合であっても、宿泊料を受けて人を宿泊させる行為が反復継続して行われ得る状態にある場合は、住宅宿泊事業法による住宅宿泊事業としての届出を行うか、国家戦略特別区域法の特区民泊の認定を受ける場合を除き、旅館業法上の許可が必要です。

Q9　「宿泊料」ではなく、例えば「体験料」など別の名目で料金を徴収すれば旅館業法上の許可は不要ですか。

A9　「宿泊料」とは、名目だけではなく、実質的に寝具や部屋の使用料とみなされる、休憩料、寝具賃貸料、寝具等のクリーニング代、光熱水道費、室内清掃費などが含まれます。このため、これらの費用を徴収して人を宿泊させる営業を行う場合には、住宅宿泊事業法による住宅宿泊事業としての届出を行うか、国家戦略特別区域法の特区民泊の認定を受ける場合を除き、旅館業法上の許可が必要です。

Q10　旅館業法上の許可を受けないで、「宿泊料を受けて人を宿泊させる営業」を行った場合はどうなりますか。

A10　旅館業法第10条では、許可を受けないで旅館業を経営した者は、6月以下の懲役又は100万円以下の罰金に処することとされています。

Q11　旅館業法上の許可を受けるにはどうすればいいですか。

A11　使用する予定の施設の所在する都道府県（保健所を設置する市、特別区を含む。）で申請の受付や事前相談等を行っています。

Q12　平成28年4月から規制緩和が行われ、「民泊サービス」の営業がしやすくなったと聞きましたが、どのような緩和が行われたのでしょうか。旅館業法上の許可を受けずにできるということでしょうか。

A12　「民泊サービス」の場合であっても、「宿泊料を受けて人を宿泊させる営業」に当たる場合（Q1参照）には、住宅宿泊事業法による住宅宿泊事業としての届出を行うか、国家戦略特別区域法の特区民泊の認定を受ける場合を除き、旅館業法上の許可が必要です（Q4参照）。

　平成28年4月の規制緩和により、簡易宿所営業の許可要件である客室延床面積（33㎡以上）の基準を改正し、一度に宿泊させる宿泊者数が10人未満の施設の場合には、宿泊者1人当たり面積3.3㎡に宿泊者数を乗じた面積以上で許可を受けられることとしました。これにより、従来より容易に旅館業の営業許可を取得することができるようになっています。

　営業許可の申請手続については、都道府県等の旅館業法担当窓口にご相談下さい。（Q11参照）

Q13　「民泊サービス」を実施するため旅館業法上の許可を受けようとする場合は、自己所有の建物でなければならないのでしょうか。賃貸物件を転貸（いわゆる又貸し）することはできるのでしょうか。

A13　「民泊サービス」を実施するため旅館業法上の許可を受けようとする場合、ご自身

の所有する建物を使用する場合と他者から建物を借り受けて実施する場合が考えられますが、いずれの場合でも営業許可を受けることは可能です。ただし、他者から建物を借り受けて営業を行う場合は、賃貸借契約において、転貸（又貸し）が禁止されていないことや、旅館業に使用することが可能となっていることを貸主や賃貸住宅の管理会社に確認いただく必要があります。

　なお、賃貸借契約において、旅館業としての使用が可能な場合であっても、使用予定の建物が所在する地域において旅館業の立地が禁止されている場合があります。また、建築基準法の用途変更の建築確認の手続きが必要となる場合があります。詳しくは、都道府県等の建築基準法担当窓口にご相談下さい。

Q14　分譲マンションを所有しているのですが、空いている部屋を使って「民泊サービス」を実施することは可能でしょうか。

A14　分譲マンションの場合、通常はマンションの管理規約等で用途を制限しておりますので、管理規約等を確認いただく必要があります。また、トラブル防止の観点から事前に管理組合に相談されるなどの対応が望まれます。なお、管理規約上は、旅館業（「民泊サービス」を含む。）としての使用が可能な場合であっても、使用予定の建物が所在する地域において旅館業の立地が禁止されている場合があります。また、建築基準法の用途変更の建築確認の手続きが必要となる場合があります。詳しくは、都道府県等の建築基準法担当窓口にご相談下さい。

Q15　「イベントホームステイ（イベント民泊）」というものがあると聞きましたが、どのようなものですか。

A15　いわゆる「イベントホームステイ（イベント民泊）」とは、年数回程度（1回当たり2～3日程度）のイベント開催時であって、宿泊施設の不足が見込まれること又はホームステイでの宿泊体験を通して地域の人々と旅行者の交流を創出する地方創生の観点から、イベント開催地の自治体の要請等により自宅を提供するような公共性の高いものについては、旅館業法の営業許可を受けずに宿泊サービスが提供できることを指します。なお、イベントホームステイ（イベント民泊）については、「イベント民泊ガイドライン（イベントホームステイガイドライン）」を作成していますので、詳しくはそちらをご覧下さい。

○イベント民泊ガイドラインの改訂について

[平成29年7月10日　事務連絡
各都道府県観光担当部局・各都道府県・各政令市・各特別区生活衛生担当課宛　観光庁観光産業課・厚生労働省医薬・生活衛生局生活衛生・食品安全部生活衛生課]

　標記ガイドラインにつきましては、観光庁観光産業課及び厚生労働省医薬・生活衛生局生活衛生・食品安全部生活衛生課による平成28年4月1日付事務連絡により、発出したところです。

　今般、大規模なイベントの開催時における宿泊施設のニーズが高まっていること等を踏まえ、イベント民泊をより有効に活用できるよう、ガイドラインを別添のとおり改訂しましたので、内容を御了知の上、関係部署及び都道府県におかれては併せて管下市町村等への周知等について御配慮願います。

別　添
　　　　イベント民泊ガイドライン

[平成28年4月1日
観光庁観光産業課・厚生労働省医薬・生活衛生局生活衛生・食品安全部生活衛生課]

一部改訂　平成29年7月10日・令和元年7月8日・令和元年8月27日・令和元年12月25日

1　はじめに

　イベント開催時に自治体の要請等により自宅を旅行者に提供する行為（以下「イベントホームステイ（イベント民泊）」といいます。）の旅館業法上の取扱いについては、厚生労働省医薬・生活衛生局生活衛生課（旧健康局生活衛生課、医薬・生活衛生局生活衛生・食品安全部生活衛生課）より、別添の平成27年7月1日付事務連絡及び令和元年12月25日付事務連絡（以下、総称して「事務連絡」といい、令和元年12月25日付事務連絡の「（別添）」を「質疑回答」といいます。）により、考え方をお示ししているところです。

　イベントホームステイ（イベント民泊）は、多数の集客が見込まれるイベントの開催時に宿泊施設が不足する地域において、その不足を解消する有効な手段であり、また、旅行者が、日帰りではなく当該地域に宿泊できるようになれば、当該地域で夕食をとったり、2日目に当該地域の観光資源を巡るオプショナルツアーに参加すること等も可能となるため、当該地域の人々と旅行者との交流の促進や、当該地域における観光消費の拡大等にもつながり、観光による地方創生の観点からも有効なものと期待されています。

　他方、イベントホームステイ（イベント民泊）は、本来は宿泊施設ではない施設に旅行者が宿泊するものであることから、自宅提供者・宿泊者・近隣住民間のトラブル防止の観点や、衛生面、治安面に関する事故予防の観点からの配慮も求められます。

　このため、今般、イベントホームステイ（イベント民泊）を積極的かつ円滑に実施い

ただけるよう、イベントホームステイ(イベント民泊)を実施する自治体において行うべき手続の内容・手順や、留意すべき事項等を以下のとおりとりまとめました。
　内容をご確認いただき、各自治体の観光部署及び同自治体を所管する旅館業法担当部署等の関係部署のほか、警察署、消防署等の関係組織と十分に連携の上、安全かつ適切に、イベントホームステイ(イベント民泊)を活用いただき、宿泊施設不足の解消と、観光による地方創生につなげていただきますようお願いいたします。

2　イベントホームステイ(イベント民泊)を実施できる場合
(1)　イベントホームステイ(イベント民泊)の概要
　　　イベントホームステイ(イベント民泊)とは、「ⅰ)年数回程度(1回当たり2～3日程度)のイベント開催時であって、ⅱ)―1宿泊施設の不足が見込まれること、又はⅱ)―2ホームステイでの宿泊体験を通して、地域の人々と旅行者の交流を創出する地方創生の観点から、ⅲ)開催地の自治体の要請等により自宅を提供するような公共性の高いもの」について、「旅館業」に該当しないものとして取り扱い、自宅提供者において、旅館業法に基づく営業許可なく、宿泊サービスを提供することを可能とするものです。
　　　このように、自宅提供行為がイベントホームステイ(イベント民泊)として認められるためには、前記の「ⅰ)」から「ⅲ)」の要素により、自宅提供行為について公共性が認められることが必要となりますが、これらの各要素の考え方は、以下のとおりです。

(2)　「年数回程度(1回当たり2～3日程度)のイベント開催時」について
　ア　イベントの開催期間について
　　　事務連絡においては、イベントの日数について「2～3日程度」としていますが、これはあくまで目安であり、必ずしもイベント開催期間が3日以内でなければイベントホームステイ(イベント民泊)として認められないということではありません(なお、別添「公募書」中(※1)のとおり、自治体は、イベント開催期間の前後の日を含めて、イベントホームステイ(イベント民泊)の実施期間として定めることができます。)。
　　　イベントホームステイ(イベント民泊)に旅館業法が適用されないのは、イベントホームステイ(イベント民泊)実施期間中に、宿泊者の入れ替わりがない態様(注)で宿泊させる場合について、反復継続性が否定されるためです。反復継続しない宿泊サービスの提供行為は、そもそも事業として実施されるものではなく、また、多数人が施設を入れ替わり利用することがないことから、感染症の流行等、公衆衛生に関する問題が生じるリスクも低いと考えられることから、旅館業法の適用対象外となります。
　　　そのため、イベント開催期間が3日を超える場合であっても、各自治体の旅館業法担当部署において、自宅提供行為が、前記趣旨に照らして問題がないと判断できる場合には、旅館業法が適用されないイベントホームステイ(イベント民泊)として取り扱うことができます。

(注) 「宿泊者の入れ替わり」については、例えば、イベントホームステイ（イベント民泊）実施期間が３日間とされた場合で、同じ施設に、１日目から２日目午前までは宿泊者Ａを宿泊させ、２日目午後から３日目までは宿泊者Ｂを宿泊させる場合は、「宿泊者の入れ替わり」があるため、旅館業法が適用されることとなります。他方、同じ施設に、同時に、複数組、複数名を宿泊させる場合は、「宿泊者の入れ替わり」がないため、イベントホームステイ（イベント民泊）として実施することができます。

イ イベントの内容、性質について

イベントホームステイ（イベント民泊）の対象となるイベントは、必ずしも自治体が主催している必要はなく、協賛、後援しているものも含まれます。また、イベントホームステイ（イベント民泊）の実施について公共性が認められるのであれば、イベントそれ自体が公共的なものである必要はありません。対象となるイベントには、地域のお祭り、花火大会等に限らず、国際会議や展示会等のビジネスイベント（ＭＩＣＥ）、スポーツイベント、コンサートなどの音楽イベント等も含まれます（質疑回答の質問５参照）。

(3) 「宿泊施設の不足が見込まれる」について

イベント開催時に宿泊施設の不足が見込まれるかどうかの確認においては、必ずしも精緻な調査を実施する必要はありません。自治体の観光部署において、当該自治体及びその近隣自治体の宿泊施設の供給量（客室数）、イベントへの遠方からの来場者数の見込み（外国人や、他の都道府県からの来場者等）、イベントと無関係な宿泊者数の見込み、さらに過去実績等から、「宿泊施設の不足が見込まれる」と合理的に判断できるのであれば、本要素は満たされます。

【具体的事例】

必要となるイベントホームステイ（イベント民泊）の物件数の算出方法としては、当該イベントにおける宿泊希望者調査を行い、当該イベント開催月の平均稼働率から供給可能客室数を求め、宿泊施設の客室数の需給分析を行うといったものがみられます。

(4) 「ホームステイでの宿泊体験を通して、地域の人々と旅行者の交流を創出する地方創生の観点」について

イベントの主催者、ボランティアスタッフ等の関係者に限らず、参加者、観戦者をはじめイベントの開催をきっかけに地域に来訪する方と地域住民との交流を念頭においています。必ずしも海外からの旅行者に限らず、また、首都圏等の都市部を対象から除いているわけではありません。

自宅提供者の自宅に旅行者が宿泊すること自体が交流となります。宿泊の他に食事会の開催のような特別な企画を実施することまでを求めるものではありません。

【交流事例】

〇「町のことや歴史、自宅提供者夫婦のこと、色々な会話をした。自宅提供者とは今後も交流を続けていきたいと思った。また、泊まりに来たい。（宿泊者体験）」

○「宿泊中に、自宅提供者の家庭や地域が台風で被災したため、ボランティアとして泥かきを手伝った。（宿泊者体験）」
○「海外からの宿泊者を受け入れた。宿泊者と近くのスーパーで一緒に買い物をし、交流を深めた。息子が宿泊者と英語でコミュニケーションを取っている姿を見て、自身も英語を勉強しようと思った。宿泊者が帰国した後も連絡は続いており、次は、宿泊者の国にも来てほしいと言ってくれる。（自宅提供者体験）」

(5)　「開催地の自治体の要請等により自宅を提供する」について
　ア　判断、要請の主体
　　　イベントホームステイ（イベント民泊）を実施するか否かの判断は、当該イベントの開催地の自治体が行うこととなります。したがって、その実施に当たり、国や都道府県に対し、申請などの行為を要するものではありません。
　　　その際、観光部署（宿泊施設が不足するかどうかの確認等）と旅館業法担当部署（旅館業法に抵触しないことの確認、衛生トラブルの予防等）の連携が必要となりますが、自治体内に保健所が設置されていない場合には、予め、当該自治体を管轄する都道府県の旅館業法担当部署と相談してください。また、警察署、消防署等の関連組織にも、適宜、事前相談や情報共有を行ってください。
　　【具体的事例】
　　　　関係部局との連携を行った事例としては、「有事の際に旅館業法担当部署と警察署が連携した事例」、「住民票担当部局から旅館業法担当部局が自宅提供者の情報提供を受けた事例」、「観光部署が旅館業法担当部署と連携し衛生面に関するチラシを作成した事例」があります。
　　　自宅提供者への要請行為や、これに関連する事務については、当該イベントの実行委員会や、その他の第三者に委託することができます。なお、委託する際には、当該自治体のホームページ、広報誌等において、①イベントホームステイ（イベント民泊）を実施すること、②イベントホームステイ（イベント民泊）の実施に当たり要請等の業務を第三者に委託すること、③委託先事業者の名称、所在地、連絡先、④イベントホームステイ（イベント民泊）に関する当該市町村の問合先を明示することが適当です。
　　【具体的事例】
　　　　業務委託の事例としては、「イベントホームステイ（イベント民泊）の概要説明会の企画・運営をイベント企画会社に委託した事例」、「イベントホームステイ（イベント民泊）宿泊希望者及び自宅提供者の募集を地域の協議会に委託した事例」、「宿泊予約用ＷＥＢサイト作成・管理を旅行会社に委託した事例」、「民泊仲介業者に、説明会の開催、自宅提供者の募集、宿泊予約用ＷＥＢサイト作成、広告・情報発信、自宅提供者へのアンケート調査までを一括して委託した事例」があります。
　イ　要請の方法、形式
　　　イベントホームステイ（イベント民泊）を実施する自治体においては、自宅提供者・宿泊者・近隣住民間のトラブルや、衛生、治安面に関する事故を予防するた

め、自宅提供者を把握しておくことが重要です。
　そのため、自宅提供者への要請については、ホームページや広報誌等により自宅提供希望者を公募し、これに申し込んだ自宅提供希望者のうち一定の要件を満たすものについて、個別に、要請を実施することが必要です。
　自宅提供希望者を公募する際の公募書としては別添「公募書」、自宅提供希望者が自治体に提出する申込書としては別添「申込書」、また、自治体が自宅提供者に発出する要請書としては別添「要請書」を活用することが考えられます。これらについては、自治体から委託を受けた者が、自宅提供希望者の公募を実施する場合でも同様の公募書、申請書又は要請書を活用することが考えられます。
ウ　「自宅」の範囲
　事務連絡における「自宅」とは、個人が現に居住する施設のことを指します。その他の場合の取扱いについては、個別具体的な事情により異なりますので、旅館業法担当部署にご照会下さい。
　なお、各自治体において、要請先の自宅提供希望者を選定する際に、施設の種類や設備等に関する一定の選定基準を設けることを排除するものではありません。

> （参考）
> 　体育会、博覧会等のために一時的に営業する施設については、旅館業法に基づく営業許可を取得する際に必要となる構造設備が、旅館業法施行規則第5条に基づき大幅に緩和されていますので、イベントホームステイ（イベント民泊）のほか、当該特例制度の活用も御検討下さい。

3　イベントホームステイ（イベント民泊）を実施する際の留意点
(1)　自宅提供者及びイベントホームステイ（イベント民泊）実施状況の把握
　イベントホームステイ（イベント民泊）を実施しようとする自治体においては、自宅提供者に要請する際に、前記「2」「(4)」「イ」記載の方法を採るほか、イベントホームステイ（イベント民泊）実施期間終了後に、適宜、自宅提供者を対象とするアンケート調査を実施する等して、イベントホームステイ（イベント民泊）の実施状況を適切に把握の上、関係部署、関係組織において十分に連携し、自宅提供者・宿泊者・近隣住民間のトラブルや、衛生面、治安面に関する事故の予防に努めてください。
【具体的事例】
　イベントホームステイ（イベント民泊）実施にあたり、各種トラブルに対しての具体的な対策として、「トラブル発生時の対応方針の策定」、「チラシやHPを活用したトラブルを予防するための情報発信」といったものがみられます。
(2)　自宅提供者に対する研修の実施等
　また、イベントホームステイ（イベント民泊）を実施しようとする自治体においては、旅館業法担当部署や当該地域の旅館ホテル生活衛生同業組合等と連携して、事前に、自宅提供者向けの研修を実施したり、適宜、自宅提供者への要請書面、ホームページ、広報誌や自宅提供者に対する個別の案内書面等において、イベントホームステイ（イベント民泊）の実施に当たって留意すべき事項を周知しておくことが望まれま

す。
　特に、下記〔留意すべき事項〕は、自宅提供者・宿泊者・近隣住民間のトラブルや、衛生、治安面に関する事故を予防するために重要であるため、研修等において、自宅提供者に周知、指導することが望まれます。
〔留意すべき事項〕
① 　自宅提供者は、宿泊予約を受け付ける際は、宿泊者全員の氏名、住所、国籍及び旅券番号（日本国外に在住する外国人の場合に限る。）を確認し、保存すること。なお、仲介サイトを利用して宿泊者を募集する場合には、仲介事業者において前記の各情報を取得し、個人情報保護法等の法令を遵守した上で自宅提供者に情報を提供すること。
② 　自宅提供者は、自宅の提供開始時（チェック・イン）及び終了時（チェック・アウト）には、宿泊者全員の本人確認を実施し、日本国外に居住する外国人の場合は、旅券により本人確認を実施した上でその写しを保存すること。
③ 　自宅の提供に当たっては、必ずしも契約書面を作成する必要はないが、トラブルを防ぐため、宿泊日、宿泊料金、提供する部屋の内容（部屋面積、間取り、キッチン・トイレ・シャワールームの有無、施錠の可否、単独利用・共用の別、和室・洋室の別、その他宿泊サービスの提供に当たり重要な点）等の契約条件を明確にした上で宿泊者を募集すること。なお、仲介サイトを利用して宿泊者を募集する場合には、仲介事業者と適宜連携の上、これらの各事項を予約サイト上に明記すること。
④ 　同一施設について、反復継続して、宿泊者を受け入れる場合には、旅館業法に基づく営業許可又は住宅宿泊事業法に基づく届出が必要となり、営業許可又は届出なく宿泊者を受け入れた場合は、旅館業法違反となること（別添「民泊サービスと旅館業法に関するＱ＆Ａ」参照）。
⑤ 　状況に応じて、以下の衛生措置をとることが望ましいこと。
　　ａ 　施設の設備や備品等については清潔に保ち、ダニやカビ等が発生しないよう除湿を心がけ、清掃、換気等を行うこと。
　　ｂ 　施設に循環式浴槽（追い炊き機能付き風呂・24時間風呂など）や加湿器を備え付けている場合は、『入浴施設におけるレジオネラ症防止対策』のパンフレットを参照するなど、適切に対応すること。
⑥ 　自宅の提供に当たっては、必要に応じて、近隣住民や関係者（賃貸物件の場合の賃貸人等）に不利益が生じないよう、予め、当該施設における騒音の防止やゴミ処理の方法等、施設の利用に当たり遵守すべき事項について宿泊者に説明、指導する等、必要な対応を採ること。
⑦ 　住宅周辺の状況に応じ、災害時における宿泊者の円滑かつ迅速な避難を確保するため、宿泊者に対して避難場所等に関する情報提供を行うことが望ましいこと。
⑧ 　警察等からの要請に適切に協力すること。
(3) 　自宅提供者に対する損害保険への加入勧奨

第7編　住宅宿泊事業

　　　イベントホームステイ（イベント民泊）を実施しようとする自治体においては、自宅提供者に対し、当該自宅におけるイベントホームステイ（イベント民泊）起因して、宿泊者や近隣住民等の第三者に損害が生じた場合に同損害を填補できる損害保険に加入するよう要請することが望まれます。適切な保険商品がない場合には、保険会社と連携するなどして、イベントホームステイ（イベント民泊）にかかる団体保険商品の組成についてもご検討いただきますようお願いいたします。
(4)　住民への説明及び苦情受付窓口の設置
　　　イベントホームステイ（イベント民泊）を実施しようとする自治体においては、イベントホームステイ（イベント民泊）が実施されることによる住民の不安を除去するため、イベントホームステイ（イベント民泊）を実施すること、及びイベントホームステイ（イベント民泊）の概要について、ホームページや広報誌等において広く周知し、さらに、自宅提供者、宿泊者、近隣住民からの苦情・相談を受け付けられる苦情受付窓口を設置してください。
　　　また、トラブル発生時に観光部署及び旅館業法担当部署等の関係部署、並びに警察署及び消防署等の関係組織が連携の上、速やかに対応できる体制を構築していただきますようお願いいたします。
(5)　仲介サイトの活用
　　　イベントホームステイ（イベント民泊）を広く周知するとともに宿泊の予約受付を効率的に行うため、仲介サイトを活用することも考えられます。この場合においては、仲介サイトを運営する仲介事業者と自宅提供者とのやりとりが円滑に行われるよう、事前に、仲介事業者と必要な調整を行ってください。また、仲介サイトを活用する際は、イベントホームステイ（イベント民泊）を周知する自治体のホームページや広報誌等において、当該仲介サイトの該当部分のリンク先や仲介サイトの利用方法等を記載することも考えられます。なお、仲介サイトを活用する際は、住宅宿泊事業法に基づく登録を受けた仲介業者や旅行業法に基づく登録を受けた旅行業者が運営する仲介サイトの活用を推奨します。
　　【具体的事例】
　　　　自治体や観光協会のHPのほか、民泊仲介業者によるWEB広告や、SNSを利用した広告（Facebook広告）による募集が行われた事例があります。
(6)　実施状況の報告
　　　イベントホームステイ（イベント民泊）を実施した自治体においては、その実施状況（イベント名・開催地・開催時期・開催日数・提供物件数・宿泊者数・延べ宿泊者数）を厚生労働省・観光庁担当窓口（連絡先：hqt-eventminpaku@gxb.mlit.go.jp）に報告してください。また、イベントホームステイ（イベント民泊）を実施した自治体が旅館業の営業許可の権限を有しない市町村である場合には、都道府県（保健所設置市又は特別区）の旅館業法担当部局にも報告してください。

以上

別添　平成27年7月1日事務連絡・令和元年12月25日事務連絡・民泊サービスと旅館業法に関するQ＆A　略

イベントホームステイ（イベント民泊）の活用に向けた作業フロー
（例）【自治体用】

		観光部署	旅館業法担当部署	警察署・消防署等
自治体における意思決定	①	多数の旅行者が見込まれるイベントの開催時に、宿泊施設の供給量（客室数）、来場者数の見込値、過去実績等から、宿泊施設が不足するかどうかを判断。又は、ホームステイでの宿泊体験を通して、地域の人々と旅行者の交流を創出する地方創生の観点からイベントホームステイ（イベント民泊）の必要性を判断。		
	②	上記①の判断結果を踏まえ、旅館業法担当部署、警察署、消防署等（以下「関係部署」という。）と事前相談の上、イベントホームステイ（イベント民泊）の活用について自治体として意思決定。	イベントホームステイ（イベント民泊）の実施について事前相談。	イベントホームステイ（イベント民泊）の実施について事前相談。
自宅提供者への要請	③	ホームページ、広報誌等により、自宅提供希望者を公募。その際、「募集要件」等の記載事項や、自宅提供希望者が提出する申込書の記載事項について、関係部署と事前相談。	募集要件や申込書記載事項の内容について事前相談。	募集要件や申込書記載事項の内容について事前相談。
	④	自宅提供希望者から提出された申込書を審査し、要請先を決定。要請先の自宅提供者について、関係部署に情報共有。	要請先の情報共有。	要請先の情報共有。
	⑤	自宅提供者に対する要請を実施。		
事前研修等	⑥	関係部署（特に旅館業法担当部署）と連携して、自宅提供者に対する研修や、ホームページ・個別書面による注意事項の案内を実施。	研修、注意事項案内について連携。	適宜連携。
イベント期間中	⑦	苦情受付窓口を設け、関係部署と連携して、トラブル時に対応できる体制を構築。	トラブル時の対応体制の構築に協力。	トラブル時の対応体制の構築に協力。
イベント後	⑧	自宅提供者にアンケート等を実施し、イベントホームステイ（イベント民泊）の実施結果を把握。 イベントホームステイ（イベント民泊）の実施状況を報告。	アンケート結果の情報共有。 実施状況の把握。	アンケート結果の情報共有。

第7編　住宅宿泊事業

イベントホームステイ（イベント民泊）の実施に向けた作業フロー
（例）【自宅提供者用】

		自宅提供者
申込書の提出	①	自治体による自宅提供希望者の公募案内に従い、以下の観点等から、自宅が、旅行者の宿泊に適した施設であるかどうか確認。 ✓ 自宅を旅行者に貸し出す権原があるか（賃貸物件の場合、又貸しが禁止されていないか等）。 ✓ 旅行者が利用できるシャワー、トイレ、洗面設備等が室内又はその付近にあり、清潔な環境が維持されているか。清潔なリネンが提供できるか。 ✓ イベント民泊を実施することで、近隣住民（同一建物内の他の入居者等）や関係者（賃貸物件の場合の賃貸人等）に不利益が及ばないか。 ✓ その他、自治体が定める募集要件を満たすか。
	②	必要に応じ、近隣住民や関係者と事前相談。
	③	以下の点を中心に、イベントホームステイ（イベント民泊）の実施に当たっての大まかな構想を練る。 ✓ 自宅の提供方法（住戸全体か、一部の部屋のみの提供か。提供時に在宅するか等） ✓ 宿泊者の本人確認、鍵の引渡しの方法。 ✓ 宿泊者の募集方法（仲介事業者を活用するかどうか）
	④	上記「①」「②」について問題がないことを確認の上、自治体に申込書を提出。
要請後の準備	⑤	自治体からの要請を受けた場合、要請書面、ホームページ、広報誌等において周知されているイベントホームステイ（イベント民泊）の実施に係る留意事項を確認、理解。また、自治体において、自宅提供者向けの研修が開催される場合、同研修に参加。
	⑥	上記「⑤」の研修を踏まえ、以下の点を中心に、詳細な構想を練る。 ✓ 宿泊料金等の契約条件 ✓ 宿泊者の本人確認、鍵の引渡しの方法 ✓ 旅券の写し等の記録の保存方法 ✓ 宿泊者の募集方法（仲介事業者を利用するかどうか） ✓ 受入れ前に必要な清掃や衛生対策
予約受付	⑦	自ら、又は仲介事業者を介して、宿泊者の予約を受付。その際、宿泊者全員の氏名、住所、国籍及び旅券番号（日本国外に在住する外国人の場合）を確認することが望ましい。
期間中イベント	⑧	宿泊者のチェックイン、チェックアウトの際、予約受付時に確認した宿泊者情報に照らし、宿泊者全員の本人確認を実施することが望ましい。
	⑨	自宅提供中にトラブルがあれば、速やかに自治体の相談窓口や警察等に連絡すること。
イベント期間後	⑩	自治体によるアンケート等に協力し、イベントホームステイ（イベント民泊）の実施結果を報告。

イベント民泊ガイドラインの改訂について

【別　添】公募書

●●●●年●月●●日
●●市［●●課］
［公印］

イベントホームステイ（イベント民泊）公募書

　平素は観光振興に格別のご理解とご支援を賜り、厚くお礼申し上げます。
　さて、以下のとおり、イベントホームステイ（イベント民泊）に関する自宅提供者を公募いたしますので、自宅提供を希望される方につきましては、（HPなど）に掲載されております申込書に必要事項を記載の上、下記「イベントホームステイ（イベント民泊）担当部署」までご提出をお願いします。

記

イベントの情報

項目	自治体記載欄（例）
イベントの名称	●●●●祭り
イベントの開催期間	●●●●年●月●●日から ●●●●年●月●●日まで
イベントホームステイ（イベント民泊）の実施期間（※）	●●●●年●月●●日から ●●●●年●月●●日まで
申込締切日	●●●●年●月●●日

（※１）イベントの開催期間の前後を含めて、イベントホームステイ（イベント民泊）の実施期間を定めることができます。

募集要件

項目（例）※	要件（例）
自宅提供者の権原	自宅提供者が、当該自宅について、イベントホームステイ（イベント民泊）を実施するための権原を有すること（賃貸借契約やマンション管理規約に違反しないこと）
自宅提供者の資格	自宅提供者が反社会的勢力に該当しないこと
対象地域	提供される自宅が〇〇市内にあること
宿泊者の募集方法	仲介業者の利用 仲介業者名：（株）イベントミンパク

第7編　住宅宿泊事業

| | 仲介業者所在地：●●県●●市●●町●丁目●番●号 |
| | 仲介業者電話番号：●●―●●●●―●●●● |

（※2）上記のほか、イベントホームステイ（イベント民泊）の開催に当たり、自宅提供者、当該自宅等が最低限備えておくべき条件について適宜ご記載ください。

（※3）自治体において募集要件の事実関係を直ちに確認することが困難な点については、イベントホームステイ（イベント民泊）が年に数回程度に限り実施されるものであり、宿泊者や近隣住民等の第三者に大きな不利益を生じさせるリスクが低いことに鑑み、原則として、自宅提供希望者から誓約書を求める等の方法（申請書にあらかじめ誓約してもらうべき事項を印字記載し、これを誓約したことの証として、本人の署名を求める等の方法が考えられます。）により確認することで足りると考えられます。

イベントホームステイ（イベント民泊）当部署（お問い合わせ先）

項目	自治体記載欄（例）
自治体名	●●市
部署名	●●課 （電話番号　●●―●●●●―●●●●）

（※4）委託先が公募する際は、自治体の問い合わせ先に加え、委託先の問い合わせ先もご記入ください。

以上

イベント民泊ガイドラインの改訂について

申込書

●●●●年●月●●日

イベントホームステイ（イベント民泊）申込書

　平素は観光振興に格別のご理解とご支援を賜り、厚くお礼申し上げます。
　さて、●●●●年●月●●日に公募をした（イベント名）に関するイベント民泊について、自宅の提供を希望される方につきましては、本申込書に必要事項を記載の上、下記「イベントホームステイ（イベント民泊）担当部署」までご提出をお願いします。

記

自宅提供者情報

項目	記載欄（例）
自宅提供者の氏名	旅　太郎
自宅提供者の住所	●●県●●市●●町●丁目●番●号▲▲▲号室
電話番号	●●―●●●●―●●●●
自宅提供者が当該施設について有する権利、及び宿泊者に対する賃貸（または転貸）権原の有無	所有権、区分所有権、賃借権等

申込物件情報

項目	記載欄（例）
提供する自宅の所在地（※１）	●●県●●市●●町●丁目●番●号▲▲▲号室
提供する自宅のタイプ	戸建住宅、共同賃貸住宅、分譲マンション等
提供する客室及び定員数	○○室／△人
宿泊料金（予定）	●●円
チェックイン／チェックアウト	チェックイン　　○○時 チェックアウト　○○時
自宅の提供方法及び範囲	住戸全体を提供するのか、一住戸内の一部の部屋を提供するのか等

第7編　住宅宿泊事業

自宅提供時に自宅に在宅する者がいる場合、その人数、その代表者の氏名及び電話番号	△人 在宅代表者名：旅　花子 電話番号：●●―●●●●―●●●●
当該自宅の所有者	自宅提供者本人等
当該自宅がマンションである場合、マンション管理組合の名称及び電話番号	マンション管理組合：イベントマンション管理組合 電話番号：●●―●●●●―●●●●

（※１）建物名・部屋番号がある場合には必ず建物名・部屋番号を記載すること

その他の情報

項目	記載欄（例）
宿泊者の本人確認及び鍵の引渡し方法	本人確認方法：保険証による確認 鍵の引渡し方法：玄関先にて直接引き渡す
過去のイベントホームステイ（イベント民泊）実施実績	年月日：●●●●年●月●●日から●月●●日まで 開催イベント名：●●●●祭り 宿泊者数：△人

（※２）委託先が公募する際は、自治体の問い合わせ先に加え、委託先の問い合わせ先もご記入ください。

イベントホームステイ（イベント民泊）担当部署（お問い合わせ先）

項目	自治体記載欄（例）
自治体名	●●市
部署名	●●課 （電話番号　●●―●●●●―●●●●）

（※３）委託先が公募する際は、自治体の問い合わせ先に加え、委託先の問い合わせ先もご記入ください。

（※４）上記のほか、イベントホームステイ（イベント民泊）の開催に当たり、自宅提供者の同意事項等について適宜ご記載ください。

以上

要請書

●●●●年●月●●日
●●市［●●課］
［公印］

イベントホームステイ（イベント民泊）要請書（審査結果の通知）

平素より観光行政に格別のご理解とご支援を賜り、厚くお礼申し上げます。
さて、イベントホームステイ（イベント民泊）に関する貴殿の申請を採択したため、下記のとおり、自宅提供を要請いたします。

記

要請物件情報

項目	自治体記載欄（例）
自宅提供者の商号、名称又は氏名	旅　太郎
電話番号	●●―●●●●―●●●●
対象物件の所在地（※）	●●県●●市●●町●丁目●番●号 マンション●●　▲▲▲号室

（※）建物名・部屋番号がある場合には必ず建物名・部屋番号を記載すること

イベントの情報

項目	自治体記載欄（例）
イベントの名称	●●●●祭り
イベントの開催期間	●●●●年●月●●日から ●●●●年●月●●日まで
イベントホームステイ（イベント民泊）の実施期間	●●●●年●月●●日から ●●●●年●月●●日まで

要請書の発行元情報

項目	自治体記載欄（例）
自治体名	●●県●●市
部署名	●●課 （電話番号　●●―●●●●―●●●●）

以上

第7編　住宅宿泊事業

○住宅宿泊事業法施行要領（ガイドライン）について

> 平成29年12月26日　生食発1226第2号・国土動第113号・国住指第3,351号・国住街第166号・観観産第603号
> 各都道府県知事・各保健所設置市の長・各特別区の長宛　厚生労働省大臣官房生活衛生・食品安全審議官・国土交通省土地・建設産業・住宅局長・観光庁次長連名通知

　民泊サービスの適正な運営を確保しつつ、健全な民泊の普及を図ることを目的とした住宅宿泊事業法（平成29年法律第65号）が、第193回国会で成立（平成29年6月16日公布）し、平成30年6月15日に施行される予定である。なお、住宅宿泊事業の届出等の準備行為については、平成30年3月15日から施行される予定である。

　住宅宿泊事業法及び関係の政省令に関する規定の解釈及び留意事項等について、別紙のとおり通知するので、別紙に記載の事項を留意の上、その運用に遺漏なきよう取り計らわれたい。

　また、都道府県におかれては、貴管内市町村（保健所設置市及び特別区を除く。）に周知をお願いしたい。

別紙　略

○住宅宿泊事業の届出に係る受付事務の迅速な処理等について

> 平成30年7月13日　消防予第463号・生食発0713第1号・国住指第1,356号・国住街第118号・観観産第323号
> 各都道府県知事・各保健所設置市の長・各特別区の長宛　総務省消防庁次長・厚生労働省大臣官房生活衛生・食品安全審議官・国土交通省住宅局長・観光庁次長連名通知

　民泊サービスの適正な運営を確保しつつ、健全な民泊の普及を図ることを目的とした住宅宿泊事業法（平成29年法律第65号）が、本年6月15日に施行されたところです。

　関係自治体におかれては、同法の施行にあたり、限られた準備期間の中で、多大なる御理解と御協力をいただきましたことに深く感謝申し上げます。

　さて、本年3月15日から受付が開始された住宅宿泊事業の届出状況については、政府の規制改革推進会議において、届出に係る手続きの煩雑さが、届出が伸び悩んでいる一因になっているとの指摘があり、6月15日に閣議決定された規制改革実施計画において、システムを利用したオンラインでの届出を基本とするとともに添付書類の削減に取り組むよう都道府県等に要請すること等が盛り込まれたところです。

　ついては、政府においても、住宅宿泊事業法の趣旨や制度について一層分かりやすい説明に努めるなど、その周知を図っていくこととしていますが、関係自治体におかれても、住宅宿泊事業の届出に係る受付事務の運用について、下記の事項を中心に必要な見直しを行い、一層迅速な処理等が図られるよう御協力をお願いいたします。

住宅宿泊事業の届出に係る受付事務の迅速な処理等について

記
1 　住宅宿泊事業の届出にあたっては、ガイドラインにおいて、「民泊制度運営システムを利用して行うことを原則とする」（ガイドライン2―1(1)①参照）とされているところ、書面での提出を求め、システムを利用した届出を実質的に認めていないなどの自治体もあることから、各自治体における届出手続きに関する手引き等においても、民泊制度運営システムを通じた届出が可能であることを明記すること等により、同システムの利用促進に努めること。
2 　届出前の事前相談や事前協議を届出者の利便性向上や自治体の円滑な事務処理のため実施することも考えられるが、それにより届出者が届出を躊躇したり、かえって届出者の手続きの負担の増加となることのないよう留意すること。
3 　2のほか、各自治体において、届出手続きのためのガイドラインや手引が作成されている場合には、法令上の義務づけ事項と推奨事項の混同等、誤解が生じないよう正確で分かりやすい説明に努めること。
4 　届出の際の添付書類について、各自治体によって法令で定めている書類に追加して提出を求めている場合があるが、行政部局間の情報共有等により確認可能と思われる事項を中心に、届出者の負担軽減の観点から、添付書類の簡素化や削減を行うことが出来ないか検討を行うこと。
5 　消防法令適合通知書の提出については、法令で定められた必須事項ではないが、ガイドラインにおいて、届出住宅が消防法令に適合していることを担保する等の目的から、住宅宿泊事業の届出時にあわせて提出するよう求めている（ガイドライン2―1(3)②参照）。
　　しかしながら、届出受付時に同通知書の提出が間に合わなかった場合であっても、届出を受け付けた上でその他の事項についての確認作業を進めつつ、届出の受理までに同通知書が提出され消防法令への適合が確保されるのであれば、差し支えない。
　　なお、この場合においては、住宅宿泊事業所管部局において、消防法令への適合確認手続きをすみやかに進めることを届出者に求めるとともに、消防部局との情報共有を適切に行うこととされたい。
　　また、地域の実情に応じ、消防法令適合通知書を交付する以外の方法によることとしている場合にあっては、従前通り運用していただいて差し支えないこと。

第7編　住宅宿泊事業

○住宅宿泊事業の届出に係る手続の適正な運用について

> 平成30年11月22日　生食発1122第1号・国住指第2,802号・観観産第561号
> 各都道府県知事・各保健所設置市の長・各特別区の長　宛　厚生労働省大臣官房生活衛生・食品安全審議官・国土交通省住宅局長・観光庁次長連名通知

　平成30年6月15日に施行された住宅宿泊事業法（平成29年法律第65号）について、適正かつ円滑な運用に対する御理解と御協力に感謝申し上げます。
　一方、住宅宿泊事業の届出に係る手続については、関係部局長等より、「住宅宿泊事業の届出に係る受付事務の迅速な処理等について」（平成30年7月13日付国土交通省観光庁次長等通知。以下「7月通知」という。）により通知したところ、観光庁が関係自治体を対象に行った住宅宿泊事業に係る実態調査（平成30年11月22日結果公表）や関係事業者等からのヒアリングの結果、一部の自治体において、行政手続法（平成5年法律第88号）や住宅宿泊事業法の趣旨に照らして不適切である運用等が行われていることが確認されたところです。
　今般、あらためて、住宅宿泊事業の届出に係る手続の運用のあり方についての考え方を下記のとおり整理したので、関係自治体におかれては、7月通知及び本通知を参考に、住宅宿泊事業の届出に係る手続が適正に運用されるよう、早急に必要な見直しを行うようお願いします。

記

1　住宅宿泊事業の届出における民泊制度運営システムの利用促進については、7月通知により依頼したところであるが、実態調査において、措置が不十分である事例が確認されたことから、各自治体のホームページ等で同システムを利用した届出を推奨するなど、利用促進に係る措置を徹底されたい。
2　届出の際の添付書類については、7月通知によりその簡素化や削減について検討するよう依頼したところであるが、実態調査において、住民票や周辺地図など、自治体内部において確認が可能であり、事業者に提出を求めることは不要であると思われる書類の提出を求めている事例が確認されたことから、これらの書類を中心に見直しを行い、添付書類の簡素化や削減を図られたい。
　　また、住宅宿泊事業の届出の際に必要な添付書類については、住宅宿泊事業法及び関連省令で定めているところであり、条例又はそれに準ずる規定の根拠もなく追加で添付書類を求めることは不適切である。
3　届出の際に、条例等の規定の根拠もなく事前相談や立入検査を求めている自治体があるが、これらの手続を経ていないことを理由に届出を受理しない行為は、行政手続法第37条に違反するおそれがある。
　　また、条例等の規定に基づく場合であっても、当該規定の目的と相応していないような過剰な手続を求めることは不適切である。

具体的には、下記の例が挙げられる。
- 一律に立入検査等を届出の要件とすること
- 周辺住民等への事前説明について、届出前に長期にわたる周知期間を設けることや、広範な地域の住民の同意を義務付けるなど事実上届出を断念せざるを得ないような過剰な手続を求めること
- 住宅宿泊事業法第6条に規定する安全措置について、建築士による確認又はチェックリストへの署名等、本来不要な手続を一律で届出の必須事項とすること
- その他、届出の提出前にかかる期間を含めて届出の受理までに要する期間が、数か月を要するような過剰な手続を求めること

4　届出における推奨事項について、各自治体の手引やホームページにおいて、「〇〇とすること」のように、あたかも法令等により義務付けられた事項であるような記載をすることは不適切である。7月通知のとおり、届出者に誤解が生じないよう、推奨事項であれば「〇〇とすることが望ましい」といった表現に改めることが適切である。

5　届出の際に、廃棄物処理に係る情報の提供を求めるなど、他法令への適合に関する書類等の提出を求めている場合があるが、7月通知で示した消防法令適合通知書の提出と住宅宿泊事業の届出手続との関係についての考え方と同様に、届出受付時に提出が間に合わなかった場合でも、届出の受理までに提出され、当該法令への適合性が確保されれば差し支えないため、迅速な届出の受理が図られるよう、適切に運用されたい。

◯住宅宿泊仲介業者等における短期賃貸借物件等の取扱いについて

> 平成30年11月22日　観観産第565号・薬生衛発1122第1号
> 一般社団法人全国旅行業協会長宛　国土交通省観光庁観光産業・厚生労働省医薬・生活衛生局生活衛生課長連名通知

　民泊仲介サイトにおける短期賃貸借物件の取扱いについては、「住宅宿泊事業法施行要領（ガイドライン）」（平成29年12月26日厚生労働省大臣官房生活衛生・食品安全審議官等通知。以下「ガイドライン」という。）において、「マンスリーマンションについては、一時的な宿泊を主とする上記施設と混在させて民泊仲介サイトに表示させることは適切ではないため、別サイトにおいて管理することが望ましい。」（ガイドライン4－5③）としたところであるが、あらためて、住宅宿泊仲介業者及び旅行業者（以下「住宅宿泊仲介業者等」という。）における短期賃貸借物件等の取扱いについて、下記のとおり整理したので、本通知にしたがい適切な措置を講じられたい。
　については、貴協会傘下会員に対して、この旨を速やかに周知徹底するようよろしく取り計らわれたい。

記

1　ガイドラインにおいて、マンスリーマンションについて、民泊仲介サイトに表示させることは適切ではなく、別サイトにおいて管理することが望ましいこととした趣旨は、宿泊サービスの提供契約と賃貸借契約とでは、権利・義務関係や契約形態が異なる部分があり、トラブルを事前に防止する観点からは、同一のサイトにおいて異なる契約方式を前提とする物件の掲載を行うことは望ましくないからである。
　このため、住宅宿泊仲介業者等においては、その趣旨を十分踏まえ、トラブルが生じないよう、適切に対応されたい。

2　旅館業及び住宅宿泊事業における「人を宿泊させる営業」とは、貸室業との関連でいえば、
① 施設の管理・経営形態を総体的にみて、宿泊者のいる部屋を含め施設の衛生上の維持管理責任が営業者にあると社会通念上認められること
② 施設を利用する宿泊者がその宿泊する部屋に生活の本拠を有さないことを原則として、営業しているものであること
の2点を条件として有しているところである（昭和61年3月31日衛指第44号厚生省生活衛生局指導課長通知等、ガイドライン1－1(2)②）。
　また、厚生労働省より関係自治体に対して、旅館業のサービスに該当するか否かの判断をより円滑にする等のための目安期間（この期間より短い期間のサービスについては、基本的に旅館業のサービスと判断するもの）を設定することが望ましく、目安期間は1か月とすることが望ましい（ただし自治体が既に別途の目安期間を事実上設定している場合は、従前通りの考え方で判断して差し支えない）、との考え方を示していると

ころである。
　このため、住宅宿泊仲介業者等において短期賃貸借の物件を仲介サイトに掲載する場合には、少なくとも以下の措置を講じた上で掲載すること。
(ⅰ) 目安期間（原則1か月）以上の滞在を前提として、仲介サイトにおいて予約の条件として明確に表示を行うとともに、目安期間未満の宿泊が行わないようシステム上その他による措置（いったん目安期間以上の予約を行った上で、正当な理由もなく残期間の予約の取消が行われることにより、結果的に短期の宿泊サービスの提供が行われることを防止するための措置を含む。）を講じること
(ⅱ) 短期賃貸借契約の締結を条件とすること、施設の衛生上の維持管理責任を営業者側が負うものでないことなど、当該物件が宿泊施設ではなく賃貸物件であることを明確に表示すること
3　生活体験等を行い、無償で宿泊させる民泊の場合は、旅館業法の適用除外である（平成23年2月24日健衛発0331第3号厚生労働省健康局生活衛生課長通知等）が、これらの施設を仲介サイトに掲載するにあたっては、宿泊料を徴収しないことを明示すること。
　なお、「体験料」や「施設利用代」等の名目であっても、その中に実質的に宿泊料にあたるものが含まれていれば、旅館業法の適用を受けるものであるので注意すること。
4　レスト・シップ・サービスと称して休憩料として料金を徴収するなどの場合であっても、運送業務に通常随伴する程度を超えて休憩又は宿泊が行われる場合には、当該船舶等は旅館業法の適用対象として扱われる場合があるので注意すること。
5　レンタカー、キャンピングカー等と称していても、その実態が施設を設け、宿泊料を受けて人を宿泊させる営業を営んでいる場合は、旅館業法の適用対象として扱われる場合があるので注意すること。
　また、自家用自動車を業として有償で貸し渡す場合には、道路運送法（昭和26年法律第183号）第80条に基づく国土交通大臣の許可が必要であるので、住宅宿泊仲介業者においてこれに該当すると思われるものを仲介サイトに掲載する場合には、同法に基づく許可を得ているかどうかについて適切に確認を行った上で、当該許可に係る貸渡料金等を表示して掲載すること。
6　3から5までに該当する施設等を仲介サイトへ掲載するにあたっては、住宅宿泊仲介業者等において当該施設の営業者が提供するサービス内容等を十分に把握した上で、旅館業法の適用の有無について疑義がある場合には、当該地域の旅館業担当部署に照会する等により必要な確認を行った上で、仲介サイトへ掲載すること。

○住宅宿泊事業法に基づく行政処分を行う際の留意点について

> 平成31年1月16日　薬生衛発0116第1号・観観産第611号
> 各都道府県・各保健所設置市・各特別区住宅宿泊事業主管部局長宛　厚生労働省医薬・生活衛生局生活衛生・国土交通省観光庁観光産業課長連名通知

　平成30年6月15日に施行された住宅宿泊事業法（平成29年法律第65号。以下「法」という。）について、適正かつ円滑な運用に対する御理解と御協力に感謝申し上げる。
　今般、届出後に生じた事情変更等により、法に基づく住宅宿泊事業者への業務改善命令や事業の廃止命令等の行政処分を行う必要が生じた場合の対応についての照会が複数の自治体から寄せられていることを踏まえ、当該場合の留意点について、以下のとおり整理するので、住宅宿泊事業所管部局においては、行政処分等を行う際には、参考とされたい。

記

1　届出後に住宅宿泊事業の実施が制限される等の事情変更が生じた場合の対応について
　　住宅宿泊事業の届出後に、届出の内容に変更があり、民事上の契約等において住宅宿泊事業を実施している住宅における住宅宿泊事業の実施が制限される規定がおかれた場合には、「住宅宿泊事業の適正な運営を確保するため必要があると認めるとき」に該当するものとして、法第15条に基づき、業務改善を命ずることができる。
　　例えば、転借物件の転貸承諾の取下げ、マンション管理規約の変更等がこれにあたり、こうした場合には、住宅宿泊事業者に対し、権利者等（賃貸人、転貸人、管理組合等）に対して必要な対応をとり、住宅宿泊事業を営むための必要な要件を備えるよう図ることなどを業務改善命令として命ずることが考えられる。
　　業務改善命令をしても、改善が図られない場合には、「前条の規定による命令に違反したとき」として、法第16条第1項又は第2項に基づき、業務停止又は事業の廃止を命ずることとなる。
　　また、住宅宿泊事業の実施が制限されているにもかかわらず虚偽の届出が行われた場合においても、上記と同様の対応となる。
2　届出後に法第4条に規定する欠格事由に該当した場合等の事情変更が生じた場合の対応について
　　住宅宿泊事業の届出後に、届出の内容に変更があり、法第4条の各号に定める欠格事由に該当することとなったにもかかわらず、その後も住宅宿泊事業が継続されている場合においては、欠格事由に該当した時点で「住宅宿泊事業を営んではならない」とされていることに違反していることから、当該欠格事由が治癒される余地が見込める場合は、法第16条第1項に基づき業務停止を命じ、治癒される余地が見込めない場合には、法第16条第2項に基づき事業の廃止を命ずることが適切である。
　　また、欠格事由に該当しているにもかかわらず虚偽の届出が行われた場合においても、上記と同様の対応となる。

3　法第16条第２項に基づき事業の廃止を命ずる場合の留意点について
　　法第15条の規定に基づく業務改善命令又は法第16条第１項の業務停止命令を行ったとしても、当該住宅宿泊事業者に係る問題の改善が期待されない場合は、法第16条第２項に規定する「他の方法により監督の目的を達成することができないとき」に該当するものとして事業の廃止を命ずることができる。
4　法第16条第２項に基づき事業の廃止を命じた場合の届出の効果について
　　住宅宿泊事業者に対して事業の廃止を命じた場合でも、当然に法第３条第１項の届出の効果が消滅したものとして取り扱うことはできず、当該廃止命令を受けた住宅宿泊事業者が、法第３条第６項第５号の規定に基づき、事業の廃止の届出を行った時点で法第３条第１項の届出の効果が消滅することとなる。
　　なお、住宅宿泊事業者が事業の廃止命令に従わない場合には、法第73条第２号の罰則の対象となる。
5　法第15条に基づく業務改善命令等における行政手続法上の意見陳述等の手続きについて
　　法第15条に基づく業務改善命令、法第16条第１項に基づく業務停止命令、法第16条第２項に基づく事業の廃止命令は、行政手続法（平成５年法律第88号）第２条第４号の不利益処分に該当するところ、当該命令を行おうとする場合は、同法第13条第１項に基づき、意見陳述のための手続きを執る必要がある。
　　なお、届出に基づき行われている営業等の廃止を命ずる処分は、聴聞手続きが必要とされる同項第１号ロの名あて人の資格又は地位を直接にはく奪する不利益処分に該当することとされていることに留意されたい（平成３年12月12日臨時行政改革推進審議会「公正・透明な行政手続法制の整備に関する答申」参照）。

第7編　住宅宿泊事業

○イベント開催時の旅館業法上の取扱いについて

〔令和元年12月25日　事務連絡
各都道府県・各保健所設置市・各特別区生活衛生担当
課宛　厚生労働省医薬・生活衛生局生活衛生課〕

　イベント開催時の旅館業法上の取扱いに関する照会事項への回答については、平成29年12月26日付事務連絡（『「規制改革実施計画（平成27年6月30日閣議決定）」に基づくイベント開催時の旅館業法上の取扱いについて』）の別添としてお示ししたところですが、今般、イベント民泊ガイドラインの改訂に合わせ、別添のとおり回答を更新しましたので、お知らせいたします。
　貴課におかれては、内容を御了知の上、観光担当部局等の関係部署及び都道府県におかれては併せて管下市町村等への周知等についてご配慮願います。
＜更新箇所＞
　「イベント民泊ガイドライン」を「イベント民泊ガイドライン（イベントホームステイガイドライン）」に、「イベント民泊」を「イベントホームステイ（イベント民泊）」に修正し、合わせて表記を適正化。
別添　略

○イベント民泊ガイドラインの改訂について

〔令和元年12月25日　事務連絡
各都道府県・各市町村・各特別区観光担当部局・各都道府県・各保健所設置市・各特別区生活衛生担当課宛
国土交通省観光庁観光産業課・厚生労働省医薬・生活衛生局生活衛生課〕

　令和元年12月12日付け事務連絡「2020年東京オリンピック・パラリンピック競技大会の開催に向けたイベント民泊の積極的な活用について」においては、東京オリンピック・パラリンピック競技大会を控える中、イベント民泊の積極的な活用について検討をお願いしたところです。
　今般、東京オリンピック・パラリンピック競技大会など、国内外から多くの旅行者が来訪するイベントが開催される際に、ホームステイを通して開催地の住民の方々と旅行者との交流機会を創出できるよう、イベント民泊のガイドラインを別添のとおり改訂しました。（改訂の概要は別紙を参照。）
　イベント民泊を積極的に活用していただくことで、東京オリンピック・パラリンピック競技大会等の大きなイベントで、開催地の住民の皆様一人ひとりに、「一緒にイベントを成功させた」という体験がレガシーとして残ることを期待しています。
　都道府県、市町村、特別区の皆様におかれましては、ガイドラインの改訂内容を御了知の上、イベント民泊の更なる積極的な活用を検討いただきますようお願いいたします。
別添　略

イベント民泊ガイドラインの改訂について

別　紙
　　イベント民泊ガイドライン改訂の概要
1　通称の変更
　　ガイドラインの件名と全文に渡って次のとおり改訂。
　【改訂箇所】※青字〔太字〕部分追加
　　＜タイトル＞　イベント民泊ガイドライン（**イベントホームステイガイドライン**）
　　＜全　　文＞　**イベントホームステイ**（イベント民泊）
2　交流要件の追加
　　イベント民泊を実施するための要件として、宿泊施設の供給不足のほかに交流機会の創出を目的とする場合を追加。
　【改訂箇所】※青字〔太字〕部分追加
　　2　イベント民泊を実施できる場合
　　　(1)　イベント民泊の概要
　　　　　イベントホームステイ（イベント民泊）とは、「ⅰ)年数回程度（1回当たり2～3日程度）のイベント開催時であって、ⅱ―1)宿泊施設の不足が見込まれること、又はⅱ―2）**ホームステイでの宿泊体験を通して、地域の人々と旅行者の交流を創出する地方創生の観点から、**ⅲ)開催地の自治体の要請等により自宅を提供するような公共性の高いもの」について、「旅館業」に該当しないものとして取り扱い、自宅提供者において、旅館業法に基づく営業許可なく、宿泊サービスを提供することを可能とするものです。
　　　(4)　「ホームステイでの宿泊体験を通して、地域の人々と旅行者の交流を創出する地方創生の観点」について
　　　　　イベントの主催者、ボランティアスタッフ等の関係者に限らず、参加者、観戦者をはじめイベントの開催をきっかけに地域に来訪する方と地域住民との交流を念頭においています。必ずしも海外からの旅行者に限らず、また、首都圏等の都市部を対象から除いているわけではありません。
　　　　　自宅提供者の自宅に旅行者が宿泊すること自体が交流となります。宿泊の他に食事会の開催のような特別な企画を実施することまでを求めるものではありません。
　【交流事例】
　　○　「町のことや歴史、自宅提供者夫婦のこと、色々な会話をした。自宅提供者とは今後も交流を続けていきたいと思った。また、泊まりに来たい。（宿泊者体験）」
　　○　「宿泊中に、自宅提供者の家庭や地域が台風で被災したため、ボランティアとして泥かきを手伝った。（宿泊者体験）」
　　○　「海外からの宿泊者を受け入れた。宿泊者と近くのスーパーで一緒に買い物をし、交流を深めた。息子が宿泊者と英語でコミュニケーションを取っている姿を見て、自身も英語を勉強しようと思った。宿泊者が帰国した後も連絡は続いており、次は、宿泊者の国にも来てほしいと言ってくれる。（自宅提供者体験）」

第7編　住宅宿泊事業

○国家戦略特別区域外国人滞在施設経営事業からの暴力団排除の推進について

〔令和2年8月20日　府地事第572号・薬生衛発0820第2号
各都道府県・各保健所設置市・各特別区特区民泊主管部(局)長宛　内閣府地方創生推進事務局参事官・厚生労働省医薬・生活衛生局生活衛生課長連名通知〕

　国家戦略特別区域法の一部を改正する法律（令和2年法律第34号）による改正後の国家戦略特別区域法（平成25年法律第107号。以下「特区法」という。）においては、特区法第13条第1項に規定する国家戦略特別区域外国人滞在施設経営事業（以下「特区民泊」という。）から暴力団排除を推進するため、特区民泊の認定（特区法第13条第1項の都道府県知事（保健所を設置する市又は特別区にあっては、市長又は区長。）の認定（以下「特定認定」という。）をいう。）を受けようとする者が特区法第13条第4項第5号、第6号（同条第5号に該当する場合に限る。）、第7号（同条第5号に該当する場合に限る。）又は第8号のいずれか（以下「暴力団排除条項」という。）に該当するときは、都道府県知事（保健所を設置する市又は特別区にあっては、市長又は区長。以下同じ。）による特区民泊の特定認定を受けることができない旨を規定している。
　については、特区民泊からの暴力団排除の推進に関し、内閣府、厚生労働省及び警察庁と協議の上、「国家戦略特別区域外国人滞在施設経営事業からの暴力団排除に関する合意書」（令和2年8月20日付府地事第571号、警察庁丁暴発第236号及び薬生衛発0820第1号。以下「合意書」という。）（別添1）に基づき、下記のとおり取り組むこととしたので、各都道府県、保健所設置市、特別区においては、その実施に遺漏なきようお願いする。
　なお、本件に関しては、警察庁から各都道府県警察の長及び各方面本部長に対し、別添2「国家戦略特別区域外国人滞在施設経営事業からの暴力団排除の推進について」（令和2年8月20日付警察庁丁暴発第237号）が発出されているので参考とされたい。

記

1　暴力団排除条項に係る照会等
 (1)　申請書の提出
　　特区法第13条第1項並びに厚生労働省関係国家戦略特別区域法施行規則（平成26年厚生労働省令第33号）第12条第11号の規定に基づき、特区民泊を経営するため特定認定を受けようとする者は、特定認定を受けようとする者が暴力団排除条項に該当することの有無及び該当するときはその内容を記載した申請書を都道府県知事に提出しなければならないこととされている。
 (2)　暴力団排除条項に係る照会
　　都道府県（保健所を設置する市又は特別区にあっては、市又は特別区。以下同じ。）の特区民泊制度を主管する課（以下「特区民泊制度主管課」という。）の長（以下「特区民泊制度主管課長」という。）は、特区民泊の特定認定又は変更認定の申請における審査及び確認を行う場合その他必要がある場合は、当該特区民泊制度主管課

が所在する都道府県を管轄する警視庁又は道府県警察本部の暴力団対策を主管する課等の長(以下「暴力団対策主管課長等」という。)に対し、特区民泊の特定認定を受けようとする者又は特定認定を受けた者(以下「特定認定申請者等」という。)の暴力団排除条項該当性の有無について、文書(別記様式第1号)に加え、当該特定認定申請者等(当該特定認定申請者等が法人等であるときはその役員等)の氏名カナ、氏名漢字、生年月日、性別等をエクセルのファイル形式(別記様式第1号別添。拡張子.xls)により記録した電磁的記録媒体(CD-R等をいう。)を用い、暴力団対策主管課長等に通知することにより照会するものとする。

2 暴力団排除条項に該当した場合の対応

1の照会に対し、暴力団対策主管課長等から別記様式第2号により、特定認定申請者等が暴力団排除条項に該当する事由があるとの回答が行われた場合には、特区民泊制度主管課長は、当該特定認定申請者等に対し必要な措置を執るものとする。

3 その他

本通知に基づく暴力団対策主管課長等への照会の結果、特定認定申請者等が暴力団排除条項に該当すると判明した場合には、当該特定認定申請者等の情報及び対処方針を遅滞なく内閣府地方創生推進事務局及び厚生労働省医薬・生活衛生局生活衛生課に情報提供することとする。

また、本通知の実行に際しては、暴力団対策主管課長等と緊密に連携を取り、円滑な執行を図るとともに、職員の安全確保に懸念が生じた場合は速やかに暴力団対策主管課長等に相談することとする。

別添2 略

別添1

国家戦略特別区域外国人滞在施設経営事業からの暴力団排除に関する合意書

> 令和2年8月20日 府地事第571号・警察庁丁暴発第236号・薬生衛発0820第1号
> 内閣府地方創生推進事務局参事官・警察庁刑事局組織犯罪対策部暴力団対策課長・厚生労働省医薬・生活衛生局生活衛生課長

国家戦略特別区域法の一部を改正する法律(令和2年法律第34号)による改正後の国家戦略特別区域法(平成25年法律第107号。以下「特区法」という。)が、令和2年9月1日から施行されることに伴い、国家戦略特別区域外国人滞在施設経営事業(以下「特区民泊」という。)から暴力団排除を徹底するため、内閣府、警察庁及び厚生労働省は、都道府県警察(以下「警察」という。)と都道府県(保健所を設置する市又は特別区にあっては、市又は特別区。以下同じ。)の特区民泊の認定(特区法第13条第1項の都道府県知事(保健所を設置する市又は特別区にあっては、市長又は区長。)の認定(以下「特定認定」という。)をいう。)制度を主管する課(以下「特区民泊制度主管課」という。)との間での業務運用について、下記のとおり合意する。

第7編　住宅宿泊事業

記

1 合意書の趣旨

　　特区民泊制度主管課は、特区民泊の特定認定の申請又は申請事項等の変更に係る申請における審査及び確認を行う場合その他必要がある場合は、警察に対して、特区民泊の特定認定を受けようとする者又は特定認定を受けた者（以下「特定認定申請者等」という。）の暴力団排除条項該当性について照会するものとする。また、警察は、特区民泊制度主管課からの照会に対して当該特定認定申請者等の暴力団排除条項該当性について回答するものとする。

2 排除対象者

(1) 暴力団員による不当な行為の防止等に関する法律（平成3年法律第77号）第2条第6号に規定する暴力団員又は暴力団員でなくなった日から起算して5年を経過しない者（以下「暴力団員等」という。）（特区法第13条第4項第5号）

(2) 営業に関し成年者と同一の行為能力を有しない未成年者でその法定代理人（法定代理人が法人である場合にあっては、その役員を含む。）が暴力団員等に該当するもの（特区法第13条第4項第6号）

(3) 法人であって、その業務を行う役員のうちに暴力団員等に該当する者があるもの（特区法第13条第4項第7号）

(4) 暴力団員等がその事業活動を支配する（※注）者（特区法第13条第4項第8号）

　　（※注）「事業活動を支配する者」とは、

　　　　① 暴力団員等の親族（事実上の婚姻関係にある者を含む。）又は暴力団若しくは暴力団員と密接な関係を有する者が、事業主であることのほか、多額の出資又は融資を行い、事業活動に相当程度の影響力を有していることなど。

　　　　② 暴力団員等が、事業活動への相当程度の影響力を背景にして、名目のいかんを問わず、多額の金品その他財産上の利益供与を受けていること又は売買、請負、委任その他の有償契約を締結していることなど。

3 照会及び回答の要領

(1) 照会

　　特区民泊制度主管課の長（以下「特区民泊制度主管課長」という。）は、当該特区民泊制度主管課が所在する都道府県を管轄する警視庁又は道府県警察本部の暴力団対策を主管する課等の長（以下「暴力団対策主管課長等」という。）に対し、特定認定申請者等の暴力団排除条項該当性の有無について文書（別記様式第1号）に加え、当該特定認定申請者等（当該特定認定申請者等が法人等であるときはその役員等）の氏名カナ、氏名漢字、生年月日、性別等をエクセルのファイル形式（別記様式第1号別添。拡張子.xls）により記録した電磁的記録媒体（CD―R等をいう。以下同じ。）を用い、暴力団対策主管課長等に通知することにより行うものとする。

(2) 回答

　　暴力団対策主管課長等は、当該特定認定申請者等の暴力団排除条項該当性を確認し、該当性の有無について、特区民泊制度主管課長に対し、速やかに文書（別記様式

第2号）により回答するものとする。

　なお、暴力団対策主管課長等は、暴力団排除条項該当性の確認に際して、より詳細な情報が必要となる場合は、特区民泊制度主管課長に対し、更なる資料等の提出を求めることができるものとする。

(3) 警察が自ら通知する場合

　暴力団対策主管課長等は、3(1)による照会以外で、特区民泊の認定を受けた者が2の排除対象者に該当する事実を確認した場合は、当該事実を確認した区域を管轄する特区民泊制度主管課長に対し、速やかに文書（別記様式第3号）により通知し、必要な措置を執ることを求めるものとする。

(4) 当該特定認定申請者等への通知

　暴力団対策主管課長等から排除対象者に該当する事由があるとの回答・通知が行われた場合には、特区民泊制度主管課長は、当該特定認定申請者等に対し必要な措置を執るものとする。

4　照会等に関する留意事項

(1) 暴力団対策主管課長等と特区民泊制度主管課長との間の文書又は電磁的記録媒体の受渡しについては、原則として、手渡しで行うものとする。

　ただし、遠隔地であるなど、手渡しにより難いと認められる特段の事情があるときは、両者の間で協議の上、郵便書留による送付をもって行うことができるものとする。

(2) 別記様式第1号から第3号までについては、所定の事項が記載されていれば、適宜変更して用いても差し支えない。

5　情報管理の徹底

　暴力団対策主管課長等と特区民泊制度主管課長は、本合意書に基づく照会等その他両者間で行われる情報交換に係る情報については、照会等手続の目的以外に利用しないものとし、紛失及び漏えいの防止その他情報管理に万全を期すものとする。

6　連携の強化

　暴力団対策主管課長等と特区民泊制度主管課長は、照会の手続に関して、相互に協力し、緊密な連携の下、特区民泊からの暴力団排除対策を推進するものとする。

7　保護対策

　暴力団対策主管課長等は、暴力団員等による特区民泊への不当介入事案があった場合、積極的に事件化を検討するとともに、必要に応じて、特区民泊制度主管課の職員等関係者に対する保護対策を適切に実施するものとする。

8　その他

(1) 本合意書に定めのない事項又は疑義の生じた事項については、内閣府、警察庁及び厚生労働省において、その都度協議の上、決定するものとする。

(2) 本合意書に基づく業務の運用は、令和2年9月1日から開始するものとする。

　　　　　　　　　　　　　　　　　　　　　　　　　　　　　　　　　　　以上

第7編　住宅宿泊事業

別記様式第1号（照会）

文　書　番　号
令和〇年〇月〇日

暴力団対策主管課長　殿

特区民泊制度主管課長

「国家戦略特別区域外国人滞在施設経営事業からの暴力団排除に関する
合意書」に基づく照会について

　下記の者について「国家戦略特別区域外国人滞在施設経営事業からの暴力団排除に関する合意書」に規定する排除対象者に該当するか否かについて照会します。

記

1　照会対象者
　　別添のとおり。

※　別添を用いない場合は、
　　氏名（フリガナ）、生年月日、性別、住所
　を記載し、法人の場合は、
　　その法人の商号又は名称
　を加えて記載すること。

国家戦略特別区域外国人滞在施設経営事業からの暴力団排除の推進について

別添
照会文書記載例

シメイ	氏名	和暦	年	月	日	性別	住所	法人名
ロウドウ タロウ	労働　太郎	S	30	03	04	M	東京都千代田区	●●（株）
カンキョウ キレイ	環境　綺麗	H	01	11	30	F	東京都府中市	（株）▲▲
トウホク イチロウ	東北　一郎	S	40	01	01	M	●●県▲▲郡■■町	■■（有）
カンサイ ジロウ	関西　次郎	S	45	12	24	M	大阪市中央区	（有）××
キュウシュウ サブロウ	九州　三郎	R	01	08	02	M	福岡県博多市	個人

（補足説明）
　電磁的記録（拡張子.xlsにて保存）については、氏名カナ（半角、姓と名の間も半角で１マス空け）、氏名漢字（全角、姓と名の間も全角で１マス空け）、生年月日（大正はT、昭和はS、平成はH、令和はRで半角とし、数字は２桁半角）、性別（半角で男性はM、女性はF）、住所（市区町村まで全角）、法人名（全角）、役職（全角）をセルごとに入力し、照会を行うものとする（上記記載例参照）。
　なお、上記記載例は、便宜上、項目名及び罫線を付しているが、実際の照会の際は、罫線は不要。
　また、外国人については、氏名欄にはアルファベットを、シメイ欄は当該アルファベットのカナを記載すること。

第7編　住宅宿泊事業

別記様式第2号（回答）

文　書　番　号
令和〇年〇月〇日

特区民泊制度主管課長　殿

暴力団対策主管課長

「国家戦略特別区域外国人滞在施設経営事業からの暴力団排除に関する
合意書」に基づく回答について

「国家戦略特別区域外国人滞在施設経営事業からの暴力団排除に関する合意書」（以下「本合意書」という。）に基づき、令和　　年　　月　　日付け（文書番号〇〇）で照会のあった件について、下記のとおり回答します。

記

※　該当する場合
　1　照会対象者
　　　商号又は氏名、代表者、役員等
　2　調査結果
　　　上記の者は、本合意書2—〇に該当する事由があると認められる。
　　　その他の者は、本合意書に規定する排除対象者に該当する事由があると認められない。

※　該当しない場合
　　　いずれの者も本合意書に規定する排除対象者に該当する事由があると認められない。

国家戦略特別区域外国人滞在施設経営事業からの暴力団排除の推進について

別記様式第3号（通知）

文 書 番 号
令和○年○月○日

特区民泊制度主管課長　殿

暴力団対策主管課長

「国家戦略特別区域外国人滞在施設経営事業からの暴力団排除に関する
合意書」に基づく通知について

　下記の者については「国家戦略特別区域外国人滞在施設経営事業からの暴力団排除に関する合意書」（以下「本合意書」という。）に規定する排除対象者に該当すると認められるので通知します。

記

1　氏名（フリガナ）

2　生年月日

3　性別

4　住所

5　法人の場合にあっては、その法人の商号又は名称

6　理由
　上記の者は、本合意書2－○に該当する事由があると認められる。

7　その他
　※　必要により記載

○住宅宿泊事業法における宿泊者名簿への記載等の徹底について

> 令和2年10月2日　事務連絡
> 各都道府県・各保健所設置市・各特別区住宅宿泊事業主管部局長宛　厚生労働省医薬・生活衛生局生活衛生・国土交通省観光庁観光産業課長

　宿泊者名簿への必要事項の記載の徹底については、「住宅宿泊事業法における宿泊者名簿の記載等の徹底について（平成29年12月26日付け薬生衛発1222第1号厚生労働省医薬・生活衛生局生活衛生課長、観観産第602号国土交通省観光庁観光産業課長通知）」により、住宅宿泊事業者等が備え付ける宿泊者名簿に必要な事項が正確に記載されることを始めとする適正な運営の確保をお願いしてきたところです。

　今般、民泊利用者の身元確認が十分でない、京都市内の複数の民泊施設を拠点に持続化給付金の不正受給の申請を繰り返していたことの報道（別紙）があったことを踏まえ、改めて貴管内の住宅宿泊事業者等に対して宿泊者名簿への記載等の徹底について、一層の周知、指導をお願いいたします。

（別　紙）

「京都新聞」ネット記事から引用
京都の民泊を拠点に給付金不正申請か　管理人不在の特徴悪用、4人逮捕
2020年9月30日　14：00

　新型コロナウイルス対策で国が支給する持続化給付金の詐欺事件で、京都府警に逮捕された男らの犯行グループが、京都市内の複数の民泊施設を拠点に不正受給の申請を繰り返していたことが30日、捜査関係者への取材で分かった。常駐の管理人がいないことが多い民泊の特徴を悪用し、不特定多数の共犯者らが出入りしていたとみている。府警は同日、詐欺容疑で指南役の男ら2人を再逮捕し、新たに男2人を逮捕した。

　民泊は賃貸マンションなどと比べると利用者の身元確認が十分ではなく、監視の目が行き届きにくいことから、特殊詐欺グループの拠点などに悪用されるケースが各地で出ている。

　府警は今月9日、詐欺容疑で指南役とされる会社員の男（28）＝守山市＝と勧誘役の会社員の男（32）＝左京区＝を逮捕。知人の若者らを勧誘し、組織ぐるみで給付金の虚偽申請を行い、少なくとも数十人分で計数千万円を不正に受給していたとみている。

　捜査関係者によると、指南役の容疑者らは5～8月に、京都市下京区や中京区にある複数の一軒家の民泊施設を、それぞれ約1か月間利用。実際に居住しながら多数の知人らが出入りし、具体的な虚偽申請の手順を指南したり、申請に必要な確定申告書や売り上げ台帳などの書類を作成させたりしていたという。

○家主居住型民泊施設における飲食店営業の許可に係る施設基準の取扱いについて(周知)

> 令和3年9月6日　薬生衛発0906第1号
> 各都道府県・各保健所設置市・各特別区衛生主管部
> (局)長宛　厚生労働省医薬・生活衛生局生活衛生課長
> 通知

標記について、令和3年8月27日付薬生食監発0827第2号にて厚生労働省医薬・生活衛生局食品監視安全課長より各都道府県、保健所設置市、特別区衛生主管部局長宛てに通知されましたので周知いたします。つきましては、住宅宿泊事業を行う家主居住型民泊施設における施設基準等の取扱いに関し、当該通知の内容にご留意いただくようお願いいたします。

なお、当該通知を踏まえ、食品衛生担当部局より住宅宿泊事業担当部局に対して、家主居住型民泊施設に係る照会・相談等がなされた際には、御対応いただくようお願いいたします。

(別　添)
家主居住型民泊施設における飲食店営業の許可に係る施設基準の取扱い
について

> 令和3年8月27日　薬生食監発0827第2号
> 各都道府県・各保健所設置市・各特別区衛生主管部
> (局)長宛　厚生労働省医薬・生活衛生局食品監視安全
> 課長通知

住宅宿泊事業法(平成29年法律第65号)第2条第3項に規定される住宅宿泊事業の用に供されている住宅(以下「民泊施設」という。)において、食品を調理、又は設備を設けて客の飲食に供する場合には、食品衛生法(昭和22年法律第233号)に基づき、飲食店営業の許可を取得する必要があり、通常、飲食店営業の許可を取得する場合には、住居その他食品等を取り扱うことを目的としない室又は場所と営業施設は区画されている必要があります。

一方、本年4月12日に開催された規制改革推進会議第13回投資等ワーキング・グループにて、住宅宿泊事業が民泊施設のうち住宅宿泊事業法施行規則(平成29年厚生労働省・国土交通省令第2号)第2条第1号に規定される家屋(以下「家主居住型民泊施設」という。)において行われる場合には、施設基準を緩和し、家主が家庭用台所で食品を調理し、宿泊者に対して提供することも可能とするよう規制緩和を求める提案がなされました。

つきましては、住宅宿泊事業を行う家主居住型民泊施設における施設基準等の取扱いについては、下記のとおりとしますので、特段の御配慮方よろしくお願いします。

記

1　現に人の生活の本拠として使用されている家屋において行われることを前提としてい

る事業であり、特有の事情があることに鑑み、家主居住型民泊施設を営業場所として、宿泊客に対してのみ食品を提供することを目的に営業許可申請がなされた場合、適切な衛生管理の下、家庭用台所と営業で用いる調理場所の併用等を可能として差し支えないこと。その際、手洗い、便所、更衣場所、床面及び内壁の材質の取扱い等についても併せて配慮願いたいこと。
2 　各都道府県等においては、上記を踏まえ、関係部局間で十分に協議を行い、必要に応じ、条例改正の検討や施設基準を斟酌する等の弾力的運用を行う等、適切に対応すること。なお、その際、家主居住型民泊施設である旨の確認、照会方法についても予め整理しておくことが望ましい。
3 　家庭用台所と営業で用いる調理場所の併用等を可能とした場合であっても、食品の安全性の確保の観点から、一般衛生管理やHACCPに沿った衛生管理に係る規定は遵守する必要があること。

(参考)
○　規制改革実施計画（令和3年6月18日閣議決定）
https://www8.cao.go.jp/kisei-kaikaku/kisei/publication/p_index.html

年別索引

昭和21年
 3月3日　勅令第118号
  物価統制令（抄）……………………………………………………………1686

昭和22年
 12月24日　法律第234号
  理容師法………………………………………………………………………133

昭和23年
 3月9日　厚生省発健第16号
  理容師法施行に関する件……………………………………………………330
 6月30日　法律第67号
  理容師法及び美容師法の特例に関する法律………………………………152
 7月12日　法律第137号
  興行場法………………………………………………………………………1053
 7月12日　法律第138号
  旅館業法………………………………………………………………………1203
 7月12日　法律第139号
  公衆浴場法……………………………………………………………………1653
 7月24日　厚生省令第27号
  公衆浴場法施行規則…………………………………………………………1660
 7月24日　厚生省令第28号
  旅館業法施行規則……………………………………………………………1224
 7月24日　厚生省令第29号
  興行場法施行規則……………………………………………………………1059
 8月18日　厚生省発衛第10号
  旅館業法等施行に関する件…………………………………………………1298
 11月2日　衛発第278号
  営業三法の取扱に関する件…………………………………………………1107
 11月24日　衛発第336号
  公開による聴聞について……………………………………………………1164
 12月8日　衛発第382号
  理容師法の運用に関する件…………………………………………………449

昭和24年
 5月31日　衛発第590号
  理容師法の運用に関する件…………………………………………………449

年別索引

 7月28日 法務府法意1発第44号
  公衆浴場法等の営業関係法律中の「業として」の解釈について……………1827
 10月17日 衛発第1,048号
  公衆浴場法等の営業関係法律中の「業として」の解釈について……………1699

昭和25年
 3月28日 衛発第249号
  船舶内の旅館業経営許可について……………………………………………1515
 4月22日 衛発第336号
  興行場法に関する疑義について………………………………………………1113
 4月26日 衛発第358号
  営業三法の運用について………………………………………………………1701
 5月8日 衛発第29号
  集会場及び各種会館その他の施設を興行場として使用する場合の法の
  運用について……………………………………………………………………1087
 5月26日 発衛第1,089号
  公衆浴場法の一部改正について………………………………………………1692
 5月27日 法律第207号
  クリーニング業法……………………………………………………………… 803
 6月29日 衛発第515号
  クリーニング業法施行に関する件…………………………………………… 866
 7月1日 厚生省令第35号
  クリーニング業法施行規則…………………………………………………… 821
 7月21日 衛発第564号
  公衆浴場法の一部改正について………………………………………………1886

昭和26年
 1月9日 衛環第1号
  営業三法の疑義について………………………………………………………1156
 1月31日 法務府法意1発第2号
  公衆浴場法による営業許可について…………………………………………1855
 3月12日 衛環第24号
  特殊浴場に対する公衆浴場法適用の疑義について…………………………1834
 3月20日 衛発第265号
  公衆浴場としての牛乳風呂の取扱に関する件………………………………1835
 4月12日 衛発第266号
  公衆浴場法による営業許可についての意見書写送付の件…………………1857
 4月13日 衛発第262号
  旅館営業者が「ホテル」の名称を使用することに関する件………………1510

4月13日　衛発第263号
　　許可事項変更の無届者の処置に関する件……………………………………1166
4月13日　衛発第264号
　　クリーニング業法の疑義に関する件（抄）………………………………… 995
4月17日　衛環第38号
　　興行場法質疑事項に関する件…………………………………………………1154
5月21日　衛発第377号
　　理容師法に規定する学校教育法第47条の規定の解釈に関する件………… 697
5月22日　衛発第375号
　　旅館業法適用に関する件………………………………………………………1516
7月7日　衛発第521号
　　旅館業法の疑義について………………………………………………………1511
7月31日　法務府法意1発第46号
　　賃貸借権係争中の施設についての営業許可の可否について………………1551
8月15日　厚生省発衛第121号
　　理容師美容師法施行に関する件……………………………………………… 331
8月23日　衛発第658号
　　旅館営業許可に関する他の法令との関係疑義について……………………1553
9月13日　衛発第707号
　　理容師、美容師の免許取消処分の取扱について…………………………… 689
10月1日　衛環第113号
　　理容師、美容師の出張業務について………………………………………… 674
11月30日　衛環第135号
　　営業三法施行規則（省令）第1条の記載事項の変更について……………1148
12月17日　衛環第141号
　　理容所、美容所の採光について……………………………………………… 704
12月19日　法務府法意1発第116号
　　理容師美容師法施行に伴う疑義について…………………………………… 674
12月19日　衛環第142号
　　理容師、美容師法施行規則第4条の運用について………………………… 689
12月25日　衛環第149号
　　公衆浴場営業許可の行政処分手続について…………………………………1917

昭和27年

1月11日　医第8号
　　浴場内のあん摩類似行為について……………………………………………1932
1月28日　環衛第4号
　　公衆浴場に薬湯を併設することについて……………………………………1900
2月11日　衛環第6号
　　薬湯の併置営業について………………………………………………………1901

2月22日　衛環第39号
　　公衆浴場、旅館、飲食店と風紀びん乱について……………………1920
2月25日　衛発第149号
　　公衆浴場における電気浴施設の設置について……………………1904
3月5日　衛環第15号
　　外国人の美容師試験の受験について………………………………703
3月12日　衛環第18号
　　理容師美容師法に規定する学校教育法第47条の解釈について……468
3月18日　衛環第20号
　　常設興行場に対する疑義について…………………………………1113
4月26日　衛発第396号
　　理容師又は美容師の免許について…………………………………690
7月30日　衛発第693号
　　公衆浴場における電気浴器の取扱について………………………1705
7月31日　政令第319号
　　物価統制令施行令（抄）……………………………………………1689
8月14日　衛環第77号
　　バンガローの指導取締について……………………………………1526
10月9日　衛環第89号
　　営業三法の運用について……………………………………………1518
10月24日　衛発第1,018号
　　旅館業法第6条の解釈について……………………………………1608
10月29日　衛環第92号
　　旅館業法に関する疑義について……………………………………1519
10月30日　衛環第93号
　　理容師、美容師の免許資格について………………………………690
11月4日　衛環第96号
　　旅館業法の疑義について……………………………………………1512
11月11日　衛環第98号
　　トルコ風呂の取扱について…………………………………………1835
11月29日　衛環第104号
　　臨時興行場の疑義について…………………………………………1141
12月8日　衛環第109号
　　会社工場等の寮、会員制度等の宿泊施設の取扱いについて……1520
12月10日　衛環第111号
　　公衆浴場競願の取扱について………………………………………1865
12月20日　衛環第113号
　　理容器具の紫外線殺菌消毒について………………………………704

昭和28年

12月22日　衛環第114号
　営業三法施行規則（省令）第1条記載事項の変更について …………………… 1149

昭和28年

2月9日　衛環第12号
　公衆浴場法、旅館業法等の疑義について ……………………………………… 1876

2月16日　衛環発第4号
　公衆浴場法と都市計画法との関係について …………………………………… 1894

2月23日　衛環発第6号
　公衆浴場新設許可事務について ………………………………………………… 1918

2月23日　衛環第16号
　公衆浴場法の適用について ……………………………………………………… 1836

3月6日　衛環発第8号
　公衆浴場法第3条の規定による入浴者の衛生に必要な措置基準について
　………………………………………………………………………………………… 1902

3月6日　衛環第20号
　営業三法取扱の疑義について …………………………………………………… 1546

3月28日　衛環第24号
　市町村の区域を異にする場合の既設公衆浴場と新設公衆浴場との距離
　の問題について …………………………………………………………………… 1888

7月14日　衛環第43号
　公衆浴場法による営業許可について …………………………………………… 1892

8月19日　衛環発第25号
　鯛網営業が興行場法による興行であるか否かについて ……………………… 1114

8月31日　政令第232号
　理容師法施行令 ……………………………………………………………………… 153

8月31日　政令第233号
　クリーニング業法施行令 …………………………………………………………… 819

8月31日　衛発第689号
　興行場法運用上の疑義について ………………………………………………… 1169

9月8日　衛発第706号
　建築基準法による違反建築物の旅館営業許可に関する疑義について ……… 1558

10月5日　衛環第55号
　興行場に対する疑義について …………………………………………………… 1116

12月9日　法制局1発第112号
　公衆浴場法の営業許可について ………………………………………………… 1919

12月10日　厚生省発衛第320号
　理容師美容師法の一部を改正する法律等の施行について …………………… 332

12月14日　衛環第74号
　美容業務の疑義について …………………………………………………………… 676

年別索引

昭和29年

1月5日　衛発第1号
公衆浴場法の疑義について……………………………………………1840

1月5日　衛発第3号
公衆浴場許可の取扱について…………………………………………1870

1月22日　衛発第38号
興行場（無窓映画館）経営許可申請の取扱について………………1173

5月7日　衛環第35号
クリーニング業法の疑義について…………………………………… 995

6月14日　衛環第52号
環境衛生関係法規の運用及び疑義について…………………………1116

9月2日　衛環第82号
旅館営業許可の行政処分に関する疑義照会について………………1554

9月25日　衛環第91号
クリーニング業法の疑義について…………………………………… 996

9月25日　衛環第92号
公衆浴場法施行規則第2条の適用範囲について……………………1879

9月29日　衛環第94号
興行場経営者について…………………………………………………1143

10月14日　厚生省公衆衛生局第729号
公衆浴場許可取消について……………………………………………1922

12月2日　衛環発第32号
公衆浴場設置許可申請の競願事件について…………………………1866

昭和30年

1月20日　厚生省発衛第5号
映画興行の健全化について（依命通達）……………………………1101

1月24日　衛発第34号
映画興行の健全化について……………………………………………1102

1月29日　衛環第5号
映画興行の健全化について……………………………………………1104

2月25日　衛環発第4号
営業三法に関する疑義について………………………………………1141

3月22日　衛環第18号
興行場、旅館業、公衆浴場等営業許可事務取扱の疑義について…1156

4月26日　衛発第265号
外国における美容師免許資格取得者の取扱について……………… 691

5月19日　衛環発第16号
旅館営業許可に関する疑義について…………………………………1555

6月17日　衛発第374号
　　県条例による公衆浴場、興行場の新設制限について……………………………1887
7月30日　衛環第47号
　　公衆浴場法の運営疑義について……………………………………………………1838
8月11日　衛環発第27号
　　公衆浴場の入浴料金について………………………………………………………1924
8月19日　衛環発第29号
　　興行場法の適用について……………………………………………………………1117
8月19日　衛環第58号
　　回転立体写真透視器（ミュート・スコープ）利用の営業状況について…………1124
10月3日　厚生省発衛第324号
　　理容師美容師法の一部を改正する法律の施行に関する件………………………… 333
10月3日　厚生省発衛第324号
　　理容師美容師法の一部を改正する法律等の施行について………………………… 335
10月3日　厚生省発衛第325号
　　クリーニング業法の一部を改正する法律の施行に関する件……………………… 867
10月3日　厚生省発衛第325号
　　クリーニング業法の一部を改正する法律等の施行について……………………… 868
11月24日　衛環第88号
　　琉球政府施行の理容師美容師試験と行政処分の効力について…………………… 691
12月9日　衛環第91号
　　テレビジョンによる興行の疑義について…………………………………………1120
12月9日　衛発第92号
　　興行場法運営上の疑義について……………………………………………………1171
12月26日　衛環発第48号
　　共同浴場に対し公衆浴場法第2条第2項による適正配置の基準適用の
　　疑義について………………………………………………………………………1896
12月26日　衛環発第49号
　　理容所又は美容所の開設及び実地習練等の取扱について………………………… 698
12月26日　衛環第97号
　　興行場法の疑義について……………………………………………………………1126

昭和31年
1月17日　衛環第2号
　　興行場法運用上の疑義について……………………………………………………1143
2月20日　衛環発第8号
　　興行場法第3条の規定による入場者の衛生に必要な措置基準について…………1173
3月3日　衛環発第9号
　　公衆浴場の疑義について……………………………………………………………1839

3月6日　衛環第20号
　公衆浴場及び旅館業浴場に利用する温泉の取扱について……………………1906
5月29日　衛環第49号
　興行場法の適用について………………………………………………………1121
7月18日　衛環第62号
　公設グランド等の興行場の許可手続きの疑義について……………………1127
8月13日　衛環第68号
　理容師美容師法に伴う疑義について………………………………………… 677
9月21日　衛環第95号
　理容師美容師法の疑義について……………………………………………… 692
10月5日　発衛第360号
　理容師美容師法施行規則の一部を改正する省令の施行に関する件……… 338
10月5日　衛発第672号
　クリーニング業法に基くクリーニング師試験の受験資格について……… 971
10月8日　衛発第675号
　理容師美容師法施行規則の一部を改正する省令の施行について………… 339
10月29日　衛環発第53号
　旅館業の条件付き許可について………………………………………………1549
11月13日　衛環発第55号
　仮設興行場の営業許可について………………………………………………1145
11月22日　衛環第115号
　公衆浴場法の適用について……………………………………………………1843
11月27日　衛環第116号
　児童福祉施設のクリーニング所開設疑義について………………………… 996
11月29日　衛環第118号
　旅館業法の疑義について………………………………………………………1524
11月29日　衛環第119号
　公衆浴場営業許可について……………………………………………………1860
11月30日　衛環第121号
　旅館業法の疑義について………………………………………………………1521
11月30日　衛環第122号
　クリーニング業法に基くクリーニング師試験の受験資格について………1015
12月13日　衛環第123号
　興行場法施行条例について……………………………………………………1174
12月13日　衛環第124号
　旅館業法施行規則第2条の廃業届の疑義について…………………………1580
12月19日　衛環第125号
　興行場法による興行場営業許可について……………………………………1157

12月20日　衛環第126号
　　免許申請手続の簡素化について……………………………………………………… 694
12月21日　衛環第128号
　　興行場法の運営上の疑義について……………………………………………………1121

昭和32年

1月7日　衛環発第1号
　　理容師美容師試験について…………………………………………………………… 618
1月18日　衛環第2号
　　公衆浴場許可事務取扱上の疑義について……………………………………………1873
2月13日　厚生省発衛第29号
　　美容師法等の施行について.（依命通達）…………………………………………… 341
2月25日　衛環発第11号
　　公衆浴場法に関する疑義について……………………………………………………1902
2月25日　衛環第15号
　　公衆浴場法第4条に関する疑義について……………………………………………1906
3月6日　衛環第18号
　　競輪場及び競馬場に対する興行場法の適用について………………………………1119
3月8日　衛発第78号
　　旅館営業に対する指導監督の強化について…………………………………………1347
3月13日　衛環第19号
　　「新農山漁村建設総合対策要綱」に基く共同浴場施設について…………………1842
4月26日　衛環第31号
　　興行場法適用の疑義について…………………………………………………………1118
5月13日　衛環第32号
　　理容所開設届の疑義について………………………………………………………… 705
5月13日　衛環第33号
　　理容師美容師法施行規則第11条第1号のニの取扱について……………………… 700
5月27日　衛環第36号
　　公衆浴場法の疑義について……………………………………………………………1861
6月3日　法律第163号
　　美容師法………………………………………………………………………………… 233
6月3日　法律第164号
　　生活衛生関係営業の運営の適正化及び振興に関する法律………………………… 3
6月21日　政令第152号
　　旅館業法施行令………………………………………………………………………… 1218
6月21日　衛環発第23号
　　水族館に対する興行場法の適用について……………………………………………1128
7月3日　衛環発第24号
　　公衆浴場法に基く営業許可に関する疑義について…………………………………1867

年別索引

7月29日　衛環発第30号
　旅館営業の許可事務取扱に対する疑義について……………………1584
7月30日　衛環発第31号
　旅館業法の施行上の疑義について……………………………………1564
8月3日　衛発第649号
　旅館業法の一部を改正する法律等の施行について…………………1303
8月5日　厚生省衛発第650号・文部省国施第45号
　学校周辺の旅館業について……………………………………………1348
8月7日　厚生省発衛第371号
　旅館業法の一部を改正する法律等の施行について（依命通達）……1300
8月8日　衛環発第34号
　旅館内にトルコ風呂を設ける場合の取扱について…………………1529
8月29日　環衛発第38号
　美容業務の疑義について………………………………………………677
8月29日　衛環第56号
　環境衛生主管課長会議における質疑応答集の送付について（旅館業法
　関係）……………………………………………………………………1513
8月31日　政令第277号
　美容師法施行令…………………………………………………………252
8月31日　政令第279号
　生活衛生関係営業の運営の適正化及び振興に関する法律施行令……50
9月2日　厚生省令第37号
　生活衛生関係営業の運営の適正化及び振興に関する法律施行規則……55
9月5日　衛環発第41号
　公衆浴場営業許可について……………………………………………1889
9月12日　厚生省令第38号
　公衆浴場入浴料金の統制額の指定等に関する省令…………………1665
9月13日　厚生省発衛第411号
　公衆浴場入浴料金の統制額の指定等に関する省令の施行について（依
　命通達）…………………………………………………………………1802
9月19日　衛環発第45号
　公衆浴場競願事件の取扱について……………………………………1871
9月24日　衛環発第46号
　公衆浴場の営業許可に関する疑義について…………………………1872
10月1日　衛環発第49号
　旅館業法施行上の疑義について………………………………………1565
10月8日　衛環発第51号
　旅館業法第6条の当該官吏又は吏員について………………………1609
10月9日　衛環発第52号
　旅館営業に関する疑義について………………………………………1580

10月21日　衛環発第54号
　　旅館業及び公衆浴場業の許可の疑義について……………………………1884
10月21日　衛環発第55号
　　興行場法運営上の疑義について………………………………………………1118
11月1日　衛環発第58号
　　学校周辺の旅館業について……………………………………………………1566
11月2日　衛環発第59号
　　公衆浴場に関する疑義について………………………………………………1890
11月6日　衛環発第63号
　　クリーニング業法の疑義について……………………………………………997
11月11日　衛発第978号
　　旅館業の許可取消等に関する取扱について…………………………………1451
11月20日　発医第166号
　　無免許あん摩師の取り締り等について………………………………………1817

昭和33年
　1月8日　衛環発第3号
　　旅館業法第3条に関する疑義について………………………………………1573
　1月14日　衛環発第4号
　　旅館業の許可取消等に関する取扱について…………………………………1597
　2月10日　衛環発第10号
　　旅館業法による営業許可の取扱上の疑義について…………………………1574
　2月11日　衛環発第12号
　　旅館業法第8条の取扱の疑義について………………………………………1598
　2月13日　厚生省発衛第29号
　　美容師法等の施行について……………………………………………………342
　2月15日　衛環発第14号
　　美容師法の疑義について………………………………………………………694
　2月24日　衛環発第18号
　　公衆浴場法に基く営業許可に関する疑義について…………………………1891
　2月26日　衛環発第20号
　　クリーニング師免許証訂正について…………………………………………1016
　3月1日　衛環発第22号
　　公衆浴場営業許可方式の改正について………………………………………1885
　3月10日　衛環発第28号
　　旅館業法の運用について………………………………………………………1578
　3月10日　衛環発第29号
　　旅館業法関係における「業として」の解釈について………………………1506
　4月1日　衛発第276号
　　旅館業法の一部を改正する法律の施行について……………………………1306

4月9日　衛環発第37号
　入浴料金統制額に係る物価統制令第15条の解釈について……………………………1925
4月19日　衛環発第41号
　旅館業法の一部を改正する法律の施行について………………………………………1306
4月28日　衛環第43号
　興行場営業許可に関する疑義について…………………………………………………1159
5月15日　衛環発第48号
　旅館業法による宿泊の疑義について……………………………………………………1540
6月5日　衛環発第63号
　公衆浴場法による営業許可について……………………………………………………1874
6月11日　衛環発第51号
　興行場法に関する疑義について…………………………………………………………1128
6月23日　衛環発第53号
　旅館業法第3条第2項本文後段の解釈について………………………………………1567
7月10日　衛環発第58号
　公衆浴場法に基く営業許可に関する疑義について……………………………………1895
8月20日　衛環発第60号
　興行場法第2条及び第3条の解釈について……………………………………………1155
8月20日　衛環発第61号
　旅館業法の疑義について…………………………………………………………………1548
8月20日　衛環発第62号
　旅館業法施行の疑義について……………………………………………………………1526
8月21日　衛環発第64号
　旅館業法第9条第1項の聴聞について…………………………………………………1597
9月5日　衛環発第68号
　美容師養成施設の生徒の転入学について……………………………………………… 701
9月5日　衛環発第69号
　興行場法運営上の疑義について…………………………………………………………1169
9月5日　衛環発第70号
　旅館業法に関する疑義について…………………………………………………………1601
9月5日　衛環発第73号
　通信課程入所生の転換措置について…………………………………………………… 701
9月5日　衛環発第74号
　興行場法の疑義について…………………………………………………………………1108
9月11日　衛環発第77号
　公衆浴場（特殊浴場）営業の許可取消（撤回）処分並びに附加基準の
　制定について………………………………………………………………………………1880
10月7日　衛環発第82号
　公衆浴場競願の取扱について……………………………………………………………1868

10月22日　衛環発第86号
　　旅館業の行政処分に関する取扱について……………………………………1603
10月25日　衛環発第89号
　　学校周辺の旅館業について……………………………………………………1569
11月24日　発衛第95号
　　地階に設けられる公衆浴場の採光について…………………………………1907
12月15日　衛発第1,147号
　　理容師法施行規則等の一部を改正する省令の施行について………………344

昭和34年
　1月7日　発衛第6号
　　公衆浴場入浴料金の統制額の指定について…………………………………1803
　1月14日　衛環発第4号
　　旅館業法第8条の規定による処分に関する疑義について…………………1602
　1月20日　衛環発第5号
　　公営企業法による公衆浴場（温泉ヘルスセンター）入浴料金の取扱に
　　ついて……………………………………………………………………………1927
　2月10日　衛環発第13号
　　旅館業法第3条に関する疑義について………………………………………1604
　3月4日　衛環発第21号
　　興行場法の疑義について………………………………………………………1159
　4月4日　衛環発第23号
　　旅館業法に関する疑義について………………………………………………1605
　5月8日　衛環発第29号
　　興行場法の運用について………………………………………………………1110
　8月31日　衛環発第35号
　　興行場法の疑義について………………………………………………………1111
　9月11日　衛環発第40号
　　興行場法適用の疑義について…………………………………………………1136

昭和35年
　2月22日　厚生省発衛第30号
　　クリーニング業法の一部を改正する法律の施行について…………………870
　2月22日　衛発第154号
　　クリーニング業法の一部を改正する法律の施行について…………………871
　6月23日　衛発第566号
　　旅館業の構造設備基準に未適合の施設に対する取扱いについて…………1349
　7月5日　厚生省発衛第295号
　　公衆浴場入浴料金の統制額の指定等について………………………………1804
　8月1日　衛発第698号
　　クリーニング業法に基づくクリーニング師試験の受験資格について……973

年別索引

昭和36年
6月20日　厚生省環衛第1号
環境衛生関係営業法令に関する疑義応答について……………………………1130
10月23日　環発第201号
理容師法施行規則の一部を改正する省令及び美容師法施行規則の一部
を改正する省令の施行について…………………………………………………345
11月24日　環発第235号
旅館業経営許可について…………………………………………………………1549
12月7日　環発第249号
クリーニング業法の施行について………………………………………………873
12月20日　厚生省発環第137号
公衆浴場入浴料金の統制額の指定について……………………………………1805

昭和38年
1月9日　医発第8号の2
あん摩師、はり師、きゅう師又は柔道整復師の学校又は養成所等に在
学している者の実習等の取り扱いについて……………………………………1933
5月24日　環発第211号
いわゆる「ヌードスタジオ」に対する興行場法の適用について……………1087
8月9日　厚生省発環第113号
公衆浴場入浴料金の統制額の指定について（依命通知）……………………1805
8月9日　環発第330号
理容師法施行令の一部を改正する政令等の施行について………………………347
8月12日　環発第335号
公衆浴場入浴料金の統制額の指定について……………………………………1806
10月26日　環衛第19号
旅館業法の許可対象について……………………………………………………1522
10月29日　環衛第21号
公衆浴場法施行規則第1条の規定について……………………………………1903
12月25日　環衛第25号
興行場法の疑義について…………………………………………………………1137
12月25日　環衛第26号
公衆浴場法第1条中の施設の解釈について……………………………………1908

昭和39年
5月8日　環衛第10号
旅館業法等環境衛生営業施設に対する許可手続の疑義について……………1581
5月12日　環衛第183号
公衆浴場における風紀の問題について…………………………………………1706
6月4日　環衛第15号
旅館業法の適用について…………………………………………………………1522
7月31日　環発第286号
公衆浴場法の一部を改正する法律の施行について（施行通知）……………1693

8月12日　環発第306号
　クリーニング業法の一部を改正する法律の施行について……………………… 874
9月12日　環発第349号
　クリーニング所における消毒方法等について………………………………… 893
10月16日　環衛第24号
　公衆浴場競願の取扱いについて………………………………………………1869
10月28日　環衛第28号
　クリーニング業法（第5条の2）に関する疑義について……………………1013
11月18日　医発第1,379号
　免許を受けないであん摩、マッサージ又は指圧を業とする者の取締り
　について………………………………………………………………………1819
11月19日　環衛第32号
　旅館業法の疑義について……………………………………………………1540
11月26日　環衛第33号
　公衆浴場法適用上の疑義について…………………………………………1844
12月3日　環衛第35号
　移動理容所について…………………………………………………………… 706

昭和40年
3月11日　環衛第5,032号
　法人の合併に伴う許可の取扱いについて…………………………………1150
4月1日　環衛第5,037号
　あん摩、マッサージ施術所の浴場に対する公衆浴場法適用の疑義につ
　いて……………………………………………………………………………1846
4月2日　環衛第5,039号
　旅館業法に関する疑義について……………………………………………1587
6月7日　環衛第5,061号
　公衆浴場営業許可事務取扱い上の疑義について…………………………1875
6月7日　環衛第5,063号
　特殊浴場（トルコ風呂）に係る入浴料金の統制額の指定について………1928
6月18日　環衛第5,069号
　クリーニング業法の疑義について（コイン・オペレーション・クリー
　ニング機）……………………………………………………………………… 998
7月2日　環衛第5,073号
　旅館業法における人的資格要件の調査について…………………………1350
8月11日　環衛第5,091号・環乳第5,048号
　公衆浴場内における乳類販売の許可の取扱いについて…………………1910
9月6日　環衛第5,100号
　興行場の営業許可に関する疑義について…………………………………1170
10月5日　環衛第5,115号
　公衆浴場法の適用範囲について……………………………………………1841

11月17日　環衛第5,129号
　　公衆浴場法の疑義について……………………………………………………1882
昭和41年
　1月7日　環衛第5,001号
　　公衆浴場法の疑義について……………………………………………………1911
　2月24日　環衛第5,021号
　　学校周辺の旅館業の許可の取扱いについて…………………………………1570
　3月2日　環衛第5,025号
　　公衆浴場内における飲食について……………………………………………1910
　3月23日　環衛第5,031号
　　ゴルフ場における浴場の取り扱いについて…………………………………1847
　4月18日　環衛第5,044号
　　公衆浴場入浴料金について……………………………………………………1929
　6月15日　環衛第5,063号
　　興行場法適用上の疑義について………………………………………………1138
　8月5日　環衛第5,091号
　　風俗営業等取締法の一部を改正する法律の施行に伴なう公衆浴場法等
　　の取扱いについて………………………………………………………………1702
　8月29日　環衛第5,100号
　　トルコ風呂等特殊浴場の適正配置の基準の適用について…………………1897
　9月29日　環衛第5,110号
　　美容師法上の業について………………………………………………… 678
　10月6日　環衛第5,111号
　　風俗営業等取締法の一部を改正する法律の施行に伴なう公衆浴場法等
　　の取扱いについて………………………………………………………………1703
　10月13日　環衛第5,114号
　　興行場営業許可の疑義について………………………………………………1160
　11月8日　環衛第5,129号
　　風俗営業等取締法の一部を改正する法律の施行に伴う公衆浴場法等の
　　取扱いについて…………………………………………………………………1877
　12月21日　環衛第5,150号
　　公衆浴場法の疑義について……………………………………………………1846
　12月26日　環衛第5,152号
　　クリーニング業法の疑義について……………………………………… 999
　12月27日　環衛第5,153号・環食第5,367号
　　クリーニング取次所の衛生措置について……………………………… 895
昭和42年
　1月20日　環衛第7,014号
　　公衆浴場法の疑義について……………………………………………………1847
　2月9日　環衛第7,025号
　　クリーニング業法及び公衆浴場の疑義について……………………………1848

2月9日　環衛第7,026号
　公衆浴場法施行上の疑義について……………………………………………1862
2月16日　環衛第7,030号
　美容師法の疑義について………………………………………………………679
5月12日　環衛第7,057号
　興行場営業許可申請等の取扱いについて…………………………………1146
6月28日　環衛第7,073号
　興行場営業許可に関する疑義について……………………………………1163
8月24日　環衛第7,090号
　理容師法施行規則及び美容師法施行規則の一部を改正する省令の施行
　について………………………………………………………………………354
11月29日　環衛第7,155号
　簡易宿所営業の許可に関する疑義について………………………………1542

昭和43年
2月8日　環衛第8,023号
　理容師養成施設及び美容師養成施設の入学資格並びにクリーニング師
　試験の受験資格の認定について……………………………………………468
4月25日　環衛第8,066号
　特殊公衆浴場に対する公衆浴場法適用の疑義について…………………1849
4月30日　環衛第8,070号
　「出張クリーニング業」のクリーニング業法等の適用の可否について…………1001
4月30日　環衛第8,071号
　四塩化エチレン中毒の防止について…………………………………………895
5月6日　環衛第8,074号
　トルコ・サウナぶろ施設内で理容行為等を行なうことについて………………680
5月9日　医事第60号の2
　トルコ・サウナ風呂施設内で行なわれるマッサージ行為について……………1935
6月24日　環衛第8,095号・文施指第100号
　学校周辺の旅館業の営業の許可に係る都道府県知事の意見聴取等につ
　いて……………………………………………………………………………1350
7月25日　環衛第8,113号
　公衆浴場法の疑義について…………………………………………………1850
7月25日　環衛第8,114号
　風俗営業等取締法の一部改正にともなう公衆浴場の取扱いについて……………1883
9月3日　環衛第8,134号
　公衆浴場における熱気風呂の取扱い上の疑義について……………………1912
9月18日　環衛第8,140号
　理容師法及び美容師法の一部を改正する法律等の施行について……………354
11月20日　環衛第8,175号
　旅館業法の運用について……………………………………………………1527

年別索引

昭和44年
- 1月23日　環衛第9,011の2号
  - 旅館営業に対する防火安全対策の強化について……1351
- 3月17日　環衛第9,044号
  - 旅館業法施行上の疑義について……1588
- 3月17日　環衛第9,045号
  - 公衆浴場法に基づく営業許可に関する疑義について……1850
- 4月14日　環衛第9,063号
  - 公衆浴場法および興行場法に係る疑義について……1909
- 5月21日　環衛第9,072号
  - 旅館業、興行場営業及び浴場業に対する防火安全対策の強化について……1352
- 7月7日　環衛第9,094号
  - 「旅館営業に対する防火安全対策の強化通知」に対する疑義について……1611
- 7月7日　環衛第9,095号
  - 公衆浴場法の運用について……1851
- 7月7日　環衛第9,096号
  - 旅館業法の疑義について……1545
- 7月7日　環衛第9,097号
  - 公衆浴場法の疑義について……1921
- 8月20日　環衛第9,119号
  - 理容師法施行規則及び美容師法施行規則の一部改正について……357
- 10月30日　環衛第9,151号
  - いわゆる「モーテル」の取扱いについて……1353

昭和45年
- 2月16日　環衛第21号
  - クリーニング師免許証の交付について……1017
- 3月11日　環衛第36号
  - 旅館業における宿泊者名簿の取扱いについて……1610
- 6月11日　環衛第83号
  - 旅館業法の一部を改正する法律の施行について……1307
- 7月16日　環衛第101号
  - 旅館業法施行令の一部を改正する政令等の施行について……1309
- 11月18日　環衛第179号
  - 旅館業法第3条第2項本文後段の取扱いについて……1572

昭和46年
- 6月22日　環衛第111号
  - ホテル営業及び旅館営業に係る玄関帳場等の設置について……1311
- 6月24日　環衛第114号
  - 旅館の床面積の算定について……1589

6月28日　環衛第117号
旅館業法第2条における「主として」の解釈等について……………………………1508
6月28日　環衛第118号
旅館営業の許可について………………………………………………………………1591
7月6日　環衛第122号
旅館業法施行令第3条第1号及び第1条の解釈について……………………………1585
9月4日　環衛第158号
旅館業におけるサービスの範囲並びに興行場法の適用について……………………1166
9月8日　環衛第162号
旅館内において催し物が行なわれる施設に対する興行場法の適用について……………………………………………………………………………………………1138
12月27日　環衛第218号
理容師法及び美容師法の一部を改正する法律の一部を改正する法律等の施行について……………………………………………………………………………357

昭和47年

3月16日　環衛第45号
一般公衆浴場に併設するサウナ室の取扱いについて…………………………………1914
8月8日　環衛第154号
風俗営業等取締法の一部を改正する法律の施行に伴う旅館業法の取扱いについて……………………………………………………………………………………1354
9月5日　医事第108号
サウナ風呂施設内で行なわれている美容マッサージ行為について…………………1937
12月27日　環衛第227号
公衆浴場の入浴料金について…………………………………………………………1930

昭和48年

7月6日　環衛第126号
旅館業法の適用について………………………………………………………………1528
8月10日　環衛第152号
臨時興行場等の営業許可の取扱いについて…………………………………………1147
8月27日　環衛第16号
旅館業法施行令第1条第1項第4号および同条第2項第4号に規定する玄関帳場について………………………………………………………………………1586
10月9日　環衛第204号
県公安委員会がモーテル営業の廃止を命じたときの旅館業法上の許可処分の取扱いについて……………………………………………………………1599
10月16日　法律第117号
化学物質の審査及び製造等の規制に関する法律（抄）………………………………865
11月14日　環衛第232号
公衆浴場入浴料金の統制額の指定について…………………………………………1808
11月14日　環衛第233号
公衆浴場の入浴料金の統制額の指定について………………………………………1808

年別索引

 11月19日 環衛第237号
  トレーニング場に対する公衆浴場法適用の疑義について……………………………1853

昭和49年
 5月11日 環指第8号
  マンションホテルについて……………………………………………………………………1530
 6月12日 環指第18号
  美容師法の運用について……………………………………………………………… 680
 11月14日 環企第121号
  地方自治法の一部を改正する法律等の施行に伴う環境衛生関係事務の
  一部の特別区への移行について……………………………………………………… 358

昭和50年
 2月6日 環指第6号
  水質汚濁防止法施行令等の改正に関する件について………………………………1355
 3月3日 環指第14号
  旅館業法運用上の疑義について………………………………………………………1543
 3月3日 環指第15号
  サウナ風呂における宿泊行為の取扱いについて……………………………………1541
 3月7日 環指第17号
  旅館業法に関する疑義について………………………………………………………1600
 5月9日 環指第38号
  公衆浴場入浴料金の統制額の指定等に関する省令の一部を改正する省
  令の施行について………………………………………………………………………1811
 7月12日 環指第61号
  旅館業法の疑義について………………………………………………………………1517
 10月23日 環指第93号
  公衆浴場法の疑義について……………………………………………………………1915

昭和51年
 1月8日 環指第1号
  旅館業法上の疑義について……………………………………………………………1579
 6月30日 環指第63号
  クリーニング業法の一部を改正する法律の施行について………………………… 877

昭和52年
 1月18日 厚生省令第1号
  環境衛生監視員証を定める省令………………………………………………………… 79
 1月18日 環企第3号
  環境衛生監視員証を定める省令の施行について…………………………………… 101
 12月3日
  美容師の業務範囲について…………………………………………………………… 450

昭和53年
 5月23日 環指第61号
  許可、認可等の整理に関する法律等の施行について……………………………… 361

9月27日　環指第127号
　　四塩化（パークロル）エチレン中毒の防止について……………………………… 897

昭和54年
　8月14日　環指第109号
　　理容師法及び美容師法の運用について………………………………………………… 706
　12月28日　環企第183号
　　許可、認可等の整理に関する法律の公布について（抄）……………………………1079

昭和55年
　5月9日　環指第82号
　　許可、認可等の整理に関する法律の一部の施行期日を定める政令等の
　　公布について（抄）……………………………………………………………………1080
　11月22日　環指第208号
　　旅館業に対する防火安全対策の徹底について…………………………………………1358

昭和56年
　1月30日　環指第14号
　　旅館業に対する防火安全対策の徹底について…………………………………………1359
　4月25日　環指第77号
　　理容師法及び美容師法の運用について………………………………………………… 681
　5月16日　環指第85号
　　公衆浴場営業許可の疑義について………………………………………………………1878
　6月1日　環指第95号
　　理容所及び美容所における衛生管理要領について…………………………………… 627
　6月9日　法律第68号
　　公衆浴場の確保のための特別措置に関する法律………………………………………1663
　6月13日　環指第101号
　　公衆浴場の確保のための特別措置に関する法律の公布について……………………1694
　7月31日　環指第124号
　　旅館業法上の疑義について………………………………………………………………1531
　9月30日　環指第161号
　　中小企業の事業活動の機会の確保のための大企業者の事業活動の調整
　　に関する法律の一部を改正する法律等の施行について………………………………1814

昭和57年
　1月14日　環指第3号
　　興行場法に関する疑義について…………………………………………………………1135
　2月9日　環指第17号
　　中小企業の事業活動の機会の確保のための大企業者の事業活動の調整
　　に関する法律施行規則の一部を改正する命令の施行について………………………1817
　2月13日　環指第21号
　　旅館業に対する防火安全対策の徹底について…………………………………………1362

3月31日　環指第48号
　　クリーニング所における衛生管理要領について……………………………… 906
3月31日　環指第48号
　　クリーニング所における衛生管理要領について……………………………… 915
5月25日　環指第68号
　　美容所における医薬部外品の目的外使用による事故発生事例について……… 682
11月16日　環指第157号
　　貸おしぼりの衛生確保について………………………………………………… 916
11月16日　環指第157号
　　貸おしぼりの衛生確保について………………………………………………… 919

昭和58年
3月26日　厚生省告示第68号
　　クリーニング業に関する標準営業約款…………………………………………… 855
3月29日　環指第39号
　　コインオペレーションクリーニング営業施設の衛生措置等指導要綱について……………………………………………………………………………… 920
3月29日　環指第39号
　　コインオペレーションクリーニング営業施設の衛生措置等指導要綱について……………………………………………………………………………… 924
5月27日　環指第69号
　　旅館業法施行規則の一部を改正する省令の施行について……………………1312
12月23日　環企第128号
　　行政事務の簡素合理化及び整理に関する法律等の施行について（抄）……… 362

昭和59年
3月31日　環指第26号
　　理容師法施行令等の一部を改正する政令等の施行について………………… 365
4月24日　環指第42号
　　興行場法第2条、第3条に係る構造設備等の準則について…………………1091
5月1日　環指第45号・59企庁第670号
　　旅館業における事業活動の調整の円滑化について……………………………1454
8月27日　衛指第23号
　　旅館業における善良風俗の保持について………………………………………1362
9月20日　衛企第104号・衛指第40号・衛乳第9号
　　興行場法施行規則等の一部を改正する省令の施行について（抄）…………1081
10月18日　厚生省告示第179号
　　理容業に関する標準営業約款…………………………………………………… 229
10月18日　厚生省告示第180号
　　美容業に関する標準営業約款…………………………………………………… 327
10月23日　衛指第64号
　　特殊な浴場業の店舗名の健全化について………………………………………1704

11月19日　衛指第75号
　　旅館業法における善良風俗の保持について……………………………1365
11月19日　事務連絡
　　旅館業法上の善良風俗の保持のための構造設備規制地域等と風俗営業
　　等の規制及び業務の適正化等に関する法律による風俗関連営業の規制
　　地域との関係等について………………………………………………………1365
11月21日　衛指第78号
　　老人福祉センター等の入浴施設と公衆浴場との競合問題の調整につい
　　て……………………………………………………………………………………1820

昭和60年

3月29日　衛指第55号
　　ペンション営業及び自動車旅行ホテル営業における衛生等自主管理マ
　　ニュアルについて………………………………………………………………1424
7月1日　衛指第117号
　　パーマネント・ウエーブ用剤の目的外使用について……………………… 451
7月12日　衛企第72号
　　地方公共団体の事務に係る国の関与等の整理、合理化等に関する法律
　　等の施行について（抄）……………………………………………………… 369
11月19日　衛指第243号
　　理容師法施行令等の一部を改正する政令等の施行について……………… 371
11月22日　衛指第251号
　　青少年の健全な育成を図るための施設として告示されている都市公園
　　から、おおむね100メートル以内の旅館業の許可の取扱いについて……1575
12月24日　衛指第270号
　　許可、認可等民間活動に係る規制の整理及び合理化に関する法律等に
　　よる興行場法等の一部改正の施行について…………………………………1082

昭和61年

1月30日　事務連絡
　　興行場法、旅館業法及び公衆浴場法の一部改正に関する質疑応答につ
　　いて………………………………………………………………………………1151
2月17日　衛指第21号
　　旅館業における防火安全対策について………………………………………1366
3月20日　衛指第36号
　　特定中小企業者事業転換対策等臨時措置法における環境衛生関係営業
　　の取扱いについて……………………………………………………………… 989
3月31日　衛指第44号
　　下宿営業の範囲について………………………………………………………1340
9月8日　衛指第153号
　　理容師法施行規則等の一部を改正する省令の施行について……………… 373
12月5日　衛指第227号
　　ロッカー等による洗濯物の受取りの取扱いについて………………………1002

昭和62年

1月6日　衛指第1号
クリーニング業法の疑義について……………………………………………1004

2月12日　衛指第25号
特定地域中小企業対策臨時措置法における環境衛生関係営業の取扱い
について………………………………………………………………………… 672

3月31日　衛指第78号
エイズ問題総合対策大綱の実施について…………………………………… 634

5月13日　衛指第98号
環境衛生関係営業における座席ベルトの装着義務の免除について……… 993

6月16日　衛指第127号
ドライクリーニングにおけるテトラクロロエチレン等の適正な使用管
理及び処理の徹底について…………………………………………………… 925

昭和63年

1月29日　衛指第23号
旅館業法運用上の疑義について………………………………………………1533

4月27日　衛指第103号
公衆浴場法の一部を改正する法律の施行期日を定める政令及び公衆浴
場法施行規則の一部を改正する省令について……………………………1695

10月4日　衛指第209号
理容師法施行規則の一部を改正する省令及び美容師法施行規則の一部
を改正する省令の施行等について…………………………………………… 375

10月18日　衛指第215号
環境衛生関係営業施設における自主管理点検表の制定について（抄）
〔理容師・美容師関係〕……………………………………………………… 637

10月18日　衛指第215号
環境衛生関係営業施設における自主管理点検表の制定について（抄）
〔クリーニング業関係〕……………………………………………………… 926

10月18日　衛指第215号
環境衛生関係営業施設における自主管理点検表の制定について（抄）
〔興行場関係〕…………………………………………………………………1105

10月18日　衛指第215号
環境衛生関係営業施設における自主管理点検表の制定について（抄）
〔旅館業関係〕…………………………………………………………………1431

10月18日　衛指第215号
環境衛生関係営業施設における自主管理点検表の制定について（抄）
〔公衆浴場関係〕………………………………………………………………1707

平成元年

2月28日　衛指第24号
消費税導入に伴う公衆浴場入浴料金の統制額の指定について……………1812

3月27日　衛指第45号
　　クリーニング業法の一部を改正する法律等の施行について……………………… 878
3月27日　衛指第46号
　　クリーニング師の研修及び業務従事者に対する講習の指定について…………… 978
5月16日　衛指第89号
　　管理理容師資格認定講習会及び管理美容師資格認定講習会の指定について………………………………………………………………………………………… 639
7月10日　衛指第114号
　　ドライクリーニングにおけるテトラクロロエチレン等の使用管理について………………………………………………………………………………………… 928
8月2日　衛指第127号
　　捜査関係事項の照会について……………………………………………………1612
9月14日　衛指第153号
　　テトラクロロエチレン等の取扱いに係る点検管理要領等の作成について………………………………………………………………………………………… 934
9月20日　衛指第160号
　　無窓客室に対する旅館業法の取扱いについて…………………………………1594

平成2年

4月23日　衛指第70号
　　美容師法運用上の疑義について…………………………………………………… 683
8月30日　衛指第146号
　　医療機関における消毒・滅菌業務の委託に係るクリーニング業法の適用について………………………………………………………………………… 890
10月22日　衛指第177号
　　興行場法第2条、第3条関係基準条例準則の改正について…………………1099

平成3年

2月20日　衛指第24号
　　興行場法上に関する疑義について………………………………………………1140
7月1日　衛指第110号
　　石油系溶剤を用いたドライクリーニングにおける衣類への溶剤残留防止について………………………………………………………………………… 942
9月5日　衛指第180号
　　ろう学校における理容師、美容師養成施設での学科修了者の理容師、美容師学科試験受験資格について……………………………………………… 618
9月9日　衛指第181号
　　テトラクロロエチレンを使用するコインオペレーションクリーニング営業施設に対する指導について………………………………………………… 942
9月19日　事務連絡
　　公衆浴場における衛生等管理要領等の改定について…………………………1709

年別索引

平成4年

3月19日　衛指第43号
　クリーニング師の研修及び業務従事者に対する講習の指定基準の改正について……………………………………………………………………982

3月19日　衛指第45号
　クリーニング師の研修及び業務従事者に対する講習の実施について……………983

7月20日　衛指第139号
　吸収合併に伴うクリーニング業法の届出の取扱いについて……………………1014

8月10日　衛指第156号
　クリーニング業法の疑義について……………………………………………………1007

9月29日　衛指第197号
　エイズ患者の宿泊に係る旅館業法第5条の取扱いについて……………………1455

12月28日　衛指第244号
　理容師法施行令及び美容師法施行令の一部を改正する政令の施行について……………………………………………………………………………376

平成5年

2月15日　衛指第24号
　病院等からの寝具類の洗濯業務のクリーニング所に対する委託について……………………………………………………………………………943

4月9日　衛指第74号
　ドライクリーニングにおけるテトラクロロエチレンの使用管理の徹底について……………………………………………………………………………944

4月9日　衛指第77号
　ドライクリーニングにおけるテトラクロロエチレンの使用管理の徹底について……………………………………………………………………………949

11月25日　衛指第224号
　貸おむつの衛生確保について…………………………………………………………950

平成6年

3月2日　衛指第33号
　福祉入浴援助事業を行う公衆浴場の設備に関する基準について………………1821

6月23日　衛指第117号
　理容師養成施設及び美容師養成施設の指定等に係る申請書等の取扱いについて……………………………………………………………………………470

12月14日　衛企第139号
　健康保険法施行令等の一部を改正する政令及び厚生大臣の所管に属する公益法人の設立及び監督に関する規則等の一部を改正する省令の施行について……………………………………………………………………………376

平成7年

1月11日　衛指第2号
　公衆浴場法第2条及び第3条の解釈について………………………………………1899

2月24日　衛指第41号
　テトラクロロエチレン等を使用するコインオペレーションクリーニング営業施設に対する指導の徹底について…………………………………955

4月14日　衛指第122号
　理容師法施行規則及び美容師法施行規則の一部を改正する省令の施行について………………………………………………………………380

6月16日　衛指第152号
　理容師法及び美容師法の一部を改正する法律の公布について………380

12月27日　衛指第281号
　テトラクロロエチレン等を含む廃油等を生ずるコインオペレーションクリーニング営業施設に対する指導の徹底について…………………956

平成8年

2月2日　衛指第8号
　美容師法の疑義について……………………………………………684

6月21日　衛指第101号
　旅館業法の一部を改正する法律の施行について…………………1312

6月26日　衛指第103号
　民間活動に係る規制の改善及び行政事務の合理化のための厚生省関係法律の一部を改正する法律等による理容師法等の一部改正の施行について…………………………………………………………………382

7月26日　衛指第122号
　公衆浴場及び旅館における浴室の衛生管理の徹底について………1712

平成9年

1月31日　衛指第22号
　消費税率の改正及び地方消費税の創設に伴う公衆浴場入浴料金の統制額の指定について………………………………………………1813

3月31日　衛指第56号
　興行場の興行時間、閉場時刻等に関する規制について……………1106

7月22日　衛指第139号
　福祉入浴援助事業（デイセントー事業）を行う公衆浴場の施設・設備及び運営基準について………………………………………………1823

9月29日　衛指第179号
　コインオペレーションクリーニング営業施設の衛生実態に関する調査（平成8年度）の結果及び営業施設に対する衛生措置等の指導の徹底について…………………………………………………………………957

12月24日　衛指第217号
　クリーニング師の研修及び業務従事者に対する講習について………983

平成10年

1月27日　厚生省令第4号
　理容師法施行規則…………………………………………………………155

1月27日　厚生省令第5号
　理容師養成施設指定規則··· 173
1月27日　厚生省令第6号
　理容師法に基づく指定試験機関及び指定登録機関に関する省令············ 189
1月27日　厚生省令第7号
　美容師法施行規則··· 254
1月27日　厚生省令第8号
　美容師養成施設指定規則··· 272
1月27日　厚生省令第9号
　美容師法に基づく指定試験機関及び指定登録機関に関する省令············ 287
2月3日　生衛発第121号
　理容師法及び美容師法の一部を改正する法律等の施行について··········· 383
3月17日　衛指第21号
　理容師・美容師養成施設における入学料等について····················· 471
4月9日　事務連絡
　理容師及び美容師養成施設の通信課程における面接授業の取扱いについて·· 471
4月16日　厚生省告示第140号
　理容師法第5条の3第1項及び美容師法第5条の3第1項の規定に基づく指定登録機関の指定·· 197
7月17日　事務連絡
　理容師及び美容師養成施設の指導等について···························· 473
11月4日　衛指第119号
　石油系溶剤を用いたドライクリーニングにおける衣類への溶剤残留防止について··· 960

平成11年

3月29日　衛指第28号
　温泉を利用した公衆浴場業及び旅館業の入浴施設の衛生管理の徹底について·· 1712
5月11日　衛指第47号
　石油系溶剤を用いたドライクリーニングにおける衣類への溶剤残留防止の徹底について··· 964
6月17日　衛指第60号
　理容師・美容師養成施設の新設等について（回答）····················· 475
8月12日　事務連絡
　クリーニング業法に基づくクリーニング師試験の実績等について········· 976
9月28日　生衛発第1,391号
　美容所等における無免許者の業務に関する指導の徹底について··········· 466

平成12年

3月17日　生衛発第420号
理容師法施行令及び美容師法施行令の一部を改正する政令の施行について……………………………………………………………………………… 388

3月27日　障第193号・健政発第321号・健医発第520号・生衛発第463号・医薬発第307号・社援第688号・老発第255号・児発第194号・保発第44号・年発第207号・庁保発第9号
成年後見制度の創設に伴う厚生省関係法令の改正等について（抄）………… 882

3月27日　衛指第27号
理容師試験及び美容師試験の合格者名簿等の引継ぎについて………………… 619

3月30日　生衛発第569号
地方分権の推進を図るための関係法律の整備等に関する法律等の施行について（抄）……………………………………………………………………… 389

3月31日　生衛発第631号
理容師法施行規則等の一部を改正する省令の施行について…………………… 392

4月7日　生衛発第699号
環境衛生関係営業の運営の適正化に関する法律の一部を改正する法律等の施行について…………………………………………………………………… 87

4月11日　厚生省令第91号
理容師法第4条の2第1項及び美容師法第4条の2第1項に規定する指定試験機関を指定する省令…………………………………………………… 188

5月17日　衛指第56号
温泉利用入浴施設の衛生管理の徹底について…………………………………1713

7月18日　衛指第84号
公衆浴場業及び旅館業における入浴施設の衛生管理の徹底について………1713

8月15日　生衛発第1,279号
理容師法施行規則の一部を改正する省令及び美容師法施行規則の一部を改正する省令の施行等について………………………………………………… 393

9月13日　衛指第99号
豪雨災害等により滅失・毀損したクリーニングの預かり品の損害賠償等に関する法的取扱いについて………………………………………………… 965

11月20日　衛指第122号
理容師法及び美容師法の一部を改正する法律（平成7年法律第109号）附則第4条第1項に規定する厚生大臣の告示について……………………… 394

12月13日　衛指第128号
マンション等の施設を使用する形態の旅館業について………………………1341

12月15日　生衛発第1,811号
公衆浴場における衛生等管理要領等について…………………………………1714

平成13年

1月16日　健衛発第3号
環境衛生関係営業の運営の適正化に関する法律の一部を改正する法律等の施行に伴う通知等の取扱いについて……………………………………90

3月27日　健発第336号
「公衆浴場法施行規則等の一部を改正する省令」の施行について(抄)………394
1696

3月30日　健衛発第33号
クリーニング師の研修及び業務従事者に対する講習の実施について……………984

7月13日　健衛発第82号
「障害者等に係る欠格事由の適正化等を図るための医師法等の一部を改正する法律」等の施行について………………………………………………396

9月10日　健衛発第94号
旅館・ホテルにおける生きがい活動支援通所事業の実施について………………1456

9月11日　健衛発第95号
循環式浴槽におけるレジオネラ症防止対策マニュアルについて……………1754

9月18日　健衛発第99号
アルキルフェノール類による環境汚染防止について………………………………966

10月19日　健衛発第108号
米国で引き起こされた同時多発テロ事件等への捜査協力について………………1459

平成14年

8月7日　健衛発第0807003号
身体障害者補助犬を伴う障害者等の旅館、飲食店等の利用について……………1453

9月3日　健感発第0903001号・健衛発第0903001号
レジオネラ症患者の発生時等の対応について……………………………………1776

9月20日　健衛発第0920001号
入浴施設におけるレジオネラ症防止対策の実施状況の緊急一斉点検について…………………………………………………………………………………1777

平成15年

2月14日　健発第0214004号
公衆浴場における衛生等管理要領等の改正について……………………………1783

3月25日　健発第0325005号
「旅館業法施行規則の一部を改正する省令」の施行について…………………1313

5月19日　健衛発第0519001号・健感発第0519002号
旅館業における重症急性呼吸器症候群（SARS）への対応について…………1433

10月2日　健衛発第1002001号
美容師法の疑義について……………………………………………………………685

10月2日　健衛発第1002003号
旅館業に対する防火安全対策の徹底について……………………………………1367

10月7日　医政発第1007001号・健発第1007001号・社援発第1007003号
　保健医療分野及び福祉分野における各資格の養成所の入所資格等の見
　直しについて（抄） ……………………………………………………… 476
10月7日　健衛発第1007002号
　理容師養成施設及び美容師養成施設における入所資格等の取扱いにつ
　いて ……………………………………………………………………… 478
11月19日　健疾発第1119001号・健衛発第1119001号
　ハンセン病に関する正しい知識の普及について……………………1479

平成16年

1月13日　健発第0113004号
　宿泊者名簿の必要事項の記載の徹底について………………………1437
4月16日　健発第0416001号
　クリーニング業法の一部を改正する法律の施行について（施行通知）……… 884
4月16日　健発第0416002号
　公衆浴場の確保のための特別措置に関する法律の一部を改正する法律
　の施行について（施行通知）…………………………………………1698
8月24日　健発第0824002号
　クリーニング業法の一部を改正する法律の施行期日を定める政令及び
　クリーニング業法施行規則の一部を改正する省令について………… 886
8月24日　健衛発第0824002号
　クリーニング所等における苦情の申し出先の明示に関する取扱いにつ
　いて ……………………………………………………………………… 967
9月8日　健衛発第0908001号
　パーマネント・ウエーブ用剤の目的外使用について……………… 452
12月7日　健衛発第1207001号
　洗場に係る疑義について……………………………………………… 707

平成17年

2月9日　健発第0209001号
　旅館業法施行規則の一部を改正する省令の施行について…………1314
2月9日　健衛発第0209004号
　旅館業法施行規則の一部を改正する省令の施行に関する留意事項につ
　いて ………………………………………………………………………1460
2月9日　健衛発第0209002号
　ボランティアが行う有償洗濯事業についてのクリーニング業法上の取
　扱いについて …………………………………………………………… 891
2月9日　健衛発第0209006号
　マンション等の施設を使用する形態の旅館業について……………1341
4月20日　健衛発第0420001号
　高等学校卒業程度認定試験の創設と理容師試験、美容師試験の受験資
　格等の取扱いについて ………………………………………………… 626

7月5日　健衛発第0705001号
旅館業法施行規則の一部を改正する省令の施行に伴う措置の再周知等について……………1461

9月5日　事務連絡
旅館業法施行規則の一部を改正する省令の取扱について……………1464

9月30日　健発第0930001号
理容師養成施設指定規則及び美容師養成施設指定規則の一部を改正する省令の施行について……………398

9月30日　健衛発第0930001号
理容師養成施設指定規則及び美容師養成施設指定規則の一部を改正する省令の施行に関する留意事項について……………479

11月1日　健衛発第1101001号
旅館業法施行規則の一部を改正する省令の施行に伴う措置の周知徹底等について……………1465

平成18年

2月23日　健衛発第0223001号
旅館業における関係法令の遵守について……………1372

3月1日　健衛発第0301001号
工場等における油のふき取り作業に使用された布の洗浄等を行う事業についてのクリーニング業法の適用について……………892

6月22日　健衛発第0622001号
旅館業法第5条第2号の解釈等について……………1607

8月4日　健衛発第0804001号
クリーニング業法第3条の2に規定する利用者に対する説明義務等の徹底について……………968

8月24日　健衛発第0824001号
公衆浴場における衛生等管理要領について……………1783

8月31日　健衛発第0831002号
理容所・美容所における衛生管理の徹底について……………639

12月19日　健感発第1219001号・健衛発第1219001号・食安監発第1219001号
ノロウィルスによる感染性胃腸炎及び食中毒の発生防止対策の徹底について……………1438

12月27日　健感発第1227001号・健衛発第1227001号・食安監発第1227001号
ノロウイルスによる感染性胃腸炎の集団発生に係る指導等の実施困難事例における対応について……………1438

平成19年

10月2日　健衛発第1002001号
理容師法及び美容師法の解釈について……………………… 686

10月4日　健発第1004002号
出張理容・出張美容に関する衛生管理要領について………… 640

10月4日　健発第1004001号
出張理容・出張美容に関する衛生管理要領について………… 643

10月4日　健衛発第1004002号
自動車によるカーテンの出張クリーニングに関する疑義について……………1008

10月18日　健衛発第1018001号
旅館業法施行規則の一部を改正する省令の施行に伴う措置の周知徹底
等について……………………………………………………………………1465

12月21日　健衛発第1221001号
旅館業法の適用について…………………………………………1535

平成20年

1月23日　健衛発第0123001号
日本国内に住所を有しない外国人宿泊者に係る旅券の写しに関する取
扱いの周知について…………………………………………………………1466

2月14日　健衛発第0214001号
クリーニング業法の運用について……………………………………1010

2月29日　厚生労働省告示第41号
理容師養成施設における中学校卒業者等に対する講習の基準等……… 198

2月29日　厚生労働省告示第42号
理容師養成施設の通信課程における授業方法等の基準……………… 200

2月29日　厚生労働省告示第43号
聴覚障害者である生徒に対する教育を主として行う特別支援学校にお
ける理容師養成施設の指定の基準……………………………………… 204

2月29日　厚生労働省告示第44号
矯正施設における理容師養成施設の指定の基準……………………… 205

2月29日　厚生労働省告示第45号
理容師養成施設の教科課程の基準……………………………………… 206

2月29日　厚生労働省告示第46号
美容師養成施設における中学校卒業者等に対する講習の基準等……… 295

2月29日　厚生労働省告示第47号
美容師養成施設の通信課程における授業方法等の基準……………… 297

2月29日　厚生労働省告示第48号
聴覚障害者である生徒に対する教育を主として行う特別支援学校にお
ける美容師養成施設の指定の基準……………………………………… 301

2月29日　厚生労働省告示第49号
　　矯正施設における美容師養成施設の指定の基準……………………… 302
2月29日　厚生労働省告示第50号
　　美容師養成施設の教科課程の基準……………………………………… 303
2月29日　健発第0229004号
　　理容師養成施設指定規則及び美容師養成施設指定規則の一部を改正する省令等の施行について…………………………………………………… 399
3月7日　健衛発第0307001号
　　まつ毛エクステンションによる危害防止の徹底について……………… 453
3月25日　健発第0325012号
　　理容師養成施設指定規則及び美容師養成施設指定規則の一部を改正する省令等の施行に伴う関係通知の廃止について………………………… 408
3月25日　健衛発第0325004号
　　興行場等における衛生環境の維持管理について………………………… 643
6月4日　健衛発第0604001号
　　北海道洞爺湖サミット等に伴う旅館等における宿泊者名簿への記載等の徹底等について……………………………………………………………1467
6月16日　健習発第0616001号・健衛発第0616001号
　　養成施設の教員資格に係る免許証等の原本確認について……………… 480
7月10日　健衛発第0710001号
　　旅館業における行政処分の実施の可否について…………………………1596
7月24日　健衛発第0724001号
　　着物展示販売会における洗たく物の受取行為について…………………1010
12月22日　健衛発第1222001号
　　いわゆる個室ビデオ店等に対する旅館業法の適用に関する指導の徹底等について……………………………………………………………………1373

平成21年

1月28日　健発第0128007号
　　理容師法施行規則及び美容師法施行規則の一部を改正する省令の施行について………………………………………………………………………… 409
1月28日　健発第0128008号
　　管理理容師資格認定講習会及び管理美容師資格認定講習会の指定基準の運用について……………………………………………………………… 644
3月25日　健発第0325008号
　　理容師法施行令及び美容師法施行令の一部を改正する政令の施行について………………………………………………………………………… 410
3月26日　健発第0326002号
　　理容師養成施設の教科課程の基準及び美容師養成施設の教科課程の基準の一部を改正する告示の施行について……………………………… 410

4月28日　事務連絡
　新型インフルエンザ（豚インフルエンザ）発生に関する旅館業者への
　周知について（依頼） …………………………………………………………… 1442

6月12日　健衞発第0612004号
　「産業活力の再生及び産業活動の革新に関する特別措置法」第39条の
　4第1項の特定許認可等に基づく地位の承継に対する旅館業許可に関
　する事務取扱について ……………………………………………………………… 1374

6月18日　健衞発第0618001号
　理容所及び美容所において使用する器具類の衛生管理の徹底について………… 648

7月16日　事務連絡
　旅館業の許可について ……………………………………………………………… 1556

平成22年

1月4日　健発0104第2号
　理容師養成施設指定規則及び美容師養成施設指定規則の一部を改正す
　る省令等の施行について ………………………………………………………… 411

1月6日　健発0106第4号
　厚生労働省関係構造改革特別区域法第2条第3項に規定する省令の特
　例に関する措置及びその適用を受ける特定事業を定める省令の一部を
　改正する省令の施行について …………………………………………………… 1480

2月18日　健衞発0218第1号
　まつ毛エクステンションによる危害防止の周知及び指導・監督の徹底
　について …………………………………………………………………………… 453

4月7日　健衞発0407第1号
　旅館業法の疑義について ………………………………………………………… 1547

5月28日　健衞発0528第2号
　日本ＡＰＥＣ開催に伴う旅館等における宿泊者名簿への記載等の周知
　徹底について ……………………………………………………………………… 1468

6月30日　健衞発0630第3号
　ラブホテル対策に関する関係機関との連携強化等について ………………… 1468

7月15日　厚生労働・経済産業・環境省告示第15号
　クリーニング営業者に係るテトラクロロエチレン又は化学物質の審査
　及び製造等の規制に関する法律施行令第9条に定める洗浄剤でテトラ
　クロロエチレンが使用されているものの環境汚染防止措置に関し公表
　する技術上の指針 ………………………………………………………………… 858

11月9日　健衞発1109第1号
　理容師養成施設及び美容師養成施設の教科課目の内容の見直しについ
　て …………………………………………………………………………………… 481

平成23年
　2月24日　健衛発0224第1号
　　無償で宿泊させる場合の旅館業法の適用について……………………1342
　3月11日　健衛発0311第1号
　　「平成23年（2011年）東北地方太平洋沖地震」の発生に伴う高齢者、障害者等の要援護者への緊急対応について（依頼）………………1481
　3月19日　健衛発0319第1号
　　福島原子力発電所の事故による避難者に関する旅館業者への周知について………………………………………………………………………1482
　8月30日　健発0830第10号
　　地域の自主性及び自立性を高めるための改革の推進を図るための関係法律の整備に関する法律の施行等について………………………… 413

平成24年
　10月9日　健衛発1009第1号
　　旅館業に対する防火安全対策の徹底について…………………………1382
　10月12日　健発1012第20号
　　理容師法施行令及び美容師法施行令の一部を改正する政令の施行について………………………………………………………………………… 417
　11月28日　健衛発1128第1号
　　まつ毛エクステンションによる安全性の確保について………………… 455

平成25年
　6月28日　健衛発0628第5号
　　まつ毛エクステンションに係る教育プログラムと情報提供等について………… 459
　12月25日　健衛発第1225第2号
　　出張理容・出張美容に関する衛生管理の徹底について……………… 649

平成26年
　3月31日　健衛発0331第3号
　　農林漁業者が農林漁業体験民宿業を営む施設について………………1342
　5月1日　健発0501第3号
　　国家戦略特別区域法における旅館業法の特例の施行について………1382
　7月10日　健衛発0710第2号
　　旅館業法の遵守の徹底について…………………………………………1386
　7月24日　健衛発0724第1号
　　クリーニングにおける消費者保護の徹底について……………………… 969
　10月29日　健発1029第6号
　　理容師法施行令の一部を改正する政令及び美容師法施行令の一部を改正する政令の施行について……………………………………………… 417
　12月15日　健感発1215第1号・健衛発1215第3号
　　旅館業の宿泊施設におけるエボラ出血熱への対応について…………1443

12月19日　健衛発1219第2号
　　旅館等における宿泊者名簿への記載等の徹底について……………………………1471

平成27年

3月31日　健発0331第13号
　　理容師養成施設における中学校卒業者等に対する講習の基準等の運用
　　について……………………………………………………………………………… 483

3月31日　健発0331第14号
　　美容師養成施設における中学校卒業者等に対する講習の基準等の運用
　　について……………………………………………………………………………… 490

3月31日　健発0331第15号
　　理容師養成施設の通信課程における授業方法等の基準の運用について………… 496

3月31日　健発0331第16号
　　美容師養成施設の通信課程における授業方法等の基準の運用について………… 500

3月31日　健発0331第17号
　　理容師養成施設の教科課程の基準の運用について……………………………… 504

3月31日　健発0331第18号
　　美容師養成施設の教科課程の基準の運用について……………………………… 519

3月31日　健発0331第19号
　　理容師養成施設の指導要領について……………………………………………… 535

3月31日　健発0331第20号
　　美容師養成施設の指導要領について……………………………………………… 570

3月31日　健衛発0331第1号
　　「地域の自主性及び自立性を高めるための改革の推進を図るための関
　　係法律の整備に関する法律」の施行に当たっての留意事項について…………… 605

3月31日　健衛発0331第12号
　　生活衛生関係営業の振興計画の認定等の取扱いについて…………………………91

4月7日　健衛発0407第1号
　　国立青少年教育施設に関する取扱いについて……………………………………1343

4月20日　健衛発0420第1号
　　平成23年（2011年）東日本大震災の発生により被災した理容師及び美
　　容師による仮設住宅における訪問理容・訪問美容について…………………… 650

5月11日　健感発0511第2号
　　エボラ出血熱の国内発生を想定した行政機関における基本的な対応に
　　ついて（依頼）……………………………………………………………………1445

5月19日　健衛発0519第1号
　　簡易宿所に係る防火対策の更なる徹底について…………………………………1386

6月4日　事務連絡
　　まつ毛エクステンションに係る消費者事故等について（依頼）……………… 463
6月24日　健発0624第3号
　　風俗営業等の規制及び業務の適正化等に関する法律施行令の一部を改
　　正する政令の施行について……………………………………………………… 1315
7月1日　事務連絡
　　規制改革実施計画への対応について…………………………………………… 652
7月17日　健発0717第2号
　　理容師法及び美容師法の運用について………………………………………… 465
7月31日　健発0731第4号
　　興行場法第2条、第3条関係基準条例準則の改正について………………… 1100
7月31日　府地創第270号・健発0731第6号
　　外国人滞在施設経営事業の円滑な実施を図るための留意事項について……… 1472
9月1日　事務連絡
　　「規制改革実施計画（平成27年6月30日閣議決定）」に基づくイベン
　　ト開催時の旅館業法上の取扱いについて……………………………………… 2061
9月15日　健発0915第6号
　　厚生労働省関係国家戦略特別区域法施行規則の一部を改正する省令の
　　施行について……………………………………………………………………… 1475
9月30日　健発0930第10号
　　理容師法施行令及び美容師法施行令の一部を改正する政令の施行につ
　　いて………………………………………………………………………………… 418
10月23日　生食衛発1023第1号
　　毛染めによる皮膚障害の周知等について……………………………………… 652
11月13日　生食発1113第2号
　　風俗営業等の規制及び業務の適正化等に関する法律の一部を改正する
　　法律及び風俗営業等の規制及び業務の適正化等に関する法律の一部を
　　改正する法律の施行に伴う関係政令の整備に関する政令の施行に伴う
　　旅館業法等の改正について……………………………………………………… 1316
11月27日　生食衛発1127第1号
　　旅館業法の遵守の徹底について………………………………………………… 1387
12月9日　生食発1209第2号
　　理容師法施行規則及び美容師法施行規則の一部を改正する省令の施行
　　等について………………………………………………………………………… 419

平成28年

2月10日　生食衛発0210第3号
　　旅館業に対する防火安全対策の徹底について………………………………… 1389

2月17日　生食衛発0217第1号
　遊休期間の別荘の貸出しに係る建築基準法の用途規制について……………1483

3月18日　事務連絡
　入れ墨（タトゥー）がある外国人旅行者の入浴に関する対応について…………1826

3月24日　生食衛発0324第1号
　理容師法施行令第4条第1号及び美容師法施行令第4条第1号に基づく出張理容・出張美容の対象について………………………………………… 654

3月24日　事務連絡
　理容師法施行令第4条第1号及び美容師法施行令第4条第1号に基づく出張理容・出張美容の対象について………………………………………… 655

3月30日　生食発0330第5号
　旅館業法施行令の一部を改正する政令の施行等について……………………1317

3月31日　生食発0331第5号
　旅館業法施行規則の一部を改正する省令の施行について……………………1321

3月31日　生食衛発0331第2号
　移住希望者の空き家物件への短期居住等に係る旅館業法の運用について……………………………………………………………………………1343

4月4日　生食衛発0404第1号
　伊勢志摩サミット等に伴う旅館等における宿泊者名簿への記載等の徹底について…………………………………………………………………………1476

5月31日　生食発0531第1号
　理容師養成施設指定規則及び美容師養成施設指定規則の一部を改正する省令について………………………………………………………………… 420

7月26日　生食衛発0726第1号
　簡易宿所営業の許可取得促進について………………………………………1395

12月7日　生食衛発1207第1号
　日露首脳会談等に伴う旅館等における宿泊者名簿への記載等の徹底について…………………………………………………………………………1477

12月26日　生食衛発1226第1号
　自動車を使用した理容所・美容所の取扱いについて………………………… 659

平成29年

3月13日　生食衛発0313第1号
　在宅の高齢者に対する理容・美容サービスの積極的な活用について…………… 661

3月17日　生食衛発0317第1号
　住宅を使用して宿泊サービスを提供する施設に係る関係法令の遵守の徹底に向けた連携体制の構築について…………………………………………1396

年別索引

　3月31日　生食発0331第8号
　　理容師法施行規則等の一部を改正する省令等の施行について……………… 422
　6月16日　法律第65号
　　住宅宿泊事業法……………………………………………………………………2003
　7月10日　生食発0710第13号
　　理容師養成施設及び美容師養成施設における養成課程の標準的なカリ
　　キュラムについて………………………………………………………………… 609
　7月10日　事務連絡
　　イベント民泊ガイドラインの改訂について……………………………………2070
　10月26日　薬食衛発1026第1号
　　日米首脳会談等に伴う旅館等における宿泊者名簿への記載等の徹底に
　　ついて………………………………………………………………………………1477
　10月27日　政令第273号
　　住宅宿泊事業法施行令……………………………………………………………2028
　10月27日　厚生労働・国土交通省令第2号
　　住宅宿泊事業法施行規則…………………………………………………………2030
　10月27日　厚生労働省令第117号
　　厚生労働省関係住宅宿泊事業法施行規則………………………………………2057
　12月15日　生食発1215第1号
　　「旅館業法の一部を改正する法律」の公布について…………………………1322
　12月15日　生食発1215第2号
　　旅館業における衛生等管理要領の改正について………………………………1447
　12月15日　生食発1215第3号
　　簡易宿所営業における玄関帳場等の設置について……………………………1399
　12月15日　事務連絡
　　簡易宿所営業における玄関帳場等の設置について……………………………1592
　12月26日　生食発1226第2号・国土動第113号・国住指第3,351号
　　　　　　・国住街第166号・観観産第603号
　　住宅宿泊事業法施行要領（ガイドライン）について…………………………2084

平成30年
　1月31日　生食発0131第2号
　　旅館業における衛生等管理要領の改正について………………………………1449
　1月31日　生食発0131第3号
　　旅館業法の一部を改正する法律の施行に伴う関係政令の整備に関する
　　政令等の公布について……………………………………………………………1323
　1月31日　事務連絡
　　旅館業法の一部を改正する法律の施行に伴う関係政令の整備に関する
　　政令等に係る疑義について………………………………………………………1344

3月19日　生食発0319第4号
　理容師養成施設及び美容師養成施設における修得者課程の設置に関する留意事項について……………………………………………………………………… 614
3月30日　生食発0330第14号
　クリーニング業法施行規則の一部を改正する省令の施行について……………… 888
4月6日　薬生衛発0406第1号
　旅館業法適用の疑義について………………………………………………………1538
4月27日　薬生衛発0427第1号
　理容師養成施設及び美容師養成施設における養成課程の定員管理について……………………………………………………………………………………… 615
5月7日　薬生衛発0507第1号
　日中韓サミット等に伴う旅館等における宿泊者名簿への記載等の徹底について………………………………………………………………………………1478
5月11日　薬生衛発0511第2号
　旅館業からの暴力団排除の推進について…………………………………………1401
5月16日　薬生衛発0516第4号
　旅客室を有する船舶を活用した宿泊施設における無窓の客室の取扱いについて…………………………………………………………………………………1407
5月21日　薬生衛発0521第1号
　旅館業法の許可を得ないで旅館業を行っている者に対する取締りについて……………………………………………………………………………………1408
7月13日　消防予第463号・生食発0713第1号・国住指第1,356号
　　　　　・国住街第118号・観観産第323号
　住宅宿泊事業の届出に係る受付事務の迅速な処理等について…………………2084
7月13日　事務連絡
　公衆浴場法の解釈について…………………………………………………………1854
7月20日　薬生衛発0720第1号
　旅館業の許可手続における構造設備の基準への適合確認及び消防法令への適合確認を同時に行うことについて…………………………………………1409
7月20日　公益財団法人全国生活衛生営業指導センター広告
　理容業、美容業、クリーニング業、めん類飲食店営業及び一般飲食店営業に関する標準営業約款に係る標識………………………………………… 232
10月15日　事務連絡
　旅館業法ＦＡＱの発出について……………………………………………………1409
11月22日　生食発1122第1号・国住指第2,802号・観観産第561号
　住宅宿泊事業の届出に係る手続の適正な運用について…………………………2086
11月22日　観観産第565号・薬生衛発1122第1号
　住宅宿泊仲介業者等における短期賃貸借物件等の取扱いについて……………2088

2145

平成31年

1月16日　薬生衛発0116第1号・観観産第611号
　住宅宿泊事業法に基づく行政処分を行う際の留意点について……………2090

1月25日　薬生衛発0125第2号
　外国人滞在施設経営事業に係る国家戦略特別区域法及び厚生労働省関
　係国家戦略特別区域法施行規則の解釈について………………………………1583

2月12日　事務連絡
　理容所等の許可申請等に関する手続きについて……………………………… 663

2月28日　薬生衛0228第1号
　クリーニング師の研修及び業務従事者に対する講習の受講促進につい
　て……………………………………………………………………………………… 987

3月7日　厚生労働省告示第57号
　理容業の振興指針…………………………………………………………………… 209

3月7日　厚生労働省告示第58号
　美容業の振興指針…………………………………………………………………… 306

3月7日　厚生労働省告示第59号
　クリーニング業の振興指針………………………………………………………… 835

3月27日　薬生衛発0327第1号
　興行場法の疑義について…………………………………………………………1123

4月17日　事務連絡
　旅館業法に関するＦＡＱの改定について………………………………………1422

令和元年

5月7日　薬生衛発0507第1号
　元号の表記の整理のための厚生労働省関係省令の一部を改正する省令
　の施行等について…………………………………………………………………… 102

6月28日　薬生衛発0628第1号
　不正競争防止法等の一部を改正する法律の施行に伴う厚生労働省関係
　省令の整備に関する省令の公布について……………………………………… 103

7月19日　医政総発0719第1号・薬生食監発0719第1号・薬生衛
　　　　　発0719第1号・子保発0719第1号・子家発0719第1号
　　　　　・子子発0719第1号・子母発0719第1号・社援保発
　　　　　0719第1号・障企自初0719第1号・障障発0719第3号
　　　　　・老推発0719第1号・老高発0719第1号・老振発0719
　　　　　第1号・老老発0719第1号
　小規模建築物を対象とした医療・福祉施設、宿泊施設、集客施設等の
　許認可等に係る建築部局及び消防部局との情報共有について………………1500

7月26日　事務連絡
　旅館業法に関するＦＡＱの改定について………………………………………1422

9月6日　薬生衛発0906第1号
　　理容師法及び美容師法の疑義について……………………………………… 687
9月13日　生食発0913第1号
　　理容師法施行規則等の一部を改正する省令の一部を改正する省令の施
　　行について…………………………………………………………………… 429
9月19日　薬生衛発0919第1号
　　公衆浴場における浴槽水等のレジオネラ属菌検査方法について……………1784
10月16日　薬生衛発1016第1号
　　出張理容・出張美容に関する衛生管理要領について（再周知）…………… 671
11月27日　生食発1127第1号
　　クリーニング業法施行規則の一部を改正する省令の施行について………… 889
12月25日　事務連絡
　　イベント開催時の旅館業法上の取扱いについて……………………………2092
12月25日　事務連絡
　　イベント民泊ガイドラインの改訂について…………………………………2092

令和2年

3月5日　厚生労働省告示第51号
　　興行場営業の振興指針……………………………………………………………1060
3月5日　厚生労働省告示第52号
　　旅館業の振興指針…………………………………………………………………1230
3月5日　厚生労働省告示第53号
　　浴場業の振興指針…………………………………………………………………1666
7月14日　生食発0714第4号
　　食品衛生法施行規則等の一部を改正する省令の公布について…………… 430
8月20日　府地事第572号・薬生衛発0820第2号
　　国家戦略特別区域外国人滞在施設経営事業からの暴力団排除の推進に
　　ついて…………………………………………………………………………2094
10月2日　事務連絡
　　住宅宿泊事業法における宿泊者名簿への記載等の徹底について……………2102
10月12日　事務連絡
　　旅館業法に関するＦＡＱの改定について……………………………………1423
10月12日　事務連絡
　　ＩＣＴの活用による玄関帳場の代替、宿泊者名簿の電子化について………1593
12月1日　薬生衛発1201第1号
　　美容師養成施設における夜間課程の授業時間帯について…………………… 702

12月8日　生食発1208第1号
　　クリーニング業法施行規則等の一部を改正する省令の施行等について………… 434
12月22日　薬生衛発1222第1号
　　理容師養成施設及び美容師養成施設の通信課程における授業方法等の
　　基準についての疑義の照会……………………………………………………………… 707
12月25日　生食発1225第8号
　　押印を求める手続の見直し等のための厚生労働省関係省令の一部を改
　　正する省令の施行等について（生活衛生・食品安全関係）………………………… 104

令和3年

2月3日　生食発0203第7号
　　会社法の一部を改正する法律の施行に伴う関係法律の整備等に関する
　　法律の施行等について（生活衛生関係営業の運営の適正化及び振興に
　　関する法律関係）…………………………………………………………………………… 106
3月26日　薬生衛発0326第1号
　　ロッカー等による洗濯物の受取りの取扱いに関する通知について………………1012
3月26日　薬生衛発0326第2号
　　理容師美容師名簿訂正・免許証書換え交付申請書等の取り扱いについ
　　て……………………………………………………………………………………………… 696
9月6日　薬生衛発0906第1号
　　家主居住型民泊施設における飲食店営業の許可に係る施設基準の取扱
　　いについて（周知）………………………………………………………………………2103
10月22日　厚生労働省令第175号
　　厚生労働省の所管する法律又は政令の規定に基づく立入検査等の際に
　　携帯する職員の身分を示す証明書の様式の特例に関する省令（抄）……………… 85
10月22日　内閣府・財務・厚生労働・農林水産・経済産業・国土
　　　　　　交通省令第1号
　　物価統制令の規定に基づく臨検検査をする職員の携帯する身分を示す
　　証票の様式を定める命令…………………………………………………………………1689
10月22日　内閣府・財務・厚生労働・農林水産・経済産業・国土
　　　　　　交通省令第2号
　　物価統制令の規定に基づく臨検検査をする職員の携帯する身分を示す
　　証票の様式の特例に関する命令…………………………………………………………1690
10月22日　厚生労働・国土交通省令第3号
　　住宅宿泊事業法の規定に基づく立入検査の際に携帯する職員の身分を
　　示す証明書の様式の特例に関する省令…………………………………………………2057
10月22日　国土交通省令第68号
　　国土交通省の所管する法律の規定に基づく立入検査等の際に携帯する
　　職員の身分を示す証明書の様式の特例に関する省令（抄）……………………………2059

年別索引

令和4年

2月16日　生食発0209第1号
理容師養成施設指定規則及び美容師養成施設指定規則の一部を改正する省令の公布について……………………………………………………………436

4月15日　事務連絡
公衆浴場における衛生等管理要領等の遵守について………………………1798

5月13日　事務連絡
公衆浴場における衛生等管理要領等の遵守について（その2）……………1798

5月13日　事務連絡
入浴施設の衛生管理の手引きの周知について………………………………1799

7月13日　薬生衛発0713第1号
理容師養成施設及び美容師養成施設との通信業務委託契約についての疑義の照会………………………………………………………………………708

7月15日　事務連絡
「地方公共団体向け二地域居住等施策推進ガイドライン」（国土交通省）の改訂について（周知）……………………………………………1346

8月16日　薬生衛発0816第1号
管理理容師・管理美容師資格認定講習会における受講資格の認定について………………………………………………………………………………710

8月29日　生食発0829第1号
美容師養成の改善について……………………………………………………616

令和5年

2月27日　事務連絡
旅館業における入浴施設のレジオネラの防止対策及びコンプライアンスの遵守の周知徹底について…………………………………………………1450

5月31日　薬生衛発0531第1号
クリーニング師の研修及び業務従事者に対する講習の受講促進について………………………………………………………………………………988

6月14日　生食発0614第2号
生活衛生関係営業等の事業活動の継続に資する環境の整備を図るための旅館業法等の一部を改正する法律の公布について………………………1326

6月23日　薬生衛発0623第1号
公衆浴場や旅館業の施設の共同浴室における男女の取扱いについて……1800

7月3日　生食発0703第2号
刑法及び刑事訴訟法の一部を改正する法律及び性的な姿態を撮影する行為等の処罰及び押収物に記録された性的な姿態の影像に係る電磁的記録の消去等に関する法律の施行に伴う旅館業法の改正について………1330

7月21日　政令第247号
　　生活衛生関係営業等の事業活動の継続に資する環境の整備を図るための旅館業法等の一部を改正する法律の施行に伴う経過措置に関する政令……1222

8月3日　生食発0803第1号
　　旅館業法施行規則等の一部を改正する省令の公布等について…… 437

11月15日　厚生労働大臣決定
　　旅館業の施設において特定感染症の感染防止に必要な協力の求めを行う場合の留意事項並びに宿泊拒否制限及び差別防止に関する指針……1253

11月15日　健生発1115第4号・医政発1115第19号・感発1115第3号
　　旅館業法施行令等の一部を改正する政令等の公布等について……1331

11月15日　事務連絡
　　改正旅館業法の施行に伴う障害者差別解消法に関する相談対応について（依頼）……1485

11月29日　健生衛発1129第3号・健生食監発1129第1号
　　旅館業法等における事業譲渡に係る規定の運用上の疑義について……1559

12月1日　健生衛発1201第1号
　　生活衛生関係営業等の事業活動の継続に資する環境の整備を図るための旅館業法等の一部を改正する法律による改正後の旅館業法等に係る運用上の疑義について……1486

六訂　生活衛生関係営業法令通知集

令和6年3月25日　発行

編　集──生活衛生関係営業研究会

発行者──荘　村　明　彦

発行所──中央法規出版株式会社
　　　　　〒110−0016　東京都台東区台東3-29-1　中央法規ビル
　　　　　TEL 03-6387-3196
　　　　　https://www.chuohoki.co.jp/

印刷・製本──長野印刷商工株式会社

ISBN978-4-8243-0008-9

本書のコピー、スキャン、デジタル化等の無断複製は、著作権法上での例外を除き禁じられています。また、本書を代行業者等の第三者に依頼してコピー、スキャン、デジタル化することは、たとえ個人や家庭内での利用であっても著作権法違反です。

定価はカバーに表示してあります。

落丁本・乱丁本はお取替えいたします。

本書の内容に関するご質問については、下記URLから「お問い合わせフォーム」にご入力いただきますようお願いいたします。
https://www.chuohoki.co.jp/contact/

A008